JN158393

復刻版

海の外

第4巻

『海の外』第七九号～第一〇二号
（一九二九年一月～一九三〇年一月）

森 武麿 編集

不二出版

復刻にあたって

一、『復刻版　海の外』全7巻・別巻1は、信濃海外協会海の外社発行の『海の外』第一号（一九二二年四月）より第二五三号（一九四三年六月）まで、及び後継誌の長野県開拓協会発行の『信濃開拓時報』創刊号（一九四四年七月）より第一一号（一九四五年五月）までを全7巻として復刻・刊行するものである。

一、刊行は第1回配本（第1―2巻）、第2回配本（第3―4巻）第3回配本（第5―7巻）の全3回配本からなる。

一、第2回配本時に、森武麿による論考「満洲移民とブラジル移民―信濃海外協会『海の外』を対象として」と、本復刻版の総目次・索引を収録した別巻を附す。

一、復刻にあたっては、原本は適宜縮小し、白黒、四面付方式にて収録した。

一、頁の破損、印刷不鮮明の箇所については、可能な限り副本にあたったが、補えない箇所についてはそのまま収録した。また未発見のため収録することができなかった号については、「全巻収録内容」に欠号として示した。

一、表紙のうち特徴的なものに関しては、第1巻に口絵として収録した。

一、資料の中には、人権の視点から見て不適切な語句・表現・論もあるが、歴史的資料の復刻という性質上、そのまま収録した。

※使用した底本の所蔵館については、「全巻収録内容」に記載しております。ご提供いただいた各機関のご協力に感謝申し上げます。

（不二出版編集部）

復刻版　海の外　第4巻

収録内容

『海の外』

一九二九（昭和四）年　第七九号〜第九〇号

一九三〇（昭和五）年　第九一号〜一〇二号

全巻収録内容

配本	収録巻	号数	発行日	備考	使用原本
第1回配本	第1巻	海の外			
		第一号	一九二二年　四月二〇日		長野県立歴史館
		第二号	五月一日		長野県立歴史館
		第三号	六月一日		長野県立歴史館
		第四号	七月一日		長野県立歴史館
		第五号	八月一日		長野県立歴史館
		第六号	九月一日		長野県立歴史館
		第七号	一〇月一日		長野県立歴史館
		第八号	一一月一日		長野県立歴史館
		第九号	一二月一日		長野県立歴史館
		第一〇号	一九二三年　一月一日		長野県立歴史館
		第一一号	二月一日		長野県立歴史館
		第一二号	三月一日		長野県立歴史館
		第一三号	四月八日		長野県立歴史館
		第一四号	五月一日		長野県立歴史館
		伯剌西爾移住地建設号	六月一日	※号数ママ	長野県立歴史館
		第一五号	七月一日	※号数ママ	長野県立歴史館
		第一七号	八月三〇日		長野県立歴史館
		第一八号	十月一日		長野県立歴史館
		第一九号	一一月二五日		長野県立歴史館
		第二〇号	一二月二五日		長野県立歴史館
		第二一号	一九二四年　一月二九日		長野県立歴史館
		第二二号	二月二〇日		長野県立歴史館
		第二三号	三月三〇日		長野県立歴史館
		第二四号	四月三〇日		長野県立歴史館
		第二五号	五月三一日		長野県立歴史館
		第二六号	六月三〇日		長野県立歴史館
		第二七号	七月三一日		長野県立歴史館
	第2巻	第二八号	八月二五日		長野県立歴史館
		第二九号	九月三〇日		長野県立歴史館
		第三〇号	一〇月三〇日		長野県立歴史館
		第三一号	一一月三〇日		長野県立歴史館
		第三二号	一二月三一日		長野県立歴史館
		第三三号	一九二五年　二月二一日	南米ブラジル「ありあんさ」移住地建設号	長野県立歴史館

配本	収録巻	号数	発行日	備考	使用原本
第1回配本	第2巻	第三四号	三月三一日		長野県立歴史館
		第三五号	四月二五日		長野県立歴史館
		第三六号	五月二六日		長野県立歴史館
		第三七号	六月二六日		長野県立歴史館
		第三八号	七月二六日		長野県立歴史館
		第三九号	八月二六日		長野県立歴史館
		第四〇号	九月二六日		長野県立歴史館
		第四一号	一〇月二六日		長野県立歴史館
		第四二号	一一月二六日		長野県立歴史館
		第四三号	一二月二五日		長野県立歴史館
		第四四号	一九二六年　一月二五日	南米ブラジルありあんさ移住地一覧	長野県立歴史館
		第四五号	二月二五日		長野県立歴史館
		第四六号	三月二五日		長野県立歴史館
		第四七号	欠		
		第四八号	欠		
		第四九号	六月二五日		長野県立歴史館
		第五〇号	欠		
		第五一号	欠		
		第五二号	九月二五日		長野県立歴史館
		第五三号	一〇月二五日		長野県立歴史館
		第五四号	欠		
第2回配本	第3巻	第五五号	一二月二五日		長野県立歴史館
		第五六号	一九二七年　一月二五日		日本力行会
		第五七号	欠		
		第五八号	三月三一日		日本力行会
		第五九号	欠		
		第六〇号	五月二五日		長野県立歴史館
		第六一号	六月二五日		日本力行会
		第六二号	七月二五日		日本力行会
		第六三号	八月三一日	南米ブラジルありあんさ移住地建設紀念号	日本力行会
		第六四号	九月二五日		日本力行会
		第六五号	一〇月二五日		北海道大学附属図書館
		第六六号	一一月二五日		日本力行会
		第六七号	一二月二五日		長野県立歴史館
		第六八号	一九二八年　一月二五日		日本力行会

配本	収録巻	号数	発行日	備考	使用原本
第2回配本	第3巻	第六九号	二月二五日		日本力行会
		第七〇号	四月一日		長野県立歴史館
		第七一号	五月一日		長野県立歴史館
		第七二号	六月一日		長野県立歴史館
		第七三号	七月一日		長野県立歴史館
		第七四号	八月一日		長野県立歴史館
		第七五号	九月三〇日		長野県立歴史館
		第七六号	一〇月一〇日		長野県立歴史館
		第七七号	一一月一日		長野県立歴史館
		第七八号	一二月一日		長野県立歴史館
	第4巻	第七九号	一九二九年一月一日		長野県立歴史館
		第八〇号	二月一日		長野県立歴史館
		第八一号	三月一日		長野県立歴史館
		第八二号	四月一日		日本力行会
		第八三号	五月一日		日本力行会
		第八四号	六月一日		長野県立歴史館
		第八五号	七月一日		日本力行会
		第八六号	八月一日		日本力行会
		第八七号	九月一日		日本力行会
		第八八号	一〇月一日		日本力行会
		第八九号	一一月一日		日本力行会
		第九〇号	一二月一日		日本力行会
		第九一号	一九三〇年一月一日		日本力行会
		第九二号	二月一日		日本力行会
		第九三号	三月一日		日本力行会
		第九四号	四月一日		日本力行会
		第九五号	五月一日		日本力行会
		第九六号	六月一日		日本力行会
		第九七号	七月一日		日本力行会
		第九八号	八月一日		長野県立歴史館
		第九九号	九月一日		日本力行会
		第一〇〇号	一〇月一日		日本力行会
		第一〇一号	一一月一日		日本力行会
		第一〇二号	一二月一日		日本力行会
第3回配本	第5巻	第一〇三号	一九三一年一月一日		日本力行会
		第一〇四号	二月一日		日本力行会
		第一〇五号	三月一日		日本力行会
		第一〇六号	四月一日		日本力行会

配本	収録巻	号数	発行日	備考	使用原本
第3回配本	第5巻	第一〇七号	五月一日		日本力行会
		第一〇八号	六月一日		日本力行会
		第一〇九号	七月一日		日本力行会
		第一一〇号	八月一日		日本力行会
		第一一一号	九月一日		日本力行会
		第一一二号	一〇月一日		日本力行会
		第一一三号	一一月一日		日本力行会
		第一一四号	一二月一日		日本力行会
		第一一五号	一九三二年一月一日		日本力行会
		第一一六号	二月一日		日本力行会
		第一一七号	三月一日		日本力行会
		第一一八号	四月一日		日本力行会
		第一一九号	五月一日		日本力行会
		第一二〇号	六月一日		日本力行会
		第一二一号	七月一日		日本力行会
		第一二二号	八月一日		日本力行会
		第一二三号	九月一日		日本力行会
		第一二四号	一〇月一日		日本力行会
		第一二五号	一一月一日		日本力行会
		第一二六号	一二月一日		日本力行会
	第6巻	第一二七号	一九三三年一月一日		日本力行会
		第一二八号	二月一日		日本力行会
		第一二九号	三月一日		日本力行会
		第一三〇号	四月一日		日本力行会
		第一三一号	五月一日		日本力行会
		第一三二号	六月一日		日本力行会
		第一三三号	七月一日		日本力行会
		第一三四号	七月一五日	内地版第一輯	日本力行会
		第一三五号	八月一日		日本力行会
		第一三六号	九月一日		日本力行会
		第一三七号	一〇月一日		日本力行会
		第一三八号	一一月一日		日本力行会
		第一三九号	一二月一日		日本力行会
		第一四〇号	一九三四年一月一日		日本力行会
		第一四一号	一月一〇日	内地版第二輯	長野県立図書館
		第一四二号	二月一日		日本力行会
		第一四三号	三月一日		日本力行会
		第一四四号	四月一日	内地版第三輯	日本力行会

配本	収録巻	号数	発行日	備考	使用原本
第3回配本	第6巻	第一四五号	五月一日		日本力行会
		第一四六号	六月一日		日本力行会
		第一四七号	七月一日	内地版第四輯	日本力行会
		第一四八号	八月一日		日本力行会
		第一四九号	九月一日		日本力行会
		第一五〇号	一〇月一日	内地版第五輯	日本力行会
		第一五一号	一一月一日		日本力行会
		第一五二号	一二月一日		日本力行会
	第7巻	第一五三号	一九三五年　一月一日	内地版第六輯	長野県立図書館
		第一五四号	二月一日		長野県立図書館
		第一五五号	三月一日		長野県立図書館
		第一五六号	四月一日	内地版第七輯	北海道大学附属図書館
			一五七―一七九号　欠		
		第一八〇号	一九三七年　四月一日		長野県立歴史館
		第一八一号	五月一日		長野県立歴史館
		第一八二号	六月一日		長野県立歴史館
		第一八三号	七月一日		長野県立歴史館
		第一八四号	八月一日		長野県立歴史館
		第一八五号	九月三〇日		長野県立歴史館
		第一八六号	一〇月一日		長野県立歴史館
		第一八七号	一一月一日		長野県立歴史館
		第一八八号	一二月一日		長野県立歴史館
		第一八九号	一九三八年　一月一日		長野県立歴史館
		第一九〇号	二月一日		長野県立歴史館
		第一九一号	三月一日		長野県立歴史館
			一九二―一九六号　欠		
		第一九七号	九月一日		佐久穂町図書館
			一九八―二〇三号　欠		
		第二〇四号	一九三九年　四月一日		長野県立歴史館
		第二〇五号	五月一日		長野県立歴史館
		第二〇六号	六月一日		長野県立歴史館
		第二〇七号	七月一日		長野県立歴史館
		第二〇八号	八月一日		長野県立歴史館
		第二〇九号	九月一日		長野県立歴史館
		第二一〇号	一〇月一日		長野県立歴史館
		第二一一号	一一月一日		長野県立歴史館

配本	収録巻	号数	発行日	備考	使用原本
第3回配本	第7巻	第二一二号	一二月一日		長野県立歴史館
		第二一三号	一九四〇年　一月一日		長野県立歴史館
		第二一四号	二月一日		長野県立歴史館
		第二一五号	三月一日		長野県立歴史館
			二一六―二三一号　欠		
		第二三二号	一九四一年　八月一日		長野県立図書館
		第二三三号	九月一日		長野県立図書館
		第二三四号	一〇月一日		長野県立図書館
		第二三五号	一〇月一日		長野県立図書館
			二三六―二四二号　欠		
		第二四三号	一九四二年　七月一日		飯田市歴史研究所
		第二四四号	八月一日		下伊那教育会館
		第二四五号	九月一日		飯田市歴史研究所
		第二四六号	一〇月一日		飯田市歴史研究所
			二四七―二五一号　欠		
		第二五二号	一九四三年　四月一日		飯田市歴史研究所
		第二五三号	五月一日		飯田市歴史研究所
		第二五四号	六月一日		飯田市歴史研究所
		信濃開拓時報			
		創刊号	一九四四年　七月二〇日		下伊那教育会館
		第二号	八月一五日		下伊那教育会館
		第三号	九月一五日		下伊那教育会館
		第四号	一〇月一五日		下伊那教育会館
		第五号	一二月一五日		下伊那教育会館
		第六号	一二月一五日		下伊那教育会館
		第七号	一九四五年　一月一五日		下伊那教育会館
		第八号	三月一五日		下伊那教育会館
		第九号	五月五日		下伊那教育会館
		第一〇号	五月一〇日		下伊那教育会館
		第一一号	五月一五日		下伊那教育会館

一九二九（昭和四）年　海の外　第七九号～第九〇号

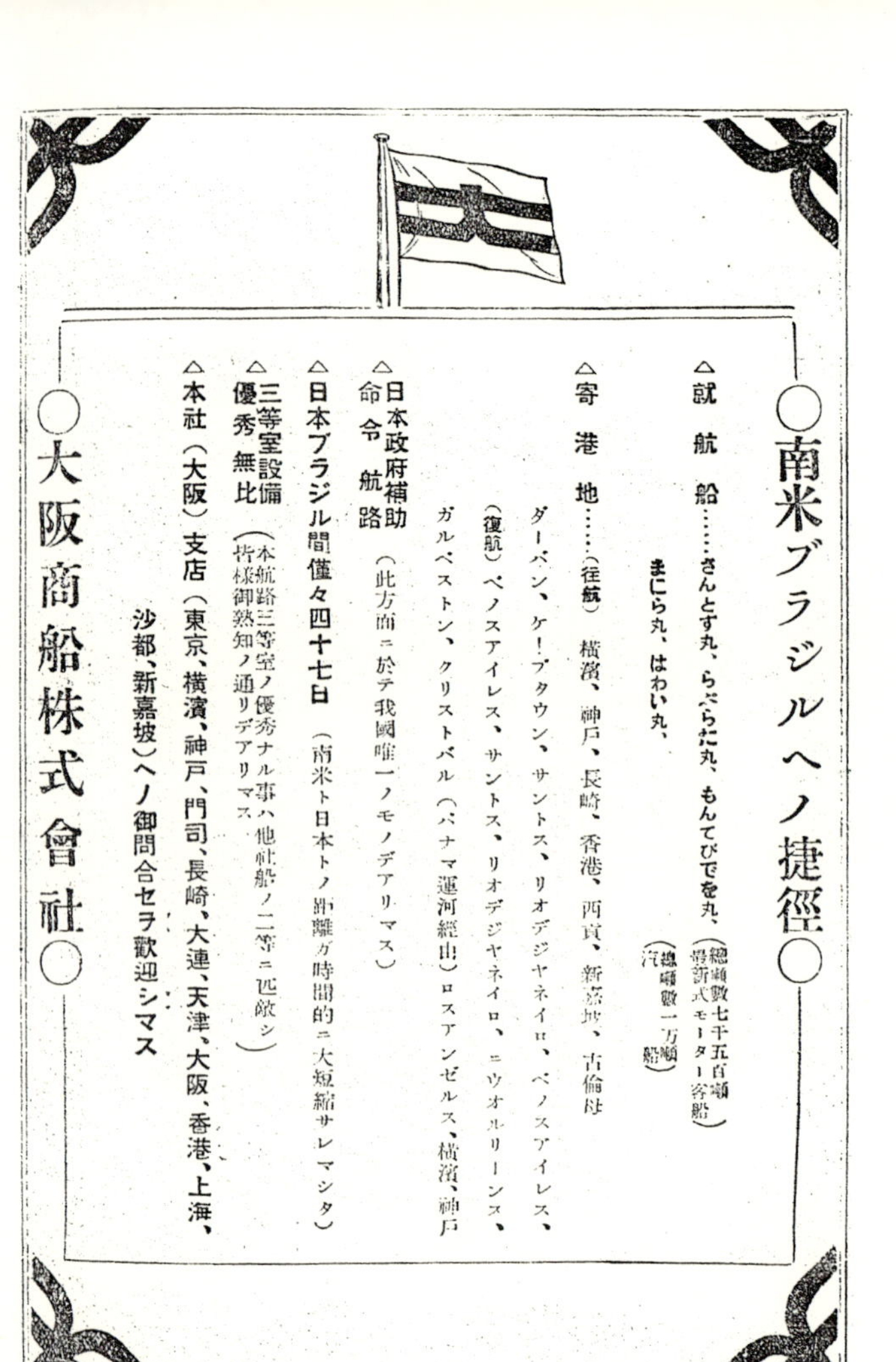

長野縣警察部調査
信濃海外協會編

四六版百數十頁
數字統計圖解入

定價參拾錢(送料 內地四錢 海外六錢)

海外在留長野縣人名簿

愈々出版

本書は信濃海外協會の活動の上に生れたる一結晶物である。海外各地に在留する長野縣人を網羅せんとしてその調査を進め、此等海外縣人自身、若くは海外縣人と關係せられる者の參考となり、かねて信州海外發展上何等かの寄與するものあらんと今日これを出版したる次第である。本調査は各方面より立場を異にして三四回同一調査を行ひ最後に本縣警察部の縣下各市町村駐在の海外在留者調査報告に基づき綜合して、一書にした。特に海外各地で發行せられる邦字新聞、雜誌、會報年鑑等によつて現住所の正確を一層嚴ならしめた。

先づ本書は可成りの苦心の結果成れるものにしてこれによつて長野縣人海外各地の活動が明瞭となり海外縣人は勿論、鄉里の家庭、家族親戚、友人知人等には本書によつて異様の感激を覺へるだらう。更に縣下諸學校、青年會、婦人會處女會女子青年會等團体は本書を備へる事によつて會員に躍動的刺激を與へずにおられない。

内容要目

海外各地分布圖――既往三十ケ年旅券渡航許可數と國別――年別――海外在留地における出身郡市別表――郡市における海外在留國別數――在外縣人名(家長名、單獨者名)――出身市郡町村名――家族數――現住所――職業――渡航年月――在留國別――滿洲(關東洲ヲ含ム)――支那――北米合衆國――布哇――カナダ――メキシコ――玖馬――ブラジル――アルゼンチン――ペルー――智利――ボリビヤ――比律賓群島――蘭領東印度、馬來諸邦――濠洲――印度――英國――獨乙――佛國――西班牙――瑞西――ポーランド、露國――南洋諸島等)

發行所 長野縣廳內 信濃海外協會 振替長野二一四〇番

(第二版)

日本力行會長 永田稠著

南米再巡

菊版四百廿餘頁・寫眞版三十頁・布製函入

定價一册金二圓八十錢・送料一册拾八錢

永田氏は信州の生める一異才である。嘗て南米を一週して『南米一巡』を著はし、信州に來つて信濃海外協會の組織に努力し、更に『南米信濃村建設』に關する大使命を帶びて、大正十三年五月末横濱を出帆し、布哇、北米桑港、ローサンゼルス各地に於ては海外協會支部の設立に盡力し、ソートレーキ市にはモルモン宗教植民の跡をたづね、デンヴア、シカゴを經て華府に至り、紐育より大西洋を南下してブラジルに至り、移住地の選定・購入・入植の準備をなし、大正十四年二月日本に歸り來り、更に信濃村大成の爲めに努力奮闘し、今や模範的にして世界に誇り得る移住地が建設されつゝある、『南米再巡』は氏が南北兩米を再巡せる記錄である。志を世界に有する者の一日も看過することの出來ない快著である。

長野縣廳內 信濃海外協會取次販賣

東京市外上板橋 日本力行會發行 振替東京六八八一番

＝開拓者のすがた＝

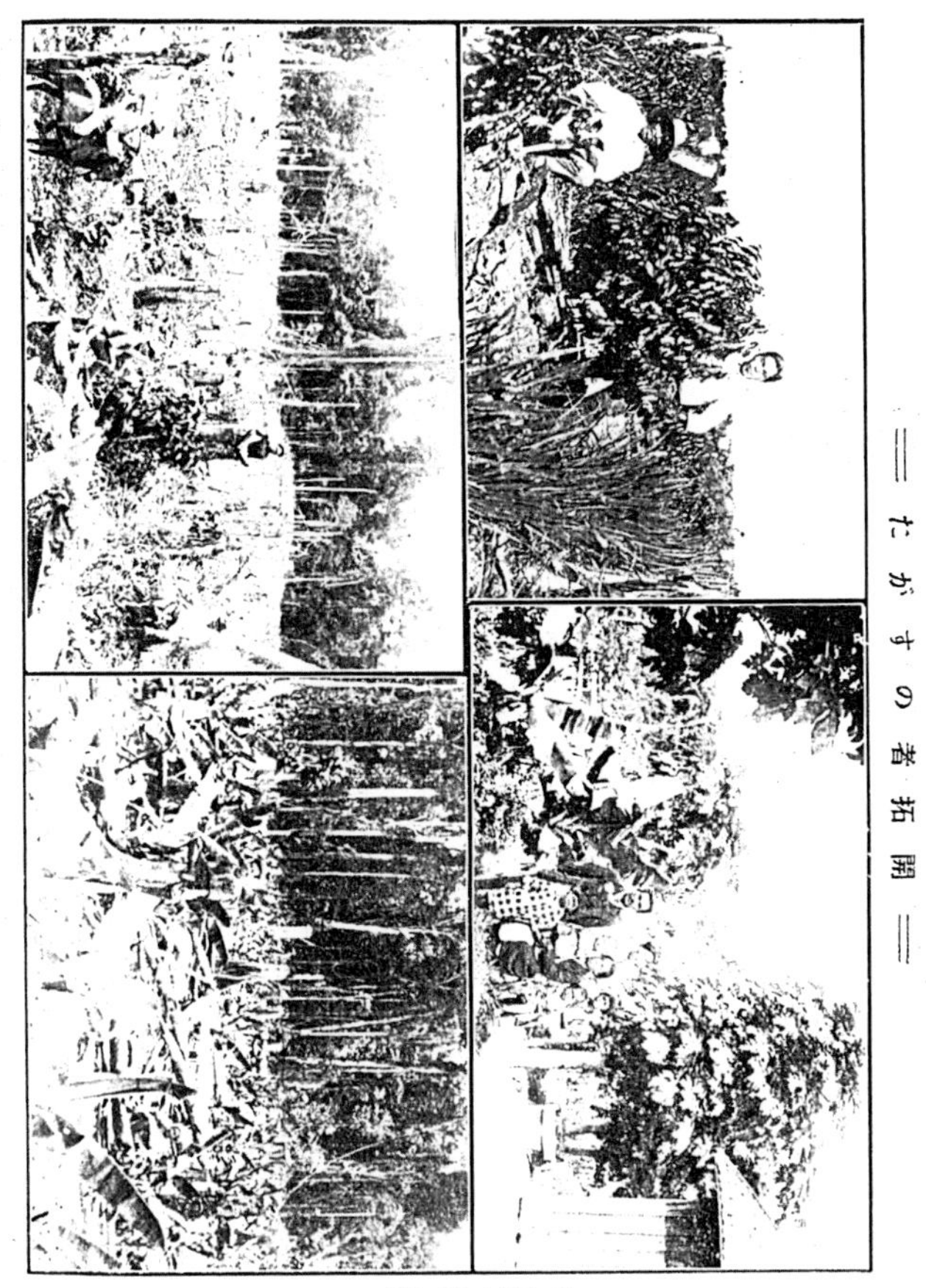

上 ブラジル―右 闢墾の移住者ッ一家　左 開墾二ヶ年の珈琲と陸稲
下 フィリッピン―右 稲付後四ヶ月の緑　左 開拓伐採の少憩

（右下）メキシコ婦人の勇敢ないでたち
（右上）價の世界徒歩旅行家岡田芳太郎氏（廣島縣出身五十五歲）二十才の時故國を出で
あてどなく續く三十余年の徒歩旅行最近は南米ボリビヤを歩いてゐる（四年前の玖馬に
おける同氏）（左上）メキシコで一番五月蠅いのは宿屋の客引きと停車場の附近に客を
待つて居る手荷物運びと此の靴磨き小僧である（左下）メキシコの或る地方では婦人
が水甕を頭上に載せて水を運ぶのである。この仕事は婦人に限られてゐるやうである。

第七十九號（昭和四年一月）

來たれ昭和四年

拓植省の新設
移住組合の活動
アマゾンへの進出
北方發展の具体化
滿蒙開發の途
南洋への企業貿易の進展等
移植民界本年の總花である。
然り、世界未開の地の開發は、これ、大和民族の使命的任務
將に昭和新政の第一義でなければならぬ。
來たれ、隆々たる昭和四年而して移植民界に幸よあれ。

移住組合の活動

本年四月から六百家族

二千四百人を伯國へ送る計劃

十二移住組合の活動準備成る

ブラジルへの企業移民は移住組合聯合會がサンパウロ州において十四萬町歩の土地を購入し目下該地に移民を送るべく諸種の準備中であるが近く完成するので四月から向ふ三ケ月間に最初の移民として六百家族約二千四百人を渡航せしめることになつた、その割當はすでに成立を見た、新潟、山梨、北海道、香川、三重、廣島、岡山、和歌山、山口、鹿兒島、愛媛、福岡の十二移住組合より各五十家族(約二百人)づゝとしその他海外協會から移住組合に肩代りした信濃、熊本、鳥取富山の四組合は別に時期を限定せず隨時適當に渡航せしめる方針に内定した一移住組合の渡航定員は二百家族であるから殘る千八百家族約七千二百人は五六兩年度に移住せしめる意向である、しかして移民を一地方に密集せしめることは對外關係上策の得たものではないから移民の分散主義をとることに決定し、且つ各府縣人と混植せしめ一移住地の完成を短期間に仕し遂げむとする決心である。

ブラジル拓殖組合を 新設して移組聯會の 官臭を去り誤解を防ぐ

前記の如く企業移民の送るについては國法によつて生れた移住組合聯合會が果して伯國において完全に土地を所有することが出來るかの疑義があり且會頭に内務大臣を戴き政府の援助によつて南米拓殖事業を營むことは同國人に對し外交上極めて微妙な影響を與へるので現に梅谷専務理事の伯國に於ける土地購入についても聯合會のあまりに國家主義的背景が濃厚のため少なからざる支障となつた點に鑑みても同國法規の準據する事の便宜であるを痛感し聯合會の伯國における代辨的活動機關を新設する事になりブラジルにおいて移民並に拓殖事業を營むため伯國有限責任持分組合法に基づき新に有限責任ブラジル拓殖組合を設定し移住組合聯合會の委託を受けて拓殖事業を行ひ聯合會は單に内地における移民渡航準備事業を營むことに決定し、尙同會頭には澁澤子爵の出盧を懇請すべく聯合會の組織を根本的に改革して全然民間の一事業として行く意向であると

バストス及チエテに 二千四百家族を三ケ年に 兩移住地家族の收容數

新潟外十一組合(組合名は前記の如し)の家族入植は明年四月より開始の豫定であるがバストス及びチエテの兩移住地入植數及び入植計劃は左の如く三ケ年を以て完了する意氣込みである。

	四年	五年	六年	計
バストス	二〇〇	三〇〇	四〇〇	九〇〇
チエテ	四〇〇	五〇〇	六〇〇	一五〇〇

即ち合計二千四百家族で一組合は平均三ケ年間に二百家族を送る出す事になる

早春より南米へ 出帆する移民船發着發表

南米へ移民の輸送を任務とする郵船商船の二會社では早やくも移民船發着の發表をみて移民輸送に懸命であるが墨國、巴奈馬秘露智利各國に航路を開いてゐる郵船では別表の如く本年中の出帆豫定表を發表したがブラジル、アルゼンチン方面に航路を開いてゐる所謂南米西廻りの南阿經由線は郵船商船の兩會社が移民船を配船し郵船では備後丸河内丸鎌倉丸博多丸神奈川丸若狹丸の六船を年十二航海、商船ではモンテビデオ丸サントス丸ハワイ丸ラプラタ丸マニラ丸の五船を年十航海合計二十二航海を繼續し一月乃至三月便船の發表されたのは左の如くである。

本年も更らに 八組合分四萬町歩購入

昨年より毎年八組合新設の政府意向に基づいて十六組合が設立されてゐるが本年も更らに八組合の新設を見る豫定で四萬町歩の新土地購入の豫算が計上されてゐる設立豫定府縣は靜岡岐阜滋賀石川長崎福島神奈川山形の諸縣が數へられてゐる。

墨國、巴奈馬、秘露、智利行 發着表

船名	神戸發	横濱發	マンザニヨ着	バルボア着	カイヤオ着	バルパライソ着	神戸着
安洋丸	二月九日	二月十四日	三月十八日	三月廿五日	三月卅一日	四月十三日	六月十四日
墨洋丸	三月十七日	三月廿二日	四月廿二日	四月廿九日	四月五日	五月十八日	七月二十日
樂洋丸	四月廿七日	五月一日	五月廿九日	六月五日	六月十一日	六月廿四日	八月廿六日
銀洋丸	六月七日	六月十二日	七月九日	七月十六日	七月廿二日	八月四日	十月六日
安洋丸	七月十七日	七月廿二日	八月廿二日	八月廿九日	九月四日	九月十七日	十一月廿二日
墨洋丸	八月廿七日	九月一日	十月二日	十月九日	十月十五日	十月廿八日	一月四日
樂洋丸	十月二日	十月七日	十一月七日	十一月十四日	十一月廿日	十二月三日	二月七日
銀洋丸	十一月六日	十一月十一日	十二月八日	十二月十五日	十二月廿一日	一月三日	三月七日
安洋丸	十二月三十日	一月六日	二月六日	二月十三日	二月十九日	三月四日	五月八日

ブラジル アルゼンチン 行發着表

船名	神戸發	サントス着	ブエノスアイレス着
備後丸	一月廿一日	三月廿一日	三月廿五日
モンテビデオ丸	二月一日	三月二十日	三月廿八日
河内丸	二月廿五日	四月廿五日	四月廿九日
布哇丸	三月十二日	五月十一日	五月十九日
神奈川丸	三月廿九日	五月廿七日	六月一日

南洋發展のみち (二)

海外協會中央會幹事 宮下琢磨

商業發展の經路

南洋の商業と言へば、雜貨店、貿易商といふものであるが、貿易商の最も大なるものは、三井物産會社であつて、これは既に明治二十六年シンガポールへ店を出した。

他にも仲川商等もあつたが、是等貿易商は極めて僅かなもので、雜貨店や貿易商が、急激に發展したのは世界大戰後である。中には平和克復と共に、一敗地にまみれて、流星の如く出でて、流星の如く影をひそめたものもある。そうして、その殘つたものが現今、漸く堅實なる基礎の下に、着々歩をすゝめて居るのである。

南洋の商業は、これからといふものであらう。過去を顧ると、人事常なく消長興廢不定のものであつた。

然し、今日の落ち付きを見せてゐる雜貨店になる迄には、色々の經路を辿つてゐて、將來南洋に活躍せんとするものゝ參考となると思ふから簡單に説明しやう。

娘子軍

南洋發展の經路を説くには、遺憾ながら、娘子軍の活動を説かなければならない。丁度堅實なる貿易を説く前に、その海賊の歴史があるやうに英國の如きでさへも、海賊の時代があつたのは古い事ではない。始め川の流れは何處でも泥水である。

娘子軍の活動は、二、三十年の事であるが、日本娘と異人さんの關係は隨分古い事である。蘭英人の妻子が十一人、長崎縣平戸を發し、翌年明治十七年には平戸在住四十四人の者がバタビヤを退去した。

その前、寛永十三年に、ポルトガル人に關係ある者を、マカオに二百八十四人を追放した。これ等の中には女もあり、男もあるが、この女達は中には貿易商の娘も居り、又然るべき身分の者もあつた事と思ふ。でこれが娘子軍の始めだ等と見る譯にはゆかないがその後、和蘭のみが通商を許された頃には、在長崎の和蘭人と長崎丸山の娼妓とは永き關係をもつて居た。當時、和蘭商館は長崎の出嶋の居留地に居つて、夜間市中の青廊より、娼奴を聘して居つた。若しその間に子供が出來れば、始めは町で養育して、大きくなると居留地の方へ引き取ると云ふやり方であつた。天保年間に和蘭商館員が、丸山の娼婦と夫婦約束を結んでひそかに船に乘つて、本國の和蘭迄行つた者もある。――これが恐らく吾國婦人が洋行したものゝ始めであらう。

この日本婦人の和蘭から寄こした手紙がある、その名前はふみと言つて、その和蘭へ行つてからの、家庭の生活狀態が書かれてある。それに依つて見ると、夫の名はフルテルエウといひ、日本の庄屋の頭といふ樣な家柄で、大勢人を使つてゐる富裕な生活であつた。洋食が口になれないので、わざ〱天竺から米を取り寄せてこれを常食にして居るから、少しも、難儀な事はない。けれど毎日、日本を戀しく、日本の事のみ思つて、ふさいでゐるので、妹達が心配し五十坪ばかりの地をつぶして、日本風の家室や庭園を造つて呉れ、それで愉快に安泰なる生活をしてゐる、男の子が出來て七ツになる。國の祖父さんや婆さんの話をして聞かせると、日本に行きたいと言つて泣いてせがむと云ふ樣なことが書いてある。斯樣に和蘭人と長崎娘とは永い間の關係を持つてゐた。兎に角長崎を中心とした附近の女子が早くから、支那人、或は西洋人と特別なる交渉を持つてゐた事は事實である。それが急激に南洋に向つて發展したのは、日露戰爭後である、その範圍は東はフイリツピンから西は印度。尙それ以西にも及んで居て、その範圍は廣くてその數の多かつた事も驚くべきものがある。これ等婦人は從前シンガポールに渡航するには唯、戸籍謄本丈あれば簡單に行く事が出來た。その後旅券が面倒になつてから、或は石炭船にひそみ、又は普通荷物倉に隱れ、監視の目をかすめて渡航したものがある。彼等はシンガポールや、メダンの大きな街のみならず、山の奧の奧、さゝやかな鑛山町又は交通不便な漁村に迄も、單獨で出掛けて行つた。中には白晝でも虎が出るといふ樣な山を女二人だけで越して行つたといふ話もある其の大膽なる行動に至つては、實に驚くべきもので、紫式部の父が歎息した如く、これが男であつたならば……と言ひたくなる。

この娘子軍の營業してゐる處に、日本人の玉ころがしが來る。博徒が集まる、賣藥行商が行く。寫眞屋が世話になる。齒醫者が御危介になる。雜貨店が出來る――といふ順序である、それで金のない時は、資金の融通もして貰ふ。言葉の判らぬ者は通譯もして貰ふ、かふいふ事を言へば日本の男子は不甲斐ないものとして侮辱されたと腹をたてるかも知れないが、非常に便利になつた今日に於てさへ、吾々の旅行に矢張、この種の婦人のおかげにより多大の便宜を得た事は度々ある、一二の例を言ふならばシャムから馬來に來た時、馬來のアロスターと云ふ所で、自動車を傭つた。途中乘換ぬといふ事にしてピナンの對岸の停車場迄

シンガポール行夜行に間に合ふ様賃金を決めて貰つて、一臺の自動車に乘込んだが、スンガイパタニー迄來ると、そこへ止つて動かない。何か言ふけれど此方には判らぬ、折から支那人のボイコツトも盛な土地であつたから、此方も心配になるが、如何とも仕方がない。グズ〳〵して居ると夜行の汽車に間に合はない。それで漸くの事で日本の家があるか探して日本人の家迄連れてゆけと云ふだけした。

やがて一軒の家に連れて行つた、出て來たのが此の種の人らしい。譯を話すと、すつかり話をつけて、直に飛び出して他の自動車を傭つて呉れた、これで漸く助かつた、又マストラのラハツではあてにして行つた日本人が既に轉居して居つたので、官營宿舍に宿る事は宿つたが、翌日の自動車を傭ふ事に付いて非常に困つた、その時も、一軒の日本ホテルを尋ね當て、此の地で日本人としての唯一人の婆さんがホテルを經營して居るのを探し出し非常に奔走して貰つた事がある。

自分は是等から考へて、今から二十年前の事がホヽ想像される様な氣がする。

玉コロガシ、ブンマワシ

玉ころがしや、ブン廻しは、土人が好きである。すきであるだけに弊害も多い。この爲めに納税は出來なくなり、土人の手元が大分不如意となつて、店の拂ひも滯ると云ふことになつた、で官憲は先づジヤワ本領に於て差しとめた、そこで今度は外領のセレベス、ボルネオ、スマトラに行つた。今度は外領の方も取締りが嚴重になつた。只何かパツサンスラン（夜市と譯し特別な建物をして、共進會のやうなもの）の時くらひ特に其の前から景氣をつける爲めに許されることもある。

今でも現にやつて居り、これが以前日本人の大分有力な職業であつた。一寸說明して見ると、圓盤の中央に五六寸の棒が立つて居て、夫れから細い腕木が出て居る、其の腕木から絲を垂らし、其の先きに木綿針が下がつて居る。針の先きは圓盤の上を輕くコスつて廻る。圓盤の周圍には區劃がしてあり、色々欲しがるやうな景品が飾つてある。金をはれば針は圓盤を幾まわりかして勝手なところで、とまる筈であるが、これが好い景品のところでは、メツタに止まることはない。テーブルにも針にも仕掛はないが、只熟練で一寸靴でテーブルの脚の一方を力をこめて踏む。テーブルに傾斜が見える程ではないが、不思儀に針は思ふた景品のところで、止まる如くにして、次の區劃まで行つてしまう、非常に殘念がつて復やる。キワどい處まで行つては次に辷るか前でとまる。懐の金のなくなる迄やるのである。

次におみくじがある。日本で神社佛閣でやると同じもので、これに景品の番號が書いてある。これもガラン〳〵とやつて出す

から、出駄羅目に出るかと云ふとさうでない。何回ガラガラやれば何が出ると云ふことはわかる。

玉コロガシも同じものである。側には新らしい自轉車や、綺麗な上衣などがかゝつて居るが、これはあたるものでない、あたれば同じ仲間のサクラと號するなれ合ひの仕事である。

廿年も前にはこれで大分儲けたものもあつた。汗で働き出したものでないから、忽ち酒色の料となつて、消えてはしまつたが一晩に四五百圓も儲けたと云ふ話もある。それはむかしのことで、今は田舍の町へ行つても、日本人が色々な店を張つて居るのにまだ玉コロガシの道具をかつぎ廻して、官憲の許可が下らぬとか何とか言つて、ウロ〳〵して居るのを觀たが、全く恥さらしである。

寫　眞　師

支那人が一番の御得意である、支那人は從前嚴重な監督を受けて、町を一寸出るにも屆がいつた。況んやメダンからピナンに行くとか、或はシンガポールに行くとか、最近の寫眞が入るので、シンガポールで一寸二三ケ月稽古して直ぐに寫眞技術師として成張つてあるく。石油會社とかゴム會社とかの常得意になつて居るものは、年何回となく、株式にくばる必要上、一寸圓を殖やしても、設備を直しても寫眞を撮り、枚數も多いので、これは良い收入になる。それからトサリの如き名勝地は、登山紀念に又名勝繪葉書とか、名勝の大形寫眞で、日本の避暑地と異ひ、年中の避暑地であるから、非常に仕事が多い。今ではどの町へ行つても日本の寫眞師は無いところはないと云ふて良い位に行きわたつて居る。**之れ以上は數に於て增すよりも質に於て向上せしむるだけである。**

賣　藥　業　者

賣藥業者には、今ジヤワのソロにトコ小川といふのがある、トコとは馬來語で商店又は洋行とかいふ意味である、この小川といふのは今から二十何年か前に美術學校を卒業して、伊太利に行つて繪を勉强する積りであつたが、その途中、シンガポールに上陸して旅費をかせぐ積りで支那人の肖像畫をかいた。

大部仕事になつたので二、三千圓の金が手に入つた。そこで心機一轉金を儲ける事が面白くなつて、その金を日本へ送つて全部藥を買ひ、その藥を持つて南洋ジヤワへ向つた。この人が賣子を使つて、ジヤワからスマトラ、セレベス、ボルネオ等へ藥を廣

めた。それで今でも藥と言へば小川といふ位に南洋の土人の間には知られてゐる。この外に今一ツ精劑藥舘の變形、日蘭商會があつて賣藥を賣り廣めた。

この時分の賣子は唯、休の健康といふ事が第一の資本であつて醫學の素養も、何もないのであるが、それが脈を見たり、病氣を診察する様なまねをして、相手を見ては十錢の寶丹を二圓に賣つたり、ボロい儲けもあつたらしい。中に滑稽なのは、頭が痛いと言へば、聽診器を土人の頭にあてゝ診察した。土人もそうして貰はなければ安心が出來なかつた様であるが、村長の妻が下痢をして困つて居る時に、何か香氣の強い丸藥を、西洋船來の唯一粒なしかいものだと言つて十圓に賣つたものである、所が不思議にそれが効果あつて治つた、翌日村長が更に十圓を持つて御禮に來たと云ふ様な滑稽な話もある。

然し今はどんな田舍にも、土人の醫者が出來て、又藥劑師も店を開いてゐるので、日本の賣藥の時代は既に過ぎ去つて居る。

齒　醫　者

次には齒醫者であるが、これも南洋一帶に亘つて、到る所にある。これも日本から齒醫者の修業して南洋へ行つた者は極めて少なくて、多くは、シンガポール邊で、一寸修業して、それから、次第に實驗を經たといふ程度の者である。元來、和蘭人は、醫術は自國人の專業として、外國人には絕對に許さないといふ位の方針であるが、齒醫者丈は默認してゐる。

これも土地に依つては、和蘭醫者出張所といふ様な事をしてゐる。これに付いてパレンバンに一ツの話がある。それは日本人が齒醫者をやるといふので、和蘭の醫者がこれを理事官に訴へた。所が甞つて理事官の奥さんが非常に齒を病んで、バタヒヤ迄數回行つて多額の費用をかけたが療らなかつた。そこで又齒が病んで顏中腫れてしまつた。その時、試みに日本の醫者に罹つた所、日本醫師は信用を得るはこの時とばかりと、一生懸命にその治療に努めたので、非常な好成績で全快して、再び齒の病む事はなかつた。それからレンデント（理事官）は大いに日本醫師を信用して來た。その塲合であつたから、和蘭醫師の訴へも、何等の效がなく、お前では療らんが日本醫師では療したではないかと一蹴されてしまつて、この地方では公然免許の様な形になつてゐる。

寫眞にしても醫師にしても、斯様な手先の技術方面に就いては、日本人は全く優秀なる腕を持つてゐる様である。

中には玉轉がしから一進化して、齒醫者と寫眞屋と二ツの看板を掛けてゐる人もある。これも數に於て今以上に急激に增すと

いふ事は出來ないが、未だ新しく開けてゆく地方もあり、幾分は增加する餘地はあるが、第一は何より設備をとゝのへ、一層よき技術者を聘して完全なる治療所にする、即ち質の向上が必要である。

理　髮　業

日本人が、土人の職人を使つて、理髮屋を立派にやつてゐる者もある。ジヤワで世界第一の熱帶植物園のあるブイテンゾルフでは日本人の理髮屋がある和蘭人の理髮屋もすぐ側に二、三軒あるが、和蘭人は安くて叮寧な方に來る、必ずしも和蘭人の店へ入るといふ譯ではない。**却つて日本人の店の方が繁昌してゐる。**

一回刈れば大抵一圓五十錢位である。職人の給料は日本人ならば日本金で月に百圓から二百圓位と思ふ。今は土人の理髮師が非常に多いが、わり込む餘地は譚々たりで日本人の最も簡單に成功出來る仕事の一ツであると思はれる。

雜　貨　店

今日本の雜貨店は、都市、海港のみならず、可成奥地まで這入つて有力な位置を占めて居る様になつた。この雜貨店は蘭人の日用品のみならず、土人の日用必要なる品物は食料品では、米、鹽、砂糖、衣類、乃ち上衣にする織物類或は腰に卷くジヤワ更紗、テーブル掛け、帽子、靴、腕輪、ボタン等の裝飾品、家具としては盆、茶器類等、石油、錠、懐中電燈、自轉車等ありとあらゆる百般のものを取扱つて居る。

それでこれ等の小賣商人は、スラバヤとかバタビヤとか大都市の卸商から受けて來て、それを賣り捌くのであるが、その時々により、日本商人から受ける塲合もあり、又西洋の貿易商から買ふ塲合もある、これ等の人は、土人の米を買つたり、土人から籾を買つて、これを精米したり、又タピオカ——ブラジルで言ふマンジヨカ——、椰子、カポツク等を買ひ入れて、これを精製し、一部は濱に出し、一部は土人に賣却して、利益を得てゐる。

又土人からこれ等のものを買ひ集めて、それで職業をして居るものである。

これ等に就いては、次に詳說する。

聯盟會議における

國際衞生社會福祉問題

シュネーブ國際聯盟事務局
保健部
草間弘司

○聯盟委員會に於ける衞生問題

衞生問題の審議は他の經濟、交通等技術問題として第二委員會に於て行はれる、

過去一ケ年に於ける聯盟衞生事業の槪要はアイルランド代表オスリヴアン教授によりて說明された、卽ち國際衞生に關する事業が漸次進展し來りたる所以は各國行政廳並に技術者の熱心なる協力によるものである、聯盟衞生機關に於て取り扱ひをる事項は眞に國際的であり世界的であつた、東洋との連絡はシンガポールに設置されをる東洋衞生支局によりて行はれ又本年は印度に於て行はれたる技術官交換會議によりても爲され、一九二六年メルボルンに於ける國際太平洋會議の提案により太平洋の或る地方の衞生視察の爲め二人の專門家の指命も見た、此の提案は一九二七年の聯盟總會により可決されたものである、尙東洋殊に日本より數名の衞生技術官が歐州に派遣されて豫防醫學の研究に從事せられた。

ラテン亞米利加諸國と聯盟衞生機關との關係も滿足なる進展を見つゝありて本年は同地方に小兒死亡調査委員會の設置を見、歐州の右委員會と同一步調を以て右に關する諸調査が進められてをる、その他健康保險、豫防醫學研究の爲めにも同地方より歐州に派遣された。

マラリヤ問題に關しては最も有力なる專門會議により適當なる豫防方法の攻究が行はれた、癌委員會の事業としては職業癌と癌と放射線療法とが研究される事になつた、

最近開かれたフランクフルトに於けるサルバルサン會議もコペンハーゲンの黴毒診斷標準會議も各國專門家の協力によりて成功を收め得た事も特筆に値する、又痘瘡及種痘委員會は本年二回開催せられ必要なる數種の結論を得るに至つた、その他衞生及豫防醫學に關する教育機關、癩、船舶燻蒸問題に關する會議も開催せられた。

聯盟衞生機關による傳染病情報は各國政府に對し益々認められ

シンガポール東局の事業は極東各國の政廳に對し傳染病發生情況につき適切なる豫防方法を講ずるに必要な情報を供給してをる、更にシンガポール局はコレラ、ペストとに關する調査協力機關として又東洋各國の檢疫所の情報及傳染病汚染船舶に關する情報聚集をも行つてをる、衞生機關の事業として特に注意すべきは最近社會衞生及農村衞生に對する復雜なる問題の調査に努力して來た事である、本年中央歐羅巴に開催の農村衞生技術及交換會議は極めて有意義なものであつた。

斯くの如く聯盟衞生事業が極めて成功しつゝある所以は各國政廳の協力 Co-operation と寛大 Generosity とによるもので ある最後に報告者は結んで曰く、聯盟の他の事業に就てはその眞實及利用に對しては特に現在世界の眞情を知るものには理解さるゝけれども衞生事業にありては極めて普扁的に一般市民に對してさへも容易に理解され聯盟事業に對する不斷の補助となり得るのであると、

次に一般討議に移り伊太利代表アリフイエリ氏立ち、衞生事業の發展を祝し本秋開かるゝ伊太利交換會議に於てフアーアシスト政府が如何に衞生事業に對しその促進を計つたかを知る事が出來るであろうと云ふ意味の說明をした。

帝國代表永井大使は流暢なる英語を以て日本の爲めに聯盟衞生事業に賞讃の意を表明し其の擴汎復雜なる事業は單に一年報を以て示す事は出來ないと云はれ日本政府はオスリヴアン氏の報告に對して全然讃同するものであると結び更に衞生事業の發展情況を槪說しシンガポール東局の事業は東洋に對して最も重要なるものである。東洋との接觸は衞生機關によりて行はるゝ liason system によりて確立され多くの日本の專門家が歐州に招聘せられ種々なる會議に列席し重要問題の討議に預る事が出來たと云はれ泰博士のフランクフルトに於けるサルバルサン會議列席コペンハーゲンに於ける黴毒診斷法會議に對する長與教授對邊地博士の招聘、癌及癩委員會に於ける長與博士の出席保險衞生連絡會議に北島博士の日本を代表せられたる事、歐州體育問題研究に岩原學校衞生官の聯盟招聘に關して抽象的に日本と聯盟との滿足なる連絡と說明された。

更に大使は語を繼いで日本は各國との協調に對して種々努力しつゝあり、最近寄生蟲問題、癩病理研究等に關してはラテン亞米利加との協力が進展して來た事を力說され最後に委員會決議案の一部に專門家の Individual mission による貢獻に對しても感謝を表現すべき事を附加すべしと提案し異議なく採用せられた。

永井大使の演說は第二委員會衞生問題に對する他國代表の夫れに比して最も衞生機關活動の骨子に觸れ其の力ある語調は益々列席者をして感動せしめた。

大使に次でオーストラリヤ、印度、ポーランド及スペインの代表の演說あり極めて圓滑に本委員會は終了した。

○委員會に於ける酒精問題

本問題提出案者の一員フイルランド代表は決議案を提出した、

卽ち總會は聯盟衞生機關に對して粗製飮料亂飮による酒精中毒に關する充分なる統計材料を聚集する事を要求し且つ酒精其の他の品の密輸入防止協約を爲しうるや否やの問題を調査する事を經濟委員會に委托し調査の結果得たる提案を理事會に提出する樣にする事、但し本決議は葡萄酒ビーヤ或はサイダーに關係せざる事と云ふのである。

伊太利は密輸入問題に聯盟が關係する事に反對しアイルランド代表は本問題は勞動局と協力するべきかと質し且つ本件は不純酒精飮料及酒精濫用に關する限り本案に同意すと云ふ。

佛國代表は初めより本案に贊意を示めさなかつたけれども決局葡萄酒は本案と無關係と云ふ事になつたる爲め贊成せられ更に二三代表の討議ありて本案は採用せられた。

○委員會に於ける社會福祉に關する問題

本委員會に於ては阿片問題を初め婦人兒童賣買、小兒福祉等の事業が討議される、其の會議の性質上にもよるけれども最も多く婦人の代表を見受けた、英國のダーム、エデイス、リツテルトン女史、フインラントのハイナリ女史、丁抹のフオルシユハンメル孃、ルーマニヤのヴアカレスコ孃等特に善く討議中の人となつたのが注目を索いた。

小兒福祉事業

加奈太代表リツデル氏によりて今日迄の小兒福祉問題に關する委員會の事業經過の報告があつた卽ち委員會は各國情況調査の結果に鑑み兒童の道德及保健の爲めに活動寫眞を成可く適當の日光又は散光の下にて行ふ事を考慮する事を提案し之れに對する宣傳法をも攻究する事を決し尙羅馬に國際教育活動寫眞研究所設立計劃案の調査を爲し本所設置に對しては婦人も同研究所員たらしむる事と決定した、其の他少年審判所の副事業、各國私生兒に關する規定調査及盲目兒、酒精中毒又は薄志兒童等に關する調査計劃等が報告され最後に米國社會衞生協會より寄贈の五千弗の最善使用方法に就て考慮し右は人道的又は社會的危險に頻せる兒童又は劣惡な周圍の情況中に置かれた兒童の保護問題攻究の爲めに費やさるれ事に就て考慮した旨を說明して決議案を讀み委員會に諮つた。

ヴアカレスコ孃は自國の兒童の爲めのフイルム取締り狀況を說明し且、結婚年齡規定問題に關して十八歲を最低とすべしと主張し丁抹代表フオルシハンメル孃は婦人を羅馬研究所に採用すべき事を力說し且酒精中毒問題は聯盟の他の委員會にて討議さるゝからして本委員會にて暫く差扣へたしと說きハイナリ夫人は婦人巡査採用に關する件が次回の小兒福祉委員會に上提さるゝ事を滿足であると云ひ且つ前二代表と略同樣の主旨に就て論ずる處があつた。

ハンガリヤ代表アポニー伯爵夫人及オーストラリヤ、マクドネル夫人はローマ研究所に婦人採用の必要を主張した。

印度のマリツク氏は結婚年齡に關しては印度の一部に於て近年相當問題となつてをるけれども氣候その他の關係よりそして總ての國と同樣に年齡に規定する事は今日に於ては不可能である

と云ふた。

其の他の委員會に於ては英國及ペルシヤ代表の簡單なる討議とポーランド代表ホツコ氏の自國に於ける該事業の說明があつた

婦人兒童保護事業

本問題を議する第五委員會は九月十一日聯盟事務局に於て座長グアテマラ、マトス氏に據りて開會された。

報告者の榮譽を擔ひたる婦人代表フインランド、ハイナリ婦人立ちて本事業の槪要を報告され總會に對する報告案及決議案を委員會に諮つた。

先年の總會に於ては成る可く速かに公娼制度撤廢を各國政府に勸告する事に對する調査の件が採用され、婦人兒童委員會に於ては公娼制度を有する國の政府が專門委員會によりて作られた報告の主旨に基いて調査を進むる事が希望されたと云ひ、此の調査に便宜ならしむる爲め事務局に對しては斯る制度を撤廢せる國の法規の調査をする樣に要求した、而して該制度撤廢國の多くの代表は何れも撤廢政策は何等惡影響をもたらす事なく總て良結果を收め得たと云ふ事を說明し公唱抱へ主に對する嚴格なる法規を設くるは婦人賣買を防止する有効なる方法であるとして事務局は右取締り方法罰則等に關する情況調査を依頼され且つミユジツクホール及之れに類する舞踊女の海外旅行中に接する危險其の他猥褻圖書取り締りに對する調査等を爲す事に對し第五委員會の同志を求め且つ婦人巡査採用に關しては右は婦人兒童賣買豫防の爲め且つ老年者の風義を保護する爲めに必要なる事を認めると說明した。獨逸代表ラング、ブルマン夫人は各國政府が其の國に於て直ちに保護を要する幾千の婦女の保護問題に考慮を拂ふ樣希望し公娼制度撤廢を論じ、之れは旣に議論の問題でないと云ひ獨逸に於ては一九二七年十月一日を以て右制度を全廢したが日淺く未だ其の經驗を述ぶる事は出來ない。尙獨逸政府は現在尙存立してをる「あやしき家」を全廢したい希望であるが中々困難な事業であると附言し、婦人巡査に關しては近くその有効なる經驗を述ぶる事が出來るであらうと

丁抹委員フオルシユハンメル孃は續いて立ち過去一年間に於ける最も重要なる事項は專門委員の報告第二卷の出版である、右に據れば白人奴隸賣買の存立に就ては何等の疑問なしに證明されてをる、此の調査は未だ行はれてをらない殊に東洋に於て行はれなければならない殊に印度に於ける婦人團體は本調査を歡迎すると云ふ事である。更に近東地方に於ても行はれ度きものであると述べ、濠州のマクドネル婦人は公娼の存在は國內又は國際間の婦人賣買を助成するものであるとして之れが撤廢を說き以前は之れが廢止は社會秩序と疾病豫防との根據の下に運動されたが近年の經驗と最新の智識は此の見解は誤りである而して公案は公娼の慘忍性に對して人道上より之れが破壞を痛論し初める樣になつた、婦人は晩近益々兩性の平等なる人道的標準を認識して來たと婦人の爲めに萬丈の氣焰をはいた、傍聽席に犇々と詰めかけて居た若い英米の娘達がうすべにの兩頰を緊張させて吾が云はんとする處を叫けんで呉れたかの如く滿足そう

に惱まされてゐたのが注意を引いた。

更にマクーネル夫人は語をついで曰く各國に於て種々なる事情の爲め結婚年齢及承諾年齢(Age of consent)を統一する事は困難であるが承諾しうる年齢は結婚年齢より低くからざる事にし度し、而して婦人警察官は濠洲に於ては十年前に設置し非常な成功であり官廳は一課を設け課長も婦人にて婦人警官は男子の夫れと同一職權を有し俸給も同一である、主として婦女子に關する事務を掌つてゐる、服装は種々の理由から普通服を着用せしめてゐると夫人は然し濠洲に於て適當なる方法全部が他の國にても適當であるとは考へないと用心深く結んだ。

ペルシヤ代表アラ氏は公娼を認可せず其の發生を嚴重に取締つたと云ひ且つモハメダン宗は道徳低下に抗する有力なるファクターであると説いた。

支那代表は新政府の爲めに氣を吐いて曰はく男女同權は、支那新國民政府の根本主義であると云ひ支那は最近婦人保護に對する種々なる施設を講じたと説明した、英國のダーム、エヂス女史は婦人警官の必要を力説した。

本委員會の討論は夕景に至るも容易に終はるべき模様も見えなかつたから休會を宣せられ次會は翌日開かれた、翌日の委員會に於てルーマニヤ代表ヴアルレスコ孃は公娼廢止の必要なるを解き全國に於ても此の問題を考究してをり婦人警官設置も亦最も意義あるものであると云ひチエツコ、スロバキヤ代表是れに和しポーランド代表は南米移民中に密賣者の混入して渡航する事を嚴戒すると云ひ公娼廢止後は花柳病の減少を見たとも説明した。

佛國ラブルツス委員は次で專門委員會の報告の價値を感賞し其の報告中の統計に言及して此の種の統計の困難なる理由を指摘し更に專門委員が公娼の精神狀態に關する問題を全然考慮しなかつたと附言した。佛國代表は公娼問題に對しては極めて特殊な觀察を持つてゐる。

婦人の犯罪は男子の夫れに比して遙かに少いと云ふのは事實でないと云つて娼の一定數を此の數字に加へなければならないと云ひ佛國に於ても取締りに關しては他の國同樣成功を收めてをると云ひ先年佛國裁判所に於て取り扱ひたる婦人賣買例が極めて少數であると説明した、而して非常に多數の移出公娼が佛國にあつた所以は婦人賣買者が有利とする佛蘭西の「戀は自由」に基因するものであるとした(du a l'amour que l'ona en France pour la liberté)佛國に於ても新取締りの方法を考究中ではあるが氣候と氣質に於て北方諸國に於ては容易であつた公娼廢止も佛國その他ラテン系國に於ては然かく容易ではない只靜かに行く事が出來るのみである。完全に廢止すると云ふ事は大なる守備兵を備へてをらねばならぬ國には極めて不可能な事である。

假令大都市に於て公娼制度を廢止し得たとしても花柳病は必ず增加するに相異ないと信ずると云ひ花柳病總數の減少は醫學智識の增加に基くものであると烈しく公娼廢止反對説を携へて

正面から打つてかゝつた。

伊太利代表サルデイ氏は伊國に於ける公娼取締り狀況を披瀝して曰く本問題は單に物質的ではない人道的問題である、伊太利は一九二三年實施の犯罪取締り法により(一)婦人賣買取締り(二)婦人屈備取締り(三)婦人賣買者取締りを規定し更に賣買取締中央局の設置を見尙政府は若き婦人執業者、藝術家の保護、口入所、ダンシングホール及カフエー音樂等の取締り方法を講じてをると云ふ。

英國のダーム、エヂス女史は手酷く佛國代表の演説を攻擊して統計を皮肉る事は容易ではあるがその爲めに專門家の報告の價値を削減するものではない、而して佛國ラブルス氏の所謂公娼の精神調査は何の爲めに必要なるやが不明であると、夫れは女子を利用した男子が精神欠陥があると云ふ事の辯解であるまい、婦女の犯罪に關しては娼婦によりて爲されたる賣娼は男子の犯罪中に記載すべきものであつて此の數は決して女子の犯罪よりは尠くはない、男子なくして女子のみ犯罪を爲す事は出來ない、佛國政府によりて説明されたる取締りの困難なるは「佛蘭西人の自由な戀」に基因すると云ふ事は極めて貧弱な辯解ではないかと最後に一矢を報い而して最も必要なるは嚴重なる法律を以て取締るにありと結んだ。佛國代表は簡單に答へて曰く公娼の精神狀態の調査は公娼制度を救濟せんが爲めではない、唯本問題を了解するに必要なる項目であると云ふのである、婦女子の犯罪に關する論駁を説明して曰く

“Quant a' la criminalite feminine, tandis que les hommes totalement denues de ressources sont surtout enclines a voler, les fem mes inclinent au contraire a faire usage de leur corps comme d'un moyen d'existence „

衣食足りて禮節を知る、

佛國の説明は一部の眞理を表はしてをるけれども問題が問題丈けに苦しい立場にあつた。

其の他印度、日本、シヤム、ノールウエー等の代表により簡單なる説明又は意見等があつた。

日本の吉田公使は決議案に對する一部改正意見を加へられ採用

ノールウエーのアース夫人の説明中には傾聽に値するものがあつた、卽ち同國にては一九〇〇年來公娼廢止實施せられ今日迄花柳病の增加を認めない、若し柳病豫防智識普及と無料治療は同豫防法により一層効果をあげる認めた。ノールウエーに於ける醫師にして公娼制の再實施を督促するものは一人もないと説明した。

以上の討議を終はり婦人兒童賣買に關する第五委員會は總會に對する報告案に多少の修正を加へて終了した。

撫順信州會消息

會長改選の結果坂口兌氏當選した
尙事務所も同氏宅(撫順大山坑社宅)に移轉した。

母國通信 日誌

▲前號七十九號廿七頁より▼

十一月十九日 銃砲火藥類密輸の一團四十五名は支那滿州方面に大正十三四年頃より大密輸出をなし巨萬の利益を得てゐた事發覺 ▲田中首相輕微の心臟狹さく症を起し神宮へ兩陛下行幸の供奉は遠慮し小川鐵相を代理せしめた

廿日 晴れの御大禮をあげられた紫宸殿を一般國民に拜觀を差許される期間は十二月一日より明年三月卅一日までの四ケ月間 ▲米國次期大統領に當選したフーヴア氏は中南米諸國に二ケ月にわたり旅行する ▲御大典終了と共に政界はそろ〳〵東京に移る ▲邦人會社組織米國大審院の判決によつて「日本人は商業の目的をもつて會社を組織するの諸權利を有す」と確認さる

廿一日 日支交渉は支那側の態度以外に硬化して頻りに撤兵を迫る ▲御大禮特別大觀兵式は來月二日代々木の原に兵力三萬五千、馬約四千五百と云ふ我陸軍創設以來かつてない大規模さに聯隊旗八十六旗が輝く ▲本年の貿易出超期不振

廿二日 神宮御親謁終つた兩陛下には京都へ還幸遊さる ▲御大典終了と共に專任外相説持上り小川鐵相山本滿鐵等が有力 ▲矢田王正廷會見は依然難澁の狀態であり支那側撤兵を明示す

廿三日 同志社大學豫科教室一棟を燒く ▲秩父宮の御旨で北海道へスキーの世界的飛躍臺建設すと ▲矢田總領事王正廷と會見打切り上海に引揚ぐ ▲南洋方面で日本燐寸瑞典製に驅逐さる

廿四日 愛國婦人會の調査によれば一食僅か三錢の悲慘な家庭が澤山あつた ▲列國の對支關係上日英同盟復活は具体化されたと米紙が臆測 ▲駐兵の要なき場合は何時でも撤兵すると矢田氏通達して既定方針は變りなしと對支策依然强固

廿五日 英帝、肋膜炎を御併發の徵候 ▲不敵の短刀强盜二巡査と大亂鬪の結果捕縛された前科二犯の東京市内を騷せた賊と判明 ▲明日芽出度く東京に御發輦、還御を壽ぎ參らせつ、名殘りを惜む奉拜の群殺到

廿六日 兇賊、帝都を横行して市民生活の恐怖を來し毎月卅件以上、欠陷は何處にあるか正に警察の面目問題と云はる程である ▲還御を迎へ奉り奉祝に沸き立つ帝都各種準備成る ▲去る十九日以來行方不明となつた電報通信社の飛行機は奈良縣下の山林内に慘死となつて發見

廿七日 萬世に輝く大典終り鳳輦晴やかに還幸午後三時卅分東京驛に着御あらせ給ふ ▲地租委讓に對する貴院の形勢惡化して來議會に一波紋起らん ▲日支交渉再展兩方互讓で順調

移植民ニュース

海外協會中央會で 移植民功勞表彰者を招待

御大典に際し移植民功勞者として表彰された本誌前號所載の島貫兵太夫外三十八名に對し海外協會中央會等では會長今井五介の名を以て更らに將來の健昌を祝福するため十二月十一日東京會舘に右の表彰者を主賓となし内務外務兩省その他移植民關係者を陪賓として招待し盛んなる祝賀會が催された。

海外發展者は激增

昭和二年中の旅劵渡航許可數

本縣における昨年度の旅劵下付數及び渡航許可數は大正八年以來の激增數を示して本會調査の十二月二十日現在に於いては總數二百三十九人に達し尙出願中同年内に許可せらるべき者はその數五十人に上つてゐる。海外渡航者は伯國を第一位にして殆んど過半數を占めてゐるが許可數を示せば左の如くである。(括孤内は再渡航者)

ブラジル	一五〇(一)
比島	一八(三)
新嘉坡	一六(二)
北米合衆國	一二(三)
加奈陀	一〇(六)
メキシコ	九(三)
馬來半島	六
蘭領東印度	四(一)
佛領東印度	三
布哇	三
獨乙	三

秘露、亞國、智利、ボルネオ、佛國各一名計二三九名にして内再渡航者は一九名で加奈陀の多かつたのは同國移民法の嚴重になつたため再渡航者が急いだためであつた

廿八日 擧黨一致して倒閣に直進と民政黨倒閣協議會を開く ▲銀翼をつらねて五十機の分列背空にとどろく百雷の爆音多摩川流域を中心にして擧行 ▲支那内地に反日氣分濃厚

廿九日 東京還幸啓後始めて宮城を出御御父陛下の御陵に御親謁遊さる ▲インドの女流詩人ナイズ夫人近く來朝 ▲御大典を機會に我が遣外使臣は殆んど皆歸朝してゐるが年末から明年にかけて相當の範圍に異動が行はると

卅日 御大禮最終の御儀皇靈殿に御親謁 ▲來議

共產黨事件被告學校所屬別

十二月七日の閣議に原法相から報告せる共產黨事件被告人學校所屬別の内容左の如し(十一月三十日現在)

	卒業者	在學者	中途退學者	合計
東大	一九	八	七	三四
京大	五	一二	一一	二八
九大			四	四
東北大			一	一
北大		一	一	二
商大		一	一	二
岡山醫大	一			一
早大	四	一	五	一〇
慶大	一		一	二
明大	三		二	五
日大	四		四	八
同志大			四	四
中央大	一		三	四
法政大		一		一
東洋大			二	二
立命館	一			一
五高			六	六
六高		七	一	八
七高			一	一
福岡高校			二	二
佐賀高校			一	一
弘前高校			一	一
桐生高工	一			一
外語	一		一	二
大阪外語			三	三
早稻田高等學院			二	二
明治學院高等科			二	二
大阪齒科醫專	一			一
九州齒科醫專			一	一
陸軍士官學校	一			一
東京女大	四		二	六
東京女子高師	一			一
合計	四八	三一	六九	一四八

各府縣に設立の

海外協會一覽

我が國狀より國民の海外發展は絕對必要なるにその發展機關たる海外協會は各府縣を單位として設立されたるもの現に十九縣にして益々海外發展を盛んならしむるには海外協會の活動に俟たねばならぬとなし海外協會中央會では未設府縣に向つて設立を勸誘中である

會の切拔け策につき政友會は新黨クラブの抱込みに苦心▲映畫の都ハリウッドに感冒流行

十二月一日 東伊親善の記念たるべき伊國寄贈の白虎隊記念碑除幕式は高松宮殿下臺臨の下に會津若松市郊外飯盛山上の白虎隊墓前に行はる▲本日より御大禮式場拜觀許され拜觀者十萬。

二日 けふ、地には陸軍大閲兵式四日は大觀艦式擧行▲首相床次氏政策提携につき懇談し日支交渉打開のため床次氏南京訪問する事に決す▲歌舞伎座で左團次開演中しま蛇 害大將が廿四ニヨロ〳〵はひ回り觀客を恐怖せしむ

三日 帝國在鄕軍人團二萬餘名の御大禮特別御親閲を二重橋前大廣場に擧行▲床次氏明日東京出發上海に直航南京に赴く▲床次氏の來訪は大歡迎と支那側でいふ▲中南米訪問中のフーヴァ氏相互信頼の友情的演説を試みてゐる

四日 聖上陛下榛名に乘御二百隻肅然として東京灣を壓し帝國海軍空前の盛觀を呈す▲ふぐ中毒で三人悶死すふぐは食ひたし命は欲しいと▲メキシコの首都で婦人が供を連れずに夜の街を歩く事を禁ぜられてゐたが今度自由になつた

五日 北海道帝大學生同盟休校▲先きに首相一任になつてゐた自作農創制問題は來議會を前に首相と望月内相勝田文相の手で解決立案する事に閣議で承認▲恐しい感冒の多が來て患者の七割は乳幼兒であると

六日 駐日獨逸大使在任八ケ年の思出多い日本を去る事になり盛大な送別をなす▲少年團四千名に御親閲遊さる▲カナダ初代公使に佐分利氏任命か▲國際勞働局長トーマ氏來朝

七日 支那新關税率實施を各國に通告明年二月一日から▲埼玉縣會で公娼廢止を決議▲來春印度にアジア勞働會議が開かる▲駐日ブラジル國大使ラエートーザ氏白耳義國駐在を命ぜらる

八日 秩父宮の御召によりノールムエーのスキー選手來る▲床次氏神戸發上海へ向ふ

九日 中學からすぐ大學へゆける教育改善を審議す▲海軍定期大異動發表さる▲勝田文相は宮中に參内、御學問所において天皇陛下に拜謁仰付られ教育御奬勵に關する優渥なる御沙汰を賜つた即日各學校に傳達

御沙汰

祖宗ノ國ヲ經スルヤ教學ヲ先ト爲ス皇祖考夙ニ學制ヲ頒チ更ニ宸勅ヲ降シ昭ニ教育ノ大綱ヲ示シタマヘリ皇考遺緒ヲ承繼シ又聖諭ヲ降シテ先朝ノ洪範ヲ申明シタマヘリ朕今列聖ノ遺圖ヲ嗣キ篤ク教化ヲ敷キ以テ人心ノ歸趨ヲ正クシ大ニ興藝ヲ振ヒ以テ國運ノ伸張ニ資セムコトヲ念フ局ニ教學ニ當ルモノ其レ能ク朕カ意ヲ體シ夙夜淬礪祖宗ノ大訓ヲ光昭ニセムコトヲ務メヨ

十日 東京淺草で十八歳の娘が刺刀を以て熟睡中の父を刺殺す父の酒亂を見かね淺はかな決心から▲第五十六議會の召集はいよ〳〵二週日にの後に迫つて朝野各黨は攻防に色めいてきた。

が同會調査による既設海外協會及設立進行中のをあぐれば左の如である。(十月現在)

	設立
熊本縣海外協會	大正四年七月十五日
廣島縣海外協會	大正四年九月一日
防長海外協會(山口縣)	大正七年十一月
和歌山縣海外協會	大正七年十一月十一日
香川拓殖協會	大正八年十一月十七日
岡山縣海外協會	大正九年一月
信濃海外協會	大正十一年一月廿九日
三重縣海外協會	大正十二年
長崎縣海外協會	大正十四年二月
鹿兒島縣海外協會	大正十四年二月
石川縣移植民協會	大正十四年三月
福岡縣海外協會	大正十四年十一月廿五日
沖繩縣海外協會	大正十四年
鳥取縣移民協會	大正十五年五月廿七日
富山縣移民協會	昭和二年一月
靜岡縣海外協會	昭和二年七月廿五日
佐賀縣海外協會	昭和二年十二月
福島縣海外協會	昭和三年五月十九日
愛媛縣海外協會	設立準備中
新潟縣海外協會	設立準備中
北海道海外協會	設立準備中

信州記事

代議士選擧當時の
本縣下の怪文書暴露

本年二月の代議士總選擧に際し本縣警察部の取つた態度につき民政黨小澤正人君から痛烈極まる質問が出て七日の縣會はにはかに緊張した、同君は證據によらねば信じ得ないだらうとて當時某警察部長が部下にあてた文書を取だしていはゆる「讀後燒却すべし」の怪文書を讀み上たその内もつとも驚くべきは左の點である

昭和三年二月一日某署長訓辭、警部補巡査部長一般巡査(中略)

一、内報の事および内査に關する件(現内閣は政黨内閣なり然して内閣の諸政は議員の頭數の如何により決せらるゝものにして卽ち今次の議會解散もこれに起因せるによる現内閣の政策を遂行せしむる上において與黨卽ち現内閣を擁護する候補者を多數當選せしむる事によつて政府は今回の選擧に直面せるなり内務大臣よりの訓辭の意もこれあり特に警察部長への内訓にもありよつて諸氏はその意を體し内査内報導遺憾ならしむ可し

一、選擧干渉監視員に關する件(民政黨においては今回選擧干渉監視員なるものを設け各地に派遣して公然警察官吏の取締を不能に陷らしめ奇勝を博せんとする計畫にて既に本縣においても取締官の職務を妨げつゝあるやに聞く萬一違法行爲や職務執行上に立いる點などあらば卽報の上か籍なく檢擧すべし

怪文書民政で調査
材料取り集めに戸田代議士來長

今期縣會に暴露された怪文書事件はいよ〳〵民政黨本部の活動となり本部内綱紀しゆく正委員會ではこれが徹底的調査をなすことゝなり本縣選出戸田代議士は本

蘭領インドに
日本雜貨進展對策

最近蘭領インド諸島における綿布雜貨等の日本商品は價格の低廉なる事並に極めて同地土人向なる事等によつて過般華僑の排日貨の際にもさしたる影響なくその需要益增加して歐洲品就中オランダ商品を壓倒せんとする情勢にあるためオランダ商人の一部は自國品擁護と日本品驅逐策のため本國政府に向つて日本商品に對する關税の障壁を高めんとの運動を起しつゝある向もある由であるが又一部にはこの際日本商品の需要增加を積極的に利用し日本内地製造業者と特契を結び日本品を仲介して利益せんとする向も現れ取敢ず右商人の代表としてアムステルダムに本店を有し蘭領インドに卅有餘の支店を有するボルネオ、スマトラ貿易會社支配人エー・イー・カーフエルド氏は日本内地製造業者に了解を得るため十月十二日日本に向けジャワを出發した旨廿二日横濱商工會議所に通告があつた

米官憲の無法で
又又邦人を送還

日米親善が米國から呼ばれて居る時にまた〳〵四人の日本人が十日朝桑港から横濱入港

部特派員として十三日朝來長、縣會議事堂において百瀬渡議員等の同志と會見種々材料取集めの上卽日歸京したが更に本部の要求により南信支部より一切の顛末明細書等を發送することになつた

一方縣警察部ではこの問題に對しもみ消し運動を始め櫻井高等課長は十二日夜密かに民政黨某氏をその宿舍に訪れて緩和運動を試み體よくはねつけられた等の醜体あり、民政派では當方の出方いかんによつては更に選擧干渉事實を暴きたてんと意氣込んでゐる

存廢の分路に立つ
三校に當局も憂慮

農業學校又は農業を主とした實業學校の入學志望者漸減は教育縣を誇る本縣において注目すべきことで遂に廢校とまで突き進み今やそれ〴〵の歷史を持つ三校が存廢の岐路に立つてゐるが、この一つは上水内農學校でこれは縣知事對地元のいざこざを誘致し縣會の問題を引き結局は知事の頑張りに終るものと見られてゐる次は北安曇郡の小谷實業で、これは組合立であるが組合加入の中に中土村が經費の分擔を拒んでゐるため、又埴科郡の埴科實業は組合加入村中脫退せんとするものがあるためいづれもごた〳〵を續けつゝありこれ等は年々窮迫に陷つてゆく農村の一面を物語る現象で縣當局も憂慮してゐる

同情週間
歲末に細民救濟の企て

例年よりも一層ひどいといはれる不景氣の歲末が近づき農村小商工業者、花柳界等至るところに青息吐息がもらされて居るが、それにもましてドン底生活をして居る縣下約千六百名のいはゆる細民階級の慘狀はほとんど眼もあてられないのが例年のこと、三市では今年も同情ふくろによつて同情金品を集め、これ等細民と呼ばれる人々の暮と正月にいさゝかのうるほひを與へるべく計畫して居るがその他各町村の社會事業團體婦人團體等によつて、同樣救貧の計畫が進められて居る本縣でも十日より十六日までを同情週間として縣下一せいに救貧の企てを行ふこ

のプレジデントピヤス號で送り還されて來た一行は和歌縣生れ瓜田三吉(二四)同中村喜三郎(二八)鹿兒島縣生れ小牧正平(二〇)同新名哲志(二〇)といひいづれもメキシコの漁師さん達だが本年七月他の五人共にメキシコ國エンセナーダ港からモーターボートに乘じてまぐろ漁にアメリカのサンピードロ沖合に向ふ途中時化にあつて難船をしてゐるうちアメリカ漁船に救ひあげられサンデイ港のホテルに數日間靜養してゐたが同國移民官にふみ込まれ密航者と斷定され面會も許されずそのまゝ刑務所に收容され約三ケ月の後メキシコへは送還されず日本へ送還されて來たものである「メキシコにゐる日本人はみな密航者だとにらまれて我々の如く正業あるものまで取調べもせず送還するとは實にアメリカは怪しからぬ國です」と一行は憤慨しつゝ語つた

加州邦人の恐慌
外人土地法の勵行から
違反續出

カリフオルニヤ州檢事總長ウエブ氏かとの程外人土地法勵行を各郡に嚴重に命令して以來各郡當局が活動せるため各地で日本人の土地法違反嫌疑者續出し在留民は大恐慌を來して

とゝなりポスターを各市町村に配布して趣旨の宣傳に努めてゐた

一代交雜種
十五周年記念會

我國蠶種業界に畫時代的進展を示した一代交雜蠶種の發見以來十五週年を迎へたので松筑蠶種同業組合が發起となり十二月十四日松本市公會堂で中央名士並に各府縣蠶絲主任技術官一千二百名を招き最大な記念大會を開催した。當日は交雜蠶種發祥並に普及發達に努力した功勞者十三名を表彰し農林省蠶業課長明石弘、國立蠶業試驗場長平塚英吉兩氏の講演あつた

元國立蠶試松本支場長十時雄次郎、片倉副社長今井五介、元本縣蠶絲課長土井伍鹿、元松本第二原蠶所長久根下美賀藏、國立蠶試松本出張所長水野辰五郎、本縣蠶絲課長倉田部七五郎、元松本蠶業取締所長榊澤精一、元普及團技師齋藤常雄、製造者鳥羽久吉二木沖中原半一郎、篠崎四郎、丸山光司、東筑蠶同組合、南安蠶同組合

農村に黃金の波
製絲工女達の歸鄕

製絲工女達の歸鄕も間近くなつて農村では彼女達が持つて歸へる金を年越しの引當にすべく首を長くして待ちわびて居るがさて今年の總決算はどうだらう工場法によつて平均日給制が確立されたため工場主としては前年と大差のない賃銀を吐きたしたわけだが、セリプレーンの結果從來腕の弱いとされた女工が比較的惠まれ、つまり從來の如く優良工女の間の甚だしい開きがなくなり公平な工賃支拂方法算が自然に生れ出たことになる

一方數年前のように能率の減少した年は當時は今年のように賃銀算出がかけ拂の然女工の得る金も激減するのだが平均日給制のためそれがなくなりそれだけ工場主には不利になつた結局平にすれば去年よりずつと工女はいゝわけで農村は一時に黃金の波が打寄せた。

居るが十一月二十六日サタ郡在留廣島縣人吉岡吉崎二名の米作業者が起訴された犯罪事實は日系市民の吉岡が自分の名で土地を借り事實は市民權なき吉崎に米作させてゐたとの嫌疑で、この裏面には白人米作組合員が州檢事の命令を得會に組合に加入せぬ日本人壓迫の意味で策動し一ケ月も前から密に秘探偵し事實をねつ造して官憲に密告したのである

サタ郡を中心に日本人の耕作地は一萬九千エーカーもありこの事件の今後の發展は邦人經濟界に非常な影響を與へるものとして注目されて居る

日エ旅券査證廢止

今般日本國とエストニア國との間に旅券の査證相互廢止に關する協議成立し各その一方の國民は有効なる旅券を有するのみにてこれに査證を要せずして對手國(日本は植民地を含む)に出入し得ることゝなり本年三月二十一日より實行せらるゝので右協議は兩國の外國人取締りに關する國内法規の適用に影響をおよぼすことなし(八日外務省公表)

邦人會社組織
米國大審院で確認さる

合衆國大審院は去る十月九日ロサンゼルス日

怪文書事件は
特別調査會で調査

衆議院議員選擧に對する本縣の選擧干渉事件の怪文書については知事の答辯により當方は更らに右の如き文書を發する事なしと蹴ね付け、その出所について質し僞造文書なりとし小澤議員に對し撤回を迫る尙眞物なりや否に對し査問會を開き眞僞を確めよと大見得を切るや小澤議員はこれは岡谷警察署からであると遂に出所を明らかにし百瀨渡議員は更らに當局が發した覺えがないと云ふがもしその事實が下級官吏にあたつとせばその責任如何とつめより結局査問會を開く事になり七名の議員を(五名政友)一名あげたが査問會なる知事の穩當ならざる言辭に對し又も問題となり知事は遂に査問會の字句に對し取消の釋明があつて特別調査會と變更した尙今事件は中央化し民政黨では横山勝太郎外一名を特派して調査する事になつたが、千葉知事のかく威かく的言辭を弄し且つ官僚的態度濃厚の答辯に縣民に非難の聲が高く怨嗟の的になつてゐる。

松代ぶし

作歌 北原白秋
作曲 草川信

ハアー
人は象山 音なら火砲ソリヤ
意氣は信濃の 意氣は信濃の
山ざくら ヨイトヨイトヨシナ

眞田六文錢 海津の城よ
今は四つ葉の 今は四つ葉の
うまごやし

さぶくなりした 白鳥さまの
松のはだまで 松のはだまで
しみじみと

昔や火の山 今皆神よ
すそにこんこと すそにこんこと
水がわく

やうち行きしよか 虫歌山へ
盆の月夜の 盆の月夜の
虫きゝに

ねむれつはもの 妻女の山の
松もさえます 松もさえます
月も照る

本人醫師會病院會社設立問題に關するカリフオルニア州檢事總長フエツプ氏の再審請願に對し却下の判決を下したが十九日に至り正式に「日本人は商業の目的をもつて會社を組織するの諸權利を有す」との判決を與へた從つてカリフオルニア州當局はロサンゼルス日本人醫師會の田城、伊佐美、關山および伊藤の諸氏に對し病院會社設立に關し法規上必要なる文書を交付することになつた

歐濠南米への
生糸の進出が目立つ

横濱港における本年一月以降十一月までの生絲輸出額は合計三十七萬三千八百十俵で前年同期に比較し五千百俵の増加を示したがこれを各仕向地別に見ると英佛伊等の歐洲向並に南米濠洲方面への進出が特に注目に値する

(單位表)

國別	三年十一月まで	前年同期
米國	三四三、九三	三四二、五七四
カナダ	一、八七九	一、四〇四
英國	二、三六九	二、〇二六
佛國	二四、一八七	二一、八二七
伊國	二七八	四五
スエーデン	三九二	四五九
スイス	三〇	三
佛領インド	一〇	四
ブラジル	九〇	一〇
濠洲	六四	五三

樣とねる夜も 千曲の川の
水の瀨の瀨の 水の瀨の瀨の
音がする

月の象山 宵から澄むに
なにをおまへは なにをおまへは
離れ山

おけよがやがや 明德寺のかへる
なんでめつためつた なんでめつためつた
せりに來た

九の日九の日は 七面様よ
おまへ八もじ おまへ八もじ
ろくでなし

おこんさまなら 竹山稻荷
赤い鳥居で 赤い鳥居で
なぜ化かす

娘からころ いじやるを抱いて
鯉に蛔を 鯉に蛔を
投げに來た

色のよいのは 松代染めよ
見そめ逢ひそめ 見そめ逢ひそめ
思ひそめ

めつちよ勘助 ひとめでにらむ
おまへ横目で おまへ横目で
そどにらむ

破壞へこ傾く健康
男女工に惠まれぬ勞働狀態

本縣では縣下男女職工九萬六千百七十七名について健康診斷をした結果を調査中であつたが胃腸病もつとも多く、全人員の〇、三二パーセントに達し、全患者數の約一割を占めて居ることが判明した、更に五百人以上の工場に從業して居る三萬三千五百七十五名中昨年胃腸病で三日以上休業したもの三千十名の多きに達し全病者の約二割三分に當り第一位を示して居る

これは主として機械生絲製造に從業する女工で原因は種々あるが食物が不良な上運動も不足して居るといふのが主要原因でこの豫防の第一に就業時間の短縮があげられ昭和六年九月一日から實施される賃勞働時間十時間も伸びゆく二十歳前の女工達には長きに失するとの非難がある

これにつぎ食物の改善、食後の休憩運動の奬勵等があげられて居る

兩親日家旅立つ
モレラ氏とフエトーザ大使

十二月十七日濱出帆の香取丸で二組の親日ブラジル紳士夫妻が旅立つた。一組は今度ベルギー駐在を命ぜられたフエトーザ大使夫妻今一組は去る九月來朝國賓待遇で朝野の歡迎をうけ全國を視察してドイツへ向ふブラジル國立精神病院長モレラ夫妻である。多數の官民の見送りに名殘りを惜んで兩氏は交々日伯文化の接近を力說しブラジルは勤勉な日本移民の開拓を待つてゐると述べてゐた

伯國各地の邦人分布
日本政府補助移民成績は不明

海興よりの報告による邦人の在伯分布狀態は聖州を中心として隣州接に及び日本政府が大正十三年以來積極的に補助金を交付して以來海興の配耕による各線分布は左の如くである

モジアナ線	一、七四七家族
同(ミナス州)	三一三同
パウリスタ線	六五〇同
アララクワラ線	七三〇同
ドランヤ線	三七七同
ノロエステ線	三、〇〇四同
ソロカバナ線	一、七二四同
中央線及其附近	七九二同
ジユキヤ線	四一四同
イグアペ	五一九同
サントス	二四五同
南部パラナ線	三五同
スツトグロツノ線	二四九同
計	一〇、七九四同

(大正十五年度調査)

右の外昭和二年移植民數	一、二九七同
合計	一二、〇九一同

右のモジアナ、パウリスタ各線地帶は珈琲園の既成耕地多く耕主その諒解良好なるのみならず本地帶は一体に標高高くして健康上最も好適の地である。ソロカバナ、ノロエステ各線地帶は比較的新開地にして又邦人經營の植民地も多く近來邦人にして此方面に入耕する者夥からず尙第一回移民輸送以來(明治四十三年)昭和二年迄入國家族數は一萬一千五百十二家族にして差引五百七十九家族の増加は伯國内に於て結婚其他に依る家族の増加したるものである。

尙日本政府の大正十三年以來昭和二年度迄の補助移民は三千三百五家族一萬九千六百六名で五分の三はモジアナ線五分の一はノロエステ線五分一はソロカバナ、パウリスタ其の他の諸線で此等移民の郵送狀態は辛くも自給自足の程度であるがこれ漸やく僅か三ケ年を經過せる今日寧ろ當然で何等悲觀すべきものではなく此の試驗時代を通れば前途洋々たるものである。

哀れ貧困から
父子の心中

松本市外廊縁村宵柳切通附近のため池に溺死して居る親子の死體を三日發見松本署で檢視の結果東川手村隔離病舍番人勝野松太郎(四三)とその次女けさみ(一二)の兩名で、貧困のためその日の生活にも窮する狀態となつたので妻が夫に愛想をつかし家出したのを悲觀し娘けさみに晴衣を着せ數貫目の石をくゝりつけため池に投げ込み引續き松太郎が投身し親子心中をしたものと判明した

積雪四尺に及び
スキーマンの勢揃ひ

信越國境は十二月十八日深夜から風雪飛び積雪四尺を越えて列車は除雪人夫によつて辛くも運轉を續行してゐる。この降雪によつてスキー場の各所では俄かに活氣を呈してスキーマンが遠く東京方面から押し寄せスキーも大林立を作つてゐる尙裏日本一體も大吹雪にて各地に祇害を與へてゐるが縣下は長野地方が五寸位の今冬初めての大雪、上田松本地方は約二寸の初雪であるが恐らくこの雪は寢雪となつて今春まで待ち越し信州の冬が又も繰り返へされ陽春を待つ事になつた

公娼廢止建議案
提出に早くも豫防策をはる

本縣會に對する公娼廢止建議案の提出は數年來年中行事の一つになつて居るがその都度握りつぶしの運命に會つてゐた所埼玉縣の同建議案可決に刺激されたゝめ今期縣會には小野秀一氏によつて提出されることになつたその建議案には一昨年來櫻楓會支部その他の團體によつて集められた十數萬人の贊成調印がある外本年だけでも四萬五千に達して居るとのことで瀧澤一郎議員を除いては全員がこれに贊成するであらうこの形勢に驚いた貸座敷業代表者は我等營業者の立場をも考慮してこの制度の存續を認めてもらひたいと陳情書を平野縣會議長の手許に提出してゐる。

(將棋倒しになつた麻)

ダバオに暴風襲來
邦人の麻山は被害甚大
將棋倒しになつて荒野こ化す

九月二十七日午前一時頃比律賓群嶋中ミンダナオ嶋ダバオ州に强烈の暴風襲來して邦人の麻山は甚大の被害を蒙り成熟期に達して將に切り取り收穫されんとする麻は無慘にも大烈風のために將棋倒しにおし倒され恰かも戰塲の跡の如き慘狀を呈して足の踏み塲もなき程であつた同地は邦人の手によつて多年苦心慘膽して開拓し育て上げた麻山でその被害面積は二千町歩の大面積に及び一瞬の間に綠の麻山は荒野と化してしまつたのでその損害見積價格は百萬圓と目されゐる。暴風は四時間の後平靜に歸つた殊に被害の多かつたのは成熟期に達した麻山で殆んど全滅の慘狀を呈したる所もあるが未だ生育中のものはその被害輕少であつた。而して被害麻山の善後應急策としては將棋倒しにおし倒れてゐる麻を出來る丈け早く麻に挽き出し被害の輕減を計る事であるが麻は刈り取り後三週間以内に挽き出し處理せざれば挽き出し不可能に陷るもので被害麻株約二百萬株を此の際此の短期日に處理する事は人手勘き同地として到底不可能の事で晝夜兼行で大馬力をかけてもその半分を處理するはむづかしいと云はれてゐるから被害見積價格百萬圓の半額まで喰止むるも尙五十萬圓余が人手不足のためにみすみす損を蒙る狀態であると

此の致命的大打擊を受けたる同地では幸ひにも今回の慘害を免れたる邦人麻山栽培業者は自分の麻の挽き出しを中止して被害者麻山に馳けつけ麻を整理し挽き出しに應援してゐるが當地領事館及びダバオ日本人會では總出になつて應急策につき協議し挽き出し勞働者の配給に遺憾なきを期しかゝるどさくさ際中に起り易い勞働者雇傭の爭奪、勞働者の無謀なる賃金値上要求、ストライキ等の事件の起らざる樣努めてゐる此の一致協力の邦人の被害者に對する奉仕的な努力は被害麻山の恢復を速やかならしめ、麻挽き出し能率をあげて最初の被害見積價格に對し被害程度を喰止め得るものと觀測せられてゐる。

尙不測の天災に際し無被害邦人の同情は一方ならず自發的に應援を十日乃至二週間無報酬を以て申出で荒野に咲く麗しき同情の花は一般内外人の激賞の的となり被害者はかゝる行爲にたゞ感謝に咽んでゐると。

伯國旅券新規則

伯國入國が面倒になる

本月一日より實施される伯國旅券規則が去る九月同國大統領令により公布されたが今回の新規則は從前の規則に稍々嚴重なる取締りが行はれるもので左に關係條文を拔萃す、尚實際の手續等については次號に詳記すべし

伯國旅券規則拔抄

第二十八條　外國旅券ニ査證ヲ受ケントスルトキハ旅券所持人ハ三日前ニ之ヲ領事館ニ提出スヘシ査證ノ請求ハ印刷セル用紙ノ記入欄ニ其ノ氏名、親子關係、國籍、年齡及職業ヲ又家族ヲ隨伴スル場合ハ其ノ氏名、年齡、親族關係、旅行等級及伯國目的地ヲ記入セル三通ノ願書ヲ寫眞ト共ニ提出シテ之ヲナスヘシ六十歳以上ノモノニ對シテハ右印刷セル用紙中ニ伯國到着後生計維持スル爲收入ヲ有スルヤ否若シ有セザル場合ハ保證狀ヲ以テ同人ニ對シ責任ヲ負フヘキ者ノ二名ヲ同願書ニ明示スヘシ此ノ保證ニ付テハ第四十六條補欵B項ニ從ヒ證明書ヲ提出スヘシ十八歳未滿ノ者又ハ單獨旅行婦人ニ付テハ呼寄人ノ氏名及何等カノ技藝、職業又ハ正業ヲ有スルヤ否ヤヲ明示スヘシ

印刷セル願書用紙ハ雛形ニ據ル願書ニハ一通毎ニ旅券所持人及旅券面ニ記載セラレタル者ノ寫眞ヲ貼付スヘシ而シテ願書三通ノ内一通ハ上陸地警察ニ於テ取リ外シ得ラル、樣旅券ニ添附シ一通ハ領事館ニ保管シ他ノ一通ハ外務省ニ送附スヘシ

第三十一條　移民タル二三等客ハ旅券ト共ニ左ノ書類ヲ差出シ査證ヲ受クヘシ

一、種痘證明書

二、精神ニ異狀ナク且癲病、象皮病、癌、トラホーム、結核ニ罹リ居ラザルコト、盲目又ハ啞者ニアラサルコト及勞働ニ堪ヘサル器關ノ傷害ヲ有セサルコトヲ示ス健康證明書

三、最後ノ住所地ノ警察又ハ司法官憲ノ發給ニ係ル最少限六ケ月間ニ於ケル善行證明書

四、年齡、國籍、婚姻關係、職業、指紋ヲ記載シ寫眞ヲ貼附セル個人鑑識票（身分證明書）又ハ當該國ノ方式ニ從ヒ作成シタル刑罰ヲ受ケタルコトナキ證明書若ハ品行證明書

五、何レカノ官憲又ハ商人若ハ銀行業者ノ發給セルモノニ適當ニ證明ヲ受ケタル正業證明書

第三十三條　六十歳以上ノ移民ハ左ノ各項ヲ立證スルニアラザレバ其ノ旅券ノ査證ヲ受クルコトヲ得ズ

（イ）自己ノ生計ヲ維持スル爲收入ヲ有スルコト

（ロ）住所地當該官憲ノ面前ニテ責任者ノ署名セル保證狀ニ依リテ自己ニ對シ責任ヲ負フヘキ者ヲ有スルコト、右ノ場合第三十七條規定ノ證明書ヲ提示スヘシ

第三十四條　十八歳未滿ノモノ、正當ニ許可ヲ得タル者ノ呼寄ニヨリ旅行スルトキ又ハ何カノ技藝、正業若ハ生計ノ道ヲ有スルコトヲ立證スル時ニ限リ其ノ單獨旅券ノ査證ヲ受クルコトヲ得

第三十五條　既婚婦人ニシテ夫ニ同伴スル者及十八歳未滿ノ者ニシテ父母又ハ責任者ニ隨伴スル者ニ對シテハ其ノ等級ニ從ヒ第二十九條第三號又ハ第三十二條第三號及第四號ノ書類ヲ免除ス

第三十六條　單獨ニテ旅行スル婦人ハ査證ヲ受クル爲第二十九條又ハ第三十一條規定ノ書類ヲ提出シ尚正業證明書又ハ正當ニ許可ヲ受ケタル者ノ呼寄ニ據ル旨ノ證據ヲ添付スヘシ職業ヲ有セサル場合ハ其ノ生計ヲ維持スル爲メ收入ヲ有スルコトヲ立證スヘシ、單獨婦人ニ對シ要求セラルヘキ善行證明書ニ付テハ第三十二條ノ規定ヲ適用ス但シ社會上地位ヲ有スル者ニ對シテハ之ヲ免除スルコトヲ得

第四十六條　一九二一年一月六日附國會令第四二四七號（外國人取締法）第一條及第二條ノ規定ニ從ヒ領事官ハ左記ノ者ニ對シテ其ノ旅券ノ査證ヲ拒絶スヘシ

一、他國ヨリ放逐セラレタル外國人但シ第四十七條ノ場合ヲ除ク

二、他國警察官憲カ公ノ秩序ニ對シテ有害ナリト認メタル外國人

三、最近五ケ年間ニ於テ何等カノ宗教上又ハ政治上ノ一派ヲ強附センカ為犯罪的行為ニヨリ暴行ヲ煽動シタル外國人

四、其ノ素行ニヨリ公ノ秩序ニ對シ危險ナルカ又ハ共和國ノ利益ニ對シ有害ナリト認メタル外國人

五、殺人、强盗、破産、詐僞、密輸入、故買犯、貨幣僞造又ハ醜業媒介ノ犯罪ニヨル處罰セラレタル爲他國ヨリ逃走セル外國人

六、前項ノ犯罪ニヨリ伯國ノ裁判所ヨリ刑ノ宣告ヲ受ケタル外國人

七、手足ヲ切斷セル者、跛者、盲者、狂人、乞食、不治ノ病又ハ危險ナル傳染病ニ罹レル外國人

八、醜業ヲ營ム爲伯國ニ渡航セントスル外國婦人

九、六十歳以上ノ總テノ外國人

補欵　但シ査證ハ第七號及第九號ニ關シテハ危險ナル傳染病者ヲ除キ左ノ場合ニハ之ヲ許與スル事ヲ得

（イ）自己ノ生計ヲ維持スル爲收入ヲ有スルトキ

（ロ）目的地警察官憲ノ面前ニ於テ署名シタル保證狀ニヨリ本人ニ關シ査證ヲ負フベキ親族又ハ其ノ他ノ者ヲ有スルトキ此ノ保證狀ノ證明書ニ適當ニ印紙ヲ貼用シ署名證明ヲ經タルモノヲ領事館ニ提出スヘク領事ハ査證ノ上之ヲ旅券ニ添附スヘシ

海外通信

夫婦でポ語を勉强

金よりも精神の準備が大切

聖市　清水一郎

久しく御沙汰致しました、御變りは御座いませんか。私共幸ひ健康に恵まれ毎日無事に働いて居ますから御安心下さいませ。度々「海の外」を御送り下さいまして有がとう御座います。内外のなつかしき事情を數分にして知る痛快を異國の地で初めて知りました何んと云つてもまだ日本文字に愛着をもつて居るので限りなきなつかしみを感じます。海外縣人名簿は上出來で有りました兄等の日頃の御努力の程を感謝致します。

ポ語を勉强

少しく當地の樣子を御知らせ致しませう、小生は前便にてお知らせ致しましたやうに村上氏の所に手傳つて午後四時より約一時間ポ語の勉强の爲聖州義塾に通つて居ります。近頃やうやく少しわかつて來ました、大人の語學の勉强はだ目ですね、それに日本人の處に居る故日常は日本語のみしか使はないのでなかなか進みません、でも外人の患者が半數位來ますのでその會話を氣を取るのが大分役に立ちます、一人前になるのにはかなり期日を要する事でせう、何んとしても小生の現在困るのは如何にして語學を早く習得するかにあります。それさへ自由になつたならもう自由なもので有ります、小生の家内も語學を習得するため外人の家庭に入り働いて居ります、初めは言葉が一寸もわからず困つたやうで有りましたが、今では日常の用を便ずるには不自由はないと云ふ程です、日常の言語等外人殊にブラジル人は手まね表情等極端にまで使ひますから言葉が不充分でも用が足ります。もう少ししたら僕より會話は上手になると思ひます、主婦が大變可愛がつて一つの言葉でも發音の正しくなるまで繰り返して言はせると、言ひますから、大だすかりです、まあ來る所まで來たのですからどうかと、おちついて勉强しようと思ひます、氣候の變化多き聖市に於てさしたる病氣もせず無事に働ける事は限りなき感謝で有ります、

モグリがぼろい儲け

僕等の職業はなか〳〵有望で有ります、ブラジル人も日本人もなか〳〵悪い歯をして居るのに驚きます。田舎の人達は勞働に追はれ衛生に注意する暇のない事と、今まで經濟がゆるさなかつた事と適當な歯科醫がなかつたのが原因して若い人なのに氣の毒な程悪い歯をして居ります。日本人の歯科醫も二十餘名來て居るとの由なれど當國の有資格者四名のみで他の人達は所謂もぐりでやつて居るのです、仕事はつまらぬ事をやつて居ても料金だけは思ひ切つて取るやうで有ります、内地（日本）よりは植民地だけ有つて仕事がやりよいやうで有ります、もう少し人の金儲を見つゝ貧乏書生をしなくてはなりません、アリアンサに入植した諸君が原始林を開拓してカフエーを一人前に育てあげるのと僕の勉强は少しも變りませんからね－僕もアリアンサに諸君が汗水流して勞動される思ひでやつたなら出來ない事はないと思ひます。

金儲よりも墮落しない精神の準備

宮尾先生等と同行しました中澤しげる女史が病氣にてパウルの病院でとう〳〵不歸の客となられました事は、お氣の毒な次第で有ります、異鄉の地に有りますと人の死と云ふ事に付き異常なショクを與へられます、死は人生の地上に於ける最後の事である事は最も明瞭なれどその死がいつ來るかと云ふ事程不明瞭な事はないと思ひます、人が何をやるにも死ぬまでかゝつてと一口に言ふその死がいつかわからないと云ふ問題に打つかつた時に、我等精神的準備を充分整へなくてはならないと思ひます異鄉の地に有り悩める時に慰めてくれる人もなし疲れた時に激勵の言葉をかけてくれる人のなき時、もだへたる時に自己の心情を打ち明ける人のなき時に、なくてはならぬものを與へてくれるものは唯一の神あるのみと云ふ事を痛切に感じます。精神生活の重大なる事を切に思ひます。植民地が經濟的に向上して行くのは誠に有りがたい事であるけれど心掛の悪るい爲に精神的に惰落して行くのを見る時にかなしくなつてきます、實際植民に於て必要なものは金よりも精神にあると思ひます。

當地に來て四ケ月を過ごしました、大陸地で高原地とも云ふべき聖市の氣温の變化の甚だしいのに驚きます、日中汗だくの日があると思ふと夜は急に冷へると云ふやうに全く想像がつきませせん、こんな所で病氣でもしたら取り返しがつかんでせう、でも各植民地の樣子を聞きますと叮はよいですね、病氣が少なくね、田舎に入るとアメーバ、フエリーダの瓜の間に入るビツヨ、土まけ等の洗禮を受けなくてはなりませんが叮に居りますとそれがないだけよいと思ひます、有る意味から言ひますと植民者としての資格がないと言ふ事になりませうが。

移住地の社會的發達

聖市近邊の野菜作り殊に芋作りは今年は大分儲けたやうです、芋は十二三培になつた人が隨分有るやうで有ります、カミンヨンに一臺持つて來ると一コントになると云ふ事で有ります、商業もなか〳〵有望で有りますね、當地では卸屋から小賣商人まで販賣されるには丁度倍になるのが普通であります日本見たやうに二割三割で有りませんから上手にやつたら伸びるのはわけがないと思ひます、日本人の大きな商店も數軒ありますが皆五六年の内に礎きあげたのです、村上氏も二階住居から一軒相當な家を借り移轉致しました、永田會長の云ふ移住地の社會的發達がよくわかります、（以下略）

味覺をそゝる熱帶の果實 （四）

果實の女王 マンゴスチン

天下無類の佳味

マンゴスチンは熱帶果實中最も著名なものである。普通の林檎よりも小さい球形の漿果で、其頂端稍扁平をなし、外形は柿の實に似て蒂がある。果皮は堅くて厚く、成熟の初めには赤褐色であるが、漸次粟色を呈する。其果皮を除くと、中に恰も蜜柑の如く房狀を呈して、種子を包んだ五乃至十個の白色透明な肉囊がある。これが即ち食用に供へる部分である。

マンゴスチンの香果は肉を之を口に入れれば雪の如くに溶け去り、一種特有の香を放ち、天下無類の佳味と稱せられてゐる。其味は他に比すべきものがないが、强いて求むればパインアツプルと水蜜桃との美味を併せたるが如く、或は苺と葡萄との芳香を合したるが如く、尚且他の名狀すべからざる上品な芳香を倂有してゐる。世に醍醐味と稱するのは恐くこれに近いものであらう。されば ドリアンを果實の王と呼ぶに對し、マンゴスチンを果實の女王と稱するのは洵に故ある次第と云はなければならない。

乍併此實も亦保存期の甚だ短い缺點がある故に、遠く運搬せんとするには尚多少綠色を帶びたるものを摘採したのでなくてはならぬ。唯斯くの如くして採收後時日を經過したものは其風味が到底母樹に於て完熟した新鮮なものに比すべくも無い。本果は亦氷冷したものが最も妙である。これを食するには小刀を以て芯まで切り落さず、實を横に臥せて、果皮のみを周圍から廻し切りにし、其上半を除去し、フォークを以て肉囊一個づゝを刺し取つては食すのである。

マンゴスチンは支那人は山竹と呼むでゐる馬來の原産であつて、其他交趾支那、暹羅印度、錫蘭等にも古くより栽培されてゐるも元來其栽培困難なる果樹であつて、熱帶樹であるにも拘らず熱帶地に於ても其適地範圍が狭く、臺灣に於ても未だ栽培に成功を見ない。常綠中喬木であつて、樹高二十乃至三十尺に達する。葉は全緣の長楕圓形で先端が尖り、稍小葉の泰山木の葉に似て對生である花は暗赤色又は紫紅色の完全花である。

果實の食用以外、其果皮は强度の單寧及び染料を含有するが爲めに、單寧製造の原料となり又其染料を用ひて染めたものは決して褪色しないと云はれ、所謂馬來更紗の染色に用ゐられてゐる。故に本果を食する時は果皮より出る汁液を以て着衣を汚染しない樣に注意を要するのである。

遠洋航海で印象深い

布哇の見聞について

軍艦八雲 宮原正一 （更級郡上山田村出身）

畏くも高松宮殿下と御艦を同ふして帝國海軍の偉才たる小林司令官統率の下に昭和三年度練習艦隊乘員として南大平洋を中心に各地を巡航したのであるがその中で最も深い印象を殘したのは布哇ホノルルである。

三千浬も離れた此の異國に於て同胞殊に一面識もなり在留同縣人より心からの歡待を受け只恐縮の外はなかつた自動車で當地の名所舊蹟を案内せられ本嶋特産のバナナ鳳梨の寄贈を受け永らく航海して荒れすさんだ私共をお慰め下さつた事は衷心感謝に堪へない來艦訪問を受け上陸して訪れた時などは時間の過ぐるも知らず夜の更けるも氣付かず親しく母國の消息を語り彼の地の事情同胞の活躍狀態を聽き五日間の碇泊を夢の如くに過ごした此の同胞の多い關係印象の深い布哇に就て斷片的乍ら記して以て遠航の土産となし同地に旅行せらるゝ方や又知己友人の居らるゝ方に聊かたりとも御參考に供したいと思ふ。

位置及氣候

地理的に言へば布哇群嶋は西經百五十四度四十八分より百六十度に亘り北緯十八度四十五分より二十二度十四分の間に散在する嶋で八嶋と稱して加哇、ニイハフ、オアフ、馬哇、モロカイ、ラナイ、カホラウイ、布哇等で此の外四五の無人島がある。緯度の關係より見れば熱帶地であるがベーリング海峽より來る寒流と北東の貿易風とスコールの影響を受けて年中初夏の樣な氣候である一年中美しい花が咲き青葉が茂り氣持がよい溫度は平均七十五度位で八九月の酷暑の時でも九十度を昇る事がなく冬季（二三月頃）で五十八度位より下る事がないと言はれて居る。

政体と人口

布哇と米國と合倂後（明治三十年）米國は自治制を布き彼のアラスカと共に米國の一縣として知事をおき議會を設け全然獨立した行政を行つてゐる議會は十五名の上院議員と三十名の下院議員とから組織され二ケ年毎に通常議會を開き其の外に臨時議會を開いて居る知事及縣の書記官は米國大統領が縣民中より之れを詮衡し其の他は知事を任免してゐる今度の總選擧には日本人よりも三名の候補者が立つて居るとの事であつた。（註十一月六日の本選擧に落選）官吏學校職員其の他の要職に我が在留邦

人が多數活躍して居ることは誠に心强く感じた事である。

現在の人口は全嶋で約三十三万と言はれてゐる其の種數は純土人日英米佛獨伊支比其の他全世界の人種を集め人種展覽會場の評がある一七七八年發見當時は土人の人口二十五万位であつたらしいと言はれて居る一八二〇年今から百八年程前は十五万足らずで段々と減つて只今は二万四五千位である其の原因は戰爭と悪疾飲酒の三つとされてゐる全人種中我が日本人が最も多く約四割强の十三万餘を占めてゐる

産業

（入港と邦人の歡迎）

砂糖は其の重なる物で布哇の生命と言はれて居る甘庶は土人の食料の主なるもので元來之れを食するの外使用法を知らなかつたが今は盛んにこれから砂糖を製してゐる砂糖に次ぐ産物はパインアツプルで年々增加し質の良好は世界第一と稱せられてゐる米も又主なる産業の一で主に支那人之れを耕作し居つたが日本人で之れに從事するもの近年非常に多くなつた。

珈琲の栽培も年々盛んとなり其の栽培者の八割迄日本人で品質も亦上等である我が同縣人も四五人此れに從事してゐるとの事であつたバナナは布哇各地に生茂し其の種類は二十余もあつて土人の食用とされてゐる巡航各地の中でこゝのバナナが一番品質が良好で隨分に澤山に頂戴した右の外椰子蜂蜜煙草等も主なる産物である。

教育

教育機關は相當に發達し布哇大學オハフ大學カメハメア大學校大平洋學院等がある日本人小學校は全嶋を通じて百三十余校あるが中等程度の學校としてはホノルルに二校ヒロ市に二校が代表的の學校であつて中學部女學部を設置して居るもの五十余に達してゐる布哇中學校及高等女學校は西本願寺別院に所屬し明治四十年創立である今日迄に一千余命の卒業者を出し何れも重要位置を占めて居る布哇女學校はサウス街にあつて淨土宗別院の直屬である明治四十三年の創立で純日本風の教育である中央學院は明治四十三年の創立で布哇中學校と共に在留同胞間の二大中學と云はれて居る同校は最初基督教派として目されて居つたが現在は全然何れの

（ホノルヽ市街御視察の殿下）

宗教にも屬せず在留同胞に依つて維持されて居る。

以上の外職業學校として布哇裁縫專問學校がある婦人洋服の裁縫を組織的に教授してゐる創立以來既に二百名の卒業生を出し日本に歸つて裁縫學校を經營して居るものもあると云ふ布哇で生れた日本人の兒童は縣の法令を以て英語を以て教授する學校で義務教育を受けねばならぬ故に彼等は校課終つた後日本語學校に通學して日本語を習つてゐる。

ホノルル市及其の近傍

（ワイキキ、公園噴水塔）

布哇群嶋オアフ嶋の東南部にあつて人口約十万五千と云はれ其の內在留邦人は約五割を占めて居るカメハメア大王以來の全群嶋の都であつて市區整然として布哇縣政廳の所在地であり本群嶋第一の都會である。東洋諸國と米大陸との交通の要路であつて將來多忙の地であるが灣內は狭隘で船舶の出入に不便なるを感ぜらる然し出入の船舶多く港內には帆檣が林立し市は港から展開して左右三四哩後は山中に迫り本嶋從斷の山脈に及んで居る棧橋の前を通じて居る電車軌道を左に沿ふて右に曲ればもう當市の「メンストリート」たるフォード街で最も目抜の場所まで七八町日本人の町まで十町位であるフォード街に直角にキング街ホテル街此の附近が一番賑やかである日本町は店舗の飾附看板等內地の町と何等變りなく懷しい感じがする此の外ホノルルには名所古蹟多く見物に値する個所が多い今其の二三を紹介して見よう。

一、ワイキキ ワイキキの名はパインアップルの商標に依り世人の良く知る處であるホノルルの町を去る東南三哩の地より金剛峯の麓に及ぶ金剛峯の麓にカピオラニ公園がある園內には動物園水族館競馬場噴水塔等がある噴水塔は先帝陛下の御即位を記念する爲め在留邦人が建設し市に寄贈せるもので材料は全部日本物を用ひ其鳳凰は我が宮城を拜してゐるとの事である一名水の出ない噴水塔としても名高い尚又ワイキキの河岸で見落してはならぬ物は板に乘つて激浪の上を飛び廻る當地の特技である此の處に遊ばんとする者は自動車か電車に依らねばならない。

（歡迎角力大會）

フォード街よりキング線に乗つて行く事暫らくにして左に政廳右に有名なるカメハメアの銅像がある政廳の隣りに教會その前がカーネギーの圖書館教會堂の次が由緒ある布哇最古の建物である。

二、「ヌアヌパリ」

ヌアヌパリはホノルルより東北六哩ヌアヌ街道峠の絶頂である カメハメア一世が一千七百九十五年布哇統一戰に於てオアフ酋長を敗つた古戰場で路傍に當時の碑文があるヌアヌパリは以上の如き有名なる古戰場であるのみならず天下の奇勝として世人の知るところである峠道を峡んだ左右奇峭峻屹立し眼下に展開した平野北大平洋の雄大は只一中の油繪の樣である更に脚下を俯瞰すれば勇將カメハメアが敵軍を蹴落して鏖殺したと云ふ千仞の絶壁であるこの斷崖より吹き上げて來る風は世界第三位と呼ばるゝ風速を有し風のある日は到底絶壁の傍にもよれないフオード街より電車に乗りヌアヌパリに向へば先づ左に中央學院曹洞宗別院反對側に本願寺別院布哇中學がある更に進んだ側に日の丸の日章旗の屋上に飜るを見る是れが卽ち我が帝國の領事領である終點で降りて約三哩半位でヌアヌパリーに着く。

三、「ポンチボール」

ポンチボールは市の中央に突き出した海拔五百呎の死火山で頂上に噴火口の跡がある昔この嶋の酋長が加哇遠征をなし數多の分捕品や婦女子を生捕にして凱旋し一大祝宴を開いて居ると突然噴火して其の大炎中より生靈があらはれダンスを踊り酋長の殘逆を戒めた事や噴火を鎭める爲に生贄を捧げたと云ふ傳説がある。

倘此の外マノア谿嶋廻り等がある嶋廻りをしなければホノルルに來た價値半減と云はれて居る其の里程は約八十六哩自動車で約六時間を要するとのことである

同胞の一般的地位

布哇に於ける同胞の地位は人口に於ては約四割余を占め優勢を持して居るが經濟的の地位に至つては遺憾ながら支那人に及ばない何故に斯の如き結果に導いたかと云ふに最初渡來した同胞の移民の多くは永住土着の精神がなく何れも錦衣歸鄕を夢み多少の蓄財を見るに及べば直ちに行李を纒めて歸國したこと、日本人の銀行が同胞の預金を悉く故國に送金し布哇に於ける投資に對しては極めて冷淡であつたのが最大原因となつてゐるとの事である今日砂糖に次ぐ重要産業となつて居る鳳梨事業も同胞の力に依つて着手されたものであるが當時之れに要する資金を得る道なく悲慘な血涙史を殘して白人の手に委ねてしまつたのである當時銀行家が同胞の事業を援助したならば今日多數の百万長者を出して布哇の經濟界に重きをなして居つたであらう。日本人の商店も時代に順應して非常な進歩した白人と對抗して白人邦人共に嗜好趣味に適ふ樣努力して居る現在同胞商界で檜山商店住田商會は白人の大資本を擁する商店と比肩して毫も遜色のない堂々たるものである。

我長野縣出身者中には商業を營むもの （四十二頁下段に續く）

海の外 歌壇

俳句

上伊川島村　一ノ瀬斜月

山村や殘雪に細う今朝の雨
○
峯白う柿の山家や冬に入る
○
能樂の舞台を辷る落葉哉

上水柵村　喜望亭近山

生活の改善談や置炬燵
○
デンマルクの農業組織や冬の服
○
身の秋や環境に醒めぬ海の外
○
悩めける心は寒く足袋つづる

上水大豆島村　市川川觀

俳諧の一茶の里や蕎麥の花
○
邪魔になる袖美しき歌留多取り

短歌

上伊川島村　一ノ瀬萓泉

年立ちて喜びあふる幼兒は
としをかぞへて雑煮祝へり
○
やはらかき雪とけぬる門松の
細葉を玉の光落つるも

松木窓月

梟なく壁は淋しも暮れなづむ
山畑に母と麥蒔き終えぬ
○
道の邊に捨てある新聞ふと見るに
友が詩篇のありてなつかし
○
さ夜更けをひとり起きゐてもの書くに
筧の音の遠くきこゆる

長野市　坪內廣代

ゴム風船室に飛ばしてあそぶ吾子
晴着を着せて我笑ましかも
○
晴着着て吾子ころころ遊ぶさま
元旦を祝ふこころ湧きをり

ナイヤガラ瀑布に來て（十月十三日）　兩角喜重

大瀑布のしぶきに懸る虹の輪を
まのあり見る色のよろしき

海の外歌壇募集

◇短歌○○随意
（一人五首、用紙ハガキ）

◇俳句○○随意
（一人五句　用紙ハガキ）

締切　一月十五日限り

宛名　長野縣廳内
海の外社編輯部

南洋を巡つて（三）

片倉小山嵩

南洋の代表ジャバ嶋の巻

オランダの船は既に書いた様に猛烈に高いので英國籍の支那船に乗つた。バタビアの港タンヂョン、プクオクへ着いた時は白蘭紙幣取り交ぜて二百四十圓これで入國税百ギルダーを拂ひヂャワ内地を見物しながらスラバヤまで行かねばならぬ、それから内地への船賃も八十圓は要る。こんな乞食旅行は學生時代でなければ出來ぬヂャワには先輩も多い何とかなるだらうと彼は時々少くなつ行く紙幣を數へた、

船の入港と上陸に際しての手續を參考のため私がバタビヴイアに上陸した時の模樣を記して見る。

『極東の眞珠ヂャワ島はシンガポールより愉快な航海四十時間にして達する』とヂャウ案内に記してあるが俺の船は六十時間もかゝつた船には何か積んであるのか時々猛烈な臭氣が丸窓から入つて來る。然も食事は支那料理一點張りおまけにテーブルに連るパーサーの支那人は梅毒で鼻と口が連結して了つたスゴイ御面相とても飯など喉へ通りはしない。朝夕『ドアン（旦那様）コーピー』と戸を叩く支那ボーイの面まで癪にさわる。こゝでチップを儉約した。

船は止つて移民官が來たパスポートを檢査して百盾を取る。巡査の案内で税關へ行く。この時デッキパッセンヂャーの支那人と馬來人（混血らしい英語の達者な奴）とが俺の従者の如くついて來たそして税關の所まで運んだ彼等の荷物の運賃までたかられて了つた。

私の輕便トランクーズック製のカバンである。三年前に神保町の角で四圓五十錢で買つたもの。この大旅行もこれ一個で通した。――は税關吏の前に開かれた。

"Ik heb niets, dat van rechten onderhevig is."【課税される物は何にもありません】日本の青年紳士が彼等の本國語でシャベるのを聞いたら如何に橫慢な奴でも調子づけられる。これが税關吏操縱の安全辨。小聲で言つたオランダ語が通じたか通ぜぬのか彼は關、馬其の他五、六册の本をニャ／＼しながら見ていた。彼等は本に注意する、土人の暴動以來極度に赤化を恐れてゐるんだそうだ。

後は三、四枚の着替と藥品――自分の家は小さな藥種屋である藥品の携帶は小さなトリップにも忘れた事はない。で今度は方面柄鹽酸キ

ニーネ丸の五百粒入一瓶但し一粒も飲まなかつた。又自分は性來リウマチス病に惱まされてゐる然も今度は橫濱出帆の時に當つて左肘關節と左鼠蹊部關節が痛んで跛になつていた。橫濱を出るとすぐ船醫に注射をして貰ひ神戸では醫者から斷然旅行の中止を勸告された程だつた――鹽酸シノメニン注射液。イヒチオール。アスピリン等々の必携品寫眞器其の他。

檢査は直ぐに濟んだ。自動車で移民局の阜頭出張所へ行く、日本人に似た男が一人ボツネンと移民局のベンチに掛けていた。傍に麻網のかけた日本製らしい本箱がある。前に運賃をたかられた英語の達者な土人と話をしたり巡査と馬來語で話してゐる私の顔をあまりしげ／＼見るので私は突然その男に『貴下何處からいらつしやいました』と流暢な日本語で問ひかけた。その男ビツクリ立ち上つて『そうです私日本沖繩から來ました。貴下東京ですか貴下の御言葉よく分ります』彼は泣き出しそうな顔をしてあぶない標準語で答へた。大將共榮組合といふ魚業組合へ來たのだが迎へが來なかつたので何が何やらさつぱり分らず移民局でも持てあまして居たのだそうだ。それで私に『貴下の御言葉よく分ります』なんて全くてこずつたらしい。氣の毒だつたり可笑しかつたり兎に角早速通譯の勞を取つてやつた先生終始泣きそうな顔をして俺を神樣の樣に有難がつてやたらに頭を下げてお禮を言つてゐた。

南洋の都バタビヤ
誤解する勿れ文化の南洋

自働車はバタビアへ。アスファルト道路坦として砥の如し。臺銀支店へ先輩を訪ねた支配人の御好意に甘へて二日間臺銀の社宅へ御厄介になることにした。こゝでは本縣小縣出身半田積善君と面會した。氏は臺銀の蘭語通である。臺銀は正金のすぐ近くに並んでゐるが兩方とも建物は貧弱で商業區舊バタビア市街にある。が社宅は公園の様な新市街ウエルテフレーデンにある盜し豪盛なもんだ。帝國ホテルの内部に勝るとも劣らぬ。すつかり御馳走になつた。『ヂャワを見ずして南洋を語る資格なし』とはこれを言つたんだな、校長がヂャワ行を奨めたのも無理はない。

ヂャワでは日本人としての優越を感じた。内地一流の銀行商事會社の支店其の他の商店も相當なもので從つて在留日本人の質もシンガポールやメダンとはダンチである。

流れ流れて落ち行く先は北はシベリア南はジヤワよ、

流浪の旅の作者は實に非見識極る。堂々たる一等國民がジプシーの眞似してジヤワ邊りへ流れ込まれて成るものか。

自惚れ氣の强い日本人は南洋と言へばすぐ裸体の黑ン坊や未開野蕃の代名詞と心得てゐる。信州木曾の山の中で馬蕨をくる

バタビヤ市街（大川が町の中央を流れる）

めたり田の中を掻き廻つてる連中ですら南洋の土人と言つて見下げてゐるから笑はせる。信州松本の普及團で南洋の寫眞を見せたら『南洋にも立派な西洋造りがあるんだなア』と感心してゐた。バタビアの整頓した街路が信州はおろか東京の何處にある。大阪の何處にある。

日本が獨立國か支那の屬國か未だハッキリしていない西洋人が少くない。日本に電車や飛行機があるとは信じない人間が先づ地球上の半數以上はあるだらう。ましてラジオが盛んだなどゝは誰だつて本當にしない。先年朝日の飛行機が歐州へ恐ろしく遲い記錄を作つて飛んで行つた。それで日本にも飛行機のある事がやつと分つた。所があの發動機の製作所ブレーゲー會社では曰く『如何に我が社の發動機が優秀であるかは日本人でさへよく飛んで來た事によつて立證される』と、

チヤワは人口の密度我が關東平野と等しく從つて文化的施設も蘭人の努力により大いに見るべきものが多い、唯思想的には未だ幼稚であるのは仕方がない。

チヤワコーヒーについて
赤毛布丸出しの珈琲漫談

產出額はブラジルに讓るが品質の點に於て何人も認める所、晝食后出かけたが例によつて晝寢時刻である。椅子がテーブルに乘せられてゐる仕方なしにサドと呼ぶ馬車に乘つて町を一廻りして來た、名前は忘れたが日本人倶樂部の隣りの一流のカフエへ入つてヂョンゴス（ボーイである女給は一切居ない）にコーヒーを注文した。

小さな無地のコーヒーカップに三分一位眞黑な强烈な香のするコーヒーを入れてミルクとシュガーを持つて來た。適度にこれを塩梅して飲むんだ。苦い一寸頭がグラ〳〵する樣な氣がした。が實に味い翌日も行つた、一杯四十錢である。

日本へ歸つて來てからあの小便の樣なコーヒーには全くうんざりさせられた。一体一杯五錢や十錢のコーヒーを飲ませるなんて人を馬鹿にしてゐる。高くともコーヒーらしいのを飲ませる家がつく〴〵ほしくなつた。切角案内した毛唐に『これが日本のコーヒーですか』など言はれるのでも國辱の一つだ。銀座の富士屋さんのは先づ飲める。東中野驛前にひとみ【Hit O me】といふのがある。相當なのを飲せる。

コーヒーでは面白い話がある。オランダ語を知らぬ日本人有名なチヤワコーヒーを飲まんものと見つけてゐる中にあつた［COIFFEUR］の看板を見て早速飛込んだ立派な椅子によつて待つてる中にドン〳〵頭を刈り始めた。ハヽア此處では一杯のコーヒーを飲むにも理髮までする習慣があると見える。先生すつかりいゝ氣持になつて感心してゐる中に終つた。蟇口の中からウンとボラれて遂にコーヒーは出なかつたといふ。

COIFFEUR は佛語理髮屋のことで蘭語化してゐるコアフィユルと發音する。

スラバヤで乘る積りだつた南洋郵船のマカッサル丸が豫定通り二日早く出て了つたので適當な次船までゆつくり見學するべく餘儀なくされた。

バイテンゾルフの名園
優雅を都市バンドン

八月廿五日天下の名園バイテンゾルフへ行く。バイテンは外の意ゾルフは心配の意、無憂境と適譯を與へん。一体信州人の樣に壯嚴なる大自然を搖籃として育つた者には公園などいふものにはあまり引きつけられない。人工的公園としては上野、日比谷、小石川の植物園を見たに過ぎぬ。その自分にはこの大植物園の存在は蓋し驚異に價する。熱帶植物の集めて洩らさずその配置分類の周到なる自分はあまりに自然科學に對して不用意であり植物學的常識に乏しいのが今更ながらあさましかつた。園內には總督の官邸がある

（バイテンゾルフ植物園）

ボイテンゾルフを出てから車は登る。車中の客の新陳代謝につれて乘客の顏は美しくなつて來る。然も日本人に甚だよく似てゐるので日本語で話しかけたくなる程である。

夕刻バンドーンへ着いた。美人の都。學術の中心地である。整頓した美しい街でチヤワのパリーであり京都である。紺セルの紳士も散步してゐる。すべてが優雅である。こんな邊が吾々が現實として捕へ得るユトウピアであらう。

ドストエフスキー物が好きのハイネがいゝのルデーがどうのギルバートが何のさては傳明が長次郎だとさわぐ口紅娘よ流れ流れてチヤワまで行つて來い。

バンドンでは有馬洋行を訪ねた。天下御免は學生の特權であるらしい今後到る所で堂々と御厄介になつて了つた。慶應卒の二人の社員は二人の土人店員と數名の女中を使つて愉快な生活を送つてゐる。店は綿布其の他の生地の卸である。樂しい家庭的な晩餐の後サドを驅つて銀座へ。東京の銀座と違ふ點はあのうるさい電車のない事。それから淺草へそして日本人倶樂部へ街の角にシャナリ〳〵と優美な足どりで步む白粉の娘はすべてストリートウオーカーであるそうだ。最近出來た日本人倶樂部は獨支印などに比べたら貧弱だが兎に角頼母しい。白セーターの婦人も居た。それ程夜は凉しい。家へ歸つたのは十二時過ぎ乘り棄てたサドは廣いアスファルト道路の上をポカ〳〵と小馬の蹄の音を輕く殘して消えて行く。

翌朝早くガルーへ自働車で
南洋にまで影響する對支外交

この乘合自働車は邦人佐藤氏の經營である。米田、竹林を横り數多い峠を越えてガルーへ着いたのは正午近い堂々たる佐藤氏のお宅へ御厄介になる佐藤氏は獨力よく今日の隆盛を見たのは全く尊敬に價する。氏は四國の人である。

この自働車經營上について記したい事がある。

それは我が田中內閣の對支出兵の與へた打擊が如何に甚大且つ廣汎であつたかである。

上海香港に於て『打倒日本帝國主義』『反對日本山東出兵』のビラが見受けられるのは當然としてもシンガポールは愚か遠くヂヤワに在留する支那人の對日反感もかなりひどく、この佐藤氏の自働車の客も大いに減じたそうである。田中さんはこんな事はどうでもいゝんだ。大きな損をしたサガレン出兵に『俺あサガレンを取つて隱居仕事に總督でもするだ』と云つたそうだがおらが大將では嘘ぢやあるまい。

私は上海から新嘉坡まで張輔忠君と同室したチヤン君は將介石派の軍醫少佐でドイツへ留學するといふ。日本語は話せないが雜誌や新聞はよく分る。英語は私といゝ勝負だつた。支那語も少し習つた。私は山東出兵は田中內閣の獨斷で日本人の輿論でない事。尠くも來るべき日本の將來を雙肩にする吾々智識階級の青年はすべて反對であると述べた。彼は無口であるがよくうなづいて呉れた。一人の支那人を滿足せしめた自分は天晴私設外交官として鮮かな腕をふるつて今日尙得意である。

日本人は支那人朝鮮人を事大主義の徒輩として嘲つたものだが御自身は白人崇拜米人恐怖に陷してゐる。在留民の生命財產の保護を名としてお隣の支那へは直ぐ出兵する。そして三千万五千萬の金を瞬く間に飛ばして平氣だ。猛然とアジアに起る日貨排斥邦商の破綻によつて生ずる莫大な損失額。それより對日惡感情は一体何時になれば解決つくんだ。吾等は黃ん坊のアジア人である。支那は日本の妻である。妻を寢取つた奴に文句が言へないで自分の不仕末を棚に上げて嫁を踏んだり蹴つたりしてゐる。

健忘性で注意力の缺けた日本人は七月一日の國辱紀念日を忘れてゐる。米國の排日法案が議會を通過して實施された日である。この時埴原駐米大使が『日米兩國間に將來グレーブコンセケンスが云々』といふ言葉を使つたのに意氣地なしの日本は驚愕度を失して彼を罷めさした。其の後カリフオルニヤの邦人はトラックに乘せられて放逐されたりコールタ―漬にされたりした、つい先頃もあつた。何故加州へ陸戰隊を上陸させぬ。支那に對してのみの軍備ぢやチト多すぎる。海軍などは〇〇と勝負をしたくてムヅ〳〵してゐるではないか。片附けるとも一日も早く行つた方が世界平和のためだ。負けたらそれで良い。勝つたら其の時こそ日本の手で完全に軍縮が出來るのだ。

吾々は大和民族の生命財產を保護するための軍備ならその一部に宛てんための納稅の義務を肯定する。が意味なき戰爭や軍閥のための軍事費は拒否せねばならぬ。日本は日本人の日本であつて〇〇〇や軍閥の日本ではない事を明にせねばならぬ。軍閥の生き殘りを首班とする田中內閣の存在は青年日本の國辱である。大分脫線して了つた。然し脫線は駄文の生命である。

ガルーの郊外に湧出量豐富な溫泉チバナスがある設備は未だ充分でないがやがて我が佐藤氏の手によつて立派な溫泉場となるであらう。

こゝには例の大谷光瑞師が農園を經營してゐる。內地より秀才と稱する美少年を採用して上海で一、二年所謂秀才教育なるものを施して後この農園の土人を使役監督する。語學も華語、馬來語、蘭語を少しやる。歸國の際この種の少年三人と同船した。結局彼等は二十才前後に何等取柄のないオシヤレ者となつて歸る者が多い樣だ。

尙この農園では先年より養蠶飼育をやつて好結果を收めてゐたが先頃優良な繭が採られて來た。一体南洋と言へば一概に酷熱の地と思惟する弊があつて困る。海拔千尺以上になると非常に暮し良いまして養蠶をやる三四千尺の邊は我が信州の氣候と全く同一で只日中の直射が强く從つて朝夕の凉しさが割合に烈しいといふ理である。

朝五時の汽車でガルーを
去つてヂヨクヂヤカルタへ

ヂヤワには夜から朝へかけての夜行がない。で勢ひ朝早い汽車が出るのだらうが午后二時頃の暑さはたまらぬ。おまけに石炭がないので薪を焚くため大きな煤煙が窓から飛び込んで來て白服なんぞは大なしになる。

私は勿論三等である。同じ三等にも土人支那人の三等と白人の三等とがあるらしい。車掌が來て私に向ふへ行けと言ふので隣りの青年に聞いたら『貴下は日本人だから白人の車へ行かねばなりません』。甚だ不愉快な光榮である。『俺は白ん坊ぢやい黃色ん坊だから此處でいゝ』と云つて其の室に止つて周圍に集つて來る土人と話をしていたら連中すつかり喜こんで貴下は偉い〳〵には恐れ入つた。

彼等は東京の大震災に對して慰問の言葉を先づ發する事を忘れなかつた。日本と南洋とは地震の多い事又ジヤワとは景色も類似してゐるだらうと言つて得意だつた。私はアジア主義を宣傳した。彼等の一人は聲を低くしてオランダを攻擊し始めた。

（ボロブドールの寺院）

私はだまつて聞いてゐたが私はこゝに彼等の排蘭感情を利用してはならぬと警戒した事を敢てつけ加へておきたい。

チヤワ東部の甘蔗畑の平原を汽車が走る樣になつて間もなく午后三時私は目的地ヂヨクヂヤへ着いた。

こゝは城下町で言語風俗の典雅なる近くのスーラカルタと共

に名あり今尙長い脇差を胴にぶち込んで異風堂々従僕を俱つて所謂御屋敷町を行く樣は蓋し可笑しき裏れさである。王は酒と女に不足なき幾何かの年金をオランダ政府より得て城內に幽閉？されてゐる。此處に有名なボロブドールの寺院がある。壁にはシヤカ一代記が刻みつけてある。

富士洋行澤田氏に紹介狀を貰つてたので尋ねた。富士洋行はヂョクヂヤ一流の百貨店で約二十名の邦人土人の店員と別に數十人の女工を擁する更紗工塲とを持つてゐる。更紗の地はマンチエスター物で三十番號以上の品質のいゝ綿布である。最近絹布の帶地に加工するのに成功して好評を博してゐる。やがてスマトラ產の絹布を地とする爪哇更紗が諸君のお目に掛るでせう澤田氏はガルーの佐藤氏と共にヂヤワに於ける邦人の個人としての成功者の雙璧で共に大の學生好きである事は大いに感謝してゐる。

店員の案內で水城を見る。建築樣式の奇にして蔭氣なるレョー氣身にしむ。ポルトガル技師の設計だと傳へらる。セメントを用ひた暗渠が多い。變な惡寒に襲はれる。

その昔王は日夜美女を侍らして酒地肉林の歡樂を追ふ、萬一外敵の來襲ある時は水を以つて城を覆ひ自分は間道より逃げる仕掛になつてゐたと聞く。水旣に腐れて蛙の巢と化せる池あり一方に小窓をしつらへたる高殿あり、嘗つて幾十百の佳人豊麗な肉体を池中に遊戯せしめて媚を捧ぐ、王窓よりしばし眺められて後共の日の御意に召したナムバー、ワンを選んで共に別室で戯れたと聞く。

おゝ、まるで夢だ。が吾等は笑ふ時でない東洋の一角吾等の手近にかくの如き伏魔殿果してなきや。おしよせて止まぬ時の波には所詮勝てぬオールマイテイもかく醜態を二十世紀にさらけ出してゐる。

夕暗に遠く消えて行くボロブドールに別れを惜んで共の夜は富士洋行に宿つた。はるかにプレムブアン、チョゲの歌が聞える。

（これは流し女で外に土人個有の樂器を奏づる數名が一組となつてゐる。其の歌や諦めかねて訴へるか如く哀切を極めたものである）

（三十四頁よりつゞく）

比較的少なく二木勝三氏の日の出製麵會社、前田勘司寺澤茂兩氏の共同經營にかゝる甘栗太郎賣店、關谷房太氏のちから餅等は相當有力で此の外にも二三の商店があつた。

在留日本人の間には種々な團体が組織されて居る我が長野縣出身者間にも信濃會なるものが組織されて現在四十名の會員を有して居る共の幹部を擧げれば左の通りである。

會長上原信篤　副會長關口仲太　書記吉澤茂　副書記小田中善信　會計武藤喜眞太　監査木原賢治　瀧澤勘一の諸氏。

尙永田安雄宮坂幸高二木近雄吉田精一郎前田勘司の有力なる諸氏は相當の地位を得て同胞中にも重きをなしてゐる。（了）

協會記事

昭和三年初頭に

鹿島立つア移住地渡航者

本年最初のアリアンサ移住地渡航者が二月便船のモンテビオ丸にて鹿島立つ事になつたが同船は滿員の由で左記家族が先づ本年の皮切りとして同船に乘船する豫定である

小縣郡和田村	宮下袈裟義	六人
埴科郡五加村	竹內勝世	七人
南佐久郡川上村	井出碩雄	四人
同	井出滉	二人
同	井出善吉	五人
同	海海半兵衞	八人
同	川上鷲郎	二人
愛知縣愛知郡日進村	小島錠太郎	四人
同	幸村幸	五人
計	九家族	四六人

昭和二年の

アリアンサ渡航者

昨年度中のアリアンサ移住地渡航者中當協會扱は左の如くであつた。

一月	モンテビデオ丸	四家族	一八人
二月	―	―	―
三月	ハワイ丸	六	三一
四月	ラプラタ丸	一九	八六
五月	サントス丸	四	一八
六月	若狭丸	三	一一
	マニラ丸	二	七
七月	―	―	―
八月	モンテビデオ丸	五	一七
九月	ハワイ丸	二	六
十月	神奈川丸	一	三
	ラプラタ丸	四	一六
十一月	サントス丸	一	三
十二月	―	―	―
計		五一家族	二一六人

これを一昨年に比較すれば五十六家族二百六十余名に對して五家族五十余名の減少を示し割載航海數十三回に比し十一航海で二回の減少であるが昨年中に渡航準備中の者で本年二、三月便船に乘船する者があるので結局は大差なからんとみられてゐる。尙昨年度の現象として注目すべきものは右の外アリアンサの者からの家族兄弟親戚等の呼寄の激增した事でこれは的確の數を得難いが約三十名以上に上るだろう。

自作農渡航は一段落

殘るは請負耕作者の渡航

ア移住地の昨年度渡航數は減少の傾向を示してゐるが右は同移住地の渡航目的を別ちてゐる自作農渡航者の減少を示したもので大体に於いて自作農渡航者は全部渡航を総りたるものでこれを以て同移住地は一段落をつげ殘るは請負耕作者の渡航のみとなつた

海外發展宣傳と

請負耕作者募集で

西澤幹事の縣下一巡

アリアンサ移住地は自作渡航者の入植を殆んど終了し殘るは請負耕作者のみの渡航になつたので此の機會に海外協會では移住組合と共に縣民一般の海外發展宣傳講演をかねて請負者耕作者の募集をなす事になり西澤幹事は左記の如く縣下約二十ケ所に出張して海外發展大講演をなした。因みに渡航希望者は多數に達し本年二月より五月の間に渡航出來る樣夫々準備中である。

十二月五日　埴科五加小學校
六日　上高井綿內小學校
七日　上高井井上小學校
八日　下水內飯山小學校
九日　小縣神川小學校
十日　北佐久中津小學校
十一日　南佐久小海小學校
十二日　北佐久農學校
十四日　北安曇北條小學校
十五日　長野市豐國館入會
十六日　埴科寺尾小學校
十七日　南安曇南穗高小學校
十八日　西筑摩山口小學校
十九日　上伊那宮田小學校
廿日　下伊那富草小學校
廿一日　上伊那朝日小學校
廿二日　諏訪四賀小學校
廿三日　東筑摩芳川小學校
廿四日　東筑摩麻績小學校

各町村設立の

海外視察組合（續）

小縣郡川邊村組合

組合長　橋詰嘉五郎　山浦　捨人
池田　信卿　中村　眞平
丸山　操　等々力直泰
長野　好　柳澤　勝美
石田　寛

上高井郡日瀧組合

組合長　梅本眞之助　鈴木　勝藏
二宮邦三郎　中村金次郎
市川市太郎　松澤角太郎
中村富三郎　小林　英一
北澤　茂吉　中村鶴太郎

小縣郡鹽尻村組合

組合長　佐藤嘉三郎　中島　忠次
金井　朝一　佐藤　彰二
馬場　忠作　清水喜惣次
六川　靜治　小林　三郎
脊掛　貞一　丸山　茂男
西澤　仁次　中條　影男

賀正

昭和四年元旦

信濃海外協會

信濃海外移住組合

會費領收（自十一月二十一日 至十二月二十一日）

金貳圓也
西澤　吉松殿　高野　野泰殿
松澤　平一殿　竹內　寛一殿
原　才三郎殿　宮澤　明治殿
上原　庄市殿　沼田　重雄殿

海外ヨリ
一金拾貳圓六十八錢也
ダバオ　塚田　久米治殿

田中　敏理殿　藤巻　一二殿
兼子　茂殿　木內　戸市殿
高橋松治郎殿　福嶋　元治殿
大町料藝組合長殿　平林　伍鹿殿
簗井玉三郎殿　百瀬　金吾殿
原　道次殿　二木卯太郎殿
柴野　卯次殿　倉田　正殿
蜂谷　朝吉殿　田中新兵衛殿
梶　尚禮殿

一金四圓也大正十五年度 昭和二年　曲尾孫左衛門殿
一金四圓也昭和二、三年度　大塲　茂雄殿
一金拾圓也昭和三年度　金井　清志殿
一金拾圓也同　木內　一郎殿
一金拾圓也同　宮下　重一郎殿
一金四拾六圓也　上水內郡中郷村視察組合殿
一金拾八圓也　同　郡神郷村視察組合殿

坂本清幸氏訃

（在墨）昭和三年九月九日墨國シナロア州チノパンボ町に於いて死亡同氏は大正二年十月合衆國に渡り後入墨せるものにて齒科醫であつた。諏訪郡落合村出身

注目すべきメキシコ

吉山基德著（定價三弗五十仙）

墨國紀行を草し且つ墨國の眞相とその發展策を說き研究と調査を重ねて日本人海外發展の一助として出版せんとしたのは約一年前の事であります。（中略）日本は今や海外發展の必要に迫まれ內外共に多事多難でしかも排日の風潮が世界的に擴まり困難しつゝあるとき雙手をあげて我等を歡迎するのはメキシコであります。（中略）この好發展地の眞相を日本の海外發展に志ある方々に御紹介致したいと思ふて及ばぬ筆を走らせるのが本書であります（自序の一節）挿畫寫眞七十二葉發行所北米桑港ポスト街一六五六番日墨研究社

移民地事情出版

最近外務省通商局より移民地事情として出版寄贈を受けたるもの左の如し

執筆者
一、秘鲁國事情　在リマ領事館臼井書記生
一、玖瑪事情　在紐育總領事館高橋書記生
一、英領北ボルネオ事情　在新嘉坡總領事館
一、中米六ケ國事情　福岡書記生
一、南米北部三ケ國（コロンビヤ、ヴエネズエラ、エクアドール）事情　藤岡書記生

編輯同人

△昭和の御目出度い御大典もすんで晴やかな昭和四年の新年を迎へて又しても邦家の彌まし彌榮えを祝し感激措く能はざる次第である。會員讀者と共に新年を祝ひ今年の幸を祈つてやまない。

△一年の計は元旦にあり。と古人は敎へてゐる。心機一轉過去を捨てゝ今年一年だけでも多幸に終始したいものである。よろしく元旦に計を立つべきである。

△新年號は意外の不出來、新裝を凝らす事も出來なかつた事をお詫びする。あてにしてゐた執筆者が殆んど駄目になつてしまつたので致し方がない。でも宮下氏、草間氏、小山氏、宮原氏、清水氏等の玉稿を得た事は望外の喜び厚く御禮申上ぐる。

本年の移植民界が花々しくスタートされてそれを滿載した移植民ニウースも細大もらさず特報した。これを以て及ばざる所を補つて頂ければ幸ひ、味覺をいよいよそゝつて果實の女王マンゴスチンだ、寒い時には暖かい南の國に此の果物を慕ふて行つてみたい、歡壇が新設されて熱狂的歡迎をうけた事はうれしいドシドシ御寄せされて下さい。

信濃海外協會規約抄錄

一、本會ハ信濃海外協會ト稱シ本部ヲ長野市ニ支部ヲ必要ニ應シ內外各地ニ置ク

二、本會ハ縣民ノ縣外發展ニ關スル諸般ノ事項ヲ調査研究シ其ノ發展ニ資スルヲ以テ目的トス

三、本會ハ前條ノ目的ヲ達スル爲必要ニ應シ左ノ事業ヲ行フ

イ、縣民縣外發展ノ方法ニ關スル立案

ロ、發展地ニ就キ調査ヲナシ其ノ結果ヲ紹介

ハ、在外縣民ト聯絡ヲ計リ指導後援

ニ、海外投資ノ研究ヲナシ之ヲ發表

ホ、海外發展ニ必要ナル人材ヲ養成

ヘ、機關誌「海の外」ヲ發行シ隨時講演會各地ニ開ク

ト、海外發展ニ關シ各種參考品及統計ノ蒐集

チ、前各項ノ目的ヲ遂行スル爲臨機本會ノ代表者等ヲ內外樞要ノ地ニ派出スル事

リ、會員ニハ「海の外」毎月寄贈ス

ヌ、其ノ他本會ノ目的ヲ達スル必要ト認ムル事項

四、本會ノ會員ハ左ノ四種トス

イ、名譽會員ハ代議員會ノ決議ヲ經テ總裁之ヲ推薦ス

ロ、特別會員ハ一時金百圓以上ヲ醵出スル者

ハ、維持會員ハ會費年額金拾圓ヲ十ケ年間醵出スル者

ニ、普通會員ハ年額金貳圓ヲ十ケ年間又ハ一時金拾六圓以上ヲ醵出スル者

五、本會現在役員ハ左ノ如シ

總裁　千葉了

副總裁　平野桑四郎　佐藤寅太郎

顧問　小川平吉　今井五介　原嘉道　伊澤多喜男　岡田忠彥　本間利雄　梅谷光貞　高橋守雄　田中無事生　沼武治　小西竹次郎　降旗元太郎　越壽三郎　小里頼永　片倉兼太郎　鷄澤泰江　小林暢　山岡萬之助　工藤善助　樋口秀雄　植原悅二郎　山本愼平　松本忠雄

相談役　白石喜太郎　高田茂　菱川敬三

海の外（月刊）（一冊廿錢）

定價表

	內地送料共	外國送料共
一冊	廿錢	廿四錢
六ケ月	一圓十錢	一圓四十四錢
一ケ年	二圓廿錢	二圓八十八錢
五ケ年	拾圓	拾圓

御注意

△御送金は振替（長野二一四〇番）に御願ひします。

△外國よりの御送金は銀行、郵便局いづれにても確實に送金されます。

△御轉居の節は早速新舊兩御住所を御通知下さい。

△本誌へ廣告掲載御希望の方は詳細相談申上げます。

昭和四年一月一日發行

編輯人　永田稠

發行兼印刷人　西澤太一郎

印刷所　長野市南縣町　信濃毎日新聞社

發行所　長野縣廳內　海の外社　振替口座長野二一四〇番

各汽船會社專屬元扱

日本郵船會社
大阪商船會社
ダラー汽船會社
加奈陀汽船會社
アドミラル汽船會社
南洋郵船會社

日本力行會、信濃、廣島、和歌山
福岡、熊本、沖繩 各縣海外協會 指定旅館

海外渡航乘客荷物取扱所

今泉旅館

本店 神戸市海岸通六丁目三番邸
支店 神戸市榮町通五丁目六八番邸
長電話 元町三二一番
振替大阪 三五四一〇番

海外渡航取扱所

◉東洋一の理想的設備を有する神戸港へ！
◉旅館は誠實にして信用のある神戸館へ！

各縣海外協會
日本力行會 指定旅館

神戸市榮町六丁目廿一番邸

神戸館本店

電話元町八六一番
振替口座大阪一四二三八番

支店 神戸市海岸通四丁目（中税關前）
電話三ノ宮二一三六番

◈本店へハ神戸驛、支店へハ三ノ宮驛下車御便利

日本力行會長
信濃海外協會幹事 永田稠著
東京寶文館發行

日本植民讀本

菊版百五十頁
地圖挿畫澤山
定價六十錢送料六錢

海外發展主義の小學教育

四六版四百頁布製
定價二圓五十錢
送料十六錢

本會にて取次ます

著者が二十年間海外發展運動に從事せる体驗からしぼり出されたる血の結晶がこの二つの著書となつて現れた。

現在の教育の欠陷は日本民族發展に關する活材料を等閑に附してある事で、一般教育に海外發展に關する教育を加味されたならばと著者は此の點に深く留意して今回文部省の認定を得て實業補習學校、各種實業學校、中等學校の課外讀本として日本植民讀本なる教科書を編んだ。

更に現在の小學校の教科書中、修身、國語、地理、歴史の教材中に海外發展主義の高調に利用すべき點につき學年別に其活用法を示したものが海外發展主義の小學教育で、この參考書によつて直ちに海外發展主義の教育が施す事が出來る、世の教育者に是非共必讀を願ふなければならぬ好著である。

南満洲鉄道株式會社

海の外—THE UMINOSOTO
Published Monthly by the Uminosoto Sha. Nagano, Japan.

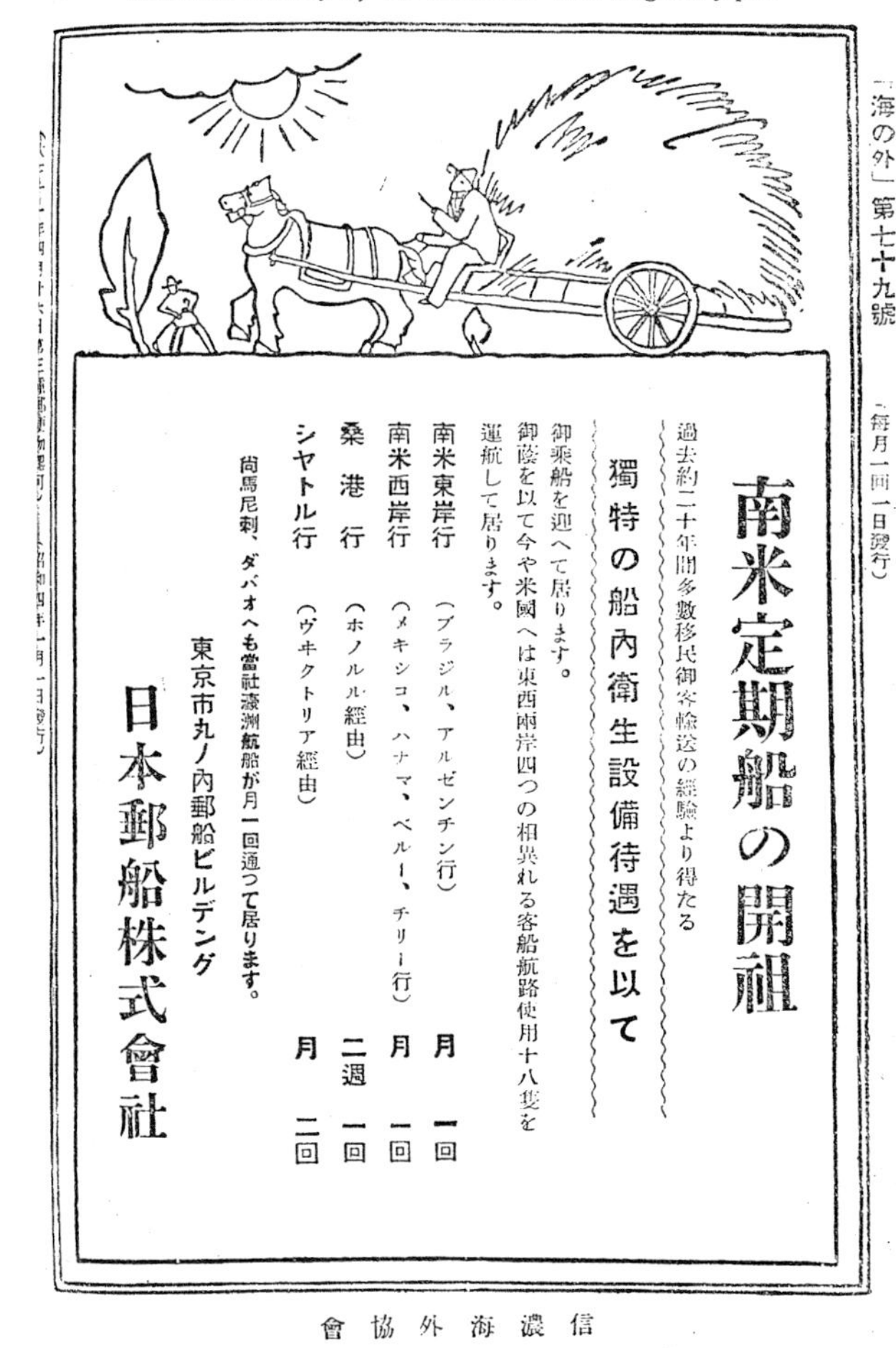

目次

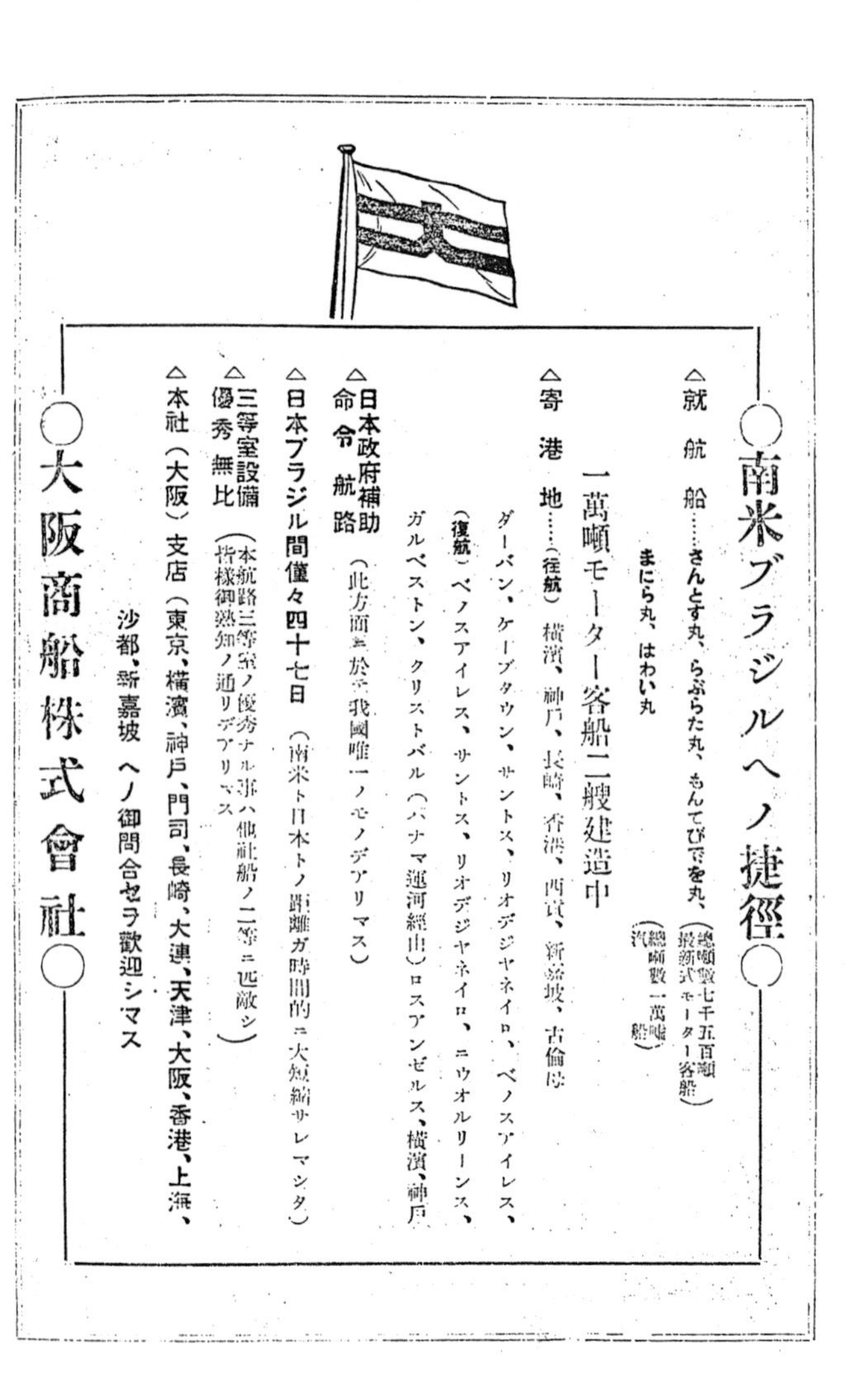

在外邦人の聖上陛下御大典祝賀會
——メキシコ國タンピコ市日本人會主催（上）奉祝遥拝式後記念撮影（下）奉祝宴會——

（註）上圖前列右より七人目矢島瑋三氏　下圖中列正面右より十人目仝氏　本誌廿七頁記事參照

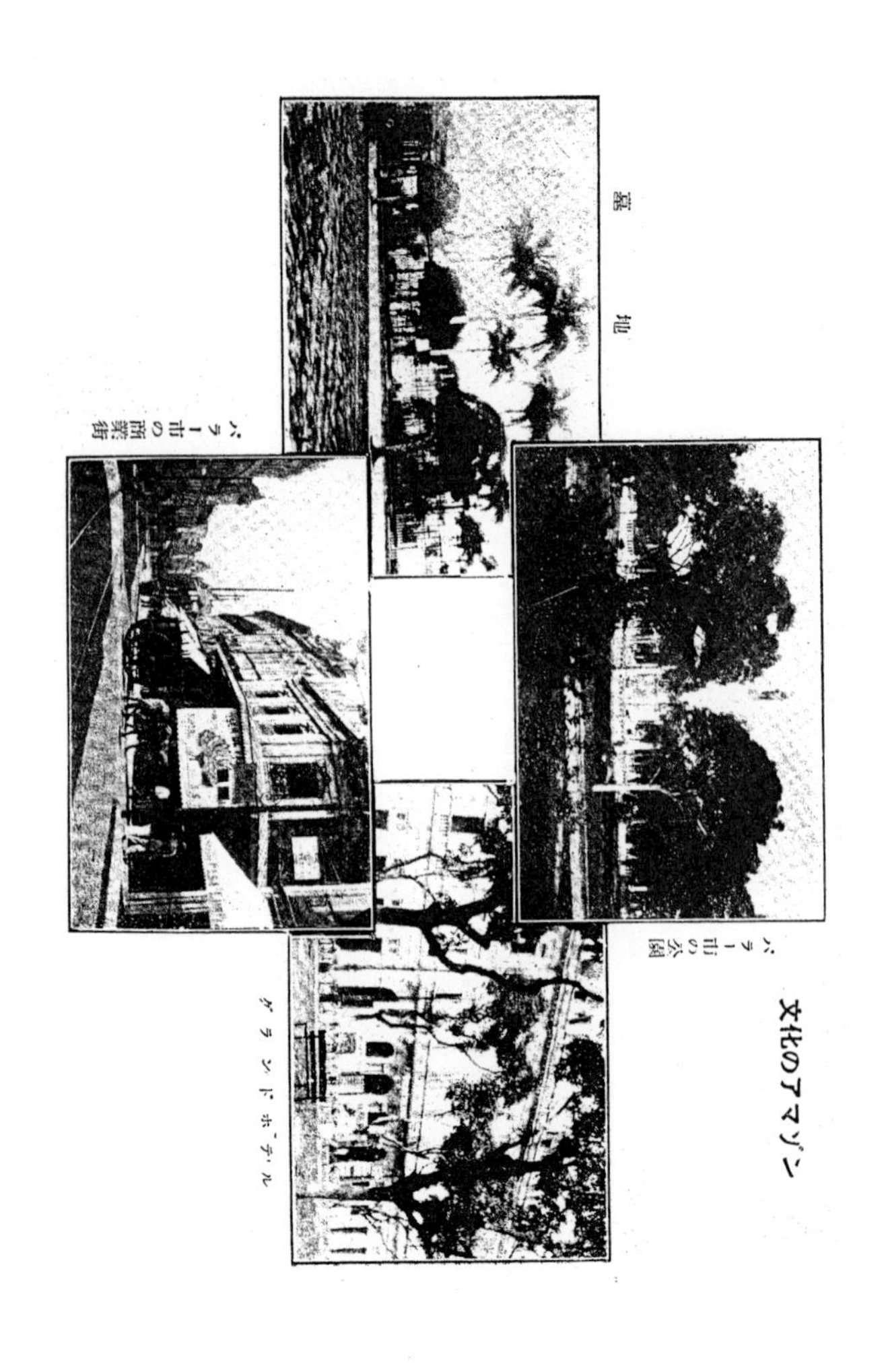

文化のアマゾン

墓地

パラー市の商業街

パラー市の公園

グランドホテル

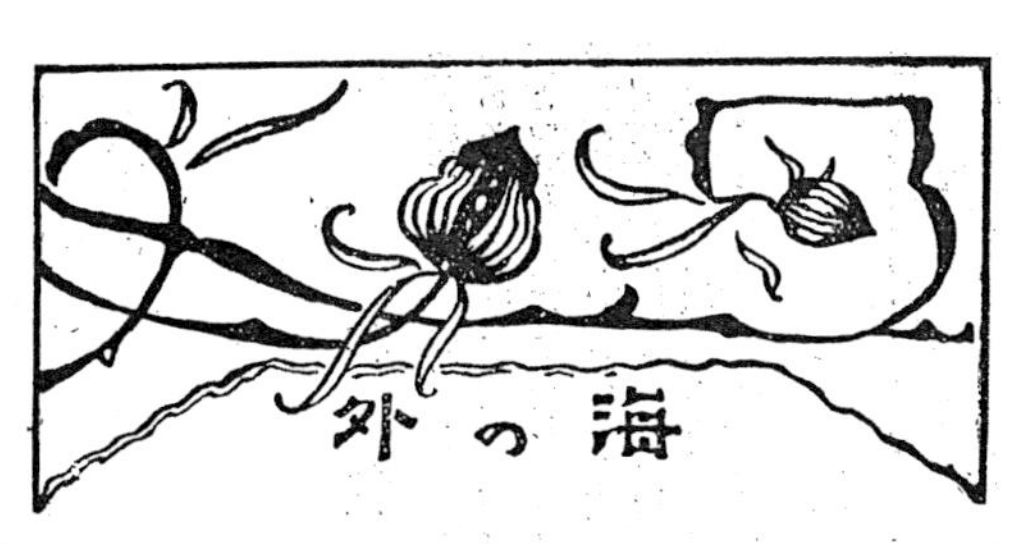

（昭和四年）第八十號（二月）

移住地經營の全國的基礎定まりて實行に入る

昨年末から本年一月に亘つて移住組合聯合會の總會が開かれた。社會局部長課長其他關係當局、外務省の課長主任事務官、聯合會の理事長專務理事其他役職員、鹿兒島、熊本、福岡、山口、廣島、岡山、愛媛、香川、和歌山、三重、鳥取、富山、信濃、新潟、山梨、北海道等各縣當局並に其十六組合の代表者大阪商船、日本郵船の代表等五十余名出席連日の會議にて意見百出波亂曲折の中に練りに練られて我國海外發展策中移住地經營の幾多重要根本問題が議決せられた。

一、海外移住組合法の根本精神と其運用に關する大綱が明にせられブラジルへは聯合會及地方組合の代行機關たるブラジル拓植組合が設立される事になり。二、本邦唯一の海外發展移住地經營の中樞機關たる移住組合聯合會の本質と基礎とが確立せられ三百万圓余の豫算は議定された。三、本邦海外移住地經營の地方中樞機關たる各縣移住組合の機能と特質と分野とが明かにされた。四、海外移住組合聯合會と地方各縣移住組合との有機的連絡統一が完成された。五、移住地入植者の渡航に關する指導保護斡旋に付て主体が營利會社の手を離れて聯合會や移住組合自体が公利公益本位によりて行はるる事になり海外發展の精神上に物質上に大いなる進歩と改善をもたらした。六、十五万余町歩の新移住地には本年四月から六百戸が入植する事になり、信濃富山、鳥取、熊本のアリアンサ移住地二万余町歩は一二年中には入植完了の見込が付いた斯くて我邦海外發展移住地經營の全國的基礎定まり其實行に入つた回顧數年、信濃海外協會の移住地經營も亦努力奮鬪の歴史に富む。

兩米を巡つて（一）

諏訪郡 平野小學校長 兩角喜重

移植民

東西相倚り彼此相濟し、共存共榮、以て人類の文化を向上し、社會の幸福を增進することが、天地自然の攝理、人類社會の軌道である。廣き土地は人類を抱擁し、抱ける資は富源の開發に投じ、人の多きは移殖民し自然の配を宜敷を得しめよ、かゝる軌道によつて人類社會は進展して行くのである。

吾國現在の人口と、又毎年八十万以上の增加とを思ふ時、移植民は、當然國策であり、自然の道である、斯く明瞭の事柄が、どの程度までに實現されて居るか、現在南米及北米に在留してゐる邦人の總數四十万に足らず、又最近に於ける年々の移植民者二萬に距離のある狀態である、このまゝで十年推移後の國狀を想像したら、隨分面倒な問題を生みはしまいか、少くとも今後十年間に、三百萬五百萬の海外發展者が出なくてはならないではあるまいか。

寄港地

渡南の途次寄港した、香港、西貢、新嘉坡、古倫母、等は皆白人の殖民地で、歐風の繁華な都會を爲して居る、思へば昔、倭寇の南下は、南洋一帶に活動に及び、秀吉は之を禁ずると同時に、御朱印船の制を設け、廣南、東埔寨、東京、六混、高砂、呂宋、暹羅等に渡航の道を講じ、更に家康は通商貿易を目的の、御朱印船によつて盛んに亞細亞大陸及南洋に海外發展を策し、其結果邦人の、商業的殖民は、到る處に日本人町さえ造つた歴史がある。當時の暹羅や、比律賓や、安南等に居つた日本人が、商業的殖民のみでなく、家族殖民で、土地を開拓し、農業的殖民も、したならば、何等かの跡を今日殘して居るだらうと思ふ。加ふるに、家光の鎖國令によつて、此經濟的海外發展さへも終息を告げ、次第に此方面一帶に、日本人の影を失つた事は、洵に殘念なことである。

珈琲のブラジル

伯國は日本本土の二十二倍と云ふ、廣い面積を有し、人口稀薄僅かに三千萬を算するに過ぎない、氣候は溫帶より熱帶に亘り、農産物、林産物、鑛物等驚くべき富源を有し、世界的飲料珈琲の適地で世界産額の七割を産する、人種的の排斥もなく、國産開發の爲め邦人の移植を歡迎する。此國に在留する邦人、約十萬人の九〇%はサンパウロ州に在り、珈琲園に從事し居るものが大部分である。移植民の適地であり、邦人發展の可能性充分なる、此國に向つて、大に移植することが、國策上からも、又個人の發展からも、緊要急務と思ふ。

農業的移植民せんとする者は、左の覺悟を必要と思ふ。

一、家族者

男子ばかりでは永住性を以て活動することは出來難い、今日何事も世界一を以て任じたがる北米合衆國の、最初の移住者「ピリグリムフアザース」を見ればよい。

二、身体健康者。

日本にあつてさへ充分活動出來ぬ身体では當底異境で働く事は出來ない、

三、意志强固の者。

祖國に左樣ならし、親類、知己、友人、と別れ、風土の異ふ境に行き、凡ての誘惑に陥らず行くには眞に强固の意志を有しなくてはだめである。

四、土地に親しみ原始生活に滿足し得る者。

所謂物質文化にあこがれ末梢神經を滿足させる樣な輩には不向である。

五、建國精神の所有者。

自分の努力にて土地の文化を創設し自己生活の創造を樂み得る者。出稼ぎ根性では、殖民は出來ぬ、出稼は排日の種を造るに過ぎない、土地から獲たものは、土地に返す心掛けが當然であり必要である。

以上の心掛げの人が、數年のうちに少くも百萬人を越すことを切望する。

極く概括的な所感を述べて以下次號より約七ケ月に渡たる南北兩米の見聞について記述を試みたい。ブラジル巡遊に際し輪湖北原兩氏を始め在留邦人諸氏の御世話になつたことを感謝し遙かに各位の壯康を國家の爲め禱ります。(以下次號)

移植民兒童の教育狀況

在伯日本人教育會昭和三年四月現在の調査に依ると邦人經營の學校數は八十三校ある、其の內休校中のもの三校、狀況不明のもの數校あるが又一方最近新たに開校せるものもあるとして結局現在授業して居る校數は八十に達するであらう、右の內葡語科のみのもの七校、日葡兩語科混合のもの二十校に及ぶ。又是等の內州學務局の公認を得て同時に伯人正教員派遣の恩惠に預つて居るものが十七校ある。

今校數を學校所在地方に割當てゝ見ると次の通りである。

聖市及其の附近	八校
レジストロ及其の附近	七校
サントス市及ジユキア沿線	七校
ソロカバナ沿線	二校
パウリスタ及モヂアナ沿線	四校
ノロエステ沿線	三十八校
アララクワ及ドラデンセ沿線	六校
アントニナ●カワ	一校

是等の學校は二、三の個人或は宗教團体の分を除く外は殆んど悉く在留邦人團体の經營に係はるものである。通學生徒は男六、女四の割合であつて總數三千百數十名を算す一校の生徒數は最も少い所で十一名、最も多いのが、百三十七名是を平均すれば四十名餘內外に當る。

學校編制は葡語科は三學年、日本語科の方は母國小學校に則り六學年制になつて居るが未だ經濟上の餘裕乏しくて必要な數名の教師を招聘出來ぬと校舍の設備完全ならざる爲めに止むを得ず單級制を採つて居る。

授業課目に就ては葡語科にありては主に葡語、伯國歷史、地理等を、日本語科にありては國語、修身、算術、地理、歷史、理科、体操、唱歌、圖畫(日本語教科書又は教材に據る)等を課して居る。

教員の數は全体で百八名、內日本人が八十名、伯人が二十八名(內十九名は學務局派遣の正教員)伯人教師の居らぬ學校にありては殆んど日本語のみで教授して居るが夫でも中には極く初等の葡語を授けて居るものもある。學校の維持費は一般に授業料、後援會費、寄附金、外務省海外兒童教育補助金等を以て是に當てゝ居る。但し一家族より數人を通學せしむる者に對しては幾分割引の特典が設けられてある。(サンポウロ總領事館移民案內書より)

南洋發展のみち（三）

海外協會中央會　宮下琢磨

日本人の雜貨商

奧地に於ける日本人の商買のやり方については、前號に一寸述べたが、スマランで此の種の雜貨商で、スマラン港の大通りに堂々たる店を張り、田舍にカポツクの工場を持ちて居る竹腰氏及びマランの町の佐伯氏などの話を、當時の日記から拔いて掲げることにする。

竹腰卯三郎氏談

日本人の南洋發展は十四、五年このかたでせう仕事で有利なのは椰子、コプラ、次は煙草で、新開地には適當と思はれます。第三はカポツク是れは一ピクル十四、五圓で十五圓位の利益はあります。第四は山羊、牛皮です。

金貸しのこと

こゝでは質物をとつて、金を貸すといふことは禁じられて居ます。從前支那人が高利の金を貸し付けて、大分土人を苦しめたので、この方法は絕對に禁じられてをります。が今では反物賣となり、賣掛代と云ふ名義で、實は金を貸して步いて居ります。二圓貸せば、三圓の反物を賣つたといふことにして帳面に付けるのです。それで毎日利子を支拂ふのもあれば、毎五日目に拂ふのもあります。一圓借りて、五日目に利子を十仙づつ拂ふといふ。月四割といふのは普通であるが、ヒドイのになると、毎日一割宛拂ふ、月三十割といふ馬鹿氣たものもあるのです。

日本人一般のやり方

土人にカポツクなり、米なりタピオカなり、共年の收獲を豫想して、最低値段より、二割位安く見積り、畑にある時に既に賣

買契約をして仕舞ひます。それを引きとれば、當然二割は安くなつて居る勘定です。これに加工をして、翌月からは濱に出すものは出し、土人に賣るものは賣る。時の相場で、三倍五倍に高く賣れる。で田舍に居る日本人の方は、今では非常に金廻りがよくなつて來ました。これは一種の金貸しではあるが賣買契約で、商業をして居る譯です。

土人は其の金をどうするかと言へば、他の借金にも廻すが、あればあるに任せて、毎日飮み食ひをし、歌を唄つて、呑氣に使つて仕舞ふ、彼等のつかふ日用品とか、食糧とかは、大抵日本商店から買ふので、金はその日に日本商店の方へ戾つて來るのです。それで何か特別に金の要ることが出來れば、日本人に賴んで心配して貰ふより外仕樣がない。此の時は無利子で融通してやる、場合によつては、支那人の高利の金を、日本人が返してやるから、土人はよく心服してゐるのです。今では日本人の方の居るところは、日本人が事實上部落の經濟的中心勢力となつてゐると見る事が出來るでせう。實際、日本人を取り去れば、社會の活動がとまつて仕舞ひますからネ、日本人は信用で植付資金は貸しますが、倒される事はないやうです、これが同じものでも支那人には出來ない、支那人に對しては、仲々橫着なことをやり兼ねない土人も、日本人には決してやりません、日本人は平生親切であるが、怒ると如何なるひどい目に遇はせるか判らぬといふ先入觀念が滲み込んで居るからです。この點は支那人より尊敬されて居るだけ、やりよいやうです。

成功の要素

只今此方に參る日本の方は、中學位卒業された方が多いやうです、先づ五、六年間は言葉と商業のコツを覺えるのが肝心ですネ、資金は初めからあつた所で、役には立ちません、資金がなくて始めから腕一本で修業してかゝるのが、却つて健全のやうです。土地の事情に通ずるのが最大の要件であるから、

まア何等の援助なく、依賴心を起さずに、自分で苦んで見るといふ心掛が一番大切なる處だと思ひます……

マラン地方巡り

クリスマスだと云ふでので、商店では、皆雪のかかつた常綠樹(クリスマストリー)や、サンタクロズの人形を飾つたりして、北國氣分を漂はせて居たが、南洋の歲末は、夏も冬もありはしない。雨期だと云ふのに驟雨もなく、照りつける。其の頃マラン地方一巡を考へた。

スラバヤの東京ホテルを立つたのが午前七時である。朝の凉氣を味ひつつ、椰子園や、甘蔗畑や、稻田等に挾まれた坦々たる道路に、自動車を走らす。三十キロ位の所迄は平地で、夫れから次第に上り勾配となつて山に入る。左にはペナングンガンの峻

峯を望む。山路とは云へ急峻ではない。田があり、土人部落がある。今、田植の眞最中である。廣い道路には並木が茂つて居り、道に沿ふた溪流は淙々として心地よき響を立てて流れて居る。河に架けられた木橋、芭蕉に圍まれた民家の、畫の如き好風景は母國の村落を想ひ起させる。

マラン町

スラバヤから此處までは九十二キロ、人口五萬ばかりであるが、スラバヤからケデイリーに到る南部鐵道の連絡に在つて、パスルアン州の重要市場である。海拔四百四十米の高地で、日中氣溫最高八十度迄に昇るやうであるが、この日は午前十一時に七十二度氣候がよく、且つスラバヤにも近いので、富豪の別莊地となつて居る。日本人としては、雜貨商に佐伯氏、南洋商會、小川商店の三軒ある。この外に理髮屋、靴屋、洋服屋、製菓子業が一軒づつある。

佐伯君は、千葉成田の人、未だ若いが奮鬪家である。前の方を店とし、庭を隔てて後の家を住宅としてゐる。數年の間に急激の發展振りを示したのである。氏は

當地の商業の狀態 について語る、………日本品と外國品との賣行は、伯仲の間とでも云ひませうか、日本品は陶器、日本美術、日用品に近いもの、茶器とか塗物、盆などと云つたものです。歐洲向きの日本品も、歐洲品より却つて評判よく、ドシドシ歐洲品を驅逐しつゝあるやうな次第で、硝子製品等も、價を安くして競爭をやつてをります、一九二三年から二四年にかけては、七分が歐洲品、日本品は僅か三分と云ふところでした。が一昨年から薄利多賣の主義で、利益をホンの少しばかりに見て成る可く多く御得意を作る樣にしましたところ、それから日本品が四分、歐洲品が六分となり、夫れを今では五分五分の處迄、漕ぎ付けました。

只、歐洲品と競爭して、如何なる程度迄、日本が生產費を減じ得るかが問題です。硝子製品の三十圓のものを十二圓にまで引き下げて、賣りました處、歐洲品もドシドシ値を下げ始め、今のところでは、どうも歐洲品の方が五分乃至一割位、販賣上有利の立場にある樣です。

第一、歐洲人は一般取引が貸賣で、荷爲替等も九十日が普通なのに、日本はせいぜい六十日が一抔ですから。又銀行でも、歐洲の銀行は物件抵當がありさへすれば、利子は四分ばかりで、夫れは何としても商賣がやり易いやうです。今では私共でも中をとつて、歐洲品が有利な時は歐洲品、日本品が有利な時は日本品をやつて居ります。

現在は金融難に苦しんで居ます。が賣れ行きは、日に四、五百圓見當で月に二萬圓近くはあり、今の處利益は一割以上にはな

つて行きますから、御陰にどうにかやつて行けます。

歐洲人になりますと、一般に生活費がかゝるので、勢ひ多くしなければやり切れないのでせうが、此の點、日本人の方は餘程樂ですよ。特價品のやうなものだと、原價に對し、まア五割高位には賣れますね。支那人ですか？ 支那人の店は、純南洋式で價を値切らなければ、買はないのを原則として居ますから、さア相當な紳士には結局支那人の店には入り惡い樣になりませう。私の店では如何に多く買つて下さつても、絶對に値引きは致しません。一度信用を害して仕舞へば、次の商賣がやりにくゝなりますから。夫れで出來る丈安くして、負ける方は一文もしないと云ふ方針を固く執つて居ます。其の爲め隨分困つた場合もありますが、現にから云ふこともあるです八十三圓の買物をした蘭人に三圓負けろと云はれました時、店の方針だから絶對にまけられませぬと言ふと、プン〳〵怒つて、それじや要らぬと品物を置いて歸つて仕舞つたでしたが、夫れでも蘭人の方などは、存外淡泊で、他の店を聞いて見て、結局此の店の方が一番安いといふ事が判ると、其の翌日「矢張りこの店が安いから、昨日の品物を賣つて吳れないか――」など言つて來ました。どうも負けるがよいとかわるいとか、いろ〳〵利害をおつしやられる人もありますが、絶對に負けないといふ看板の方が、結局商買がし易いやうに思はれます。

支那人は、土人相手に氣長の商賣をしてゐるので、此方の强敵では決してありません。

雜貨の荷主は、日本一、一五が支那、二〇が歐洲人といふ順になつて居ます。支那人小賣商は、一旦不利となると、故意に破産をして、荷主に迷惑をかけますから、歐洲人は信用しません。だが日本人に對しては、日本品との競爭もあり、却つて、歐洲人の商店に對してよりも、有利に取引して吳れる狀態です。……

サムライ農園

カウイ山の山腹に岡野君といふ人が、サムライ農園を經營して、スラバヤの人に牛蒡や大根や人蔘などを供給して喜ばせて居ると聞いて、其處を尋ねて見ようと車を走らす。

セヲルヂョウのヂャボン、トウアンと云つて聞く。大街道を横道に這入つて、山の部落に行くのであるが、家が仲々判らない。此の部落の四ツ角を右に這入れと敎へらる。其の通り行く、亦、聞く。今度はそうでない、眞直ぐに上らなければいかぬと云ふ上りて聞くと下れと云ふ。閉口だ。案内のホテルの番頭君に「君今少しよく運轉手に聞かせたらどうだ」と言ふと、番頭君、「スラバヤでは、馬來語で通用しますが、こゝへ來ると、ジャワ語でサツパリ判りませんで……と」頭をかく。どうにか尋ねつけたが、肝心の本人が不在であつた。店は雜貨を賣つて居り、裏には野菜園がある。名刺だけ置いて歸つた。

其の後八月、再び片倉會社の武井氏とスラバヤを訪問し、東京ホテルに滯在して居つた時、**士農園主岡野哲雄君**が訪ねて來て吳れた。序なれば記さう。

君は商賣としては畑の作物をスラバヤに出す外、雜貨店をやつてゐる。段々發展して今度は本街道でマランに近い方の部落に移り相變はらず雜貨を商ひ外に農園として一バウ買ひ、尙官有林五バウの租借權を得て、珈琲を育てることにしたといふ。岡野君は語る

開業資金六十圓……野菜は、私共の様に無經驗な者がやるよりも、日本に適當な希望者さへあれば、その人に無償で經營を任せても良いですが。

私共は、ジャワに來て三年になります、始め六十何圓だかの金で店を開いたのですが、其の頃は十錢の馬車賃も使ひ得ず、徒歩で町まで行つたものです。此處に來て、土語に熟達し、人情風俗さへ判るやうになれば、誰でも成功が出來ます。土人は、日本人には非常に好感を有つてゐます。今度、私共が家を移すに付いても今まで用を足してゐた土人達は「旦那(トウアン)、今度もぜひ使つて下さい。私共も引き移りますから」と云ふ様な風でしてね。

支那人との競爭にも決して負けません…… 支那人の商賣、あれは舊式ですよ。いつも土人を騙し、土人の貧しい財布から汗の結晶を搾り取らうとし、客の顏を見ては、値段を上下したりしますから。然し、土人だつて馬鹿では無い、此の事は充分承知して居ます。村の先達株の人々が二三人、いつも産物の米や芋、木棉(カポック)など賣りにやつて來るが、支那人はこれを値段を叩いて、秤や桝で胡麻化して仕舞ふ。日本人はこれをやりません。で彼等は自然日本人の處で取引するやうになります。

雜貨を買ふ場合でも、日本人の店では決して負けませんから、土人も仲々買はない。が買つて見ると、前に支那人の店で買つた品物より遙かに良いので、結局日本商店に寄り付きます。支那人は何處迄行つても胡麻化すから、どうしても最後の勝利は日本人の手に歸するといふものでせう。

現在、南洋には支那人が勢力を張つて居て、日本人が日本商品を買ふのに、支那人の手から仕入れなければならないといふ情けない狀態ではありますが、數卽勢力で、日本商人がどん〳〵這入れば、日本商人も、支那人の手に依らずに直接、卸も小賣も土人相手に出來る樣になります。日貨排斥(ボイコット)などは、少しも恐るるに足らないと思ひます。只、人物が必要ですね。

本國に於て手に餘るやうな靑年が却つて良い。どうも餘り日本で順良であつたといふ輩は、却つて成功が出來ないかと思ふ。困苦缺乏に堪へてやるといふ氣魄さへあれば、少し位手に餘る者でも夫れで結構、私共も出來る限り御世話致しませう

「ソビエット」對外經濟の利權

K・H 生

勞農露國が革命後一切の企業(商工業)を擧げて國有とし共理想を實現したるが之れが實行に當り經濟上に於て多大の實行難に陷りたるに付き嚢に「ゼノア」會議の際露國代表が諸國代表に經濟援助を要求したるも其効果なきを見て國內借欵に依らんと「タンカ」を切りサモ國內に餘裕あるが如き口吻にて引上げたるも事實經濟上に於て對內及對外的にも困難に陷りたれば新經濟政策を樹立し規模の小なるもの又は比較的多額の投資を爲し共利益少なき企業は政府直營として引合はされば是等企業は民間に貸下げ又は外資輸入の目的を以て外國人に貸下げを爲すこととせり此の貸下げは內國人に對しては「アレンド」と云ひ外國人に對しては「コンセッション」と云ひ双方とも共產主義の立場よりは其主張に反するも國家經濟の立場よりは止むなく自發的に打破するより外方法なく結局左記のものを「コンセッション」とするに至れり(「コンセッション」とは日本語の「利權」に相當す又「アレンド」は國內的のものに付列記せず)

一、採堀並に製造工業
二、外國貿易
三、運輸事業
四、林　業
五、農　業
六、狩獵及漁業
七、外國人國內商業の許可

等である而して此利權は最初列國と國交開始の目的に使用したるが現在に於ては資金調達の爲めに又は邊境地方開發の爲めに其富源を切り賣りを爲すに至れり。

次に露國は又見方に依りては一切を擧げて國營と爲し居る故外國人が是れに入ること不可能なれば外資輸入の方法なきを以て利權と云ふ間道を作り之れにより國內富源の開發を担保として外資輸入の計を立てたるものなり。

抑も利權は共產主義の例外にして利權契約は一般法令を適用せざることゝなし露國經濟復活後は順次政府の手に回復する目的にて一時的措置として外國人に與ふるものなるも現在の狀況に於ては玆に暫くは利權貸下の方法より經濟補足の爲め外資輸入を爲し居るものなり。

此利權は最初ソビエット政府內にも隨分反對ありたりも現在は國家經濟上より寧ろ歡迎するに至り我國なども此の利權の一部を利用し居るものなり例へば漁業權の如き一例とす。

アマゾンへ 移民を南拓が募集

伯國アマゾン方面の進出について南米拓植會社がいよ〳〵積極的活動を開始し社長福原八郎氏は自ら先發隊を率ゐて同地に乘り込みアマゾン開發の第一線に立ち歐米列國の同地發展を尻目にかけて最近では伯國パラー州から百參萬町歩即ち約二十七里四方の廣大なる土地を無償でうけ着々事業進捗について本誌屢報の如くであるが今回同社は本年五月を期して第一回移民五十戸を同地に送り更らに七月及び十月の二期各々五十戸計百五十戸を本年內に於て渡航せしむる事になり目下これが募集中である。

同社の植民地の一つアカラ植民地は面積六拾萬町歩パラー州の首府ベレンから南方約八十哩の處にありアカラ河の本支流の間に介在する處女地帶である。同地は勿論熱帶で南緯二、三度內外に位し氣候は四季の區別なく常夏で日中は日本の夏季七月頃と同じである。衛生狀態は熱帶病がある事は承知せねばならぬが現今世界無病地を求める事は出來ないので會社は特に此點に留意し醫博松岡多樹氏其他を聘して保健について注意してゐる。

同社の方針としては一戸二十五町歩を貸與し棉花、米、煙草を主作物として栽培せしめ收獲物の加工販賣を會社に委託し其分益は七分を移民が所得し三分を會社に納めるもので初年度は植民到着の時期植付の都合等で大した生産もあげ得ぬが次年度から生活費を差引き二百圓の純益を得られる見込みであると數年後には更らに副業等によつて利益を增大する事も出來る。

移民に貸付たる土地は移民が相當の資力が生じ希望があれば讓渡するその價格は森林地帶一町歩約廿圓乃至廿五圓森林を伐採し燒拂たる地約六十五圓乃至七十五圓根拔土地約三百五拾圓以上である。

同社の移民としての資格は一般契約移民と同じく家族構成の條件も同一である。尚右移民は植民地到着後約一ケ年の準備として大人三人家族で八百圓を出發に先立ちて會社に預金する事になつてゐる。そして三人以上一名を增す毎に左の割合の金額を增加する。

滿十二才以上　百四拾
滿七才以上　百　圓
滿三才以上　七拾圓
三才未滿　三拾圓

日本からの道順は普通の南米航路でサントス着それより外國船でベレン港に至り約十二日を要し同港よりアカラ河を小蒸汽にて十時間を費して植民地に到着する。

大体右の如き移民に關する說明であるが同移民は海興で取扱ふ故詳細については海興問ひ合すればよい。

伯國渡航準備と携帶品

在聖州日本總領事館の調査發表

一、渡航準備

伯剌西爾は南半球に在るから日本の夏は伯剌西爾の冬であると云ふ具合に四季は全然反對であり又氣候も同じでない、且つ風俗習慣や生活樣式が異つて居る爲めに豫想外のものが役に立ち案外苦心したものが役に立たぬ場合があるあるから餘程氣を付けねばならない。

然らば携帶品にはどんな物を持つて行けばよいかと云ふと大体次の品物を家族數に應じて適度に用意すればよい。

而して携帶品の用意をする場合は左記の點に注意せねばならない。

（一）輸入禁制品を持參せぬこと

（イ）輸入禁制品とは

一、風俗を害する虞ある繪畫、彫刻類及手藝品
二、短劍類
三、仕込杖
四、銃器、「ピストル」類（但し獵銃は差支なし等）
五、火藥類
六、腐敗せる食料品及藥劑
七、强烈なる酒類（「ウイスキー」、「ラム」、日本酒等）

（ロ）手荷物及移民携帶品と認めらるゝものは

A、手荷物と認めらるゝものは
イ、使用せる衣服類
ロ、日常使用品及職業用道具類
ハ、使用する自家用の「トランク」、鞄及旅嚢
ニ、旅客の使用品と認めらるゝ裝身具類

B、移民携帶品と認めらるゝものは
イ、移民の技能及地位に相應する鐵製組立寢台、輕便寢台及其の他の寢台
ロ、使用せる並製陶磁器類
ハ、農具又は職業用道具類
ニ、各種の家具其の他の物品、但し移民及其の家族用として缺くべからざる數量及分量を超へざること
ホ、移民大人一に付一挺の獵銃

（二）荷物中商品又は商業用品を發見された場合は左の罰金を課せらる

（イ）稅金の二倍と該稅金の一割とを併課せらる
（ロ）荷物中に細小なる雜貨を有するときは荷物一個付に二「ミル」五百「レース」乃至五十「ミルレース」の罰金を課せらる
（ハ）故意に密輸入を企てたる者は、商品價格の半額に相當する罰金を課せられ本人は拘留せらる

（三）伯剌西爾行移民の手荷物制限

伯剌西爾行移民の荷物は團体渡航者に對しては大人一人に付十二貫以內、子供十二歲以下同六貫目以內と云ふ制限があるから其の範圍で用意せねばならない、但し此の荷物の制限は近く改正され所謂自由渡航者も總て右荷物制限規則に依つて支配されることになる筈である。

二、携帶品の主なるもの

（一）服　裝

服裝類は可成質素簡略を旨とし洋服は寧ろ折襟の洗濯の利く勞働服二、三着もあれば結構である、背廣の羅紗物の上等品などを新調する必要は少しもない洗濯の利く强い「カーキ」色とか木綿服で充分である、又婦人服も皆木綿服で充分である、決して絹製の婦人服などを新調してはならない、下着類（「シャツ」、「ズボン」下）、靴下類（男女共綿製）は可成澤山持參した方が宜しく其の他主なる品物を擧げて見ると左の通りである

「シャツ」、「ヅボン」下、勞働用靴、跣足足袋、靴下、勞働用帽子、毛布、蒲團、敷布、蚊張、雨合羽、外套、肩掛洋傘（以上は實用向で丈夫の物を撰ぶこと）

（二）家庭用品

「マッチ」、手拭「タオル」、石鹼、封筒、洋紙、「ペン」軸、「インク」、齒磨粉、齒磨揚子、髮洗粉、髮油、簡單なる化粧道具、洗面器、小刀、鋏、手帳、針、絲、鍋、釜、洋皿、「ナイフ」、「フォーク」、庖丁、爼、湯沸湯飲茶碗、「コップ」「バケツ」、杓（水汲用）、吸物杓子、網杓子

（三）農具類

鋸、錐、鐵鎚、鉋、鉈、鐵鉗（ヤットコ）、鎌、唐鍬、鉞

（四）雜品類

賣藥一揃、膏藥、絆創膏、脫脂綿、「ガーゼ」

三、荷造と手廻品の始末

日本移民の荷物を入るゝ容器は千差萬別で諸外國移民の樣に統一がなく、且つ日本在來の容器では長途の運搬に堪へないものが澤山あるから這は將來大に研究し改良せねばならないのであるが差し當り荷物を入れる容器は

（一）堅牢であること
（二）運搬に便利なこと
（三）開閉が容易なこと

の三條件を備へて居ればよい、一般に數百の移民が乘船するので自然荷物は澤山の數量に上るのであるから自分の荷物が何時でも必要に應じて見出し得る樣に荷札又は適當の目印を附けて置かねばならない。

荷札は木製の丈夫のものを少くとも荷物一個に付二枚位は着けて置かないと途中紛失の虞がある。

荷物は大体

一、「サンパウロ」州に到着し耕地に入る迄不用の物

二、航海中及上陸後直ちに必要な手廻品及衣類

とに二大別して置かないと船中であれこれが必要だと云つても荷物が船の下積になつて居る場合には絶對に出すことは出來ない。そこで先づ船內及上陸後直ちに必要な品物は手廻品として各自が持參せねばならぬ。手廻品を作るには左記の點に注意せねばならない。

イ、日本を出發すると船は香港、「シンガポール」、「コロンボ」等の熱帶地方に寄港するのであるから日本を出る時の氣候が冬や春であつても神戸を出てから數日する間もなく夏物が必要となること
ロ、赤道を越へて船が南半球に入ると氣候は日本と全然反對で船が南に進むに連れて冬ならば寒く夏ならば暑くなること、但し「ケープタウン」は大体常春の國と思へば間違ひない
ハ、「サンパウロ」の氣候は六、七、八、九月は日本の冬に十、十一、十二、一、二月は夏に、三、四、五月は春又は秋に相當して居るから到着する頃の氣候に必要な準備をして置かねばならない。而し夏と雖も日本の如く暑くなく冬と雖も日本の內地の十一月頃位のものであるから防寒の用意は絶對に不必要である。

海外夜話

日系米人市長松平氏の令孃エレンさんのお目出度

我國華冑界の名門である上田舊藩主松平忠厚氏の忘れがたみ日系米人松平欣次郎氏が排日の本場、米國で米人を尻目にかけて堂々市長の椅子についてゐると云ふ事が米國人は勿論日本人の興味をそゝり驚ろいたのは一昨年七月の出來事、未だ世界の記憶に新たなるところである。

當時新聞紙によつて氏の物語が世人の好奇心をそゝつたが本誌は第六十二號に詳細にわたり記述し第六十五號には氏の寫眞を口繪に掲げて信州人の異彩を放つたものとして讀者に紹介したのであつた。吾信州から明治維新開國の先覺者佐久間象山を生み、又西洋文明の吸收に必要を感じ自ら渡米留學した華冑界の新人松平忠厚氏が出で傳統的因襲家族制度の束縛を打ち破つて異國に愛の實を結んだ事は兎に角にも全信州をはじめ、日米兩國の間に一大センセーションを卷き起した事に相違ない。

この興味深い物語りが未だ吾人の胸から去りやらぬ昨年の暮、松平氏の令孃エレンさんがフランクリン、カーと云ふ米國鐵道省員の青年と目出度結婚式をあげたと云ふ吉報を受けた。新家庭を作つたお孃さんの幸福を祈ると共に嚴父さんの生國、日本にフジヤマを眺めながら山水明媚の信州にホーネムーンするも意味深いであらう。

伯國渡航者の注意すべき旅券查證の實際

排日的の意志ではない

ブラジル國渡航者は同國駐日領事の旅券査證を受けねばならぬ事は從前通りであるが本誌前號第七十九號に所報の如くブラジル旅券規則の改正に伴ひ本年一月一日より同國渡航についての旅券査證に關する手續が稍々複雜化して來た。

同法の改正は我が國の如き出移民國にとつて面白からざるものであるがこれは米國排日移民法の如く日本移民の入國禁止を目的として作られたものに比すれば何等恐威を感ずべきものでなく又同法の改正が日本移民の排日を企圖したものでない事は明らかで同國外國人取締法及び移民入國禁止令に基づき一般的法令によつて各國出移民に一樣に適用されるものである。一部の間では同法の改正は排日の具体的法令の前提である如く早くも憂慮する趣きであるがこれは吾等が米國の排日によつて受けた恐怖心から色眼鏡を以て曲解するもので却つて日伯親善の上に一沫の暗雲を投ずる破壞者である。かゝる事から伯國對本邦移民の前途を悲觀するは早計であるが今回の改正の要點は大体左の三つの事柄が加重されその他は從前通りである。

加重された三つの事柄

その一つは伯國旅券規則（一九二八年九月十一日附大統領令第一八三四號）第三十一條五、「何れかの官憲又は商人若は銀行業者の發給せるものに適當に證明を受けたる正業證明書」（前號參照）による正業證明書なるものを旅券と共に差出す事になつた。

その二は第三十四條及び第三十六條の規定により十八歲未滿の單獨渡航者及び單獨婦人渡航者は在伯日本領事の呼寄證明書に適當なる者二名の署名をなし植民總務局（伯國聯邦農工商務省）の認證を經たる呼寄動機を立證する證明書を差出す事、その三は第二十八條第三十三條及び第四十六條に規定されてある六十歲以上の渡航制限規定である。然しこれは但書を附しその條件に適ふものは（前號參照）旅券の査證を得入國出來るも家族の一員として渡航する場合又は同伴せられる場合に於ても適用せらるゝものとせば家族構成上又は移民の永住的渡航の關係

上家族全部を渡航せしむるに際し極めて不自然なる家庭分離の止むなき事實となり不幸にしてかゝる老人を持つ家族は一家をあげて渡航する事が出來なくなり且かゝる家庭の場合が多くなる事は明らかで海外移植民の奬勵の事實と矛盾する事になり對伯移民に支障を來たす恐れがあるので外務省は之れが緩和方につき極力在日伯國領事に交渉する事になつてゐる。

同規則施行の實際については一月廿一日神戸出帆備後丸乘船者より適用せられる事になつてゐるが今更らに渡航者の必要とする旅券其の他の書類に關し同規則により在神戸伯國領事の意見の大体を示せば左の通りである。

一、旅券

一、戸籍を異にする者は別旅券たる事

二、同一戸籍の家族は左の範圍に於て同一旅券に併記する事を得

イ、夫婦は年齢の如何に拘らず併記し得る事

ロ、十六歳未滿の子女は親の旅券に併記し得るも十六歳以上の者は別旅券たる事

ハ、家長夫妻の兄弟姉妹は十六歳未滿の者に限り家長の旅券に併記する事を得

ニ、家長夫妻の父母及祖父母は別旅券たる事を要す但し夫妻は同一旅券にて差支なし

ホ、家長夫妻の兄弟姉妹に非ざる親族例へば家長夫妻の從兄弟姉妹、甥姪の如きは家長とは別旅券たる事但し十六才未滿の者は共同一戸籍の兄弟の旅券に併記する事を得

二、旅券査證に當り左記附屬書類を旅券と共に伯國領事に提出する事を要す

イ、種痘證明書(葡語)一通

妻並に十六歳未滿の家族は旅券同様に家長と併記差支なし神戸にては神戸移民收容所横濱にては海外渡航者檢査所の醫官より發給す

ロ、健康證明書(葡語)一通

精神に異狀なく且癲病、象皮病、痴、トラホーム、結核に罹り居らざる事、盲目又は啞者に非ざる事及勞働に堪へざる機關の傷害なき事を示す證明

妻並に十六歳未滿の家族は旅券と同樣に家長と併記差支なし神戸にては神戸移民收容所、横濱にては海外渡航者檢査所の醫官より發給す

ハ、素行證明書(和文)一通(葡語譯文添文を要す)

最後の住所地の警察署長より左記樣式に依り作成發給する事之に出發港縣廳發給の葡語譯文を添付する事

各旅券毎に各一通添付の事但し夫々同伴する妻並十六歳未滿の同伴者は省略するも差支なし

證明書

本籍　縣　郡　町村　番地

氏名

氏名

右者本證明書交付の日附前六ケ月間体刑ニ相當スル犯罪ニ依リ處刑セラレタルコト無ク品行善良ナルコトヲ證明ス

昭和　年　月　日

何縣何警察署長

氏名印

(ニ)鑑識票(葡語)三通

移民取扱人の取扱に係る者に對しては移民取扱人に於て調製し其他の者に對しては出發港縣廳に於て調製方援助する事各旅券毎に三通作製添付の事

寫眞は各一人毎に分離撮影の事但し妻及び十六歳未滿の同伴者とは一枚に撮影し差支なし七歳未滿の者は不要。

(ホ)正業證明書(葡語)一通

出發港縣知事より發給す

各旅券毎に一通を要す但し夫に同伴する妻及十六歳未滿の同伴者は省略差支なし

三、再渡航者(婦人を含む)の旅券査證は旅券と共に左の書類を伯國領事に提出の事

一、種痘證明書

二、健康證明書

三、素行證明書但し歸國後六ケ月を經過せざる者は省略する事を得

四、鑑識票(三通)

五、正業證明書

四、十八才未滿の者の呼寄及單獨婦人の渡航

右は一般渡航者の場合の書類を必要とするの外在伯日本領事の呼寄證明書に適當なる者二名の署名を爲し植民總務局(伯國聯邦農工商務省)の認證を經たる呼寄動機を立證する證明書を必要とする趣なり。

五、六十才以上の者の渡航

六十歳以上の者の入國は原則として拒絕すべきも左記の場合に限り伯國領事は査證し得る事となり居れり

イ、伯國到着後自己の生計を維持する收入を有する事を具体的に立證するか

ロ、若し然らざれば伯國の警察官憲の面前に於て署名したる保證書に依り本人に對し責任を負ふべき者を有する事右保證書は適當なる者二名の署名を爲し植民總務局の認證を經たる呼寄動機を立證する證明書を添付する事。

移民の船中衛生を

改善して移民の幸福を計れ

先づ移民輸送衛生研究會を設けよ

ブラジル移民の年々増加するにつれ船中の移民衛生について從來兎角の非難をうけつゝあり現に一昨年の四月にはハワイ丸にコレラ發生して多數の犠牲者を出したる事は吾人の記憶に新らたなる所であるがこれは移民輸送衛生の方面に全然統一せられたる機關を有せず萬一の場合に備ふる施設がなき事が最大の原因なりとし且つ本邦ブラジル移民の輸送航路は他に類例のない長航海日數を有し、しかも溫帶より熱帶を通過する航路である故にこれが船中衛生については移民保護の見地より完全なる施設を施して移民をして航海中におけるかゝる不安を一掃し彼等の幸福を計ると共に入移民國に對する國際的道德上、文明國人の當然の義務である。

ブラジル日本人同仁會では同會がブラジル在住本邦移住民の衛生機關として熱帶植民地衛生の改善に努力致しその効績見るべきもの多々あり同國在住邦人の衛生機關の一大權威となつてゐるが今回同會は更らに移民のブラジル國上陸前における移民の衛生について從來母國朝野の人々が閑却しておつた船中衛生について、考慮する事は上陸後における衛生問題と共に重要なる關係があるので同國在住邦人の衛生にのみ沒頭してその船中衛生を閑却してゐる事は片手落ちとなるので左記の如き提案を試み移民輸送衛生の施設改善について母國朝野の人々に激を飛ばしきた。

一、移民輸送衛生研究委員會の開催

主催　內務省及外務省

開催地　東京

委員會顏觸れ、イ、內務省所屬防疫醫官

ロ、かつてブラジルに渡航せし經驗ある醫學界の識者

ハ、海軍々醫若干名

ニ、內外兩務省所屬官吏若干名

ホ、船會社の當事者

ヘ、移民取扱業者の代表

ト、神戸移民收容所長及係醫師

委員會はこれを準備會及本會議の二つに分け、準備會に於てはイ、ロ、ハ、トに記載したる種類の人員を以て醫學に關する原案を考究し成案を得たる後はニ、ホ、ヘの各種の人員の全体を一堂に會し實際の事情を考究しこれが實行方法を考究するものである。

移民の寄生虫を根治せよ

文明國民の恥辱のみならず
健康勞働能率增進上からも

我國民の寄生虫卵保有率は文明國民としての恥辱として識者間の問題となり國民保健の上からも專ら衛生思想普及と相俟つて近來では山間僻地の農漁村にいたるまで寄生虫の驅虫に努めてゐる。これが對外的に考察するときは卽ち國際衛生の見地から本邦移民の寄生虫卵保有者は入移民國として歡迎せざるのみならず入國法によつて拒絕してゐる有樣である。故に我政府では海外渡航者に對し從來嚴重なる驅虫を勵行してゐるがブラジル國渡航の移民の如き每船多數に上る所では移民收容所の入所期間に檢卵して驅虫し尙船中に於ても驅虫に努めつゝあるが同所收容中は期間僅日にして數百人の糞便檢査並其虫卵保有者に對し適當の驅除處置を漏なく施行する事困難にして又移民乘船渡船中に於ても船暈其の他の事故續出し實際上支障を來し到底完全なる驅虫を期し難く且つ本人にとりても船中驅虫は徒らに苦痛重なるを以て充分なる手當を好まざる事實あり從がつて虫体及虫卵保有の儘上陸後は醫藥の乏しき不便なる地に住居する事になるは移民保健上看過し得ざる重大問題である。

かゝる移民が農事從業中屢々くたびれ又はつかれと稱して就床する事あるはその過半は寄生虫の災するものにして單に筋肉勞働のみによる眞意の疲勞に限らざる事實ありこれが可及的手配としては移民の鄕里出發前に完全に施行する事が緊急事である。

今回右に關し移植民保護の見地より移民收容所では關係官廳及び團体に移民の寄生虫驅虫について前述の如き具陳をなし官民一致移民保健の向上を計り彼等が着伯後も無欠の身体を以て安んじて就働し得る樣寄生虫の驅虫を完全すべく殊に移民の鄕里出發前時間の餘裕充分の時に行ふ樣傳達して來た。

因に移民收容所の糞便檢査成績は左表の如く虫卵保有者の多數あるは驚嘆すべきである。

糞便檢査成績表　(寄生虫卵)

收容回數	檢便人員	虫卵保有者數	蛔虫	十二指腸蟲	ヂトマス 肝臟	ヂトマス 肺臟	横介吸虫	鞭蟲	縦虫	東洋毛樣線虫
第一回	六一七	三一五	二九一	三三	―	―	―	五三	―	二
第二回	九三〇	六二六	四三三	二五	―	―	―	一六七	―	二
第三回	五三八	三一四	二七九	三八	二	―	三	八〇	一	八
第四回	八〇八	四四八	三七四	三九	二	―	―	七五	―	二四
第五回	三一七	二一八	一九三	一三	八	―	一	六三	―	一
第六回	五五八	三三六	二七九	四二	六	―	―	六〇	―	二

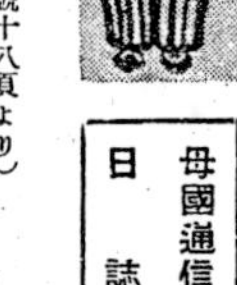

母國通信 日誌

（前七十九號十八頁より）

十二月十日 勝田文相は御召により宮中に參內し獎學の御沙汰を拜受した、よつて同日文相は全國一般に告知するため訓令を發す △支那は關稅自主問題に於て更に日本に通告し應ぜねば日貨輸入を禁止すると云ふ △第五十三回聯盟理事會悲觀のうちに幕開きす △支那の新稅率內容七百十八種に細別し最高二割七分五厘最低七分五厘 △伏見宮博義王殿下驅逐艦樺艦長御就任 △大藏省發表十二月上旬十三港對外貿易概算入超七百七十二萬九千圓

十二月十一日 大阪市外に東洋第一のラグビー競技場が出來る △中華匯業銀行遂に休業 △床次竹治郎氏上海で支那訪問の聲明書を發表 △英國公使ランプソン氏は南京に於て王正廷氏と正式交渉を始む

十二月十二日 總花的の鐵道建設案總額六億五千萬圓二十四日の鐵道會議に諮問と決定 △汎米會議は十日よりワシントンに開催され南米二十ヶ國の代表が參列した△床次氏國民政府主席蔣介石氏と會見す支那の排日遂に全國的となる

十二月十三日 兩陛下東京市民の大禮奉祝會に臨御され勅語を賜ふ △鐵道省の肝煎で日米親善に備え汎太平洋旅行協會生る △首相新官邸の大夜會各宮殿下を初め奉り名士三千人參集す

十二月十四日 陰陽連絡伯備線完成 △南京に暴動起り外交部と王氏邸を襲撃す △經濟審議會解禁を決議し卽行を要望す △日本婦人の夜業禁止國際勞働局の中心に議論の的となる △大審院長權限擴張に關する新裁判所法原案決定

十二月十五日 聖上陛下風雨中宮城前に於て鄉軍人團及靑年訓練所生徒八萬を御親閱あそばさる △石川縣羽咋郡櫟川村荻原部落は全部落無數の白蟻に襲はれ村長から縣當局へ驅除方を願出た △來朝中の國際勞働局事務局長は陛下に拜謁を賜る △國稅並に地方稅整理案決定

十二月十六日 支那は正金銀行朝鮮銀行の紙幣使用禁止の布告をなし、西原借款承認反對を通電す △英帝御病篤 △國稅整理案に依る負擔の輕減額は八千萬圓に上ると大藏省說明す △女師移轉に反對した九州宮崎市民は暴動を起して開會中の縣會及知事官舍を襲ふ

十二月十七日 東京最初の陪審裁判は若い婦人を被告として開廷 △矢田總領事支那代表宋子文氏は最後的交渉を進む△宮崎事件檢擧六十名

十二月十八日 今回我が國を去るに決したドイツ大使ゾルフ、ブラジル大使フェーザ兩氏に對し十六日宮中に於て午餐を賜はる△文部省は五十二議會に於て握りつぶしとなつた宗教法案を改め宗教團體法とし要綱決定△東京ガス爭議は遂に全市に波及し市民大に迷惑す△北日本一帶吹雪猛烈にして奧羽線は五尺の積雪に閉ざさる

十二月十九日 東京ガス爭議昨日解結 △在アルゼンチン國日本公使館付武官として赴任途次大西洋に於て遭難した陸軍中佐井上義雄氏の遺骨を携帶して未亡人横濱に歸着 △南米ボリビヤ、パラガイ兩國の紛亂形勢いよいよ急 △東洋第一の長橋四國吉野川橋昨日渡り初め △拓植省新設要領きまる △一般肥料界不況の爲ラサ島燐鑛株式會社作業中止 △信越國境關山驛を中心とし大吹雪の爲列車運轉混亂狀態に陷る△不戰條約は二對十四で米國上院外交委員會通過 △産業組合中央會金庫新幹部決定理事長決定八條隆止子 △十八日入山東京市會副議長補欠選擧卽行を市來市長に建言す △自作農制定に關し預金部より融資三千萬圓は年年確實と大藏省富田理財局長說明 △ロシヤ政府の支那擾亂陰謀運動表面化す △支那東三省にいよいよ政治委員會設置 △職業運動家鳥山隆夫氏テニスを職業として一ヶ月の收入二百七十圓 △木曙島附近で遭難の丹後丸歸る

十二月二十日 兩院に內示された昭和四年度豫算綱要總額十七億五千二百八十萬圓 △裏日本の大旋風新津運輸事務所管內に於て電柱三百本倒る△英國支那國民政府承認 △貴族院研究會役員選擧終る △横須賀海兵團に猛烈な赤痢患者六十六名を出す △大平洋横斷飛行は事實上中止に決定實行委員會解散さる △荒木京都大學總長辭意通告 △富民協會主催米穀多收穫褒狀贈呈式最高位は群馬縣新田郡寶泉村渡邊伊一郎氏の神力一坪量三升二合二勺

十二月二十一日 衆議院豫算內示會 △奧羽線岩方積雪六七尺 △內務大臣より解散命令下り東京市會解散市制實施後これで三回目 △東京帝大總長小野塚喜平次博士に決定 △陪審員の答申で東京初めての陪審裁判無罪 △十八年賦で酒田の本間家小作人へ小作地解放 △宮崎市女子師範學校移轉案撤回に內定 △釧路炭坑の火事地下二千尺の坑內で六十名の坑夫生死不明 △尼さんが小學校へ二十年間托鉢の金を寄附福井縣三方郡北西鄉村早瀨智月庵主仙國梅擧尼

十二月二十二日 宮尾舜治氏東拓總裁就任 △三十年ぶりに阿蘇火山大活動熊本地方は地震頻々降灰宮崎縣に及ぶ△昨日東京で水道工夫が道の眞中から小判二朱銀四千圓發掘△諏訪郡出身

岩手縣知事丸茂藤平氏は台灣交通局總長に榮轉

十二月二十三日 鐵道開設以來空前の大建設計畫總額六億三千五十萬圓十ヶ年百二十一線完成

十二月二十四日 普選最初の第五十六議會召集さる △秩父宮殿下陸軍大學御入學遊ばさる △地方官異動發表△狂水病原体發見で有名な助川喜四郎博士又も天然痘病原体發見に成功 △二週間にわたる支那の旅より床次氏歸る

十二月二十五日 松平駐英大使拜謁を賜はる △賠償專門委員會に米國參加を承諾す

十二月二十六日 御即位禮後初の親臨を仰ぎ第五十六議會開院式擧行さる △張作霖横死事件を重視し政府眞相究明を決意し田中首相四相と密議す △我が國新劇運動の明星小山內薰氏逝去す△地租及營業收益稅委讓に伴ふ稅制整理の要點說明書三土藏相發表す△宮崎縣小林町七十餘戸燒失△國寶保存法案今期議會に提出に決定

十二月二十七日 貴族院全院委員長に近衛文麿公衆議院全院委員長に高島順作氏當選 △對支外交同盟會成る△大禮使關係恩賞決定△衆議院分野現在 政友二二一・民政一七四・新黨三〇・無産八・憲政一新七・明政四・實同三・革新一・無所屬一三・計四六一・欠員五・定員四六六 △米國人はスポーツのために今年一億ドル以上を使つた

十二月二十八日 田中首相床次氏と會見△二十七日のスペイン支那新條約調印を以て支那の關稅自主承認せる國十二ヶ國 △英支關稅新條約正文發表さる △英帝の御容態再び御懸念△新任駐日ドイツ大使フォベッチ博士來朝 △眞珠灣漁業權を沒收に決し米海軍ハワイに大飛行場の計畫 △自作農創設の文相案本筋だけ大体承認 △宮崎の女師移轉問題希望條件付で可決

十二月二十九日 日本との約束を無視し支那東三省に靑天白日旗飜る奉天派革命事業を完成し一致外敵に當らんと通電 △全支に渡る排日運動に政府漸く重大視す△畏し東久邇宮殿下押詰る細民街をつぶさに御視察遊ばさる △南極の門戸に齎バード中佐南極探險隊根據地を選定中

十二月三十日 林男爵の警告も徒勞東三省に靑天白日旗揭揚張學良林總領事に會見拒絕 △不週に陷つた一新會新黨と提携を望む △對支爲替決濟のため根强い日貨排斥に惱み日華實業協會政府に融資を交渉 △カルカッタに開會中のインド國民議會議題審議委員會はインド自治案通過△スキーを利して東京商大生白馬頂上征服

十二月三十一日 支那國民政府東北政治委員正式任命 △五色溫泉附近積雪七尺

一月一日 聖上陛下には宮城へ御移り以來始めての四方拜を擧げさせ給ふ △ノールエースキー聯盟副會長ヘルゼツト中尉他二名入京

一月二日 富山新潟兩縣沿岸は十數年來ない大吹雪と大暴れで西頸城郡新川郡下は慘狀を極め通信交通全滅す △熊本縣下に地震

一月三日 宮中三殿に元始祭の儀御親祭のもとに御祭典を擧げさせらる△ガンジー主義全印度會議で承認△滿蒙問題で米國日本を疑ふ△松平駐英大使神戸出帆△ユーゴースラビヤ內閣總辭職

一月四日 即位後最初の政始の御式を擧げさせらる △信越線一帶は引續き大雪列車到る所で立往生延着△大分縣大湯線に於て列車顚覆乘客二十四名負傷△再開の米上院に不戰案上程さる

一月五日 新年宴會△支那編遣會議裁兵費に債券二千萬元發行決定 △南京反日會日貨封鎖斷行△對支問題に付田中首相床次氏と第三次會見△米國陸軍の發動機三個備へ付けたフォッカー式單葉機クエッションマーク號は一月一日出發以來滯空七十二時間繼續飛行し尙引續き飛行中

一月六日 全米會議閉會南北廿ケ國の調印終る△全國代表二萬余名の消防出初め式を聖上陛下御親閱に相なる△畔田前代議士北アルプスに遭難△東京灣の激浪高く小舟二十隻沈沒す△代議士選擧有權者は九月十五日現在總數千二百七十萬人第一回普選に比し三十六萬增えた△支那東三省の政治機關に南京派を加へずと奉天側決定

一月七日 ユーゴースラビヤ國會に國王解散を命ず △死線を突破して乘鞍遭難の畔田氏一行下山 △明治節の大記念塔京都比叡山上に建設

一月八日 陸軍觀兵式大元帥陛下御愛馬初緑に召され親しく御閱兵△支那國民政府外交部領事裁判を今年中に撤廢する爲近く列國に提議せんと決定△米國陸軍機の耐久飛行五千呎の上空で六晝夜即百五十時間四十一分過ごし世界記錄作る

一月九日 △漢口の排日惡化す△ インド生れのモヘツト君自轉車で二萬三千哩を走破名古屋に到着 △八十一の爺さん高知縣高岡郡大野見村奈路下元德之助翁は四斗俵を擔ぎ尙又天杯拜受記念に十里以內は車に乘らぬ大元氣者△奧丹後地方は震災後一年十ヶ月にして大半は美しく復舊 △昨年度の貿易入超は二億二千百二十萬圓 △對支貿易出超額一億五千五百萬圓前年より三百五十五萬圓增加 △汽笛一聲に代る新鐵道唱歌鐵道省、大每、東日により募集中嚴選さる

一月十日 △日光に板垣退助伯の銅像建設計畫進む

一月十一日 支那東三省政府首腦楊宇霆常蔭槐等張學良の手で拘禁さる △楊宇霆常蔭槐十日夜司令部內で銃殺さる △支那裁兵標準定る△救世軍最高評議會ブース大將の總司令辭職を可決 △支那奉天側も二分五厘附加稅承認に應ぜねば日貨排斥をなすと決議

移植民ニュース

朝鮮に亞細亞村
具体化して植民者募集

先きに海外協會中央會では朝鮮總督府と北鮮方面の植民開發の協議をなし同協會から視察者を送つて調査せしめたがいよいよ具体化されて江原道平康郡に約五千余町步の肥沃なる土地を設定し一戸十町步宛と本年三月第一回の入殖者五十戸昭和七年までに合計四百戸を入植せしめ內三百五十戸を內地農業者五十戸は朝鮮人を入植せしめて內鮮融和の實をあげ模範的自作農村を建設する事になつた。栽培作物は稻粟小麥大豆芋蕎等で養蠶も適してゐる。家畜も副業として飼育出來る資金は約一千三百圓を要し四ヶ年の晩において二千圓の資產を作る事が出來る計算であるが尙詳細に關しては印刷物によつて明らかにされてゐる。

代行機關設置 其の他を決定した總會

海外移住組合聯合會臨時總會は十六日午前十時から內務省社會局において開かれ田村聯合會理事長、內田嘉吉氏社會局から大野社會部長、川西職業課長、地方から岡山、鹿児島、福岡、廣島、愛媛、和歌山、山口、三重、熊本、富山、北海道、新潟、長野、鳥取、山梨、香川の各組合理事出席豫ねて懸案になつてゐた代行機關設置に伴ふ有限責任ブラジル拓殖組合創設の件並にその他の議案につき、過般二十六日の總會では議論百出の結果そのまゝになつて散會したが今回次の通り決定午後三時過散會した

一、代行機關の創設 議論紛糾したが聯合會提出の原案通り決定した即ち日本の作つた法人が外國において拓殖事業をなすには不便と支障があるため外國の法律によつて作つた法人によつて聯合會の拓殖事業を行ふことが實際的に便利であるといふ見地から新に有限責任ブラジル拓殖組合を設置し定款を設定すること

二、分讓土地の價格決定 ブラジル政府並に地主との交渉成立して新に購入した、アリアンサ、バストス、チエテの約十六萬九百二十五町步の土地は既に森林道路の開拓準備が成つたので、第一渡航移民は一家二十五町步を単位として土地割當その他價格を決定すること

三、本年度の移住者渡航 本年四月移住する渡航に關する仕事は海外興業株式會社に委託すること

四、昭和四年度歲入歲出豫算の決定

週刊大南米を改題して發行 「秘露日日新聞」生る

ペルーは在留邦人二萬に近くブラジルに次ぐ南米第二の移民國であるその二萬に近い邦人を指導する言論機關が三社ある。その一つ大南米社は創立以來五ケ年有余週刊雜誌として謄寫刷十數頁を發行してゐたが本年元旦より週刊を改めて日刊とし謄寫を廢して最新活字刷として九ポイント總ルビ付一行十四字詰六十行一頁十段組みの四頁新聞紙を發行する大發展に進んだ。

同社代表は藤田亮三郎氏で同氏は前後二十有余年の記者生活を續け非凡の頭腦を以て一意同胞社會の善導に筆硯を續けてゐる。

南米における邦字新聞はその數十指に達するがいづれも週刊であり邦人八萬を數へられるブラジルでさへも未だ日刊とまで進み得ざる今日獨り大南米が斯くの如き大發展を見るに到りたるは全く藤田氏の手腕による結果であると共に同胞はこれによつてうける文化の恩澤に浴する事は非常の幸福である

外交官の異動

外務省では左の通り人事異動が決定し閣議に付議された上發表された

外務省情報部長侍爵 小村欣一
任大使館參事官（一等）英國在勤被仰付
ニューヨーク總領事 齋藤博
任外務省情報部長（二等）
大使館一等書記官 加藤外松
米國在勤を命ず
外務書記官 白鳥敏夫
情報部第二課長を命ず
大使館二等書記官 若杉要
英國在勤を命ず
公使館一等通譯官 大谷彌七
メキシコ國在勤を命ず
同 上 淀川正樹
ペルー國在勤を命ず
副領事 柴田市太郎
ホノルル在勤を命ず

信州記事

例の怪文書
全く僞造と判明した

昨年末の本縣會に於いて世間の視聽を集め大波瀾を捲き起した例の怪文書事件は本誌前號に記載したがその後に於ける特別調査會では該文書は僞造なりと報告し司法權の發動によつて摘發者小澤議員を召喚訊問し更に該文書の僞造者と睨まれてゐた東筑摩郡波多村百瀬貞之亟の行衛を探査してゐたが二十四日に到り遂に本人は逮捕され松本檢事局に護送された百瀬は最初强硬にあの文書は諏訪岡谷署の堀巡査によつて書かれたものであると主張してゐたが逐次取調べの結果遂に眞相を自白するに至り右の怪文書は百瀬が波多村役場より謄寫版を借り來つて自宅において印刷僞造したものと判明した模様で百瀬は公文書僞造罪として起訴され目下豫審中である さしも縣下の政界に稀有の大波紋を描いた問題が案外の所で落着するに至つた。

僻地ほど重い
教育費の負擔

本年度の縣下市町村の教育費に就ては先般來各擔任視學の手許に於て調査中であつたがそれによれば市町村經常部の教育費の一戸平均負擔額は二十七圓七十一錢で最高は北佐久郡の三十一圓三十九錢次いでは南佐久の三十圓三十一錢上伊那の三十圓六十七錢埴科の三十圓六十二錢西筑摩の三十圓十三錢北安の三十圓三十七錢最低は松本市の十九圓三十六錢上田市の二十圓八十八錢長野市の二十二圓二十八錢其他の各郡はこの中間であるが槪して市街地は一戸當りの負擔額輕く僻陬地は重いといふ現象を呈してゐる戸數は三十萬七千六十戸學級數尋常科五千八十六高等科千十二計六千五十八兒童數尋常科二十二萬九千三十九人高等科三萬九千三百七人計二十六萬八千三百四十六人經常部教育費合計八百五十萬七千六百三十六圓で市町村豫算總額千四百三十萬千三百八十圓に對し約六割に相當してゐる而して兒童一人當りの教育費は三十七圓十四錢五厘又實業補習教育費合計は七十二萬八千三百十九圓といふことになつてゐる。

蜂須賀侯の令嗣が
南米アポー山を探檢

貴族院副議長蜂須賀正韶侯令嗣正氏君(二六)は、ヒリッピン群島のミンダナオ島のアポー山を人類學、動物學などの點から研究するため、農林省鳥獸研究所囑託中村幸雄、蜂須賀侯家の伊藤祝三の兩氏とゝもに十九日午後八時四十五分東京驛發、廿一日神戸出帆のプレシデント、ウイルソン號でヒリッピンに向つたが、ヒリッピン總督スチームソン氏もこの一隊を歡迎し、一月一日マニラ着の上は總督が斡旋して大學教授、軍隊巡査土人などをも一行に加へ、大規模の探檢隊を組織し、アポー山征服の壯途を援助するはずである。正氏君はケンブリッジ大學で小禽類を研究し大正十四年卒業後、二ケ年間ロンドン大博物館の囑託となり、昨年歸朝したが、その間モロッコを探檢して注目すべき研究を發表したことがある。尚アポー山登山は既に在ダバオ塚田久米治氏によつて大正十四年絶頂を極め本誌四十六、七、八號の三回にわたつて登山記を連載した。

移民著しく增加
船の不足で臨時配船が必要

不景氣と海外移住氣運のぼつ興は當局の保護政策と相待つて我が移民の數を增加せしめつゝあるが昨昭和三年中における海外興業取扱ひ移民の數を見ても前年に比し一千四百十八人を增加して一萬二千九百八十二人に達した今これを渡航地別に見れば左の如くである

ブラジル	一一、二三一人
フイリツピン	一、二八四
ペルー	三一二
濠洲	一五一
キユーバ	四

フイリツピンは前年より振はなかつたがブラジルの如きは渡航補助の關係もあり前年に比して二千七十九人卽ち二割余を增加してゐる然も昨秋は御大典のため一時渡航者の減少を見たに拘らずこの數であるから本年度は補助費の增加と相待つて著るしい數に達する見込みてある從つてブラジル移民の輸送に當る船會社側でも郵船は本年十二回配船は十一月十六日處女航海にのぼる新造船(輸送能力八百乃至九百人)共十一回の航海を豫定してゐるが海外興業の取扱以外に渡航する者も可なりな數にのぼるので到底豫定船では間にあふまじく臨時船の必要を見るであらうと

山間僻地へ
日赤特派醫師

本縣には醫者をもたない村約百ケ村ありその中には近くの町とか村とかにあつて大して不便を感ぜずにゐる村もあるが六七十ケ村といふものは全く醫者がないので殊に中流以下の貧しき人々は如何に悲痛な病人にも施す術なく只死を待つ以外に道のない狀態であるのに意をとめた赤十字長野支部では何等かの方法に依つてこれ等町村救濟方を研究しつゝあつたがいよいよ昭和四年事業として之を實行する事となり豫算七千九百九十二圓を計上した卽ち救濟方法は專任の醫者一人を屆ひ看護婦では山間僻地を驅けめぐるのが困難だから健康な男の看護人一人を屆ひ二人が年柄年中醫者をもたない村々をめぐつて病める貧しき人々には無料診療をなす一方一般患者の實費診療を行ふもので目下醫者看護士の人選中だから三月頃から開始する筈であるが大きな福音となるであらう。

こゝも增える
空き家飯田町

飯田町では昨年秋頃から空家が續出し現在廣小路、知久町通り等の目拔きの町にさへ見受けられるやうになり町營住宅には十軒ばかりのあき家があるので飯田町當局では町營住宅の家賃引下げを明年度から斷行することゝしその程度の研究中である町營住宅料の引下げによつて全町的に家賃下引げの運動が行はれることゝなるであらうなほ町營住宅料の最高は十八圓最低は八圓である。

出稼ぎを斡旋せよ
農會活動の諮問案に

東筑摩郡農會ではこの頃技術員設置の町村農會に對し農閑期に於いて農蠶一般は勿論社會的家庭的立場から農會の活動すべき具體的方策如何の諮問を發した結果左記の如き答申を得たので技術員會に於いて之が批判並に討議を行ふ

一、農家精神の徹底を促すために青年を主體とする農蠶研究會を設置する

二、小作料協定及び小作米價格協定に對し町村農會は大いに進出する事

三、出稼ぎを斡施し農家の餘剩勞力を經濟的に行使せしめる事

四、臺所の改善をはかつて簡易生活の徹底を期する爲め家庭料理の講習會を開く事

一族子郎をあげて
南米ブラジルに雄飛

縣下初めての海外發展振り 南佐久郡川上村から一族ぞろつて八家族二十九名が南米ブラジルに安住の地を求めて平和の生活に一門繁榮の基礎をつくる事になつた。右は別項の井出碩雄氏が一行の總指揮者となつて渡航の萬端の準備を整へ二月二日神戸出帆のモンテビデオ丸に乘船して憧れのブラジル國に向ふ事になつた。一行は全部血族姻族關係でかゝる一門が縣下から海外に雄飛する事は初めてゞあると大評判である。一行中の川上賢郎氏は前縣會議員川上碩一郎氏の實弟である尚一行の代表井出碩雄氏は地方有力者で村議初め各方面の名譽職を持つてゐたが今回之れを全部すてゝ一行を引き連れ海の彼方に奮鬪してみたいと意氣込んでゐる。同氏は「最初朝鮮北海道に移住を志して數年前より密かに研究してゐたが偶々南米移住が宣傳奬勵されるのでこれと比較研究してみたところ朝鮮北海道よりいろ〳〵有利な點があるので遂にブラジルと決定し海外協會のアリアンサ移住地に渡航する事に決心し親戚に相談したところ遂にかくの如く多數の希望者があつたわけである。尚私共男よりは家內の女の方が皆大元氣で大喜びです」と語つてゐた。

尊き犧牲者のために
平野植民地で鎭魂碑建立

伯國在住邦人三分の一を占むるノロエステ鐵道沿線は今から十數年前には日本人の姿が殆んどなかつたと云ふても差支ない程で微力のものであつた。その當時との沿線の將來を有望視して一九一五年初めてペンナ驛奥に邦人植民地を開設したのが平野運平氏である。幾多の苦痛と艱難と數多くの犧牲者を出して十四年の歲月を迎へた現今の同地發展は實にすばらしいものであるがその創立數年の植民地史は全く言語に絶し北米建設の基礎と謂はれる彼のピルグリム・ファザーの如く此の邦人植民地發祥の受難者として永久に眠る犧牲者平野氏も又尊き犧牲者として地下に眠る英靈となつて邦人發展の今日を見てゐるだらうこの犧牲者を永久に記念するため今回平野植民地に鎭魂碑が建立され昨年十一月十五日盛大なる除幕式が多羅間領事外多數の官民參列によつて行はれた。沖天高くそびゆる此の鎭魂碑は同植民地訪問者をしてそゞろ暗涙を催さしめ植民地建設の偉大なる教訓を受けるのである。

米國化仕みの醫學者
井出物兵衞氏も同航する

右の井出碩雄氏一行と共に同航する事になつてゐるのは昨年の夏米國から三十年振りで歸國した井出物兵衞(五七)氏である同氏もやはり親戚者の一人で碩雄氏が南米移住を志してゐるとき米國から歸國し三十年前と變らない鄕里の疲弊の實際を嘆息し海外に新使命を開拓するの必要を感じ偶々碩雄氏と語る機會に接したので碩雄氏は一層決心を固くする事になつたものである。

井出物兵衞氏は慶應大學の前身劑生學舍卒業後明治三十四年漂然渡米し苦學力行ミシガン大學に勉學し卒業後は同校にあつて專ら花柳病診斷醫學について研究した醫學者である。今回約二ケ年の豫定を以てブラジル國に視察しその結果によつては再擧同國で活動したいと云ふてゐる

スキー三選手を
池ノ平にも案內の計劃

ノールウエースキー三大選手は二月四五日頃飯山スキー場を訪問する豫定であるがこれが、斡旋役の堀內信水中將は山內スキークラブ總裁であるところから更に三大選手を同クラブが開拓せんとしてゐる下高井郡池ノ平琵琶池付近のスキー地に迎へその視察を請ふべく目下同中將より交涉中である。

結婚に宣誓書と
健康診斷書を交換

本縣社會課では生活改善の趣旨徹底のため結婚改善に力をそゝぎ婦人會、青年會戸主會などと共に改善をはかつて居るがなか〳〵實行されぬ、折柄上高井郡井上村では模範的婚いん制度を設け結納式に際して双方が結婚宣誓書、健康診斷書および親類目錄を交換し結婚式もこれに準じて極めて眞面目に執り行はれ從つて離婚なども余りなく又小縣郡某婦人會ではその村內に嫁ぎくる嫁に對して晴衣を贈り、無駄を省き好成績を擧げてゐるので縣ではこれなども奬勵したいと努力してゐる。

邦語小學校閉鎖
伯國教育法令によつて

日本人小學校の邦語授業は先般來しば〳〵噂され伯國教育法令によつて十二才以下の兒童に對しては母國語教授を禁ぜられてゐたが今回愈々右法令によつて禁壓される事になつた右に關し父兄間では教育は一日も忽せにする事が出來ぬから十二才以上の兒童には伯邦兩語いづれによつても十分教育を施すべきであるとの意見により領事館及日本人教育會でもその具体的方法について協議中であると。

向學心燃えて
日伯中學校生れる

今回日本人の有志によつてノロエステ驛の中心地たるリンス市に中等程度の學校建設を計劃してゐる。現在同地邦人家庭には中等學校入學の子女を有するもの多く遠く聖市に出して教育を受けさしめる事は困難であるため自然教育を受けさしめずしてゐたもので同校の設置は頗る歡迎せられてゐる趣きである同校は本年四月一日より開校し最大限二百名の寄宿生と六百名の通學生を入學せしめる豫定で小學生商業科中學科の三部に分れてゐる。

外の海 歌壇

俳句

上水柵村 喜望亭 近山

御代の春算盤珠の家計ぶり。

上伊川島村 一ノ瀬 斜月

春立ちて山裏村の閑靜か。

射す初陽麥の若芽にきざす春。

(新年號口繪を拜して) 上水大豆島村 市川 川覗

森透いて木兎鳴く方や北斗星。

ずん〳〵と伸びる珈琲園の稻。

雪一丈田口の驛やスキー團。

短歌

林 光 衛

ブラジルへ行かしてと云へば老ひ給ふ我母上の眼曇るも。

此のからだブラジルの野に捧げんと兄に計れば頭をふるも。

我殿堂をつくらなかなや海越えて愛しき君と命つくして。

上水芋井村 小 林 K 生

南米の曠野の原を拓きつゝむくひまつれや神の御惠ふ。

健やかに親の育てしこのからだ努め力めん海の内外に。

乙女子も可弱女とのみ云はずして共に働らけ海の外まで。

(世界一周旅中の詠錄)

印度洋 赤道を今過ぐといふに人皆は寢しづまり居り眞夜中にして。

アンデス山 現身の命かなしも九月三日雪ふるアンデスの山を吾が越ゆ。

太平洋 しだり尾の長き智利の國づたい昨日も今日も吾が船は行く。

太西洋 動かざる大海原の天つ空今宵の月夜輝りにけるかも。

桑港 大陸の旅も終りと思ひつゝ霧の街を更けて步めり。

上伊川島村 一ノ瀬 樵 泉

木の影の冬田に動きてかすかなる陽向ふ邊りて人等步むも。

大雪を掃きかためたり町の口初荷車のきしり出で來る。

すゝけ居る障子に暗し雪明り藁の仕事を今日もいそしむ。

上水淺川 松 木 窓 月

山峽は陰りて淋しみはるかす高嶺の雪に淡き夕映。

明けそめぬ社しづけし人ふたり燈明に近く詣でゐる見ゆ。

諏訪平野 雨 角 喜 重

時つぐる鷄の音長閑か山峽の小村靜けき冬日和かな。

海の外歌壇募集

◇短 歌 □□ 題隨意 (一人五首用紙ハガキ)

◇俳 句 □□ 題隨意 (一人五句用紙ハガキ)

締 切 二月十五日限り

宛 名 長野縣廳内 海の外編輯部

味覺をそゝる 熱帶の果實 (五)

香味共によろしい 龍眼とラムブタン

漢法醫藥として賞用される

本欄の熱帶の果實は昨年十月號以來パパイヤドリヤン、マンゴウ、マンゴスチンと紹介してそれは宛らにエデンの果園を訪ふかの樣に味覺神經を恣まゝにして來た、然しパパイヤ初め以上の果實は一寸吾々に緣遠く徒らに垂涎三千丈と云ふ態では面白くないので今回は平凡の所で次のものを御紹介する

龍 眼

英語にて Longan と呼び、褐色又は黄褐色の核果樣球形を成す、指頭大の小果である。外殼は平滑で硬く、之を破れば内部に乳白色半透明の假種皮があつて、一個の種子を包むでゐる此假種皮が所謂龍眼肉であつて食用に供さる部分である。香味共に乾葡萄に似てゐる。本果は生食の外之を乾燥品として食用に供されてゐる。即ち干龍眼であつて、古來漢法醫に保温劑として賞用せられたものである。到る處の果實屋店頭に現はれてゐる。

龍眼樹は常綠中喬木で、普通樹高二、三十尺幹圍五尺に達する。葉は長楕圓形の厚い革質で互生し奇數羽狀複葉である。而して表面は滑澤深綠色で、裏面は白色である。花は雌雄の二種があり。芳香を有し黄白色の小花である。

三、四月頃に開花し、果實は七、八月頃に成熟する。龍眼樹は南支那及び印度の原産で、南洋及び台灣等にも廣く栽培せられてゐる。支那では福建省、廣東省等に多く、殊に福州地方には到る處一面に四季欝蒼たる森林を形成してゐる。又台灣に於ては中南部地方に盛に栽培され、果實の島内にて消費せらるる外、支那に輸出さるゝ額も少くない。又龍眼樹は其材が質緻密で且つ堅硬なるが爲めに各種の用材に供される。殊に其彫刻人形は最も著名で、支那福州邊より上海に盛に輸出されてゐる。

ラムブタン (Rambuton)

此果實も亦龍眼に似てゐるが、一名毛龍眼と呼ばれてゐる通り、果皮が發育して毛狀をなし(ラムブは馬來語で毛を意味する)、赤色又は橙色の梅實大で、枝の先に大きな房となつて結實する。其の中に大きい黒色の種子があつて、白色透明の肉果に包まれ、其の肉は甘味に淸凉な酸味を帶びてゐる。果皮は指頭で剝ぎ易いが果肉が、種子と密着して離れ難いから食べるのに稍不便である。

本樹は小喬木で葉は偶數羽狀複葉全綠で龍眼に似てゐる。花は圓錐形である。馬來半島の原産で、錫蘭島の一部にも生育するが印度方面には稀れである。

南洋を巡つて (四)

片 倉 小 山 嵩

南洋の代表ジャバ島の巻 (續き)

チヨクヂヤ停車場の切符賣場で私が三等のスラバヤ行きを求めんとするや体軀偉大のオランダ紳士が私の後から手を出して先きに何處行きかを言ふたので癪にさわつていきなり日本語で「あとにしろ」と強い肘鐵を喰はしてやつた。先生眞赤になつてブツ〳〵言つていた。俺も切符を買つてから悠々眺めつけてやつた。俺を支那人と間違へたらしい尤も霜降りの詰襟ぢや一等國民としてはちと御粗末過ぎる。でも見送りに來た日本人を見て遂に日本人である事が分つたらしい。支那人や土人にしては少々强過ぎるて。

汽車は甘蔗畑を東へ走る、製糖工場が幾つも現れては消える。既に刈り取られた甘蔗畑や米田には水牛が走つてゐる、スラバヤへ着いたのは夜の八時頃。驛から目と鼻にある堀野ホテルへ行くに乗つたサドの惡馭者私に向つて盛んに賃金一圓を約束してゐる。ホテルへ着てから三十錢やつたらホテルの主人に一圓と約束したと惡どい面をして頑張つてゐる。鐵拳の三つ四つ見舞つてやらうと思つたが二十錢出して歸らした。今日は不愉快な日である蘭人は肘鐵を喰はしたり今又拳骨を振り上たりせねばならぬ。國威を失墜せしめざらん樣威厳を見せるのも蓋し辛い。

スラバヤ見物堂々たる日本人倶樂部

翌日から元外語教授で目下南洋郵船のスラバヤ支店長をして居られる上原先生のお宅へ御厄介になる事になつた。先生は奥樣と二人きりで毎晩近所の日本人と麻雀を叩いてゐるお陰で私も麻雀は中々上手になつて了つた。

領事館や三井銀行の先輩にも會つた、恒例の支那料理に案内されて御馳走になつた。

十万圓を投じて最近竣功したといふ日本人倶樂部を見た。堂

々たるもの だ其の附屬小學校の如きも外見設備先づ遺憾はない教員住宅に宛てられた室などは帝劇の貴賓室以上だ。數多きハードコート(庭球は何處でも盛んで日本人は慥に外人を壓へてゐる。勿論硬球)純日本風の矢塲ビリアードルーム。喫茶室其の他の設備萬端贅を盡したものだ。又してもも思ひ出す。ヂヤワを見ずして南洋を語るべからず。ヂヤワの日本人を見ずして南洋の日本人について言ふべからず。

銀座しきや知らないデモモボ、スペタモガ一度ヂヤワへ行つて來い。人糞の香氣粉々たる郊外に木片細工の樣な小家を作つて文化住宅が笑はせる。コムパクトやレインコート位しか忍ばせぬオペラパックを手にしたオ河童の口紅娘。姿キユラソーよりコクテールが好きだのコニヤックの方が強くていゝわ、つて平氣で言へる上流良家の遊食階級とこれを取り巻く靑タンモボ汝等は日本の過剰人口である宜しく今の中に自決をうながして置く。

スラバヤは人も知る砂糖の輸出港である。神戸の鈴木が全嶋の大部分を買占めていたが彼の沒落後三井、三菱、有馬其の他が引き受けて依然日本が大部分の砂糖を處分してゐる。從つて日本人の勢力も大したものである。

私は十月學校で行ふ例の東都名物の一である語劇の參考品や南洋劇を出來るだけ研究する使命を持つてゐる。其の頃スラバヤで物凄い人氣のあつたミスリボツトの劇を見に行つた。現代日本語と歌舞伎の言葉とは全く違ふ南洋劇の臺詞は古代上流階級の用ひた優美な言葉で吾々が學校で學ぶ正調馬來語と甚だよく似てゐる。

日本舞台の廻轉裝置と花道は全く世界に傑出してゐる。南洋劇は幾枚もの背影側影が用意されてあつて場面の變化はこれ等を巧に利用して進めて行く。又南洋劇の特徴は一座としては可成上位を占める道化師が數名あつて各場面々々に極めて自然にして且つ巧妙に諧謔と諷刺を織り込むそして悲喜正邪を觀客にハツキリ意識せしむるのである。こゝが研究に價する特異であらうと思ふ。

翌日はレコード屋で昨晩のミスリボツトの吹き込んだ歌があつたので買つた尙ヂヤワ獨特のコロンチヨン(ギターに似た樂器を大勢で引いて男女が交互に歌ふ。ヂヤズのオリヂンを爲してゐるものだと思ふ)。伴奏は賑かだが歌は哀調を帶びてゐる。ヂヤズのオリヂンを爲してゐるものだと思ふ。此を二枚共に向ふの氣分を充分表してゐるもので十一月の語劇に用ひ大好評であつたのは嬉しかつた。

八月一日スマランへ。本縣人宮本氏宅に御厄介

車中靑年と話すに彼は横濱神戸長崎の港を知つてゐる。彼等はそれ程日本に對して注意してゐる。諸兄試に汽車の中でバダビア。スラバヤ。スマランなどの地名を聞いて見給へ。恐らく知らない靑年が大部分であらう。

此處に本縣坂城の人、長中から外語を卒つた宮本淸氏が野村貿易商會の支配人をやつてゐる。其處へ御厄介になつた。日本雜貨の輸入をやつていらつしやるが達者な英語とドイツ式經營法で店は小さいが堅實であると聞いた。

スマランも砂糖の輸出港であるが港が不便のためスラバヤ程の活氣はない。日本人は蘭人支那人の向ふを張つて堂々の陣を敷いてゐる。

丁度こゝでは年一回のパッサルマラム〔夜市〕があつて物凄い人出で夜十二時頃まで自働車に乘つても進むも後くも出來ない位だ。これが約一ケ月程續く。

コロンチョン・ブレムブアン・バンドーン卽ち例のバンドンのコロンチョンを引く娘――日本の藝者の樣なもの――の舞台があつたので台銀の先輩と三晩續けて聞きに行つた。

其の他ヂヤワ獨特のワヤング〔影繪の芝居〕踊。劇などヂヤワのローカルカラーを一所に集めてゐた。

街は美しい。バレンシアといふ立派なカフエがあつて TUTTI FRUTTI といふのを食つた。硬いチョコレートアイスクリームで果實が入つてゐる。五時間位放つといても平氣であるといふのが昴らしい。恐ろしく高價だが美味い。東京へ歸つてからも時々思ひ出して三越やコーザンへ行つてアイスクリームを食つては悲觀させられた。

台銀や其の他の社宅の多くはチヤンギーといふ小高い公園の樣な岡にあつて涼しい。この邊の邦人の豪勢振りは蓋し向ふへ行かねば判らない。

再びスラバヤへ、そして一路日本へと向ふ

船は十日出帆の商船スラバヤ丸。滯在中の御好意に捧ぐべき適當の謝辭もなく只報恩の期を私に誓つてスラバヤを去つた。

船はボロ。每時四節半といふ速度でセレベス嶋マカツサル港へ。スラバヤから可成砂糖を積んでゐる上にマカツサルで又香港行の籐を出港時間を五時間も遲らせて嫌といふ程船室までも積み込んだ。吃水線は見えなくなつた。氣持の惡い事夥しい。

マカツサルは鸚鵡の產地である。大枚四盾を投じて一羽求めて歸つたが中野の寮で不用意にも逃して了つた。うまく仕込んで儲けやうと思つて足を出しちやつた。

九月廿日ボルネオのタワオへ入港。立派な久原のゴム農園がある自働車で突切つたが中々盡きない。外國の土人で日本語が通じるのはこのタワオ位なものであらう。

香港ではしばらく食へないだらうと思つて鱈腹廣東料理を食つた。氣持の惡いケーブルカーも同船者の案內で乘つた。東洋に唯一と誇つたのも今は昔高雄山のケーブルの方がタンチで氣持が良い。然し香港は何時寄つても感じがいゝ。台灣海峽を横切つて高雄へ。それから基隆へ。台北の街を見た。立派なものだ。オランダ植民地の堂々たるを見て我が台灣は如何にと內心心配してゐた。が豫想以上であつた。

日本は旣に十月に入つてゐた。船は黑潮に乘つて走る基隆で皆下りて了つてダヾつ廣い三等船室に只獨り引繰返つて二ケ月半の旅行を追想する。記憶は或は速く或は遲く縱に斜に或は前後して狂つた相馬燈の樣に。がとゞの詰りは彼が夏服で震へて横濱に降りた時熱い握手を與へに驅けつけてくれた。

諸君私はこれでお別れしたいが私の狂つた相馬燈は尙一二頁のペンを强要してゐる。

第二の象山出でざるか立て信州青年よ

大英國では劍橋。牛津の首席乃至は四五番の秀才の志望は南阿或は印度勤務である。大政治家の卵はすべて植民地勤務を經

るといふ習慣である。尤も卅數割の加俸もその小さな理由でもあらう。かくの如く優秀な人物が撰んで海外に出るため勢海外の同胞に對しての尊敬と注意は當然起る。昨年の南京事件に遂々英本國より派兵した事でも其の程度が分る。飜つて我が日本を見よ。官吏は東京を去つて地方に出づるを嫌ひ樺太台灣朝鮮へ行くに際しては左遷に等しい都落と慟哭してゐるではないか而も僅々六割增しの手當で。況んや南米北米南洋支那に雄飛せんとする我が大和民族の代表者などについては爾來一瞥だに與へて呉れない。英國和蘭などゝは其の海外發展に於て根本的相違がある。娘子軍を追つて飛び出すは內地の食ひ詰め者かお尋ね者でなけりや天刑病血統の人達である。彼等は何れも精神的落伍者である。大學專門學校を卒へた優秀な外人紳士に伍して果して何が出來やうぞ。

近年漸く海外發展に醒めたとは言へ要路の大官名士の視察談として說く所、たゞ一片の視察談に過ぎぬ。人口の自然增加年々七十萬乃至百萬と叫ばれてゐるのは最近數年間の通り文句である。どんな雜誌も一行や一句を占領してゐない事はない。成る程人口の增加卽人口過剩ではない。が將來國內移住及び產兒制限が果して幾何の効果を齎し得るかクリエーターは私と笑ふ。

煩瑣な日本を去つて新生涯を開拓せんと海外に雄飛する國士を指して。「あの人もブラジルやスマトラまで行かなくとも良かりそうなものに」と呻何たる蛆虫供が片言ぞ。

猫額の日本に未練がある事に私は干涉しない。成る程日本は住み良い國だ。金のある奴か他を知らぬ人達には。

あれ程大仕掛で丁寧な奬勵を以つてして尙每年僅々數千の人間を辛じて送るに過ぎぬ、留る者は留れ汝弱き者よ子を生んで殖えよ。佛教は尙汝等に安住の地を與へ給ふべし。呵々。

由來優秀な青年は鄕里を去つて中央に出るものだ。そして田舍には意氣地なしの屑のみが殘る。地租移譲だの肥料の公平なる分配こんな文句が農村の振興だと思つてゐる。疲弊困ぱいし、切つた土地を抱へて賣れ殘りの青年は糞の中でもがいてゐる。

幕末佐久間象山先生を出した吾が信州に人口的國難經濟的國難の危期に頻する日本を指揮する第二の象山先生遂に出ざるか。

一兵卒の入營退營に際しては牛飲馬食の酒宴を催し幟を押し立てゝ送迎する。何ぞその兒戲に類する醜態の甚しきや。敢て諸君に問ふ洋々幾千里波濤を蹴つて海外に新日本を建設せんと故國を去る勇士を横濱或は神戸の埠頭に見送つた者果して幾人ぞ。それ程愛着を感ずる日本に永久の別を告げんとする彼の胸に思ひ及んだ者果して幾人ぞ。

青年よ青春は去つて行く。そして日本の青春も去つて行く。然し吾等に殘された仕事は常に若い仕事であらねばならね。諸君私はこれでこの駄文を終ります。

狂つた走馬燈の一頁を鐘紡重役福原八郎先生が壯途の餞とす　（完）

訂正　前號の挿入寫眞說明は相互誤記につき訂正す

自治化されて行く
最近のアリアンサの移住地狀況

滿四周年を迎へたアリアンサ移住地の發展振りは驚ろくべきものでブラジル視察者は往年海興經營のレジストロ植民地を見落す事がなかつた樣に現在では當アリアンサ移住地を訪問せねばブラシル視察談を試みる事が出來ないまでに世人の視聽の的になつてゐるが同移住地は漸次入植者によつて自治化され模範的移住地（農村）となつてゐる。

卽ち同移住地を數區に分ち各區より委員をあげてアリアンサ會なる自治團体を組織して移住地の發達向上に努めるものである。今最近の報告により各區委員の改選及び自治的活動の一端をうかがへば左の如くである。尙移住地日誌抄によつて最近狀況を知る事が出來る。

八月十二日開會の定期役員會決定議事

一、委員改選結果報告

	委員長	副委員長
第一區	伊藤長喜	宮光寺與市
第二區	中原三藏(新)	降幡秀雄(新)
第三區	渡邊武(新)	樋口德重(新)
第四區	木村貫一郎	永原勘吾
第五區	大峽脩	高橋豊信(新)
第六區	砂田作造(新)	岩本丑一(新)
中央區	北澤眞治	堀了(新)

一、賦課法改正決議

賦課法中「アリアンサ移住地開拓當初ノ出資者ニ謝禮ノ意ヲ以テ提供シタル土地ニ對シテハ所有土地稅ヲ課セズ」ノ項ニ左ノ如キ但書ヲ附ス

但シ已ニ開拓ニ着手セルモノハコノ限ニ非ズ

一、授業料徵集額訂正

就學兒童三名以上ヲ有スル家ハ一名ニツキ一ミル三名ニ達セザル時ハ一人ニ付二ミル每月納入

一、墓地祭場ニ關スルコト

祭場ノ屋根ハ木片葺ニスルコト、ナリオルモ經費ソノ他ノ關係上瓦葺トシタシ(會長)可決

一、アリアンサ小學校体操敎師ノ件

當分校長ノ裁量ニ委ス

一、中央區ヲ二分シ新ニ一區ヲ設クルコト

現在中央區ハ三十戶ヲ有シ地域廣汎ニスギ會務遂行ニ不便ヲ感ジコレヲ二分シ新タニ區ヲ設ケタシ(北澤)

右ノ提案ニ役員會ハ同意シ新タニ設ケラレタル區ヲ第七區ト稱スルコトトセリ、右ノ變化ニヨリ中央區第七區新委員ヲ更メテ選出スルコト

アリアンサ移住地日誌抄
(一九二八年七月より同九月まで)

アリアンサ移住地事務所

七月一日(日、晴)協會本部より先きに注文せる書籍到着す、賣場他路男氏臨時事務所に働らく事になる、アリアンサ社會思想研究會機關誌

「創造」出づ、新渡航者傳導從事の西住正義氏訪植す、

三日(火、晴)檜山氏第三移住地に出張す

四日(水、晴)北原理事第三に出張、又第二アリアンサ第四區にて農談會に出席す、

七日(土、晴)北原理事第二に出張新植民實地指導のため

九日(月、晴)伯人 Lauresto 氏本日より協會に勤務する事となり事務所及アルマゼンの對外關係を擔當す

十日(火、晴)博多丸便船二家族サントス丸便船三家族合計五家族二十六名入植す、會報出づ

十一日(水、晴)五十粁の林田鎭雄氏珈琲園にて馬上直人氏ピストルにて射殺さる加害者自殺せる事件あり

十四日(土、晴)六月末移住者勘定決算書配付

十五日(日、晴)青年會主催野球大會あり

十六日(月、晴)アリアンサ小學校 Lauresto 氏を聘しブラジル語の授業を始む

十七日(火、晴)松本圭一氏と網野晴慶氏との間にロツテ二十アルケール賣渡しの相談纏る金竹盛重氏及熊本協會所有地の整理大体一五アルケールを殘す事と定り本日ピツカーダを入る鹿兒島縣第一師範學校敎諭村瀨秀二氏訪植す

十八日(水、晴)青年ホーム青年連 Lauresto 氏を聘し葡語の夜學を開く、有馬氏來植

廿日(金、晴)中村義彌氏四女エミ子出生す

廿二日(日、晴)野球リーグ戰行はる

廿三日(月、晴)海興の相良氏、領事館の福川氏來植す

廿四日(火、晴)北原氏アラサツーバに出張

廿六日(木、晴)第三移住地場家信一氏死亡腦膜炎

廿八日(土、雨)北原理事歸植

廿九日(日、雨)伊藤長喜氏三男勳出生

卅一日(火、晴)長野縣小學校長兩角喜重氏、レジストロ青年會代表湯澤、井上兩氏來植

(不記入日　天氣は卅日のみ雨他は晴)

八月五日(日、晴)アリアンサ青年會總會及研究會開かる、吉田治作次男忠昭出生

六日(月、晴)サンポウロ遠征のため野球部合宿練習を始む

七日(火、晴後雨)第二アリアンサ開植記念祭開かる、全アリアンサ仕事を休み祝意を表す、アリアンサ小學校兒童全部參觀す、若陜丸便信濃丸二家族、鳥取富山各一家族計二十六名入植

十日(金、晴)アルマゼン部田中君アラサツーバに出張、岩部正枝氏協會四年契約としてトラベツサグランデ保留地に入る

十一日(土、晴)北原理事第二へ出張す

十二日(日、晴)アリアンサ役員會、主として總會の打合せ、福井忠三郎氏六男外二アメーバ赤痢にて死亡

十三日(月、晴)第三アルマゼン部山田君野球遠征のため戶叶君代理に出張

十七日(金、晴)野村合名會社南洋營業部事務細田秀造氏來訪す

十八日(土、晴)田島鐳一氏次男親造出生

廿一日(火、晴)マニラ丸四家族十九名入植輪湖理事歸植

廿二日(水、晴)日伯株式會社事務松岡英介氏來植、吉安幸平氏長女園子出生

廿五日(土、晴)慶應大學生視察團來訪、製材所試運轉、第二移住地森田良平氏長男周明(二才)アメーバ赤痢にて死亡

廿六日(日、晴)青年會野球部主催慶應學生歡迎會催さる

廿七日(月、晴)野球部及陸上競技部プロミツソンに遠征す、慶應學生去る、第三移住地伊林吉平郞氏長男質生る

廿八日(火、晴)檜山氏四十二キロに其他に出張要件アリアンサ會諸要務

廿九日(水、晴)檜山氏第三移住地に保養のため滯在

卅日(木、晴)佐藤鼎氏次男 Paulo 出生、藤森

茂里長女茂里出生

卅一日(金、晴)總會製材所にて開く出席數九十六名豫算案原案會則第二條改正案通過會則第六條改正案否決、會長澤下登氏副會長石戸義一氏共々再選(不記入日天氣皆晴)

九月二日(日、晴)物部牧師來植、精米所にて宗教講演あり、アリアンサ會臨時委員會開かる

九日(日、晴)庭瀬健兒氏長女和子出生、製材所再試運轉成績不良

五日(水、晴)北原理事アラサツーバ及マタグロツソに出張要件雜穀賣買及種豚購入、三十九キロ篠原幸治郎氏山燒の過失にて家屋家畜全燒

八日(土、晴)植民學校長崎山比佐衞氏來植、サンボウロ市にてアリアンサ對ミカド野球優勝

九日(日、晴)アリアンサ役員會、移住地大工小野右衞門氏堀子氏妹靜子孃と結婚、崎山比佐衞氏の講演精米所に開かる

十二日(水、晴)渡邊農場の中澤シゲル孃病氣のため勝出氏リンス方面に出張

十三日(木、晴)野球部凱旋

十四日(金、晴)富塚博氏(協會直營地契約者)退植、檜山氏アリアンサ會常任幹事を辭す

十五日(土、晴)春日亨氏視察に來植、勝出氏歸植、製材技師Ozato氏來る

十七日(月、晴)輪湖理事聖市に出張

十八日(火、晴)山田淺吉氏三男峯男出生、

廿日(木、晴)中澤シゲル孃バウルにて死去の旨入電あり

廿二日(土、晴)北原理事第二に出張、

廿三日(日、晴)サンボウロ遠征軍歡迎野球戰運動部後援會主催にて開かる

廿五日(火、晴)モンテビデオ丸便五家族十七名獨身七名入植

廿七日(木、曇夜雨)製材所試運轉成績良

卅日(日、晴)中澤シゲル孃追悼會第三渡邊農場にて開催さる(不記入日天氣皆晴)

海の外往來

多羅間鐵輔氏歸朝 在伯國バウルー駐在多羅間領事は賜暇歸朝する事になり一月五日任地出發三月頃日本着の豫定である。

海外會費領收

一金貳拾圓也 在ポーランド 松島肇殿

一金米貨五弗也 在カナダ 小林傳兵衛殿

新刊紹介

滿鮮旅行記(佐藤藤山著)

昨春五月海外視察組合によつて鮮滿蒙視察旅行が行はれ、大成功を收めた旅行記は一行中の一人下高井郡平穩小學校長佐藤藤山氏によつて長野新聞に昨年六月一日より五十九回にわたり連載せられたが多數の希望讀者に促がされ同氏は今回更らに筆を加へて單行本として出版する事になり實費を以て頒布する由である。休裁は四六版百數十頁に上り鮮滿蒙研究の最良書である。希望者は直接同人へ豫約申込すべし。

△海外の日本(一月號) 海外の日本社

△海の旅(四卷一號) 近海郵船會社

△世界と我等(一月號) 國際聯盟協會

△東洋(一月號) 東洋協會

△ブラジル(一月號) 日伯協會

△植民(一月號) 日本植民通信社

△南洋協會雜誌(一月號) 南洋協會

△滿蒙(一月號) 中日文化協會

海外支部消息

米國南加支部便り
—支部員家族清遊會—

幹事 宮島清衛

拜啓時下寒冷之候貴會益々發展の由奉大賀候降つて當方一同もフルーに見舞はれ閉口致し居り候へ共未だ會員中より犧牲者も出さず皆大いに活動致し居り候間御休心被下度候

前便にて差上候寫眞(註、本誌第七十八號口繪參照)は當支部が去る夏に家族を中心に開催せし清遊會の際會員伊藤寛水氏の撮影せしものに御座候、實は其節其當時の模樣や名簿なども申上ぐ可く考へ居り候へ共多忙に紛れ心ならずも延引致し候。

當地の樣子や日本から視察に來られる方々等の滯米中に寒心すべき事共申述度事澤山有之候へ共年末の事故年でも開けてから具に申上候 (十二月二日)

タンピコ信州人懇親會便り
—聖上陛下御大典祝賀會—

會長 矢嶋璋三

拜啓其後は久しく御無沙汰に打過ぎ候處貴會並に貴殿には益々御淸榮の事と遠察仕り候

次に當タンピコ市支部會員一同も無事各業に精勵在罷候間御放念被下度候

陳者去る拾一月佳日は母國聖上陛下御大典にて御地も盛大なる祝典あげさせられたる事と存じ候處當タンピコ市日本人會も此日をトし會員百二十名同家族約五十名參集し當地官憲及有力者約百五十名を招待して遙拜式を擧行仕り候

當日は午後三時遙拜式を擧行致し後夜十二時まで當國獨特の酒宴舞踏會にうつり申し候處非常なる盛會にて式に於ては未だかつて當メキシコ人の相見ざる程の嚴肅を極め又第二式宴會も在留外國人としては未だ例なき程に盛會に終り一面日墨親善の實をあげ混席にて酒飯を倶に致し申し候間御嬉び被下度候

別封當日の寫眞二葉(本號口繪參照)御送付申上候間極く不出來にて遺憾に存じ候へ共御笑覽被下度候 (十二月八日)

米國西北支部便り
—役員改選報告—

米國西北部支部

本年度役員左の如く決定致し候につき御通知申上候

總務委員(三名) 平林破魔雄 中曾根武平 神津作一

理事(二名) 木村憲司 尾羽義胤

會計 伊藤博隆 長谷川英人

議長 宮田主計

副議長 伊藤恒司

昭和四年正月二日

大西洋上に新年を迎ふ

板倉操平

歐洲の旅を濟まして歳暮巴里を發し大西洋上にて正月を迎へ二日にはニウヨーク上陸致すべく候 日本人同船七名初日の出を拜して邦家の萬歳を唱へ申候

五萬二千噸の巨船ベレンガクリヤより貴下(西澤幹事)の御多福を祈り年頭の辭と致し候

昭和四年一月一日

常夏の地で新年を迎ふ

(ダバオ) 牛木一郎

三十餘年の日本內地生活から今年は南洋で新年を迎へ常夏の地なので珍らしくあります。ミンタルは信州人が多く一週一回の日用品を買ひに行き會談致します御大典は內地では賑やかであつたのですが當地では暴風の麻山被害で應援にゆき多忙を極めました。只今は從前通りの除草作業に汗を流してゐます。會費は會社の手で送金致しました。

昭和四年の新年を迎ふるに際し早速賀狀頂戴仕り有難く厚く御禮申上候 謹んで新年の御挨拶を申上げ併せて高堂の慶福を祈り候 今後一層の御援助と御交誼あらんことを懇願仕候 失禮乍ら誌上にて御芳名を記し御禮まで申述度如斯御座候

昭和四年新春

信濃海外協會

內地の部(いろは順)

伊東淳殿 市川多萬吉殿 井出碩雄殿 井戸雄二殿 井澤光殿
上木島村役場殿 依田忠夫殿 横山林十殿 竹川克己殿 竹內正実殿
征矢正光殿 內村玄三殿 信田村役場殿 奥原梅藏殿 松崎寛雄殿
藤牧熊人殿 小林素十郎殿 跡部勵夫殿 赤羽義平殿 佐藤四郎殿
岸本與殿 三水村信用組合殿 兩角喜重殿 杉原八三郎殿
今泉信市殿 石川専平殿 中央朝鮮協會殿 日本力行會引佐支部殿 渡航支度品販賣所殿 上條愿殿 牛島省三殿 海外植民學校殿 高谷道之助殿 大阪基督教青年會社會部殿 熊本海外協會殿 熊本縣海外移住組合殿
山口傳三郎殿 丸山盛一殿 山田覺善光殿 水島久馬殿 三重縣海外移住組合殿

滿鮮及び海外の部

京城府立圖書館殿 碇寫眞館殿 大東館殿 (館岳城)林泰大殿 ジ、ツ、ビ大連支部殿

マニラ 上野袈裟義殿 ダバオ 小林千嘉殿 カナダ 鈴木七郎殿

カナダ 小林傳兵衛殿 墨國 長淵鐘六殿 玖馬 大平慶太郎殿

カナダ 平林昇殿 墨國 須藤正大殿

協會記事

昭和四年初頭に鹿島立つ渡航者(再記)

本年最初のアリアンサ移住地渡航者が二月二日神戸出モンテビデオ丸によつて皮切りされる事は前號掲載したがその後更らに增加を示して計十三家族五十七名に達した今增加の分を加へて再記すれば左の如くである。因に同船は三月二十日サントス入港の豫定である。

南佐久郡川上村 井出碩雄 四人

同 井出滉 三人

同 井出善吉 六人

同 新海半兵衛 七人

同 川上驚郎 三人(次船ニ變更)

同 小原丑吉 二人(次船ニ變更)

同 川上泉 二人

同 井出英治 二人

小縣郡和田村 宮下袈裟義 六人

埴科郡五加村 竹內勝世 七人

愛媛縣愛知郡日進村 小島錠太郎 四人

同 幸村幸 五人

福島縣西白河郡西郷村 菊地末松 七人

計 十三家族 五八人

移住地建設出資者
會合して開拓その他を打合す

舊臘十二月六日より西澤幹事は縣下二十ケ所に出張して海外發展講演をなしたが更にその出張先きにおいて移住地建設出資者を集め、移住地開拓の經過を報告し極めて順調に發達しあるを述べて一日も早く未入植地の小作者募集の必要を說いて開拓方法について打合せた。その結果出資者は開拓資金を出しても一日も早く自巳所有土地の請負者を選んで開拓を進める事になり請負者選定を協會に一任する事になり大意氣込みである。

各町村設立の海外視察組合(續)

縣廳第四組合

宮島久義 村田基一
伊藤正男 鹽野谷剛哉
倉石貞三 山崎友吉
小里賴孝 高山謌良
釜田孝一 仁科行雄

更級郡篠ノ井町組合

望月艶太郎 瀧澤金治郎
佐竹龜五郎 宮崎萬平
宮崎運平 組合長久保田茂男
島田佐門 酒井達雄
笠井安良太 山岸市治郎
宮尾一 若林武男

更級郡共和村組合

組合長 福井邦友 岡澤素一郎
丸野善治郎 小河原義男

小河原鹽松　馬場伊一郎
北澤政長　仁科周平
庄田茂雄　高野榮智
大澤安通　渡邊　眞
岡澤信衛　寺澤種二郎

埴科郡寺尾村組合

組合長　岡澤松太郎　岩下市郎
宮林忠治　青木壽美雄
吉池惣五郎　和田三之助
宮坂定夫　松本久登
綠川茂雄　三田　實
宮下　茂　宮本龍太郎
清水捨治　宮林三四郎
宮林新八

更級郡塩崎村第一組合

組合長　宮崎袈裟襄　田中　保
宮島正武　宮島君雄
矢島先人　矢島壽之
矢島たか子　小出林治
深澤富嘉美　宵柳ちい子

視察組合員追加ノ分

小縣郡塩尻村組合

（前號掲載十二名ノ外）
西澤雅親　池田米壽
熊井　弘　母袋　信

新會員（自十一月二十日至一月十五日）

南佐久郡川上村　新海半兵衛
仝　井出善吉
南佐久郡野澤町　上原庄市
仝　宮澤明治
香川縣香川郡下笠居村　森川　明
下水内郡秋津村　宮澤みつ
仝　瀧澤　勝
上田市馬場町　大石健造
南佐久郡川上村　川上　泉
仝　川上鷲郎
仝　小原丑吉
仝　井出英治
岐阜縣惠那郡東野村　土方仁平
下水内郡岡山村　市村九内
諏訪郡永明村　飯田莊士

會費領收（自十二月二十日至十二月三十一日）

一金貳圓也宛　掛川良平殿　成澤佐傳次殿
伊藤襄虎殿　宮澤みつ殿
瀧澤　勝殿　佐原正雄殿
中村禮三殿　河野好三殿
佐藤市三殿　北島武雄殿
中村熊三郎殿　宮原榮治殿
長谷部眞一殿　宮入汎省殿
雨宮　博殿　荻原惠治殿
西澤善十郎殿　丸山惠磁殿
深堀睦次殿　矢島　進殿
清水榮之助殿　倉石大治郎殿
坪上日義殿　小林英一郎殿
北澤新太郎殿　佐藤　通殿
森川　明殿　荒井市五郎殿
宗田佳作殿　望月義十郎殿
春日賢一殿

一金拾圓也宛
藤森　慂殿　六川巳枝殿
西澤太一郎殿

一金六圓也宛
宮入源之助殿　關　庸殿

一金五圓也宛
坪内忠治殿　宮本乙巳殿
宮崎袈裟襄殿　高津　榮殿
小里賴孝殿

一金貳拾六圓也　上水内郡榮村視察組合殿
一金貳拾貳圓也　上水内郡南小川視察組合殿
一金貳拾貳圓也　上水内郡七二會視察組合殿

信濃海外協會規約抄錄

一、本會ハ信濃海外協會ト稱シ本部ヲ長野市ニ支部ヲ必要ニ應シ内外各地ニ置ク

二、本會ハ縣民ノ縣外發展ニ關スル諸般ノ事項ヲ調査研究シ其ノ發展ニ資スルヲ以テ目的トス

三、本會ハ前條ノ目的ヲ達スル爲必要ニ應シ左ノ事業ヲ行フ

イ、縣民縣外發展ノ方法ニ關スル立案
ロ、發展地ニ就キ調査ヲナシ其ノ結果ヲ紹介
ハ、在外縣民ト聯絡ヲ計リ指導後援
ニ、海外投資ノ研究ヲナシ之ヲ發表
ホ、海外發展ニ必要ナル人材ヲ養成
ヘ、機關誌「海の外」ヲ發行シ隨時講演會各地ニ開ク
ト、海外發展ニ關シ各種參考品及統計ノ蒐集
チ、前各項ノ目的ヲ遂行スル爲臨機本會ノ代表者等ヲ内外樞要ノ地ニ派出スル事
リ、會員ニハ「海の外」毎月寄贈ス
ヌ、其ノ他本會ノ目的ヲ達スル必要ト認ムル事項

四、本會ノ會員ハ左ノ四種トス

イ、名譽會員ハ代議員會ノ決議ヲ經テ總裁之ヲ推薦ス
ロ、特別會員ハ一時金百圓以上ヲ醵出スル者
ハ、維持會員ハ會費年額金拾圓ヲ十ケ年間醵出スル者
ニ、普通會員ハ年額金貳圓ヲ十ケ年間又ハ一時金十六圓以上ヲ醵出スル者

五、本會現在役員ハ左ノ如シ

總裁　千葉　了
副總裁　平野桑四郎　佐藤寅太郎
顧問　小川平吉　今井五介　原　嘉道　伊澤多喜男　岡田忠彥　本間利雄　梅谷光貞　高橋守雄
相談役　田中無事生　泊武治　小西竹次郎　降旗元太郎　越壽三郎　小里頼永　片倉兼太郎　顯澤泰江　小林　鶴　山岡萬之助　工藤善助　樋口秀雄　植原悦二郎　山本愼平　松本忠雄　高田　茂　菱川敬三

海の外（月刊）（一册廿錢）

定價表	内地送料共	外國送料共
一册	廿錢	廿四錢
六ケ月	一圓十錢	一圓四十四錢
一ケ年	二圓廿錢	二圓八十八錢
五ケ年	拾圓	拾圓

御注意
△御送金は振替（長野二一四〇番）に御願ひします。外國よりの御送金は銀行、郵便局いづれにても確實に送金されます。
△御轉居の節は早速新舊兩御住所を御通知下さい。
△本誌へ廣告掲載御希望の方は詳細相談申上げます。

昭和四年二月一日發行
編輯人　永田　稠
發行人兼印刷人　西澤太一郎
印刷所　長野市南縣町　信濃每日新聞社
發行所　長野縣廳内　海の外社　振替口座　長野二一四〇番

各汽船會社專屬元扱

日本郵船會社
大阪商船會社
ダラー汽船會社
加奈陀汽船會社
アドミラル汽船會社
南洋郵船會社

日本力行會、信濃、廣島、和歌山
福岡、熊本、沖縄 各縣海外協會 指定旅館

海外渡航乘客荷物取扱所

今泉旅館

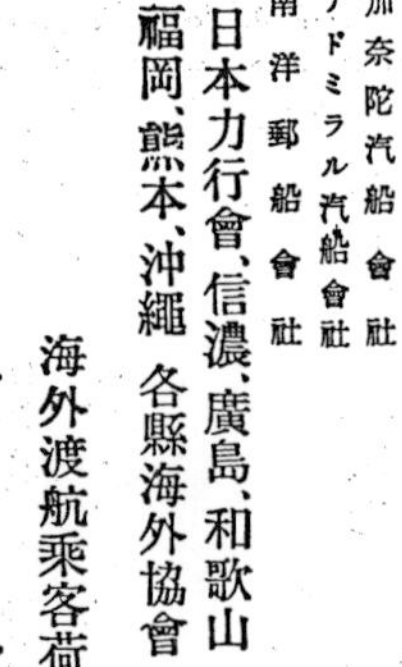

本店 神戸市海岸通 六丁目三番邸
支店 神戸市榮町通五丁目六八番邸
長 電話 元町 三二一番
振替大阪 三五四一〇番

各縣海外協會
日本力行會 指定旅館

海外渡航乘船
領事館手續
貨物通關取扱

高

高谷旅館本店

本店 神戸市榮町六丁目
神戸市郵便局私書函八四〇番
電話元町 八五四番、一七三七番
支店 神戸市宇治川楠橋東詰
電話元町 六六六番

南滿洲鉄道株式會社

海外渡航取扱所

●東洋一の理想的設備を有する神戸港へ！
●旅館は誠實にして信用のある神戸館へ！

各縣海外協會
日本力行會 指定旅館

神戸市榮町六丁目廿一番邸

神戸館本店

電話元町 八六一番
振替口座大阪 一四二三八番

支店 神戸市海岸通四丁目(中税關前)
電話三ノ宮 二一三六番

◎本店へハ神戸驛、支店へハ三ノ宮驛下車御便利

海の外—THE UMINOSOTO
Published Monthly by the Uminosoto Sha. Nagano, Japan.

「海の外」第八十號（毎月一回一日發行）

（大正十一年四月廿六日第三種郵便物認可）（昭和四年二月一日發行）

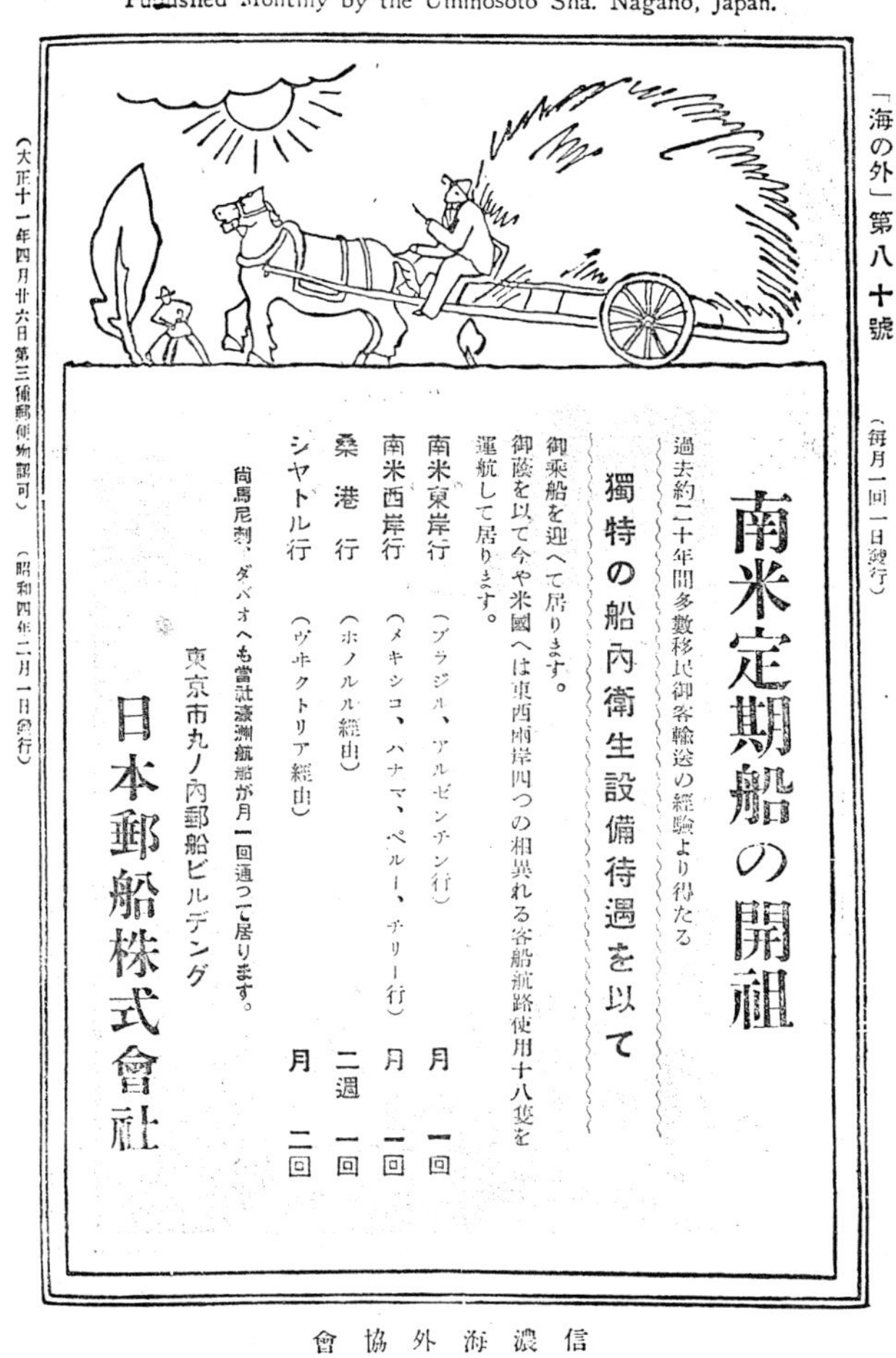

信濃海外協會
海の外社發行

海の外

THE UMI-NO-SOTO

第八十一號

昭和四年三月號

目次

信濃海外協會海の外社發行

南米ブラジルヘノ捷徑

△就航船……さんとす丸、らぷらた丸、もんてびでを丸、（總噸數七千五百噸 最新式モーター客船）まにら丸、はわい丸（總噸數一萬噸 汽船）

一萬噸モーター客船二艘建造中

△寄港地……（往航）横濱、神戸、長崎、香港、西貢、新嘉坡、古倫母 ダーバン、ケープタウン、サントス、リオデジヤネイロ、ベノスアイレス、（復航）ベノスアイレス、サントス、リオデジヤネイロ、ニウオルリーンス、ガルベストン、クリストバル（パナマ運河經由）ロスアンゼルス、横濱、神戸

△日本政府補助命令航路（此方面ニ於テ我國唯一ノモノデアリマス）

△日本ブラジル間僅々四十七日（南米ト日本トノ距離ガ時間的ニ大短縮サレマシタ）

△三等室設備優秀無比（本航路三等室ノ優秀ナル事ハ他社船ノ二等ニ匹敵シ皆樣御熟知ノ通リデアリマス）

△本社（大阪）支店（東京、横濱、神戸、門司、長崎、大連、天津、大阪、香港、上海、沙都、新嘉坡）ヘノ御問合セヲ歡迎シマス

大阪商船株式會社

獨習 ブラジル語全解

東京外國語學校講師 奥村外次郎先生監修

日本植民通信社編纂

四六版二百頁歐文ニウスタイル活字植、舶來上等紙印刷

定價 金壹圓五拾錢（送料十八錢）

本書の内容は文法篇、會話篇、單語篇の三篇に分れ、文法篇に於て先づブラジル語の如何なるものであるか平易簡明にのみこませ、次に之れの應用練習を行ふために會話篇に於て日常生活に現はれる種々雜多な場合の用例應用を敎へ最後に辭書兼用の備忘單語篇を藏めてある。

内容目次

文法篇＝文法と發音―冠詞―名詞―形容詞―代名詞―助動詞と動詞―副詞―前置詞と接續詞―感投詞

會話篇＝日用慣用語（願望感謝、悲哀、立腹、謝罪、承諾、相談等）天氣の話―數と年齡―訪問―生活上の話―言葉の話―庄屋―旅行―税關―旅館―靴屋と仕立屋―自動車―沐浴―通信―郵便局―職業紹介所―買物―取引―報告―散歩―寫眞屋等

單語篇＝名詞―年月日期間―四季及週―自然―方位―陸と海―家族―鑛物―植物―果實と花―野菜―動物―魚と昆虫―國と國民―國家と政治―人体―飮食物―家と家具―職業―旅館―税關―衣服―化粧―色―商業―旅行―町村―宗敎―通信―航海―娯樂―車輛―農具等

取次 長野縣廳内 信濃海外協會

振替口座（長野二一四〇番） 電話十二番

生徒募集

一、別科 六ケ月卒業
一、普通科 一ケ年卒業
一、研究科 三ケ年卒業
（各科新學期 四月一日）
一、卒業者は全部海外に渡航の便宜あり
一、卒業生多數海外各地に先行し後進者を援助す

東京府下上板橋村字小竹
日本力行會海外學校
省線池袋發 武藏野線江古田驛下車

一、學費は一ケ月約三十圓にて足る
一、小學校卒業生は入學の資格あり
一、中等學校の卒業者及び半途退學者を歡迎す
一、校則希望者は郵券二錢送附のこと

【要校則貳錢】

アリアンサ近況
上右、第一アリアンサ事務所
上左、珈琲園（直營地）
下、北原理事宅と同理事及び清水明雄君

（左）ブラジル國首府リオデジヤネイロ市のウルカ山の頂上とボンデスカー（パン岩）頂上に立てるは左兩角喜重氏右輪湖俊五郎氏ウルカは海拔二二〇メートル、ボンデスカーは四〇〇メートル、ケーブルカーにて登る事が出來る

（右）海外移住組合聯合會專務理事梅谷光貞氏のブラジル奥地視察中のいでたち

（昭和四年三月）第八十一號

頭と手と足とを鍛へて海外へ

幾十萬の學徒は學窓を巣立つて實社會の荒波へ乘り込まんとしてゐる。是等の人々の多くは縁故や知人關係を他頼りに辛じて船出が出來るのである。帆をあげ得ないものが大變な數に達する。

然し就職難は遺憾乍ら日本だけでは解決がつかない。多年勉強したり汗の學費を貢いだ世の父兄には大いに同情する。學問と生活の收入、學校卒業と就職の一致したのは昔の事である學問をしたと云ふ事だけでは實社會に役立たない。以前は學問と口先とが世渡りの良い挑陽であつたが今後は頭と手と足の働らく者が一番要望される。頭も働くが手と足が頭よりも余分に働らく者には就職難はない。經濟界の好況不況には係りがない。

海外各天地に志を立つる者には更らに就職難も生活難もない。世界の各地では此の幾萬の卒業生の海外活動を熱望してゐる。すべからく頭と手と足の學徒たれ而して業を卒へ海外發展の勇士たれ

國民運動としての海外發展

信濃海外協會幹事　西澤太一郎

一、海外發展とは移民を送る事だとの偏見

海外發展と言へば海外移住とか海外移民とは云ふ事を意味する如くに思ふのが常である。勿論世の中に海外移住だけを海外發展の總てゞあると思ふ者もある。甚しく狹く考へるものには海外へ勞働を目的として行く者だけを以て海外發展者の代表者であり又我日本の海外發展の全部の如くに考へる者さへある。從つてかゝる考へ方は海外發展を批判して、

（一）壹萬や貳萬の人々が年々海外へ勞働に行つたからとして日本から何人の人々を海外へ出す事が出來よう五十萬や百萬の人がいかに賃金を取つたからとて日本の八千萬人の人々の生活や農村の行詰りはどうにもならない。年々の人口の增加は調節する事は出來ぬ、日本では年々百萬人の人々が增加するではないか。

（二）日本の食糧は年々米を壹億圓近くも輸入し豆類や小麥や砂糖を合すれば食糧品が年に三億六千萬圓内外を輸入するではないか、一年に壹萬や貳萬の人が海外へ出たからとして此の日本の此の食糧の不足をどうする事も出來まいと。

海外發展など云ふ事を以て國家の大問題を解決したいなどと考へるのは馬鹿の骨頂である。政府の保護奬勵や縣の海外移住組合などの施設位で却々うまく行くものでない。それ等は何れも誇大妄想である

と盛に反對する人もあるが、私共は是等の考へ方それ自身が偏見だと考へるのである。

この様な考へ方は人間の働きや生活を只單に物質的に量的に形の上からばかり見て尊き心の問題、精神的方面の問題を忘れた見方である。一人の人が海外へ出で萬里異郷の地で働らくとしてもまづ其の人が海外へ行かんとする迄の精神的の深き强き悩みや、悶へをなし過去の因襲や囚はれから脱して其の人の個性や環境を自覺し自身の天賦の性能長所などを自覺して其の運命を開拓し本然の眞生活をなさんとする意氣は壯なるものである。又一人が海外異郷に行く事によつて親や兄弟に如何程の心配や苦惱をかける事であらうやがて又親の愛とか人生の意義とか人間の眞の使命とかを自覺せしむる事に於て大きな刺戟となり遂には其等の關係者の家庭をして一つの信仰の生活へ入らしめ、神への奉仕の生活をするに至らしむるのである。

最愛の夫が海外へ出かけたり愛する子女がブラジルやフイリツピンや滿洲へ出掛ける事によつて今迄相爭ふた親子が眞の愛に目醒めたり、子供の身體にも心持にもそれ程に心配にならなかつた親が心配をしたりする樣になるのである。筆者の友人の一人で老母が我子の海外へ赴くのを止める事が出來ず遂に其の夜遠く南米アルゼンチナ國へ渡つてしまつた。平常は到底行きかねる二里餘の八幡樣へ其の子の無事と成功を祈願して毎月欠く所なかつた。家では蔭膳を供へてその幸福を念願した。幾年も海外から便りがないので既に死んだと諦めた其の後母親が久し振りで子供から便りがあつたので嬉しさが餘つて腹を立てた暫らくして又泣いて喜こんだと云ふ事である。星霜十餘年、昨年聖代の御大典に際して畏くも内務大臣から移植民功勞者として表彰されたのである。その報を得たる老母は七十餘歳になつてゐたが年も若返へる程に喜こんだとの事である。

我が子がブラジルへ行つたと云ふので知事樣の御老母が毎日雨の日も風の日も村の鎭守の神樣へ日參りされて其子の無事と幸福を祈り續けられたとの事である。又身體の弱い妻君が夫が海外へ旅行に行く事になつたら非常に身體が丈夫になつて歸られる迄壹ケ年間に見違へる程丈夫になられたとの例もある。

終生歸らぬ一大決心をもつて海外へ行く人々や其親兄弟の心持には實に人間としての尊い幾多の美しい心が湧いてゐるだらう。離れ難き故山の山河、物言はぬ樹木迄に別れを告げて自己の運命と大自然の開拓と世界の文化の開拓とに旅立つ人々の心持こそ利害を離れ算盤を離れ名利と超越したる所謂人間愛とか大宇宙に卽したる尊き神の姿が現はれるものではないだらうか。親と子が地球の向ふ側と此方とで同じ月を眺め一つの星を見る時に眞の淸き麗しき人情が現はれるではなからうか。

かくして人々は人間より神への生活に近づき正しく强く美しき信仰の生活へも入れるのである。此大切の精神的躍動こそ海外發展の偉大なる難有さである。實に人類の淨化である。

米が足りない、麥が不足だと云ふ樣な枝葉末節の問題ではないのである。海外發展は心の開拓の問題である我運命開拓の問題である。絕對價値の問題である。

二、海外發展は大自然開拓の精神である

人間は土に生れて土に歸へる。神より人間に落ちて又神に歸る、天地の化育と君國の恩、人情に親の惠によりて生育發展し限りなき恩愛に浴しつゝその生を全ふし其幸福を享くるのである。人耕さざれば食ふ能はず働らかざれば生きる能はず磨かざれば光を放たず悩み且つ苦しまざれば信仰を得ず苦心苦闘山と積まざれば以て神の恩寵を享くる能はず我が地球未だ開かざれば自然多く人多きと雖も眞の人少くなし、我等の民族は立ちて以て日夜努力精勵大自然を開くべきである。シベリヤに、南洋に南米に

果た南北兩極に未開の自然を開拓すべきである。

土地狹く地に惠まれぬ我民族は我日本と名付られたる小さき島國の宅地や屋敷を離れて遠く肥沃の緑野と豐饒の大陸を開拓して廣き美田を耕すべきである。我等の考へる海外發展とは此精神を言ふのである。

我等は我等の生れたる所を郷土と言ひ故郷と云ふ。我等は地球の表面に生れたものであるから我等の故郷は地球の表面である。我等の祖先は我等の屋敷を名付てこれを日本と言ふ。我等は我等の屋敷を故郷を地球と名付ける。我等の住家は地球の表面である此住家こそ是れを住み益々麗しき家となし文化の花を咲かすべきである。我等の住家の中には十八億の同胞がある。白い人、黒い者、黄色の者色々の兄弟がある。然かして皆、神の子供たるに何の變りもない相扶け相倚り人類同胞暖かき人の世を造り神の世に奉仕せねばならぬ。各々其の天賦の才能を發揮して各々其の道を守り德を積み相愛し相敬し人類の進歩と世界の新文化の創造に努めねばならぬ。

世界を家とし全人類を友として大自然を開拓して淸からしめ美しからしめねばならぬ。

三、國民總動員としての海外發展

海外發展は世界の平和と幸福の增進と文化の進展とを劃する運動である。土地に親しみ土を愛し人類に有用なる物質を生產し大自然に卽して生活する農業生活にはブラジル、アルゼンチン、南洋、メキシコ等の地味肥沃氣候溫和にして未開の土地の廣大なる所が多い。農學校の卒業生や農村の青年男女には農業移住の好適地である。

物資の有無を通じて需要と供給とを調和して人類の幸福を計る商取引は内地のみにて其目的を達し得るものでない事は勿論である。今日は商家總動員にして海外貿易に力を注ぐべきである。或る行商に或る商店の海外設置に依託販賣により新に市場を開拓すべきである。購買販賣組合も國内にのみ活動せずして海外へその機能を發揮すべきである。商業學校の卒業生や商家の子女は大いに海外各地へ出て通商貿易を盛ならしめ大いなる輸出國たらしめなくてはならぬ。

其他鐵道業電氣業船舶業及諸般の工業は地球上幾多未開のものが無限に多い。世界到る所になすべき事業は山積して居る。學術の研究の方面より見ても太平洋の研究やヒマラヤ山の探險にシベリヤの調査に南米の踏査にその學問的の方面よりも我民族の調査研究に待つもの世界各地に多い。

藝術的の方面より見るも我同胞の研究に俟つもの多く宗教上道德上よりも我國民性の世界發展を要する事頗る多い。我國民世界的發展世界的經倫は最も緊要である。

是れを資本の方面より見ても英米佛獨に比して投資額極めて僅少である。今後は現今の二億圓足らずの收益をして優に五億十億にせねばならぬ。海外土地の如きもブラジルにメキシコに世界有望の各地に幾百千萬町歩を購入するがよい。僅に六百萬町歩を購入すれば日本の耕地は二倍となり人口一億六千萬を入れる事が出來る。今日の勞資問題小作問題も何等憂ふるを要せぬ日本に居つて世界の大地主になつたり大事業家となつたり大投資家となつたり世界各地の自作農となつたり分家に出たりして世界を已れが家として思ふ存分の活動をするがよい。

淸く强き生活をなし其土の文化を向上せしめ其の地の人類の福利を增進すればよい。地球は我等の住家である。全人類と共にその永遠の平和と幸福とを計り進歩と發展とを圖ればよい。

四、我が日本の現狀

飜つて我日本の現狀を見ん。我愛する農村は日に月に衰微し疲弊困憊を重ね租税は滯納に工夫を凝らし肥料の借金の支拂に窮し富める者は貧しいと言ひ貧しき者は富を裝ひ僞り多き生活をなし借金の上手なる者借り逃げ巧妙なる者が勢よい正直なる者眞面目なる者は滅び、社會公衆によく盡す者は產を失ひ、再び又立つ事能はず私利利慾を計る者は多くはその產を興す。

帝都の眞中には說教强盜出でて一世捕はれ二世三世が出で東洋の君子國その面影を失ふ。敎育は施設進み普及し偏く大學以下專門學校に中等學校とその年々の卒業生は幾萬を數ふ、然かもその學校を卒ると飢に近くと祖先傳來の產を失ふと相近くの奇現象を表はしてゐる學んで職なく、學ばざるは更らに職なく人々の增加、將に百萬そも〳〵何によりて生計を安んずるか。

都は勞働爭議、田舍は小作爭議に學校はストライキに到る所を騷がせ土地を持ちて悩み持たずして悶え、富を抱ひて憂色あり貧しくして憤りあり、口を開いて危險人物となり、筆を執りて過激思想となり誠に物憂き世の有樣である。

勞せずして富を願ひ、働らかずして食を求む。奢りて財を造る者、耕さずして食ふ者は增加して稼ぐに追付く貧乏がある。

擧げ來り數へ來れば我日本の現狀は蓋し何れの社會も同じく行き詰りである。

忘れたるは建國以來の開拓の精神であつた。國運隆昌の道は天地を家とし十八億の人類を友として其文化の進展幸福の增進に盡すにあり。年々百萬を增加する我民族の力と敎育ありて產なき幾多の男女青年と鐵なく綿なく羊毛なく油なく砂糖もなければ米もない。土もなければ金もなき、無い物づくめに富める此富を持つて協力一致全世界に活用しこれを海外發展の眞義として大に世界の經倫を行はねばならぬ（四、二、二五）

南米各地を訪問する

我練習艦隊の航路

練習艦隊—地球一周

海軍省發表

野村吉三郎中將の率ゐる練習艦隊淺間、磐手（何れも九千八百噸の海防艦）は三月下旬海軍兵學校、機關學校經理學校卒業の各科少尉候補生約二百名を乘せて近海練習航海をなし七月一日横須賀發北太平洋北米西海岸からパナマ運河を經て南米東海岸、南大西洋インド洋南支那海に渡り全航程二萬八千七百哩航海日數百四十三日に及ぶ遠洋練習航海をなす豫定でその日程は廿一日海軍省より左の如く發表された

	到着	出發
横須賀		七月一日
ホノルル	七月十八日	廿二日
シアトル	八月三日	七日
タコマ	七日	八日
桑港	十二日	十七日
バルボア（パナマ）	九月二日	三日
コロン（パナマ）	三日	六日
パラ（ブラジル）	二十日	廿三日
リオデジャネイロ（ブラジル）	十月三日	九日
サントス（ブラジル）	十日	十三日
ベノスアイレス（アルゼンチン）	十七日	二十日
モンテビデオ（ウルガイ）	廿一日	廿五日
ケープタウン（南阿）	十一月十三日	十七日
ダーバン（南阿）	廿一日	廿四日
コロンボ（セイロン島）	十二月十五日	十九日
シンガポール	廿六日	三十日
横須賀	昭和五年一月十三日歸着	

なほ本航路は地球を一周し從來の練習艦隊遠洋航路に比し最長のもので各港間の最大距離はダーバンコロンボ間三千七百哩航海日數二十一日間である

旅商團を

南洋へ四月初め派遣

對南洋貿易の振興は近來各方面ですこぶる重要視し殊に華僑の日貨排斥以來は同地方における我商權を獲得するため同地方同在住消費者との直接取引をなす傾向が顯著となり種々方策を講じてゐるが今回東京府商工奬勵館では海外販路擴張の目的で旅商團を組織し同地方に派遣することになつた、一行は十二名で數百點の商品を携へ四月二日神戸出帆のチエリボン丸（南洋郵船）で渡航する豫定でスラバヤ、スマラン、バタビヤその他の都市を歴訪して見本市を開き本邦商品の紹介につとむると同時に商談の取結びをなすものであると

南洋發展のみち（四）

海外協會中央會幹事　宮　下　琢　磨

南洋に於ける邦商の活動につきては、大略述べたのであるが、南洋で商權を握つて居るのは何と云ふても支那人である。一億に近い資産を擁して居る貿易商から、山間の小さな雜貨屋迄支那人である、今これ等について少しく述べて見やう。

狡猾なる支那商人

殊更に破産する　借金が嵩むと、支那の商人の惡いのになれば、殊更に破産する、破産したから世間に顏出しが出來んとか、公民權がどうとか云ふでもない、隱匿した財産で、他人の名義を以て店を出して平然として居る。

是れは個人的でさう何回も續けられる譯ではないが、協同で値段を安くフンで投げ賣を餘儀なくさせることをやる、それは和蘭商店が必要な品であり必ず賣れる筈と思ふて歐州の本店から荷物をとり寄せるとする、支那商人は申し合せて其の品は藏にしまつて置いて、店に出さない、土人の方は「かう云ふ品物がありますか」と買ひに來る、が、支那人は「サア會社の方にも度々催促は致しますが、何分にも毆州の方で賣れ行きが良いので、こちら迄は廻つて來ないと見えます、品拂底で弱つて居るわけです、來たらば直に御知らせします」とやつて居る。會社の方では二月三月も一向賣れぬと云ふので、荷物は本店からドシ／＼來る、何とかしなければ、成績に關すると焦り出す、もうどうしても賣れなければ、今度からは荷物をズッと減らすより外仕方がない、どうか賣り捌きの方を賴むと云ふ、時機は良しと見て「何分にも値の方が高いので」と持ち出す、會社も仕方がないから原價がきれなければ良いとして投げ賣りの態度になる、そこで値をうんとフンで置いて、扨土人に向つては『漸く荷物が來ました、何分品拂底で高い、高いが品は慥かに良い、品は上等、便利で重寶、買ふよろしい、いらつしやい、いらつしやい』と盛ん

に宣傳し、忽ちの間に山のやうな品物を片つけて仕まふ。生殺與奪の權は支那人に握られてあるから仕方がない。

ボイコットの失敗　支那人はいつも經濟同盟密約で成功し、之れを唯一の武器として居るがこゝに大失敗をした例がある。それは和蘭の會社で、インターナショナルと云ふ雜貨を扱かふ大きい會社がある、何か支那人の氣にさはつた事があつて、此の會社に對してボイコットを行つた、會社も大抵は是れ迄も折れて出て妥協を申し込んで解決をして居たのであるが、餘り支那人が横暴であるから、今度は妥協的の態度には出ない、早速本國から店員を呼び、今迄內勤の店員は全部外勤にまわして、支那人の仲介者を經ずに直接小賣店の方に廻はらした、小賣商の方も仲介者の暴利がないので、安く仕入れが出來ることになつた。これならば何も支那人から買はなくても良いと云ふことになつた。

會社としては更に有利なことは、これまで支那人の仲介者の方へ三萬五萬と貸しになつて、一朝破産の運命に遭遇すれば、全部丸損であつたのに、今度は小賣商であるから、せい／＼千圓二千圓と云ふところである。しかも小賣商の方は商賣大事にやつて、親元の會社の信用を害してはならぬので、千や二千の金はどうしても工面して拂ふ、拂はなければ次の商品が送つて貰へぬのでキチン／＼とやる。不安心な支那人の仲介者をあてにして居るよりは、どの位安心であるかわからない。

此の外に最も重要なことを發見した。それは支店長を始め、店員が取引先の信用狀態や、性格や、土地の人氣、必要品の需給關係、これ等が明瞭にわかつて來た、今まで店のガラス窓の中から眺めて居た迂濶さが、シミ／＼感ぜられて來た、店の信用程度に應じて、手加減もし、土地の必要の品物を見て本國への交渉も實際的になつて來た、土地の事情がわからぬうちは支那人の仲介者の手を煩はすの已むを得ざるものがあつたとしても、それはいつまでも直接戰線に立たなければ判る譯に行かぬ、始めて商機の眞諦をつかむことが出來た譯であつた。一方支那人の方は、もうソロ／＼泣きを入れる時機なんめりと、內々探りを入れて見ると、豈圖らんや、敵の陣容は既に出來上りて、五年が十年でもやつて行ける方策が立ちて、現に實行されて居る、是に於て遽に狼狽しだして、今迄の事は水に流して、從前通り取引をして呉れ」とあべこべにボイコット組の方から申し出した。併しもう時機は過ぎた。會社の方では『イヤ御好意は有り難いが、こちらは手不足ながら、どうにか御得意廻りもやつて居るから、當分こちらでやるつもりですから』と斷つた、支那人からの再三讓歩的の話も、會社では受けつけなかつた。其の結果は全然支那人の失敗に終つた、此の會社のみならず、他も同一の步調をとるものが多くなつたので、支那人の破産者が續出するやうになつた。只支那人の相手とするのは、信用のいかがわしい小賣商で會社の相手にしないやうなもののみをつかまへて取引すると云

ふ狀態になつた。

日本人に對するボイコット　日本品殊に雜貨は南洋が最大の御得意先きである。日本の粗製品は南洋土人には向く、彼等は品の良否と云ふよりは、外見奇麗に見えて、新しい物珍らしいものが良い、直きに飽きが出る、趣味が時々變化する、器用に物を易くこしらへることは日本人は上手である、必要とあれば電報をうてば次の船で早ければ二週間、晩くも三週間には荷がつく有利の立場にある。それで品物は日本の雜貨店もあるが、支那人が小賣店を持ちて居る關係から支那人の卸店にかゝり、それから支那人の小賣店に渡り、次に土人の手にわたる、日本の製造元は極端に安くし、土人はベラボウに高いものを買ふ、値段は中間の支那人によりて左右されると云ふ妙な關係になつて居る、それでも少し氣に喰はんことがあれば直ぐに日本貨排斥と云ふことをやる。

南洋のボイコット　第二回目に南洋の視察をした時、—即ち昨年の四月—それから間もなく日本軍の出動、濟南事件と云ふが起きた、支那新聞を拾ひ讀みにして見ると、日本軍の横暴を訴へた悲憤慷慨の記事が、滿紙を埋めて居た、南方政府の殊使と云ふやうな壯士が續々南洋に入り込んで來た。富豪からは義捐金を徴發する、脅迫的の文句は飛ぶ、新嘉坡では漁場は殆ど日本人の獨主的のものであるが、魚の市場には支那人は姿を見せない、我慢しされぬ支那人は使用人の印度人や馬來人を使ふて買ひ入れをさせるが、山と積んだ肴の仕末に困つて來た、又馬來のコーランボでは、寫眞屋には一人も來ない、齒醫者にも客がない、ホテル—支那人相手—には客がない、シャムに行つて見るとハジヤイと云ふ處に只一人の椎葉と云ふ、玉突とホテルを營業にして居る人が居た。此の人にまで支那人はボイコットをやつて居る、又この店に玉をついて居たシャム人が、ラムネを飲まうと云ふことになつて、前の支那人のコーヒー店に注文すると日本人の家へは出せないから私の店の方に來て下さいと云ふ始末であつた、そこでシャム人が怒つて、吾々に物を賣らない店は閉店同様に見做すと云ふ譯で、官憲に相談して營業停止の札を張つたと云ふやうなことがあつた。

蘭領印度の方は、需要者が土人である、シンガポールや馬來では一番の御得意様は支那人である、こゝが餘程違ふところである、支那人はゴムや砂糖が安くなつて、市況甚だ振はない、藏にストツクはあるが始末に困る、次の荷の注文もしなければならぬかう云ふ時にボイコットとなつたら、是れ幸ひと日本の方へは「何分かう云ふ時節であるから」と注文も出さず、去り迚金も支拂はず、グズ／＼して居るには最も良い口實であつたから、本國の交渉のあるなしにかゝはらず、かう云ふことには直ぐ一致す

る、支那人に愛國心があるとか、政治的の考へがあるとかと云ふことは殆ど考へられぬが、夫れを口實として利用することには拔け目はない。

和蘭の官憲も嚴重に監視して居つて、少しでも不穩の行動があれば用捨なく處分する、それで支那新聞の記者で、退去を命ぜられたものもあつたし、本國から來た連中で不穩の文書を持ちて居たものは、差押へられたのもある。蘭領に於て日本品の強みは需要者が支那人ではないと云ふことである、彼等が手をひけば日本人が一歩のり出すと言ふ機會を與へるのである。去年八月頃は支那人の方のストツクが順々減つて來る、かれこれして居るうちに閉店して仕舞はねばならぬが、本國の事件は容易に解決がつきさうにもない、バタビヤの日本旅館に神戸の商人が廊下の所に陶磁器類を並べて居ると、支那人が來ては內々取引するのを見たが彼等も大に弱つて居た。

日本の雜貨　は支那人のボイコツトがあれば勢ひ客は日本の雜貨店に殺到することになるから、困るどころか、大分懐工合の良くなつたものもある。南洋土人が日本の商品を要求する限り、支那人は此の有利なる商買を見逃すわけはないが、前申した通り仲介者であつて、色々の手加減として困らせる。が、今の處日本の小賣店と云ふものが眼拔きの街にあるだけで、奧地までくまなく這入つては居らない。如何なる山村僻邑でも、苟くも人の住むところ、支那人が喰ひ込んで巣をくつて居るから、支那人のボイコツトは痛手である。只憂ふるのは、此の騷ぎの最中に歐洲商人が活躍することである。

南スマトラのバト・ラジヤと云ふ町の官營宿舍(パツサムグラハム)に宿つたときである、和蘭商人の三四人が社交室で何か盛んに論議して居る、何だらうと思ふたら、日本品の代用品を歐洲から取りよせるが有利か、又神戸から取りよせ、歐洲のレツテルを張つて市場に出すが有利か、につき會社の方針につきて、支店長の方寸を忖度して、販賣人の連中が論議して居るのであつた。此の間に於て歐洲商人は支那人の間に活躍して、歐洲品の販路擴張をはかつて居る。

將來の方針

以上の次第であるから、支那人の手に賣捌きの實權を握られて居る間は、如何とも動きがとれない、どうしても

商業移民を送る　と云ふことが急務である。

これも急なことにはいかぬ、急に商品を持ちて南洋に行つたところで、事情もわからなければ、言語にも通じない。前號竹越(前號の竹腰は誤り)氏の話にもある如く、數年間は實務の練習に骨を折らなければならぬ、只問題は

練習生か丁稚奉公か　何れが良いか、練習生とすれば、ある年限商店に練習生として住み込ませ、見込みのついた時に獨立する、その際に開業資金を貸してやる、丁稚奉公は全くその家のものとなり切りてやる、若し獨立する場合には資金を出して貰らふ便宜がある又は自分で都合がつけば支店を出して見ると言ふことになる。

是れにつきジヤワに居るときに、商店の意見なども聞いて見た。練習生も良いが、どうしても依頼心が起きる。留學生氣分で身の這入り方が足りない、主人も店の子飼ひ同樣には取り扱はないので、充分の世話も燒けない、三五年の後には金をもらつて獨立すると云ふのであるから、御義理に世話をすると云ふ氣になる、當人も手當が少ないので、研究も出來ない、旅行も出來ない、社交も出來ないと云ふ我儘が出る、これが自分の全責任となると主人公も、一心に訓陶して物にしやうとする、いけなければ叩き出してしまふ、良ければ片腕として、店を出させると云ふので、主人公の身のいれ方もちがふ、又店員も古くから居るものは、營々勞働して充分の實力があるのに、未だ眼鼻のつかぬうちに、練習生はブラブラやつて居れば資金を得て獨立出來るとなると、どうも取扱上甚だ困ると言ふやうなことになる、しかしこれも要するに當人の心懸け如何と云ふことになる、資金が出て、便宜があればそれだけ良いと云ふことになる、自分としては、ジヤワの商店主人公側の意見を實際の事情に切實なるものとして、當人が南洋で成功したいと云ふ熱望あるものを、先づ推薦することにした、昨年十二月の船で、ソロの在に居る大地主根本氏（十二號植民に小生の視察記あり）のところに一人送つた、又二月二十日の船でトロナゴンの豐田氏のところに一人行く、根本氏は苦學生より身を起し、臺灣銀行スマラン支店長にまでなり、今はソロ王城外田畑千七百町歩の地主で、土地物產の賣買をやつて居る。豐田氏は、豐田製糖工場の頭取で、年は若いが、畑ももち雜貨も扱ふて盛んにやつて居る。（二月號植民參照）これ等の方々は皆人格者であり、苦勞人であるし、行つた青年達も、皆眞面目で努力を厭はぬ人であるから、必ず美果を收めることゝ信ずる。

練習生の方は南洋協會で、方案を立てゝ居る、それによると出發の時に支度金を給する、ある年限實務に熟するやうになれば千五百圓から二千圓の金をかせる。成績がよければ必ずしも返させる譯でもないと言ふのである。今年は十名の豫定。

只何れにしても、數に制限があるので、ブラジルの農業移住者の如く、ドシドシ送ると云ふ譯にいかんのがこまる。南洋に居る人も土人をつかへば安くて時の間には合ふが、將來民族發展の大處より達觀して、人材育成に力を注ぐやうに骨を折つて貰ひ

度いのである。

渡　航

船と日程　ジヤワに行くには、南洋郵船と、大阪商船とある、何れも月一回である。神戸を出帆して、ジヤワのスラバヤ港まで十四日かゝる。

運賃は　三等で七十圓位のものである。上陸の時に入國税をとられる、是れは百ギルダーである、一盾(ギルダー)は日本金の八十二三錢であるから八十二三圓のものである、最も視察者などで、六ケ月以內に退去するものであれば、身分あるものは徴收しないし又徴收しても出發港で拂ひ戻して呉れる。

服裝　白地の詰襟か又は背廣チヨツキ無し、知事級の人も白の詰襟である。詰襟の六圓程度のもの二三着とレインコートがあれば何處でも押しまはしてあるける。

商業につきては大体この位にとゞめて、次は農業の方面について述べることゝする（つゞく）　（四、二、一八）

靈の救濟に中田監督

南北兩米へ巡回傳道に旅たつ

近年ブラジル移民の盛んなるに伴ひ此等移住者のために精神界に活動せんとする宗教家が續々渡伯し日本移民の間に交つて靈の救濟を絶叫してゐるが今回、東洋宣教會日本ホーリネス教會の監督中田重治氏は約半歳にわたりブラジル初め日本移民の在住する南北兩米に向つて巡回傳道する事になり來る三月二十九日神戸出帆神奈川丸で出帆する事になつた。尚中田氏と同航する湯淺福音使はブラジルに派遣され同地で布教に從事するため家族を纏めて彼の地で活動する事になつた。

在米加州邦人農業者の不安

K・H生

最近の外國通信に依れば加州ビュート郡ライヴオーク街居住邦人大崎紀六なる人日系米人布哇生れの吉岡謙三名義を以て約「二千エーカー」の田圃を借入れ使用したる件に關し同地檢事は土地法違反なりとし起訴審理中の處今回サター郡裁判所に於て陪審官が有罪と認め千弗の罰金又は二ケ年以內の禁錮に處する旨判決あり之れと同時に前記二名は收監せられたる此判決を不當として上告せる趣なるが此判決により在加邦人農業者の不安は實に想像する難からず思考す

尚斯る訴訟事件は諸所に於て審理中の由なりと聞く若し此判決例を基準として陪審官が此種事件を有罪と認むるに於ては實に由々敷大事なれば在加日本人會は善後策として加州大審院に上告する由なるが千九百二十一年の制定の加州土地所有法第一條によれば「外國人は合衆國市民たり得る者に限り州法に反對規定なき限り不動產若くは不動產上の利益の取得、保有、使用讓渡遺贈及相續を爲すことを得る」旨を規定し同第二條には「第一條に揭ぐる者以外の外國人は合衆國政府と當該外國人の本國との間に存在する現行條約に規定せられたる方法範圍目的に於てのみ本州內に於てのみ本州內に於ける不動產若くは不動產上の利益の取得保有使用及讓渡することを得」と規定しあり、

本邦人は遺憾ながら土地使用に關し此特典なく依て今回の如き問題は此土地法施行後に起りたるものと推定す何んとなれば同法制定の際既に土地を借入たるものは其契約期間は使用權を有することは明文の示すところなればなり依て施行後右の所爲ありとせば當然起訴せらるゝは勿論なりとす、

又同法第八條に於て「第二條に揭げたる外國人又は第三條に揭げたる會社又は法人が將來に於て本法の規定に反し取得したる借地權其他所有權以外の不動產上の權利は之れを沒收し州の所有に歸屬す（以下略す）」と規定せり。

此條項に依り借地權の沒收は免れ難く又同法第十條に於て「二人以上共謀し本法に違反して不動產又は不動產上の權利の移轉を爲したるときは州若くは郡監獄に於ける二年以下の禁錮又は五千弗以下の罰金に處し若くは前記罰金刑及体刑を科す」とあり此條文により起訴せられ今回の判決ありたるものならんも在加邦人の爲め誠に不祥事と云ふべく幸にして上告審が尤も有利に展開せんことを祈るものなり。(終)

伯國渡航者の

旅券區分と査證附屬書類

再渡航未成年單獨婦人渡航の注意

ブラジル渡航者の旅券査證についての注意は本誌前號に詳説したが去る一月廿一日出帆の備後丸及び二月二日出帆のモンテビデオ丸乗船の渡航者によつて旅券査證の實際が駐日伯國領事の取扱によつて明らかになつた。

それによれば前號に示した事柄と相違の點、變更されたものあり今これを前號と對照して説明すれば、第一に

一、旅券

旅券は夫婦及び十六才以下の子女（養子女を含む）に限り同一旅券に併記する事が出來る。前號の「家長夫妻の兄弟姉妹は十六才未滿の者に限り家長の旅券に併記する事を得」は同一戸籍にあつても併記出來ない事になつた。從がつて旅券に貼付する寫眞については以上の事を熟知して撮影せねばならない。但し旅券の主たる所有者は必ず一枚單身にて撮影し例令旅券に併記せらる者（卽ち妻並十六才未滿の子女）ある場合も家長だけは單身にして妻並に子女は一枚に併撮しても差支へない。

二、旅券査證に當り用意すべき附屬書類

旅券査證に當り伯國領事に提出する附屬書類は種痘證明書一通健康證明書一通、鑑識票（査證申請書）三通、正業證明書一通、善行證明書一通であつたが今後は更らに身分證明書一通を添付する事になつた。而して種痘證明書及び健康證明書は夫々神戸移民收容所（橫濱にては海外渡航者檢査所）に於て發給し査證申請書は移民取扱人（海興或ひは移民扱旅館）に於て用意してある、査證申請書には旅券下付出願書提出の時添付する寫眞と同一のもの一枚を貼付する事になつてゐるから三枚の寫眞をあらかじめ用意致しおくべきである。正業證明書は出發港知事より發給してくれる。次ぎは善行證明書と身分證明書の二つであるが前者は少くとも六ケ月以上居住したる最後の住所地の警察署長より左の如き證明書を發給を受け（前號掲載のものと更正）後者も同樣警察署より左の如き證明書を發給して貰ふのである。

（善行證明書樣式）

證明書

何府縣何郡何町村何番地

氏　名

右者何年何月ヨリ當府縣ニ居住シ恒ニ品行善良ナル者ナルコトヲ證明ス

年　月　日

何府縣何警察署長　氏　名㊞

（身分證明書樣書）

證明書

何府縣何郡何町村何番地

氏　名

右者當國ノ刑法ニ依ル犯罪ノ爲處罰セラレタルコトナキ者ナルコトヲ證明ス

年　月　日

何府縣何警察署長　氏　名㊞

右の各種證明書は旅券毎に添付するもので夫に同伴する妻並に十六才未滿の子女は省略しても差支ないのである。

善行身分證明書は出發縣廳に於て葡語譯文を添付するを以て譯文其他の準備上あらかじめ前以て出發港縣廳へ該證明書を送付するを要し警察署では旅券渡航許可出願の受付けをなしたる節本人に交付し本人は譯文作成方依頼と共に送付するのである

三、再渡航者（婦人を含む）

伯國に住所を有する者にして在伯本邦領事發給の一時歸國證明書を有し歸國後六ケ月以内に出發する者は旅券査證の際種痘證明書のみを提出すれば査證を受けられるもので歸國後六ケ月以内に再渡航する者は非常に簡易の取扱を受けられゝが歸國後六ケ月を經過する者は初渡航者と同じく前記二、の如き附屬書類の提出を要する。

四、十八才未滿の者の呼寄

一般渡航者の場合の書類を必要とするの外在伯日本領事の證明する在伯呼寄者より呼寄動機を立證する書類に適當たる者二名が署名し之れにリオ、デ、ジャネイロ在住者は伯國外務者、リオ、デ、ジャネイロ以外の地に在住する者は伯國警察署の承認を得たる證明書を要する。但し農業移民の場合は呼寄動機を立證する書類に適當なる者二名の署名あるものを植民總務局（伯國聯邦農工商務省）に提出して認證を受けねばならぬ。

五、單獨婦人の渡航

一般渡航の場合の書類の外に正當なる生活をなせる（藝妓娼妓等の如き風俗上面白からざる職業者に非ざる意味）證明書及生計を立證すべき證明書を必要とする。但し正當に生活を爲せる證明書は善行證明書の「品行善良」の下に「ニシテ正當ノ生活ヲ爲セル者」と記入併記して差支へない。

六、六十才以上の者の渡航

六十才以上の者の入國は原則として拒絶すべきも伯國到着後

自己の生計を維持する收入を有する事を具体的に立證するか若し然らざれば伯國の警察官憲の面前で植民總務局の認證を經たる保證書（呼寄證明書）を添付する場合に限り査證を得られ、家族移民として家長と共に渡航する場合は如何なる取扱を受けられるかについては本邦外務省に於いても懸念してゐたが右は六十才以上の單獨渡航（家族が既住せると否とを問はす）に限り保證書を要求せらるも家族移民中の家族の一員として渡航する場合は適用せらるゝものでない事に決定したので前號の如き懸念は杞憂に終つたのである。

右の大要は旅券査證についての實際であるが本邦移民政策の助長政策によつて附屬書類の如きは各關係當局において夫々發給交付されるので移民各自が直接心配しなくてもよい樣になつてゐるが旅券査證に對する移民各自が大体心得へておくべきである。

岩本六段南米へ

日本棋院の天才青年棋客岩本薫六段は過般來、密かに半永住的の南米渡航を計畫してゐたが、日本棋院の春の手合せもよそに、突如月收數百圓の棋界を退き、一家を擧げてこの五月一移民としてサンパウロに向ふため旅券の手續き中である。一行は同氏と夫人きく江さん長男拓一さんの三人で他に二三の同志が同行するはず。岩本六段は山口縣阿武郡の片田舍に生れ、十二歳の時、上京し廣瀨平次郎七段（目下名古屋で病氣靜養中）の門に入り、十六歳で初段となり、今日に至つたものであるが、氏の今度の決心は、いはゆる殿さま碁の相手で一生を終るとに幻滅を感じたによると見られて居る。

南米航路出帆船發着表

南米航路のブラジル、アルゼンチン兩國方面行郵船商船二社の三月以降本年中の發着表は左の如し

船名	神戸發	サントス着
布哇丸	三月十二日	五月十一日
神奈川丸	三月廿九日	五月廿七日
ラプラタ丸	四月十七日	六月一日
博多丸	四月廿九日	六月廿五日
サントス丸	五月十一日	六月廿六日
若狹丸	五月卅一日	七月廿七日
マニラ丸	六月廿日	八月十日
鎌倉丸	七月一日	八月廿七日
モンテヴィデオ丸	七月廿四日	九月八日
備後丸	八月二日	九月廿八日
河内丸	八月廿三日	十月十九日
布哇丸	八月卅一日	十月廿一日
神奈川丸	九月十七日	十一月十三日
ラプラタ丸	九月廿八日	十一月十五日
博多丸	十月十四日	十二月十日
サントス丸	十月廿六日	十二月十一日
新船（商船）	十一月十六日	十二月卅一日
若狹丸	十一月廿九日	昭和五年一月廿五日
マニラ丸	十二月廿一日	二月十日
鎌倉丸	十二月廿八日	二月廿三日

代行機關設置によつて

移住組合の活動本舞台に入る

海外移住組合聯合のブラジル移住地土地購入後における移住地經營方法の具体案については種々の支障を來たしつゝあり各府縣移住組合では移住者の渡航旋斡について皆目目鼻のつかざる狀態となり移住組合の活動はその機能も發揮し得ず將來に一大暗影を投ぜんとしつゝあつたが本誌屢報の如き關係當局者に於いて研究漸次實行的の案を立てゝ先づ第一に伯國における代行機關たる伯國法規に基づく有限責任ブラジル拓殖組合を設立して移住地經營の實際に當る事になつた。該組合は先づ組合員三名を以て組織する事になり差當り聯合會理事長同專務理事及び外一名として組合の活動については所屬組合より一名の代表者を伯國に派遣し該派遣員を以て決議機關とし代行機關の活動を決定するものである。

斯くして移住地經營管理の方針が決定するや昭和四年度にありては四月より七月迄の間は日本を出發せしめてバストス移住地に二百家族、チエテ移住地に四百家族計六百家族を海興に取扱を委任して乘船から入植までの世話をする事になつた。右の六百家族の各府縣移住組合配當率は昭和二年度設立の八組合に各六十家族、昭和三年度設立の四組合に各三十家族と決定した。目下聯合會では兩移住地の渡航案內書を作成中であるが一家族の總資金は約二千圓とし（勞働能力三人家族）家族人員の増減に伴ひ大人一人に付金二百圓小人一人に付金百圓の割で増減する。開拓資金として內地出發前壹千六百圓を組合に供託し山林伐採費住宅建物材料及農具代等に當てるの外約一ケ年の生活費珈琲蒔付等の經費及び雜費となるものである。尙右經費の不足額については各組合の定むる所により生産資金として必要なる金額を年賦拂によつて借入れ土地購入も三年据置き三年賦にて二十五町歩の地主になれる土地代金については未だ決定せず渡航案內書には決定發表される事であらう。かくして組合移住者は渡航後七年の後に於いて二十五町歩の地主となり、六七千本の珈琲と約二町五反歩の牧場、約五町歩の雜作地の立派な農園となりその價格は少くとも二万五千圓位となり、勞働資金を含み一ケ年の利益は少なくとも二千五百圓多ければ四千圓內外を得る事が出來る樣になる本年よりチエテ、バストスの兩移住地はこの氣意込みを以て三年間に二千四百家族人を移住せしめて經濟的獨立の自治移住地たらしめ教育衞生文化等の施設を遺憾なからしめ理想的の移住地を建設せんとしてゐる。梅谷專務理事は既にシベリア經由にて再渡伯專ら移住地の經營の實際にあたるべく最も責任ある重大使命を帶びて同地に向つてゐる。

海外發展に必要ある
人材を養成のため希望者を募集

海外協會中央會では數年前より海外發展の益々必要なるを感じこれが人材の養成に努め相當の成績をあげてゐるが本年度に於いても續行する事になり三月廿日までに申込を受けつけ四月一日に合格を決定し四月十日より授業を開始する事になつてゐる。希望者は左記各項を熟讀して當協會又は中央會申込みすべし。

記

一、中等學校卒業者
二、海外移住の目的を有し且海外渡航に對し家族の承諾を得たる者
三、一ケ年間の學資金三百圓以上を有するもの
四、卒業後海外渡航に要する資金四五百圓調達の見込みあるもの
五、本會指定の教育を受けたる後は貴府縣の海外協會又は移住組合の事務者たるに適する人材となる見込なれども之れ等の團体に採用せられざる限りは自ら海外に其運命を開拓するの覺悟あるもの
六、本會にて本年度募集の人員數は約五十名にして一名に對し金六拾圓以內の補助をなす
　備考　學資金は約三百六十圓にて足る見込み
七、本會は右の教育所を日本力行會海外學校に指定す
　備考　日本力行會要覽中海外學校の部參照のこと、同校にては普通科生として取扱ふ筈
八、規定の學習を終りたる者は旅行券の下附を得べく海外渡航の際大阪商船會社の船舶に乘船する者には三等船賃二割引となすべく、又南米ブラジルアリアンサ移住地、日本力行會南米農業練習所に就職の便を與へらるゝの特點あり
九、申込期日は三月廿日迄とし合格は四月一日迄に決定し四月十日より授業を開始す、猶別項御注意願上候御推薦の者は戶籍謄本、寫眞と日本力行會要覽第一三頁の「日本力行會海外學校入學試驗問題」の答案を添附したるもの御取纏め上東京市麹町區丸ビル四五四海外協會中央會宛御送附被下度く合格決定と共に貴所並に本人に通知すべく候
一〇、昨年度の應募者中には卒業後直ちに外務省官吏となり又は海外協會移住組合等に多額の給料を以て就職し得るのみならず旅費の支給を受け海外に渡航し極めて有望なる事業に着手し得べしと解し居る向も有之候も右は全くの誤りにて元來中等學校卒業後一ケ年の學修丈けを以てしては師範學校第二部卒業以上の待遇を與ふることは何れの所にても困難なる問題に有之事と被存候、故に貴府縣の海外發展關係の團体に就職の途なきときは獨力にて海外に渡航し苦辛慘憺自ら其運命を開拓するの覺悟を要することは特に了解する樣御說得を請ひ度く海外學校に於ては寧ろ獨力にて運命を開拓する主義を原則として教育致し居る筈に有之候但し移住組合の移住地に於ては此程度の獨身者の仕事頗る多く現にアリアンサに於ては此程度の人材二三十名を雇ひ居る狀況に有之候　　以上

びた一文の費用も資金も要らないで南洋で發展する
有爲の青年商業實習生を募る

盛んに我國製品の賣れる最も有望なる南洋の瓜哇スマトラ、暹羅に於ける在住邦人貿易商店の依頼により南洋協會では此等の地方に於て我が日本品の小賣業を營まんとする有爲の少年商業實習生を募集する事になつた。募集人數は二月廿五日まで拾名、昭和五年一月までに拾名を選定し東京で一ケ月南洋事情を習得し彼の地到着後は內地の丁稚小僧と同樣の店員となつて有力なる邦人貿易商店に住込み二ケ年商業の實習を了りその間は商店主に於て勿論衣食の支給とする外每月十二三圓の小使を給し眞面目に働らいて獨立開業の場合には千五百圓以上の商品を借受け開業拾年の後に於て優秀なる成績をあげ邦人商店の模範として推奬するに足る時は右借受け品の返濟を免除され尚實習生が鄕里出發の旅費東京滯在費衣服の仕度料渡航費彼地到着後の宿泊料等は約七百圓の費用は南洋協會で全部補助してくれる事になつてゐる。

全くびた一文の費用も資金も出さずして小賣業を開業し得るのであるが余りに耳よりの甘い話に釣られて意志薄弱にして困苦欠乏如何なる不便不自由にも耐え忍ぶ事の出來ぬ者には到底望められず同協會では人物試驗によつて嚴選する由で學力は問はず年齡は二十才前後の男子で家督相續人でない二三男坊、身體健全、意志堅固にして不便不自由を忍び困苦欠乏に堪え、四隣の內外國人と相和し長く此の地方に住みて日本品の小賣業を營み成功の見込あるものを採用する。希望者は當協會に申込めば案內書を送る。

力行會長水支部
短期講習會長野市に開催

日本力行會長水支部では海外發展短期講習會を二月二十三日より二十七日まで五日間長野市下岡田に開催本部より永田會長が講師として主として講演し講習員と共に寢食を共にして最も有意義なる講習であつた。尙西澤幹事兩角寫眞氏の海外事情講話もあつた。講習員は十二名

上原壽江氏渡米

諏訪郡永明村出身上原隆二氏は明治四十年渡米國コロラド州ロツキフオードに擴大なる農牧業を經營し米人間にも信用厚く重きをなしてゐるが今回鄕里より新妻壽江(二九)さんと結婚し昨年八月旅券下付以來米國領事の旅券査證に支障を來たしつゝあつたが此程無事すみ二月二十六日橫濱出帆の商船ロンドン丸にて新妻は夫の元に向つた

母國通信日誌

(前號二三頁より)

一月十二日　熊本地方十餘回目の地震△中等學校の入學試驗に今年度から口頭試問は行はぬ△明野ケ原飛行學校陸軍軍曹千メートルの高空から墜落△桐原眞一博士血型檢査法發見爲めに私生兒の押付けあひが今後出來なくなつた△鳥井龍藏博士愛知縣下に於てヒンメル(原始民族時代の立石)發見△モルヒネ中毒の治療法慶大阿部博士發表△ウイルキンス大尉南極大陸の境界確定

一月十三日　日支關稅交涉再開△第二回學生スキー大會札幌郊外で開かる△南米拓殖會社移民募集△栃木縣の火事二十九戶燒く

一月十四日　支那漢口反日盛返し鐵血斜除暴行の限りを盡す△山東撤兵の空氣漸く動き出す△本年度の國際勞働代表を決定する右翼兩派代表會議は鈴木文治氏と決定△諏訪湖に開催され全日本スケート選手權大會△久邇宮朝融王、同邦英王、朝香宮孚彦王、同正彦王の四殿下九日台覽の御豫定

一月十五日　歐洲大戰の勇將フオツシユ元帥重體△漢口日本租界に特別戒嚴令租界包圍以來既に六日邦人今や食糧攻め

一月十六日　不戰條約案米國上院を通過△侍從長兼樞密顧問官珍田捨巳伯逝去△清水市農民一千名が上水道問題で西園寺公に陳情△ブース大將辭職勸告を拒絶す△裏日本又荒れる△漢口我が海軍倶樂部一物も殘さず掠奪さる△德富蘇峯氏國民新聞社を去る△田山花袋氏卒倒す

一月十七日　支那汽船沈み三百名死△北海道御料地二萬三千町歩御下渡△アフガン反亂擴大△日銀損失補償震災手形の總決算一億圓△昨年の生絲輸出額數量は三萬俵近く增加し金額は却つて八百萬圓減少して金額七億三千二百六十九萬七千圓△對支輸出果然激增海運界活況

一月十八日　支那北平公使館區域の行政權回收を企つ△一萬年保證付き震災橫死者の名簿保存法完成△支那國民黨會議第四次大會編遣大綱決定△昨年の入超朝鮮台灣を合せて三億三千四百萬圓△今年の大演習は水戶を中心に近衛他二師團

一月十九日　日支關稅協定支那側の公文手交が遂に裁判沙汰△新黨俱樂部首相貴族院各派に諒解を求む△關東中等學校蹴球大會

一月二十日　政友會民政黨大會開催△排日取締りを支那側はね付く△珍田伯葬儀

移植民ニユース

昨年の移民數
一萬五千を突破

我海外移民の約九割を扱つてゐる海外興業會社が廿日發表した所によると昨年度同社扱の移民數一万二千九百八十二人で前年に比し一千四百十八人を增加し更に最も少かつた大正九年に比すれば、實に十三倍强の增加である なほ本年度は南米拓殖及び海外移住組合のブラジル移民が急激に增加するから恐らく一万五千人を突破するであらう(單位人)

大正七年來の增減狀態

大正七年七、〇八四▲八年三、〇六〇▲九年九九六▲十年一、八三九▲十一年一、二七〇▲十二年一、五二七▲十三年四、七六八▲十四年六、六五二▲昭和元年一〇、四〇七▲二年一一、五六四▲三年一二、九八二

昨年度移住別成績

ブラジル一一、二三一▲ヒリツピン一、二八四▲ペルー三一一▲濠洲一五一▲キユーバ四尙ブラジル渡航者は同社以外に郵船及商船で九百二十一名が渡航し、その他前記海外の諸地に同社扱以外のものを合すれば一萬五千を突破されると思考されてゐる。海興扱の各府縣別狀態は左の如し。

(ペルー濠洲キユーバ略す)

道府縣名	ブラジル	比律賓	增減(全部の)
北海道	五六一	—	一一〇
青森	四三	五	一七
秋田	一三	—	(減)五一
山形	三五	一	三一
岩手	二九	一	九
宮城	七二	二	(減)三
福島	二〇九	五九	(減)五八
栃木	九一	一	九
茨木	九〇	五	(減)三
群馬	八五	三	(減)四五
埼玉	一七	—	一五
千葉	二四	二	(減)八
東京	九五	二	(減)三
神奈川	二二	三	(減)三
靜岡	二八六	六	(減)一五
愛知	六一	一	一八

一月二十一日　大東京港建設計畫發表さる△田中首相濱口床次兩氏に會見を求む△地方財政の增大加速度的に進み、三年度豫算歲出十七億三千萬圓△豫想に反して米の實收高千三十萬千二石前年より減三分弱△日本スケート大會終る△樺太に町村制法案衆議院に提出さる

一月二十二日　衆議院開幕首相施政演說をなす△侍從長後任鈴木貫太郎大將に親補さる△海軍軍令部長に加藤寬治大將親補△第五十三議會暴行事件告訴取下げ△高橋是清翁安田保全社入社

一月二十三日　ドイツ大使親任狀捧呈△衆議院議場一時大混亂を呈す△高松宮殿下北海道石狩國空沼岳秩父宮ヒユツテ開きに台臨△閣員候補二百名物すさまじい獵官運動にフーヴア氏ワシントンを逃げ出す△張學良以下國民黨入黨△北平の排日ますます積極化す△今夏開催の國際勞働會議資本家代表第一候補に岩崎清七氏推擧△支那排日化に乘じ英米品進出△東洋汽船會社新造船を以て大平洋航路の舊地盤に活躍を計畫

一月二十四日　芳澤公使蔣介石王正廷兩氏と會見△德島縣下のピストル强盜は驚くべし小學校教員△漢口の檢察隊邦人追跡△岡部長景子內大臣秘書官長に就任△日銀繰越帳尻兌換券發行高十三億四千七十萬一千圓に上る△百餘萬圓ねん出する競馬法改正案議會に提出

一月二十五日　アインシユタイン博士電磁氣の新學說完成△米澤市在の中津川村三十年來の大雪害に全村埋沒す△婦人參政權實現可能の形勢となる△月給生活に愛想つかし大阪府下の中學生海外渡航希望を抱き外語講習會開催△樞府精査委員會日支關稅協定を可決△朝鮮總督府山林部飛行機上より寫眞利用林相調査△預金利下問題機運いよいよ濃厚△普通學務局長受驗準備廢止の通牒をす△久邇宮殿下御失神遊ばさる

一月二十六日　衆議院豫算總會質問戰で賑ふ△八丈島に於て一万五千圓入赤行囊紛失△日支交涉愈々初まる△漢口へ陸戰隊增派△皇后陛下御父殿下の御病床へ御見舞△支那龍口に戰亂起り邦人略奪に會ふ△イタリー海軍擴張決定

一月二十七日　久邇大將宮殿下午後零時二十九分薨去△山東鐵道管理權交涉の中心問題化す△山形縣飽海郡湯佐鄉一帶は四十年來の大吹雪吹たまりの高さ一丈五六尺△宗教團體法案にキリスト教徒反對運動開始△九州大學の紛糾落着

一月二十八日　南京の日支交涉打切今後は上海で繼續△政府當局肥料管理法案今期議會に提出に決意△故久邇宮の御墓所は豐島ケ岡に御決定△天皇陛下七日間御服喪△故久邇宮殿下御葬儀は二月三日に決定△反政府反民政を名とし鶴見氏小會派聯盟提唱△アフガン內閣新に成立

一月二十九日　貴衆兩院相呼應して政府の急所に肉薄△故久邇元帥宮御靈柩御本邸へ御歸△東京預金協定銀行幹事會預金利下斷行△アメリカの富五十年間に七倍△東洋拓殖會社產米增殖資金一千万圓を社債募集△ポーランド公使館火災

一月三十日　地方官小異動△スペインに革命突發△日支關稅協定公文可決二月一日實施確定

一月三十一日　六大都市を含む特別市制案提出さる△支那中央政治會議奉天省を遼寧省と改稱△皇后陛下東京府管內聯合救療所一萬圓御下賜△函館本線上目名驛附近積雪一丈一尺餘青森驛も六尺に達す△國際勞働事務局アジヤ勞働會議議長に鈴木文治氏發表△支那外交總長王正廷排日嚴重取締聲明△兩陛下久邇宮邸へ行幸啓

二月一日　前首相若槻氏貴族院に於て質問△全額二千萬ドル米支の無線借款成立△支那新關稅率による增收使途は年五百萬元を外債整理に充當△新潟荒川鐵橋上に於てラッセル車客車と正面衝突△九州大學又も紛糾

二月二日　幣原男貴族院に於て對支外交に就て質問△式部長官に松井慶四郎男今明日中正式受諾△一月二十九正貨在高十一億九千百万圓△一月中對外貿易入超五千九百三十萬六千圓△帝都の不安除去の爲市來團長の名を以て十萬の青年團員に動員を通牒

二月三日　故久邇元帥宮殿下御葬儀△第七回全日本スキー選手權大會△十二月全國銀行勘定預金總額百十七億五千七百三十二万一千圓貸出總額百十三億七千百六萬二千圓

二月四日　田中首相床次氏と會見

開催の萬國工業會議へ七十個國から代表參加△事後承諾案に付新黨與黨と妥協△米國政府パナマ地帶に國際飛行場を設置の法規を近く發布△日本青年團本部斷じて選擧運動に關與すべからずと全國の青年團へ戒告△支那反日會日本棉花の綿糸百七十五俵償額二万五千圓沒收

二月五日　濟南事件解決△東京市長市來乙彦氏辭職△次の國務長官を現比島總督スチムソン氏承諾△金利低下の結果遂に五分パーの大同電力新社債出現△大連海關當局輸出稅附加稅の徵集延期△新學說の說明をうるさがりアインシュタイン博士隱宅を探す△四十餘日の降雨なき爲め東京郊外水かる

二月六日　米國海軍擴張案上院を通過△地方官小異動△ドイツ飛行家フォンフユーネフェルト男逝去△米穀法實施十年間の大穴政府のお米屋さん損續き七千万圓△中央金庫が米穀金融に乘出す△肥料管理案には東京會議所も反對△濟南事件解決は上海財界に好影響を與ふ△群馬縣群馬郡相馬村青年會處女會聯合學藝會の余興最中二階

三重	二〇五	一	四九
岐阜	八二	一三	(減)五五
滋賀	三五	二	(減)四
新潟	三八	二	(減)一四
富山	三六	七	(減)二一
石川	九〇	|	(減)八七
福井	五一	一	(減)六〇
長野	八一	一	(減)八
山梨	一五	二	〇
京都	八五	|	(減)五〇
奈良	二二	|	(減)一九七
和歌山	三一五	一七	(減)三四
大阪	三〇一	五	一二
兵庫	一一四	|	(減)二一九
岡山	五〇二	八	(減)一五二
廣島	一一五八	一九八	四〇二
山口	六一一	二五	五二
島根	一二五	六	(減)一〇七
鳥取	一三〇	八	五〇
德島	五五	|	六
香川	三三七	六	一一四
高知	三三三	二	八一
愛媛	四八五	二一	一八三
大分	二一七	一五	〇
福岡	九六九	七一	五九八
左賀	三六九	六	一二一
長崎	三四六	二六	一三六
熊本	一七八四	一四三	九六三
宮崎	一〇九	三	(減)二九
鹿兒島	九〇	二四	(減)四
沖繩	四〇八	五八〇	(減)四三七
計	一一、二三一	一、二八四	一、四一八

が墜落三百餘名中重輕傷者四十餘名を出す△アフガンに群雄競ひ立ち互に國王の榮位を狙ふ△印度コロンボ及ボロダに暴動勃發△東洋一と誇る別府ゴルフ場總面積六十万坪に上る△七百年前の經本六百卷三重縣下松林寺で發見△昭和三年度地方債許可額一億八千四百万圓△一月中の對支貿易出超は前年同期より二千万圓增

一月七日　新黨態度を準與黨と決す△政府明年度豫算節約額合計八百萬圓△米國上院外交委員會支那關稅自主權承認條約可決△支那國民政府中央政治會議濟南事件協定を滿場一致承認

二月八日　協定の草案成り王芳澤兩氏再會見△地方鐵道の買收十五線補償二線決定△畏き邊りでは十一日の紀元節に當り社會事業御奬勵の思召を以て全國五百九十團体へ御下賜金を給る△陪審裁判で初て大阪裁判所で陪審員一夜泊る

二月九日　明年度豫算案通り衆議院通過△二月上旬貿易入超額二千三百七十九萬五千圓△矢田上海總領事歸る

二月十日　米國加州土地法違反事件の邦人二名に有罪の判決△北陸線大吹雪列車々所に立往生△御殿場製糸場失火女工十三名燒死△內閣彈劾案六十四票の差を以て否決さる△世界的藥學者長井長義博士八十五歲の高齡で逝去

二月十一日　全國社會事業團体へ御下賜金卅萬圓△靜岡縣新富町八十戶燒失△九日ドイツ賠償問題七ヶ國委員會△メキシコ大統領の列車爆發△紀元二千五百八十九年の紀元節△岡山縣津山市制施行△東京市內建國祭集るもの十萬人

二月十二日　ゴム代用品の發見にエヂソン翁成功△婦權獲得請願書議會へ提出さる△日支交涉再開を支那側希望

二月十三日　エジソン翁誕生祝に自動車王フオード氏五百萬ドル贈る△永井造幣局長ゼネヴア通貨僞造防止國際會議へ出發△王正廷氏外交團主席オランダ公使に對し各國租界回收の照會をなす△昭和四年度總豫算案衆議院通過△ローマ法王と伊國政府の七十年の紛爭解結

二月十四日　歐洲の酷寒益々加はり獨逸では氷點下百八度△今年七月米國ケーペル大佐無着陸で五日間に世界一周飛行を決行△救世軍最高會議ブース大將の引退を再び決議△資源局は六月下旬頃大阪を中心に國家總動員演習を擧行

二月十五日　支那側から三千萬元の賠償要求△千萬長者小寺謙吉氏朝鮮銀行の債務から全財產を差押へらる△大連法院長安住時太郎氏馬賊に射殺さる△米國建艦豫算千二百卅七萬ドル大統領から提出△支那南京の排日愈々積極的△日露講和會議の大功を立つた立花小一郎大將逝去△東京市會選擧期日三月十六日と決定△上海電氣事業日英米の資本團に讓渡と決す(以下次號)

南米に拓く

邦人の買收濟土地

最近人口食糧問題に關聯して海外移民問題は一般に注目せらるゝところである、特に南米ブラジルに關しては昨年鐘紡が南米拓殖會社を設立するなど將來我移民の飛躍地として好望視せられてゐる、しかして同地に於ける邦人數は昭和三年六月末現在で八萬五千人同年末には九萬以上に達し昨年邦人の渡航數は一萬人以上を算し本年は更に增加の見込である、然らばブラジルに於ける邦人所有の土地はどの位かといふに現在の所二百二十八萬九千三百町歩であるがその內譯は次の如くである

一、海外移住組合聯合會（內務省社會局の監督の下にある）

サンパウロ州（リヨチエテ）河畔　十二萬町歩

同州ソロカバナ鐵道沿線　三萬町歩

同州アリアンサ　三千町歩

信州記事

教育功勞者を表彰

光榮に輝く九氏に金時計を贈る

本縣では十一日の紀元節に左記九名の教育功勞者表彰式を縣廳で擧行表彰狀の外金時計一個を贈つた同時に優良青年訓練所表彰式も擧行され上水內郡鬼無里、下伊那郡松尾、上伊那郡南向の三ケ所が表彰された

南佐久郡平野尋常高校長奥村政次郎、諏訪郡平野尋高校長兩角喜重、下高井郡平穩尋高校長佐藤嘉市、更級郡下氷鉋尋高校長寺澤好太、西筑摩郡黑澤尋高訓導湯川正雄、上水內郡鳥居尋高訓導神田定治長野市芹田尋高訓導和歌月吉枝、東筑摩郡山形尋高訓導小林庫二、埴科郡東條尋高訓導野本太四郎

本年度の適齡者

合計一萬八千九百名

松本聯隊區司令部で調査した本年度の縣下徵兵適齡者は一萬七千三百十二名であるが昨年事故その他のため檢査を受けなかつたもので本年受檢するもの千六百四十八名あり結局これを加へ合計一萬八千九百六十名となり昨年より八百四十八名增加の見込で增減を地方別に見ると上伊那、諏訪地方を始め山間地方が減少し松本、長野、上田その他平たん地方はいづれも增加し數年前とは全く反對の現象を示してゐる

下伊那が一番多く

代用教員を使ふ

本縣では今回小學校教員の俸給調べを行つたが、本正六千二百七十名專正六百七十四名、准教員六百三十九名、代用教員七百六十名計七千三百四十三名の月俸總額は四十二萬六千三百四十八圓で一人當り五十八圓六錢強本正は長野の六十七圓十四錢平均を最高、下水內の六十圓八十

計　十五萬三千町歩

右の土地は昨年海外移住組合聯合會專務理事梅谷光貞氏（前長野縣知事）が渡伯して買收したもので鐵道の便を有しコーヒー、米、綿花豆、麥、砂糖、果實類の栽培および牧畜に適するといはれてゐる、しかしてその買收は內務省より低利資金の供給を受けたるもので邦人の移住者一家族に對し二十五町歩を單位とし三年すゑ置三ケ年年賦で分讓する計畫であるが同組合は本年更にパラナ州に一萬二千五百アルケールを設くる計畫である

二、海外興業株式會社

サンパウロ州イグアペ　六萬町歩

エスピリトサント州　五萬町歩

計　十一萬町歩

右の內イグアペへ更に買收して十萬町歩に達せしむ豫定であると

三、東山農事會社（三菱經營）

サンパウロ州カムピナス　三千八百町歩

同州ピンダ農場　二千五百町歩

同州サブカイヤ　一千町歩

計　七千三百町歩

三菱は既設農場を買收せるもので主としてコーヒーの生產を行つてゐる

四、日伯紀業組合（山科禮藏）

五錢を最低として平均六十四圓二錢、專正は上田の五十八圓十三錢がズバ拔けて高く下水內は最低の三十五圓八十三錢縣下平均が四十六圓三十六錢准教員給は松本がもつともよく上水內が最低で平均は三十四圓十七錢、代用教員の平均給は三十九圓六十五錢で松本が一番優遇して居る尙代用教員のもつとも多いのは下伊那郡で百二十六名で縣下の一割六分五厘を占めて居る

民衆支部と共に

進出の農民組合

東信地方の民衆黨運動は徐々に進出して居るが一方他の無產階級運動としては新黨準備會が無くなつた後は無產黨運動はほとんどその影を絕つた模樣で民衆黨以外の者はいづれも農民組合運動に全力を集注してをる、そのために農民組合は小縣郡青木村、長村、縣村、神科村等をはじめとして南北佐久の各村にわたつて相當實質的の步を進めてゐる。昨秋は小作爭議もほとんどなく農村は平穩であつたが春の農閑期から夏にかけての農組の浸じゆんによつていはゆる「よく耕すよりよく鬪ふもの」の方が良農民といふことになり相當喧しいだらうと豫想されてをる

縣稅の滯納

滯納者三萬三千余名に達す

本縣では縣稅滯納額を調査したがその總額は十四萬二千七百四十二圓滯納者數三萬三千六百八十四名と判明した、內譯は本年度分十萬九千七百六十三圓（二萬三千七百七十名）既往三萬二千九百七十九圓（九千九百十四名）で縣では目下その整理に忙殺されて居るが農村を始め一般の不景氣から中々容易な業ではないと頭痛鉢卷の態である

違蠶對策の

宣傳隊蠶糸關係總動員

本縣蠶糸關係職員の夏秋蠶違作對策宣傳隊は三月より四月まで二ケ月間縣下各地で講演會を開き養蠶經營栽桑飼育の三項目について根本的指導をなし蠶業經營の建直しをすることに決し準備中であるが聽講者には「夏秋蠶豐作のために」と題

パラナ州コンゴニヤ　二萬五千町歩

同事業地には遠からず鐵道開通するはずである

五、野村農場（野村德七）

パラナ州　千五百町歩

六、長野、鳥取、富山、熊本海外協會

サンパウロ州アリヤンサ　二万一千町歩

合計　二十七萬七千三百町歩

以上は主として南部地方であるが更に北部アマゾン地方におけるものは次の如し

一、南米拓殖（鐘紡經營社長福原八郎）

パラ州アカラ地方　百萬町歩

二、大石小作

アマゾナス州マウエス　一萬町歩

三、小西源三郎および粟田金六

同州　百萬町歩

四、南米企業會社（社長村井保固）

パラ州カスタニヤール　二千町歩

合計　二百一萬二千町歩

總計　二百二十八萬九千町歩

北部は綿花およびゴム栽培に適してゐるが一般農業は南部地方主としてサンパウロ、パラナ、リオ、エスピリトサント州が適してゐる

拓殖省新設

するパンフレット一部づゝを分つはずである、この講師は九班各四名で本縣蠶糸課および蠶業試驗場の幹部技術員が總動員をなしその外縣農會蠶業取締所支所等も參加しなほ講師補充員として谷田部技師外七名も控へて居る。

濟南事件解決

戰死者の靈喜ばん

濟南問題は芳澤、王兩氏の交渉で事實上解決を見るに至つたが濟南事變ではわが松本五十聯隊が活躍し多數の死傷者をだしたので縣民はもちろん松本聯隊では殊にその成行を注目してゐたところなので解決內容の發表を待ちわびてゐるがこれにつき濟南事變當時松本聯隊第十中隊長として濟南城攻擊に當つた藤森少佐を五日留守隊に訪ふと左の如く語る。當時柳樹屯にゐた我々は居留民保護のため濟南に出動したがこの事件で松本聯隊は百四名の死傷者をだし二十四名は戰死し現在廣嶋並に旅順の衛戍病院で加養中のものも七八名ある然るに大なる犧牲を拂つてゐるこの問題がうやむやになればそれ等の犧牲は少しも意味をなさなくなるのでわが國に有利な解決が一日も早く結ばれることを念じてゐた、解決を見て戰死者の靈も慰められることであらう實戰に當つた我々には實に感慨無量のものがある、いづれにしても解決を見たのは結構なことである

產組法により

松本平で發電所を設置

松本平の各村では電燈會社の合同による會社側の橫暴に苦しみつゝあるので、その對策につき協議中であつたが、東筑摩郡十四ケ村が聯合梓川水利改良工事を利用し產業組合法による發電計畫をなし同郡波多村に落差六十六尺二千五百キロの發電所を設置することになり近く本縣に認可申請をなすが縣下では最初の產業組合法による發電計畫でこれが完成の上は十四ケ村の燈用に使用しても尙一千キロの剩余を生ずるのでこれを農蠶業に利用し極力農村の電化を實現する方針であると

年齡卅歲制限

上水聯合青年會決議

上水內郡平たん部十ケ村聯合青年研究會は一月二十七日柳原小學校で開き、出場辯士百六十余名傍聽者二百余名あり左の研究事項を討議し目下問題となつてゐる青年團員三十歲制限を決議して午後四時散會した

一、政黨化せる自治體に對する青年の覺悟二、恩給制度改廢について三、疲弊せる農村の現狀に鑑み吾人の進出方法如何四、農村の進運に伴つて農村制度方法如何五、農村經濟の緩和方法如何六、國策と農村の現狀を觀察し吾人のとるべき方針如何七、青年團の本質に鑑み今後如何なる方面に進出すべきか八、現代思想惡化の原因を究明しその善導方法如何九、農村青年の離村防止策如何

卒業後道を選ぶ

就職地獄のなやみ

就職地獄の悩みは近來縣下各中等學校卒業生をかつて高等學校志望者よりも實科的な專門學校入學選擇の方向へ進ませ、長野中學校等においても本年度にこの傾向著るしく現れ工、商、醫等を志望する者多數となつてゐるが長野縣師範學校にもこの現象は如實に反映し中學卒業資格を有する者のいはゆる第二部志望を見るに募集人員百二十名に對し應募人員は大正十三年二百二名十四年二百十九名、十五年二百九十八名、昭和二年三百三十名と逐年增加し更に昭和三年募集人員二百名に對し一躍六百一名の多數を示し、本年は去る二十一日から受付を開始したが昨年度數を突破して七百余名に達する見込である

この主な原因は就職難におびえた學生が虛榮その他から高等學校への志望を轉換して比較的卒業後の生活と就職に安全な教員をえらび現實的な考へを抱くに至つたためであると見られてゐる

大部分家庭に入る

松本高女の專攻科生

松本高等女學校では本年專攻科を卒業する十九名に對し卒業後の志望を集めたところ小學校教員並に女子中等學校檢定受驗希望者は僅に數名に過ぎず大部分は家庭にいる者で當局が卒業生の中等教員無

試驗檢定問題を起してゐる反面に皮肉な現象をみせてゐる　同校專攻科第一、二回卒業生四十三名中二十六名が小學教員で中等學校職員は僅か三名に過ぎない狀態であるため一般專攻科志望者の意氣込が足りないことと家庭の事情が職業婦人となることを余り好まない結果であるため、同校では今後良妻賢母養成主義をとる意向であると

少女殺し犯人に

懲役十年求刑言渡

下高井郡平穩村摑﨑重吉元雇人竹內强が昨年十二月十日主家の一人娘きよを絞殺暴行を加へた上死體を水車小屋に投込んだ慘酷極まる事件の公判は六日長野市地方裁判所に開廷上條裁判長係、沖中檢事立會、滿員の傍聽席に被告は木綿筒袖に頑健な體を包みキョトンとした顏で法廷に現はれ事實調べに移つたが强が、主家と自分との關係を殘らず述べたところで傍聽禁示となり午後零時半再び公開檢事は被告の暴虐極まる行爲を痛論して懲役十年を求刑一時四十分閉廷した、判決言渡しは十三日八ケ年の懲役の言渡しがあつた。

全信州小唄投票

信每の催しで當選發表

郷土愛の眞髓から生れた全信州の各地民謠について信濃每日新聞社では人氣的投票を試みた結果左の順によつて最高點より十六番まで發表された。

伊那ぶし、川中嶋小唄、小諸小唄、安曇ぶし、丸子小唄、望月小唄、平穩小唄、須坂小唄、別所小唄、中野小唄、木曾ぶし、大豆嶋甚句、飯山小唄、松代民謠、古間音頭、番場ぶし、

梅谷氏再渡伯　海外移住組合聯合會專務理事梅谷光貞氏は昨年十月伯國から歸朝して移住組合の移住地經營に關し基本的具体案につき奔走して居つたが專ら該事業の遂行上自ら再渡伯する事になり二月十三日東京發シベリヤ經由にて伯國に向つた因みに伯國着は三月中旬の豫定である

に關する貴院問答

二月十六日貴族院本會議中野村益三子（研究會）より拓殖省設置に關する質問あり政府當局の答辯左の如し

野村益三子　拓殖省設置の主意並にその組織如何、拓殖大臣と各植民地長官との關係如何

前田法制局長官　その組織は調査研究中で豫算が通過すれば六月一日より設置したい、兩者の關係は唯今のところ現在の總理大臣が監督してゐる程度のものとしては如何かと考へてゐる

野村子　拓殖省の經費は四百五十萬圓一年にすると七百萬圓となるが機能を發揮する上には少くはないか

田中首相　順次仕事が增して來れば經費も增すこととならうが當初はこの位でよいと考へる

野村子　植民地の事情を知ることが目下必要だがこれを知る機會が少ない、拓殖協會を設置する必要ありと思ふ現在の各植民地の協會を一丸として如何また拓殖大臣には適材を選任せられたし

前田長官　拓殖省設置は植民地統治を統一するために各植民地と內地とは密接な關係あるに拘らず各植民地では植民地のみの關係を考へて統治されてゐたと思ふよつて各植民地と內地との聯絡が拓殖省設置の主眼である、植民協會設置も御希望にそひたい

更に野村子は樺太の常に北海道に追壓されてその後塵を拜しつゝある實狀を產業狀態について說明し財政の貧弱をあげて樺太開發の必要を述べ喜多長官よりその計畫を述ぶ

野村子　南洋諸島開發に資するため東印度會社類似の團體の設立の必要を認めないか、また本島開發に資するやうな會社があるか

橫田南洋廳長官　特殊會社の設立は考へてゐない現在砂糖工業の會社があるこの會社が將來他の方面にも拓殖の手を延ばすだらうと思つてゐるかくて午後零時四分休憩

人口增加は

隆盛の基と首相答ふ

一月三十一日の貴族院本會議は午前十時二十分開會

加藤政之助君（同成）登壇

歐米各國はいづれも歲入超過となつてゐるのに昭和四年の豫算は公債發行で遣りくりしまた自然增收を見積るを得ない有樣で財政はひつ迫してゐるに拘らず政府はこれを好轉だと稱するは何故か

と詰りイタリーと通商條約の改訂を始めざる理由、人口食料問題に關する政府の所信燃料研究所の經費を豫算編成の際削除せる理由等を質問す

田中首相　財政は危いとは思はぬ然し樂觀もせぬ日伊通商航海條約の改訂は目下兩國間に折衝中である衛兒制限について色々いふ人あることを聞いたが私はこれについては何もいつたことがない私は人口增加は國運發展の基だと思つてる

移民法案演說

アメリカで好評

田中外相のアメリカ移民法案に關する議會演說はワシントン、スター紙二十三日の社說で次の如く論評された

「田中外相の今度の議會演說以上のステイツマンらしき言葉は期待し難い、彼の演說は威嚴があり冷靜で而も日本が不都合と考へる點を訂正してもらふといふ斷然たる態度を失はなかつたそれは明らかに威かく的でなくアメリカ人の正義心に訴ふるが如き言葉をも用意されてた」

同紙は引續き移民法案の歷史を論述した後付言していはく

「日本の希望するところはアメリカ政府が日本人から第五級の移民（劣等移民の意）といふ汚名を取り除くことで今後從つて兩國の友好關係が問題を解決するに至るまでは日本は移民法を常に憂ふべきものと見なすであらう」

外の海 歌壇

俳句

大陸の話つきざり冬爐邊　椰村　喜望亭　近山

○

櫻花の小唄や春を訪れて　大豆島村　一茶堂　川観

玉砂利の多摩參道や春の雨

○

阿蘇荒れて曇らぬ日なし春曽す

○

二月號口繪をみて

奉祝の日や外國に薫る菊　大豆島村　市川　文兆

嚴めしき竹刀の音や寒の月

○

高山は夏尙白し椰子木立

短歌

芋井村　小林　龜松

吾が友は涼しく見らむ月影の只に寒しも何冬信濃は（南米の友へ）

海こえていてゆく人にいや深く幸あれかしと神に祈りぬ

三千年の昔もおもへばいと易し海の彼方をひらくことども

淺川村　松木　窓月

病室に朝を和みて眼醒めけり外の面しづかに雪の降りゐぬ

レントゲンに寫れる胸を醫師たちの覗きてゐるも暗き放射室

語ひ終え夜更けを戻る雪の道しら〳〵寒き月夜なりけり

長野　坪內　履代

やよひ集

雪消水增したるならし犬川のどよもす音す夜深き闇を

はつはつに草萌えいづる春近し雪解の土をたのしくふむも

足袋捨てゝ子等は遊べりひねもすを日影のび來し此日頃かな

軒傳ふ雫ひねもすやまざれば春近からし何かたのし

子を抱きて空をみせつも暖かく晴れしやよひの空のよろしさ

涼しさのあると思えぬあつさかな　新嘉坡にて　井出　曲水

海の外歌壇募集

□短　歌 ── 題隨意（一人五首用紙ハガキ）

□俳　句 ── 題隨意（一人五句用紙ハガキ）

締　切　三月十五日限り

宛　名　長野縣廳內　海の外社歌壇係

海外通信

△在郷中の御厚意深く御禮申上候途中無事參名共本日齋賦仕り候間乍他事御休心被下度候雪中の日本より常夏のダバオへは夢かと思はるゝ程暖かゝに候。御一同樣益々御自重御自愛の程祈申上候 一月十五日

（ダバオにて瀧澤巽次瀧澤勝宮澤みつ）

△御蔭で病氣もせずアメリカまでやつて來ました。ニウヨークを一月廿四日に立ち今日はナイヤガラの瀧を見てこれからデトロイトのフオード自動車會社を視る豫定、長野も寒いでせうが此所の寒氣も格別です。一月二十日

（板倉操平）

△拜啓今年も餘す所僅か二十日餘りをさしせまりました貴會も益々御活動の程と賀し奉ります。海の外誌毎月御送附下され有難く拜見毎號の信州記事面白く且つなつかしくあります倩永らく當オレゴレ州ポートランドに在留書籍商を營まれてゐました畑賞氏一身の都合によりてか知らぬ間に歸朝？されて既に三ケ月になります。貴會誌代の集金も歳末に近づき同氏不在の折柄そのまゝにては貴會に於ても吾々に當地在任者としても不便少なからず此際誰人か貴會より依托して前者の事務をお願しては如何でございます。

而して當地在留長野縣出身者としては

現ポーランド古屋支店長 佐藤市男氏

54, n 4th St. portlando Ore.

下伊飯田町出身

前伴商店支配人 下村眞鋤氏

268 3rd st. portlando Ore.

上伊上片桐村出身

等にて何れも人の師表に立つべき人物であります。右取敢えず御參考まで

十二月十一日（ポートランド荒井竹治）

△昭和四年元旦の佳日を祝福し貴協會の御發展を祈申上候扨、年初に當り少しく苦言を呈する事を御許し下さい。それは昨年六月當ミンタル付近在住する同縣人全九名談合の上各一人當り比貸五ペソ也を御送金致しましたが其の内小生の分のもの如何なる手違ひにてや其の後一向に本誌御送付下されず一應御調べの上改めて新年號より連續御配送願度と存じます。尙亦海外在留長野縣人名簿中にも小生の出身地及職業は誤記され居り左記の通り。御訂正願ひたし。

一、現住所 太田興業ミンタル支店 (Box 159)

一、渡航年月 大正十五年十二月

一、郡町村名 埴科郡屋代町

一、職業 會社員

一月一日（ダバオ 瀧澤貞雄）

〔註〕誠に申譯ありませんでした。誌代は確かに受領致しましたが（本誌第七十四號掲載）現住所が判明致しませんので照會中でありました。今後は間違いなき樣御送本申上げます。尙この樣の手違いが他にもあると相濟みませんから心當り御注告をお願します。御送金の節は金額住所氏名等を詳細に判明する樣御通信下さい——係より

△拜啓益々御隆昌之段奉賀候陳者貴會御發行なる海の外七十五、七十七、七十八號、御發送に預り深く御禮申上候南國の地に於て御誌を通じて懷かしき故國に於ける情況を詳知なすを得猶又海外在留長野縣人の背景として發展上非常に力强からんと深く祝福なすものに御座候

私の現籍地を御訪に相成尙又渡南郷歷此處に

御報告申上候上高井郡高甫村大字上八町の者にて大正四年頃單獨を以て渡南、新嘉坡より馬來半島を經て蘭領瓜哇に渡り瓜哇より北ボルネオ島に渡り夫より西濠州に渡り一昨年十一月再び元の新嘉坡に歸星仕り只今は左記の箇所に在留致居候

夫から御持合せなれば海外在留長野縣人名簿及、信濃風物記後便にて會費及代價郵送仕る可く候條御手數乍御送本相成度此段及御願申上候。一月十五日（町田廣直）

c/o nishin Shokai nanyo Kogyo koshi

Batu pohat Jokor

△「朝日年鑑」御惠與下され誠に有り難ふ厚く御禮申し上げます自分の樣な常識貧弱な者に取つては本當に何より重寶に存じます。御協會の事と海の外誌については甚大の興味を持つて居りましたが其後御誌を手にする機會を得ませんので懸賞御募集の事も全く知らずに居りました。折から突然結構な御贈り物に預り實に驚き入り御禮の言葉も一寸出て來ない位でした。誠に有難ふ存じます。然し自分がこれを頂戴してよいか惡いか甚だ疑はれてなりません、どう考へて見ても自分は所謂「代表的人物」と云ふ樣な尊い御言葉を受くべき者ではござゐません。當然この選にあたるべき本當の代表的人物は外にモツト〳〵澤山ありますから是非その方々に差し上げていたゞきたいと希望してをります。御協會の上に幸多からん事を祈り上げます。一月廿四日

（晩香坡市東カドバ街四三〇

日本聖公會 長老 小穴藤雄）

△謹賀新年 併而貴社の御隆盛を祈申上候吾年中は種々御愛情を蒙り有難奉深謝候尙本年も不相變御交誼の程偏に御願申上候。

昨秋は信濃風物記及び長野縣概況の美本御惠送被下誠に有難奉感謝候 本日米貨五弗御送金申上げ候御受納被下度候。長野縣人在外者名簿中小生の原籍が諏訪郡富士見村と有之候も右は友人小川幸太郎氏混同せるものと存じ小生は小縣郡泉田村に御座候。當方の情況隙を見て御投稿申上げ度く候。先づは新年の祝詞をかね御通信まで 一月三日

（在加奈陀オカナガンセンター 小林傳兵衛）

△昨年中は御無沙汰勝にて相濟みません。本年も相變らず御交誼をお願致します。貴協會の御盡力に依り海外發展も逐年增加し邦家の爲慶賀の至りと存じます、先日は御厚き書物を御惠附下され御厚禮申上げます、いと懷しき我が郷土の昔を偲び今を知り寸暇もあらば讀み返し繰り返して倦むところを知りません

去る十一月三日ダバオ西海岸一帶は强風の爲麻損害甚大なりしも當東海岸は少しも被害ありませんでした、末筆乍ら貴協會の御發展と御一同樣の御健康をお祈りしてゐます。

一月一日（ダバオ 原山芳保）

△貴會の益々御發展と役員諸賢の御健鬪とを祈り申し候。在外將に十年の歲月を數へんとする當方小生儀未だ目覺しき活躍も致さず御座候へども近き將來には幾分にしても爲す所あらんと堅き決意を抱いて奮鬪罷り居り候。

每度御送附に預りし御誌有難く拜讀し居り候今後は前回のアドレス（宛名）御變更の上直接小生の住所へ御發送賜り度く左に住所認め申上げ候。後ればせながら貴會費紙育正金支店經由にて御屆け申し候。先づは新年の御挨拶をかね御通信に及び候 一月八日

（玖馬 ハバナ 今村廣美）

Calle F198 Vedado Havana cuba

△小生出發については種々御心配被下厚く御禮申上候御蔭樣にて數萬本の見送りテープのち切れと共に母國を出帆し昨日香港に到着致し候。人口四十萬の大商業地の偉觀と見馳れぬ風俗た驚き入り候一同は大元氣に御座候間御安神被下度右御禮旁々御通信まで

二月八日（香港にて 宮下榮藏）

△拜啓 益々御情榮奉賀候。陳者先日は昔懷物御寄贈に接し餘暇を見てなつかしき郷土の記事を拜見致しおり候。

漏れ候へ共會費本年度及來年度併せて金廿圓御査收被下度候 海の外誌毎月接し同縣の者也寓社海興を經て送金いたし置き候間御序にに配本致し度り候現在當地におるもの左記の如くに御座候

家族の者	諏訪郡下諏訪町	青木篤誠
同	同	田中安惠
同	四賀村	小松豊作
同	同	宮部重治
同	北山村	宮坂浚雄
	上伊那郡	宮原桑男
	東筑摩郡	武井龍市
	小縣郡	大井 晧

單獨者 草間宏三 矢崎秀夫 小池八雄 平原傳治 吉田恭一 村松二郎 田多井豊

昭和四年一月三日サントス港の諏訪上諏訪町宮坂弘藏寺平吉二家族に候。每年移動有之候。當方面に御用有之候節は御遠慮なく御申越被下度候、右御禮旁々送金通知まで申上げ候 敬具 十二月廿日

（伯國アニューマス農場 矢崎節夫）

△拜啓毎度「海の外」御送付被下奉謝候誌代として金三拾圓正金銀行經由御送金申上げ候間御受收被下度候 早々 一月十四日

（ダバオ 太田興業會社 宮坂誠人）

△拜啓 御注文申上おき候書物四册正に受領いたしました。まことに御面倒をかけてすみませんでした。最近病氣のため手が不自由で手紙一枚書けば筋肉が引きつけられる樣ですアルゼンチンの事情其他の事は友人にたのんで御返事申上げます。力行世界、海の外不寄今後は別記の所へ御送り下さい。私は家庭に働らいてゐますが養生のため近日のうちカンポの方に參りますそして少し頭を休めて何か面白い事を書きませう。先づは御禮まで

（十二月廿九日アルゼンチン 元阪茂四郎）

Jardin Jopnes Estacion Castelar F.C.C.

△拜啓 爾來殊の外御無音に打ち過ぎ申し候小生渡隔の地に在りて何等の御役にも相立ずるも能ふ事あらば何なりとも喜んで致し申す可きにつき御遠慮なく御申付希成り被下願ひ候次ぎに後れ馳せの申し入れしかも唐突にして恐縮に候も海外在留長野縣人名簿發部有之候へば一部御寄送相煩し度御依頼申上候

十二月二日（在玖馬 瀬在藤治）

△拜啓 貴會益々御清榮奉賀候陳者先日は信濃風物記御送り被下有難く御禮申上げ候實は過日名古屋新聞紙上に掲載を見て切り拔き一般在留縣人に讀ませ候程にて今回の御寄贈をより有意義に致すべく候

次ぎに目下當問題の公使館武官和田中佐は川中島附近の出身にて未だ面談致さず候へども本誌配本致しおり候へば近日訪問の上何か海の外誌にでも原稿を御願ひせんかと存じ居り候。いづれ後便にて詳細申上ぐべく候。

十二月一日（メキシコ市 長淵鐘六）

內地會員の希望

一、海外在留者の海外通信を誌上御掲載の節は通信者の住所歐文にて記載相成度し

二、アリアンサ移住地情況を該地幹事に煩して寫眞帖を作り會員に配布願ひたし

三、毎號出來得る限り縣人の海外成功者經驗苦心談を御發表下されたし

味覺をそゝる 熱帶の果實 （六）

主食糧品となる 麵麭の實

二三本あれば一年中寢て食へる

本果は熱帶土人の常食品として極めて有名なものである。人頭大に近き球狀又は楕圓形をなし外面小瘤に覆はるゝもの平滑なるものあり、初め青綠色を呈し成熟すれば稍黄色をおびて柔軟となる。內部には白色の麵麭質の果肉がある。質粘り一種特有の芳香を放つ。この果肉を厚切りにして燒いて食すれば恰も燒立のパンの如き味がする、パンの樹の名はこれより起つたものである。

布哇產のパンの實の分析表によれば重量の約八割は可食部分で其約一割五分は糖分九分は糖分以外の炭水化物である。隨つて南洋諸島土人の如きは之れを其主要食糧とし、此樹が二三本あれば一人一年中の食に足ると云はれてゐる。或は生食し、或は煮、或は燒いて用ゐらるゝ外澱粉製造の原料にも供せらるゝのである。乍併本果の最も普通の調理法は蒸燒法である。我委任統治領カロリン群島土人の蒸燒法によれば、先づ小石若干を赫熱した後、其中にパンの實を二三箇に切りたるものを埋め、其上に濕氣を有する枯葉の類を置きて水分の逸散を防ぎ、四五時間後に出し外皮を剝ぎて食するのである。其味は稍甘味と酸味を帶びて恰も甘藷又は栗に類するも一種の臭氣がある。砂糖、牛乳、鷄卵、バター等を附けて用ふれば風味一層妙である、斯くして燒いたものは數日間保存する事が出來る

カロリン群島土人にヌマールと稱するパンの實の貯藏法がある。島民は八、九、十月の收穫期に於て完熟せざるパンの實を採收し、皮を剝ぎ縱に四分し心を去り更に橫に半截したるものを戶外又は床下の少しく濕氣ある所に掘りたる穴に芝草と芭蕉葉を敷きて投げ込み更に芝草と芭蕉葉を以て覆ひ、其上に石を錘として置くのである。斯くする時はパンの實は穴の中にて醱酵し、恰もチーズの如き臭氣を有するに至ると云ふ。而して土人は隨時取り出して之れを食用に供するのであつて、永きは四五年間も保存し得らると云ふ事である

本樹は桑科に屬し、生長甚だ速く高さ普通三十尺稀に五十尺以上に達するものもあつて樹容は頗る優美高尙である。葉は互生し略心臟形を成して全綠なるが、又は無花果の葉に似た掌狀を成してゐる。花は雌雄異花で、雌花は多數集つて球形を成し、雄花も亦多數集つて長い穗狀花狀を形つくつてゐる。一顆の果實は即ち此球狀の集合雌花が發達したものである。

パンの樹は其種類數十種あるも、其果實は有無核二種に大別され無核のものが、優良種である。本樹は太平洋諸島及び布哇島の原產であるが。現今は錫蘭、緬甸、印度等の熱帶各地に播布されてゐる、又臺灣に於ては紅頭嶼、花蓮港附近其他に繁殖してゐる。

パンの實は上記の如く太平洋諸島土人に取り最も重要なる生活要素なるが爲めに、彼等の間には古來これに關する樣々の神話傳說がある。又有名なる探險航海家クックを初め、十八世紀末葉の西人航海者によつて此珍果は盛に歐洲に喧傳せられ「世界に於て最も有名な果實」と稱せられたにも係らず、爾後今日に至るまで科學的基礎の下に研究や栽培の行はれてゐないのは誠に不思議な事と云はれてゐる。

昭和四年二月十三日

御挨拶

海外の諸賢へ

信濃海外協會幹事
信濃海外移住組合理事　西澤太一郎

謹啓久敷く御無沙汰謝入り申候異郷の天地に於て御活動の御近況如何に候哉御伺ひ申上候御地の御様子も諸賢の時折りの御懷かしき御便りにて大畧御承り申すを得て尊き御便りと感謝仕りおり候共都度海の外へ掲載し或は講演に或は座談に御地の事情を可成多くの有志に御話し仕りおり申候今後も可成御多忙中の寸暇をおさき被下氣候風土の狀況邦人の事業狀況等の御報を願上候本協會外御郷里の御實家親戚知人等へ用事も有之候はば何なりとも依頼越被下度候出來得る限り御希望に添ふべく可仕候北信州は只今萬山皆雪にて候　南信地方の平地は雪は御座なく候も朝夕は中々の寒氣にて鼻毛も凍り睫毛も氷ると云ふ有樣にて候壯者のスキーやスケートの全盛時代に有之候一般人の多くは炬燵柱に暖國の生活を羨やみおり申候打ち續く違蹊霜害と不景氣の嵐には農村も都會もいやが上にも行詰り青息吐息の狀態にて有之候一戸平均四〇〇圓以上の借財を持つ農村も多數にて候從來は年に多少の餘財を生ずる家も最近二三年は何れも借金に借金を重ね居り申候金融は極度に逼迫して中流以下は拾圓の金も思ふに任かせず信用組合は普及して其成績は良好なりと稱すれ共その運轉に行詰り農村の窮狀を救ふに足らず各銀行に於ける預金も積りて幾百萬と稱し金利は低下一方に候へ共又以て其本領を發揮するに足らずして殆んど寶の死藏に過ぎず候事業も起らず産業振はず人心は動搖し思想は惡化し生活は不安を來たし學校の卒業生もその就職の途なく勞働者も失業續出して一大恐慌を來たし居り候帝都に於てすらピストル强盜說敎强盜と人心不安今日より甚だしきは御座なく候　農村の疲弊と困憊、都會の道義頽廢、政黨政派の墮落、男女青年の將來等彼を思ひ此れを思へば前途誠に憂慮に不堪候今に於て國民協力一致し內外同胞相聯絡して共に國運隆昌の途を構じ精神作興士氣の鼓舞に努力せざれば國家の前途暗澹たるものに有之候

此行詰りの打開と光明とは一に海外發展の一途に有之候

國民協力一致我民族の發展と世界の經綸とに向ひ全力を注ぐべき時と存じ候　御自重、自愛益々御健康に留意せられ異郷の諸賢より後進同胞の御指導と御鞭韃とを切に御願申上候　微かながら小生等も斯道の爲に捧ぐる覺悟に有之候年度末に際して久々の御無沙汰を謝し希望申上候　敬具

協會記事

本年の渡航者
河內丸には十三名

アリアンサ移住地當協會扱の本年度第一回渡航者は前號所報の如くであるが內小原丑吉家族は病氣のため延期する事になり次船に延期の豫定だつた川上鷲郎家族は無事乘船出來たので結局十二家族人員五十六名の渡航者を見た。

尙二月二十五日神戸出帆の郵船河內丸は拾家族五十五名の乘船豫定であつた旅券下付其の他の準備遲延のため左記二家族十三名に決定した。

廣嶋縣安佐郡中原村　石田廣助　五人
同上　吉村權六　八人

一月以降の取扱數は左の如くである。

二月		
モンテビデオ丸	一二家族	五六人
河內丸	二家族	一三人

北佐久支部の活動
郡下に講演會十ケ所

北佐久郡支部長市川多萬吉氏は農閑の多期を利用して北佐久の海外發展思想を普及せしむるため郡下各小學校青年會婦人會と連絡して十數ケ所に海外發展講演會を開催する事になり目下着々準備中で本協會からは永田西澤兩幹事其の他海外歸朝者が講師として出張し夜は海外發展活動寫眞を公開する事になつてゐる。

賀狀御禮

前號掲載後も遠く海外の諸賢から態々御叮嚀なる賀狀を頂戴仕り厚く御禮申上候　失禮乍ら誌上にて御芳名を記し御禮申述度如斯御座候

信濃海外協會

伯國　矢崎節夫殿
伯國　宮原和三郎殿
玖馬　今村廣美殿
ダバオ　原上芳保殿
亞國　在亞日本人會

海外事情紹介展覽會
三月から廣島縣商品陳列所で

廣島縣海外協會及同縣海外移住組合では主催になつて廣嶋縣後援のもとに來る三月廿日より五月十三日まで廣嶋市商品陳列所で海外事情紹介展覽會を開催する事になり一般海外事情を普く公衆に知悉せしめ海外發展思想の向上に參考品を出品陳列してある、尙同期間廣嶋市主催の昭和産業博覽會が開催される由である

各町村設立の海外視察組合（續き）

埴科郡豐榮村組合

組合長　富岡朝太郎
新谷權平
長谷部傳
片岡退藏
村松操
伊藤昴
神戸直之助
春原佐光
和田長衛
安藤誠
倉田忠治

同郡雨宮縣村組合

組合長　安藤恒四郎
富澤登
荒井義男
馬場源六
長谷部万龜
宮原禎
荒井四郎
青木雅伸
中澤傳
小池國光
高野禎吉
尾合亘
宮澤勝治

會費領收（自一月一日 至二月卅一日）

一金貳圓也宛
山崎三彌治殿　市川澄丈殿
春原安治殿　寺西文三郎殿
杉山原造殿　横山政太郎殿
遠山遠吉殿　瀧澤寛次殿
瀧澤市郎殿　三石圓治殿
三石忠亮殿　三石伴治殿
三石實殿　三石毅殿
三石賢太郎殿　蜂谷千晴殿
鷲原惠一郎殿　太田孝一殿
伊東元右衛門殿　林重太郎殿
眞山嘉助殿　三石武雄殿
土方仁平殿　古平佐兵衛殿
鈴木辰次郎殿　市川九內殿
白井安次郎殿　清水榮之助殿
永澤俊治殿　芦田嘉兵衛殿
山本新平殿　清水春重殿
中澤茂富殿　小林和嘉市殿
西澤兼太郎殿　山田瀧藏殿
丸山珉竝殿　丸山光司殿
笠原好一殿　笠原政一殿
山田與惠殿　丸山山司殿
宮坂亮殿　丸山襄一殿

一金四圓也宛
嘉部小一郎殿　市川圓次郎殿
松瀬茂里殿　藤森忠一殿

一金五圓也
上水內郡三水村赤塩同志會殿

一金拾圓也宛
堀內万藏殿　藤森馨殿
宇治光治殿　田中市治殿
小松奥野殿　池內直次殿
南佐久農林學校殿　藤森俊一郎殿

一金貳拾圓也　小野三雄殿
一金參拾八圓也　篠ノ井町觀察組合殿
一金拾四圓也　小縣郡室賀村觀察組合殿
同　下高井町上木島村組合殿
一金貳百圓也　東京支部殿

海外會費領收

一金拾圓九拾八錢也　玖馬　今村廣美殿
一金參圓貳拾五錢也　ダバオ　牛木一郎殿
一金貳拾圓也　ブラジル　矢崎節夫殿
一金五圓四拾壹錢　ダバオ　上原貢殿

移民地事情寄贈（外務省通商局發行）

一、伯國渡航案內
一、亜爾然丁國移住に關する各種調査書

信濃海外協會規約抄錄

一、本會ハ信濃海外協會ト稱シ本部ヲ長野市ニ支部ヲ必要ニ應シ內外各地ニ置ク

二、本會ハ縣民ノ縣外發展ニ關スル諸般ノ事項ヲ調査研究シ其ノ發展ニ資スルヲ以テ目的トス

三、本會ハ前條ノ目的ヲ達スル爲必要ニ應シ左ノ事業ヲ行フ

イ、縣民縣外發展ノ方法ニ關スル立案
ロ、發展地ニ就キ調査ヲナシ其ノ結果ヲ紹介
ハ、在外縣民ト聯絡ヲ計リ指導後援
ニ、海外投資ノ研究ヲナシ之ヲ發表
ホ、海の外發展ニ必要ナル人材ヲ養成
ヘ、機關誌「海の外」ヲ發行シ隨時講演會各地ニ開ク
ト、海外發展ニ關シ各種參考品及統計ノ蒐集
チ、前各項ノ目的ヲ遂行スル爲臨機本會ノ代表者等ヲ內外樞要ノ地ニ派出スル事
リ、會員ニハ「海の外」毎月寄贈ス
ヌ、其ノ他本會ノ目的ヲ達スル必要ト認ムル事項

四、本會ノ會員ハ左ノ四種トス

イ、名譽會員（代議員會ノ決議ヲ經テ總裁之ヲ推薦ス
ロ、特別會員ハ一時金百圓以上ヲ醵出スル者
ハ、維持會員ハ會費年額金拾圓ヲ十ケ年間醵出スル者
ニ、普通會員ハ年額金貳圓ヲ十ケ年間又ハ一時金十六圓以上ヲ醵出スル者

五、本會現在役員ハ左ノ如シ

總裁　千葉了
副總裁　平野桑四郎　佐藤寅太郎
顧問　小川平吉　今井五介　原嘉道　伊澤多喜男　岡田忠彦　本間利雄　梅谷光貞　高橋守雄　田中無事生　泊武治　小西竹次郎
相談役　降旗元太郎　越郡三郎　小里賴永　片倉兼太郎　福澤泰江　小林暢　山岡萬之助　工藤善助　樋口秀雄　植原悅二郎　山本愼平　松本忠雄　高田茂　菱川敬三

海の外（月刊）（一冊廿錢）

定價表

	內地送料共	外國送料共
一冊	廿錢	廿四錢
六ケ月	一圓十錢	一圓四十四錢
一ケ年	二圓廿錢	二圓八十八錢
五ケ年	拾圓	拾圓

御注意

△御送金は振替（長野二一四〇番）に御願ひします。
△外國よりの御送金は銀行、郵便局の爲替で御送り下さい。
△御轉居の節は早速新舊兩住所を御通知下さい。
△本誌へ廣告掲載御希望の方は詳細御申越し下さい。

昭和四年三月一日發行
編輯人　永田稠
發行兼印刷人　西澤太一郎
印刷所　長野市南縣町　信濃毎日新聞社
發行所　長野縣廳內　海の外社
振替口座　長野二一四〇番

《第二版》

日本力行會長

永田稠著

両米再巡

菊版四百廿餘頁•寫眞版三十頁•布製函入

定價一冊金二圓八十錢•送料一冊拾八錢

永田氏は信州の生める一異才である。嘗て南米を一週して『南米一巡』を著はし、信州に來つて信濃海外協會の組織に努力し、更に『南米信濃村建設』に關する大使命を帶びて、大正十三年五月末横濱を出帆し、布哇、北米桑港、ローサンゼルス各地に於ては海外協會支部の設立に盡力し、ソートレキー市にはモルモン宗教植民の跡をたづね、デンヴア、シカゴを經て華府に至り、紐育より大西洋を南下してブラジルに至り、移住地の選定、購入・入植の準備をなし、大正十四年二月日本に歸り來り、更に信濃村大成の爲めに努力奮闘し、今や模範的にして世界に誇り得る移住地が建設されつゝある。『兩米再巡』は氏が南北兩米を再巡せる記錄である。志を世界に有する者の一日も看過することの出來ない快著である。

長野縣廳內
信濃海外協會取次販賣

東京市外上板橋 日本力行會發行 振替東京六八八一一番

日本力行會長
信濃海外協會幹事 永田稠著 ＝ 東京寶文館發行

日本植民讀本

菊版百五十頁
地圖挿畵澤山
定價六十錢送料六錢

海外發展主義の小學教育

四六版四百頁布製
定價二圓五十錢
送料十六錢

本會にて取次ます

著者が二十年間海外發展運動に從事せる体驗からしぼり出されたる血の結晶がこの二つの著書となつて現れた。

現在の教育の欠陥は日本民族發展に關する活材料を等閑に附してゐる事で、一般教育に海外發展に關する教育を加味されたならばと著者は此の點に深く留意して今回文部省の認定を得て實業補習學校、各種實業學校、中等學校の課外讀本として日本植民讀本なる教科書を編んだ。

更に現在の小學校の教科書中、修身、國語、地理、歷史の教材中に海外發展主義の高調に利用すべき點につき學年別に其活用法を示したものが海外發展主義の小學教育で、この參考書によつて直ちに海外發展主義の教育が施す事が出來る、世の教育者に是非共必讀を願ふなければならぬ好著である。

「海の外」第八十一號 （每月一回一日發行）
（大正十一年四月廿六日第三種郵便物認可） （昭和四年三月一日發行）

南米定期船の開祖

過去約二十年間多數移民御客輸送の經驗より得たる

獨特の船內衞生設備待遇を以て

御乘船を迎へて居ります。
御蔭を以て今や米國へは東西兩岸四つの相異れる客船航路使用十八隻を運航して居ります。

南米東岸行	（ブラジル、アルゼンチン行）	月一回
南米西岸行	（メキシコ、ハナマ、ペルー、チリー行）	月一回
桑港行	（ホノルル經由）	二週一回
シヤトル行	（ヴヰクトリア經由）	月二回

尙馬尼剌、ダバオへも當社濠洲航船が月一回通つて居ります。

東京市丸ノ內郵船ビルデング
日本郵船株式會社

信濃海外協會
海の外社發行

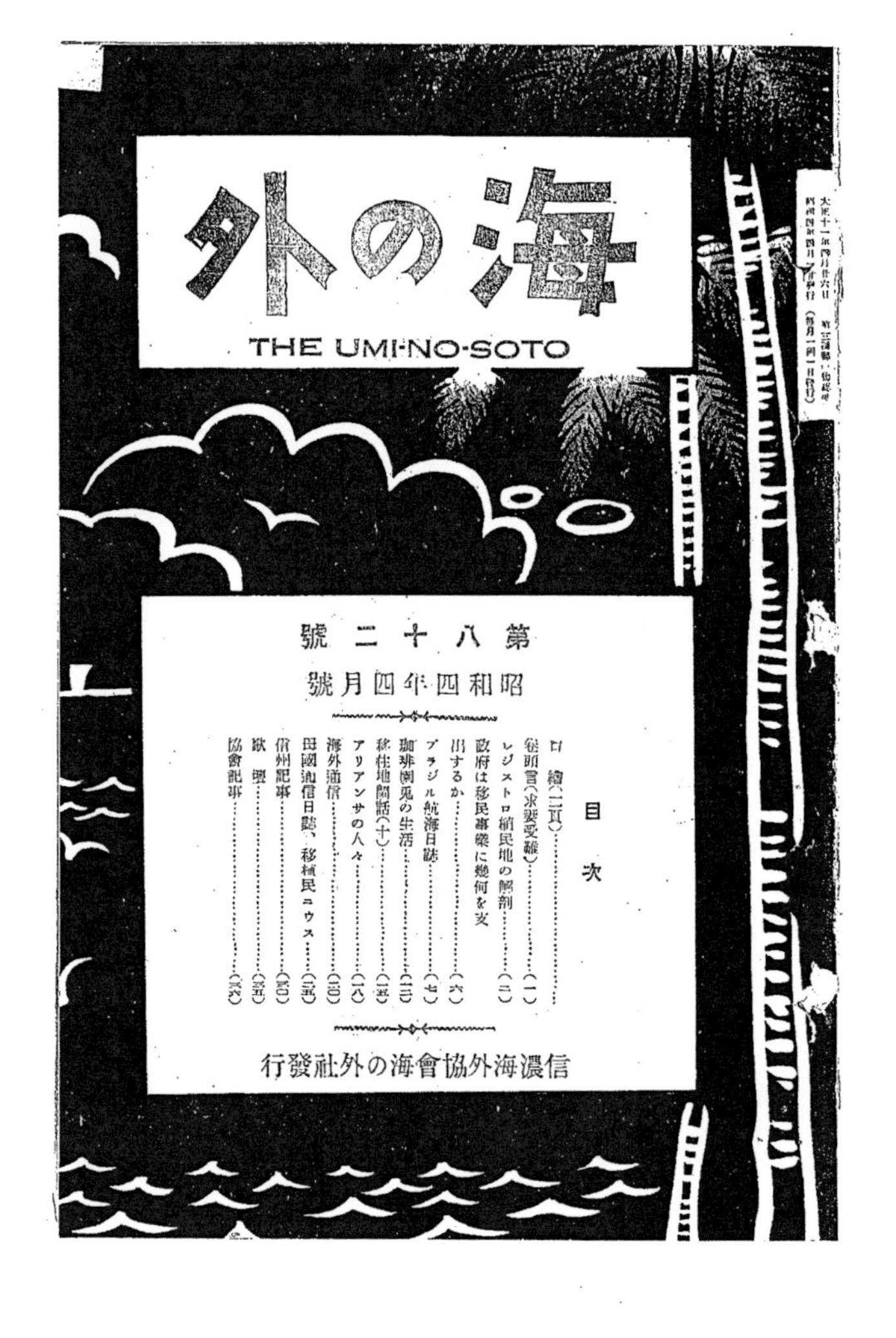

第八十二號

昭和四年四月號

目次

信濃海外協會海の外社發行

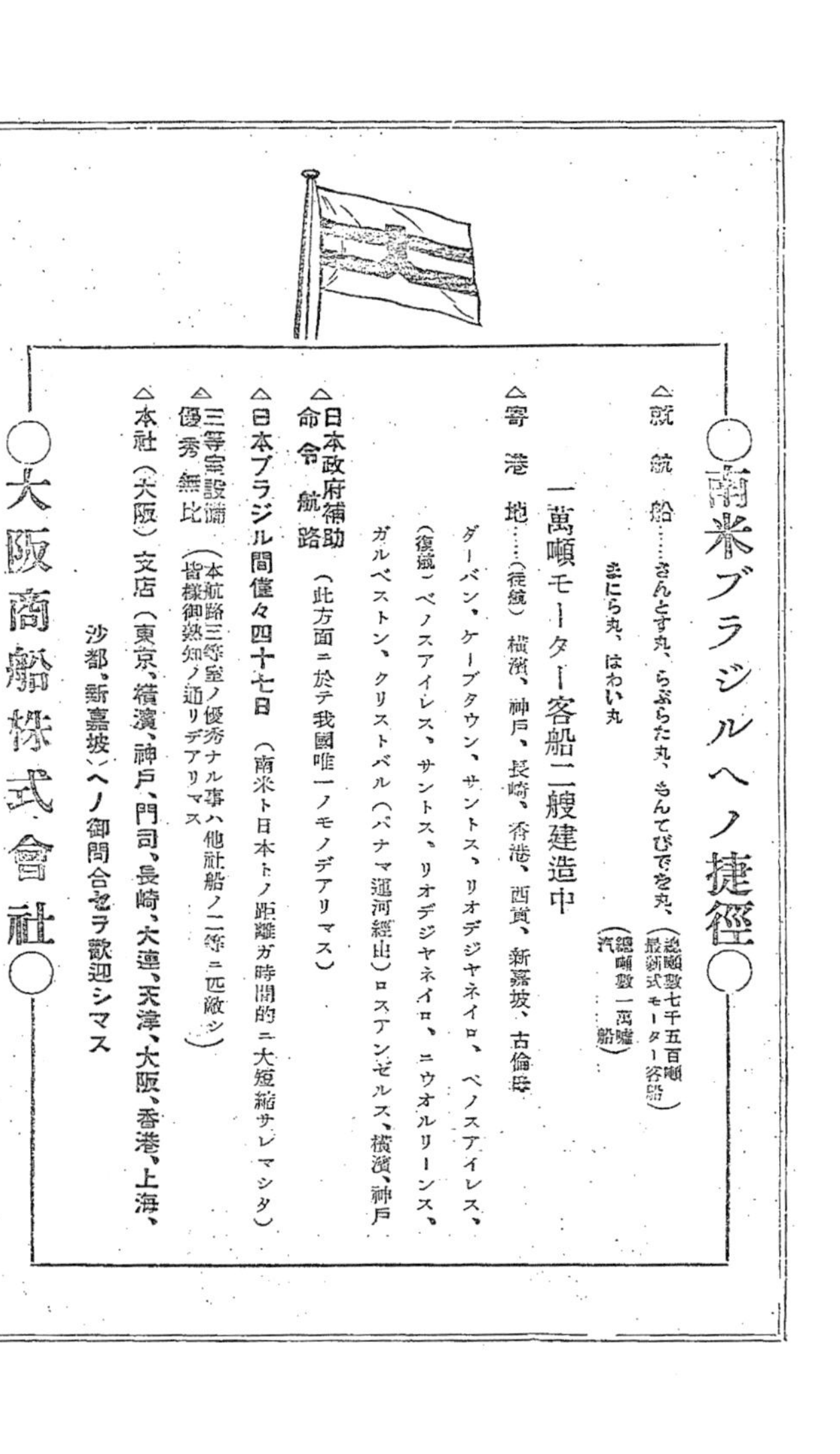

異國に眠る紐育同胞の墓

（上）一昨年五月三十日デコレーションデー

（下）當日に墓參の長田武夫氏

レジストロ植民地寫眞

（上）第四部小學校 左は教員住宅、長野縣人の大部分の子女はこゝで教育を受けます

（中）見渡す限りの珈琲園

レジストロでは珈琲は育たぬと宣言されたが此の通りの出來榮えです

（下）粗の收穫 この樣なたゝき臺を作り腕のよい人は一日十五六俵慣れぬ人でも五六俵は落します

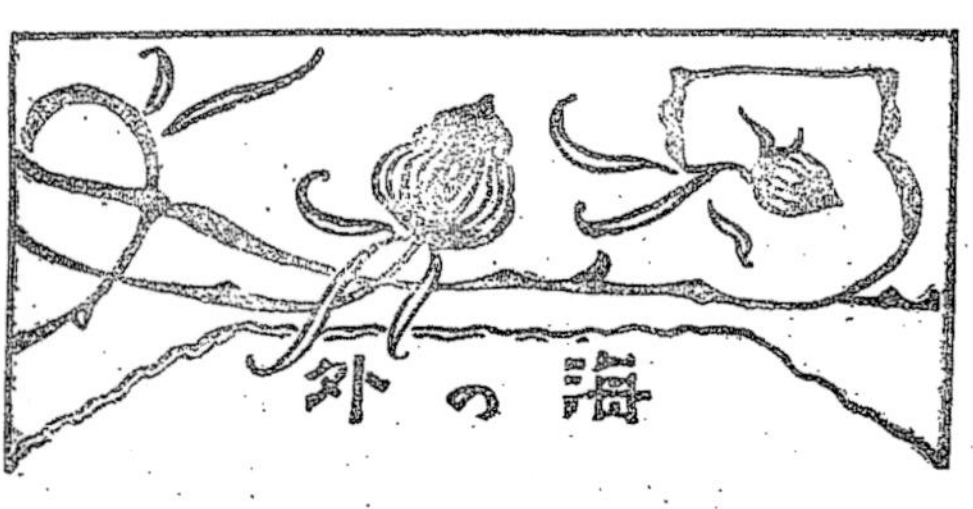

(昭和四年) 第八十二號 (四月)

求妻受難

獨身青年の海外渡航希望者は非常に增加していづれも妻を求めてゐる。

在外拾幾年かの獨身者も又妻帶を痛切に感じてゐる。

妻(家庭)を伴はない海外發展は不成功であり失敗である。偕老同穴こそ海外雄飛成功の鍵であつて又人生の基光である。

然し求妻は容易の事でない。

一、女性の無自覺

二、父兄の反對

三、社會の無理解

將に受難である。

受難救濟は信州の若き女性の自覺と獨身有爲の青年を愛する熱情と異性を激勵內助する血と淚とにある。

斯くして信州青年は故山の自然が育める美しき乙女と契りを結び海外各地に愛の殿堂を築き我民族の發展を計る事が出來る。

吾が信州の女性! 海外の親しい愛人の切實なる意中を思へ。

そして求妻受難を救ふの意氣と熱と愛とを持たれたい。

レジストロ植民地の解剖

在伯十ケ年の歲月を顧みて

在レジストロ 一 植 民 者

ブラジルと云へば必らずレジストロを聯想させるそれ程有名であつた當地が近頃めつきり人に忘れられて來ました。否むしろ惡い評判の的になりかけて來てゐるやうです。

此れは一体どうした事かと不審に思はれるのも無理がありません。二三年來當地よりの通信が兎角疎音勝になり內地に於ては渡航費の借入金を本人が返濟出來ぬ爲め保證人より取り立てると云ふので、ブラジルには金のなる木があると云ふのに入植十年後になつても未だ保證人に迷惑をかけるとは以つての外、一体何をしてゐるか。それともブラジルと云ふ所は善い所でなく、無慈な宣傳にかられて行くは行つたがどの樣な生活をして居やうと、種々想像されてゐることゝ思ひます。遲れ馳せながらレヂストロ植民地の今日に至る迄の大体の經路と現狀とを申上げたいと思ひます。

誰もお互に入植當初は實際の樣子も分らず、たゞ自分の理想が早速實現され得るものと深く信じ切つてる矢先ではあり、又人情として故鄕の人々に安心させたい一念から多少誇張した通信も出したでせう。そして各々一生懸命全力を盡して一日も早く借入金を返濟せんとしたものであります、

然し今更會社の事を兎や角云ふ譯ではありませんが、會社も案外無經驗でありました、植民は一切其の指導を受けたのですから總べてに於て甚だ不利を蒙つた譯です。一体何を主作物として立つべきかの第一歩を踏み過つたのであります。この事は後段で述べます。この双方の無經驗から意外な手違ひを生じ思ふ樣な收穫は擧がらず子供は殖える從つて時に勞働能力は減る、かくの如くして十年はまたゝく間に夢の樣に過ぎた。これでは今更前の通信が皆僞りですとは申されず自然、通信が疎くなる。勿論皆が皆さうだと云ふのではありません、着植の先後、資金の有無其の他種々の關係で成績に非常な差異はありますが此所に述べるのは比較的早く來てしかも資本の無かつた人々の事—(これが大部分ですから)—を申し上げるのですから左樣御承知置きを願ひます。

當レジストロ植民地入植は大部分大正六七年頃よりはじまつ

たもので御承知の樣な母國に於けるあの宣傳振り、入植者は大方米作を目的として來たものでありましたが、實際來て見ると低地は至つて少く、米作のみに依つて經營され得る地區は極々僅少でありました。これは植民自身ばかりでなく會社でも意外であつたらしい、米作地の少い者はどうしても他の陸作に依つて起たねばならず、植民の中で砂糖黍をボツ〳〵植える者がありました會社でも放つては置かれず當時の技師長を甘蔗加工業地とマンジョオカ加工業地とを視察せしめ當地の陸作としてはこの兩者が最も適當なるものとして之れが奬勵をなし場合に依つては資金の貸付をなして援助し、又米作希望者には出耕作等の方法等を取つて相當盡力したが、不幸にも加工業の組識及び方法等を過つたゝめと歐州戰後の不況の爲めに大部分失敗してしまひました。之等の人々は結局借金の上塗をしたに過ぎない破目になり、當時百余ケ所を數へた加工業者も目下十指を屈するに過ぎません。出耕作者も一時的の出稼は余り面白からずとして皆元の古巢に舞ひ戾ると云ふ仕末、この時代がレヂストロの動搖時代です。これでは最早見込なしと退植者が續出してソロカバナ線、ノロエステ線へと我も〳〵と出かけて仕舞ひました。で殘つた者は何うしたかと申しますと雨降つて地固るとでも申しませうか一層腰を落ちかせて心幣に對策を研究し出した。

そして會社の指導ばかり當てにせず、自ら信ずる所に向つて進みました。何の事はない一切新規蒔きなほしと出かけました(此の間約四五年)今迄の苦心した事は全く文字通りの水の泡になつて消えて失くなりました。何と悲しい事ではありませんか、その當時の心持は到底筆舌に現はす事は出來ません。然し天道は人を殺さずです苦心の甲斐あつて今迄夢にも思はなかつた高い山にも坂にも黃金の波がただやう樣に米作に一大改良が加へられました。又萬難を排してコーヒーの植付を斷行しました。當時會社の農事試驗場主任はコーヒーの植付は無暴なりとして却つて植付の氣勢を殺ぎました。然し植民は最早耳を藉しませんでした。そして植民地を通じて五十萬本以上のコーヒーが植えつけられ猶每年非常な勢で增加しつゝあります。會社でも二三年前から耕地より支配人を雇入れてコーヒー園を經營して居りますが何だか指導の位置が轉倒した樣な感があります。

かくして米作を主とするもの、コーヒーを主とするもの、加工業を主とするものと略定まつて漸次其の基礎を築いて來ました。然し今迄の大きな痛手は直ちに恢復出來ません。今更愚痴を申すのではありませんが最初からこの段取りでこの法で進んだならと所謂死んだ子の年を數へる樣な何にもならぬ愚痴が出ます。これが植民ばかりの罪としてよいものでせうか。

顧みて當植民地の不評を來たすに至つたのは前述の通り生活をなしつゝ借金を返濟せねばならぬ最も大切な最初の時期に双方の無經驗から好成績を擧げ得ずに、ただ鐵砲虫の樣に食ふて拔けて來たに過ぎない有樣であつた。其の間に借金の方は遠慮なしに殖える一方、コーヒーとて植付後四五年は金にならぬ、

たゞ間作の收穫があるばかり從つて借金の返濟が事實出來なかつたのです。そんなら土地でも家庭でもなんでも沒收すれば植民は喜んで提供し元の杢阿彌裸一貫でいくらも奮鬪出來るのです。然し會社ではそれは出來る筈がない則ち植民は退去するに決まつてるし、事業の中絶は當伯國並に日本に取つてどんな影響があるかはあまりに明白であるから、背に腹はかへられずと保證人より取り立てを開始したものと思ひます。現在と將來の當植民地に充分理解ある社員が多數あつて本社に陳情して吳れるか植民中に一人の佐倉宗五郎あるか、團結して事に當たつて居たなら保證人に迄迷惑はかからなかつたかも知れませんでしたが、社員は矢張土地賣會社の一使用人に過ぎなかつたし、團結して陳情する元氣はなかつた。そして今、保證人の迷惑となつて斷腸の思をしてゐる。決して植民が怠惰であつた譯でもなく土地は他線に比して惡いには惡いが人の評する程それ程惡いのではありません。後來者が着々善い成績を擧げつゝあるのもあながち資金のあるばかりではありません。實に前述の樣な無駄骨を折らずに濟んだからであります。

植民に今でもまざまざ次の一言が耳に殘つてる筈、

事ある毎に所長は曰く「諸君は此所に來たのを運命とあきらめて人の力を以つて開拓して貰ひたい」とこの一言は明にある事を是認した言葉であるのではないか。大体にこんな經路で進んで來たのであります。

然し前述の通りですから當地の面目を一新するのも遠くはあるまいと信じます。

序に植民地現在の諸統計を書く積りでしたが材料が手元にないので後日御知らせ致します。

次に當植民地の誤解されてる點と問題にされてる點とを述べて今回は筆を擱く事に致します

一、借金の爲めに他動し得なかつたとの說

當地に踏み止まつた者と他動した者との間には次の樣な見解の相違があつたのであります。

他動した人々は概して家族數が少い者と所謂虎穴に入らずんば虎兒を得ずと云ふ樣でかなり危險地に飛び込んだ人もある又他の景氣に釣られて行つた者も多かつた樣に思はれました。最も中には充分調査して行つた人もあるにはありましたが。

レヂストロを少くとも半永住的な所と定めたる多くの人は土地は他線に比して確に惡いが、やり方に依つては決して捨てた所でない殊に比較的健康地であり、學校もあり、醫局もあり、他耕地のあるものの樣なピストル騷ぎもなく安心して子女の敎育も出來ると云ふ點に留意したもので借金の爲めに他動し得なかつたのではありません。相當の借金のある人でも會社の了解を得れば退植出來たのです。退植した人の中にもこうゆう人が澤山あつたのです。

二、借金に對し現在の爲替相場とは約二倍の借金をしたと傳へられる理由

入植當時の爲替相場は日本金一圓に對して伯貨約二ミルレース位のものが現在では四ミルレース位、從つて千圓借りたものは其の當時なれば二コントスで濟むものを現在では其の倍の四コントス拂はねばならぬ。全く泣き面に蜂です。これが約二倍の借金をしたと同樣と傳へらるるのであります。

三、歸國希望者があると云はれてる說

此れは特別の事情の人の他は恐らくあるまいと信じます。則ち病氣とか家族中の主なるものが死亡したとかに限るやうです（之れが極々少部分で家長が死んでも立派にやつてる人もあります）一度は兩親に會ひたいとか母國觀光の爲めにとか兎に角一度歸國して再渡航すると云ふ人は無論ありますが、思想國難だやれ何國難だと總べてが行詰まりつゝある母國で暮そうとは誰も思つて居りません。

四、退植と在植者との成績との比較

大体に於て甲乙はない樣です、他動したものの中比較的成績の良いと思はれる者は約半數でノロエステ線方面に行つた人が良かつた樣です、殘り半數は實にレヂストロ在住者の下以下の成績を示してゐるやうです。殊に悲慘なのは病魔におそはれて倒れた者の多い事です。この話は以前當植民地に居られた人で現在聖市に寫眞館を開いてる村田氏が親しく各地方を巡回されての比較談でありますから充分信用してよいものと思ひます。

五、保證人に請求したゝめブラジル發展に却つて一頓座を來たした事

國家的事業を標傍し政府より多大な補助を貰ふてる會社、然かもかくならしめたに就いて相當責任ある會社が少しの間の猶豫が出來ず保證人を責めるとは余りに理解の無い事であります。借りた植民は決して拂はないとか、横着を定めてる者は一人も無い筈一樣に延期を願つてゐるのであります。

一体誰れがどんな宣傳をして連れて來てどんな指導を與へたのでせう。これは前述の通り會社に全々責任がないと思はれません。これが證據には會社の直營事業を見れば一目瞭然であります。私は決して會社を責むるものではありません。事實を事實として述べるのです。成程會社でも各方面に相當の犧牲を拂つたり社員も熱心に指導はしたが何分會社並び植民共無經驗であつたゝめ前述の通り最初から失敗したので其の痛手が恢復し得ない中に杵より柄と借金が殖えたものです。そして極端に云へば會社の指導を離れてから成績が漸次擧がつて來たので全く意外の感があります。

要するに會社が植民地の現狀を將來に充分の理解があつたなら同情ある處置を取つて然るべしであつた。さすれば保證人に迷惑をかけずに本人が返濟し、內地の人々も安心し今後の海外發展運動に支障はなからうと思ひます。と申した所で會社には會社の理由もあるでせう、こゝには單に事實を事實として申し上げて置き、何れ會社對植民の問題に關しては改めて批判致します。

政府は移民事業に

幾何を支出するか

昭和四年度に於て帝國政府が海外移民に使途する金額は歳出總額拾七億五千二百八十一萬六千二百七十五圓に對し七百三十九萬二千四百參拾圓にして其比率は千分の四・二なり

今各省別に內譯すると左の通りなるも近年政府が海外移民に注目する結果年々共支出額を增加するは喜ぶべきことなり。

外務省　七十九萬六千九百二十八圓

囑託手當（海外に派遣するもの）（法律顧問五人　囑託二人　農業技師五人　同技手六人分）	三七、六四一圓
雇員給	三、六〇〇圓
旅費	五、四〇〇圓　移民の分／六、二八九圓　其他の分
印刷費	一二、〇〇〇圓
雜費	九、九二一圓
敎育施設費補助	一八六、〇〇〇圓
ダバオ日本人會小學校建築費補助	三〇、〇〇〇圓
マニラ及バギオ同上	一三、〇〇〇圓
在伯小學校建築費補助	五八、〇〇〇圓
在伯日本人敎育費補助	五五、〇〇〇圓
里馬小學校建築費補助	三〇、〇〇〇圓
醫療施設費補助	二一三、八〇〇圓
比嶋太田病院補助	六〇、〇〇〇圓
在伯同仁會事業費補助	四八、〇〇〇圓
在伯植民地醫局費補助	七四、〇〇〇圓
留學醫派遣費補助	三一、八〇〇圓
移民産業施設費補助	六三、〇〇〇圓
倉庫加工場等建設費補助	五三、〇〇〇圓
移民宿泊所建設費補助	[illegible]
移民産業組合施設費補助	一五、〇〇〇圓
實耕調査費（之は始めての施設なり）	四六、〇〇〇圓
土地買入代	二五、〇〇〇圓
移民渡航費補助	七、六〇〇圓
監督者赴任旅費	二、七〇〇圓
管理費	一〇、七〇〇圓
移民地調査費	一一四、五二七圓
蘭領セレベス調査費	一〇、〇〇〇圓
伯國移民地同上	五〇、〇〇〇圓
リオドーセ流域同上	五四、五二七圓
本邦と南米との醫者交換派遣費	三〇、〇〇〇圓

內務省　二百八十六萬五千五百十六圓

神戸移民收容所宿舍其他新營	二、八四五圓
海外移殖民保護奬勵費	一、一六三、六七一圓
海外移住組合聯合會企業費	一、七〇〇、〇〇〇圓

同上生産資金貸付金	二五〇、〇〇〇圓
海外移住組合聯合會補助	七〇、〇〇〇圓
海外移住組合補助	四〇、〇〇〇圓

拓殖省　三百三十五萬九千九百八十六圓

神戸移民收容所增築費	一〇八、一五五圓
長崎移民收容所設置費	一二〇、一七六圓
內　職員俸給	一〇、七九二圓
事務費	三三、二八〇圓
移民收容費	七六、一〇四圓
海外移殖民保護奬勵費	二、五三五、六五五圓
海外移住組合聯合會貸付金	二五〇、〇〇〇圓
補助費	三四六、〇〇〇圓

（了）

西澤理事を派遣

第二回理事會で決定

信濃海外移住組合は第二回理事會を四月一日本縣廳正廳に開き左記の三件を議決した。

一、土地購入（アリアンサ接讓地七百五十町步）に關する件
二、移住地事務整理移住地狀況調査のため西澤理事派遣に關する件
三、理事派遣費を豫備費より支出する件

海外協會評議員會

信濃海外協會では四月一日評議員會を開催左記案件につき夫々報告承認議決した。

一、昭和四年度收入支出豫算議定の件
二、昭和三年度事業報告の件
三、昭和四年三月卅一日現在普通會計狀況報告の件
四、昭和三年度特別會計決算認定並狀況報告の件
五、アリアンサ移住地會計第四年度決算認定の件

ブラジル航海日誌

日本郵船の南米航路

神奈川丸にて　新沼岩之助

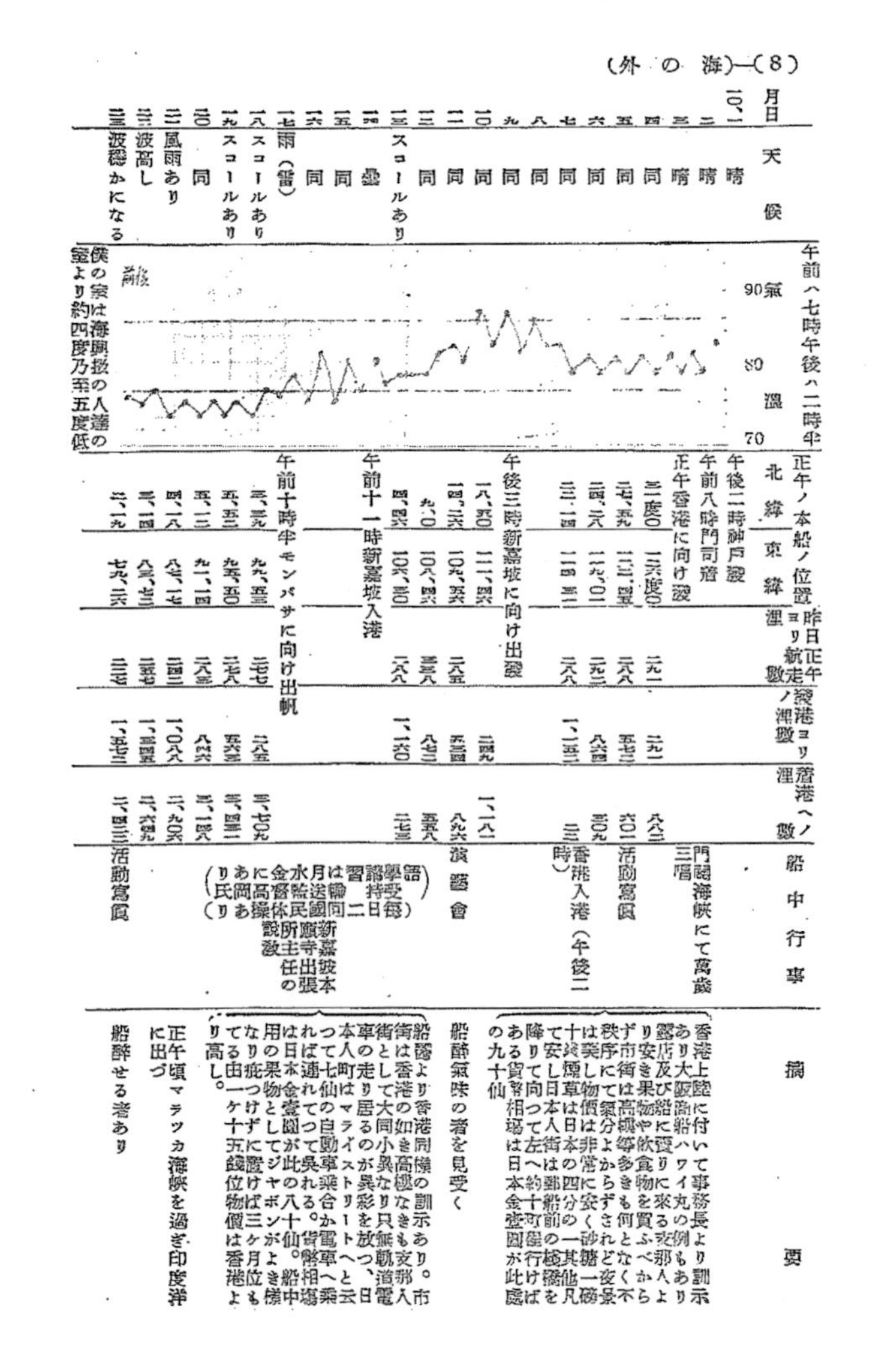

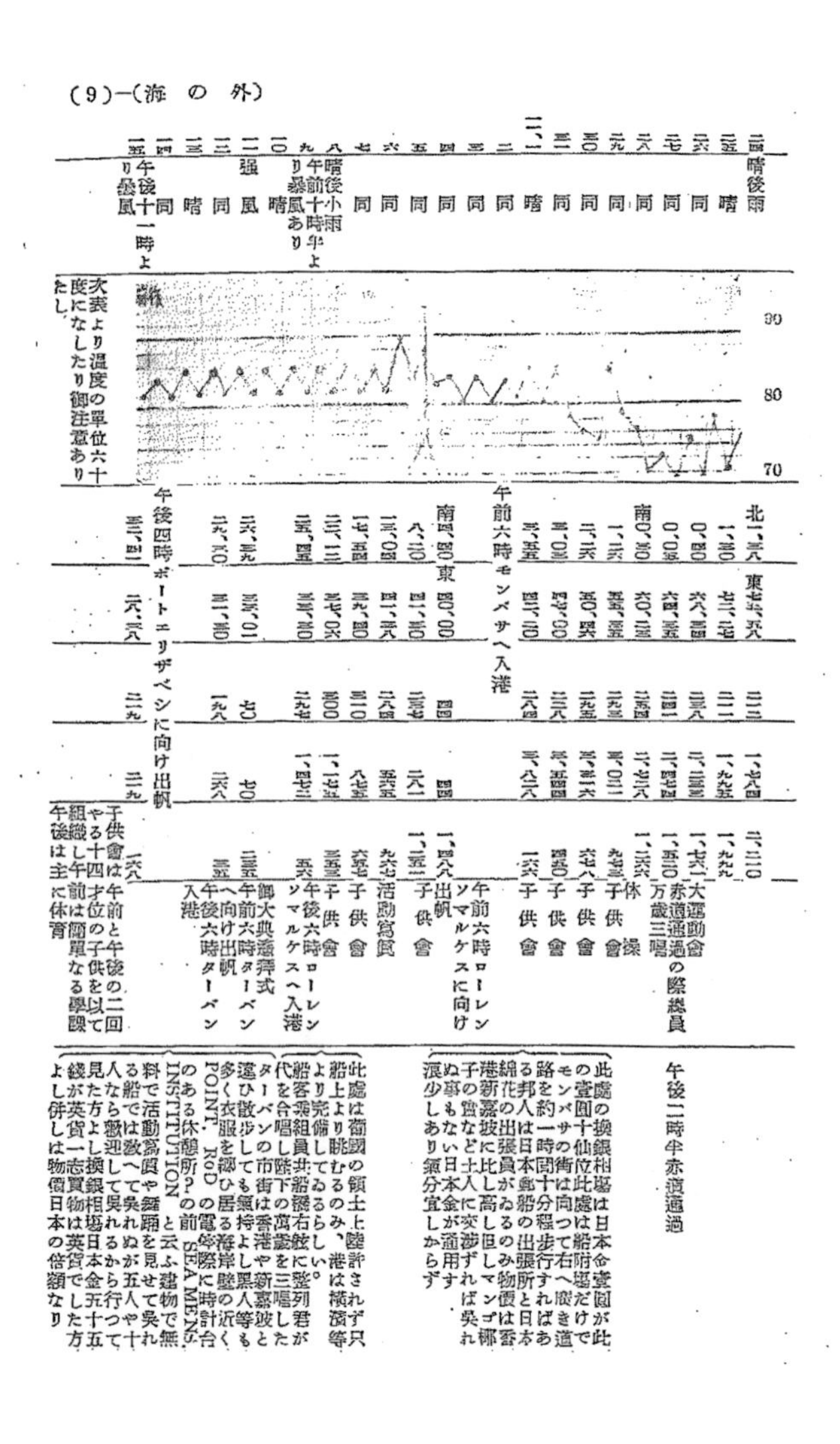

月日	天候	南緯	東經・西經	昨日正午ヨリ航走ノ浬數	發港ヨリ浬數	着港ヘノ浬數	船中行事
一六	風強	三四、三三（午前五時ポートエリザベス入港午後七時ケープタウンへ向け出帆）	東三三、二四	一三〇	一三〇	二九九	午後六時ケープタウン入港
一七	同	三四、三五	一八、三九	二四〇	三七〇	五九九	午前七時リオ向け出帆
一八	晴						
一九	同	三三、四六	一七、二五	五三	五三	三、二六六	子供會
二〇	風	三二、五〇	一三、四〇	二四五	二九八	三、〇一八	同
二一	風(寒)	三一、五七	七、五〇	二五一	五四八	二、七六七	同
二二	晴(同)	三一、一〇	二、二四	二七三	八二一	二、四九四	同
二三	同	三〇、一〇	西 二、四六	二七九	一、一〇〇	二、二一五	同
二四	同	二九、一八	八、〇〇	二八〇	一、三八〇	一、九三五	同
二五	同	二八、二〇	一三、一三	二七九	一、六五九	一、六五六	同
二六	同	二七、二八	一八、二四	二八〇	一、九三九	一、三七六	活寫勤員
二七	同	二六、四三	二三、三六	二七三	二、二一三	一、一〇三	惜別會
二八	同	二六、〇一	二七、五〇	二四〇	二、四五三	八六三	子供會
二九	風雨	二四、五五	三三、三一	二六二	二、七一四	六〇二	同
三〇	浪あり	二三、五〇	三七、二六	二七八	二、九九二	三三〇	子供會解散
三、一	晴	二二、一三	四三、四〇	二八六	三、二七八	三七	午後三時リオ入港
二	同	午後一時サントスへ向け出帆					
三	同	午前十時サントス入港直に検疫後上陸サンパウロ行き汽車に乗る四時發車					八時收容所着
四	同						
五	雨						

上陸許されず船は沖合に碇泊すダーバンとケープタウン間は風強く波浪高き所なり

午後二時喜望峰通過ダーバンの市街よりも此處の方遙によし東京の銀座なりとも比較にならず。見物すべきものは博物館と公園。貨幣はダーベンと同一の英貨なり換銀相場一定せざれば船にて替へたる方よし物價はダーバンより少し高し

午後十二時グリニッチ子午線通過全員の健康診斷あり上陸の際檢疫官に示すべき種痘を豫め決める

下船準備のため荷物の整理始む

形式的の檢疫あり船は港の奥深く三番倉庫前の岸壁に着きたるため世界第一の稱ある夜景は見ることが出來ず正金支店にて兩替したる三七八百なりき物價は高し電車には百レースにて市内一巡電車利用をしたる方よし

サントス上陸

午後七時頃ラプラタ丸乘客移民九百餘人到着收容所の殆んど全部を日本人にて占領したるの觀あり。

午前十時より神奈川丸分手荷物一部の檢査あり嚴重なり。午後一時よりラプラタ丸の手荷物檢査あり。矢張り嚴しいらしい檢査は八日午前三時頃まで掛り終了し午前十時それ〴〵耕地に向け出發。神奈川丸分は手荷物列車不着の分あり本日も到留。九日正午荷物到着直ちに檢査ある十日午前四時アリアンサへ向け出發ソロカバナ線カンピナスにて乘替午後七時バウル着此處にて火曜日に出る汽車を待つてゐるラプラタ丸の人達に追ひ付き一泊の後十一日午前四時アリアンサに向け出發午後六時ルツサンピラ驛着雨の中を乘合自動車にて午後八時半頃第二アリサンサ收容所に到着せり。

船中で痛切に感じた事

（數量の記入してあるのは三人家族を標準として）

1、航海の豫想以上に平穩なる事（日本の外國航路中一番よいとの事）

2、日本で買忘れたものは必ず香港でする事（砂糖煙草時計藤細工の如きものは日本の半額又は三分の一）船内に賣りに來るものを買へば日本金が通用する但し支那人は倍以上の掛値してある事を承知されたし。砂糖は參四買へば伯國に着くまである（アフリカの物價は總て日本の倍額以上なり）

3、船中用として日本から持つて來ればよかつたと思つたもの片栗粉（壹貫程）味噌漬、梅干、塩味ものの罐詰類、子供用としてビスケット。ドロップス、塩煎餅塩豆等

4、勞働服の上衣一枚、ズボン二着位必ず出して置く事、外出着は寄港地上陸の際にのみ用ひる事

5、語學の勉强、運動を怠つてはならぬ事

6、出來るだけボーイに手傳つて還けばいろ〳〵親切にして風呂なども毎晩入れてくれる。

7、收容所（サンパウロ）には毛布がないから用意する事

新刊紹介

植民（四月號） 東京市麹町區下六番町五〇 日本植民通信社
信州及信州人（四月號） 長野市諏訪町五六 斯社
愛の村（第一號） 東京市麹町區元園町二ノ九 愛の村本部
海外へ（第十號） 長崎縣廳內長崎縣海外協會
日本魂（四月號） 東京市京橋區櫻橋南側 斯社
東洋（四月號） 東京市麹町區內幸町一ノ三 東洋協會
會報（第廿一號） 山口縣廳內防長海外協會
會報（第二號） 岡山縣廳內 岡山縣海外協會
松本支部報（四月號） 松本市在郷軍人會松本支部
南洋協會雜誌（四月號） 東京市麹町區八重洲町一ノ一南洋協會
運曲時報（一六二號） 長野市權堂町 斯社
滿蒙 四月號） 大連市紀伊町九一中日文化協會
力行世界（四月號） 東京市外上板橋日本力行會
世界と我等（四月號） 東京市麹町區八重洲町一ノ一國際聯盟協會
帝國海軍（四月號） 東京市麹町內幸町一ノ六 斯社
會報（四月號） 熊本縣廳內 熊本縣海外協會
移民事情 四月號） 東京市丸內 海外興業株式會社
國際時報（第四號） 外務省情報部
秘露日日新聞（日刊） 秘露國リマ市 斯社
農業のブラジル（月刊） 伯國聖市 斯社
聖州新報（週刊） 伯國聖州バウル 斯社
日伯新聞（週刊） 伯國聖市 斯社
在亞日本人（月刊） 亞國ブ市 斯社
桑港週報（週刊） 合衆國桑港 斯社
會報（月刊） 比島ダバオ市ダバオ日本人會

漫筆

珈琲園兎の生活

在伯兎實驗生

珈琲園耕地で落ち付きがないと入耕早々舊くから働いてゐる日本人から他の耕地の良い話ばかりを聞かされて入耕した結構なる耕地が厭になる豚や鷄を飼ひたいが賣る時に面倒くさいとあつて飼ふまいときめこむ。副業として有利な葱頭の栽培があつてもやらない。ミイリョ（玉蜀黍）も面倒だから作らぬ。一粍も余分に金を貯へてインボーラ（出耕）の用意をせんと食物を倹約して朝早くから暗くなるまで草をかく、働らく事は至極結構の事だが、疎食のために營養不良になり、無理をするから病氣に罹り易い藥が高價だから一寸した病氣だと見首つて捨て〻おく藥を一寸買つたら一日三人が働らいた賃金位はすぐ飛んでしまふ。契約醫と云ふ奴は何處のハゼンダ（珈琲園耕地）にもゐるが田舎廻りのやぶ醫者位の手合だからたまら〳〵急性肺炎の時にチツボコ風邪位に見立てられ、胸へ沃度丁幾でもぬられる事がある。街の有力なる醫師をよべば診察料金二百ミル藥代何十ミルとくるのだからたまらない。

よしや慾つたが三週間も腰がぬけて受負珈琲園は草ぼう〳〵となる、耕地で日給人夫をたのむで除草をするところが日給人夫は自分の仕事で疲れてゐるから久し振りで他人の仕事で骨休みとあつて油をうろうと御座るから始末がわるい珈琲收穫五六月頃から始まる。新移民は仕事が馴れぬから舊い人の半分も出來ない。ピネーラ（篩ひ）が下手だから採つたコーヒー實はゴミだらけ、監督からは小言を頂戴。それでも慾は一人前以上あつて先きを急ぐから身裝りをかまはぬ外人に笑はれ樣が一向平氣でゐる。無智だと云ふ黑人までが笑ふのである。野郎はとにかく流球邊りの人間は女までが此の有樣だからたまらない。裸足でだらしない姿が見受けられるのである。斯くしてインボーラの時期が來る。ハゼンダー收支決算は金一コレト五百ミル也不足とくるこいつたまらない夜逃げでもやらうとガラクタ物を捨て〻逃げ出す捕つては大變だが、筆者の主人公は幸か不幸か捕まらぬ事にする尻ぱさみで三里も逃げのびて汽車に飛び乘つ

が着いて、みれば自分は訛を背負つたまゝ腰掛けてゐる要君が頭痛とあつて俯下向きになつてゐると云ふ不体裁である。

尻の落ちつきがないので次ぎの耕地も亦二の舞ひでインボーラ。僕はこれ程ではなかつたが斯樣な日本人が澤山あるから殘念だ、何れも八九年前海興の口車のつて飛出した連中の噺だ。

健實なる心の持主

ブラジルは身体さへ達者なら何でもない。日本で官吏をして居ようが、教員をやつて居ようが少しも心配はない。要は本人の心次第だ。健實な人が珈琲園で三ケ年落付いて働らき草取賃金三コント珈琲採收賃金二コントス間作物收穫が二コントス五百ミルの純利益金となる。この位の成績の者は少くない。然し斯樣な結果を修め得た人々はもとより多い汗の結晶と人知れぬ努力との賜であるは云ふまでもないが僕の云ふ尻の落付があづかつて力あるものと思ふ次第である。

コロノ裏表

此處はノロエステ線ガイサラ驛より五キロ、リンス驛より七キロの地點にウニオン植民地と云ふ日本人集團地がある。そこの珈琲園は宛ら銀波の如く七、八年物は眞赤に熟し開花時節の盛りには芳ばしい香りが四隣に及び中央の高所に小學校が建てられ道路は整然と作られ四百家族が和氣靄々の生活に浸つてゐる。香川縣人四家族が初めて入植し熊本福岡縣人が次第に入り今日の隆盛をみたのであるが發端は熊本縣人吉田仙大郎と云ふ豪い人で十五アルケールの土地所有者の四千本の請負耕作者として住み込んだ。親切でよく世話をしてくれるので毎日樂しい生活であつたが長野縣人が五六家族居て皆評判が惡い。中に一家族だけ推奬に價するのがあつた。それは小縣の笹瀬新君だ。

何故本縣人のみが氣受けが惡いか、不思議でならぬ一つ眞相をたしかめ樣と調べてみる。此の地には御馳走會御國子會と云ふ奇妙な會がある。先づ他人の家を訪問する、すぐ茶が出て菓子が添へらる。珈琲が出る、芋のテンプラが出る。御國子が出る。ピンガ（酒）が出る、豚肉が出る、惡口が飛び出す醉に任せて談論風發する。客を譏や惡口でもてなすとは何と馬鹿げた事だ、然して同縣人の評判の良くないのも判つた。

コロノ風情の持ち合せた財布は皆中味が少なく、來客人があつても御馳走や御國子の量が少くない。ピンガも出なければ惡口も余り出でない、その變りに當所の地主連の頭の惡い事、不平、氣に食はぬ事を遠慮なくどん〳〵しやべり立てるので御國子連もたまらん事になる。金と土地がないかはりに持つて生れた口舌で國子連に對抗するから氣受けが惡いのも無理がない。ついでに國子連の生ひ立ちをのべて在伯日本人の一面をうかがふ事にする。

彼等は大正の始頃の渡航者で腕一本でコロノ生活で頭をもた

げ出し十アルケール一コント位でノロエステ線の有力者トレドピーサ氏より共同にて買受けたもので當時の一コントは邦價三百三十圓位で二十五町歩が買ひ得たわけだ、何んと安いものではないか、日本の山師は何故一と儲けしなかつたろうか。國子連もその三百圓也は全部支拂ひ切れず殘り何々を何年賦にせよと云ふ證文を差し出した。今年の籾收穫をあてにして御生大事とさて鎌を入れる。運の惡い人は折角の收穫がないので二年目をあてにする。資金の少ないのに不相應の仕事を始めたのが因果だ。隣りで山を伐れば御つき合に伐る。手が不足するからコロノを雇ふ、土地がやせて收穫が減る雜作地も作り手がないそれでも珈琲植付しただけは苦しい工面をしておし通す。借金は利息と共に太くなる致し方ないからリンス附近の商人や高利貸から月三分四分の金を借り年五割の利息ではたまらんと時價百コント位の土地を抵當にして三十コントを借りて一時をしのぐが又三十コントが心配になる。不景氣は不景氣を生んで五ミルの時借りさへ自由に出來ぬ。仕方がないので外人に三十五コントで賣却して終ふ。このロツテ（土地）の賣買が面白い。土地の建物はもとより四年六年のコロノーまで其の期間滿了まで土地と共に賣買に供される。奴隷や女郎でもあるまいし家族全部半黑だが、四半黑の性の知れぬブラジル人に買はれてそれで文句なしで居られようか。

そこで先き程の口の惡い大將がどなり出す。「僕等は土地に契約したんじやなく契約主との契約であるから土地を賣るなら僕等は出て行く」と云ふのだ。そこでパトロン（契約主）又頭をひねり、先方は貴方がたが居る約束で三十五コントで買つたのだから苦しかろうが我慢してくれと嘆願する。當方も一ケ年の收穫物を棒に振つて中途半ぱでは損をするので御國子にありついて我慢する。これがもとで外人のパトロンが非常に親切に世話するので有難い。

多大の犠牲を拂つた土地が斯樣な次第に伯人の手にうつるとコロノーも面白くない。こうなると秩序は亂れ易く日本人會も役に立たぬ。會長は幾人變つても國子寄り合でまとまりがない當地で最も面白い話は二、三年前の不景氣の際泥棒が流行して空家をねらひ、馬を盗まれ、リンスの途すがら横合からピストル强盗が出る。プロミツソン驛では邦人が殺害され戰々恐々とした。自警團が組織されて怪しい伯人を射殺してしまつた。ブラジルの御役人はコンミションでどうにもなるそうな、それで何んでもさん〳〵にしぼりあげられて、百コント位は發したらしい。中の一人竹村某は土地を賣り二、三萬を持參して鄕里熊本縣に浦嶋太郎をやつてゐるそうな。日本人の欠點尻の落ち付きがないため土地を買求め珈琲を植付ふて働らいて金を貯めたら故鄕に錦を飾るための成功手段で我輩の知るウニオン植民地其附近の者は皆、太抵この位の程度であせつてゐる樣である。

一ケ年にして當地は飽き〳〵した。時偶々信濃海外協會のアリアンサ移住地が火の手をあげたので輪湖氏出陣を承つてその指導を仰ふがんと思ふて同地に向つた。（未完）

移住地閑話（十）

在アリアンサ 武田三三

四〇 稲刈り（一農年の回顧）

早播の稲は二月の末から、遲くて四月の末迄が稲刈りである。之を處理して大福帳をメ揚ぐれば一農年の終であつて、日本ならば伊勢參宮、此處ならば「アラサツーバ」の市街に買物にでも出掛ける所であらうが、新植民地では、大金も無く且又植後三年間位は翌年度の開墾に取掛らなければならぬに因つて「アラサツーバ」參りも此所一寸不可能である。早い人は四月頃から山伐りに掛り、七月山燒き八月植付けと申す具合で、前年と同樣の事を繰返して、七千本乃至一万本の珈琲樹を植付けて行く。拙者初年度には大に深慮して一アルケールを處理するに止めて置いた所餘力綽綽でも無いが若干の餘裕ある樣に思はれたに因つて、今年度は三アルケールを處理して見たがまだ若干の餘力がある樣に思はれる。此分で腕前が上達して行つたら、十年後にはスバラしき御百姓に相成るであらうと考へらるゝが、十年後には恐らく死んで了ふであらうとも考へて居る。

稲は日本の鎌で刈るが其後の處置は一切手掛けてゴミを取る段は言はぬが、籾を臼で搗いてイキナリ白米に爲すに至つては一寸亂暴である。ツマリ此地では今の所玄米には御目に掛れぬ次第であつて、此處の御百姓が賣る米一俵と申すのは、籾一俵の事であり、一俵は六十キロ約五斗入である。値段は騷動激しくて標準無き有樣であるが、本年（昭和三年）の相場は一俵約十圓であるから、日本に較べて安いとは申されぬ。

籾の收穫量は一アルケール百俵と申されて居るが、之は十年の經驗ある御百姓の事であつて、新米移住者には適用せぬ。當地本年の最高記錄は七十俵と承つて居るが、之も日本新來の人では無く、餘所で數年の經歷ある御方である。新山古山、初年度翌年度、時期の早晩、籾の種類、間作と專作に因つて播種の間隔やら深淺の具合やら種子の數やらを加減し且又天候に順應するを要する次第であるから、全く經驗其物であつて教科書で御傳授は不可能である。日本の水田では如何であるか知らぬが、當地の陸稲に在つては、籾が成熟すれば獨りでポロ〳〵落下するが爲に、稲刈り時に雨が降れば見す〳〵收穫の減量を來し今年も此手を喰つて收穫二割減とも二割五分減とも申されて居る。

ブラジル豆は降雨期と乾燥期と二回の收穫があるが、降雨期の收穫は十一月の末十二月の初二週間位の勝負である。當れば一攫千金であるが滅多に當らぬ、今年も殆全部雨の爲に腐らして了つた。但此豆の跡には直ぐ米を播き得るに因つて、先づ捨てる積りで播くのが特徴でもあらう。二月播種五月收穫の乾燥期の豆は百發百中であるから、如何なる下手でもやつて見て宜からうと思ふ。不利な點は稲

と重複するが爲に、餘分の土地を割くを要する點であらう。

此所で一段落を終る。大福帳は收入若干負債若干今の所大貸帳であるから、追て整理の上十年後に發表する事に致さうと思ふ。十年後でも大福帳に成らなければ棺桶に入れて貰つて閻魔の廳に擔ぎ込む積りである。

四一、果物の首實驗

日本でバナナは台灣より輸入せられて、不斷日本人の嗜好を滿たして居るが、廿年前には輸送の途中に多分の腐品を生じて困つたものであつた。當時台灣航路の備後丸の一等運轉士平野君がバナナ輸送の設備を考案し、見事完全に解決する事を得て、台灣同業者から表彰感謝せられた事がある。今でこそ扶桑丸や蓬萊丸の如き巨船に平氣で乘つて平氣でバナナを喰つて居る日本人はチト贅澤である。十五年前備後丸信濃丸亞米利加丸香港丸の歐米航路船を台灣行の定期船に差立てたる際には確かに一世を驚倒せしめたものであつた。而して備後丸や信濃丸やバナナ輸送設備やらは皆拙者直工の艤裝に係り、一等運轉士平野君は其後船長となつて間も無く、惜しまれて沒く無り、拙者の二男は當時四五才であつたが備後丸の艤裝中バナナを喰つて疫痢に罹つて半日で死んで了つた。バナナは斯の如く拙者と因緣淺からざる代物であるが、當地に於ても見事に發育して始終喰つて居ると共に、喰ふ毎に備後丸に平野君に子供を想ひ出す次第である。バナナは精氣潑剌たる熱帶樹—樹と言ふよりは草の太い奴であらう。根から毎年幾らでも筍の子が生へて來る、此筍の子則バナナの子を切り取つて移植すれば八ケ月にして實を結び一年にして喰へる。都會が近ければ、僅に營業になるそうであるが、此邊では自家用に過ぎぬ。一株から一房が毎年採れるだけで、採れた株は切り捨てゝ子供だけを殘して置くか又は移植して行く。

バナナの兄弟にパインアップルがあり、矢張り一株一個の實を結び、實には無數の子供を着けて居る、實を採つたり刈り捨てゝ子供を移植するのであるが、之は植へてから三年目に實が成る樣である。大正十五年に植へたものゝ實を昭和三年十二月に喰つた。バナナの樹は大阪天王寺公園の溫室で見た事があるがパインアップルは生來初對面である。一寸申せば薊の大きな樣なもので葉には猛烈なる刺が生へて居り、冬に實を結び夏に成熟する山にも無數の野生があるが實は喰へぬ。

マモンはパパイヤとも申し台灣より日本に輸入せられて、銀座の千疋屋あたりで一個一圓とか二圓とか申して居るそうであるが、吾等貧民は見た事も聞いた事も無かつた。當地では殆んど野生に近き有樣で、庭園には固より道路の附近乃至鐵道沿線にも見受ける有樣。ツマリ實を喰つて捨てた種子が無數に生へ出すが爲に。除草の際に一處に刈り捨てゝ了ふ樹の直徑一年にして五六寸に達し、一見頑丈なる樹木であるが、豆腐の如く柔かき一種の草であつて、背の丈は四間も五間も延びて行き、延びるに從つて實は上へ〳〵と成り、梯子を掛けなければ採れぬと、且又二年目からの實は甘く無いとか申して每年新しくして行く。バナナと同樣播後八ケ月目には立派な實が簇生する。雌雄兩種があつて雄には小枝が生へて貧弱な實が成るが、ドンナ味がするか喰つた事がない。雌の方は枝が無く幹から直接花が咲き、幹の周圍一面に上へ〳〵と無數の實を結ぶ有樣全く奇觀である。一寸申せば一本の幹の周圍に無數の牛の睾丸を一面に併べたものと思はば間違が無からう。之も都會に近ければ珍果として賣れるであらうが、此處では喰ひ厭きて腐るに任せて居る。馬も好んで喰ひ鼠か何かが毎日樹に昇つて一番上等

に成熟した方から順次にかぢつて居る。則ち千疋屋のモダーン野郎はブラジルの馬と鼠の飼料を一圓か二圓で買つて居る譯である。

マモンの味は頗上等であるのみならず、外の果物を壓倒する點は肉量の豊富なる所にある西瓜の如く水分は無いが同時に西瓜の如く肉と種子が雜居して居らぬが爲め二つに割つて眞中の種子を出せば立所にかぢり附く事が出來る。先づ日本の甘瓜を大きくしてもつと之を柔かくして之にバナナの味を加へて肉を蜜柑色にしたものと思へばよく、尙判らなければ千疋屋に行つて買つたらよからうと思ふ。先達子供が學校の友達からバケツの種子を貰つて來たから植へて呉れと申す。ブラジルではバケツも畠から採れるとは至極便利な話と存して能く之を見たらマモンの種子である。ツマリ「バケツ程大きくなるマモン」の種子である。果してバケツ程になるかならぬか來年にならねば分り申さぬが目下盛大に發育中である。

四二、女房試驗係

當村は移住者だけは兎に角充實したが、開墾終了には尙今後二三年を要する事と思ふ。兎に角附近では一番開けて居り衣食には事欠かぬ次第であるが、第二移住地は入植者半分位第三や熊本は三分の一位で、今尙不便の域を脫せぬ樣であるが、何れも移住組合に加入せる今日であるから、追て滿員となるも遠くはあるまいと思ふ。「チエテ」河を隔てゝ新設せられたる十二万町の移住組合移住地は、目下頻に準備中であつて、此三四月には數百戸の新移住者を入植せしめ得るであらうが、何分豫定が遲れ勝の爲め待ち切れずに日本を出發して來る連中が昨今每船數家族ある樣であるが、昨今は雨期であつて入植には最不良の時期である。圖南の壯志を抱いて鵬翼を萬里に張るべく故國を出帆せる人々も、一度ブラジルに上陸して早速の大雨に歡迎せられて、ビックリしたり熱を出したり、樣々致し居る樣子に見受けらるゝが、玆に移住組合の渡伯者諸君に一言を呈しく存する次第は、組合の計畫は華美を窮して居り、入植者の所持金は充分であり、組合の運轉には國將の背景がある。此間一つ欠けて居るものがありとすれば覺悟の足らざる點であると思ふ。而して苟も一家の總帥たる家長は斯決死の覺悟を具足し來るは疑無き所と信ずると共に、一つ困るのは家族であり就中女房である。此女房にブツ〳〵言はしたら最後、移住組合も糞も有つたもので無く、殘す所は曰く全滅である。聞く所に依れば、神戸には收容所も立派に出來、各縣組合には詮衡員があり、人物を調べ健康を調べ、船中には移民保護官が御守りを爲て來るとあつて、誠に結構至極であると同時に橫濱神戸出帆の折には、宜しく女房試驗係の詮衡を經て出發せしめられん事を希望致したき次第である。移住問題は要するに女房問題であつて、振ふも振はぬも女房次第、靑年の墮落も女房が無い爲に外ならぬ唐人の寢言に「心山東に在り身は吳に在り」などゝも申し吳人の寢言には「身は此處に心は遠くハイランド」などゝ申して、兎角女房の心は肉体を離れて遠く旅行する事は東西同一である樣子であるから、移住者の女房は是非心身一如たるや否やを試驗する必要があると思ふ。最近組合移住者の中で二三實見せる所に基き當路の一顧を煩して置く。

移住地閑話は前號(七十七號)を以て擱稿が切れてゐましたが只今筆者から澤山の玉稿を接受致しました。多忙の際中にもかゝはらず態々御執筆の程厚く御禮申上げます。

アリアンサの人々

滯在二週間に知人友人を訪ねて

在伯國　清　水　一　郎

氣晴らしに田舍を少し旅行して見ようと思ひ、かねてから計劃してゐたアリアンサ見物を致しました。十二月八日聖市を出發しバウルに一泊致し近所を見て十二日の晩にアリアンサに着きました。その頃一週間も雨降りが續きましたのでルッサンビラの驛よりの道は極度に惡く乘合自動車でしたが第二の收容所に着きましたのが夜の九時頃でその晩は第二の收容所に厄介になりました。主事の橋浦さんの厄介になり中嶋測量技師にも逢ひました。そのすぐ近所に鳥取の高見明隆（同船者）氏居り十三日に厄介になりました。そこへ宮原さんがまひられましたので一緒に同氏宅の方へ行つて見ました。第二收容所より三キロ位の所から同船者及今年（昭和三年）渡航の人達が並んで居ります。

長縄君遠藤君（北海道）井浦君（新潟）小田さん生田宮原中嶋の諸氏が陣取つて居ります。皆大元氣でやつて居り自家產の玉蜀黍西瓜等の御馳走にあづかり愉快に語り會ふ事が出來ました。玉蜀黍が三メートルもする位に伸びて居るのに驚きました。

宮原氏の所は大家族故仕事の能率が上るので親爺さんの鼻息は大したものです。一人殘されて私共と同船して來られた愛息大八郎少年頗る元氣でもうブラジレーロ氣分でやつて居ります。大きくなつたらサンポウロに出て勉强し私に逢ひ度いと言つて居つたそうです。可愛いものですね。

本年四月四日に渡伯された人達もカフエー、米の植付を大体終つて居りました。土地は案外平坦で仕事がやりよいやうであります。山やきもよく出來て仕事が樂に進んで皆喜んで居りました。柴田君塚田君等も同じ道つづきでありましたので寄つて見ました。お互ひ元氣でやつて居られます。

十三日の晩に宮尾先生の所へたどりつき厄介になりました。先生等一同元氣、力坊ちやんが見違へるやうに大きくなつて居られました。

青年ホームも仕事だけは出來てゐります。本年は十二アルケールしか伐採しないので仕事が早く終り十一月下旬から各自思ひ〳〵にカマラーダに出かけ私の行つた時は病氣の人達が五六

名居つた丈けでした。病氣と云ふても皆輕症で何も心配する程ではありません。猿田姉が元氣よく炊事をやつて居ります。此處でもカスカベーロ（鈴蛇）ガルガツト（とかげ）の御馳走を見つかり次第やるそうですが私は殘念乍ら御馳走にありつきませんでした。宮尾先生、勝田先生の所に約一週間づゝ御厄介になり各所を廻つて見ました。

大澤英三君にも逢ひました。先生相變らずの元氣でやつて居ります。カフエーを御馳走になりながら二時間程話しました此所山やきが一寸惡くて後片付に手間取り少し仕事は後れて居るやうでありましたが本年中には終ると云つて居りました。湯田氏は住宅の本建築をして居られました。不在で面會は出來ませんでした。

第一の方は最早カフエーが結實して居り立派なカフエーザールであります。當地にて模範農園とされてゐる瀨下氏のカフエーは本年十本で壹俵取れる豫算だそうです畑は綺麗いな事雜草一本生えて居りません。手入れのよい爲めで各地の視察者を驚かしてゐるそうです。竹村小川上條岩波の諸氏に逢い寄つて厄介になりました。岩波氏は本年竹村氏に契約地を引き渡し新しい土地に入られやつて居ります、篠原氏亡き後は義兄等がやつて居ります松井氏の實兄が同船であり大家族で勢ひよくやつて居ります。

藤本君の所に一晩厄介になり懷舊談に夜を徹しました。藤本君のカフエーはまだ滿二年生なので結實にはなりませんがよい成績で有ります。自家產のバナナ、、西瓜、マモン、アパカシ（パインナツプル）等に舌鼓を打ちながら思ふ存分語り合ひました將來は養蠶で進みたいと云つて居りますカフエーの方は誰かに請負したいと云つてますが人がなくて困つて居るやうです仕事は澤山あつて働き人が少いので勞働賃金も相當高く宮尾先生の所の諸君がカマラダに出かけてよい成績をあげて居りますので皆喜んで居ります。

勝田先生等も一同元氣であります。入植者が多くなつて來ましたので先生も多忙であります、助手一名に藥劑師本間氏が手傳つて居ります。

輪湖氏は移住組合の方に全力を注ぎ居りノロエスラ線屈指の大人物になり飛ぶ鳥も落す勢ひであるそうです。聖市にてアリアンサの惡評ばかり聞いて居つた故か實際に見てよい所に驚き又喜しくありました。勿論これまでになるには先發隊の血と汗と涙の結晶の賜物である事を知らなくてはなりません。

アリアンサ滯在二週間にして去る二十七日歸聖致しました。年の瀨がせまつて居る今日そんな感じは一寸も致しません。賑やかなクリスマスも旅行途中で過ごしてしまいました。

十二月二十九日聖市にて

海外通信

加奈陀便り

△拜復貴會益々隆盛の由奉大賀候
先日は御書面に接し有難く拜誦仕り候又貴會發行の「海の外」を引き續き御送付被下れ有難く御禮申上候
諸賢の御努力により信濃海外協會なるものを創立され而して極力海外發展を唱導益々我が信州更らに全國に渉り御盡力致される事は多大の滿足と喜びを以て諸賢及び貴會に感謝する次第に御座候。
貴會の企圖に係るアリアンサ移住地建設は正に苦戰奮鬪の結果今や移住地は益々開發され更らに大和民族發展上に一新紀元を劃せられたる事は小生等蔭ながら痛快の感に耐へざる次第に候今後帝國の隆盛と世界文化の進展のために一層御貢獻せられん事を切に願ふて止まざるものに御座候。
別送金拾弗は海外在留長野縣人名鑑及び信濃風物記の二冊代御手數乍ら御送付被下され度く願申候。而して殘金は會費（誌代）として御受け取り被下度候
尙小生の住所は九六二ロバート街にあらずして二六八ロバート街に候間右樣御訂正願上候貴會よりの毎月御發送の海の外は往々不齋の場合に有之候。亂筆のところ御容赦願上候早々敬具
昭和四年一月十九日
（オンタリオ湖畔より　平林　昇）
N. Hirabayashi
268 Robert st Toronto, Out.
Canada

合衆國便り

△拜啓貴協會新春を迎へると共に益々御發展の段大賀奉候。昨年貴協會の「海の外」を通じて本縣出身海外在住代表的人物を投票募集致され候處小生が御當選にあづかり申し御通知に接し腑に落ちざる次第に御座候。そして何か御感想をと申されミシシッピー沃野幾千哩の北米の大平原を米國の大農式にてスチームエンジンやガソリンエンヂン等のトラクター幾百台と數千頭の馬を使役して堂々活躍してゐると申し上げればさだめし痛快至極これに勝る事無之候へ共實は優弱なる小生滞米以來殆んど都會生活で紐育の如き大都會に居りては世界中の農產物をみ又飲食してゐながらそれ等がどうして何處で生產されるか知らないと云ふ恥しき次第沃野幾千哩の南米の大平原を開拓すると云ふ海外發展黨には何等申上げ様もなき次第に候。
海外に在住こそ二十三ケ年送り申し候へ共全く都會生活でつまらぬお話は澤山有之候も後進の開拓者諸賢にはこれと云ふ經驗談苦心談奮鬪談を語る事はあまりにおこがましき次第に候間惡しからず御了承被下度候、そのかはり今後折にふれ何かと御通信申上げたく存じその責を幾分なりしも果し度く候。
貴會より朝日報知兩年鑑信濃風物記長野縣概況海外在住長野縣人アドレスブック等御送り被下誠に有難く御禮申上候。當地には長野縣人少なく會合する機會も無之居り候。今回上田市原町出身瀧澤勢造君(P.O.Box 98 Hodlyme Conn U.S.A.)を御紹介申上げ候同君は大正三、四年の渡米にて東京音樂學校卒業音樂研究を當市にて致され居られ候。
同君十五弗小生十五弗合せて米貨三十弗郵便局より御送金申上げ候間瀧澤君を會員として入會致され度く候先づは御挨拶まで御通信申上候
二月廿三日（在紐育　長田武夫）
△　一月十五日付御書面正に拜讀仕り候

新聞紙上にては北信地方の嚴寒を承知いたし候。協會諸賢如何に御消光なされ候や伺申し上げ候
當地方は本年は近來珍らしき寒さに有之一月二十七日より降り出だせし雪は前後四日間に積る事一尺二三寸それ以來三週間連續氷點下十二三度の寒さ續きに候爲め中には水道鐵管の破裂せし個所も有之實に十三年來の寒さとの由にて御座候。
御問合せ相成候畑賞氏の件につき左記回答いたし申すべく候。昨年二月十六日の同氏より十二人分會費として御送金いたし候以外には誰も同氏に對して會費を納入せしを聞き申さず候尙其の節同氏より通信の十二人分氏名及住所中誤記有之御訂正相成度候
上伊那上片桐村ホテル業下村賃鋤と有之候は下村賃鋤の誤りに付き御訂正被下度尙アドレス中 268Y hird st とあるは Third st の誤りに候。又同報告中會費納入を濟ませし上伊那郡片桐村新炭業荒井松三 426E-clay st. が報告漏れになつて居り候へば御承知被下度候
當地方在住同縣人にして雜誌發送中の井上作一、小池榮雄、濱村幸四郎の三氏は南加若くは歸國等のため雜志發送御中止可然御取計被下度候。（以下略）二月廿四日
北米オレゴン州ポートランド市
（ビスタアベニュー一二四五　荒井竹治）

メキシコ便り

△　拜呈　昨年八月廿九日附貴翰ならびに御寄贈下されし長野縣概況信濃風物記將に落掌し面白く拜讀いたし誠に有難く御禮申上げます。早速御禮旁々御返信申上ぐべき處當地は珈琲收穫期が十月末より本年一月に亘りてあり繁忙を極めし爲遂に仕事に紛れて打忘れ居りし次第どうぞ惡からず昨今收穫も終了して多少閑散となりましたから榎本殖民地の沿革及殖民地跡の日本人活動狀態を御通信申上げたいと思ひ現日墨興業株式會社農業部主任松井猪之助兄を訪ひ殖民地時代よりの先覺について材料を蒐集して居りますから近々御報告する事が出來ると思ひます
尙當小橋岸本會社の珈琲園は榎本殖民地跡を購入したのではないけれど殆んど地續きです先は郵便替爲にて墨貨二拾ペソ協會宛御送金致しましたから會費（雜誌代）として御納め下さい内五ペソは玉川晉作兄の分です
昭和四年二月三日
在墨チバスエスラクライントラ　竹内駒雄

ブラジル便り

△　異國の地に來て半歲無事に暮しましたこれと云ふ事も出來ませんでしたが異國の事情を少しづゝ知つたのでこれから進む上に大いに爲になります新年よりは新しき途に將來の爲めに進む計畫です。
先發村上樣の厄介になつてゐましたが葡語を勉强したいので暇を貰ひ勉學に都合よい所を探してゐますがしばらく先發會員紫藤樣の所に厄介になりますから就職が決定するまで御便りは（Caixa pastal2378）に願ひます。

來年度（昭和四年）の新學期から愈々當地歯科醫學校へ席をおいて見ようと思ひます。どうせポ語は不充分でありますが段々出來て行くと思ひますから。學校は指定になつてゐるのです晝間部と夜間部の二部となり晝間部は本科三ケ年で入學資格は中學校檢定試驗にパスして居らないといけません。卒業後は當國中何處でも自由に開業出來る資格が得られます夜間部は豫科一ケ年本科二ケ年で入學資格はありません。豫科を了つたものは本科に入れるのです。豫科を二ケ年やるつもりで思ひ切つて新學期から席を置いてやつてみます。

夜間部卒業者は當聖州內だけの限地開業の資格を得られるのです。私はこれで當分充分です技術は出來てゐるのですからポ語さへ出來れば大した事はないと思ひます。月謝をおさめきちんくと出席さへすればよいです。

なんでもコンミッションで通る國ですからその邊の要領を呑み込み惡用せられず日本の様に眞面目に考へて居つたらとんだ馬鹿を見るやうな事があるそうであります。留學生の兩角、清水、長田の兄弟も元氣で勉强して居ります新學期より師範に入學する事になりました。
萬事豫定通りに進むものではありませんが事情の許す限り主力を注ぎ目的貫徹の爲に努鬪する決心で居ります。昭和三年十二月廿九日
（在伯國市にて　清水一郎）
△拜啓前略師範入學問題については既に御通知の如く、其の後私立師範を調査の結果、州內には極めて私立師範の數多く卒業後の資格については官立と異ならざるとの事に付私立師範を受くる事に決定し兩賢兄と協議の結果去る一月廿一日よりその入學試驗を受け候處幸ひ合格致し本年度より本科一年に入學を許可致され候私立師範も在學年限は三ケ年に候試驗は聖市にて行ひ候も聖市には男子部の無き故を以て、各自內地希望の學校を撰ぶ事と相成り兩賢兄は中央線のピンダモニヤンガーバと云ふ小都市に在る師範學校を撰び一昨日その地に來り無事入學致す事に相成り候。外人のこの國師範學校に入學希望のものは單に言葉と入學試驗とのみにて官公立を問はず入學について其の他の事は至極簡單に御座候。候等の兩君の經驗を以つてすれば在日當時より色々と云はれし如く、さまで困難なるものとはおもはず候。尙イチム氏は病氣とかいふ原因（少し神經衰弱だと云ひます）で試驗を受けず從前通り聖市のバプチスタと云ふ學校に在學の事と存じ候。協會發行の雜誌等は月々御送りの程を願ひ度く呉れぐも御願ひ申し上げ候。何れその他詳細に至つては近く御報知申上ぐべく今日は是にて、先は簡單に御通知まで亂筆にて、協會諸兄に宜敷く　二月一日　頓首
（小生の學校はマツケンヂと云ふ學校と併置され僕の宛所もマツケンヂを記します。小生はその寄宿舍に居りますから）
a/c gymnasio Municipal Mackenzil
Rua sao Bento 30e30
Araraquara L. paulista
E.de sao Paulo Brazil
（在伯國　清水明雄）

アリアンサ便り

△　拜啓出發の際はいろ〳〵有難うございました。早速安着の御通知申上ぐる筈でございましたが濟いて見るとその日から用事が出來て本日（昭和四年元旦）まで延引いたしました何卒御宥し下さい。本日の温度は九十六度で新年の感じもいたしません。それでも今日丈けは仕事も休み近所から御餅を頂き元旦の氣分だけはしました。水瓜を喰べ乍ら盆の餅を見ながらのお正月も變なものでございます。
サンパウロへ來ると大分アリアンサの惡口を云ふ人もありますが來て見ると豫想以上に開け珈琲も皮付き十袋で一俵位の收穫はあるし個股もよい様で鼻息の荒い事大したものです
第一の小學校も落成近く精米所製材所は五十馬力のエンヂンによつて活動し製糖工場も据上げが濟んで居りますから近く製糖が始められるでせう。
新入植者の痛手は食料品や日用品の高價の事で米も一斤五十錢以上につきますし野菜も東京よりは三割高ですから結局東京の中等以上の家庭の生活ぶり不味いものでは我慢せねばならぬ事です。移住地についたら何處でもよいから五六畝を借りて野菜をすぐ蒔く事です。私達は到着時期が惡いため自分の耕地が決定出來ませんので五月まで直營地の耕作に當りて生活の基礎をする事になりました。私の請負持は三年生四千株で先月二十日頃一千株ばかりの所へ玉蜀黍

と蒔き五寸程にのびて居ります。私達のロツテ（地區）は多分第二の二十五キロ乃至二十七キロになるだろうとの事です。北原氏に聞きましたら二月までに決めるとの事です。何れ決定すれば詳しい事を御知らせいたします。同封の船中日誌は宮崎様との御約束草稿のまゝ御參考にもと思つて差上げます。當地は只今雨期で每日降りますが故に東京の夏と大差がありませんたゞ日光の光線がきついのと日中直射されるときつく感ずるのが違ふ位のものです。ブヨの様な小虫の多いのに閉口します。
菱川様にも通信いたしたいのですが出來ませんから協會からよろしくお傳ひ下さいませ。弟は來る三日サントス着八日晚アリアンサ着らしうございます。昭和四年一月一日
（在伯國アリアンサ　新沼岩之助）
△　新年の御慶萬里同風目出度申納め候。貴所各位愈々御淸適奉賀上候。降而小家一同御庇を以て益々頑健にて馬齡を加へ開拓の爲め益々努力致す可く緊褌一番新歲の意氣更に倍加勇奮仕り居り候へば乍他事御省慮相願度候。
前便以來舊臘月中旬にカフエ七千株以上の播種作業を了し間作の稻草も早蒔きの分は昨今腰部以上に達し株張りも見事に伸び申分無く猶雨期の最中とて午後は毎日の如く驟雨襲來にて種々の作物の發育の迅速なるは吾々新移民の驚異と仕る所に御座候。殊にアグア、ヘジョン（雨期收穫する豆）は當今成熟期に達し老母が此方の擔當にて今日も五升今日は八升と收穫を樂しみ十俵位は取れると悦び居り思はざる老行を致し候。次に瓜類の豐產には驚き入り候。早蒔きの胡瓜は八株だけ蒔き置き候所約一ケ月許りにて十人家族にて毎日〳〵飽きる程收穫此の國の習慣にて地上に這せて作り置き瓜南爪類は繁茂に任せ置く時は一時盛りを総れば節々より根を發し此如くして數回繰返して年中收穫を得可く候由さつま芋を一反步程植栽是も本株を拔き芋いたし蔓を其儘に放置すれば節々の細根が發育して芋と化し年中不斷の收穫有之是を根絕する事は不可能にて終には芋のカツポイラに相成り候趣本國に比し馬鹿らしき實際に有之候里芋も寫眞にて見たる通りにて殊に赤莖種は人の丈を沒する迄に伸長是が又ずいきとして結構には感心いたし居り候。次に故國以來樂しみといたして居り候バナヽ、蜜柑類、パインアツプル、マモンの類を植栽澤山いたし候ところバナヽの早物は花莖を擢で子供等の樂しみを一つ相加へ候以上の通りの生活にて家族の皆々は何れも將來の光明ある希望に悅喜之も協會の在りて御致導の賜物と感激の涙を垂れて益々勇奮の決心に有之候間猶此の上に多數の後繼者を作る可く邦家の爲め一層の御骨折り偏に願み存ずる所に有之候。殊に殆んど自力にて七千株以上のカフエザールを作りしには前入植者も驚き居り候へば今年度も又々昨年度位は經營する決心にて候。是も故國にては荷厄介と相成る可き太家族の利用方法と場所を得たる賜物に御座候。又悅ぶ可きは小家のロツテにて高所澤山の關係上カフエの植栽適地大部分なれば一萬七千乃至九千株は植栽し得る見込みに御座候大体に於て貴協會の御敎示には實地としての經驗に依るとは云ひ寸分の過誤なきは小生の感謝する處にして自分一人の悅びとするには餘りに惜しき事故に故國へ發する便每に移住を奬勵したく存じ候。

併し日の淺き事故に未だ何等の反響の無きは遺憾乍ら不屈不撓に勵むる決心故、故村の宣傳には殊に御盡力願上候。特に故國の鄉里の村長瀧澤志朗氏は今回移住組合の役員として撰ばれ候由海の外にて拜誦いたし候へば同氏にも御盡力內外一致して信州第一の移住村たらしむ可く御努力下さらば一には村の現狀を救ひ一方には移住者其人をパラダイスに導き人間と生れたる誇りと感謝とを享けさす可き最上の途なれば何分共特別の御配慮下され度願ひ上候。終りに今回北原理事殿に故國よりの必要品購入金を貴協會

より植生村の山崎裂裟治方へ御渡し下さる様相願ひ置き候に付き毎度御面倒と御手數誠に恐れ入り候へ共よろしく御配慮願ひ上候　謹言

昭和四年一月一日

（第二アリアンサ、第五區第三九四〇號地　宮原和三郎）

附記小生は第五區中の年長者の故を以て第五區長を兼ね第二アリアンサ會委員に撰ばれ不肖乍ら區又此の村の爲め各種の事業を計諮專念致し居り候。第二アリアンサ會長は曾て高等文官たりし謙藤源吉氏にて候

△　謹啓時下嚴多の候に御座候所貴殿（西澤幹事）益々御壯健の事と存じ奉り候。

私共故國在住中は種々御教示にあづかり難有く御禮申上候御蔭樣にて第二アリアンサ五區五十三號に入植致し協會より手廻しの山へ一アルケール）をリンパ（伐採）致し小屋掛けと種播きを毎日致し居り候

仕事は思ふたよう樂にて候一本の樹木を代り倒せばそれ丈け片附く仕事なれば開拓の愉快は舌鋒に盡き難く候只當分食物がないため非常の苦勞を致し居候尤も親切なる先住者諸氏より時々野菜を頂き辛じて日を送り候まづ十ケ月位は致し方なくしばらくの辛棒に候。

第二アリアンサの事務所樋浦氏は西澤氏が一度アリアンサに來られて實狀を視察下さる事が大切であると過日も談合致し候とに角アリアンサは今やすばらしい發展をなしつゝ去る十一月二十日第一アリアンサ入植記念日に第一に參り候所第一ではカフエーが見事に實のり居り候。

私達も來る四年後には第一以上に仕上げたく毎日仕事にいそしみ居り候。

偖て誠に申兼ねますが私日本に忘れ殘したる品有之京都留守宅より神戸館本店に送り届け居り候へば當地來住者乘船の節御手數乍ら御依托御取計ひ御依賴申上候。

末筆乍ら皆樣によろしく。昭和三年十二月十日（第二アリアンサ　藤岡長次郎　玉子）

△　愚書呈上候陳者過日は御芳書に預り難有く御禮申上候、見る影もなき私に對し貴下の御自筆は何とも申上ぐべき言葉なく此度は得難き雜誌一部御惠送被下御厚志の程感謝仕候すでに御承知の如く私は大正八年の渡伯者にて處々流轉いたし大正十五年八月貴會經營アリアンサへ來たり親切にして熱誠なる輪湖北原兩理事の御指導を受け善良なる新移住者よりの感化によりて厄介者ながら入植後早くも三ケ年に相成り一家極めて健全に開拓に從事致し居り候。

新植民地の常として諸々の風土病にて惱む實例に有之候へども當地は風土病に類するもの極めて少くフイリーダブラボといふ奴が少々ある位なものにてこれも年と共に次第に減少しつゝあれば恐るゝに足らず候。

私が過去滿八ケ年間に得たる經驗にてばラジル移住者のに第一番大切な事は尻の落付きと云ふ事で此の土着の精神がなかつたならば如何にブラジル廣しと雖も成功不可能と存じ候耕地にても植民地でも或は米作農場にてもこの落付きが肝腎と存じ候。私も今迄この心がなかつたため貧棒暇なしとか、煙を上げ得ず、たま〳〵太い畑は山燒き位にて本年（昭和三年）はよく乾いて居たためアリアンサでは山が上燒けで仕事がはかどり米作の出來榮へは良さそうで豐年滿作とでも云ひたい樣な氣分が目の前にちらつき申し候。

失禮をかへりみず御禮旁々御通信まで御參考とならば海の外へでも御掲載被下度く候。

十二月拾日（在伯アリアンサ　降幡秀雄）

× × × × × ×

母國通信 日誌

（前號廿三頁より）

十五日（金）　新軍縮案　駐米英大使ホワード氏は新に軍縮會議案を米國に提出した。

燒死者十一名　東京醫專附屬病院戸山腦病院の出火により燒死者十一名を出した

十六日（土）　芳澤公使へ訓電　支那側との第七次會見に日本側より提示すべき回答を發送した

帝都治案決議案一蹴　民政黨の提出した議決議案は衆議院で一蹴さる

望月內相病む　腎臟病で病臥水枯れ全國におよぶ　西部裏日本および裏日本朝鮮までも降雨乏しく水飢饉に惱まされてゐる

十七日（日）　宮中新年祭　聖上陛下御親拜の許にはせら行れた。

秩父高松兩宮殿下赤城へ　諸威選手の妙技を台覽のため赤城山へ向はせられ即日御歸京

十八日（月）　初の大阪府市行幸の御內沙汰　聖上陛下には來る五月廿四、五、六の三日間大阪府市へ行幸の御內沙汰を仰せ出された

秩父宮　同妃兩殿下　京濱在住アメリカ人協會におけるリンカーン生誕記念晩餐會に台臨

佛支の南京事件解決　支那より百萬元の賠償で解決

木材關稅引上げ　關稅調査會では木材關稅引上げを決定

滿洲駐屯軍交代　宇都宮第十四師團と交代京都師團に正式の命令が發せられた。

京都共產黨事件判決　京都地方裁判所堀裁判長から廿八名に判決があり內一名は無罪

十九日（火）　首相優諚問題を釋明　田中首相は貴族院で優諚問題につき釋明を試みた

選擧ポスター　いよ〳〵廢止と內務省の公布

京大總長は新城博士　第三次開票の結果同博士に決定。

廿日（水）　皇后陛下御目出度き御徵候　皇后陛下には去月下旬頃より御目度き御徵候にて御氣色いよ〳〵麗はしく拜し奉る。

松平駐英大使信任狀捧呈　バツキンガム宮殿で皇太子殿下に信任狀を捧呈した

寶塚歌劇場で發砲　道具方を倒し通行人一名及福來博士夫人を擊ち自分も自殺した犯人は調査の末古中實三郎と判明

廿一日（木）　議租案衆議院通過　十五票の差をもつて野黨敗る。

水野氏貴族院で辯明　前文相水野錬太郎氏は優諚問題に關して辯明を試みた。

廿二日（金）　聖上陛下御母宮陛下御訪問　御久々にて宮御所に皇太后陛下を御訪問遊ばさる

首相責決議案可決　貴族院は水野前文部大臣の進退に關し鈴案を廿三票の大差をもつて可決した

廿三日（土）　聖上陛下　葉山に行幸あそばさる

弘前高校々長後任決定　山口高校の首席教授戸澤正保氏に決定

反政府の氣勢　尾崎行雄氏は不戰條約の字句をもつて起つ

追加豫算可決　昭和三年度歲入歲出總豫算追加案は衆議院本會議で可決

說教强盜捕はる　第一世說教强盜として捜査中の犯人が牌親睦の手で東京府下西巣鴨町向原の現住所で捕つた。本人は前科一犯、左官職妻木松吉（二九）と判明被害約百ケ所を犯した。

廿四日大日　歐洲遊學中の同氏は神戸着歸朝

高松宮殿下今秋御結婚　高松宮宣仁親王殿下と德川喜久子姫との御婚儀は今秋執行はせられ明春御そろひで御渡歐遊ばさるやに洩れ承る

勝田文相色を失ふ　文相が玉座に敬禮せぬは何事ぞと三宅戸子にとつちめる。貴族院豫算總會での出來事

民政黨不戰條約決議案に贊成　尾崎行雄氏らが提案する決案に贊成することに決定

混亂また〳〵混亂　張宗昌軍の上陸により再び龍口に陷らんとしたので濱田總領事から警告を發した

廿四日（日）　首相貴院に諒解運動を試む　兩院係はるので首相は諒解運動を試む　委讓案に對する貴院の態度如何は內閣の死活に

スペインの獨裁政治終結か　目下獨裁官デ、リヴエラ將軍の執政々治は再び議會政治に復歸する旨報道された。

陸稻關稅の特典廢止　安東海關では陸稻關稅三分一減の特典廢止を告示廿六日から實施

カブールの外交團引揚げ　目下內亂中のアフガニスタン首都駐剳の英佛伊公使は難をさけ飛行機で續々引揚げた。

宮城縣氣仙沼町の大火　豐盛病院等一千戶を燒く

廿五日（月）　聖上葉山より還幸　廿三日葉山御用邸に行幸遊ばされた聖上陛下には御機嫌麗しく還幸遊ばされた

不戰決議案保留か　尾崎氏の要求に對し批准交換前には公文書を絕對に發表出來ぬと政府が說明した

ベルギー天津租界還附に決定　三月末日限りベルギー租界を還附に決定

英獨伊に送信開始　愛知縣依佐美村の對歐無電局では四月一日から世界最大の高周波機をもつて送信するに決定

赤化船員不穩文書を配布　浦鹽歸りの赤化船員鈴木綾次郎が御大典中不穩文書を尾道から配布した事が發覺さる

廿六日（火）　神戶行幸正式御沙汰　天皇陛下には大阪行幸を終らせられた五月廿七日神戶行幸の旨仰せ出さる

豫算質問全部終了　貴族院豫算總會では豫算質問を終り分科會に移した

議租案上程　いよ〳〵貴族院本會議に上程さる

取引所法改正可決　衆議院本會議では取引所法中改正法律案を可決

宮城縣大火につき御下賜　氣仙沼町大火の罹災民に達し救恤金御下賜の旨御沙汰があつた

廿七日（水）　畏くも兩相に御下問　聖上陛下には畏くも三土山本兩相を召され農村問題につき御下問遊ばされた

政府に一轉機　裁判所構成法案につき種府の愛行會々陰惡

三土藏相の答辯でこる　貴族院第一分科會で三土藏相の長基還男に答へた答辯でごてる

キューバ大統領暗殺陰謀　現大統領マカド氏を暗殺せんとする陰謀が發覺した

廿八日（木）　肥料管理　同特別會計法案附託頭內閣の重要法案たる二案が衆議院本會議で委員附託

選擧肅正動議　民政黨では久原遞相彈劾案を提出すべく各派へ交渉中であるが新黨は頗る氣乘薄

東歐不戰條約にトルコ參加　露國政府の勸誘に應じて締結

三月一日（金）　貴族院豫算審査期間延期　五日から七日まで三日間延長

裁構法の再考を促す　樞密院審査委員會では政府の提出した裁判所構成法につき樞同の意味で再考を促した

特別市制および地方制度改正の政府案　衆議院委員會で可決

駐日白國大使任　外交團首席駐日白國大使バツソンピエール氏はいふ離任歸國

フランスの不戰條約批准　殘るは日本とベルギーばかり。

奉天市を瀋陽市と改稱　國民政府では奉天省を遼寧省、同市を瀋陽市と改稱實施

張宗昌の天津占領陰謀失敗　張宗昌氏の天津を擾亂せしめんとする陰謀が暴露し一網打盡

二日（土）　議租案委員附託　貴族院では實吾五角の形勢で委員附託となる

移植民ニュース

常夏のブラジルに 愛の村を建設する

國境人種を超越して人間本然の生活に目ざめた國際的「愛の村」が南米ブラジルに輝しい將來を約束して創される。この愛の村は純然たる精神的結合によるもので同人は卅家族（うち十家族は外人）入村の際は二千圓以上を納め七百五十町步の原始林を開拓するもので土地代は約三萬圓五年賦であと三萬圓を開拓建設備費諸維持費に充てる。村の中央に學校公會堂圖書館遊園工場等文化經濟の中心地として施設を施し道路はこの中心地から放射狀に四方に走り協同農園と配當農園とに區別して前者の收入を以て村の經費にあて後者は自個の所得とする。この村では各自の個性を尊重し自治の精神と勞働の義務をモツトーと進み村長はおかずすべて協同によつてする。かくして理想郷愛の村が建設されてゆくが此の同人によつて更らに第二第三の村が建設される。本館前被所轄の棋界岩本六段その同人で五月故國出發して一足先ゴアニウマ農場に落ち付き同志の擁ふを待つわけである。本計畫者米良重穗氏は陸縮誌「愛の村」を發行して同志を募つてゐる。尙同氏の未弟米良功氏は一昨年渡伯後の地で本計畫の實行を急ぎ同志の一人川端藤一氏はビルマ在留十四年のビルマ通であつて既に續々共鳴者がある

渡航許可に 移組員の福音

海外移住組合員にして該組合移住地に渡航するは從來組合理事長の保證書を添付して渡航許可を出願した場合には從來の保證人二名を要したのを省略して差支へなく從がつて保證人の實際證明書の添付も必要なき事になつた尙毎月渡航せしむべき限定人員內に於いては出願官區限り渡航許可せられ一々外務省に協議する必要がなくなつたので從來より短期日で許可せられる事になつたので今後の組合員はこの福音に浴する事が出來る事になつた尙外務省では海外移民の獎勵政策の見地からこれが渡航許可出願に關する從來の面倒なる旅券規則を改正して簡易にして且つ迅速に取扱ふ樣旅券事務の一大改革を試る事になり近く實施する意向であると。改正の要點は旅券規則の適用と共に警察に於ける調査の廢止であつて渡航國の規定せられる入國規則若くは移民法規則により規定せられる範圍內において努めて渡航の自由を與へる方針である

排日國に於ける 邦人の歸國者激增

海外移住の增加は毎年激增の一方であるがこれは移民の來住を歡迎若くは際盛的に許入を認めてゐるブラジル國、比律賓群島、墨西哥南米諸方面の諸地方であるが日本人を嫌惡高く入國すからずと立札してゐる北米合衆國及び加奈陀に於ける日本人の出稼民數は毎年減少するばかりである。今これを出移民數と歸國者數とについて昭和三年中に於ける外務省發表によれば左の通りである。

	出移民數 勞働者	無勞働者	歸國者	差引
北米合衆國	[illegible]	[illegible]	[illegible]	[illegible]
布哇	[illegible]	[illegible]	[illegible]	[illegible]

治安維持法上程　衆議院本會議はまた〳〵騷ぎ出し傍聽人石井某が宣傳ビラを撒いて休憩

遞相處決議案提出　民政黨及新黨の一部から議案を提出

上海の支那紡出荷禁止　蔣介石氏の黨營の用意か

北京の兵變　閻軍の一部が城内で掠奪を初めたが直ちに鎭壓

新潟縣の地亡り　西頸城郡能生村大洞原山が地亡りし八戸を埋沒死傷者八名を出した

三日（日）　床次氏對支問題聽取　首相から聽取し大内暢三氏が使者となつて問答

支那の第二次全國代表大會　左派の形勢振はず現政府側に有利

大阪中央局小包課分室全燒　小包郵送上多大の支障を來した

國民政府軍隊出動を命ず　南京における蔣介石氏らの身邊警戒のため

四日（月）　米新大統領就任式　新内閣員を率ゐて就任、新國務卿スチムソン氏は東洋の事情に明いので日本の對支政策期待さる

畏き邊りでは昭和二年の財界恐慌時に於る功勞者に恩賞を下しおかれた

澤田正二郎逝く　新劇界の飛將軍寒に冒いて逝く

米新國務卿スチムソン氏歡迎會　就任の途新國務卿スチムソン氏が來朝、田中外相主催の歡迎晩餐會を開いた

メキシコに又革命　數都市革命軍の手に占領された

またも近衛公へ怪しい小包　差出人は不明たが中身の危らしいものを送り届けた

五日（火）　議租案委員長に兒玉伯當選　貴族院の兩稅委讓特別委員長に兒玉秀雄伯が當選した

婦人公民權修正案否決　衆議院本會議では採決の末撤回

南京軍蕪湖へ出動　第六師王均氏の率ゐる南京軍は秘かに蕪湖に向け出動、戰爭は避け難いと見られる

南京側李氏へ最後通牒的要求　南京政府は上海の李宗仁氏に對して最後の通牒的要求を發したので九江、上海の人心は動搖し出した。

ガンヂー逮捕さる　インド自治派首領マ、ガンヂー氏は官憲のため逮捕された

山本宣治代議士殺さる　七生會員と稱するものに旅館で對談中頸部を刺されて即死年四十一

横濱市電罷業　豪籠問題や市電値上げ反對に端を發して罷業に入る

宮司長勤罷表

女醫竹内茂代女史收容　墮胎手術で上田刑務所へ收容さる

加奈陀	一、〇三五	二九	一、〇一	四〇七
計	一、七七八	五、三〇一	一五、七二九	八、六五〇

即ち昨年度に於いては北米合衆國本土布哇加奈陀の三地方を通じて日本より同地試に渡航した總數は七千七十九人にしてその大部分は一般海外旅行者にして海外移民としての性質からは迂遠のものにあるにかゝはらず歸國者總數は一萬五千七百二十九人にしてその大部分は多年同地方で稼一貫から築きげた移民である。而してその差引八千六百五十八は歸國者實數で昨年渡伯移民總數の約七割に相當し我海外移民總數の約五割にあたり海外移民獎勵に伴ひ移民激增の一方にかくの如き現象は注目すべき事であつて折角の保護獎勵の半面にその努力が半減される事は寒心すべき事である。

西語權位村岡氏

エスパニヤ語學校を開設

中南米の十有余共和國中ブラジルを除いては皆西班牙語を使ひ今後同諸國の富源開發は吾大和民族の發展を待つてゐるが今回西班牙語界の權位者村岡玄氏はこの新大陸に渡航植民せんとする有爲の青年を指導し中南米エスパニヤ諸國の實情を紹介し思想穩全なる植民者を養成する目的をして群馬縣新田郡世良田村にエスパニヤ語學校を開設四月より敎師生徒が起臥を共にし農耕の傍エスパニヤ語を修得せしめ思想堅實眞に模範愛國的海外植民者を養成する事になつた尙エスパニヤ語講座も開設し語學研究者の指針たらしめ第一卷は本年八月發行以後毎月一回六ケ月で修了する同會への通信は東京赤坂郵便局私函第一號宛

六日（水）　梅かをる地久節　皇后陛下に御齡滿廿六歲の御誕辰で御目出度き御兆いとゞ濃やかに拜し奉る

私鐵買收案可決　衆議院本會議にて可決

メキシコ革命戰端を開く　五州に跨り非常な激戰で多數の死傷者を出した

右傾團體を取締る　山本代議士の横死に鑑み左右兩思想團體の衝突を恐れる内務省では各府縣へ警告的通牒を發した

七日（木）　皇后陛下葉山より還啓　約一ケ月ぶりで宮城へ還啓遊ばされた。

總豫算を可決　貴族院豫算總會では原案通り總豫算案を可決した。

鐵相の答辯また問題　貴族院本會議における小川鐵相の答辯から果然問題を惹起した。

遞相彈劾案　衆議院本會議で採決の結果六十三票の差をもつて敗れ民政の野田者懲罰に附せらる

奧丹震災二周年　各町村で慰靈祭を行つた。

露都で小磯大佐割腹自殺　モスコー駐在日本大使館附海軍武官小柳喜三郎大佐は軍刀で割腹自殺を遂げた。

横濱市電爭議解決

八日（金）　久宮さま御一年祭　宮中と豐島岡御墓所で御執行遊ばされ兩陛下にも非公式に御拜禮遊ばされた

李宗仁氏政府委員を辭す　廣西派の領袖李氏は國民政府委員を辭職した。

胡漢民氏蔣氏に挑戰　武漢派と關係ある胡漢民氏は蔣氏の行動は越權であるとて挑戰した。

日本空輸の準備なる　日本航空輸送株式會社はサルムソン機廿台で「日本の空の旅を」試みることに決定

海軍機の惨事三名即死　川崎から横須賀へ向ふ途中、機關部の故障により墜落搭乘者三名は即死

澤正告別式　首相からの弔詞あり盛大なファン葬であつた

矢澤弦月畫伯渡佛　五大作を携へパリに開かれる日本美術展へ

兒島虎次郎畫伯逝く　日本洋畫の耆宿同畫伯が死去した享年四十九

九日（土）　衆議院底ぬけに騷ぐ　衆議院本會議では議事をよそに最後まで懲罰と喧嘩の泥合戰元田議長たまりかねて辭意を仄めかす。

藏相不敬の言を放つ　貴族院兩稅委讓法案特別委員會で三土藏相が不敬な言を放つた

選擧法改正案上程　又小選擧區制へ逆戻りの改正案が政友新黨から提出された（以下次號）

南阿聯邦の

邦人待遇改善を要求

南阿聯邦と我國經濟は漸次密接となり兩國間の貿易額は千四五百萬圓に達し同國入港船舶トン數中我が商船のトン數は英國ドイツに次いで第三位を占む實狀にあり然も將來經濟關係は益密接を加へんとして居るが、現在日本人は禁止移民として入國を禁ぜられ居住營業の自由、土地および不動產の賃借も認められないので國家の體面問題のみならず彼我通商貿易の發達を害すると一方でない從つて我國においても同地方における我國民待遇改善希望論が盛んに唱へられてゐるので今般日本商工會議所でも速かにかゝる制限を撤廢すべく本年七月オランダのアムステルダムに開かるゝ國際商業會議所大會に提案して待遇改善方を運動することになつた

信州記事

紛擾の青木村

知事から實行命令

小縣郡青木村に於てさきに村會議員が十名の缺員になつた爲め定員の半數を缺き昭和四年度の通常豫算を始め之れに付隨した議案の決議を行ふことが不可能になつた爲同村若林助役は千葉本縣知事に對し町村制第七十五條により指揮を仰いで來た依つて本縣では右に對する審議を行つて居つたが十九日付を以て同村から申請せる豫算案其他に對し全部原案通り實行すべき命令を發した町村に於て紛擾の爲め町村會が成立せず知事から豫算の指揮を行つたことは本縣として空前の出來事である青木村は曾つて模範村として他村に範を示しつゝあつたが村當局と青年との間に紛議を生じ自治体は破壞され學校はこれがために寺院を借りて敎育する等混亂に陷りつゝある。

敎員の洪水

漸く各赴任地を決す

昭和四年度の新學期から是非共就職せしめねばならぬ縣下の學校敎員は男師卒業生二百五十四名女師卒業生百十三名之に講習會修了者を合すれば約四百名の新敎員を就職せしめねばならぬが今日迄各郡部の新年度の學級組織等の報告によれば一郡部の學級增加は僅に一二學級位づつの報告あるのみで縣下の全体に於ても約三四十學級の增加しか見ない模樣である即ち各市町村は現在の一學級の兒童定員四十名乃至五十名を七十名乃至百名までといふ法規を適用して一學級當りの定員を增加して行きづまれる市町村財政難を緩和しつゝある狀態である從つて今年の病氣その他の理由による退職者は總人員七千名中二百八九十名乃至三百名内外あると見てもなほ百餘名の餘剩を來たす有樣なので縣學務課では配當に對し各郡部の學級數及び正敎員充實歩合を基準として三月下旬漸やく赴任地を決定した

菅平の講習所は

五月から講師と日課

昭和四年度から新設される本縣青年講習所はその設置場所が今尙白雪皚々たる菅平の高原であるため普通中等學校の如く四月から直に開所といふ運びには至らぬが大體雪解の五月頃から寄宿舍講堂等の建築に着手する筈である。講習所の講習期間は五、六、七、八、九、十、十一の七ケ月間生徒は三十名を募集するに決したがその入所生は中等學校卒業生でも高等小學卒業生でもよいとのことである、縣では目下職制を立案中であるが所長は、特殊の敎育をなすところだけに人選頗る困難でまだ有力な候補者さへないが所長は社會敎育主事を兼ねることになつてゐる、專任敎諭として毎日青年と勤務を共にする人は昨年北海道帝大農科を卒業した香川縣三豐郡大野原村生れ石川德見氏（二七）と決定した講習所生徒の日課については縣社會課に於て研究の結果左の如く原案を立て千葉知事の決裁を經て決定するはずであると

日課の大部分は開墾耕作々業課外講演時事質疑等に用ひ一週左の如く學科を修めるといふ案である

修身及公民科（一週一時間）文化史大意（同上）國際地理（同上）農業一般（一週四時間）經濟（一週一時間）體操敎練武道唱歌（一週四時間）

合計十二時間を一週中學科に用ひることになつてゐる

本鄕村から

松本市合併お斷り

松本市では本鄕村の合併問題は容易に實現せず市では本鄕村が松本都市計劃の區域に編入されて居るため都市計劃事業遂行上市に合併を要望し七月一日の市會議員改選までに合併せしむる意向であつたがこの程石川助役より非公式に原村長に合併に對する意見を求めたところ村長は合併の意志なき旨を言明したのでこの問題も又々立消えとなるに至つた

しかし都市計劃は合併する否とに拘らず進行せしむる方針で近く本鄕村淺間の街路網實地測量に着手し街路網を完成せしめる豫定である。

早くも凍霜害

通信費を自辨して

松本地方の養蠶家は年々激甚な凍霜害に見舞はれ大分痛手を蒙つて居るが本年も寒中干天續きで凍霜害の襲來が豫想されるので通信費自辨で松本測候所へ霜害の豫防を依頼するもの多く早くも管内で五六十ケ村に達して居るが同測候所でも霜害の豫防へ備へるため管内町村の通信聯絡につき打合せ中

尙同所では本年から養蠶期間は一層詳細な天氣豫報を管内町村へもれなく報知する計畫だと

看護婦合格者は

揃つて女學校出の盛況

高等女學校、實科女學校を出た女子が職業婦人となつて身の安定を計らんとする傾向はこゝにも如實に現れて居る長野赤十字社の看護婦生試驗に受驗生の殺到したがその受驗生百十一名の内中等敎育を受けた者が約半分を占めて居つて全く前例を見ないそれに合格者十五名のうち十二名は女學校卒業者であるそれに新潟縣より長野赤十字に依託した看護婦生も二十名のうち大部分は矢張り女學校出であつて看護婦が全部女學校出で充たされるのもそう遠くはあるまいといふものである

商船の新船は

ベノスアイレス號と命名

大阪商船の南米航路に就航する事になつて目下造船中の新船は本年十一月十六日神戸より就航する豫定であるが新船は南米航路に關し船名を命名された。それはアルゼンチナ國の首府名をそのまゝにベノスアイレス號と名づられた。ベノスアイレスは南米の巴里と云はれ南米第一の都會で清淨なる空氣の意である

滿洲に日本の

農民村建設の準備

滿鐵副社長松岡洋右氏は三月十一日上京したが今回同氏上京の目的は目下滿鐵において計畫中の關東州農事會社（資本金五百萬圓）同信託會社資本金一億圓の設立準備に關し山本

就職大受難
當局は變化の急激に驚く

世をあげての就職地獄であるが今長野商業學校卒業生の多數も就職受難にぶつかつていづれも學校は巣立つたもののあてもない失業群の仲間入りといふ哀れさで希望にかゞやく卒業式に涙でのぞむありさま同校の卒業生は八十四名であるが中十一名の上級學校志望をのぞいて幸運のくじをひきあて就職先の決定したもの銀行會社二十二名個人商店九名で殘りの四十二名は未だ就職のあてがなく中二十七名の數はあきらめて自家で働くことゝなつたが十五名はあすから無職業者の苦い經驗をなめなければならない譯、數年前の卒業前からの奪ひあひとは餘りにも著るしい變化で學校當局も目下中央銀行會社に卒業生その他のつるを求めて交渉に奔走中である

無産派の進出で
中信地方の町村議戰

中信地方の町村會議員改選は無産黨の進出により混亂を豫想されて居るが各無産黨では地盤開拓のため當落を眼中におかず立候補することゝし舊勞農黨南信支部では縣議戰に破れた河野重弘氏を南安曇郡高家村から立候補せしめることに確定した外松本豐科兩警察署管内の町村から四五名を擁立し又信州大衆黨では中信地方各町村漏れなく候補者を擁立すべく計畫したが人物難のため結局十五名内外の立候補を見るに止まる見込である

海軍異動の
本縣出身者發表

過般發表された海軍將校進級異動のうち本縣出身者の分左の如し

(氏名下は出身)

任海軍少將 宇川濟(上田)
任中將補第五艦隊司令官
同 大佐 鹽澤幸一(上伊)
任少將歸朝を命ず(英國駐在武官)
海軍中佐 合葉庄司(上田)
同 降幡敏(諏訪)
任海軍大佐
軍醫中佐 長田勝芳(上伊)

社長と重要なる打合せをなすためである

しかして右の内農事會社の方は關東州内で約五千町步の耕地を政府から借りいれまたは購入して内地から六百戶位の純然たる農民家族を移住せしめ外國式の農事經營法によつて第一期として試驗的に農業移民の扶植をなし漸次日本農民村を建設し成績が好ければ將來人口問題の解決に資する程度にまで擴張發展せしめてゆかうとするものであるが他の事業と異つて最初から相當の損失を覺悟してかゝらねばならぬのみならず少くとも移住農民に對しては相當額の補助を與へねばならぬので目下この點に關して大藏省側と折衝中である

信託會社の方は滿洲地方の金融機關に對する信用が確立しないため産業發展上遺憾の點が少くないので滿鐵の出資になる一大信託會社を設立し主として同方面の支那人外國人相手に確實なる信託業を經營し信用經濟の確立を計らんとするものであるが内地の信託業法を關東州に適用すべきや否やについて目下大藏省當局た交渉中であるからこの交渉が解決次第滿鐵側では直に設立事務に着手するはずで資本關係等については既に萬般の準備が出來てゐるとの事である

任海軍大佐 海軍少佐 大嶋乾四郎(更級)
同 金子豊吉(諏訪)
任海軍中佐 軍醫少佐 原隼人(更級)
同 小林賢吉(北安)
任軍醫中佐 同 大尉 金水泉(東筑)
任軍醫少佐 同主計大尉 南川勝三郎(上田)
任主計少佐 同 松尾太一(下伊)
任同橫鎭附仰付
海軍中尉 石城若夫
同 土橋豪實
同 井上作次郎
同 清水道敬
同 守谷節司
任海軍大尉 機關中尉 奥田洋平
同 栗田政喜
同 片桐敏二郎
同 櫻井金造
任機關大尉
海軍少將 岡本郁男(上水)
補第二戰艦司令官
同 大佐 藤澤宅雄(南安)
補妙高艤裝委員長
同 栗野原謙三(上水)
補吳海軍工廠砲部長
同 合葉庄司
補間宮特務艦長
中佐 小島謙太郎(諏訪)
補陸奥副長
同 宇作美治作(上水)
補艦政本部造船監督官
同 樋口修一郎(西筑)
補海軍水雷學校教官
同 堀江吉年(松本)
補第二十二潛水隊司令

讓度し
一、野田良治著　ブラジル人國記
一、永田稠著　南米一巡
右二册希望者に四割引にて御讓致し度し
(會員)下高井郡穗高村中村　平田茂雄

邦人が玖馬で
米作を大々的に經營

砂糖の主産物を以て一國の財源とする玖馬國では砂糖の世界的不況の影響を受けて當國政府は他に新産業の勃興を計り急迫せる財政を救はねばならぬ破目に陷り種々これが展開策に國民も腐心中であるが當國前内務長官サャスベザン氏は同氏の所有土地三千余エーカーに米作を目論見つゝあり、日本人をしてこれが經營の任を當國在住の邦人有力者大平璽太郎氏にその人選を依賴し大平氏は本年一月に至り高橋某(熊本縣)を推薦し直ちに米作の準備に着手せり。而して右の米作が確實に有望視せらるゝ場合は邦人約二百名位を同米作地に移住せしむる事が出來る筈であると

北海道開拓の祖
新津氏の碑を建立

明治二十五年北佐久郡小海村から二十五族を引率して北海道に渡り十勝原野の開拓に從事して成功し前後四回道會議員に當選した故新津茂松氏の拓殖上の功績を記念するため德碑を同地に建立することに決し碑文は小川鐵相の毫筆七月除幕式擧行の豫定

伯國移民は激增した
渡航許可數に現はれた本縣下の海外發展熱

本年一月より三月中旬迄に到る本縣下海外渡航熱はすばらしいもので中でもブラジル移住者はその大部分を占めてゐる今渡航許可になりたる者を記せば左の如くである

(移民)

氏名	家族數	渡航地	本籍
井出混	三	ブラジル(信海)	南佐川上村
井出碩雄	四	ブラジル(信海)	南佐川上村
新海半兵衞	八	ブラジル(信海)	南佐川上村
片桐正夫	一	メキシコ	上伊七久保村
宮本五壹	一	ブラジル	更級上山田村
竹内勝世	七	ブラジル(信海)	埴科五加村
青木長男	四	ブラジル(信興)	東筑東川手村
洞口万治郎	三	ブラジル(海興)	東筑宗賀村
川上泉	二	ブラジル(信海)	南佐川上村
小原丑吉	二	ブラジル(信海)	南佐川上村
井出芙治	二	ブラジル(信海)	南佐川上村
井出喜吉	六	ブラジル(信海)	南佐川上村
矢澤庄三郎	八	ブラジル(海興)	上伊高遠町
川上碧郎	三	ブラジル(信海)	南佐川上村
邊見道	一	ブラジル 父の呼寄	更級村上村
大石建清	七	ブラジル(信海)	上田市
島田利生	一	比律賓	上高仁禮村
宮野榮藏	八	ブラジル(海興)	諏訪川岸村
飯田莊士	四	ブラジル(信海)	諏訪豐平村
花岡一郎	五	ブラジル(海興)	諏訪上諏訪町
濱光晁	五	ブラジル(海興)	諏訪上諏訪町
館石貞雄	四	ブラジル(信海)	松本市
藤森末太郎	九	ブラジル(信海)	諏訪上諏訪町
黒坂舍人	五	ブラジル(信海)	小縣西鹽田村
春原喜平	七	ブラジル・海興	小縣依田村
林光衞	三	ブラジル(信海)	上伊中澤村
小林房吉	九	ブラジル(信海)	北佐中佐都村
中島定一	三	ブラジル(信海)	北佐本牧村
山田登蕃光	二	ブラジル(呼寄)	上水朝陽村
勝山大太郎	七	ブラジル(海興)	上高田麗村

(非移民)

氏名	人數	渡航地・目的	本籍
岩下重信	一	アルゼンチン新聞業視察	小縣浦里村
澤井英一	一	北米合衆國修學ノタメ	小縣本原村
井出惣兵衞	一	ブラジル衞生施設視察	南佐川上村
佐藤万平	一	北米合衆國ホテル業視察	北佐輕井澤
依田壯六	一	北米合衆國ホテル業視察	北佐輕井澤
中村興政	一	新嘉坡 富農業	諏訪原村
高橋久	一	メキシコ 商業	上水三水村
石神喜子	二	新嘉坡 夫呼寄	諏訪本鄕村
計	一四三		

(括弧内の信海は信濃海外移住組合援海興は海外興業會社援呼寄は呼寄證明書により渡航する者)

これを渡航地別によれば

ブラジル	一三三
比律賓	一
北米合衆國	三
メキシコ	二
新嘉坡	三
アルゼンチン	一

即ちブラジル渡航者が大部分でこれを取扱の別によれば左の通りである。

信濃海外移住組合	七八
海外興業株式會社	四七
其の他	八

外の海
歌壇

短歌

喜與

うみそとにのぞみもちゐる憧れどおみなは悲し世人そしれば
世の人の嘲笑罵倒氣にとめずのぞみの岸に近づかん吾れは
如何にせんと迷へる時は過ぎにけり吾れは進まん信ずるみちに

芋井　小林龜松

里ざかる深山の奥に獨りゐて炭やく人も糧のためなる
冬の夜を凍るぬれ麻績む我は思はぬ日はなき海の彼方を
南米の眞夏に働らく吾が友の便りほしけれ凍る月の夜

川嶋　一の瀨横泉

山小屋の鉢にてきざむ大根汁食しつゝ汗の尊さ思ふ
食卓の葱のかそりの味噌汁に味ひ出てし春は來にけり

アリアンサ陸稻會句集

「題」草萌

草萌や庭の池水ひた〳〵と(圭石)
草萌や崖の下道うねうねと(芦庵)
草もえやマットを負ひて住宅地(芦庵)
下萌の野を貫きて道遙か(掬二)

俳句

川島村　一の瀨斜月

野も山も遠く霞むやあげ雲雀
春の川陽炎ゆらぐ釣の糸

諏訪岡谷　丸山邦治

春うら、枝移り鳴鶯ぞ
草に寢て耳にうつゝやあげばり

桝村　喜望亭近山

日谷座の發聲映畫や春の風
臺所の設計圖面や春うらゝ
冴返る夜は麻つなぐ集ひかな

海の外歌壇募集
◈短歌　□□　題隨意（一人五首用紙ハガキ）
◈俳句　□□　題隨意（一人五句用紙ハガキ）
締切　四月二十日限り
宛名　長野縣廳内　海の外編輯部

〔協會記事〕

本年の渡航者

三月は二船で八家族の盛況

アリアンサ移住地の渡航適期は故國を一月乃至四月に出帆する事になつてゐるが三月便船には商船布哇丸が十二日五家族廿六名、郵船神奈川丸が廿九日三家族十五名計八家族四十九名の多數の渡航者をみた。今渡航者を記せば左の如くである因みにサントス港着は兩船共前號既報の如く布哇丸は五月十一日、神奈川丸は同月廿七日サントス港着の豫定である。

布哇丸（十二日神戸出帆）

香川縣香川郡下笠居村　森川明　三人
長野縣諏訪郡豐平村　飯田壯士　四人
長野縣諏訪郡上諏訪町　藤森末太郎　九人
長野縣小縣郡鹽田村　黑坂舍人　五人
愛知縣愛知郡日進村　幸村幸　五人

神奈川丸（廿九日神戸出帆）

北海道紋別郡瀧上村　雁田米太郎　四人
同上　末永卯一　七人
長野縣北佐久郡本牧村　中島定一　四人

計　二船八家族　四十九名

尚一月以降の當組合取扱渡航者數は

一月　—
二月　モンテビデオ丸　一二家族　五六人
　　　河內丸　二家族　一三人
三月　布哇丸　五家族　二六人
　　　神奈川丸　五家族　二七人
計　二四家族　一二二人

各町村設立の海外視察組合（續き）

長野市海外視察組合

藤原豐　戸谷精司
米倉龍也　中島太郎吉
北村準之助　竹內乘昌
北村市平　松澤信太郎
藤原保　宮澤民之助
倉澤與吉郎　西澤監
宮下忠治　小林恒吉
野池清弘　牛越吉一
小林和一郎　小林勇三郎
寺島館太郎　田中信男
山崎寅雄　美谷島金男
牛見定吉　西澤寅之助
宮澤道太郎　近藤渡
井出勘一　持田德三郎
清水與助　瀧澤閑助
宮島豐太郎　原順英
伊藤頴雄　藤井伊右衛門
宮崎安太郎　關口主税
宮澤謹三　甘利康次郎
近山隆平　松澤嘉助
富士原榮夫　中村芳治
今井登　高野忠衛
宮川勝三郎　中野次男
竹內榮助　高野信義
丸田律　宮澤龍雄
神方敬勝　丸山與平
宮本操　內田純孝
鈴木伸一　金兒源吉
鹽澤龜太郎　原紋右衛門
吉村勝行

埴科郡東條村組合

組合長相澤忠七郎　理事河口榮藏

小林雅治　北澤昇
松田袈裟雄　青木禄
相澤德之亟　三井孝男
島次郎　中澤澄
柳澤寬治　河口秀興

小縣郡傍陽村組合

組合長竹下繁松　理事武田正雄
黑坂寅市郎　鹽野悦之輔
田中信義　佐藤知
川上理　增田新三郎
若林理雄　武田助左衛門
齋藤清人　中澤多七
中島榮如　金澤直人
小山豐　黑坂勝
武田市左衛門

海外發展講演

ブラジル移住映畫で盛況

本協會では海外發展講演會及びブラジル移住活動寫眞を縣下各地で催して渡航宣傳に努め各地の日割は左の如くで頗る盛況であつた

三月七日　上高井　綿內
十日　下高井　倭
同　埴科　清野
十二日　北佐久　岩村田
十三日　同　南御牧
十四日　同　高瀬
同　更級　八幡
十五日　北佐久　三井
十六日　同　輕井澤
十七日　同　大里
同　長野市　芹田
十八日　北佐久　芦田
十九日　同　北御牧

尚講師は諏訪平野小學校長兩角喜重氏及び海外協會幹事西澤太一郎氏である

會費領收（自二月一日至三月十日）

一金貳圓也

橫山林十殿　濱重雄殿
堀卓治殿　小山保雄殿
澁谷專殿　小林芳太郎殿
三井庄次郎殿　寺澤智義殿
坂口彙作殿　坂口七五三作殿
內海定治殿　佐藤喜次郎殿
小林伊勢吉殿　上野清吾殿
黑坂舍人殿　永井繁太郎殿
清水恒一殿　櫻井莊八郎殿
山崎勝男殿　藤森隆治殿
田中明治郎殿　佐原金夫殿
中村喜榮殿　脇坂重雄殿
津久井屋ホテル殿　島田利生殿
松島紋治郎殿　平田義雄殿
臼田銀治殿　中島忠次殿
六川靜治殿　中曾根仲治郎殿
飯田莊士殿　幸村幸殿
小林房三殿　中島定一殿
望月平一殿　小山五郎作殿
小口伊藤殿

一金拾圓也　下高井町倭河軍人分會靑年會殿
一金拾圓也　武捨啓治殿
一金拾圓也　唐澤俊文殿
一金五圓也　埴科郡清野村靑年會軍人分會殿
一金貳拾貳圓也　上水內郡若槻村觀察組合殿
一金貳拾貳圓也　同　水內村觀察組合殿

◎寄贈書籍

書籍名	寄贈者
ブラジルに於ける衛生の注意	社會局社會部殿
ジャバの概要（空中撮影寫眞）	ジャバ　半田積善殿
一九二九年日米住所錄	北米加州　青木賓治殿
移民情報（月刊）	外務商通商局殿

海外會費領收

一金拾圓九拾貳錢也　羅府　山口誠一郎殿
一金參拾圓也　ダバオ　宮坂國人殿
一金貳拾貳圓參錢也　カナダ　平林昇殿
一金拾圓也　ボルネオ　高木利兵衛殿
一金拾圓也　マニラ　駒津昌虎殿
一金貳拾圓七拾六錢　メキシコ　竹內駒雄殿　玉川吉作殿

移住組合員渡航許可出願の保證書

別項の如く海外移住組合員は渡航許可出願書類に左記保證書添付する事によつて迅速に渡航許可せらる。

保證書

本籍　何縣何市郡何町村何番地
職業　農業
　家長　何　某（年齢何歳）
　　　何年　何月　何日生
　妻（以下家族運記）何　某（年齢何歳）
　　　何年　何月　何日生

右者等ハ本組合ノ組合員及組合員ト同一家內ノ者並ニ其使用人ニシテ今般本組合經營ノ伯剌西爾國アリアンサ移住地ニ入植スル者ニ相違無之同人等渡航後ノ身許ニ付テハ本組合ニ於テ責任ヲ以テ保證可致候也

昭和　年　月　日

信濃海外移住組合理事長　何　某㊞

更らに新移住地建設

西澤幹事を實地調査のため派遣

本會はアリアンサ移住地を移住組合に肩替り引繼ぎしたので更らに新移住地を南米に建設する企圖あり四月一日の評議員會でこれが候補地の實地調査に西澤幹事を派遣する事決定した。因みに西澤幹事はブラジルを初め南米諸國を視察するため五月九日横濱出帆サントス丸乘船の豫定である。

編輯雜記

▽陽春四月　會員讀者諸賢いよ〳〵御壯健の事と存じます。柳の芽、落葉樹の芽がだんだん萠えて最早櫻の蕾も綻ぶ頃になりました。力一ぱいに春の新しい空氣を呼吸つて働らきませう。

▽今月號は意外の不出來でしたが、內外の熱心な會員からの寄稿で得難い玉稿ばかりです。厚く御禮申上げます。

▽今度西澤幹事が兩米一巡の旅に上る事になりました。來月號には同幹事の旅行程日が發表出來るでせう。海外各地で諸賢に相見え、相語る事が出來ます。旅行につてもいろ〳〵御世話になる事と存じます。

△西澤幹事の海外旅行によつて本會と海外諸賢との連絡に一新機軸の開かれる事を期待してゐます。十分御會談の程を願ひます。

（M生）

信濃海外協會規約抄錄

一、本會ハ信濃海外協會ト稱シ本部ヲ長野市ニ支部ヲ必要ニ應シ內外各地ニ置ク

二、本會ハ縣民ノ縣外發展ニ關スル諸般ノ事項ヲ調査研究シ其ノ發展ニ資スルヲ以テ目的トス

三、本會ハ前條ノ目的ヲ達スル爲必要ニ應シ左ノ事業ヲ行フ

イ、縣民縣外發展ノ方法ニ關スル立案
ロ、發展地ニ就キ調査ヲナシ其ノ結果ヲ紹介
ハ、在外縣民ト聯絡ヲ計リ指導後援
ニ、海外投資ノ研究ヲナシ之ヲ發表
ホ、海外發展ニ必要ナル人材ヲ養成
ヘ、機關誌「海の外」ヲ發行シ隨時講演會各地ニ開ク
ト、海外發展ニ關シ各種參考品及統計ノ蒐集
チ、前各項ノ目的ヲ遂行スル爲臨機本會ノ代表者等ヲ內外樞要ノ地ニ派出スル事
リ、會員ニハ「海の外」毎月寄贈ス
ヌ、其ノ他本會ノ目的ヲ達スル必要ト認ムル事項

四、本會ノ會員ハ左ノ四種トス

イ、名譽會員ハ代議員會ノ決議ヲ經テ總裁之ヲ推薦ス
ロ、特別會員ハ一時金百圓以上ヲ醵出スル者
ハ、維持會員ハ會費年額金拾圓ヲ十ケ年間醵出スル者
ニ、普通會員ハ年額金貳圓ヲ十ケ年間又ハ一時金十六圓以上ヲ醵出スル者

五、本會現在役員ハ左ノ如シ

總裁　千葉了
副總裁　平野桑四郎　佐藤寅太郎
顧問　小川平吉　今井五介　原嘉道
　伊澤多喜男　岡田忠彦　本間利雄
　梅谷光貞　高橋守雄
相談役　田中無事生　泊武治　小西竹次郎
　降旗元太郎　越壽三郎　小里賴永
　片倉兼太郎　福澤泰江　小林暢
　山岡萬之助　工藤善助　樋口秀雄
　植原悅二郎　山本愼平　松本忠雄
　高田茂　菱川敬三

海の外（月刊）（一冊廿錢）

定價表

	內地送料共	外國送料共
一冊	廿錢	廿四錢
六ケ月	一圓十錢	一圓四十四錢
一ケ年	二圓廿錢	二圓八十八錢
五ケ年	拾圓	拾四圓

御注意

△御送金は振替（長野二一四〇番）に御願ひします。外國よりの御送金は銀行、郵便局いづれにても確實に送金されます。
△御轉居の節は早速新舊兩御住所を御通知下さい。
△本誌へ廣告掲載御希望の方は詳細相談申上げます。

昭和四年四月一日發行

編輯人　永田稠
發行人兼印刷人　西澤太一郎
印刷所　長野市南縣町　信濃每日新聞社

發行所　長野縣廳內　海の外社
振替口座　長野二一四〇番

（新刊）

海外發展準備研究書

お奬めして差支へない良い參考書

永田稠著	海外立志傳	四六版四四頁寫眞六頁 定價二圓 送料六錢
永田稠著	改訂八版 新渡航法	四六版五一四頁寫眞廿頁 定價二圓 送料六錢
野田良治著	ブラジル人國記	四六版六五二頁寫眞百數十葉 定價二圓八十錢 送料十四錢
高岡能雄著	ブラジル移民研究	菊版四〇二頁總布製 定價三圓五拾錢 送料十八錢
瀧釟太郎著	大寶庫メキシコ	菊判七六五頁寫眞三百數十葉 定價七圓五拾錢 送料三十六錢
芝原耕平著	我等のアルゼンチン	四六版三五〇頁寫眞二十數葉 定價二圓 送料十錢
吉田梧郎著	南洋諸島の富	四六版三〇四頁地圖入 定價壹圓五錢 送料十八錢
正木吉右衛門著	南隣の友邦比律賓	菊判三四頁地圖寫眞入 定價三十錢 送料二錢
商工省商務局	比律賓の現狀	菊判二九三頁地圖寫眞入 定價一圓五十錢 送料十八錢
梶川半三郎著	東亞之大富源 現代の朝鮮	四六版六三八頁地圖入 定價三圓五拾錢 送料二十四錢
高柳保太郎著	滿蒙の情勢	定價壹圓五拾錢 送料六錢
奥村外次郎監修	獨習 ブラジル語全解	四六版一七五頁 定價壹圓五拾錢 送料十八錢
大武和三郎著	葡和辭典、和葡辭典	定價各五圓 送料十八錢
日本力行會編	海外移住講義錄（全十册）	定價一册一圓 十册十圓 送料四錢
雜誌（月刊）	植民・ブラジル・南洋協會雜誌・滿蒙・海外の日本・東洋・海外	

各縣海外協會
日本力行會　指定旅館

海外渡航乘船
領事館手續
貨物通關取扱

高谷旅館本店

本店　神戸市榮町六丁目
神戸市郵便局私書函八四〇番
電話元町　八五四番、一七三七番

支店　神戸市宇治川楠橋東詰
電話元町　六六六番

各汽船會社專屬元扱

日本郵船會社
大阪商船會社
ダラー汽船會社
加奈陀汽船會社
アドミラル汽船會社
南洋郵船會社

日本力行會、信濃、廣島、和歌山
福岡、熊本、沖繩　各縣海外協會　指定旅館

海外渡航乘客荷物取扱所

今泉旅館

本店　神戸市　海岸通　六丁目　三番邸
支店　神戸市榮町通五丁目六八番邸
電話　元町　三二一番
振替大阪　三五四一〇番

海外渡航取扱所

◎東洋一の理想的設備を有する神戸港へ！
◎旅館は誠實にして信用のある神戸館へ！

各縣海外協會
日本力行會　指定旅館

神戸市榮町六丁目廿一番邸

神戸館本店

電話　元町　八六一番
振替口座大阪　一四二三八番

支店　神戸市海岸通四丁目（中税關前）
電話三ノ宮　二一三六番

◎本店へハ神戸驛、支店へハ三ノ宮驛下車御便利

日本力行會長
信濃海外協會幹事　永田稠著　東京寶文館發行

日本植民讀本

菊版百五十頁
地圖挿畫澤山
定價六十錢送料六錢

海外發展主義の小學教育

四六版四百頁布製
定價二圓五十錢
送料十六錢

本會にて取次ます

著者が二十年間海外發展運動に從事せる体驗からしぼり出されたる血の結晶がこの二つの著書となつて現れた。

現在の教育の欠陷は日本民族發展に關する活材料を等閑に附してゐる事で。一般教育に海外發展に關する教育を加味されたならばと著者は此の點に深く留意して今回文部省の認定を得て實業補習學校、各種實業學校、中等學校の課外讀本として日本植民讀本なる教科書を編んだ。

更に現在の小學校の教科書中、修身、國語、地理、歷史の教材中に海外發展主義の高調に利用すべき點につき學年別に其活用法を示したものが海外發展主義の小學教育で。この參考書によつて直ちに海外發展主義の教育が施す事が出來る。世の教育者に是非共必讀を願ふなければならぬ好著である。

海の外—THE UMINOSOTO
Published Monthly by the Uminosoto Sha. Nagano, Japan.

「海の外」第八十二號　（毎月一回一日發行）

（大正十一年四月廿六日第三種郵便物認可）　（昭和四年四月一日發行）

日本力行會長　永田稠先生著

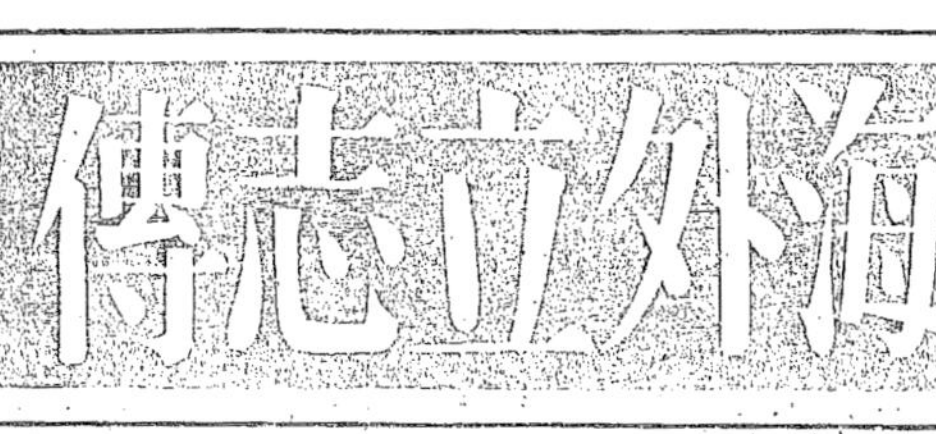

開拓精神に生る新青年は讀め!!!

定價金二圓
四六版四百二十頁
（送料金六錢）

本書に載せた人々の內には日本力行會員でない者もあるが、私の知人でない人は一人も無い。やゝ人に知られたる者もあり、未だ全く人に知られない者もある。私は年少の頃、英雄豪傑や、知名の成功者の傳記を讀んだ後で「俺はトテモ此人の樣には成れない」と失望するのであつた。ナポレオンや豐臣秀吉や西鄉南洲等の傳記が私に與へた一種の悲哀は皆さうであつた。それで私は「若し私が立志傳を書く時が來たら、讀者に悲觀させない樣な傳記を書き度い」と希ふて居た。今や其の希ふた時が來たのである。本書中の人々は、皆、私共と殆んど同じ境遇に生れ、略同じ程度の教育を受けた者で「此位の事なら僕にも出來やう」と讀者は必ず感ずるに相違ないと思ふ。私は、此傳記の內に記されたる人々が、他日ナポレオンであり、秀吉であり、南洲である事を希ふては居るが、よしんば、現在の其儘で終つたとするも、後進の讀者の爲めに多大の感激を與ふる筈であると考ふる者である。本書に錄する所は、曾て博文館發行の「新青年」と云ふ雜誌に私が約四ヶ年に亘つて掲載した所のものである。多くの人々から是非纏めて一卷にして發行する樣にとの勸告を受けたのが、今回多年の願が叶つて、一卷となし滿天下の意氣あり抱負ある青年諸君の前に提供する事の出來る樣になつた事は、私の深謝する所であり、又私かに愉快に感ずる所である。

私は本書に錄されたる人々が、いや益々向上發展する事を祈ると共に讀者諸君が、彼等の如く開拓の精神に生き、未だ祖先の知らざる所に、我等の祖先の未だ知らざる一大建設をなされん事を希ふて止まざる次第である。（序文の一節より）

長野縣廳　信濃海外協會（取次）振替二一四〇番

信濃海外協會
海の外社發行

海の外

THE UMI-NO-SOTO

大正十一年四月廿八日第三種郵便物認可
昭和四年五月一日發行（毎月一回一日發行）

第八十三號

昭和四年五月號

目次

信濃海外協會海の外社發行

日本力行會長 永田稠先生著

海外立志傳

開拓精神に生る
新青年は讀め!!!

定價金二圓 四六版四百二十頁（送料金六錢）

本書に載せた人々の内には日本力行會員でない者もあるが、私の知人でない人は一人も無い。やゝ人に知られたる者もあり、未だ全く人に知られない者もある。私は年少の頃、英雄豪傑や、知名の成功者の傳記を讀んだ後で「俺はトテモ此人の樣には成れない」と失望するのであつた。ナポレオンや豐臣秀吉や西郷南洲等の傳記が私に與へた一種の悲哀は皆さうであつた。それで私は「若し私が立志傳を書く時が來たら、讀者に悲觀させない樣な傳記を書き度い」と希ふて居た。今や其の希ふた時が來たのである。本書中の人々は、皆、私共と殆んど同じ境遇に生れ、略同じ程度の教育を受けた者で「此位の事なら僕にも出來やう」と讀者は必ず感ずるに相違ないと思ふ。私は、此傳記の内に記されたる人々が、他日ナポレオンであり、秀吉であり、南洲である事を希ふては居るが、よしんば、現在の其儘で終つたとするも、後進の讀者の爲めに多大の感激を與ふる筈であると考ふる者である。本書に錄する所は、曾て博文館發行の「新青年」と云ふ雜誌に私が約四ケ年に亘つて掲載した所のものである。多くの人々から是非纏めて一卷にして發行する樣にとの勸告を受けたのが、今回多年の願が叶つて、一卷となし滿天下の意氣あり抱負ある青年諸君の前に提供する事の出來る樣になつた事は、私の深謝する所であり、又私かに愉快に感ずる所である。

私は本書に錄されたる人々が、いや益々向上發展する事を祈ると共に讀者諸君が、彼等の如く開拓の精神に生き、未だ祖先の知らざる所に、我等の祖先の未だ知らざる一大建設をなされん事を希ふて止まざる次第である。（序文の一節より）

長野縣廳 信濃海外協會（取次）振替二一四〇番

東京外國語學校講師 奥村外次郎先生監修

日本植民通信社編纂

獨習 ブラジル語全解

四六版二百頁歐文ニウスタイル活字種、舶來上等紙印刷

定價 金壹圓五拾錢（送料十八錢）

本書の内容は文法篇、會話篇、單語篇の三篇に分れ、文法篇に於て先づブラジル語の如何なるものであるか平易簡明にのみこませ、次に之れの應用練習を行ふために會話篇に於て日常生活に現はれる種々雜多な場合の用例應用を教へ最後に辭書兼用の備忘單語篇を藏めてある。

内容目次

文法篇＝文法と發音―冠詞―名詞―形容詞―代名詞―助動詞と動詞―副詞―前置詞と接續詞―感投詞

會話篇＝日用慣用語（願望感謝、悲哀、立腹、謝罪、承諾、相談等）天氣の話―數と年齢―訪問―生活上の話―言葉の話―庄屋―旅行―税關―旅館―靴屋と仕立屋―自動車―沐浴―通信―郵便局―職業紹介所―買物―取引―報告―散歩―寫眞屋等

單語篇＝名詞―年月日期間―四季及週―自然―方位―陸と海―家族―鑛物―植物―果實と花―野菜―動物―魚と昆虫―國と國民―國家と政治―人体―飲食物―家と家具―職業―旅館―税關―衣服―化粧―色―商業―旅行―町村―宗教―通信―航海―娯樂―車輛―農具等

取次 長野縣廳内 信濃海外協會

振替口座（長野二一四〇番）電話十二番

日本力行會長 信濃海外協會幹事 永田稠著

日本植民讀本

菊版百五十頁 地圖挿畫澤山 定價六十錢送料六錢

海外發展主義の小學教育

四六版四百頁布製 定價二圓五十錢 送料十六錢

東京寶文館發行

本會にて取次ます

著者が二十年間海外發展運動に從事せる体驗からしぼり出されたる血の結晶がこの二つの著書となつて現れた。

現在の教育の欠陥は日本民族發展に關する活材料を等閑に附してゐる事で、一般教育に海外發展に關する教育を加味されたならばと著者は此の點に深く留意して今回文部省の認定を得て實業補習學校、各種實業學校、中等學校の課外讀本として日本植民讀本なる教科書を編んだ。

更に現在の小學校の教科書中、修身、國語、地理、歴史の教材中に海外發展主義の高調に利用すべき點につき學年別に其活用法を示したものが海外發展主義の小學教育で、この參考書によつて直ちに海外發展主義の教育が施す事が出來る、世の教育者に是非共必讀を願ふなければならぬ好著である。

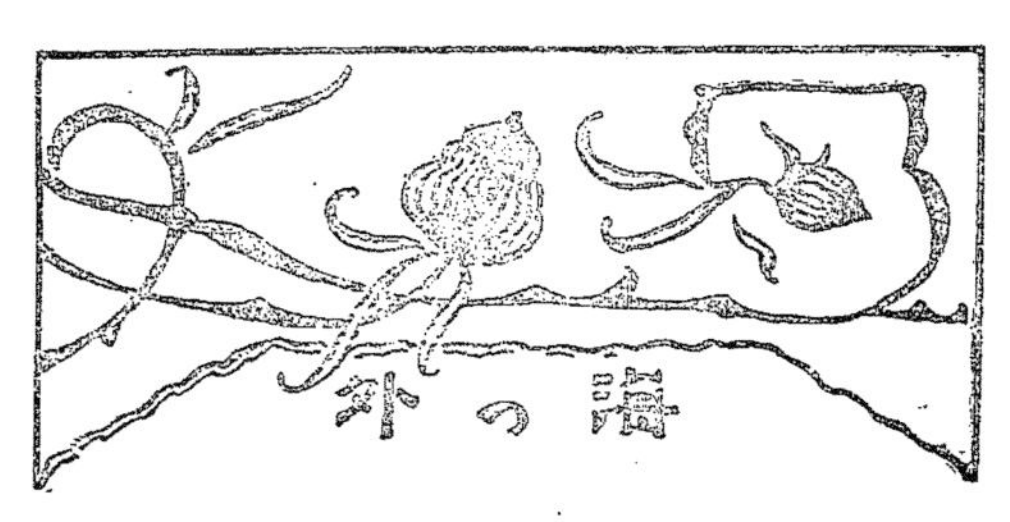

(昭和四年) 第八十三號 (五月)

世界奉仕

外交時報第五百八十五號に川島信太郎氏は世界文化增進と日本の使命なる一文に、世界文化の發達に奉仕し得る國家民族は益々國運發展膨脹し得ると古今の史實を例證してゐる。

今日、英米獨佛伊人の世界未開の地における活動振りはよく世界旅行者の觀察談に聽く所である。

世界の五大强國の一たる日本及日本人が彼等と共に自國文化の普及に努力するは勿論これが當然の使命である事を自覺しない者はない。世界奉仕は日本國民傳統の平和的德性である。

自國文化! それは文藝美術の意味丈けでなく通商貿易の發展即ち其地方經濟的開發にも關與する意味である。

今日我國の海外發展は投資や移住による富源開發にあるのみならず其の地方文化の增進に貢獻する事である。

吾人の提唱する海外發展運動は即ち世界奉仕の使命遂行であり理想の實現の實行運動である。

西澤太一郎君の外遊を送る

永田稠

思ひ廻らせば大正十一年一月廿九日、信濃海外協會が組織された時、此協會の中心となつて活動して貰ふには、誰が一番適當であるかと云ふ相談があつた。藤森克君か西澤太一郎君かと云ふことになり、ある人の意見によつて藤森君が就任することになつた。大正十二年五月には、南米に移住地を建設するの議がまとまり、十三年の五月に私は移住地選定•購入•入植準備をなすべき使命を帶びて南米に行つた。同年十月一日には五千五百町步の土地購入が確定し、早速歸つて來ねばならぬ筈の私は病氣の爲めに動けなくなり、漸く日本へ歸つて來たのが十四年の一月でありました。

縣廳の受付けで信濃海外協會がどの室であるかをたづねねばならなかつた。と云ふのは私の留守中に藤森君は辭職して、其事務は農商課に引繼いだ丈けで、主任となつて仕事をして居る者がなかつたからである。勿論、當時の農商課長の蜂須賀氏や宮下幹事は居り且つ盡力をしてくれたのであるし。畔上君も幹事の仕事をしてくれたのであるが、專任が居ないので仕事は後れ勝ちであります。

時の總裁、梅谷さんが私の爲めに慰勞の晩餐會を開いて下さつたが、其時に容易ならざる金が二萬圓程使はれて居ることも承はり、五千五百町步の土地の始末や、政府との交涉や、重大なる問題が山積して居るのに、海外協會の本營を引受けてやる者がありません。それで私は、誰か此重任を引受けてくれる人はないかと考へた結果が、西澤君に賴まうと云ふことになりました。所が其西澤君は、兩角校長の部下で平野村小學校の今井部の部長で、兩角君も放したくない樣であり、西澤君の奥さんも余り贊成しさうにもありません。無理のない事で、仕事は小學校の敎員のやることとは全然違つて居るし、一時名校長と云はれた藤森君がやつてもやり惡かつた仕事であるし、協會の金は普通會計の帳尻が二圓五十錢しか殘つて居らず、其月の給料さへ拂へる望みはなし、猶且、目の當り二萬餘圓の借金が特別會計にはあると云ふのでありますから、なみ大抵の人が引受ける理由がありません。私は上諏訪の牡丹屋に宿り込んで西澤君の返事を待つこと三日に及びました。

然るに西澤君は遂に斷乎として此仕事を引受けてくれることになりました。それから後のごとは多くの人々がよく知つて居る通りであります。既に角二十萬圓の寄附金を集めねばならぬ。內五六萬圓は出來て居たが、殘りを集めることはトテモ大變なことであります。赤十字社や愛國婦人會の金さへ中々集まらないと云ふのに、地球の向ひ側へ信濃村を造る資金を出せと云ふのですから、出さないのが當然で、出せと云ふ者が無理であります。南佐久のある所では一千圓の寄附を決めて貰ふのに夜の二時までかゝり、小縣郡では一萬三千を集めるのに靴が二足切れたと云ふのであります。下伊那の如きは始めから郡長がやる氣がないので縣廳の威力でさへ動かないと云ふ所へ西澤君は一人で飄然と乘り込んで四五千圓を集めて來ると云ふ次第で、二十万圓の豫算が十六萬五千圓まで出來たのは、勿論關係した多くの人々の努力にもよりますが、其中心となつて居た西澤君の努力に依ると云はねばなりませぬ。西澤君の努力に依り資金が出來たから、アリアンサ移住地の經營は兎に角思ふ通りに進行し、約三年間に一萬二千町步の土地を所分し、南米の一角に新しき村の建設が着々として進捗し、海外移住組合法の制定となり、更に百尺竿頭更に一步を進める樣になつて參つたのであります。若し西澤君が無かつたら、思ふにアリアンサ移住地は今日の樣な良好なる結果を示すことは勿論出來なかつたと思はるゝ、それは、諸他の此種の計畫を見るに、信濃の如くうまく行かない所がある。それは要するに其府縣に西澤君の如き人物が居らないからであります。

西澤君は金を集めるに妙を得て居る計りではありませぬ。人の世話することが上手であります。これは父君が敎育者であるからでもありませう。移住地建設の事業は金計りでは出來ませぬ。政府から何百万圓の資金を得て居りながらヘマなこと計りやつて居る所があるのを見ても知ることが出來ますが、移住地建設は人を取り扱ふことが上手でなければ成功が出來ない。海外事情を知らぬ者に之れを敎へてやらねばならぬ。渡航資金のない者には之れをつくらせてやらねばならぬ。妻君を欲しい者には之れを見つけてやらねばならぬ。これが普通の人に出來る仕事ではありませんが、我が西澤君はこれが非常に上手であります。移住者取扱ひに對し、西澤君の如く熱心で、西澤君の如く親切な人は世に稀れであります。尋常一年の生徒を育てる心持ちと其技能とが移住者取扱ひには必要なのであります。

新移住地の建設は、珈琲園へ勞働者を供給する桂庵業ではありませぬ。又、只徒らに人を移住さへさせればよいものではありませぬ。そこに遠大なる理想がなくてはなりませぬ。新しき人生の意義を考へ、新しき家族の生活を考へ、新しき社會の組織を考へ、日に新たにして更に新たなる向上の抱負を要します。西澤君は一面に於ては極めて飛び放れた理想家であります。天馬空を行く様な、夢の様な、千年も二千年も一飛に飛びこす様な空想家であります。これは非常に西澤君の面白い性格の一つであつて、これあるが爲めに新たに建設せらるる村に一つの高遠なる理想を抱かせることが出來るのであります。

實際に移住地の建設經營の主腦となる爲めには必ずしも海外を視察するの必要はありませぬ。出先き官憲の云ふことや謂ふ所の在外同胞の意見などは、時に依つては何程かの參考にはなりますが、時によつては三文の價値がありませぬ。それ故に此種の事業にたづさはる者は、必ずしも實地を視察するの必要はありません。殊に西澤君の場合に於て、私はタイシた必要はないと思ひますが、只、西澤君が實際に此運動をする爲めに、「見て來た」と云ふことが西澤君のふれる人々に對して與へる「確信」は小さなものではないと思ふのであります。それ故に機會があつたら西澤君が一度南米や中北米を見て來たら、鬼に鐵棒であらうと思ふて居りました。幸に昭和四年度は、信濃海外協會としては、ある方面から横槍を入れられて「御大典記念移住地の建設」がやりにくくなつて居り、一方信濃移住組合の仕事も大局に於て西澤君の巨腕を振ふ程の仕事もないし、此機會にアメリカを一巡し、更に來らんとする時機に一大活動をなすの準備をすることが、西澤君の爲めのみならず、長野縣民第三期（若しそう云ふならば）の海外發展の爲めに極めて意義があることであらうと思ふて居りました。幸にして小西學務部長の發案となり、千葉知事も快よく贊成され、協會や組合の幹部各位も大贊成で、愈々五月上旬横濱を出帆することになつた次第であります。

南洋、南亞を經て南米に行き、ブラジルに於ては滿五ケ年間心血を注いだアリアンサ移住地で必要な事務を見、更にアルヘンチナ國に赴き、此國に於ては日本移住者發展について考察し、アンデスを越へて智利に出で、ペルを經てメキシコに入り、更に北米合衆國の各地を見て、昭和四年十二月中には歸朝せらるるのでありませう。

生死は西澤君の既に早き以前に超越せる所、傷病の如き元より眼中にはない。只一意大和民族の海外發展と、世界人類に對する奉仕の外には、西澤君の考へる所はありません。無より有を生ずることは、移住地建設精神の神髓であります。西澤君は今や何物にも囚へらるる必要はない、自由に視、自由に考へ、自由に計劃し、自由に實行すればよいのであります。海外協會の形が古かつたら、新しく案出してよい。移住組合が伍するに足らざれば、新しく立案してよい。在外同胞の聲の如きも必ずしも尊重するの必要はない。幾多先人の道も必ずしも跡を追ふに及ばない。私共の精神は開拓の精神であつて、先人未踏の地を行くことであり、建國の事業は要するに創作の事業であつて模型を要しない。此心を以て香港シンガポールを見、此心を以て南洋南亞に對し、此心を以て南北兩米を見、此心を以て世界の海を渡り此心を以て南半球の天を仰ぐがよい。

私は親愛なる同勞の友の外遊を送るに當り、感ずる所を記してかくの如く云ふたのであります。

兩米一巡旅行日程

西澤太一郎氏の南北兩米一巡の旅行日程は大略左の如く決定した。

五月九日	横濱發（サントス丸乘船）
五月十一日	神戸發
五月十七日	香港發
五月廿一日	西貢發
五月廿四日	新嘉坡發
五月卅日	コロンボ發
六月十一日	ダーバン發
六月十五日	ケープタウン發
六月廿五日	リオデジヤネーロ
六月廿六日	サントス發（伯國上陸）
七月一日	聖州各地方視察
七月卅日	アリアンサ移住地滯在
八月五日	イグアツペ植民地視察
八月十二日	サントス發（マニラ丸乘船）
八月十六日	ブエノスアイレス（亞國上陸）
九月十六日	亞國各地方視察
九月十八日	アンデス越（智利國に入る）
九月廿日	バルパライソ發（安洋丸乘船）
十月二日	イケキ發
十月六日	カイヤオ發（秘露國）
十月十八日	マンサニヨ着（墨國上陸）
十月廿五日	墨都
十一月五日	タンピコ市
十一月十五日	羅府
十一月廿日	桑港
十一月二十五日	シヤトル
十二月四日	桑港發（天洋丸乘船）
十二月十日	ホノル發（ハワイ嶋）
十二月廿日	横濱着（歸國）

拜啓時下陽春の候貴台益々御清祥の段奉大賀候

扨て海外發展に就ては常に多大なる御盡力に預り候段有難御禮申上候

今回大正十三年以來信濃海外協會の經營に係り昨年九月より信濃海外移住組合に肩替り引き繼ぎたる南米ブラジル共和國サンパウロ洲內アリアンサ移住地の事務打合せ並にブラジル、アルゼンチン等に新移住地建設調査のため來る五月九日横濱出帆サントス丸にて渡航致す事に相成り申候

舊來の御厚意に對し謝意を表し旁々御拶挨申上候　敬具

昭和四年五月一日　西澤太一郎

西澤幹事理事海外派遣について

皆樣の多大なる御盡力によりてアリアンサ移住地は好成績を以て着々進捗して居ります。其狀況については「海の外」印刷物又は會議の折など其都度御報告申上げてある通りであります。

昨年の九月末から其經營を信濃海外移住組合に肩替り引繼ぎする事になりました。ついては一層移住地の實情を詳細に調査して今後の計畫を立てたいものであります。其調査や事務の打合せのためと又海外協會や移住組合としましても今後益々事業の進展を計る上から移住地を新に建設する場合の研究や調査の必要に迫られて來ました。

今回協會幹事、組合理事西澤太一郎氏をブラジル、アルゼンチン其他南北米諸國へ派遣する事になりました。同氏は五月九日横濱乘船され本年末に歸國の豫定であります。何れ同氏歸朝の上、詳細の御報告を申上げる筈で御座いますが取敢ず役員會員組合員其他本會本組合に關係ある皆樣方御一同へ御挨拶旁々御報告申上げます。

何卒今後も一層邦家海外發展の爲め御配慮を仰ぎ度く御願申します。

昭和四年四月十三日

信濃海外協會
信濃海外移住組合

南洋發展のみち（五）

海外協會中央會　宮下琢磨

農業的方面

商業については、大要述べたが、農業方面についてはどうであるか。

實を言ふとジヤワでも、スマトラでも現在のところ農業のみで立つて居ると云ふ人はない。なぜかなれば

第一に、日本から南洋へ、小資本自己勞働で農業をやらうと思ふて行つたものはない。前述の如くに農業の經驗のない人であつたから、此の方面に興味を持たなかつた。

第二は、土人の生活は簡單で、農産物は食ふて殘つた品物であるから、生産物の價格は安い、骨を折つて土人と競爭してやつて見ても、大規模の組織的にやるでなければ、豊沃な土地を持ち、安價な生活で生産する土人に敵はない。それで有利な物産は、土人から安く買ふて、これを市場に高く賣る。一ケ年の勞苦は一月か二月に得てしまふから、勢ひ此の方に廻ると云ふことになる。

併しコーヒーにしても、米にしても、胡椒にしても、馬鈴薯でも、落花生でも、精勤で注意周到なる日本人の手でやれば、選種により、施肥により、除草により、耕耘により、害虫驅除により、優に二倍三倍の收穫を得ることは困難な問題ではない。

第三は、土地を得るにブラジルのやうに簡單に行かない。土地法は頗るやゝこしいものである。官有地もあり、從前で政府で賣却した私有地もあり、王領地もあり、土人の共有地もある。大体を述べると

官有地

これはジヤワ以外の領地即ち外領と云ふ方面には澤山ある。大体の規則は、

一、出願者の資格

和蘭臣民

和蘭の住民

蘭領印度住民

和蘭又は蘭領印度に於て設立せられたる商事會社

と云ふことになつて居る。一口は五千バウ（三千五百町歩）で、期限は七十五ケ年、五年間は無税で、六年目から一バウ（七町歩）一盾以下の税金を納めればよい。これは大規模の農園經營の場合である。

即ち出願者の資格として、外國人ならば和蘭住民の資格を得るか、又は會社を設立して届け出ることである。住民の資格即ち定住權を得るには、一般に十年蘭領に居た者でなければ得られないやうに解釋して居るが、これはバタビヤの司法省に問合せたところ、必しもさう云ふ制限はない直ぐ出願しても差支ないと云ふことが明瞭になつた、但し官廳の見込のつかぬうちは保留されるから、直ぐと云ふわけには行かない。

土人の土地

小規模農園には土人の土地を買ふのであるが、彼等は自己の所有地と云ふものはない。何か地上に植えつければ、バナナ數本でも、林を少し伐り始めても、それが權利となる。コーヒーを植えつけてあれば、チエロツプ邊では、一本五十仙の評價である。一バウは千本五百盾である。何もない森林ならば、四五十盾から百盾までゞ手に這入る。國道に沿ふたとか、山の方によつたとかで値段が違がふ。日本の町歩で言へば、一町歩五六十圓から百圓内外である。

もと土人の個人所有地でないから、村人も異議がなく、村長（アバラ・カンボン）も承諾すれば、郡管督官（コントローラー）は許可する。土人の土地を處理することは、土民統治の上に大切なことであるから、充分反感を持たないことの見極めがつけばそれで宜しい。纒まつた大面積でなければ、土人との話し合ひで、一寸村長が承知すれば直きに出來る。すべてから云ふことは

永年その土地に住んで居るは本人がなければ萬事が順調に行かぬ、此の點がやゝこしい。こんな點から手がつけなかつた。

清涼の樂園チエロツプへ

これは自分がスマトラに居たとき、本誌で昨年紹介したから、重複を避けて簡單に要點を述べると

氣候　大体日本の初夏の氣候である。

午前中は七十二、三度から七、八度

午後三時間程は八十四五度—野外で—年中一日一時間位雨が降る

夜は袷、宿具は毛布三枚位いる

土地　標高五百五十メートル

土質は火山灰であるが、肥えて居る

水は豊富

産物　コーヒー、落花生、米、煙草、馬鈴薯

土民　レヂヤンと云ふ民族、溫順、日本人には絶大の尊敬を拂ふて居る

交通　南スマトラの東海岸の要港パレンバンから、西海岸ベンクレンに通ずる、國道筋の高地、パレンバンから四百キロ、ベンクレンから八十三キロ

今この土地を考へて見ると、こゝならば小農業ならばいくらでも土地はある、又農産物は、チエロツプの街で處理される。こんな處であり乍ら牛乳は鑵詰として、遠方から汽車で來て、自動車で運ばれる、鷄卵一ケ十仙もする。山羊も高い。滑稽なのはシヤムからの輸入米をたべて居る、米は陸稻と水田とあるが、陸稻の方がうまい林を伐り開いて薪とし、後に籾を蒔くだけの仕事であるが、遊んで食つて居れるから、土人は餘り仕事はしない。若い時は遊ぶに面白い時であると云ふ譯で、町でも田舎でも、ブラ〱して遊んで居るものが多い。彼等は蒔きばなし、植え放しで、自然に收穫のあるやうなものを喜ぶ、骨を折つて增收をはかると云ふやうなことは工夫もしなければ、努力もしない。

この土地で、一番に纒まつて金になるものはコーヒーである、今コーヒーを栽培するとしての情況を述べて觀る。

コーヒーの栽培

コーヒー　と云へば、ブラジルサンパウロ州が本場である。けれども栽培から言へば瓜哇の方が先きである。

原産地　は「アラビヤ」の「モツカ」と云ふやうに、これまで信ぜられて居たが、今ではアビシニヤの南部**カツフア地方**で、こゝからアラビヤに移入されたと云ふことになつて居る。これやがてブラジルでカツヘーと云ひ、日本でコーヒーと云ひ南洋でコツピーと云ふやうになつて來た。

瓜哇の栽培は云へば一六九六年で、歐州へ積み出すやうに迄なつたのが一七一二年であつた。サンパウロの方は、ずつと後れて十八世紀の初め、佛領ギアナの方から移植されたものである。

南洋コーヒーの滅亡　將來コーヒー栽培をするものゝ、參考となることであるから、南洋のコーヒーが危機に瀕した歷史を述べて見ると、ブラジルのコーヒーが、非常に發達して年額二千萬俵も産出するやうになり、經濟上大打擊を蒙つたところへ一八九六年に始めて錫倫島に發生した病菌は、葉を犯し、果實に及び、遂には樹木を枯らしてしまつた。これが、風のまに〱飛び散りて、錫倫から馬來、瓜哇、スマトラ果てはアフリカまでに侵蝕し、蔓延した。

これまでの最も優良種であつた**アラビカ種**は、病菌で絶滅の悲運に陷つたので、次にアフリカから持ちて來たのが**リベリカ種**、此の方が病菌の抵抗力ありとせられたが、少し經つと駄目になつた。これで南洋のコーヒーも絶望と悲觀して居たところへ、白耳義の商人が、アフリカのコンゴー地方から移入したのが、現在の**ロブスタ種**である。これは抵抗力もあり、栽培が容易で、成長が早い、結實も多い、是れで漸く一道の光明は見出された譯である。

ロブスタ種は、非常に便利なことは、二年目から收穫のあることである。その變り何十年迄も生命はない、十六七年で老衰するやうである。

土人のコーヒーの作り方　土人のコーヒーの栽培は、實に簡單で、乱暴なもので、優良な種子を選擇して蒔きつけると云

ふ譯ではない。コーヒーの實の落ちたものを拾ふて來て、無雜作に畑に蒔く、地味の適否も、種子の良否も、頓着せぬやうなやり方である。併し優良なものは、一バウ(約七町)に千本植え附ける、一本から二斤とすれば、二千斤一ピクルだから、二千斤の二十ピクルとなる。昨年は一ピクル三十五盾(ギルダー)であつたから、七百盾の收入ある譯で、これをブラジルの一アルケールの計算に直すと、一アルケールが二町五反歩ゆえ、二千二百盾（一ギルダーは邦貨八十二、三錢見當）になる。

しかし一バウ二十ピクルは、極上の部であるから、全部これを標準とする譯には行かない、かりに中類十ピクルとしても、十バウーブラジルの三アルケールー栽培すれば、一バウ十ピクル、十バウの百ピクル。三千五百盾邦貨二千九百圓で決して惡ひ算盤ではない。

土人のコーヒー園は、雜草との雜居で、手入れも何も出來て居らぬ、若し、ブラジルに於けるが如くに、丹念に手入をし、選種、栽培に注意をしたならば、何倍もの收穫は得られる。

土人の生活は簡單であるから、蒔き放しのコーヒー園から、實をとつて臨時賣る、これで家も改築し、贅澤な生活が出來るので、スマトラ、チユロツプ邊では、他家に傭はれるものがゐない。

チユロツプ三笠農園の自給自足

三笠園と云ふのは、雜貨店高田君の經營で、松本と云ふ人が主任としてこゝに居る。松本君は器用な人で、味噌も作り、甘蔗から液を搾りそれを煮つめて黑砂糖をこしらへる。桑の實でジャムをつくり、米を醱酵させて酒をつくる。パンは妻君がやく。野菜はつくりて風味のある三ツ葉のやうなもので御吸物が出來る。鷄は澤山飼ふてあつて卵が毎日とれる。コーヒー畑もあれば米もとれる。食後のオレンヂからバナナ、パパイヤまで庭にある。肉は畑を荒しに來る野豚の肉を時々頂戴した。薪は園周にいくらでもあるので毎日浴湯は沸かせる。今の處資金のない程度で、この位はやつて居るから買ふものは石油ぐらひで我慢が出來る。先づ喰ふて行けるだけの事をして、コーヒーの栽培でも始めれば安泰なものである。(つゞく)

アリアンサ移住地について

在伯國バウルー領事　多羅間鐵輔

私とアリアンサ

今回私丁度歸朝中（三月十五日横濱着）なのでアリアンサ移住地の狀況について皆様にお話出來るのは誠に愉快であります。と云ふのは私が此の前の賜暇歸朝の大正十二年に多分此の正廳で御座いませう皆様にブラジルのお話を申上げアリアンサ移住地の建設をされる事については出來得る丈けの御盡力を致しませうと御約束したのであります。それから私はアリアンサ移住地には初めから關係して今日に至り假令私の任地管轄區域であつたにせよ公私共いろ／＼御盡力申上げたのでその移住地の報告を皆様に申上げるのは私の責任でもある様に感じられます。

然かも本日は移住地の建設について多大の御援助を下さいました皆様のお集りでありましたので御求に應じ私は是非お話申上げたいと思ひまして參りました。それも私が今日のアリアンサ移住地が前後四ケ年の歲月を經て舌筆に盡しがたき苦境を經て若し不成功に終つたとすれば或ひは遁辭を設けて逃げたかも知りませんが私は寧ろ進んで皆様に御話申上げたいと罷り出た次第であります。で私は在伯拾五ケ年の生活として今回が三度目の歸朝であります。ブラジル生活も斯様に永いのでブラジルのお話と云ふても何の様に申上げてよいか判りません。丁度皆様に日本の話をせよと云はれて間誤付くと同じ様に私も困るので前述の如くお話の範圍をアリアンサに中心をおき移住地の狀態について申上げたいと存じます。

よくやつてのけた

此の前（大正十二年）參りまして御相談も受け、公的には一領事として出來得るだけの事は致し度いと思つたし私的にも十分

御盡し致し度いと思つたのでありましたがこれに對し彼此第三者から云ふ者もありましたが要するに人間として當然爲すべき事を致したに過ぎない事で只今の永田君からの御禮の言葉を受くる程でもありませんで寧ろ私としては恥入る次第であります。それに此の種事業は中々容易の事でなく皆様は當然の事の様に思はれるかも知れませんが決してそうでなく今日の如く移住地の順調なる發達をもたらせるには並大抵の努力でありません。ですから私共もこれについては可成りの疑念を以て始終心中不安を感じて居りました。幸ひに皆様の御援助と當局者の努力によつて今日の極めて順調なる發展をなしつゝある事は誠に御同慶に堪えない次第であります。

移住地のお話を申上げるにあたりまして種々の統計的數字は一切抜きにしてお話を進め度いと思ひます。

× × ×

最初の珈琲（大正十四年中植付けのもの）は四年目で私の身長以上（六尺以上）に生長して花が澤山に付きノロエステ線の珈琲としては非常によいのであります。設備としては煉瓦工場、製材所、精米所等があり小學校も煉瓦建で恐らく在伯邦人中（昭和三年四月現在八十三校）一番立派なものであります。

在伯邦人は現在約七萬五千人（約一萬五千世帶）二千萬本の珈琲園を持つてゐます。ノロエステ沿線では各驛に日本人を見ざる所なく旅館商店等の町を作つてゐますが彼等は大正五年以來の渡航者で全く汗と涙で造り上げたものであります。けれどもこうした町にも殖民地にも統一がなく共同的施設がうまく行つてゐない。秩序もなくて一種の寄合世帶の如く協調の精神が欠けてゐます。例へば一本の道を設けるにしても容易に出來そうな事をゴタ／＼紛議せねば決まらぬ狀態である。

吾がアリアンサは村として若かく目下發展の途上にあるのでありますがその移住地建設の目的が此等とは成り行きを異にして最初から統一と秩序のもとにすべての施設が計畫されて今年は更らに珈琲の精選場が三四萬圓で出來るでせう。

入殖者は大部分二、三年來のものであるが最初の人は四年目で珈琲が實のり落ち付きをみせてゐるので自然皆のものも安心して働らいてゐます。これから行かれる人もそうでありますが移住した所が何等心配なく活動出來る程幸福な事はないのであります。アリアンサは此の點について少しも心配はありません。入殖者が何等の惑ひがないのであります。

斯く移住地が順調にまゐつたものは

一、天の惠みが豊かであつた事であります。如何に他の條件が移住地の發達上整つてゐましても自然的の恩惠が薄く私共の豫

期しない天災的事件が起きてゐたではたまりません。就中霜は珈琲の大敵であります。珈琲が蒔付後三ケ年にはこの霜のために最も被害を蒙る事が多く從がつて珈琲の危險時代であります。アリアンサはこの期間に於いて霜にあふ事なくして今日に至りました。卽ちアリアンサは霜の被害を受ける事が大体に於いて心配のない地帶であつたのであります。

二、當局者の献身的努力であります。卽ち適當な人を得て移住地を經營して來た事が成功の最大原因かもしれません。移住地の輪湖北原兩氏の同心協力があづかつて力あり、こちらでは永田氏を通じて關係理事者の協力が全くアリアンサの今日を爲した最大原因であります。若し此の種事業に對して一人の不純分子が居つたらどうでせう。どうなつてゐたでせう。輪湖北原兩氏の超打算の無報酬的な献身的活動が移住者の一人一人を感化して斯く移住地が發達したものと見て差支ありません。僅かの俸給、それは領事館の書記生の四分一にも滿たない給料に甘じて努力されたのであります。全く氣の毒であれだけの事業を切り廻して行くのに良く我慢してやつて行く事であると私共感服してゐます。これは全く何處でも見る事の出來ぬ事でこの兩氏の犧牲的努力の精神と活動がアリアンサの今日に至つた最大原因であると申しても過言ではありますまい。私共はこの兩氏に敬服したのであります。更らにこの二人を見出した事が偉い事で永田氏にも深く敬服する次第であります。

すべての事業は結局人物の問題で如何に計劃が整ひ資金が潤澤でもこれを運用する人によつて事業の成敗は決せられるのであります。移住地に於ける輪湖北原兩氏の活動は他人の見る目も羨しい程に協力したのであります。輪湖氏は主に移住地の經營に關する外部交渉の任にあたり北原氏は內部の移住者の實地指導世話等であります。唯一人として移住者の入植第一印象はこの懇切な指導と世話を受けた北原氏の恩情を感謝しない者はありません。斯くて移住地は內面的に眞の平和鄕が出現したのであります。ところが意外の方面からアリアンサは呪咀の的となり非難攻擊を受けたのであります。これについてはあとでお話申上げますが此の多難な中にも兩氏の人格的反影は益々移住地の順調なる發達を促がし兩氏の確固たる信仰的活動は遂に却つてアリアンサの評判を倍加して移住地の眞價が世間に擴がつたのであります。次ぎは、

三、地の利を得た事。これは移住地建設上偶然に得た地の利の一つとも云ふべきものでありますが私共始め今日になつてその事が了解出來たのであります。それはアリアンサが奥地であつた事であります。批難論者はアリアンサは奥地であるが故に交通の不便を攻擊したのであります。然し今になつてみれば奥地であるが故に移住地建設の危機を脱し得たと申して差支へないでせう。アリアンサの移住者の大部分は日本からの新渡航者でブラジルに上陸して西も東も判らぬ人達ばかりでした。それだから若しこの人達をサンポウロ州の交通の便利のよい所に移住地を設けたなら不良の徒が乘り込んで無

根の惡宣傳を試みて此の人達を惑はし不安の念を抱かめたでせう。ところがアリアンサは幸ひに不便の地で此の徒輩が來るには不得策の地であつたため彼等の惡宣傳が事實試みられたにしても移住地の內部には些細の影響がなかつたのであります。そして前述の輪湖北原兩氏によつて善導されたるが故に思はざる厄難を逃れる事が出來たのであります。

アリアンサの批難

移住地に對する最も戰慄せしめた批難はマラリヤ流行であります。マラリヤ流行のために移住地では入植者が全滅したと傳へられこれを外部に洩れるのを恐れて土葬に附し視察者に發見されてはと云ふので墓標すら立てない、と云ふ風評でした。この風評が聖市で專らでした當時アリアンサ入植者の一人で相當な人がこの事を聞きバウルーの私の所へ來てその眞相を尋ねられた。私は「當館ではそんな事は少しも知りません。死亡者があれば必らず當館に屆出ある筈ですが未だそんな屆出がありません。いくら死人を隱蔽するにしても當館に屆出のない限りその噂は信じられません。どうせ此處まで御出でですから貴殿が實際御出になつて調査されたら宜しいでせう」と答へました。その人は實際行つてみたがそれらしい土葬に付した所も發見せず入植者の話も聞いてみたが事實無根であつた事が判かつた。然しこの人は尙アリアンサを信ずる事が出來ずして聖州各地を步き廻り一ケ年の後、輪湖氏に自分の未熟を告白して入植したと云ふ事であります。移住地の健康地である事については私は最初から信じてゐました。それは私の在伯十五ケ年の領事生活が常に日本移民の第一線でありましたため出先官憲の私としては移住地の健康狀態については地勢上から醫者でなくとも大体の自信がありますので私は安心してゐたのであります。全体マラリヤは新開地には何處にもある病氣で殊更にアリアンサが流行してゐる等と云ふ事は初めから惡宣傳でありました。病氣としてはマラリヤの外にアメーバ赤痢であります。これは俗に水がさわると云ひますが下痢の病氣で主に幼少の子供に多いのです。現に有吉大使、赤松總領事等の一行がノロエステ線視察途中でこの病氣にかゝつた例もありこれは到る所にあるので衞生に注意するより外に途がない。次ぎは、フイリーダブラボと云ふ皮膚病であるがこれも新開拓地には必らず發生する病氣で開拓されるに從がつてなくなる。すべての病氣は何處にもあります。殊更に不健康地を選ぶ必要もなく又衞生に不注意であつてはなりませんがマラリヤを恐れてゐる樣では開拓の仕事は出來ません。

批難の第二は奧地であると云ふ事、アリアンサは聖市から約三日の行程を要しませう。然し日本人はアリアンサの奧のマットグロツソに澤山居り今後聖州で日本人が發展すべき處は皆これより奧地でなければありません。又他の州に行かねばなりませんので何も奧地であると云ふ言葉は當てはまりません。現に海外移住組合ではこの附近に十二萬町步の移住地が出來て將來はアリアンサはその中心地になるかも知れません。こういふ事は皆將來の事で何が幸運となるか判斷致しかねるのであります。その他の攻擊は理事に對する批難で會計が紊亂してゐる等と云はれ、或る所では密かに人を派して會計を檢べたら帳簿がよく整理整頓され出納の秩序一點の批難なく移住地會計の整備してゐるのに却つて賞讚して歸つたと云ふ事であります。これらの惡宣傳は皆日本人の惡癖である他人の批評ばかり信じて欠點を殊更らに作り上げて攻擊し合ふ事であります。

かくしてアリアンサは自然に眞相が紹介されて來ました。そして昨今では、

ブラジルの名所

となつてブラジル視察旅行者のプログラムの一つになつてゐます。バウルーはこのアリアンサの關所でありましてアリアンサに行くには必らずバウルーを通過せねばならぬのであります。でありますから私は此處に居りましてアリアンサの樣子を絕えず視察者から報告を受けてゐたのです。

聖市や其の他で惡い事を聞かされてバウルーまで來た者は私に「何處か參考になる殖民地を視察したいが紹介をしてくれないか」とアリアンサ以外の邦人殖民地を視察する積りで參ります。私はアリアンサ行きを勸めるとアリアンサは見なくても惡い評判であるから其の必要があるまいと云はれるのでそれは當てにならぬから是非御自身が參つて見られた方がよろしいでせうと云はれてそれでは折角バウルーまで來たのだからとアリアンサに行く。先頃は別府藤太郎氏（縣知事）の一行が視察の歸途私の所に立ち寄られて「貴殿に勸められてよかつた。もしあのまゝアリアンサを見なければ私はアリアンサの眞相を知らずして他人の惡評を誤信して歸國したらう」と述べられたのであります。

實業家野村德七氏の南米企業ではブラジル國のパラナー州に殖民地を建設しやうとしてゐますがその事業部長の細田氏は奧樣を速記者として同伴、私の所に數日滯在のお積りで珈琲其の他移住地經營の事につき尋ねられました。細田氏は倫敦に永く居られて世界市場における珈琲の收散狀況についても深い御研究があり却つて私共が敎へられるのでありました。そして段々尋ねられるので私は「これはお說明申上げたでは最限がありませんから一つ移住地を御紹介致しませう。アリアンサを視られたら何か御參考になる所もありませう。」細田夫妻は早速アリアンサに參りました。それから十數日も經たので私はもう細田夫妻はきつと私の所に寄らずに歸へられたのだらうと打ち忘れてゐた所へ「やあ、どうも有難うでございました。實は今迄ブラジルでこんな移住地のあるのを知らないでゐた。私はあすこの世話する人物が氣に入つた。あれでなければこの種の事業は成功すまい。兎に角アリアンサが氣に入つたから是非五十アルケール（百二十五町步）欲しいから貴殿から理事に御話を願ひ度い」と云はれたのでこれはお世辭であると最初は半信半疑でゐると北原理事から「先頃細田某なる人が十數日滯在して歸り掛けに五十アルケールを欲しいと申込んだが土地がないので斷つた。一体細田某は如何なる人物であるか？」と通信があつて初めて細田氏の眞意を解する事が出來ました。南米企業がパラナー州に澤山の土地を持ちながら尙細田氏は個人でアリアンサに斯くの如く土地を求めたいと云ふのは何を物語ものでせう。やはり事業家は人物を見る眼の鋭敏なのにおどろくのであります。

斯くの如くアリアンサは視察者が多いので輪湖理事初め移住地の當局者はその應接に忙しく仕事が出來ないで困つてゐます。それに訪問者がありますと可成りの接待費が要するので輪湖理事は視察者の來ない樣にと努めてゐる位であります。

和氣靄々

アリアンサは農業者ばかりでない。日本で百姓の經驗ある者は半分位なものでせう。半分は官公吏、工業、商業、敎育等の全然農業の經驗のない人達が此處で農業に從事してゐます。これがアリアンサの異つた所であります。他の殖民地は農業者ばかりの集團でありますが此處は全く趣きを異にしてゐます。であるから開拓珈琲蒔付け等の仕事は確かに能率があがりません。仕事は遲れるがこれがためにアリアンサを見限つて出て行つた者のないのは又不思議である。それはアリアンサが前述の如く全く不安がなく移住者が安んじて愉快に生活出來るからであります。そして移住地の完全なる社會的發達するにはすべての階級が網羅されてゐる事が肝心です。移住地の成敗は開拓や珈琲の蒔付けを以て數年間に決するものではなく却つて移住地を構成する分子の結合の如何によつて五十年百年の後に初めて決するものでありますからアリアンサはこの意味より移住地開拓は遲れても、然し移住地の文化經濟の發達、社會的組織の發達は蓋し邦人植民地の異彩を放つ事を信じて疑はないのであります。

日曜學校が此の道の經驗者によつて移住者の內から選ばれて初まり、日曜獻金勞働によつて青年會館が建てられ、アリアンサ野球チームの聖市遠征費が青年會員の協同勞働給金によつて行はれてゐる。棋界の天狗、腰折の會が出來て却々の人物揃へであります。

私はアリアンサを訪問した時の事、或る工學士の夫妻が眞黑になつて山奧のお百姓の樣な身裝りで一生懸命に働らいてゐられる、私はその奧樣からお團子を馳走して頂いたが實に羨しい程に樂しい生活をしてゐられる。仕事は確かに苦勞でせう。日本で恐らく經驗がない骨折れ仕事を此處でやるのだから。然しそれを苦痛としない精神的生活の愉快の氣分のよい事があり〳〵と證明されるのであります。

アリアンサ野球チームは聖市まで遠征して常に優勝旗を獲ふて來る凱旋振り等は他の植民地では見る事の出來ない、元氣潑剌たるものであります。

地の利を得る

前にも申上げた樣にアリアンサが聖州の奧地である批難に對してアリアンサは將來生產物の賣り捌きに非常に好都合にある事を約束してゐる。それはアリアンサからパナマ河を隔てゝマツトグロツソ州がある。此の州はブラジルでも牧畜が盛んで農業物は他州から仰ぎつゝある。そこでアリアンサは此の州の傍であるから聖市の遠くまで出すより近くのマ州に出した方が運賃は安くあがるし、便利がよいので從がつて利益が澤山になる。今迄聖市から搬出したものがアリアンサで間に合ふ事になるから此の點では寧ろ地の利を得る事になる。尙近く移住組合の移住地が建設されるのでアリアンサは種々の利益を得る事が出來ませう。

更らに珈琲は伯國政府の最も力を入れてゐるもので政府は珈琲生產の過剩を世界市場に影響せぬ樣各地に國立倉庫を作り珈琲の集めおき相場の激變を防ぎ倉庫內の珈琲代金については七掛けで融通してくれるから何もサントスまで個人で出すのでないから必らずしも奧地なるが故に不利不便を感ずる事は少しもない。尙面白い事はサントスで珈琲を賣捌すれば約一ケ年半にして漸く代金の回收を出來る處パラナ河を利用してウルグワイ、アルヘンチナの兩國に出し取引すれば一ケ月にして現金になる。

又アリアンサは砂地であるから珈琲の樹齡が短かいと云ふ。然しノロエステ線一帶は砂地であつてアリアンサ丈けが砂地であるのではない。ノロエステ沿線ではアリアンサは肥沃なる點で他の追從を事實に於いて許さないのであります。それに珈琲樹齡は二三十年であるがこの位の壽命で結構である。大面積の珈琲園であるならばなるべく樹齡の永い粘質土が結構であるが一家の

所有面積が廿五町歩であり珈琲のみが事業でなく人間の生活に必要なる生産に好都合でなければならぬのでこうした砂質土が極く適當し尙入植後自給自足の一日も早く出來るので砂質土が結構であります。

斯樣に觀察しますとアリアンサに對する批難は全く或一部の日本人の故意なる惡宣傳でありまして

一、日本人の通弊として他人の仕事を貶す事

二、不良ブローカーの土地仲買の斡旋上中傷けたるにすぎないもので中にはノロエステ沿線の邦人發展を呪咀する人さへあるのであります。こう云ふ人の言を信じたではとんでもない事になります。

現に前在亞日本公使古谷信綱氏がブラジルに移住して土地を買ふとの噂がぱつと擴がるとこれを目當てにいろ〳〵の進言を入れ來り、遂に二十萬圓が利用され樣とされた事すらあつたのであります。

× × ×

斯く申上げまゐりますと私はアリアンサのよい話ばかりして却つて不信を抱く方もありましやうが私の申し上げる事には嘘はない積りであり私の申し上げた事は私自身の言葉でありますから別に上手に申上げ樣としたのでもありません。

貴方方は幸ひにして今日までアリアンサに對する批評につきお聞きならなかつたならば誠に幸ひでありますが當局者がこの批難を耳にしつゝ如何に苦心努力されたかは充分御承知願つておきたいのであります。

繰返して申上げますがアリアンサは全く人物によつて成功しつゝあり移住地經營の實際にあたる輪湖北原兩氏の獻身的奮鬪はあづかつて力あるものであります。

未だ申上げたい事は澤山ありますが今日はこれで御勘辨を願ひ機會を得て更らにお話し申上げたいと思ひます。(文責記者)

(本稿は四月一日海外協會評議員會席場における多羅間領事の講演概要である。)

海外通信

海外支部便り

本年度總會開催

北加信濃海外協會報告

一九二九年三月三日午後一時、酒井理事方に於て本年度總會を開く、人員規定に達せるを以て議長に松田午三郎氏を推す。議長席に就き左の順序により報告及議事を進行す。

事務報告　白井幹事
會計報告　小川會計

二、三質問ありて承認す。

議事

(一)本部へ現在集金せる會費百圓以上を送る事

(二)會員募集の件　幹部及全會員手分けして勸誘する事

(三)會員親睦增進の件　時々家庭集會を披き又時季を見て野外運動會を催す事

(四)會則改正の件

イ、會則五條中幹事三名を理事中より一名を擧げ通信囑託と爲す事(可決)

ロ、理事十五名を十七名とする事(可決)

次に役員選擧に移り左の諸氏本年度役員に選擧せらる

理事　酒井喜多市、田中常助、望月滋司、大久保政濟、小川榮一、龍野鉦次郎(以上桑港)靑木貿次、北村喜久藏、丸山保(以上王府)、北澤武右衛門(佐市)、町田貞三郎(櫻府)、上原隆二(コロラド州)寺澤畔夫(ユタ州)伊藤晴之(華府)遠藤照治(遠藤照治)三木三一(アイダホ州)尾澤壽次(市市)

會計　酒井喜多市、田中常助

幹事　古畑八郎、白井省三

通信事務囑託　片瀨多門

右に終つて第二式に入り小川氏司會し餘興として端歌、義話、義太夫、手品、模擬ラヂオ等ありて非常な盛會裡に午後散會した。

會計報告(一九二八年度會計)

收入

前年度繰越金	拾弗卅四仙
會費	九拾參弗(卅一人分)
計	百弗卅四仙

支出

定期總會費	十四弗
印刷費	二十五弗五拾仙
會員死亡贈花費	八弗
本部新聞郵送費	參弗六十五仙
計	四拾九弗拾五仙
差引殘金	五拾四弗拾九仙

右の外本國より渡米せる本縣關係者歡迎費案內費贈答品代等は桑港市の役員が負擔し會の費用に計上せず。(以上)

ブラジル便り

△拜啓其後貴會の益々御隆盛を祝賀致します。私も當殖民地入殖後仕事の忙しさと筆無性のため今迄延引致しました。然し喜んで下さい拾年の苦心奮鬪は漸やく酬られて三十五アルケール(八十五町歩)の地主となつて昨年は拾五アルケール伐採して珈琲二萬株程蒔き付け發芽の成績もよく只今三寸位に伸びて居ります。

そして此の間作物は全部籾を播種し早い分は穗が出揃つて居ります。此の手紙の着く頃は籾の收穫期になるでせう。

昨年は日本も雨が多かつた樣でしたが當地も

今頃は非常に雨が多く稲も大きくなるが雜草も多くて困つて居ます。鐵道等の破損等も諸所にあつた樣です。然し當地の雨は日本の雨の樣に出穗期でも盜のりのしない樣な事はありませんから御安心下さい。

只今二番豆の蒔き時期であつて豆相場は一袋八十ミル(約二十圓)籾が一袋四十五ミル(約十一圓)して居ります。

次ぎに當植民地は開設三ケ年目です。第一年度に五家族、二年目の一昨年は十三家族、昨年は三十一家族入植して居ります。今はビリグイ驛が便利で二十基米位隔つてゐます。

長野縣人は小生の外に酒井正治(上伊、西春近村)と昨年入植した宮澤宇平(上高、小布施村)の外、私の實兄(笹澤熈)等の諸氏です。

海外在留名簿に住所不明とありました瀧澤浩氏(小縣、神科村)は大正四年の渡伯で最初はグアタパラ耕地に入耕して米作、砂糖黍栽培をしたり、又北西線ビーザー驛サンジヨアン耕地に入つて一ケ年にして大正七年十月今のプロミツソン驛の上塚植民地ゴンザガ區に十アルケールを購入し珈琲を全部蒔付け大正十五年六月十八日胃潰瘍で死去されました。長男の太一郎氏は十八才で家族の仁平氏が一切をやつて居ります。

油井國太郎氏(南佐、切原村)は大正七年九月の渡伯者で大正十二年歸國し實兄澁氏は大正八年八月死去されてゐます。(昭和四年二月十三日、アレグレ殖民地(Caixa Postal 85 Estacao Biriqry L. nroeste S. P.) 笹澤新)

△今年の夏も雨多くして吾家の前を流れる小川の水際に短かき夜の夢を覺まさられる時思ひ浮べるのは故里の有樣であります。貴會から御手紙を戴いたばかりで御無沙汰の限りで申譯ありません。

當地は眞夏で汗を拭き日本を聯想してゐます。そして日本のお正月を思ひ出してゐますそれに稲は只今一尺位に伸びてゐます。遅れてゐる人は未だ蒔付け最中で早い、人は九月末から蒔き初めてゐるので暢氣な百姓振りは到底日本では味はふ事が出來ぬでせう。然し一番蒔付けの適當な時期は十一、二月一ぱいで水田のは只今穗孕みしてゐます。

在レジストロ信州人も拾年の星霜を經て居ります。日本を出る時は八年とか拾年にして歸れると言つて來ました。當地に來ても未だ四五年は何うかして日本に歸りたいとあせり此のまゝでは歸れないから金の百萬も貯め、さもなければ「南米でこんな事業をしてゐる」と等と言つてみたい頭であつた。所が住めば都とやら拾年を過ぎた今日では日本歸りを口にする者はなく唯一度鄕里に親兄弟姉妹や親戚の者に會つて自分の仕事を話し出來得れば連れて來たい程度に頭が變つてゐます。

日本へ遊びに行く餘裕があれば更らに仕事を計畫し日本から呼び寄せたいと事業擴張に餘念がなく前途に希望を托して一生懸命に働らいてゐます。

日本の健兒よ、仕事がなくて困る等と悲鳴をあげずブラジルに來給へ、長男は親讓りの家を守るから不可ないが二三男女は何をグズ〳〵してゐるのです。然しブラジルに來たとて働かないで樂は出來ない。遊んで暮そう等とする者は禁物である。

ブラジルも決して惡い處ではない。又極樂でもない、仕事はやつぱりせねばならぬ仕事は遊ぶより苦勞に決つてゐる。併し日本では寒い時から田起しや田の草取り、水鳥の樣に一日中水田の中に浸つて腰折つてゐるのを思へば當地の仕事は苦勞の點は半分にも及ばないでせう。あの氣で伯國で働らいたら三人分の仕事は出來ます。

近頃アリアンサの方もなか〳〵盛んで力行農園も宮尾先生の指揮で青年連が大活動です。信

州でも南信の方は海外發展が盛んであるが北信の方は沈默してゐる。私は北信なれば大いに心配になつてゐます。

當地では去年から養蠶熱が盛んで桑樹を植付けましたら見事に育ちすばらしい勢いで伸びます。中島貞雄氏(埴科の人)が海興の主任となつて大々的に飼育を始めるそうです。

レジストロもだん〳〵と經驗の時代がすすんで經濟的には打算確實な事業が計畫されてゐます。

ブラジルで珈琲園勞働者を澤山要求し日本移民の大部分がこの勞働者となるのですが最近移住組合が移住地を經營して邦人の集團地が出來ます。珈琲園就勞の邦人中にはお金の事ばかり目にくれて子女の教育を怠る事があります。現にこんな實例がありました。

それは或る珈琲園に永年働らいてゐた一日本人が金儲けて獨立農に移つて二十才にもなる娘の教育に氣がつき日本語を勉強すると云ふ悲劇が起きたのであります。即ち娘は伯國育で伯國語は出來るが日本語が解らぬので日本人と結婚が出來ない娘は親の意見通りに結婚は日本青年と致す事になつて漸やく日本語を勉強する事になつたのです。教育と云ふ事は重大でありましてお金が如何にたまつても子女の教育が完全に行はれない程苦痛の事はありません。現在では大きな珈琲園になれば日本語學校も出來てゐますし、在伯邦人は教育の徹底と云ふ事について眞劍に考へてゐますから漸次種々の施設が試みられると思ひます。

くだらない事を書き列ねましたが故國の青年がより一層現在日本の狀態を見究めて海外へ雄飛せられん事をお奬め致します。(一九二九、二、二二、在伯、レジストロ、植木酉二、上高豊洲村出身)

航海便り

△拜呈其後皆樣御變りもなく御奮勵の事と存じ候。御陰樣にて一同無事航行を續け新嘉坡に到着仕り候。

船中にては船客相互にて自治團を組織致し大綱は移民監督之を司り家長代表之を助け、青年會を設け教育衛生運動給水風紀記錄の諸係を設け各主任は監督及び助手と一致協力各部活動仕り居り候。

教育係は小學生の教育に任じ急造の教員にて風紀係又急造の警察官にて諸種の取締に任じ記錄係は諸般の記錄をなしモンテビデオ丸新報を發行する等支人も及ばざる手際に御座候。明日は新嘉坡着にて早朝檢疫にて本夕之が準備を爲し居り候。

明日の上陸は吾等の好奇心をそゝり異國情緒熱帶の風物に接するの誠に待ち遠しく候。香港は流石大英國の東洋發展の重要なる地點にて至れり盡せりの文化施設が日本の何處に求む可くもあらず候。就中築港の簡單にして其用を辨じ挙をたてるが如き急坂のケーブルカー又斷崖を利用し七層の樓閣を無數に建築し市中は二階造りの電車など皆目を驚ろかすばかりに御座候。

本日の新聞にて該日本は大風雪のため列車埋沒を報じられ候も吾々は八十五度の夏日の下に居り少しく雪なつかしき感じ致し候二月中旬しかも雪國育ちの小生等の未だ体驗せざる季節にこの暑さ通風管よりの通風も舷側の窓より吹き入る風も甲板上にて海風に浴するも只、涼しさのあると思えぬあつさかな、にて雄圖も熱を加え溶るかと思はれ候。

段々暑に馴れ旬日を出でず赤道に達するの時又精神を錬り愈々强固たらしむる考に候。

先は駄文を連ね感想御報知迄　敬具

(航行の船中にて　井出碩雄)

△拜呈貴組合御多祥の段奉大賀候。降而當方一同御蔭を以て無事航海を續けて新嘉坡に安着仕り候間他事乍ら御放念被下度候。

先日は激勵の打電に接し有難く一同大喜びに候。今航海は至つて無風にて波立たず恰かも家に居ると同樣、一同元氣に罷り在り候。

先づは御禮傍々御通知申上候。(新嘉坡碇泊中ハワイ丸にて、幸村幸)

母國通信　日誌

三月十日(日)
陸軍記念日　奉天落城後廿四年の記念日に際し天皇陛下には九段偕行社に行幸、質素な野戰料理に玉箸を傾け給ひ、後靖國神社の大相撲を天覽遊ばされた。
首相突如閑院宮訪問　議會の經過や兩院今後の形勢、および重要議案の運命、日支交渉の經過を報告懇談して辭去。
卅五名の懲罰動議提出　統制の亂れた政友會では民政無産兩派議員卅五名の懲罰動議を衆議院に提出した。
大谷紊子姫輿入れ發表　東本願寺主令姉紊子姫と森平藏氏養子寛雄君との結婚が發表された。
十一日(月)
元田議長三黨首に會合を求む
議事圓滿進行のため三黨首の會合を求めたが政民兩總裁は婉曲に斷つたので衆議院は事態頗る急迫しつゝある。
普選擁護國民同盟なる　與黨の暴虐に憤激した尾崎、安部氏らが起つて同盟を作つた。
十二日(火)
治安維持法案可決　貴族院特別委員會で可決。
元田議長辭表提出　衆議院議長元田肇氏は審議不進捗の責を負ひ遂に辭表を提出した。
小選擧區案審議延期し　衆議院本會議における同案審議は野黨の引延し策成功。
アヴノール氏來朝　國際聯盟事務局副總長アヴノール氏來朝。
武漢派に寢返つた南京軍　蔣氏麾下の金漢鼎氏が反旗を飜へし漢軍と行動を共にした。
井上元帥病む　元帥海軍大將井上良馨子爵は肝硬變で病臥中
十三日(水)
大阪行幸御日取お繰上げ　天皇陛下大阪行幸の御日取りは折柄御來遊の英皇子と御同道の畏き思召から五月廿一日から三日間と御變更相なる模様
小選擧區案委員附託　上程後五日目で委員附託となる。
石川縣の大火　羽咋鹿島兩郡で百廿九戸全燒燬死者二名行衛不明三名を出した。
首相新官邸前で割腹　對支外交と人事行政を難じ內閣辭職勸告書を手にした白裝束の壯漢大山鐵之助が新官邸玄關で割腹した。
十四日(木)

元田議長の辭表御聽許　政府は上奏の手續きをとつたので御聽許あらせられた。衆議院議長は政友會の川原茂輔氏が當選。
木材關稅引上案可決　衆議院本會議で可決。
英國新軍縮會議に　英海相ブリッヂマン氏は新軍縮會議に英國も應じてよい旨聲明した。
石岡町千二百戸を燒く　茨城縣石岡町は全町の三分一、千二百戸を燒いた。
十五日(金)
總豫算案漸く成立　田中內閣初めての總豫算案はいづれも警告又は希望附きではあるが漸く成立した——貴族院本會議。
米穀法改正案　委員會で全會一致可決。
公娼制度廢止法律案　各派有志は衆議院へ同案を提出。
佛上院建艦案可決　佛上院は十四隻の建艦案を可決。
國民革命軍司令部廢止　蔣介石氏は十五日限り總司令部および第一集團軍司令部廢止を宣言。
支那全國代表大會開會式　代表百十四名で出席法定數に達した。
故山本氏の勞働農民葬　東京大阪における追悼會および京都における葬儀中多數の檢束者を出した。
保津川トンネル崩壞不通　山陰本線嵯峨龜山間第三號トンネルまた崩壞不通となつた。
十六日(土)
御大禮御式場跡拜觀期　四月末まで延長差許さるゝ旨宮內省より發表。
豫算案の御裁可を仰ぐ　重要法案を待たず豫算案の御裁可を仰ぐことに院內閣議で決定。
急行列車顚覆　山陽線戶田富海間で急行列車顚覆負傷者九名。
米の支那航空路開設　米國カーチス飛行機製作會社と南京政府との間に航空路開設の協定なる。
馮玉祥氏野に下る　今後一年半百泉に引込んで田園教育に盡す旨發表。
十七日(日)
故久邇宮殿下御五十日祭
東京市議選擧　解散後の東京市議選擧は開票の結果新人の當選が多かつた。
十八日(月)
元田肇氏政友へ復黨　前衆議院議長元田肇氏は政友會へ復黨。
藏相が無斷で速記錄修正　自作農委員會で發表した數字を藏相が無斷で修正したと民政黨騷ぐ。
十八日(月)
岡崎氏床次氏を推薦　岡崎邦輔氏は首相と會見

して床次氏に入閣させるか後繼者に氏を推選せよと懇談した。
支那第三次全國代表大會開會　正式會議が今日から開かる。
バード探検隊の三名行方不明　山脈探検に出かけたグールド博士と二飛行士の消息絶ゆ。
名刹燒く　京都市外花園の龍安寺より出火。
十九日(火)
アヴノール氏に賜謁　秩父宮殿下には來朝中の國際聯盟事務局副總長アヴノール氏に拜謁を賜つた。
治安維持法緊急勅令承認　貴族院本會議では滿場一致で事後承認可決。
自作農創設維持助成資金特別會計法案可決　衆議院本會議で可決。
蔣氏武漢派に最後通牒を發す　第三次全國大會開會中の蔣介石氏は斷然武漢派に最後的通牒を發した。
南京軍大敗す　武漢派の葉挺軍は湖南の常德で南京軍と衝突これを大敗せしめた。
[illegible]博士逝く　元九大教授[illegible]博士は肺炎で死亡享年六十。
廿日(水)
政友新黨連名で告發　衆議院本會議は終日揉議と荒れ狂ひ遂に兩黨連名で七十名を告發。
自作農案貴院に上程　委員附託。
日波通商暫定取極め　樞密院定例本會議で原案通り可決。
佛名將フォッシュ元帥逝く
廿一日(木)
春季皇靈祭
區劃案遂に衆議院を通過　祭日にもかゝはらず開會區劃案は大多數で通過した。
湖南問題爆發　蔣介石氏は湖南派に對する武力强壓のため李濟琛氏を監禁した。
廿二日(金)
追加豫算可決　政府提出の追加豫算案は衆議院本會議で可決。
不戰條約批准を米國から督促　駐日米代理大使ネヴィル氏は本國政府の訓令に基き田中外相を訪問、諒案を督促した。
蔣氏遂に討伐　蔣氏は武漢討伐軍を組織し自ら湖北總指揮となり、唐生智氏を前敵總司令に任命した。
井上元帥逝く　享年八十五、同元帥危篤の趣天聽に達し畏くも御沙汰があつた。
タゴール翁　カナダ政府よりの招聘を受けて同地に赴く途中二十二日夜門司寄港。
廿三日(土)
北白川宮殿下御入隊　北白川宮永久王殿下には陸軍砲兵士官として近衛野砲聯隊に御入隊遊

ばされた。
杉田定一翁逝く　貴族院議員杉田定一翁は急性肺炎で永眠享年七十九。
廿四日(日)
握りつぶし案　政府與黨の金看板地租委讓案、營業收益稅委讓案は貴院特別委員會で質問休止に決し完全に握りつぶされた。
濟南事件假調印　芳澤、王兩全權の名をもつて假調印を了した。
廿五日(月)
第五十六議會　本日最終日。
白鳥敏氏　大連からひそかに日本經由廣東へ赴く途中郵船笠置丸で門司へ上陸。
教授四名が免官と休職　新舊思想の暗鬪絕えなかつた宇都宮高農教授は不穩文書事件に連關して處分された。
吉川鑑輝壽伯逝く。
廿六日(火)
第五十六議會閉院式　十一時貴族院で舉行。
郵船伊豫丸乘組員を救ふ　廿五日夜上海沖で沈沒したイタリー驅逐艦ムジヤ號の乘組員全部は郵船松本丸に救助さる。
武漢討伐　蔣介石氏は國民政府の名で全國へ通電した。
名妓おつまの自殺　胸の病氣を苦にして大阪土佐堀川へ投身。
廿七日(水)
故井上元帥遺族辭退の遺言　東京麻布故元帥邸で發表。
國際勞働會議政府代表　湯澤三千男、吉阪俊藏の兩氏をゼネヴアに派遣すると決定。
支那風雲いよ〳〵急　張宗昌氏は芝罘へ入城、蔣介石氏は南京を出發九江に向ふ準備中。
廿八日(木)
グロスター公殿下　ロンドン御出發。
關大阪市長拜謁　天皇陛下大阪行幸に先だち同市の計畫事業を御前講演申上げた。
不戰條約に確信　外相官邸で重大會議を開いた結果わが憲法や國體に同案は違反しないと認めた。
濟南事件正式調印　日支協定の全文は調印六時間後東京と南京で發表。
大相撲大阪本場所　卅六點の差で東方の勝、力士豐國は每日新聞優勝環を受けた。
郡大酒で飛行機墜落　一等飛行士菊池良治氏は重傷を負ひ間もなく絕命した。
矢澤弦月畫伯　六月一日パリで開かれる日本美展隊列委員として出品携帶の上出發。
廿九日(金)
皇后御姙娠　御三ヶ月に拜すと宮內省發表。

移植民ニュース

加州に於ける
日系市民出生數

加州教育局の調査に依れば客年（昭和三年十月末現在滿十七才以下の州內日系市民出生數合計三萬三千九百二十三にして此內最多數を占むるものは六才の三千二百、五才の三千七才及四才の各二千八百なり又之を地方別（郡別）に見るときは羅府地方の分合計一萬二百、サクラメント地方三千四百、フレスノ地方二千四百、桑港灣東地方、スタクトン地方一千五百、サンノゼ地方一千六百、桑港地方一千四百の順位となる。出生數五百以上の郡別計數をあぐれば左の通り。

アラメダ郡　一、八八七　フレスノ郡二、四〇七　インペリヤル郡　八四〇　羅府郡一〇、二四六、モントレー郡五四九　オレンジ九七八　プラサ郡八四一　サクラメンタ郡三、四一七　サン、ディエーゴ郡五九三　桑港郡一、四七二　サン、オーキン郡一、五六五　サンタクララ郡一、六三五　サンタ　クルーズ郡五三二　クラレ郡五九一　其他四十四郡分計五、三六一　總計三三、九二三（移民情報より）

中南米諸國より
昭和三年中に歸つた邦人

昨年中に於ける中南米諸國より歸國した邦人は千八百十八名にしてブラジル及亞國を除く諸國は前年と大差なかつたが昨年は御大典の御儀もあり邦人在留の過半を占むる右二ヶ國からはこれが拜觀を機會に久し振りに歸國した者多く左に國別にすれば左の如くである。（通商局調査）

	昭和三年	昭和二年	大正十五年昭和元年
亞國	九六（男七三 女二三）	九七	九四
伯國	九三三（男五六一 女三七二）	四六三	三九八
智利	三七（男二九 女八）	三〇	三八
墨國	七一（男四九 女二二）	八七	二五
巴奈馬	一五（男九 女六）	六	一四
秘露	六二六（男三八三 女二四三）	三八二	三一九

商工省通信員
任地で營業邦商を壓迫

商工省の海外駐在貿易通信員中には任地において自己の地位を利用し自ら商品の販賣を營みために本邦商人の利益を侵害しつゝあつて兩者間に物議を醸す事あり殊に通信員は政府の支給する給料手當によつて生活を保證され他の一般邦商に比し著しく優越なる地位にある故これが邦商の受ける打擊は莫大なるものあり最近メキシコ邦商よりこれが通信員の制度改善方を要求し來た。

拓殖省に暗影
樞府頻りに反對

六月より開設の豫定である拓殖省官制は目下樞密院精査委員會で研究中であるが樞府側では名稱並に朝鮮統治を拓殖省下におく事に際し審議官子から深刻なる質問があり田中首相はこれに對し遂に答辯に窮したる事となる。よつて政府では四月十六日の定例閣議でこれが對策に關し協議したが拓殖省は適當な名稱がなければいつでも改稱して差支へなく「拓殖省」で更らに省内には朝鮮に關する局を設け朝鮮に關する限り特別扱ひをしては如何であるかと云ふ樣な意向もあり樞府に對し交渉する模樣で拓殖省は多少波瀾をまのがれがたく結局御諮詢を經るであらうとみられてゐる。

甘露寺侍從
南洋視察から歸朝

南洋ジャバスマトラ方面の民情觀察のため去る一月出發各地を旅行した侍從甘露寺受長伯は四月十一日歸京、宮中に參內聖上陛下に拜謁歸京の御挨拶申上げた。尙後日南洋方面の產業狀態等につき委しく收集材料寫眞等にて御說明申上るはずである。

在秘同胞醒めよ
秘露日日の論唱

海外移住組合法制定後同組合の活動はブラジルに集中されてゐるがこれに關し秘露日日の三月二日紙には次ぎの樣な一文を揭げて在秘露邦人を叱咤した。「そこで我等は此のブラジル拓殖組合新設には誠に賛意を表示するものであるが同じ南米にあり、海外發展に盡せる當秘露在留民がブラジル國在留同胞より

信州記事

本縣教育是
根本策樹立を答申

縣教育是確立の根本方策を樹立するため縣當局から諮問の答申を求められてゐた信濃教育會は一年有余にわたり各郡下教育關係者中から委員を選任審議を重ねて答申案を確定提出した。

同答申案は前提として縣民性を究明しこれに立脚し初等中等實補社會教育その他の特色を具體的に極めこれに對する對策を具申し併せて各郡下の個別的特色や差異を列記し二十有余の大綱にわたり六十余ページにおよんでゐる

然して本縣教育の特色として教育の普及を論じ理想主義的、内省的立場をとり功利主義的外面的考察を排し人格の尊重と内面的接觸を重視し思想研究において進歩的であるが實生活において保守的であるとしこの特色に對する對策に關しては敎權の確立敎育の進展、敎育費の改善を期し各中等學校敎育内容の改善をあげ三年制の中等學校の實施、高女校新三年制度の増設並に國立信州大學の設立を要望し敎育行政の改革についても具體的に摘示してゐる

棄權も少い
町村會總選擧の跡

縣下町村會總選擧は四月九日までに半ば近き百五十六ケ町村が修了し七月の松本市會を除いては注目されて居たものの大部分が終つたため選擧戰の興味も下り坂となつた、今までの成績に徴してもつとも目立つたことは棄權が甚だ少なかつたことで、その率は約七分五厘にあたるのみでこれは普選の徹底したことと一面激烈な選擧戰であつたことを物語るものであるさきに行はれた二回の普選成績に比較すれば、一昨年の縣會議員選擧の際は棄權二割一分八厘四毛、昨年の代議士選擧には市部一割二分二厘、郡部一割一分四厘(市郡の區別なきも特に調査せるもの)で到底今回の七分五厘の好成績とは比べものにならぬ、棄權者の少きものは左の諸町村である

南佐久郡中込九百十五名中二十一名、同郡野澤七百五十七名中五十二名、北佐久郡五郎兵衞新田三百七十名中十名、下伊那郡龍江九百四十八名中二十四名、同郡下久堅千三十一名中四十五名、上水内郡古里五百五十四名中二十三名、下水内郡秋津六百二十三名中二十七名

更らに古き歴史を有し乍ら當然要求し得べき故國政府の援助を要求し得ず徒らに小事業に終始して明日の明るき事業をも計畫し得ず塗炭の苦しみを甜めつゝある事は如何に考へても我々同胞の意氣地なきを十分に證明するものとしか考へ得ない。我等は同胞發展のため故國政府を動しめる事に大努力すべきである事を叫ぶ云々

四十一名の入學生
加港日本人小學校始業式

秘露加港日本人小學校にては三月一日新入學生四十一名の入學式を始業式とかね擧行し新任教師の挨拶があつた。(秘露日日)

比島ダバオの
在留邦人出身地方別

昭和三年十月ダバオ地方に於ける邦人數は約九千名に達し今百名以上の縣人を有するものを地方別にすると次ぎの如くであるが沖繩縣人は在留邦人總數の五割二分を占めてゐる

	ギャンガ郡	ダバオ郡	東海岸	西海岸	計
沖繩	二三六四	一二三五	六四八	二三〇	四四七七
福島	五四二	二〇五	一四	二四	七八八
熊本	三九五	一一三	一三六	三九	五八三
廣島	二三九	二〇八	三六	五一	五七四
福岡	二二一	八〇	二五	二八	三五五
山口	一五〇	五六	三九	三二	二七七
長野	一〇七	三七	二四	一五	一八三
長崎	五五	九〇	一一	六	一六二
岡山	八七	五〇	六	一三	一五六
鹿兒島	七〇	四九	一四	一三	一四九

(ダバオ日本人會報)

志願者減少
縣下各學校を通じて

本縣では今回、縣立四十四中等學校入學志願者數の統計を作成したが、それによれば、十三中學校定員二千名に對し應募者二千七百四十二名、十五實業學校定員千二百五十名應募者千六百四十三名、十六高等女學校定員二千名、應募者二千百六十八名で、前年に比し中學は上田中學の定員五十名增加あつたにも拘らず四百二十二名の減少を示し、實業校も二百五十六名、高女も二百十六名減少して全體では實に八百九十四名の大減少を見るに至つたこれはいふまでもなく不景氣の深刻さが、向學心に燃ゆる兒童の志望をさへ押さへつけたもので、一面において入學難は著しく緩和され、左記の數字に明かなる如く定員に滿たぬものさへ多いといふ現象を呈して居る、前年對照の應募者數は次の通り

□中學校

校名	定員	前年應募者	本年同
松本	二〇〇	二九九	三〇五
長野	二〇〇	三四五	三二四
上田	二五〇	三九七	三六四
飯田	二〇〇	二九九	二七七
諏訪	二〇〇	四一九	三四七
大町	一〇〇	一二九	一二七
野澤	一五〇	一五〇	一一七
飯山	一〇〇	一〇五	九四

ノロ線各驛の
農産主要産物高

バウルーよりマ州々境に至るノロエステ沿線の主要産物高は邦人の集團する地方がいづれも優勢多く邦人の經濟的地盤が漸次築かれつゝある事が立證される。(一九二八年)

珈琲

リンス	一三四、三一七袋
ベンナ	一一〇、二五八
ビリグキ	八六、四八六
ビラジユキ	六七、九七三
ペンナポリス	六七、九五二
プロミツソン	四七、四八七

綿花

アヴアキ	一六六、六七〇
ペンナ	一四〇、八〇七
リンス	一一七、一八九
アラサツーバ	八、七〇五
グアタンブー	七二、九六八
プロミツソン	六二、二四九

(聖州新報より)

校名	定員	前年應募者	本年同
伊那	一五〇	二二七	一八七
松本三中	二〇〇	三三一	二二九
屋代	一五〇	一八七	一四二
須坂	一〇〇	一四二	八九
木曾	一〇〇	一三四	八三

□實業學校

校名	定員	前年應募者	本年同
小諸蠶業	五〇	九八	八八
上伊農	五〇	七二	五四
木曾山林	五〇	八〇	六〇
長野工業	一〇〇	二四一	一五四
北佐農	一〇〇	九九	九〇
更級農	一〇〇	一〇三	九三
南安農	一〇〇	一四三	一五六
小縣商業	一〇〇	一一八	一四三
丸子農商	一〇〇	一二五	一二六
諏訪蠶糸	一〇〇	一六五	一八二
下伊農	一〇〇	一〇四	一〇八
東筑農	一〇〇	一〇七	一〇三
下高農	一〇〇	四五	三三
長野商業	一五〇	一九九	一九九
上水農	五〇	五〇	五五

□高等女學校

校名	定員	前年應募者	本年同
長野	二五〇	二五〇	二八〇
松本	二五〇	三七五	三七一
上田	二〇〇	三〇八	二七〇
飯田	一五〇	一九七	一五五
諏訪	一五〇	一八三	一八四
野澤	一五〇	一五七	一二一
伊那	一〇〇	一四九	一〇〇
大町	一〇〇	五六	四七
飯山	五〇	三七	三〇
豐科	一〇〇	一〇八	一〇四
篠ノ井	一〇〇	一二一	一〇三
小諸	一〇〇	一二七	九一
平野	一〇〇	一一四	八三
木曾	五〇	六〇	四七
須坂	一〇〇	七八	五一
中野	一〇〇	六四	六九
松本第二	五〇	—	六二

お土産案
委員長報告通全部下院通過

本縣選出篠原代議士から衆議院に提出したた左の建議案は三月二十五日の本會議に上程されたがいづれも大多數をもつて委員長報告通り可決通過した

一、淺間山國立公園設定に關する建議案
一、八ケ岳國立公園設定に關する建議案
一、輕井澤國立公園設定に關する建議案
一、長野縣南佐久郡松原湖を中心とする國立公園設定に關する建議案
一、長野縣立北佐久農學校を國立畜產大學に昇格するの建議案
一、國立蠶糸大學設置に關する建議案
一、長野縣松代町に國立象山文庫設立に關する建議案
一、小海小淵澤間鐵道速成に關する建議案
一、磯部中込間鐵道速成に關する建議案
一、佐久鐵道買収に關する建議案
一、上田松本間鐵道速成に關する建議案
一、中込松本間鐵道敷設速成に關する建議案
一、上信鐵道敷設速成に關する建議案
一、岩村田、岡谷間鐵道敷設に關する建議案
一、平原停車場設置に關する建議案
一、臼田池袋間鐵道速成に關する建議案
一、富士身延鐵道買収に關する建議案
一、長野縣御牧原開發に關する建議案
一、千曲川河畔に國立養鯉試驗場設置に關する建議案
一、長野縣埴科郡に國立種禽場設置に關する建議案
一、小諸郵便局昇格に關する建議案
一、瓜生坂トンネル開さくに關する建議案

南洋邦人小學校
在外指定學校として認可

南洋ボルネオ島バンジヤルマシンに於ける蘭領ボルネオ護謨工業株式會社(野村德七經營に係る)ボルネオ農園附屬小學校は本年二月十二日附を以て恩給施行令第八條に依り文部省在外指定學校として指定認可せられた。

伯國渡航の
トラホーム患者は注意せよ

海外渡航者のトラホーム檢査については乘船前十分の檢査の結果合格者のみ乘船せしめ極力同患者の取締を勵行してゐるが最近伯國着のサントス丸鎧倉丸に多數のトラホーム患者發見せられ上陸禁止の憂目に遇ひつゝあるがこれは渡航者が乘船前在郷中にも十分注意して少しでも疑ひあらば根治した上渡航し尙乘船際合格せりと雖も油斷する事なく船中に於いても治擦を施し上陸檢査の時不合格ならざる樣注意すべきである。尙上陸後殖民地に入らば衛生施設不完全なる處もあれば斯の如き際徹底的に根治すべきである。

木崎で開く
青年團の研究大會

本縣聯合青年團第八回研究大會は二十三四兩日北安曇郡木崎湖畔夏季大學講堂で開催各郡市青年團員三千余名出席し各郡市提出議案を中心として論戰に火花を散らしたが警察側では松本その他より百余名の制私服巡査應援の手はずを定め、縣特高課では會場にあてられた講堂隣接の二階を借り受けてそこを取締本部として當日は會場の内外を物々しく警戒した各郡市よりの提出議案左の如し

一、農村經濟生活における欠陷をきう明しその安定策を問ふ(南佐久郡)
一、青年團は激變といふ本趣に則り社會的に何をなすべきか(北佐久郡)
一、時代思想とこれが取締に對する青年の態度如何(小縣郡)
一、農村疲弊根本をきう明しこれに對し青年の執るべき具體策如何(諏訪郡)
一、現代社會の欠陷は何か(上伊那郡)
一、本縣聯合青年團として名實ともに自主的ならしむる方策如何(西筑摩郡)

入殖案内
渡伯者のために聯合會から

移住組合聯合會ではバストス及びチエテ兩移住地入殖者のために渡伯案内の册子を編輯中であつたが今回百頁の入殖案内が印行された。内容は移住地建設の理想を説いて伯國の事情につき前記兩移住地を中心に大略に述べ渡伯の手續や注意について細大もらさず渡伯者の必携を要する好伴侶である。

荷物の大制限
移住組合員は大迷惑

渡伯者の携帶荷物について從來寛大なる取扱を爲し來り企業移民は澤山の日用品を持參したのであつたが今回移住組合員の渡航斡旋を海興に依賴してより珈琲園契約移民同樣に荷物の大制限を受けほんの手廻り品より外に持參出來ぬので入殖後不便を感ずるだろうと云はれてゐる。右については最近携帶荷物と

一、現代日本青年は如何なる指導原理を確認すべきか(南安曇郡)
一、農村敎育の欠陥をきう明し我等の進出すべき態度如何(埴科郡)
一、混亂せる國民思想の現狀に鑑み我等青年は如何に進むべきか(上高井郡)
一、現代青年の目標を那邊に求むべきか(下伊那郡)
一、農村青年男女の離村向都の心理(上水內郡)
一、青年團の社會的活動範圍如何(下水內郡)
一、市町村自治における政黨的色彩の可否如何(長野市)
一、本縣聯合青年團の現狀に鑑み今後取るべき對策如何(松本市)
一、農村青年の政治的進出如何(北安曇郡)
一、現代社會のすう勢に立脚して女子敎育を如何にすべきか(東筑摩郡)

娼妓解放
松本市外横田遊廓の大英斷

松本市外横田遊廓の娼妓十名は四月五日同市遊廓貸座敷組合事務所で赤羽松本署長臨席一同に訓示しその夜解放された娼妓は第二船來樓山形縣東村山郡生れ石嶋菊枝(二六)外九名で樓主側の大英斷をもつて前借金全部を棒引きとし全く無條件でかごの鳥の生活から明るい社會へ送りだすこととなつた十名の內大部分は歸宅し歸宅出來ぬ者は署長の斡旋で松本市內の旅館その他で女中奉公をすることに決定したが解放される一娼妓は語る

「家庭の事情でやむなくかうした商賣に身を沈め今年で六年になります、幾度も足を洗ひたいと考へましたが、それも出來ないことでこんな長い間辛いいやな生活を續けて來ましたが、署長さんのお骨折りと樓主の理解には心からお禮申上げて居ます、今後は實家へ歸つて本當に眞面目な生活に入ります」

また解放することに同意した一樓主は

「永年勤續した娼妓を解放しようといふことは二三年前より話が持ち上つて居ましたが反對する樓主もありまとまらなかつたのです、署長さんからお話があり今度は全部贊成したので五年以上勤續したものを解放することになりま

共に密輸入を企てるものありなるべく荷物を制限してこれが防止策としてゐる向きであるが移住組合員の渡航は珈琲園契約勞働者と全然渡伯後における事情が違ふので契約勞働者同樣の荷物制限は移住組合員に非常な迷惑となりこれが改善方につき各方面から注視せられてゐる。

四十八年で
歸る信州の今浦島

四月十二日橫濱入港の郵船泰洋丸の一等船客に當年七十二才の老人が四十八年振りで歸朝した、小縣郡鹽川村生れで明治十五年渡米し桶木屋商賣を營んでゐた吉池寛と云ふ今浦島翁であつた。翁は「桑港から約百哩を離れた田舍で林檎採りと桶木屋をなし永い間仙人生活を續けましたが今から二十年前に妻と死別し段々と年をとり久し振りで日本に歸つたのですが郷里に歸つても友達は恐らく一人もありますまい私は安政五年生れですから今年幾つになりませう」と自分の年を忘れて郷里に歸り村の變つたに驚いてゐた。

した」と話つてゐた

地主が牛耳る
縣下の市町村制の實權

本縣では市町村會議員(改選前)の地主小作別の調査中であつたが今回漸く完了した、それによれば地主が如何に市町村制を牛耳つて居るかが一目瞭然で、二割以上五割以下ケ町村、五割乃至八割一市六十二ケ町村、八割以上二市三百十五ケ町村といふ割合で、縣下大部分の市町村會は八割以上の地主によつて占有されて居た一方小作者は、二割以上五割未滿五十四ケ町村五割以上八割未滿五ケ町村のみで、半數以上が小作者のために席を與へられて居たものは僅に五ケ町村である。

尼港で全滅の
命日に慰靈祭擧行

四月五日は松本聯隊が去る大正九年シベリアに出兵し大嶋大尉の引率する第三中隊が尼港で全滅した九年目の命日に當るので本縣在鄕軍人會では同日南信地方は松本市全久院、北信地方は上田呈蓮寺でそれ〴〵慰靈祭を擧行、戰死者遺族地方有力者在鄕軍人會多數列席盛大に擧行した。

和田の滯納
先生の給料も拂へぬ

下伊那郡和田組合村は飯田稅務署管內では波合村に次ぐ滯納村で今回調べた所によると縣稅合せて二萬六、七千圓が滯納となつてゐる事から小學校敎員の給料さへ支拂へぬ始末で同稅務署は殆ど困りぬいてゐるがこの原因は近來の養蠶不作、薪炭業の不振等で村は全く疲弊し切つてゐると

お彼岸に
長野へおちた金

春の彼岸は快晴に惠まれて善光寺參詣客も近來になく賑はひ彼岸一週間通計十三四萬の人出があつたと見られてゐるが長野驛で調べた所によると乘客二萬九千八百、降客三萬二千五百乘降客合計六萬二千三百名、內團體三千五百名あり昨年の同驛乘降客五萬八千百名一昨年五萬二千百名に比し著しい增加を示した

これがため善光寺旅館、飮食店土產品店等におちた金も相當多く珍らしくほく〴〵した模樣である

珍品の寄贈
在比青柳喜美人氏から

南安曇郡三田村出身でヒリッピン群島ダヴオ居住青柳喜美人氏は今回母校小學校へ水牛の角、龜の甲製裝大蝙蝠、其他珍品四種を學術參考品として寄付した

在外徵兵延期者は
四百餘名に達してゐる

本縣に於ける徵兵猶分未濟者及徵兵延期者は毎年多數に上り昭和三年に於ける總數は七百三十三名に達してゐるがその內譯は左の如くである

疾病 六〇 所在不明二二八 成種一六
犯罪二八 家事二 在外三九九

而して右の內徵數の半數以上を占めてゐるものは海外在留者の三百九十九名で此等の者は毎年在留申告書をだして徵兵延期を願出で右手續を失念するか怠りたるため徵兵違反をする者は僅かに數名に止まるのみである。在外徵兵延期者の各郡市別を見ると左の如く上伊那諏訪等一般の海外發展者の多數な郡と比例してゐる事が判る

南佐 二一〇	北佐 八	小縣 六六
諏訪 六一	上伊 一七二	下伊 [illegible]
西筑 六	東筑 一七	南安 [illegible]
北安 七	更級 二	埴科 [illegible]
上高 一一	下高 六	上水 [illegible]
下水 一五	長野松本上田 一	

移住地閑話(十)

在アリアンサ 武田三三

四三 家畜

當地は滿三年を經て家畜も段々に殖へ、豚肉の如きも絕へず買つて居る樣であるが、雞は一向に殖へぬと申して賣る人が無い樣である。從て雞も卵も都會よりも高いと申されて居るが、高ければ喰はぬ迄である。入植後半年間は鷄も卵も豚も喰つた事が無かつたが、一年有半の今日に於ては、雞十羽犬三匹猫二匹山羊一頭馬一頭が居り、日本ならば食糧問題で身代限と相成る所であらう。一年前には犬も猫も拂底で都會から買つて來る有樣であつたが、一年間の繁殖夥しく、猫は鼠征討の爲に今以て歡迎せられて居るが、犬は飯を喰つて矢鱈に吠へ付き、中には嚙み付く奴も出て來たが爲に、往々にして犬の捨子を爲す輩も見受ける。追て人口食糧問題を發生すべき傾向がある。日本では鈴木商店川崎造船所十五銀行の沒落を見て、一大恐慌を來した樣子であるが、拙者は三四年前に之を豫覺して居つたから敢て驚かぬ。寧三四年間ゴマカシ來つたのを不思議に感じて居る次第である。松方氏が一平民と爲つたが爲に世間は頻に同情して居る趣であるが、拙者松方氏とは何の關係も無いが之は當然の因果であると思ふ。前揭維新志士の子孫は宜しく榮爵を辭退すべきを論したが、因緣循環して之を松方氏の例に示したものに過ぎぬ。更には尊王攘夷と開港佐幕に差別的待遇を與へ、乱臣賊子として處分せられたる松平家の姫子が、六十年後の今日に於て、一世の信望ある皇弟殿下の妃に配せられ、國民狂喜して之を賀するも亦偶然とは申されぬ。神意佛恩信ずべきは因果の法則である。

四四 渡伯二十周年記念

本年は笠戸丸で第一回移民渡伯第廿週年に當り、又イタコロミー邦人植民地一名上塚植民地の第十週年に當るとの事で、新聞に雜誌に盛運を祝福して居る。盛運の裏面には幾多の犧牲が有つた事であらうが、海外移住の樣式は昨今で第二段の域に入つたものであるまいかと思はれる。ツマリ第一段は約廿年間の無茶苦茶移民時代、第二段は組織的移民時代で此中には海興のイグアペ植民地、海外協會の移住地、移住組合の計畫、南米企業に南米拓植の計畫があつて、愈々盛大と申せば盛大ではあるが、吾等は更に速に第三段の移民時代が現出せん事を切望するものである。組織的移民は固より結構ではあるが、矢張一種の營業たるを免れぬ。移民は勞働移民たると企業移民たるとを問はず、苟も人間を以て營業の對象たらしむるは神意人文の許さゝる所であらう。過去及將來の植民地の振ふか振はさるかは一に係つて此點に存する次第であつて、資金や生產の多寡は斷じて植民地の興衰をトし得るものではあるまいと思ふ。移住組合も餘程良く運用せなければ、假令營利ならぬ迄

も矢張國家を資本主とする一種の營業に止まるであらう。殊に經營の當路には格別の經驗智識も無き多數の人々が、高碌を喰みて高閣に納り返つて居る樣では、草莽荊棘の裡に死生を賭せしむる移民の手前にも其目障りであつて、異日必ずや多少の紛爭を誘導助長するに足る事を恐るゝ次第である。第三段は自發的組合移民時代であつて、死ぬも生くるも自主自由であり、此時に於てのみ自治と獨立を稱するを得るであらう。

以上は主として日本より渡來する植民の發達を三段に區分したのであるが、在伯吾移民の中には既に第三段を實現して居る處もある樣である。例へば平野植民地や上塚植民地やであつて、第一段の無茶苦茶移民より自發自主獨立したる人々の集團であつて、組合と申す名前こそ附いて無いが、却て組合に近きものであると思はれる。速に名實共に具足する移住組合の出現を希望致す次第である。平たく具體的に言へば資產職業經歷の類似したる人々が組合員となれば宜いのであつて、例へば小學敎師の移住組合、軍人の移住組合と言つた樣なものを澤山作つたら面白からうと考へて居る次第である。

四五 共產黨事件

日本に於ては共產黨事件が公判中の趣新聞紙上で承つて居るが、被告の年齡を見るに殆全部が二十歲から二十五歲位迄であつて、三十歲といふのは百人に一人位しか見當らぬ。之に對しては樣々なる見方があるであらうが、一つの理由は數へざるの罪であらうと思ふ。彼等は日露戰爭前後に生れて、國民漸く意氣弛緩したる際に成長し、歐洲大戰の有頂天時代に成人したる者である。國民父兄は今後子弟の敎養上、宜しく警醒する所あつて宜しからうと思ふ。此機に於て政府は思想善導の爲とあつて、學校には東洋思想を敎へ、更に取締の爲に思想檢事を設け、內國及海外にも思想警視を設くと承つて居るが、誠に結構に存すると共に一面に於てチト承服致し兼ねる點もある。凡そ思想なるものは絕對自由なるものであつて、何人も干涉する事も取締る事も不可能である。且又思想は內的のものであるが故に、之を檢察し之を取締る事も不能である。之が外部に表はれて言論となり行爲となれば、初めて檢察し取締る事を得るのであるから、「思想善導」は聞へても居るが、「思想檢事」に「思想警視」は一寸可笑しき名稱ではあるまいか、言論も行爲の中であるから取締らなければならぬ、從て「思想檢事」に「思想警視」は「行爲檢事」に「行爲警視」と申されねばならぬ、既に檢事に警視は元々行爲を檢察し警察するものであるから、何も改めて「行爲」と言ふ名稱を冠する必要もなからう。尤も「危險にして不良なる思想より發動する行爲を取締る檢事」といふ意味ならば、泥棒も殺人も危險にして不良なる思想より發動する行爲であつて、是亦事新しく申す迄も無く今迄の檢事警視で澤山である。要するに國体及政体に關する犯罪を專門に取扱ふ爲の檢事警視と言ふ意味ならば、外に何とか愷切なる呼稱が必要である樣に存せられる。近時往々にして「思想」と「行爲」とに對する世人の意識が甚茫漠として混線致し居る樣に見受けらるゝに因つて、一言愚感を述べて識者の敎を乞ふ次第である。

四六 バニテイ、フエア

バニテイ、フエアは英の文士「サッカレイ」の小說であつて、「ロンドン」の紙價を高からしめた傑作であると申されて居る。「ベスウイツク、モール」の私立女學校を卒業した二人の娘の十五年間の生ひ立を書いたものであつて日本の天保時代の出版である。天正年間と言へば戰國時代を思ひ出し、元和元年と言へば

徳川家康を思ひ出し、元祿と言へば忠臣藏を思ひ出し、文化文政と言へば江戸の軟派を思ひ出し、天保と言へばあらゆる舊式其物を聯想せしめて居るが、西洋に於ては「マルクス」も「ペスタロッヂ」も「サッカレイ」も皆天保時代の人であり、世界一の英國産業組合も天保時代の産物であるに因つて見れば、天保必しも馬鹿にしたものではあるまいと思はれる。「バニテイ、フエア」は「日本にも飜譯せられたものが二つ程あつて、一つは「虚榮の巷」と題せられ、一つは「虚榮の市」と題せられて居るが、按ずるに是等は直譯であつて飜譯とは申されぬと思ふ。「フエア」と言ふ英吉利語は字引を引いて見ると「市場」又は「定期市」と譯せられて居るが、實際英吉利國に行つて見ると、曲馬團の如き巡回興業物を「フエア」と申して居り。「グラスゴー」市に於ては毎年七月十一日より三週間全市休業する事を「フエア」と申して居る。興業物を「フエア」と言ふのか、「フエア」であるから興行物があるのか一寸不明であるが、兎に角見世物と密接なる交渉がある事は事實であるから「バニテイ、フエア」は「虚榮の見世物」又は「見世物生活」と飜譯すべきものであると思ふ。日本の女學校と申すものは明治三十年頃から、雨後の筍の如く出來て、今では全國に六百の女學校があるさうであるが、之と同時に見世物生活も盛大の絶頂に達して國民皆困り切つて居るのは馬鹿げて居る。モット早く「バニテイ、フエア」を文部省で飜譯して吳れたら、虚榮の買物製造元たる女學校を六百も建てなくても相濟んだ事であらうと殘念に存ずる次第である。要は女學校を廢しさへすれば見世物生活は半分以下に減つて來るから國民の生活難も半分は救濟せられる譯であらう。議會に於ては政治經濟思想の三大國難を決議して居るが、此決議を如何に實行して行くかに就ては何も敎へて吳れて居らぬ樣である。此の如く三大國難を漠然と決議などして居る代りに、見世物生活國難一つだけを決議し、實行案として先づ女學校を廢すれば、三大國難は立所に無くなるであらうと思ふ。

「バニテイ、フエア」はブラジル移民とも密接なる關係がある。「サッカレイ」は「ウオタールー」の戰爭を背景として、英國貴族のダラシ無き生活を展開し來り、某侯爵が借金で首が廻らず、姿を消してブラジルに逃げた事を語いて居る。吾等移民は借金を踏み倒して逃げて來たものでは御座らぬ。一々警察署で品行善良の御墨附を頂戴し、履歴書、戸籍謄本、寫眞、保證書、保證人資産證明書、健康證明書、不動産を所有せざる證明書、旅券下附願を提出に及び、見事外務大臣より海外旅券を貰つて來た者共であるに因つて、英國の貧乏侯爵なんかとは自ら選を異にする所の天下の良民ではあるが、兎に角本國の見世物生活を脫却するが爲に渡伯したる事だけは同一であると思ふ。貧乏侯爵は其後十アルケールの自作農と爲つたが、カマラダに爲つたかに就ては「サッカレイ」は何も知つて居らぬ樣である。

「バニテイ、フエア」の女主人公の亭主たる從男爵「ロードン」氏の都會生活中に於て、「一文無しで一年を暮す法」と言ふ傳授がある。英國では既に天保時代に斯樣な便利な生活法が發見せられて居つたとは、日本人も餘程間抜けであると存して熟々拜讀に及んだ所、承つて見れば悉く御尤で理窟に合つて居る樣にも見える。ツマリ最新流行の着物を着て堂々たる馬車を乘り廻し、風采で嚇かして上等の貸家を借りて屋賃は一文も拂はぬ事、日用品は昔の召使が營業して居る店から取つて錢は一文も拂はぬ事、芝居や酒やの遊興費はブラジルに夜逃した侯爵から捲揚げる事、成程一文無しで暮せる事は暮せるが、吾等日本人は格別傳授を受くる程の良案では無さそうである。但英國も法治國日本も法治國と申して何れも世界の一等國であり、民法では家賃を拂はなくても日用品代を拂はなくても侯爵から金を捲き揚げても、一向罪にならぬさうであるから、一文無しで一年を暮せぬ吾等は、天下の良民で無いのかも知れぬ。

協會記事

本年の渡航者
四、五月便船は七家族

本組合のアリアンサ移住地四五月便船渡航者は左の如く決定した。

◎ハワイ丸(四月十七日 神戸出帆 六月一日 サントス着)
群馬縣新田郡鳥之郷村 木村良作 四人
東京市麴町區下二番町 佐藤瀨二郎 四人

◎博多丸(四月廿九日 神戸出帆 六月廿九日 サントス着)
群馬縣新田郡綿打村本町 新井恒十郎 六人
長野縣北佐久郡中佐都村 小林房三 九人

◎サントス丸(五月十一日 神戸出帆 六月廿六日 サントス着)
長野縣長野市南長野縣町 茂村傳太郎 八人
長野縣上伊那郡中澤村 林光衛 三人

◎若狭丸(五月卅一日 神戸出帆 七月十七日 サントス着)
長野縣上高井郡井上村 山岸清 三人

計 四船七家族三十七名

尚本年一月以降の當組合取扱數は左の通りである。

	船名	家族數	人員
一月	—	—	—
二月	モンテビデオ丸	一二	五六
	河内丸	二	一三
三月	ハワイ丸	五	二六
	神奈川丸	五	二七
四月	ラプラタ丸	二	一八
	博多丸	二	一五
五月	サントス丸	二	一一
	若狭丸	一	三
計		三一	一五九

各町村設立中の海外視察組合(續き)

更級郡篠ノ井町第三組合

青木倉治 磯川辰二
久保好幸 龍澤一郎
白石滋太郎 島田甚太
組合長 柳澤貞雄 栗林吉三郎
宮入國平 島田辰喜
久保田直一郎 島田儀太
大田悅治 土屋忠雄
宮本忠義 堀内武臣
大峽早苗 小宮山信孝
柳澤德治

長野市組合追加ノ分

宮川十藏 中村富吉

縣廳第五組合

北村深志 原岡靜
伊藤岩雄 木内良雄
小林福二郎 佐々木武雄
須永健兒 宮澤貞治
丸山辰之助 村松益治
龍澤正智 岡田季一

更級郡東福寺村組合

組合長 北原忠治 小林英太郎
小林清良 玉井昼

訂正

前號視察組合中小縣郡傍陽村組合ハ小縣郡西岡田村組合ノ誤リニ付訂正

新會員紹介(自一月十六日至三月三十一日)

西筑摩郡木祖村 小口晴雄
小縣郡西岡田村 黑坂倉人
諏訪郡上諏訪町 藤森龍治
横濱市本町 水島久馬
上高井郡仁禮村 島田利生
北佐久郡中佐都村 小林房三

北佐久郡本牧村 中島定一
長野市吉田町 山崎文治
北安曇郡常盤村 古畑寛
北佐久郡五郎兵衛新田村 佐藤權右エ門
上水内郡神郷村 田中司
上水内郡芋井村 水上留治
同 山口忠勝
上水内郡神郷村 柳澤久男
同 牧野茂男
同 和田耕一郎
同 牧野誠一
同 牧野父右エ門
長野市高田 傳田奎二
同 小林正夫
上高井郡綿内村 酒井理三郎
上水内郡[illegible]村 赤沼茂雄
東筑摩郡山形村 上條季八
北佐久郡大里村 尾沼仂
上水内郡日里村 久保田茂一郎
長野市栗田 北村深志
長野市南長野 佐々木安五郎
長野市三輪田町 宮下忠治
小縣郡西内村 齊藤寬吾
長野市南千歲町 伊藤岩雄
長野市櫻枝町 原岡靜
長野市横澤町 中村謙三
更級郡信田村 羽生田源三
上水内郡柴村 增田珍儀
更級郡篠ノ井町 柳澤德治
長野市緑町 宮澤清男
同 宮澤龍雄

特別會員入會者

長野市緑町 丸山辨三郎
長野市櫻枝町 羽田寅一郎
長野市荒木 西澤滋
更級郡篠ノ井町 島田佐門

會費領收(自三月十一日至三月三十一日)

一金武圓也
尾崎廣治殿 塩崎正治殿
折山儀十郎殿 瀧澤東馬殿
清野助治殿 丸山寅治殿
古畑寛殿 神田一二殿
佐藤權右エ門殿
一金四圓也 神田晉一殿
一金四圓也 神田佐太夫殿
一金壹圓也 小林一郎殿
一金拾圓也 神田秀治殿

海外會費領收

一金參圓也 長野市芹田千田區青年會殿
一金六拾七圓參錢也 組合(長田武夫殿 瀧澤福造殿)
一金二圓五十錢也 政馬 藤岡德治殿

新刊紹介(前號掲載分を除く)

濟南事件 柴田富陽著 定價五十錢
英領東アフリカ事情 外務省通商局
アビシニア事情 同
マダガスカル事情 同
葡領東アフリカ事情 同

寄贈書籍

一九二九年亞國農業年鑑 在亞 河野通治殿
海外移住講演會講演集 福岡縣海外協會殿

編輯雜記

△本誌前號は大變におくれて讀者會員に申譯なかつたので今月號は是が非でも早く御送本申上げたいと馬力をかけました。

△で編輯は短期日だつたので思ふ樣に原稿の蒐集が出來なかつたのであります。それに本誌に御寄稿を願ひました方々が御多忙であつたり、御病氣であつたので編輯子も聊か天手古舞を致しました。

△然し宮下氏からは南洋の農業方面について詳しい玉稿を寄せられました南洋發展號には得難い記事です。南洋も反對の南米についてはブラジル、特にアリアンサの近況について先日歸朝したばかりの多羅間領事の御講演をそのまゝ掲せました。アリアンサがブラジル名所の一つになつて彼地旅行のプログラムの一つになつてゐる事は痛快です。

△母國通信日誌はサンデー毎日の週間時事を拜借しました。信州記事は四月中の出來事の大きなもの丈け、移植民ニウスは海外各地のニウスと母國關係ニウスを網羅しました。

移住地開話は健筆縱橫の筆者面白く可笑しく趣味と實益をかねた讀物との定評、海外通信は今月以外に少なく値かばかりでした辯つて御通信下さい。海外通信は故國讀者の最も期待するもので本誌使命の一半でもあるのですから。

△移住組合になつてからアリアンサ渡航者の配船數が少く思ふぞんぶん乘船せしめる事が出來ません。既に五月便船乘船者が決定しました。觀察組合が續々設立されてゐます。此の意を全縣的に普及せしむるため今年は中信から南信に出張する豫定です。

△輪湖氏の旅立ちで協會と組合はその留守を守るために多忙でした。同氏が恙なく健在で旅路の終る事を祈ります。

△さきに本誌廣告せし信濃風物記は我鄕黨に多大の興味を與へ發刊後直ちに品切れとなりました。近く再版準備中で今月中に縮版の豫定です。海外各地から折角御註文下さいまして御待たせ致して濟みません。惡しからず御了承を願ひます。

海の外(月刊)(一冊廿錢)

定價表	内地送料共	外國送料共
一冊	廿錢	廿四錢
六ケ月	一圓廿錢	一圓四十四錢
一ケ年	二圓卅錢	二圓八十八錢
五ケ年	拾圓	拾四圓

御注意
△御送金は振替(長野二一四〇番)に御願ひます。△外國よりの御送金は銀行、郵便局いづれにても御都合良き方法に依り御送金下さい。△御住所御變更の節は早速御通知下さい。△廣告掲載御希望の方は詳細御相談申上げます。

昭和四年五月一日發行
編輯人 永田稠
發行兼印刷人 西澤太一郎
印刷所 長野市南縣町 信濃毎日新聞社
發行所 長野縣廳内 海の外社 振替口座 長野二一四〇番

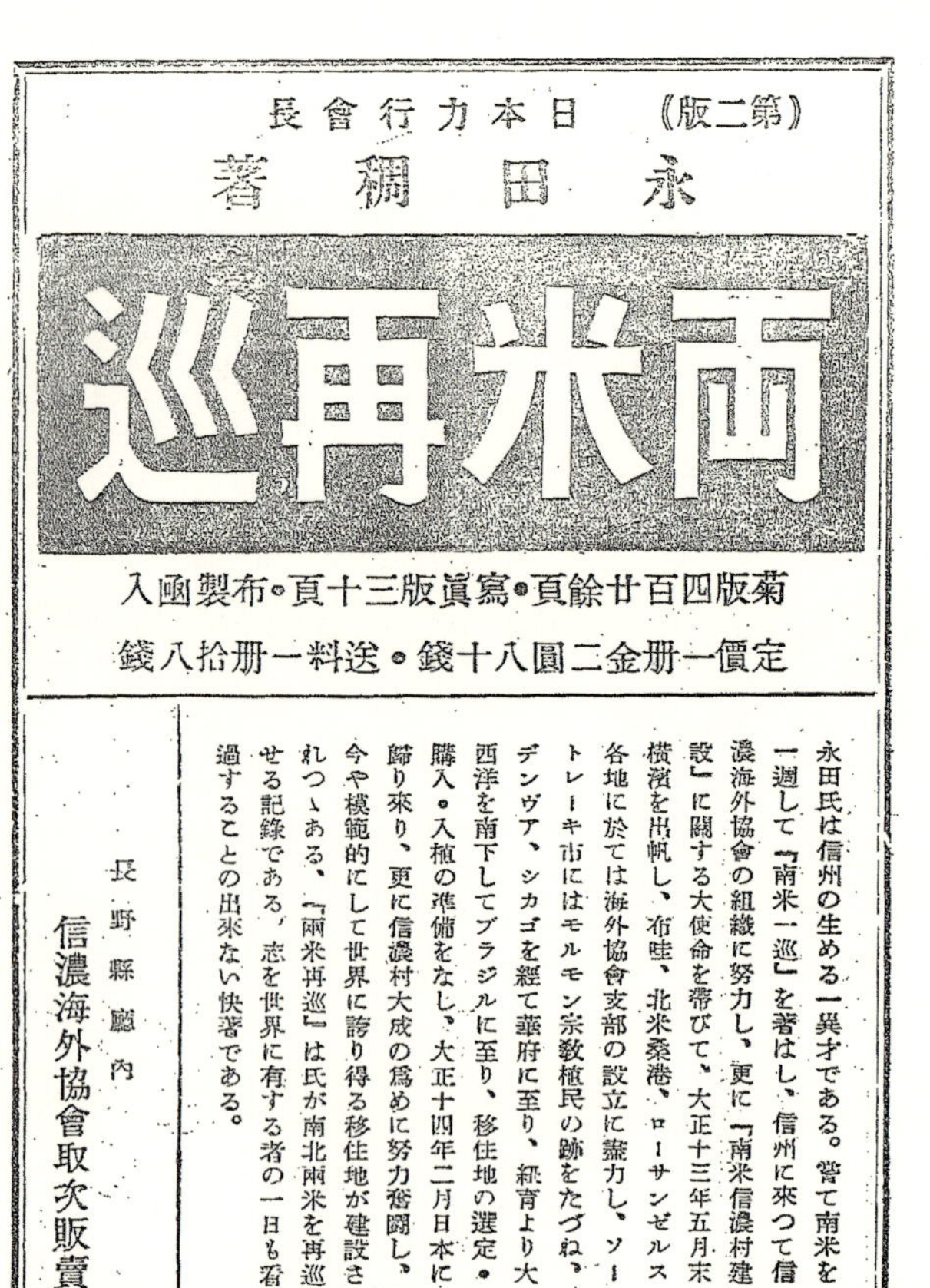

（第二版）　日本力行會長

永田稠著

南米再巡

菊版四百廿餘頁・寫眞版三十頁・布製函入

定價一册金二圓八十錢・送料一册八拾錢

永田氏は信州の生める一異才である。嘗て南米を一週して『南米一巡』を著はし、信州に來つて信濃海外協會の組織に努力し、更に『南米信濃村建設』に關する大使命を帯びて、大正十三年五月末横濱を出帆し、布哇、北米桑港、ローサンゼルス各地に於ては海外協會支部の設立に盡力し、ソートレーキ市にはモルモン宗教植民の跡をたづね、デンヴア、シカゴを經て華府に至り、紐育より大西洋を南下してブラジルに至り、移住地の選定・購入・入植の準備をなし、大正十四年二月日本に歸り來り、更に信濃村大成の爲めに努力奮闘し。今や模範的にして世界に誇り得る移住地が建設されつゝある。『南米再巡』は氏が南北兩米を再巡せる記錄である，志を世界に有する者の一日も看過することの出來ない快著である。

長野縣廳内　信濃海外協會取次販賣

東京市外上板橋　日本力行會發行　振替東京一八八六番

信濃毎日新聞社出版圖書

書名	定價		
國文讀本 後編一	五拾五錢	補習讀本	信濃教育會編
同 後編二	五拾五錢	同	同
同 後編三	五拾五錢	同	同
兒童讀本 卷一	二拾二錢	小學兒童讀物	信濃教育會編
同 卷二	二拾五錢	同	同
同 卷三	二拾五錢	同	同
同 卷四	三拾錢	同	同
同 卷五	三拾五錢	同	同
同 卷六	三拾五錢	同	同
鄉土讀本		補習讀本	信濃教育會編
補習家事教科書 卷一	二拾五錢	補習女子用	信濃教育會編
同 卷二	二拾五錢	同	同
同 卷三	二拾五錢	同	同
世界名詩選	一組十二册 二圓		
マルクシズムの幻滅	五拾錢		法學士 桐生政次氏譯
鄉土の圖書教育	壹圓	教授用	師範學校敎諭 大澤左一編
信濃民謠集	五拾錢		
軍服の聖者	壹圓五拾錢		陸軍少將 津野田是重著
赤い戰線に立ちて	壹圓五拾錢		西比利亞從軍記者 横井天華著

長野市南縣町

發賣所　信濃毎日新聞株式會社

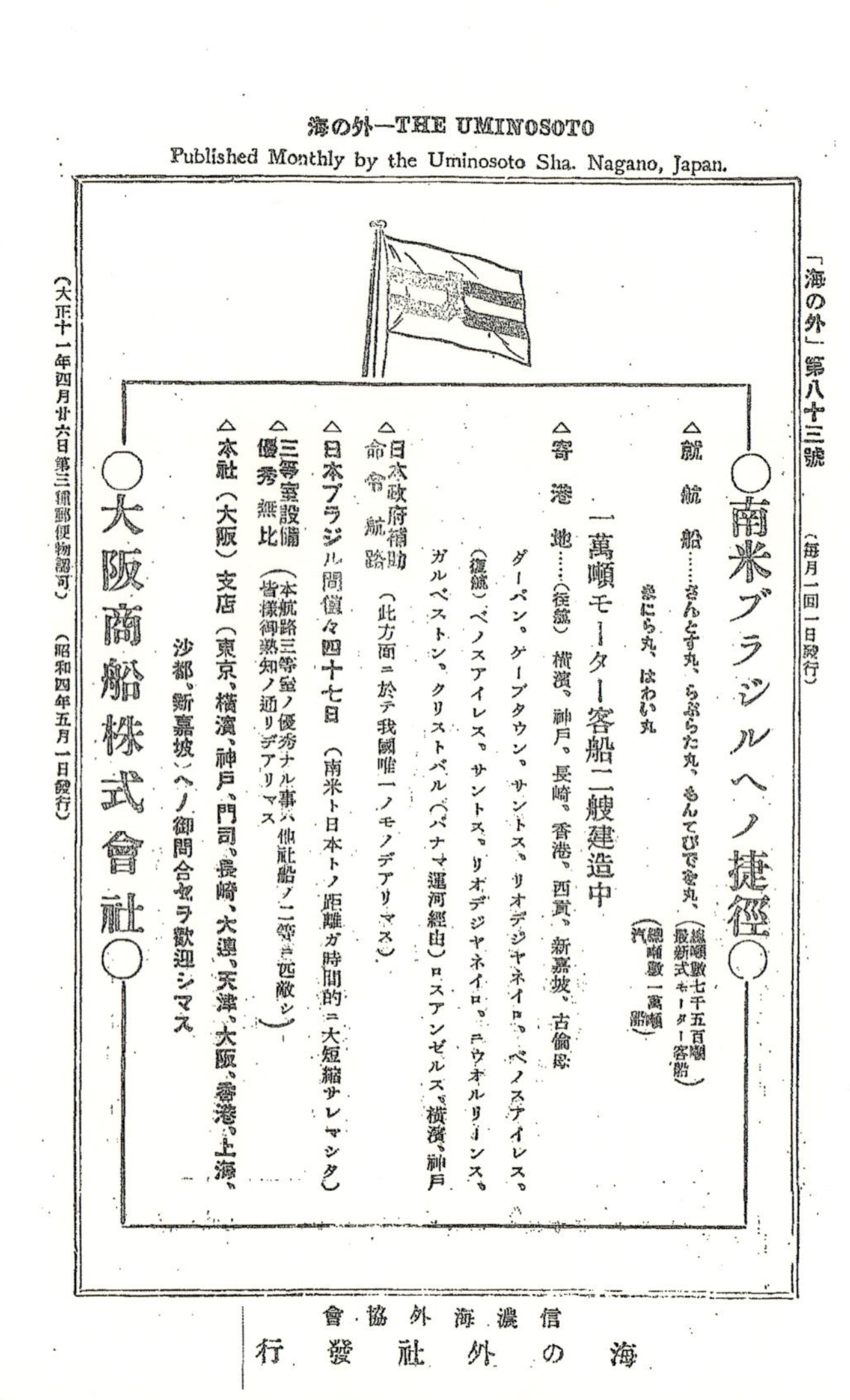

海の外—THE UMINOSOTO

Published Monthly by the Uminosoto Sha. Nagano, Japan.

「海の外」第八十三號　（毎月一回一日發行）

（大正十一年四月廿六日第三種郵便物認可）　（昭和四年五月一日發行）

○南米ブラジルへノ捷徑○

△就航船……さんとす丸、らぷらた丸、もんてびでを丸、（總噸數七千五百噸 最新式モーター客船）
ぶえのすあいれす丸、まにら丸、はわい丸（總噸數一萬噸 汽船）

一萬噸モーター客船二艘建造中

△寄港地……（往航）横濱、神戸、長崎、香港、西貢、新嘉坡、古倫母
ダーバン、ケープタウン、サントス、リオデジヤネイロ、ベノスアイレス
（復航）ベノスアイレス、サントス、リオデジヤネイロ、ニウオルリーンス、ガルベストン、クリストバル（パナマ運河經由）ロスアンゼルス、横濱、神戸

△日本政府補助命令航路（此方面ニ於テ我國唯一ノモノデアリマス）

△日本ブラジル間僅々四十七日（南米ト日本トノ距離ガ時間的ニ大短縮サレマシタ）

△三等室設備優秀無比（本航路三等室ノ優秀ナル事ハ他社船ノ二等ニ匹敵シ皆様御熟知ノ通リデアリマス）

△本社（大阪）支店（東京、横濱、神戸、門司、長崎、大連、天津、大阪、香港、上海、沙都、新嘉坡）ヘノ御問合セヲ歡迎シマス

○大阪商船株式會社○

信濃海外協會

海の外社發行

日本力行會長 永田稠先生著

海外立志傳

開拓精神に生る
新青年は讀め!!!

定價金 二圓
四六版四百二十頁
（送料金六錢）

本書に載せた人々の内には日本力行會員でない者もあるが、私の知人でない人は一人も無い。や〻人に知られたる者もあり、未だ全く人に知られない者もある。私は年少の頃、英雄豪傑や、知名の成功者の傳記を讀んだ後で「俺はトテモ此人の樣には成れない」と失望するのであつた。ナポレオンや豊臣秀吉や西鄕南洲等の傳記が私に與へた一種の悲哀は皆さうであつた。それで私は「若し私が立志傳を書く時が來たら、讀者に悲觀させない樣な傳記を書き度い」と希ふて居た。今や其の希ふた時が來たのである。本書中の人々は、皆、私共と殆んど同じ境遇に生れ、略同じ程度の教育を受けた者で「此位の事なら僕にも出來やう」と讀者は必ず感ずるに相違ないと思ふ。私は、此傳記の内に記されたる人々が、他日ナポレオンであり、秀吉であり、南洲である事を希ふては居るが、よしんば、現在の共儘で終つたとするも、後進の讀者の爲めに多大の感激を與ふる筈であると考ふる者である。本書に錄する所は、曾て博文館發行の「新青年」と云ふ雜誌に私が約四ケ年に亘つて掲載した所のものである。多くの人々から是非纏めて一卷にして發行する樣にとの勸告を受けたのが、今回多年の願が叶つて、一卷となし滿天下の意氣あり抱負ある青年諸君の前に提供する事の出來る樣になつた事は、私の深謝する所であり、又私かに愉快に感ずる所である。

私は本書に錄されたる人々が、いや益々向上發展する事を祈ると共に讀者諸君が、彼等の如く開拓の精神に生き、未だ祖先の知らざる所に、我等の祖先の未だ知らざる一大建設をなされん事を希ふて止まざる次第である。（序文の一節より）

長野縣廳 信濃海外協會（取次）振替二一四〇番

海の外

THE UMI-NO-SOTO

第八十四號

昭和四年六月號

目次

信濃海外協會海の外社發行

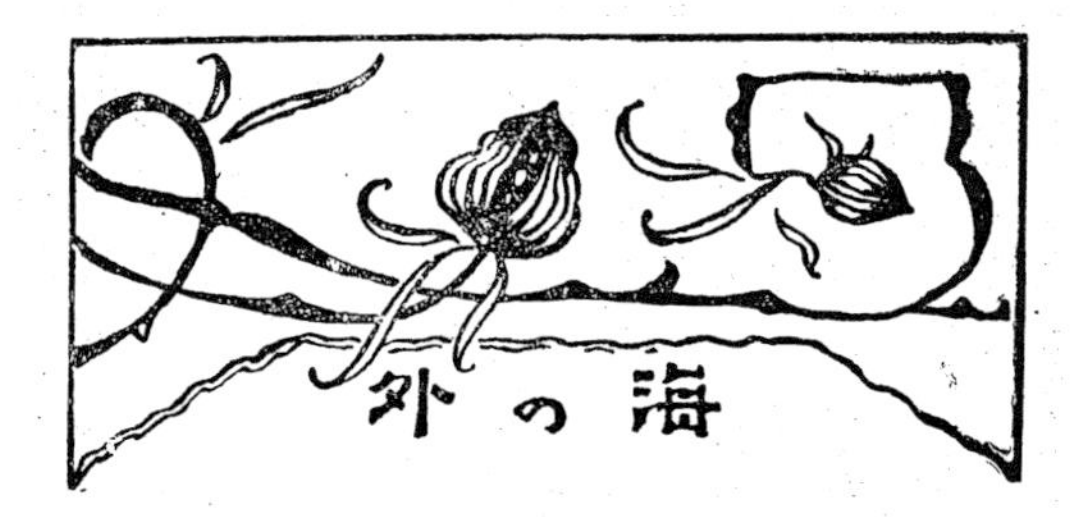

（昭和四年） 第八十四號 （六月）

在外信州健兒と本協會

海外各地在住の信州人と本協會とは連絡組織の必要を切に感じてゐる。現在この連絡組織の統一出來てゐる所は數ケ所であつて此の氣運に進んでゐる所は十數ケ所にわたつてゐる。

海外歸國者が本會を訪問して常に要望するものはこの連絡機關の組織であつてこれによつてみても如何にその必要を感じてゐるかが明瞭である。吾々は今更その必要なる所以を檢討するの無駄である事を知るが故に速やかにその達成を望んでゐた。

然るに此の氣運に鑑して西澤幹事は南北兩米に旅行し鄕黨の諸賢と相會する事は誠に有意義であつてその期待する所が多い。

希くば在外信州健兒、此の好機を逸する事なく益々密接なる連絡組織の具体案を設けられん事を。

兩米を巡つて（二）
―在伯邦人子弟教育に直面し―

兩　角　喜　重

在外日本人は、日本民族の代表者であつて、直接異民族と接觸提携し、共存共榮、世界の文化に貢献しなくてはならぬので、其地位は、吾吾民族發展の第一線にある主要なものである。之れが繼承者である子弟の地位は、更に一層重要と云はねばならぬ、日本民族と異民族との和親提携の爲緊要の要素である、從つて其教育の良否は、直ちに日本民族海外發展の盛衰に關すると同時に、異民族間に占有する彼等の位置は、吾民族を世界的に評價づけて、我國の國際的地位に影響するのである、又進んでは世界文化の進展にも聯關することが少くない、故に特に留意し尊重しなくてはならないのである。

現在伯國の普通教育は未だ普及して居らないので、伯國人口の七割は無教育者で其幼青年時代を文盲者として過して居るのである、最近普通教育の普及に努力し、各州師範學校を增設し、國費を割いて其完成を期して居るが、强制教育の方法が行屆かす、其上地方村落では通學距離が遠くて兒童の通學容易でないので、豫期の効果を擧げることが出來ない、前途遼遠の感があるのである。

斯樣な狀態である今日であるから在留邦人の子弟教育は邦人の手で內容の充實をはかる必要があります。

一、敎員指導監督機關

大使館又は領事館に教育部を設け視學を置いて、日本語教育に對し統一を計り常に、指導を與へ、監督をなし、教育の方針を誤らない樣にし、教育の向上を圖り實績を擧げる樣にしたいのである。

二、敎科書編纂

現在內地の國定敎科書を使用して居るが、土地風俗を異にしており、兒童の生活環境に則しない不適當な敎材が多くて活用に甚だ不便であるから、伯國用日本語敎科書（讀本）の編纂が必要である。

此編纂には適當な編纂者を派遣して、彼地に居る經驗ある敎育者及彼地の事情に精通した者と資料を調査して編纂するがよいと思はれるのである。

三、敎員養成

現在敎職に在る者の多數は、一時的に屆傭された者で、元來敎育者としての素要が乏しいばかりでなく、長く其職に止まる者が少ないので、敎權も立たず、敎育の効果を奏することの少ないのは遺憾である、將來伯國に居る邦人子弟で、伯國の師範學校を出で敎職に就くことを希望するか一方內地の敎育者で植民敎育に興味を有し自身植民する覺悟と其素質ある者を派遣して、伯國の事情に適し伯語を修得させて後に敎鞭を執らせる方法も必要である。

四、中等敎育機關設立

現在一般父兄の小學校經營負擔は、輕いものではないが、植民後數年を經て夫れ〳〵土地をもち其收穫が上る樣になれば、充分其負擔には堪えることは出來よう、然るに、小學校以上の敎育を授け樣とするには「サンパウロ」「リオ」等の都會に子弟を送らなければならないので、多額の費用を要し、其上監督の不便もある、（現在中等敎育を受けつゝあるもの約十五名）依つて斯道の爲めに中央都市に相當な寄宿舍を設けて、學生の指導監督出來る者の下に中等敎育を受けさせ、將來伯國で社會的の地位を得文化に貢献する人材を養成する必要があり、之れと共に邦人の集團地に中等學校を設立しなくてはならない、之が爲めに政府より相當の補助を要求したいのである。

五、敎育方針

移殖民子弟敎育の要諦は、其土地に永住し、其國民となるものであるから、勿論其國の敎育制度に依り兼ねて、大和民族獨特の長所を發揮し、其土地の文化に貢献し、共存共榮社會人類の進化向上をすることの出來る樣養成したいのであります。

六、自治体構成範圍

移民が安定し永住するには、色々の要素が必要であるが、第一に子弟敎育の設備が緊要である、敎育設備のない遠隔の離れ地に居る者は、子弟が成長して敎育の時期に達すれば、折角仕事の出來る土地を捨てゝ都會又は他の集團地に移ると云ふ有樣である、最初入殖する時に自治体構成の範圍を豫め計畫する必要があるのであります。

七、子弟敎育後援會

以上の事柄を充分に遂行して、在外子弟の敎育を完全にし、大和民族の地位を向上させるには、政府に在外子弟敎育局を設けて其事業を保護監督する必要があり、又理想的でありますが、對外關係の上から政府の名に於てすることが不可能の場合は、民間の團体として後援會を組織し、在外子弟敎育に關する一切の研究事業を經營し、國家は之に對して經費の補助と事業遂行上の便宜とを與へて海外に於ける日本民族の發展に遺憾のない樣にしたいのであります。

在伯邦人子弟敎育に
携はる敎員資格は低級

昭和三年七月現在の在伯邦人小學校は約八十七校であつて在職せる敎員は百二十名である。其內日本人敎員八十八名伯人敎員三十二名で伯人敎員は概ね州師範學校を卒業せる立派な有資格敎員であつて而かも十九名は州政府より派遣せられた者である。

然るに八十八名の日本人敎員の資格經歷について見るにその貧弱さは語るに足らず僅かに小學校本科正敎員は七名であるに過ぎない。

今これを調べてみるに次の如である。

敎員の資格別

中等敎育有資格一名　小學校本科正敎員七名　小學校專科正敎員二名　小學校准敎員一名

敎員の經歷

師範學校卒業一名　中學校卒業六名　高等女學校卒業三名

實業學校卒業四名　裁縫學校卒業一名　植民學校卒業二名

高商外語明治大學卒業四名　明大中途退學一名

（兩角氏の在外邦人子弟敎育狀況調査より）

渡歐船中雜感

長野縣諏訪中學校長　板　倉　操　平

昨年七月日本郵船の香取丸で神戶を出帆してから八月下旬マルセイユの港に上陸するまで四十幾日の航海は門司と上海を除く外全部が英國の勢力範圍を航行するのであつた、船は日本船で船長外乘組員は勿論船客の大部分も日本人ではあるが食事は洋食、船內の掲示は英語和服では甲板に出る事は禁ぜられて居ると云ふ全く外國の生活、船が英國領の港に入る際はユニオンジヤクの英國旗をマストに掲げ英國に敬意を表し英國官憲の許可を得て初めて入港する、水先案內も英人であり、稅關吏も巡查も英人、船を繫ぐ爲に浮標の費用として多額の金を英國に拂ふのである、同船の英國人が自國內を旅行する心安さで東洋の諸港を渡り步く得意さは印度洋經由で渡歐したもの、何人も反感を起さずには居られぬことである、香港まで同船で有つた諏訪明神奉遷のためブラジル渡航の小笠原兄が此の點を切に憤慨して居たが同君にして此の先マルセイユまで同船せられたなら如何程此の感を深くせられたことで有つたでせう、德川鎖國の夢が百年程前に覺めたなら百年と云はず五十年でもよい、今少し日本の開國が早かつたら之等の形勢も餘程違つて居たで有らう。若し歐州大戰の結果が反對で有つたなら東洋の有樣も今とは違つたことで有らう等とつまらぬことを考へて見る、其れについても支那の排日騷は困つたものだ、私が上海へ上陸した時は其の頂點で訪問した正金銀行の社宅等では支那街に近いので何時でも避難の出來る樣に荷物は行李にまとめて子供も當分學校を休まして居ると云ふことで有つた。今では支那人の殖民して居る東洋の各地到る處に波及してシンガポールでも丁度濟南事件三周月紀念日に當ると云ふので公園では支那人大會を開いて氣勢を擧げて居る、自動車には赤字の排日文句を書いた小旗をたてゝ吾々日本人は乘せぬと云ふ街の處々に「實行對日經濟絕交到底」と書いたビラが貼られてある、私の泊つた日本ホテルの女將等此んな樣子では商賣も駄目だとこぼして居た。最近郵船會社の倉庫では日本から來た梨が日貨排斥のため支那商人が買はぬので最初は日本人相手に投賣したが結局始末に窮して腐らして有ると云ふ話も聞いた。何れ英米人の煽動があることゝも思ふが隣邦脣齒の關係にある日本と支那が此んな有様で何時迄も居ると云ふ事は困つた事だ、遠交近攻等と云ふ愚な策をやめて歴史も古い同一文化を持つて居る彼此兩國が互に手を取つて東洋の事は東洋人によつてなすと云ふ大亞細亞主義、東洋モンロー主義に早く返らねばならぬと思ふ、足一歩內地を離れると國際意識が明瞭となつて大槪の人は國家主義的の考になる、特に英國の港々を小くなつて航海する印度洋經由で渡歐した人に此の感が強いで有らう。

印度セイロン嶋に上陸してコロンボから佛牙を安置して有ると云ふ傳説のカンヂー見物に行く途中英國植民地として印度の小學校を觀る機會を得た、誠にお粗末の學校で有る日本の山間の單級學校より設備が劣る、敎室も職員室も同一の狹い一室に三四十名の兒童が居る、格別運動場と云ふ程の所もない、敎具もなければ實驗等の設備も皆無、子供が每日集つては先生から英語と算術の初歩を習ふので有る。土語は最初しばらく敎はるだけで英國は印度の學校に於ては英語を强制して居るのである、從つて印度人はブロウクンでは有るが何人でも英語は達者である、英國の印度人に對する普通敎育は此所で觀た所では寺小屋式の學校で單に英語を敎へて居ると云ふに過ぎぬ、科學的知識や近代政治經濟に關する學問等は努めて與へぬやうにして居るらしい、印度內に大學は十五校とかあると云ふ、大學敎育は相當盛と云へるが其れとても政治方面に渡る學科は避けて居ると云ふ、普通敎育方面に於ては全然意を用ひず、民を愚にするの策を採つて居るとしか考へられないやり方で有る、同船に臺灣學務課長の君あり今度の臺灣臺北大學に法文學部の新設せらるゝ事を話して我國と英國との殖民地敎育に對する方針の相違を語つて感慨深い様子で有つた。

英國の殖民政策として殖民地に第一に作るものは道路で有り、佛國はレストラントを始めに作り、獨逸は敎會を作ると云ふことを聞いて居る、眞僞は問はず國民性の相違を現はして面白いことゝ思ふ、成程東洋に於ける英國の殖民地の道路の立派なことは驚くばかりで復興後の東京の道の様なアスハルト敷きの坦々たる大道がどんな田舍迄も出來て居る、香港の嶋廻りを自動車でやる話は日本でも知れわたつたことだが、新嘉坡からジョホールの護膜園の奥まで自動車を走らして月明の晩夕涼をやるのは何よりの愉快なことであり、コロンボからカンヂー迄七〇哩を二千呎の高地まで二時間で走ること等も全く道路の完備して居る賜物で有る。英國は殖民地を得るや土人を使役して先づ立派な道を作つてから色々の仕事にかゝる、學校等は末の末であるらしい、佛蘭西の殖民地は見なかつたが本國巴里が斯の様にカーフェーとレストラレトの都で有り、每日カーフェーや葡萄酒を飲まなくては暮れぬ人間で有れば殖民地に先づレストラントを設けて生活の安易を與へ落着た心持をいだかせるのも殖民政策としては良法と思ふ。獨逸が敎會を造り學校を作つて殖民事業の第一歩を始めると云ふことは歐洲戰後疲弊困憊の今日猶且つ理想主義を棄て得ざる獨逸民族としては尤のことゝ思ふ、知らず日本は何國の殖民政策に習ふべきか。

私の船には各國の人が乘込で居た、上海から乘つた英國の高等船員、神戸乘船の亞米利加人の英語の先生、新嘉坡乘船の和蘭の軍人、ノールウエーの捕鯨者、西班牙の宣敎師等で四十日の生活は國民性の相違を遺憾なく表現した、亞米利加人は中學生に英語を敎へて居たと云ふので吾々日本人には一番わかりやすい英語を話すせいかぢきに親しくなりまして誰にでも快活に話しかけて來ますが遂には日本人の誰彼と喧嘩を初めました、ヤンキー氣分で快活ではよいが氣品に欠けて居るとでも云ふのでせう、其所へ行くと英國人は船乘家業ではあるが如何にも重厚な紳士で赤道直下の炎熱の船中でも何時も黑の上衣をつけて食堂へ出て居ました、親しみ難い所もあるが大國民の態度が見えてなつかしいものでした。和蘭、ノールウエー、西班牙と國が小いと人間にも何となく氣品が落ちる様です、其れにしても日本の女子が高等女學校位は卒業した相當敎育ある若い人々でしたが始終室にのみ引込んで居てサロンにも出ず食堂さへ顏出せず三度の食事をボーイにはこばして寢室で食つて居る不甲斐なさには悲觀しました、寧ろ支那の女の方が中々元氣で西洋人の相手にもなりピアノを彈たり遊戯をしたりして居ました、世界的に活躍すべき日本現代の女子として今少し何んとかならぬものか、溫柔ばかりが能でもあるまいと云ふ感は同船の皆々が持つた事と思ひます。

南洋發展の道（六）

宮下琢磨

胡椒（ラダ）

胡椒は西洋料理につかふペッパーのことで、粒の胡椒で、あさがほのやうに蔓になつて居る植物で、これに山椒壺のやうなものがなるのである。

この產地は蘭領東印度、シヤム、馬來半嶋、印度のマラバル海岸である、爪哇スマトラではランポン州が盛んである。

胡椒ノ實

胡椒その他の香料は、今では何んでもないものであるが、これが昔から東西兩洋文明の接觸ともなり、世界一周のも動機となつたのであるから、一通りこの方から述べて見る。

東洋の香料、胡椒、肉ヅク、テウジこれ等はローマ時代の盛んな頃から、いやそれ以前からも歐州では黃金以上に尊まれた。

この香料の所在を探すことが卽ち世界一周の寶嶋探險のマラソン競走となつた。

和蘭が南洋に來て、第一次の殖民者葡萄人を追つた後に、現はれた勁敵は英國であつた。蘭人は英人と香料のことで爭ふた。亂暴な和蘭人は他島の香料地を荒し、全部ひきぬいてしまつたこともあつた。又價格をあげる爲めに燒いたこともある。

南洋に於ての蘭、英、西など死に物狂ひで爭ふたのはこの香料であつた。

扨て胡椒であるが、胡椒には白と黑との二ツある、これは植物に二種あるのではなく、製法によりて二種類あるのである。

胡椒は蔓性植物で、高さ十五メートル位まで延びる、樹齢は二十年內外である。果實は小さい眞ん丸な粒である。初めは綠色で赤くなり、しまひに黑くなる。黑胡椒は熟し切らぬうち一部赤くなつた頃に、これを採收すればよい。

白胡椒は充分熟したものを採つて、果皮と種子の外がはの果

胡椒三年木

肉を去りたるもので、此の方は手數もかゝり、分量も少なくなるので高價である。

本年の相場は百斤七十五ギルターであつた、ランポン州（スマトラ）あたりからは一本から五斤を得るもの少なくない、一バウ千五百本植付とすれば、七千五百斤を得ることゝなり價格は五千盾以上になるが、實は相場に高低があり、年に豐凶あり、害虫もあれば害獸も病菌もあるからさう甘いことばかりには行かぬ。

市場の十年間平均相場は、白胡椒一ピクル（十六貫）につき五十盾（四十圓）、黑胡椒が三十盾（二十四圓）くらいの處である。土人のやり放し農法でも一バウから千ギルター（八百圓）以上は得て居る。

小企業家向き 收穫は乾雨兩季に一度づつ、年二回の收穫があるが、收穫時には忙しくて平生の管理には手はかゝらぬ。ゴムのやうに每日均一の勞働があると云ふわけに行かぬので、大農式には不向きである、むしろ家庭的の農園に適して居る。土人のやり方も、支那人のやり方も古來傳統的及栽培法を墨守して何等改善を加へない、もしこれを日本人の手でやるとすれば園藝的に細密の注意を拂ふので、必ずがあがるに相違ない。

虫害もあり、病菌もあるが、これにはそれぞれ驅除法もあり、手當法もある、就中病虫害にはトバの根を碎いて水を搾つて、乳白の毒液をとり、これに唐辛子、煙草、木炭、タテ草なぞを混へて藥液をつくり、之れを噴露器でかける。これが一番よく利くさうである。土人は胡椒を食物の調理にも用ふるが、婦人の產前產後その外の藥として用ふる。甘酒、濁酒をつくるもとにもつかふ。

次に胡椒栽培の經濟的調査を揭げて見よう。本調査は昨年南洋視察の際、南部スマトラに於て調査したるものを基礎とし、之れに同行者清水君、蟹澤君が引き續き各所に於て、調査したる結果を綜合したるものなり。

土地　小規模農園ならば南部スマトラ、ランポン州邊は一バウ（七反歩）十五盾か二十盾にて、土人より地上權を買收する事を得。

官有地の租借は七十五年の期限にて、五年間は無稅なり。

胡椒　の結實は三年目頃より始り八、九年目に至りて成木となり二十五年乃至三十年の間、同一收穫を保つ。

收穫時期は一年中常々結實すれども八、九月と三、四月の兩期を最も多忙の時期とす。

收穫量は土人及び支那人の原始的方法にても成木一本に付き平均四、五斤なるも多きは八、九斤位取れるものもある。

始めに十バウ（七町歩）の土地を得、九バウを胡椒栽培地とし殘り一バウを住宅地、作業場、菜園、道路等とす。

價格は此數年來一ピクル七〇盾より九〇盾迄で騰りたるも、確實なる處を五〇盾として計算せり。

支柱木は「ダダツプ」と稱する樹を用ふ、挿込費を含む、枯損は責任附。

一年多忙時期は年二回故常時苦力（クーリー）を使用するを得ず、大資本家の經營に適せず、從つて生産過剩の憂なし。

準備金三千五百盾を以つて着手すれば、四年目には固定資金は全部償却し現金一千六百六十盾を剩し、五年目よりは家屋を改築し、諸設備を備へ、九年目の成木時期には現金八万九百五十六盾と、年々二万七千盾の收穫ある胡椒園九バウと、家屋、家畜、農具等の資産を所有するを得。

準備金三千五百盾

内譯

	盾・仙
渡航費（運賃及服裝宿料仙入國税等）	二五〇.〇〇
土地代（十バウ分課代）	三〇〇.〇〇
家屋建築費	五〇〇.〇〇
農具	一〇〇.〇〇
開墾植付費	八〇〇.〇〇
支柱木（一バウ千五百本、九バウ一萬三千五百本代一本三仙）	四〇五.〇〇
苗木代（一本三仙）	四〇五.〇〇
半年分食費	三〇〇.〇〇
米種子代（七ピクル、一ピクル六盾）	四五.〇〇
收穫費	一八〇.〇〇
豫備費	二一五.〇〇

右の内米種子代、收穫費、豫備費は其の年に回收する故其の他三千六十盾を固定資金とす。

胡椒ノ成木セルモノ

收支計算表

項目	支出	收入	差引殘高	摘要
第一年目				
米種子代	四五.〇〇			七ピクル半一ピクル六盾
收穫費	三〇〇.〇〇			收穫の二割を通則とす
半年分食費	三〇〇.〇〇			
粉收入		一、五〇〇.〇〇		粉三〇〇ピクル一ピクル五ギルダー
固定利子	三〇六.〇〇			利子一割
豫備費			二一五.〇〇	
計	九五一.〇〇	一、五〇〇.〇〇	五四九.〇〇	
第二年目				
生計費	八〇〇.〇〇			
種子代	四五.〇〇			
除草手入費	七五.〇〇			
收穫費	二三五.〇〇			
利子	三〇六.〇〇			
粉		一、一二五.〇〇		二二五ピクル一ピクル五盾
現金		七六四.〇〇		前年繰越金
計		一、八八九.〇〇	四八八.〇〇	
第三年目				
除草手入	七五.〇〇			
胡椒收穫費	九四.五〇			
生計費	八〇〇.〇〇			
利子	三〇六.〇〇			
固定償却	一、〇〇〇.〇〇			
胡椒收穫		二、七〇〇.〇〇		一三、五〇〇本一本より、四斤五四ピクル一ピクル五〇盾
現金		四八八.〇〇		前年繰越
計	二、二七五.五〇	三、一八八.〇〇	九一二.五〇	
第四年目				
除草手入費	七五.〇〇			
收穫費	二一〇.〇〇			
第五年目				
生計費	一、〇〇〇.〇〇			
利子	二〇六.〇〇			
固定償却	二、〇六〇.〇〇			
胡椒收穫		五、四〇〇.〇〇		一本よりの收量〇、八斤一〇八ピクル
現金		九二二.五〇		前年度繰越
計	三、五六一.〇〇	六、三二二.五〇	二、七六一.五〇	
建築費	二、六〇〇.〇〇			住宅 二〇〇〇盾 畜舍 一〇〇盾 作業場 五〇〇盾
家畜費	四八〇.〇〇			馬一頭 一二〇盾 牛二頭 三六〇盾
農具	五〇〇.〇〇			
生計費	一、〇〇〇.〇〇			
除草手入費	一〇〇.〇〇			
收穫費	三五〇.〇〇			
胡椒收穫		八、一〇〇.〇〇		一本に付き一、二斤一六二ピクル
現金		二、七六一.五〇		前年度繰越
計	四、九三〇.〇〇	一〇、八六一.五〇	五、九三一.五〇	
第六年目				
生計費	一、〇〇〇.〇〇			
除草手入費	一〇〇.〇〇			
收穫費	三〇〇.〇〇			
除草手入費	一〇〇.〇〇			
收穫費	三〇〇.〇〇			

項目	支出	收入	差引殘高	摘要
諸費	三〇〇.〇〇			
胡椒收穫		一三、五〇〇.〇〇		一本收量二斤二七〇ピクル
現金		五、九三一.五〇		前年度繰越
計	一、七〇〇.〇〇	一九、四三一.五〇	一七、七三一.五〇	
第七年目				
生計費	一、二〇〇.〇〇			
除草手入費	一五〇.〇〇			
收穫費	三五〇.〇〇			
諸費	四〇〇.〇〇			
胡椒收穫		一八、九〇〇.〇〇		一本收量二、八斤三七八ピクル
現金		一七、七三一.五〇		前年度繰越
計	二、一〇〇.〇〇	三六、六三一.五〇	三四、五三一.五〇	
第八年目				
支出同費	二、一〇〇			
胡椒收穫		二三、六二五.〇〇		一本收量三、五斤四七二、五ピクル
現金		三四、五三一.五〇		前年度繰越
計	二、一〇〇.〇〇	五八、一五六.五〇	五六、〇五六.五〇	
第九年目				
支出同費	二、一〇〇.〇〇			
胡椒收穫		二七、〇〇〇.〇〇		一本の收量四斤五四〇ピクル
現金		五六、〇五六.五〇		前年度繰越
計	二、一〇〇.〇〇	八三、〇五六.五〇	八〇、九五六.五〇	

右表に見るやうに比較的餘裕ある生活をして、尙且非常な利益を納める事が出來る、從つて今後この種の小農企業は相當有望視されると思ふ。

在亞「チヤコ」在留邦人棉作狀況

一、耕作面積　本年度に於ける在「チヤコ」邦人棉作者の棉花耕作面積は拾六組總計五百八拾五町歩で昨年度の十五組總計三百三十六町歩に比し約八割の增加を示してゐる。

二、天候及害蟲　天候は今日迄の所頗る順調にして降雨適順、濕度高燥、害蟲「オルーガ」の發生も例年より二ケ月遲延し其の被害も極めて僅少である。今後唯憂ふべきは結實期に於ける蟲群と旱魃との襲來である。今後特別の異變なき限り今年度一町歩收穫量は平均千瓩乃至二百瓩の豫想である。

三、相場　未だ市場への出荷なきを以て現物の相場立ち居らざるも北米棉相場より推算するに愈々出荷期に入らば歸渡し實棉一噸亞貨紙幣二百八十弗乃至三百弗を唱ふであらう。

四、收穫の量　邦人拾六組本年度收穫總量豫想左の通り

噸數　六百噸乃至七百噸

價格　亞貨紙幣拾七萬弗乃至貳拾壹萬弗

（昭和四年二月八日在亞齋田領事報告移民情報より）

聯盟會議における阿片取締問題について

在ジユネーブ
醫學博士　草間弘司

阿片其の他危險藥品取締事業

本問題の討議は一國の經濟又は國民の慣習等に關係する處大なるものあり之れと人道上の立場とに利害相反する爲めに極めて深酷に行はれた。

最初に總會に對する報告案はポーランド代表チヨヅコ氏により朗讀され次で和蘭代表は條約實施と其の將來に言及して曰く一九二五年阿片條約が此の九月二十五日（一九一八年）を以て實施さるゝに至る筈であるが其の曉には阿片問題の將來は極めて望みあるものであると云ひ充分に條約の實施さるゝならば條約國からの阿片の密輸入は阻止さるゝであらうと、伊太利代表カバゾニ氏は最も大切なる問題は生阿片にあらずして此の製品である而して東洋に於て阿片が大なる政事問題となつたのも此の製品に據るものであるとして必要量を調査し製造制限を爲す實際率を規定すべきであると云ふ自覺を繰り返へした。吉田公使は帝國を代表して日本に於ては本年七月ジユネバ條約を批准せる事日本は他國との協力を惜まない事米國合衆國とは迅速なる報告の交換を行ふ樣交渉ずみにして他の國とも同樣なる交換を爲さんとすると言ひジユネバ阿片條約により他の危險藥同樣にベンゾイル、モルフインの賣買も取り締りつゝある旨を述べた、印度代表サー、レツデイ氏は純印度人ではあるが雄辯な英語を以て先の報告者チヨヅコ氏に對し卓越なる氏の報告案を賞し次に甚だ驚くべき事はその報告中に印度が阿片賣買取り締りになりたる非常な犧牲を爲したる事實に就いては少しも言及してをらないと聊か揶揄して阿片問題は二ケとして考へて見なければならない卽ち（一）は阿片（二）は他の催眠劑問題である、然るに諸

問委員會の最近の傾向は問題を單に催眠劑のみに限局する樣に思はれる印度は本問題に關して爲せる事に就ては印度の取り締の方法は假令一九一二年前のものに於ても代表的のものであるとして認められて來た、政府は常に阿片はその栽培も販賣も獨占して居る、而して漸次罌栽培を限少せしむる政略を取つて來た爲めに過去十八年間に凡七二•〇〇〇•〇〇〇磅の收入減を示めした、印度は貧困國である而して國民は他の國に於て何等爲す處無き事に對して印度のみ斯く巨大な犧牲を支拂ふべきやと質すのである、再び繰り返へすが一國のみにては取締りの効果を擧ぐる事は困難であると。

ペルシヤ代表は自國の罌栽培削減法の大なる障害を語り印度に於ける犧牲も大なるものであるが印度では阿片輸出高は總輸出高の一パーセントに過ぎないがペルシヤにてはその二〇パーセントを占めてをる重要なる輸出生産品の一である事を考へねばならない、之れが爲めにその生産を減少せしむるには幾多の苦難がある、然し政府はそれにも係はらず本年七月阿片國家獨占法を通過せしめた而してその內に規定さるゝ重要なものは(一)阿片輸出業者は總て政府の指示に從ふ事(二)政府は國內國外に於て阿片賣買に對する絕對權を有する事(三)國內販賣は登錄を要する事(四)罌栽培はその栽培地域を限定したる許可を得なければならない事(五)政府は十年以內にペルシヤ國內の消費は全然醫療用に限局する方法を攻究する事を規定した、此の目的の爲めに每年一九二九年より國內消費の目的に販賣さるゝ阿片料を十分の一宛減少せしめなければならない、且つ嚴重なる罰則が本法を犯したるもの及密輸入者に課せられてゐる。

然し乍ら若し政府が他方に經濟狀態を良好ならしむる方法を講ずる事が出來なければ此の方法は失敗するであらう。此れが爲めに鐵道の敷設、灌漑の方法等が講ぜられ農民を援助してをる而して罌に代る他の農作物を栽培せしむる樣にしてをる、ペルシヤは更らに危險藥品取締りに對しても嚴重な方法を採つてをる若し斯る藥品の製造制限が他國に於て行はれなければペルシヤは獨り重要な財源たる阿片生産製限によりて不利益を蒙るばかりでなく、阿片より更に危險なる藥品の輸入によつて國民は一層の危險に面接する事となると云つて危險藥制限の必要を說いた。

シヤム國プリンス、ヴイブリヤは印度代表の討論に對してシヤムの阿片に關する狀況を說明して曰く自國には罌は成長するけれども一九二一年以來阿片生産量を四千五百瓩以下に完く制限してをる以上シヤムを稱して阿片生産國と云ふは全く不正當であると辯解しシヤムは印度から阿片輸入を餘儀なくされてをる、シヤムに於ける阿片喫煙は恰も他國に於ける阿片生産と同樣に唯暫次廢止する事を得るのみである、然し乍ら槪括的に云へばシヤム人は阿片喫煙家ではないのである、シヤム國政府にて阿片取締りに對してあらゆる方法を講じて盡力してをる。而して藥品輸入に對しても政府獨占を實施してをる。佛國代表の印度支那の狀況に對する說明によれば或る區域に於ける一部の例外を除いて印度支那に於ては罌栽培の充分なる取締りが出來

てをるから決して阿片生産國と認むる事は出來ない、年々の産額は十ケ年內に五噸より三噸に減じた、而して其の消費量に於ては遙かに僅少である密輸入に關しては一九二七年には其の前年の二倍に達してをる、然し此の增加は國內に於ける罌栽培を政府に於て制限してをるからである。

又藥品製造も國內消費の必要量を越へて居らない、而して危險藥品の輸出入の取り締り其の他化學業者による四期報告も漸次滿足に向ひつゝある。

吉田公使は日本の阿片製造狀況を序して日本は僅々三千瓩を製造するに過ぎない、右は單に醫藥の目的に政府の使用するものでありて決して輸出するものではない、此の額は僅かに日本に於ける醫藥の目的に使用する量の十分の一に過ぎないものであると說明した。

以上の外英國ニユージーランド其の他の代表より自國の狀況說明に、取り締りに對する意見などもあつた。

本問題に關する委員會は斯くて總會に對する報告案及決議案に大訂正を加へて閉會された。

東洋に於ける阿片喫煙取締り問題

阿片喫煙取締り狀況調査委員を東洋に派遣すべしとの提案は英國代表ダーム•エヂス女史に據りて提出された、其の決議案に於ては喫煙の目的を以て制造せらるる阿片の使用に關する調査を承認せる東洋各國に於ける狀態を實地調査報告せしむる三名の委員を任命する樣に總會は理事會に勸告する事、其の調査項目は一九一二年のヘーグ阿片會議及一九二五年のジユネバ會議によりて規定せられた義務に對する政府の實施狀況東洋に於ける阿片密輸入狀態及それ等防禦方法の困難なる事情等にして斯る狀況に對しては關係政府及聯盟は如何なる方法を採るべきであるかに對して意見を與へしめる樣にするのである。而して豫算委員會に對しては之れが豫算を準備せしむる事と云ふにある。

阿片問題には最も關係ある支那代表は自國の狀況を說明して曰く支那にては旣に阿片喫煙は許可されてをらないに依て支那をして阿片喫煙を認めてをる國に加ふる事は出來ない、支那に於ける罌栽培が再び烈げしくなつて來たのは事實ではあるが阿片密輸入は英國提案の如く派遣を行はんとする東洋諸國以外の國から行はると本提案をし揶揄つた。更らに英國の東洋殖民地に對する阿片密輸入は支那からではないと辯明し派遣調査は阿片を密輸出する總ての國を行ふたら如何と反駁した。

支那政府は歐洲諸國から來る阿片製劑及コカインの大規模の密輸入を一層懸念するものである、夫れ故に支那政府は英國政府の提案を承認するけれども調査範圍に對しては獨り東洋にのみ限局せず阿片及他の危險藥生産及製造を爲す總ての國に對して例外なしに行はなくてはならないと暗に本提案に對し不滿を表はして居た。(續)

本稿筆者は本縣東筑摩郡笹賀村出身で今年四月醫學博士の學位を得た。

羅馬法王廳の主權と伊太利の承認

前在佛　K　H　生

本年二月十一日正午羅馬法王廳「ラテラノ」宮殿に於て法王ピオ十一世代表委員がスパルリ僧正と伊國代表委員ムツソリーニ首相との會商に依り新條約は締結せられたり此條約成立に依り政治的に於て共懸案たる羅馬問題を解決し又伊國に於ける宗教並に教會に關する事項を規定せる「コンコルダー」及一八七〇年事件に起因する伊國と法王廳との財政關係を終局的に解決せるものなり。

此條約は法王に對し多少の獨立領土權を認め其の區域は現有「バチカン市」に僅かの土地建物を附したるものなり。

伊國政府は右條約に依り其の餘の沒收領土に對する賠償金として「二十億リラ」支拂ふこととなり又伊國內の結婚の取扱及宗教教育、其の他僧侶の任命處罰兵役等に關し法王廳に或種の權限を認めたり、特に法王領土に關しては獨立國同樣の主權を認めたることは法王廳の大成功とする處なり。

斯くして過去五十九年間に亘る懸案も「ムツソリーニ」首相の胸度と「バチカン」の讓歩に依り無事解決したるは世界三億五千人の教徒が歡喜に堪へざる處とす。

抑も領土權に關し法王廳と伊國政府との間に此の紛爭の起りたるは其の昔伊國コンスタンチン大帝の時大帝及當時の貴族が其所有土地を法王廳に寄進し是を法王廳の所領と爲したる處一八七〇年普佛戰爭當時佛國軍隊が「ローマ」引上げ後伊國政府が現「バチカン」宮殿を除く總ての所領を强壓的に沒收したるに起因し是れが爲め兩者交渉を重ねたる結果其沒領賠償金として、一八七一年以後は每年三百二十二万五千リラ宛支拂ふ協約成立せるも未だ曾て伊國政府より之れが支拂ひを爲したることなく又法王廳よりも請求したることなかりしに之れに加ふるに前記の諸問題も關聯し今日に至りたるものなるが、今回漸く其解決を見たるものにして是れに依り「カトリック」敎の大本山法王廳も始めて國際的に新地歩を有したることゝなれり。

旅券規則改正
願書は直接縣へ提出
六月一日から樂になる

本邦外國旅券規則は明治四十年外務省令第一號を以て施行せられ爾來今日まで同規則によつて處理して來たが同規則は今日に於ては不便少からず種々の支障を來しつゝありこれが改正の必要に迫られゐたが愈々六月一日より改正旅券規則が施行せらるゝ事になつた。改正規則の要點は旅券下付の迅速を計る事を以て第一目的とし從來の警察官憲の身元調査を省略するため願書類は願人より直接縣廳宛送付提出する事になつた。尙從來の如き保證人を立てる必要もなくなつた願書類の調製についても以前は各府縣によつて區々であつたが今後は書類を統一されたので非常に事務進捗を來たす事になる。旅券下付の手數料は移民五圓非移民十圓となつた。

左に規則改正の條文を拔萃すべし。

外國旅券規則

第一條　外國へ渡航スル者ニ下付スル旅券ハ外務大臣之ヲ發給シ外國ニ於テハ在外公館長之ヲ發給セシム

第二條　旅券ノ下付ヲ請フ者ハ左ノ書類ヲ內國ニ於テハ本籍地又ハ所在地ノ地方廳、關東州ニ於テハ關東廳、外國ニ於テハ在外公館ニ差出スベシ但シ當該官廳ノ認定ニ依リ身許申告書、戶籍謄本又ハ戶籍抄本及保證ノ添附ヲ省略セシムルコトヲ得

一　旅券下付願書(附錄第一號參照)
二　身許申告書(附錄第二號參照)
三　戶籍謄本又ハ戶籍抄本
四　寫眞二葉(最近ノ撮影ニ係ル手札形半身、無台紙)
五　他ヨリ派遣セラル、者ハ其ノ派遣責任者ノ保證書
六　在外公館長發給ノ呼寄、再渡航等ニ關スル證明書又ハ外國官憲發給ノ入國ニ關スル許可證、證明書若ハ通知書等ヲ有スル者ハ該書類
七　其ノ他參考ト爲ルベキ書類アル場合ハ該書類
九　右ノ外附錄第四號ニ掲載シタル目的國及渡航目的ニ依リ特ニ必要トスル書類前項第二號ノ身許申告書中兵役、賞罰及納稅ニ關シテハ內國ニ於テハ市區町村長又ハ警察官署ノ認證ヲ得タル上差出スベシ。

(附錄第一號、甲、非移民)
外國旅券下付願(用紙美濃紙形)

一、氏　名(傍ニ片假名ヲ付スベシ、ローマ字綴ノ一定シ居ル者ハ其ノ綴ヲ記スベシ)
一、本籍地(番地ニ至ル迄記載スベシ郡町村名ニハ片假名ヲ付スベシ)
一、所在地(番地ニ至ル迄記載スベシ)
一、身　分(戶主ト家族トノ別、家族ナル

トキハ戸主ノ氏名及戸主トノ續柄ヲ記載スベシ
戸主ノ氏名ニハ片假名ヲ付スベシ

一、年　齡（何年何月何日生、滿何年何箇

一、職　業（例ヘバ「醫師」「何輸入商」「何會社取締役」等ト記載スベシ）

一、旅行地名（例ヘバ「香港、新嘉坡、コロンボ、經由佛國」ノ如ク經由地及目的國ヲ記載スベシ

一、旅行目的（例ヘバ「觀察」「修學」「商用」等）

一、旅行理由（旅行セントスル事情ヲ簡明ニ記載スベシ）

一、身　長（「メートル」法ニ依ル「メートル法不案內ノ者ハ何尺何寸何分」ト記載スベシ）

一、特　徵（外部ヨリ見ユル身体ノ特徵一箇所、特徵ナキ者ハ「ナシ」ト記載スベシ

一、出發港　何　港

一、出發豫定期日　何年何月何日

一、歸國豫定期　何年何月

一、乘船等級　何　等

一、普通旅券ト數次往復旅券トノ別（外國旅券規則第十條ニ依ル數次往復旅券ヲ希望スル者ハ「數次往復券」ト記載シ然ラザル者ハ「普通旅券」ト記載スベシ

右ニ依リ外國旅券御下付相成度別紙身許申告書戸籍謄本（又ハ戸籍抄本）何通（第二條第一項第五號乃至第九號ニ該當スル書類）及寫眞二葉添附此段相願候也

年　月　日

氏　名㊞

地方長官（關東長官、在外公館長）宛

備考

一、未成年者ガ親又ハ之ニ代ルベキ扶養者ノ呼寄ニ依ルニ非ズシテ單獨ニ渡航スル場合ハ親權者、後見人又ハ戸主ハ之ニ同意ノ旨ヲ附記シテ本人ノ名ノ次ニ署名捺印スルコト

一、妻ガ本邦ニ在ル夫ト離レテ單獨ニ渡航スル場合ハ夫ハ之ニ同意ノ旨ヲ附記シテ本人ノ名ノ次ニ署名捺印スルコト

一、妻子ヲ同伴スル場合ハ氏名、年齡身長及特徵ヲ夫々人別ニ記載ノ上同一願書ニ出願スルコトヲ得

一、右ノ場合ニ於テ妻子ヲ夫又ハ親ノ旅券ニ併記セント希望スル者ハ「某ヲ某ノ旅券ニ併記」ト氏名ノ下部ニ記載スルコト

（附錄第一號、乙、移民）

外國渡航許可並ニ
旅券下付願（用紙美濃紙形）

一、氏　名（傍ニ片假名ヲ付スベシ）

一、本籍地（番地ニ至ル迄記載スベシ、郡町村名ニハ片假名ヲ付スベシ）

一、所在地（番地ニ至ル迄記載スベシ、寄留地ニモ含ム寄留地ノ場合ハ「所在地」ノ下ニ「（寄留地）」ト記入スベシ

一、身　分（戸主家族ノ別、家族ナルトキハ戸主ノ氏名及戸主トノ續柄ヲ記載スベシ戸主ノ氏名ニハ片假名ヲ付スベシ）

一、年　齡（何年何月何日生、滿何年何箇月）

一、職　業（例ヘバ「農業」「何小賣業」「何職工」等ト記載スベシ）

一、渡航地名（例ヘバ「布哇及北米合衆國經由メキシコ國」等ノ如ク經由地及目的國ヲ記載スベシ）

一、渡航目的（例ヘバ「農業」「漁業」又ハ「父ノ呼寄」等）

一、渡航理由（渡航セントスル事情ヲ簡明ニ記載スベシ）

一、身　長（メートル法ニ依ルメートル法不案內ノ者ハ「何尺何寸何分」ト記載スベシ）

一、特　徵（外部ヨリ見ユル身体ノ特徵一箇所、特徵ナキ者ハ「ナシ」ト記載スベシ

一、出發港　何　港

一、出發豫定期日　何年何月何日

一、乘船等級　何　等

右ニ依リ外國渡航許可並ニ旅券下付相成度別紙身許申告書、戸籍謄本（又ハ戸籍抄本）何書（第二條第一項第五號乃至第九號ニ該當スル書類）及寫眞二葉添附此段相願候也

年　月　日

氏　名㊞

地方長官（警視總監）宛

備考

一、移民取扱人ノ取扱ニ係ル移民ナルトキハ移民取扱人ガ本人ノ名ノ次ニ署名捺印スルコト

一、海外移住組合ノ移住地ニ入植スル爲渡航スル者ニ在リテハ同組合理事長ノ保證書ヲ本願書ニ添附スルコト

一、植民地經營者ノ取扱ニ依リ渡航スル者ニ在リテハ該植民地經營者ガ本人ノ名ノ次ニ署名捺印スルコト

一、家族移民ノ場合ハ家族全員ノ氏名、年齡、身長及特徵ヲ夫々人別ニ記載ノ上同一願書ニ出願スルコトヲ得此場合ニハ家長及家長トノ續柄ヲ各自ノ氏名ノ上部ニ記載スルコト

一、家族移民ニシテ他ノ旅券ニ併記セントスル場合ニ於テ妻子ヲ夫又ハ親ノ旅券ニ併記セント希望スル者ハ「某ヲ某ノ旅券ニ併記」ト氏名ノ下部ニ記載スベシ

一、未成年者ガ親又ハ之ニ代ルベキ扶養者ノ呼寄ニ依ルニ非ズシテ單獨ニ渡航スル場合ハ親權者後見人又ハ戸主ハ之ニ同意ノ旨ヲ附記シテ本人ノ名ノ次ニ署名捺印スルコト

一、妻ガ本邦ニ在ル夫ト離レテ單獨ニ渡航スル場合ハ夫ハ之ニ同意ノ旨ヲ附記シテ本人ノ名ノ次ニ署名捺印スルコト

（附錄第二號）

身許申告書（用紙美濃紙形）

氏　名

何年何月何日生

學　業

一、（何年何月何學校卒業」ト記載スルガ如シ）

一、（或ハ「何年何月ヨリ何年何月何日迄何所ニ於テ何々研究」ト記載スルガ如シ）

職　業

一、（何年何月何會社ノ事務員ト爲リ何年何月何支店詰ト爲リ何年何月何支店長ト爲リ今日ニ至ル」ト記載スルガ如シ）

一、（或ハ「何年何月以來農業ニ從事」又ハ「何年何月以來何商ニ從事」ト記載スルガ如シ）

兵　役

一、（何年何月徵兵檢査ノ結果甲種合格何年何兵何聯隊ニ入營何年何月滿期退營」ト記載スルガ如シ）

一、（或ハ「何年何月徵兵檢査ノ結果何種合格何兵科補充兵ト爲ル」又ハ「徵兵適齡前ニ付兵役關係ナシ」ト記載スルガ如シ）

渡　航

一、（何年何月何府縣ヨリ旅券ノ下付ヲ受ケ何々ノ爲何國ニ渡航何年何月歸國」ト記載スルガ如シ）

賞　罰

一、（曾テ刑罰ヲ受ケタルコトナシ」ト記載スルガ如シ）

一、（何年何月何府縣知事ヨリ何々トシテ表彰セラル」ト記載スルガ如シ）

一、（或ハ「何年何月何區裁判所ニ於テ何罪ニ因リ罰金何圓ニ處セラル」ルト記載スルガ如シ）

資　產

一、自己所有分

(イ)地所家屋價格　圓

(ロ)商品價格　圓

(ハ)貸金、預金、債券、現金　圓

(ニ)其ノ他動產價格　圓

合　計　圓

一、戸主所有分（本人ガ戸主ナル場合ハ不要記載方前同樣）

納　稅（最近ノ納稅年額ヲ記載ス）

一、自己ノ分

(イ)所得稅　圓

(ロ)其ノ他ノ國稅　圓

(ハ)府縣稅　圓

(ニ)市町村稅　圓

合　計　圓

一、戸主ノ分（本人ガ戸主ナル場合ハ不要記載方前同樣）

右ノ通相違無之候也

年　月　日

氏　名㊞

（本人自署ノコト）

地方長官（警視總監、關東長官、在外公館長）宛

右兵役、賞罰及納稅ニ關シ認證ス

年　月　日

市區町村長（又ハ警察官署長）　氏　名㊞

備考

再渡航者ニ在リテハ兵役渡航及賞罰以外ノ事項ハ省署スルコトヲ得

（附錄第三號）

保　證　書（用紙美濃紙形）

氏　名

右者當會社（銀行、商店、協會等）ノ事務員（職名ヲ記載スルコト）ニシテ今般何用ノ爲（何支店勤務ノ爲等）何國ニ派遣スル者ニ相違無之同人ノ渡航費及滯在費全部（或ハ渡航費何程滯在費何程）ヲ當方ニ於テ支出シ且同人ノ身上ニ關シテハ一切當方ニ於テ責任ヲ以テ引受可致此段保證候也

年　月　日

所在地

何會社（銀行、商店、協會等）

社長（代表者ノ職名ヲ記載スルコト）　氏　名㊞

地方長官（關東長官、在外公館長）宛

備考

追書トシテ派遣責任者ノ業務及資產（法人ナルトキハ其ノ拂込資本金及創立年月）等記載ノコト

（附錄第四號）

目的國及渡航目的ニ依リ特ニ必要トスル書類

一、北米合衆國及布哇

(イ)布敎ノ爲渡航スル者

其ノ屬スル宗派ノ管長ヨリ既住直前二年以上正式ノ僧侶牧師又ハ布敎師トシテ布敎ノ職ニ從事シ居レル者ナル旨ノ證明書ヲ要ス

(ロ)學生トシテ渡航スル者

米國勞働長官ノ移民收容學校トシテ認定シタル學校ノ入學許可證ヲ要ス

(ハ)演藝ノ爲渡航スル者

興業地駐在帝國領事ノ呼寄證明書ヲ要ス

一、「カナダ」

(イ)家內使用人

(ロ)農業勞働者

(ハ)「カナダ」在留者ノ呼寄又ハ同伴ニ係ル妻子

右三種ハ在「カナダ」帝國領事發給ノ呼寄許可證明書又ハ呼寄證明書ヲ要ス

(ニ)店員及其ノ妻子

在「カナダ」帝國公使館發給ノ入國許可證明書ヲ要ス

(ホ)再渡航者

「カナダ」官憲發給ノ登錄證書並ニ在「カナダ」帝國領事發給ノ再渡航許可證明書ヲ要ス

一、「メキシコ」國

移民非移民共ニ警察署長發給ノ左記樣式ノ證明書ヲ要ス

證　明　書

本籍地

何　某

生年月日

右者犯罪ニ因リ處刑セラレタルコトナク品行善良ナル者ナルコトヲ證明ス

年　月　日

何府縣何警察署長　何　某㊞

一、「ブラジル」國

移民非移民共ニ居住地警察署長發給ノ左記(イ)及(ロ)樣式ノ證明書ヲ要ス

(イ)品行證明書
(ロ)善行證明書
（本誌第八十一號三月號掲載ニツキ省署）

一、「ペルー」國

移民非移民共ニ居住地警察署長發給ノ左記樣式ノ證明書ヲ要ス

證　明　書

本籍地

職業

何　某

生年月日

右者本證明書交付ノ日附前二年間体刑ニ相當スル犯罪ニ因リ處刑セラレタルコトナク品行善良ナル者ナルコトヲ證明ス

年　月　日

何府縣何警察署長　何　某㊞

一、「アルゼンテイン」國

警察署長發給ノ左記(イ)及(ロ)樣式ノ證明書ヲ要ス

(イ)　證　明　書

原籍（又ハ現住所）日本帝國何府縣何郡何町村字何番地

何業

何　某

生年月日

右者本證明書交付ノ日附前五年間体刑ニ相當スル一般犯罪ニ因リ處刑セラレタルコトナク又社會ノ秩序紊亂ノ罪ニ因リ訴追セラレタルコトナキ者ナルコトノ證明ス

年　月　日

日本帝國何府縣

何警察署長　何　某㊞

(ロ)　證　明　書

原籍（又ハ現住所）日本帝國何府縣何郡何町村字何番地

何業

何　某

生年月日

右者精神ニ異狀ヲ呈シ又ハ乞食ヲ爲シタルコトナキ者ナルコトヲ證明ス

年　月　日

日本帝國何府縣何警察署長　何　某㊞

一、「チリ」國

移民非移民共ニ警察署長發給ノ左記樣式ノ證明書ヲ要ス

證　明　書

原籍（又ハ現住所）日本帝國何府縣何郡市何町村字何番地

何業

何　某

生年月日

右者本證明書交付ノ日附前五年間体刑ニ相當スル一般犯罪ニ依リ處刑セラレタルコトナク品行善良ナル者ナルコトヲ證明ス

年　月　日

日本帝國何府

縣何警察署長　何　某㊞

一、濠洲聯邦

濠洲聯邦ニ在留スル呼寄ニ依リ渡航スル妻子又ハ下婢ハ在「シドニー」帝國總領事ノ呼寄證明書又ハ濠洲聯邦官憲ノ入國許可書若ハ入國許可通知ヲ要ス

一、英　國

(イ)在英支店勤務ノ爲渡航スル店員ハ英國勞働者ノ入國許可書又ハ入國許可通知ヲ要ス

(ロ)英國ニ在留スル者ノ呼寄ニ依リ渡航スル下婢ハ英國勞働者ノ入國許可書又ハ入國通知ヲ要ス

移植民ニュース

南洋移民の生活を

甘露寺侍從より聞召さる

長き邊の御內命を拜して南洋ジヤワ、スマトラ、セレベス諸島におけるわが移民狀態の視察を遂げた甘露寺侍從は、九日夜聖上陛下の御前に召されて視察談を言上した御席には皇后陛下にもお出ましにならせられ、一木宮相以下も御陪聽仰せつけられたが、甘露寺侍從は南洋方面で國運開發の第一線に立つて活動してゐるわが移民の生活狀態を詳細に申しあげ、收集せる統計や寫眞をはじめ同地方土人の衣類、玩具などの珍品をも叡覽にいれ、かつ又鳥類などをも御前に供へ御說明申あげたが、兩陛下にはことの外御興深く聞召され、在外移民の狀態などについて種々御下問があつたと承る。

移民事情講話

江越氏皇族懇親會席上で

四月の皇族懇親會は二十七日午後四時から青葉かをる赤坂の秩父宮御殿で催さるゝことに御決定になつたが秩父宮御殿での御懇親會は御結婚後御始めてとて當日は目下賜暇休暇で歸朝中のブラジルサンパウロ帝國領事館勸業部の農學士江越信胤氏を召されて「ブラジル移民狀況」に關する講話を御聽取遊ばさるゝ由である在原町小山の自邸に晴れの講話者江越氏を訪ねると元氣の好い顔に笑を浮かべつゝ語る

光榮身にあまる次第であります當日は約一時間にわたつて伯國へ入國する外人移民と本邦移民との狀況をお話し申あげるつもりです、現在ブラジルには本邦移民が七萬人ほど居ります、本邦移民を外人移民に比すると本邦人の方が辛抱強く外人が五年かゝつてやる所は三年位で成し遂げるといふ勢で概して好成績を收めてゐます、たゞ欠點は功を急ぎ過ぎることです九割位日本人は成功してゐますが時に功をせいて力以上の企てをなすものがゐて失敗してゐます、これは本邦移民の腹にどうもまだ成功して國へ歸りたいといふ考へがあるためではないかと思ひます。

日本の化學工業を

ブラジルに扶植は有望

神戸駐在ブラジル國領事ミルトン・ヴィラ氏はこのほど駐日同國大使を通じて本國大統領から報告の產業立國政策に關する教書を受け更に本國農工商務省からブラジル國は南米における工業の一大中心國たらんとしてゐるがそれには先進工業國たる日本化學工業の注入をもつとも必要とするから日伯協會等の機關を通じて日本國民に訴へられたい旨の訓電に接したので領事は早速日伯協會を訪ひ同國政府の意向を傳へた、右に關し原日伯協會理事は語る。

ブラジルの工業界はすこぶる幼稚で同國內の日用必需品はすこぶる高價であるから同國政府は保護關稅の下に極力國內產業を奬勵してゐるがほとんど見るべきものがない、製糸、絹業、マツチ、肥料等を彼の地で起すことはもつとも有望で殊にマツチ工業等行詰まつたわが產業界の展開策としても妙であらう、農具驅虫劑、その他化學工業品はことごとくアメリカから輸入されてゐるがこれ等も彼の地の邦人の手で立派に製造出來るであらう同地においてもつとも著しく工業進出に意を注いでゐるのはイギリスで專ら鐵道經營に努力しドイツもマツチ工業等を起してゐるが日本人の割込む餘地は十分である。

又ミルトン領事は「無限に藏せられた天然の

資源は全世界人類のためこれが開發を待つてゐるが日本の進步した化學工業力がブラジルに扶植されることは國を擧げて待ち望むところです」とわが企業家の投資をちう心望んでゐる。

伯國企業移民

の制限は無意味の事だつた

移住組合の伯國企業移民はその渡航取扱を海外興業に委任したが（本組合關係のアリアンサ渡航者は委任せず）實際の渡伯取扱については海興從來の勞働移民の取扱ひと自ら異なる目的を持つ企業移民はその渡航時期に自ら制限があり企業移民は三、四、五の三ケ月以外に日本を出發せば到着後開拓その他の事業に支障を來たすのである。然るに今年初頭出先の有吉大使や中島總領事から「ブラジルの切實に要求する移民は勞働移民であるから企業移民の激增は對伯移民政策上排日の恐れあり企業移民は全渡伯數の二割に制限すべし」との意味の來電があつたので內務省社會局でもこれを丸呑みに信じてしまつた。そして昭和四年度分渡航補助費三百二十萬圓一萬六千人の渡伯者の內五千人の企業移民を送る計畫がすつかりくづれ三千二百人に減少した。

ところが前記の如く企業移民の渡伯時期は限定されてゐるので此の期間に送るでなければいくら船があつても陸質があつても結局送る事が出來ないのであつた。事實移住組合が三四五月間に渡航せしめた數は僅かに千人足らずに終り二割制限の三分の一も送られず豫算の五千人には程遠い開きを生ずるに至つた。

元來企業移民は各移住組合が全力を傾注して募集しても豫定數を得る事は六ケ敷くその上渡航期間を限られてゐるのでその便船毎に渡航者數の二割しか乘船出來ぬとすればどうして豫定通り渡航者を送る事が出來るか、出來ぬ事は火を見るよりも明らかの事であつたにかゝはらず徒らなる排日問題におびへる出需官憲の弱腰及び企業移民實際の指導につき盲目であつた關係當局の一大失態であるとみられるこれがため却つて對伯移民の無用なる疑惑を各方面に擴げ企業移民自身にもその雄圖の精神をくじきその禍する所甚大であると各方面に非難の聲が高い。

何時渡航しても

差支へない企業移民

企業移民の渡航季節は限定されてゐるが斯くては折角渡航準備を整ふてゐる移住者に氣の毒であるため移住組合聯合會等ではチエテ及びパストス兩移住地に對し移民が右の季節外に移住しても事業進捗上に故障なからしめんがために伐採山焼等の事を始め珈琲植付の準備に勞働者を雇ふて鋭意盡力中であるから七月以降の移住者は以前と異る事なく渡航せしめる方針で過般都下數種の新聞紙上に六月を以て企業移民の募集は打切その殘りたる企業移民は勞働移民に振向けらるゝと云ふ意味の記事は全然事實無根である旨聯合から各移住組合に通牒された。

アリアンサへも

何時渡航しても困る事はない

本組合經營のアリアンサ移住地は開設四ケ年を經過し開拓途上にあつて入植者は折角開拓した土地の植付等に多忙を極め勞力不足と告げてゐるので同移住地入植者は何時でもよろしく入植後徒食するが如き事はなく却つて日傭の勞働者として歡迎されてゐる。本組合は既に準備出來てゐる者は來年まで待つ事なくドシ〳〵渡航せしめてゐる。

拓務省と呼稱

六月十日から實施

拓殖省官制制定については過般來樞密院に於いて政府と共に審議されてゐたが名稱は拓務省

と決定し組織は殖產局、拓務局、地方局の外に朝鮮部を設け朝鮮部は獨立のものでなく大臣監督の下に置き朝鮮總督の上奏權は從來のまゝとすることになつた模樣で六月十日公布同日實施、拓務大臣は當分田中首相の兼任となる由である。

店開になる

拓務省の由來話

我國における植民地統治機關ほど有爲轉變の憂目を見たものも少なからう、即ち明治二十九年台灣領有直後拓殖務省といふのが置かれ高島鞆之助子が初めての大臣で又最後の大臣として台灣と北海道に關する事務を處理したそれが明治三十年に廢止されその事務を內務省の拓殖課で處理してゐた、それが明治四十三年桂內閣の時代朝鮮併合のため拓殖局を新設し桂太郎、後藤新平、元田肇、柴田家門の諸氏が親任官の總裁となつたこともあるが大正二年に廢止し又ぞろその事務を內務省に移したところがどうも不便とあつて大正六年寺內內閣時代に拓殖局を復活して勅任官の局長を置き同十一年加藤友三郞內閣時代に拓殖事務局に縮少し同十三年加藤高明內閣時代に再び元の拓殖局に引戾して今日に到つてゐる、今日問題になつてゐる、拓殖省設置の議は大正九年時の拓殖局長官川村竹治氏（現台灣總督）が拓殖省設置の意見書を當時の原首相に提出したに始まり次で赤池濃、元田敏夫、俵孫一、別府總太郎、濱田恒之助、黑金泰義、成毛基雄氏等歷代の局長が皆拓殖省設置の意見書を提出した、その間政友會でも今の小川鐵相等が拓殖省設置の建議案を衆議院に提出したともあればその他の方面でも種々の意見が發表されたほど相當論議をくりかへされてゐたものである。

加州大學の

邦人卒業生新記錄

カリフオルニヤ大學本年度卒業式は五月十日擧行卒業生二千四百名その內日本人男廿二名女十一名合計四十三名で日本人卒業生の多い事同大學開校以來の新記錄である右の卒業生の十一名はアメリカ生れで專攻學科は機械科の十一名藥學科の八名商科の六名その他である。女の多くは家政科看護婦科藥科などで賣口も可成りよく日本內地程の就職難ではないと。

數次往復の

旅券有効の特定地

六月一日から施行される外國旅券規則第十條に規定される「用務ノ爲特定ノ地ニ數次往復スル者ニ對シ內國ニ於テハ出願ニ依リ數次往復旅券ヲ下付スルコトヲ得 前項ノ旅券ハ其ノ日附ヨリ三年ヲ經過シタル後初メテ歸國スル迄之ヲ有効トス 第一項ノ特定地ハ外務大臣之ヲ告示ス 數次往復旅券ニ對シテハ二十圓ニ相當スル收入印紙ヲ徵收證ニ貼付シテ之ヲ差出スベシ」の條文の特定地について五月二十日の外務省告示第五十號を以て左の通り定められた。

「ソヴイエト」聯邦極東地方、香港、佛領印度支那、暹羅國、緬甸、英領海峽植民地、馬來諸邦、英領印度、「セイロン」島、英領並蘭領「ボルネオ」、爪哇、「スマトラ」、「セレベス」、其他南洋諸島、比律賓群島、北米合衆國及布哇。

海外死亡者は

約三百餘名以上にのぼる

本協會と縣警察部の調査

本縣に於ける海外發展運動は明治初年から始まり日清日露兩戰後及び歐州大戰末期は特に海外發展熱高潮し昨年五月本協會が長野縣人の海外在留者調査では約五千五百人（實數は六千以上に達す）であつた。海外發展者增加に伴ひ在外地に於いて勇圖を抱きつゝ空しく死去せる者も自然增加したるがこれが調査は頗る困難であるが今回縣警察部に於いて第一回調査せる所によれば二百五十二名にしてこれを郡市別及び渡航地名別にすれば左表の如く渡航者の多き郡市及び在留者多き地はこれに正比例して死去者も勿論多い。死去の原因は病死最も多く自殺不慮の災害による殺害過失等は極く少數である。尙在外者死者數について本協會は更らに詳細に調査する手筈であるが第一回調査よりは二割乃至三割の增加の見込である。

海外死去者郡市別

郡名	死去者數	在留者
南佐	一一	二三四
北佐	二二	二三一
小縣	三八	七五三
諏訪	一九	三九九
上伊	二七	六八四
下伊	一五	二七九
西筑	二	八七
東筑	一六	四二六
南安	一八	三三六
北安	一六	一六二
更級	二三	四一七
埴科	七	三三〇
上高	七	一七七
下高	三	一三五
上水	二一	三六三
下水	一二	一三七
長野	四	一〇五
松本	|	四五
上田	一	一二九
計	二五二	五、四三九

（註　在留者數は昭和三年五月現在調による）

海外死去者の死去地別

國名	死去者數	在留者數
滿洲	一五	一、〇〇五
關東洲	一一	
支那	一一	二四九
加奈陀	一三	一七四
北米合衆國	五九	一、五三三

布哇	一四	二二五
メキシコ	五	二〇一
玖馬	一	三三
ブラジル	六八	一、一九七
ペルー	一	三九
アルゼンチン	二	六六
比律賓	三六	五〇一
南洋	三	一五九
南洋委任統治	三	三三
印度	一	九
佛國	一	｜
航海中	七	｜
不明	一	｜
計	二五二	

各郡市別の海外死去者（一）

南佐久郡

町村名	死去者	死去地名	死亡年月日	死亡原因
大澤村	木内よしの	ブラジル國	大正八年五月十二日	｜
大澤村	渡邊準哉	北米合衆國加洲	昭和二年九月十六日	｜
海瀬村	石井泰一郎	滿洲撫順	大正拾五年十二月九日	腦出血
北牧村	篠原はずい	ブラジル國	昭和三年七月十二日	病死
北牧村	篠原榮一	ブラジル國	昭和三年七月十五日	病死
平賀村	北澤勝助	支那湖南省	大正十一年三月十二日	天然痘
平賀村	小林利男	マーシャル群島	昭和三年十月五日	腦膜炎
平賀村	小須田直	墨國シナロア洲	大正十四年十月三日	結核性腹膜炎
田口村	小林新八	北米合衆國シヤトル市	大正九年五月十六日	病死
田口村	佐々木恒夫	比島ダバオ	昭和四年八月一日	病死
前山村	小山清一郎	佛國巴里市	大正十三年十一月四日	病死

北佐久郡

町村名	死去者	死去地名	死亡年月日	死亡原因
北御牧村	小山久光	大連市	大正七年十二月廿四日	病死
北御牧村	荻原志那子	奉天市	大正九年八月廿三日	病死
北御牧村	渡邊愼	上海	大正十一年二月五日	病死
協和村	篠原秋次	ブラジル國	昭和二年七月十六日	病死
布施村	小松ヤウ	墨國	大正七年二月十九日	病死
横鳥村	浦野武雄	比島ダバオ	大正七年五月十三日	｜
岩村田町	星野清一	比島ダバオ	大正七年十二月卅一日	病死
高瀬村	佐藤牧	支那天津	昭和二年十二月四日	病死
中佐都村	大井源藏	布哇	明治卅九年六月廿日	病死
中津村	山浦文一	支那上海	昭和三年七月十六日	病死
南大井村	小林高治	北米加洲	大正十一年二月十一日	｜
南大井村	青木忠太郎	伯國レジストロ	昭和二年九月廿日	｜

（以下次號）

死亡者報告を
在外者に依頼

本協會は縣警察部調査漏れにつき出來得る限り詳細調査中であるが海外在住諸賢の内に本縣人にして死去せる者にして本誌毎號に未掲載の者あらば（郡市別に掲載す）その都度死亡者氏名死亡者本籍地の戸主又は在留家長との續柄關係氏名、死去地名、死亡年月日、死亡の原因等にて御一報煩し度し。

海外支部便り

小川ドクター
歸國に際して

北加信濃海外協會幹事

ドクター小川榮一氏は今度廿三年振りで老母見舞の爲め一時歸國されることになつた、此機會に於て北加信濃海外協會は同氏に向つて厚く感謝の意を表する氏は北加信濃海外協會創立以來理事會計の難職にあつて、常に會の運命を双肩に荷つて來た。信州人にして又其緣故者にして官民を問はず、桑港に上陸し協會を訪ねる者にして同氏のお世話にならない人は少なかろう。其快濶で親切な所は人に深い〳〵印象を與へる、氏は一九〇七年十九才の弱年を以て渡來し苦學力行ハンボードハイスクールを經て、桑港醫科大學に入り、一九一五年目出度卒業するや直ちに優秀の成績を以て齒科開業醫の免許を得た、爾來十四年桑港に醫院を開いて居つたが、氏の研究心はドコ迄も延びて新は新を巧は巧を追ふて、今も尙加洲大學院齒科口腔外科に專攻を續けて居る、驚くことには患者は白人が約半分を占めて居ることで市內の人は勢ひ遠方より來た患者の後廻りとなる次第で可成不平もある樣だが、去ればと云つて他へ行くものもない。一体氏の系統は頭腦のよい統らしい、目下東京で賓出しの令兄小川龜重氏も矢張桑港醫科大學の出身で、藥劑士となり、更に研究を續けて藥學博士となつた。兩者共米國に於ける信州出身者中、成功の双璧とも云ひ得べく、古い言葉で錦衣歸國の文字其儘である。裸一貫で知らぬ他國に來り、つぶさに辛酸を嘗め最高智識を得たことは之を成功と云はずして何と云う、親や親戚の力を藉りて勉强したとは性質が違ふ、正に信州男子の意氣を發揮したもので、後進は宜しく龜鑑とすべきである。海陸の長途同氏御一家の恙なきを祈る。因みに同氏は諏訪郡富士見村出身である。

小川ドクター送別會

北加信濃海外協會創立以來 共柱石となつて盡瘁し來りし、小川ドクターは老母見舞の爲め、一家引連れ來る五月八日桑港出帆天洋丸（横濱着は五月二十四日）にて一時歸國さるゝことになつたので、本協會は四月廿六日市內昭和樓に於て同氏の送別會を開いた。多くの團体に關係せるドクターは他に幾つもの送別會あり、且つ出帆前用務多端であるからまあ內輪の方は止めて呉れろとのことであつたが、多くの會員が聞かず枉げてドクターの御承諾を得た次第であつた。

新聞記事で會員以外の方々や他國の方々も參會し、非常な盛會を來し幹部をマゴツカした。

理事田中常助氏司會し、北加信海協を代表し片瀨氏、友人を代表し田村七郎治氏、オークランド地方會員を代表して丸山保氏の送辭あり最後に小川ドクターの答辭があつた。廿三年振りの歸國とあつて日本へ着いての想像談や、御子さん方に付て食物の注意談やらソレカラソレと談話がはづんで果ては良い喉も聞くことが出來、一同海陸の長途無事を祈つて午後九時散會した。同夜は田村七郎治氏の好意により卓上見事な花が一パイ飾られたことを一同感謝して居つた。

吉池寛氏歸國

北米日本人のパイオニア長野縣人は吉池寛翁は成功者の一人であるが老後日本で暮すべく三月廿七日四十年振りで歸國された

會員移動

アイダホ州の本會々員は多く南加州に移住せられたが何れ詳細調査の上報告す。

尋人判明

南加支部幹事 秋山英之助

拜啓貴會益々御發展之段奉大賀候

陳者去る二月廿日附御書面にて小縣富士山村出身大森滿君在所御問ひ合せの件其後心當りを探ね候處當市在住上田市出身木村猛氏未亡人の御話にて同氏は目下アラスカ地方へ出張中にて多分九月頃には又々當市に歸るべく由に候間其際は郷里通信の件具々御傳へ可申上候共旨本人家族へ御傳達被下度此段御回答申上候

先は右御報告申上候 （四月十三日）

鈴木長治氏行方判明

本誌第七十三號及第七十八號で在伯鈴木長治氏（長野市三輪明治四十三年渡航者）の行方不明について詳細に述べ尋人として在外者に照會中であつたが去る五月九日郷里實父宛無事活動致しゐる旨通信があつた、本人の住所は左の通りである。

Suzuki ch Japonez Rua Visconde panalpba No 81
São paulo Brazil

海外通信

紐育で南米黨

在紐育 松尾弘

其の後は多忙の爲め遂心ならずも御無沙汰致しました。

皆樣方には愈々御健在にて民族海外發展の爲めに御奮闘なされ居らるゝ事と存じ誠に喜ばしく深く感謝致して居ります。

降而小生も昨年末再び當紐育へ參り幸ひ無事日々業務に勵み居ります故何卒御安心下さい。尙ほ御存んじかも知れませんが、當紐育在住同胞有志により數年前組織されし南米協會に小生も一員としかつ理事として種々同胞の海外發展に盡力致して居ります故是亦御安心下さいませ。

本日當協會にて作製せしブラジルサンパウロを中心としての同胞及歐洲人の發展一覽圖をお送りして置きました故何卒お受取り下さい。中々努力を要したもので御座います。尙目下アマゾン地方に於けるそれを製作中なれば何れ出來上り次第お送り致しましよう何かの參考資料とも相成れば幸に存んじます。（四月十四日）

信州記事

百瀨元巡査に
懲役一年六ケ月の判決

例の怪文書犯人元岡谷署巡査百瀨貞之亟（二七）は四月二十五日松本支部で檢事の求刑通り懲役一年六ケ月（未決拘留日數三十日通算）の判決を言渡したがこれを不服として控訴する模樣である。

菅平青年講習所
いよいよ十日より開所す

菅平の本縣青年講習所は左記二十名の入所生を得たので愈十日午後一時から須坂小學校夏季保養所前に於て山の靈氣に打たれながらはなばなしく開所式を擧げる豫定であつたが十八日に延期し講習生は十日から收容して午前勉學午後勞働に從事してゐる校舍も今月中には著工の豫定であるが當分は前記保養所を借受けて宿舍講堂にあてることになつた。

竹内五郎（高家）北條主計（高岡）關一祐（滋野）高橋駒治（仁禮）高津小七郎（鹽尻町）宮坂信義（埴生）中山美雄（穗波）小林茂（壚崎）田尻光治（須坂）一志實（祉）曾山四郎（淺川）田中健一（大桑）上林友成（保科）山岸三義（井上）武田貞助（中野）小林俊雄（常盤）小田切春治（須坂）川上一二郎（宗賀）小野留也（筑摩地）岡村篤大郎（大里）

尙續々申込あり三十名を越ゆる見込

八ケ岳山麓にも
力行會の拓植練習所

東には八ケ岳の高峯を負ひ西にはひようびようたる諏訪の盆地を瞰下する所海拔一千二百米なる高原、人に捨てられたる荒野を求めて力行會の拓殖練習所は開設された。

五十名の健兒は力行の歌と共に此の高

母國通信 日誌

三月卅日(土) 濟南協定問題につき樞密院の非難に對し政府は手落ない事に意見一致首相から釋明する▲所澤太刀洗間夜間飛行成功▲全國中等學校野球大會得點八尾三松商一、關甲四鹿兒島一、神港五靜中二

卅一日(日) 今日迄の御所拜觀者總數三百八十七万人▲本年一月からの入超一億九千萬圓▲全國選拔中等野球得點愛商五和歌山一、高松六關甲一、愛中四廣商一

四月一日(月) 漢口南京事件芳澤公使と王正氏と交渉開始▲福岡大阪間、大阪東京間の空中飛行郵便開始▲京都祇園夜櫻に篝火を焚き初む▲全國選拔中等野球得點廣陵十三慶應六、海草五平安〇愛中五松二

二日(火) 全米の我領事華府大使館へ事務打合せのため集る▲妙心寺の寶物四點盜まる▲全國選拔中等野球得點神港四愛商一、八尾六海草五、廣陵六關中〇

三日(水) 同志社總長後任は九大總長大工原博士を詮衡委員會で推薦▲在米同胞の太平洋横斷

原に開拓の鍬を振つて一鍬一鍬と日本の耕地は廣められて行く、開墾は既に十町歩をやり馬鈴薯は六百貫燕麥燕麥等が夫々播種されてゐる。手製の掘立小屋の中で朝は聖書の研究をし夕は御祈を捧げ又雨降れば語學や海外事情の研究をしつゝ共働共祈の理想生活を致しつゝある。

溺れる教へ子へ

教師の一念尊き犧牲となる

四月二十四日午後一時頃上田小學校全兒童が小牧山への遠足の歸途上田市諏訪形の千曲川假橋に差しかゝつた際高等一學年生某が河中に轉落した所受持教員小菅武夫(二三)氏は泳ぎが出來ぬ身を忘れて救助すべく河中に踊り込んだが二人とも押流されて溺死せんとしたのを同僚教員恩田安信氏が飛込んで人事不省に陥つてゐる兩名を首尾よく救ひ揚げたが小菅訓導は遂に死去した。

松本聯隊歸着

二ケ年の任務を果して

松本五十聯隊は二ケ年間の滿洲駐營の任務を終へ濟南事件に榮ある軍旗とともに一日午前二十五分松本着の特別軍用列車で山内聯隊長以下將校下卒士千卅一名無事松本に歸還縣民二萬の熱烈な歡迎の内に同十一時半二年振りで聯隊へ入つた松本市では同夜歡迎の大提灯行列を行ひまた縣市聯合主催の歡迎並に濟南事變戰死者慰靈祭は十日盛大に練兵場で行はれた

北信から三名

上野を飾る春陽會の入選

春の上野を飾る春陽會展覽會は二十七日から開かれるが、受付總數二千九百三十八點中から嚴選の結果二百二十二點が選ばれ、本縣人の入選畫は左の三點である

「早春風景」　上田市材木町三〇　武　笠　寛　二

「手を繃帶した少女」　長野市狐池　松　本　昇

「早春の丘」　小縣郡神川村大屋　渡　邊　進

計畫保田納隆兒玉洗平女流飛行家若槻芳子孃の三氏が競爭▲全國選拔中等野球得點廣陵九愛中八、神港一八尾〇

四日(木) 池上朝鮮政務總督逝く▲後藤新平伯京都行汽車中で卒倒▲全國選拔中等野球優勝戰神港三廣陵一で優勝旗神港へ

五日(金) 浦鹽から不穩文書を持ち歸つた赤化船員鈴木鎌次郎懲役二年の判決▲日露漁業交渉諒解なる▲馮玉祥態度不明全支混亂前提

六日(土) 神戸市江成久作が主義と生活の板挾みから一家四人心中▲池上氏の遺骸大阪へ

七日(日) 醍醐天皇一千年御忌▲首相修善寺温泉で不戰條約濟南協定等の對樞府諸問題研究▲山東軍引揚げ今日出發▲上杉愼士逝く

八日(月) 大毎主催の庭球選手權大會▲朝鮮婦人帝大へ初めて入學▲谷口房藏氏逝く遺言により金百万圓を公共事業に寄附

九日(火) 高松宮家から德川公爵家へ御婚約の御內沙汰▲支那山東省において張學良の名で日本人に家貸すなの布告▲武德會劍道範士內藤高治氏逝く▲全國農民組合總本部で十日を鬪爭デーと決議

十日(水) 蔣介石閻錫山張學良の三氏結束して反馮聯盟なる▲鎌倉で乘合自動車と列車衝突して十二名死傷

學友の平癒を祈る

木曾中に涙の美談

毎日夜の白みかゝるを待つて西筑摩郡福嶋町鄉社水無神社の神殿にぬかづいて十數分間何事をか熱烈な祈りを捧げて默々として去る五十餘名の學生の一團がある試驗のための祈願にしては時節柄をかしいとだんく調べると次の如き友情美談の一くさりが生れた

木曾中學校寄宿舍に居る五年生西筑摩郡吾妻村字妻籠伊藤郵便局長息伊藤三男君(一八)は去る六日盲腸に冒されいくばくもなくしてどつと重い床に就てしまつた校醫から絕對安靜を命ぜられ歸宅も出來ず寄宿舍の居室に淋しく呻吟寄宿生の元氣な顏を見ては少からず氣をあせらしてゐるのでこれを見た下級上級の寄宿生總勢五十餘名は誰いふとなく福嶋町水無神社へ日參を思ひ立ち毎日夜明前齋戒沐浴した五十餘名の友人は伊藤君の病氣平癒のため斯は只管祈願をこめることゝなつたのである。

縣下の春蠶掃立

南信は增加北信は減る

縣下の春蠶掃立第一回豫想は八十二萬四千枚で前年よりも二千五百八十三枚(三厘減)南信は一般に增加、北信は減少してゐる、これは昨年の干害によつて北信地方は桑の成育不良のためである、增加と豫想されてゐるのは諏訪郡の二四・四パーセントがこれに次ぎ減少では長野の一五パーセントもつとも多く北佐久、小縣、下高井三郡は前年と略同樣である。

養鷄家が增える

小縣郡下九萬羽に達す

小縣郡に於ける養鷄家は素晴らしく增加し之がため從來農家では贅澤視されてゐた鷄卵もどんく食用に供せられることになつた卽ち東信養鷄組合聯合會の推定郡下成鷄飼養羽數によれば約九万羽に達してゐるといふから共一ケ年の產卵數は內輪に見積もつて七百萬個位に及ぶ可くその中聯合會を經由して中央市場に出荷されたものは一割の七十萬個に過ぎなかつたから殘る大部分が地元消費とし地元都市溫泉街等の消費もあるが自家食用とされたものも相當多いことが判る而して從前大部分を郡外又は他縣から移入してゐた鷄卵は全くこれを驅逐し生產高は地元消費高を遙に越えて來た。

十一日(木) 御大典の御建物を各團体下賜▲勞働代表松岡湯淺兩氏ジュネーブへ出發横須賀海軍水雷學校敷設艇內で火藥爆發し四十餘名死傷

十二日(金) 不戰條約案は留保附で批准奏請と閣議で決定▲佐伯法隆寺貫主學士院會員に推薦さる▲高松宮殿下御結婚勅許あらせらる

十三日(土) 後藤新平伯つひに逝く享年七十三遺骸は同夜京都發歸東葬儀は十六日▲拓殖省管轄から朝鮮を除けと樞府の質問

十四日(日) 鐵道省新線高山線と作備線開通▲福井縣丹生郡常盤村で村會議員に一票で當選▲第十四師團駐滿二ケ年の大任を果して大連出發▲吉野行花見電車三重衝突死傷者百餘名

十五日(月) 內閣改造は床次氏入閣が問題▲東京市長候補難▲山東の警備引繼に際し風雲急引揚げに突如頓座を來す

十六日(火) 十五万の委員で大仕懸の農業實地調査を九月一日行ふ▲井上準之助氏東京市長就任を拒絕▲南京漢口兩事件假調印を了す

十七日(水) 今度は支那から撤兵の延期を申出で數日間延期▲植原外務參與官不戰條約字句問題を外字新聞に論評して樞府を攻擊したとてけん責の模樣▲春の惱み心中慘劇各地頻々

十八日(木) 實業同志會を國民同志會と改稱▲拓殖省問題の朝鮮統治につき朝鮮官民唯一の親

下伊那の大霜害

二千町步黑焦げ

下伊那地方は五月五日夜氣溫急降下すると共に各村では警鐘を鳴らし不眠不休で警戒に努めたが六日大降霜あり被害は郡下全般に亘り正午までに判明せる全滅の場所は伊賀良山本外數ケ村で取締支所及び郡農會では全員緊張裡に各方面に急行取調べと對策考究に着手した同郡は昨年の霜害ととなり蠶種家も催青中のことゝて狼狽一方ならず差當り催青中の蠶種は冷藏庫に入れて掃立を遲らせることゝした全滅の村につゞいて松尾龍江等の天龍川沿岸方面及び座光寺原方面は七八分の被害で飯田町付近は約二三分の程度である尙養蠶家は早朝より全部桑園に飛び出し天を仰いで嘆息するのみで狂氣せんばかりの有樣であるその對面は約四十町步損害六十六萬圓に達する見込。

下伊さらに

低資に借入れの霜害對策

本縣蠶種組合聯合會では下伊那郡下の霜害對策について協議した結果既に掃立てた蠶種は無被害地から桑葉の供給を受け正に發生せんとしてゐる蠶種は冷藏庫にいれてその發生を遲らかして桑葉の回復を待つことになつた

尙今秋償還すべき霜害救濟低利資金は二百十萬圓に上つてゐるが今回の被害で打擊を受けた養蠶家中には返濟し得ぬものも多數現はれる模樣で一般的にも被害甚だしき下伊那郡地方では重ねて借入れをなす見込である。

無產派の進出

下伊那郡の選擧結果

下伊那郡下町村會議員選擧は大鹿波合の兩村を除き四月末日までに二町三十八ケ村が終了したその當選人員は五百四十六人で大體の政黨色を見ると

▽政友三六六▽準政友三六▽民政一七四▽準民政七▽中立三八▽勞農四▽社民二▽不明一三

で政友派が大勝利といふわけだが町村會は必ずしも政黨的に行ふものでなく、政黨化は場合によつて自治の破壞となるので前回の選擧に比しより政黨化した今回の選擧結果を憂慮するものが多い、無產派の進出は特に目立ち立候補に對し五割の成績をあげた事は特筆するに價する。

日國体同民會幹部連べい脫退を聲明▲英學界の泰井上吉氏逝く▲女子教育の實際化を目標に大改善を加ふるため調査會を設置

十九日(金) 植原參與官不戰條約の犧牲として依願免官▲三越の服部員待遇改善を要求して總罷業を行ふ▲大谷句佛上人は僧の資格なしと本願寺懇話の決議▲政友組閣二周年の祝賀を行ふ▲堀切善次郎氏を東京市長に推擧す

廿日(土) 東京市長就任を堀切氏受諾▲朝鮮拓殖省設置に全鮮的に反對▲東海道線列車では未だ時々盜難の事件があつてお客は戰々恐々

廿一日(日) 露領漁業利權問題で日露漁業社長と一個人のつかみ合問題の奸策の裏に八萬の漁業家が脅かさるゝと函館市民沸き返る▲市町村選擧戰に日本大衆黨十六名社會民衆黨五十餘名の進出振りである。

廿二日(月) 東京市第一助役に白上祐吉氏を推す。▲あす橫濱に行幸各種奉迎準備整ふ▲タゴール翁米國上陸に際し移民官の遣口に憤慨して上陸せずして日本に向け歸る。

廿三日(火) 海軍制限問題ぶり返す▲貴族院議員水野直子危篤▲三百年間埋れた宗達の大作現はる▲復興を壽ぐ大橫濱市に聖上親しく御巡幸

廿四日(水) 靖國神社の大祭始まる▲拓殖省問題難解で政府は樞府對策に議をねる▲不戰條約もやはその通り昨日も審議今日も審議

益々蔓延す

上伊那郡の腸チフス

上伊那郡伊那赤穗兩警察署管內の腸チフスは猛烈な勢ひで蔓延して行くので警察當局では不眠不休で防疫に努めて居るが十九日決定になつた分は赤穗署管內

中澤村勘十郞長男北澤一雄(五つ)赤穗村幸町小原フサ子(一四)にて赤穗村唐澤ひさえ(三三)

は十八日夜死亡した現患者は同署管內のみにて三十八名を算し宮田村は疑似患者數名を出して居る伊那署管內は數名の患者を出し病舍に收容されたが同區は飮用水に乏しく二十戶內外の區で井戶少く共同で使つて居るため益々蔓延するらしいとのことで頗る狼狽して居る。

仕事が樂になる

電化の松本の兵隊さん

松本聯隊では七千餘圓を投じ台所のいろく の作業を電化するため一月以來工事中であつたが設備完成し五月十日から電化作業を實施するとなつた第十四師團管下では松本聯隊が皮切でこの電化により洗たく場には各中隊から一名の當番を乘務させるだけで今後兵隊さんは全然洗たくの心配がなくなり炊事場の能力も非常にあがり手數も從來の四分の一で十分であると。

新築校舍倒壞

全縣下にわたる烈風被害

二十一日の强風は縣下一帶にわたつて被害を與へたがその主なるものは次の通り

▲諏訪郡富士見村南諏六ケ村組合立實

廿五日(木) ガーター勳章御贈進の御使節グロスター公殿下香港御安着▲文務省社會教育局設置して刷新を計る▲濟南事件の犧牲者難波少佐以下卅二名行賞發表さる。

廿六日(金) 九州八幡は流石製鐵都市だけあつて無產市議候補者廿二名▲靖國神社大祭の第三日畏くも勳功者の英靈前に聖上陛下臨行親しく御拜遊ばさる▲森外務次官辭表提出

廿七日(土) 政友會の高橋光威氏は床次氏を訪ひ興黨提携を申込む▲世界の動き海陸軍縮の機進む▲同志社紛糾に同志社中學生新島氏の墓前で自殺して鎭撫を祈る。

廿八日(日) 日支條約問題公文交換を了す▲陣容の一新を計る政友會臨時大會を開き常議員幹部新顏發表▲豆飛行機で世界一週の途にあるドイツ飛行家ヤール靑年來る。

廿九日(月) けふ天長の佳辰內外の臣僚一千名參賀して豐明殿に聖代を壽ぐ▲握り飯携帶で三越配達部二百名の示威運動乱棒を働らく。

卅日(火) 水野子逝く行年五十一歲▲在加公使德川家正氏決定▲昨年の煙草賣上高二億七千萬圓國民が一ケ年に吸つた煙の額▲東京に獨身者のアパートメントが出來て一年も前から申込まねば入れぬと云ふ盛況。

科中學校間口二十七間半奥行五間半の新築校舎は午前十一時頃倒壞損害七千圓位

▲北安曇郡平村木崎平小學校雨天體操場は午後二時頃倒壞本校舎屋根大半吹飛ばされた三湖分教場の屋根も全部吹飛ばされた

▲下諏訪町三井製糸場煙突高さ二十五間直徑三尺三寸のもの十二間の個所より朝六時頃倒壞人畜被害なし。

一度に出生屆

愛の結晶六人ぞろりと

十三歳になる長女を筆頭に六人の子供の出生を一度に屆け出て來たといふ昭和の御代には信ぜられないやうな戸籍珍話がある。

右は南佐久郡野澤町字嶋出專立寺住職盛運(三八)の内縁の妻林すゑ(三三)で今から十四年前すゑは盛運と結婚をしたが双方の親達はどうしても二人の結婚を許してくれなかつた。

二人の間には長女靜枝(一三)長男卓人(一一)外二男二女六人の子供がぞろりと生れた。

十年間六人の子供を今日まで無籍で置いたがこの程漸く親の勘氣も解け晴れて夫婦になることが出來たので一纏めにして屆け出て來たといふ次第。

町役場でもびつくりし屆け出に依り早速十四日失期屆けを岩村田區裁判所へ移送した。

北アルプスは

漸く春柳は綠花は紅

里は若葉の頃もとうに過ぎ去つたが北アルプスは五月下旬に至つて漸く春が訪れ始めた、上高地から白骨温泉一帶は山櫻が弗々咲き染め上高地の特産化粧柳の芽も黄ばんで來た白樺も一二開葉といふところ數日前から上高地に滯在して化粧柳の研究に沒頭して居る東北帝大教授木村有香氏の語るところに依ると柳の芽付は前年より五六日遲れて居るが山櫻は幾分進んで居るといふシーズンに魁て中旬上高地から穗高に向つた奥元師の愛孫京大山岳部奥定雄氏は同僚平吉勳氏外一名と共に穗高連峰を縱横に踏破した。

五月一日(水) 第十回のメーデー▲御所の御大典跡拜観總數は五百三十四萬人▲九州八幡市議戰は社民九大衆五計十四名の無産黨躍進した

二日(木) グロスター公殿下無事御入京▲日英親善增進▲メーデーの流れ三越を襲ふ▲昭和の聖代に親の名も知られぬ奴隷そのまゝが沼津漁業地で二百名もあつたとの怪事

三日(金) ガーター勳章捧呈、大勳位菊花章頸飾御贈進の御儀行はせらる。日英兩國交歡の表徵▲政務參與兩官續々辭職▲宮城縣木吉郡で原野約六百餘町歩燒く

四日(土) 御大禮紀念として天覽武道會▲明治四十四年幸德秋水事件の二四人に假出獄▲五日新潟高田地方から北海へ珍しくも降雪▲四萬餘の都下學生團日英ラグビー蹴球戰と共に奉迎▲東朝主催の國際兒童デー

六日(月) 又耕育でマラソンダンス競爭が始まつた▲泥醉巡査が拔劍して通行人を追ひ廻す

七日(火) 農繁期の農村に託兒所開設の宣傳を愛國婦人會が大馬力▲聖上阪神行幸本月二十日と御發表さる▲駐支日本公使芳澤氏歸朝

八日(水) 同志社の騷ぎ先發團によつて白紙解決▲南洋サイパン島へ海軍飛行機廿日頃飛ぶ

九日(木) 樞密顧官增員の議起る▲突如大阪ペスト發生行幸を前にして大警戒▲ドイツ飛行船太平洋橫斷の壯擧日本へも飛來す (以下次號)

協會記事

西澤幹事 無事鹿島立つ

盛大な壯行會

兩米視察の旅にのぼる本會西澤幹事はその準備に忙殺されてゐたが四月廿六日午後六時より長野市西洋軒に於いて縣廳本會及び移住組合關係有志三十余名によつて盛なる送行の宴がはられた。デザートコースに入り小西學務部長の挨拶に合せて送別の辭を述べて乾盃し西澤氏の感謝の辭あつて盛大裡に午後八時半會を閉じた。かくて西澤氏は五月一日午後十時四十五分長野驛發にて多數の見送りを受けて上京し在京中は專ら永田幹事等と種々打ち合すところあり一切の旅装を整へて九日午前十時橫濱出帆のサントス丸で無事出帆した當日は早朝からの見送者で埠頭は大賑いであつた。尚西澤氏在京中の七日には同夜丸の內大阪ビル內レインボウグリルに於いて外務內務兩省移住組合聯合會海外協會中央會の關係者三十余名によて盛んな壯行會が催された。

神戸を無事出帆

サントス丸は一路南米へ

西澤幹事を乘せたサントス丸は十一日午後四時神戸より渡伯移住者約八百余名をのせて愈々一路南米に向ふた。同船は五日目の十五日異國の第一印象を與へる香港に入港西貢廿四日新嘉坡卅日コロンボに到着これより印度洋を斜めにコースをとり赤道を通過して南半球に入り航行十日間にして南亞ダーバンに六月十日着更らにケープタウンを經て大西洋に出で廿五日ブラジル國首都リオデジヤネイに港着上陸、(サントス上陸なれば翌廿六日)出迎への輪湖宮尾兩氏其の他によつて各地を案內せられる筈である。

信濃海外協會概況

冊子印行して本會の趣意を宣傳

本會では昭和四年度の事業として本會の趣意を一層本縣下に悉知せしめ縣民海外發展の機運を助長せしめるために七十余頁の四六版冊子「信濃海外協會槪況(五)」を印行して各方面に配布した。右冊子の內容は本協會の趣意規約役員氏名を記載して會の存在を明らかにし本會援助の縣下有識者氏名を提げ本年度の事業計畫として會員の募集講演活動寫眞の宣傳視察組合員の募集を初め本年は特に在外死亡者を調査して追悼法會を善光寺本山に擧行する豫定で、其の他海外在留信州人との聯絡及び在留者數等を揭げアリアンサ移住地の最近狀況を詳說し、本協會全般の活動を記述して本會を知らんとする者に好個の冊子たらしめた。尚此の冊子は希望者に無料で配本する事になつてゐるから希望者は郵稅二錢(海外は六錢)同封せられたい。

支那事情講演

後藤清太氏を聘して

四月廿二日午後六時より長野市愛國婦

人會講堂に於いて支那通後藤清太氏を聘して最近の支那事情講演會本會主催のもとに催した後藤氏は在支拾數年支那四百余州に足跡到らざる所なく各地を旅行せる支那通で民情風俗習慣等の視察談より外交國際問題等に到る內容頗る豐富にして然も眞面目なる講演は聽衆に多大なる感動を與へ懸涯の辯は滔々三時間余を突破して尚盡く所を知らず十時過ぎ聽衆を魅して近來稀にみる盛會裡に閉會した。

ア移住地

本年の渡航者

本誌前號既報のアリアンサ移住者は四月廿九日神戸出帆博多丸以後サントス丸若狹丸乘船豫定者は何れも船席滿員のため乘船不可能となり左の如く變更を見た。

◎博多丸(四月廿九日神戸出帆 六月廿五日サントス着)
群馬縣新田郡藪塚本町 新井恒十郎 六人

◎サントス丸(五月十一日神戸出帆 六月廿六日サントス着)
長野縣上伊那郡中澤村 林 米衛 三人

◎若狹丸(五月卅一日神戸出帆 七月廿七日サントス着)
山梨縣東八代郡錦村 網倉兵吾 四人
長野縣上高井郡井上村 山岸清 三人
長野縣長野市縣町 茂村德太郎 八人

尚本年一月以降の當組合取扱數は左の通りである。

	船名	家族數	人員
一月	—	—	—
二月	モンテビデオ丸	一二	五六
	河內丸	二	一三
三月	ハワイ丸	五	二六
	神奈川丸	五	二七
四月	ラプラタ丸	二	八
	博多丸	一	六
五月	サントス丸	一	三
	若狹丸	三	一五
計		三一	一五四

各町村設立中の海外視察組合(續)

小縣郡中鹽田村組合

組合長 上澤峰十
手塚茂
小林政雄
中田正
村上勇
小泉亮三
遠藤要藏
高野安
柳澤藤一郎
和田米吉

小縣郡別所村組合

組合長 山極孝平
倉澤善一
倉澤武雄
齋藤信三
中澤盛太郎
池田縫四郎
庄村義一
山極治一郎
齋藤房雄

更級郡上山田村組合

組合長 若林正光
宮原儀男
宮原英一
小平眞
山崎善兵衛
山崎等
宮原和三郎
若林盛平

新入會員 (四月一日〜四月三十日)

宵木繁雄
山崎一角
玉井良大郎
山崎重太郎
鹿田利夫
小山榮
小平友重
東筑摩農學校 市村三郎
東筑摩郡廣丘村 永原善重
山形縣村山郡沼原村 鈴木恒太郎
南滿洲金洲管內愛川村 綜川五右衛門
上高井郡井上村 山岸清
上伊那郡小野村 小澤誠
東筑摩郡島內村 高山重人
東筑摩郡筑摩地村 古田力三郎
上高井郡須坂町山丸組 坂口よしゑ
長野市五分一 大澤忠治

會費領收 (自四月一日至四月三十日)

一金壹百五拾圓也 特別會員費 羽生田源三殿
一金貳圓也 市村三郎殿
一金貳圓也 安藤淳殿
一金貳圓也 永原善重殿
一金貳圓也 內山重利殿
一金貳圓也 鈴木恒太郎殿
一金貳圓也 長田進殿
一金貳圓也 宮崎君雄殿
一金參圓也 茂村德太郎殿
一金參圓也 佐藤力夫殿
一金四圓也 酒井三郎殿

海外會費

一金拾五圓也 ブラジル 齋藤幸殿
一金拾圓也 同 松橋久彌殿
一金貳拾壹圓九拾七錢也 ダバオ 宮下鶴殿

海の外歌壇

來月號から繼續

五六兩月は記事輻輳の事から思ひがけなく「海の外歌壇」を除いて會員諸君から手厳しい小言を頂戴してゐたが來月號から相變らず繼續する事になつてゐるから續々御應募願ひたい。

その代り歌壇の陣容は左の如く竪ひつゝある事を御知らせする。

短歌……選者……兩角雅夫

俳句は目下選者を交渉中であるから次號發表出來ようと思ふ。

(題)隨意 一人五首限り用紙官製ハガキ

〆切 六月十五日

新刊紹介

□南米見物道中記(阪本霞溪著)

本書は著者の博學なる知識から見た事、聞いた事を何んの苦もなく隨筆したブラジル見聞記である。著者は恐しく蛇が嫌ひの樣であるがブラジルには澤山の蛇がゐると云ふ嫌念から著者の蛇に關する紀行は頗る面白い。本書全篇を通じてブラジル移住者の參考になる所が多いから肩のこらないブラジル案內書として必讀をお奬めする。(大阪市西區靭上通一丁目三一 創元社 定價壹圓八十錢)

往來

五明忠一郎氏南米視察 大正十五年春歐米より歸朝して以來「日本を善くする相談」と題して全國を講演行脚した清貧の士五明氏は六月八日橫濱出帆大洋丸で米國經由南米へ視察

編輯雜記

▼初夏の候會員讀者諸賢益々御壯健の稱を祝します。海外發展運動が實行化されてから種々の支障を來たしつゝあります。これは要するに當局者の經驗に乏しき事と信念の欠除せる結果と存じます。此種事業は確固たる信念を持つて猛進する事が大切でありましてアリアンサの今日迄がそれでありました。いろ〳〵新聞の記事で思惑を感じますがお互に自重して邁進するのでなければなりませぬ。

▲何も不安を感じ心配する事はない。本誌前號卷頭言の如きスローガンを高唱してゆく時恐るものゝ何一つとしてないのであります。

▼本號は御寄稿家が大奮發して下さいましたので玉稿が澤山で御座いました。兩角氏からは在伯邦人子弟教育問題について御執筆、これは獨り在伯邦人子弟教育問題のみではなく一般在外邦人子弟教育問題として普遍的に考へねばならぬ事で本記事によつて在外者父兄の御參考となるらば望外の喜びです尙同氏は在外邦人子弟教育狀況調査を内外兩務省に報告してあります。板倉氏の渡歐船中雜記は氏が日本人であると云ふ意識から私共に多大の興味を與へる所があります。宮下氏の南洋發展のみちは南洋進出の具体的指針であつてこれを通讀精讀せらるゝ者は胸中に何かの成算をもたずにはおられません。

▼草間氏からは遠くジュネーブからの御寄稿で御座いましたが記事輻輳のため暫らく御預りしておきましたが今回氏は醫學博士の學位を得られましたのでこの機會に掲載する事に致しました。K、H生の羅馬法王と伊國との關係は面白く拜見致しました。

▼移植民關係記事を今月はたつぷりのせました特に外國旅券規約改正記事は是非御精讀を願ひます。信州出身者の海外に於ける死亡者調査が纏りました。本號から郡市別に掲載してみます。海外支部通信は北加と南加から、小川榮一氏が廿年振りで御歸國本會を訪問せらるゝ事になつてゐます。

▼海外通信は全部來月號に割愛、移住地閑話其の他も割愛したものがあります。御承知を願ひます。西澤幹事が無事御出發、珍らしい紀行文が寄せられる事と存じます、鶴目して御待ち下さい。

海の外（月刊）（一册廿錢）

定價表	内地送料共	外國送料共
一册	廿錢	廿四錢
六ケ月	一圓十錢	一圓四十四錢
一ケ年	二圓廿錢	二圓八十八錢
五ケ年	拾圓	拾四圓

御注意

△御送金は振替（長野二一四〇番）に御願ひします。外國よりの御送金は銀行、郵便局いづれにても確實に送金されます。

△御轉居の節は早速新舊兩御住所を御通知下さい。

△本誌へ廣告掲載御希望の方は詳細相談申上げます。

昭和四年六月一日發行

編輯人　永田稠
發行兼印刷人　西澤太一郎
印刷所　長野市南縣町　信濃毎日新聞社

長野縣廳内
發行所　海の外社
振替口座　長野二一四〇番

第二版　日本力行會長

永田稠著

南米再巡

菊版四百廿餘頁・寫眞版三十頁・布製函入

定價一册金二圓八十錢・送料一册拾八錢

永田氏は信州の生める一異才である。嘗て南米を一週して『南米一巡』を著はし、信州に來つて信濃海外協會の組織に努力し、更に『南米信濃村建設』に關する大使命を帶びて、大正十三年五月末横濱を出帆し、布哇、北米桑港、ローサンゼルス各地に於ては海外協會支部の設立に盡力し、ソートレーキ市にはモルモン宗教植民の跡をたづね、デンヴア、シカゴを經て華府に至り、紐育より大西洋を南下してブラジルに至り、移住地の選定・購入・入植の準備をなし、大正十四年二月日本に歸り來り、更に信濃村大成の爲めに努力奮鬪し、今や模範的にして世界に誇り得る移住地が建設されつゝある、『南米再巡』は氏が南北兩米を再巡せる記録である。志を世界に有する者の一日も看過することの出來ない快著である。

長野縣廳內　信濃海外協會取次販賣

東京市外上板橋　日本力行會發行　振替東京六八八一番

海外渡航取扱所

◎東洋一の理想的設備を有する神戸港へ!

◎旅館は誠實にして信用のある神戸館へ!

各縣海外協會　日本力行會　指定旅館

神戸市榮町六丁目廿一番邸

神戸館本店

電話元町八六一番　振替口座大阪一四二三八番

支店　神戸市海岸通四丁目(中稅關前)　電話三ノ宮二一三六番

◇本店へハ神戸驛、支店へハ三ノ宮驛下車御便利

海の外—THE UMINOSOTO
Published Monthly by the Uminosoto Sha. Nagano, Japan.

「海の外」第八十四號　(毎月一回一日發行)

(大正十一年四月廿六日第三種郵便物認可)　(昭和四年六月一日發行)

○南米ブラジルヘノ捷徑○

△就航船……さんとす丸、らぷらた丸、もんてびでを丸、(總噸數七千五百噸最新式モーター客船) まにら丸、はわい丸 (總噸數一萬噸汽船)

一萬噸モーター客船二艘建造中

△寄港地……(往航) 横濱、神戸、長崎、香港、西貢、新嘉坡、古倫母、ダーバン、ケープタウン、サントス、リオデジヤネイロ、ベノスアイレス、(復航) ベノスアイレス、サントス、リオデジヤネイロ、ニウオルリーンス、ガルベストン、クリストバル (パナマ運河經由) ロスアンゼルス、横濱、神戸

△日本政府補助命令航路 (此方面ニ於テ我國唯一ノモノデアリマス)

△日本ブラジル間僅々四十七日 (南米ト日本トノ距離ガ時間的ニ大短縮サレマシタ)

△三等室設備優秀無比 (本航路三等室ノ優秀ナル事ハ他社船ノ二等ニ匹敵シ皆樣御熟知ノ通リデアリマス)

△本社 (大阪) 支店 (東京、横濱、神戸、門司、長崎、大連、天津、大阪、香港、上海、沙都、新嘉坡) ヘノ御問合セヲ歡迎シマス

○大阪商船株式會社○

信濃海外協會　海の外社發行

日本力行會長 永田稠先生著

開拓精神に生る
新青年は讀め!!!

定價金一圓 四六版四百二十頁（送料金六錢）

本書に載せた人々の内には日本力行會員でない者もあるが、私の知人でない人は一人も無い。やゝ人に知られたる者もあり、未だ全く人に知られない者もある。私は年少の頃、英雄豪傑や、知名の成功者の傳記を讀んだ後で「俺はトテモ此人の樣には成れない」と失望するのであつた。ナポレオンや豐臣秀吉や西鄕南洲等の傳記が私に與へた一種の悲哀は皆さうであつた。それで私は「若し私が立志傳を書く時が來たら、讀者に悲觀させない樣な傳記を書き度い」と希ふて居た。今や其の希ふた時が來たのである。本書中の人々は、皆、私共と殆んど同じ境遇に生れ、略同じ程度の敎育を受けた者で「此位の事なら僕にも出來やう」と讀者は必ず感ずるに相違ないと思ふ。私は、此傳記の内に記されたる人々が、他日ナポレオンであり、秀吉であり、南洲である事を希ふては居るが、よしんば、現在の其儘で終つたとするも、後進の讀者の爲めに多大の感激を與ふる筈であると考ふる者である。本書に錄する所は、嘗て博文館發行の「新靑年」と云ふ雜誌に私が約四ケ年に亘つて掲載した所のものである。多くの人々から是非纏めて一卷にして發行する樣にとの勸告を受けたのが、今回多年の願が叶つて、一卷となし滿天下の意氣あり抱負ある靑年諸君の前に提供する事の出來る樣になつた事は、私の深謝する所であり、又私かに愉快に感ずる所である。

私は本書に錄されたる人々が、いや益々向上發展する事を祈ると共に讀者諸君が、彼等の如く開拓の精神に生き、未だ祖先の知らざる所に、我等の祖先の未だ知らざる一大建設をなされん事を希ふて止まざる次第である。（序文の一節より）

長野縣廳 信濃海外協會（取次）振替二一四〇番

東京外國語學校講師 奧村外次郎先生監修
日本植民通信社編纂

獨習 ブラジル語全解

四六版二百頁歐文ニウスタイル活字組、舶來上等紙印刷
定價 金壹圓五拾錢（送料十八錢）

本書の內容は文法篇、會話篇、單語篇の三篇に分れ、文法篇に於て先づブラジル語の如何なるものであるか平易簡明にのみこませ、次に之れの應用練習を行ふために會話篇に於て日常生活に現はれる種々雜多な場合の用例應用を敎へ最後に辭書兼用の備忘單語篇を藏めてある。

內容目次

文法篇＝文法と發音—冠詞—名詞—形容詞—代名詞—助動詞と動詞—副詞—前置詞と接續詞—感投詞

會話篇＝日用慣用語（願望感謝、悲哀、立腹、謝罪、承諾、相談等）天氣の話—歲と年齡—訪問—生活上の話—言葉の話—庄屋—旅行—稅關—旅館—靴屋と仕立屋—自動車—沐浴—通信—郵便局—職業紹介所—買物—取引—報告—散步—寫眞屋等

單語篇＝名詞—年月日期間—四季及週—自然—方位—陸と海—家族—鑛物—植物—果實と花—野菜—動物—魚と昆虫—國と國民—國家と政治—人体—飮食物—家と家具—職業—旅館—稅關—衣服—化粧—色—商業—旅行—町村—宗敎—通信—航海—娛樂—車輛—農具等

取次 長野縣廳內 信濃海外協會
振替口座（長野二一四〇番）電話十二番

日本力行會長 信濃海外協會幹事 永田稠著

日本植民讀本

菊版百五十頁 地圖挿畫澤山 定價六十錢送料六錢

海外發展主義の小學教育

四六版四百頁布製 定價二圓五十錢 送料十六錢

東京寶文館發行

著者が二十年間海外發展運動に從事せる体驗からしぼり出されたる血の結晶がこの二つの著書となつて現れた。

現在の敎育の欠陷は日本民族發展に關する活材料を等閑に附してゐる事で、一般敎育に海外發展に關する敎育を加味されたならばと著者は此の點に深く留意して今回文部省の認定を得て實業補習學校、各種實業學校、中等學校の課外讀本として日本植民讀本なる敎科書を編んだ。

更に現在の小學校の敎科書中、修身、國語、地理、歷史の敎材中に海外發展主義の高調に利用すべき點につき學年別に其活用法を示したものが海外發展主義の小學敎育で、この參考書によつて直ちに海外發展主義の敎育が施す事が出來る、世の敎育者に是非共必讀を願ふなければならぬ好著である。

本會にて取次ます

ゴム液の採取

南洋の朝、木間をもるゝ熱帶の光をあびてサロン一ツの土人がタッピングに從事して居る。（本文八頁南洋發展の途參照）

アリアンサのマモン

アリアンサの珈琲園

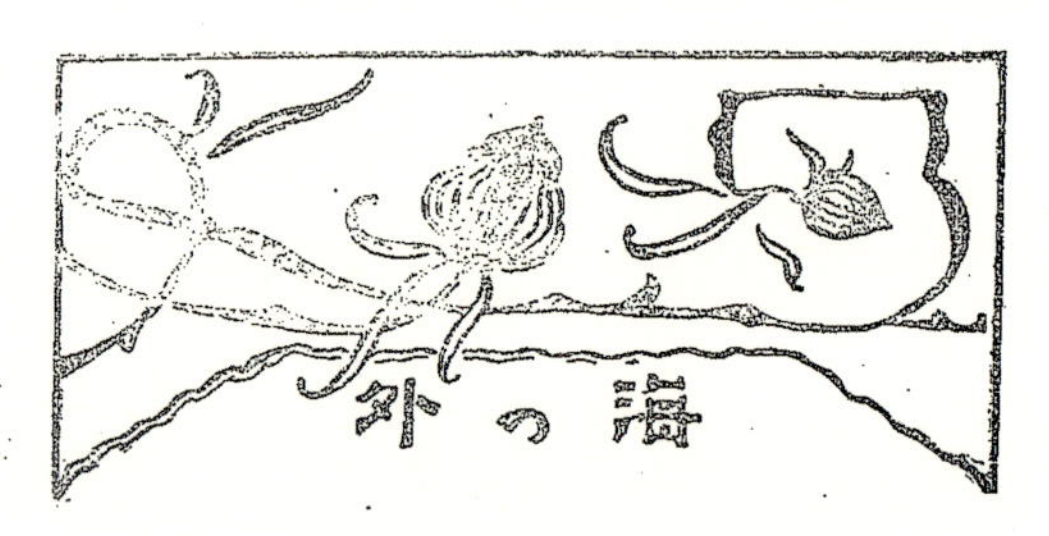

（昭和四年）第八十五號（七月）

槿花一朝の榮たる勿れ

ヘンリー、モリス「殖民史」に曰く、

「殖民事業に於ける失敗國の多數は常に成功を惱れ急ぎて、愼重の態度を欠けたるに依る、夫れ時は智識の唯一の媒介者なり、如何なる殖民地も一朝にして生れ一夕にして發達すべきものにあらず、其價値の眞價に認めらるゝに至る迄には頗る多大の時間を要す、ベーコン言へる事あり、曰はく、凡そ是非の判斷は少くとも三十年後に至らずんば與へらるべきものにあらずと、

獎勵、榮譽、似而世密等特別の理由によりて殖民地は一時隆盛に趨く事あり、されどそは永く繼續せるべきものにあらず、凡そ殖民地は恰も鑛山地に於ける市都の如く、動もすれば槿花一朝の榮ありて忽ち凋落し去るもの多し、然れども亦初め發達の見込甚だ遲々たりしも後、竟に最良の効果を呈し無上の幸運に遂せるものなくんばあらず」

吾人はこの言を聞き、邦人の海外活動を一瞥してこの感なきにあらず、もとより海外邦人の活動は幾多の困難を受け辛酸をなめつゝありて遲々として進まざるも決して邦人の海外活動は失敗せるにあらず、着々として根城を下しつゝあり、槿花一朝の榮たるのぬか喜びならざるをむしろ讃歎するのである。

海外の邦人よ、自重せよ、槿花一朝の榮、羨む事なきを。

創業苦の青年講習所（一）

石川博見

青年講習所も開所以來已に一ヶ月余を經過した、回顧する一ヶ月余其間只一人の職員として所生と寢食を共にして來た私には其處に感慨無量なるものがある。

何等の体驗もない、不肖若年者が日本第一の敎育縣の稱有る信州の而も昔から輝く歴史をもつ信州青年の修養の振源たるべく企劃創設せられたこの青年講習所に主事としての重大任を負ふて立つたことは光榮の至りである。

苦難は覺悟の前、只意氣の之を突破し得る自信をもつてゐる。聞く松陰吉田先生があの松下村塾を開塾せられ明治維新大業の偉傑士の養成を手はじめられたのは先生二十七才の時とか不肖も亦二十七才幸にこの講習所の興廢存亡を負ふて立つ、時は正に三大國難來の叫號さるゝ時、昭和維新の聲の津々浦々にまで澎湃として起するの時、この國難打開の青年育成に當るべく意氣の男が創業苦難に當つてゐる、世上兎角の評言も馬耳東風、今は只押しに目標の彼岸に向つて一同行くべき道を進んでゐる。

今度海外協會より原稿送れとの御註文、勿論創基多事多忙の時なれど日頃絶大の御援助下さる海外協會の申出故忙しい等とは云つて居られない、目下講習所の生活振りなり、不肖の意見抱負なり、不平不滿をざつくばらんに吐露するであらう。思ふこと云はぬは腹膨るゝわざ、暴言無禮は前にてお斷りして置く。

× × ×

長野縣令第三十一號に曰く、

本所ハ勞働ノ体驗ニ基キ青年ノ思想信念ヲ確立シ以テ農村ニ於ケル中堅人物ヲ育成シ兼テ植民精神ノ涵養ニヨリ海外發展ニ志ス有爲ノ青年ヲ養成スルヲ以テ目的トス。

とある。この設立趣旨を讀んで頭の俊敏な信州人、殊に日常茶話にまで海外の大勢を口にしてゐる筈の『海の外』愛讀者諸君には如何にもお役所的文言、なまぬるい、不徹底極る趣旨だと申されるかも知れない。

青年講習所とは何ぞや。青年の修養、講習、修養團の流汗鍛錬式講習か、希望者の布敎式のものか、或は濱の眞砂の數も只ならぬ世間所謂、修養會講習會にてもあるのか。

否々、若人と若人とが意氣の發して相打つところ其處に金鐵もとかさばおかぬ修錬道場である。

下界遠く離れて不便な山奥に創業の苦を所生遂一同涙ぐましい迄の緊張味をもつてやつてゐる。

五月十日、怪しい空模樣冷い小雨の中を入所生は一人二三人と仙仁から又上田からと元氣のいゝ面相を登山者休憩所即ち北信牧場事務所に見せる、一人一人之が今後起居を共にする青年かと思ふと何となく初對面からなつかしい。

彼等は早や夕食の仕度である、山に來る早く食ふ爲に先づ働くのである。薪を取つて來る者、火をたきつけるもの、米をとぐもの、漬物を貰つて來て切るもの、いや大騷ぎ道具が完備してゐないだけに一層大騷ぎである。幸に須坂小學校夏季療養所があつて家屋道具一切借用することが出來たので大助りであるが若し之がなかつたらこの二十余名の入所生を如何に始末すべきであつたらう、準備も無く只借りて使ふことに先づ所生の疑問が起る。

十一日は入所式、さゝやかではあるが丹澤社會敎育主事と西澤氏と不肖とで生徒の入所式をやつてのけた。縣立講習所の入所式バラック式。借家の陰暗な中での入所式。それは所生に印象を與へたに相違ない。

室內整理に一日は暮れた。炊事指導の小林の小母さんと「おたね」さんとに敎えられ煮たきに經驗のない所生は眞劍である。そうだ若し炊事當番にして失敗すれば一同「シン」のある飯を食はねばならぬ。所生は最初から生活戰である。都會にゐて七輪に炭火をおこしたり、瓦斯で炊事するのとは違ふ。所生は朝食前の仕事をして往復一里余の大明神澤へ一走り、そして各自が二束位のボヤを背負つて歸つて來る、之で空腹は更に急を告げる。さて火を焚きつけ樣としても馴れぬことゝて火が燃えぬ、炊事當番の苦も大抵ではない。

炊事當番でないものは芝生に集つて朝の体操をする。皇國運動（ヤマトバタラキ）である。筧法學博士の創案になる順序は『立て』『みたまましづめ』『おろがめ』『拋げ棄て』『吹き棄て』『いざ進め』『いざ濟や』『參い上れ』『息吹き』『神樂び』—さゝば、まさき。日かげ、五百津眞榮木で呼調は一二三四五六七八九十百千萬と永遠無窮に續つて行く。簡單に說明する。

先づ大地にしつかりと自らを立てし我等は自らの魂を清め鎭めて拜み、敬天敬神の神氣に入り、自らの汚穢を拋げすて更に身中の汚惡を吹き棄て、清淨の体となりし後勇敢に大地を踏み進んで海に至りいざ濟ぎて海波萬里を押し渡り、萬里の波濤を征服せし進取勇邁の若人は之より天上に向つて自ら參上り而して天上に參上りし若人は今や神樂びの歡樂境に入りて浮くゆかしき神樂びをするのである。

この体操が了りて朝の禮拜にうつる一同東天に向つて禮拜拍手して君が代合唱、勅語奉讀、次に天皇陛下の彌榮を三唱するが時正に高原日出の時で四阿、猫の兩嶽間に見ケ岩の如き間より日輪天進の時心も晴れやかに体も爽かに一同彌榮を唱へ了りて、炊事ラッパの鳴るまで放歌三昧に入る。軍歌、寮歌を合唱し、小學兒童等の來泊の時は信濃國を合唱する。實に爽快至極で其の妙味は來泊者の知得する所、朝寢坊の新聞記者の知る所ではない。

かくして大高原の朝氣に心身を清めた一同は假講舍より一町余の坂下の炊事場に下つて朝食をとる、大きな丼茶碗に一杯之が定食で他に味噌汁と漬物が出る。簡單な食事ではあるが然し吾互自炊したものと思へば有難く美味しく食べられ、すべてが自分達の手で出來たもの故其處に愉快さが有る。米粒一粒、澤庵の切れ端一つ無駄にせぬ所に涙ぐましい所生の心理狀態が伺はれる。

午前八時より學科であるが開所創業當時とて學科等と落着いてはゐられない。一日も早く一坪も多く土地を開墾して植付けせねば食ふに困るのである。副食物の心配は一通りではなく、一人二人でない二十余人の二十才前後の血氣の青年揃の大世帶である漬物の心配だけでも並大抵のことでない。炊事の當番は雨の日でも雨傘をさげて下の部落に一戸〳〵乞食して歩かねばならぬ。幸に部落人の親切によつて漬物は得られたがそれも『佛の顔も二度三度』とやら、余り度重ねては却つて部落が迷惑と開墾植付を急ぐ。さて農夫の表道具である農具が出來てゐない、之亦部落より借用である、二十余人には不足である、それで先づ丹平を註文する。丹平は荒地起しの鍬である。

牧草地をおこす、石が出る。豊かな家庭に育つた人々だ手に豆を出す、大騷ぎしつゝも草地が見る〳〵うちに黒くひつくり返る、大勢の力は恐しいもの、さて之を刻んで篩つて畦立する。丹平一つで起し、刻み、畦立をするのであるから困難である、鑿一つで細工する名人左甚五郎ならぬ農業は素人の青年が丹平一つですべてをかつてのけねばならぬのであるから容易の業ではない、移植民當初の苦難を痛切に体得する。かくして一日〳〵と草原は耕起され其處には播種されそして今では木札も新しく、長野縣青年講習所第一農場、第二農場、第三農場の立札が立つてゐて來觀者を驚歎せしめてゐる。

第一、第二の農場は今度荒地の開墾播種された所で二町歩程有る其處にはもう馬鈴薯が主として播かれ、茄子、トマト、胡瓜、甘藷等も植付け已に希望の若芽をすく〳〵と伸してゐる。第三農場はずつと下の部落より小作した土地で葱、南瓜、牛蒡、廿日大根、夏大根、人參、馬鈴薯、白菜、甘藍等を播種全部芽生えて揃つてゐる。今後開墾を繼續する第一、第二の農場は全部蕎麥を蒔く豫定である。最初のこととてはやヒメスイバ其他の雜草があの橫柄な、面を圃場の全面につき出し、蕨さへもがすく〳〵と首を出して來た。除草之が今後の大仕事で除草と害虫驅除に人間と自然との大戰鬪が開始される、勿論餘暇さへあれば開墾を繼續する考へである。

現在の所は土地も小面積である故手耕してゐるがやがては大面積に擴張し度い。五千四百町歩の菅平高原盆地の中二千四百町歩は牛馬放遊の大牧草地である。何も何時迄もこの尊い土地を牛馬の群遊に委せねばならないと云ふ道理はない、人口食糧問題の喧しい今日であるこの五千四百町歩が美田と化した其時は菅平も今の狀態には殘されまい。特設牧場百町歩は第一農場とは土堤一つ下の牧草地である。

第一農場を北海道樺太にも喩なる不肖は將來はこの特設百町歩にも進出し度い。之が不肖の日頃の目標である、カムチヤカ、シベリヤ沿海州への植民的膨脹發展のさゝやかなる思想的實習である。又第二農場も亦土堤一つ隔てゝ特設に隣すをこの土堤をとび越えて又特設に伸入し度い、第二農場を滿蒙と呼ぶ不肖はこの滿蒙より北進シベリヤ進出の壯途を豫習して見度い、とゝに不肖の日頃の念頭であり、本多利明、佐藤信淵、大西郷南洲翁等と近くは故後藤新平伯の遺業である、北東亞細亞に跨る大日本帝國が建設せられる、即ち青年講習所の實習の目標精神は之等の偉先輩の遺志の紹繼にある、北東亞細亞、亞細亞大陸にのびろ。之こそ不肖の終生の目標である。人知るや否や。友部大日本國民高等學校長加藤完治先生は

研けや鍊磨けや魂を敷嶋の

瑞穗の國はウラルの麓ぞ

と贊して不肖に贈らる、感激の極み。

さて第三農場は部落の小林一幸氏よりの小作地である。之をブラジルと呼ぶ。千坪の小作料十五圓である。こゝでは最集約農をやつてゐる。滿蒙、シベリヤ、樺太である第一、第二の農場が豫定の如く開墾出來たら其處に牛馬耕をやり、トラクターでも入れて大農經營をやるそして講習所の人口食糧問題が解決がついたら第三農場であるブラジル小作地は返却する考へである。小林氏にも必要な土地、返却請求されぬ前に第一、第二の農場に充分の地盤開拓の準備をする。

さて農場のことは之位にして次に講習所の自治の話に移る。講習所は全然所生の自治である。この講習生の自治會の名を天原

會と云ふ。去る五月十八日開所式擧行の當日針塚蠶專校長始め多數名士御列席の席上に於て小西縣學務部長即ち當講習所創設運動の第一戰の人であり。今や當講習所長として名實共に活動して居らるゝ部長の命名する所この命名に關しても不肖の與つてゐること勿論である。

天とは即ち萬物を覆へる上天であり。原とは萬物生育する大地であり。會とは萬人の和樂集合の体である。天地人を包有し敬天親土愛人を志すものゝ集いの名は天原會。如何に天下に誇るに足る雄偉名なることか。長野縣青年講習所の名に飽き足らなさを覺ゆる人士も天原會の名にはじめて快哉を絕叫せずを得ないであらう。

天原會は六部に分れてゐる企劃部は事業の企劃。調査研究をする。記錄部は日記行事通信等をなし体育衞生部は炊事部をも兼ね。修養部は圖書娛樂等を。會計部は會計一般で食堂の會計。菓子。日用品の購入販賣等々近くさゝやかなる消費組合を作る計畫もある。この爲には上田購聯支所の松澤佐重郎氏。長村信用組合等も盡力せらるゝ筈で所生が之を活用經驗する。各自が產業組合の運用法を知らないでは農村の中堅人物たることは出來ない。秋十一月農產物販賣も亦會計部の主宰で所生全体上田須坂方面に販賣實習を試みる。次に社會部があるが社會部は外部との交涉の任に當る、外交官である、すでに幾多の効績をあげ、鷄も上つて來た。近く兎が來る筈である。

之等の六部が日々目覺しく活動してゐて閑暇の有る部は一つもなく。全部が委員である故責任回避もない。竿衡（サオハカリ）でビスケットをはかる。會計委員の手つきの面白さ又菓子問屋よりの菓子見本試食の夜の樂しさ愉快さ。之等は到底下界の青年には味ひ得ない。

そこで天原會同人は里を下界と呼び里人を下界の人と呼ぶそしてこの菅平を天界と呼び天界人を以て自認してゐる。來觀者も亦時折「下界の俗物」扱されて閉口してゐるが。全く之は單に文學上の呼稱でなく、彼等の氣分の中には下界の青年と相異する或ものがすでに湧いてゐることは確かである。意氣軒昂覇氣滿々。天下を呑むの槪がある。今日からは下界長村に下りて田植の實習をやつてゐるが四日間農家一戶に一人宛住込んで農家の生活を体驗し共に田植をして二十一日歸所する筈である。殘部生は今第一農場に肥溜桙を埋めてゐる。炊事場に下りる木道も完成した。薪小屋も建てた鷄舍も立派に出來た。（以下次號）

西澤幹事の　—海・上・通・信—

第一信（香港より）

（香港）西澤太一郎

昭和四年五月十五日

小西竹次郎殿

謹啓御配慮感謝しつゝ香港に參り候。横濱出帆以來天氣晴朗波靜かにて寸毫も船酔を感じ申さず候。船中にて英國の海軍少將外務省より阿弗利加ケープタウン赴任の山崎領事、伯國再渡航の内藤氏、村田、平尾兩氏の印度支那半島豹狩の一行等夫々の其の識者より色々と珍らしき話を承りつゝ居り候

船中は日曜學校、小學校、補習學校、幼稚園等始まり申し候。船中青年會婦人會處女會等も創立せられ何れも元氣よく致し居り候。家長委員會も設けられ自治的に船中生活致しおり候。ブラジル語講習、音樂會、講演會、運動會等の催しも有之候

女子の國体的訓練は何れも欠點のみにて候。長野に於ける女子青年團の敎育指導の如きは方今の婦女子の敎養機關として最も適切なるものと存じ候。將來の子女の母となり、我國運發展の一半を擔ふの女子の敎育としては何よりのものと存じ候。此の意味に於て益々縣内女子青年團の國体的指導訓練と個人的敎養とに一層の御配慮の程御願ひ申上げ候。

長野に於ける青年講習所は將來又優秀なる敎育を施され町村自治の主腦幹部を輩出する事疑ひなかるべく一面亦移植民敎育海外發展主義の敎育も施され世界經綸の志士も多く輩成せらるべくと存じ候。優良なる新夫婦をして大に世界に雄飛せしめたく候。大平洋文明の區域も世界に新文明を創造せしむべく祈願仕り候。　敬具

御配慮感謝仕り候。横濱出帆以來天氣晴朗にて候。ブラジル移住者は總計八百四十八名にて皆無事にて候。移住組合關係移住者は百三十三名。十六日香港上陸、周圍二十七哩の香港島は流石英國の努力の跡偲ばれ申し候。

（五月十七日）

第二信（新嘉坡より）

前略、西貢を視てシンガポールに上陸仕り候西貢は佛國の稅率の極度に引き上げせし爲め日本との輸出入は激減仕り候それに濟南事件の影響にて支那人のボイコットの爲め日本との貿易は問題にならず候。西貢は人口十五萬人大部分は支那人にて四割位が安南人歐洲人は六千人内外にて候。香港新嘉坡に比し大いに劣り候。（五月二十四日）

×××

新嘉坡は流石に英國の東洋方面の軍要港にて實に規模大きく候。白、赤、黒、以上の混血兒等により人種は實に雜然たるものにて候。ヘルメット、中折、鳥打、赤布卷、角帽、麥桿、黒鉢卷、海軍帽、カーキー色、粗雜なるもの、裸体あり、裸体半身あり、素足あり、洋裝、支那服、馬來服印度人服、裸足、下駄、革履、ゴム靴、皮靴布靴にて候

（五月二十四日）

熱帶は一日二回又は三回の夕立の日有之候英國海軍少將と横濱より同乘、香港、西貢、新嘉坡と同道の爲め萬事好都合にて候。色々御配慮多謝。

（五月二十四日）

南洋發展の途（七）

—小資本企業の護謨栽培—

宮下琢磨

護謨は元來は南米バラ州のアマゾン流域が原産地であつたが、今では南洋が大部分世界の需要を充たして居る。文明の進歩と共に、ゴムの需要は益々增して來て、自動車のタイヤから、ゴム管、敷物、防水布、パッキング、醫療用諸器械、ゴム靴、手袋、玩具、文房具から製紙、それから家具類迄硬質ゴムで木材の代用をとめる程になつた。その需要は益々殖える一方でへることはない。

南洋護謨の歷史は新らしい

元來、護謨が東洋に栽培されるやうになつたのは極めて新らしい。英國政府が護謨の栽培を考へついて、原産地に植物學者をやつて、一八七三年始めて六本のバラ護謨の苗木がカルカツタに着いた。その後、二三回巨額の費用をかけて取り寄せたが成績はよくはなかつた。

印度政府は、一八七六年アマゾンに居つたウイツクハムに命じて種子を採集させた。氏は七万のバラ護謨の種子を集めてキユー植物園に送つて播種したところ二千七百本の苗木を得た。その翌年に二千本の苗木を錫倫島に送つて移植したが、完全についたのは僅に二十二本であつた。これが東洋に於ける母樹の元祖で、それから五年後に初めて實を結んだ。配付を始めたのは一八八四年からである。東洋へ來てからまだ四五十年のものである

植付から商品になる迄

護謨は次のやうな順序で商品としてまで進む。

開墾　先づ森林を伐倒してこれに火をつけて燒くのは丁度、ブラジルで珈琲園をつくると同じやうであるが、その倒木は根株を引つこ抜いて奇麗に片づけ、地ならしをする。護謨園で一番厄介なのはチガヤ——ラランと云ふ——の發生で、これが蔓延したら始末に行かなくなる。この草の根は針のやうな尖さを

以て、護謨の根を貫いて蔓延し樹を非常に弱らせるから、始めに充分に整地をしてラランの根を絶やしてしまふ。

植付　一英反百本位を植える。覆木を植えて日被ひをしたり覆草を蒔き付けてラランの發生を防ぐ。豪雨の時の用意に排水溝をつくつたり、擁土の流出を防ぐ爲めに土堰を設けたりする。

採集　通常樹の周圍二十吋に達したときにタツピングを始める。タツピングとは樹の皮に疵をつける切り付けである。今多く用ゐられて居るのは癒着を八年とする二分の一周圍法、又は三分の一周圍法である。タツピングの傾斜は近頃段々減少して、水平線から僅に十五度から二十度位になつて來た。隔日に採集するものもあれば、中二日を置いて行ふものもある。

毎朝早く苦力が廻つて切付する。根元の處に陶器の容器を置いて、それに護謨液が流れこむやうにし、液は早朝が最も盛に出て十時頃には止まるから、時間を見計らつて苦力がバケツを提げて、一巡り受持區域を廻つてそれを集めて工場に運ぶ。

工場　苦力の採集して來たものを一々目方をはかつて受けとり、一槽に流し込む。槽には一寸程の距離を置いて數十に區劃がしてある。その液の中に酢酸を加へて凝固させると純白の帶のやうなものが出來る。これをローラーに掛けて壓搾し、水分をとり去り乾燥させればよい。この壓搾ローラーの如何によりて、各形の異なる商品が出來上る。

次にこれを燻煙室に入れて燻煙乾燥すると、飴色に透き通つた奇麗な護謨が出來上るのである。

驚くべき栽培の改良

始めに南米から持つて來たときは、これが東印度に移植が完全に出來れば、と思つて居たところ大成功であつたので、それで滿足して居つた。しかし、だん／＼育てゝ見ると同じやうなゴムではあるが、一本の木から採る護謨液にその分量に於て非常の差があることがわかつた。

英領の方では餘り多量に生産して、護謨の相場をくづすのを怖れて、生産調節を行ひ、法令で植付面積の何割と云ふものに限つて、それ以上は生産させないことにした。しかるに對岸の蘭領では、この間にドシ／＼と護謨の植付を始め、しかも農産物栽培に熱心な和蘭は、優生學の立場から數々研究して、これまで一エーカー三百ポンド位しか採れなかつたのを一躍八百ポンド、なほそれ以上千二百ポンド千五百ポンドと云ふレコードを示すやうになつた。

優良種仕立方

スマトラでゴム栽培の盛んなのはメダン地方で、これは東海岸洲と云ふが、こゝに農事試驗場がある、スマトラ・東海岸洲・護謨栽培協會と云ふ、この頭字をとつてAVROSと云ふて居る。こゝでは完全に試驗を了りて優良な成績を示して居る。これには芽接法と實生法との二つがある。

芽接法と云ふのは、優良種の若芽を削り取つて來て、これを育てゝある若い臺木の皮を丁字形に切り裂きその中に封じ込み

て再び皮を蓋のやうに被せ、その上を細布で幾重にも卷いて置くのである。

實生は優良樹の種子を苗圃で育てるのである。

アフロスの試驗によりて前に述べた平均上の部一英反（エーカー）の生產三百五十ポンド位のものが、今は八百ポンド或は千二百ポンド以上の成績が確實に得られた。

選種は一本の樹で六ケ月以上、一日五十グラム以上を産出する母樹の花粉を交媒せしめて、その種子を育成し、これを第二代の母樹とする。

この二代目優良園の中より更に優秀なるものと交媒せしめて三代目の優良園をつくる。かくして現在では既に四代目の樹より優良苗木を得て、更にそれ以上の成績を得ようと努めて居ると云ふのである。

ゴム園は大資本で、大規模經營でなければ出來んやうに考へて居り、殆ど外人の經營はみなそれであつたが、こゝに小企業自家勞力でゴム園を經營しやうと云ふ二人の靑年が現はれて新例を開いた。

獨力ゴム園を拓く二靑年

ボルネオの南部ジャワに近いところにバンヂャルマシンと云ふ港がある。この港から近くに大阪の野村氏の經營して居る護謨園があり、その傍に金子ゴム園があるが、この近所の處女林を開拓して、現に護謨の植付をやつて居る靑年が二人居る。二人共まだ十八九で、その中一は大阪の商業學校出である。その經營は年に十九エーカーづゝ開墾して行くのだそうだ。家の周圍にはタピオカや野菜が植えられて居る、二人は仲よく共同して自炊自活でやつて行く。

今一エーカー確實の處の限度を七百ポンドとして、一ポンドを平均五十仙とすれば左の收入を得ることゝなる。始めは三百ポンドとし、次年は四百ポンドかくして一年に百ポンドづゝ增加し、七百ポンドを限度とす。

	一エーカー生產量（ポンド）	十九エーカー生產量	此金額
六年目	三〇〇	五七〇〇	二、八五〇弗
七年目	三〇〇	五七〇〇	二、八五〇
	四〇〇	七六〇〇	三、八〇〇
八年目	三〇〇	五七〇〇	二、八五〇
	四〇〇	七六〇〇	三、八〇〇
	五〇〇	九五〇〇	四、七五〇
九年目	三〇〇	五七〇〇	二、八五〇
	四〇〇	七六〇〇	三、八〇〇
	五〇〇	九五〇〇	四、七五〇
	六〇〇	一一四〇〇	五、七〇〇
十年目	三〇〇	五七〇〇	二、八五〇
	四〇〇	七六〇〇	三、八〇〇
	五〇〇	九五〇〇	四、七五〇
	六〇〇	一一四〇〇	五、七〇〇
	七〇〇	一三三〇〇	六、六五〇

卽ち十年目には、六年木から十年木まで採集が出來るので二萬三千七百五十弗の收入を得、十五年目には五万七千弗の收入となり、全部成木の曉には十二万六千三百五十弗の收入となるのである。（新嘉坡弗で一弗は一圓二十錢）

これは大きな護謨園の側にあれば、（十七頁に續く）

聯盟會議における阿片取締問題について（二）

醫學博士　草間弘司

ペルシヤ代表アラ氏は英國提案に同意し且つ調査は東洋各國より初めた方が良いと云ひ且つ調査は他の危險藥劑にも及ぼすべきであると支那說を支持し且つペルシヤも支那同樣に本調査委員の一員たる事を希望した。

吉田公使は英國提案を承認し他の關係國が贊成であるならば異議がないと云ふ。

ルーマニヤ、スペイン及ニュージーランド代表は本提案に贊成し伊太利は危險藥品調査をも加へよと云ひ和蘭は調査費に關し出來る丈け節減する爲めに調査國は東洋の單に專賣制を有する諸國と全く禁止してをる唯一國の一般狀況を知る爲めに比律賓を訪問すべきである。然して委員は三人を超へざる事。殊に公平なる委員の撰擇は困難なる事であるから之れが任命は注意を以てせねばならぬと暗に支那及ペルシヤの希望に反對した。和蘭は蘭領印度の如何なる地方を訪問する事をも歡迎するであらう、然れども代表は調査範圍に關しては痲藥製造に迄及ぼす事に反對した。

印度及セルビヤは次で本案に贊成しポルトガル代表は本案を贊成するけれども各國代表の種々なる討論より鑑みるに本案は他日迄延期する事は出來ないかと本案埋葬說を出した。

提案者たる英代表ダーム・エヂス女史はこゝぞとばかりに數知れぬ提案と討論を整理せんとして曰はく、東洋の危險藥品に關する調査は別に不贊成ではないが他の關係國とも協議の必要があるとし米國の意見を徵したる後比律賓を訪問する事は至極尤もな事である。支那政府が阿片喫煙の防遏に努めてをる事は結構であるが現在尙支那に阿片喫煙のある事は事實に相違ないであらう、更に現在に於ては總ての國の藥品の製造販賣、密輸出入の調査は不可能な事である、如何となれば是れは異なつた專門家をして異なつた方法を以てせねばならぬからである。

支那及ペルシヤの要求はあつたけれども委員は全然公平なる調査を要するから關係國より委員を採用する事は困難である。

調査費問題に就ては本問題の極めて重要なる所以を豫算委員會に知悉せしめる事が必要である、英國政府は自國領土內の調

査に對しては其の半分を負擔する準備がある、外の國も此の主旨に從ふならば本問題も餘り經濟的困難を見ずして實行しうるとて日本の調査費負擔不贊成說に對し內省を促した、

ポーランド代表は阿片問題と危險藥の調査を共に行ふ事には別に困難があるとは思はぬとて是れも日本の危險藥除外說を駁した。

佛國代表は英國の提案には贊成であるが經濟上の立場から此の提案の爲めに投票する事は出來ないと聲明し和蘭委員は種々の問題が未だ決定せぬ以上今回の委員會には投票せぬ事に致し度いと逃げ英國提案は益々危險の狀態に陷る。

支那代表は阿片及危險藥品の生產並に製造國の總てに本調査を行ふ場合に支那政府は本提案に贊成であると明確な意見を述べた。吉田公使は若し此の調査を痲睡藥に迄及ぼすならば承諾する事が出來ないと論じ討論は益々困亂して來た。

加奈陀代表は英國案の窮境を救はんと、然らば支那を本調査に加へない事になるならば經費の大なる節約になり東洋の代表は痲睡藥を除外する樣に再考されたいと述べたが討論未だ終決の見込みがなく翌日再會さるゝ事となつた。

翌日の委員會に於て第一に立つたのは獨逸代表である、卽ち本調査は喫煙用阿片のみに制限する事とし危險藥品問題の調査に對しては一九二五年の協定の結果を俟つべきである。獨逸は中央局に獨逸技術者一名を任命する事が承諾さるゝならば一九二五年の協約は批准さるゝであらう、獨逸は阿片喫煙に直接關係がないから之れが採決投票には加はらないと說いた。

吉田代表は前委員會に於て爲したる意見を敢行して此の派遣委員の目的は一九二九年に開かるゝ會議の準備の目的である、支那代表の主張する各國の痲睡藥製造調査は本問題以外に屬するものである、第五委員會は卽ち英國案に贊成なるや否やを採決すべしである、催眠劑製造に關する調査の提案と一九二五年阿片協定が漸やく實施さるゝに至らんとする今日行はんとするは餘りに早計である、日本は若し中央局の機關の活動が成功するならば更により以上の調査は必要ではないと信ずると云ひ吉田公使は更にポーランド代表の提案を保持する事は出來ないと固守し危險藥製造調査を密輸入の爲めに痛く惱まされてをる東洋に於ける狀況について爲すべしと云ふならば歐洲から日本に對し密輸入が無いと云ふ事を前提する事になる、若し日本の製藥が密輸入中にあると想像するならば何故に歐洲に於ける製藥國のみ本調査から除外されるであらう、派遣調査委員の費用に關しては日本は大に委員の歡迎をも爲し總ての便利を與ふれども日本は阿片密輸入の問題に就ては特に關係してをらないから其の費用を分擔する事は出來ない、若し聯盟が派遣の必要を感ずるならば、その距離の長短に關せず聯盟に於て支出するが當然ではないかと論ぜられた。

聯盟社會部長ダイム、クラウディ女史は派遣調査委員の旅費概算に關しては二十五萬スイス法價又は三十三萬法價にても足りると思はれると說明を加へた。

和蘭代表は調査委員は專賣國のみでなく米國の承認を得て比律賓をも訪問すべきである、同嶋では阿片は全然禁止されて居ると主張し此の提案は直ちに採用された、支那代表は派遣調査委員が支那より其の調査を開始し漸次他國に及ぶ事に異議がないと折れ、佛國委員は投票採決は次回の總會迄延期したらば如何と云ひ、ニュージーランドは是れに反對し、丁抹は佛國に贊成し直ちに投票せんとするならば自己の投票は棄權せねばならないと云ふ。

提案者英國代表は熱心に原案維持に努め一年も本調査を延期するならば恐らく此の全提案が無効になつて了ふかも知れない如何となれば東洋に於ける狀態も極めて危險なものがあるからと云ふのであつた、

加奈陀上院議員ダンデュランド氏は再び英國案を支持して曰く總ての委員が英國案は正しく且つ必要であると云ふ結論に達した以上その意志を投票によりて決すべきではないか、勿論經濟問題は第四委員會に委ぬるとして。而して加奈陀は特別費用の支拂を要しても本案の爲めに投票する事に躊躇しないと極力英國案の貫徹を試みた。更に支那は本調査は危險藥にも及ぼすべしと最後迄主張し、日本代表は若し英國案に投票するとしても政府は自國の調査に要する費用を負擔するものと考へてはならないと費用に關する責任を明かにした。

英國案に對する投票の結果本案は十三對一にて採用され其の外十七票の棄權があつた事は注意すべきである、調査費用に關しては英國代表は十三萬五千瑞法貨を計上し豫算委員會（第四委員會）の審議を求めたる處多數の討論出で結局小委員會に附託し、十萬瑞法貨に削減され、本案は辛うじて通過するを得たのであつた。

× × ×

斯して總會に阿片及危險藥密賣取締事業に就てはチヨヅコ氏（ポーランド代表）の報告あり、痲睡劑取引を行ふ爲め各國政府は阿片委員會の制定せる規定を實施する樣に要求した。東洋に於ける阿片取引調査に關しては報告者たるダームエヂス女史は本提案の主旨を總會に報告して委員會に於ける複雜なる討論に對して辯明した、卽ち本提案に對しては非常な誤解があつた、此の東洋狀況調査に就ては英、佛、ポルトガル、日本及シャムに於て之れが實行を承認された、此の調査は極めて限局的なものであつて單に阿片喫煙を取締つてをるか否かを調べんとするのである。支那の主張の如く他の痲睡劑に及ぼす事は時日經費の上から見ても困難である、近日中に實施されるジェネバ條約には危險劑の製造に關する規定があるから一層此の方面の効果を擧げる事も出來るとて本調査を阿片喫煙に限局して行きたいと說明した。

支那代表は自國の立場を辯解して支那は阿片喫煙取締りが行はれてをらない國として知られてゐた、然し支那に於ける各種團體はこれが防遏に努め、殊に一九〇六年以來嚴重になつて來てをる。支那の罌粟栽培も一九一七年以來 （十七頁に續く）

旅券規則改正案内

渡航目的及渡航國別によつて移民非移民に分れる

從來より渡航目的により移民非移民が區別され移民保護法第一條には「本法ニ於テ移民ト稱スルハ勞働ニ從事スル目的ヲ以テ清韓兩國以外ノ外國ニ渡航スル者及其ノ家族ニシテ之ト同行シ又ハ其ノ所在地ニ渡航スル者ヲ謂フ」と規定されてその勞働の種類は農業、漁業、鑛業、工業、土木、運搬、建築、炊事、洗濯、裁縫、理髮、給仕及看病等に關する勞働を謂ふてすべて渡航目的により移民或ひは非移民別に取扱ふてゐたが「移民」に關する字義の見解は各國いづれもその國情によつて異なり例へば米國では同國移民法第三條に「本法ニ於テ使用スル移民ナル語ハ合衆國外ノ地點ヲ發シ合衆國ニ向フ外國人ヲ指ス」として規定され伯國では乘船等級によつて二三等船客で入國する外國人はすべて移民と解釋してゐる。

故に往々移民非移民なる語に誤解を生じ本邦制定の移民保護法によつて非移民として旅券の交付を受けても渡航國の入國規則によつて移民として取扱はれる等一見矛盾した點があるが六月一日より施行の旅券改正規則ではその施行細則に於いてなるべく渡航國先の事情に適合せる樣移民非移民の取扱ひを區別する事になつた。左にその區別を記せば、

一、北米合衆國、布哇、グヤム嶋、布哇

渡航目的及び種類を問はずすべて非移民として取扱はる

二、加奈陀

移民――家内使用人、農業勞働者、在留者の呼寄に係る妻子並に店員（五年以上滯在する目的を以て渡航する者）及その妻子

非移民――觀察、商用、修學、布敎の爲め渡航する一時的旅行者、再渡航者並に店員（五年以內滯在の目的を以て渡航する者）及其の妻子

三、比嶋、墨國、中南米諸國、玖馬、其の他西印度諸嶋、伯國秘露、亞國、智利その他南米諸國

移民――海外興業、移住組合、植民地經營者の取扱、三等乘船客

非移民――一、二等乘船者

四、香港、佛領印度支那、シャム、ビルマ、英領海峽植民地、馬來諸邦、英領印度、セイロン嶋、英蘭領ボルネオ、瓜哇、スマトラ、セレベス、其の他南洋及亞細亞方面

移民――三等乘船客　非移民――一、二等乘船者

五、濠州、ニューギニヤ、ニュージーランド、ニユカレドニヤ、南阿聯邦、エジプト、シリヤ、パレスタイン

（二十五頁に續く）

海外で沒した本縣人

各郡市別の海外死亡者（二）

小縣郡

町村名	死亡者	死亡地	死亡期日	死亡原因
丸子町	土屋かつじ	北米	大七、十一、	―
丸子町	土屋光子	伯國	大九、二、十四	―
長窪古町	桑川伴之助	伯國	大正十五、十、二九	病死
長久保新町	高橋愚利子	伯國	昭三、九、十六	病死
依田村	大井まさよ	伯國	昭二、一、一	―
依田村	猪川芳市	加奈陀	明四三、一、十一	病死
泉田村	小泉正二	比島ダバオ	大八、一、十一	病死
泉田村	增田重孝	支那北京	昭三、一、十二	病死
川邊村	田中恭太郎	伯國	大十三、八、十四	鐵砲負傷
川邊村	黒坂せい	伯國	大九、四、二六	病死
青木村	山本利武	比島ダバオ	大七、九、二九	赤痢
殿城村	武舍義喬	同右	大八、四、二七	病死
殿城村	神林しづ	布哇	大十三、九、十三	病死
殿城村	正村袈裟一郎	比島ダハオ	大十四、二、二二	病死
殿城村	渡邊泰蔵	米國加州	大十四、十、十一	病死
和村	櫻井貞明	加奈陀	大二、三、一	病死
和村	竹内要	比島ダバオ	大九、八、五	病死
祢津村	荒井洋子	加奈陀	大十五、十、廿一	病死
祢津村	北澤喜太治	比島ダバオ	大六、十二、十四	病死
本原村	鋒城直次郎	米國桜府	明四十、四、一	傷死
中鹽田村	和田オチヨ	南米へ航海中	大七、七、廿	病死
中鹽田村	和田陽一郎	伯國聖州	大十四、五、廿七	病死
西鹽田村	倉澤寛	米國	大六、七、三	病死
西鹽田村	倉澤林賞	北米加州	大三、二、十四	自殺
西鹽田村	小林吉松	比島ダバオ	大七、九、六	病死
西鹽田村	樋口みよし	加奈陀	大十三、十、十四	病死
西鹽田村	山極平右衛門	米國シャトル	大十三、十一、廿八	病死
神川村	太田庄一郎	加奈陀	大八、五、廿	病死
神川村	大田庄平	比島ダバオ	大七、一、十八	病死
神川村	山邊安一郎	米國タコマ	大七、六、十六	傷死
神科村	平林ユイ	南滿州撫順	昭三、十一、廿	病死
神科村	小田中修平	滿州長春	昭二、三、二九	病死
神科村	山崎秀雄	支那濟南	昭三、五、十九	病死
鹽尻村	小林五郎	米國シャトル	大四、九、十六	病死
鹽尻村	沓掛袈裟二	米國シャトル	大十、十一、廿一	病死
鹽尻村	依田袈裟三郎	比島	大十三、五、十三	病死
鹽尻村	馬場泰次郎	米國シャトル	明二五、七、十	病死
鹽尻村	梅原寅吉	米國紐育	明三四、七、廿	病死
鹽尻村	清水利重	米國シャトル	大三、七、廿	病死

（追記）南佐久郡

町村名	死亡者	死亡地	死亡期日	死亡原因
切原村	油井造	伯國聖州	大八、八	病死

（以下次號）

海外の信州人から

一年に三十六万圓送金される

昨年は前年より十七万圓の增加

海外發展論者が海外移住の得失を論ずる時海外在留者からの故國送金を海外發展の利益に擧げてゐるが我國の一ケ年間に於ける海外在留邦人の故國送金は年々多額にのぼり我國對外貿易の輸入超過の國際收支經濟上償還方法として重要なる一項を爲してゐる。而して貿易外純收入は約一億圓とみられてゐるがその內海外在留邦人の故國送金及び持歸金は三千五百萬圓に達するものである。

昭和二年に於ける故國送金及持歸金は外務省の發表によれば二千四百四十四萬八百九十五圓であつて（各府縣で調査したものので實際より三割位減ぜられてゐる）送金額の五割は北米から送金されてゐる。

次ぎに送金額を府縣別にみれば和歌山廣嶋兩縣の三百萬圓台を先頭として福岡山口富山福嶋熊本沖縄三重等の送金額順であるが本縣は第二十位の十九萬九千百拾九圓であつた。

然るところ昭和三年に於いては本縣の送金及持歸金は激增して最近本縣警察部の調査によれば三十六萬二千七百四十六圓に躍進してゐる。右の送金激增の主重なる原因は今年四月四十八年振りで米國から歸郷して今浦嶋と新聞紙上で報導された小縣郡搜川村吉池寛氏の持歸金十萬圓が含まれてゐるがそれにしても年々增加を示しつゝある。

今送金額について送金別及び送金國籍別にすれば左の通りである。

一、送金別（自昭和二年十一月至昭和三年十二月）

送金方法	送金人員	送金額
外國郵便爲替に依るもの	七九	三七、三七八圓
横濱正金銀行に依るもの	七〇	一六三、五四〇
三井銀行に依るもの	三	三五六
諸商店又は歸國者に依托せるもの	一九	二、七九一
自身携帶歸國によるもの	三〇	五四、六五四
諸銀行によるもの	七	一、三〇〇
通常爲替によるもの	二	一、五三〇
露領林業會社によるもの	一	一、二〇〇
計	二一二	三六二、七四九

二、送金國籍別

國籍別	昭和二年送金	外國郵便爲替によるもの	横濱正金によるもの	其の他によるもの	合計
北米合衆國	一三〇、六六四	三〇、〇六八	一二四、九三〇	三三、一六五	二七七、一二三
布哇	三五、八七〇	八二	八〇〇	四〇〇	一、二八二
加奈陀	九〇五	一六六	四四〇	―	六〇六
墨西哥	―	一、三五五	二、三〇〇	―	三、六五五
玖馬	六〇〇	―	二〇〇	―	二〇〇
ブラジル	三三、二六〇	一、八六七	七、二六〇	一、七六六	一〇、八九三
智利	―	―	三〇〇	―	三〇〇
新嘉坡	一四、四〇〇	四〇〇	―	―	四〇〇
ジャバ	―	―	三〇〇	三〇〇	六〇〇
ボルネオ	一、三〇〇	―	三〇、四〇〇	―	三〇、四〇〇
スマトラ	―	―	―	一、三〇〇	一、三〇〇
濠州	一五〇	―	―	―	―
比律賓群島	九、九五〇	一、二三〇	二、七七八	一三、八〇〇	一七、八〇八
印度	―	―	三六	―	三六
南洋委任ボナペ	―	五〇	―	―	五〇
露國	―	―	―	一、一〇〇	一、一〇〇
支那	―	二、一一〇	三、九七四	一三、三一〇	一八、八九四
南滿州	―	一一〇	―	―	一一〇
計	一九九、二一九	三七、三七八	一六三、五四〇	六一、八三二	三六二、七四九

（完）

（十頁下段より續く）

小企業として成り立つ。それはゴム液を直に工場に運んで製造して貰らうことが出來るから便利である。又栽培上の指導を受けられる。

現に角六七年目からは收穫はあるが、それ迄の辛棒が肝腎である。ブラジルのコーヒーにしてみても、收穫までにはどうしても四年から六年はかゝるのである。

これなども新しい進み方で、今までの土人の栽培の野生的なものを、新式の經營法でやつて行かうとするのである。

【附記】私は今まで、私の二回の南洋視察記をまとめて「邦人活躍の南洋」の著述に從事して居たが、本篇脱稿と同時に完成したので、來月號からは面白いものをのせたいと思ふ。

（十三頁下段より續く）

全く行はれない、殊に支那戰亂も終局を告げ、國民政府設立されて以來阿片取り締りも嚴重になつた、然し夫れと同時に危險藥の密輸入が激增した阿片委員會に於て英國と支那との意見一致を見なかつたのは支那が最も危險を感じてをる危險藥品調査を主張したからであると云つて總會に於ても本調査と阿片以外の痲藥にも及ぼすべしと主張した。

和蘭代表は阿片喫煙防遏及密輸入防禦に對する國際事業に對して如何なる犧牲を拂ひても援助したき旨を述べた。

最後に英國代表ダーム、エヂスによつて既に記述せる如き決議案の提出があり、比嶋の調査をも加へて採用された、本提案は極めて複雜なる徑偉を經て茲に無事總會に於て可決採擇されたのであつた。（完）

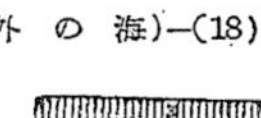

海外通信

メキシコ便り

墨都にて大歡迎

（在墨）矢嶋璋三

小生事二三年前より輕き神經痛の氣味にて間々不自由を感じ居り候處今回日本醫科大學卒業後渡墨にて專ら腦神經を專攻しアメリカ并墨國首府に病源研究旁々一時足を止められたる河田博士に診察を受くる可く首府に參り候。

目下首府には同縣人にて在留せる者公使館付陸軍武官和田中佐を初めとして約二十有余名有之其の中にても須藤氏御親子は御成功者として知られ其他横濱加藤商店（ヌエボハポン）の御部支配人たる太田弥太郎氏横濱野澤商店販賣員たる長淵鐘六氏當國陸軍士官學校並に巡査教習所の柔道教師たる小野長清氏辻眞商店の支店長北原昌計氏等いづれも同縣出身にて同胞として重きをなせる諸氏と存候、特に須藤氏御兩親の如きは八十六才と七十六才の御高齢にして御揃ひ御健在せる等外國在留者としては稀有の事と存敬意を表し申候。

其他の諸氏も夫々御活動の御様子にて將來は大いに見る可きものある可しと愚考仕り候然るに未だ長野縣人會なきを遺憾に存じ縣人會及信濃海外協會支部の設立を諸氏に計り申候處いづれも御賛成を得和田陸軍武官（更級出身）の指導の元に實際を舉る可く御話し致し居り候間貴會よりも前記重立ちたる諸氏宛御依頼状御差出し被下度候。野生一介の農業從事者に對し公使館員を初として在留日本人諸氏に依りわざ〳〵歡迎會を御催し被下御參集被下候者約三十人夕刻より夜分十二時頃迄御一人の御退席者もなく面白く會談致し其の席上未だ日本人の集合として例なき事等御話し被下分に過ぎたる面目をほどこし破格の歡待を受け身に餘る光榮と存居り候

これも一重に前記同縣人諸氏の御盡力に依るものと深く感謝致し居り候。（後略）

（四月廿五日）

反亂は平定

（在墨都）長淵鐘六

拜啓長らく御無沙汰仕り候處皆々樣には御壯健にて御活動の事と存じ候。

當國は去る三日ベラクルース州とソノラ州反旗を飜すもの出で候爲め一時は再び動亂の巷と化すには非ずやと心配致し候へ共幸ひ政府の處置よろしきを得て夫々討伐し今は已にチワワ州の一部のみ彼等の立こもる處に相成り申候。

反旗を飜へせしはフランシスコマンソ將軍エスコバール將軍アギレ將軍等にてマンソ將軍は前駐英大使次期大統領候補者ペレンスエラ氏とソノラ州に旗を上げエスコバール將軍は矢張り次期大統領候補者ビヤレアール氏と中央部トレオン市に旗を上げアギレ將軍はベラクルース州より首府へ攻め上らんとせしものにて計畫は仲々あなどり難きものに候ひしが、何分反旗を飜せる理由が薄弱なる爲め笛吹けど人踊らずの有様にて政府は數台の飛行機に宣傳用紙を散せて深く反軍の陣地へ入り反軍の反省を促せし由に候振つてゐる事は其

の文句に何でも反旗を飜す理由なき事現政府の施政のわるき點は堂々と責められる理由あらば政府は何時にても辭職して一般に問ふを辭せずと云ふ様な意味の由に候。

今回の反亂は彼等首將の懷を肥やすための陰謀にて反將の中には數百万ペソを米國の銀行に預金して居る様な有様にて革命てふ意味の更になき爲めにや今日迄に已に八分通り平定され居り候。

在留邦人にて地方の農場經營者は相當迷惑を予想され居るも一般は被害少なき様にて候通信は内亂の當初一週間ばかり不通なりしも今はサンアントニオより或はベラクルースよりマンサニーロよりの通路安全にて日本よりの手紙等も完全に到着致し居り候。

去る一週間前にはタンピコの矢島璋三氏の來都あり何分同氏のタンピコに於ける人望あるが爲めにて歡迎會は盛大に候ひき。在墨都有志にて開催され候氏は最近百五十町歩の新しき土地をリースして事業擴張の由。人も我も一様に同氏の今回の壯舉の成功せられん事を祈り申候。

今回是非共當市に信州人會の設立を致し度く公使館武官和田陸軍中佐に御依頼しつゝあればいづれ近日中に快報を申し上げ得る事に存じ候（和田中佐は長野縣更級郡桑原村出身）

先づは亂筆にて右御報迄（四月三十日）

墨都安着

（在墨都）渡邊源吉

小生渡墨については種々御高配を煩し御陰樣にて二月十四日横濱發安洋丸にて三月十七日マンサニヨ港上陸、同廿日首府に到着仕候間御安心被下度候。

須藤正夫樣の宅に約十日余り厄介になりて岸良文氏の商店に入店致し候。

言語に不通、地理風俗人情にも精通出來ざる現在にありては何とも致し難く加ふるに御承知の如く革命騷ぎにて不景氣此の上もなき事なれば當分は萬事修業の時代と心得て鳴かず飛ばずの考へに御座候。

人種的の感情にも別に感知せられず合せて天惠豐かなる此の國の事に候へば言語に通じ商取引の實際について習得し得んかともかくもめしの種にはありつける事と樂觀致し居り候。併し此の見込たるや十年の後か將た二十年の後か或ひは政治的の改變によりて吾人の夢も水泡に歸す事か前途まことに茫々たるものに御座候

生れて始めて外國の土地を踏んではいろ〳〵と奇異の感に打たるもの有之候。就中海外に出づる事の國の爲にて候。名はよし、國家的膨張と謂ひ平和の戰士と譽ひ先驅者と稱へ大和民族の發展と美しくうたはるゝも個人的には海外の同胞は實に犧牲ならざるはなき觀有之候。故國の進み行く文明思潮の進展を解し更らに世界的（少くとも在住國の）文化に浴するには言語の問題、經濟の問題人種的の疑惑感其の他……等々の余りに不遇の境遇におかれ居り候。小生が先づ第一の感はこれにて當墨都に於て成功者とも云はるべき人物の生活にもこれを覗き得る次第に御座候。これは在外同胞の誰もが必然的に受くべき犧牲に外ならずやと痛感致し申し候。

第二は第二世の教育問題にて候。既に合衆國にある同胞第二世の事柄は有識者間にありて頻りに叫ばれ居り候。右教育問題の中等教育施設機關について日本人多き場所は何かと便宜に候も困つたのは日本人の尠なき土地にて候。尚墨都なども稍々三百人余りの事に候へば特別の施設も出來ずさりとて日本に送りて教育させる事も多難にて勢ひ教育の不十分を免かれ難く是亦所謂在外同胞の犧牲にして

は余りに思ひもよらざるものに候此の意味に於いて今更ながら國体移民の必要など思ひやられ貴會の南米移住地の建設と共に教育的の施設を十分にさるゝと聞きて當を得たる策の一と感じ入り申し候。

先づは御禮旁々墨都御一報まで。（四月七日）

アメリカ便り

住所變更

（羅府）中會根孝次

謹啓　貴社益々御清榮之段奉大賀候。毎號御送り下され候「海の外」多大なる趣味を以て拜讀致し居り候。小生先頃住所變更致し候故今後は新住所宛に御送り下され度候。

右要用のみ申上候（五月十一日）

舊住所 1438 W. 36th St. Losangeles Calif.

新住所 1710 W. 36th St. Losangeles Calif.

宛名を間違なく

（オレゴン）荒井松三

前略別紙の如く小生の名宛相違致し居り爲め毎々他所へ配達せられ居る趣き更井氏より通知有之候間今後左記宛に送本相成度候（米國オレゴン州ポートランド、イースト、クレイストリート四二六荒井松三（大郎））

M. Arai 426 East, Clay st portland Oregon U. S. A.

荒井君、君のストリートのクレーのCの字をキャピタルで見違へて書くのと松三を杉と讀み違へて S. Arai (S.荒井) を局が Sarai と早合點するため毎月私の處へ還送され君の手元へ遲着となる故、國元へ其の由御通知されては如何に候や御注意迄（更井）

ブラジル便り

誠心誠意努力

（在アニウマス）矢崎節夫

拜啓十二月一日附御手紙拜見仕り候。

貴協會益々御隆盛大賀の至に存じ候陳者海外在住代表的人物の投票に小生入選いたしたる御通知驚き入り何かの誤りにあらざるかと思ひ居り候。

小生如きもの在外に永年月居つたと申すに過ぎず決して代表的のものでなく誠に汗顔の到に候。御贈與の朝日年鑑有難拜受いたし候。

本國の事情に疎くなり勝ちな吾々海外在留者に對しては至極調法な本にて候故に深く御厚意を感謝いたす次第に候。

當選に對する感想との御質問なれど私の如き姿なき入選者は何んとも申上げ様なき次第に候。

この上はたゞ誠心誠意自ら鞭韃して在伯同胞のために盡し度く思ひ居り候。

右は御禮と愛ね申上候（三月十日）

聖市で家具店を

（在聖市）松濤久彌

拜啓陳者貴會益々御發展の段大賀奉候。此の度金拾圓也御送金仕り候間何卒受取り被下度候。又拙者の家業仕り居り候店舖目貫に收め二葉開始付申上候間御賀拙者最近一時閉店仕り居り候間冬の節は御禮に參上致し御話申上げたく候先づは御送金御知通まで

アリアンサ便り

氣樂に呑氣に

（在第二アリ移住地第五區）舘石光雄

小生儀無慈入植、渡航期としては還暦の九月になれ共山伐り等を協會にて御心配下致しおかれたる故當地後直ちに作業を開始しア

ルゲールにカフエーを植付致し出作も三家族に稲を播種して草丈四尺以上に發芽いたし居り中々有望に御座候。加之小生の地區はコトベロ、トラベッサ兩川の流域の分水嶺にあたる全地が高地（四百米突以上）にてカフエ植栽地は大部分可能の由、田作も何によらず有望に見え樂觀罷在候。

井戸も日本人請負にてピツァラ勝ちにも係はらず十八米突にて良水を得し申候。家屋も四米突に六米突にてシュード（夕立）位には濡れぬ程度に滿足いたし居り候

此國の雨季といふものに初めて出逢ひ候が日本の梅雨と多寡を括り居り候處十二月初旬より降るは〳〵殆んど二ケ月雨攻め雨量の多きには驚き申候。最もひどき時はアッという間に打ち掛けられる様にて世界一面雨水に相成り二百米突先のマット（森林）も霞にて成り候。幸に第五區は高地故苦痛は差程に之無きもコトベロ沿岸の第三區第四區は低地の事にて交通杜絶家屋の床下が川となつてカフエ種も腐ると云ふ騷ぎに一昨夜の入植者達も驚き居る様子にて候。

獵銃は寸暇を得てはやり居り候大物は鹿位にて一番の獲物はコチャと云ふ鼠と兎の掛け合せの様な奴にて大きなのになると二貫目位は御座候。鳥類は居るには居るが肉の多き奴はあまり居らず山鳩、鶉等にて候。トカゲは珍味にて肉も澤山付き居り候。アンタ、オンサ山猫等の姿は絶無、足跡だけは沼地に屡々見受け申候。

「海の外」七十七號に誰やらが「移民に苦心として必しも可き努力の外には苦勞は無く唯苦勞と云はば井戸掘上げ迄の期間に飲用水に欠乏して二キロ程のコトベロ坂下に汲行、中村雨家の井戸迄貰ひ水をして潤れぬ肩に石油罐をかつぎ朝夕二回の往復是が泣きの涙と汗の苦行の第一、次ぎは土負けと稱する病氣是はブラジル移民が泣く第一の洗禮にて候。素性も得体も知れぬ小蟲の血を吸ふた後がまる火傷の如くブツ〳〵と一錢銅貨の様な腫物が出來其れが膿を持ちて（特に脚部を冒す）歩行困難となり各人の体質により輕重もあれども皆受難すべき事に候。

第三は人を刺し吸血する小羽蟲の多き事、ダニ、ブユ、ブユより小さき羽蟲、叉夫より一層小にて肉眼にて漸やく認め得る程度の極小さき羽を有する吸血羽蟲が澤山居る事にて其の五月蠅さは勞働中は左程に苦にも成らざれ共休息時等には顔耳目に飛び來たりたき火をせずば休む心地致さず是が日本の蚊帳の不用の際、寒冷紗の蚊帳を吊りて晝間の室内仕事、女子の縫物、手紙書く迄に蚊帳の中の仕事に候。併し最近は開拓を進めマットの退却に依りて漸次に減少三年目になれば住宅には少しは居らず最早第一アリアンサ當りには少しも居らず誠に晴々と致し居り候。

山伐りには蜂の襲多く殊に蜜蜂の巢多く候一畔の蜂巢には一斤以上の蜂蜜有之是は美味に泣く方にて候。殊にピンガ酒に加へ飲用する時は丁度日本の味淋の様にて中々結構女子の口にも適し不知々々醉ふてグラ〳〵躍るも分らず笑ふ様に相成り可笑しく候。

今の所諸物價の高きが苦痛に候。お米が七十ミル、牛肉一キロ三ミル八百豚肉三ミルマッチはベラ棒に高い様に候。ピンガも先月より値上げ七ミル五百が十ミルに相成り居り候々上戸黨は甚大なる打撃に候。カマラダも高く六ミル位の人は日本の牛人足八ミルより十ミル腕強き方にて河向ふの組合移住地にては八共十二ミル大工十五ミルの由、當ブラジルの景氣を少々日本へ輸出致し度く候。

カフエー一袋五十ミル（皮付）精製百三十ミル以上の由に候。

各位の御健康を祈り擱筆仕り候。亂筆多謝。

（一月廿日誌）

移植民ニウス

拓務省店開き

一部三局官房の分課要綱

樞密院の百本ぐひにひかゝつて御難產續きの拓殖省は前號既報の如く拓務省と改めて官制を改癈し漸やく踹々顔で承認可決されたので六月二日攝上陛下の關西行幸中大阪にて御裁可を受け十日公布即日施行された。田中首相の拓相兼任小村欣一侯の拓務次官の陣容で十日から店開きとなつた。拓務省分課規定要綱は左の如くである。

大臣官房 秘書、會計、文書の三課を置く

朝鮮部 第一課 監督行政に關する事項 第二課 產業交通通信金融租稅專賣に關する事項

管理局 第一課 台灣南洋の行政事務 第二課 關東廳樺太廳の內政事務

殖產局 第一課 朝鮮以外の植民地の財政經濟及金融に關する事項 第二課 滿鐵東拓の業務監督

拓殖局 第一課 移植民奬勵に關する事務 第二課 移植民の保護指導及移民收容所に關する事務 第三課 海外企業の指導の奬勵に關する事務

植民地は「外地」と

呼ぶ小村次官の新造語

植民地——といへば朝鮮あたりが憤慨する私は、だから今日以後との言葉を抹殺したいと新店開きの第二日目に發題した小村次官の言葉、內地に對する「外地」だら障りがないだろう。どうか今日からこれで行きたいと新聞記者に對する初意見である。

拓務省の政策

次官から拓相に報告

新設された拓務省の政策問題については過日來小村次官以下各局長との間で協議してゐたがその成案を得た

第一 朝鮮に關する件

當面の問題としては產業開發と交通政策(港灣鐵道)の擴充を計り朝鮮人の生活向上を計ること將來の統治方針としてはその政治經濟の全般にわたり拓務省新設を一轉機として朝鮮人の幸福增進の施設を更に努力し內地人朝鮮人協力の點について考慮すること

第二 台灣樺太關東州南洋に關する件

關係官を督勵して國民生活の安定を計り台灣樺太等に關する經濟上の一貫統一せる方針を樹て台灣については產業開發を計ると共に對岸の南支那との圓滑なる連絡を計りまた樺太については森林政策に努めると共に對露關係に留意することまた關東州については食糧政策(米、麥、か性曹達、阿片)の發展を期し南洋については委任統治地域たる關係上國際關係に留意し砂糖りんとうに對する開發を計ること尙植民地に對しては世間では疑惑の目をもつて見てゐるからこの際一層綱紀しゆく正を計ること

第三 移植民海外拓殖に關する件

一、移植民 神戶長崎の移民收容所の機能を充實せしめ移民船の設備、移民に對する知識供給について關係方面と協議することまた從來移民が移民國の事情にうとい弊があるので移民國の希望する移民の種類(資本移民、勞働移民)については各種の海外協會や移住組合との間に協議すると共に拓務

省の官吏を內地および海外に派遣すること

二、海外拓殖 海外拓殖に關する根本方針として平和的發展と經濟障礙(關稅鐵道等)の撤廢および經濟資源の自由開放の二つを題目とすること

拓務協會新設

各植民地協會を統一する

各植民地關係事業として東洋協會南洋協會等いろ〳〵の協會があるが政府は今回の拓務省設置を機會としてこれ等の協會の事業を統一する意味で新たに拓務協會を設けんとして目下その步を進めてゐる即ち目下存任する協會のまゝでは植民地を包括する知識を得るに困難であるから拓務協會を新たに設け、これをして各植民地に關する統計その他の知識を一般に普及せしめると共に植民地間の連絡を保たしめようといふにある然してこの拓務協會は民間の事業たることはもちろんであるが政府がその後援をなすものであつてこれがため政府は現存の各協會と近日中に協議する意向である

海外に技師派遣

本年度は南米の三國に

我が移植民の海外における產業を指導助長してこれが伸長發達をはかるの緊要なるに鑑み拓務省では海外に拓務技師三名技手十名を派遣して我領事館に駐在せしめ移植民の產業の助長指導にあたらしめることになつたが本年度においてはブラジル、アルゼンチン、ペルーの三地に駐在せしめる計畫であるが、從來外務省囑託としてブラジルに四名、アルゼンチン二名が同事業に從事しつゝあるので差當りこれをそのまゝ拓務省に移管することとなりブラジル駐在員四名に對しては近くそれ〳〵拓務技師および技手として任命し、アルゼンチンおよびペルーの駐在員については今後人選の上決定のはずである

拓務省設置の

功勞者を表彰目下人選中

今回拓務省が設置されたので政府はこの際故有松英義氏、江木翼、石塚英藏兩氏等官民を問はずこれが設置に至るまでの功績者に對し何等かの方法をもつて感謝の意を表することになり研究中であるがその功勞者の人選については目下北島文書課長等の手許において選考中で近く具體案を決定のはずである

外國の中等學校

卒業から母國の專校に入れる

從來外國の中學校又は高等女學校に準ずべき學校の卒業生が歸國して母國の高等學校や專門學校に正規な入學が許されず別科生聽講生をして入學してゐたので在外邦人子弟の(主に第二世)の敎育上これが徹底を屢々母國政府に具陳してゐたが愈々文部省は專門學校入學者檢定規定を改正して無試驗檢定によつて入學資格を認める事になつた。

企業移民は珈琲園に

「二農年辛棒される」

在伯邦人一般の意見

伯國に二種類の移民が渡航する。一は契約移民と云ふ珈琲園に就勞する事を條件とする海興取扱である。一は移住組合の移住地に直接入植する所謂企業移民である。この二種類の移民中後者は伯國珈琲園の經驗を經ずして珈琲園經營者となるのでこれが良否について在伯邦人間ではこの企業移民は是非一度珈琲

園に就勞させる必要があると云ふ輿論が高まりつゝある。

今回在伯邦字雜誌の「農業のブラジル」社ではこの輿論に鑑みて「日本移民は幾年位耕地に勤むべきや」と云ふ題を與へ、將來日本人の獨立農となる事を前提として總括的な談をかけた所約三百余通の應募の大多分は

一、企業移民は二農年

一、契約移民は二農年の後四年契約の請負耕作して獨立農になるか契約珈琲就勞を六ケ年間やつて獨立農になる事

と云ふ一般の意見であつた。これは二十五町步の獨立農(移住組合の移住地に企業移民にして入植する者でも)になるには二千五百圓の資金が必要であると云ふ標準から割り出されてゐるものである。今一等に當選せる齋藤幸氏の意見の一節を拔萃すれば

「企業移民は直接入植せずに契約移民同樣に指定された珈琲耕地に入り少くとも二農年間勞働すべきものと思ふ。私の知る範圍では內地に於て立派な純百姓であつたと云ふ人でも入耕初年度は全く子供同樣お話にならない。併し二年目になるとエンシャーダの使方も珈琲の手入もマンチメントの葬方も上達し當國農業經營の呼吸が大体會得出來て來る。同時に此國の風土、習慣に馴れ、子供や青年はブラジル語にも大分通じて來る。但し私の言ふ二農年とは完全なる二農年であつて除草期及採集期を二回繰返へすべきもので所謂足掛二農年では所期の目的を達する事が困難である。更に又企業移民の耕地勞働は現今勞働者大不足を困惑してゐる伯國珈琲園界を救濟する一端となり將來日本移民問題を緩和する微妙なる楔子となるであらう事は萬人異論なき所であらう」云々

全島邦人を網羅して

在比聯合日本人會成る

比律賓群島に在留する日本人は大小島嶼を合せて約一萬一千人に達し各地に日本人會なるものを組織してゐるが今回各地日本人會を統一し且つ聯絡して益々在比邦人の和親向上發展を計る目的を以てマニラ市に四月十七日在比聯合日本人會を創立した。創立當時の加入團体は左の通りである(括弧內は會員數)

マニラ日本人會(一千三百名)ダバオ日本人會(六千名)ダバオ栽培協會、ベギオ日本人會(百七十八名)セブ日本人會(七十三名)イロイロ日本人會(六十二名)サンボアンガ日本人會(七十名)スルー日本人會(其の他會員百七十四名)計八團体七千八百五十七名

「桑港週報」に

第二世問題が論議さる

在米日本人の地位は一に第二世の向背にあると云ふので常に第二世問題が巷間に論議されてゐるが桑港週報ではこれを第二世問題號として在米邦人の意見を求めた。それによると二世は我が子としてこれを「白人として育てるか日本人として育てるか」との根本問題に觸れる事が所謂二世問題の核心にふれるのでその多くは消極的に議論續出の形であつたが、その多くは米人として大和民族の魂を注ぎ込み言ふところの日系米人であらせたいとの結論であつた。これがためには日本語敎育の必要だし家庭敎育も亦大切でなければならぬ二世の精神道德敎育が眞劍に叫ばれてあつた。

特に主幹安孫子龍郎氏は第一世の沒落はその指導者の欠けてゐる事であるから第二世はその養育責任者である第一世が家庭敎育に一大改革せねばならぬと痛嘆してゐる。更に今後から十年後の在米人社會は新興第二世によつて一變される事であらう。桑港週報が二世問題をひつさげて在米邦人の覺醒を促した事は近來の快擧であつた。

在亞日本人會の

新會館竣工して落成式を擧ぐ

在亞日本人約一千余人を網羅してゐる在亞日本人會では一九二一年以來會館建設の計劃あり努力して來たが昨年八月三萬圓第一回基金募集を締切り直ちにブエノスアイレス市パタゴーネス街に二萬六千圓の建築費を以て建築に急ぎつゝ更らに第二回の基金募集で一萬九千圓を得て土地買收費二萬四千圓設備費五千圓に充て堂々たる新會館の竣工をみたので本年二月十四日盛大な落成式を擧行した。參列者は山崎駐亞公使を始め內外人三百余名に及び同夜は同館に於て落成祝宴を開き三月九、十日の兩夜は祝賀演藝會十六日夜は舞踏會を開き新館落成祝賀を十二分に意義あらしめた。

名實共に日刊

となつた祕露日日新聞

本年元旦を期して日刊祕露日日新聞が週刊大南米の後を受けて在祕同胞に見える事になつたが活字不足のため月四回の週刊であつたが五月一日の天長節の佳日をトし斷然日刊として更生し、在祕同胞の社會改造運動のさきがけをなした。

日伯新聞社に暴漢

幸華が禍して此の亂暴沙汰

伯國に日伯新聞ブラジル時報聖州新報の三週刊新聞があつて各々その特長を發揮してゐるが中にも日伯新聞は三浦鑿氏を主幹として暴露記事を得意し常に同胞間に爽快な味をみせてゐるが偶々筆鋒が禍して一部の人々に反感を抱かせる事はあり得る事であつた。然るに四月十日午前三時七人組の暴漢が同社を襲ひ兩論活字ケース機械等あらゆる營業機具を破壞して新聞發行を不能ならしめた事件があつた。三浦氏は直ちに發行所に暴漢の逮捕を依賴し一方極力社內の整理に着手して五月一日の紀元節から更に復活せしむる豫定である。事件眞相は詳みらかでないが三浦氏の毒筆が怨恨になつたものとしてみられてゐる。

後報——近着日伯新聞によれば暴漢の首領は同社元使用人西村藤で同社を解雇された私憤から出でたる暴擧であつた。尙同社では五月十日再版事件の顚末を明らかにした。それによると西村の同社に對する私憤をブラジル時報社長黑石氏が利用したものらしく兩家間の暗闘が報ぜられてゐる。更らに聖州時報では事件突發當時は同社に同情と好感を持つてゐたが五月十日の社說では三浦氏の輕擧を攻めて同氏の非人格な行爲を極力排撃してゐる。因みに日伯新聞今回の損害は約十五コントスであつたと。

日系米國人が

ハワイで將校に任命さる

布哇生れの日系米國市民古賀力雄は今回米國陸軍步兵少尉としてスコフキールド兵營第十九步兵隊付に任命された。然るに此は日系市民が米國正規軍將校に採用されたのはこれが始めてであると評判である。

(十四頁下段より續く)

移民——三等乘船者

非移民——一、二等乘船者

六、歐洲諸國

非移民——すべて非移民として取扱はる

七、ソヴイエト聯邦

移民——勞働に從事する目的を以て渡航する者

非移民——然らざるもの

一、支那

非移民——旅券不要なるも希望する場合はすべて非移民として取扱はる。

信州記事

未だ復活しない

下伊那地方の霜害桑園

霜害を蒙つた伊那地方の桑園中に全然副芽の發生を見ないものが生じ養蠶家の驚きは一方ならぬものがあるが上鄕村の如きは六十六町步の桑園がいまだに復活せず各指導機關が『今回は霜害のみで凍害はないからすぐ復活する』と發表したことを信じて掃立準備をなした養蠶家は掃立を前にしてこの有樣では如何ともすることが出來ないので被害桑樹の全部の伐採を開始したが右六十六町步だけでも損害は二萬八千余圓に上るべくこの外山本、會地、伍和、知鄕、淸內路等を加ふれば伐採桑園は三百町步損害十四、五万圓となり掃立不能の損害を合せて多大な金額に上る見込みである、しかもこれ等は指導機關の誤つた發表に原因するので今更の如く憤慨してゐる

長野で倒閣演說

永井代議士等熱辯を振ふ

民政黨北信支部主催倒閣演說會は二十六日午後一時長野市藏春閣、城山館の兩所に開き會衆約五千場外に溢れガラス窓を打破つてぶら下り、庭木によぢ上り眞に立するの余地なき盛況、小坂、松本兩代議士の議會報告について山邊代議士、頼母木總務はそれ〳〵財政政策、內治外交優詔問題に關する現政府の批政を攻擊し政友內閣の倒壞を痛論した後永井柳太郎氏滿場の拍手を浴びて登壇、壯重な麗辭とゼスチュアをもつてまづ內政および關稅問題から社會政策に論及し更に私鐵買收案、對支外交等、その失政ぶりをあばき「かかる內閣は未來永ごう出現せしむることなかれ、然して現內閣打倒第一の光榮はひとり信州健兒の荷うべきものである」と雄辯を振ひ聽衆をみ了しつくし盛會裡に午後六時過ぎ散會した。

廿周年を迎へる

上田蠶糸專門校の祝賀準備

上田蠶糸專門學校は明年四月十七日をもつて創立滿二十周年を迎へる、同校では同窓會が主動になつて祝賀のための色々の催しをすべく四月新學期と共に着々と計畫を進めて居るが、一方上田市としても我國蠶糸業の最高學府として歷史ある同校のため延いては本縣斯業のために大いにこの擧を盛んにすべく本月初旬上田市長・市會議長・會議所會頭を正副會長とし本縣知事を名譽會長に內務部長今井五介、工藤善助氏等官民六十余名を役員にして協贊會を組織し、六萬五千圓（うち針塚校長記念會館建築費五萬圓）の豫算を作つてこれを助けることになつた。

確定した計畫

現在までに確定した催しの計畫は左の通りである

△學校側

一、嚴しゆくな式典を擧行し文部大臣の臨席を求むるはず

一、文部省から經費約千圓を得て學校開放を行ひ上級學生に養蠶製糸、紡績各部門の內容を說させる

△同窓會側

一、校史を編纂――內容は主として學校が活動したことをまとめ研究のインデックス風なものを加味する

一、針塚校長記念會館建設――（經費五萬圓圖書館、講堂、宿泊所等併せたものとす）

一、學術講演會開催――當時代的權威ある講演會として講演筆記を出版はん布する

△協贊會側

一、會館建設その他祝賀會全體を助けるため會員を募るか全國業界有力者、上田市等から五萬五千圓の寄付を集め祝賀會の實行に當る

その他學生はスポーツ、趣味各方面にわたつての思ひ〳〵の催しを市民は提燈行列其の他をする尚同校職員として一千五百圓をきよ出すべく五月から積立をはじめ學生側も一人一ケ月十錢づつ寄付の積立をして居る

母國通信日誌

（自五月十日至六月十五日）

五月十日（金） グロスター公殿下各地御巡遊▲我子の思想を悲しんで寂しく老母死す惱ましき家庭悲劇▲拓殖省官制案樞府の意見通り

十一日（土） 五ッ紋の羽織姿でタゴール翁橫濱着▲外債の償還だと五十圓也を大藏大臣宛送つた健げな女工さん、この事實美談は山形縣の製糸工場に働らいて女工▲日本人は所得の一割五分を貯めて七割は消費するとのこと內閣統計局の發表

十二日（日） 巨船ツェ伯號を米國が百萬弗で買ふと▲山東撤兵開始さる▲日魯、島爾派の露領漁區係等は妥協案成立して調停者一任

十三日（月） 皇后陛下には御妊娠五ケ月にわたらせられ來る十七日御內帶の御儀▲本月一日現在內地米殘高三千三百廿二万六千石

十四日（火） 宮崎縣の劍客四段中原寬君、竹刀一本で歐米へ武者修業羽織はかまで押通すため下駄二十足持參▲たゞ今百萬圓の小切手を拾ひましたと神戶三ノ宮署へ屆けた男があつた事實かそれとも惡戲かとにかく大金ではある

十五日（水） 全國の篤農家に御養蠶所の拜觀を許さる▲平和を愛好する米國で十八から四十五までの男子を軍隊に强制召集する徵兵法案を議會に提出した。

十六日（木） 政友內閣の改造に宇垣大將の進退が注目される▲地方長官會議は六月中旬

十七日（金） 平壤牡丹台の妓生は一人月平均五百余圓の收入▲第三回世界少年大會に出席するわが國代表派遣團一行二十名出發

十八日（土） 早慶戰三年振り五A對二で早大勝つ▲比島總督は前陸軍長官デヴィス氏▲馮蔣兩軍開戰何時になれば支那は安定になるか

十九日（日） 川原議長逝く行年七十一、佐賀縣の人▲ツェ伯號同乘世界一周大飛行に參加する藤吉少佐ベルリンに向け出發

二十日（月） 日光の山林中で自殺した若紳士は大日本自動車會社專務山口盛彥氏▲海軍從二機南空征服の旅に上る▲早慶二回戰五A對四で早大に雪辱す▲岐阜縣船津四百戶全燒

二十一日（火） 新支那の大典故孫文氏の移柩祭が六月一日南京で行はれるので氏の親友犬養木堂翁はその祭典に參列のため頭山滿氏等と共に出發▲慶應三回戰十對七で慶應又も覇權を握る▲米穀調査會官制發表

二十二日（水） 南空の征服二機サイパン島に安着▲日支大使館昇格實現へ▲金解禁の動搖で舌を出して喜んでゐるのは儲首ブローカー

二十三日（木） 貴き御使命を果させられ次で各地御巡遊中であつたグロスター公殿下は御歸國の途につくべく本日橫濱出帆カナダへ▲大阪四國間航空郵便六月一日から實施

二十四日（金） 諏訪郡平野村を中心に須一帶大水害を受けた▲東京大中間題であつた滿洲某重大事件の眞相は六月中旬發表されると

二十五日（土） 沼津の初鯛市ハ圓六十錢の初取引昨年より一錢安▲タゴール翁六月九日歸國する事に決す▲東京科學展覽所千秋業

二十六日（日） 米國の禁酒法は有名無實の評があるがとんだ在米外交團にも禁酒を强制するとも來國式▲淺ましや女の貞操お安いのは五百圓で外遊と支那されて一寸一と休みの間落して外遊と支部されて

二十七日（月） 埼玉縣の一農村では村民總會の上お祭りを廢止して農村救濟を打開すと▲行幸を前に八丈島民奉迎準備全くなる

二十八日（火） 初夏の海上遙々と聖上八丈島に御展航▲新任溝口市長はガス料金値下を會社に交渉したが一蹴される形勢▲東京砲工兵隊營內で火事で兵士六名死傷す

二十九日（水） 樺太廿ケ所に山火事、黑須、留多加、大泊大混雜▲支那國民政府は北滿露國領事館を家宅搜索して多數の赤化文書押收

三十日（木） 聖上大島三原山頂にて中村博士の三原火山の講演を聞し召さる▲神宮競技に中等校の參加復活▲猛火に包まれて七月樺太未曾有の大慘狀惠須取町全滅燒死者百名

三十一日（金） 當分金解禁見合せと閣議で決す▲勞働黨斷然優勢を示して英國勞働者萬歲▲三十七噸の帆船で海上三千海里、赤道近くまで乘出し南洋漁場を開拓する海洋少年團と農林省の意氣込み意氣は壯

六月一日（土） 東京市の細民救濟基金二百萬圓は金持の寄附が出澁つてゐるので大弱り▲英國の總選擧勞働優勢で諸株低落だと

二日（日） 日本航空輸送會社の大阪東京間の飛行時間は二時間三分▲聖上陛下串本に御上陸潮岬燈台に行幸▲大阪市議戰政友僅か四名無產派十三名舊時代的の現象

三日（月） 國民政府承認の國書捧呈式盛大に行はる日支の國交常軌に復す▲政友內閣大改造、床次氏や宇垣氏を拖込んで擧國一致內閣をと田中首相の腹の中

四日（火） 保守黨內閣總辭職勞働黨總理マクドナルド氏組閣に着手▲聖上陛下大阪に御上陸▲外客誘致に日本觀光協會設立具体化す

五日（水） 政界漸く繁忙改造の機運迫る▲訪

春蠶收繭高豫想

四百五十一萬三千貫

本縣春蠶第三回掃立豫想は八十一萬一千余枚であるがこれによる收繭豫想は既往五ケ年の一枚平均收繭高五貫五百六十五匁であるから合計四百五十一萬三千二百十五貫となる見込みで內白繭は三割九分の百七十六萬百五十四貫黃繭は六割一分の二百七十五萬三千六十一貫である

時の記念日に

表彰される功勞者

六月十日の「時の記念日」には種々の催しがあるが、文部省內生活改善同盟會では全國の時の功勞者および生活改善功勞者を表彰した本縣關係としては更級郡桑原村龍洞院、上伊那郡小野村小野茂哉、下伊那郡山本村橋邦造、諏訪郡豐田村江音寺住職荻原探道、豐田町藤森薰、下水內郡豐井村普賢寺、埴科郡松代川松代生活改善會、下高井郡穗高村芳川淸松

× ×

普賢寺は天正二年長野市菩洞宗天周院二世天室賢隆和尚が廢滅寺を復興して少林山普賢寺を開き以來三百余年間法燈今日に連續して居るもので寬政九年同寺の俗弟子禪超なるもの、銅鐘鑄造寄進を發願して江戶市中の喜捨をこひ集め十年の後目的を達成しこのぼん鐘一俗僧の念願淺つて成りしものとの傳異が里人の喧傳するところとなり、かくて、百三十余年この方朝夕の三回の時鐘は、うるはしき余ゐんをひいて、里人を慰め、勵まし、この鐘に起き、この鐘に休み、この鐘に家路へ歸るを常としそして今もくり返されて居る。

× ×

藤森さんは豐科町長時代時間の觀念に乏しい町會議員に對してまづ鐵石の心をもつて臨んだ、それは定刻嚴守の鐵案で定數に滿たなかつた際はサッサと流會とし遲刻した議員達の要求などは少しも耳をかさずに居たため時間の觀念に乏しい者共に對して大きな警告を發したものだ

下伊那郡山本村觀音寺住職橋邦造師は慈悲深く、博愛にとみ付近村人は『生佛樣』と皆その德をあがめてゐるが、師は又勤儉力行の風を奬めると共に時の觀念を村人にはつきりとさせたいといふ心から大正三年『時の鐘』をしつらへ十月五日を記念日としてその日から今日まで十六年間毎日午前十一時に鐘を打ち一回たりとも怠つた事のない奇特の僧りよである。だから村人は何時となく『鐘の和尚樣』と呼ぶ樣になり今では界わいたれ知らぬものもない有樣である。

樋口代議士逝去

代議士に當選する事五回

六月八日樋口秀雄代議士は突如風邪のため肺炎を併發して逝去した。

氏は明治八年五月飯田町喜久町三丁目故樋口與平氏の長男として生れ明治三十三年東大文科哲學科を卒業し思想問題、文藝等に關する著述をなし佛教大學、眞宗大學等を始め各私立大學教授あるひは講師をなし教育界に盡し雜誌新日本の主筆として龍峽の名をもつて評論をなし大正四年鄕里下伊那郡憲政クラブより出馬し以來五回の選擧に當選した人で憲政會院內總務ともなり昨秋田中善立氏等と共に民政黨を脫黨一新會を組織し話題の人となつたが軍縮會議に出席後常に病氣勝ちであつた、家庭にはかつみ夫人、長男正美君、（日活會社宣傳部長）等を始め二男四女で長女は武富法學士の夫人となつてゐる。鄕里には上飯田町に姉いしさんが居るのみで血緣の人はない、詩人日夏耿之介氏とは叔父甥の中である。

差押へ物品が山

縣稅の滯納六萬余圓也

昭和三年度およびそれ以前の縣稅滯納額は約六萬六七千圓に上つて居るので本縣庶務課では二十三名の滯納整理員を南信地方に派遣して整理中であるが滯納者の大部分は財界不況によるもので家財等の差押品が整理員の根據地に山と積まれてをり中には整理員が乘込むのを待つて手

敎料を添へ「現金で取つてくれ」などと出る横着ものもあると

松本聯隊に温情主義

傳統的私的制裁を絕對禁止

山內松本聯隊長は赴任以來同聯隊の慣習その他につき調査した結果同聯隊は日露戰役直後の殺伐な氣分のみなぎつて居る際創設された關係から隊內にピンタその他四十種類の私的制裁が傳統的に殘されそのため一般から軍隊は冷酷なところと誤解され軍事思想普及の上に大なる支障を來たしまた私的制裁が多くの場合感情の衝突に原因して居ることが判明したのでこの弊風を一掃すべく今後は極力溫情主義を取らしめ私的制裁は絕對禁止せしむることになつた。

婦人こ各團體に

軍隊見學を勸誘して思想普及

松本聯隊區司令部では在隊兵又は在鄉軍人の家族中特に婦女子に軍隊に對する理解が乏しく軍事思想普及並に軍人精神かん養の上に支障を來すのに鑑み婦女子に軍隊精神を理解せしむる方法につき研究の結果軍隊生活の實情を見せその都度將校より軍事思想普及に關する講演をなすことになり各町村女子靑年團婦人會處女會その他婦人團體に對し軍隊の見學を行ふべく勸誘することになつた。

甲信越野球大會

松本に七月下旬覇を競ふ

東京朝日新聞社主催第十五回全國中等學校優勝野球大會へ甲信越三國の代表チームとして參加する晴れの覇者を決定する本年度甲信越豫選大會は七月下旬松本市に開催と決定した、球場は縣營グランドの豫定で同大會を松本市で開催するのは六年振りであり、殊に昨年は松本商業が全國大會において見事優勝し眞紅の大優勝旗を獲得してゐることとて、松本地方の球界は早くも活況を呈しこの大會に人氣を集中してゐる

本縣からは長野商業、松本商業のほかに

本年始めて諏訪蠶糸が參加すべく新潟縣からは新潟商業、新潟中學、長岡商業、高田商工、山梨縣からは甲府商業、甲府中學などの參加が豫想され結局十二三校の多きに達する見込みである、他縣各校の陣容並にその技能は未知數であるため松本商業その他では早くも他縣チームの陣容につき研究を進め策戰をねつてゐる

天蠶さく蠶に

すずめの被害で追放方申請

南安曇郡有明村の天蠶およびさく蠶は年額十二三萬圓に達し、原種は滿洲方面にまで移出されてゐるが群すゞめに二齡期の天蠶およびさく蠶が荒され損害高約二萬圓となつたため、當業者はらうばいし三村縣議は申請中の散彈による群じやく追放の認可を求めた

これは從來威銃を使用してゐたところ利き目がなかつたので昨年は五月二十四日より散彈を彈つた例にならひ、今年も早くから認可申請をしたところ六月一日認可された。

母國教育見學に

布哇敎育視察團來長

五月二十四日橫濱に上陸したる布哇敎育視察團一行二十二名は、京濱、日光、仙臺方面の視察を經、十一日夕刻長野驛に到着した、十二日は山王小學校並に市內を見學し翌朝名古屋市に向つた。一行中本縣人は更級郡蓧の井町の東福寺徹氏令弟布哇敎育會理事長東福寺小四郞氏であつた、本協會は一行に對し本會概況を呈上し尙茶菓を饗應した、因に視察團は關西福岡方面の視察を終了後、各自鄕里訪問の爲六月三十日一應解團し、八月十七日橫濱解纜の天洋丸にて歸途につく由

一家全部が隔離

下伊那のチフス哀話

全村がチフスの猛襲を受け恐怖時代にある下伊那郡大鹿村は幾多の悲劇續出しつゝあるが分けても澤口嘉永方は同人を始め妻さかゑ長女みね子、次女みや子全部が罹病し隔離されたため昨年秋生れた許りの三女みさにほ乳することも出來ずチフスの家といふので他人も寄りつかないのでみさに與へる乳がなくみさは五日死亡し悲慘を極めてゐる

れる山のシーズン山開き待つ登山客△聖上。御手づから提燈を打振り給ふて市民歡呼に應へらる、大阪各所を御巡覽遊ばさる。

六日（木） 誤刷の十圓紙幣で日銀總裁を强請失態を責めて一万圓出せと前代未聞の珍事件△對外貿易發展に電報料引下要望、橫濱の經濟團体から△英國勞働內閣の新着板、內政では失業救濟、外交では軍備縮小の二大政策

七日（金） 御英姿麗はしく聖上神戶に行幸△英國列國に卒先し支那と大使交換の意向△いよ〳〵禁酒國の本領發揮して紐育で大檢擧

八日（土） 英國勞働黨內閣に紅一點の女大臣マガレツト、ボンドフイールド女史勞働大臣△山梨總督首相と會見△債劵の月賦販賣業にいかがはしき者あり警視廳で嚴重取締る

九日（日） 聖上十三日振でけふ東京に恙がなく還幸△不戰條約問題の字句は我國に不適當を宣言して御諮詢奏請の段とりか

十日（月） 拓務省の店開き、海外移殖民の平和的發展を期し植民事務を統一する、朝鮮は植民地視せずと首相から聲明△初代拓相は田中首相の兼攝、拓務次官は小村欣一侯

十一日（火） 不戰條約問題樞府責任を問はぬ事にしてする△來年は日本海戰二十五周年にあたるので東京橫須賀大阪で、海と空の大博覽會を來春開くと△トーキー出現で樂人違警かさる、先づ邦樂座では樂人全部を解雇

十二日（水） 高女校名を女子中學と改めると全國校長會議の答申△伊豆大島に鯨三千頭が押し寄せて島をあげての歡喜

十三日（木） 地方長官會議開會△民政黨の黨勢擴張策は民衆本位主義で大遊說網を敷く

十四日（金） 山梨朝鮮總督辭意をもらす△バルチツク艦隊貴重品の引揚げに海軍造兵少將福井順平氏が氣負ひ起つ

十五日（土） 佛機黃鳥號大西洋橫斷に成功操縱士は二十三才の靑年△日本大衆黨堺利彥氏を除名△郵便貯金未曾有の激增十九億圓を突破△學生靑少年まで擧げて危急の場合に備へる國家總動員大演習編成完了。

（以下次號）

移住地閑話（十）

在アリアンサ　武田三二

四六、バニテイ、フエア（續き）

「虚榮」とは新來語の直譯であるが、日本では古來「見榮」と申して居つて、其方が穩當であると思ふ。兎角舶來語は頓珍漢であつて「虚榮」があつて「實榮」が無く、「實業」があつて「虚業」が無いとは理屈に合はぬ。而して虚榮は虚に非して實際に且多分に存在し、實業の多くは嘘八百に依つて構成せられて居るのであるからサッパリ分らぬ名稱であると思ふ。八ヶ間敷論ずれば斯樣な結論にもなるが、先づ〳〵平たく考へ來れば、虚榮とは實の成らぬ見榮、實業とは實際に存在する物品を取扱ふ營業と申す意味とすれば差支もあるまいが、株式の取引や賭博の類は實物を一つも取扱はぬに拘らず、大威張で實業の首班に列して居る。

詩人高青丘は支那の官吏を罵つて虎に比喩し「猛虎猛なりと雖尙悦ぶべし、横行して唯深山の中に在り」と申され、西郷南洲は「脫却す人間虎狼の群」と申して故山に逃げ歸つて居るが、見世物生活に就ては餘り恐れを爲して居らぬ所を見ると昔は無かつたものかも知れぬ。此虎狼の群を脫却し來つた移民が、ブラジルに來てオンサにビックリしたり、又は來ぬ前からオンサや蛇を心配して居るのは奇妙なる心理であらう。事實オンサや蛇は滅多に出ても來ず又噛み附もせず、唯深山の中に横行して居るだけである事は、高青丘先生の申された通りであるから、[illegible]と思ふ。それにしても大西郷とも在る人が、下らぬ內亂を起して城山の露などにならずに薩南の健兒を連れてブラジルに移住して居つたら、今頃はサンパウロ州の大統領位には成れたらうに惜しい事をしたものである。

「サッカレイ」時代の見世物生活は、百年遅れて今正に日本に來て居る。英國婦人は今でこそ教養も進んで居るが、其當時は段々買ひ手が少くなり、段々女の數が多くなつて、百年後の今日に於ては、二十歲から三十歲迄の婚期にある婦人の餘り物が六十萬人もあつて持て餘し切つて居り、「ニュージーランド」にでも追ひ放さうと申して居つたが、ヤレ〳〵困つた事柄である。日本も段々女の數が多くなる傾向があるに困つて、今に當つて女學校の始末を爲なければ、遠からず追放の時代が來るであらう。其時になつて致愛して見ても追放は矢張免れぬから、折角勉强は今の中である。

「ベスウイツク、セール」女學校長太身兵低女史は、會計係の妹に命して月謝や父兄からの寄贈を計算せしめ、收入の多い方から順次に賞品と證明書を渡して居る。此證明書には何でもこんな意味が書いてあつたと記憶する――「御兩親宛、貴台の愛嬢は天稟の英才と三年間不斷深甚なる本校の薫陶に依り典型的淑女として膝下に還り得しむるの光榮を有す――

――此典型的淑女が追て英國を衰亡に導くのであるから厄介である。二十餘年前日本で一流の女流教育家の自慢話には、會て或婦人會に招かれたが服裝は不斷着で行つて見ると來會者は皆丸帶を締めて居つた。こんな事もあらうと豫想して、別に風呂敷に包んで携帯した丸帶を出して早速服裝を改めた。斯樣な心掛けが大切であるとか必要であるとか申されて居つたが、何だつて不斷着で堂々と押し通さなかつたか、丸で見世物教育其儘である。大阪の廣岡夫人は亡夫の遺業を繼いで、銀行の頭取やら何やらで居られたと記憶して居るが、常に下駄で西洋館に出入せられ、草履と取替へて吳れと言はれると、そんなら貴方の西洋下駄も取替へなされと申されたさうであるが、教育家が見世物で町人が教育を實行して居る次第と見へる。

英國婦人は「サッカレイ」以來百年の今日に於て、見世物生活は全廢せられぬも、餘程實質に進步して居る。第一服裝は老も若きも紺のサージ一點張 色彩ある服裝は米國人か實業婦と速決して了ふ。家屋の構造も來客の爲に特別の仕掛を設けて居らぬが、日本の中流無產者の家に在ては、家族の茶の間が三疊か四疊半、女中部屋は三疊が最上等であるに拘らず、平生使いもせぬ客間なるものに一番仕掛を盡して居る。此家に成長して見世物感念を先入したる娘に、更に學校で見世物教育を施したら最早完全無缺であらう。神戶の市立女學校の生徒が京都の撮影所見學に行つて所員と一所に寫眞を取つたと言つて市會の問題となり、縣立女學校の生徒五名が不良青年と一所にカフエに出沒したと言つて縣下の問題となり、三十年來光輝ある歷史を汚したと言つて校長さんが恐縮謹慎せられて居るがそんな御心配には及ぶまいと思ふ。學校の任務は始業より終業迄五六時間の營業であつて、如何に千里眼の校長と雖一日廿四時間の責任が負へるものであるまい。況や偶々世間に分つたから問題となつたのであるが、分らなければ三十年でも五十年でも光輝ある歷史を保有し得るに過ぎぬ。千人の生徒の中で五六名の犯則者があつたからと言つて驚くに當らぬ。寧其數が少な過ぎる位である。徒に劃一的御芳成卒業生を製造するよりは、半分でもよいから破な者を出して貰ひたいのである。そんな事をすれば入學者が無くなつて繁昌せぬであらうが、繁昌せなければ寧入助けである。

昔佛戰爭に勝つたのは獨乙に非してフランスである。歐洲戰爭に勝つたのは聯合國に非して獨乙であるらしい。勝と敗とは目的の彼岸では無く、要は戰後の國運に在るのであらう。移民は勞働者たると獨立者たるとを問はず、身は貧窮と不自由とに追はれぬ丈が仕合せである。見世物生活は永久の貧窮と不自由にて、昔の貧窮と不自由は、やがて來ん盛宴と自由の出發點と思へば何も心配には要るまい。

四七、温古知新

昨今頻にエジプトや支那の砂漠を發掘して古代文化の密奥に接して居る樣であるが、飛行機や電話やラヂオやがあつたかどうかは分らぬけれ共、工藝美術品に至つては今よりもズット進步して居つた樣に思はれる。何も砂漠を發掘する迄も無く、奈良の正倉院には石綿もあれば錦の切れもあるが、錦の織り方がどうしても分らなかつた所、今回某氏が漸く模造するに成功したと申されて居る。法隆寺にも聖德太子が御壇に使用せられた錦があるが、京都の高島屋の優秀技工が多年研究しても織り方が分らぬと申して居つた。

「船」の話(一)

商船 岩井杏水

海國民である日本人が「お船を御存じですか」と問かれて「いいえ……」と答へなければならないときは何とも云へぬ恥しさを覺えます。そこで氣樂に讀んで船と云ふものゝ大体を理解しておいて戴きたいのです。

船の宣傳員

ある日のこと、海のない國の人達が三十人計り團体を組んで讃岐の金比羅樣にお詣りしやうと天保山棧橋まで繰り出して來ました。

その團体の口きゝ格はM氏と云ふ人でありました。その人の妻君は赤十字社の總會などあるときは郡長夫人の隣りへ座る。その倅も專門學校を卒業してゐる。そふ云ふ女房とそう云ふ倅をもつたM氏が今棧橋端に佇んで水面を覗いて居ました。

「深さは何間位あるだろうか」と小首をひねつてゐる間に……ブルブル……と身震ひ致しました。

「私はもう金比羅參りはやめぢや」と云ひ出して棧橋の通路の柱に噛みついて離れやうとは致しません。お向ひのお婆さんやお隣のおぢいさん達はこれに閉口して色々慰めたりすかしたりした揚句「今時の人が何を云ふてこんのや」と手をとり腰をおしてM氏を抱へて船へのせました。M氏の頬は土色に變つてゐました。

それから船室で一しきり田舍の人達の特有の喧噪を極めてゐる間に船は動き始めました。とても船が動き出せば船醉するものと考へてゐたM氏は、ほつと太息をついて顔を上げたとき、始めて既に船が走つてゐるのに氣がつきました。船は築港の長堤をぬけて神戸へ矢のやうに走つてゐます。

M氏は日出度くもすつかり期待を裏切られました。そしてキョトンとした顔付できまり惡そうにツルリと鼻先をなでました。

「何んと不思議ぢや、船はどうして搖れないのであらう」と怪訝な顔をしてゐました。

そうしてゐる內に船は神戸へ入港しました。海岸通りから山手へかけて段々と大きい西洋館が建ちつくして美しい市街や川崎三菱の大造船所の偉觀などを眺めてMさんの御機嫌がすつかりなをりました。

「Tさん」

Tさんと呼ばれた人は田舍の大きい菓子屋の夫人でありました。

「Tさん、あんたのお內のカステーラよりも此の海から見た神戸の方がよつぽど船來味がありますな」

M氏はこんな冗談さへ云ひうる樣になりました、船が一刻一刻進むに伴れM氏は船の乘心地のよいのにすつかり魅惑せられて仕舞つたやうです。

翌朝船は無事に多度津へつきました。それからと云ふものはM氏は船旅の愉快、安樂、經濟を誰にでも口を極めて宣傳します。若し誰かゞ反對する樣な口吻をもらそうものなら、もう仕事の手をやめて船を讃美し相手が肯かなければ腕まくりすると云ふ程興奮なさいます。

船にはこう云ふ宣傳員が日本國中無數に撒らばつてゐます。

船と茶碗

新聞では毎日汽車が衝突したり或は自動車が墜落して幾名かの死傷者が出來たと悲しい報導を齎してゐますが、船が沈沒してお客樣が命をおとしたと云ふ樣な事は殆んど聞いた事がありませぬ、それに世間には船を恐がつてゐらるゝ方が猶ちよいちよい見受け致しますのは不思議でなりませぬ。ところがよくこの理由を驗べて見ますと全く他愛もない誤解に基いてゐる事を發見致しました。

「茶碗……ボート……大汽船」

この三つが同じ樣なだとお考へになつてゐたのでありました盥に水を滿たし茶碗を浮べてコツンとつく、茶碗は五六寸水面を辷つてコボツと沈む、大江橋の欄干によりかゝつて淀川に浮んでゐる安物の貸ボートを見てゐるとどうかすると顚覆しさうに見える。此の危なかしさをそのまゝ大汽船にも見て居られるらしいのであります。處が汽船は茶碗と似たものでなく、寧ろ徳利のやうなもので傾けてもひつくりかへしても沈むものではありませぬ。

轟々と鳴動して奔流する瀧壺へ徳利を抛げ込んでも決して沈まないが如く堅固な船はどの位大波がぶつかつてもビリツともしませぬ。たとへ暗礁にぶつゝかつても船の底に穴があつても船底は嚴重な二重底となつて居りますから大丈夫であります。

外の海 歌壇

俳句

喜望亭近山

若葉に寛ひて峽の湯治客

高原の講習場やほととぎす

市川豆里

さすかに凪の兒よ快活に答ふ

霽れ殘る風車よくまわりて

丸山邦治

海は唯翁につつまれ明けにけり

春の海邊波に戲る小牛時

市川文兆

父に似た顔夏瘦せてしまひけり

暮迫る岬の松木立を出でぬ

短歌

朝鮮旅中　細川天山

山合の佳地選びて築きたる土饅並べり韓國のはてに

韓國のはてに來りて山峽の御寺にふりし霽見にけり

市に行くと白衣の女つらなりて岩山路を通りけるかも

枯井戸のとぼしき水につるべ下げ互に汲めり未婚者の群

夜汽車　遊佐武夫

旅枕汽車に夜明をひたまてり明けにけるかも瀬戸の島山

別府

緑せる山ふところのおちこちに溫泉の湯氣の立ちのぼる見ゆ

日向 青島

ビロー樹はすくすく伸びて葉を繁み南の島を思はするなり

一ノ瀬斜月

大陸におもひはばせて此貫耋謡なす汗も苦にならずけり

庭畑の接木に白う芽のふきて峽の小村に夏は來にけり

すくすくと秀でし穗麥波うちて心すがしき初夏の朝風

小林龜松

海の外に麗島立つ日を思ひつつ父母の御墓に石碑建てけり

いや遠く海原越えて永往の鄕や造らん我等同胞

海外の便り待つがにこの雜誌のまちどうしと思ふ朝着きにけり

梅原愛星

しゆろ陰に小鳥を狙ふ猫居れり五月の庭の晝の靜けさ

溫泉頭く故鄕に歸りてしばらくは溫泉のかほりしたしみにけり

川口水葵

雨晴れて夜の更けゆけばすわりたる足先ややにひえて來にけり

今朝着きし便り讀み居る傍に吾子はめざめてよびかくるかも

遠道に歩み疲れし生徒等はからだしづして汽車に眠れり

つぎつぎに死に行く人は我が父より皆年下のふるき友なり

伊藤淳郎

山際に殘りし雲の白白と一日降りし雨晴れにけり

夜に入りてひえいちじるくなりにけり遂にこの夜を霜來るらし

六月の湖沿ひ村の夜のふけを田蛙しげくなきやまずけり

蛩當の遠くになるをききて居りいささかの旅の疲れごころに

加納幸雄

落葉松の芽ぶきはしろき山腹に春龍膽を堀りにけるかも

龍膽の根を堀る指にかそけくも春陽の土のぬくみをおぼゆ

協會記事

アリアンサ産の珈琲を盡力者に贈與

創業苦の結果が酬ひられて

アリアンサ移住地の珈琲が始めて昨年結實したので今日迄移住地建設に直接多大の盡力をおしまなかつた縣下有識者諸賢にこの喜びを分つべく態々移住地からアリアンサ産と銘打つた珈琲實が二俵送られた。東京に於いて精製粉末となし罐に分つて三百有餘の關係者に贈呈した。本コーヒーは大正十四年度に植付け滿三ケ年にして結實したのであるがこの間に於ける移住地の所謂創業の苦は言語に絶し本誌第八十三號多羅間領事の所説の如く冷評と誤解と惡罵の中に創業の苦をなめたのである。或る視察者は「海のものやら河のものやら判らない」と公言して移住地を世に紹介して憚からなかつたのである。移住地の當事者はこの中にあつて如何に苦闘し來たかは思ひ半ばに過ぎる。而して今日漸やく本移住地は眞面目に世評にのせられ折紙付きの文化植民地とし、模範植民地として邦人植民地中に一異彩を放ちつゝある事は感慨無量である。この珈琲一杯の味と香りは將に吾等の肺腑に歡喜と感激とを與へ創業苦の跡を偲ばせるのである。

尚海外協會創立當時より普通、維持會員として盡力した全會員にも移住地の海外協會直營地珈琲の收穫増收につれて一罐宛贈る豫定である。

白米は神社に獻納して御庇護を祈願

珈琲の送付と共に粳俵も送り届けられたのでこれを白米となし縣下の官幣大社國幣中社小社及縣社二十七社に獻米して今日まで移住地の開發途上にさしたる天災地變の襲ひなかりしは全く神々の御庇護によるものであるを謝恩し合せて今後も無事完全に發達完成せん事を祈願するため縣社寺兵事課を通じて六月廿七日獻米の手續をした。

請負耕作者は在伯者からも募集

本組合經營のアリアンサ移住地請負耕作者は日本內地より募集してゐるが移住地の開拓促進上在伯邦人中からも募集する事になり目下六年珈琲栽培請負者を募集中である。在伯者の勞働能力は日本內地より渡航した移住者より珈琲園就勞の經驗もあり伯國農業經營について一と通りの智識を持つて故勞働能率も高く農園經營も上手であるからなるべく在伯者から多く募集して移住地の開拓完成を期すべく盡力中である。

六月便船の マニラ丸乘船者

本月廿日神戸出帆の南船マニラ丸では左の三家族が乘船無事出帆した。因みに同船は八月十日サントス入港である。

山梨縣 風間啓藏 三人
山梨縣東八代郡錦村 風間武藏 五人
長野縣北佐久郡中佐都村 小林房三 九人

アリアンサ 本年の渡航者

本年一月以降六月廿日マニラ丸乘船者までの當組合取扱アリアンサ移住者數は左の如くである。

	船名	家族數	人員
一月	—	—	—
二月	モンテビデオ丸	一二	五六
	河内丸	二	一三
三月	ハワイ丸	五	二六
	神奈川丸	五	二七
四月	ラプラタ丸	二	八
	博多丸	一	六
五月	サントス丸	一	三
	若狹丸	三	一五
六月	マニラ丸	三	一七
計		三四	一七一

鎌倉モンテ兩船 七月便船の渡航豫定者

鎌倉丸及モンテビデオ丸兩船は夫々七月二日に鎌倉丸二十四日にモンテビデオ丸が出帆するので當組合斡旋の本移住地渡航者は左の如く乘船豫定されてゐる。

鎌倉丸(サントス着 八月二十八日)
栃木縣那須郡芦野町 益子誠一 二人
福岡縣早良郡田隈村 小柳武雄 八人

モンテビデオ丸(サントス着 九月八日)
長野縣北佐久郡五郎兵衛新田村 佐藤橋右衛門 四人
同右 佐藤寅芳 三人
長野縣上伊那郡西春近村 滋野信 八人
山梨縣東八代郡一宮村 保原好種 五人

樋口相談役逝去 本會相談役樋口秀雄氏は別項の如く六月六日逝去せしにより弔電及び香資料一封を贈つた。

各町村設立中の 海外視察組合(續)

上高井郡須坂町組合

組合長 松下金六　理事 鈴木信雄

一志茂美　勝山由太郎
田中邦治　田中祐治
霜田元之助　青木政藏
青木茂夫　笠原利一
山本 茂　中澤林藏
中野幸右衛門　北村幸吉
北島金吾　上原吉之助
飯島恕作　禰津半兵衛
新崎益治郎　五明熏三良
牧 三代吉　小林榮治
丸山元助　長谷川濟助
鈴木信太郎　落合儀一
鰕田正太郎　田幸千太郎
神林信兵衛　戸谷良治郎
小山久之助　坂田良重
羽生田 識　永井正雄
堀内伊兵衛　山岡常三郎
高橋茂吉　高橋萬之助
山下八右衛門　小田切善三郎
古家金藏　田尻一治
小林直一郎　遠藤德三郎
村石岩雄　須田才一
山下修藏　馬場 務

小田切昭治郎　北澤芳太郎
牧 晴男

更級郡信田村組合

組合長 西村儀太郎　瀧内能保留
小林定治郎　小林 懸
大矢宇均　高野久男
内山忠雄　山田清治
大澤繁作　馬場半治郎
小林喜三郎　小林正行
入 忠男　大澤甲子郎
丸山忠一　市川 寛

會費領收 (自五月一日至五月三十一日)

一金百五拾圓也 特別會員費 增田珍儀殿
一金壹百圓也 同 山田莊左衛門殿
一金百五拾圓也 同 中村禮三殿
一金拾弐圓也 維持會員費 清水藤治殿
一金四圓也 藤本多市殿
一弐圓也宛 加藤貞治殿 滋野信殿 吉岡福石殿 小泉亮三殿 柳澤藤一郎殿 遠藤要藏殿 高野安殿 和田米吉殿 齋藤銘憲殿 古幡文左殿 山岸清殿 西澤正樹殿 宮川直治殿 丸山龍治殿 井口新殿 宮島幸雄殿 井口柳平殿 家久從郎殿 芝原彦十殿 橋爪勇殿 松尾林吉殿 坂口權次郎殿 柳澤彦太郎殿

海外會費

一金拾圓也 ジャベ 宮本清次郎殿
一金弐拾圓也 ブエノスアイレス 山崎忠直殿

海の外往來

矢田校長外遊 更級農學校長矢田鶴之助氏は歐米各國の農業學術教育視察のため六月十日同校出發シベリヤ經由にて渡歐した歸朝は明年二月の豫定であると。

五明忠一郎氏南米視察 六月八日横濱出帆大洋丸出發の豫定であつた(前號既報)が六月二十一日天洋丸で出發した。

永田幹事朝鮮へ 六月八日東京出發朝鮮へ歸京は廿日要務は植民地候補地の下檢分

ハワイ教育視察團 六月十二日來長一行中の東福寺四郎氏は更級共和村出身本會は一行の旅を稿ふため茶菓を饗應

松橋久彌氏歸國 松橋氏は六月十六日神戸入港の備後丸で伯國から家族同伴歸國郷里長野市芹田に歸つた。

田中壽次氏(小縣郡泉田村)**西澤寛氏**(小縣郡室賀村)**松永彌市氏**(下水内郡秋津村)いづれも大正六年渡航者六月四日丹後丸にてダベオより歸國、田中氏は迎要八月再渡航の豫定。

定刊紹介

□信州及信州人(七月號) 斯 社
□南洋協會雜誌(七月號) 南洋協會
□移民情報(第五號) 外務省通商局
□海外の日本(七月號) 斯 社
□世界と我等(七月號) 國際聯盟協會
□東洋(七月號) 斯 社
□ブラジル(七月號) 日伯協會
□植民(七月號) 日本植民通信社
□日本魂(七月號) 斯 社
□犀曲時報(月二回) 斯 社
□長野縣農會報(七月號) 長野縣農會
□信州不二(七月號) 斯 社
□岳友(七月號) 日本岳友會
□力行世界(七月號) 日本力行會
□滿蒙(七月號) 中日文化協會
□帝國海軍(七月號) 斯 社

編輯雜記

▽早や半歳を何の苦もなく過ごしてしまつたそして炎熱の夏が訪れて來た。會員諸君の御健在をひたすら祈る。

▽本號は信州新名所に數へられる青年の青年講習所の御示人格石川氏から玉稿を得た、創業者をなめつゝある青年講習所の活記錄。南洋發展の途を御執筆の宮下氏、今後一邦人活躍の南洋」をものした。南洋黨は是非必讀すべしだ。西澤幹事からの海上通信が香港からと新嘉坡から來た船中多忙の事とて纏つたものが來ないが殘念である。

▽國際聯盟の阿片問題が我國でも何時も新聞に報導される草間氏の記事は阿片問題を常識として知る好個のもの。信州人のために紹のお話をのせた船に乘る事は怖いものでない事を徹底せしめるために。武田氏の移住地閑話は肩の凝らない讀み物、敬堤も今月から復活

▽在外信州人一ケ年の故國送金額が調査された、それによると三十七萬圓、口で三十七萬圓と言へば何んでもないが汗と涙の結晶である。異郷の士に空しく斃した人々の努力なのである。海外通信は平凡ではあるが在外者の聯絡をとる唯一のもの、通信記事にはいろ〳〵彼の地のニウスが充滿してゐる。

▽拓務省の開店で内務省社會局職業課の渴方にあつた移植民事務が一躍拓務省拓殖局に昇格。第一、二、三の分課によつて移植民政策の根本を確立すと、盛り澤山の掛け聲ばかりに終らぬ様、大膽にやつて欲しいものだ。とにかく拓務省の新陣容をあらまし本號に紹介した。

▽アリアンサのコーヒーの風味はよかつた等と通り一遍の社交的おせじでなく苦い味を十分に玩味願ひたい。(みやもと生)

暑中御伺

信濃海外協會
信濃海外移住組合

海の外(月刊)(一冊廿錢)

定價表

	內地送料共	外國送料共
一冊	廿錢	廿四錢
六ケ月	一圓十錢	一圓四十四錢
一ケ年	二圓廿錢	二圓八十八錢
五ケ年	拾圓	拾四圓

御注意

△御送金は振替(長野二一四〇番)に御願ひします。
△外國よりの御送金は銀行、郵便局いづれにても確實に送金されます。
△御轉居の節は早速新舊兩御住所を御知らせ下さい。
△本誌へ廣告掲載御希望の方は詳細相談申上げます。

昭和四年七月一日發行
編輯人 永田稠
發行人 西澤太一郎
印刷所 長野市南縣町 信濃毎日新聞社
發行所 長野縣廳內 海の外社
振替口座 長野二一四〇番

扱元屬専社會船汽各

各汽船會社専屬元扱

日本郵船會社
大阪商船會社
グラー汽船會社
加奈陀汽船會社
アドミラル汽船會社
南洋郵船會社

日本力行會、信濃、廣島、和歌山
福岡、熊本、沖繩 各縣海外協會 指定旅館

海外渡航乘客荷物取扱所

今泉旅館

本店 神戸市海岸通六丁目三番邸
支店 神戸市榮町通五丁目六八番邸
電話 元町 三二一番
振替大阪 三五四一〇番

海外渡航取扱所

◎東洋一の理想的設備を有する神戸港へ！
◎旅館は誠實にして信用のある神戸館へ！

各縣海外協會
日本力行會 指定旅館

神戸館本店

神戸市榮町六丁目廿一番邸
電話元町八六一番
振替口座大阪一四一三八番

支店 神戸市海岸通四丁目（中税關前）
電話三ノ宮二一三六番

◎本店へハ神戸驛、支店へハ三ノ宮驛下車御便利

（新刊）

海外發展準備研究書

お奬めして差支へない良參考書

永田稠著	海外立志傳	四六版四四頁寫眞六頁 定價二圓 送料六錢
永田稠著	改訂八版 新渡航法	四六版五一四頁寫眞廿頁 定價二圓 送料六錢
野田良治著	ブラジル人國記	四六版六五二頁寫眞百數十葉 定價一圓八十錢 送料十四錢
高岡能雄著	ブラジル移民研究	菊版四〇二頁總布製 定價三圓五拾錢 送料十八錢
瀧釟太郎著	大寶庫メキシコ	菊判七六五頁寫眞三百數十葉 定價七圓五拾錢 送料三十六錢
芝原耕平著	我等のアルゼンチン	四六版三五〇頁寫眞二十數葉 定價二圓 送料十錢
吉田梧郎著	南洋諸嶋の富	四六版三〇四頁地圖入 定價壹圓五錢 送料十八錢
正木吉右衛門著	南隣の友邦比律賓	菊判三四頁地圖寫眞入 定價三十錢 送料二錢
商工省商務局	比律賓の現狀	菊判二九三頁地圖寫眞入 定價一圓五十錢 送料十八錢
梶川半三郎著	東亜之大富源 現代の朝鮮	四六版六三八頁地圖入 定價三圓五拾錢 送料二十四錢
高柳保太郎著	滿蒙の情勢	定價壹圓五拾錢 送料六錢
奥村外次郎監修	獨習ブラジル語全解	四六版一七五頁 定價壹圓五拾錢 送料十八錢
大武和三郎著	葡和辭典 和葡辭典	定價 各五圓 送料十八錢
日本力行會編	海外移住講義錄（全十册）	定價 一册一圓 十册 十圓 送料四錢
雜誌（月刊）	植民・ブラジル・南洋協會雜誌・滿蒙・海外の日本・東洋・海外	

（第二版） 日本力行會長

永田稠著

兩米再巡

菊版四百廿餘頁・寫眞版三十頁・布製函入

定價一冊金二圓八十錢・送料一册拾八錢

永田氏は信州の生める一異才である。嘗て南米を一週して『南米一巡』を著はし、信州に來つて信濃海外協會の組織に努力し、更に『南米信濃村建設』に關する大使命を帶びて、大正十三年五月末横濱を出帆し、布哇、北米桑港、ローサンゼルス各地に於ては海外協會支部の設立に盡力し、ソートレーキ市にはモルモン宗教植民の跡をたづね、デンヴァ、シカゴを經て華府に至り、紐育より大西洋を南下してブラジルに至り、移住地の選定・購入・入植の準備をなし、大正十四年二月日本に歸り來り、更に信濃村大成の爲めに努力奮闘し、今や模範的にして世界に誇り得る移住地が建設されつゝある。『兩米再巡』は氏が南北兩米を再巡せる記録である。志を世界に有する者の一日も看過することの出來ない快著である。

長野縣廳内
信濃海外協會取次販賣

東京市外上板橋 日本力行會發行 振替東京六八八一番

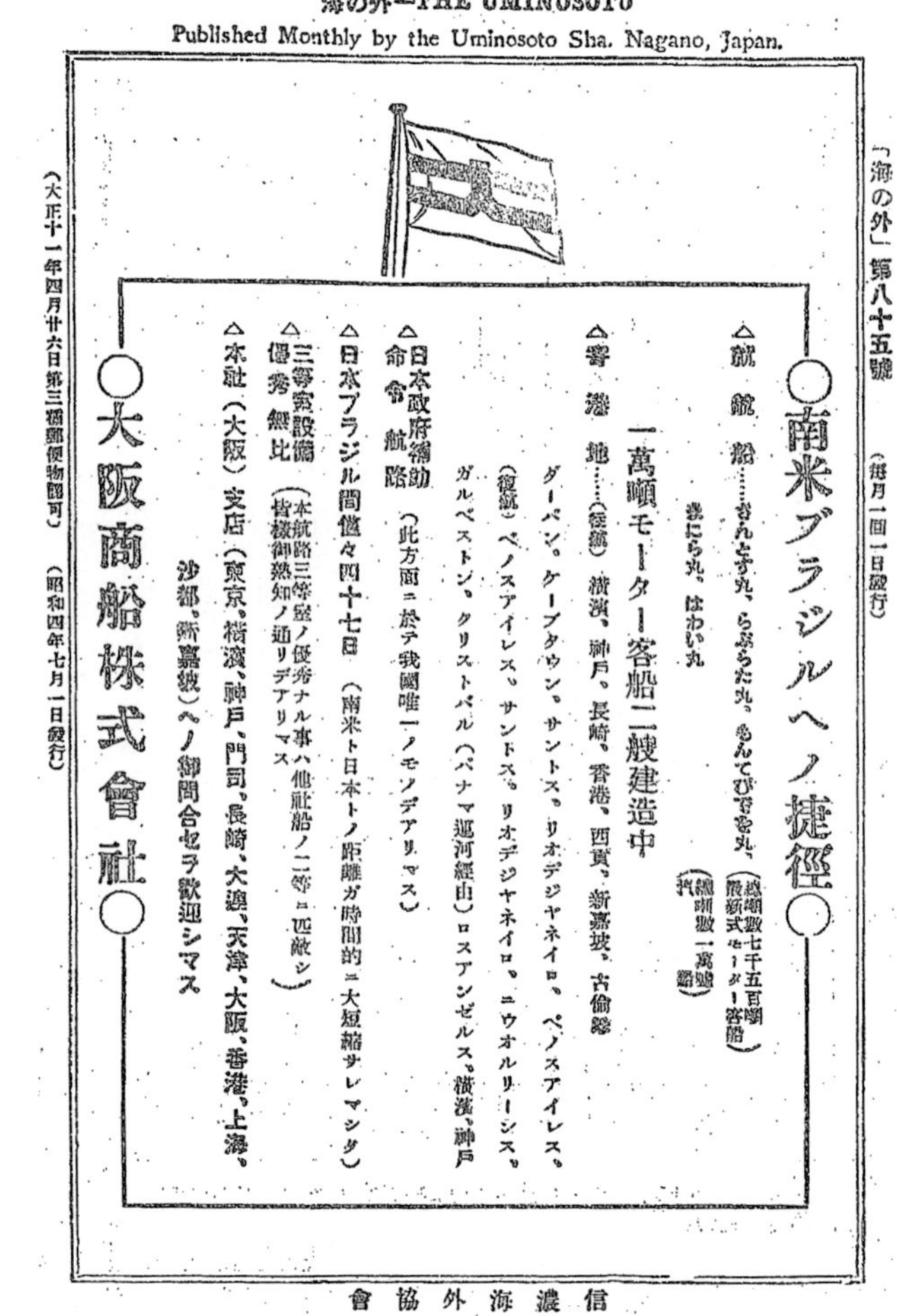

海の外—THE UMINOSOTO
Published Monthly by the Uminosoto Sha. Nagano, Japan.

「海の外」第八十五號　（毎月一回一日發行）

〇南米ブラジルへノ捷徑〇

△就航船……さんとす丸、らぷらた丸、もんてびでを丸、（總噸數七千五百噸 最新式モーター客船）
まにら丸、はわい丸（總噸數一萬噸 汽船）

一萬噸モーター客船二艘建造中

△寄港地……（往航）横濱、神戸、長崎、香港、西貢、新嘉坡、古倫母、ダーバン、ケープタウン、サントス、リオデジヤネイロ、ブエノスアイレス、
（復航）ブエノスアイレス、サントス、リオデジヤネイロ、ニウオルリーンス、ガルベストン、クリストバル（パナマ運河經由）ロスアンゼルス、横濱、神戸

△日本政府補助命令航路（此方面ニ於テ我國唯一ノモノデアリマス）

△日本ブラジル間僅々四十七日（南米ト日本トノ距離ガ時間的ニ大短縮サレマシタ）

△三等客設備優秀無比（本航路三等室ノ優秀ナル事ハ他社船ノ二等ニ匹敵シ皆様御熟知ノ通リデアリマス）

△本社（大阪）支店（東京、横濱、神戸、門司、長崎、大連、天津、大阪、香港、上海、沙都、新嘉坡）ヘノ御問合セヲ歡迎シマス

〇大阪商船株式會社〇

（大正十一年四月廿六日第三種郵便物認可）　（昭和四年七月一日發行）

信濃海外協會
海の外社發行

日本力行會長 永田稠先生著

海外立志傳

開拓精神に生る 新青年は讀め!!!

定價金 二圓 四六版四百二十頁(送料金六錢)

本書に載せた人々の內には日本力行會員でない者もあるが、私の知人でない人は一人も無い。やゝ人に知られたる者もあり、未だ全く人に知られない者もある。私は年少の頃、英雄豪傑や、知名の成功者の傳記を讀んだ後で「俺はトテモ此人の樣には成れない」と失望するのであつた。ナポレオンや豐臣秀吉や西鄉南洲等の傳記が私に與へた一種の悲哀は皆さうであつた。それで私は「若し私が立志傳を書く時が來たら、讀者に悲觀させない樣な傳記を書き度い」と希ふて居た。今や其の希ふた時が來たのである。本書中の人々は、皆、私共と殆んど同じ境遇に生れ、略同じ程度の教育を受けた者で「此位の事なら僕にも出來やう」と讀者は必ず感ずるに相違ないと思ふ。私は、此傳記の內に記されたる人々が、他日ナポレオンであり、秀吉であり、南洲である事を希ふては居るが、よしんば、現在の其儘で終つたとするも、後進の讀者の爲めに多大の感激を與ふる筈であると考ふる者である。本書に錄する所は、嘗て博文館發行の「新青年」と云ふ雜誌に私が約四ケ年に亘つて掲載した所のものである。多くの人々から是非纒めて一卷にして發行する樣にとの勸告を受けたのが、今回多年の願が叶つて、一卷となし滿天下の意氣あり抱負ある青年諸君の前に提供する事の出來る樣になつた事は、私の深謝する所であり、又私かに愉快に感ずる所である。

私は本書に錄されたる人々が、いや益々向上發展する事を祈ると共に讀者諸君が、彼等の如く開拓の精神に生き、未だ祖先の知らざる所に、我等の祖先の未だ知らざる一大建設をなされん事を希ふて止まざる次第である。(序文の一節より)

長野縣廳 信濃海外協會(取次)振替二一四〇番

日本力行會長 信濃海外協會幹事 永田稠著 東京寶文館發行

日本植民讀本

菊版百五十頁 地圖挿畫澤山 定價六十錢送料六錢

海外發展主義の小學教育

四六版四百頁布製 定價二圓五十錢 送料十六錢

本會にて取次ます

著者が二十年間海外發展運動に從事せる体驗からしぼり出されたる血の結晶がこの二つの著書となつて現れた。

現在の教育の欠陥は日本民族發展に關する活材料を等閑に附してゐる事で、一般教育に海外發展に關する教育を加味されたならばと著者は此の點に深く留意して今回文部省の認定を得て實業補習學校、各種實業學校、中等學校の課外讀本として日本植民讀本なる教科書を編んだ。

更に現在の小學校の教科書中、修身、國語、地理、歷史の教材中に海外發展主義の高調に利用すべき點につき學年別に其活用法を示したものが海外發展主義の小學教育で、この參考書によつて直ちに海外發展主義の教育が施す事が出來る、世の教育者に是非共必讀を願ふなければならぬ好著である。

東京外國語學校講師 奥村外次郎先生監修

日本植民通信社編纂

獨習 ブラジル語全解

定價 金壹圓五拾錢(送料十八錢) 四六版二百頁歐文ニウスタイル活字植、舶來上等紙印刷

本書の內容は文法篇、會話篇、單語篇の三篇に分れ、文法篇に於て先づブラジル語の如何なるものであるか平易簡明にのみこませ、次に之れの應用練習を行ふために會話篇に於て日常生活に現はれる種々雜多な場合の用例應用を教へ最後に辭書兼用の備忘單語篇を藏めてある。

內容目次

文法篇=文法と發音―冠詞―名詞―形容詞―代名詞―助動詞と動詞―副詞―前置詞と接續詞―感投詞

會話篇=日用慣用語(願望感謝、悲哀、立腹、謝罪、承諾、相談等)天氣の話―數と年齡―訪問―生活上の話―言葉の話―庄屋―旅行―稅關―旅館―靴屋と仕立屋―自動車―沐浴―通信―郵便局―職業紹介所―買物―取引―報告―散步―寫眞屋等

單語篇=名詞―年月日期間―四季及週―自然―方位―陸と海―家族―鑛物―植物―果實と花―野菜―動物―魚と昆虫―國と國民―國家と政治―人体―飲食物―家と家具―職業―旅館―稅關―衣服―化粧―色―商業―旅行―町村―宗教―通信―航海―娛樂―車輛―農具等

取次 長野縣廳內 信濃海外協會

振替口座(長野)二一四〇番 電話 二十番

新總裁(知事) 鈴木信太郎氏

新相談役(内務部長) 石垣倉治氏

四谷より見たる白馬連峯

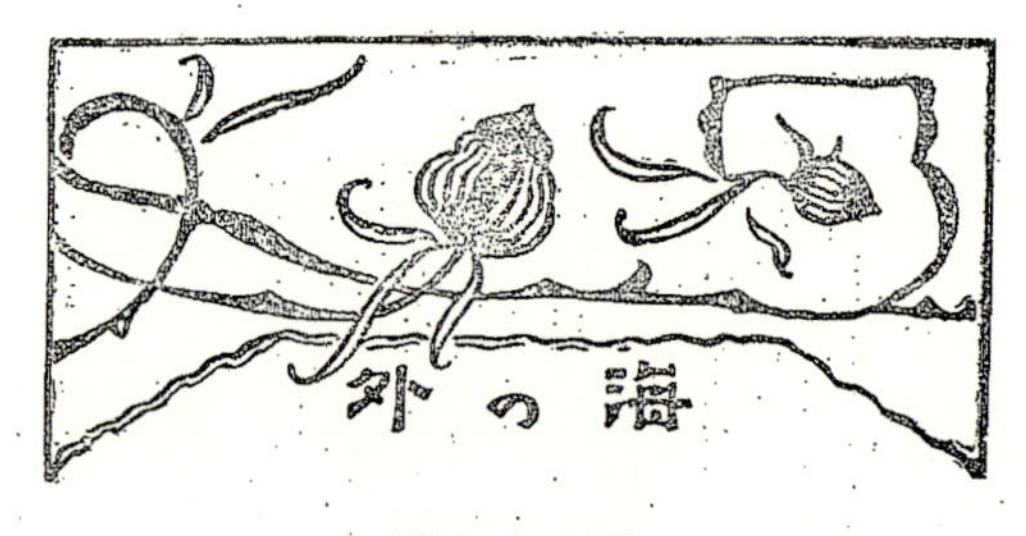

(昭和四年) 第八十六號 (八 月)

海外に働らく女性のたより

信毎紙上で只今「海外に働らく女性のたより」として海外に活動される信州出身婦女子の通信を連載されてゐる。

忠實なる信毎の讀者は勿論見落すまいが吾人の特に讀んで戴きたいと希望するのは彼の女等と年頃を同ふする故里の未婚の婦女子に是非共精讀を煩したい事である。

通信の全面に横溢する彼の女等の生活實相もさる事ながら更にその中に綴り込まれる彼の女等の眞劔なる叫びが母國のお友達――婦女子――に渡航を奨めてゐる事を見逃がせない樣に。遠く彼の女等から呼びかける言葉のまゝに、新生の樂土を求めよ。そして甲斐々々しくも民族發展の先驅者たれ吾が信州の婦女子。

創業苦の青年講習所（二）

石川博見

夕方開墾植付を了へて實習に疲れた一同は丹平を肩に日沒の曠野の道を歌聲揃へて歸つて來る。そして農具手足を洗つて夜食をとるが友の疲勞を癒すべく炒事當番は天原會食堂の御馳走であるメリケン粉のだんご汁を作つて待つてゐる。二合盛り、七三の米麥飯も食つた樣な氣もせぬ位早く空腹中にとび込んで行く。そして食器を各自洗つて拭巾をかけて講舍に歸り、夜の自習に入る。ランプ燈下のしんみりとした自習は九時までつゞく、九時に消燈ラッパが沈默の夜の高原に響き渡ると一同東面して夜の禮拜をなし、絕對消燈寢に就く。勉學者の爲、圖書閱覽室は特に十一時迄延燈を許してある。借家のだゞつぴろい一室に一同起臥せることとて不便さこの上ないが然し規則正しい愉快な生活がつゞき臨時入所申込者も有る。參觀者の數もすでに千五百名を突破し、高原の大自然が綠色濃くなり行くと共に、避暑遊山の客も日々に增加する、そして來觀者の中には之からの應援者も現れて來る。

今や高天原は新綠の好時節、菅平臙原及之を圍繞する連山は日一日とその綠を濃くして行く、彼方の森に廓公の淋しい聲聞え、此方の籔に鶯の心地よく呼びかける聲、萠え出て牧草地に悠々放遊する牛群よりは時折「モー」との鳴聲、遠くかすかに牧草を蹴り木の間を縫ふて驅け行く馬群、木蔭の鈴蘭は今や春風まに〳〵えも云はれぬ芳香を薰じ、蕨は盛りで綠叢の中に咲き競ふ山ツヽヂさては高山植物の百花繚亂の美景の展開されつゝある、實に高天原は今や名實共に天國花園其のものゝ美觀である。その中に悠々自適、土に親しみ又天下を睨しつゝ靜かに修養精進する所生はこの大自然に生くる幸福を讃美し且感謝しつゝ日を送つてゐる。

勞働は善心を生ず、然り所生はお互に敬天親土愛人の感激の生を送りつゝある、心と心の融合それは決して外來者の知悉評判し得る所ではない。

この雄大な大自然の中、二千四百町步北信牧場の眞只中二號牧場の中央眺望最も雄偉幽玄風光絕佳の場所、大科木の盤居する附近白樺林の蟲々繁茂あり一帶十町步こそは大講舍建築豫定地にて天然の庭園をなし、今や紅燃ゆるツヽヂの滿開にて其の花影落つる所、六千所より滾々湧いて夏尙涸れぬ淸水が小川となかれて淙々の音をたてゝゐる。此處に縣議柄澤五一郎氏寄贈になる十五疊敷の大さの大國旗は雄風に飄飄として偉景雄觀をそへてゐる。

試みにこの大國旗下に立つて四望せよ、東北面は四阿、猫二嶽の對立するあり、西方遙かの雲上に連亙する日本アルプスの白雲の幽姿が有る、神秘の姿が有る、更に眼を南に轉じつゝ左端に及べば其間連山の頭上、のぞき見るかの如くアルプスの白頭が陰見する、左端は遠く淺間の噴煙沖天するを見る、千古發出のこの噴煙活動こそは若人の意氣の標識である。眼下にある限りの曠野は我等の實習地であり運動場であり又午睡の寢床であり、放歌亂舞の歡樂境である。この雄偉大な自然の中に育くまれ行く若人が下界の俗物と自ら其選を異にするは當然のことであつて彼等所生がこの地を天界と呼ぶに何等の不思議不都合はない。

しかも不肖の指導精神は從來の敎育家、道學者先生とは其說を異にする。所生を自然のまゝに其の特質を助長し稜角有る人物を育成し度い、されば天原會各部委員の指命は眞に適材適所不肖の最も自らの眼識を誇るものである。適材を適所に而して彼等の天資を增長向上せしめ、最も有意義に愉快なる人生行路を辿らしむる自由の中に規則正しく、悠々自適し而も自らの長ずる所に黽勉努力するそして生活は常に土に即せしむる此處に敎育の眞諦はある。大西鄕の

一貫易々諾　從來鐵石肝　貧居生傑士
勳業現多難　耐雪梅花麗　經霜楓葉紅
誰能知天意　宣敎而安計

此れ不肖の常に愛誦する所。圓滿なり、模範なり、品行方正なりと稱せらるゝ青年多き世は泥濁迷濛の世である。發出進取發中の錐が青年時代の特色である。無爲圓滿去勢馬の如き青年は我等の友ではない。今や三大國難來は上下の話題の中心であり、昭和維新は憂國志士のスローガンとなつてゐる。世を救ふもの、國家を負ふて立つ青年は決して誤られたる敎育によつて手足をもがれ、天資を切られ、盆栽化された人物ではない。自然のまゝに蟲々生ひ立つて稜角有る人物こそは難局打開の勇士である。資名的思想善導家、御役目的青年指導者等の手によつて救世濟民、國難打開は望まるべくもない。救世の神は草澤の間にある、大自然は常に偉大者の出生地である。

此地はその昔日本武尊が蝦夷御東征の砌、碓氷の峠を越えて「あづまはやゝ」の御歌に故き弟橘姫を偲ばれ、四阿、猫よりこの地を過ぎ保科路に下られしとの傳說有り、人々よ來れ、そして大科木の木の下に立つて歷史に古きこの地に徘徊せよ。

自然は淸淨人の來遊を待つてゐる、俗惡唾棄すべきは決して來ては不可ない。

暴言多謝、麗なる春光を浴びつゝ菅平原頭にて。（紀元二五八九年　昭和四、六、一七稿）

左に講習生上林友成君の日誌數編を掲げる。

山の日記

五月拾一日　晴後夕立雷降る。

幾つかの山峽を越えて此の五千餘町步の廣さを持つてゐると言ふ高原の、一目に見える頃になると眼に映るものはもう落葉松林の若芽の青味だけである。五月と言へば下界ではもう若葉の頃……家の前にある桑畑にはあの綠に沁みる樣な澄み切つた初夏の光が注いでゐるのだなあなどと考へると、此處の景色の雄大なのと、たまらなく淋しいのとで仙人の樣になつてしまいはすまいかと考へたりなどした。

○

今日は愈々入所式のある日である。

朝は酷い寒さだ。縣下から集つた猛者が皆飢の子の樣に火鉢を圍んで入所式の開かれるのを待つてゐる。オイ、上にゐる者は下に來て食器を洗つてくれ給へ」と言ふ先生の聲がする。見ると先生は上衣を脫いで鉢卷がけである。あれが石川先生であると先哲の人達から敎へられた。

○

山の生活――私達の所謂高天原の生活に先づ必要なものは米、味噌、薪……彼等が未だ出來上らないので借家の關係上食物の心配である。此處の部落の小林さんと言ふお爺さんとその娘さんのおたねさんとが二日間炊事の講習に來て呉れるとのこと、炊事場に行くともう食事の準備で忙しい。素張らしい大いさの丼が、行儀良く並んでゐる。あの大きな丼で每日食べるのかと思ふと流石に度膽をぬかれた。

○

何の準備もない所へとび込んでの生活なので一から十まで自分達の手で片づけて行かなければならない。室內掃除、障子の切張から、農具の柄入れまで皆自分達の手である。此れが本當の原始人の生活と言ふのであらう。食はねばならないと言ふ切實なる問題に、廿世紀の人間として生きねばならないと言ふ近代的な考を交へての所謂私達の山の生活は此處にスタートを切る。

○

今日は霰山早々雹に見舞はれた。降る降る！高原の霰と雹とは言ひながら實にひどい。

○

午後一時からささやかな入所式である。丹藤西澤石川の諸先生と牧場の篠塚青木の兩氏が見えた。所生は未だ二十名だ。

○

式が終へれば直ぐ開墾……兎に角活きねばならぬと言ふ火急の問題が橫はつてゐるから。今日は始めて、いや生れて初めてする仕事なので面白いのか面白くないのか、そんな事に構はなく無茶苦茶に鍬を打ち込んだ。けれど打ち込めば打ち込んだだけ自分の畑が生れてくるのだと言ふ事だけは事實である。

斯うして自分の手で生活の糧を造り出すことは延いて自分自身までも新しく造ることでなければならない。

○

仕事に慣れない爲めか腹がひどくへる。晝間見た大丼を足りない位に平げてしまつた。食後は各自の自修時間である。

手紙を書いてゐる人、唄を歌つてゐる人、詩を作つてゐる人、此處は皆若き詩人の集つてゐる所だ、勿論私達は詩を以て、文章を以て一家を成さうと言ふ者ではないけれど、素裸で大自然の懷にとび込んであゝ美しいなあと感じ、あゝ莊嚴なものだなあと感ずる所はすべて詩でなければなるまい。

無音の文章、無韻の詩……其處にもきつと大詩人にも劣らない各々の詩境があるにちがひない。

○

拾貳日　晴午後曇

憎らしく嚙みつきたい程さわやかな朝の空氣の中に大きな太陽が紅々と燃えながら昇つてくる、實に高原の朝は秀麗なものである。

○

下界にゐれば今日は日曜である、けれども生活萬端に亘つて心配しなければならない私達は日曜などと吞氣な事は言つてゐられない。で一里程東方に當つてゐる大明神澤まで全部で薪を取りに出かけた。

○

午後は初めての所生會、そして自己紹介など。

○

昨日の天氣が余り酷かつたので又今日も雷でも鳴りはしないかと心配した。實際高天原の雷には閉口だ、昨年は部落に落雷して火災になり牧場の牛に落雷して牛が即死したと言ふことを小林さんのおばさんが話してくれた。

○

式が早く終へたので草原に出て見た。冬枯れの儘の芝生を通して大地の溫りが身全体に柔い波紋となつて傳はつてくる。なつかしい慈母の懷にでもゐる心地になつて、總てを投げ出し蒼空を凝視する時私達には天もない、地もない、そして我もない心は自ら安澗たるものである。

拾五日　晴寒氣强し。

今朝から皇國運動（やまとばたらき）をすることになつた。

四阿颪しが身を切る樣に寒く、見上げると多分昨夕降つたらしい雪が消えずに殘つてゐる。下界にゐる一部の人達は此の皇國運動を目してつまらないもの、面白いもの、そして面白さを通り越して滑稽なものなどと言つてゐるが、斯うした事實は『滑稽だ』と言ふ人自身が眞面目さを欠いてゐるのではあるまいか。私達は眞面目に考ふ可き問題は如何にそれがつまらなく、面白くそして滑稽味を帶びたものであつても眞面目に考へたいと思ふ。

○

作業になれない自分達の小人數なのと開墾地の新地なので部落の青年會で手助けをして下さると言ふ――自分達も天晴れ高天原の住人負けてはならないと隨分無理をしてまで頑張つたので手に豆が幾つも出來た。

○

今日から牧場が開かれるので數頭の牛が午前に見えた、夜に入つて淋しく悲し氣な牛の啼聲がする。故鄕の友を想ふ牛の啼聲なのだらうか……寂しさで滅入りさうだ。

護謨のボルネオ

寶庫の開發も人の心掛け一つ

高木利兵衛
蘭領ボルネオ野村農園內

南洋の百性　綿密周到な注意の下に、夏季四ケ月コマ猫の様に、心身を働せにやならない、故國の農業。爾餘の月日は之れが準備に學家閑がないと云ふ、あわたゞしい、農業に比べて仙人の業褒、其儘の様な南洋の農産業に、先づ護謨栽培を數ふるのである。

年百年中、鰡縦せぬでは居られないで落日を畜んで歛するのは蠶と、田作りである。處が年中悠して居て下さい、一日に太陽が二度落ちて呉れば尙結構であると云ふのが、護謨栽培の夫れである、栽培作物否有用作物として、護謨位、生産能率の高い物は先づありますまい、彼の生産は高木一本當りは、細いものであるが、三百六十五日無休刊である。凡そ物に不休位强いものはない而して太いものはない、立木百本もあれば喰ふ丈けには脅威を感じない。

殊に南洋土人の閑素な生活は、多來るとて綿入れの用意も不要春着晴着の心配無用、住ひも入費多端な頑丈作りより竹の柱に萱の屋根式の方が風通しが良く涼しいと云ふ所では勢ひ米と鹽——眞に米と、鹽と、南蕃さへ心配すれば滿足である、だから庭前、百本の護謨の木が米櫃で余り多ければ、暑さに虫がわく、物多ければ隣人に盗まれる心配がある、方寸から、必要極めて、簡單な必要以上を求むるを要せずと云ふのが一般熱帶地人の人情である。

熱々接ふのである、土着の奴等が毎日四時間請負根情を出して勞務に服し自分の周圍を開墾してゴムを增植して行つて十年每日續行したら、百英加位ひの護謨林を作成するのは易々たるものだ。百英加約一萬本の成林は時價にして十萬圓の資産である夫れが自分の腕以外に資本は要らぬのである、之れを內地の農産業にした所で三人一束に成り不眠不休で働いた所で十年十萬圓は愚か一萬圓も問題である。地代種代肥料代曰々何々と勞力以外の出費の爲めに利潤は誠に少々である。

熱帶なればこそ、南洋なればこそ、ゴム程伸びる、夫れなればこそ、土着民なればこそ、一人十年十萬圓は太鼓判の可能性があるのだ。夫れも勞働率に於て日本の夏期に働く二分の一位ひの

ものだが、氷の冬がないから、熱帶の一年は結局內地の三年分に該當する。勞働上の得點である。

然れ共事實左様な特志者が見當らない、庭前百本に滿足して居る彼等の勞務精神の悠々しさも、推して知られるではないか、外に有用作物として椰子もあるオイルパムもある、珈琲、胡椒、甘蔗、果樹あらゆるものがある、然れども護謨位迪應性に富んで栽り良い、有用價値のものは先づ見ない。第一襲來する、沛雨にたゝかれて育たぬ又は干期は熱射に萎える、少し大仕掛に營業的にやつて採算の取れるものは一つもない、落花生、蔓豆、白小豆、皆駄目、大豆、稻作、全く駄目、甘蔗、タピオカは稍出來るも姿薔、馬鈴薯、葱は發芽もせぬ。瓜類、南瓜、夕顔、茄子、菜葉は自家用位は出來るも問題に成らず、密柑、マンガランボタン、ピサン等出來るも一町歩以上の大經營は販賣に窮する、數へ來つて一般食用作物、有用作物は御話しに成らない而して蔬菜果樹の日用品は土人が土地の良い、河端へ箱庭的に作つたものを供給するから、不自由なきも依つて以つて之れを計畫的に採算的に經營するなんどは危險千万な話である。此點護謨許りは、山の峯でも良い、低濕地でも良い豪雨、爀熱、尙ほよく發育する、從つてそれだけ大經營も行きづまる様な事はない。販路が世界的商品と云ふ事もそこに在るが。

護謨の木　一體に云ふと內地の胡桃の木と思へば良い葉の型幹の構り、表皮の色クルミ、そつくりである。只幹の皮の層が木質、甘皮、ゴム層、表皮と三つに成つて居る、其表皮とゴム層を、鍵の様なナイフで每朝削つて行くのだ、ナイフを甘皮迄削らない様にする事である。

切付け——ゴム液を採る操作斯んな事は鄕里の人々には一寸解し兼ねる、寧ろ一つの當然の奇蹟として、考へて貰つておく方がわかり安い、斯くして地上、一米高の幹の周圍を漆かく様に五年でも二十年でも、何年でも樹齢のある內は、每日切付けて、液が收得される、全く奇蹟位ひのものだ、此永續性がゴムの點に強い處である。

經營の巧拙　優に、一人日に四時間宛、十年間に一万本のゴム樹を仕立つる話だつたが之れを勞賃一人一日として、三千六百五十日である、之れを資本的經營に、計算すると十人の苦力を四年間使用して、收穫期に入るのだが最も經驗ある人の實例で、總資金二萬圓で成林する。個人が自分のものとして働く程能率はどうしても、擧げ得られないに起因するが、野村農園の如き大經營に成ると、現業員の不馴れもあり多人數で考へがまちくである、頻々と人が代つて方針が變るどうしても、無駄仕事をして、二重三重に手間を掛けやつと成林となるから、百英加五萬から六萬圓は注入して居るのだ、當地に在る二大農園蘭領東印度拓殖會社及野村の大經營は丸で舟頭多くして、舟山を登るの狀態に陷り爲めに同じ百英加でも、百英加二万圓で仕上げた人があるに五—六萬を要して居る事は、如何に其處に經營方法の巧拙があるかと云ふ事を物語るものである。只野村農園は資金潤澤の爲めに、今日では蘭領中、最大なる農園として押

しも押されぬ堂々たるものなるが、東印度拓殖の方は、爲めに氣息喘々と云ふ所末で餘命をつなぐ狀態である。

大正十三、四年は護謨價騰貴絶頂で歐州戰後護謨黃金時代を出現したものですが、苗木の育成、栽植は勿論成品の仲買、運搬等目を衝く樣な騒ぎで丁度、絲價好況の時に、畜田變じて桑園となると、同樣に護謨熱に浮かされたものである。

土人の護謨栽培は一風變つて居る、實生苗を豫め作つておき、乾期に雜草雜木を一應刈つて燒き拂ひ其後に、水稻高地には陸稻を作る、殆んど燒畑式で夫れを收穫した後に、二尋平方間隔で杭を差し穴を穿ち、午蒡の樣な根莠への苗木をさしておくのだ爾後周圍を堀り起しも、開墾もせず、草の內に放置しておくが二三年後又雜草木を刈り取り又放つておく、六年目頃に成れば木は自づと腕大に成るから此時、樹の周圍丈け刈取り掃除して、更に一、二年經ると採收出來る樣に成るのだ、只雜草の間に放任中乾期には野火を恐れるので火防丈けは審する、斯樣にして、殆んど、自然任せで永くて七年經てば採取出來る樣に成るのだから、一戶當り最大二十英加大抵五、六英加位でも多數の土人によつて植栽される數は、莫大なものである、只彼等の採取方法は木質迄皮を削り取つて切跡に傷を殘すから採取年限は大農園の夫れの樣に永くない事は明である。（未完）

新刊紹介

邦人活躍の南洋（宮下琢磨著）

著者は前後二回に亘つて南洋に遊んでゐる。その結晶が本書となつて現はれた。本書は南洋一般の概念を一讀にして得、邦人の南洋活躍について著名の士を悉く本書收めて南洋發展のみちを述べてゐる。

殊に著者はブラジル、北米、滿鮮と世界を廣く旅行してゐるところからその見聞の豐富の事は申す迄もなく本書の內容は悉く汲めども盡きざる與富なる見聞記であるだけに一層の勝味がある。南洋に關する著書はずいぶん多く公にされてゐるが本書位讀者に滿足を與へるものはない。文章は平易で讀み易く誰でもが讀後『なるほど』と南洋を謳歌して南洋黨になるに相違ない。

著者は長野師範學校出の敎育者であるだけに本書は南洋の地理敎材となる種類を收録してあるから特に小學校中學校女學校の地理科敎材としては是非參考書とせられたい。

（四六版布製函入五百頁寫眞六十葉定價二圓五十錢送料十六錢本會取次）

「船」の話（二）

商船　岩井杏水

船と茶碗（前承）

更に二重底まで破つたとしても船內は嚴重な隔壁を設けて居りますから浸水しても一室丈けに止まり船は別條のない樣に出來て居ります。

老人や子供に街を歩かせるのも電車にのせても自動車にのせても汽車にのせてもときどき怪我が起つて危險ですけれ共船にのつたら大丈夫もう何の間違も起りませぬ。

活動寫眞の船火事

濛々たる煙があがる、シューと火柱が立つ爆發があちらこちらに起る、大きい煙突が轉がる、帆柱が折れる、人は阿鼻叫喚して右往左往に逃げまどふ、つまづく、倒れる、傷づく。そして、そう云ふ時に限つて波が高い、乘客は海に飛び込む、救命ボートが轉覆して人々が波に呑まれて仕舞ふ、そこに活劇が始まると云つた樣な、船火事を、吾々は度々活動寫眞でよく見せて貰ひました。

世間の人達は船火事はそんなものと思ひ込んで被居るらしい。そして、もし船火事でも起れば逃げやうとせば恐ろしい怒濤へ呑まれて仕舞ふ。逃げなければ黒焦げになる……と恐れて被居るらしい、ところが御安心遊ばせ純客船では船火事は起りやうがない、無理に放火しても燃へる材料が乏しいから全焼出來ない、若し船火事が起るならそれは荷物をつむ貨物船に限ります、しかしほんものゝ船火事はとてもそんなに素晴らしいものではないクスクスと僅かに燻つてゐる位のもので火事と知れば直に其室を密閉して、蒸汽或は消火瓦斯を送つたりして火熱を衰へさせて仕舞ひます。それで外からどんなに注意して見ても素人の方では

「あの船が今火事をやつてゐるのだ」と敎へられても誰でも「へーえ、火事ですか、どこにどう燃えてゐるのですか」と眼を細ふして御覧になつてもお分りになりませぬ。

大体船火事と云ふものはアメリカで火事を起して其の儘横濱までもつて歸つて來ると云つた樣な隨分呑氣なもので、そんな船に乘合はせた客に「君の乘つて居た船はひどい船火事があつたのだよ」と云ふと「なに、いつてゐるんだ、火事なんかありやしないよ」と答へるでせう。

船の大きさ

私たちが幼いとき、おぢさんや、おばさんの膝にもたれて「大きい大きい、千石船が……」と昔噺を聞いて、どの位大きい船かと殆んど想像もつかない程でありまして、その大きい千石船にくらべて蓬萊丸（臺灣航路の有名の船）は更に九十二倍の大きさをもつて居るのであります。卽ち總噸數九二〇六噸でありますが軍艦のやうな噸數計算卽ち排水噸に致しますと約一五〇〇〇噸となります。

長さは七十五間幅は十間余、高さは船底から船橋（ブリッヂ）の上まで約十七間御座いますから恰度九階建の長さ一丁余りの大ビルヂングに相當致します。

まるで小山の如き大きい浮宮（フローテングパレース）であります。其巨大なる船体と快暢なる速力はすつかり大海を征服して仕舞ました。斯樣な船の煙突の太さはどの位あると御思ひなさいます？横に倒すと汽車がくゞれます、殊に其條船の瑞穗丸の煙突の太さは實に直徑三間もありまして、この煙突の中で立派な大座敷が建てられる程です、この下につながつて居る機關は又素晴しい強力なもので凡そ一萬馬力ありますからこれで電燈をつけやうものらな十六燭光の電燈が四十萬個もつきます。

船の設備

蓬萊丸には百數十名の乘組員の外、旅客は一等五十一人、二等百二十三人、三等五百五十三人合計七百二十七人乘れる譯でありますがお客さまへ御席として御提供申上ぐる船室（キャビン）の外、廣濶美麗な數個の大食堂、清洒な喫煙室、華麗な社交室、娛樂室酒場、寫眞室、浴室……と云ふ數の室を自由に御使用を願つて居ります、上下の往復にビルヂングにある樣なエレベーター迄も備へてあります、その外郵便局無線電信局がありまして一般公衆の御用に應ずる外その無線信で新聞まで發行し無料で配布致して居ります。又船内には完全な醫局病室產室等を設けてあります、之に醫師、看護婦、產婆などの手も揃ふて居りまして診察、投藥一切無料であります。

其外理髮屋、按摩まで乘組んで應じてあります、かくの如く色々の室を完備しかくの如く多勢の客を收容しうる大ホテルは日本には未だ見當りません。私は常に船の説明にホテルを引合に出す癖がありますが、ある時ある方から、船の其引合は間違つて居りはしないか、船は交通機關で汽車や電車を引合にしなければなるまいと御注意をうけた事があります。しかし船は勿論仰せの通り交通機關の大宗をなすものでありますが半布（ハンカチーフ）一枚を擴げた位の座席を提供してそれで濟むと言つた樣な貧弱な

設備の汽車電車などとは比べものになりませぬ、宿泊食事其他の大設備の點に於て聊かもホテルと變らない而もそのホテルは素晴らしく大きいホテルでなければならないと思ひます。

例へば船で食事を差上げますと、簡單に申上ますが、これが仲々の大仕掛けなものであります。元來此の船は神戶から臺灣へお客樣の往復に御提供申上て居りますが、僅か往きに四日間歸りにも四日間と云ふ短時日の一往復に對して、お米だけでも約六七十俵を用意しなければなりませぬ。これに牛肉鷄肉魚肉野菜鹽砂糖漬物味之素牛乳鷄卵茶コーヒ酒醬油油など、色々な食料品の準備を致しますと仲々大變な嵩になります。加之陸上のホテルは水道栓を捻じると水は無限に得られますが、船はそういう譯には參りませぬ、大きい大きい池の樣な大水槽を用意しなければなりませぬ、斯樣な點を考ふれば陸上のホテル等と比べものにならぬ位の大設備を要する次第であります。

千五百人の目方

昭和二年四月、大每婦人見學團員千五百名が臺灣行の瑞穗丸に便乘して大阪灣を周航なさいました、此のときのことであります。ある俐發な顔付をした若奥樣が、甲板に佇んで續々御集まりになる會員が、築港大棧橋一つぱいになつたのを見て「まあ恐ろしい人ですわね、この大變な人が皆んなのれるんでせうか」「えゝお乘りになれば、どこへ御乘りになつたか、わからぬ位です」「へーえ、でもそんなに乘せても船は危かありませぬか」「此の船は一萬噸位は積める筈ですから御婦人お一人の體重十三貫平均として二十人で一噸、卽ち千五百人で、たつた七十五噸です、一萬噸の船に七十五噸積んで危いやうではどうなりませう」「まあー」若い手柄の大丸髷をガクリと動かしなさいました。

船室の等級のこと

よく「汽車は三等でも船だけは一等に」と仰しやいます。若しその意味が船にのつて長い旅をするんだから、と云ふ理由ならば首肯できますが、そう云ふ理由でない限り一應抗議を申さねばなりませぬ。

船は三等でも汽車は二等に、船は二等でも汽車は一等と云ふ方が實情をうがつて居ます。此事を御得心行く樣に、恰度幸ひ只今船におのりになつて被居るのですから、よく各室を御覽下さいまして、船と汽車電車等と比較して下さい。そして私申の上ぐる所に少しも僞りのない事を御認め被下さいませ。

汽車の一等切符は、展望車の如きものある以外、僅に二尺四方ばかりの座席を得る外、何の設備もされてゐないのでありますが、船は一等客のために華麗な社交室、爽快明媚な大食堂悠つくりと落ちついた喫煙室、すがすがしき綠蔭のベランダ、高貴な織物と、うづまるが如きソオフハーを用意せる客室など一等客專用の美麗な室が澤山設備して自由に御使用願つて居ります。若し汽車にこれ丈けの設備をされたらどうでせう、特々等車と呼ばれて大評判もので御座いませう。（つづく）

夏は海—海の旅へ！

樺太に小笠原島にさては台灣、南洋に

日本郵船

思ふだけでも涼しい海の懐しくなる夏季節がまた訪れて來ました。そして、夏は海—海の旅へ—この新しい型の旅行の標語は、この季節を目前に迎へて、更に爽かな魅力を以て私達の耳朶に響くのであります。

近來、日本に於ける夏の海上旅行の一般化は、實に非常なものでありまして、あらゆる階級の方々が、見學や保養の旅には勿論、所用の旅行にまで盛んに利用されて居ります。如斯現象は申すまでもなく、日本國民の間に海と船とに關する理解と智識が普及したことゝ、且つその利便と愉快さとが汎く知られて來たことを裏書するもので、洵に欣ばしい傾向であります。

夏は四季のうちでも海の最も平穩な時で、これだけでも夏は船旅にこの上ない理想的なシーズンであるのですが、殊に陸上では人々が皆炎暑に苦しんでゐる間を、すがすがしい潮風に保健を一倍して、その上まるで海上のホテルとでも稱すべき大きな外國通ひの船に、名實相伴ふ暑さ知らずの旅が出來るのですから、こんな結構なことは御座いません。

況んや待遇は懇切鄭重を極め、食膳の調理は申分なく、とりわけ船内に漲ぎる特有の異國情調は所謂洋行氣分を味はせますので、一度經驗された方は必らず熱心な海上旅行の禮讃者となり翌年は家族同伴で、或は友人を誘つて乘船されるやうな次第であります。これなどは夏の船旅の悦樂が如何に深い印象を與へるかを雄辯に語つてゐるものといはねばなりません。

この上海上旅行に就て喋々する要を見ませんので扣へますが兎も角近來、最上の銷夏法として一大流行を來たしました夏の船旅を選ばるゝ方々の御便宜を圖つて、當社は例年の通り內地諸港間乘運船賃の特別割式を左記により實施することに致しました。

當社船發着定期船は內地諸港間は每週數回の出帆船が有り、また青嶋方面へも月數回船便があります。尙又上海、香港行には桑港航路の巨船、歐州航路の優秀船、お馴染の快速無双の日支聯絡船等が頻繁に出帆して居りますから、自由に御選擇の上御乘用を願ひます。

◎割引切符發賣期間　六月十五日より九月十四日迄

◎割　引　率　內地諸港間に限り

（イ）個人割引　片道各等共定額運賃の一割引
往復各等共二割引

（ロ）團體割引

	人員	割引率		人員	割引率
普通團体（各等）	二十人以上	壹割五分引	學生團体（三等）	三十人未満	貮割引
	三十人以上	貮割引		三十人以上	貮割五分引
	五十人以上	貮割五分引		五十人以上	參割引

瀬戸內海の絶景は海の旅に於いて初めて激賞し得るものであります。今夏を利用して大木の樣なふきが青々として茂る樺太に、或は大平洋に自ら誇る綠の國、詩の鄕、小笠原嶋に、さてはバナ、にうづまる臺灣の旅、椰子の葉蔭に凉をむさぼる南洋に嶋々を巡る事も絶好の機會であります。臺灣と南洋は熱帶圏內に屬する事でありますから此の地方に銷夏を奬むる事は一見甚だ奇なるが如く見へますが事實は決してそうではないのであります。そこに夏は海—海の旅へ！の獨特の價値があります所以で是非味つていただきたいのです。

期間は三週間もあれば、ゆつくりとした旅行を試むる事が出來旅費は五六十圓で充分であります。

旅行の日程、旅費の計算等旅行に關する一切の御相談に應じますから遠慮なし御質問の上、海の船旅の爽快味を心ゆくばかりあじわつて下さい。

（十六頁より續く）近頃はドミンゴ（日曜）のお料理朝はちらし五もくずしをします材料は、おねぎ、卵燒き、昆布、菜豆、人參を使ひます、晩は手打のマカロニ（ウドン）若い雄雞、ポロコ（豚）肉が汁に使はれます、小麥粉とマンヂオコ粉を加へた、お餅、お汁粉、ポリーニャ（油揚）が間食乃至平常の晩食に作られます、果物で美味の王樣はパインナツプル日本のお店にある樣な半腐れのものとは雲泥の差見るからに涎が出ソウです夫れに大きさつたら、妾共には三ツか四ツ位しか提げられません、南瓜とおさつは永久作物で一度植えたら枝の先き〳〵へ根が出ては結實して年中不斷です肉が安く雞が自然に繁殖しまして當アリアンサは婦女子の樂天地て御座います、先月中、測量部の中嶋の奥さんを敎師にブラジル料理の講習が開かれました爰は食道樂の模範村です何にしろ食卓がオールライフですからネ。國民海外發展は妾等婦女子が理解して第一線に立たなければ成功しません、日本開拓の祖神天照皇大神が一番よい模範に在します悶着は國民を滅亡に導きます例ば蠶を御覽なさい分箔もせず除沙もせず狹まい面積で飼育して居たら殖えるよりはへる一方上簇間際には十頭も生きて居たら天下の奇蹟でせう。ソウシタ意味で縣下御婦人方の海外發展は焦眉の急を要するものとお考へ下さる樣お願ひいたして筆を擱きます。

終りに皆樣一層御壯健と御奮闘とをお祈りいたします。

（一九二九、四、下旬の日誌）

海外にある婦女子の生活實相

—母國のお友達に答へて—

在アリアンサ　宮原うめ乃

協會の皆樣、何れもお變りもなく斯事業のため、ます〳〵御奮勵の趣き、邦家の發展上、悅ばしく存じます、なほ〳〵お國の爲一層、御活動下されて、このブラジルだけでも、一百万人位ゐは、移住者をお入れ下さる樣お骨折り下さらなければなるまいとおもひます。

本誌昨冬十二月號に、會津AS樣の海外婦女子の感想をとの御希望至極御もつともに思ひます、實際婦女子の伴はぬ海外發展は何の意義をなさぬ。事になりますからね、香港や南洋の樣に國暦的發展では困りますがネ、は一寸脫線しました。御免下さい。

扨て妾の一家は協會の御配慮に依りまして昨年の四月十四日櫻の梢が紅に苔むだ故鄕に別れを告げて、海陸六千余里の旅程も何の苦惱も感ぜず目的の地アリアンサ第二移住地へ六月十二日の午後四時頃安着いたしました、以來十一ケ月一家無事に開拓十餘町歩、今年は晩稻の出穗期に强いセツカが續きました關係上約五歩作位でしたが二百俵程のアロイスを收穫、七千株植付のカフエもコーバの上にチョイ〳〵出る位に成りました。思へば、この一年の月日は忙がしくもあり、樂しくも、苦しくもあり、變化と云へばまづ、この上なしの變化でありました。

（セツカは旱天の事、アロイスはお米、コーバは植穴の事）

併し仕事の上より云へば、信州の蠶場あたりの農業より單純極まるものです、まづ入植直後、井戸掘の土揚げが仕事でした。ソラ寫眞に好く出る卷揚裝置で木製シヤフトの兩端にハンドルを付けまして女子二人が從事しました。男子の山伐り從事中は作業服の繕ひやおせんだく、炊事が大仕事でした。其內に九月下旬に山燒きをしました、妾共も男子に交りて青竹のフシを拔いて石油を入れボロを口へ詰めて是れで山燒松明です、其ボロに點火して、銘々が火を付けて廻るのです、丁度初める頃から順風が烈しく起りましてトテモ猛烈で恐ろしくなり、松明を消して逃げ出しました。道路迄來てふり返つて見たらば、モウ百

米突ソコ〳〵の處に火が襲ふて來ました、其壯觀と云ふよりは恐ろしく感じました。お蔭で區內の山二十五アルケール程が二時間許りでスツカリ好く燒けました、煙りの中に枯れ木の殘り火がエルミネーションに成つて三晩計りは迚も壯觀でした、其後三日計りに雨がありました爲リンパ作業を初め妾等もマツシヤアドや鋸で燒け殘りの木の枝を整理しました、男女共急造黑ン坊に成りまして作業服も手拭も、手も顏も脚も眞黑ぐろ、白い所は齒と眼だけホントに思ひ出しても可笑う御座いました、次がマルカ、マデイラ作り、蒔き込み、間作稻蒔きプランタマキナ(種蒔機)五挺でガタン、チヨン〳〵三アルケールがたつた、二ツ日で、プロントヤレ嬉しやとホツト一ト息したのが十二月初旬。(マルカは畦作り、マデイラは穴の上に渡す割木、プラントは仕上げの事)夫から雨期で二月下旬迄は雨の無い日は稀れでしたが溫度の方は室內九十八度が最高割合にしのぎ好い夏でした。

飽きる程食べたものは胡瓜、西瓜、里芋、おさつ(芋)。

珍らしい物はわらび、竹の子、野生のとろゝ芋(子供のあたま位の)フイゲーラの茸、コトベロ川の河魚(フナとハヤとの間の子の樣な)果物ではバナヽ、パインナツプル、レモンにラランヂヤ、お茄子も三十株程のもので十一人家族が每日々々採つて戴いて居ます。お豆の類は何んでもヨク出來ます、フエジヨンは降雨の續いた爲他家では皆腐らしたソウですが、內では七十六のお祖母アさんが出來るのから摘んで貰うて大當りの六サツコ程、相場は今八十ミルもして居るソウです、大豆も都合好く蒔けば一年に三回は採れるソウです。お味噌、お醬油、は麥の代用にミリヨン(たうもろこし)を用ゐて造ります、故國で覺えて來たのが役に立つて近所の方へ敎えて上げて居ります。濁酒も造つて居る人が有る相です、お酢も釀造して居る方があります。少ない物はお魚の類、鹽辛い鱈タラが唯一の御馳走、日本物の海產物も有る事は有りますが値が法外に高くトテモ日用に緣の遠い物です。まづ生活狀態は此位にして少し感想に移ります、外のフハゼンダの事は知りませんか此アリアンサの移民は迚も惠まれた生活を受けて居りますソレに將來は善い事と惡い事とは知りませんが、此アリアンサは外國に居ると云ふ感じが少しもありません、皆日本人計りで山伐り時季に伯黑人が入り込みますが之とても四十人か五十人です初めは一寸恐い樣な感じがしましたけれど馴れゝば皆從順な者達です、ソレガ日本語を覺えて「お早う」や「今晩は」などゝやつて得意然として居ます。冬期と云ふ物が無い事は生活が非常に簡素に行われて結構です、夫から社交と云ふ物が誠に簡單で之も移住地の能い事です。男子ですらあまり外遊びせずに居りますから自家が生活の全部と云ふ關係上、家庭內は常に圓滿であり變つた御馳走でもあれば大人も子供もニコニコの泰平振りです。

「移住は人を善良にする」と云ふ事ですがホントウです。嘘、僞、惡、盜皆此村には必要の無い字です、故鄕で能く、宣傳された生活改善や時間勵行や火の元用心は皆此村では自然勵行されて居りまして日曜日の安息日は正しく行はれて居ります。

故國の小作爭議や生活難や食糧問題や惡思想問題等やの惡い方の事は古い惡夢の樣におぼろ氣の記憶に止まり殆んど前世の事の樣な氣がして居ります。夫れがたつた一ケ年前まで自分等の住むで居た世界に實在して居る事ですから思へば故國のお人達はホントにお氣の毒です。怒つては不可ません。其癖、妾等の出發の時は其人達は妾等を氣の毒がられた人達ですから世は逆まです、何と云ふ皮肉な現象でしよう、內のお父さんが口癖に云はれるには「この樣な好い國の在るのに狹い瘠せた小さなカルタの札位の畑や田が一生涯の天地と思ふてアクセクして五寸か一尺の堺ツ堀りを大事業の心算な馬鹿共は可哀想だネ、その人々は動きさへしなければ名譽と心得、岩山の松、柏の樣に動かされたら死滅と考へ世界地理は唯學校で讀むだけの物と心得、新聞で移住の事なぞは題目を見ただけにて飛ばし、無理心中や、小作爭議や、强盜記事や、政爭記事には力瘤を入れて居るから時代後れの蠶靈百姓を後生大事に守り人が移住でも志せば嘲笑で送り、移住志望の人が娘を嫁になぞ申込まうものなら「オラア娘はマンダ、ブラジルへナンカヤル程惡い事はシネイダヨウ」と。こんな奴のくせに內幕は火の車、娘は可成近所へ嫁がせお祭りの應與い赤飯でもヤツたりトツたり資產不相應な嫁入り仕度でもさせて、婚禮の後一ケ年立つか立たぬに「聟殿や千兩無盡を立てますに依つて一本口か二本口持つて下され」丈孫が產れたソーレ孫衣裳だ「又聟殿や千兩無盡を一本口」千兩無盡々々で遂に破產乞食をしても故鄕が好い沙漠に成つても故鄕が好い濟度難い哉、亡國性固着人種だ、神樣は人類に移動を目的にし幸福なる生活を成し得る權利をお與へ下されて在る筈だがなア」と申してゐます。內地のお孃さん方又お父さん方「ブラジルへ行く人ならお父さんに暇を貰ふても妾しや嫁に行くわいなア」位に御奮發下さい夫れが自身を救ひ日本を救ふ近道ですよ。

第二アリアンサもだん〳〵と好く成ります「一萬圓計りの學校と三十コントス計りの病院が今年中に建ち、來年は全アリアンサへ電話が架設される」とお父さんのお話し村の人が三菱自動車を買はれて交通も便利に成りました、電燈も近い將來に點ずるでせう。惡い事は羽蟲の多く居る事、土まけと稱ふ飛び火瘡の樣な風土病がある事、アセボ、ダムシ、が多い事、紫外線とやらの多い爲顏や手足の皮膚の色が黑ン坊ソツクリで悲感しますわ。毒蛇は誠に少なく外の蛇類もあまり居らず、安心です、猛獸は話しもありません。

猿や鹿や兎が偶々出ます禽類も割合に居ません。豚肉は安く一キロ(三六七匁)二ミル五〇〇レース(七十錢)骨付きなれば一ミル八〇〇レース(四十五錢)牛肉骨無し二ミル(五十錢)骨付き一ミル五〇〇レース(三十八錢位)外の物價は何れも高ふ御座いまして小麥粉大袋五十三ミル、小袋二十七ミル位お米が六〇キロ七〇ミルもしましたが、新米が出てから、五十五六ミル陸稻乍ら新米はなか〳〵おしく戴いて居ります。

(十三頁に續く)

信州海外發展者列傳

蝦夷開發の勳功者　(一)

塩崎の旗本信濃守松平忠明

日系米人市長の養祖

日本人の血をうけた所謂日系米人が一躍米國の首都ワシントンの近くメリーランド州エドモンストン市の市長に當選した事はつい一昨年の事であつた。當時日本人も米國人もこの報を耳にして「そんな事があるか?」と半信半疑で一本調子の日本人は「排日の米國で日本人が市長になるなんてそんな馬鹿の事があるか」と、てんで信じなかつた。所がだん〳〵新聞の報導が確實性となつた「松平欣次郞」とまで主の日本人なる事が明らかになつた。在米の邦字新聞では「米國人を尻目にかけて」と市長松平氏の記事が全紙面をうづめて吾が事の樣に喜んだ。

市長松平欣次郞氏の日本人なる素性が判るについての數奇の物語りは吾々の好奇心をひどくそゝつたがその松平氏が吾が信州の出身であつたについては信州人の誇りは一層であつた。

筆者は海を持たない信州からどうして斯樣な人物が出た事についてその後、研究を怠らなかつたが端しなくも更らに一つの獲物を得た。それは松平欣次郞氏の實父忠厚の養祖父にあたる松平忠明の北海道遠征の事蹟である。頃は寬政年間、幕末の危機は孕んで內憂外患交來るの秋であつた。歐州の强國は植民地獲得の鉾を極東に向けて來た。

先づ露國はシベリヤから樺太カムチヤツカ半嶋アラスカに手を延ばして來た。而して露人しば〳〵我が北邊を窺ふや海防論の主張と共に幕府は北海道樺太を巡檢せしめた。然るに露人は旣に此の地を掠めてゐる事を知るや幕府は益々北邊の警備を嚴にするため寬政十年書院番頭松平忠明に命じて江戶にありて北海道統治の任にあらしめた。

幕府の北海道統治は植民地統治論よりすれば世界植民史に光彩を添へて理想的政策であつた。靑木武助著「續大日本歷史集

成によれば松平忠明は前後二回に渡つて北海道に遠征して露人の侵掠を防ぎ北海道開拓を掌つた。即ち寛政十一年三月松平忠明」石川忠房、羽太正養等と幕府の命によつて土人の撫育及漁獵貿易の調査に赴いた、その後北邊經營は年毎に開拓せられ幕府は更らに内地からの北海道移住を奬勵したのである。

忠明は同年九月調査を終つて歸京し越えて翌年の享和元年春再び北海道の巡視に赴きた。此の時、間宮倫宗、(林落)は普請役下役として幕府に仕へ一行に從ふたのである。忠明は七月館函に上陸して左の如き漢書を記して從者に分つて記念とした。

再奉命入蝦夷闢土彊制民産
一同登館函山慨然規畫在明
享和改元辛酉秋七月
書記番頭　松平信濃守源臣忠明

斯して北邊は日露の交渉頻繁となり、同年露國は正式に使者を派して通商開國を迫るに至つた。忠明は翌年任を終へて歸り功により時服と黄金十枚を賜ふて北海道開發の功勞者として表彰せられた。

忠明の北海道開發の抱負は右の漢書によつて十分に伺ふ事が出來る。即ち忠明は幕府の命を奉じて再び赴任するに當り先づ未開地の開發を使命として殖産の途を講じ無限の資庫を開かんとし當時露人の侵掠を幕府は極度に警戒せるにより忠明は北海の地の地位保全につき明敏なる頭腦を以て北海道植民政策の企圖に確固たる方針を抱懐してゐたのである。一行は館函山に登つて眼下を見おろし今や危機に頻せる蝦夷の現狀を憂へて慨嘆し、露人の手にふれしむるをなげいて大日本帝國の統治たらしめんとしたのである。その偉大にして高遠なる植民地統治策は吾人の大いに學ぶべき所であつて彼が非凡の人物にして且つ手腕家であつた事はその任を終つて歸京するやその功勞により時服を賜ふた事によつて證明される。現今で云ふなれば恩賜の金時計を賜ふた以上の名譽である。

更に忠明の非凡にして手腕家であつた事は蝦夷から歸京するや直ちに駿河の駿府城代を命ぜられ淺間神社の再建に着手せる事である。

斯く植民地統治者としての忠明は豐後岡野城主中川主理太夫四男と生れ天明三年信濃守松平忠常の養子として信州更級郡川中嶋塩崎五千石の代官に來り寛政六年十二月十六日從五位下信濃守に叙任し同十年書院番頭となり蝦夷統治の大任にあたつたのである。

尚忠明は殖産工藝に意を注ぎて生國豐前より琉球繭を塩崎に移植して今日の長谷ござの濫觴をなした。又千曲川の用水を引き上げて干田を水田となす等大いに領地の開發にも力を盡したので土民は今に至るも遺德を稱えてゐる。

忠明は文化二年二月駿府に於いて淺間神社の再建中その完成を見ずして死去し駿府寶台院に葬れた。

斯く松平家からは二人の偉人を輩出せしめてゐるがこれに關する秘藏の記録は塩崎村の豪農清水吉治郎家に藏ぜられてゐる

海外通信

玖馬便り

國際的野外ダンス

(在玖)　藤間德治

拜啓、三月二十日付御書面拜見致しました。御發送下さいました書籍三册共四月二十日に確に受取りました。色々御手數をかけましてすみませんでした御蔭樣でブラジルを研究致して居りますブラジル語は御承知の通り當國語と大半同じ樣ですから大變習い易いので喜んで居ります。

御報知下さいました芦部樣の事は僕も暫く存じて居りますが其後の御便に接しませんので如何遊ばされてやと思ひ居りました處計らずも御親切により芦部樣も益御活動の由で蔭乍ら喜んで居ります僕も今年中には彼地へ參り度存じますが確定は致して居りません。

それから序での事ながら當地即ち當セントラルバラグワ近邊の狀況を申しますと當玖馬は昨年迄では製糖高を制限されて居りました澤山キビがあるにも拘はらず製糖する事が出來なかつたのですが本年からは出來るだけ製糖する事が出來るのですが何分御承知の通り相場が安いものですから隨分不景氣です何にも彼も不景氣だから砂糖が安いからと云ふて節約する一方です今年の製造が止んでからの有樣が思ひやられます昨年一昨年頃は御承知でもありませうが實際甚だしいものでした今年はそれより未だ惡いかも知れません然し先年頃より製糖期間が永いですから善いですが四、五日前頃から製造が終つて仕事が無くなつてボツ〱勞働者がさわぐ樣です當バラグワは一月一日から始めましたが未だ盛んに製造中です今日午後六時迄での製産高四十四万六千五百〇五俵であります昨年の產高は四十万でありました此の分だと六十万俵近くは生産する事と存じます一俵は(三百二十五斤)但し此地の一斤は日本の百二十匁であります。

次に不景氣だ〱と云ふて居りましても今晩は僕の室から程遠くない處のテンスコートで野外ダンスをやつて居りますので御蔭樣で寢る事が出來ません、其のダンスが面白い思ひつきですテニス場の四ツ角へカフェー屋を一軒づゝ作つたので一軒は米人の式一ツは西班牙式殘りの二ツは玖馬式と大日本式であります御承知かも知れませんが當バラグワには齋藤幸之進樣と云ふ當日本人の大將が居ります其の方が主任となつて作つたカフェーですが四ツある内の第一等に善く出來た樣です、明日にならねば判りませんが賣り上げ高も一等だと思はれます其の賣り上げた金や入場料やは公園を作る爲の寄附金になるのであります、今申しました齋藤さんと云ふ方は弐百五拾弗食料付貰つて居ります、先づは御禮かた〱御伺ひまで。(四月二十七日)

墨國革命の顚末

(チヤパス州)　竹內駒雄

拜啓三月廿日附貴翰有難く拜見いたしました、貴公益々御發展の趣き慶賀の至りであります陣者頭本植民地に關しては未だ御報告の運びに至りませんが此の次便に譲り今回は當國革命の顚末を概略申上ます當國內には我が信州人も相當に在留され居る故故國では多少

心配された事と存じます。御承知の如く當國は選擧毎に革命起こり今度の革命も選擧運動に源を發したるは勿論にして前大統領オブレゴン將軍暗殺後國內の不平分子、左遷された者が一つの機會に南北より相呼應して蜂起したのでした。前大統領カエス氏が日に増し勢力を得るを心良からず思ひ居る時彼の傀儡とも目される現假大統領ポルテ、ヒル氏が就任し同氏によりてカエス氏の政策を踏襲する事になり、又オブレゴン將軍在世當時同黨一方の首領と仰がれてゐたトペテ將軍の如きオブレゴン氏の死後一朝にして首領の地位より蹴落されて、左遷されて居りし者又前將軍セラノ氏ゴメス氏等反再選組派に對して採つた政府の處置に不滿を抱ける者等遂に爆發して先づ南部ベラクルース州司令官アギレ將軍の反旗をひるがへして起つや北部にては代議士ペレンスエラ、ソノラ州知事カラベオ氏、エスコバル司令官クルーズ將軍等又立ち南北より呼應して策動し一時は五、六州が反軍の掌中に歸してありしがカエス氏陸軍卿に任せられ自から陣頭に立つて志氣を鼓舞し作戰よろしきを得て二ケ月を多く出でざる今日反軍を米墨國境の一州ソノラに壓倒せしめ殆て全國を平定するに至りつゝあります。最初ベラクルスに革命の報傳はり次で北部三、四州に及び交通、通信の杜絶を見るや革命の眞相不明になり巷間傳はるものは噂とり〲で所謂揣摩臆測を以て充される狀態にて反軍の宣傳は効を奏して或る州は既に革命軍に投じ或る州は向背決し難く形勢傍觀の態度を採り去就は一つにかゝはつて革命行動の進展具合によるといふ有樣にて此の間に主義主張を如何にするとか、自分の信ずる政策を貫徹すべく努めると云ふ節操も氣慨も見當りません。只彼等眼中自分の利害有るのみです。斯の如き一時は形勢逆睹し難い危險狀態に立ち至りし爲め大統領ポルテ、ヒル氏はカエス氏をして陸軍卿の責任を引き受ける樣懇請したものゝ如くカエス氏としても一身上の事など顧みて居る時にあらずとして快諾し自から全軍を統師して北部の野に戰ひ、交通不便の沙漠地帶(とても故國邊で想像も及ばぬ)を突破して、さしもの危機國難をも遂に政府軍に有利に轉せしめトレオン市の會戰を以て形勢は一變して以後破竹の勢を以て反軍の絶滅を期して居るものゝ如く去る本月五日の新聞紙上に見るにカエス氏自身飛行機に搭乘してソノラ州首都エルモシーヨ市に迄乘込みしと云へば最早數旬を出でずして反徒を全く降服せしめる事と存じます。今回の革命に際して北墨國境二、三州の在留同胞には損害を被りし者有る樣聞きしも莫大の被害を受け又は爲めに事業の頓挫を來すと云ふが如き程度の損害を被りし事も未だ聞かず人命に拘はる被害に於ては全くないらしく在墨國公使館でも急據外務省に電請して北米羅府の領事の出張を乞ひ調査される等時宜の處置を採られし由なれば詳細は追つて判明するならんも今の處一般在留同邦が此の厄から免れたるは不幸中の幸でした。右概略迄(五月十二日)

アリアンサ便り

依托荷物頂戴

在第二アリアンサ第五區　長縄辰吉

拜啓其の後は御無音に打過ぎ申譯無之候。當地も到着せし時は只住宅地各戸アルケールの伐採ありしのみにて他は皆原始林に被はれ居候へ共各移住者の奮鬪の結果今は珈琲も可愛らしい若芽を出し申候

本年の雨期は雨多く稻の生育も良好にて早

時は收穫も間近に御座候

客年十一月渡航者新沼氏依託荷物本年二月二十二日受領仕候右有難く厚く御禮申上候

小生達入植の第二の五區は土地高燥にして展望よく非常に喜び居り御陰を以て幸ひ健康に惠まれ毎日汗と土にまみれて勞働を續けて居り候間他事乍ら御休心被下度候

先は亂筆にて御禮旁々御一報まで。草々

(二月二十四日)

秋季野球大會

滋谷政治

秋季野球リーグ戰は四月廿一日より開始、參加チーム五組でその接戰振りは物すごく遂に中央區が優勝した。スコアーは左の通り

第三渡邊	3A	第二區	2
三九キロ	4A	第三渡邊	3
中央區	6	第三渡邊	3
三九キロ	12	第一區	5
第一區	3	第二區	8
中央區	5A	第一區	2
中央區	6A	第二區	4
第二區	5	三九キロ	2
第三渡邊	13A	第一區	8
中央區	四	三九キロ	二

勝敗戰績表は左の通り(○は勝×は負)

	第一	第二	渡邊	中央	三キ
第一	：	×	×	×	×
第二	○	：	×	×	○
渡邊	○	○	：	×	×
中央	○	○	○	：	○
三キ	○	×	○	×	：

(戰況) 第一の青年ホームを主力とする中央區は鎌田(投)手島(捕)の活躍は遂に四戰四勝の榮冠を獲得した、各チームの奮鬪振りは負けず劣らずの手腕を持つてその眞劍味はファンをして常に手に汗を握らしめてゐた。三九キロの主將笠原投手は曾つて信州の青年チーム、全平野野球團を率ひてゐた辣腕を振つて凄ぐましきものであつつた。三九キロ對第二區は猛烈なる投手戰で終始した、四回の表で三キ軍二番打者を塁におき笠原投手の本塁打は見事中堅後方を拔いて珈琲畑に飛球し二點を入れた、二區の弓場投手も之れに譲らずその裏に於て三塁打を放ち三點を入れ勝戰以上の接戰であつた。

優勝チームの中央區メンバーは左の通りである。

鎌田(投)　手島(捕)　岩波(一)
藍澤(二)　綱島(三)　田中(遊)
鑓澤(右)　伊藤(中)　三浦(左)

南洋便り

在外者を勉達

(在ダバオ)　菅沼達雄

拜啓貴社益々御盛榮之段奉賀候扨て小生儀必しも貴社に反感の意志は無之候早速御返事に接し有難く御禮申上候。

吾々海外に在住する者はよりよく指導にあづかりたく何かと御配慮相願度候

當方は小池釣夫氏塚田条治氏等の力行健兒によつて貴社と力行會の世話を致し居り小生も力行會の一員として兩氏に一任し居り候故貴社會費も兩氏に御依頼致す考に御座候故左樣御承知相成度候乍末筆貴社益々吾々海外へ在住致す健兒を御勉達あらん事を御願致し候

先づは亂筆御一報まで　(四月十日)

移住地閑話(十一)

在アリアンサ　武田三三

四七、温古知新(續き)

ボンベイの廢墟には立派な水道があつて鉛管を使用して居り、廢墟に亘る煉瓦の水路もあるが、現今土木の技術を以て何處から水を引いたか分らぬとは情無い樣でもある。

當地に煉瓦工場があつて頻に煉瓦を燒いて居る。出來不出來にも困る事ではあらうが、三分の一位は一雨で溶けて無くなるには一寸驚いて居る。今回更に當地三十九キロの奥にも煉瓦工場新設中であるが、此處は拙者が土器を地中より發掘した處であつて、黑色粘土が澤山に有る。土器の樣式は素人判斷で彌生式と見立てゝ置いたが、出鱈目に數千年前の原始的のものと獨斷して居る次第である。其後聞く所に依れば此地方一帶の山林には、最近迄「ボーグレ」と稱する未開の食人種が居つて、開拓に從つて山奥に逃走したものであるが往々にして見た人があるそうであるから、是等の土器は或はボーグレ君のものかも知れぬ。上塚植民地開拓の際もボーグレが土器を捨てゝ奥に逃げ込んだそうで、上塚氏が氣の毒に思はれ、水甕と鍋釜を添つてボーグレ神社を建てられたと承つて居る。すれば吾等發掘の土器は數千年でも數百年でも無く、ボーグレの遺品である譯で、早速手製考古學の幻滅を感ずる次第であるが、それにしても是等の土器は何れも地下五寸以上の處から出たのみならず、少くとも二三百年成長の樹根の下からも出て居る所を見ると、必しも悲觀したものでもあるまいと思つて居る。兎に角ボーグレの手前もあるに依つて水に溶けぬ煉瓦位は造らねば相濟まぬ次第である。ペーベルの塔を初とし、出羽の多賀城太宰府の都府樓の瓦は、日光で燒いたと申し傳へられ、今でも硯に作られて居る位堅いのであるから、何とか一つ考へなければ祖先に對して申譯があるまい。

吾等万里の波濤を征服し、ブラジルに上陸して山林を伐採し、火を附けて燒き拂つて稻も稙へ珈琲を稙へ、大に文明の野武士であると心得て居つた所、過般朝日新聞の杉村楚人氏一行の朝鮮紀行の中に、火田民と言ふものが朝鮮に有つて、頻に山林を伐り倒し、頻に火を附けて燒き拂ひ、頻に粟を播いて收穫し、五年位を經て土地に肥料が無くなれば、一家眷族を率いてサッサと他の山林に轉住し、復伐つて燒いて播いて收穫する。山林が誰の所有であらうが更に構はず、地代は無論一文も拂らず、十人家族で一年の生計費五十八圓也とある。ヤレ〳〵吾等はブラジル迄何しに來たのか分らぬ。地代の外に十人家族ならば一年千圓以上の生計費が掛るであらう。但朝鮮總督府では頻に法令を以て火田を禁じて居るが、其所は治外の蠻民であるから屁とも思はず、八ケ間敷追ひ詰めれば段々山奥に逃げ込んで行き始末につかぬと書いてある。吾等は文明であるに因つて土地代を支拂ひ、收穫は

あるが、今の所生計を償ふに足らぬとあらば一寸火田民に倣つて見たくもある。文明人も此所至極厄介なものなる哉である。そこで若干意氣消沈の態とあつて、寢轉んで手許に在つた文章軌範を讀んで見たら、司馬遷の貨殖傳一章が書いてある。責めて金儲けでも參考の爲に讀んで置かうと考へて見るとこんな事が書いてある。

楚越之地地ハ廣ク人ハ稀ニ稻ヲ飯ニシ魚ヲ羹ニス或ハ火耕シテ而シテ水耨ス

これでは何處まで行つて吾等の先輩がある譯で、支那人は二千年以前から火田も水田もやつて居つた次第、文明の野武士愈以て顔色無しである。某氏初めて勅任官に昇格し、これで先祖に申譯が立つと喜んで、早速大禮服を新調に及び或時宮中の儀に參列した折に、勅任官とあれば一番上席に納まつて差支あるまいと見廻はして居つた所が、傍の老人が申さるゝには、あの野郎勅任官の癖に生意氣であるとの事であつたから、一寸驚いて立札を見たら親任官席と書いてある。成程上には上があるものと感心もし悲觀もしたと承つた事があるが、ブラジル火田民も全く御同感に存せらるゝ次第である。

久米博士は三十年にして世相が變るから、之を一世と稱せられてゐるが、人間社會の記憶力も三十年たてばケロリと無くなつて、平氣でシャア〳〵と古臭い事を新しがつて居る樣である。三年程前に三重縣明野の陸軍飛行學校へフランスから電報が來て時計で方位を確知する方法が發見せられた事を報知に及んだといふ新聞記事があつた。ツマリ懷中時計の長針を太陽に向け、短針と十二時との間を二等分したる方位が正南であると申すのであつたが、此事なら何も態々フランスから電報で知らして貰なくとも、今から三十五六年前に博文館から發行して居つた日本之少年と申す雜誌にチャンと出て居る。之は果してフランスから電報が來たのやら、又は新聞記事の間違やら判らぬが、由來新聞には幾多の出鱈目が書いてある。最近の新聞によればフランスでは、一時間七十浬を走る客船を建造し、二日間には太西洋を横斷せしめると報導して居るが、これは大に怪しい話と思ふ。現代技術の範圍に於ては、船の速度は船の長さに因つて決定せらるゝものであつて、長さが增さぬ限は幾十万馬力の機械を積んでも、速度は一定の限度を超ゆる事が出來ぬ事になつて居る。

例へて申せば長さ百尺の船では時速十二浬が限度であり、四百尺の船では二十四浬が限度であり、九百尺の船では三十六浬が限度である。而して九百尺前後の船が現今世界最大のものであるから、從つて三十五六浬が速度の限度であると思はれる。歐洲大戰中英國で極祕の裡に「天狗船」とも稱すべき快速船を建造し、時速四十浬の速度で太西洋を往復したが首相バルフォア氏が之に乘つて米國迄相談に往つたと申されて居る。此天狗船の正体は今以て判明せぬが、推斷する所何でも長さ千尺位あつたものと思ふ。今フランスの客船が一時間七十浬を走るとすれば、長さは三千五百尺で約一キロメートルの十町と言ふ事に相成るが如何に天狗でも長さ十町の船は建造不可能である。

昨今新聞雜誌の小說と言へば極まり切つて幕末の男女を書き出して居るが、戀愛小說にも最早愛想が盡きたとは言へ、これは又三十年を二度飛び越して、六十年の昔に立ち返つて居るのは、退歩か進歩かサッパリ分り申さぬ。尤も「マルクス」の如きは三十年を三度も飛越して、九十年の昔に逆戻りして居るがそうして見ると「モダーン」と言ふのは舊式と言ふ意味であるかも知らぬ。

すばらしい渡航熱

半歳で昨年中の數を突破

長野縣の上半期渡航許可數

海外移植民の思想普及と共に渡外渡航者は激增して本月一月より三月中旬に至る本縣の海外渡航者數は本誌第八十二號に掲載したがその後の渡航許可數は左記の如くすばらしい勢ひで激增し本年一月以降六月迄の數は昨年中に許可した數を最早突破する現勢である。

渡航地は伯國がやはり第一で七割を占めてゐるがこれは政府が伯國移住を奬勵してゐる結果によるものである。

(移民)

氏名	家族數	渡航地	本籍地
矢澤英一	三	伯國(海興)	上伊伊那町
辻梅と	一	新嘉坡(呼寄)	更級信里村
井上ひさ子	一	墨國(呼寄)	上伊富縣村
西澤濱治	六	伯國(海興)	諏訪平野村
重田滋	三	伯國(海興)	北佐布施村
佐藤清義	一	伯國(再渡)	更級御厨村
水原善重	一	伯國(呼寄)	東筑廣丘村
倉島義	六	伯國(海興)	小縣神科村
小出虎雄	五	伯國(海興)	小縣中塩田村
茂村德太郎	八	伯國(信海)	長野市
古屋薰	一	比島(呼寄)	諏訪上諏訪町
宮坂鐵藏	五	伯國(海興)	諏訪上諏訪町
山岸清	三	伯國(信海)	上高井上村
長谷部忠雄	一	北樺太	更級青木島村
赤羽武	一	伯國(海興)	東筑島立村
風間茂義	五	伯國(信海)	更級川柳村
綱倉兵吾	四	同	同
風間啓藏	三	同	同
古畑寛	三	伯國(海興)	北安常盤村
佐藤貢芳	三	伯國(信海)	北佐五郎兵衛新田村
佐藤權右衛門	四	同	同
佐野陸甫	七	同(海興)	南佐川上村
小平重雄	一	比島(再渡)	南安穗高町
小平普雄	一	同(同行)	同
柳澤保金太	一	同(呼寄)	小縣和田村
柳澤ひち	一	同(呼寄)	同
小島飛代	一	北樺太	上田市
小澤五郎	一	伯國	上伊川島村
宮崎爲喜	一	伯國	下高往鄉村
小林福治	一	伯國(海興)	下伊富草村
丸山茂樹	二	亞國(呼寄)	下高往鄉村
米山昌富	一	比島(再渡)	上伊飯島村
花崎伊代三	一	伯國(信海)	東筑里山邊村
堀原好稀	七	伯國(信海)	更級川柳村
佐々木泉	一	比島(海興)	南佐田口村
滋野信	八	伯國(信海)	上伊西春近村

(非移民)

氏名	家族數	渡航地	本籍地
成澤誠市	一	比島	北安平村
傳田寛一郎	一	伯國	更級篠ノ井町
下平績	一	歐米	上伊那町
西澤太一郎	一	南北米	更級川柳村
小岩井利雄	一	新嘉坡	小縣鹽尻村
宮澤準二	一	亞國	諏訪永明村
小田辰雄	一	歐米	東筑笹賀村
遠藤信治郎	一	比島	上高須坂町
下村たま	一	北米	小縣丸子町
計	一一二		
累計	二五五	(本年一月以降)	

異鄉の地に沒した本縣人

各郡市別の海外死亡者 (三)

諏訪郡

町村名	死亡者	死亡地	死亡期日	死亡原因
平野村	井上總行	大平洋航海中	大十、六、二〇	病死
平野村	中村正治	米國桑港	大十三、十、卅一	病死
豊平村	小平佐次郎	伯國聖州	昭三、十一、十七	病死
豊平村	小平さつ	伯國聖州	大十五、八、三	病死
宮川村	上原政義	加奈陀	昭三、四、三	病死
豊田村	笠原義章	米國コロラド	明四二、十、十	病死
豊田村	牛山克躬	米國羅府	大十、四、二九	病死
豊田村	松澤茂	米國モンタナ	明四〇、四、八	病死
豊田村	笠原か津	米國コロラド	大七、十、七	病死
泉野村	朝倉清治	南滿洲大連	昭三、七、八	病死
湖南村	藤森貞	伯國聖州	大十四、十二、十五	病死
湖南村	關新三郎	加奈陀	大元、十、十五	不明
永明村	河合義人	伯國聖州	昭三、三、九	病死
永明村	上原吉	米國コロラド	大九、六、八	病死
永明村	上原島	米國コロラド	大十五、十、六	燒死
米澤村	田中作藏	米國加州	昭和、三	病死
落合村	久保田太助	米國桑港	大九、三、三	不明
落合村	坂本清幸	墨國シナロア	昭三、九、十九	病死

上伊那郡

町村名	死亡者	死亡地	死亡期日	死亡原因
河南村	湯澤留藏	比島ダバオ	大六、四、十	病死
美篶村	小林彝治	加奈陀	大九、二、七	病死
美篶村	宮島善四郎	墨國	明四三、十、十七	炭坑内死亡
伊那町	福澤志那助	米國紐育市	昭三、八、四	病死
伊那町	小池喜作志	米國羅府	大十三、四、十	病死
南箕輪村	有賀玉子	伯國聖州	大十五、十、廿五	病死
南箕輪村	原正已	印度洋航行中	大七、七、廿四	病死
南箕輪村	原正名	印度洋航行中	大七、九、二	病死
南箕輪村	原眞理男	伯國聖州	大十五、十一、三	病死
南箕輪村	原マリヤ	伯國聖州	昭三、九、三〇	病死
富縣村	池上權也	比島ダバオ	明三八、八、一五	脚氣
富縣村	田畑喜三郎	米國桑港	明四一、一、六	病死
西春近村	三澤綱良	爪哇	昭三、三九	負傷ノ爲
朝日村	赤羽貴作	比島ダバオ	大十、九、二七	病死
川島村	小澤半五郎	支那揚子江	大九、六、二三	航行中墜落
赤穗村	織井まさと	大連市	昭三、八、二三	病死
赤穗村	福澤賢次郎	上海	大十五、九、四	病死
赤穗村	北原かねを	布哇尾西歐島	大六、十、五	病死
赤穗村	北原正	同	大七、九、一六	病死
赤穗村	松崎條右衛門	米國イリノス	大十五、三、二九	病死
赤穗村	松崎清朗	米國シカゴ市	大十三、十、十一	變死
赤穗村	中城靜惠	伯國聖州	昭三、二、四	病死
宮田村	川手岩雄	伯國聖州	昭三、十二、十九	病死

宮田村	小田切さくよ	伯國聖州	大十三、六、十五	病死
伊那村	森田惣次郎	米國加州	大十三、三、八	病死
中澤村	井ノ口理之助	亞國ブ市	昭三、四、十三	病死
中澤村	宮下勝	伯國聖州	昭二、二、七	病死
東春近村	飯島光男	比島ダバオ		病死
下伊那郡				
千代村	川手鉄造	秘露國里馬市	昭三、八、十三	病死
千代村	島岡米榮	ブラジル	大十四	不詳
喬木村	松岡政一	比島ダバオ	大七、十二、二	病死
喬木村	中島信雄	米國	明十八、九、三	病死
座光寺村	池田一男	米國	大七、十一、七	病死
座光寺村	中島鉾治	伯國聖州	昭二、三、八	病死
座光寺村	吉川武	同	昭三、三、四	病死
座光寺村	吉川いまよ	伯國聖州	昭三、十二、四	病死
伊賀良村	矢澤治代	米國	昭三、七、三	病死
上郷村	吉川喜代志	伯國聖州	大十五、二、二七	病死
上郷村	北原爲之助	米國	大九、十、七	病死
和田村	諸山一二三	秘露リマ市	昭二、四、十六	病死
上飯田村	佐藤三善	比島ダバオ	大七、十、九	病死
上飯田村	久保田眞太郎	米國	大十、四、三	病死
上飯田村	久保田博	米國	昭二、五、二〇	病死
東筑摩郡				
筑摩地村	古田雪	米國	大十四、二、八	不明
筑摩地村	古田勉	米國	大十五、二、二五	不明
筑摩地村	古田禎子	米國	大十三、五、十六	不明
朝日村	高橋起松	米國	大六、三、十四	病死
西筑摩郡				
田立村	岩田たか	伯國聖州	昭三、三、二一	病死
田立村	岩田浩	伯國聖州	大十四、十、十五	病死
北安曇郡				
常盤村	栗林晋吉	比島ラグナ	大十、二、三	病死
常盤村	清水義貫	米國	大十一、九、二七	病死
常盤村	倉科節也	南滿州本溪湖	大十、十、十九	自殺
美麻村	武井三男	伯國聖州	大五、四、四	病死
美麻村	松村悦子	伯國聖州	昭三、六、二〇	病死
美麻村	伊藤ふみへ	加奈陀	大十一、十一、八	病死
八坂村	北澤國治	比島ダバオ	大七、二、二六	病死
池田町	伊藤永司	米國	明四五、一、一〇	病死
七貴村	丸山寅	米國	明四三、十二、八	病死
七貴村	渡邊三七	加奈陀	不詳	不詳
南安曇郡				
豊科町	岡村紫藏	支那山東省	大四、五、二五	病死
豊科町	丸山つたゑ	伯國聖州	大十五、七、八	産褥熱
豊科町	丸山喜市	伯國聖州	昭三、六、十七	病死
高家村	山浦三二一	關東州大連	明四一、七、三	病死

（以下次號）

移植民ニュース

新舊拓相事務引繼
形式に流れるなと訓示

拓務省は四日午前十一時田中松田新舊兩大臣の事務引繼を行ひ兩大臣は省員一員を大臣室に招集してつぎの如き簡單なあいさつ訓示をした

田中前拓相　新設以來暫らくの間私が拓相をかねてゐましたがその間諸君は精勵省務にあたられたとを感謝する今度は新大臣、新内閣の下に御精勵ありたい、とりわけ申しあげたいのは新任の時に申あげた樣に拓務省は性質上綱紀問題を起し易いからその點は國家のために氣をつけられたい

松田新拓相　今回はからずも大命を拜し拓務大臣となりました上は誠心誠意省務を勵み國家のために盡す決心である拓務省は創立日尚淺く諸般の計畫その他諸君の協力をまつべきものが多いからよろしく精勵ありたい初代の大臣として責任重大であるが官制上拓務省は朝鮮、臺灣、樺太、關東州、南洋諸島を監督する外滿鐵、東拓等も監督しかつ移植民および海外拓殖事業の指導等の獎勵に關して多くは國際關係を伴ふから細心の注意を要することと思ふ徒らに形式に流れ繁文じよく禮事務のじふ滯を來さぬやう注意ありたい最後に當初所管地域においては一再ならず綱紀問題をひき起してゐるから諸君はこの點につき相戒め綱紀の肅正を保ち明るい政治を實現することに努力されたい。

初代大臣の責任
重大と松田拓相と語る

自分が代議士に出たのは明治四十一年度だから確か改選七回二十一ヶ年になる、今回はじめて大臣になつたのでしかも新設の拓務省初代の大臣となつたので一層責任の重大さを感じてゐる拓相としての方針やその他についてはいづれゆつくりお話ししたいと思つてゐるが自分は國務大臣の大任とに鑑みて誠心誠意事に當る考へである。

伯國渡航者の
農産物種子攜帶注意

從來伯國渡航者農産種子類を自由に携行してゐたが偶ゝ伯國官憲の取扱振に變化を來たし全部沒收せらるゝ事あり右は元來かゝる種子苗木類の輸出入は國際間に、これに附帶する病虫害豫防の故から嚴重なる規則が設られて一定の手續をふんでなければドシ／＼沒收せられる事になつてゐたり伯國渡航者の携行も又これが手續を經て得ぬので沒收せられ渡航者が本國から折角携行するもかゝる事により沒收せらるる事は遺憾であるとなし今回これが善後處置として左の如く定められた。

一、農産種子類の携行は種子球根二種に限り一家族二升以内の事

二、種子類は携行者各自が白色布製袋に容れ姓名を明記する事

三、前記の種子は移民收容所に於て一括し神戸税關植物検査係の検査を受ける

四、税關植物検査係より全部に對し一葉の證明書を發給せらるゝを以て之に對し在神戸伯國領事の査證を受ける

五、種子類は移民收容所に於て箱詰となして之を伯國迄運搬の上サンポウロ移民收容所に於ける分配は同船の移民監督に委囑する。

地方巡回救療

同仁會衛生保健に活躍

在ブラジル日本人同仁會では在伯邦人の保健について常に衛生智識の普及を計るために種々の印刷物を配布し又は各地に講習會等を開いて活動してゐるが今回更らにドクトル高岡專太郎氏を約百日間各地に派遣して巡回救療する事になり六月一日より開始した。今回の企ては最も有意義なるものとして各地で歡迎され植民者達が居ながらにして病氣に就いて十分の指導世話を受ける事が出來ると。

三社合同して
リマ日報を發刊する

一萬七千余の同胞を抱擁してゐる秘露にはアンデス時報日秘新報、秘露日日の三新聞社があつて相互に競爭して時には醜態を演じつゝあつたが新聞紙本來の使命を全するため三社は圓滿合同して株式會社「リマ日報社」を創立してリマ日報及び雜誌汎米を發行する事になり七月一日より實行する事になつた。

渡伯虎眼病者
絕對に上陸出來ぬ

トラホーム患者のブラジル渡航者が彼地上陸に際し遂に上陸を禁止され空しく送還された事實は未だ吾人の記憶に新たなる所であるがこれに關し一部では排日の計劃的行爲ではないかと臆測したが事實は本年二月西班牙國勞働大臣が在伯同國人の生活狀態及び衛生狀態を述べて穢惨を極め不衛生であると極言したのに端を發しこれが伯國人士に著しく反感を與へ新聞各種團體は斯く如き言辭はブラジル國を侮辱せるものであると抗議を申込みその反省を促し釋明を求むる所があつた。一方ブラジル國でもその挑戰的に歐洲移民の衛生檢査を嚴重にしてトラホーム患者を送還して寧ろ斯くの如き疾病は歐洲移民が持參するものである事を實證せんがため執りたる措置が偶々日本移民の入港となりその飛火を受けたるものであつたと解せられてゐる。

併しそのいづれにせよ日本移民の外國渡航は不健全なる者を送出する事は國際道德上又はそれ以上に相互國間の親善上斷じて許すべからず我移民政策傳統の精神は自ら本國にこれが監督機關を設けて相手國に迷惑ならざる樣周到なる注意を拂ひつゝあつたもので神戸移民收容所に於ける渡伯移民についても嚴重なる檢査の上合格者に初めて渡航を許可したる事實に鑑みて前記の如き事から百四十余名の送還は實に遺憾に堪えぬ次第である。

而して今後移民收容所では一層これが徹底を期し日本移民の眞價を發揮すべくトラホーム檢査を嚴重する事になつた。故に罹病者は十分に注意して故郷出發前治療して移民收容所で不合格ならざる樣注意すべきである尚治療を急ぐため治醫の意に反し手術的療法を行ひ偶々瘢痕を見受け患者として不合格とせられる事があるから無理をせず手術療法をしても十分に全治してから出發する樣すべきであつて徒らに渡航を急ぎ出發に焦り却つて收容所で不合格となりこれが治療と共に次船を待つため神戸市内に假遇する事は莫大なる金費を消耗し不測の蹉跌を來す事あるにより十分に注意すべきである。

移民收容所で發表した三月以降の不合格者調査表は左の如くである。

年月日	總人員	不合格者	同上家族人員
三月三日	三六四	一七	五〇
三月廿日	四四七	一三	四三
四月八日	一、〇七〇	三四	一一五
四月廿二日	一、〇二九	五六	一九九
五月四日	一、〇四三	四二	一四三
五月廿四日	八七七	一四	六五
六月十三日	九三九	一四	五九

信州記事

千葉知事の後任に
鈴木(山梨)知事任命

濱口内閣は五日閣議で知事の更迭決定を見たが本縣關係の分左の如し。

任長野縣知事　山梨縣知事　鈴木信太郎

任香川縣知事　長野縣書記官　田中無事生

依願免本官　長野縣知事　千葉了

運動文學美術
趣味豊かな鈴木知事

地方官異動で山梨縣知事から本縣知事に榮轉した鈴木信太郎氏は近代的の明るい感じの持主で柔道二段の猛者といふほかスポーツマンとして知られてゐるまたその半面に文學、美術等々……和かな方面の趣味をも解し知事の座右を離れぬ有名な大福帳には得意のスケッチや落首で充されてゐるさうである、同氏は床次竹二郎氏の女婿である當時の媒酌人たる伊澤多喜男氏等の推薦によつてこの榮轉を見たものといはれてゐる。まだ四十六歳の働き盛りゆゑ相當今後の手腕が期待されてゐる。明治四十一年東大法科出身石川縣の警察部長を振りだしに愛媛、岩手、神奈川、嶋根を經て大正六年台灣總督府に轉じ八年内務省に入つて海外視察をなしたが同十二年歸朝後奈良縣知事に任ぜられ岐阜、山梨を經て今回の榮轉を見たのである。

千葉知事辭表提出
在職二年餘の治續

民政黨内閣の實現と共に千葉本縣知事の進退は注目されてゐたが、二日辭職同氏は田中内閣により昭和二年四月本縣知事

母國通信日誌
（自六月十六日至七月　日）

六月十六日(日)　救世軍創始者第二世ブース大將逝去行年七十二▲第二の松島事件と云はれてゐる和歌山遊廓新設にからまる七萬圓は警視總監の手にあると大騷ぎ

十七日(月)　樞府精査委員會で不戰條約は追究せず諒解成る▲聖上陛下各地方長官に民情産業について御下問▲北海道駒ヶ岳大噴火

十八日(火)　不戰條約字句の憲法抵觸を承認その付屬宣言「その各自の人民の名においてなる字句は帝國憲法の條章より觀て日本帝國に關する限り適用なきものと諒解する事を宣言す」▲不戰條約問題解決と共に内田伯の態度に注目さる▲遞信從業員八時間勤務制實施

十九日(水)　内閣改造本舞臺に入り床次氏に入閣交涉▲映畫教育普及で千人の先生に公開

廿日(木)　早大の左傾派學生十余名退學通告▲和歌山遊廓事件で七萬八千圓を收受した宮田總監辭せん▲靜岡縣下天龍川で母子四人心中原因は生活難▲觀光局を設けて外客誘致策に關係者間に協議、貧しい日本の乞食根性

廿一日(金)　一時暗雲のたなびきを感じた蔣馮

として赴任今日に至る間の治績を見るに昭和二年五月の大霜害救濟、低利資金借入を筆頭に梓川問題の解決等が數へられ警廢後まだ殘つてゐた問題の整理並に女子專門學校の設置を行つたこと等である。

法相に渡邊千冬子

三代續いて法相に信州人

濱口内閣へ貴族院から入閣司法大臣となつた渡邊千冬子は諏訪郡長地村東堀から出た渡邊千秋伯の三男坊に生れたが千秋

聖上陛下より

恐れ多い御下問に奉答

地方長官會議に上京中の千葉本縣知事は六月十七日他の府縣知事と共に宮中豐明殿に召され御陪食を仰つけられ畏き陛下より御茶を賜はり有難く拜受して退下したがその際聖上陛下には特に本縣の普通教育の狀況並に青年訓練所の成績について御下問遊ばされ知事は恐くしながら詳細奉答申あげた、右について知事は謹んで語る

「本日宮中に召され畏くも聖上陛下から縣下の普通教育の狀況並に青年訓練所の成績につき御下問を賜つたことは知事の職にある私として全く感泣の外ありません、陛下には縣下の情勢につき深く大御心を留めさせられ奉答に際しても一々御熱心に御うなづきの御樣子に拜されました、この上は全縣民に聖慮をお傳へ申して一層縣治に盡くしこの光榮にむくい奉りたいと思つてゐます」

關係は和解成り馮氏外遊と決す△日本アルプスは登山季節に入り登山被害防止に準備中△床次氏入閣で政友會内の小勢力小ぜり合ひ **廿二日(土)** 昨日から東京大連間郵便飛行實施内鮮滿連絡に一大福音東京大連は僅か三日で飛べる△朝鮮政務總監兒玉秀雄氏新任式△中等學校參加復活で神宮競技今秋から賑はん **廿三日(日)** アサヒグラフ主催のモダーン彌次喜多本日日本橋を華々しくスタートを切る **廿四日(月)** 警視總監後任は長岡隆一郎氏△露支關係東支鐵道を中心に惡化す△三大商工都市大阪京都神戸を中心に總動員演習 **廿五日(火)** 生活難から二女を殺して自殺を企つ悲劇が東京府下に△民政黨今度は滿洲事件で倒閣に必死△滿洲事件公表は來る廿八日 **廿六日(水)** 不戰條約付屬宣言可決に伴ふて調印の責任を負ひ内田伯辭表提出△東京で離れ業防止の列車通學安全デーを一週日行ふ△警察部長會議開く **廿七日(木)** 長崎縣松島炭坑崩壞四十二名慘死△サンマータイム實施の聲たかまる△日本人の研究で支那人が博士になる **廿八日(金)** 滿洲事件で俄然内閣に傷付く△床次氏態々日和見入閣に足を止む△山本代議士殺し黑田公判本人は殺意を否認す

伯の弟元藏相故渡邊國武子に子がないので養子となり今日におよんでゐる、司法大臣に信州人が小川、原、渡邊と三代續くわけなので本縣人には少なからぬ誇りである。

渡邊子は父の生家が今尚長地村にあり富士見高原へ別莊を持つてゐるので毎年墓參と避暑をかね一二回入諏する。親近者の談によれば若い時から負けず嫌ひで頭もよく小川鐵相とは私的には別懇の間柄であると

拓務政務次官に

小坂順造氏任命さる

政府は五日の閣議において各省政務官の人選を行つた結果本縣選出代議士小坂順造氏は拓務省政務次官に任命されるに決定した

小坂順造代議士は上水内郡柳原生れ、東京高商出身、明治四十三年歐米漫遊同四十五年、大正四年、同九年、昭和三年の四回代議士に當選、大正七年農相山本達雄氏の秘書官となり後勅任參事官となる、事業方面では現に長野電燈社長梓川水電重役、その外數會社の重役を兼ね信濃毎日新聞社長として地方財界および言論界に重きをなす、まだ四十九歳の働き盛りである。

總理大臣秘書官

戸田由美代議士任命さる

本縣選出代議士戸田由美氏は五日總理大臣秘書官(三等)に任命された、戸田氏は上伊那郡東春近村出身で少壯代議士として民政黨では將來を嘱望されてゐる。

最初の女督學官

本縣出身の堀口女史は語る

文部省最初の婦人督學官として引つ込み勝ちな日本婦人のため萬丈の意氣を見せたのが本縣出身の東京女高師教授堀口きみこ(四三)女史である、上伊那郡中箕輪村の生れ松本女子師範から女高師へ進み卒業と同時に附屬女學校の數學の先生や母校女高師の生徒主事を勤め在職二十三年間といふ素晴らしい篤學者である、がつ

廿九日(土) 斷末魔の政府來週早々總辭職決行不戰條約と滿洲事件で全く立つ能はざる瀨戸際に閣僚相次いで園公訪問△文壇の耆宿魯庵内田貢氏逝去享年六十二 **卅日(日)** 閣僚の辭表取纏め二日辭表捧呈の豫定△後繼内閣は憲政常道に基き濱口民政黨總裁に大命降下△民政黨員吾天下來ると浮かれ出す組閣の人物話題に上る **七月一日(月)** 田中首相は昨日床次氏を訪問△田中内閣最後の臨時閣議殘務整理△劇界空前の光榮尾上菊五郎に叙勳六等賜瑞寶章 **二日(火)** 田中内閣總辭職在職二ケ年二ケ月△新内閣組織の大命濱口總裁下る△田中床次會見政新同盟を約す△濱口内閣成立親任式擧行大命後僅か五時間の鮮やかさ **三日(水)** 新内閣の看板は財政緊縮と金輸解禁によつて國難を打開△民政黨は三日を期して田中内閣倒閣大會を上野に開かれる豫定であつたが急に組閣祝賀會に早變りの珍事△政權獲得の夢破れ新黨壞滅の危機黨員床次氏を見放す早くも脫黨二名民政入を申出づ **四日(木)** 警視總監は純然たる事務官を任ずるとあつて丸山鶴吉氏を任命△貴族院議員添田壽一博士逝く行年六十六△政友新黨いよ／＼合同 **五日(金)** 政友色知事の免官休職の地方長官大更

しりとした體格のうちにも一脈の溫容あり見るからに良妻賢母の典型のやうである。といつても女史は今日までズット獨身で押通し意志の人である一方付屬女學校寄宿舍の主任として全生徒から慈母のやうに慕はれてゐる、きのふ正午お茶の水の女高師を訪へばさすがに新任の喜びを包み切れぬらしく、左の如く感想を語つた

淺學非才よくその任を完し得るかどうか少からず心配してゐるんですが、女子のための新しい地位を辱めないやう一生懸命に努力するつもりです、近頃は一般に利己主義に陷つて女の美徳が失はれてゆくやうに思ひますやつぱり女は實際生活に立脚せねばいけませんね、今東京の方には老母と弟と三人住ひなんですが、毎年鄕里へは墓參のため歸ることにしてゐます。

春繭相場高騰に

縣下の養蠶家活況を呈す

縣内殊に小縣方面の繭相場は好況を呈し六月二十六日の取引では丸子繭糸において九圓九十三錢といふ高値を現出し、同郡内、丸子、川西、上田信濃の四市場では總計一萬二千九百二十三貫の大量にも拘らず、買なれ相場は四市場平均が九圓を突破するといふ有樣であるが縣當局ではこの相場が養蠶家を狂氣せしめ徒らに購買心をそそるやうな事があつては却て農村に惡影響をおよぼす故警戒を要すると語つてゐる。

縣下製糸家大打擊

新内閣による縣下經濟界

民政黨内閣の出現は縣下の經濟界に多大のショックをあたへてゐるが民政黨内閣は政友内閣の無方針な放漫政策に對しとにかく消極政策により公債および財界の整理を行ひ金解禁を斷行し經濟界の立直しをやるものと期待して居り一般の人氣を呼び金解禁斷行を要望する向が多い

しかし縣下の製糸業者は原料繭不足を見越して糸價の千二三百圓台に比し七十五乃至八かけといふ空前の高値で仕

迭△政務官任命發表△新規事業見合せの緊縮方針閣議で決定一時の失業は忍べし△金輸解禁を期待して爲替昂騰 **六日(土)** 昭和四年度實行豫算の新規事業中未だ手を付けぬものは中止と極力緊縮方針△政新合同されて二大政黨初めて對立△拓務省いよ／＼植民地綱紀肅正に着手 **七日(日)** 財界建直しには金解禁の外途なしと濱口首相の言明△在露片山潛氏を尋ねて千代子さんロシヤに向ふ△南京で日本語研究 **八日(日)** 臨時議會の召集に政府自重△合同後の政友會は田中總裁辭す模樣あり後任に何人を推すか久原小川中橋鈴木床次を巡つて内紛の兆△ぐん／＼と下る米相場政商達は慘めだが消費者の多數國民には福の神 **九日(火)** 内務警察學務各部長の大更迭は先きの地方長官大異動總數六十七、内罷免二十八名と共に今回總數百十九内罷免二十三榮進四十六復活十四名が發表された△盲目の學生が夏休みに滿蒙旅行をやる同情者ぞく／＼ **十日(水)** 軍制改革の宇垣陸相調査會を設ける△米國で邦人飛行家墜落慘死△滿洲事件は日本人に關係なしと發表される模樣△民政黨では政綱の徹底に近く大遊說とやると **十一日(木)** 七月一日の内地殘存米二千三百六

入れてゐるから爲替相場の高騰は糸價の低落をまねき從來借入れの事業資金償還も手傳つて大打擊を蒙り製糸界は非常な損失を蒙るであらうが

金融界の觀測では一時的には尙金融緩慢の狀態を續け事業はおこらず投資口は見當らずいはゆる金融上の手がすいて貸出手控への氣分が濃厚となるが漸次當面の財政政策の確立につれて金融の整理も出來得るから、從來の醉ひどれ的な財政計畫に比し一般活氣を呈しくるものとなしとにかく金解禁を突破しなくては萬事不安定だとなしてゐる

又企業家は消極政策を望んでゐないが電氣事業界の影響は少いと見られてゐる。また物質は概して下向となり一般商業家もたとへ消極政策でも徹底した明るい政策によつて現在の窮境を脫せんとしてをり農村にも財的影響は直接大なるものはあるまいが地方財政も相當緊縮味をおびてくるものと見られてゐる

大霜害に低資

半額は農銀より借替へ

五月六日の大霜害より一昨年借入の桑園並に果樹園霜害救濟低利資金並に養蠶家應急救濟資金の償還延期については縣内各地から續々陳情が出てゐるが縣では霜害の特に甚だしかつた地方即ち桑園では下伊那郡會地村外六ケ村北安曇郡七貴村果樹園では東筑摩郡四ケ村の救濟について調査したところ桑園七萬七千圓、果樹園四萬三千圓、合計十二萬圓で中央に持だすほどでもないのでその半額は農工銀行より借替へをなさしめることに決定もつとも疲弊の甚だしきものに對し六萬圓を限度として果樹園七割、桑園五割以内に對し五分四厘の利子で農銀より貸付をなし低利資金償還をなさしめることになつた尙これが期間は十五ケ月として明年十月三十一日限り返濟せしむるはずで同銀行では近く信用調査を行ひ速かに貸付をなすはず

十五萬石△東支鐵道支那側に回收さる **十二日(金)** 聖上陛下閣僚に御陪食△米國暑中休暇になり觀光團續々來る△鐵道省で逗子海岸に海の家を建てた **十三日(土)** 山本代議士殺し懲役十二年の判決したが直ちに控訴△海外拂節約のため官吏の海外出張見合せと經費節約を計る△東京市内勞働失業者三万人空前の增加を示す **十四日(日)** 黨勢は犧牲にしても財界立直しに直進と閣議の申合せ△内閣更迭前に辭表提出した山梨朝鮮總督今度は知らぬ顏に政府上京を促す辭職勸告の意味を含んでか **十五日(月)** 海軍の十六機橫須賀から函館に飛ぶ△後任台灣總督に石塚英藏氏決定△露支國境封鎖され緊張す日本はどんな態度するか△日本航空輸送會社に東京大阪靜岡間の旅客輸送開始東京大阪間は二時間半で賃金三十圓△猛烈な暑氣襲ひ華氏九十度五分を突破 **十六日(火)** 露支國境戰時氣分にシベリヤ鐵道通過不安△緊縮内閣は地方起債を縮少して地方財政の復興を計る事に大藏大臣から地方長官に訓令△上高地一帶はキャンプ隊で大賑ひ

（以下次號）

＊　＊　＊　＊

海の外 歌壇

御挨拶　兩角雉夫

機緣があつて本誌歌壇を担任することになりました。私は在外同胞發展上文藝が欠くべからざる一要素であると信ずるあまり不才をも顧みずお受けしたので微力ながらも努力したい念願であります。在外者が各地の自然現象に接し、異つた風物に對し、湧き出る所の情調又相違せる日常生活が生む所の生命の表現等內地に居る者の切に知りたいことであり、在外者お互の間に於ても要求のあるものであると共に內地のそれは在外者の等しく知りたいと望んでゐる次第であります。私は昨年海外へ旅行して其感を深くしたのであります。將來內外同志互に精進して本誌歌壇をして意義あらしめる樣希ふ次第であります、簡單ながら一言御挨拶まで申上げます。

短歌　兩角雉夫選

○　加藤幸雄

公園に櫻落實のおびただし灣荒風の强きおもほゆ

潮はひたに濁りつ風强し汀の砂利に騷がしき波

夕雲のあかねに染みしひとゝきを蟬鳴きて居り森は暗きに

落葉松の若葉明るき谷あひのみ山櫻はいま盛りなる

向つ尾になく郭公をきゝながら桑畑道を今朝も通ひぬ

○　六波羅騎馬

夜更けて人影もなき街頭の廣告燈の點滅さびしき

夕はゆる小田ぞひ川に里乙女代掻車洗ひ居るなり

川草のあまたをかけて水垂りつ天龍川に水車まわれり

雲間より十三夜月うす見えて荒れたる風はやゝなごみたり

梁の木の畜にかゝる蜘蛛の網夜あけの雨の雫光れり

ほとぼりのひえぬ扉をおしひらき燒れる伯父の御骨拾へり

○　伊藤淳郎

積雲は東の空にわきて居りから梅雨にして今日も暮るゝか

夜を一夜空をおほひし天雲の降らず散りゆく今日も梅雨

演習に疲れし兵の板塀によりかゝり眠るあわれなり

○　中谷四郎

ゆるゆると流るゝ川の兩岸の野茨咲きて水に迫れり

夕立の雨脚强し田の人は土手に上りてみのを被りぬ

溫みたる小川に足を浸しつゝ祖母のつくりしおはぎ食ぶぬ

一面に咲きにほひたるれんげ田に肩先出して子等の寢そべる

汽車入りし天龍川の谷あひの丘のつゝじは今盛りなり

○　鵜飼水葵

幾軒も見あるきたれど心すく貸家のなくて夕べ歸れり

五月雨のしばしの晴れを子供等は裏の小川に渉り遊べり

庭松の芽ぶきの枝をはげしくも夕べ霞の降り過ぎにけり

○　小山勇次

歸り來て蚊帳の釣手をつくり居り今宵はやすく眠られなんか

日曜の朝のひとときたまりたる洗濯しにけり獨居吾は

朝鮮旅中　其二　細川天山

城壁の巨石の崩處は草茂り古き都は荒れにけるかも　梁津

船待つ海邊に群れる韓人に言葉通ぜず吾か一人居り　海倉

白鷺のこゝたむらがり餌あさり汀の淺水渉り居るかも　南倉

裏山の松の木立に鳴く雉子寢ながらにきく朝早くして　同

山腹の韓の伏屋も國旗立て今日の佳き日を祝ひ居るかも　木浦の天長節

○　遊佐武夫

つゝましき心を持ちてつく鐘ゆ古き都の夕を流らふ　太宰府觀世音寺

○　一ノ瀬斜月

鹿嶋たつ友にさちあれと送り來し七月空の富士は晴れたり

○　小林龜松

飯綱の麓の里に住む我のやまぬ心は海の彼方なり

生活難く親よりたびし其土地を減しつゝ行く今のみじめさ

現世の生活安してふ南米へ海原越えて移住まなん

投稿について

一、歌題隨意　一人五首

一、原稿は　諏訪郡平野村　兩角雉夫宛　直送のこと。

海外發展短期講習會

會場　長野縣諏訪郡北山村横谷（中央線茅野驛下車自動車にて約三里それより徒歩一里半）

期間　八月十五日より十九日まで

講師　永田稠、沖野喜賓、尹內忠

科目　禮拜、移植民、海外事情、可知鍛治、渡航法、聖書研究、農業實習等

特色　日本アルプスを望む海拔四千尺の高原地帶信州八ケ嶽を背にし、前方に風光明媚の避暑地我が日本力行會の横谷溫泉の位置キャンプ生活を行ふ

經費　會費一圓、食費五圓（五日間）

入會資格　一般有志

携帶品　毛布と布團一枚宛

集合　講習前夜までに會場に集合する事

申込手續　住所、氏名、年齡、職業、渡航目的地講習希望地を明記し講習料一圓を添へ開會五日前迄に本會宛に申込むこと（滿員の際は御斷りする事あるべし）

昭和四年七月　日本力行會　振替口座東京六八八一

海の外 問答

一、一般の御質問は本欄で御回答いたします。

一、御答を得たき場合は返信料を添付（會員は不要）の事

一、漠大たる質問は不可

問　原始林の伐採はダイナマイトを以てやれば經濟的で且つ能率が上るのではありませんか。

答　伐採した伐木を用材として利用する故にダイナマイトを用ゐれば樹木の裂傷甚しく用材として不向きになる事と倒れ方一定せず伐採後の整理に手數を要し、結局經濟的にも能率增進からも不得策であるが故にマッシャードを用ひてゐます。

問　サンパウロ市に於けるミシン機械、紙、邏銃の價格を御敎へ下さい。

答　ミシン機械　手ミシン（シンガー品外もの）二百二十ミル　シンガー｛足踏引出付　七百二十四ミル　手ミシン　四百十四ミル｝

紙　二十二ミル（三ミル八百レースで除すれば日本貨幣圓になる）

邏銃　二百五十ミル

問　三年前貴協會の御世話で渡伯した諏訪町出身の田中安惠氏の住所を敎へて下さい。私は田中氏の近親者ですが少しも便りありません。（松本　高木義臣）

答　田中氏は本協會の斡旋ではなく海外興業會社の取扱ひでせう。只今聖州パウリスタ線アニウマス農場に働らいて居ります。

問　移住組合員の家族員構成に家長の亡弟の妻を同伴する場合旅券查證を得渡伯出來得るや。（一組合員）

答　第一移住者の場合家長の弟及びその配偶者同伴する事得るも亡弟の配偶者は旅券查證にあたりて伯國領事は查證せぬ由なれば家族構成の場合同伴せざる樣注意すべきです。

問　觀察組合貯金に對し海外協會より獎勵金を下さるそうですが如何なる方法で交付されますか（下高井一組合員）

答　本會と銀行、信用組合との契約に基き利子計算期毎に年利二分五厘に相當する補給利子を交付するものです、貴下のお積立になつてゐる銀行、信用組合よりの請求に對して交付しますから通帳面に累加されて行く譯であります。

問　貴會のお企てになる海外觀察組合の狀況並に加盟の手續を御教示下さい（小縣生）

答　本會では海外思想涵養と勤儉貯蓄の美風を釀成せん爲縣下各町村に向つて運動を興し既に北信地方一帶に設立を見、南信各地にもボツ〳〵生れて參りました、各町村役場が主体ですから委しい事は就て尋ね下さい。

問　私は滿齡旅行の希望を以て昨年貴會の觀察組合に入會し毎月貯金を續けて居りますが家事の都合で茲四、五年は旅行できそうもありません觀察に行かなければ貯金はどうなるでしようか。（上高井山崎生）

答　貴村信用組合より貴下名義の通帳を發行され御自分でお持ちになつてゐるので滿三年の期限滿了時任意御請戻ができます。

問　私は貴會觀察組合の趣意に贊同して今月から貯金を積む事になりましたが三年は待ち遠でなりません何か便宜な方法はありませんか。（更級一組合員）

答　組合員は同時に協會の會員たる譯ですから當然會員として恩典にあづかる事ができます、いつでも觀察に應募して下さい所規約に依り旅費借入れの便もあります。

問　私は南洋ジャバ、スマトラに渡航したいのですが彼の地の近著の書物がありますか。

答　本會幹事の宮下琢磨氏が「邦人活躍の南洋」をものにしました。廣告にある樣に南洋研究書中價値のあるものですから是非購讀して下さい。

協會記事

鈴木知事を 本會總裁に推戴

本會總裁千葉了氏の本縣知事辭職と共に今回榮轉の鈴木知事を本會規約第七條により總裁に推戴した。前總裁千葉了氏は前例により本會顧問として推薦する事になつた。

移住組合でも 組合長に鈴木知事を

信濃海外移住組合でも定款第二十四條により前組合長千葉了氏の辭任と共に現任知事鈴木太郎氏を組合長に推戴した。

西澤幹事無事着伯 目下各地視察中

六月廿六日西澤幹事は無事サントスに上陸した旨出迎への輪湖理事より入電があつた。目下ブラジル國サンポウロ州各地を視察中で到る所で信州人に會ひ具さに同胞活動狀態を視て七月下旬までアリアンサ移住地に滯在、所用を果して八月十二日亞國に向けサントスを出發する筈である。

七月便船は 五家族の渡航者

本組合七月便船のアリアンサ移住地渡航者は前號既報の如くであつたが鎌倉丸乘船豫定の小柳武雄氏家族がトラホームのため次船のモンテビデオ丸となり、モンテビデオ丸乘船豫定の滋野信氏家族が九月便船に延期する事になつたので結局鎌倉丸には益子誠一氏（二人）モンテビデオ丸には佐藤權右衛門氏（四人）佐藤寅芳氏（三人）榎原好穗氏（五人）小柳武雄氏（八人）の五家族廿二名の渡航となつた。

アリアンサ移住地 本年一月以降の渡航者數

本年一月以降七月までの當組合取扱本移住地渡航者數を乘船別にすれば左の如くである。

	船名	家族數	人員
一月	―	―	―
二月	モンテビデオ丸	一	一五
	河內丸	二	三六
三月	ハワイ丸	五	二二
	神奈川丸	五	七六
四月	ラプラタ丸	一	六
	博多丸	二	八
五月	サントス丸	三	一五
	若狹丸	一	三
六月	マニラ丸	三	一七
七月	鎌倉丸	一	二
	モンテビデオ丸	四	二〇
計		三九	一九三

珈琲實と白米を 献納し敬神の赤誠を披瀝す

本誌前號既報の如くアリアンサ産の珈琲實と白米とを本縣下官幣大社中社小社及縣社二十七社に献納し各神社に於いては是れが献納式を擧行嚴肅裡に祭儀を爲ひ廣く異郷の地に奮闘する本縣人の健康を祈つた。今その献納式の挨拶狀を一例として掲ぐれば左の如くである。

拜啓仕り候

陳者今般貴組合の御經營に係る伯國アリアンサ移住地生産米並にコーヒー御獻納の日

的にて當神社宛御送付相成正に昨三十日齋仕り候を以て直ちに當日午後三時是れが獻納式擧行氏子惣代等も列席嚴肅裡に祭儀を行ひ、遙に異鄕の地に奮鬪せらるゝ同胞諸氏の健康を祈り合せて貴組合の發展を祝禱仕り候

茲に海山遙き海外に活躍せらるゝ諸氏が勞苦の結晶を仰ぎみて深き感激の情に打たれ申候

先は右敬神の御赤誠に對し不取敢御挨拶申上度署中如此に御座候　敬具

昭和四年七月一日

東筑摩郡島立村

縣社沙田神社社司　武藤淸文

信濃海外移住組合御中

尙右の如き挨拶狀に接したるものは左の如くであつた。（順序不同）

官幣大社諏訪神社社務所

國幣中社生島足嶋神社社務所

國幣小社戶隱神社社務所

縣社八幡宮社務所（上水內郡南小川村）

各町村設立の海外視察組合（續）

更級郡鹽崎村組合

組合長　宮崎龜壽　清水锋治

樋口裕榮　風間淸一郎

荻原周之助　荒井試一

久保辰治　宮崎一治

松橋金男　風間茂一郎

渡利昱一郎　伊藤拾三

矢島磯次　小岸嘉一郎

小幡淸之助　松林猶藏

丸田芳三　樋口喜代太郎

鶴田庄之助　小山元作

酒井柳吉　丸山正二

郷田英雄　宮崎鄕江

北村澄雄　北村保雄

宮崎源吾　宮崎幸隆

宮崎正次

同郡稻荷山町組合

組合長　淸水本之助　兒玉長次郎

小出五十二　荒井墜

飯島佐平次　田中鐵城

田中楠雄　若林佐治郎

伊藤次郎　宮入直藏

會費領收（自六月一日至六月三十日）

一、金五拾圓也　特別會員費ノ內　伊藤岩雄殿

一、金五拾圓也　同　北村深志殿

一、金參拾圓也　同

一、金拾圓也　維持會員費　板倉操平殿

一、金拾圓也　同　木田勝殿

一、金貳圓也

金井富三郎殿　林新一郎殿

林益一殿　森次郎殿

益原誠一殿　宮澤民之助殿

瀧澤國弘殿　大久保彥衛殿

松崎寛雄殿　塚田博殿

小泉玉貴殿　神方敬勝殿

海外會費領收

一金貳百圓也　米國北加信濃海外協會殿

一金拾圓也　ダバオ　原山芳保殿

一金拾圓也　ダバオ　西澤寛殿

岡村政雄氏逝去　南安曇郡明科町長岡村政雄氏は七月八日逝去した。氏は本會同郡選出評議員とし又アリアンサ移住地出資者として多大の盡力者であつたので吊電及び香奠料一封を贈つた。

取消　本誌第七十八號に發表した海外在留長野縣人代表者當選者の在比律賓田中壽治氏は本人より當選取消の申込みがあつた。

海の外往來

小川榮一氏訪會　北加信濃海外協會創立より事務所を自宅におき且つ理事として一方ならぬ御盡力して下さつた諏訪郡富士見村出身の小川榮一氏は廿三年振りで兩親を見舞ふべく歸朝七月一日本會に來會北加會員の活動消息聯絡方法等を語られた尙同夜市內城山館に歡迎宴を開き同氏の在米奮鬪談その他米國の土產話に時の移るを忘れた。因みに小川氏は現在加州大學院齒科口腔外科敎授で個人では桑港小川齒科醫院長として活動してゐられる。歸米は八月便船の豫定

小笠原幸彥氏渡歸へ　信濃日日新聞社長雅主筆の小笠原氏は在滿各地に活躍してゐる信州人を尋ねて約二十日余りの旅行をなすべく七月一日午前九時十五分長野驛出發。

西澤寛氏訪會　在ダバオ十二ケ年の麻栽培から迎妻歸國中の同氏は七月十八日訪會九月便船で要帶の上再渡航の豫定。

山口誠一郎氏歸國　長野市千歲町山口誠一郎氏は七月五日橫濱齋サイベリヤ丸にて歸國。

大正四年の渡航墨國メキシカリにて牛乳販賣業に従事七月十七日訪會

草間弘司氏歸朝　本誌に度々御執筆の醫學博士草間氏は今回ジュネーバの國際聯盟の任務をとから九月歸朝する豫定である。

宮下琢磨氏渡南　前二回に渡つて南洋に遊んだ宮下氏は「邦人活躍の南洋」をものにして好評嘖々たるものであるが同氏は更らに三度目の渡南を決し本月二十五日神戸出帆バンドン丸で南洋に向つた。

山本愼平氏歐州へ　本會相談役本縣第一區選出代議士山本愼平氏は今秋獨逸ベルリンに開かれる萬國議員商事會議に出席のため八月一日神戸出帆伏見丸にて渡歐した。

菅沼達雄氏歸國　在ダバオの菅沼氏は病後の友人を伴つて歸國、八月十四日神戸出帆加賀丸にて渡南

定刊紹介

○植（八月號）　日本植民通信社

○南洋協會雜誌（八月號）　南洋協會

○海外の日本（八月號）　斯社

○滿蒙（八月號）　中日文化協會

○東洋（八月號）　東洋協會

○日本魂（八月號）　斯社

—編輯後記—

▽三伏の候となりました。皆樣益々御壯健の程を祈ります。

▽緊縮內閣で拓務省豫算でも削減額は約六十三萬圓だつた。移植民政策の遂行は積極的にゆかねばならぬものだから緊縮の飛火を受けずに日本民族の世界的發展に常に精進せねばならぬ。しかも余り際を大きくせずに。

▽本號からいよ〳〵歌壇が選者兩角雉夾氏の挨拶によつて躍進する事になりました。奮つて御應募して本誌歌壇を意義あらしめて下さい。

▽海外の婦女子の御便りとして宮原うめのさんから細々生活肖相について御便りがありました。とういふ御便りを澤山欲いのですから海外各地に働らかれる御婦人方にも御便り下さる樣、更めて御願ひ致します。

▽本誌をあくまで可愛つて下さるために皆様の御力添へを御願ひ致します。

信濃海外協會規約抄錄

一、本會ハ信濃海外協會ト稱シ本部ヲ長野市ニ支部ヲ必要ニ應シ內外各地ニ設ク

二、本會ハ縣民ノ海外發展ニ關スル諸般ノ事項ヲ調査研究シ其ノ發展ニ資スルヲ以テ目的トス

三、本會ハ前條ノ目的ヲ達スル爲必要ニ應シ左ノ事業ヲ行フ

イ、縣民海外發展ノ方法ニ關スル立案

ロ、發展地ニ就キ調査ヲナシ其ノ結果ヲ紹介

ハ、在外縣民ト聯絡ヲ計リ指導後援

ニ、海外發展ノ研究ヲナシ之ガ發表

ホ、海外發展ニ必要ナル人材ヲ養成

ヘ、機關誌「海の外」ヲ發行シ隨時講演會ヲ開ク

ト、海外發展ニ關シ各種參考品及統計ノ蒐集

チ、前各項ノ目的ヲ遂行スル爲評議本會ノ代表者等ヲ內外樞要ノ地ニ派出スル事

リ、會員ニハ「海の外」毎月寄贈ス

ヌ、其ノ他本會ノ目的ヲ達スル必要ト認ムル事項

四、本會ノ會員ハ左ノ四種トス

イ、名譽會員ハ代議員會ノ決議ヲ經テ總裁之ヲ推薦ス

ロ、特別會員ハ一時金百圓以上ヲ醵出スル者

ハ、維持會員ハ會費年額金拾圓ヲ十ケ年間醵出スル者

ニ、普通會員ハ年額金貳圓ヲ十ケ年間又ハ一時金十六圓以上ヲ醵出スル者

五、本會現在役員ハ左ノ如シ

總裁　鈴木信太郎

副總裁　平野桑四郎　佐藤寅太郎

顧問　小川平吉　今井五介　原嘉道

伊澤多喜男　岡田忠彥　本間利雄

梅谷光貞　高橋守雄

相談役　石垣倉治　泊武治　小西竹次郎

降旗元太郎　越壽三郎　小里賴永

片倉兼太郎　瀧澤泰江　小林暢

山岡高之助　工藤善助　松本忠雄

植原悅二郎　山本愼平　高田茂

菱川敬三

海の外（月刊）（一冊廿錢）

定價表	內地送料共	外國送料共
一冊	廿錢	廿四錢
六ケ月	一圓	一圓四十錢
一ケ年	二圓 廿錢	二圓八十八錢
五ケ年	拾圓	拾四圓

御注意

△御送金は振替（長野二一四〇番）に御送金願ひます。

△外國よりの御送金は銀行、郵便局いづれにても確實に御送金されます。

△御轉居の節は早速新舊兩住所を御通知下さい。

△本誌への廣告掲載御希望の方は詳細御申込次第申上げます。

昭和四年八月一日發行

編輯人　永田稠

發行人　西澤太一郎

印刷人

印刷所　長野市南縣町　信濃每日新聞社

發行所　長野縣廳內　海の外社

振替口座　長野二一四〇番

各汽船會社專屬元扱

日本郵船會社
大阪商船會社
ダラー汽船會社
加奈陀汽船會社
アドミラル汽船會社
南洋郵船會社

日本力行會、信濃、廣島、和歌山
福岡、熊本、沖繩 各縣海外協會 指定旅館

海外渡航乘客荷物取扱所

今泉旅館

本店 神戸市海岸通六丁目三番邸
支店 神戸市榮町通五丁目六八番邸
電話 元町三二一番
振替大阪三五四一〇番

海外渡航取扱所

◎東洋一の理想的設備を有する神戸港へ！
◎旅館は誠實にして信用のある神戸館へ！

各縣海外協會
日本力行會 指定旅館

神戸館本店

神戸市榮町六丁目廿一番邸
電話元町八六一番
振替口座大阪一四三三八番

支店（神戸市海岸通四丁目（中税關前） 電話三ノ宮二一三六番）
別館（神戸市海岸通三丁目十四番邸 電話三ノ宮二一三七番）

◇本店へハ神戸驛、支店。別館へハ三ノ宮驛下車御便利

海外協會中央會
信濃海外協會幹事 宮下琢磨著

邦人活躍の南洋

定價 二圓五十錢（郵送料十六錢）

附錄
蘭領東印度の航路
外國旅券出願樣式

＝最新刊＝ 裝幀 石井柏亭畫伯

四六版絹布製函入
五百頁ルビー附寫眞數十葉挿入

今南洋について觀るに蘭領東印度の如きは蘭本國に六十二倍の面積を有する尨大なる大地積を有すると雖も之が開發遲々として振はない。この時に於てわが勤勉なる小企業勞働者が加はり指導啓開範を示すに於ては産業の振興は期すべきで眞に有無相通じ共榮共存の最良策と謂ふものである。況んや英領北ボルネオの如きシヤムの如き邦人の來り拓かん事を熱望してゐるに於ては尚更である。又これを商業方面から觀るに吾が南洋貿易は近時益々好調に向かつてゐる。然るに中間介在者たる支那人の策動により常に利益は壟斷せられ或は日貨抵制によりて窘められてゐる。牢固たる支那人の勢力は質でなくて量の多い事である。この商戰上前線に立ちて活動する邦人の數が少ない故にこの方面に多くの戰士を送るのは急務である。

宮下君は海外協會中央會の幹事として多年各方面視察調査の任に當り曩にはブラジル、北米の邦人發展の情況を視察し歸來直ちに朝鮮滿州を視察し次で南洋に向つた。南洋の視察は前後二回に亘つてゐる。今回本書を刊行し南洋に於ける旅行を經とし南洋一斑の概念特に邦人發展について記述し南洋の事情を一般に紹介し同胞の發展に資したいと云ふのである。（今井五介氏本書序文中より）

長野縣廳內 信濃海外協會（取次） 振替長野一二〇四〇番

（第二版） 日本力行會長

永田稠著

南米再巡

菊版四百廿餘頁・寫眞版三十頁・布製函入
定價一冊金二圓八十錢・送料一冊拾八錢

永田氏は信州の生める一異才である。甞て南米を一週して『南米一巡』を著はし、信州に來つて信濃海外協會の組織に努力し、更に『南米信濃村建設』に關する大使命を帶びて、大正十三年五月末横濱を出帆し、布哇、北米桑港、ローサンゼルス各地に於ては海外協會支部の設立に盡力し、ソートレキー市にはモルモン宗教植民の跡をたづね、デンヴア、シカゴを經て華府に至り、紐育より大西洋を南下してブラジルに至り、移住地の選定、購入、入植の準備をなし、大正十四年二月日本に歸り來り、更に信濃村大成の爲めに努力奮闘し、今や模範的にして世界に誇り得る移住地が建設されつゝある。『南米再巡』は氏が南北兩米を再巡せる記錄である。志を世界に有する者の一日も看過することの出來ない快著である。

長野縣廳內
信濃海外協會取次販賣

東京市外上板橋 日本力行會發行 振替東京六八八一番

「海の外」第八十六號　（毎月一回一日發行）

（大正十一年四月廿六日第三種郵便物認可）　（昭和四年八月一日發行）

信濃海外協會
海の外社發行

海の外
THE UMI-NO-SOTO
大正十一年四月廿六日 第三種郵便物認可
昭和四年九月一日發行（毎月一回一日發行）
第八十七號
昭和四年九月號
目次
卷頭言……（一）
内地の開拓に就いて……（三）
最近の新嘉坡……（五）
世界一周記……（一一）
蘭領のボルネオ……（一六）
海外における死亡者……（一九）
海外通信……（二一）
移植民ニウス……（二四）
信州記事、母國通信日誌……（二六）
「船」の話……（三一）
歌壇……（三五）
おかげ會の記……（三七）
協會記事、編輯雜記……（三八）
規約抄錄……（四〇）
信濃海外協會海の外社發行

海の外

（昭和四年）第八十七號（九月）

二つの收穫

信州の高原地帶をめぐつて荒地開墾の企圖が諸所に行はれてゐる。その代表的のものは菅平の縣立青年講習所と諏訪の日本力行會農業練習所である。

前者は官營であり、後者は私個人のものである。いづれも新らしく土地を拓き、我々生存の糧をより多く求めつゝある。（食糧の不足を告ぐる日本において）

彼等は吾等の祖先がかつて荊棘を伐り開き、岩石を片付けて今日の美田を作り如く開拓に從事してゐるのである。

此等の荒地は異句同音に開墾の餘地なく、且つ經濟的に價値あるものでないと放棄してゐたのである。然るに放棄してある荒地を開墾すれば花は開き實は立派に結ぶ事實を示して經營の如何によつては收支相償ふて餘りある成算がつく。

現代人の心理は餘りにも手を下さずして駄目だとの先入觀念に支配されパイオニヤの精神に全く消耗しつくされてゐる事を發見する。

此處に於て吾人は此の種、企圖する團体自体に如何なる目的があらうと吾人はその内に二つの收穫——より多くの糧の生產と開拓精神の發揚——を見逃す譯にゆかぬ。

此の二つの收穫の價義とそ、吾が敬愛する信州青年の一人にも多くさゝげるものである。

內地の開拓に就て

信濃海外協會幹事　永田稠

資金拾萬圓を投じて長野縣に移植民學校を設立したいことは、私としては宿年の熱望であります。但し事情は當分之れを許してくれない樣です。それが出來ないならば、中等學校に一級丈けを適當の學校に增設し、玆に移植民主義の敎育を施したいと考へて居りました。福嶋學務部長時代からボツ〳〵其相談をして居つたのですが、これもうまく行きませず、其內に小西學務部長が來任され、其御盡力に依つて菅平に縣立青年講習所の設立を見るに至りました。縣費七千五百圓、地元の寄附金一萬圓、北信牧場で土地十町步を寄附され、縣下の中等學校の卒業者約三十名を收容して中堅青年の養成と同時に、海外拓殖に必要なる人材の敎養を致して居るのであります。菅平は海拔四千尺で殆んど米は出來ません、土地は北信牧場の約二千三百町步が展開して居るので移住新開地の氣分が充分でありますから、移植民者の養成には持つて來いの所であります。敎育主任の石川農學士は札幌大學出身の新進の士であり、加藤君の日本高等國民學校の要領に依つて半學半勞の敎育が行はれて居るのであります。其成績は今日ではまだ知ることは出來ませんが、私は此講習所の將來にかなり多くの望を持つて居るのであります。

諏訪郡北山村地籍で橫嶽の山麓、海拔一千百乃至二百米突の所に日本力行會拓殖練習所が出來ました。これは縣立のものと比較すれば資金も貧弱であり土地も狹少でありますが、力行會海外學校の生徒が多い時には五十人位來て、開墾、掘立小屋建築其他農業の經營を實地に練習して居ります。菅平よりは溫かであるから米作も出來ますが、開拓的移住地の氣分は充分に味はうことが出來る所であります。

菅平の方は作物もよく出來て居りますが、力行會の方は本年度は農業的には失敗であります。但し兩方共、海拔四千呎の高原で米が出來るか出來ないか位の所であり、此程度の未墾地が長野縣下の各地は勿論日本全國にはかなり澤山になるのでありますから、菅平と力行會の農業經營が、ある程度迄行けると云ふことが立證されれば、長野縣下を始め日本各地の今日迄捨てられたる所の開拓が可能だと云ふことになるのであります。菅平の方は附近に菅平の村落があつて約六十戶の農家が皆相當に經營をして居るのでありますから、これは最早試驗時代は過ぎ去つて居ると見られませう。力行會の方は、村人の草刈場であつて冬水をかけ夏草が出來て來れば、之れを地と共に刈つて、永い間掠奪をした所でありますから、まだ問題でありますが、本年度の成績に依ると、大に將來は有望だと云ふことであります。力行會の方が有望と云ふことになれば八ヶ嶽山脈の周圍丈けでも二萬町步以上もありませうから、此土地が開拓せらるゝことになれば長野縣は勿論山梨縣あたりでも得る所が少なくない筈であります。

縣立青年講習所も力行會拓植練習所も開拓の能不能の試驗の外に、開拓事業に必要なる人材の養成をして居るのであります。力行會の方の青年の大部分は海外に行く者でありますが縣立の方は必ずしも大部分が海外に渡航する譯ではないから、一部の者は內地の開拓に從事することが出來ようし、一方、今日行き詰りの農村の開展の爲めには、多くの人々が考へ込んで居るのであるから、今日迄捨てられたる土地が有望だとなり、之れが開拓について必要なる人材が出來たと云ふことになれば、內地開拓が漸次實行される樣になつて來ることと思はるるのであります。

海外協會中央會では昨年から樺太移民の取扱ひを始めましたし、私は昨年から朝鮮に目をつけて居ります。朝鮮の東北部にはまだ日本人を容れる豫地が澤山にあるのみならず、朝鮮人を此方面に指導する必要もあり、且又氣候や土地の情況が菅平や橫嶽山麓に似て居りますから、此地方で訓練された者が朝鮮方面に進出するには極めて好都合であらうと思ふし、若し日本內地のこれ等の土地が日本人では出來ないと云ふならば朝鮮人でやらせることも一つの興味ある試みと云はねばなりませぬ。由來、諏訪明神以來信州は朝鮮とは密接の關係を持つて居るのでありますから、信州の高原に朝鮮人の新しい村を建てたり、信州人が朝鮮の東北方面に新しい村を建てたりすることは、日鮮親和の上からも考へねばならぬことと思ひます。

こう論じて來れば仕事はすら〳〵出來さうでありますが、なかなかさうは參りませぬ。今日迄捨てられて來たのには、其土地は何か捨てられる理由があります。土地がやせて居るとか(これは肥やすことが出來ます)交通が不便であるとか(これを今日では意とするに足りません)水がないとか(これも多くは方法がつきます)入會權があるとか(これは一番困難なる問題ですが)樣々の困難があり、又、之れを開拓して良田となす爲めにはかなり大なる困難がいりませうが、考へて見ればこれ等の困難は皆私共の父祖は之れを打破して今日の田畑を造つて來た事は事實でありますから、私共にもやつてやれないことのない仕事であります。

況んや開墾助成法があつて、縣廳では開墾の能不能を見てくれて、不能となれば周到なる計畫を樹ててくれ、國家では開拓費の四割を補助してくれるし、各府縣共移住者住宅建築費の補助をしてくれるし、場合に依つては政府から低利資金を貸して貰ふことも出來るのでありますから、私共の祖先の田畑を造つた時代に比較すれば困難は必ずしも多い譯ではありませぬ。

海外協會は其名の如く縣民を海外に指導することは勿論大切でありますが、必ずしも海外關係の仕事でなければならぬと云ふ必要はありません。生れて育てられたる所から、其以外の土地に移住し、開拓的の事業にたづさはり、國利民福を擧げて行く事ならばどんな仕事でもよい筈であります。況んや長野縣の如く未開の土地の澤山ある地方に於ては、これ等の開拓事業は極めて大切なるものであると云はねばなりませぬ。西天龍に四百萬圓の金をかける意氣のある縣民は、內地開拓の爲めに更に莫大なる資金を措まない筈ではないでせうか?仕事はやり方に依つてはそんなに金はかかりませぬ。菅平が縣の仕事であるから一万五千圓を要しましたが、一萬五千圓であれ丈けの仕事が出來れば結構であります。力行會の練習所は一坪一錢の借地料を支拂ひ約五町歩の土地を開拓して居るのでありますが、芋の種子を北海道から取りよせたり、東京から汽車賃を拂ふてかようたり種々の余分の金をつかつて居るがそれでも五千圓あれば十分であり、其內二千圓は補助を受けらるるのだから三千圓あればよいのであります。三千圓と云へば中產階級の二三男の分家をするにも不足の金であつてしかも立派な營農がやれるのであります。內地の開拓や、植民地の開墾がまだ澤山に殘されて居ること、やり方宜しきを得れば皆相應の成績を舉げて行けること、海外協會が先きに立つて此種の仕事をするがよいことなどを此頃特に感じて居るのであります。(終)

最近の新嘉坡

新嘉坡港にて　西澤太一郎

船は二十三日の午後四時頃新嘉坡港外定めの位置で停船した。あたりは美しい幾つかの嶋々が點在して居る、熱帶の各種植物で濃き綠の影を大海原に撥して居る、此の港の風波を防けて良港たらしめるのは此の嶋々のお蔭である。やがて向ふの方から、一隻のモーターボートがやつて來た。英吉利の港に於ける檢疫官である。係員の檢證がすむと船は再び氣笛を鳴らして勢よく方向を替へつゝ靜かに進行した。やがて長い〳〵大岸壁に橫付に着いた。英、佛、獨、蘭と各國の船がいくつも碇泊して居た。支那船、英國のランチなど幾百といふ多くの大小船舶が一目の中に見える。何んといつても東洋第一の良港と言はるゝだけあつてたいしたものである。

海は深い、港は廣い、嶋々が多い、半嶋は數多く海は、又奥深く入りこんで居る。風波は靜かでさすが良港である。

一、新嘉坡の歷史

第十五世紀以降葡、西、蘭、英の諸國は相次で印度洋より支那海方面へ遠征し、馬來半嶋附近に於ては政略上の競爭を盛にやつたけれども、新嘉坡は誰れもこれも顧みなかつた英國は和蘭に對抗するために良い根據地を求めて居たので早くもこれに着目したのであつた。

そこで一七八六年にはキャピテーン。ライトは馬來地方を探險し始めて彼南を買收した。

スマトラ嶋ベンクーレンの副知事であつたトーマス。スタンフード。ラツフルス氏は、彼南の地、北西に偏して覇をなすの策源地に適せざるを考へ、新嘉坡の位置の優越するに着目し、時の柔佛國王と交涉し、遂に一八一九年、今より丁度百十年前我日本の文政二年條約を締結し僅かに金六十萬弗の報償金及び國王に年々二萬四千弗の年金を與へる條件で遂に英國の國旗を立てゝしまつたのである。英國が此嶋を手に入れてからは權力爭奪の相手たる和蘭の反抗激烈であつたから英本國は一時其經營を放棄せんとしたが、ラツフル氏は頑强にこれに反對してその全責任を一身に引き受けて本嶋經營の初期の目的を貫徹せん

と努めた結果、遂に一八二四年我文政七年英吉利と和蘭の間に妥協成立し、玆に確實に英國のものとなしてしまつたのである。其後四年間はベンクーレン植民地政廳の管下に在つたが、次で東印度會社の經營に移され、印度政廳の成立と共に其管轄に置かれ、一八六七年始めて英國皇領植民地として本國植民大臣の監督の下に總督を置かれたのである。それで彼南及馬剌加と共に海峽植民地と稱し以て今日に及んでゐる。

實に新嘉坡建設の偉勳者はラツフル氏で今日猶市中各種の建築物其他にラツフルの名を冠するものが多い。タウンホール前には氏の銅像を建設し、以て其功績を紀念してある。

元來新嘉坡とは馬來語、のシンガプラ即ち獅子、嶋の意味であつて獅子の如き勇猛なる王樣の住んで居つたといふ事である。此王樣がないので今日英國のものとなつたのだ。又一說にはシンガーは人を訪れる意味でプラは、求め要するといふ意味で即ち物を求め要求し人が訪れ來るのことで、船舶などが寄航して糧食を求め必要品を搭載するために集り來るといふ意義なりと解する者もある。此意味とすると今日東洋一の貿易港として進んで來たことゝ一致する。

二、政治上の區分

新嘉坡港の外の事をかくついでに、他との政治上の區分を記せば馬來半嶋は海峽植民地、馬來聯邦洲及非聯邦諸洲よりなつておる。即ち次の通り。

一、海峽植民地
(イ)新嘉坡(ココス嶋及びクリスマス嶋を含む)
(ロ)彼南(對岸ウエルスレー及デインデインを含む)
(ハ)馬剌加
(ニ)ラブアン(チンデングス)

二、馬來聯邦洲
(イ)ネグリセミラン洲
(ロ)ペラ洲
(ハ)セランゴール洲
(ニ)パハン洲(ペカン)
（イ）〜（ニ）土侯國

三、非聯邦洲
(イ)ジヨホール　土侯國
(ロ)ケダ
(ハ)ケランタン
(ニ)トレンガン
(ホ)ペルリス
（ロ）〜（ホ）土侯國

三、統治上の機關

一、海峽植民地の統治は英吉利皇帝の親任せる總督(governor)之れを統轄して居る。總督は司法行政の諸機關を總轄し又兵馬の權を持つて居る。其下に行政參議院及立法會議がある。立法會議は議員ではあるが皆官吏であるから一種の諮詢機關たるにすぎない。

行政機關は、官房、民政、教育、衞生、獸醫の諸部と、土地林務、財務、會計檢査、土木測地、華民保護、海事、漁業、輸出入登錄局、專賣局及病理研究所、分析所、警察、監獄などありて、中々整つたものである。

地方行政は、新嘉坡嶋については總督直接これを管掌し、彼南と馬剌加には駐在官を置いてある。又各地を郡市等に分ち各嶋を治むるには嶋司を置いてある。

地方行政の一部を行ふのである。

司法機關は二級制にして又巡回裁判といふ制が設けてある。

二、馬來聯邦の統治方法

海峽植民地總督の任命する統監が治める。政務はセランゴール州コーランポに在る書記官長が執つておる。

聯邦各州の行政は土侯の任ずる處であるが有名無力實權は英國理事官が握つておる。

三、非聯邦州の統治方法

土侯によるもこれ又有名無力實權は英國の顧問官の參與によつて行ひ殆んどその自由に任かすの狀態である。

四、新嘉坡の氣候

西貢も大分暑いので午前十時になれば役所は休んで午後の二時迄は仕事をしない。大商店やデパートメントストアも同樣であつる、クリーでも、車夫でも特別の者の外は皆休んで晝寢をする、それをやらずに働いたり殊に日中にて仕事をすれば日射病にやられるか又は病氣にかゝるのである中々蒸し暑くて汗だく〳〵だと書いておいたが、新嘉坡はそれ程ではないがやつぱり暑い蒸し暑つい。しかも一年中暑いのであるからたまらないするのである。年內を通じては雨時と乾燥期と二季節がある。午前十時頃から午後の二時頃迄休むのである晝寢をしたり休養十月から翌年の三月頃迄は雨期で他は乾燥期である一年の中溫度の差は極く少ない、最高は九〇度最底七〇度位である。けれども蒸しあついので苦しい樣な感じが餘計に我々はするのである。各月の平均は八十度から八四度の間にある、十二月と一月が最底で五月六月頃が最高である。

雨量は中々多くて年平均は一〇〇吋位である、それで終日降ることはなく數時間で止むときが長雨の時である、猛雨數時間すれば市中一部には浸水する事がある。

風は常に微風があるが暴風はない、又雷鳴は多いが落雷することは少ない、航海中も海上大電光を見るも實に美しいものである續けてピカ〳〵すごい程光かり海面に映ずる樣は又崇嚴である。時によると船上で丁度X光線の治療室へでも入つた樣につゞけ樣に大電光を見る事がある。

五、衞生上から見て

氣候は年中暑いが割合に良好である一寸上陸した我等には如何にも暑つい蒸しあつい、そして良く暮して行けるものと思はれるが十數年も暮しておる日本人の先輩にきいて見ても馴れる

と誠に寡しいと云はれる、殊に道路のよく出來ておるには全く驚くの外ない廣いアスフェルトの立派なものが縦横無盡といつてよい全く驚いてしまう又うらやましいものである東京の一ばんよい處でも及ばないそれが田舍の路の方迄皆である。さすがにやり方は英國式である。香港もよいが又此處は一層よろしい如何にも感心する西貢など佛蘭式の比ではない、其佛蘭西式でも我日本の道路よりよいのであるから一寸日本の想像以上よろしい。此清潔なのと水道の完備とで中々よろしい。

水源地へも行つて見たが中々大規模のものである只今又ジョホール州内グノンプライに大きな水道の水源地を造つておる。水質は非常に良好とは言へない。

下水道の設備も中々完備して市中掃除もよく出來汚物汚水が目に付かない。

土人や支那人の中の下級下層生活者にはマラリヤ、チブスなどにかゝるものもあるが日本人や歐洲人は殆どかゝらない。殊に市中にはマラリヤは殆どない。

デング熱といふのは新しい人には殆ど一度は犯される熱病であるが數日にしてなほるそれで後は免疫となるといはれておる飲食に注意し、睡眠を十分にとり適度の運動を取ればよい病院は中々多くゼネラルホスピタルの外慈善病院癩狂院癩病院脚氣病院産科院などがある。

邦人病院にも同仁病院博愛藥房中野病院、安藤病院、大日本病院などあり又邦人齒科醫師も十數名ある。

出生率は千分の二十八、六二位であると。

死亡者はマラリヤ熱、マラリヤ熱外の熱病、肺結核及肺炎で中肺結核死亡が一ばん率が多いマラリヤ、肺炎がそれにつぐといふ。

六、人種及人口、宗教

新嘉坡は實に人種の博覧會場である。黒い者、稍黒いもの薄黒いもの、白いもの、黄の者、赤目あるもの、銅色のもの其又雜種と、實に様々である。白い帽子、赤い帽子、黒い帽子、黄の帽子、赤の鉢卷白鉢卷、中折、鳥打、海軍帽麥桿帽、ヘルメット型、と種々雜多であるそれに又裸体、半裸体とあり、跣足あり靴、ゴム靴、布靴、皮靴と實に又雜然たりである何といへばよいか實に種々雜多で三十餘種の國語を要するといふことである。然かし支那人の商人や勞働者や農民やでその大部分を占め殊に經濟上の勢力は九分九厘まで支那人のものであつて到底拔き難き状況である。

新嘉坡は見方によれば實に雜然たる整はざる、見惡いきたない町の樣にも見ゆるから中には何といふ奇妙な又氣持の良くない所だらうといふ人もあるが私は亦見方が違ふて頗る面白い所と思ふ。白、黒、黄、褐赤、薄黒、濃黒と、其又何ともつかぬ雜種と世界の人種世界の人類の集合所縮圖、裸体、半裸体、跣足、木靴、皮靴、白、赤、黒靴ゴム靴と洋服、サロン、半洋服半ズボン、半洋服と腰卷、白洋服の上着に赤の腰卷、白洋服の上着に

黒ズボン、黒の上着に赤の腰卷、麻の洋服上着に黒ズボン、眞黒の身体に赤鉢卷で白の上着に赤い縞の腰卷、黒帽子に、黒の上着に白のズボン、半黒裸体に白ズボン、白、赤、黒、の帽子に其形も亦多種多様といふ有様、材料も亦、絹あり、木綿あり、麻あり毛あり絹綿、絹麻、綿麻、毛綿などありてあらゆる組合せがあり、現在科學最進歩の應用もあれば原始時代そのまゝもある。人智の最高を盡したのもあれば素材もある、自動車絡繹。動きもとれぬと思へば一方は人力車群集し、牛車もとぼく馬車もとぶ、一頭引もあれば二頭引もある、巨商もあるが乞食も並ぶ何といふても新嘉坡は人類生活の縮圖であり、人類生活風俗習慣のパノラマである。言語の持寄りである。宗教の持ち寄りである。クリスト教もあれば佛教もある。マホメツト教もあれば儒教もある印度教もあるといふわけであるシンガポールは實に面白い所である。世界人類生活の模式である。然しながら玆に考ふべき多くの内面的の問題、精神的の問題の尙くのものが赤雜然と數多き事を見逃してはならぬ、新嘉坡と云ふ町で、此多種多様なる人種、數多き幾十万の人々が各其内面的の生活其精神的の生活に立入り其家族的にも男女の性的にも又國体的に社會的に人種的に静かに深く考ふるとき、考察するとき其隱されたる大きな問題、奥深く强く動きつゝある問題外形に一寸現はれざる幾つもの考ふべき自覺すべき、決心すべき、改善すべき多くの重大なる思想問題、經濟問題、政治問題、敎育上の問題、國際問題、人種問題等の存する事を深く考へねばならぬ。

殊に我日本民族としては東洋平和といふよりもつともつと廣く深く世界の人類の文化の進展と永劫なる神の喜び給ふ社會と人類の樂園とを創造する事に大きな使命を有する事を深く自覺して大に協力一致努力せねばならぬ。

新嘉坡に住む數多き人種と人口、雜然美の中に雜然たる又多くの火山を潜め、數多の噴火口を持ち、颶風旋風飈風を卷き起すべき强烈なる低氣壓のあることを知らねばならぬ。太平洋を我内海とし東西兩文明を渾融し、世界に新たなる、文明の建設をなすべく正にそのスタートを切れる我八千餘万の同胞の前途は又頗る多事多端といふべく更に我等は又多難といふべきである。

七、數と情勢より見たる人種人口

一、人口凡四十三万、といはれて居る。
　中男　二九萬人
　女　一四萬人
二、人種別人口大別
　支那人　三二萬人
　歐洲人　六千餘人
　印度人　三萬三千人
　馬來人　五万九千人
　歐亞混血　六千人
　其　他　六千人

三、在留邦人は二千七百内外である。
　支那人　儒佛混合
　馬來人及瓜哇人　回敎
　印度人　ヒンヅー敎、回敎、シーク敎
　歐洲人及歐亞混血兒　クリスト敎

四、情勢

（イ）支那人は福建、廣東の二省及海南嶋より來れるもので數代定住せるものも中々多い。其の呼寄するときは皆殆ど徒手空拳で、上陸するときは一錢の持合もないといふのがやがて勞働者となり、車夫となり便所掃除人となり船夫となり如何なる職業も甘じて努力し蓄財これつとめ豚の如く、牛馬の如く生活し、勤勞してやがて小資商人となり、更に進んで小店主となり順序に發展して遂に大商店となり巨商となる。一致協力して何等國の力を借るでなく保護を受くるでなく、援助を受くるでもなくしてしかし彼等は絶大なる經濟上、商業上、貿易上の一大勢力をなしておる、彼等のボイコットに合へば其取引も、金融取引も一切中止となる。中々大なる勢力である。

（ロ）馬來人瓜哇人　此の人々の智識は極めて低く、氣候の關係と天惠多きためとにて、衣食住に金錢を要すること少きと回敎の儀の影響により一般に怠惰で貯蓄心なくて得れば皆散財するといふ風である。近頃各方面から刺激されて勤勉の風が出來て來たがまだ〳〵幼稚のものである。自動車の運轉手は大抵此種で獨占といつてよい。又庭掃除や道路人夫や小使などに使はれておる、跣足が多い。

（ハ）印度人　數種あるとの事である皮膚は馬來より黒い、タミル族といふのは多く土工人夫となつておる其軀幹長丈で美しい髯のあるのはシーク族といふのである、多くは巡査、道路内の信號係、番人となつておる。チツテ族といはれておるのは、高利貸を業とするのが多い。タミルの中には商業の上手なのもある。

（ニ）歐亞混血兒　ユーレシアンと通稱され一般に下級の事務員書記、タイピストなどになり相當敎育あるのが多い。勞働賃などは一日五拾仙位のもので支那人、馬來、印度人など無數あつて日本人としては到底競爭出來るものでないかゝる方面は殆んど考ふる餘地がまづない。

八、諸學校

高等敎育機關にはエドワード七世醫學專門學校がある。官立の學校もラツフルス、インスチチユシヨン、ヴクトリヤなど七校もある。私立學校も宗敎と關係して居るのが多くこれも七校以上ある。土語學校、支那人學校もある。

政廳の敎育方針は、支那人、馬來人、歐亞人等の土着民族を標準として一般に程度は低いとのことである。日本人小學校は、文部、外務兩大臣指定學校で、新嘉坡の日本人會が經營しておる。又會は青年のため夜學校もやつておる、我等は此方面にも多大の力を注がねばならぬ。

（未完）

世界一周記

―米國旅行觀察―

長野縣師範學校長　片山　昇

本縣師範學校長片山昇氏は一昨年夏、加奈陀トロント市に開かれた世界敎育聯盟敎育會に出席し、傍々歐米諸國を巡遊して昨年二月歸朝して世界一周記なる紀行文を草した。左記はその一部、米國旅行における感想日記文である。因みに片山氏は本縣上伊那郡伊那町の出身である。

米大陸上陸、桑港觀察

八月廿八日　午後二時愈々亞米利加大陸海岸山脈眼前に現はる。ゴールデンゲイトに差かゝる。エンヂエルゴートの嶋を照らす日光もあざやかである。旗艦磐手より打出す禮砲、サンフランシスコ灣を壓す。海軍砲臺よりの米國答禮砲殷々として灣内極度に緊張せるを覺ゆ。午後四時安らかに投錨。桑嶋領事の訪問につぎ米國官憲の來訪あり。餘は小川旅館主の出迎へを喜び永野司令官藤吉淺間艦長幕僚其他に衷心の感謝を捧げ、午後五時退艦した。稅關吏は何も云はず、オールライトと云つたのみ。普通の船客ならば旅券、査證、健康證明、移民官の訊問、檢疫、稅關檢査、など種々面倒な事があるのに余には全くなし。何んと難有い事かと拜んで上陸した。横須賀を發航して三十日、北太平洋四千八百浬を突破して今アメリカ大陸を踏みしめたのである。

早速フエヤモント。ホテルに居られる澤柳博士に電話で安着を報告。先生大に喜んで下つた。同行友人と旅館にて日本食晩餐後金門學園鈴木校長を訪ね桑港視察の指導を受け歸館、夢は故國へと走つた。

七月廿九日　午前八時出發スタンフオード大學を訪ふ。澤柳博士を中心に同行五人、特に小川榮一ドクトル（諏訪郡永明村出身）が自動車をドライブして下さつた好意は嬉しかつた。

此大學は桑港より三十三哩の郊外メルノ公園の側にある宏大の建築でレーランド・スタンフオード氏が六千萬圓を投じたもの。一八〇一年の開校である。現今百三十人の敎授と千五百人の學生があり內五百人は女學生であつて男女仲よく共學してゐる。丁度此時は敎員講習開講中であつた。屋根は赤色、柱は砂岩、如何にも調和された心地よい建て方である。しかも校庭は白樫や松、其他熱帶樹、花卉で飾られて居る。大講堂で大きなパイプオルガンに伴ふ祈禱歌を聽く。心理學實驗室にて實驗心理の器械を觀る。市橋博士の說明あり博士曰はく「此大學への入學志望者は非常に澤山であるから勢ひ競爭試驗は中々猛烈である從つて優秀な生徒を得て居る。然し知能檢査の結果如何に天才でも勉强せねば伸びない。學生の飮酒は絕對に禁じて居る。飮酒學生發覺すれば容赦なく退學を命じて居る。一度出さるれば復校は出來ないので學生も相當自重して居る。此大學の心理學敎室電氣實驗は世界第一である。」と。兎に角設備に十分の金をかけて居る事には驚かざるを得ない。大學圖書館を巡覽し、ターナー博士の著にサインを依賴して桑港に歸る。

七月三十日　桑港灣を東に進みバークレー市に至りて其の高臺に聳ゆる大建築、加州大學を視察す。三千二百の學生を收容し大平洋沿岸文化の本山たる使命を負うて居る。一八六八年の創立である。

校庭靜かにオーク樹綠の蔭をつらぬるあたり、舊敎尼僧の殊勝な姿を見る。あれも此處に神の道の修業をしてゐる者、健氣な人よと感ぜられた。

國旗を高く揭げて軍隊敎練を喜ぶ大學生。世は樣々である。我が日本人吉岡博士は此大學で學位を得られた篤學の士。其案內によつて心理學敎室を參觀する。視覺實驗、動物實驗など驚くべきものである。鼠や犬やリス、猿をつかつて細かな詳しい試驗、とても短氣な人の能くする所でない。

前田虎藏氏に連れられバークレーの丘に登つてリツチモンド、オークランド、バークレーを眼下に見、金門を遙か西に望む。ユーカリ樹の葉を通す風が涼しい。前田氏の宅を訪ふ。氏は大阪府の人、師範學校卒業義務年限完了後渡米、現今は大規模の花卉栽培を業とす。同氏曰く「師範在學中手工や圖畫が得意でしたが今となつて一層其効が表はれます。此溫室は皆私の設計です。此花の廣告も皆自分の考案です」と。此村に日本人十五人居るが、何れも花作りをしてゐる。如何にも綺麗な職業であつて、一年に壹萬八千弗の純益があるとの事である。

スタンダード石油會社を視、四哩を自動車にて疾走し桑港に歸る。午後七時在留信州人會に招かれた。

七月三十一日　金門公園、博物館を觀、海豹岩の所のレストランに立寄る。主人井原定吉郞氏は廣嶋縣三原の人、心からなる歡迎をしてくれた。「私も隨分苦勞しました。いつも日本人たる誇りを持つてやつて居ます。時々は癪にさはる事もありますが、隱忍持久踏止まつて居ます。」といふ。午後五時より福山師範黑田敎諭の令兄黑田喜兵衞君の主催で天城會員諸氏の歡迎を受け

た。靜岡縣天城山の名を高く揭げて同鄕相愛、新天地開拓、日本民族發展の先驅をなし大和民族の氣焰を加州に上げて居られるのである。午後七時半日本人會主催の練習艦隊歡迎會に臨む。

八月一日　朝澤柳博士と共に停車場に行き大陸鐵道の切符を買ひ書店にてエマーソンの論文集等を學校宛に送らせ、遼東樓で雜碎をとる。分量過多。是れからは食事は一人前を二人にて食ふ事とした。

此日日曜。舊敎寺院に行く。蠟燭つけて拜禮して居る樣子は日本の佛寺と全く同じである。も一つ此日、コンテスト・オブ・ビユーチイー即ち美人競爭と云ふものがある。是れはクロニツクル新聞社の主催であつて、各州から妙齡美人の選手がやつて來るのを委員が顏、手足、身体全体の釣合等色々の條件を詳細にしらべて最後に其等級を決するのだそうだ。町の中にブラ／＼して居る所謂美人が澤山居た。さすがアメリカ式だと笑はずには居られぬ。

大陸横斷

午後六時桑港停車場を發し南大平洋鐵道中央線即ち「オーバーランド」線で米國大陸を横斷する。驛には小川ドクトル、天城會員、信州會員諸君、軍艦便乘の澁谷敎諭。今關校長等見送られ、景氣のよい事此上もなし。オークランドまで黑田君御夫婦が態々見送つて下さつて嬉しかつた。是れからシカゴ迄は二千二百六十哩。七十二時間を要するのである。

八月二日から汽車の旅だ。澤柳先生のドローイングルームの中余の寢臺は二階で、梯子をかけて昇降する。寢臺車代は先生が拂はれたので誠に恐入つた。

シエラネバタの山脈を越え、沙漠を走つて東へ行く。ソルトレークの眞中を疾走する。とても濱名湖の比でない。列車內溫度九十度、遠くのロッキー山峯には白雪が見える。二日の晩はオグデン市で一時間ドライブして又汽車に乘る。

早いものだ。四日の午前十一時には最早シカゴ市に着いてゐる。副領事市川參太郞氏、嶋津氏の出迎を受け市內見物する。ワシントン公園、シヤクソン公園、動物園、美術館を巡つてミシガン湖の大通りを快速力で走つた。人口二百九十四萬の大都會である。再來を期して午後五時出發トロントに向ふ。車中屠畜場の烟を哀れに思ひつゝ栗の林の茂みを東北に進む。シカゴ・デーリー・ニユース（一九二七・八・四）ジユネーブ會議不調を報ず。

八月十二日　敎育大會は八月六日より十二日までトロント大學に開かれた。午後六時澤柳博士南米に出發せられるのでトロント新停車場に御見送をした。先生は余に堅き握手を與へられ九月倫敦にての再會を約せられた。異域でかうした訣別はひどく感傷的な氣分になるものである。

米國視察

八月十五日　午後五時半余は相澤氏と共に出發、バフアロー驛

にナイヤガラを想ひつゝ米國領土に入る。稅關吏來る。唯オールライトと云ふのみ。エール大學學生と同車し、學生生活の模樣など面白く聞いて、寢臺に安らかな一夜を過した。翌朝其學生の話によれば五十五弗の金を何者かに盜まれたとの事、氣の毒千萬。矢張汽車にも惡者が時々は居るのである。

八月十六日　午前十一時ボストン着、ベルビューホテルに投宿。汽車同行のレーナー氏態々夫人と共にホテルに迎へに來て余と相澤氏二人をボストン第一等のホテル・ステチラーに案內し晝食の御馳走をして呉れる。よくない人間もあるかはり善人も多い。世界は面白いものである。

食後レーナー氏夫妻は余等を市廳に同行し、敎育局にて種々の印刷物等を貰ひ受け、公園等を散步し、再會を約して別れた。余は氏にカフスボタンと富士山の畫のある扇子壹本を記念に贈つた。兩人は非常に喜んでよい貴い記念物大切に保存するとて再三禮を述べた。

八月十七日　朝早くから觀光自動車の客となつて、市內見物。郊外ハーバート大學を視、更に西北レキシントンからコンコードに向ふ。

レキシントンは千七百七十五年英米兩軍激戰の地で今も其記念碑や銅像が立つて居て獨立當時の有樣を想はせる。

コンコードは人口五千の小町でホーソーン、エマーソンの家のある所、丁度英國のストラツフオード、獨のワイマールに當る所である。町中は、エルムの木繁つてすが／＼しい。コンコードの聖者の遺跡に親しく來て桑港の書肆で求めた論文集の奇緣を嬉しう思ふ。

ボストン美術館は有名なもの一つである。希臘羅馬の彫刻、埃及の遺物、繪畫等多く集つて居る。殊に日本物の多いことに驚く。日本刀、刀のつば、古代衣裝、衣學し難い。此保管者平野夫人の好意により特に日本物の藏を觀る。大きな地下室拾餘室に滿ち、それが極めて鄭重に整理せられて居る。中には日本內地では到底觀られぬ珍寶迄ある。これらは明治維新前後に米人に買收されたもので藏の前に立ち萬感交々いたる。ついで新聞社クリスチヤンモニトーを訪ひ社內を巡覽する。

八月十八日　米國大陸上陸後丁度第一日である。夜伊藤長七氏來訪南米に行くとて元氣旺盛である。

八月十九日　ニューヨークに向ふ。午後二時到着、中央公園側マジエスチイツク・ホテルに入る。

八月廿日　日本領事館に齋藤副領事訪問在紐邦人の活動狀態等を聽き、觀光船でマンハツタン島を一巡ハドソン河を下つて下町雜沓の中ツクを巡覽し電光まばゆい自由女神像を地下鐵道で宿へ急いだ。餘り繁華過ぎるので外出が不安でたまらない。八月二十八日迄第一次紐育滯在。市敎育局を訪ね敎育關係書を得、コロンビア大學內のチーチヤスカレツジに敎育報告を受け、子供博物館、美術館を參觀する。此美術館も日本物の蒐集驚くべきものがある。藤原秀衡の甲冑や、村正、正宗貞宗、長義、貞次、助貞等の刀など美事なものが多い。ロング

アイランドの飛行場やコーニー島の展望臺、何れも米國式の偉大な設備である。

八月二十九日　午後ワシントンに着、三十一日迄滯在する。先づ大使館を訪ひ市內を巡覽する。國會議事堂は世界中でも最も立派な建築の一で千八百二十七年に完成したものである。各黨派の控室、元老院議員室、議場何れも完備して美事である。平等自由の國でも夫々の部屋の設備は差等がついて居る。それにつけても思ひ出すが、汽車でもホテルでも何でも、一等二等の名は付けないけれどそれに代はる呼び方で嚴格な區別等級がある。決して萬人平等ではない事は十分認められるのである。

ワシントンオベリスクの五百五十五尺の高い記念碑に對しては英傑の德を想ひ、リンカーンの大理石像に向つては其偉業を讃美し、ポトマツク河畔チエリダイク數百本の八重櫻を眺めて日本國家よりの贈物と聞きては、健氣にも可愛く感ぜられて暫し佇み其生長根强かれと祈つた。

ホワイトハウスの中を通過して國民敎育協會に敎育雜誌の豫約をなし、敎育局にジオン・タイガー氏を訪ひ、印刷局に至り其發行單行本全部を購ひ日本に送る。政治經濟敎育等に關する最新のものを極めて廉價に發行して居る。矢張アメリカの金の力は此方面にも表はれて居る。

九月一日　フイラデルフイアに下車、古州廳即ち獨立廳に自由の鐘を觀る。米國獨立宣言最初に鳴らしたもので一八三五年につき過ぎてヒビが入り、一八四三年以來は鳴らなくなつた。自由の鐘もあんまり調子づいてやると破れるもの、合衆國にはよい戒告であると想はれた。

タキシーに風呂敷を置き忘れたが運轉手の好意でチヤンと停車場で受取つた。自働車會社の支配人曰く、「吾れ等は正直を第一のモツトーとして居る。五年前に日本紳士の忘れ物をさがして上げた事がある云々」と得意であつた。然し安神したのは余で、日本の風呂敷をアメリカで落しては一生の名折れになると心配した揚句であつたので一層嬉しかつた。

九月二日　から七日迄第二次紐育滯在。主として種々の社會的施設習物屋等を每日觀まはつた。九月五日は勞働祭の公休日で全國休んで公園等を散步して居る。然るに唯一人余の室を掃除し窓硝子を熱心に拭いて居る男がある。彼曰く「自分はドイツ人で父は死亡し母と妹が本國に居る。それを養ふ爲めに働きに渡米した。自分には公休日はない。かうして働くのは私の生活である。獨逸は今こそよくないが、將來は必ずよくなり有力な國となる事を信じて疑はない」と。此一言余の胸にヒシと響いた。

高山潔氏の來訪を受け氏一流のメートルを聽く。

九月七日　午後六時キユナート會社モーレタニア號に乘り込む。日本人は相澤熙氏と余と二人のみ。日增しに英米人との會話も進み數多の話相手が出來、ロタリークラブの書物を貸してくれる人、秘藏のウイスキー壹瓶をくれる親切な米人もある。愉快な大西洋橫斷である。

（了）

護謨のボルネオ（前承）

寳庫の開發も人の心掛け一つ

蘭領ボルネオ野村農園内　高木利兵衛

製品の賣却　製品の生産過剩と云ふ事である、凡ての企業にあたつて先づ考へさせられるものは、どの位迄を產して需要に過不足なきかと云ふ事であるが、現今の如き自働車自轉車のタイヤ、チユーブを大頭にしてベルト工業用具、防水布、玩具、薬物等護謨應用品使用せられ文化の進步に正比例して用途は擴大し、然かも世界的であるから過剩より來る賣押しは絕對に恐るゝに足らない。

然し戰後經濟界の恐慌の中は、英斤百斤に就き一百五十弗の高價から貳拾五弗迄、轉落して英領大栽培業者は、採算不能に陷つた、之れは英領が他より人夫賃が高く、五拾弗を割ると、維持出來ない關係があるのだが從つて窮策として、案出したのが生産制限である。恰かも生糸の操短の式に、やつたものだ、蘭領では是非五十弗を維持して行かなくとも二十五弗でも悠にやつて行けるのだ、當時英領から制限參加を勸誘して來たが蘭領はとう〳〵應せず、押し通した。其內に經濟界は安定し出して倫敦ニユーヨークのストツクが少なく成つた、米國のタイヤ製造額は激增する、片々價格は暴騰して、大正十四年七月頃は百斤二百五十弗迄行つたものである、勿論需要の八割は米國だから現在の所一般景氣が護謨價を支配する力は生絲に對する、力と同じ度合ひのものである。化學工業の發達は、多岐多雜なる用途を、開發するものであるが、夫れでも二十五弗を割る相場は道路材料のアスフアルトに代用し得る値段だから一等道路に護謨を布き得る時代を現出するから左樣心配する必要がない。

前記の如く英領馬來での、經營と蘭領東印度での經營は投資條件が著しく違ふと云ふ事が、仲々の强味で、云へ換へれば單位面積に要する資金が英領より蘭領はぐつと安く出來るといふ事は資本家の看過し難い點である。

土地の獲得　奥地へ入つて少し高地などは皆草原で土地は幾何でもある河流の沿岸は土民が傳統的に河運中心に永住して河端に果樹カラパ、水稻を作る關係上、獲得困難である、然し蘭領の土地法なんて不完全なもので土人の所有權は、法の上に極めて不確認で、習慣を保護する程度位ひのものである、従つて押なべて皆官有地であつて、所望例へばA點を基點に長一里巾二里の栽培權の出願と云ふものを出して、角點に柱を立て境界を刈拂つて置くと、管理官が檢見に來て他人の既得地又は鑛山、國道等を除外して、檢見の結果を總督に具申し更に理事廳の土地測量局より、測量に來て完全なる境邊を決定するのだ愈々登錄許可となるのだが、短くて一年永くば二年位要する事がある。

申請地域内に土人の栽培地があれば、公權はなくとも、習慣上の權利地として、豫め讓受又買取りの、必要があるのだ、土人保護政策上、習慣的權利地の處分は、仲々重く見て居て土人に不服なき樣、買收するを専一として居る、許可以後五年間は無稅で五年以後英反當り五十仙の有税となる。

又簡易な方法で、四五十英加位經營する方法がある。土人の既成林總立木を抵當として金を貸し其金を返さぬ内は、土地を返さぬと云ふ入質法によつて所有權を獲得するのだ、勿論支拂金額は幾何でも證書面の金額丈けは高額に記す必要はある、之れは非公式なるも事業着手に急を要する場合土人立木の安物を手に入れる場合の方法である。

海外發展の奬め　と云ふ事で氣付いた點である。初めからどんな良い所へ行つても、萬、何萬と儲かるものでない、護謨栽培の如きも指導された通りに從事すれば、美味く出來るわけだがかけ出しでは仲々圖に當らない、あゝもやり、こうもやり失敗もし、人の業績を見て初めて英反當り二〇〇盾位で仕立てる事が出來るのだ、左樣成るにはどうしても、在住五ケ年位は經驗時代だ、最善と思つてやつて見たが後日に成つて少額速成經營の方法がある事を熟々考へさせられる。人を使ふ骨、氣候に對する順應土地土質に對する合理的手段の實際は左樣簡單なものでない。祖先何百年前より傳へられたる貴い經驗を以てしても年々作る米麥作にも中に不作があるではないか、まして悉く新しい條件で數年にして二萬圓得た五千圓得たと云ふ事が出來るものでない、ボルネオ然り、ダバオ然り、ブラジル然り。

往々成功の宣傳に若い血を湧かせる輩を見受くるも事業の反面には必ずや貴い体驗、貴い犧牲、と云ふ影がある事を忘れてはならない、眞に天惠の地に就けば護謨は挿しておけば芽はふくし珈琲は蒔さへすれば花は咲く、然れども少資本で短時日の間に數萬の資産を造る如き豫定の効蹟を擧げ得る自信を持つ迄には相當永い準備期間、忍耐期間が必要ある事を覺悟せねばならない。

今日に於ては各方面に指導、紹介の機關があつて、到着早々着々仕事の出來る樣に準備されあるも、指導者其人は彼地で苦勞した体驗から順調に行くにしても現場に於て、役立つ經驗の、

差違は競はれない結果を示す。最初の五ケ年はざつと經驗時代五年以後十年迄根城を固めて、眞に收得時代に入るは十年以後新嘉坡馬來半嶋、瓜哇、ボルネオに亘り栽培事業でも商業でも裡一貫から五年以內に二萬圓以上を得た人は先づ見當らない多くは一定の場所に苦節十年を經過して來た人であると云つても過言でない。

護謨栽培の天惠的適地としてボルネオを紹介したが天惠の內にも幾通りもある、天惠に富む我信州の養蠶が、日く旱天日く空頭蠶曰く萎縮病曰く霜害と、矢次早に苦められて異樣の注意力と智識の力を以てせねば養蠶經營も樂でないと云ふ所に、天惠を欠くの憾みがあると同じ意味で左樣棚餅的のものではないが護謨が林木栽培に同じで主人が寢て居ても、木は晝寢なしに生長する土寄せ、肥培、虫害の心配更に無用で要するに除草一天張りで草除費を有効に、多く喰わせれば、喰する程、早く收穫期に入り喰ふ丈喰へば上簇期に入る蠶と同一である。

恐らく栽培の單調なるは松、杉と同一のものである、只收穫は零細集約なもので毎朝一本から一錢、二錢のラテツクを集合するものである。

護謨のボルネオは蠶の信州以上話せる所なるも之れも、其人との心掛け如何で、大資本の會社は別だか元來褌一本で渡來して來た邦人に已に二十五年浪々として射的や、玉コロガシで、恒產なく、風の間に間に轉々して居る人もあるし、在住十五年已に三百英反三十万圓の護謨園を獨力成功して隆々と上りつゝある人もある、其間成ると成らざるは資金の問題より、人間の忍從、健康持合さねばならぬ。

小學地理で學んだ、ボルネオは唯單に南洋一の大嶋で、中味は草原と太古乍らの處女林で蔽ふて人喰人種が、林の所々に點在して全く世界文化の交渉を受けない未開地と思つて居た。

而して海外成功談で「ボルネオは南洋の寳庫なり」との大太鼓も聞いた土人其物はかぶれては居るし西洋文化三百年來に訓練されて非常に開けて居るに驚された、人喰人も居なければ、猛獸毒蛇も居ない河川の沿岸は皆人が住み田もあり南瓜も作られてある、敎育が政策的に低級なる事と、回々敎の爲め土人の常識は邦人には一寸解釋出來ない愚蒙さがあるが、人情に於てはどこ迄も同じである、只寳庫とは云へ金鑛もダイヤモンドも至る處落ちては居ない。さりとて、護謨の成立ちの一端を以上の如くすれば、之れ已に寳庫無盡とは云ひ得る。

多年定住し、今や其事情に通じて、初めて其寳庫の鍵迄たどり着きたるも吾人未だ其合鍵を持たざりし爲只あわただしく日を過すのみである。

赤道下の瘴熱と空漠しかあるまいと早合點して小學地理時代其儘の不用意でやつて來て、吸々として合ひ鍵を持合わせなかつた愚を呵々するのみである。（終）

本稿筆者高木氏は小縣郡鹽川村出身小縣蠶業學校卒業大正七年の渡航、奮鬪既に十三ケ年、現在は十五英加のゴム園を完成し更に昨年より百英加のゴム園を開拓しつゝあり。

異鄕の地に歿した本縣人

各郡市別の海外死亡者（四）

南安曇郡（續き）

町村名	死亡者	死亡地	死亡期日	死亡原因
穂高町	小平次雄	比島ダバオ	昭三、一〇、七	殺害
同	小平政子	同	同	同
同	保科重人	同	大六、六、一五	病死
同	青柳菊彌	米國	大一四、四、二二	同
同	西澤永一	米國加州	大六、一、一三	自殺
同	寺島正夫	比島ダバオ	大六、九、一	病死
西穂高村	西山忠勝	米國加州	大八、八、八	燒死
同	中島喜一	比島ダバオ	大八、三、六	病死
有明村	畠山龍男	同	大七、一〇、二四	同
明盛村	二木ふじの	米國	大七、一一、一五	同
同	植原雄一	米國加州	大三、六、三	同
三田村	丸山政義	比島バギオ市	大一四、三、二一	同
同	臼井可志雄	比島ダバオ	大七、一〇、三〇	同
安曇村	加藤青松	伯國聖州	大一五、一、一九	同
同	加藤好美	同	大一四、一、二九	同

更級郡

町村名	死亡者	死亡地	死亡期日	死亡原因
篠ノ井町	若林忠雄	伯國航行中	大七、七、四	病死
中津村	西澤みさほ	滿洲奉天	大一四、四、二六	不明
同	西澤義郎	同	大九、一二、二四	同
同	西澤節子	同	大一三、三、二四	同
川柳村	南澤寅喜	伯國聖州	大一四、三、九	病死
同	南澤とら	同	昭二、五、九	同
同	南澤實雄	同	昭二、五、二八	同
青木島村	柳島いと子	支那青島	大一三、九、七	同
川中島村	大室ゆき子	伯國聖州	大一四、一、一七	同
同	大室幸雄	同	大一四、一、一六	
信田村	大矢要	關東州大連	昭三、三、一七	病死
村上村	大井德太郎	布哇	昭二、一一、二	不明
桑原村	山崎林治	伯國聖州	大一三、四、三〇	同
同	山崎烈	伯國聖州	大一三、一、一	病死
同	松林恒吉	同	大一三、六、一	同
同	堀内要	關東州大連	大一〇、九、七	同
同	堀内源三	同	大一三、四、一	同
同	堀内ムラ	同	昭二、四、八	同
同	堀内シヅ子	同	昭二、三、二四	同
同	堀内スケノ	滿洲大魏家	大一〇、八、二九	同
同	堀内利治	同	大八、一一、二八	同
同	絲川房子	滿洲	昭二、七、二八	同
稲荷山町	戸谷きくの	伯國聖州	大一四、五、一七	同
大岡村	吉原ひさ	伯國聖州	大一三、一一、一三	同

埴科郡

本籍	氏名	死亡地	年月日	原因
松代町	三井繁	マラッタ海峡	昭三、七、三	航海中墜落
埴生村	宮坂元治	伯國聖州	大一三、九、三〇	病死
杭瀬下村	中澤春代	同	大一五、一一、一四	不明
坂城町	宮下豐三郎	加奈陀	大三、八、八	同
南條村	宮原さげる	伯國聖州	昭三、九、一九	同
中之條村	堀内一	加奈陀	明四三、一〇、一三	病死
倉科村	島田俊	伯國聖州	大一二、四、九	不明
中之條村	中條眞平	亞國	大六、九、九	病死
五加村	飯島莊実	墨國低加州	昭四、五、一三	他殺

上水内郡

本籍	氏名	死亡地	年月日	原因
柳原村	横谷なほゐ	伯國聖州	昭三、一四	不詳
長沼村	土屋武雄	同	昭二、一二、一七	病死
島井村	町田トセ	同	大一三、三、一三	同
同	野田靜子	同	大一三、三、一四	同
古里村	柄澤初之助	同	大九、一二、三〇	同
津和村	宮林彥四郎	南滿洲公主嶺	昭三、八、一七	同
神郷村	内山巖	支那上海	昭三、六、四	同
同	三井くらの	南滿洲木溪湖	大一三、三、三〇	同
同	三井三雄	大連	大一二、九、三〇	同
若槻村	青木繁子	關東州沙河口	昭三、四、二六	同
同	清水すい	關東州金州	大九、二、六	同
同	海野義夫	南滿洲瓦房店	明四三、九、八	同
柵村	山口寬治郎	大平洋航海中	明四〇、一二、三〇	同
朝陽村	稲詰愛治郎	比島ダバオ	大一一、八、二九	同
朝陽村	高野米作	布哇	大一三、一〇、一三	病死
同	高野榮助	同	大一三、一〇、六	同
同	山田新太郎	同	明四二、一二、一八	同
同	千野富士之助	比島ダバオ	大七、三、一〇	同
同	丸山茂三	墨國コクマ州	明四〇、三、七	同
同	本藤俊治	布哇		同
南小川村	笠原龍藏	南洋ポナペ	大九、四、一五	同

上高井郡

本籍	氏名	死亡地	年月日	原因
保科村	丸山廣司	玖瑪	昭二、八、三	病死
川田村	義家千秋	伯國聖州	昭三、九、一三	同
井上村	大峡富三郎	南洋サイパン島	昭二、一〇、一三	同
日野村	本原彌助	布哇	大二、一二、一	同
日瀧村	井浦多吉	伯國聖州	昭三、三、二八	同
同	中村元吉	滿洲鐵嶺	大九、一二、一二	同
高井村	井浦廣太	布哇	大一四、五、一	同

下高井郡

本籍	氏名	死亡地	年月日	原因
往郷村	山城多一	北米	明三三、三、一四	病死
中野町	市村幸雄	印度	昭四、八、三一	同
長丘村	黑川千代治	ヒリッピン群島	大七、一〇、三〇	殺害

下水内郡

本籍	氏名	死亡地	年月日	原因
秋津村	木浦萬藏	比島ダバオ	大九、一一、二九	病死
同	今井惣十郎	米國シヤトル	明四四、四、一〇	殺害

本籍	氏名	死亡地	年月日	原因
同	今井徳	米國	明四一、一一、二〇	鐵道事故
同	島田市次郎	比島ダバオ	大八、八、二四	殺害
同	島田ちか	同	大八、四、三一	病死
永田村	坂本和與作	ボルネオ	大一三、一〇、二六	病死
豐井村	神田もとゑ	伯國聖州	大一三、六、九	同
同	神田まり子	同	大一三、六、一七	同
豐井村	小林よし	米國	大一二、一、六	同
外様村	丸山義治	ブラジル	大一五、六、一二	轢殺
太田村	小出卓郎	伯國聖州	昭三、八、二	病死
岡山村	市村ひめ	同	大八、三、一一	同

長野市

本籍	氏名	死亡地	年月日	原因
高田	井原ヨシ	伯國聖州	大一〇、一一、二九	病死
高田	傳田滋	同	大七、一二、一七	同
南長池	長田甚吉	比島ダバオ	大七、四、一〇	同
西和田	中澤欽四郎	同	大九、七、一五	同

上田市

本籍	氏名	死亡地	年月日	原因
新町	中會根幸太郎	米國	大一三、五、一五	病死

東筑摩郡(追加)

本籍	氏名	死亡地	年月日	原因
和田村	百瀬大彌	伯國聖州	昭二、五、一五	汽車衝突
同	百瀬正二	同	同	同
本郷村	渡邊謙男	米國	大八、一一、一三	病死
山形村	大池保吉	布哇	大三、八、三一	病死
島立村	小岩井宗重	北米	昭二、七、一八	同
同	丸山文吾	米國シヤトル	大七、一一、一四	同
同	淺田安衛	米國	大五、八、一〇	同
壽村	顯黑忠雄	同	大七、一二、一五	同
入山邊村	大濃甲子	同	大一五、一二、六	同
山形村	永田藤一	布哇	大九、八、一	同
同	永田たつゑ	同	大一〇、一、二六	同
岡田村	西村盛キ	比島ダバオ	大一一、九、一四	同
同	淺田重男	伯國聖州	大八、九、三	同

(以上)

海外死亡者の未掲載は

海外における本縣人死亡者の警察部調査にかゝるものはこれを以て全部掲載済みとなつたが右の調査の外尚海外死亡者は各地に調査漏れとなつてゐる及び調査後の死亡者は僅少でない。よつて心當り本縣人死亡者にして本誌(第八十四、八十五、八十六、八十七號)に未掲載のもの發見せられたる時は、死亡者氏名、死亡者の本籍地、死亡者と在留家長との續柄關係及び家長(戸主)氏名、死亡地名(可成く詳しく)死亡年月日、死亡原因(可成く詳しく)を御一報願ひ度し。

海外通信

メキシコ便り

米國向野菜栽培

(在墨)矢島璋三

拜啓時下貴地陽春なる候と遙察仕り候。當國一般も漸やく熱暑日に増し加り申候。扨て野生事過去拾幾星霜當地に定住し主として當地方向き野菜の栽培に從事致し居り候處今回タンピコ市よりモンテレー線に添ひ鐵路八十五哩の北方マヌエル (Manuel) と云ふ一驛に近き田舍に新地を見出し專ら冬期北米向き輸出野菜類の栽培に從事致す計畫にて來月初旬移轉致す豫定に御座候

就ては田舍に移りたる後は日本人諸氏との交際も疎く相成申可く種々の不便も有之に存じ候間今後は安藤勇氏宛に御通信相成度候。

タンピコ市には小生一家族を除きては安藤勇氏と竹内菊次氏の兩氏のみにて候へどもサンルイスポトシ州リオ、ベルデ市 (Rio Verde, S. L. P.) に宮本芳郎氏、同州セリー市 (Cerritos,S.L.P.) に甥の岩垂貞吉氏は各々雜貨商を經營致し居り候間前記二氏には貴方より直接雜誌御發送被下度候。高田芳郷氏は此頃バスコより何れかに轉じたるとの話にて候へども未だ消息に接し申さず候

岩垂貞吉氏は本年は一月早々出火致し全燒と相成り又三月は病氣のため三男を失ひ候も幸ひに信用と同情に依り舊に倍して精勵致し居り候間御放念被下度候

初頭に移轉の事申上げしもいづれ改めて住所御報告申上ぐるまで當分從前通り郵便物等御發送被下度候

先づは不取敢御通知まで (四月廿五日)

ブラジル便り

精神的富に精進

(レジストロ植民地聖公會にて) 伊藤八十二

謹啓　時下追暑の候貴會益々御隆盛之段奉慶賀候。扨顯十二月一日附御芳書並に「朝日年鑑」御送り下され誠に有難深く御禮申上候右は小生何時も傳道旅行の身に有之去る四月下旬聖市へ參りたる節確かに落手仕り候

祖國を遠く離れゐる身には祖國の日新月歩の文化を受けるに漸く候所毎々「海の外」により幾分なりとも吸集し得らるゝは嬉しく候。例令私共の身は海外に有之候ても祖國皆々樣の御生活と脈絡相呼應致し祖國盛衰喜憂に吾が心迄左右致され候。「海の外」により祖國百般の事ども承り得るゝはこよなき慰藉激勵とも相成り候

故中村國雄先生のレジストロ植民地信濃村御建設も實現され逐年當地在住の長野縣人の經濟的基礎も築かれ參り候と共に五年前より甚督教への歸依者も增加し教會堂建設牧師の招聘ともなり日に精神的富を積まれ健全なる發展振りを示され居り候。(五月一日)

味噌醬油なくても暮らせる

(聖市) 清水美代

御無沙汰致しました。思へば母國を去つてからもう一ケ年になります。ですのにその間何等御通信も致さずほんとうに失禮致しました。

過ぎし一ケ年は物質上には何一つ殘りませんでしたがいろ／＼尊い經驗を得ました。着伯早々清水は村上氏宅に妾は外人の家庭に入りましたお蔭で味噌や醬油が無くても暮らせますし、掃

除の仕方も覺えました。船中での皆の噂では醬油がなくつては味噌がなくつてはと聞きました事が思ひ出されます。

妾は只今外人の家庭を退いて一息ついてゐる所で御座います。今度は清水の仕事を手傳ふ樣になるかも知れませんが苦しそうでないにしても今度は職業的方面に働らき度いと思ふてゐます。清水は只今聖市郊外で或る日本人から歯科醫療器具を讓り受け、日中は患者の來診、夜は技工、その間に語學の練習と云ふ忙しさですから今度私の歸つたを幸ひ手傳ふ事になるかも知れませぬ。

廿六日には西澤幹事殿お出の由。清水はサントスまで迎へに參りました。近日中にお目にかゝれるので嬉しく喜んで待つて居ります。こちらの樣子はもつと判りましたらお知らせ致します。未だ／＼何も判りません。惡しからず、それでは後便で (六月廿八日)

南洋便り

石の上にも三年

(蘭領ボルネオ 野村農園内) 高本利兵衛

拜啓　會報其他漏れなく拜領多謝奉り候。小生當地に已に十三年依然護謨園にて抱いたる大志に對し進歩遲々として自ら笑止千萬候ふも石の上にも三年漸く私有十五英加程完全に成園し昨年更に百英加の護謨園を開拓に着手仕り候事は僅かに緒についたものゝ眞の働きは今後に在りと期待下され度く候。

別紙漫談差支へなくば會報の原稿にでもものせ被下度く當地護謨栽培の系統的の調査も多分に持合せ居るも餘り專門に亘り煩雜なれば今回は省略仕り候

年來の久濶を謝し御挨拶迄 (五月廿四日)

航海通信

航海は至極平穩

(第三アリアンサ) 澁谷生

力行會員は船中で船員の仕事を手傳ふので事務長からも司厨長からも非常の信用です。

船は瀬戸内海を通らず九州南端を迂廻して南進、香港入港までは波濤高く台灣海峽通過の時まで大荒でした。八月九日の香港入港ビクトリー山を對岸より望む香港の夜景は素敵です。八月十六日には新嘉坡市内の無軌道電車の走るのと支那商人の活動、植物園の廣大なるに驚きました。古倫母入港の前日甲子園の中等學校野球戰には吾が松商が優勝した無電に接して思はず戰勝の歡聲を發しました。

廿四日は赤道通過の赤道祭が船員と船客とで大賑ひ。同日午前八時より午後四時までの航行は箱庭の池の如く油を流した樣なそれは全く平穩の航海でした。

ダツベンから喜望峯を通過の時は非常に寒くて仕方ありませんでした。南半球の冬ですもの大西洋の航行も至極平穩で速力は十五、六浬九月廿一日豫定通り午前十一時サントス入港身体旅券の檢査も終り上陸して聖市の移民收容所着同日荷物檢査をなし翌朝四時アリアンサに向け出發途中ベウルに三泊して無事第三の當練習所に安着致しました。練習所は第三の中心地で事務所やアルマゼンまでには約二キロ程です。私の到着した當時の第三入植者は四十家族程で富山縣人が大半でした。

×　×　×

澁谷君は新潟縣の出身、信州の伊那町に來て新聞配達をやり、數年の辛棒で五百圓の貯蓄をなし、昨年八月の便船で力行會の練習所に行つた眞面目の青年である。

移植民ニュース

移植民關係豫算
の各省削減狀態

濱口内閣の緊縮政策による拓務省本年度豫算額に對する削減は最初約二割の標準によつて成立豫算四百五十一萬一千四百九十二圓のうち八十八萬九千圓を削減されたが拓務省では極力復活要求する事になり再三省議を重ねて大藏省に交涉の結果左の如く六十三萬圓の削減に喰止めた。

削減額の内譯は次の通りである。

經常部（單位千圓）	
一、俸給	四八
一、事務費	一四
計	六二
臨時部	
一、神戸移民收容所增築費	九
一、移民收容所費	四九
一、移植民保護奬勵費	二五九
一、移民生產資金貸付金	二五〇
計	五六八
合計	六三〇

右の外移植民關係を計上してゐる外務省には移民保護奬勵費七十九萬六千九百圓があるがこれに對する削減額は八萬八千圓であつた。尙文務省には移植民敎育費として三萬八千圓が計上されてあつたがこれは全額承認せられた。

外交の經濟化
外務省豫算編成方針

外務省では目下來年度豫算に關し省議を取まめ中であるが、その新規事業中特に通商局所管に重きを置き研究されてゐる事がすこぶる注目されてゐる

即ちまづ南米貿易進展のため豫ての懸案となつてゐたコロンビア公使館新設を實現し更にブラジル方面特に我が移民の密集地であるベレンに領事館を開設して南米における移民の敎育および衞生施設と相待つて日本商品販路の開發に努める事となつた又南洋方面に對する施設としてはフイリツピン總領事館のダバオ分館を昇格して領事館としその他モンバサ、デンバーの兩地に領事館を置きハバナの領事館をも復活し更に近東方面發展のためスミルナ領事館の實現に努力する事となつてゐる

この外徹底的に海外發展の方策を講ずべく種々の計畫が企圖されてゐるが右は幣原外相の抱負である外交經濟化の一計としてかなり期待されてゐる

拓務審議會を
設置して海外拓殖に精進

松田拓務大臣は就任以來拓務省の重大使命たる移民および海外拓殖事業の發展に資する一方移植民および海外拓殖事業が現下の重大問題たる國際貸借改善、失業救濟に重大なる關係を有ち、こは現内閣のもつとも切望する事實なるのみならず我國には植民地研究の一般的大規模の團體なき欠陷に顧み官吏のみならず拓務に精進もしくは經驗ある政治家、實業家、學者、新聞關係者等を網羅する『拓務審議會』の計畫を進め九月始めにその第一回會議を行ふことゝなつた、然し本年度は實行豫算の關係上官制による「審議會」とせずして「談話會」の形式をとり從つて成るべく人數を擴張して將來出來る審議會を構成すべき顔觸を含む模樣である

滿鐵の傍系會社
拓務省監督を行ふ

拓務省は滿鐵の監督を嚴重にして滿鐵事業本然の發達を促す一方滿鐵首腦部の獨斷專行による利權行爲を未然に防ぐため去る四月滿鐵の『事業および豫算』の外『投資および株式の引受』についてもすべて拓務大臣の認可を受くべしとの命令を發したが拓務省は更にその趣旨を徹底せしむるため

投資後の事業の監督をも行ふことに決定し八月十五日付をもつて滿鐵が株式の半數以上を有する子會社がなす定款の變更、每年度の收支豫算決算、重要なる事業計畫重要なる財產處分投資および貸付等の事項についても一切拓務省の認可を受くべしとの命令を滿鐵に對して發した、その結果從來滿鐵の獨斷專行してゐたその傍系會社たる南滿洲電氣、南滿洲ガス、大連汽船、滿洲ドック、大連窯業、國際運輸、東亞勸業、福昌華工、關東州農事會社等も本令により全部拓務省の監督に屬することゝなつた。

植民地銀行監督權
注目される拓務省權限問題

拓務省の新設に伴ひその權限は如何なる事項までおよぶべきかを決定し置くことは事務遂行上のみならず他省との權限爭ひを未然に防止する意味においても極めて緊要のことであるとしてその權限事項に付調査中であるしかして右權限を確定すべき基準となるものは拓務省官制第一條第二項の「拓務大臣は涉外事項に關するものを除く外移植民に關する事務および海外拓殖事業の指導奬勵に關する事務を管理す」といふ規定である右によれば

一、移植民に關する事務
一、海外拓殖事業の指導奬勵に關する事項

にして從來他の官廳の所管に屬せるものはすべて拓務省に移管さるべきであるといふのが拓務省の主張であつて拓務省はこの方針の下にすでに約二十項に上る移管事項を決定し近くそれ〴〵主管省と折衝を開始することになつてゐる右のうち特に注目すべき事項中には

一、朝鮮銀行および台灣銀行に關する監督權（これは大藏省と共同監督とすること）
一、遞信省の管下に屬する支那の沿岸航路並に支那長江航路に關する監督權
一、外務省の監督しつゝある靑島取引所の移管
一、在支邦人紡績に關する監督權
一、日露漁業に關する監督權
一、北樺太工業、北樺太石油會社監督權並にこれと類似せる植民地會社の監督權植民地および移植民に關する航路補助

等を含み中には相當所屬問題、その一部を移管すべきやその全部を移管すべきや等につき相當曲折を免れざるべしと觀られてゐる。

先輩の英靈を弔ふ
在ダバオ信州人有志會で

在比島ダバオ地方に在留する長野縣人有志間では今回長野縣人墓地供養會を組織して同地方に於て開拓に奮鬪しつゝ空しく死去した先盟の英靈を懇ろに弔ふべく、さきに死亡者を調査中であつたが八月十五日同地ミンタル墓地に於て供養式を擧行する事になり當日の供養式實況を寫眞に收め死亡諸氏の鄕里に贈るので多數在留信州人の出席を促した。

因みに同地方に於ける死亡者は四十名以上に上るだらうと云はれてゐる。

週刊「南米新報」
の家庭向き新聞生る

在伯邦人八万人を相手にして今回、週刊南米新報が生れた。同報は新聞紙本來の使命に向つて社會の木鐸たるを自負して南舟坂井田氏が主幹である。特に同報は在伯邦人の家庭生活に喰ひ入つて趣味、娛樂方面に進出すべく子供、家庭の兩欄を特設してゐる。

信州記事

三宮殿下、御入信
岩菅山御登山から草津へ

山の宮樣と謳はれる秩父宮殿下は妃殿下御同伴にて御入信遊ばされ輕井澤御避暑の竹田宮恒德王殿下御同行にて八月六日御來長、長野電鐵にて湯田中に向はれ上林溫泉に小憩後發哺溫泉に御宿泊に成り翌七日上信國境の岩菅山（海拔二二九六米突）に御登山、發哺に更らに御宿泊翌八日は草津街道八里の險道を御徒步無事草津溫泉着輕井澤にお歸りになつた。御同行案內者は大倉喜八郎男の外縣當局からは警察部長等であつた。

寫眞說明　左端より秩父宮殿下、中央勢津子妃殿下、右端竹田宮恒德王殿下

明年度の縣豫算
百七十二萬圓の減額

內務大藏兩省では五年度縣豫算編成方針を特別の事情なき限り四年度初豫算より一割五分減となる旨の訓令を發する所あつたが大體これを本縣四年度當初豫算一千百四十四萬九千三百八十九圓に對比すれば五年度では百七十一萬七千四百八圓餘減額して、九百七十七萬千九百八十一圓程度となり、この減額を縣下三十萬戶に割當てると一戶當り五圓七十二錢餘の負擔減少となり縣下各市町村豫算總額もそれに應じ減少するわけである。

母國通信日誌
（自七月十七日至八月十六日）

七月十七日（木） 節約內閣の一枚看板各省の自働車半減を申合せ、大臣もテクで通勤△女人禁制の大和の山上ヶ岳奧の院に二女性登りつく△滿洲事件眞相は發表せずと閣議で決定

十八日（金） 露支國交斷絕△濱口內閣施政の三大審議會社會政策、國際貸借、關稅の委員決定發表さる△聖上陛下、今夏御避暑中に富士の御研究遊ばさるゝと御內定

十九日（土） 鐵道線路に橫はり涼んでゐる內寢てしまひ汽車に轢かれて往生した五十五の爺さん老人があつた。長崎縣の出來事△東支沿線の邦人一萬五千名に引揚命令

廿日（日） 暑さは未だ序の口、華氏の九十四度、東京は蒸し殺されさう△露支紛爭に列國が和平調停に乘出す△山の神秘を尋ねて部下の女學生四國日本アルプスをめざして出發

廿一日（月） 沼津千本濱に故若山牧水氏歌碑立して盛大な除幕式、歌碑は故人愛誦の「幾山河越え去りゆかばさびしさのはてなん國ぞ今日も旅ゆく」△陸軍大異動

廿二日（火） ツエペリン伯號の世界一週飛行滿通出發は八月上旬の豫定△長き節約の御思召を体して皇室豫算も大緊縮

廿三日（火） 大西洋を四日半で決速、獨逸汽船四萬六千トン、速力二十七ノツト△露支兩國の紛爭軟化して仲介の勞を頻りと待望

廿四日（水） 世界平和を目指して不戰條約の宣布式米國大統領白亞館で△米國中尉ブロムリー氏大平洋橫斷決行タコマ市を一兩日中に出發と聲明、日本着陸は立川

廿五日（木） 英米兩國の軍縮聲明△朝日主催の中等校野球各地豫選初まる△帝都に巢食ふ暴力團の驅逐を都下警察署長に通牒

廿六日（金） 合衆國大統領故ウイルソン夫人來朝の途に上る△故野口英世博士に佛國から勳章△東支鐵道の露支共管に列國支那に要求

廿七日（土） 本年度實行豫算十六億八千三百萬圓、節約額九千萬圓を突破△佛國內閣總辭職、ブリアン氏組閣、閣員は大部分留任

廿八日（日） 山崎直方博士逝去、高知縣の人行年六十△台灣總督に石塚英藏氏決定△財政緊縮と消費節約に伴ふ事業界不振の結果必然的に現るべき失業救濟に政府大努力

廿九日（月） 全國高專野球優勝戰は橫濱高商十三A對二高二で大勝△大平洋橫斷飛行決行のブロムリー中尉飛行の途に上らんとして機体破損

解散を見越した
縣下各政黨の情勢

本縣下の各政黨では中央政情が解散準備に向つて進むに伴ひ早くも議會の解散を見越してそれ〴〵準備を進めてゐるが北信地方においても近く民政黨本部から黨情視察員來縣することになつてをり、又政友會でも田邊松本兩代議士等前後して來縣する由で地元においては五明民政北信支部長宮澤幹事長等中心となり結束をかたむべく着々工夫をこらして居り、政友派では月遲れの盆すぎ一應北信支部の幹部會を開き選擧對策につき意見を交換することになつてゐるが、山本代議士（政）が目下外遊中であり具體的決定は困難であるが政民兩派とも第一區においては新顔の出現は事實上不可能と見られ小坂、松本（以上、民）山本（政）代議士並に先般落選した春日善之助氏を依然として推し立てるらしい

又大山郁夫氏等を中心とする左翼合法黨樹立に對し本縣下舊勞農黨系分子の大部分は贊意を表してをり從來の潛行的運動を排して合法黨確立の曉は盡くその傘下にはせ參ずるものと見られ北信地方においては原山猛雄氏等種々畫策してゐる

滿悅の民政
早くも準備の第二區

第二區（上田、小縣、南北佐久、埴科の一市四郡、定員三名）も既に前哨戰に入つた觀があるがその形勢を見ると

△民政黨　久し振りに我黨內閣の下に行ふ總選擧のことて黨員、特に小幹部どころは待ちこがれて居る。しかし地盤としては甚だ樂觀出來ず現在の山邊氏は軍費で全く行詰つたので新人を求め縣議兒玉衞一氏をかつぐ者が多く目下

しきりに話頭に上り問題の鷲與四三氏は他府縣から立候補するやに傳へられてゐる

△政友派　前回內紛の餘じんがいまだブス〳〵やつて居るのに野黨としての對陣とて甚だ難色あり結局は前回通り篠原春日兩氏で爭ふものと見られるが民政派の出樣によつては一層の混亂を見るらしい

△小山氏　小山氏の再起は確實でたゞ前回よりも苦戰が豫想せられ目下民政黨入を盛んにすゝめられて居る

△社民黨、農民組合　兩者各一人の立候補は當然豫想せられてゐるが社民に比し農民組合の方が組織的潜勢力がある以上のうち社民と農民組合の進出はもつとも注目され問題の高倉輝氏は農民組合のため全力をあげて應援すると見られてゐる

着々進められる
下伊那民政の陣容

故樋口代議士の後任として北原阿智之助氏を立てる事になつた下伊那民政クラブは遠山幹事長を上京せしめて本部と種々打合せを行はせてゐたが大體本部と打合せが出來たので遠山氏は八月十二日歸飯した氏は語る

『北原翁の事は正式決定を見たといふ譯ではなく、目下の所は他によい婿があればと思つてゐる位だ、だから婿探しをしてゐる譯だ、無論北原翁を立てる事は絕對に婿がないとなつた塲合の事で、北原君なら勝算は十分であるから、さういふ風に決めて置くだけの事さ』

下伊那政友クラブでは次期總選擧の對策を議したが次期選擧に果してたれを擁立するかに關し議論をしたものらしく民政派が樋口氏の生前に一新會問題でゴタついてゐたのが樋口氏の亡き後元に復し元老阿智之助氏を守り立てて大同團結をなした際如何にして北原氏と太刀打ちをなすかといふにありこれについては伊原氏の再起を有力となすものと、伊原氏の勇退を求め平野桑四郎氏を擁立せんとするものゝ二論が出たものの如くであるが前選擧に敗戰した原田治郎氏も雪辱のため

△金の生るアメリカから日本へ職を求めに船中の火夫しながら米人二人大阪に上陸

廿日(火)　山梨朝鮮總督に對して辭職を迫つたが頑張るので政府では滞京命令を出して朝鮮行きの足止めをする△內務、大藏兩省では公私經濟緊縮委員會を設けて節約宣傳の愛國運動の計畫△金解禁氣配をうけて四十六弗

卅一日(水)　露支國境列車內で第一回代表會議は激論十一時間に及び何等得る所なくしていづれも本國政府に請訓を仰ぐ△高松宮殿下明春五月、妃殿下御同伴で約一年半の御滞歐と內定△青森縣下東津輕郡蟹田村八十戶全燒

八月一日(木)　山梨朝鮮總督の自發的決意をまつ事になり政府軟化△一時轉任説を傳へられた駐支芳澤公使は再び任地に向け出發した

二日(金)　政友內閣存續中對支問題で政友內閣に共鳴し、議會解散回避を主眼として生れ憲政一新會は其の後政界の迷ひ子となり、消滅すべき運命にあると觀測せられてゐる

三日(土)　來議會は解散斷行と安達內相卒直に表明△華氏百度を突破する東京市中の殺人的猛暑これに耐ゆる東京市民は南洋土人ならぬ耐熱人種だと△名古屋市長以下の助役、緊縮政策の趣旨に副ふため自ら年俸の一割減

四日(日)　現內閣最初の地方長官會議開く△那

出馬の意向あり目下の所多少足並のそろはぬ感がある

日本一の物
信州人が威張りたがるもの

ヤンキーが何んでも世界第一を誇りたがると同じやうに鼻つぱしの强い我信州人も、日本一を誇りたがる、しかし今時三國一の善光寺を引つぱりだしてもはじまらないが大聲で日本第一と怒鳴り得るものが可なりに豊富であるその第一は天惠を利用しての發電事業、發電總量二十七萬キロワツトで全國總發電量の八パーセントを占めて居る、第二は蠶糸國としての地步で、桑園反別、全國の十一パーセント、繭產額九パーセント蠶種產額十七パーセント、生糸產額二十四パーセント等でいづれもが日本一、しかも生糸は、二億餘圓の巨額を占めて居る、第三は教育國としての中等教育の普及發達で、特に實業教育は全國的、從つて縣教育費の多いことを全國的で、これは日本一とは行かぬが、三とは下らず第二位を保つて居る、一面一般に知識慾のおう盛なることは私立圖書館數において日本一であることが證明して居るその他產額で日本一のものを擧げれば養蜂、こひ、寒天、わさび、天蠶、さく蠶等があり、更に日本一をあげると、產業組合の發達普及振りがある、日本一中の主なるものと、全國平均との對照は左の通り

	本縣	全國平均
生糸	二、四〇二、六七四貫	一九七、九六一
繭	一〇、一三三、六二〇貫	一、八四三、三三三
蠶種	一四、八五七、三一七蛾	一七、三一〇、六五一
養蜂	八一、五一六蛾	一八、一九〇
寒天	一一、六〇〇貫	四九、八四九
こひ	三八七、八五三貫	四三、三一六
發電力	二七〇、一八二キロワツト	六八、一四一
私立圖書館	一六〇	二七

(調査はいづれも最近のもの)

こても大がかりな
來春を待つ御開帳のお仕度

長野市では一山の僧徒も市當局も一般商店もそれ〳〵來春善光寺の御開帳を目當

習の姉妹艦巡洋艦妙高進水式をあげ呉軍港△英米の軍縮交渉進展し賠償會議に列席せんとする松本大使に滞英命令

五日(月)　財政の整理緊縮を强調して濱口首相一時の苦痛は忍べと地方長官に訓示△山岳の大衆時代になつて都會の焦熱地獄からアルプスの連峯は文字通りの人の山

六日(火)　秩父宮殿下妃殿下同伴上信國境の岩菅山に御登山△初代のペルシヤ公使笠間杲雄氏任命

七日(水)　不景氣のたゝりで貧乏神の樣な長髮やひげ武者を商賣柄見てゐられないと床屋さんが無料で散髮奉仕△文部省で國民精神作興のポスターを公募

八日(木)　警視廳管下の東京横濱各海岸で七月中に卅二名の溺死者記錄破り△目先は漸騰步調の四十七弗丁度の對日爲替△消氣かへる問屋筋を尻目にぐん〳〵下る物價結構な緊縮

九日(金)　鮮僧朴漢一(三六)內鮮融和の大願から佛教の眞諦を街頭に叫ぶ△故谷口房藏氏の遺言による百萬圓使途は工業奬勵會を設立する△岡山縣下に此の暑さに狂つて妻子三名を慘殺して後自分は縊死をした悲慘事起る

十日(土)　神奈川縣靑年團主事國分大佐は夏羽織を着用するは亡國的だと廢止宣傳△山梨縣下

に準備を急いでゐるがまづ善光寺一山では市當局と合體して御開帳協賛會を組織し近く協議の上開帳期日を確定し全國的にポスターその他で大宣傳を行ふ段取りとなつて居り保存會では本堂の大修理を完了したので新事業である駒ケ岳頂上の納骨堂敷地地均工事を市の參道開さくと相待つて二十七日頃から始め御開帳には納骨堂建設の概略を具體的に示し、善男善女の參詣客から淨財を集め建設基金にくり入ようとしてゐる。又釋迦堂や刈萱堂の鐘樓修築も出來あがつた、一般商店は拔目なく土產品等の製作仕いれにとりかゝり旅館なども御開帳案內といつた樣なものを刷り宿泊者を吸ひ寄せる算段を立てゝゐる。市では見世物、露天商人等に對する市有地貸付料金を査定中である

縣下の稻作は上々
秋蠶も結構の農村

縣下の稻作は連日の高溫その良好な條件に惠まれたため分けつ非常に多く近年にない大豊作を豫想され現在のところ害虫被害もほとんどないといふ有樣で農業者は蠶の豊作稻上々吉にホクホクものである、問題の西天龍耕地整理組合開こん田の作柄も一部の手入甚だ不十分のものを除いては意想外の出來で穗が出かゝつて居り、平均玄米二石當りの收獲を豫想されて居ると、尙秋蠶も順調にて桑葉發育よろしく蠶況は縣下を通じて頗る良好である。

現役志願が增す
農村に現はれる不況の現象

松本聯隊區司令部管內の本年度徵兵檢査は去る三十一日の下伊那郡飯田町を最終として終了したが本年の壯丁に現れた著るしい現象は現役志願者が激增したことで二百十四名の多きに達し、昨年より四十四名の增加を示し、そのうち採用と決定したもの百三十名で昨年より五十名增加となつてゐる

これは農村が不振のための現象で、志願者はほとんど全部農村の子弟である

笛吹河原萬力林に日米暹三國の國際キヤンピングに山の宮樣秩父宮樣をお迎ふ

十一日(日)　山梨朝鮮總督いよ〳〵辭職を決意退鮮△世界一週の訪日ツエ伯號は明日ドイツを出發する豫定日本着は十七八日

十二日(月)　マネキンの創設者山野千枝子は不良分子一掃のため既成クラブを解散して更らに新たなるマネキンクラブを結成△緊縮政策は農村に不評判であるので政府はその誤解を一掃することに決す△學校地帶を淨化せよと排酒學生團起つ

十三日(火)　東朝新聞主催の中等學校野球全國の强豪廿二校甲子園に火ぶたを切る△山本滿鐵總裁の後任に仙石貢氏有力△岡山縣で失業群救濟のため縣立大授產場建立

十四日(水)　立川各務ケ原間の野外飛行に割乘して墜落陸軍當局の要人七名慘死我航空史上未曾有の出來事△東京市政調査會館で帝都復興展覽會を十月下旬から催すと

十五日(木)　豫定より後れてツエ伯號出發(日本時間午後零時半)日本霞ケ浦着は十九日午後の豫定△濱口內閣出現後排日運動の下火で對支貿易好轉を示す

十六日(金)　ツエ伯號速力百キロメートルで進航中△飛來を待つ霞ケ浦全く準備成る△露支の紛爭はかばかしく進まず依然險惡

(以下次號)

10—5　長鐵クラブ優勝
信州青年野球大會

信濃每日新聞主催の縣下青年野球大會は八月二十一日午前八時開始、參加チームは各地の豪將十二代表に及び成績は左の通り優勝戰は前年と同樣上田對長鐵となり長鐵は前年の雪辱を全して十對五にて優勝した。

第一回戰　上田クラブ一二――小諸協會四
全下高四――長野機關庫五
安電クラブ二四――下諏訪七
長鐵クラブ一七――上諏訪一

不戰一勝　全飯田、佐久クラブ、松本機關庫みすゞクラブ

第二回戰　全飯田二〇A――松本機關庫一二
みすゞ四――安電二
上田クラブ一四――長野機關庫〇
佐久クラブ對長鐵十二回戰にて薄暮のためドロンゲームとなり翌日再試合
長鐵八――佐久四

第三回戰(準優勝)　長鐵十六A――全飯田一
上田十一――みすゞ三

優勝戰　長鐵十――上田五

	1	2	3	4	5	6	7	8	9	計
長鐵	0	5	0	1	4	0	0	0	A	10
上田	0	1	0	0	0	0	0	0	4	5

長鐵	打數	得點	安打	犧打	三振	四死	盜壘	刺殺	補殺	過失
(一)宮澤(藤)	5	1	3	0	0	0	1	11	0	0
(遊)渡邊	5	0	1	0	1	0	0	3	1	1
(中)高野	5	0	1	0	0	0	0	5	1	0
(捕)奧村	4	1	1	0	0	1	0	4	1	0
(投)藤田	3	2	1	0	0	1	0	0	4	0
(左)三井	3	1	0	1	1	0	0	3	1	0
(三)宮澤(靜)	3	2	1	0	0	1	0	1	1	0
(二)成澤	3	2	0	1	0	0	0	0	1	1
(右)岡田	1	1	0	2	0	1	0	0	0	0
合計	32	10	8	4	2	4	1	27	10	2

上田	打數	得點	安打	犧打	三振	四死	盜壘	刺殺	補殺	過失
(一)飯田	4	0	1	0	0	0	0	13	0	0
(中)山本	4	1	0	0	0	0	0	3	0	0
(右投)木下	4	1	1	0	1	0	0	0	1	0
(二)佐藤	4	2	2	0	0	0	0	3	2	0
(捕)湯本	3	0	0	1	0	0	0	1	1	0
(遊)山岸	3	1	1	1	0	0	0	1	5	1
(三)腰原	4	0	0	0	0	0	0	0	3	2
(左)山田	3	0	0	0	0	1	0	1	0	0
(投右)宮下	3	0	1	0	0	1	0	2	2	1
合計	32	5	6	2	1	2	0	24	14	4

0—1　甲信越代表諏蠶
惜しくも高松商業に敗らる

東京朝日主催の全國中等學校野球戰は甲信越代表には昨年の優勝軍松本商業を見事に屠つた諏訪蠶糸軍その榮を擔ひ晴れの甲子園に出場し第一回戰に於いて八月十六日優勝候補と目さるゝ四國代表高松商業と對戰する事になり大接戰を演じて遂に補回戰に入り十一回に至り高松商貴重の一點を入れ遂に1—0にて諏蠶惜敗した。

	1	2	3	4	5	6	7	8	9	10	11	計
高松商	0	0	0	0	0	0	0	0	0	0	1	1
諏訪蠶	0	0	0	0	0	0	0	0	0	0	0	0

3A—2　長野中學優勝
縣下中等野球大會終る

本縣中等學校野球聯盟主催縣下中等學校野球大會長野中學對松本中學の優勝戰は二十八日大町町營球場で松本中先攻で開始、九回二對二で同點となり十三回まで延長し長中同回で一點をいれ遂に三A二で長中勝つ閉戰四時卅五分

	1	2	3	4	5	6	7	8	9	10	11	12	13	計
長中	1	0	0	0	1	0	0	9	0	0	0	0	1A	3A
松中	1	0	0	0	1	0	0	0	0	0	0	0	0	2

「船」の話（三）

商船　岩井杏井

船の等級（前承）

此の度は三等の比較をして見ます、電車でも汽車でも座席がざつと半布一枚廣げた位しか與へられませぬ、時には北海道の鹽鮭の樣に吊り革にぶらがつて立往生しなければならぬ、一つ處に築つて座席をとることは決して出來ませぬ、それから寸時も座席から離れる事は出來ない爲、小用すら何時間も我慢しなければならぬ場合が往々ある。それに比べて船は紀州航路の那智丸の例を擧げて見ませう。

三等客のためにも客室の廣さはのびのびと手足をのばして自由に横臥が出來る位ひ廣う御座います。外に角テーブルをかこんで椅子に腰を下ろして隨意に談笑しうる設備もありまず、甲板に出ては親しい者同志腕を組んで散歩したりデッキゴルフや輪投げなどに打興ずる自由があります、こんなわけでありますから、船にのればとて事やかましく二等などと考ふる必要はありますまい。民衆的な氣樂な旅行は矢張り三等に限ります、汽船の三等は汽車の二等よりも身體が安樂だと云ふ事を御認め下さいませ。

船の旅は經濟的

實例で説明するため大阪から別府へ行くことゝ致します。そして甲は汽車に乘り、乙は汽船に乘りました。この勘定書を見ますと

甲—汽車の勘定
大阪別府間汽車賃三等七圓〇六錢、特急券貳圓、食事三回一圓〇五錢、茶二十一錢、計十圓卅二錢

乙—船の勘定
大阪別府間急行船賃六圓、寢臺券も食事費も茶代も何もかも不要

となりました。船を宿として、うまく旅行しますと一切宿賃を要せずして手輕に旅行が出來ます。船中は汽車の如く寢苦しくありません。又身體を蝦老の如く曲げて寢る事も入りませぬ、のびの

びと身體をのばして快よく熟睡が出來ますから翌日は旅の疲れもなく思ふ存分活動出來ます。

洋行は手輕

『一寸、奥樣お聞き遊ばせ、▲▲樣の御夫妻が近々に洋行なさるのですつて』『まあ素晴らしいのね、何處へ被居るんでせう、紐育？倫敦？』『世界一周ですつて、お羨やましい事ね、でも▲▲樣はそんなお金持ちなんでせうか。』『そうね、左程のお金持ともお聞きした事も御座いませぬわ、旦那樣のカウスボタンはニッケル製ですつて、洗濯屋が笑つてゐましたわ』『まあ—そんな御生活に、世界一周なんてよく出來るわね』これは船に乘つた事のない、それでも巴里人好みのお化粧をしたモダーン、ヤング、マダムの出會がしらの會議でありました。その時八百屋の小僧が不意に横道からケタタマシイ警笛を鳴らして自轉車ですれて行きました、そしてすばしこくこの奥樣の會話を小耳にはさみ『オー、ゴツドージーズ、モダーン、ヤング、マダムスは憐れにも未だ歐米しらずか、アーメン』と嘲笑りの叫びを投げつけました、まあ何んて惡らしい小僧でせう、ヤングマダムは耳たぶを眞赤に染めて、睨しい眼付で小僧をにらんでゐました。今一人のヤングマダムは『あの小僧、新嘉坡生れですつて、生意氣に英語が出來るのね』私は此の面白い場面を芦屋川の堤の並木松の根本に腰をかけて眺めてゐました。此の勝負はたしかに小僧の勝と思ひます。ヤングマダムはたしかに現代の新智識の一部を嗅いで被居います、けれどもほんのぽつちりかいで被居る丈けでした、頭はバツブまがへにふさふさとした漆黒の髮の毛を勇敢に縮れさせ給ひ、御姿といひ御詞といひすつかり世界的にブルつていらつしやいます、けれども世界的智識に向つては、新嘉坡生れの八百屋の小僧の片こと物識りだけの分量さへも持ち合せて被居いません樣でした。

ヤングマダムは大金持の息子さんでなければ洋行は出來ない樣に考へて居らしやいます。そして此の夫婦がどんな目的で世界一周するのか、それも詮議をせずに、たゞ世界一周と云ふ聲に驚かされて、人間と生れた此の上のない果報のやうに、羨んだりそねんだりなさいました、けれ共ヤングマダム樣、お聞き被下い、横濱から香港、西貢を經て東洋の大玄關大貿易市場たる新嘉坡、紅茶と佛齒で名高いセイロンの古倫母、南阿弗利加の大都市ダーバンとケープタウン。珈琲の香高南米巴西首府リオデジャネロ、我南米移民の健鬪地サントス港、牛馬と穀物の産額を以て世界を壓するアルゼンチンの首府ブエノスアイレス。科學の驚異巴奈運河、邦人の最も親しい北米ロスアンゼルス等を巡遊して、その日數ざつと百五十日、豪華船室に納まつて僅に百五十磅（約千五百圓）參等で廻れば五百數十圓で足ります、たつた五百數十圓ですよ御耳に挾んでおいて下さい。

さんとす丸型　世界一周　一等運賃　百五十磅
まにら丸型　同　上　百卅五磅

それから富の中心、世界の大市場、南洋瓜哇の見學は日數七十日許りと三等往復金僅に百二十圓（一等往復三百四十五圓）あれば足ります。お宅のガラス戸から覗いて居る鳥籠の背白十姉

妹一番の値段に過ぎませぬ。たつたこれ丈けの金です、洋行による新智識の資本としては何んと安いではありませんか。斯樣な事情ですから三足五十錢の足袋をお買ひなさいます奥樣が、洋行なさいましても何の不思議もありませぬ。

日本で七十日間御旅行を御續け遊ばすならば、幾程の金が要るのでせう。洋行は素晴らしい樂しい事ですが、日本の內地旅行程に大變な金のかゝるものでありません。年に何遍かしか行かない、そして建てゝも大抵はもてあましものとなる樣な別莊などお健てになるよりも、その建築費の利息で御家族連で世界見物をなさいませ、その方が餘程樂しみも多く又ためになる事が多ふ御座いませう。これこそほんとの文化生活でせう。

『如何で御座います、モダーン、ヤング、マダム樣』背の君馬首を並べてアルゼンチンの曠野を乘破る勇氣を御持合せなさいませぬか。

これでも地理の先生なんですよ

ある日の午後大阪の梅田驛から宅へ戻ろうとして居ると、後から某中學校の地理の先生をしてゐる友人が私の肩をつかんで『おい君、何處へ行つた』『うん、一寸支那まで』一寸支那までだつて？』先生は、鸚鵡返へしに叫びました。必度、腹の中で支那の樣な遠い所へ來たのを『一寸支那まで』と答へたのが、先生の氣に觸れたのでせう。『えゝ支那まで』と私が繰りかえしますと、先生はもう堪へる事が出來ないと云ふ樣な顏をなさいました。これは驚いた、ふだんの三角旗を吊りさげた樣なお顏が長方形になつて仕舞ひましたもの。『變な顏をするなよ、一寸支那までと云つたのが、どうかしたのかね』『そッそうだよ、勿論だよ、支那だよ、いゝかい君、支那だぜ、間違へてはいけない、遠い支那だぜ、それだのに君は無雜作に『一寸支那まで』なんて乙に氣取つた口を聞くからよ、癪にさわるよ、』友人でなかつたらぶん擲ぐるよ』オヤオヤ皆さん聽いて下さい、これが地理の先生なんですよ、此の人の顏を見てやつて思ふ存分笑つてやつて下さい。これが地理の先生なんですよ。私は赫々と怒つて居る先生の頭に、冷水でもかけて逆上を引上げてやろうかと思ひましたが生憎街路を曳いて行く撒水車まで空つぽでした。『ねえ君、下關から東京まで七〇二哩、大阪から東京まで往復すると七〇六哩、知つてるかね』『知らないで、どうする、』先生の額から青蚯蚓が二三疋出て參りました。そう怒るなよまるで敵打に出遭つた樣な恐ろしい眼付だね、まあ甘栗でも喰べたまへ。』私は小さい旅行鞄にぶらさげてゐたあんぺら包みを取り出した。そして紅唐紙のレッテルを破つて中から甘栗を一握りつまみ出してすゝめました。先生は受取らうとしてもしません。

敦賀から浦塩斯德まで　五〇〇浬
門司から上海まで　五四〇浬
門司から靑嶋まで　五七〇浬
門司から大連まで　六一〇浬
門司から基隆まで　七五〇浬
門司から天津まで　八〇〇浬

どうだね、君——

（以下次號）

外の海 歌壇

短歌　雄夫選

佐渡行雜詠　遊佐武夫

浪引けば汀の小石ころころところがる音をかなしみにけり

かまど火のあかあかもゆる工場に眞夏の午後を働く人等　相川鑛山

さかり來て鵜しば啼くこの朝家にこやれる妻をし思ふ

この晨濱をさまよひ吾子達のつとにもせんと小石あつめぬ

鑛を堀る横穴口の戸に立てば風の冷たく吾が息白し

眞野御陵に詣づ

眞夏たび暑きがままの服裝してぬかづきにけりおそれおほしも

國中の平野は青田うちつづき山の麓に家僅かなり

歸省雜詠　細川天山

幼き日移し植ゑたる庭の木は枝もはびこり太りけるかも

留守にして年立ちにけり植ゑし木の今は太けりこの庭の木は

庭木より軒に張りたる蜘蛛の巣は歸れる吾の顏にかかれり

たまさかに家に歸れば食器など皆かび居りて手をつけかねつ

亡き父の幼き時に植ゑしてふ林の枯木吾は切り居り

祖先より讓り給へる此田地今日を限りと人に渡せり

吾家の墓は際立ち荒れにけり常居らざれば掃除だにせず

加納幸雄

稚兒はあそぶ玩具にすぐ飽きて物書く我の膝に這ひ寄る

物書く手休めて煙草吸ひをれば牛舍の牛が鳴きぬ夜更に

隣家の犬が吠えをる夜明どき目覺め合せし妻と物言ふ

こほろぎは家近くにも一つなきとみに秋づく夜ごろとなりぬ

いねがてぬ蚊帳のうちより起き出でて書よみをれば腹へりにけり

眞夜中の厨に來り有合はす菜を出して一人飯食ふ

立科登山三首　伊藤淳郎

リックサックにつめるべきもの皆つめて夕映え雲を我は見て居り

たちまちに霧はかかりて峯おほひ小粒の雨のふりいでにけり

峯に來て眺めきかねば大石の間に寢ねて疲れ休めぬ

小島憙與

故鄕はかなかな蟬の數多く日ぐれせまればなきいでにけり

蠶飼の仕事せはしみ眞晝間を桑畑中に汗流し居り

一時あまり强くふりたる雨やみてささぎの畑にぎすなきいでぬ

夕立の將に來らん風のあり小庭に咲ける夏菊の花

歸省せし兄を圍みて家ぬちは樂しく語り夜更けにけり

夕やけの南の空を眺むれば又空想の人と吾がなり

小林龜松

打ちつつく旱に今は庭畑の作物しほれあはれなりけり

土手草のしほるる中にクローバの淡紅の花のさびしき

六波羅靜馬

庭の面にあまた落ちたる梅の實は土にまみれて萎びゆきけり

滿月は曇りて見えず下り來しこの蠶田に螢とび交ふ

八ケ岳の裾にひろごる湖水は今宵の月に明るくし見ゆ

境内にしげる大樹のどよもして夕立雨は迫り來たれり

暑さ引けず寢苦しき夜なり蚊帳の外をめぐる蚊のうなり耳につきつつ

絕へ間なき人の流れに白粉のはげてさびしき女交り居り

中谷四郎

たまさかに尋ね來し子は紅の顏日にやけて背丈伸びをり

常住まぬ吾が古家の裏庭にここだく散りし栗の花かも

久久に夏來し姉はかびくさき家の部屋部屋明け掃除にけり

明け方の越瓜畑にすみとほる蟋蟀の聲きこえけるかも

竹　秀

歸省せし友の朝顏を預りて

預りてつちかひ居れる朝顏の鉢の數數咲き出でにけり

今朝咲きし十六鉢の朝顏を緣に並べて友を思ひ居り

空色はとくに秀いでて咲きにけり君に見せたし美しきかも

川の友

朝顏を友に托し歸省して

二葉より培ひたりし朝顏を友に預けて歸り來にけり

朝なさな心にかかる朝顏の咲き揃ひぬを便り來にけり

朝庭におり立つ毎に離り來し朝顏の花思ひぬるかな

○

湯の原のこみちの草に深深とほこりかむりて晝顏の咲く

夕立の通り過ぎたる裏山は小鳥さやかに囀りて居り

五月雨は降り續くなり向山に郭公なかず今日も暮れたり

夕づきてひぐらし蟬の鳴く中に庭のねむの葉つぼみゆく見ゆ

投稿について

一、歌題隨意

一、原稿は　諏訪郡平野村下濱　兩角雉夫宛　直送のこと

一、在外邦人の原稿を大に歡迎す

おかば會の記

在アリアンサ　岩波掬一

それは嶋木赤彥先生の一週忌の折であつた。先生の短冊を板壁に掲げ「マテ茶」を汲んでまゐらせなどして先生の友の芦庵芦部猪之吉氏とおそくまで先生の思ひ出話にふけつてゐた。その折色々の話の末歌は他にやる人も少いので自分で一生懸命勉強することにし、俳句は多少の同志があり相なので一つ俳句會を始めやうではないかと相談した。

その結果同志に檄を飛ばして先づ第一回を小生宅に催した。恰かもよし、ホトトギスにありて新進として知られたる佐藤念腹、老巧の木村圭石兩兄の加はるありて我々を指導して呉れることになつた。そして其の名も「おかば會」と命名することにした。

爾來毎月第三日曜日に各自の家で順番に例會を催すことになり追々進歩の跡も見え同志も增して來た。

ブラジルに於ける邦字紙「日伯新聞」にその作を發表し始めてからは益々その眞價を認められてブラジル俳壇の中堅となり、遂に日伯新聞に「日伯俳壇」が設けられ圭石老がその撰者になられることに決した。

四年六月十六日、全アリアンサ俳句大會を第一アリアンサ小學校に催した。今までは各自の宅に開いたけれどたまには異つた場所も面白からうとの事に新しい學校にて、秋晴の一日をゆつくり句作にふけることにした。

集る者十名、出詠のみの者七名、兼題「霜、葱」席題「狩、小春」各題三句宛を課して皆一心に作つた、その結果兼題は念腹、席題は掬二各高點を占め、半月中天に高き頃散會した。

茲に當日の句を抄す

葱畑を踏みて失せたる獸かな　佐藤念腹

葱引くや手もと畑も日暮れたる　同

何もなき四方の畠や小春窓　同

崖の上に人現れぬ小春道　同

釣瓶繩霜をしごいて汲みにけり　木村圭石

小春日の激會ぼるる二人連れ　同

追ひつめて珈琲畑の狩猟かな　同

狩を出て遊び疲れし豚小春　同

早漬る味噌試みに根深汁　同

夕土間や草の實拂ふ狩衣　岩波掬二

朝狩や霜まだはれぬ丘つゞき　同

豚追ふて小春の道を戾りけり　同

倒れ木にそれかと見ゆる今朝の霜　同

野疲れや卵おとしの根深汁　同

洗ひ葱厨戶開きてゐたりけり　芦部芦庵

マンジョカを切り干す庭や小六月　同

小春丘はるかに來る二三人　同

犬ころと猫と遊べり小春庭　同

水霜やふくれて步りく雛の群　中島霞女

葱の香の厨に滿ちし朝の汁　同

大魚只一尾置かれぬ崖の霜　同

畑中に殘されてある根深かな　小川紅村

移住地や狩を兼ねたる訪問者　同

山伐りの惡ッと音あり霜の朝　同

白雲の足なみゆるき小春哉　小林あきら

肌寒き落葉も白し今朝の霜　同

夕告ぐる憩ひの鐘や根深汁　同

一霜にくろみ萎みしマモン哉　中澤ゆたか

入植の四とせを迎ふ小六月　同

鹿打ちて狩場に群るゝ新移民　同

すき燒や取りわけ撰りし太根深　芦部八洲男

枯草に巣ごもる雞や今朝の霜　同

狩くらの犬に握飯をとらせけり　中澤香露

とゝ常に小春空なり小六月　同

夕ぐれや葱の香つよき背戶の棚　中村倣女

玉葱の大なるを師に贈りけり　同

夕ぐれや泣く子を負ふて葱洗ふ　西さくら女

背戶の葱子ら無造作にちぎり捨て　同

庭草の露分けて行く隣り哉　岩波をとめ

葱汁の香りほのかや夕餉　同

立てかけし鍬の柄白し今朝の霜　西素仙

肌寒く土うちかぶる根深哉　大久保秀洞

協會記事

役員異動

本會相談役泊武治氏（本縣警察部長）には八月十日和歌山縣内務部長に榮轉せられた。因みに後任本縣警察部長は秋田縣より佐藤正俊氏が榮轉され本會相談役を受任された。

獨身者三人の一組
廿五町步の請負耕作

獨身青年のブラジル渡航は呼寄證明書なき限り面倒であるが今回本組合では獨身青年の協同精神を尊重して三人で一組となる二十五町步の請負耕作者を採用した。右は日本力行會員で眞面目の青年と折紙を付けられた柿木忠雄(三二)山本民夫(三十)神内良憲(十八)の三君である。三君とも香川縣出身で同縣立木田農學校を一年ちがひに卒業した學友で柿木君が年長の故を以てその代表者となり九月廿九日神戶出帆のラプラタ丸で乘船する事になり既に萬端の準備成つて乘船を待つばかりである。

倘同船では右の外左の一家族がアリアンサ移住地に渡航する事になつてゐる。

香川縣大川郡造田村　柿木忠雄　三人

新潟縣西頸城郡青海村　渡邊勘吉　四人

計　二家族　七人

アリアンサ移住地
本年一月以降の渡航者數

本組合取扱アリアンサ移住地渡航者一月以降九月までは左の如くである。

月	船名	家族數	人員
一月	―	―	―
二月	モンテビデオ丸	一二	五六
	河内丸	二	一三
三月	ハワイ丸	五	二六
	神奈川丸	五	二七
四月	ラプラタ丸	二	八
	隠多丸	一	六
五月	サントス丸	一	一三
	若狹丸	三	一五
六月	マニラ丸	三	一七
七月	鎌倉丸	一	二
	モンテビデオ丸	四	二〇
八月	―	―	―
九月	ラプラタ丸	二	七
計		四一	二〇〇

各町村設立中の海外視察組合（續き）

下高井郡倭村組合

組合長　池田雄藏

理事　町田源六郎　山田宗之助　和田兼作　須藤直比古　上野秀太　丸山宇助　佐藤享太郎　横山六郎　高田甲丙　小林吉治　小林吉遠　萩原登松　瀧澤源治　上野利七　宮崎岩次郎　木村善吉　和田昇

新入會者（自五月一日至七月三十一日）

特別會員

長野市妻科　中村鎮三郎殿

長野市北石堂町　川崎堅太郎殿

上水內郡安茂里村　宮島久藏殿

下水內郡常盤村　木內一郞殿

長野市北石堂町　丹澤実助殿

下高井郡豐郷村　竹井登吉殿

上水內郡北小川村　和田久助殿

普通會員

佐賀縣唐津町　加藤貞治殿

上伊那郡西春近村　滋野信殿

栃木縣那須郡芦野町　益平誠一殿

小縣郡長村　大久保彥衞殿

東筑摩郡朝日村　中村才四郎殿

東筑摩郡里山邊村　花崎伊代三殿

福岡縣早良郡田隈村　小柳武雄殿

大阪府三島郡高槻町　梶田行政殿

北佐久郡御代田村　倉科彌太郎殿

梶田行政殿　長田米吉殿

落葉万藏殿　金原座重郎殿

高野末太郎殿　深井功殿

深井永吉殿　森山義平殿

松崎錄殿　川原國一郎殿

松下壽代志殿　山下茂太郎殿

會費徵收（自七月一日至八月十日）

一金壹百五拾圓也　特別會員費　宮下忠治殿

一金壹百圓也　同　北村深志殿

一金壹百圓也　同　伊藤岩雄殿

一金貳拾圓也　下高井郡平穩村第一視察組合殿

一金貳拾圓也　上水內郡三水村視察組合殿

一金拾八圓也　下水內郡外様村視察組合殿

一金八圓也　大塚猛三殿

一金四圓也　木內政市殿

一金四圓也　宮崎岩次郎殿

一金四圓也　佐藤四郎殿

一金貳圓也　平林傳藏殿　小柳武雄殿　花崎伊代三殿　矢島憲之殿　倉科彌太郎殿　柴田伊八殿

海の外往來

靑木重治郎氏迎妻歸國　長野市外安茂里村出身大正七年渡航の靑木氏は今回ダベオより迎妻歸國中

塚田久米治氏迎妻歸國　上水內郡水內村出身の同氏は八月便船で迎妻旁々滿十年振りで比島から歸國

勝田正武氏歸國　諏訪郡上諏訪町出身の勝田正武氏は大正九年單身渡墨、貿易商を營んでゐたが業務益々擴張してゐるので今回久々の歸國をかねて迎妻の上再渡航の豫定を以て八月十六日橫濱入港のコレヤ丸にて歸國した。

小川榮一氏再渡米　前號所報の小川榮一氏は八月廿日橫濱出帆の天洋丸にて再渡米、妻子は船室滿員の關係から後船にする。

五明忠一郞氏　南米視察をかねて講演行脚の旅に出かけた五明氏は七月中布哇各地に於て巡回講演を行ひ、七月下旬同地發春洋丸にて桑港に向つた。

宮下琢磨氏　七月廿五日ベンドン丸にて南洋に向つた宮下氏は八月上旬ジャワに上陸、下旬よりボルネオに渡る豫定。

―編輯後記―

▼暑い〳〵と唸つてゐても時節には間違はない、秋の虫の鳴く音につれて朝夕はめつきり涼しくなる。間誤まごしてゐると又今年も棒に振る。誠に秋風や身に泌す頃である。

▼ツエ伯號來る！　すばらしいものだ、僅か五日で歐州から飛んで來る、世界は全く時間と距離に短縮せられてゐる、保守的な頭腦では何時でも時代後れになる。

▼本號は來長中の永田先生に是非と御願ひして御執筆を願つた。その玉稿は「內地の開拓について」の御意見、同感ならざるを得ない。次ぎは西澤幹事の玉篇「最近の新嘉坡」である、新嘉坡は東西兩洋海上交通の要所であつて英國現勞働黨內閣では新嘉坡軍港をどうするだらうと世界の注目を集めてゐる所だ。

▼「世界一周記」の本縣師範學校長片山先生は新進の教育家として令名が高い。先生「僕は外國に行つて來てから虫が座つて來た」と。

▼俄然人氣を集めた本誌歌壇、遙々ブラジルからも「おぼか會の記」の寄稿に接した。益々移植民文藝の發達を期して意義あらしめたい。

▼本號の校正を完了した所へ、ブラジルの西澤幹事から御通信があつた。ブラジル中をかけ巡つて「元氣旺盛御安心を乞ふ」とリベロレプレート市の公園前で撮つた元氣な姿、――抱き鞄を左の小脇にかゝえて――七月十四日は輪湖氏同行アリアンサに赴いた由。

信濃海外協會規約抄錄

一、本會ハ信濃海外協會ト稱シ本部ヲ長野市ニ支部ヲ必要ニ應シ內外各地ニ置ク

二、本會ハ縣民ノ縣外發展ニ關スル諸般ノ事項ヲ調査研究シ其ノ發展ニ資スルヲ以テ目的トス

三、本會ハ前條ノ目的ヲ達スル爲必要ニ應シ左ノ事業ヲ行フ

イ、縣民縣外發展ノ方法ニ關スル立案

ロ、發展地ニ就キ調査ヲナシ其ノ結果ヲ紹介

ハ、在外縣民ト聯絡ヲ計リ指導後援

ニ、海外投資ノ研究ヲナシ之ヲ發表

ホ、海外發展ニ必要ナル人材ヲ養成

ヘ、機關誌「海の外」ヲ發行シ隨時講演會各地ニ開ク

ト、海外發展ニ關シ各種參考品及統計ノ蒐集

チ、前各項ノ目的ヲ遂行スル爲臨機本會ノ代表者等ヲ內外樞要ノ地ニ派出スル事

リ、會員ニハ「海の外」毎月寄贈ス

ヌ、其他本會ノ目的ヲ達スルト認ムル事項

四、本會ノ會員ハ左ノ四種トス

イ、名譽會員ハ代議員會ノ決議ヲ經テ總裁之ヲ推薦ス

ロ、特別會員ハ一時金百圓以上ヲ醵出スル者

ハ、維持會員ハ會費年額金拾圓ヲ十ケ年間醵出スル者

ニ、普通會員ハ年額金貳圓ヲ十ケ年間又ハ一時金十六圓以上ヲ醵出スル者

五、本會現在役員ハ左ノ如シ

總裁　鈴木信太郎

副總裁　平野桑四郎　佐藤寅太郎

顧問　小川平吉　今井五介　原嘉道

相談役　伊澤多喜男　岡田忠彥　本間利雄　梅谷光貞　高橋守雄　石垣倉治　佐藤正俊　小西竹次郎　降旗元太郎　越壽三郎　小里賴永　片倉兼太郎　福澤泰江　小林暢　山岡萬之助　工藤善助　松本忠雄　楠原悦二郎　山本愼平　高田茂　菱川敬三

海の外（月刊）（一册廿錢）

定價表

	一册	六ケ月	一ケ年	五ケ年
內地送料共	廿錢	一圓十錢	二圓廿錢	拾圓
外國送料共	廿四錢	一圓四十四錢	二圓八十八錢	拾四圓

御注意

△御送金は振替（長野二一四〇番）に御願ひします。外國よりの御送金は銀行、郵便局いづれにても確實に送金されます。

△御轉居の節は早速新舊兩御住所を御通知下さい。

△本誌へ廣告掲載御希望の方は詳細相談申上げます。

昭和四年九月一日發行

編輯人　永田稠
發行兼印刷人　西澤太一郎
印刷所　長野市南縣町　信濃毎日新聞社

發行所　長野縣廳內　海の外社
振替口座　長野二一四〇番

日本力行會長 永田稠先生著

海外立志傳

開拓精神に生る 新青年は讀め!!!

定價金二圓 四六版四百二十頁（送料金六錢）

本書に載せた人々の内には日本力行會員でない者もあるが、私の知人でない人は一人も無い。やゝ人に知られたる者もあり、未だ全く人に知られない者もある。私は年少の頃、英雄豪傑や、知名の成功者の傳記を讀んだ後で「俺はトテモ此人の樣には成れない」と失望するのであつた。ナポレオンや豐臣秀吉や西郷南洲等の傳記が私に與へた一種の悲哀は皆さうであつた。それで私は「若し私が立志傳を書く時が來たら、讀者に悲觀させない樣な傳記を書き度い」と希ふて居た。今や其の希ふた時が來たのである。本書中の人々は、皆、私共と殆んど同じ境遇に生れ、略同じ程度の敎育を受けた者で「此位の事なら僕にも出來やう」と讀者は必ず感ずるに相違ないと思ふ。私は、此傳記の内に記されたる人々が、他日ナポレオンであり、秀吉であり、南洲である事を希ふては居るが、よしんば、現在の其儘で終つたとするも、後進の讀者の爲めに多大の感激を與ふる筈であると考ふる者である。本書に錄する所は、嘗て傳文舘發行の「新青年」と云ふ雜誌に私が約四ケ年に亘つて掲載した所のものである。多くの人々から是非纒めて一卷にして發行する樣にとの勸告を受けたのが、今回多年の願が叶つて、一卷となし滿天下の意氣あり抱負ある青年諸君の前に提供する事の出來る樣になつた事は、私の深謝する所であり、又私かに愉快に感ずる所である。

私は本書に錄されたる人々が、いや益々向上發展する事を祈ると共に讀者諸君が、彼等の如く開拓の精神に生き、未だ祖先の知らざる所に、我等の祖先の未だ知らざる一大建設をなされん事を希ふて止まざる次第である。（序文の一節より）

長野縣廳内 信濃海外協會（取次）振替二一四〇番

（第二版）日本力行會長 永田稠著

南米再巡

菊版四百廿餘頁・寫眞版三十頁・布製函入

定價一冊金二圓八十錢・送料一冊拾八錢

永田氏は信州の生める一異才である。嘗て南米を一週して『南米一巡』を著はし、信州に來つて信濃海外協會の組織に努力し、更に『南米信濃村建設』に關する大使命を帶びて、大正十三年五月末横濱を出帆し、布哇、北米桑港、ローサンゼルス各地に於ては海外協會支部の設立に盡力し、ソートレーキ市にはモルモン宗敎植民の跡をたづね、デンヴア、シカゴを經て華府に至り、紐育より大西洋を南下してブラジルに至り、移住地の選定・購入・入植の準備をなし、大正十四年二月日本に歸り來り、更に信濃村大成の爲めに努力奮闘し、今や模範的にして世界に誇り得る移住地が建設されつゝある。『南米再巡』は氏が南北兩米を再巡せる記錄である。志を世界に有する者の一日も看過することの出來ない快著である。

長野縣廳内 信濃海外協會取次販賣

東京市外上板橋 日本力行會發行 振替東京一八八六番

海の外—THE UMINOSOTO
Published Monthly by the Uminosoto Sha. Nagano, Japan.

「海の外」第八十七號（毎月一回一日發行）

海外協會中央會幹事 信濃海外協會幹事 宮下琢磨著

序 今井五介氏 装幀 石井柏亭氏

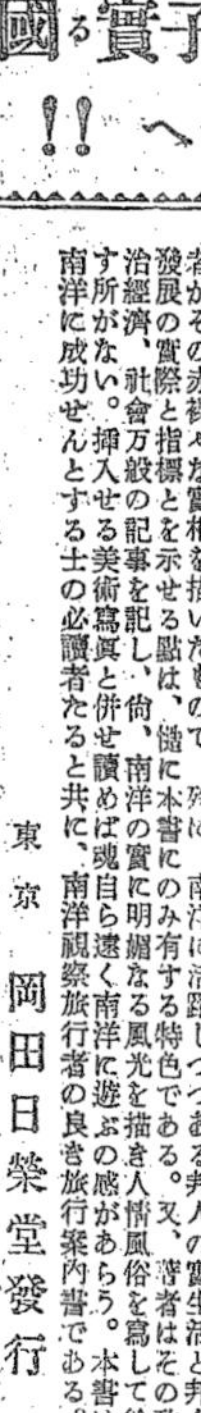

行け！椰子實る國 南洋へ!!

最新刊

四六版紺布装上製函入極美本 美術寫眞五十五葉挿入 紙數五百頁最新式九ポルビ付

定價二圓五十錢（送料十六錢）

生活の樂土は今日、天然の富源に充ち開發の餘地綽綽たる南洋をおいて他にはあるまい。而も南洋は日本人に頼らねばその開發發展は到底望み得られないのだ。南洋こそ將來邦人の活躍すべき新天地である。本書は三ケ年に亘つてこの新發展地南洋を詳細に視察した著者がその赤裸々な實相を描いたもので、殊に、南洋に活躍しつゝある邦人の實生活と邦人發展の實際と指標とを示せる點は、儻に本書にのみ有する特色である。又、著者はその政治經濟、社會万般の記事を記し、尙、南洋の實に明媚なる風光を描き人情風俗を寫して餘す所がない。挿入せる美術寫眞と併せ讀めば魂自ら遠く南洋に遊ぶの感があらう。本書は南洋に成功せんとする士の必讀者たると共に、南洋視察旅行者の良き旅行案内書である。

東京 岡田日榮堂發行

取次 長野縣廳 信濃海外協會 振替長野二一四〇番

信濃海外協會
海の外社發行

（大正十一年四月廿六日第三種郵便物認可）（昭和四年九月一日發行）

海の外
THE UMI-NO-SOTO
昭和四年十月一日發行（毎月一回一日發行）
第八十八號
昭和四年十月號
目次

信濃海外協會海の外社發行

アリアンサの近況（其の一）

アリアンサの近況（其の二）

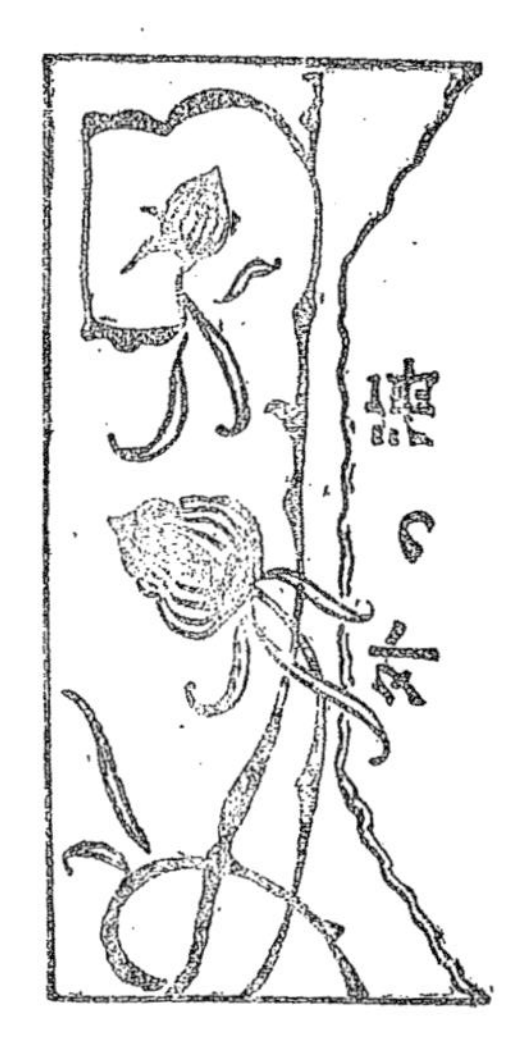

第八十八號　（昭和四年十月）

改造社の海外發展地篇

本邦出版業者の意義ある國家的事業遂行と銘打つて自ら誇る改造社の日本地理大系は近く第一回が配本される。

本大系は從來の地理教育の欠陥と無力なるに向つて一大改革する事を宣言して新興日本の將來に國家的權威の發揚と雄偉なる民族的使命の展開とを地理學によつて國民の自覺を促すと云ふのである。

特に本大系の末卷には最大の頁數を費して海外發展地篇なる一卷を收めて「本大系中最も特色あるもの」として本邦人海外發展の新天地を紹介せんと企圖してゐる。

吾人は屢々海外發展論策中に海外發展の教育を高唱して今日に及び、特に小學校教育に此の種教育を力說して地理教育には殊更にその重點をおくの必要を說いてゐたのである。

然るに今回、改造社が計らずも吾人が多年の主張と一致して出版業者自らこの計劃を根本的に企圖する事は吾人の欣然として敬意を表すると共にこの壯擧を祝してやまない。

勿論改造社は自らの宣言を裏切る事なく吾人の期待に添ふであらうが一言吾人の希望する所は編輯委員顧問の用意周到なる努力、執筆者の緻密なる筆致、嶄新なる材料と相俟つて海外發展地篇なる本篇には特に海外發展運動の實際家を參與せしめられたい事である。

斯くして本大系は本篇と共に單なる机上の書籍とならずして日本國民は先づその國土が何を有するかを熟知して國民の一人でもが我が運命の開拓に海外に眼をそばだてるならばそは將に改造社のこの國家的事業はその意義十分に遂せられたるものであり、若しそれ國家的に海外發展運動の活力素となるならばこの企圖や吾人の讚辭措く能はざる所である。

先づは吾人は何より改造社のその企圖を吾人の立場より祝してやまない。（九、一〇）

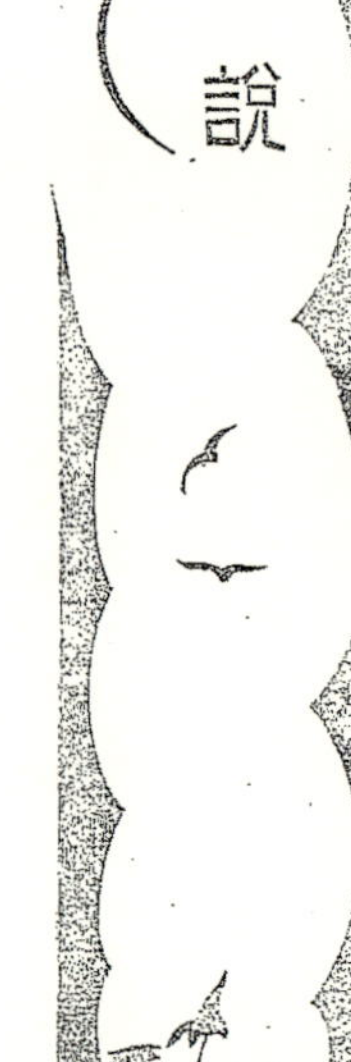

論說

アリアンサ入植者に贈る

信濃海外協會幹事　永田稠

本文は海外に志を有する多くの方々に讀んで頂きたいのでありますが、とりわけてアリアンサ移住地へ初期に入植した方々に讀んでいただきたいのであります。大正十三年の三月に愈信濃海外協會がアリアンサ移住地の土地分讓と入植者の募集とを開始し、第一回の入植者は同年六七月頃日本を出發し、入植の適當なる時機よりは一二ケ月後れて到着されたと記憶致します。皆、私は諸君が日本を出發する當初にさかのぼつて考へて見たいと思ひます。

諸君は第一に家族又は親族間にブラジル渡航の賛成を得ることに苦心致しました。無理解なる家族や親族の反對を打破ることは中々容易のことではありませんでした。第二に其資金調達に骨が折れました。當時の日本の事情に於て二三千圓以上の資金を得ることはなみ大抵のことではありませんでした。第三に旅券の下附が容易ではありませんでした。信濃海外協會とは何者であるか、アリアンサと云ふ地名は地圖上にはないではないか、なぜ君等は資本金一千萬圓の海外興業會社の世話にならないか、若

等の樣な者に旅券を下附した先例がないなどと云ふて、到る所で其局に當つて居る者にいじめられました。第四に家の始末が一通りの苦勞ではなかつた、其村人や其親族共までが、足許を見て諸君の家や田畑を安くたたかうと致しました。第五に故郷を離れる事が悲しかつた、家長は未だしも女や子供たちが其生れた故郷の水川に離れ親族故舊に別れることは人生の一大悲劇でありました。第六に出發港迄の汽車旅行も樂なものではなかつた、汽車に醉ふた上に赤ン坊の世話をすることは、日本の汽車旅行では大變な苦痛でありました。第七に出發港に於て身体檢査がやかましくて、一と船も二た船も出發を延ばさせられ、故郷には歸れず金はなくなる、宿屋の者には冷遇されるし、天にも地にも居る所のない樣な悲しみを味はいました。第八にいよいよ乘船し故國をさるの悲哀に至つては更に悲しいものでありました、日本の嶋山が遠く水平線下に沒して行く時、何とも云ふことの出來ないかなしみに涙が流れました。第九に船中の生活も樂のものではありません。船に醉ふて一週間も十日も食事の出來ない事があり、折角到着した港に上陸すること許可されぬことがあり。印度洋では赤ン坊におできが出來てどうすることも出來ない、四五十日の海上生活は中々容易のものではありません。第十にサンポーロの移民收容所では食物が豚の脂ツ臭くて咽喉を通らず、稅關吏には大切の者をコンミツションだと云ふて取り上げられました。第十にブラジルの汽車旅行は更にみじめなものであつたとりわけあの汽車の大衝突があつて、或は子供を或は妻を失ふたり大負傷をしたり、未曾有の慘劇を見ました。第十一にはルツサンビラの小驛に降ろされ、荷物自動車で運ばれ、第十二には移民宿泊所はせまくて寢られず、時には其晩の食物があたつて夜中に一族皆病人となりました。第十三には病氣になつても醫者は居らず、可愛い子供を醫者にかけずに殺して仕舞つたり、第十四には學校がない爲めに子供の敎育が出來なかつた。第十五には割當てられた地區の地形や地質がよくなかつた。第十六には山伐り賃が高くて而かもうまくやけなかつた爲めに二倍もの金をかけねばならなかつた。第十七には堀立小屋もいくら苦勞しても上手に建たらなかつた。第十八にはいくら堀つても井水が出て來なかつた、折角出たら底がくづれてうまつて仕舞ふた。第十九には負傷して病氣になつても醫藥が行き届かず、第廿には知らない事を敎へて貰ふにもそれが十分に敎へて貰へなかつた。第廿一には野菜が欠乏して困つた、第廿二には虻や蚊やダニやフエリーダブラボやマレツタヤに苦しめられ、蟻の被害も少なくなかつた。第廿三には米が出來たがアラサツーベまで精米をする爲めに送らねばならなかつた、第廿四には商品を買ふには相當に高い金を拂はねばならなかつた。第廿五にはオンサの來襲がおそろしくて一晩も二晩も寢られなかつた。かくの如く數へて來れば、諸君がアリアンサ移住地への入植は、思ふに諸君の半生活に於て未だ嘗て知らざりし所のものであつたに相違ない。これ等の悲痛なる通信に接する毎に私は一万二千哩外の諸君の故郷に居つて眠らぬ夜が幾夜あつたか數へきれませぬ。遠く離れて居る私で

さへそうでありましたから、これ等の困苦に直面して居る諸君と、それを目のあたりに見て居た輪湖北原兩君の苦痛に到つては私にさへ想像の出來ない程のものであつたらうと思ひます。

諸君は此大なる困苦の間によく奮闘して下さいましたね。諸君の生命がけの活動は一面に於ては大きな苦痛であつたに違ひありませんでしたが、諸君の喜びも亦想像にかたくありません。始めから數へることを省いて、諸君がアリアンサに到着してからのことを考へても、自分の地區が決定した時、大きな樹が伐り倒された時、山がよく燒けた時、堀立小屋が建たつた時、井から水が出て來た時、日本から持つて行つた種子が地上に芽を出した時、珈琲が發芽を始めた時。白い可愛い花が咲き始めた時、猶其他にも數へ切れない喜悅があつた筈であります。顧みれば諸君はアリアンサ入植以來、苦樂の闘爭の間に生きて來ました。そして今日に於ては少なくとも苦痛の大半は過去のものとなり、喜悅が諸君を取りまいて居る筈であります、光明の大空と希望の大海が諸君の前途に、無限に展開して居る筈だと私は考へずには居られません。後れて入植した諸君は、先きに入植した人々の顏と畑とを見くらべて見るがよい、一二年の後には矢張り諸君も同じ喜悅に浴することが出來る筈であります。諸君の先發者が入植してから五年、私がアリアンサ建設の心配を始めてから正に八年になります。お互に過去を顧みて誠に感慨無量であります。思ふに諸君と私とは先づ以て第一期の移住地の苦難の時代を大体に於て勝利の戰を續けて參りました、元より計畫に幾多の手違ひがあり、私共に足らざる所があつたり、又、諸君に成すべき努力の足らなかつた事もあらうが、アリアンサ移住地は、經營者の側から見ても、入植者の側から見ても大体に於て其目的を達しつゝあると見るが至當のことでありませう。

然しながら、一難去つて又一難が來たりつつあることを諸君に警告せねばなりませぬ。アリアンサ經營は今日迄は信濃海外協會がやつたり信濃移住組合がやつたりして來ましたが、此組合は永久に諸君の褓として居る譯には參りませぬ。適當の時機には諸君と別れねばなりませぬ。一日も早く諸君の經濟的精神的基礎が出來て、諸君の村は諸君自身が之れを統治して行かねばなりませぬ。經營側では十六万三千圓の有志の寄附金と政府からの補助金と、土地賣却代金の差益金と移住組合聯合會からの借金と商店部其他からの利益の全部をアリアンサ經營につき込み、信用の總動員をして出來る限りの事をなし、今日では最早日本に於ける資金を得る金はなくなつて來て居ります。諸君に貸した金を回收して、之れを債權者に返してやる丈けの職務であります。第二第三の方は鳥取富山との協力でありますから仕事が殘つて居りますが、第一の方は最早私共の手を下すべき余地は段々とせばめられて來て居ります。私共の仕事がせばめられて來る代りに、諸君の活動の範圍が擴張されて來て居る譯であります。卽ち諸君は一日も早く獨立しアリアンサを理想的なる自治の村として諸君自身の思ふ樣に經營して行かねばなりませぬ。協

會や組合は諸君がかつかつ一人立ちの出來る迄しか見てやる譯には參りません。それ故に諸君は適當の時機に於て組合から獨立してアリアンサの經營をやる覺悟をせねばなりませぬ。徒らに幹部を非難攻擊する必要はありませぬ。輪湖、北原兩君統治の時代よりも、如何にすればよりよき村となすことが出來るか、又、如何に圓滿に政權の受授が出來るかを村中の人々が眞劍になつて考へて頂かねばなりません。如何にすれば創立經營者の理想としたる一村の實現が出來るか、如何にすれば鬪爭なき平和の村になるか。如何にすれば世界第一の村落とすることが出來るか、如何にすれば「人」を造り出すことが出來るか、如何にすれば世界の文化に貢献することが出來るか、等、々、々、諸君の双肩には重大なる任務が落ちかかつて居るのであります。この重大なる任務と責任とを全ふする爲めには、諸君が今日迄踏破して來た所の困難とは性質を異にしたる各種の困難があります、從來の困苦の大部分は、諸君の健康なる肉体が之れを打破してくれましたが、今後のものは一層精神的のものであり、「頭」をつかはねばならぬものであることを考へねばなりませんし、又、從來は諸君が個々別々に之れを打破ることが出來ましたが、今後は協力を要する點に於て其の性質が大變に複雜になつて來て居ります。諸君の收入は勿論增加して來るに相違ないが、村の爲めに出さねばならぬ金の多くなることも十分に承知せねばならぬし、從來とても暇はなかつたに相違ないが、今後は村の爲めに時間を費すことも非常に增加して來ると思ふ。今迄は勞力に依つてやつて行けたのであるが、將來は勞力は勿論のこと大に腦力をつかはねばならなくなつて來るのです。

第一アリアンサなどについて之れを見れば、敎育を受けた人が澤山にあります。家長で小學校卒業をせぬ者は一人もなく多くは補習學校位をやつて居り、中等學校の半途退學者や全科卒業者は二三割位はある、猶且、專門學校以上の學校を卒業した者が大凡八分乃至一割も居るのであります。從つて恐らくは世界中でどこへ行つてもアリアンサ第一の樣に敎育を受けた者のそろつて居る所は少ないと思はるるのであります。土地は處女地で六七年も肥料を要せず、生產は旺盛で世界何れの地にも劣ることはない、其上に敎育を受けた者が澤山居るのでありますから、これで世界一の村が出來なければ、世界何れにも理想の村は出來ない筈ではないでせうか、私がアリアンサの諸君に要望する所は實に世界第一の理想村の建設であり、諸君は之れを實現し得る素質を持つて居ると信じ、又、諸君は之れを實現し得ると私は考へるのであります。先きに諸君に向つて「珈琲を作るよりも人を造れ」と申上げたが、今日では私は更に一歩を進めて「世界一の村をつくれ」と申上ぐるので、これは無理な要求ではないと思ふのでありますが、諸君は之に異存がありますか！

なるべく早き機會に於て組合の經營から離れて、諸君が自治の經營をすることと、世界一の理想の村の建設をなすべきことが

今回諸君にお話をする主眼でありますが、私は更に序に一言を申上げて置きたいと思ふことがあります。

二十五町歩を一地區とすればアリアンサには約一千地區ある、一地區に六千株の珈琲が植ゑられ、二十株で一俵とすれば一地區三百俵、一俵七八圓に賣つて二千一百圓、之れが一千地區になれば、一ケ年の珈琲の收穫高は正に二百十萬圓になります。珈琲以外の資料を全部生活費に當てゝもアリアンサの年收益は二百萬圓に達します。此金はいろいろの方面に使用せらるる筈でありますが、私は其一使途として後續移住者の渡航資金に充てて貰ひたいと思ひます。

政府が本年度に組合員の渡航補助金にあてた金額が五千人分百萬圓あります。これはいろいろの原因から全部を組合員に充當する能はず、大部分は海興にとられて仕舞ふと思ひますが、それは兎に角、百万圓の金があれば五千人の人がブラジルに渡航することが出來ます。又、政府が來年度組合員の渡航資金として貸出し得る金額が五十萬圓ありました、此内二十五万圓はきんしく政策の犠牲になりましたが、二十五万圓あれば一戸五百圓宛五百戸に貸附することが出來ます。乃ち本年度政府が大騒ぎをして組合員の爲めに支出する金が百二十五萬圓であり、此金を得る爲めに私共は實に叩頭百拜をして居るのであります。アリアンサ一年の珈琲の收益があれば、昭和四年度政府が移住組合の爲めになした所の約二倍の仕事が出來るのであります。私は海外渡航に補助金を下附することには賛成致しませぬ。移植民は獨立の精神を尊ぶのでありますから、人から補助して貰ふてやることはよい事ではありません。金のない人には借してやればよいのでありますが、アリアンサの後續移住者資金は補助金としてくれて仕舞ふ必要はない、相當の利子で貸してよいのであります。近世植民地建設の理想と見らるるモルモン宗徒植民の跡を見るに、彼等は移住の第二年から「後續者移住資金」の運轉をなして居ります。乃ち彼等は此資金を以て人を各地に派し同志の來住を奨勵し、移住者に必要な資金を貸附して居るのでありますが、之れがモルモン宗徒植民地の發育に非常に大きな影響を與へて居るのであります。私は一日も早く諸君が此程度迄發達する事を希望して止まざる者であります。終りに臨み諸君の御健闘を祈ります。(九、十三日、宇都宮高等農林學校へ移植民の講義に往復する汽車中にて)

最近の新嘉坡(三)

新嘉坡港にて　西澤太一郎

九、軍備

總督は兵馬の權を持つて居て其下に陸軍司令官がある司令部はフートカンニングに置てある。常備二ケ大隊位ある、英本國派遣兵とビルマ兵とである。要塞には砲工兵及びその附屬兵とある、此外に義勇兵の組織もある。

海軍の方は重油のタンクは七十箇餘り大正十四年に出來てゐる今は又東洋一の軍港として着々建造中である。完成の曉こそ容易ならぬものである。司令官の下には海軍の士官數名あり又海軍所屬の無線電信所がある。

十、海運及貿易

一、年中の船舶出入は、一万三千隻以上と云はれ二千二百萬噸を越ゆるとの事である。(大正十三年には)

英	六、一四五隻	一〇、〇〇、三萬噸
日	九一二隻	三三六、九
蘭	三、八一二隻	四〇三、五
米	二〇六隻	七六、七萬噸
佛	三四三隻	一二五、八萬噸
丁	一七二隻	四二、一萬噸
伊	七六隻	三一、二萬噸
シャム	三八八隻	一九、四萬噸

日本は第三位である。

(ロ)航路

歐洲航路を持つ會社は日本では日本郵船會社、大阪商船の二會社で皆寄港する。歐米では英、佛、蘭、米、西、丁、伊、瑞典、獨等である。

北米航路として寄航するは日本では日本郵船、大阪商船である。英、米、加奈陀もある。

南米航路として寄港するものには、日本では日本郵船大阪商船がある。

孟買航路としては日本郵船、大阪商船及英國とある。カルカッタ、ラングーン、日本航路としては日本郵船、大阪商船の

外英、米もある。

濠洲航路としては英、蘭の二國線がある

東亞弗加航路としては日本では大阪商船がある

日本支那航路としては日本では大阪商船がある歐洲では英、佛がある。

海峽殖民地支那航路は支那にある

近海航路には蘭、英がある

(ハ)鐵道と陸橋

鐵道によりて半嶋とは自由に聯絡して居る、新嘉坡嶋と半嶋との海峽は長さ三四六五呎の陸橋で聯絡される、幅凡壹粁もある海峽を接續したのである橋の幅も又六〇呎復線軌道及車道人道とある此陸橋は一九一九年から一九二三年迄かゝつて出來たものである。

(ニ)自動車も一万臺に近く電車は又全部無軌道である、東京や大阪に比べて一寸趣が違ふてをる運轉士には馬來人が多く、乘客は大抵支那人か土人である、大体下級の人々のみが利用してをる、歐州人とか支那人の上層階級のものは皆自動車である。

(ホ)馬車、人力車

馬車は人力車や自動車に壓迫されて減じつゝあるとの事である。

人力車は無數にある。半哩六仙位で普通十分間十五仙位である無智の引手が多い。うつかり乗ると何處へでも向いた方へ引きづられて大部困る事がある、自分で乘つて居て一々方向を示さねば勝手次第あてどもなく駈けて行つてしまふのである。

(ヘ)郵便や電報

封書は一通十二仙である、葉書は六仙である日本と違ひ開封のものを送つてもやはり十二仙を要する(外國行)新嘉坡、及馬來半嶋、英領北ボルネオへは封書四仙で葉書は二仙である。其他の英領へは封書六仙、葉書四仙である。

印刷物は各地共、二仙である。

電報料

半嶋内一語(十五字以内)三仙最少料金二十一仙。至急は三倍である。

外國宛は日本へは一語一弗で大東電信會社で扱ふ(E、E A、&C、T、Co)で取扱ふ

公衆無線電信は一語四十仙で政廳郵便局で扱ふ。

十一、通貨

金爲替本位で、通貨は白銅貨、銀貨、及紙幣がある。英貨二志四片を一弗としてある六〇弗が七磅に當る。

一仙、五仙、一〇仙、二〇仙、五〇仙などがある。

日本との爲替は其時々で違ふ。私共は壹磅七圓九拾錢で兩替した紙幣にも一弗、五弗、拾弗などがある。

十二、在留邦人狀况

一、職業別邦人數　(大正十四年十月現在)

職業	男	女	計
(1)護謨栽培業	九	二一	三〇
(2)農業	一三	二二	三五
(3)漁業	二二九	四七	二七六
(4)和洋裁縫	四二	七五	一一七
(5)洗濯業	四〇	一七	五七
(6)理髪	五九	一五	七四
(7)大工左官石工ペンキ職	三五	二一	五六
(8)飲食料品販賣	一八	一七	三五
(9)履物商雨具雜貨	三七	四五	八二
(10)貿易商、會社員關係	三三五	一一〇	四四五
(11)旅人宿下宿業	二三	三五	五八
(12)料理店飲食店貸席業藝妓業	一四	二二	三六
(13)醫師齒科醫業	三四	一七	五一
(14)寫眞師畫家	四六	一三	五九
(15)家事被傭人	七八	三〇一	三九七
(16)其他	五四一	二五五	七九六
(17)藝妓、娼妓酌婦		一〇四	一〇四
計	一五五三	一一三七	二六九〇

大正十二年六月末は二四八五人で増加してゐる

二、銀行及會社

(イ)銀行、正金、臺灣、華商

(ロ)船會社は日本郵船及大阪商船

(ハ)貿易其他

三井物産、三菱商事、鈴木商店、乙宗商店、石原洋元、加藤商事、三ツ引物産、東洋マッチ、千田商會、野村商店、南洋倉庫

日本賣藥會社、日本商會、中川商店、越後屋吳服店、江畑洋行、隆弘藥房、南洋商行、土佐商店、福屋、花屋書籍店などある

旅館には礒田旅館、日本、都、東洋、櫻ホテルなど。

三、護謨業

馬來半嶋に於ける産業は、英國の自由主義と、天賦の恩惠により非常なる進歩をなしたるも其代表的のものは護謨業と錫業との二つである。

護謨は野生樹より採收せるものもあるが極少量で大部分は植林せるパラ護謨樹より採收したものである。

現在の植付數は二百萬英反約十八萬噸はれてをる世界總産額の六割といはれてをる我國の海外投資に於ても亦第一位を占めてをる從つて其市價の狀況は我國の企業投資家にも直ちに影響がある。我邦人の投資總額も又四五〇〇萬圓以上と稱せられ、租借面積は十三萬英反年産額も一五〇〇萬封度に逹す。

邦人經營は日淺きも先進國の長をとりてよく發達したるは大に喜ばしきこととなるも尙企業家の中には只利益にのみ着眼して眞に國家の海外發展の眞の意味より考へては尙大に反省すべき事が多い。

英國の投資家は資本家が海外投資をなして其事業の經營のな

し得るは國家國民の力であり國家の保護であり國の實力、勢力が背景となりよく營むことが出來又自分達の利益となるのであるから、專心事業を確實に營み益々堅實にして世界の產業開發に從ひ又英國のための報恩感謝のための事業經營であると稱して確信もて着實にその經營に當つておる。尙又英國人の事業のある所、英人の足跡の到る所英人の投資のある所これ英國の領土なりと豪語し百年千年の永劫の精神もて事業の經營をなしておるのである。

然かるに我國の投資家企業家の多くは只利益本位に走り事業の確實なる堅實なる經營、產業開發、我國權、我領土の擴張民族的發展などを第二義第三義として考へて徒らに配當の多からんことのみを第一義とし、又其利益にさへなるならばいつ何時なりともこれを何人にも手離し賣却し其利益の配分に沒頭するといふ有樣である。眞に共事業を愛し護謨園を愛し國家奉公の誠を致さんための事業經營の赤誠のない事を遺憾とする。殊に南洋の炎暑の下に病魔と戰ひ精魂を盡し已れの一身を捧げて開拓に心血を注ぎ身も心も消衰せしめて立派な護謨園を作つたマネージヤーとか從業員とか又事務員とかに一片の通知もなく外人に賣り拂ひ已れ等は其利益を配分し事務員等は翌日より失業の悲運に陷入つたといふ樣な實例があるといふに到つては我國の人々の大に英人のそれと比較して正に反省せねばならぬ點である。又英國の企業家、投資家は護謨園なり、椰子園なりの實務從業員の待遇其家族の優遇などには非常に重きを置きあらゆる方面に於て安住の道を開き老後の生活の保證に力を注ぎ殊に病死又は負傷などのことについては實に丁寧で厚き待遇をなし安心して日常の仕事に從ひ得る樣にしてあるとの事である。これ等のことについても我日本の企業家投資家は大に範を英人などにとるべき點である。

今後邦人の南洋發展は個人にせよ、會社にせよ、或は公益團体にせよ、或は組合、協會にせよ。大体投資によりて或は貿易に或は事業に或は工業、鑛業の方面なりに計劃すべきものなりと考へられるが何より先きにかゝる根本精神に覺悟せねばならぬと思ふ。

護謨の將來

邦人の護謨園は漸次產額も增加し追々年額三〇〇〇万封度を產するに至るべく全世界の六割を占むる南洋の又一割は邦人の手によるといふべく益々護謨の產額も增加するには相違ないが其需要も亦益々增加するなるべく大に有望なりといふことが出來る。殊に歐州大戰亂の後大に市價暴落し大正一〇年一一年頃は斯業者は經營困難になつたが經費の大緊縮を行ひ又は方針を改善して、大いに生產費の低下に努め又克く困苦に堪えて財界復活して護謨界の見直期を待つて居たが一九二二年十一月一日から實施の英國統治圏内に於ける護謨輸出制限令は世界の各需要者に影響を及ぼし市價頓に向上することを得たから一陽來復の機を得たのである。然るに邦人にして

之れを外人に賣却せるもの續出したのを遺憾とする。

重なる邦人護謨園は左の如し。

園名	面積	(社長又ハ園主)
三五公司 ペンデランイ園	九、八七八英反	愛久澤直哉
同 ベトパバ第一	四、三二五	
同 第二	九、三七八	
株式會社南亞公司	一四、六〇一	森村開作
柔佛護謨株式會社	三、七六六	岡部常太郎
南洋護謨株式會社(南洋ゴム園)	三、〇八八	長野善五郎
南洋拓植公司(女羅園)	一、〇七〇	四倉峯雄
南洋護謨拓植會社(闌砂園)	二、〇六七	横尾孝之亮
聯合馬來護謨株式會社	三、三七二	朝永誠三
馬來護謨公司	一七、二二七	脇田勇
秋田護謨園	五六六	秋田太一
速水同	一、〇一〇	速水捨三郎
鳥島農園	一、〇一九	小西重吉
菅野護謨園	六〇八	菅野恒覺
城野農園	二三二	城野昌三
田尻護謨園	一〇〇	田尻才六
石橋同	一五〇	石橋用藏
大貫同	一、〇五〇	大貫公光
千田同	一、九八一	千田宇葵太郎
眞植同	六〇〇	松本良太郎
高橋同	五一五	高橋忠平
福田同	二五〇	福田太一
大平同	五二	大平源四

などで馬來半嶋に邦人の斯業に着手せしは一九〇二年である即ち明治三十六年頃である。

而して馬來半嶋に護謨業の始められたるは一八九五年である(明治二十九年頃)これより考ふれば實に急速の發展である。

四、ベトパハ鐵鑛

柔佛王國の内に南洋鑛業公司といふ合資會社の經營する事業でベトパハ鐵鑛がある。これは石原廣一郎氏がその事業の擔當者である。大正九年十二月の創業で大正十三年に於て鐵鑛二十三萬五千屯を我九州八幡製鐵所へ送つた。幸に日本からは石炭を此方面に復航に運搬した。此の點より考へて我日本の鐵の輸入問題と石炭の輸出との兩方面を思ふとき實に重大なる意義のあるものである。赤鐵鑛にして約六五パーセントといふ含鐵分である、邦人三〇餘名支那人馬來人凡一〇〇〇名以上從事しておる將來はボルネオの石油、印度支那半嶋の錫などと共に實に重要なるものである。

十三、在留邦人の各種團体

一、總領事館

總領事館がある。總領事、副領事、書記生等在留して邦人の便益を計らる。

二、商品陳列館

南洋協會の事業で我商品紹介、取引、仲介及經濟事情の調査をしておる。ハイ街四十四號ノ一に事務所がある。

三、日本人會

在留日本人の親和及公益增進のために設立されたものである、會員凡一〇〇〇名で會費は五〇仙より八弗迄とす銀行會社員を贊助員とす。

小學校及兒童寄宿舍經營を最大事業とす、其他一般邦人に關する事務を取扱ふ。

セルギロード日本人倶樂部内に事務所を置き常任書記三名ある。

四、南洋栽培業者聯合會

大正十二年八月元日本人栽培會を改造したるもので栽培業者の親睦を計り事業の研究をなす。ハイ街四十四號ノ一に事務所がある。

五、日本人實業協會

在留邦人、商工業者共同の利益を計り幸福を增進し各自の親睦を厚ふするを目的とす、取引上の信用調査商工業關係法規研究、商工業關係の時事問題の研究、官憲その他に對する必要なる交渉、取引上の紛議の仲裁その他必要なる事項の處理をなす。事務所は日本人會内にある。

六、日本人小學校

市内ウォールター街にある、大正十年八月三十一日の天長節に落成式を擧げた。費用九萬三千弗といふ。

敎員十名餘生徒二四〇餘名である。

七、兒童寄宿舍

今上陛下御成婚記念事業として設立したるものでモントエリザベス路第十四號ホープパークにある。馬來半嶋及スマトラ嶋等日本人小學校の設立なき地方の子供の宿泊に充つ。大正十四年四月開舍す。四〇名内外入舍す、先年秩父宮殿下御渡歐の際御立より御親察を賜り御賞めの御言葉を給はる。

八、日本人倶樂部

日本人會附屬で會員相互の向上親睦を圖る目的である、セルギー路に大いなる會館を有してそこで柔道劍道、大弓、テニス、ピンポン、球突などの休育、娛樂機關などの設備がある。講演會、展覽會、祝賀會などの一般集會に使用することが多い、邦人テニス會を組織し又春秋二回倶樂部主催の下にテニス大會をやる。優勝者にはシルバーカップを贈呈す。そのコートはスラングン路に立派のものが倶樂部所屬として持つて居る。

從來各國人の全馬來庭球は新嘉坡コーランポ、ピナンなどで行はれるが邦人は優勝の地位にあるとのことである。帝國艦軍入港中は下士官兵の休憩所となるが例である。セルギー路第一〇七號にある。

九、此の外木曜會、ゴルフ倶樂部及各種同業者同學者同縣人會などがある。

一〇、日本人墓地

市の東北凡七哩のユー、チユー、カン路にある地内には西有寺といふ寺がある、又その火葬場もある、大小無數の石塔が建つて丁度東京の青山あたりの墓地を見る樣である、私の同船して來たサントス丸の伯國移住者の中で痲疹で斃れた子供が數名

であつたが一ばん先きに死亡した一人の子供は此邦人墓地で火葬にした。

日本人會でこれを經營して居る、又市内には西有寺出張所本願寺及日蓮宗の布敎所、基督教會、天理教會などがある。

吾等は新嘉坡の邦人の計劃や施設は大に範とするものがある。そして今日迄に相當築き上げたる邦人先輩に多大の尊敬をなすものである。

十四、短時間の新嘉坡及近郊遊覽

新嘉坡港へ船が着く。種々雜多の人種、樣々の風貌の人々、種々多種多樣の服裝の人種に目が付く。數百隻の船舶に驚く。人力車を雇ふか自動車によるかして市内一巡するのである。自動車は一時間二弗か三弗五拾仙で屆へる何處へ行つても眼につくのは樣々の人種である樣々の服裝であるさすがに人種風俗博覽會場である。道路が非常によい。

椰子の木の並木、檳椰子の樹、タコの樹、パイナツプルの畑、榕樹などに眼が着く。

博物館。

市内約中央にある。馬來人の家、家具、武器、織物、樂器、漁獵器、獅子、虎、豹、象等を捕獲する模型帽子類などが入口の室にある。パプア人、スマトラ、ジヤバ嶋などの人種に關するものもある

階上には土人の裝飾用の金、銀、銅等の各種標本、織物類や美しき衣服などの陳列されてある又馬來地方の動物が中々よいものが澤山ある。猿、豹、猩々、虎、象、犀、河馬、鰐魚の巨大のもの、大蛇、及蛇各種など眼を引く。又漁類の各種がある、殊に陸に住む魚類など中々面白いのがある。貝類、岩石類、諸鑛物類など中々種類も豐富に勝れた標本が多く學術上、產業上非常に參考となる。

植物園

これも中々よく出來てをり熱帶氣分をみせつけられ又味はれる。椰子檳榔、檳榔樹、旅人木、パンの樹、芭蕉、羊齒類、タコノ樹、熱帶各植物、各種草花目もさむるばかり美しく整然と植えられ規模中々大である

水源地植物園の北方にあつて位置塵埃を離れ幽邃の所である

タンジョンカトン方面

市の東方にあつて白砂の上椰子樹繁茂して海岸に近くホテル及海水浴場がある、日本人の旅館もある。

護謨園

水源地、植物園間及嶋内各地に整然と植林されたる立派なる護謨園が見える。地味はあまり良くないとの事である。馬來半嶋の方が大いに勝つてゐるといふ。

嶋内自動車で三時間も走れば大体の氣分は味ふことが出來る一二日滯在すれば概觀し得べく一週日も居れば表面觀察に屆くとの事である。

到る處に支那人の住宅、白人の住宅が立派に建てられて居て中々氣分のよい市であり、然かし只支那人の住宅が如何に多く且堂々たるものが並ぶかを見ることに市中の支那人の經濟上の實力商業上の實權あるかを直ちに知るを得べし。(了)

朝鮮人の移住地間島（一）

在間嶋　藤澤定司

間島と稱する地域

一、朝鮮の北端咸鏡北道に接壤する國境豆滿江の對岸一帶の支那領―吉林省の一部を普通間嶋と總稱してゐるが其の地域は支那の行政區劃に從ひ、延吉、和龍、汪清、の三縣で面積一千六百五十六方里このうち山野の面積約一千一百方里平地丘陵の面積五百餘方里である因に琿春縣と間嶋とは別個の地帶であるが我間嶋總領事館の管內に置かれて領事分館が設置されてある關係上通常間嶋なのに取扱はれて居る。

二、歷史沿革

往古の史實は文獻が具はらぬ爲め、茫乎として明暸を缺ぐが斷片的史料並に古墳墟遺跡等を研究した考古學者の說に依ると間嶋往古の民族は上古肅愼（周時代）挹婁（漢魏時代）勿古（我南北朝時代）靺鞨（隋時代）等時代に依つて其の稱呼を異にして居り、又其の隸屬關係等も暸かでない、西曆七百十年ごろ、卽ち靺鞨人が渤海國を建設して間嶋を其の行政範圍に取り入れられた頃から稍明暸となつた、卽ち西曆九百二十六年渤海國が遼に亡ぼされると共に渤海民族は女眞（ジユルチン）と稱せられた（女眞海とは別名刀伊賊と云ゐ日本の山陰地方を脅した事のある種屬）再び無統一狀態に陷り、各部族相割據して侵略を事とし屢々高麗睿宗の朝侍中尹瓘が大軍を發して各部族を驅逐したのち、北疆を開拓して之を豆滿江北七百鮮里（日本の一里が十里）に及ぼし先春嶺下に公嶮鎭を築き碑を嶺上に建てゝ之を高麗の境界標に定めた（但し先春嶺及び公嶮鎭の所在は今に判明して居ない）次で再び女眞族起つて遼を亡ぼし大金國を建設して滔天勢威を振つたが元の爲めに亡ぼされた而して其の後兀良哈族（後で加藤淸正の間嶋入で說明）起つて斡朶里族と爭鬪するなど、要するに間島は民族興亡の波瀾重疊を累ねたもので、此の間に高麗國と屢々疆域の爭奪戰を演じ來つたが天聰二年（西曆千六百二十

八年）に及んで淸の太宗と朝鮮仁祖との間に間島地方を兩國の間曠地帶とすることに協定が成立したのである然し膏腴地の封禁は何時までも許されず、韓民の冒禁越江は已む時がなかつたのみならず遂に兩國間に再び境界爭ひを生ずるに至つたが明治三十九年の韓國が我帝國の保護國となり我帝國は其の外交を司る事になつたので翌四十年韓民保護の爲め統監府臨時間嶋出張所を龍井村に設置したのである（陸軍步兵中佐齋藤季治郞氏が所員を指揮して其の任に當る）而して、間嶋協約の成立と同時に帝國政府は明治四十二年十一月一日を以て右統監府派出所を閉鎖し、同月二日總領事館を開設して今日に及んだのである。

三、地名「間島」の由來

區々の說があつて詳でないが光武六年（明治三十五年）韓國政府が管理使を派遣して境外支那領（間嶋）に在る韓民の保護に當らしめた時は「墾嶋」と呼ばれてゐたもので之が韓字音に似てゐる處から其後「間嶋（カントウ）」と轉訛されたものだとの說が有力とされてゐる、尙其の墾嶋は現今の間嶋全部でなくて往時鍾城穩（シヨウヂウオン）城の間の豆滿江の分流があつて幾多の中洲を形成して居りこのうちに鍾城の接壤する周圍一里に滿たぬ地味の頗る膏腴な一汀洲を斯く呼んだものであると。

四、間島への行路

日本內地及滿洲から間嶋へ來るには多く朝鮮元山から船で淸津に上陸する尙現在七尾伏木から浦塩經由の所謂三角行路なるものもあれば咸鏡線開通の今日では元山より直接會寧に來る事も出來る何れにしても會寧稽後圖們鐵道（豆滿江を圖們江と云ふ）といふ輕便鐵道に乘つて上三峯の江岸驛に着けば此處で下車して國境圖滿江の架橋を渡ると間嶋卽ち支那領であるそこで支那稅關吏の檢査を終へて天圖鐵道と云ふ日支合辦經營の輕便鐵道に乘つて四時間で龍井村に着する（續く）

漫談

私は在滿六年間一日も寒土用稽古を缺した事がない、當地の寒中は零下二三十度であるが此中で然も野外でやると言つたらおそらく內地の人は必ず噓だと言はれるでせう然しその位行つてもなか〳〵上達するものでないつく〴〵嫌に成つて今年の寒稽古中名古屋の眞王山に修業中のあの僧に通信の一片に修業のなか〳〵難なる事を書添へた處が其の返事が振つてゐるお釋尊さんは身命を惜まざれば必ず道を致へんと仰せになつた吾々には極く有難い結構な御言葉がある折角お互捨身でやりませうと。そう言はれて見れば北辰一刀流奥技の歌にも「振りかざす刀の下は地獄なれ打込んで見ろ極樂もあり」亦「飛込んだ力で浮ぶ蛙哉」とある之等は何れも捨身でかゝれと云う事に違いないその他柔道にも捨身の術がある七月號の力行世界の岡海氏の同志への言葉の中にも生を享けると同時に生命がけでなければならぬ所に人間の生の面白さがある、尊さがある死んで生きる道それを十字架の道であると、成程斯う並べて見れば總てに共通の點があり總て行は捨身だ況んや一步海外に踏出して氣候風土の異る異鄉に活動せんとするパイオニヤに於ておやと謂ゐ度くなる。

南洋行

宮下琢磨

バンドン丸

南洋を視たいと思つて七月二十五日、南洋郵船會社のバンドン丸で神戶を出帆しました。力行會員の水野が同行しました。

南洋郵船の船は總計五隻で、マカッサ丸、サマラン丸、盛運丸、チエリボン丸と、このバンドン丸です。バンドン丸は船の橫腹に大きく「萬隆」と書いてありますので支那船かと思ふたのでしたが、これは支那人がジャワのバンドンと云ふ都會を「萬隆」と書くからです。バンドン丸は四千噸で、大体が貨物船です。客室は一等室が七室、二等がなく、船尾の方にある三等室は、疊が十五疊で、三方に寢台が二十位あるでせう。一等船客は男が五人、子供連れの女三人で、男五人のうち三人は學生、一人は大阪の輸出商、もう一人が私です。女連はジャワに居る夫のところへ行くのださうです。一等室は定員四人の筈ですが船客が少なかつたので一人で占領が出來、殊に私の室は左側で東側にあたつて居るので、午前は涼風を受け、午後の西日は蔭になり、非常に結構でした。食事は、朝がパンに卵オートミル晝は日本食で、夕食が洋食です。歐洲航路のやうにメニューに判らぬ名前を並べたものを持つて來るのでなく、いつもいつも同じやうなものを數品出して一番しまいにカレーライスと云ふだけですが、しかし却てこの方が良いのです。

三等室の方は同行の水野君が居りましたから、時々はのぞいて見ました。子供まで入れて三十三人程乘つて居つたでせう。沖繩の漁師も數名見えました。他は商店に行く人や色々ですが殊に私の注意をひきましたのはチエッコスロバキア人とロシア人との四人一組の樂手連でした。遥々ジャワまで行つて何處かのコーヒー店に雇はれ、プープー、ジャンジャンやるのださうです。ロシア人の夫婦には二才になる男の兒があります。女の方は今妊娠中らしく船に醉つて苦しさうですが、しかし子供の世話をしたりして始終身体を動かして居ました。男の方は安物の浴衣に皮帶をしめ、甲板の荷物の上に腰かけて、持參の大きなパンを切り、湯を貰つて鑵詰など喰べて居ました。このロ

シア人は支那領事の證明書で來たらしく、マカッサに一寸上陸しようとしたが、和蘭の移民官に許されず、一人船にのこりました。無事にジャワに上陸出來れば良いがと思ひます。

この船は內地の延長で、船內に居ても日本の旅館に居るも同じやうで、食堂へ行くにも浴衣がけです。尤も社交室も讀書室も食堂も皆同じ處ですが。三等の方には、浴室が客室の直ぐ側にあります。夕食後になるとロシヤ人の兒が睡くなつて來るので、早く湯から上つてやれ、とお互が言つて居る。若い異國の女は嬉しさうに湯に行く。若い男達は隆々と發展した肉體の赤裸々な儘で室に還つて來る。東方の八ケ間敷い儀禮から解放された國の人は、アダム、イヴの昔に還つて、天眞爛漫です。

水野君にはロシア人の兒が良くなついて居ます。ヨチ〳〵危な氣な足どりで、卓や腰掛の間をくぐり來ては膝に抱かります。が決して他の人の處へは行かない。言葉や理窟が人を結び付けるのではなくて、只、愛の力であると感じました。

小笠原島から旅行する鰻

學生三人のうち、一人は水產學校の人でありました。食事中魚類に就いて色々の話をきゝます。殊に、信州の川の中に居る鰻は小笠原嶋から來るのです、と聞いて珍しいことだと思ひました。すべて鰻の卵と云ふものはそれが産みつけられる場所は決つて居て、例へばヨーロッパならば大西洋の深海のうち、日本は小笠原嶋附近の深い海で、そこで二寸位に成長すると何處かの濱邊にやつて來、白い艪位になつて、河口を見付け、その河に上りつゝ餌を求めてだん〳〵河上に上つて來る。上り上つて小川迄も上り、しまひには、田の中にでも畑の中にでももぐり込む。よく山の芋が化けて鰻となる、とか云ひますが、事實芋畑に現はれることもあるそうです。充分發育すると、今度は卵を産む爲めに還つて行く。これを下り鰻と云つて、二年目か三年目になるのです。

鰻を飼ふのには、よく注意して同じ長さのものを並べて置かぬと直ぐ友喰が始まり、一尺の鰻は八寸の鰻、二尺の鰻は一尺五寸のものを呑み、又半分呑みかゝつたのを他のものが呑みかけるといふ事です。

渡り鳥は一年に北極からアフリカの南までも長途の旅行をするやうに聞いて居ましたが、私は鰻のやうな魚類が遠い處を旅行するのを聞いて珍しいと思つた。この話は確か、寒い國のロシア人が南洋に行くことの話から出たのであります。

深い海、平和な海

神戶を出てから七日間は、嶋一つ、白帆一ッ見ません。雨は一日降つただけで、實に平和な航海でした。フイリッピンの東は世界に有名な深い海ださうで、富士山の二倍、二萬四千尺の深さで、四哩半からあると云ひます。八日目の朝には、ミンダナオの南のダバオの岬近く參りましたが、尙島も何も見ません船はセレベス嶋とボルネオ嶋の間を進み行きます。セレベスの

方に近く、だんだん左の方の雲間にうすく山が見え出しました。この二ツの嶋がワーレス線と云ふ。ボルネオの方には亜細亜系統の動物が棲んで居、セレベスの方は濠洲と同じ系統のものが棲んで居るが、その限界線だといひます。

八月六日の夕方セレベス島のマカッサー港につきました。滿十二日かゝりました。神戸から二千六百八十二浬。

マカッサー港

マカッサーはセレベス嶋の南の方に在つて、セレベスの有する最大の港です。が、大したものではありません。六日の五時過ぎになると、海岸に赤い屋根と白壁の夕陽に輝いて居るのが見られました。遠くの方には翠巒が薄く見えて居ります。五時半には船は港に着きました。

船で夕飯をすませて一寸上陸して見ます。マカッサーの町はパッサルと云ふ本通りと、それと並行して二通りばかり街があり、亦横町が二三通りあるだけで、歩いて二時間足らずで隅から隅まで見て歩けます。

この町の日本人としては、ホテルの木村と云ふのが一軒、物産商二軒、雜貨商二軒、理髪屋が二軒、寫眞屋一軒、陶器ガラス商二軒、自轉車自動車は仲々盛んで十數軒もありました。こゝは鼈甲の產地で、沖繩縣人の漁業者が四五十人居ります。日本人で一番古いのは陶器ガラス商の臼井の廿年などはその最たるものでせう。

大正七八年頃——歐洲大戰當時は日本商人の發展した頂點でこの町にも三百人位は居つたさうでしたが、今は減つてセレベス全嶋と附屬嶋まで合せて四百餘人です。

土地の產物

この土地の產物としては、ダマル（ニスの原料）黒炭、コプラ、籐、高瀬貝、玉蜀黍、等等ですが、少額でも鼈甲は流石有名です。

鼈甲は一ツの鼈甲龜の甲から十三枚とれます。一枚で四五寸から一尺位ありますが、これを煙草入、櫛、色々の装飾品等に造りますが、また日本人でこれを製造してゐる店もあります。十三枚で五六十圓位。上等品は白い斑紋が鮮かで、黒いところが眞黒い程珍重されます。少し赤味を帶びた斑紋のあるものになれば、髮挿一つで同じ型でも上等品に比べて五圓位價が安いと思ひました。鼈甲は細工用の鋸で挽き割つて種々の形にし、熱を加へれば自由になり、二三枚合せても殆ど纖目が判らぬ位になります。また、それで鼈甲の屑切れを集めても種々の形のものが出來上るのです。細工物には始めは艶もなにもないのですがこれに磨をかけると、商店で見るやうな光澤が出るのです。

南洋通ひの船は、船長から船員まで皆鼈甲細工に趣味を持つて居て、技術を内々勉強して、その手腕を互に誇り合つて居ります。

セレベスの民風

こゝの種屬はブキスと云つて昔は山賊や海賊が常習。ジャワに攻め込んでソローの王様を脅かし、馬來半嶋に侵入して、半嶋のサルタンになつたりした慓悍の民族です。

慶長元和の頃には、日本の强勇の荒武者が多數セレベスに入り込み。これらの連中が長い刀を振り廻して一荒れ荒れ廻ると、忽ち死人の山を築いて見せたので。彼等も日本人には心服したものと見え、今尚、セレベスの北のメナド附近は、日本人の後裔だと言つて誇つて居ります。風貌も日本人と違はないさうで。墓の形、門、垣根の様子なども皆日本流。町の名前にもゴロンタローなどと云ふのがあると云ひます。

兎に角、かう云ふ民風であるから和蘭政府にも反抗し、十年程前に蘭人の郡長を殺し、大騒ぎをしたこともありました。

このマカッサの町には別に観るものはありません。女はジャワなどよりは紫とか赤とか云ふ單色の濃厚な、鮮かな布を頭から被つて路を歩いて居ます。

アラビア人トルコ人、印度人の商店も大分見當ります。が、しかし何を言つても支那人の商店が一番多い。町は支那街と云つても良い程です。

神戸は一番暑かつた。こゝまで來ると大分涼くなつて、船室の中も、煽風器は抛てて置き窓をしめねば居られない程の涼しさでした。

昭和四年八月七日 （バンドン丸にて）

ブラジルの師範學校で勉學

謹啓其後は意外なる御無音仕り誠に申譯無之平に御容赦被下度候愈々海外發展の爲め御盡力遊され居る趣き大賀の至りに存じ居り候小生等又幾多の難關有之候も漸くにして私立師範入學迄に至り目下小生は當地（聖市）に濟水君はアララクアラの師範に學び居り候官立師範入學に就いては種々なる事情出來致し爲に本年度は機を逸し候。當州には四年制の師範なるものは無之く官私立ともに三年制にして唯一校サンパウロ市のブラッサの師範のみ五年制に御座候之は近くは高等師範に昇格さする學務局の方針と承り居り候。外國人の師範入學に關する件に就いては小生等が日本にて受けたる報告と異り入學に關しては何等歸化の要なく卒業迄に歸化を必要と致し候。

當地の師範は日本のそれと異り卒業者全部が教師たるに無之く單に中等教育を受けんが爲の目的にて在學する者も相當有之候且つ女子部のみの師範學校多く小生等の入學に就いても其爲め少からず閉口致し候。

好都合なるは年齢に日本の如き制限なく滿十四才以上なれば何方にても入學可能なる事に御座候小生のクラスにても小生老年組の方なるも尚幾多の高齢者の在學し居るは面白く存ぜられ候。

先は御無沙汰の御詫び旁々近況御一報まで末筆ながら協會幹事諸彦にもよろしく御傳へ被下度願上候。　敬具

六月廿日　兩角貫一

今井五介殿

紐育でブラジル黨
伯國一流新聞の新日記事を見よ

松尾弘

物に憎惡表裏の有る如く吾が大和民族の向ふ處何れの國に於ても排斥と歡迎の二派がある。否吾が大和民族のみにと考へるのは少々僻みである。現に法律とまでして吾々を排斥して居る此のアメリカ合衆國ですらも決して母國の諸君が思ふ程心配したものでもない。それ程無情な輩ばかしでは決してない。大いに同情し歡迎してくれる者が澤山ある。

さも無くば大体吾々はこんな所に大きい顏して住んで居られる理屈のはづのものでない。

反つて吾々には彼等の黒人種に對し或はユダヤ人に對する排斥の方が強烈だと考へられる。

所で近來日本當局者が如何なる間違ひにや、はた亦風の吹き廻しか知らないが無暗と心配し出した。ブラジル移民、いや移民の方は大いに歡迎されるが植民の方が制限された。そこで家屋敷まで整理して一家を擧げて萬里の異鄉の地に移住し兩國の爲めに奮鬪努力せんと決心した多くの諸君が行き先きを失ひ、其の迷惑困却の程實に察するに余りある。

一体金を持つて植民地を建設するのが彼等ブラヂル人の感情を害すると云ふならば、結局自分の爲めなのだから第一土地丈を買つて置いて余りの金には利息でも生ませ、一ケ年位い人の畑で金をもらつてコーヒーの栽培から收穫まで一通り實驗されたら。だからちつとも困る事は無い、契約移民としてどし／＼渡つて行つたらば、ブラヂル人もさぞ滿足し日本當局も顏が立ち又第一に各自の利益と來たら夥しいものだらう。

此處に紐育に在る某大會社の社員にして我が紐育南米協會員中第一のブラヂル研究者——近き將來には渡伯し早速ブラヂル人と成らふと云ふ決心で其のブラヂル語の研究に到つては、殆んどブヂル人と違はない迄に精練された人——が七月三日發行のジョルナルドブラヂル紙（ブラヂル一流の新聞）社説欄『吾が移民の態度』と題する一説を殊に同氏にお願して翻譯していただき、如何に彼等が我が同胞移民を見て居るか、そして歡迎して居るかと云ふ事を味つて頂き度い。無論排日論を唱へる輩も無しとは斷言出來ないけれ共爲めに頭痛鉢巻それでへこたれるなんと云ふ事は言語同斷。其處にはいくらでも道もある。大いに進む可きだらう。（八月十一日）

昭和四年七月三日木曜日發行

ブラジル聯邦共和國首府リオ、デ、ジャネイロ市ジョーナル、ブラジル紙社説翻譯

「移民の態度」

近來「ブラジル」の日本移民は大分盛んである。或論者は曰く「彼等日本人の渡來は雜婚を生じ、從つて人種を低下せし

む」と排日論を唱へる者もあるがその間違も甚しいと云はねばならない。見よ。彼等は僅々二十年の間に我々國内の植民地否我ブラヂル全体の繁榮に無くてはならない一つの確乎たる要素となつて了つたではないか。最近次の様な驚嘆す可き事實がある。

夫は「サンパウロ」縣「サントス」港に到着した日本の移民の一團がある。非常に我「ブラヂル」に對し親善の意を表して居つた。

彼等は協力的の扶助的經濟生活の精神に燃えて居つた。と同時に單に「ブラジル」に金儲の爲に來たのではなく、夫以上の或物を所有して居つたのだ。

我「ブラジル」の廣大無邊なる土地を開拓する精神に燃えてるのみならず苟も「ブラヂル」に關する事柄には極めて興味を持ち、我ブラジル語を研究し、我々の風俗習慣に同化し以て「ブラジル」の發展に盡さうとしてる精神が見える。

更に驚嘆す可きは、我移民官が移民船に檢閲を赴きし時、彼等は隊伍を整へ、我ブラジルの國旗をチミ／＼振りつゝ「ブラジル」の國歌を合唱した。而もブラジル語で！　感激である。驚異である。

我々は此事實を他の國の移民と比べる時に餘りに共差が甚しいのに唖然たらざるを得ない、他の移民を見るに彼等は此「ブラジル」に單に金儲の爲に來る丈だ、夫は先づ良いとして、一度金が出來ると我々が彼等に寛大な態度を以て迎へて居るに係らず、御禮の一言も云はずにさつさと引上げてつて了ふではないか？

一部の頑迷なる排日論者よ。御身達は排日論を唱へる前に、先づ、日本の移民船に行つて見るが良い。「ブラジル」今日の急速度の發達に大なる貢獻をなし、惡いては我々國民生活の一部を形成しつゝある我日本移民諸君に眞面に接するがよい。そうすれば君等は他の國の移民に比し如何に彼等が優秀なるかを知るであらう。

譯者註。

之は餘りに親日過ぎる論であつて我外務省又は民間の會社當りでまさか買収したのでは有るまいが、兎に角近來益々日本人に好感を增しつゝある彼等ブラジル人殊に其智識階級に我々は感謝と敬意を表す可きものと思ひます。此文章は羅典系殊にブラジル一流の非常に強い感激的文字が連ねてあり、思ふ様に其氣持を日本語に譯せないのは譯者の不明として遺憾でありますが、同時に非常に文章が文學的美文で難い。此新聞の社説筆者は二三人居る様ですが博士號を持つてます。

當管内は益々囑望せらる

拜復未だ拜眉の榮を不得候處益々御清適奉賀候陳ば御友人西澤太一郎氏貴殿の御紹介狀を持參無事來伯數日前目的地アリアンサ移住地へ向はれ候當管内は近來邦人唯一の移住地と囑望せらるゝに至り我視察者の渡來頻々在留民も既に三萬人を突破し尚本年十月頃邊年の終りにはりベロン方面の耕地より入込むもの一萬位ある見込に候從て館務遽に大多忙となりたるのみならず事務發の如きも著しく增加し來り候今後當方面に御用有之候節は何事に拘らず御遠慮なく御申越被下度候　頓首

（七月二十二日）　在バウルー　濱口光雄

菱川敬三殿

海外通信

海外支部便り

會費送金

南加支部幹事(羅府) 秋山英之助

拜啓各位益々御淸祥之段逬々奉大賀候。陳者本日當地住友銀行支店を經て金七拾弗也本年度「海の外」誌代として御送金申上候間御取り被下度此段及御報知申上候。

追而本會一月の總會に於いて幹部及び役員選更其他の議事近く御報告可申上候間誌上へ御掲載豫め御願申上候 (昭和四年八月十二日)

メキシコ便り

烏有に歸したれど舊倍の發展

(在墨國) 岩瀬貞吉

拜啓御懇情なる御見舞狀に接し異鄉に在するもの一重に感謝の涙に暮れ申候お蔭様にて其の後相變らず消光罷り居り候間他事乍ら御休心下され度願上候

一朝不慮の災難にて五ケ年間の血と汗の結晶を一抹の煙と散じ候もお蔭様に取引問屋殊に館本縣人草原弘氏の肉親にも勝る御厚情に依り倍舊の發展を得申候一重に皆々様の御厚志と深く御禮申上候又今回山崎貞夫呼寄に際しては格別の御世話樣に相成御禮の言葉も無之候實は昨年より本人等に呼寄證明願ひに必要なる戶籍謄本を送る樣申傳へ候處今に到るも返附なく何かと御多用中御厄介に相成何とも申譯無之乍に御用捨願上候尚小生他に貳參人の呼寄せ致し度と存じ候間其の節は何かと御教示の程御願申上候右取急ぎ亂筆にて御禮申上候

ブラジル便り

アリアンサに向ふ

(聖市にて) 西澤太一郎

謹啓サントス上陸後移住組合聯合會事務所(ブラジル拓殖組合)に梅谷事務理事を訪れ、サンポウロ市に根據をおき申し候。矢崎節夫氏のアニウマス農場及びモジヤナ沿線を視察仕り、降旗農學士と會見しモジダスクルースの狀況を承り、輪湖理事と會見仕り色々打合せ致し候。

サンポウロ市及びリオ市を視察して十四日夜アリアンサへ參り執務仕るべく候。

前略內閣交迭の飛電を耳にしつゝ、アニウマスをカフエーの海、リベロンプレートに宿り候寫眞はホテルドーイスの前の公園にて撮りたるものにて候。元氣旺盛御安心願上候。(七月十三日)

モジヤナ地方に轉居

(在伯) 上野一平

拜啓御書面難有拜見仕り候。扨て數年御無沙汰致し申譯無之候。

拜讀仕り居り候「海の外」誌代は本年中に御送申上ぐべく心算りに候。次ぎに私儀十月末日より左記に轉居仕り候間御通知申上ぐべく候

Faz. Lodon Est. Cazulu L. Mogyana

Sao paulo Brasil

(ブラジル國サンポウロ州モジヤナ線カヅウル驛ロドン植民地內)

(七月二十八日)

歐州便り

壽府から歸る

草間弘司

拜啓其の後は御無沙汰に打ち過ぎ居り候處益々御發展の趣き賀上候。

小生今回壽府國際聯盟事務局を辭任舊の如く內務省衛生局に歸還する事に相成り久々振りに歸國致す筈にてその節に御面會を樂み居り候永らく貴誌拜讀の機會を得厚く御禮申上候貴會の御發展を祈り申上候。敬具 (七、三一)

南洋便り

好評嘖々更らに四版

(ジャバ島) 宮下琢磨

海の外原稿出發前にて意外に飛び廻る用事が出來ツイ送らず失禮しました、而も出發の朝から腹をやみ漸く發車前に起きて間に合せた始末その埋め合せでも無いがこれから可成毎號の分送るから勘辨して呉れ。海は平穩健康も恢復ジヤワで準備出來次第ボルネオに渡る計畫です。爪哇迄の紀行は自宅の方に送つたから宅から郵送致します。

「邦人活躍の南洋」出版元で四版を印刷すると云ふて居りましたその時文字の誤植など直すことになつて居ります。

南洋へも少し持ちて來たが上陸迄に皆無になつてしまつて殘念だが家の方にも無いので仕方がありません。兎に角大勢に讀んで頂ければ非常に結構だと思ふて居ります。

殘暑猶去り難く折角御自愛候同行の力行會の水野君も迎への人が二人來て無事目的地に參りました。

船の中で毎日小生の處に來て馬來語を習ひセレベスに一寸上陸した時は船中の同船者をつれて通譯でマカッサの町を見物し買物をし大得意でありました。

何れ後便で(八月九日)

益々後進者をよこされよ

(在比島ダバオ P.O. BOX 一七一) 小山正直

拜啓酷暑の候となりました爾來御無音の打ち過ぎ誠に申譯もありません何卒御海容下さらん事を。

昨年小生事、歸鄕の際は一方ならざる御厄介に相成りました尚ほ今回再渡航に付き萬事は御配慮を蒙り、且つ又出發後神戸滯在中にも重々の御配慮を蒙りました御厚情厚ふし遲れ馳せながら玆に謹而厚く御禮申上ます、神戸に左様ならの一言を殘して以來海上も案外に穩やかにて恙がなく第二の故鄕ダバオに上陸致しました恰度それはクリスマスの日であつたのでした翌日より二日間を要して稅關及び入國登錄等濟まして我家に船中の疲れを慰やすそれは寒祝の年昭和三年も暮の三日間であつたのでした。明くれば昭和の四年の元日、古言に「一年の計は元日にあり」宜べなる哉私共には此の元旦こそ眞にして且つ大なる計でありました。恙なく正月も過ぎ尚ほ春過ぎ夏行き秋も來り浪花節の一ト節の樣な氣分に過して貴會の諸樣には不本意にも御無沙汰ゆゑ平氣で居りましたが盂蘭盆も早や迫り先祖等を思ひ出す時又貴會諸兄の御厚情を顧み茲に拙なきペンを取つた次第であります。

御蔭様にて其の後夫妻共に健康を保ちつゝ從前の蔬菜栽培業に精勵致して居りますから御安心下さい。

當ダバオの現狀は麻市價は餘まり高低なき模様であります、ために開拓は益々増大しつゝあります。頓て來たるべき問題は人夫不足でありはせぬかと先住者間の一つの悩みであります。信州青年の渡航者は大いに當國の意氣ありです。希くば青年男子の比島渡航を宣傳せられん事を。

先は長らくの御無音の御詫旁々御厚情に對し御禮申上ます。

末筆ながら西澤太一郎先生の今度の長の旅路を恙なき事を比島の天地にて祈願する次第です。

(七月廿八日)

大正八年先生の御講演を拜承して

(在比) 原山芳保

謹啓 先生には意外の御無沙汰致して申し譯有りません。いつも御健在にて海外發展に御盡力の由邦家の爲慶賀の至りに存じます。回顧すれば大正八年の早春しかも私海外に立志すべき時であります。時の中村國穗先生の御世話にて比島ダバオ松岡會社へ入植すべく申され、直様出願いたしました。當日先生は申すに今日永田先生が城山館に於て海外發展に關する有益な御話があるから一緒に行きましょうと進められたので、私此の漫事と思ひ同行いたしました。さしも廣き城山館も揮山の人青年は云ふまでもなく女學生に中學生にて立錐の餘地なき盛況でした。先生の壇上に上られて始めて御紹介を得御目にかゝりました。御講演は要するに海外發展の急務北米に渡られ御説の情話、タバコの有害なる事等それからそれへと約二時間有餘に亘りて御話し下されました。先生のいとも上手な御言葉に飽く事を知りませんでした。煙草の有害なる事は何人も承知して居りますが禁ずるは難きものであります私もともすれば口にする事もありましたが近時全く禁煙しました酒も目下禁酒して居ります。先生の御講演は當日が御始めてゞ有りました。今を去る十二年の事なれど忘れずに腦裡に沁み居ります。

先生には日本力行會長であり又信濃海外協會の幹事であり仲々御重任御多忙の御方でいらつしやいます。南米ブラジルに立派な理想郷を建設せられたるも甚大の御骨折の賜はりに外ならず、満天下に好模範を示されました。尚目下西澤先生も努力して御視察遊ばされ日進月歩と共に年々御發展の域に向ひつゝあるは國家の爲祝福すべきであります。大正十四年十月下旬私は七ケ年振にて故山に歸りました。第一線に貴協會御訪問すべく郷關に參りました處、丁度及宮本さんとは御始めて御對面でした。職務御多忙の際にも拘はらず御話し下されて感謝の外でした。其の後種々の打合せの都度いと親切に御會談下され殊に西澤先生に對し私一身上に係る保證者の御心配までお願して豫定通り再渡航の出來たるは終生忘るべからざる御恩と感謝いたします。御蔭様にて今や安定の位置に達し樂しく日子を送つて居ります尚皆々様の御高恩の萬分の一たりと酬い度心組で精勵して居ります。

西澤先生は此の度重任を帶びて遠き南米諸國を御巡遊下さる由誌上にて拜見いたしました私共は先生の御健康にて其の目的を果され定刻無事御歸朝あらん事を念じ居ります。

末筆乍ら時暑中の砌り御一同様御身御大切に遊ばされたく終りに貴協會の御發展を祈ります。頓首

(七月七日)

永田稠様

移植民ニュース

夫婦家族に福音

五分制限を緩和されて

移住組合員の渡伯條件に關する家族構成は從來の珈琲園就勞契約移民と同じく十二歳以上の子女を一人以上同伴する家族、即ち夫婦に十二歳以上の子女を伴はねば渡航出來ぬ事に原則的に規定され僅かに渡航家族總數(昭和四年には八百家族に對する四十家族)の五分の制限範圍內に夫婦家族の渡航を認めてゐたため夫婦家族は他に十二歳以上の者を養子女として入籍せねばならぬ事になり不自然なる家族構成は渡伯後に於いて家庭的に種々な悲劇的事件を生ずるので斯様な家族構成は全く無用の繁雜さを故國に於いて爲したものである。珈琲園就勞契約移民は勞働能力三人以上ある家族でなければ伯國珈琲園主が雇傭してくれぬ故仕方なし)移住組合移住渡航者は斯くの如き轍を踏まざる樣、移住地入植後は和氣靄々たる圓滿なる家庭のもとに開拓の事業を進めて海外移住本來の使命を果す方針であり現に本協會アリアンサ移住地の入植者は大正十三年以來外務省內務省(拓務省設置前は內務省社會局に移植民事務を管轄されてゐた)の了解し得て渡航せしめ夫婦移民のブラジル渡航に先例を作り、夫婦家族に一大福音をもたらしたのであるが本年より移住組合員渡航斡旋を海興に依頼する事になりたる時より前述の五分制限となり夫婦家族の渡航に一大蹉跌を來たし、折角の夫婦家族渡航の意義を無視される事になり一方これがため渡航者は激減して移住地開拓に支障を來たしつゝありその緩和方につき本組合初め各府縣移植組合は極力聯合會に向つて要望する所あり今回その五分制限を緩和して夫婦家族にして所持金及勞働力の點に支障のなき限り渡航せしめる事になりこゝに夫婦家族の渡航は復活されたものである。

海外發展に一生面

拓務懇談會にて方針を定む

九月九日日本工業クラブに開會された拓務懇談會は將來設置さるべき拓務審議會の前提として朝野の關係者を網羅し席上松田拓相のあいさつに次いで阪谷芳郎男座長の下に來會者より種々實際的、學理的の意見が開陳されたがいづれも拓務省の新設は植民地統治、海外移民および海外拓殖上一生面を開けるものなりとの賛意を表した

即ち海外興業社長井上雅二氏は獨立自營、民營主義、移民外交上外務、拓務兩省提携の必要を說き大日本製糖社長藤山雷太氏は內政行詰りの拓開には南洋發展が急務にしてしかも急速にこれを實行せざれば歐米の進出により南洋發展の時機を逸すべしと警告し南洋鑛業社長石原廣一郎氏も又氏が經營する南洋鑛業が南洋より昨年は七十五萬トン本年は八十五萬トンの鐵鑛を日本に輸入し我國の輸入鐵鑛の六割を供給して貢獻しつゝある實際的立場より南洋發展の可能と必要を高調したる上、彼地の外國官憲は日本の官吏の派遣に監視的態度をもつて警戒してゐるので栽培聯合會南洋協會等の團體や個人に實地調査をなさしむる事並に現在の沈滯は全く金融機關の不備無援助にありと結び、下村宏博士は原敬氏に四回にわたつて拓務省の設置を勸告したがなかなか實現しなかつた。今これが實現して拓務大臣が出來我國に經濟問題の起る每に朝鮮台灣に專念する大臣が存在するに至つたことを喜び一視同仁をもつて植民地に對すべきを力說した、南洋栽培協會理事山地土佐太郎氏は南洋のゴム栽培の國際貸借上必要なること

および金融機關の完備を要望し早大淺見登郎氏は植民學の見地より植民地立法の統一、植民地の統治綱紀革正等の九ケ條にわたる拓務省への希望條件を擧げ海外中央協會會長今井伍介氏は既往の移民政策が棄民政策だつた失敗をあげて根本政策の確立と金融機關整備の必要を說き小村俊三郎氏は台灣、朝鮮の統治につき極めて同情ある議論を述べ最後に京大教授山本美越乃博士は移民と植民の區別より說き起して我國の過去における失敗は全く移植民政策の無かつた結果であるから我國は移民輸出國としての自動的政策の樹立と各國にならつて移民研究機關の設立を提唱し、我國は人と資金を海外に移すことが必要だが『熱帶を支配するものは世界を支配す』との格言に從ひ、南洋、アフリカに全力を注ぐ必要並に現代は(一)母國本位主義(二)植民地本位主義は舊時代の遺物に過ぎないから宜しく(三)双互共益主義をもつて植民地に對すべきことよりして最近問題となつてゐる台灣米朝鮮米移入防止の無茶なること、植民地官有財產拂下制度大改革の必要、植民地總督の政變每に更迭することの不都合などを述べた

即ち當日は出席諸氏の意見の開陳に過ぎなかつたが松田拓相は當日の空氣と意向を察し最後に次回よりは(一)朝鮮台灣關係(二)移植民問題(三)海外企業問題に關する三委員會に分つて研究を進むる方針であると言明しその諒解を得午後七時閉會晩餐を共にし八時半散會

拓相と朝鮮總督
權限問題決定す

さきに拓務省新設の際樞密院で問題となり漸くその諒解を得て決定を見た朝鮮總督と拓務大臣との權限問題に關しては現內閣に至り齋藤總督の就任を見たのを機として濱口首相、松田拓相と齋藤總督との間に意見の交換がありこの根本方針については一致點を見出したがこれを文案に作成して具體的取きめをなすことは拓務省に一任して置いたが拓務省と朝鮮總督府間において種々折衝を重ねた結果意見の一致を見、左の如き內規的覺え書を作成し、濱口首相始め朝鮮總督その他に配布されたこれによれば拓務省設置の結果台灣、關東廳等の官制は改正されたが朝鮮總督府官制には全然手に觸れず從前のまま官制として存置し拓務大臣の權限は朝鮮總督を監督する權限なき事を明瞭にした

△拓務大臣と朝鮮總督との權限に關する件

一、拓務大臣は朝鮮總督を監督する權限なし（これが理由略）

二、拓務大臣は朝鮮總督に關する事務につき主務として輔ひつす（理由略）

三、朝鮮總督より上奏裁可を請ふ場合の文書は內閣總理大臣の外拓務大臣をも經由するを相當とす（理由略）

移民の奬勵
映畫の筋書も募集の計畫

拓務省では海外移植民奬勵費を明年度豫算には更に四十萬圓を增額計上して今年度送り出す一萬五千人の移植民を更に一萬七千人に增さうと目論でゐる．これには何より宣傳が第一とあつて別に宣傳費三萬餘圓も計上する、これが通過すれば四月早々移植民奬勵映畫の筋書を懸賞で募集しようといふ新しい試みも立てゝゐる

從來移植民奬勵の宣傳映畫は各方面に作製されてゐるが、何れも南米、南洋等の移植民地の風景風俗植物をスナップしたもののみで海外發展、移植民奬勵の資としては物足りない、そこに考へついたのがストーリーの懸賞募集で、このストーリーは直ちに映畫として全國を持ち廻り海外發展の雄圖を抱く人々の感激を捲き起さうといふので、この選には芝居通の小村次官以下がさしづめ審査員格に當ることゝならう。

信州出身海外發展者列傳

東洋のコロンブス
小笠原島發見の小笠原貞賴
大平洋に進出した邦人最初の偉勳者

歷史上の所謂暗黑時代が過ぎて第十五世紀に入らんとするや歐州列强の植民運動は俄かに勃興した。その先鞭を打つたものは西、葡兩國民にして彼等は競ふてその功名と榮譽のために超海的活動を試みた。

特に葡國王ジョンの二皇子ヘンリー親王は「我が妻は海である」と終生結婚せずして專心自國民の海外發展思想を鼓吹して四十三年間地理航海學校長として自ら教鞭をとつた。かくして雄心勃々たる青年航海者はリスボンに集つて赫々たる發見航海のスタートを切り、又新嶋發見の功名を荷ふて歸帆し、全國民の熱狂的歡迎を受けたのである。

彼の新大陸發見の功勞者コロンブスの活動も又此の頃であつた。彼は一四九二年西班牙國王の皇后イサベラの同情と援助によつて同年八月パロス港より歷史的世界發見の壯途に就き十月十二日の夜、火の光を認め翌朝現在のババナ諸嶋グアナハニ嶋に上陸したのである。その後彼は前後五回の航海によつて中央アメリカ及びアメリカ大陸の一部に足跡を跡した。

コロンブスの成功は航海事業に多大の刺戟を與へ海上活動は著しき發展を示した。一四二三年には法王アレキサンダー六世（西班牙人）は將來發見せらるべき新世界の西葡兩國の爭を未然に防ぐため彼の有名なる世界分割線の命令書を發布してゐる。

斯くして葡人バルボアの中央アメリカ横斷をとなり（一五一三年七月）マゼランの世界周航となり（一五二二年）西班牙人ではコルテスのメキシコ遠征（一五一九年）ピザロのペルー遠征（一五三二年）等新大陸は悉く西葡兩國人の猛者によつてほしいまゝにされてゐた。これと當時に歐州から印度方面への亞細亞航路の開拓も漸次着手せられコロンブスの新大陸發見後五

年の一四九七年には葡人ガマは三隻の大船を艤裝して喜望峯を迂回し翌年印度に到り歐州人が一世紀の久しきに互つて渴望したる印度航路を發見したのである。

この印度航路が發見せらるゝや、俄然亞細亞への通商航海は速進せられ、葡人の亞細亞進出はすばらしい勢ひを示して來た。彼等は印度洋岸を漸次東進して各所に海港、居留地、給糧所を設けて商船は常に軍艦を伴はしめてゐた。且つ諸所に軍艦を碇泊せしめて東洋貿易の獨占してその支配權を完全に把握してしまつた。斯くして支那海に進出し來たり一五四二年（天文十二年）とは種ケ嶋に漂着して鐵砲を傳へ平戶に於て通商を開始した。最初彼等は日本をも征服する意志を有してゐたがその無謀なるを知つて耶蘇教の宣傳に止めたが遂にそれすらも禁じられるに到つた。

斯く西葡兩國人の海外活動は所謂發見航海時代を現出して燎然の火の如き勢ひを以て到る所に武勳赫々たる功名を立てゝゐたが、然らば我國にも斯く如き傑材の偉績なきか、筆者はこゝに叙述の如き武勳者の一人を幸ひにも吾が鄕黨の大先輩、深志の城主小笠原長時の曾孫小笠原貞賴の偉業を諸君の前に提共する事を欣快としてゐる。

× × ×

小笠原貞賴を祀る貞賴神社

父島奥村歸化外人の住家

× × ×

武家の政權興亡に內亂續出して各地に群雄割據し兵火常なき足利時代には倭冦が八幡船旗を押し立てゝ黃海支那海を橫行して殆んと海權を掌握して安南、暹羅に及び永祿年間（一五五〇年頃）には南航する者は次第に增加して比嶋マニラに居住せる者三千人の多きに達してゐた。其の他南洋の各地には數百人の邦人が到る處に居住し日本人町を設けてゐたので屢々葡人の東進と衝突した事もあつたに相違ない。併し國內にあつては織田信長の時代から豐臣秀吉の時代に移り秀吉國內を平定して尙安んぜず食指大いに動いて四隣諸邦を遠征を企て先つ朝鮮を討つべく部下の諸將の渡鮮せしめた。その朝鮮出征の際吾が深志城主小笠原長時の曾孫小笠原貞賴は軍檢使となり德川家康の部隊下にあり文錄二年（一五九三年）家康の命を受けて大平洋探險の壯途につき伊豆の下田港を出帆したのである。貞賴は太平洋上を航行する事南東凡そ五百二十余哩の地點に大小十數個散在する嶋々を發見したのである。

その第一に上陸せる嶋が卽ち父嶋にして彼は木標を建て「日本國天照皇大神宮地嶋長源家康公幕下小笠原四位少將民部大輔貞賴朝臣」と錄し又「日本國天照皇大神宮地嶋長豊萃原將軍幕下小笠原民部大輔源貞賴朝臣」と書して二本の

木標を建てた。

仍て本諸島は貞賴の發見に因んで小笠原諸嶋と名づくに至り彼のコロンブスの新大陸發見に遻るゝ事哈度百一年、マゼランの世界周航より七十年の後であつた。

史家ドラッパー氏は「人智發達の全歷史に於てマゼランは正しくコロンブスと同等の地位に置かるべきである」とマゼランの偉業激賞してゐるが筆者は小笠原貞賴を以て「東洋のコロンブス」としてコロンブス、マゼランと共に世界歷史の一頁を飾り特に日本歷史には斯くの如き特殊の偉績を堂々史上に特筆すべきであると主張するものである。貞賴は其後屢嶋中に往來しており、下つて享保十二年（一七二八年）には貞賴の後裔小笠原宮內自ら渡航して嶋內開發に意を注ぎ植民の計劃を立てたが幕府內に異論あり久しく無人嶋となつてゐたが邦人中にも屢々漂流者あり、二百三十年の後文政六年（一八二三年）米國の捕鯨船母島に至り自ら最初の發見者と稱し船長コッフイは自己の名を命名した。更らに文政八年には英國捕鯨船も來たり續いて十年英國政府の測量船來航し普く諸嶋を測量してフランシスコペークーと命名して英領とした。かくて一八三〇年には伊太利人を首長する英、米、西國人等布哇より勞働者を從へて父嶋に本嶋開拓を創めた。

其の後嘉永六年（一八五三年）には彼のペルリーの來航して本嶋の開發を留意し種に劃策し更らに海軍の貯炭所となす等計りつゝあつたが英國政府の探聞する所となり兩國の間にその所屬を競ふたが遂に最初の發見者日本人なる故を以て日本の領有なる事を明らかにしたのである。

斯く英米間に物議をかもしたる小笠原諸嶋は嚴然として日本領となつたもの全くその發見者小笠原貞賴の賜に外ならず、米國の大平洋進出はアラスカ、ハワイ、グヤム、フイリッピンと殆んど大平洋をその支配下にあるを感ぜしむる時、獨り小笠原諸嶋が南洋委任諸嶋と相呼應して米國を牽制し且つ大平洋上に日本の勢力を示させるは大に意を强する所である。

今や大平洋を圍つて世界の列强は相對侍して「五十年後の大平洋」を頗る疑問視し唯一人として明確なる答へを與へずしてゐる時に際し今から三百二十六年前の大平洋上に日本人の進出を物語り併かも山岳重疊たる吾が信州からこの猫額大の天地、馬脊の如き土地に躊躇せずして海國男子の面目を躍如せしめた事は最も痛快なると共に斯くの如く郷黨より大丈夫を傑出せし事は限りなき吾人の誇りであらねばならぬ。

（本文は小笠原貞賴の小笠原發見に關する文獻少なく僅かに松本郷土訓話集その他を參考としたものなれば記述頗る粗荒なり追て材料蒐集して更に詳記せんとする積りである。）

（宮本生）

信州記事

町村の學校建築

緊縮方針で認可さる

學校建築問題は緊縮の第一聲として縣下市町村に衝動を與へ學務地方兩課の打合せ交渉、營繕課の現建築物實情調査の上認可されたるもの左の通りである

東筑摩郡廣丘町（體操場のみを認め設計變更を要す）

△更級郡信田村（記念館の分二千五百圓を除き殘餘校舍等分代金をもつて基本財產くり入額を減少す）

△南部信里村（新築の分のみを認め起債一萬千三百圓基本財產くり入八千百九十圓、舊校舍は危險につき使用禁止）

△埴科郡東條村（四教室を縮小して増築を認め二萬七千二百四十圓の工費中起債一萬八千圓を減少する）

△上水內郡芋井村（雨天體操場新築二千二百圓は前年起債の殘額をもつて財源とする）

△下高井郡豐郷村（四教室を縮小し工費九萬七千五百三十圓中起債五萬二千圓を減少する）

△上水內郡三水村（現在使用の校舍は危險につき階下のみ當分使用を許す尚階上は使用禁止工費七萬八千六百圓中起債七萬七千圓）

△長野市（計劃を縮少し保留）尚左記のものは不認可と見られてゐる。

△小縣郡秋津村△上高井郡豐洲村△下高井郡瑞穗村△北佐久郡中津村△上水內郡水內村△北安曇郡北小谷村

長野縣立圖書館

茶褐色の外裝も輝し開館

總工費二十三萬圓總建坪約七百坪の縣立圖書館は長野市旭町の高台に茶かつ色の外裝も鮮かし九月一日の開館日一二日の兩日は開放デーとし一般の參觀に供し四日より開館した。一階表に向つて玄關と閲覽人出入口との間に新聞閲覽室があり東京並に地方有力新聞、ロンドンタイムス等の外字新聞までも備へ自由に出入して讀み得ることになつてゐる、本館の東側に食堂あり南側の兒童閲覽室は書籍約一千冊五十人を收容別口から入ることになり、種々形を變へた机を設備しその他館長室、貴賓室、事務室、博物室がある。普通閲覽者出入口で住所職業姓名を記載し閲覽票をもらつてマーブルの手すりのついた階段を上ると目錄室となるが、カードは總て五十音順に便利に配列してある、二階は一般、特別および婦人の三閲覽室に分れ、三階の大講堂は定員九百名を收容し、屋上は庭園となつてゐる藏書二萬二千餘冊の過半は信濃教育會から讓り受けたものであるが通俗的な圖書が大部分を占め點字書類、漢學國學の專門書やピクチュアンサイクロペヂア外國辭書等相當研究家のために用意されてある、三階に連る書庫にあるF.M式の書架は相互に鐵棒で支へ鐵戶を下し對震火災の設備となつてゐる、數多く讀ませるよりも立體的に奥行深く良書を讀ませる即ち量より質をモツトーとする經營方針をとり講堂の臨時使用の外育英事業教化事業の中心たらしめる目的で通俗兼大學圖書館の實質を發揮せしめる

母國通信日誌

（自八月十七日至九月九日）

八月十七日（土） 支那の排日運動下火となつて對支貿易好轉す△津田英學塾長津田梅子女史逝去行年六十六、△ツエ伯號の日本飛來でその空の征服者を迎ふべく全國民熱狂

十八日（日） ツエ伯號何の苦なくシベリヤの野を一路日本へ△霞ケ浦航空隊にあるツエ伯號を入れる格納庫は歐州大戰の時獨合軍が獨逸から押收したものを日本に割當てられたものである皮肉な話。

十九日（月） ツエ伯號霞ケ浦に午後六時二十五分安着した航程一萬九百キロ所要時間九十九時間四十分△空の巨船ツエ伯號の總司令エッケナー博士入京全國民的の歡迎を受く△朝日新聞主催の中等校野球戰は廣商三一〇海草中で廣商優勝す

廿日（火） ツエ伯號第三コースの太平洋横斷を明後日出發の豫定△憲政一新會解散

廿一日（水） 神戶大阪兩市にコレラ患者ボツボツ出る△滿洲里國境で露支兩軍交戰して死傷者廿余名を出す△前內閣の不正利權事件現內閣であばき政治の光明を期す

廿二日（木） 今晩出發に臨んでツエ伯號損傷し發延期△新支那公使佐分利氏國民政府で歡迎△日支公使の昇格略決定

廿三日（金） 本日午後三時十二分頃一文字に太平洋征空の途へ△遞信從業員一晝夜勤務制を廢止の待遇改善△學務部長會議を開く

廿四日（土） 關東大震災六周年來る各種團體で種々な記念催しを計畫△蠶絲關税引上で富士絹暴落で絹織界打撃△ツエ伯號日本出發の報で大平洋の彼岸桑府で大忙しの歡迎準備

廿五日（日） 濱口內閣の明年豫算總額は本年度實行豫算以內と濱口首相の言明△聖地エルサレムにアラビヤ人とユダヤ人と衝突△ツエ伯號先づ桑港空上に現はる所要時間六十七時間

廿六日（月） 農林省發表の本年の稻作は五分以內の增收△佛教の研究に國際的の新國体日獨佛發起會成る△ひの衣を着た泥棒が帝都の非常警戒に捕はる

廿七日（火） ツエ伯號無事羅府に安着、更らに最終コース、米大陸横斷に出發△七高の荒木教授が大陽熱を利用する太陽熱人工温泉を發明し特許を得て鹿兒島櫻島で營業開始

廿八日（水） 濱口首相經濟國難の打開を全國民に呼びかけるべく今夜ラヂオ放送、その放送文は全國各戶に印刷配布して國民の自覺を促す△香川縣に眠り病流行△私設鐵道疑獄事件に前某大臣の身邊危ぶまる。

廿九日（木） 益々眠り病猖けつを極めて死者七十二名にのぼる香川縣下の慘狀△露支紛爭解決に幣原外相の斡旋か

卅日（金） 箕浦勝人翁逝去行年七十六、清廉潔直の一生涯△勳章詐欺事件で前某大臣危うし政友前內閣の不正利權問題續々流ひ出さる

卅一日（土） 上野の秋を彩る二科會入選者發表△濱口首相の緊縮放送の反響あつて涙ぐましい手紙や小誓誓が全國から舞込む△民法初めての「父」の否認と云ふ我國に全く前例のない珍裁判が新潟縣に起り成行き注目さる

九月一日（日） 思ひは深し、今日震災六周年を迎へて各所に盛な追悼式△性學者羽太鋭治博士自殺△岡山縣下に眠り病初發以來三百名

二日（月） 明年の國勢調査に「全國には失業者はどれ位あるか」といふことを調査すると△英米軍縮交渉進展に我國も眞劍、目的の達成には日本は列國と協調の精神△震災記念の街頭の募捨一萬圓を突破

三日（火） 山梨縣下の無謀町村會議員は二百六十三名全國總數の五割を占む△勳章疑獄事件進展して累件者收容さる△萬國工業會議が今秋東京に開かれる。各國からの出席者六百名に上るのでそのホテル難に當局は大頭痛

四日（水） 政府の失業對策に企業調節委員會を設置して失業救濟の資にあつ△七十六才の老婆が一人の通譯を連れて世界一周して歸る。元氣なおばあさんは京都市の荒川きくさん△關西にコレラ流行するので警視廳では罹病の帝都浸入を防ぐため同方面の旅行者を警戒

五日（木） ツエ伯號世界周航を完了行程二萬七千マイル、所要時間廿日三時間五十分の新記錄△東京音樂學校今秋五十年祭を擧行

六日（金） 東京は紐育の次位に達して人口四百九十萬△財政難打開のため東京市で二千余名大整理すると市長から非公式發表

七日（土） 合法的新勞農黨組織に大山氏等奮手結黨は十一月頃△本邦寫眞術の權威小川一眞氏神奈川縣の自邸で逝去△東京向島一流の料亭入金の藝女家出同家をめぐつて大騷ぎ

八日（日） 鬼總監の名に恥ぢずカフエとバーに新取締規則を嚴重していかがしきものは斷然處分△國民政府排日教令を發したる事實あり重光總領事嚴重抗議を申込む△打倒蔣介石の氣分横溢南京城內に戒嚴令を布く

九日（月） 義務教育費の國庫負擔は是非增額させたいと小橋文相語る△內務省社會局調べによる本年七月までの勞働爭議事件數は六百件參加人員七萬五百人に達してゐると

秋！訪づる（搖るゝ花すゝき）

二科展の新入選

本縣人は五名の入選

美術の秋のさきがけとして九月三日から上野公園美術館に華々しく開催された二科展の入選者は三十日夜發表されたが右のうち本縣出身者の新入選は左の通りで何れも繪畫である

「天龍峽」一點 金井巳年男
「題不定」一點 太田貢
「岩石」一點 小林邦
「諏訪湖風景」一點 小平鼎
「岩」一點 首藤愛子

矢崎牧陽氏の湖の見える風景

陸軍特別大演習に

信州兵の奮鬪期待さる

松本聯隊では今秋の陸軍特別大演習參加のため十月二十五日より四日間豫備並に後備を召集することになつたが召集兵は大正十四年の歩兵千百名、大正十二年の後備歩兵九百名で合計二千名であるが一縣下で一時に二千名の豫後備を召集することは珍しくこの召集兵のみで一個聯隊以上の兵員となりこれに松本聯隊の現役千二百名が加はるので大演習における信州健兒の奮鬪は目覺しいものがあらうと期待されてゐる

北安のへき村

大糸線の開通で世に出る

大糸線第一期工事大町簗場間は九月十五日開通した、この開通により北アルプス白馬登山者に少からぬ便宜を能ふる外貨物の取扱ひは非常に多く松本驛の調査した貨物發着豫想によれば木崎驛は發送七萬八千圓、到着五萬圓、海ノ口驛は發送五萬圓到着三萬三千圓、簗場驛は發送二萬三千圓、到着四萬圓合計發送十六萬八千圓到着十萬六千圓で從來一ケ年の大部分を雪に閉ざされてゐた北安曇郡のへき村が一躍產業振興の機運に惠まれ大開發を見る模樣である。

登山者は三萬人

賑はつた本年の北アルプス

今夏の北アルプス登山は一段落を告げたが七月一日の山開き以來八月二十二日までに松本驛を通過し信濃筑摩の兩鐵道を利用した登山者數を各登山口について見ると大町口五千九百七十八名△有明口五千二百七十三名△嶋々口五千六百八十二名△豐科口五百八十二名合計一萬七千三百三十五名で昨年に比較すると約四千名の增加となつてゐる。この外中央線田澤、明科兩驛から下車して白馬、常念、燕岳に直行したもの又は松本から上高地行、南安曇郡烏川村行その他の登山自動車を利用して入山した者約一萬餘名を數へられてゐるので本年の北アルプス登山者は實に三萬名を突破し空前の大賑はひを呈し北アルプス登山開始以來の新記錄を作つた

尚本年は婦人登山流行時代を現出し女學生登山五十餘校に達し婦人登山者總數は全部の約三割を占めてゐる

今年の避暑客

秋色深いこの頃の輕井澤

八月下旬の輕井澤は早くも秋色濃く日中も七十度に達しない涼しさである、高原一帶にはぎ、すゝき、きけふなどさき亂れて避暑客を喜ばせてゐる、從つて例年は歸京を急ぐ人々も今年はゆつくり尻を落つけて居る目下の滯在者は內地人六千八百三人、外人一千百八十五人合計七千九百八十八人でその外に避暑客のお客樣の數が相當の數に上つてゐる

尚今年は好天氣續きのために人の多かつたこと滯在期間の長かつたことで輕井澤へ落ちた金は大變なもので昨年の三倍平年の二倍といはれ殊に氷問屋の如きは十年目に一度位の好景氣だといつてゐる

海の外 歌壇

岡谷短歌會

○ 森山汀川

人避けてあらむとしつつ一人だに來ぬ日さぶしみ事に倦みをり

何時知らず意見がましくなり行けり意氣地なき蜴を座らせ置きて

七十に近かる兄や草負うて早きびしき坂を下り來ぬ

○ 小野三好

のき先にほしつらねある干瓢へうづの朝日がたださしてをり

ひるねより目ざめて見れば雲深く夕立のくせつきてしまひし

わが住居二まのみなりたまさかは蝶が向うへまひぬけてゆく

○ 若林野水

松蟬の啼きを止めざる林みち日かげえらみてわがのぼるなり

しばらくのわかれを愛しみわが居れり小稻の笹に露のぼるところ

○ 藤澤露草

水涸の川の中州にのびたちし蘆叢さやぎ朝の風吹く

この崎の水の滋のすがしくてそこひの小石光りつつ見ゆ

○ 小澤菊鋼

暇乞ひすれば吾れをおくらせたまひけり杢あるみ足をたせながらに(訪今井女史)

雨晴れて月影いたく澄みにけり障子に虫のひげふりて鳴く

○ 中島太農

街路樹のみどりしたしみたそがれの工場の路をひとりかへるも

燕嶽の鎖笹なだり吹く風のみだれて寒くなりにけるかも

○ 唐澤窓

湯の宿の風呂靜けし前山を折折過ぐる青嵐の音

やうやくに秋づきしらし遠山の透明りしつつ稲光すも

夕まけて雨止むらしも山の秀になづさふ雲の動きぞめつつ

○ 伏見直

雨ふれば山峡のわが家一入に訪ふ人もなくくるるにはやし

○ 宮坂織雄

日のたてどかへらぬ弟子は吾が店のあまりにさみしき故にやと思ふ

ものいへぬ子供かなしく日にやけて町の四辻に今日も遊べり

○ 神戸岩雄

天龍の溝のたもとにただずみてよく伴ひし吾兒を想ふも

○ 波場峽村

時ありておもひに生きて來しそのさびしさを語る盆の夜

○ 濱迷雲

身のまはり心せはしきその露によき歌出來ずとかこちてはみし

○ 雨角溪月

燕の峯より見れば高瀬川霞の中にうすく光れり

屋根板をつたはり落つる雨雫の音わびしくて夏はゆくなり

○ 中込宗吉

兒童等は湖に泳ぎて踊らし濡れし水着を肩に乾しつつ

○ 早出茂

父のみの旅にしあれば案じつつ母とひねもす畑にはたらく

浴室の窓はあかるし温泉の色のややに赤味をもちて澄み居り

○ 宮坂忠雄

水のなき河原砂地の月見草花ひらく音のかそかなるかも

○ 笠原重之

草取りの人等歸りてたそがれぬ水田をなべて蛙なき出でぬ

曇り空靜けき雨と變りつつたそがれにけり温泉街は

○ 山田晴夫

いく年の野の働らきの陽やけ色あせざるままに父は逝きます

馬追の鳴きつぐ夜にいざなはれ寂なき心庭に立ちたり

○ 横澤茂実

一時を向つみ空の雲染めて明日の暑さを思はせにけり

○ 堀口卓

高雄山の緑の繁みに郭公鳥鳴きわたるなり聲もはるけく

○ 林由三

更けし夜をわれさすりやる愛兒の腕はあはれにやせ痩へり

○ 宮坂泰爾

朝はやく土はしめりて奥津城の刈りし草株に光さしたり

○ 北村武雄

鉢植の松葉牡丹と朝顔がおのもおのもに咲き出でにけり

○ 山本百合花

初秋の空の光りに飛行機は雲かきわけて行きにけるかも

○ 雨角君子

夜更くるにむし暑ければ寢入りたる吾子のひたいは汗ばみにけり

○ 新村野菊

朝空にすがしくひびくつちの音家のかたはとどのひそめぬ

○ 登美惠

幼子を負ひて詣でしみき山のみ池に立ちてうなぎ放つも

○ 南角双葉

並木路をゆつたり歩む牛の背に照りかげりする木もれ日かげや

故郷の葡萄はいまだ青青し母がみ墓へ供へまつるも

○ 栗島沙枝子

八ケ岳裾野はろけくひく林木肌ほそぞそ夕陽さす見ゆ

夕まけて降りの明るき通り雨南瓜の花しばみて居るも

○ 川口初枝

かけやればいつかふみぬぐ吾子は文枕はずしてうまい眠けり

○ 加納滴枝

昼めやすき吾子の枕邊氣づかひて兒音しのばせ厠に行くも

○ 細川天山

東京に住めばすべなし父上はシャボテン買ひて樂しみにけり

桑の實は黑くうれ居り枝枝に雨にぬれつつとりてはみたり

○ 伊藤淳郎

山霧の小暗くかかる林中呼びかふ子等の聲ともるなり

○ 川口幹

このよひを微をゆるぜしと言ひそへて醫師歸れり夜深くして

○ 小山勇次

一月の我の居ぬまに庭先の姫芙蓉の丈はのびて咲きをり

○ 雨角信次郎

秋あらし日ねもす吹けり庭草のおとろふ中に虫の聲繁し

桐の葉の破れ葉目に立つ朝より秋あらしややに吹き出でにけり

○ 六波羅靜馬

歸りゆく子等はふりむきつ町角をまがりて見えなくなりにけるかな

○ 加納幸雄

み墓邊にたちもとほれば山下の寂しき村に雞なく聞ゆ

○ 雨角雉夫

しし落ちし老父の背をながしつつ秋づく庭のこほろぎをきく

時ありて鳥籠をすれ心おちあとの寂しさ堪えられぬかも

秋近み咲き細りゆく朝顔のまれなる花のつひにみのらず

○○○○○ 俳句 ○○○○○ 木村圭石選

冬季雜詠

○サンパウロ　はじめ

冬空に蹴上げ損ねしボール哉

もたれ合ひ冬木の下に話す人

冬日や味そ買に出るコンテ街

二つ三つ鉢並べあり冬日向

道端に蜜柑賣居る冬日和

自動車の音遠ざかる夜を寒み

ヒントルの汗ヅボンや朝寒み

行人の絶えしレーアや冬の月

痩馬に夕日殘れる枯野かな

○リンス　園花

枯菊や留守の戸口に眠る犬

峠路あらはに見えて冬の月

きれぎれの雲低く飛ぶ冬の月

冬空や山々遠く夕映えて

○アリアンサ　餘花

入る月や犬侍らせて焚火の輪

芭蕉葉を仰ぐや霜に萎れて居て

句會濟霧氣還ふカフエ畑

○カラビクイバ　芋舍

子を思ふ心配りや風邪心地

冬の夜や馬追ふ慈の枯々に

勵み合ひバタトヽ植行く朝の霜

(日伯新聞より)

歌壇應募成規

一、題　隨意

短歌（俳句は選者決定まで取扱はず）

（一人五首限り用紙官製はがき）

一、選者　雨角雉夫先生

一、〆切　十月十五日

一、宛所　諏訪郡平野村　雨角雉夫先生

（備考）海外在住者からの應募者は住所氏名を明記して選者宛直送をお願ひします

協會記事

十月の便船では 今川夫妻が乘船す

十月廿六日神戸出帆のサントス丸には今川夫妻の一家族がアリアンサ移住地に渡航する尚九月便船による乘船者は前號に所報したが柿木忠雄氏等三人は都合により九月廿八日神戸出帆ラプラタ丸に乘船した。渡邊勘吉家族は四人とあつたが三人（夫妻に小供一人）である。

徳嶋縣海部郡赤河内村　今川範春　二人

アリアンサ移住地 本年一月以降の渡航者數

本組合取扱アリアンサ移住地渡航者一月以降十月までは左の如くである

月	船名	家族數	人員
一月		—	—
二月	モンテビデオ丸	一二	五六
	河内丸	二	一三
三月	ハワイ丸	五	二六
	神奈川丸	五	二七
四月	ラプラタ丸	二	八
	博多丸	一	六
五月	サントス丸	一	三
	若狹丸	三	一五
六月	マニラ丸	三	一七
七月	鎌倉丸	一	二
	モンテビデオ丸	四	二〇
八月		—	—
九月	神奈川丸	一	三
	ラプラタ丸	一	三
十月	サントス丸	一	二
計		四二	二〇二

市町村設立ノ 海外視察組合（續）

上高井郡都住村組合

組合長　神戸徳次郎

吉澤龜之助

吉澤辰之助

瀬田久吉

堅谷常太

小林文雄

花村龜治

關安治

關唯之助

鈴木九三郎

鶴田谷治

川上誠一

堀靜太郎

細野東雄

視察組合長異動

小縣郡鹽尻村長佐藤嘉三郎氏は今回家事都合上退職せられ後任田澤儀作氏就職せられたるを以て本會にては同村事務取扱を依囑したり

新入會者（自八月一日至九月二十日）

特別會員

下水內郡飯山町　山崎久雄殿

下高井郡中野町　小林治雄殿

下高井郡穗高村　竹原理忠治殿

下高井郡穗高村　吉越富治殿

下高井郡穗高村　高木遜殿

下高井郡穗高村　島崎喜爲殿

下高井郡上木島村　仲山安五郎殿

下高井郡上木島村　須野原義盛殿

普通會員

新潟縣西頸城郡青海町 渡邊勸吉殿
埴科郡松代町 町田源太郎殿
東筑摩郡芳川村 西村錬雄殿
北海道紋別郡渚滑村 小野寺癸太郎殿
長野市權堂町 善財榮鈞殿

會費領收（自八月十一日 至九月二十日）

一金壹百五拾圓也 特別會員費 齋藤寬吾殿
一金壹百五拾圓也 同 竹原周忠治殿
一金壹百五拾圓也 同 仲山安五郎殿
一金六圓也 宮下周殿
一金四圓也 齋藤豐殿
一金貳圓也
渡邊勸吉殿 町田源太郎殿
深澤富嘉美殿 東宮助殿
東周二郎殿 伊村榮藏殿
小野寺癸太郎殿 西村錬雄殿
春日清澄殿 瀧澤けさみ殿
藤澤定司殿

海の外往來

土屋三男氏（小縣郡室賀村）大正七年上原資郎氏の家族として渡伯ノロエステ鐵道リンス線に珈琲園を經營してゐたが拾一年振りで八月三十日橫濱着ラプラタ丸で歸國した。迎妻の上十一月十六日神戶發ブエノスアイレス丸で再渡伯今後は獨立經營にうつる。

塚田久治氏（上水內郡水內村）大正七年の渡比者で米人經營の鐵工場支配人をしてゐる。八月十八日神戶着湖北丸で歸國、妻帶の上十月十六日同港發の同船で再渡航。尙再渡航に際し宮坂みつち（宮坂淸氏妻）小林兼子（小林錢玖雄氏妻）小林稍（小林茂雄氏妻）三氏を同行する。

森田三満氏（上田市）北米羅府に映畫興業に從事、北米におけるブラジル黨で自ら活動撮映機を携へてブラジル各地を撮映、特にアマゾンの近況をものにしてゐる。九月中旬北米から歸國目下東京に滯在中

田島恒雄氏（更級郡上山田村）大正七年の渡伯者十一年振りの歸國、迎妻の上十二月便船で再渡伯の豫定

宮原九一氏（上伊那郡鼎村）在胥島日本總領事館聯城路派出所長外務省警察官宮原九市氏は在支十二年在留邦人の保護に當つてゐたが今回三回目の賜暇歸朝に九月十九日訪會、在支邦人の活動狀態、國民政府治下の執政振り等熱心に語られた。

海外支部會費領收

一金百拾八圓五拾四錢也 北米羅府 南加支部殿
一金百六拾四圓也 伯國 レジストロ支部殿

海外會費領收

一金拾貳圓也 ブラジル 花石勝人殿
一金拾圓也 メキシコ 勝田正武殿
一金五圓參拾錢也 ダバオ 齋藤吉郎殿

海外移住奬勵 映畫宣傳で一馬力

本協會では農閑期を期して縣下各地に海外發展運動の大宣傳を試み縣民の海外移住を奬めるため協會所有の活動映畫「ブラジル移住」全五卷其の他を映寫する事になり目下町村靑年會婦人會等の自治團体に向つて開催希望を照會中であるが差當り十月七日は更級郡篠ノ井町稻田十月八九兩日は小縣郡和田村で二個所に映寫宣傳する事になつた

編輯雜記

△時正に燈火親しむべき秋、絕好の讀書シーズンとなりました。靜かに書を好伴侶に吾が智識を研磨して雄心勃々たる吾が運命の展開に熟慮斷行しやうではありませんか。

△移植民運動——海外發展は社會の諸現象中に現はれた社會の尖端を走る一運動でありますがやがて民族間の大移動となり人類の大問題となるものであります、吾人の只今の仕事は些細であつてもこれが民族間の問題となり、人種間の問題ともなり、人類の問題ともなる事を豫測して或る種の戰慄を覺えるのであります。

△本誌には永田先生が畢生の心血を注ひで先生の包含するかねての理想村建設に着手したアリアンサ移住地についてその移住地をやがては背負立つ人々のために慈父の如き心情を吐露して一つの訓戒と警告を與へてゐます。移住——が人を善良する事は移住する事によつて受ける困苦と誘惑に打ち勝つ事である。今吾人は具さにこの体驗と經驗をアリアンサに於いて享受しつゝある。アリアンサ創設者にして企劃者である永田先生は今日まで本誌を通じて前後三回に亘つて、第一回は昭和の改元、初めて迎ふ新年の劈頭に（本誌第五十六號）第二回目は昭和二年九月號の本誌に、そして第三回目は本號に、愛する移住地の兄弟姉妹のために切なる忠言と希望とそしてその祝福を祈つてゐます。本文を通して吾人は熱淚を流さずにはゐられません。

△本號は珍らしくも三幹事——永田、西澤、宮下の三氏から玉稿を頂きました。多忙中にもかゝはらず熱心に本誌を支持するの餘り御執筆下されて、この熱誠を本誌自ら手にする會員讀者に傳へる事を欣快とします。

△大平洋問題調査會が今秋京都に開かれ各國の代表委員が集る。中心議題は滿蒙問題が焦點であるそうです。日本としては滿蒙の特殊關係を卒直に外國に向つて表明する絕好の機會であります。この時にあたつて歷問題化す北滿の間島について藤澤氏から玉篇が寄せられました。續編となりますから御精讀を願ひます。紐育でブルジル黨だと萬丈の氣焰を吐く松尾氏の通信海外通信、海外發展者列傳、移殖民ニウス、歌壇等皆本誌獨特の粒選記事です。次號は本號に掲載しきれざる論說調査資料通信等豐富です刮目して御待ち下さい。

M生

海の外（月刊）（一册廿錢）

定價表

	內地送料共	外國送料共
一册	廿錢	廿四錢
六ケ月	一圓十錢	一圓四十四錢
一ケ年	二圓廿錢	二圓八十八錢
五ケ年	拾圓	拾四圓

御注意

△御送金は振替（長野二一四〇番）に御願ひします。外國よりの御送金は銀行、郵便局いづれにても確實に送金されます。

△御轉居の節は早速新舊兩御住所を御通知下さい。

△本誌へ廣告掲載御希望の方は詳細相談申上げます。

昭和四年十月一日發行

編輯人 永田稠
發行兼印刷人 西澤太一郎
印刷所 長野市南縣町 信濃每日新聞社
發行所 長野縣廳內 海の外社
振替口座 長野二一四〇番

（第二版）　日本力行會長

永田稠著

両米再巡

菊版四百廿餘頁・寫眞版三十頁・布製函入

定價一冊金二圓八十錢・送料一冊拾八錢

永田氏は信州の生める一異才である。嘗て南米を一週して『南米一巡』を著はし、信州に來つて信濃海外協會の組織に努力し、更に『南米信濃村建設』に關する大使命を帶びて、大正十三年五月末横濱を出帆し、布哇、北米桑港、ローサンゼルス各地に於ては海外協會支部の設立に盡力し、ソートレキー市にはモルモン宗教植民の跡をたづね、デンヴア、シカゴを經て華府に至り、紐育より大西洋を南下してブラジルに至り、移住地の選定、購入、入植の準備をなし、大正十四年二月日本に歸り來り、更に信濃村大成の爲めに努力奮闘し、今や機能的にして世界に誇り得る移住地が建設されつゝある。『両米再巡』は氏が南北両米を再巡せる記錄である。志を世界に有する者の一日も看過することの出來ない快著である。

長野縣廳內　信濃海外協會取次販賣

東京市外上板橋　日本力行會發行　振替東京六八八一番

各縣海外協會
日本力行會
指定旅館

海外渡航乘船
領事館手續
貨物通關取扱

高谷旅館本店

本店　神戸市榮町六丁目
神戸市郵便局私書函八四〇番
電話元町　八五四番、一七三七番

支店　神戸市宇治川楠橋東詰
電話元町　六六六番

海の外—THE UMINOSOTO
Published Monthly by the Uminosoto Sha. Nagano, Japan.

海の外
THE UMI-NO-SOTO
第八十九號
昭和四年十一月號
目次
信濃海外協會海の外社發行

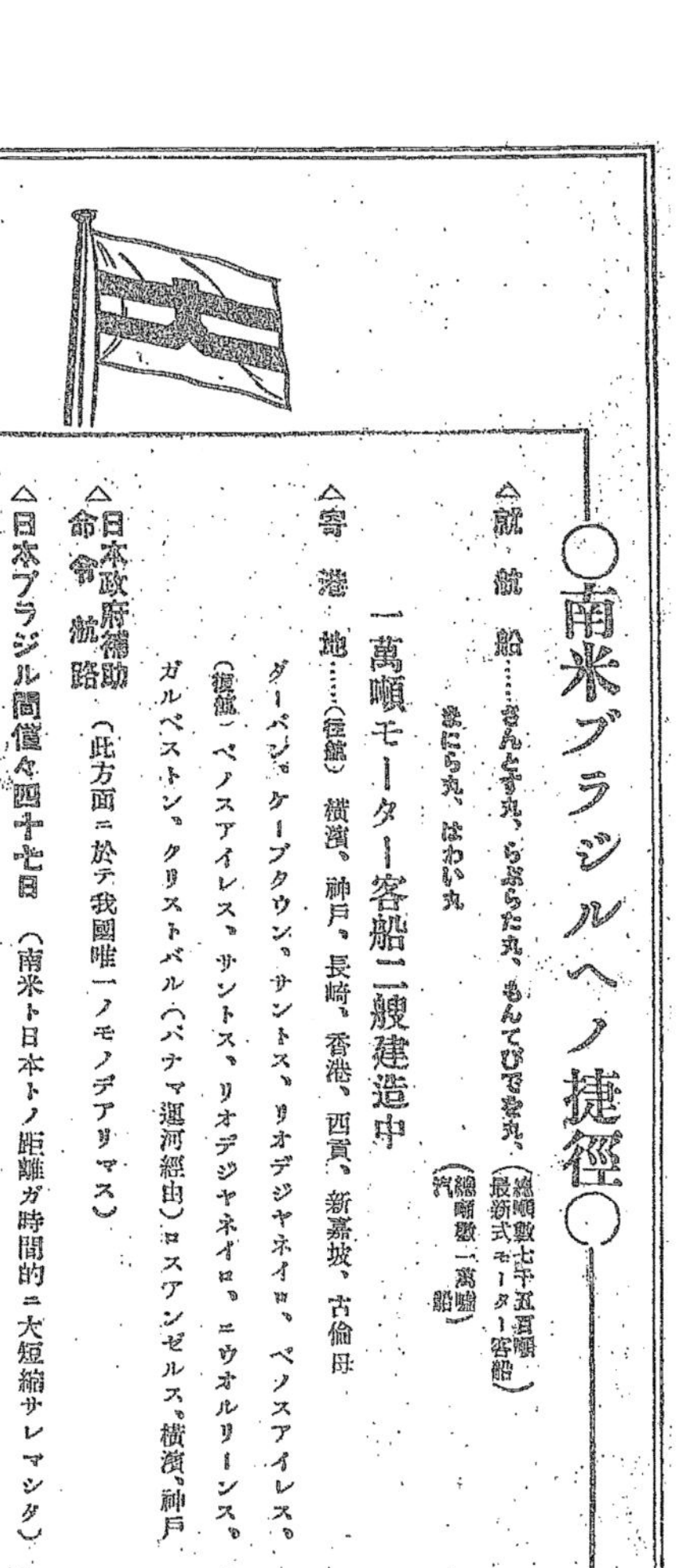
南米ブラジルへノ捷徑
△就航船……さんとす丸、らぷらた丸、もんてびでを丸、（總噸數七千五百噸 最新式モーター客船）まにら丸、はわい丸（總噸數六千噸 汽船）
一萬噸モーター客船二艘建造中
△寄港地……（往航）横濱、神戸、長崎、香港、西貢、新嘉坡、古倫母 ダーバン、ケープタウン、サントス、リオデジヤネイロ、ペノスアイレス。
（復航）ペノスアイレス、サントス、リオデジヤネイロ、ニウオルリーンス、ガルベストン、クリストバル（パナマ運河經由）ロスアンゼルス、横濱、神戸
△日本政府補助命令航路（此方面ニ於テ我國唯一ノモノデアリマス）
△日本ブラジル間僅々四十七日（南米ト日本トノ距離ガ時間的ニ大短縮サレマシタ）
△三等室設備優秀無比（本航路三等室ノ優秀ナル事ハ他社船ノ二等ニ匹敵シ皆樣御熟知ノ通リデアリマス）
△本社（大阪）支店（東京、横濱、神戸、門司、長崎、大連、天津、大阪、香港、上海、沙都、新嘉坡）ヘノ御問合セヲ歡迎シマス
大阪商船株式會社

成り行くアリアンサ

バナヽの大株
西澤幹事訪問の永原氏宅庭前

採れた珈琲實
大正十五年入植した竹村安定氏の珈琲實乾燥

實のる珈琲樹
アリアンサの四年目珈琲樹一株四五本仕立なるを御注意乞ふ

（瀬下氏の珈琲園）

笑ひ!! 珈琲は伸びる人は育つ

アリアンサの珈琲開花（最近着寫眞）

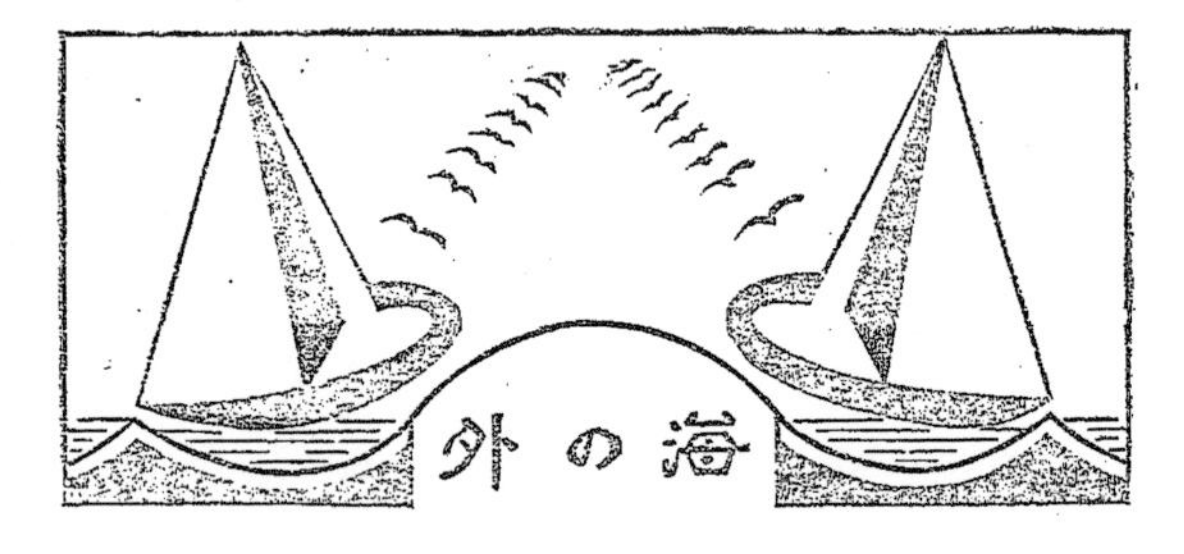

（昭和四年）　第八十九號　（十一月）

笛吹けども踊らざるか

海外移住の可否は論ずるまでもなく我國現下の緊急たる國民運動である。

而して海外移住地の研究や移住方法は今更揣摩臆測するまでもなく何等の不安なきまでに進んでゐる。

然るに國民の大部分は何故か足下三寸に迷ふて、眼を海外に向け、耳を笛吹く聲に傾けざるか。

ブラジル移住の活動寫眞は決して鳴物入りの慰安興行でもなく、單なるブラジル移住の空宣傳でもない。

一人の白眉の青年、一人の紅唇の處女が踊り飛び出すの期待なくば、笛吹けどそれは價値なき徒勞の一事に終るのみ。

敬愛なる吾が信州青年の男女、御身等は何故踊らざるか。（九、一五）

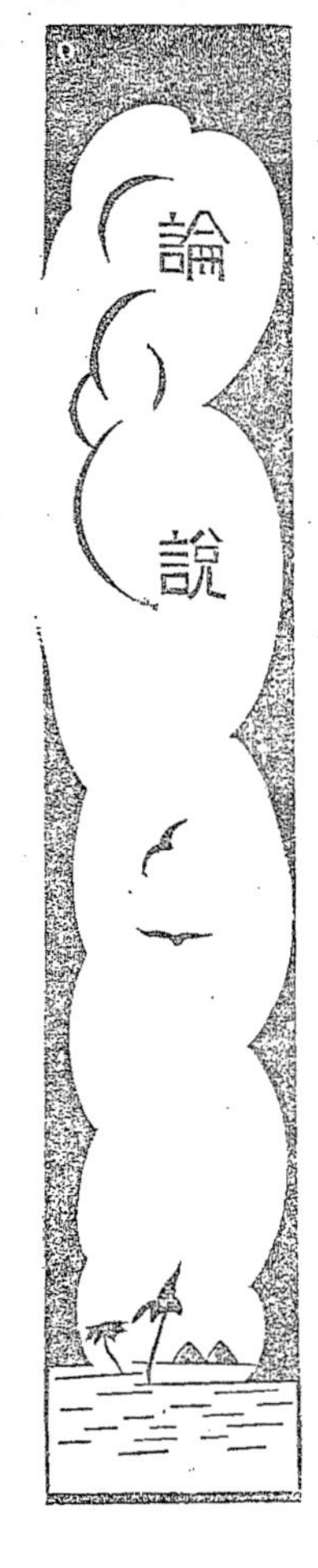

在郷者と在外者との聯絡

信濃海外協會幹事　永　田　稠

茲で在郷者と申すのは、信濃國で生れて信濃國で成長し、信濃の國に今も猶居住して居る者のことでありますし、在外者とは信州人ではあるが、信州以外の土地に居住し活動して居る人々のことを申すのであります。

私は先般佐賀縣海外協會主催の講習會で一場の講演をなす爲めに出張しました。特急列車を下ノ關で降り、海を渡つて門司につき長崎行きの列車の食堂に參りました。するとひよつくり小平眞平君に遇ひました。小平君は私等と同じ頃諏訪中學校に居り、其後小川平吉さん等と支那問題の爲めに奔走して居つたが、ふとした機會から大阪ホテルの經營を手傳ひ、それから門司鐵道局管內の食堂を經營する樣になり、爾來約十五年間の奮鬪努力に依つて、今日では前記列車の食堂の外に、北九州一帶の土地に大小約廿個の食堂を經營して居るが、松田拓務大臣が郷里の大分に錦衣歸郷の時の、官民合同の大歡迎會の御料理なども、一つに小平君のさいはいの下に調理せらるるのであるさうであります。此大小數十の食堂に働いて居る者が百何十名かあり、其內には五六百圓も貯金をしたり、大きな松の山を買ふた者などあるそうですが、小平君の話では、九州地方の青年はどうも信州人などに比較すると意志がよはいので、使役する者の側から見ても、若し信州人などが得られるならば、其方がよさそうであると云ふことです。

それから下關、門司、福岡、小倉の附近に、信州人で相當の地位に浴して居るものが澤山あつて、信州人會が組織されて居り毎月一回位は相會して大に氣焔を擧げて居るさうでありますが、ある時信州人の性質の問題か何かが話頭に登り、郷里の者の內有望なる青年があれば引立ててやり度いものだと云ふ樣な結論に到着した事があると云ふ話であります。

信州人は個人主義で團結が出來ないとか、先輩と後輩との聯絡が取れて居ないとか云ひますが、私は必ずしもそれに贊成する者ではありません、世界到る所を步いて見て信州人が一致團結して相扶助して居る所は澤山にあり、先輩と後輩とも相當に聯絡はありますが、私の樣に移住者を取扱ふて居る者の立場から見ると、謂ふ所の在郷者と在外者との聯絡がもすこし密接になつたら、兩者共に種々の便宜を得て信州人の發展の爲めに好都合ではないかと考へらるるのであります。平常左樣の事を考へて居た所で小平君に遇ひ其話を聞いたので、私計りではなく在外者の心中にも同樣の事を考へられて居ることを知つて誠に愉快に感じたのであります。

信州には澤山の青年男女があり余つて居ります。信州の五月と云へば最も多忙なる時期であります、私は諏訪の北山村に農業練習所を設けましたが、其着手の時期が後れたために開拓が計畫通りに行くや否、又、五月の多忙なる時期に人を傭へるや否に心配しましたが、實際にやつて見ると此農繁の時期に村の人々は一圓五十錢の日給でいくらでも得らるることを知りました、同時に如何に信州に人が余つて居るかを知ることが出來たのであります。此あり余つた人々を何とか處置することは出來ないか？　南米や南洋までは行けないが、日本內地ならば行つて思ふ存分に活動の出來る者が澤山にあるのであります。

而かも北九州丈けの大都市に約百名の有力なる信州人が居る、そして十年も辛捧すれば五六千圓の貯金が出來る、九州のなまけ者でさへそれだと云ふのであるから意志の强固な信州人が精一杯働けば相當の成績を擧げることは不可能ではない、況んや之

れ等の有力者達は、どうせ人をつかふならば信州人をつかひ、それ等の人々を引立ててやりたいと熱望して居る、手をひろげて信州人の來たることを待つて居ると云ふのでありますから、茲に在郷者と在外者との聯絡は實に紙一重の距離があるに過ぎない有樣と申さねばなりません。

關東の震災の時に私の驚いた一事は、上伊那郡赤穗村長さんが、三日目には自分の村に關係のあつた人々の罹災者を訪ねて適當の處置をとられた事であります。赤穗村では平常から自村に關係のあつた者で、在外者の調査が出來て居たのであります。斯樣に各町村で在外者の調査をして居つてくれれば仕事は非常に容易でありますが、まだ調査の出來て居ない所では、學校の同窓會又は青年團で、此調査をなし、之れ等の人々を聯絡することが非常によい事であります。信濃海外協會で之れを統一して、本誌に在外者のことを紹介し兼ねて在郷者で信州以外に出て働きたい希望者の申込みを受けこれが聯絡の世話をするとすれば、それは思ふに理想的のものであるに相違ないと思ふのであります。協會としては海外のことは勿論やりますが、海外でなくても信州人の發展の爲めには努力せねばなりませんから內地に居る方々で、人を欲しい者と、信州人で外で働きたい者との聯絡をなし、更に、樺太や朝鮮、支那等と段々と此聯絡網が組織されて行けば、信州人の發展は思ふに目ざましき結果を齎すに相違ないと思ひます。此意味に於て本誌の讀者諸君が大に共鳴せられ、一人づゝでも御世話を願ひたいと存じます。海外協會でも出來る丈け此方面に努力したいと考へて居るのであります。（了）

朝鮮人の移住地間島（二）

在間嶋　藤　澤　定　司

所は弓取多く事の外すぐ（捷）やかなる國」とある、騎射を以つて知られた女眞族の住地を指したもので、今日のいはゆる北間島の中部に當つてをる、嚴格に言へば兀良哈は明の時代に北朝鮮の國境方面に割據してをつた女眞族の稱呼であつて、土地の稱呼でないけれども屢同樣に用ゐられる例があるから强ひてこれを區別することもあるまい、さて然らば淸正は兀良哈に攻入つた動機は何んであつたかといふと恐らく、

一、日本の武威を鮮かさんが爲めの武士的名譽心に出たこと

一、女眞族の侵略に惱んでをつた國境の朝鮮人がその膺懲を淸正に要請したこと

の二つの點に在つたのであらうと推測せられるが兀良哈の情況に關し文綠元年九月二十日付を以つて淸正より秀吉に呈出した次の報告書によると更に別個の理由もあつたやうである。

「先書に如今申候、咸鏡北道之義、指出巳下御置目慶悉申付候て隙明候而吾良哈へ相働、彼國之樣子爲可申上十日路ほと打入。

五、淸正の間島入

北間嶋には東古城跡、西古城跡、漢城峴、城子山、土城浦、大平溝山城などの幾多の史蹟に乏しからぬが加藤淸正の兀良哈征伐の跡を偲ぶほど、吾人に取つて感興の深いものはあるまい、ここに述べんとする所は竹內陸軍中佐の硏究に基くその事蹟の極く一部分であるが大略察知する事が出來よう。

□

淸正の間嶋入はその虎狩と共に名高い淸正は二王子を追詰めて半島の北端ぽいれく（會寧）迄進軍したと云うことすら今日から考へて實に驚嘆すべき事柄であるのにそれより更に手兵を提げて未知の境兀良哈に攻入つたと云うことは飛將軍たる淸正にして始めて成し得たる所であつて、公の面目將に躍如たるものがあると謂はなければならない、兀良哈は淸正の右腕であつた下川兵太夫の手記と信ずべき高麗陣覺書の中に「兀良哈」と申

樣體見合此口より大明國へ御人數被成可かと見及申候處、一圓田地無之、島所ゆへさこく（雜穀）までにて兵粮無之に付て先咸鏡道へ打入（引揚ノ意）候事

この報告書で見ると兀良哈の土地柄を見極めた上でこの方面より明國へ侵入しようといふ偵察の意味をも含んでをつた事は明である。

□

次に清正の兀良哈侵入はいつ頃に行はれたかといふと凡そ大陸の作戰には季節が餘程重大な關係を有つてをるので冱寒酷暑共に甲冑に身を堅めた日本の武士に取つて大敵であることは論を俟たないところで清正の會寧占領は文祿元年七月二十三日であつて酷暑の候を懸軍長驅辛つと此處迄進出して來たのであるから占領後直ちに情況不明の異域に攻入るやうなことは萬一にもあり得べき事でない、占領當時こゝまで追詰めて來た朝鮮の二王子の行衛が未だ判らなかつたので清正は折角の捜査中であつた。かたがた同ぢく二十七日付九鬼廣隆宛の一節に「爰許令少山中をもさかし王孫並官人等相尋候而其隙明次第に兀良哈に一働はたらくへきかと成其意候」とあり少くも七月中に會寧を出發したものとは考へられない、然らば、清正の兀良哈侵入は果していつ頃であつたらうか前記の九月二十日付報告書によつて侵入に要した日數は約十日間であり随つて清正は八月初日に會寧を出發して兀良哈に攻入つたものと推定するのが穩當のやうである、陰暦の八月は陽暦では一ケ月おくれの九月で朔北の地は九月の聲を聞くと殘りの暑さは去らねど、新涼の氣野に滿ち輕裝の行軍には誂向の季節であつたらう。（以下略）

◎清正の陣屋の跡は畑つゞき牛を追ひつゝ鄕童ゆく

漫談（二）

西伯利亞「ニコリスク」陸軍公園に義經の碑がある之れは昔支那人の建てたものであつて（露西亞の極東政策以前には同市は支那人の大寄會地であつた事は現在でも周圍に支那獨特の城郭の跡あるを見ても首肯証明出來る）墓石は五六疊位の「スッポン」を形どつたもので上石は「チタ」にある。此の不思議な話に其の道の人鳥居龍藏博士の研究証明せられた話はこうだ。義經は奧州に落延びそれから「カムチャツカ」に渡り後相當の部下を引連れ經路は不明だが兎に角「ニコリスク」に來た處が中々の勢力で支那人にはどうする事も出來ないそこで一ト思案の結果が「スッポン」を墓石（「スッポン」は支那人の尤も忌み嫌ふもので今でも人の惡口を云うに「ワンパタン」（スッポン）と云う）にして上石には義經退散の文字を刻み大祈禱をやつた處が勿論そんな譯でもあるまいがその後義經は「チタ」に赴いた「チタ」の支那人（其頃相當居つたものらしい）は大恐慌早速吾々もなんとかせじやなるまいと一結したのが亦祈禱そこで「ニコリスク」迄その効めのある碑を借りに來たもの〻何分にも疊五六枚も敷かる〻大きな墓石では持運にならぬそこで上石丈けを借りて行つて祈禱したものがその儘に成つたのであると云う。

其他滿洲方面にもチョイ〳〵之れに類似の逸話があるらしい或は亦蒙古に勢力を爲した成吉思汗が義經であるならばこの話の前後の事かは知らぬが新疆文中には未だ確實に義經云々の文事がある。

何はともあれ義經にせよ清正にせよ殊に清正は三十才ソコ〳〵で地理不案内の異鄕の地に日本男子の氣を吐いたとは大痛快事である、それにつけても吾敬意を表する「パイニャ」諸兄よ自己の利益のみを考へず大和民族の意氣を示す事にも心掛けてチク〳〵やつて貰いたい。

◎大牛の己が姿を踏みしめて

榎本武揚子植民地を語る（一）

在墨エスクヰントラ　竹内駒雄

我が榎本植民地は明治三十年三月時の農商務大臣榎本武揚子が一大經綸を以て企劃し時の駐墨國公使室田義文氏をして、墨國政府に交渉せしめ當地エスクイントラ村の西北方シエラマドレに沿ふて南方へ廣袤我六万五千町歩の土地を十五ケ年の年賦償却の方法にて讓渡を受け日本人殖民地と（コロニア、ハボネサ）と名稱し、第一回植民として草角農學士を監督とし三十三名の植民を引卒して桑港經由、海路を辿り、アカプルコ港を經て南端國境に近きサン、ベニト港に上陸し雄々しくも此の熱帶に千古鉞斧を知らざる大森林を開拓して大和民族の一大植民地たらしめんとした。

是より先き我が政府では駐墨公使室田氏の斡旋による土地の讓渡を得らるゝ運びに至るや政府は根本正氏をはじめ數名を派遣して地勢、地質、地方狀況、農作物に關して調査を行はしめしに一行は通り一ぺんの鐵道沿線の（當時未だ鐵道は開通を見ざりし）町から町へと御役目的調査して此の報告書を故國政府に齎らした。政府は此の調査報告書を基礎として計劃を立て第一回の植民を送つたのである、今其入植者の氏名を揭げて見れば。

農學士 草角貢一、村松某、浦部某、◦照井亮次郎、笠原某、◦山本淺次郎、◦清野三郎、◦山本仙吉、◦有馬六太郎、鈴木平太郎、◦鈴木君衛、◦中村善兵、◦金山嘉三、◦三木久吉、太田某、大旗某、白井要作、松浦二作、別府某、◦高橋熊太郎、山口金助、山口六太郎、松木榮吉、山口德太郎、岡田六藏、杉浦志野松、山下某、野澤某、小林某、坂本某、橋口某（◦印は現在墨者）

そこで一行入植者は、エスクヰントラに到着するや村の一端を流れる。シンタラツパ河岸に第一着に住宅を選定して堀立小屋を建て愈々農作物の播種に着手されしも、其の耕作方法全然誤り其の當時は勿論現在に於ても當地の農業は未だ燒畑式の粗放農を出でざるに、彼等はメキシコ人が成可く立木の大きなそして密生し下草の粗生せる地を選びて伐木を行ひ乾燥するを待て燒拂ひをなす（之をロサをすると云ふ）のに反じて雜草の繁茂する木立の少くない處を最初から鍬鋤によりて除草し玉蜀黍、又豆を播き付けし故雜草は後から〳〵と生ひ繁り如何に精勵して除草するも絕えざる有樣で第一年度は失敗に終り第二年目には現在植民地の後の本部のある地點に移轉して更にマイスを作

り又は或る者は甘蔗を植付け、ついで翌年にはオベンド山の踏査探險を斷行する者ありて、既に珈琲栽培もある地域を見屆けて歸りたりと云ふ。

斯くて二三年の成績は不結果に終り同行の或る者は早くも此の地を見限りて出て行く者あり、次第にその數を增し一方植民地經營には故國よりの送金滯り勝ちに農作物は採算立たず斯くて最早潰滅離散の他なきに至らんとするや、草角氏は次席格の村松氏に經營を委任して報告を兼ね善後策を講ずる爲め歸國せられしも病を得て再び歸墨せず、此處に於て榎本武揚氏は同氏の甥にあたる當時北米に在りし榎本隆吉氏（現在カナダ在留日本人會役員）を遣し日本よりは小林直太郎（現在墨都在住、先般當國ハリスコ州に大坂都土地會社のエスタンスエラ植民地成らんとするや之に關係したる人）雨宮啓次郎氏の息子等を同伴せしめ更に資金二萬余圓を投じて挽回に努め一獨逸人を聘して調査、指揮せしめ其の結果は何物かを測して道路の開設を爲し珈琲栽培に主力を注ぎたれど又々中途資金の吐絕するあり全く絕望になり遂に解散の憂目に立ち到らんとしたが小林直太郎氏は尙も踏み留りて鋭意植民地の挽回に努め、マイスを作り甘蔗を栽植して粗糖製造を試みしも大勢如何ともなし難く時既に止まるもの僅かに數人の有樣となつた。野澤某、山本淺次郎氏の如きは最後迄踏み止まりし人々にして後、山本氏は土地の一部の讓渡を受け引き續いて開拓に邁進して後同志を糾合して農業の傍ら商業に從事し年と共に發展を遂げ來りたり。これが日墨協同會社の濫觴である。

此の間入植二年頃故國よりは農學士佐々木林太郎氏？（信州人）の植民地狀況視察に來るありしも故國に齎らされた報告は皆悲觀的のもののみなりと聞く。他方榎本氏は當時滋賀縣人代議士の實業家藤野辰次郎氏に植民地經營を條件に讓渡し藤野氏は三隅法學士（信州人）堀田ドクトルを遣し續いて布施常松氏の來任するあり高田氏金井英雄氏竹村四郎氏等前後して來り農作に牧畜に辛苦を共にし着々と發展して牧場地我八十四町歩牧牛馬百數十頭、又四十余町歩に達する護謨園も開拓され數年後には護謨液の採集を見んとするに先だち當地方產の護謨の品質劣惡なる事明となるや大暴落を見、遂に採集上經營困難となり放棄の止むなきに至り、續いて布施、高田兩氏の獨立するあり、經營上幾多困難の事情に逢着するや藤野氏は株式組織にして之を日墨興業株式會社と稱し社長に高橋庄左衛門氏を常務取締役に藤野氏を任じて本部を東京に貿易部を墨國コリマ市に設き主任中野氏の下に數名居り、農事部を植民地跡に置き主任松井猪三郎氏の許に飯田三次氏を參劃せしめ新陣容を整へて一大抱負を以て活動を開始した。然るに一九二六年一月二十一日公布の所謂外國人土地法により土地一部の分割處分を受け又貿易部員の夭折貿易の不況等困難續出して目ざましき發展を見ずして今日に到つた。（以下次號）

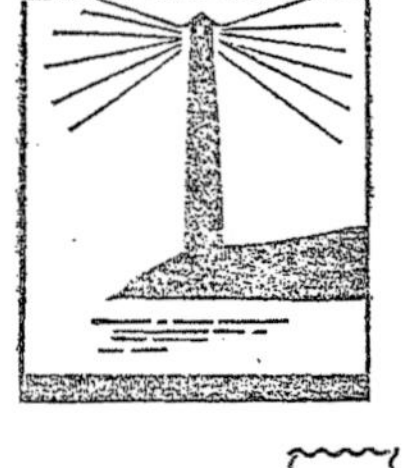

信州出身海外發展者列傳（三）

米人を尻目にかけた エドモンストン市長の松平欽次郎氏

堂々市長に當選した日系米人 苦學力行して萬丈の氣を吐く

毛虫の如く日本人を嫌ふ國、排日の米國で日本人の血を受けた日系米人が現に米國の首都ワシントン市の眞近きエドモンストン（メリーランド洲）市長の椅子に堂々着いてゐるときけば先づ驚かざる者は一人もなからう。

本文の主人公松平欽次郎氏こそ、日本人のために萬丈の氣を吐く日系米人中最高の成功者エドモンストン市長である。

物語は少し昔に返るが今から恰度七十八年前の嘉永四年八月廿四日江戸は西丸下屋敷に生れたのが松平伊賀守忠固の二男忠厚である。この忠厚こそ欽次郎氏の實父で彼は年十一才にして信州川中嶋鹽崎五千石の旗本松平忠行の養子となり慶應年間には勤王派として實兄上田藩主松平忠禮と共に德川の脫兵等の警誡にあたり政權の奉還なるや從五位に叙せられた。

明治三年に至り東京に轉居し同五年兄忠禮と共にアメリカに留學したのである。年二十二才であつた。始めニユージヤーシー洲ラトガー大學に土木學を學び更らにマサチユーセツト洲ウースターに在るマサチウセツト工業學校に研學終るや土木技師に聘されて彼の有名なる紐育市マンハツタン高架鐵道敷設工事の工事監督長として敏腕を振ひ次いでペンシルバニヤ洲ブラツトフオード市の技師に任命されて市の土木工事に從事した斯して彼の非凡なる手腕を認められるや各地から招聘せられたがニユーオン、パシフイク鐵道のアイダホ、ワヨミン、モンタナ各洲を通過する鐵道敷設豫定線の測量を最後に健康を害してその靜養の必要上中部コロラド洲、デンバーに居を構へたが又々同洲より彼の優秀なる技術を認められて土木局並びに石炭檢査部に關係してゐた。

彼は明治廿一年一月廿四日前途有望なる才幹を惜まれて年僅か三十八才を一期に最愛の妻サムソンと二人の幼兒を殘して此

の世を去つた。

愛妻サムソンは忠厚より八才下で千八五九年ニユージャーシー洲ニユーブランスウイツクの書籍商ウヰリアム、シー、サムソンの娘として生れた。忠厚がマサチユーセット工業學校に在學中相思の仲となり同地で結婚したものである。

そして愛には人種もなく國境もない圓滿なる家庭を營みつゝ二人の子供をもうけてゐたが忠厚がデンバーで死去する時は兄は五才で弟は三才の可弱い幼兒であつた。弟に生れた欽次郎氏は唯一人の兄、太郎と共に母の手で育てられてゐたが間もなく母方の祖父サムソンに引取られてヴアージニア洲リツチモンドに行つた。當時祖父サムソンはヴアージニア洲感化院長であつたが退職後千九百年祖父と共にメリーランド洲エドモンストン市に轉任したので、欽次郎氏は漸やくにしてハイヤツビルの小學校八ケ年の課程を修了したのみにて直ちに生活の資を得るため實業に志し會社銀行に勤務しつゝ苦學力行の苦心をつんでゐた。

父の素質を受けついだ彼は頭腦頗る緻密にして事務的才幹を有し現在ワシントン市最大のデパートメント、ストアなるウドワード、エンド、ロースロツプ商店の支拂主任に任ぜられてゐる。ウドワード、エンド、ロースロツプは東京の三越より數倍のデパートメントであるからその支拂主任として責任は大きなものである。

一昨年（昭和二年）エドモントストン市長の改選にあたりその候補者となり生粹の米人候補者と競爭したのであるが遂に最高點を以て當選せられ當時の米紙はこのニユースを各社が競ふて紙上を賑はしたのである。しかも彼に對する一片の非難となく彼の人格を賞揚して絕對的信用を博したのである。

ワシントン市とエドモンストン市とは極く接近してゐるので彼はワシントンのウドワード、エンド、ロースロツプに出勤して要務を濟まして歸宅し更らにエドモンストン市の市長として市の職務をみる繁忙さであるがよくこれを遂行し眞面目に精進する精力家で中々評判が高く未だ四十四才の働き盛りである。

彼の兄、太郎は長じて比嶋のストツセンベルグにある米國駐

屯軍に勤務中先年同地で死亡しマニラの墓地に埋葬せられてゐる。尙彼の實母サムソンは今年七十才の高齡で未だ健康体であると。

以上は松平欽次郎氏と同氏の實父の大体の輪郭であるが斯くも松平氏が日本人であるとの素性が判明するに至つた經路について數奇な物語がある。

それは父忠厚から忘れがたみとなつて母から與へられたものに二つの印形があつた。彼は何時かの機會にこの印形を頼つて自分が日本人である素性を知りたかつた。恰度一九二四年の排日移民法實施後埴原大使の後を襲ふたのは現駐英大使松平恒雄氏であつた。彼は一日ワシントンの日本大使館に松平氏を訪問して大使と同性である淡い頼りを求めてその印形を示したのである。

かくて松平大使の肝入りで松平姓を外務省を通じて調べてみたが容易に判明致さず將に彼の素性は永遠に解かれ得ぬ破目にあつたがこれが當時の新聞紙に報導され、はしなくもこれが我華冑界の名門現當主松平忠正子の義從兄弟にあたる事が判り信州川中嶋驪崎旗本松平忠厚の二男である事が判明した。この報をもたらして委細を知つた欽次郎氏は初めて己れの素性を知り得たのである。

然しながら彼が一種の悲哀を持ち運命のまゝならぬを感ずる事は彼が日本人であると云ふ事を意識する毎に或る惱みと反感に錯綜されゐるのである。彼が飽くまでも米國市民としての資格があつても何故かその待遇は在米日本人のそれに標準をおかれるとの事である。勿論現在の社會的の地位は全く米國人と同等或ひはそれ以上の名譽を荷負ふてゐるが彼が大商店の支拂主任としての一個の使用人であれば、その給料はこれを米國人に對するよりも不公平であるは如何にしても不愉快を感ずる所であらう。

併しこれは本篇の言及する範圍外である。いづれにしても明治維新の初め、殆んど顧みられなかつた海外留學の先鞭をつけ、しかも米國の開發に多大なる貢獻をなして日米親善の實績をあげ、更らに松平第二世の欽次郎氏が日本人として優秀なる民族性を發揮して日本人のために萬丈の氣を吐くは吾人の痛快とする所である。

昭和維新に再會し信州青年が余りにも萎微沈滯したる今日に一服の清凉劑となり刺激とならば望外の至りである。

上田徴古館では上田藩下に關係あるこうした事蹟の材料を蒐集中であるが松平欽次郎氏に關する事蹟は松平家の舊家臣更級郡驪崎村淸水吉郎次家に藏せられ同家では現在も屢々在米松平欽次郎氏と文通あり、松平欽次郎氏の手翰は上田徴古館に陳列されてゐる。（寫眞は松平欽次郎氏と自署）

海外邦人は七十餘萬人

一ケ年の增加は三萬三千餘人

外務省發表により昭和三年十月現在における海外在留邦人は七十萬九千八百三十八人にして過去一ケ年間に增加せる數は三萬三千五百七十六人である。今留國別、男女別によつて示せば左表の如くである。

在留地	男	女	計	對前年增加人口
英領加奈陀	一三、八四五	八、六六一	二二、五〇六	一、三三一
北米合衆國	八六、四〇三	五五、一四七	一四一、五五〇	八四三
布哇	七一、二四五	五九、六九六	一三〇、九四一	一、五六四
墨西哥國	二、九五一	一、五五四	四、五〇五	減 二五
玖馬國	六四一	一四三	七八四	四七
巴奈馬國	一八二	四二	二二四	三
哥倫比亜國	三六	六	四二	三三
暮利比亜國	三五三	六九	四二二	減 一八〇
秘露國	一一、四三五	五、五四四	一六、九七九	一、七二三
智利國	四七七	一四八	六二五	一〇
ウルグアイ國	九	二	一一	四
パラグアイ國	五	—	五	減 一
亜爾然丁國	二、六三五	八三一	三、四六六	四一〇
伯剌西爾國	四二、七〇七	三三、七八一	七六、四八八	一一、三九八
比律賓群島	一一、〇九〇	三、一五一	一四、二四一	二、九五四
英領南洋各地	四、九〇四	三、五七〇	八、四七四	二九〇
蘭領東印度	三、一六八	一、七〇六	四、八七四	三六〇
佛領印度支那	一四〇	一八二	三二二	二三
暹羅國	一七九	一〇五	二八四	三七
印度及錫蘭島	七九七	五四五	一、三四二	四四
大洋洲	三、三五一	二七五	三、六二六	五六
南洋委任諸島	七、八三八	四、四四四	一二、二八二	三、五六三
英領香港	九〇七	六七〇	一、五七七	四九
支那本土	三〇、八〇一	二四、三三五	五五、一三六	三四、五一八
滿洲關東州	一〇五、六八二	九八、七四七	二〇四、四二九	五、六九九
西比利亜及北樺太	一、二八三	三〇九	一、五九二	九二
歐羅巴洲	二、三六九	六二四	二、九九三	減 一七八
阿弗利加洲	五九	二九	八八	一
合計	四〇五、四九九	三〇四、三三九	七〇九、八三八	三三、五七六

尙最近五ケ年間の在留邦人數及び增加數は左記の如くである。

年別	在留人口	對前年增加人口
大正十三年	五九四、六二一	一三、九六一
同十四年	六一八、四三九	二三、八一八
同十五年	六四〇、〇九九	二一、六六〇
昭和二年	六七六、二六二	三六、一六三
同三年	七〇九、八三八	三三、五七六

移植民ニユース

移植民地調査

拓務省の移民計畫

植民および海外移民は拓務省設置に伴ふ重大使命の一つであつて拓務當局はこれが對策確立のため調査攻究中であつたが植民地中一脈の望みをかけ得るは僅に樺太のみでその他の台灣は氣候關係、朝鮮は經濟その他の關係、關東州は地域その他の關係南洋群島は土地狹小の關係でほとんど植民の餘地なくかく國内移住に望みを屬し難き現狀に鑑み拓務省は廣く全世界にわたつて移民適地の根本的調査決定に着手する方針を樹て來年度豫算にこれが經費を計上した移民適地は大體次の諸項目につき調査を遂げ選定を行ふ方針である

一、面積と人口との關係
一、移民目的地の法律的關係
一、移民目的地當がい國政府の移民方針の關係
一、我國との國際關係
一、移民目的地の産業および經濟關係
一、氣候風土および民情の關係

然して拓務當局において移民適地として今後調査せんとする候補地は大體

シベリア、露領各地、アルゼンチン、ブラジル、小露社會主義聯邦共和國、ペルー、ボリビア、ヴエネズエラ、コロンビア、メキシコボルネオ、ニユーギニア、ニユーカレドニア等であるが拓務省はこの移民方策確立の第一歩として北島屬託官を派遣して移住適地を親しく視察調査せしむることに決定したが同氏は來る十一月横濱出帆の淺間丸にてサンフランシスコ經由まづ南米各地を視察する由

南洋に大規模の

農事計畫三菱が乘り出す

三菱の經營する東山農事株式會社重役齋藤氏は八日スマトラに出張のはずである、右は去月南洋において大規模の農事經營開始の目的で三菱幹部および東山農事專務坂本氏が渡南し詳細なる調査を行ひ成案を得た結果で三菱の如き大資本家が直接南洋の農事生産業に投資するのは今度が始めで南洋發展の一進歩と見られてゐるもつとも三菱では事業内容を極祕に付してゐるが經營の土地はスマトラ官憲より租借せるものゝ租借權を買收し廣大なる地積を獲得せるもので生産事業はゴム栽培か油脂採取植物栽培かのいづれかであらうと消息通の下馬評の種となつてゐる

高知縣拓務協會生る

映畫宣傳に本會から フイルム貸與

高知縣では今回縣民海外發展の促進を計るため拓務協會を設立して大いに海外移住を宣傳奬勵を努める事になり先づ設立の第一着手として縣下樞要の地に九月九日から十六日まで南米ブラジル移住の宣傳映畫を公開する事になつたので本會では「ブラジル移住」全五卷のフイルムを貸與した。

大阪基督教青年會で

大阪ＹＭＣＡ海外協會を設立

大阪市西區土佐堀通二丁目十二番地にある財團法人大阪基督教青年會では今回ブラジル國の精通者三浦鑿美、五反田貞已、八重野松男、小倉源二諸氏によつて大阪ＹＭＣＡ海外協會を設立して同志の海外移住を奬める事になつた。

本縣の在外徴兵延期者
總數四百五十余名で逐年增加

海外移住に伴ふ適齢者の徴兵延期は昨年より徴兵法の改正に從ひ適齢前の海外移住又は適齢中も徴兵檢査前なれば渡航出來得るまでに寛大なる法の改正が行はれ尚在外者の延期手續も領事館に申請書を提出すれば宜しき程度になつてゐるが、昨年末在外者の徴兵延期者は本會の調査によれば四百一名であつた。然るに本年度の延期は更らに五十二名の增加を見て總計四百五十三名に及んだ。

今これを郡市別にみれば上伊那の七十八名を筆頭に小縣の七十名下伊那の四十四名の順である。更らにこれを在留國別にすればブラジル國の二百八名北米合衆國の七十名比律賓群島の五十四名となつてゐる。即ちこれを郡市別にすると（括弧内は前年度數）

南佐　一五（一〇）　北佐　一一（一〇）　小縣　七〇（六六）
諏訪　二七（二一）　上伊　七八（七二）　下伊　四四（三八）
西筑　七（六）　東筑　三四（二七）　南安　三〇（三一）
北安　一一（七）　更級　三二（三二）　埴科　三四（三〇）
上高　二〇（一五）　下高　七（六）　上水　二（一九）
下水　九（一一）　計　四五三（四〇一）

更らに在留國別にしてみれば

ブラジル國　二〇八　北米合衆國　七〇　比律賓群島　五四　メキシコ國　一三　滿州　一五　加奈陀　一五　布哇　一三　玖馬　八　亞爾然丁國　五　新嘉坡　四　蘭領東印度　七　獨逸國　四　英吉利國　三　佛國　三　秘露國　三　馬來半島　三　支那本土　二　佛領印度支那　一　ボルネオ　一　南洋委任諸島　一　計　四五三

而して徴兵延期の申請をせざるため徴兵適齢の違反者となりたる者は左の九名であるが本年は法令の改正に伴ひその手續に不案内なるためであると解して本年は告發を見合はせ寛大なる處置を計る事になり來年度徴兵延期申請の如何により告發する方針であるから左の人々は至急延期申請の手續きをとる必要がある。

○太田貞登　南安梓村（本年度適齢）大正七年渡航、北米合衆國シヤトル市エムパイヤーウエー六五〇五在住
○籍山正一　小縣東内村（大正十五年度適齢）大正十四年度渡航　墨國在住
○中會根浩　小縣神科村（大正八年適齢）大正五年渡航墨國在住
○養神寛　下伊河野村（大正十二年適齢）墨國在住
○下村晋廣　小縣鹽川村（大正十一年適齢）大正七年渡航、伯國聖州在住
○長谷川清一郎　下伊鼎村（昭和二年適齢）伯國レジストロ植民地在住
○大山幸平　南安明盛村（大正十三年適齢）伯國アリアンサ移住地在住
○百瀬弘二　東筑和田村（本年度適齢）昭和二年渡航　伯國アリアンサ移住地在住
○榎谷久　上水柳原村（大正七年適齢）伯國在住

海外支部便り

海外通信

會費送金新役員報告

在伯レジストロ支部

拜啓貴會益々御清榮之段奉賀候陳者先便にて申上置候會費參拾名分六拾圓也に昨年度分五拾貳名分（今後は本會にて參拾五名分負擔と決定致し居り候も今回新に會員募集を行ひ五拾貳名を得御申込ある見込）百四圓計百六拾四圓也を海興事務所の手を經て送金仕り候間御落收相成度候本年度分は何れ後日御送金申上可候

（本會の會計年度は七月を以て〆切り新年度は八月よりとす）

今後は海の外五拾貳名分の御送付を願ひ上げ候

本年度新役員　七月改選

會長　久保田安雄氏
副會長　石川文次氏
幹事　中島貞雄氏
同　松村榮二氏
同　太田政獅氏
同　大谷政信氏

以上

（昭和四年七月二十八日）

メキシコ便り

榎本武揚氏植民地報告

在墨チヤパニ州エスクヰントラ　竹内駒雄

拜啓　時下酷暑の候御障りも無く候や　陳者前の榎森氏時代より當地の榎本植民地に關しての報告をせよとの御依頼にて候ひしが既に三十年前の事實にて漸く人々の記憶より去らんとして居る有様尚充分の材料も得られざる有様に候是に植民地の沿革の大要と跡地に於ける現在同邦の概略を記し申候へば是に依りて概要を得られ度候

余り延引致したる過謬からず、尚不審の點之有らば御申越し下され度先號について諮し御通知申し上ぐべく、其の他如何なる事にても出來る事なれば御用命下され度喜んで調べて御報告に及ぶべく候（八月十日）

玖馬便り

「海の外」未着再送乞ふ

（在玖瑪共和國）今村廣義

拜啓時下三伏酷暑の候貴會益御隆昌の段奉賀候さて貴會御發行雜誌海の外本年三月號までは正に落手有難く拜讀仕り居り候處以後の分一向不着と相成り從つて御地並びに貴會の御狀況全く不明にて甚だ遺憾に御座候

本年一月以降は舊住所を以て小生より會費納入旁現住所明記仕り以後雜誌御送付方を御願ひ致し申し候へども其の後如何に御取り計ひ下され居り候や御伺ひ申し上げ候　敬具

（八月二十八日）

侍より………一月八日付の現住所御報知により左記の如く御送達申上げて居ります。今後一層注意致します

H, Imamura
Calc. F. 106. Vedado.
Habana. Cuba

（九月廿五日、海の外八十七、八十六、八十五、八十四、八十三、八十二號發本致しました）

亞國便り

模範青年小林龜代松氏

（亞國チヤコにて）小林一郎

拜啓

貴會益々御清榮の段奉賀候

先般朝日年鑑及御丁重なる御手紙御惠送下され誠に有難く感謝致し候

陳者未だ亞國在住代表的人物に選ばる丶程の資格は勿論なき筈に候故先般の御發表は實に意外千万にて自分の其れに不適任なるを心中ひそかに恥じ居る次第に候

顧れば當亞國に來り生れてよりレツチを飲みパンをかぢる事既に九星霜の歳月を重ね居り候へ共も今やゝやうやく自己の家に住み自分の釜の飯を喰へ得る様になつたに過ぎず成不成の如何は實に今後の奮闘努力にある咎と存じ候

目下亞國棉作地として又日本人植民地として名あるチヤコ縣ベレス、サレス、フイルド植民地に商店を經營し各種酒類を初め日用雜貨食糧品一切及吳服反物まで販賣し其他各種獸皮の賣買にも從事なし居り候

當地は先年移植民功勞者とし表彰されし上條泰三郎氏が數年前邦人入植の第一番者として入植以來ボツ〳〵增加し現在では十五ケの邦人農場と四十有余の邦人男女が各れも棉花栽培に從事され居り候、近年ロシヤ及チエコ人の入植非常に盛んにて世界各國民の共同植民地の感あり候

尙ほ當地には上條氏と同村であり又同氏の共營者として同時に入植され上條氏と共に邦人チヤコ發展の先驅者であり且又後進者を指導さる丶事多大にて現代珍れなる模範青年小林龜代作氏あるも余り同氏の世に知れざるを遺憾とし小生は此處に小林氏を御紹介申度候

當地の詳細は後日記し度く末筆乍ら貴會の益々發展を祈り候　以上

（一九二九年八月十八日）

海上通信

渡伯途上より

神奈川丸　渡邊勘吉

拜啓

神戶出發前後と申せ一方ならざる御世話様に預り忝く御禮申上候

且又航海中激勵電報迄下され九月廿日午後二時有りがたく頂きました御禮迄申述べます。

・九月十七日　晴

神戶港一時半發　海上浪無くスベルが如し

九月十八日　晴

門司午前九時半着　上陸

九月十九日　晴午後曇り午後四時より雨風となる

午前十時二十分發夕方より雨風となり婦人の二分の一つは船に醉ふ

九月廿日　雨風

船よひ男女約半數かんぱんに出る者なし私と子供は何事もなく食事を取る家內は十九日夕より食事もせずねたまゝ

九月二十一日　晴天

浪なく海上水平いづれも勇氣を出して起き食事を取る船の客と成りて始めて第一回の入湯

九月二十二日　晴風なし

一同げんきかんぱん上に出て遊ぶ午前九時半より（チブス）の注射をなす船より敷ござ一枚ごむそこざうり各人一足渡る菓子あられ小袋四

二十三日　晴

正午十二時ホンコン着昨二十二日午後二時半四番室よりマラリヤ病出る私等は六番室皆無事御安心被下只今ホンコンに着する所郵便は一時間前〆切り

先づは御禮旁々御通知迄御一同様によろしく

（九月二十三日十一時四十分）

信州記事

九十萬圓の節約
一市町村當りの削減　二千三百圓

縣下の各市町村におよぼした緊縮方針の現れは十月二日までにまとまつたところによると既定豫算の三分八厘に當り八十八萬千百七十八圓であるが更に目下未解決となつてゐる町村の小學校建築の上に縮小を加ふる事になれば相當の節約額を生じ結局當初期待されてゐた百萬圓突破は出來なくとも九十余萬圓の緊縮は困難ではないと見られてゐる、この緊縮節約額は縣下全市町村中未定の松本市および全然節約の余地なきものと縣當局からも認められてゐる諏訪郡米澤村上水內郡古里村以外の三百八十三ケ市町村の合所に反映したもので長野市の八萬六千三百六十三圓を最高とし更級郡桑原村の六十圓を最低とし一市町村當り二千二百七十一圓となつてゐる

菅平青年講習所
見事に完成して盛大な開所式

縣立菅平青年講習所では九月廿八日工事完工披露を兼ね盛大な開所式を擧げた、工費は縣費二千圓と上田須坂、長村等の寄附金一萬圓で縣費の分が四間に五間半の講堂だけ他の五間に十三間半の寄宿舍四間に三間半の食堂、炊事場、湯殿便所事務室、倉庫等の付屬建物合せて約五十坪が寄付である、講堂の全部は九月十三日完工し大體の設備萬端が最近漸く完備した現在生徒は十八名、それに主事舍監（いづれも敎師）各一名と小使一名の男ばかりの暮しで地方農村の中堅青年を養成する目的を以て勤勞の精神と植民的實際の智識と體驗を得させてゐる。講堂に

母國通信日誌
（自九月十日至十月十四日）

九月十日（火）　樺太町村會議員選擧は好成績を收め自治制確立さる▲勞働總同盟第三次の大分裂する左翼派除名を中央委員會に於て決議す▲全國各地に豪雨被害頻々

十一日（水）　京城に朝鮮博覽會開く▲朝野兩黨政戰の序幕、貴衆兩院豫算說明會開く▲緊縮豫算を主題に閣僚諄々と說く▲本年一月以降三月まで人口增加三十六萬九千五百二十六人で前年同期より七千三百人の減少

十二日（木）　一週間近くにわたる連日の雨で都下勞働者悲鳴をあぐ▲豫算說明會拂曉二時に及び野黨の止度なき質問に閣僚應戰▲緊縮受難の一段落過ぎて株式市況好轉

十三日（金）　降り續く雨に職を離れた細民へ五千圓を御下賜、目出度き御着帶式に際し皇后陛下の御仁慈▲東京市の失業對策の一策、「東京へ出稼ぎは思ひ止まりませう」とのポスターを全國各驛に掲げて地方人の上京を防ぐ▲橫須賀に飛行機製作所新設內定六百萬圓を計上

十四日（土）　天下の景勝地箱根の民衆化を計るため大涌谷溫泉一帶の御料林を開放▲六大都野

は神棚があり自ら稱して高天ケ原に居るといつてゐるのは既に有名である。

五百名の入場者
好成績の縣立圖書館内容益々充實

縣立長野圖書館は九月の開館以來好成績で去る二十五日から相談部を設置するなど漸次内容を整へつつあるが現在の開館時間は午前九時から午後五時までこれでは一般の利用に不便であるため近く夜間も開館すべく計畫し更に進んでは現在帝國圖書館に僅その一部あるばかりの書籍内容の索引を漸次完成せしめ圖書館に行かなくともその藏書目錄を知り得る樣印刷物を作り又獨學者の便宜を計る意味から各種檢定の期日場所試驗官氏名受驗參考書を館内に掲示する等種々計畫して居る

九月中の閲覽人員は總計約一萬二千名で内一般は男六千三百名女九百名特別閲覽二百名盲人二百名兒童四千名で一般閲覽者の内譯は學生敎員會社員官吏農業商工業の順序となつて居り一日平均にすると約四百七十名となる

讀みものは一番多いのが文學もので閲覽書冊數は點字本を加へて總計一萬九千二百二冊、その内主なるものは次の通りである

文學類四一九〇册、敎育類二二一八册、藝術類一〇三三册、歷史類八一五册、社會科學類六八〇册、雜誌類五八七册、產業類三四七册應用技術類三二六册、精神科學類三〇二册

一糸亂れぬ分列式
下伊那在鄕軍人の總集會

下伊那の在鄕軍人一萬三千余人は秋晴れの十月六日飯田城下運動場に會同して戸山學校軍樂隊の奏する樂の音に一糸亂れぬ鮮かな分列式を行ひ統監の町田大將、臨席の十四師團長代理横田少佐、松本聯隊區司令部高橋大佐、信武會長安藤大將代理市瀨少將等を喜ばせた、式次第も型の如く運んで次の樣な檄文と、誓詞が發表されるや萬余の觀衆は、たゞ感激するばかり、式終つた一同はえんえん一里の

球秋のリーグ戰開かる▲海軍軍縮問題英米兩國互相に主張を固執しつゝ列國會議を期待

十五日（日） 學生服學生帽の御方は不本意作ら御斷り申候とは帝都下のカフエーの立看板である。丸山總監のカフエー取締りの結果▲遷宮祭儀着々進む▲帝都に强盜の出沒夥しく警視廳では不良圓タクの監視を嚴重にする

十六日（月） 太平洋横斷飛行に邦人兒玉千平氏がシヤトルから一氣に東京へ飛ぶと▲新勞農黨結黨式は十月下旬と決めて準備委員會で着々進行▲大英國の首相が大西洋を渡つて米國を訪問する軍縮問題も兩國の一芝居に終らぬ樣

十七日（火） 金解禁を見越して民間預金激增す▲明治神宮競技大會に聖上陛下初の行幸遊さるとの御内意があつた▲松田拓相滿鮮へ殖民地統治の視察旅行にのぼる

十八日（水） 海軍軍縮會議明年一月中旬開催と決し我國全權委員には首相級の政治家を派遣すと▲淺間山九年振りで大噴火▲樞密院顧問官增員に對し政府頗る愼重の態度をとる

十九日（木） 久々で今秋新宿御苑に聖上陛下出御の下に宮中觀菊會を盛大に催すと▲秋田山形縣境に初雪降る昨年より廿九日早い▲日本航空輸送會社の空の旅は開業二ケ月になり大連線も實施して内地と滿鮮の空中聯絡が全通したが旅

長蛇の陣を作り歩武堂々今宮公園に至り神佛兩式による招魂祭に參列した

　檄す

軍人の信條は單純だ『海ゆかば水づくかばね山ゆかば草むすかばね、大君の邊にこそ死なめ』空に一生を過さぬ事だ我等の生活の本領は明瞭だ（中畧）さうだ實行だ、議論だをこれは互によさう、猛進だ、突貫だ

　誓詞

帝國在鄕軍人分會下伊那聯合分會は現下の社會風潮を深慨し局面打開のため擧國一致いよいよその結果を固めもつて聖旨を奉戴しこれが實行に全力を盡さん事を期す

わき返へる上田市
十周年祝賀賑々しく

上田市制施行十周年記念祝賀は九月十五日いよいよその幕を開けた、この日秋晴れの好天氣に惠まれ市内各商店は擧げての緊縮風を吹き飛ばして店頭を美々しく飾りつけ町内でもそれぞれ趣向を凝らして盆と正月が一度に來た程の景氣、一方上田溫電では別所、靑木、北東の各線に花電車を運轉すると共に輸送に全能力を擧げ信越線は長野輕井澤間各列車にボギー二台を增結した、朝來市内に雪崩れ込む近鄕近在の老若男女の數はおびたゞしく三萬の市民を合せて七八萬と注せられ上田始まつて以來の大雜踏を呈した、五年振りで街頭に現れた市寳の常田、房山の兩古代しゝは眞田昌幸築城の時以來三百五十年の歷史をもつて歌曲を奏でつゝ市役所開通新道路南北端北校等において交互に舞ひ屋台花火と共にいやが上にも市内をわき立たせた、市制十周年祝賀式は同日午後零時半から公會堂において擧行柴崎助役の開辭に始まり勝又市長のあいさつ石垣本縣内務部長、成澤市會議長伊藤商工會頭その他祝辭の後簡單な祝宴を擧げ午後一時半閉會、尙モダーン校舍二校でふたを開けた各種催し物は身動きもならぬ觀衆を吸收した

九年振の大噴火
仲秋明月の夜の淺間山

久しく沈默を守り今年は四萬人を登山せしめた淺間山は九年ぶりで九月十八日午

客が激減して悲鳴をあげる

廿日（金） 貴衆兩院議員にはパスを發行してゐるので議會往復旅費は余慶する意向であると▲日本商工會議所では外客誘致を計るため觀光局の設置、旅行案内、宣傳、ホテル改善の建議案を政府當局に建議した▲昨年七月ドイツから美しい舞踊家の新妻ヘテイーさんをつれて歸朝したセロの高勇吉氏近くアメリカに踊りとセロの共かせぎの旅に出る

廿一日（土） 東京市長と助役が進んで減俸の申合せ▲二旬の後にせまつた皇后陛下の御慶事を前に御乳人を東京と神奈川から二婦人決定▲雜誌界を風びする流色讀物大征伐に十月號の「文藝春秋」と「朝日」が發賣禁止となる▲紐育ブエノスアイレス間の航空路は八千五百哩所要日數七日間卅人乘飛行機で十月一日から開始

廿二日（日） 金解禁を目先に米日爲替は四十八ドルを突破▲海軍と實業家が軍縮の懇談會を開く▲伊勢神宮宇治橋渡始式▲荒畑寒村氏自殺を企つ▲東京市の財政難から淘汰される市吏員の海外移住を白上助役が斡旋

廿三日（月） 在佛十七年の藤田嗣治畫伯雪子（佛人）を連れて歸朝▲秋季皇靈祭

廿四日（火） 支那各地に反蔣運動起る▲ツエ伯號明春北極探險を決行するため財界の後援を求

前一時大爆發し地方民を慫かした大音響をきいて戸外に飛だしたものは大地震と間違へ一時は生色を失つたが、淺間の爆發と分り不安の中にも幾らか安どの胸を撫でおろした、折柄仲秋の明月の夜のことゝて滿天かうかうたる中に浮び出た淺間の雄姿が火を吐くのでその壯觀いはん方なくいづれも被害のことなど打忘れて眺めいつた。

淺間爆發の模樣につき觀測所追分支所員の語る所によると一時九分大震動があり二十秒の後には山頂から中腹にかけて煙をかぶり四、五分後には頂上から東方にわたつて火の山となり次いで溶岩が落下する水蒸氣のため山頂には薄もやが帶のやうに引かれた、大爆發後一時十二分、同十八分、同二十一分、同二十四分の四回小爆發が續き二時過ぎ漸く常態に復した

未開こん地の
大開發計畫に力こぶ

本縣では食料問題解決の一端として現在大部分は雜草雜木の生ふるに任せてある蓼科山麓、菅平、飯綱原、有明原、御牧ケ原その他十七萬町歩の大未開こん地開發の計畫を樹てゝ居るが、まづその第一着手として七千町歩のうち二百五十戸の住民によつて僅に一割二三歩程しか開こんされて居ない南佐久郡の御牧ケ原開こんに手を染ることとなり農商課ではこれが豫算を計上し明年度より實施せんとして居る。これについては同地開こん期成同盟會が非常に力をいれ、開こんに當らんとして居る

姿をかくすお六ぐし
大貯水池の出現で他へ轉業

大同電力では木曾籔原地籍に二十億立方尺といふ巨大なる大貯水池を設け三浦貯水池と相待つて下流三十二萬キロの發電所要水量の補充を行ふべく着々と計畫を進めつつあるが、それに伴つて籔原住民五百余戸の立退きの必要あるところから地元會社間で立退料についての下交渉が行はれた結果、地元は九百萬圓を要求し

む▲故野口英世博士の出生地を尋ねてエクスタイン博士會津若松へ材料收集に行く

廿五日（水） 政府は一般會計の緊縮と相待つて年々遞增する地方豫算の緊縮を計り市町村豫算節減は全國で一億圓にのぼる事が明かになつた▲前途有望視される英露國交期待さる

廿六日（木） 自動車運轉士小倉を轢した責任感から新妻を道連れに鐵道自殺▲日支條約交涉の難關は排日取締りであるが日本の根本要求はこれである佐分利公使重大使命を帶びて赴任▲文豪小泉八雲逝いて廿五年の追悼式が故人と由緒深い松江市で盛大に執行さる

廿七日（金） 女醫志村みよ子さんは英領ビルマの首都ラングーンにある「インドビルマ、メヂカルホール」の院長として赴任邦人の面目をほどこす▲緊縮々々の時節柄、帝都下の女學校では着る物は木綿にお辨當は握り飯との申合せの節約大宣傳▲政友總裁問題進展して田中男の勇退勸告

廿八日（土） 太平洋會議に日本婦人のために萬丈の氣焰をあげる四女史―東京女子大學長安井哲子、女子英學塾長星野愛子、女子學院學監三谷民子、日本基督教女子青年會同盟幹事長辻松子▲秋の日本をめがけて觀光團やら諸會議列席の珍客續々と來朝、國際貸借貿易外の收入として

て居るに對し會社は五百萬圓を主張してをり四百萬圓の開きあるもいづれ折合ひがつく模樣で會社側では三浦貯水池が片つけば、籔原貯水池に對する具體的交渉に着手することになつて居る

尙籔原に住居を有する人々は大體飯米原へ移住することになつてをり、お六櫛によつて生計を立てゝ居たそれ等の人々は立退料等を資金として新たなる生業につくわけである

神宮競技選手
聯合靑年團体育大會で決定

本縣聯合靑年團体育大會は十月十二、三の兩日松本縣營運動場に於いて各郡市選出の陸上競技を行ひ優勝者を以て明治神宮競技に參加する選手を左の如く決定した

△走高飛　小縣郡西鹽田村小池茂（二五）
△走幅飛　同人
△破丸投　上田市鍛匠町玉井久藏（一九）
△百メートル　下伊那郡鼎村牧野弘道（二五）
△四百メートル　上水内郡古間村西澤澄夫（二〇）
△千五百メートル　上水内郡東内村山本正義（二一）
△一萬メートル　下伊那郡智里村田中秀男（二一）
△八百リレー（四名）　下水内郡飯山町畑山伍一（二三）　下伊那郡鼎村牧野弘道（二五）　北佐久郡小諸町櫻井三郎（二三）　下伊那郡鼎村新井晉一（二三）
△柔道　松本市伊勢町中島藤三（二五）　長野市西町島田周一（二四）
△劍道　松本市長澤町榊沼武雄（二一）　長野市東之門町宮林隆盛（二三）

わが子を送る
藤村氏の三男蓊助君渡歐

文壇の長老島崎藤村氏の三男蓊助君は九月二十一日敦賀出帆の天草丸でドイツに赴いた、プロレタリヤ作家の勝本清一郎君と同道し勞農ロシアを横斷してドイツにいり東京朝日新聞社の黑田特派員を頼つて約三年間同地に滯在し洋畫を研究する豫定である

◇

蓊助君は信州木曾谷で百姓をやつてゐ

外客誘致の大當り

廿九日（日） 田中政友總裁突如狹心症で急死、行年六十七歲▲更生の前に政友會支社俄かに倒れて受難加はる後任總裁問題惱まん▲軍人政治家としての成功者であると共に一生を逸話だらけで通した、趣味は講談本であつた。

卅日（月） 全國民が眞心より御待ち申上げた皇后陛下の御慶びの日はつひに來て、すがすがしい初秋の雨けぶる今三十日午前六時十五分内親王御誕生遊ばされた▲郵船で中流以下の北米旅行者のためにツウリストケビンを設ける▲政友總裁後任犬養氏を要望

十月一日（火） 陪審法實施滿一周年公判全國で百廿三件▲鹿兒島縣大島郡に颶風襲ひ倒壞家屋四千八百戸船舶沈沒百二十破船三十四

二日（水） 故ウイルソン米亡人神戸上陸▲皇太神宮の第五十八回遷宮祭遷御の大儀を執り行はる▲明年豫算編成は大藏省主計局案總額は十六億四千萬圓で今年度豫算總額十七億七千萬圓に比し約一億三千萬圓の緊縮

三日（木） 田中男の葬儀政友會の黨葬として靑山齋場にけふ執行▲獨逸外相ストレーゼマン氏急死行年五十一獨逸の復興に盡した恩人▲鬼總監を戴く警視廳では帝都に巢喰ふ暴力團の大檢擧を行ふ

る長兄の楠雄君、二科に入選した次兄の鷄二君とは打つて變り當年二十三歳の美青年に似合はぬプロレタリヤ畫家で熱情と理智を兼ね備へた左翼畫家無産者新聞紙上に社會暴露的な漫畫を描き勞働者の群衆を題材にする戰鬪的畫家として知られてゐる

◇

然しこの毛色の變つた蓊助君にも「嵐」「分配」の作家である詩人藤村氏には親として人間としての深い理解があつた。左翼のナツプとしてその筋の監視を受けてゐたため蓊助君の旅券が、容易に下付されなかつた時、藤村氏はわが子を救ふために寢食を忘れて百方奔走した

〇

あらゆる有力者を賴み、官憲をも訪れ最後に「蓊助の一身に關しては思想上行動上、又金錢上一切についての如何なる責任でも父として自分が引受ける」といふ一札をいれたので流石の當局もやつと藤村氏の切なる願ひを容れたものださうである。

秋の鮮滿の旅

第二回本縣青年團一行

本縣聯合青年團鮮滿旅行は昨年第一回を催して好成績を收めたので本年更らに第二回を十月十四日長野發釜山、京城、平壤、奉天、鞍山、大連、撫順と各地を旅行して廿九日歸長の豫定で一行は左記十名である。

視察團長縣社會課敎育主事補 關 暦
下伊那郡龍江村 今村 清
小縣郡滋野村 唐澤 憲一郎
長野市 織田 信俊
東筑摩郡坂井村 玉井彦左衞門
南佐久郡南牧村 津金 元衞
南佐久郡中込町 木內 茂
更級郡信里村 平林 章嘉
東筑摩郡神林村 百瀨 今朝雄
北佐久郡志賀村 須江 貫雄

臨時縣會開會

縣參事會員の選擧

臨時縣會は十月十九日開會縣參事會員選

擧は政民兩派共候補者決定せずして第三日に漸やく投票する運びに到つた。當選者は左の通り

五票 高山 鄕三(政)
同 今井 梧樓(政)
同 兒玉 衛一(民)
四票 田中 彌助(政)
同 木內 一郎(政)
同 大平 鉊郎(政)
同 百瀨 興政(政)
同 青木 賢一郎(民)
同 小澤 正人(民)
同 山岡 久兵衛(民)

新年歌御會勅題

昭和五年宮中歌會初めの御題は『海邊巖』と仰せ出された。

お百姓の借金狀態

縣農會が調べでビツクリ

縣農會では上伊那埴科の兩郡について農家の負債調べを行つたが、上伊那郡は農家總戶數一萬九千五百三十四戶一戶當り九百五十三圓四十一錢當りで埴科郡は農家總戶數七千二百六十九戶一戶當り七百十四圓六錢となつてゐることが判明した。この內譯を見ると上伊那郡は

銀行より借入	六、〇八八、八〇七
信用組合より借入	二、四一一、八三七
耕整組合の借入	三、三三一、四四二
無盡既取金償還未了	六、六一〇、六六一
金貸業者より	一二三、一三〇
一般個人より	三、二六一、一一八
總計	二一、八二九、一九五

とあつて居り又埴科郡は

銀行より借入	七三五、一三八
信用組合より借入	一、九七七、一一六
耕整組合の借入	五九、六四三
無盡既取金償還未了	一、九五四、三三四
中金貸業者より	一三三、七一二
一般個人より	三二九、九二二
總計	五、一九〇、五二五

これは縣下農村が如何に苦しい狀態にあるかを物語る一材料で養蠶の大豊作も一般養蠶家に對しては二階から眼藥程度のものであらうと

四日(金) 政友總裁問題鈴木、床次、久原の各派互に腹の探り合ひ▲成熟期の降雨で豐作を期待された稻作豫想裏切らる▲郵船の淺間丸新しい設備で桑港へ初航海

五日(土) 婦人の眼をさます「家庭經濟展覽會」が朝日新聞講堂で五日から開會▲政友總裁後任問題、黨內平和のために犬養毅を推戴する形勢漸次濃厚▲英首相マクドナルド渡米して軍縮問題の正式會談▲獨後任外相はドイツ人民黨の功勞者現經濟相クルチウス博士

六日(日) 精神の強化の第一歩として親切東京市長の名案市內五十餘の大公園に日の丸國旗を掲揚する事になつた▲お七夜を迎へた第三皇女殿下、孝宮和子內親王と御命名された

七日(月) 歐米映畫界に東洋趣味を潮出せしむる雲洲プロダクシヨンは曾根に設立日本映畫の世界的發展を計る▲兵庫縣明石郡の惨劇强盜押入り女二人を慘殺して死体に火を放つ

八日(火) 政友會後任總裁に關する臨時顧問會は犬養翁の出馬を懇請する事に一決し翁の快諾を得た▲動物愛護のベーネット夫人廿五年の思出を殘して歸米▲歐亞八千キロの無着陸大飛行の佛人コスト大尉チ、ハルに着

九日(水) 犬養總裁のもとに政友會の新陣容軍縮をはじめ數々の新政策を練る▲本邦輸出品不二綿蘭洲の關稅引上げから大打擊▲東京市の強化總動員では惰惡な流行歌を征伐

十日(木) 多量の制限は罪惡でないと東京市が主体となり產兒制限の智識を授ける▲軍縮會議首席全權に若槻禮次郎氏を起用する事になり外相から內交渉▲陸軍機台灣訪問飛行は來る二十日頃決行すると

十一日(金) 本年度の入超は大正八年來少額の新記錄を示し一億圓以下の見込である▲政友會顧問榊田清兵衞氏(秋田縣選出代議士)逝去、終始床次氏を助けた人である▲秋の六大學野球リーグ戰早慶戰に入場切符大爭奪

十二日(土) 軍縮全權に若槻氏受諾す▲蔣馮の關係斷絕し蔣氏馮派討伐を命令して支那混亂の渦中に落ち入る▲政友會臨時大會に於て高橋氏の指名で犬養氏の總裁を決定

十三日(日) 早慶戰第一回戰は三ー〇にて早大まづ勝つ▲東本願寺長老阿部惠正師ら犯人は長岡市小林顯空と云ふ老僧で旬佛師轉錢派であると

十四日(月) 早慶戰二回戰七ー〇で早大圖難事勝成る▲渡伯したさの姦盜稼ぎに雇人主人の娘二人を連出して十餘日の行方不明に大騷ぎ▲本年度米作第一回豫想は六千五十七萬石で普通作よりやゝ良好であつたが廿日以後降雨で實入り十分ならず六千萬石代を割る見込み

「船」の話(四)

商船 岩井杏水

が冬なら濠洲は夏と、四季がすつかり反對になつて居る濠洲などはどの位い遠いかほとんど想像もつかない位に思つてゐらしやいます。ところが案外近いのです。そこで私は皆樣の御得心の行く樣に又比較しませう。

下關と青森は　一一六二哩
下關と青森間二往復　四六四八哩

即ち下關から青森まで二度往き戾りをする間に外國へ行きます

門司から香港まで　一一八五哩
神戶から新嘉坡まで　二八四〇哩
神戶から盤谷(暹羅)迄　二九八五浬
神戶から瓜哇スラバヤ迄　二八八五浬
橫濱から北米シアトル迄　四二八六浬
神戶から濠洲シドニー迄　五七〇四浬
神戶から印度甲谷陀迄　四八三〇浬
東京から下關まで　七〇二浬
東京から大阪間往復　七〇六浬

「君が一寸東京へ行つて來たとする。此のとき私がえゝ東京、東京、東京だぜ、東京、遠い東京ふゝん豪らいものだね、東京へ行つて來るのに、一寸東京か、成程ね」と云つたらどうする、必度君は私の横面を撲りつけねば納らないだらうね。

先生の掌は何時の間にやら私の甘栗のあんぺら包の中につゝ込んで居ました。そしてそつと甘栗を口にほり込んで「なる程近いんだね、全くうつかりして居たよ」先生の長方形の顔は元通り平和な三角顏に代はりました。

ある日のこと、私の宅に長年居る六十幾つの婆やが、「坊ちやん、唐天竺と云ふ國は遠い遠い世界のはて……」と私の子供に云い聞かせてゐました。今時の人達に唐天竺は世界のはてと思つて居る方は決してある筈はありませぬけれども、天竺と稱する印度は隨分遠い外國だと思つて居らつしやいます。日本

神戶から印度古母倫まで　四四五〇浬

ざつとこんな譯であります、海外と申してもそう遠くはありませぬ、外國は近い、もう支那へ行く位いの事は東京へ行く丈けの雜作もないのです。「一寸支那まで」御發遊ばせ、ロが又すべりました。これでも皆樣外國は遠いと御考へなさいますか。

船の噸數

「もしもし、△△行は何時出帆ですか、それから、その船は何噸ですか」と電話やら手紙でよく御訊ねになります、それは大きい船はよいのだと云ふ樣な漠然とした考へからこんな質問が出るのでせう、千四百噸の船と千五百噸の船と二隻出す、千五百噸を御選びになる、無論千噸より五千噸がゆつたりとしてゐる、五千噸より二萬噸がゆつたりとしてゐるに違ひないが、千四百噸と千五百噸、八千噸と九千噸、とは何程の乘心地の違ひがあらうか、もし大きい船が乘心地のよいものならば、大きい船の運賃が高かるべき筈であります、それだのに大阪商船の南米行の船の運賃は一萬噸級の船より七千五百噸級の船の運賃の方が高くなつてゐると云ふ實例があります、これを見ても乘心地は必ずしも船の大小が決定的のものでなく、それは設備の良否によります。

それに、お素人の方は「あの船は千五百噸です」「あゝそうか、小さいね」「あの船は二千噸です」「だいぶ大きいね」と仰しやいますが、實際お素人の方には千五百噸の船はどの位いの大きさかなかなか判りにくいものです、現在眼の當り船を見せてあげても、その船が果して大きいのか、小さいのか御見わけがつきかねます、三千噸の船と、六千噸の船と倍の差異があるのでさへ、お素人の方にはわからない。たゞ世間の壁が三千噸六千噸と云ふので皆樣は徒らに空つぽの聲に滿足される樣でありませう。こんな譯から米國邊りの船會社は商船の大きさを示めすに當り、なるべく大きく唱へうる、排水噸數を廣告して無理にお客の安心を釣出そうとしてゐます。

大休商船には餘り排水噸數を用ひませぬ、抑も排水噸とは荷物や船の必要品を滿載したときの船の總重量を申しますので、これが軍艦ならば戰時武裝をして軍需品を滿載したときの船の總重量であります故、軍艦に於てこそ初めて、これによつて大小强弱の外觀は判かるわけでありますが、商船では荷物をどつさりつみ込んだ貨物船ならば、船體が小さくとも重くなり從つて排水噸數が大きくなります、之れに反して乘客設備のよい客船ほど、お客樣へ出來る丈け居心地をよくするため、廣い場所を提供致し、從つて荷物を多く積むことが出來ないから大きさの割に重量は輕い筈です、そうすると貨物本位に出來た船は排水噸數が割合に大きく旅客本位に出來た船は、排水噸數が割合小さくなるのはあたりまへです、普通貨物船では排水噸數の二倍近くなり、客船でも總噸數に比し排水噸數は三分の一以上も大きくなります。

一噸でも大きい船に乘りたい人は、排水噸數などに迷はされずに、總噸數に御注意なさいませ。商船の眞の大きさを知るの

は總噸數であります。しかし船の選擇は大小よりも、設備安樂と云ふのを狙ふのが大切ではありますまいか。御參考までに船の噸數について御説明申上ませう。

船の大小が完全にわかります、右の總噸數より機關室、船員室等を除いたり殘りの部分を登簿噸數と申します、普通商船に對する税金等は登簿噸數によつて徴收せられます、船の總重量を排水噸數と申します、船の總重量は即ち其船の排斥する水の總重量に等しいのですからそれで排水噸數と呼びます。船の艙內に荷物を積込みうる重量を重量噸數と申します、船腹の中央に[印]の印があります。Sはサンマー、Wはウインター、Fはフレッシュの略字で夏、冬、淡水に應じて、その印のある所まで船積出來るものとしてあります。これをロードラインと申します。それから船內の荷物を積み得る場所の總容積を四十立方呎で除した數が載貨噸數であります。

船の積載力と荷物の積卸方法

船の積載力の大きなことは、實に想像の外であります、例へば、只今上海から神戸橫濱を經由して北米シアトルまで航走して居るありぞな丸（總噸數九六一八噸）について說明致しませう。此の船に荷物を上手に積込むと一萬二千噸ばかり積込めます。お米ならばざつと二十萬俵。

（註）若しも關東大震災のやうな時此船に充滿お米を運んで來たと想像致します。東京市の全戸數を四十萬戸と假定して、一戸當り二斗宛配給出來ます。

此二十萬俵を汽車で運ぶとせば、大小の貨車で異なりますが十噸貨車で千二百輛入用となります、此の貨車を全部繼ぐと約五哩、恰度東京驛に最後の車があるとして機關車は品川をぬけてずつと先き、大阪の梅田驛ならば神崎をぬいて仕舞います。こんな素晴らしい大量の荷物をどうして積んだり揚げたりするか。二十萬俵の米を人の肩で運ぶに、一人の肩に一俵をかつがせたと致します。そして人夫が艀から俵をかついで船舷三四十尺も上り船底へ五六十尺も降つてどかりと積んで居ては、理想的な屈强な仲仕でも一時間に、もの〻四俵も積み込めませぬ。かりに八時間激烈に勞働しても、一日一人で三十俵づ〻作業もせば精一杯でせう。さうして一日に二百人宛の人夫が汗水たらして、一ケ月以上か〻ります。

しかもかくの如き米のやうに人夫一人の手に合ふ荷物ならばよろしいが、二百貫位の荷物になるとどうなるのでせう。か樣な荷物を汽車に積み込む仲仕の働きを御覽下さい、多勢の仲仕が掛け聲を合せて一寸づ〻ずらし込むさまは、見る眼にも氣の毒な有樣です、若し斯樣な荷物を船へ三四十尺も上げ、五六十尺も下す場合を御想像下さい、大した騷ぎとなるわけです、然し船の荷物積込は汽車のやうに人の腕によるのではなく、主とし强力な揚貨機によります。その揚貨機はマストの橫について居る電柱の樣な棒（デリッキと申します）をその傍らにある機械（ウヰンチと申します）で動かして樂々とつみ込みます。此の揚貨機は小さい船でも、大抵は二三百貫の荷物を揚げ下け出來ます。（續く）

移住地閑話（三）

在アリアンサ　武田三三

四八、井戸堀り

六七八月は農閑期であり又乾燥期であり又一年間絶頂の好期節である。當地の如き新植民地に在ては新開拓の山伐りに相當多忙であるが、舊植民地に在ては珈琲採集に多忙であるから、結局農閑と申されぬかも知れぬ。此乾燥期は則渴水期であるから從つて井戸堀りの期節である。井戸は申す迄も無く生活必須の設備で、入植と同時に萬難を排して設備するを要するものであるが、地質不案內の爲に開拓當初は可なりの困難を嘗めたものと承つて居る。早く水を得るが爲に低地へ低地へと井戸を求め、從つて住宅をトしたが爲に早速、「マレータ」に罹つたものは、平野植民地を始め多數の邦人集團地であつて、中には井戸を節約して河の邊に家を建て、何人か何十人か知らぬが一村全滅に歸したものは「オウリニヨス」邦人村であつたと申されて居る。溪流の使用並に飲用は「マレータ」のみあらず赤痢をも媒介し、當地にも死んだ人が一名ある。此經驗に鑑み近來は高地へ高地へと家を建て井戸を堀つた所、水が低地よりも却て早く出るのは一寸不思議に思へる。多年の經驗ある人は、波狀丘の起伏を一目見て井戸の位置を判斷するさうであるが、拙者の素人判斷に依れば高地は天に近いから水が早く出る譯であらうと思ふ。つまりブラジルの井戸水は萬古の雨水であつて、高地の方が低地よりも多分の雨水を含蓄して居る次第であるまいかと思はれるのと、一つには由來高地には樹木の繁茂が盛大であつて、雨水の貯量が夥しきが爲であらうとも思はれる。其要領を得ざる井戸掘學であるが、兎に角早く出さへすれば結構で御座らう。識者の御説に依れば高低傾斜の肩部に堀れば間違無しとの事である。

最初の入植者は二十メートルから三十メートルを堀つて漸く水に達したが、昨今段々水深が增大して來る。水深が增すのは至極便利であるが、井戸がボカ〱と陷沒するのは甚迷惑であらう。殊に昨年末から今年三月迄の雨期には、降雨量前代未聞と申され「チエテ」河は氾濫して河幅一里に達し、鐵道は水中に沒して運轉不能と相成ると共に、當村の井戸の三分の一位は見事陷沒に歸した。爲にあちらでもこちらでも井戸堀を見たが、概して井戸の深は淺くなり、早く申せば前年の半分位堀り下ぐれば水が出る。是は年々樹木伐採の結果であるか又は昨年の大雨の爲の一時的現象であるかは一寸判斷致し兼ねて居るが、開拓當初には八百ミルも取られた井戸堀が、今では家族二人で五六日も掛れば一文無しで出來上るのは至極調法と考へて居る。

拙者昨年五月に山林を伐採し終つて七月に地形を案じて井戸を堀つた所、十メートル足らずで水に達した。チト早過ぎると存じて念の爲に今一個所に堀つた所、今度は七メートルで水が出る。開闢以來未曾有の成績であると

悦んで居つた所、十一月の一雨で水深五メートルに達すると同時に、井戸は二つ共物の見事に陷沒した面倒であるから昨年は其儘放置して一年を經過し、今年七月改めて附近に堀り直した所、今度は僅に五メートルで水が湧き出したのは、是亦前代未聞である。溪流に沿うた處では三メートル位の井戸も見受けるが相當の高地では五メートルは未曾有であらうと思ふ。

井戸の陷沒するとせぬとは一に地質に依る事で、淺いから安全で深いから陷沒するとも申されぬ。先づ當地の地層を大同小異と觀れば地下五メートル位迄は赤色砂質擬粘性土壤であり、此間で水が出れば悉く陷沒するに極つて、水深を豫想して一部又は全部に煉瓦を疊かなければならぬ。煉瓦を疊くと申せば御大層であるが、平たく四形に併べて積み上げて置く丈で何等の結着方法をも行はぬ。五メートル以下三メートルは白砂を混合する桃色擬硬質水成層であり、これも水に觸るれば崩壞陷沒する。更に地下約十メートルに及べば暗褐色の水成岩に達し、水深が此層を超へぬ井戸は陷沒の恐無しである。早く水の出る井戸は講法便利であると共に大旱に遭遇すれば涸水の恐もあるから、井戸は矢張り此水成岩に到達して水が出た方が良い樣にも考へられる。然らば出ても出なくても水成岩迄堀ればよいでは無いかとも考へられるが、土壤の間から水が、滲み出したら最後、見る〱崩潰して堀り下げる事が不能である。因て思ふに便利即不便利であらうか。

此赤色擬粘性土壤は珈琲栽培に對しては三等質土壤、一等は赤色粘土であると申される。則ノロエステ沿線は二等又は三等であり、モジアナ沿線は一等と申す譯である。一等も二等も要するに珈琲樹生命の長短を指示する次第であらう。生命の長短は土壤含有の肥料保持性であり、粘土は水に流れぬから命長く、砂土は一雨毎に洗ひ流されるから命短しと申す譯合と見える。因て察するに當地の地下約十メートルの水成岩は、太古の地表であつた處へ、火山岩の風化分解せる砂が流れ積んで、其間六百万年を經過したとは、聞いた丈でもウンザリ致す。土壤製造の時間に比較すれば一等も三等もあるまい。尤も此六百万年は當地で測定した譯では無く、目下ゴビ砂漠探險中の米國博物館學者が、前世紀動物の骸骨を發見して判斷したのであつて、當地も遠からず砂漠と爲る事は明であるから、大概同樣の年代を經過したものと臆斷したに過ぎぬ。而して此土壤の微粒粉末が火山岩の分解したものである事は、サンパウロ帝國總領事館御調査の發表である。

右の樣な次第で、開拓當初八百ミルも出してブラジル井戸堀り屋に掘つて貰つたものが、二人で一週間も掛らず立派に出來上るから、今後の移住者は大體見當を着けて自分で堀る事である。自家の勞力を只と觀れば、煉瓦代釣瓶代、轆轤代を入れて、百ミル乃至二百ミルもあれば結構であらう。先年某地で邦人が井戸堀をブラジル井戸屋に請負はした所、早速水が出たとの事で、のぞいて見たら成程水が見える。錯覺を拂つてから井戸に入つて見ると金ダライに水を入れて底部に埋めて行つたのであつたと言ふ話があつた。滅多に油斷ならぬ事である。尙砂質土壤は一日掘りで二メートル、水成層は一メートル位掘れるが、水成岩に達すれば三寸か五寸位しか掘れぬ。土壤は鍬で掘り水成層以下は鶴嘴又はスパイクで掘る。第三移住地收容所前の有名なる四十メートルの井戸も、此雨期に陷沒し、別に堀つたら矢張三十五メートルもある。ヤレ〱と思つて居つた處「チエテ」の組合移住地の

井戸は六十メートルに達して未だ水が出ぬ。「チエテ」は當地よりも百メートルも標高が低く、地表が河底と同高度であるから、早く水が出さうなものであるが、矢張り天に遠い結果であると思ふ。

最後に井戸側並に汲揚裝置は全部手製であつて、釣瓶は多く石油罐、贅澤な所でバケツである。日本式に滑車で釣り揚げて居る人は殆ど無く、手製のロクロに綱を卷きつけ、取手を付けてグル〱捲き揚ぐる所は、吾等初對面の裝置であるが、若干西洋臭くもあり且又便利でもある。

四九、蟻殺し

處に依つて多少の差異はあるが、蟻は耕地に附き物であつて放任すれば作物の被害莫大である。就中綿花に禁物であつて某綿花耕地に於て作物に被害無き迄に驅除する爲に、一アルケール四百ミルを要したとある。從つて之を驅除する色々の藥品が販賣せられて居る事恰も日本に於ける肥料の廣告と同樣に目に附く、日本は土地が痩せて蟻なども居らず、農業に肥料は附き物であるが、當地の吾等は肥料などは目下の所考へても見ぬが蟻には大部經驗を積んだ、尤も蟻ばかり研究した學者もあるさうであるが、吾等は研究の餘暇を持ち合はせて居らず、出て來るに從つて之を殺して居るに過ぎぬ。各戸の畠には二つや三つの蟻の巣山の無い所は珍らしく、穴を堀つてチビ〱土を搬出して居る個所は無數にある。活動中の巣は毎日々々地中の土を運び出して居るが、古巣は土饅頭と爲つて處々に殘つて居り、大なるものは底部の直徑三メートル高さ二メートル位である。此土饅頭の巣山ある處には活動蟻は殆ど居らず、土饅頭の無い土地には盛大に活動して居るのは一寸不可解である。

小蟻は日本蟻よりも遙に小さく、殊な被害も與へぬらしきに依つて捨て顧ぬが、大蟻は長さ一センチ以上あつて、赤蟻と黑蟻がある。何れも「葉摘ぎ」を常業とし、樹の葉や野菜なら何でも摘ぎ去り、食々畠を綺麗に除草すれば、今度は珈琲の葉を摘ぎ出し、一夜にして二株三株を裸體にして了ふ。先づ工兵隊が樹の枝に登つて葉の莖をプツリと嚙み落す、樹の根下には別の工兵が居つて此葉を細かく嚙み切る、運搬兵は其一片を口に咬へて五十メートル位も距離のある巣の中に運んで行く。一つの巣から多數の出入口があつて四方に出動して居る、其勤勞や多とすべしであるが、偶々巣の附近に足を置けば忽ち這ひ上つて何處でも嚙み付くが、餘程銳利なる兵刄を持つて居ると見へ、掌の樣な皮の厚い部分でも嚙み付かれると出血する、稀に一寸以上の大蟻が出る事があるが此奴に喰ひ付かれると大變であると承つた。

驅除方法としては硫黃と砒素を混合し、密閉したる炭火七輪の中に燻煙せしめ、空氣ポンプを以て此毒瓦斯を一つの穴に注入するのであるが、連絡せる穴から煙が出るので一寸面白くもある。丁寧にやれば一度で出て來なくなるが、大底二三回繰返するを要する。出て來なく爲つても果して全滅したのか、又は別の方角に穴を堀つて避難したものか頗る不明である。今年は是で大丈夫と思つて居ると翌年はチャンと出て來る。右の毒瓦斯用炭火七輪式器械は至つて、簡單な裝置であつて日本なら十圓位で買へるものが當地では二百ミル位で賣り上げて居る。由來國際的に大使を交換派遣して居る文明國に於て、ブラジル程工業の發達せぬ國は無からう製造工業化學工業の未熟にして物價の高き事世界一である。マッチ一個が百文（日本で一錢）石鹼一個が二兩（日本で十錢位）とは何事で御座るか。

海の外 歌壇

短歌　雅夫選

○　六波羅靜馬

湖に雨霧たりて向つ岸の灯見へず更くる淋しさ

大川に沿ふみ住居の靜もりて時折家鴨の鳴聲きこゆ

柿の木の茂みをもるる灯指し兒は我が訪はむ家を示せり

○　中谷四郎

小學野球大會

應援に峠を越えて來れりと大きくなりし教え子はいふ

戰ひに負けたる子等は踊りゆくと校舍の隅にむすびはみ居り

稻の穗は垂れ初めにける小田中の奥津城垣に木犀咲き居り

○　加納幸雄

月のかげ窓硝子にさしてをりあさげに近き身のひえおぼゆ

夕風はたちそめにけり森かげのわが家の屋根にふれる椎の實

椎の實の朝の屋根にこぼるるを雨かと思ふさめしたまゆら

○　川口幹

夕まけてみみづなきつぐ稻田道を雨にぬれつつ還つたひゆく

みのりいでし稻田に深く水つきて今日もひねもす雨ふりにけり

夕餉して倚もほてりのいちじるしさ庭におりて風にあたりぬ

○　伊藤淳郎

朝雨にぬれて咲き居る燕麥の花桑畑中に白白とみゆ

二里の道歩みて踊りに來るといふ山深くすむあいれ木曾人

教室に子等と飼ひ居るこほろぎのこの頃なれてよく鳴きにけり

かまくびを立てたる蛇を手に持ちて蛇賣行きぬ雨ふる町を

○　兩角信次郎

夜のしじま折折屋根に音のしてドングリの實は落ちにけるかも

土の香をしたしみにつつ明暮れを畑ほりくらす人となりけり

時雨あめいく日かふれば故鄕の足病む妹の事を思ふも

○　小山勇次

秋雨のふりしきり居る一日を温泉宿に母とすごしぬ

山彦をきかせやらむと子供等を閒下(きした)の山峽(やま)に連れて來にけり

○　新村野菊

思ふままを友に話して歸る來るこの夜は更けて靜かなるかも

○　山田晴夫

事に倦みて庭邊に立てば心安し馬追虫が鳴き出でにけり

風寒き高山の岩に根をもちて小さき草花咲き出でにけり

○　宮坂春郎

今日一日秋雨ふりぬダリヤ花莖もあらはに亂れけるかも

俳句　雅夫選

○朝鮮南倉四季　千星

白帆見へ隱れする島の麗かな

海苔船に七星艇の鐘ききぬ

睦まじき海苔きりの夜も更けにけり

鰡跳る海邊涼しき夕かな

南下する鳥幾群ぞ秋の宵

初獵や這ひよる土手に人の居り

月代や米搗く醞の二百軒

やかましき濁酒の醉や棉の市

海からも寄るや初冬の賣物

架空線に凧つのる響かな

苫船に煙立ちけり夕時雨

○　玉栗

洪水のひけあとくさしトンボ飛ぶ

山毛欅の樹の高きにも熟れ山葡萄

名月の更けし千曲の瀬音かな

尾根路越す通草熟れをり萩山刈られ

アリアンサ陸稲會

『題』狩、小春

獵犬に驅の道平らなる　念腹

大幹にあたりてのぼる狩の道　同

崖の上に人現はれる小春宿　同

片蔭根の葺替られし小春堂　同

交へ木のあらぬ方なる小春堂　同

何もなき四方の畠や小春怨　同

追つめて珈琲畑の狩場哉　圭石

船よりも寄せ來る狩の法螺太鼓　同

小春日の教會出づる二人連　同

停車場の後光るや小春川　同

埒を出で遊び疲れし豚小春　同

コーヒーを摘む手捗行く小春哉　同

朝狩や未だ霧はれぬ丘續き　掬二

草の實をズボンに附けて狩の人　同

夕士間や草の實拂ふ狩衣　同

豚追ふて小春の道を戾りけり　同

買物に町まで行くや小春晴　芦庵

小春丘はるかに來る二三人　同

マンジョカを切り干す庭や小春村　同

犬ころと猫と遊べり小春庭　同

移住地や狩を兼ねたる訪問者　紅村

雜草の又萌出でて小春哉　同

郊外の麥青々と小春哉　同

（日伯新聞より）

歌壇應募成規

一、題　短歌、俳句　隨意
（一人五首限り用紙官製はがき）

一、選者　兩角雅夫先生

一、〆切　十一月十五日

一、宛所　諏訪郡平野村　兩角雅夫先生

（備考）海外在住者からの應募者は住所氏名を明記して選者宛直送をお願ひします

映畫感想

「ブラジルに飛んで行きたい」

兒童の頭に響く映畫の力は偉大

△「ブラジル移住」の映畫を觀て▽

本會では海外發展思想の普及並びにこれが宣傳方法としてブラジル移住の奬勵について、ブラジル國の事情を手にとるが如く撮りたる活動寫眞、大日本教育映畫協會の製作「ブラジル移住」全五卷を各地に公開してゐるが觀衆の七割を占むる兒童には果して如何なる反響があるか？　今、上水内郡富士里小學校に於ける映畫の感想は左の如くである。

僕等の平和鄕

高二　本田正

僕は一番想じた所は、あの太平洋及印度洋より、大西洋を横ぎりて、此のなつかしい故鄕を後にして行く、我が同胞の勇しい姿は皆國の爲と云なければならぬ、ことに獨逸人のブラジル移住はことに感心した。それはいつまでも其處に住み故鄕に錦を着て歸るなどの事の無い事である。

ことにブラジルばかりでは無い。支那滿洲及南洋の諸島の移住も皆國の爲と言はなければならぬ。そして自分達の運命を托する天地である南米の天地、南洋の地そこは平和な働らく僕等の平和鄕である。

奮發して海外へ

高二　本堂篤

鬱樹鬱蒼と生ひ茂り日光の赫々として我等同胞を照し原始林は次第に伐採せられだん〳〵と斬な新天新地が拓かれゆくところブラジルの國にあらずして何處でありませう。

映畫は一段と緊張を帶びて來た。珈琲實の植付けから手入、そして収穫までの勞作、せつせと働らく者は我が同胞の勇姿である。ふと傍らを見れば子供が居眠を始めたり半分席を譲りてやればすや〳〵と眠りに入る。顧みれば我が國は年々澤山の人口が增し外國から多額の材料を輸入せねば僕等の生活が出來ぬと考へれば大いに發奮して海外に移住を企て彼の地において故國の名を擧げねばならぬとつく〴〵感じた。

ブラジルはよい國よ

高二　中澤みやの

十三日の夜の活動を見た私の心はもうブラジルに飛んで行つて居る。さあ〳〵早くブラジルに行きませう〳〵。我が國は大日本とは名はついて居るが土地がせまい爲働かうと思つても充分に働く事が出來ないで澤山の失職者がゐる。その上此のせまい國に一年にも〳〵と鼠の如く生まれるのである。

我が國で入用の人だけが日本に居て後の人は皆どし〳〵とブラジルに行つて働きませう。

それには第一身体を大切にしてブラジルのあの廣い所を耕しませう。活動で見たでせう、ブラジルに行く人々の活潑さ、大勢の人々の歡呼の聲に送られて神戸を出發するあの盛んなる見送りはなんとたとひたらよいでせう。

さて此れから働く仕事はコーヒーの栽培など一番多いかと思はれます又其のコーヒーの栽培などして居る所は私から見ては、うらやましく思はれます。

早く大きくなつてブラジルにでかけませう。

さうして唯も彼も汗みどろになつて働いて來ませう。

私が居つたら物すごい働きをして見せます。

活動で見た我が同胞の働き方を見た時私は今迄の間に此れ程嬉しかつた事は外にありませんでした。

どうか自分を始め他の人々も身體を大切にして皆でブラジルに行く事を今からお祈しておきませう。

いつたら死んだ氣になつて働いて來ませう。

ブラジルはほんとうによい國と思ひました。

僕もブラジルへ

尋六　三澤賢之輔

この間やつた活動で、かんじた事は日本の國で、米をとぐ時米をこぼす、あれをこぼさなければどれだけ、日本の國のためになるかわからない。それを人々はへいきでこぼしてゐる。そのこぼした米をごみすてばへすてる。又いろ〳〵のたべものをすてゝしまふ。それからブラジルへいつて、はたらいてゐる人の寫眞を見た時、きふに僕もブラジルへ行たくなつた。もしわれ〳〵日本人をブラジルへきてはいけないといはれたら、日本の國の人口はます〳〵ふへてこまる事だらう。

土地が狹いから

尋六　寺島あつゐ

私共は活動寫眞を見まして日本人は米を粗末にして居る處を見まして日本全國の人達が一人で一日一粒づつ粗末にしても其の數の澤山なのに恐れました。

米を粗末には出來ないと思ひました。

二番目にはむやみに外國製を使はないでなるべく國で作つた品で間にあはせるようにしないと外國へ澤山お金を拂はなくてはならないから自分の國がだん〳〵貧乏になるからと思ひました。

海外發展といふ南米ブラジルに移住民の寫眞を見ました。日本は土地が僅かなのに年々人口が增加する故せまい國に澤山な人が働いて居るよりはよい土地が外國に廣くある故なるべく海外に出て働らけばお金もとれ土地も自分のものになるからよい事と考へました。

誌上映畫

移民奬勵映畫劇

『行けブラジルへ』 全四巻

製作 教育映畫協會
提供 日本教育映畫社

原作 飯田一郎
監督脚色 堀野章三
撮影 田畑雅雄

× × ×

配役

津村良介……大地一郎
その妻ふみ……西條香代子
その子……並木杏子
良介の父……吉本啓一
醫師、薬局生、村人等

「行けブラジルへ」

都と鄙もをしなべて、春の女神の恵みに浴せば鳥は囀り蝶は舞ひ、散り來る花も光ありて、人の心も自から浮立ち、都を遠くはなれた此の靜かな村落に、「花は咲き鳥は唄ふ美しい春は來ました。」

「しかし良介夫婦には春は訪れなかつた。」

家は貧しく父は重き病の床に在り而も其の父親に薬さへもろく／＼興へられない彼等に何うして春の悦びがありませう、孝心深き彼等の胸は冬の様な暗い淋しい思ひで一杯であります。

妻のおふみは夫の心を察し

「ねえ貴郎せめてお米のお粥でも差上げたら……如何で御座いませう」「あゝさうだ。さうして上げておくれ……」

「はい」と云つて立ち上つたおふみは、土間の片隅に置かれてある米櫃に近づくのが恐しい様な氣がいたしました。蓋を開けたおふみは「あなた」と云つた限りあとは止めどもなき涙に落れる許かりでした。

「何うしたのだ」良介は、いぶかしげに妻の傍へ來り中を覗いて見ると、其の中に一握にも足りぬ米しかありませんでした。

「あゝさうか」餘りの事に良介も今は茫然として終ひました。

おふみは堪へ兼ねて、夫にすがり付きよゝと許りに泣入りました。

「泣くなお父さんに聞えるとよくないから、さあ表へ行てよく相談しよう」

良介は妻を勞り乍ら表へ出て家の裏手へ連れて來て腰を下ろしました。

やがて、おふみは泪の目を上げて

「私達は何故こう貧しいのでせう」

良介は力なく向うの畑を指して、「向うを御覧……それは此の狹い土地で多くの人が生き様とするからだ」

然しそれを今更云つても仕方がない

さうだ―馬を賣らう、さうしてお父さんにお薬を差上げやう。

「あゝさうして上げて下さい」と、おふみも親を思ふ一心から快よく同意致しました。庭の立木に繋れて居る無心の馬の側に來た良介は

「それぢや、是から俺は町へ往て來るから、お前はお父さんの看護をしてくれよ」

農家に取つては馬は眞に生命であります。殊に貧しい良介の家に在ては或は生命よりも貴いものであつたかも知れません。其の馬を賣る可く遠ざかりゆく淋しい夫の後姿を見送るおふみの眼には、涙に曇つて夫も馬も朧に霞んで終ひました。良介は通ひ馴れたる町の道を重たい歩みをつゞけて居ます。

「よく働いて吳れたお前ともお別れだ今度は金持の所へ買はれてせめて饑ひ思ひ丈けでもせぬ様にしろよ。

馬は土堤の草を食ひ出しました

「おゝうんと食へ、お前の腹の張る事なら俺は何時迄も待つてやるから、どつさり食べろ、今迄さぞ饑い思ひをした事だろうなあ。

親には孝行であり家畜に對してさへも斯く迄に優し人間味の豊かな良介や人情の美しさに輝く其の妻に對しては神様は何時迄不幸許りを御與へになるのでありませうか、而し淺はかな人間にはそれを批判する權利はありません。

神の思召は深く、その試練には隨分辛い事もありませう、けれ共それに耐へ得る者こそは、やがて眞の幸福を授けられ、悦樂に輝く事でありませう。

妻のおふみは忠實に父親の枕邊に在りて、一刻も早かれと夫の歸りを待つて居ります

「馬を賣つた良介は父を喜ばせようと……」

町の通りを歩き乍ら父親の滋養になる様なものは無いかと探す中薬屋の店頭でミルク罐を見出しました。豫てミルクが病人には最良の品であると聞いて居た彼は猶豫なく店に入つて其の一罐を買ひ求むるのでした。

これも彼奴を賣つた御蔭と心の中では馬に感謝をして居りました。

而してお父さんに差上げたら定めしお歎びになるであらう……と思ふと父親の笑顔が目の前に浮出して來る様に思はれ、良介は久振りで愉快な晴々とした氣持になりました。「さうだ。お薬をいたゞいて早く歸らう」と久し振りで彼は醫師の家へと足を早めました。

「御免下さい、お薬を頂戴に上りました」と薬壜を差出すと取

次の薬局生が、「先生はお迎ひがあつて、あなたの家へ急いで行かれましたよ」

「エ・ツ」良介の胸は忽ち不安の雲に閉されました。――父の急變――薬壜を落して碎いたのも何にも彼も忘れ一里半の道を我が家を指して一散に馳け付けるのであります。流れる汗を拭ひもあへず人の笑ふも構わず漸く我が家の前迄辿り付いた時、バッタリ醫師に出合ひました。

「あゝ先生……」

「お氣の毒すが……良介さん、もう間に合ひませんでした」

醫師に左様云われた彼は一時に目の前が眞暗に成た様な氣がしました

安らかに永遠の眠りに就いた父の姿、それは信じられ得ない事でありましたが、而も事實は何うする事も出來ませんでした。涙の眼にヂーッと見詰めた良介は、「お父さん許して下さい、私達が意氣地が無い爲めに充分な事も出來ませんでした」せめても喜ばして差上げようと折角買つて來たミルクも今は無駄になつて終つたかと彼はそれを取り出して無言のまゝ妻に示せば、おふみも良介の心根を察し首項垂れて泪にむせぶのでした。斯うした限りなき悲しみを包む春の日が靜かに西の端に落ちてハラ／＼と散る花も物淋しげでありました。やがて泪の中に初七日と成りました。

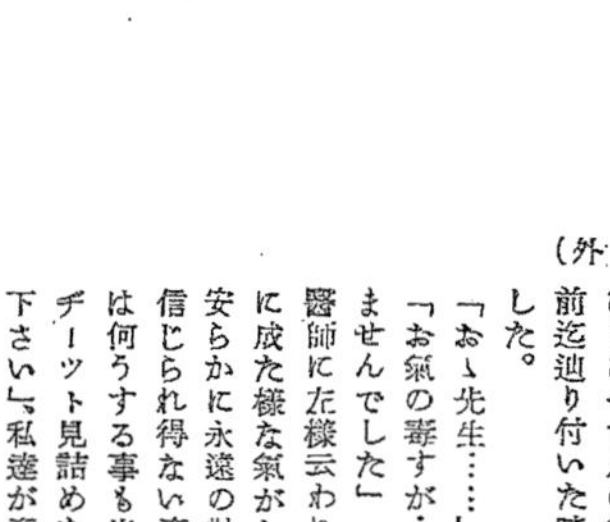

昔から多くの人々が靜かに眠つて居る墓地に來つた二人は父親の貧しい墓前に額づいて、細々と立昇る線香の煙をながめて居ると、今更乍ら悲しさが込上げて來るのでした。

「どうかしてお父さんの石碑を建て度いものだねえ……」

良介はしみ／＼とおふみに言ひました。妻は夫よりも以上にそれを望んで居るのです。けれども先き立つ物を持たぬ彼等に夫れは到底不可能な事でありました。馬を賣つた金は殆んど野邊の送りの費用に使つて終ひました。仕方なく二人は寂しく歸途についたのですが縁先に腰を下した良介の頭には

勞働!

成功!

なぞの文字が去來しました。然しそれには土地が餘り狹すぎる。

呼嗚、廣い土地へ行きたい。廣い土地に行つて思ふ存分に働きたい、彼がつぶやいてゐる時に隣りの娘が皿へ供物を入れて來ました。「粗末なものですが佛様へ供へて下さい」隣りの家の人の情を嬉んで良介はフトそこに或る物を見出しました。そしてその顏にはサッと希望の光が流れたのであります。

「そうだ!それがいゝ、そこには廣い天地が俺達の働く爲めの天地がある其所へ行こう、而して一生懸命に働こう」と力強く叫んだのであります。

彼等は何事か決心した、そして數日後彼等の姿は村から消えた

夏來り
秋去り
冬來り
幾春秋

さうして又春が來た

花咲き亂れる長閑な野邊を横切つて、良介が去つてから幾年目かの春の日小さなステーションに列車が到着いたしました、降り立つ五六人の村人中にまじつて此の小さな村には珍らしい洋裝の夫婦と可愛いらしい小女とが下車いたしました。この珍客は數年前村から姿を消した良介夫婦と、其の間に生れたいとしい子供の三人であります。

春は酣、花の盛りの故郷へ錦を飾つて戻りました。彼等の顏は喜びに輝いて居ります。春風に散る花瓣を眺めた少女は

「お父さんあの花はなんですか」

「あれは櫻の花です」

「さうだ!此の子は未だ櫻の花を知らなかつたのだね」妻を顧みて莞爾として、笑ひました。懐しい故郷の野邊に紅に紫に咲き誇る花を摘み取る少女の姿、夫れは眞に一幅の繪畫であり一篇の詩であります

彼等が最初に來た所、それは二人は思ひ出多い過去を語り合ひつゝ道を辿るのでありました。彼等が先づ最初に來た所、それは父の墓前でありました。

「お父さん只今歸りました、喜んで下さい、永い間さぞお淋しいかつたでせう、お父さんの石碑を建てる爲に歸つて來ました今では立派に成功をして居るのですから御安心下さい「サア、お祖父さんのお墓です、お詣りをなさい」

少女は道すがら摘んだ野の花を手向け、楓の樣な手を合せていぢらしく拜むで居ります。

二人は此の有樣を眺めて感慨無量でありました。夫れから彼等は父親の全快を日毎に祈りし思ひ出多き氏神様に參拜致しました。

良介は參拜終つてフト境内の一隅を見ると、村人達が何やら相談をしてゐる樣子に懐しげに彼は近付きましたが、村人達は見違ひて唯茫然として立派になつた良介を見違ひて、只いぶかしげに會釋を返すばかりであります。

「お忘れになりましたか、良介です」

村人は初めて氣づいて

「あゝ良介さんか。立派になられたな……」「あゝ皆の衆、良介さんが立派になつて歸られた」「オ!これはハアー偉く立派に成んなすつたナア」良介は皆に向つて

「皆さんは何か御相談でもあるのですか」

「ハ!良介さん聞いて下さい」（續く）

協會記事

十月のサントス丸
今川小坂の二家族四人

十月廿六日神戸出帆サントス丸のアリアンサ移住地渡航者は左記の二家族である。

徳島縣海部郡赤河内村　今川範幸　二人
三重縣阿山郡山内村　小坂治一　二人

十一月の便船にも
二家族七人の渡航

十一月十六日神戸出帆の商船の新造船ベノスアイレス丸には左の二家族が入植する。

新潟縣西頸城郡名立村　渡邊清治　二人
北海道紋別郡瀧上村　坂本福松　五人

尚同船には横濱港から歌人與謝野鐵幹氏の舍弟與謝野修氏が在ア令息の元に令息の妻房子さん令孃絅子さんの二人を連れて入植する。

アリアンサ移住地
本年一月以降の渡航者數

本組合取扱アリアンサ移住地渡航者一月以降十一月までは左の如くである

月	船名	家族數	人員
一月		―	―
二月	モンテビデオ丸	一二	五六
	河内丸	二	一三
三月	ハワイ丸	五	二六
	神奈川丸	五	二七
四月	ラプラタ丸	二	八
	博多丸	一	六
五月	サントス丸	一	三
	若狹丸	三	一五
六月	マニラ丸	三	一七
七月	鎌倉丸	一	二
	モンテビデオ丸	四	二〇
八月		―	―
九月	神奈川丸	一	三
	ラプラタ丸	一	三
十月	サントス丸	二	四
十一月	ベノスアイレス丸	二	七
計		四五	二一〇

第二回總會
十月卅一日と決定

信濃海外移住組合第二回總會は十八日の理事會の結果十月卅一日縣廳で行ふ事に決定した總會に附議する件は左の如し

一、定款改正ノ件
二、昭和三年度自昭和三年一月至昭和三年十二月信濃移住組合長野本部財産目錄、貸借對照表、事業報告書欠損金處分案及決算書承認ノ件
三、長野本部昭和四年度收入支出追加更正豫算決定ニ關スル件
四、東京出張所昭和四年度收入支出追加更正豫算決定ニ關スル件
五、監事改選ノ件

市町村設立中の
海外視察組合(續)

本會上田支部に於ては勝俣支部長の熱心なる主唱の下に同市海外視察組合の設立を企劃されつゝあつたが機漸く熟して今回左記の通り創立を見るに至つた。尚貯金は同市信用組合にて取扱ひ毎月集金の筈である。

上田市海外視察組合

組合長　勝俣英吉郎
副組合長　柴崎新一
理事　柳澤太郎
丸山平八郎　岡田胥治
成澤伍一郎　瀧澤助右衛門
増田清八　丸山作造
羅茂　丸山富三郎
島田甲子郎　松野喜太郎
北澤一二三郎　横關一郎
黒崎長作　宮下辰三
中村桃太郎　田王吉作
中澤蕘爾　石森治三郎
田中金次郎　島田健雄
石田和七　田中良太郎
中澤寅震　柳澤文三郎
島田彌右衛門　小林恒雄
錦澤林藏　小島省吾
笠原善吉　柳澤健太郎
竹内濱次郎　市村健男
成澤勇　齋藤節
平野祐助　河合平輔
傳田彌太郎　田玉高藏
瀬下柳治　石森一平
上村寛　中曾根武右衛門
荻野政二　平尾生三

新入會者(自九月二十一日至十月二十一日)

特別會員
下水内郡飯山町　島津雄三郎殿
下水内郡常盤村　高橋幸作殿
下水内郡飯山町　清水謹治殿
下高井郡穗波村　山本保殿
下高井郡倭村　山田宗之助殿
下高井郡平岡村　山田近之助殿

普通會員
埴科郡南條村　中村秋雄
香川縣木田郡造田村　柿本忠雄
長野市高田　湯田精
長野市古牧　宮澤平治

會費領收(自九月二十一日至十月二十日)

一金壹百五拾圓也　特別會員費　竹井登吉殿
一金壹百圓也　同　須野原義盛殿
一金壹百五拾圓也　同　木内一郎殿
×　×　×
一金拾圓也　維持會員費　山口菊十郎殿
一金拾圓也　同　深堀德治殿
一金四圓也　宇田小勢殿
一金四圓也　矢島要殿
一金四圓也　西牧殿
一金貳圓也　依田乙一殿　倉石貞三殿　田中保殿　大越善吾殿　青柳ちい殿　山崎友吉殿　矢島たか子殿　木村勇夫殿　柿木忠雄殿　宮崎正武殿　中村秋雄殿　飯田仁助殿　清水善一郎殿　栗林健太郎殿
一金貳拾四圓也　上水内郡信濃尻村視察組合殿
一金拾八圓也　上水内郡柏原村視察組合殿

海外會費領收

一金貳拾圓也　ダバオ　青木貞治郎殿

海の外往來

永田幹事　朝鮮に新移住地建設のため十月十六日再度京城に赴く。
宮下幹事　南洋方面に旅行中だつたが廿三日神戸に歸つた。

編輯雜記

△一葉落ちて天下の秋を知る。萬綠滴る景色は何時しか眞紅に燃ゆる秋となりました。四方の遠山はすでに紅葉に白雪を頂し美觀を呈してゐます。秋の收穫も最早半ばを過ぎて來る冬の用意に一生懸命であります。

△豐作を期待してゐた稻作が結實時期の降雨のために見事裏切られて平年作の二割減收とは何と情けない事でせう。來る年も來る年も還鐵だ、凶作だと悲鳴をあげねばならぬ事は結局自然の天惠にめぐまれぬ地理的關係にもあるのでせう。地主も小作も儲からぬ喧嘩はやめて心ある者は生活を安易に求め得らるゝ土地を探ねて移住する事です。移住は移住者の精神を環境的に好轉せしむるのみならず生活程度を向上せしむるものです。

△移住する事は(大きく言へば移植民運動)は個人にとつても民族的にも幸福をもたらす最良の方法であります。今日吾人が謂ふ所の成功者は皆、自分の故郷を離れて無意識にも移住による刺激によつて成功をかち得たものであります。海外に出る事ばかりが移住でなく、すべて自分の郷闘を一歩でも踏み出す事が移住する意い体驗となるのであります。

△本號はこうした考へから永田幹事から「在鄕者と在外者との聯絡」について一提案を御發表願ひました。多數讀者の御共鳴を得ると信じてゐます。

△在黑竹内氏の「硬本植民地を語る」は邦人植民地建設事業に他山の石でなければなりません。移住訓練のなかつた移住者と移住地創設者の無經驗からは斯く苦い經驗を經た事を記憶すべきです。

△信州出身海外發展者列傳は好評を博してゐます。各地のこうした人物と偉績を御紹介して下さい。在外者の徵兵延期者中數名の延期手續未申請者があります。各自御注意を願ひます。懸壇を設營しましたからドン〳〵應募して下さい、良き移植民文藝發達のために。海外協會は目下宣傳の絕好機會です。此冬は縣下約五六十ケ町村に宣傳映畫する事になつてゐますが本誌にも誌上映畫「行けブラジル」と見寶の映畫感想を上載致しました。

△來月號は本年最終の刊行、寶のあるものを差上げたいと編輯手は腕に撚をかけてゐます。

海の外(月刊)(一冊廿錢)

定價表	内地送料共	外國送料共
一冊	廿錢	廿四錢
六ケ月	一圓十錢	一圓四十四錢
一ケ年	二圓廿錢	二圓八十八錢
五ケ年	拾圓	拾四圓

御注意
△御送金は振替(長野二一四〇番)に御願ひします。外國よりの御送金は銀行、郵便局いづれにても確實に送金されます。
△御轉居の節は早速新舊兩御住所を御通知下さい。
△本誌へ廣告掲載御希望の方は詳細相談申上げます。

昭和四年十一月一日發行
編輯人　永田稠
發行人兼印刷人　西澤太一郎
印刷所　長野市南縣町　信濃毎日新聞社
發行所　長野縣廳内　海の外社
振替口座　長野二一四〇番

海の外—THE UMINOSOTO
Published Monthly by the Uminosoto Sha. Nagano, Japan.

「海の外」第八十九號　（毎月一回一日發行）

海外協會中央會幹事
信濃海外協會幹事　宮下琢磨著

序　今井五介氏
装幀　石井柏亭氏

邦人活躍の南洋

行け！椰子實る國
南洋へ！！

最新刊

四六版網布装上製函入極美本
美術寫眞五十五葉挿入
紙數五百頁最新式九ポルビ付

定價二圓五十錢
（送料十六錢）

生活の樂土は今日、天然の富源に充ち開發の餘地綽綽たる南洋をおいて他にはあるまい。而も南洋は日本人に頼らねばその開發發展は到底望み得られないのだ。南洋こそ將來邦人の活躍すべき新天地である。本書は三ケ年に亘つてこの新發展地南洋を詳細に視察した著者がその赤裸々な實相を描いたもので、殊に、南洋に活躍しつゝある邦人の實生活と邦人發展の實際と指標とを示せる點は、慥に本書にのみ有する特色である。又、著者はその政治經濟、社會万般の記事を記し、尚、南洋の實に明媚なる風光を描き人情風俗を寫して餘す所がない。挿入せる美術寫眞と併せ讀めば魂自ら遠く南洋に遊ぶの感があらう。本書は南洋に成功せんとする士の必讀者たると共に、南洋視察旅行者の良き旅行案内書である。

東京　岡田日榮堂發行

取次　長野縣廳内　信濃海外協會　振替長野二一四〇番

（大正十一年四月廿六日第三種郵便物認可）　（昭和四年十一月一日發行）

信濃海外協會
海の外社發行

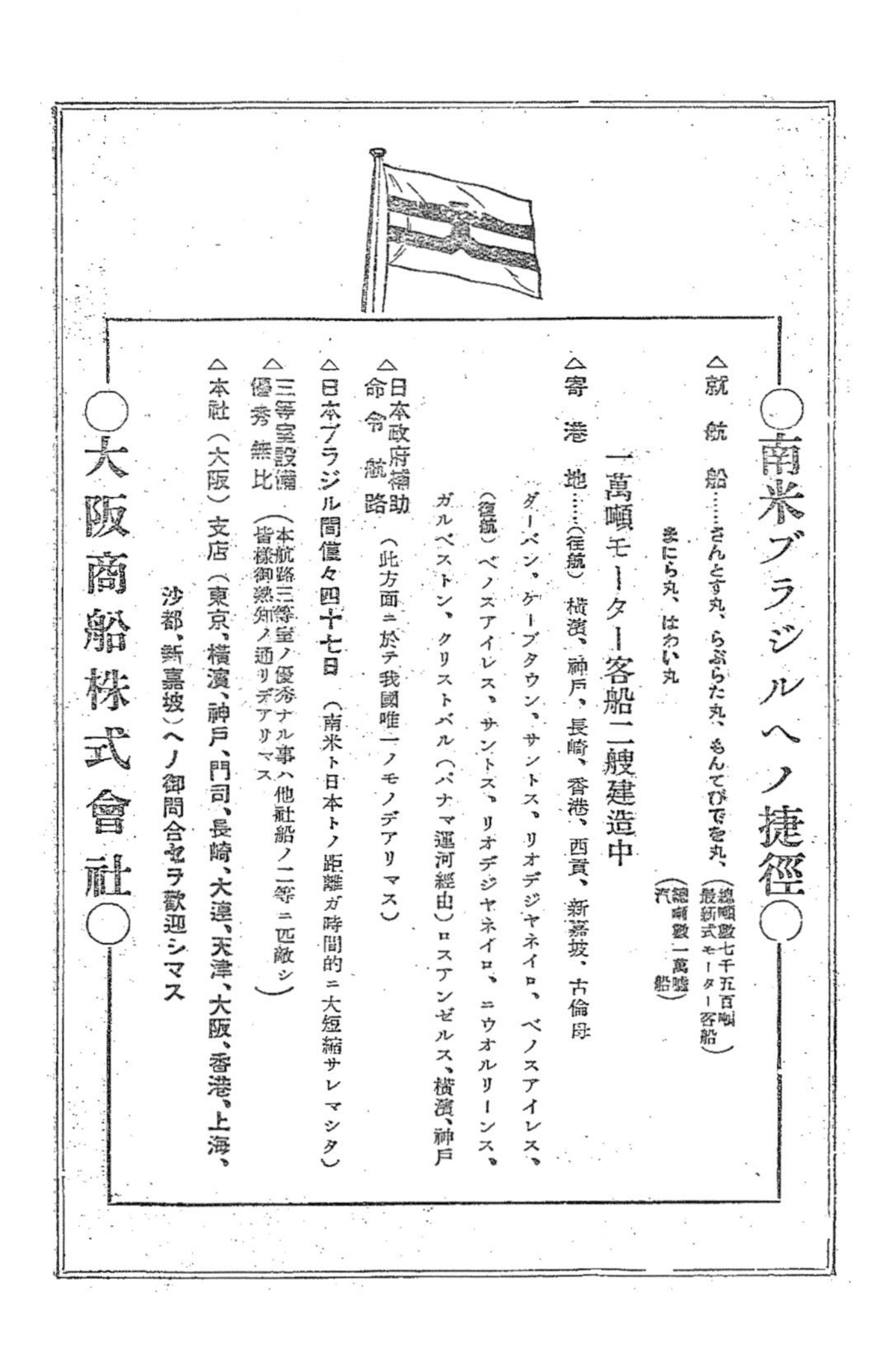

○南米ブラジルへノ捷徑○

△就航船……さんとす丸、らぷらた丸、もんてびでを丸、（總噸數七千五百噸 最新式モーター客船）まにら丸、はわい丸（總噸數一萬噸 汽船）

一萬噸モーター客船二艘建造中

△寄港地……（往航）横濱、神戸、長崎、香港、西貢、新嘉坡、古倫母、ダーバン、ケープタウン、サントス、リオデジヤネイロ、ベノスアイレス、（復航）ベノスアイレス、サントス、リオデジヤネイロ、ニウオルリーンス、ガルベストン、クリストバル（パナマ運河經由）ロスアンゼルス、横濱、神戸

△日本政府補助命令航路（此方面ニ於テ我國唯一ノモノデアリマス）

△日本ブラジル間僅々四十七日（南米ト日本トノ距離ガ時間的ニ大短縮サレマシタ）

△三等室設備優秀無比（本航路三等室ノ優秀ナル事ハ他社船ノ二等ニ匹敵シ皆様御熟知ノ通リデアリマス）

△本社（大阪）支店（東京、横濱、神戸、門司、長崎、大連、天津、大阪、香港、上海、沙都、新嘉坡）ヘノ御問合セヲ歡迎シマス

○大阪商船株式會社○

海の外

THE UMI-NO-SOTO

大正十一年四月廿六日 第三種郵便物認可
昭和四年十二月一日發行（毎月一回一日發行）

第九十號

昭和四年十二月號

目次

信濃海外協會海の外社發行

南洋の風物

（本文南洋行を參照一宮下琢磨氏撮）

ブラジルの煙草無肥料にて生育せるもの

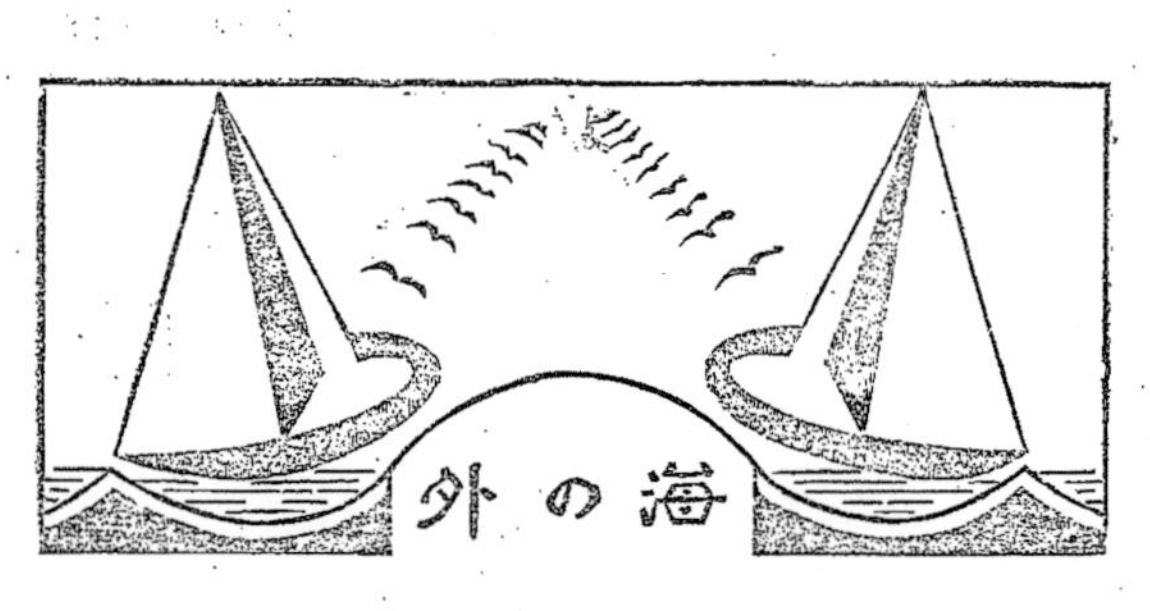

（昭和四年）第九十號（十二月）

昭和四年の總勘定

本年の移植民界を一瞥すると官界では拓務省の新設、民間では南拓のアマゾン進出が吾人の忘れ得ざる一記錄である。

拓務省の設置は昨年來の約束であつて新省の名稱が樞密院でゴタゴタした事等も新省設置の思ひ出の種。南拓がアマゾン流域に邦人開拓者を二百數十名を送つた事は大和民族の世界文化に一大貢獻をもたらすものである。世界人類の最も麗しき最も大なる文明はアマゾン流域二百七十五萬方哩であるとすればその文明を造り出すために本年その先驅をなした事は日本民族發展の最も意義ある年である。

吾信州の海外發展熱が再燃して大正七年來の記錄を示しつゝある事は時流の當然なる事ながら慶賀に堪えない。それにしても明治初年からの記錄を辿れば明治卅九年、大正七年そして昭和四年と畧ゝ十ケ年毎に記錄の最高を示す波の打つ事は何たる奇緣ぞ。

旅券規則の改正、移植民教育の實施、移民收容所の增設、各府縣移住組合のブラジル移住者の送出等移植民界は數ふべきもの多くあつた。たゞ惜むらくは緊縮豫算の禍、十分なる活動吾人が期待に添はざる事だ。

本縣人の海外渡航者

進取の氣象を示すもの

信濃毎日新聞主筆　桐生悠々

□

本縣の海外渡航者は、今年の上半期に於て、既に、二百五十五人に達し、昨年中の二百三十九人を早くも突破したと傳へられる。私たちは、單にこれを不景氣の結果とのみ見ることを欲しない。仔細は曾て「夢の國」欄を通じて、氣候の住民に及ぼす影響を論じ、イギリス人と信州人とを比較した折に暗示した如く、かうした現象は寧ろ大に歡迎すべきものであると思ふ。

□

それにつけても、思ひ出されるのは、本文の記者が、以前本縣に住して、本紙に筆を執つてゐた時、水害頻りに起り、中には生業を失ふ農民をすら生じ、縣もまた財政上これを救濟し得ない悲境にあつたことである。時偶ブラジル移民を勸誘奬勵する者の入信したる爲、私たちはこの機會に於て、本縣の如き、水害の多き、そして山岳重疊、耕地に惠まれない、農業上極めて貧弱の土地に膠着するよりも、進取の士はよろしくこの地を去つて、その發展的なる生活を海外に求むべし、骨を埋むる豈啻に墳墓の地のみならんや、人間到るところに青山あることを力說したことがあつた。今この海外渡航者のしかく多數に上りつゝあることを見て、文字通り、今昔の感に堪へない。

□

人口問題は、今我國の惱みである。この惱みを醫する一の、しかも最も價値ある解決は、剩餘人口の海外移住にある。言ひかへれば、我國民の海外發展にある。それは個人に餘裕ある生活を與ふるのみならず、同時に國家の富と勢力を增進するものであつて、最も願はしい現象であることは、論を待たない。特に本縣の海外渡航者の一新傾向として、純然たる勞働者がその跡を絕ち、いづれも小金を持參する中農の渡航を見るに至つたと傳へられるのは、人意を强うするに足りる。それだけにても、本縣人の海外に於ける發展は期して待つべきである。

□

保守退嬰、猫額大の領土に萎縮する國民ならば則ち已む。我豐葦原瑞穗の國は、イギリスと同樣、四面環海の國であるから、古來小舟に棹してすら海外に渡航し、又は漂泊するものゝ多くを見た。かうした進取の氣象は、德川政府が自家閥族の榮華を夢みんが爲めに、大型の船を造ることを禁止し、鎖國主義によつてその安全を保障しなかつたならば、我國民をして今や殆ど全く米國の太平洋沿岸を占領せしめ、却つてヨーロッパから入り來るアメリカの移民を禁止してゐたであらうことは、ジョーヂ、ケナンの言つてゐる通りであるだらう。惜しいことをしたものであると同時に、本縣の農民がこゝに目ざめて、海外發展に志した傾向こそは、その渡航者の爲には勿論の事、本縣の爲にも、國家の爲にも、眞に慶すべきことである。

□

見よ、嘉永六年、ペルリ提督によつて、我眠れる門戶を叩かれたときには、一切の植民地は既に所有者の名を明にしてゐた。その後、自由なるアメリカに於てすら、經濟上、人種上、の理由によつて、我移民は拒絕され「紳士協約」といふ美しき建札の前に泣き寢るべく餘儀なくされてゐる。そして我國は每年盛んに增加する人口問題に苦しむ結果、產兒制限をすら奬勵しなければならない窮地に陷つてゐる。國家の無爲なる政策、歷代政府の意氣地なさによること論を待たないけれども、遲く目さめたものゝ力足らず、今如何ともなし能はない狀態にありとすれば、我國民は個人として、何とかしてこの行詰つた局面を打開しなければならない。僅々半箇年にして、二百五十人の海外渡航者を出したる本縣こそ、この點に於て、範を普く日本に垂れるものといはなければならない。

□

不景氣なるが故にこの現象を見るのではない。本縣人が進取の氣象に富み、みづからの運命をみづからの手にて、切り開くべく、貧弱なる墳墓の地に膠着せず到るところに存在する青山を求めて、邁進するが爲に、この現象を見るのである。私たちは、これ等の海外渡航の上に幸多かるべきことを期待してやまないものである。（一〇、二一信每ヨリ）

南洋行（二）

―圖南の雄吉江民藏君を憶ふ―

宮下琢磨

八月八日の朝早く船はスラバヤの港には入りました。一等船客は全部入國金の領收證に入國許可の書附を渡されて、いつでも上陸出來ることになつたのでしたが、三等船客は移民局に行つて取り調べをうけるのです。これは往復切符を持ちて居て、單なる旅行者と認めらるゝものか、又は生活を保證する人の證言が必要なので、引きとり人がないと中々やかましいのです。

私は水野君と云ふ青年を田舎に生話をして同行したのでしたが、始めに東京ホテルの主人が、學生の視察旅行だと言ふたので、雇ひ主の店の主人公が參りましたが一言も言はずに、視察者で通ふたやうでした。水野君は東京ホテルで晝をたべて、夕刻は迎に來た行く先きのトロナゴンの人達と自動車で行きました。

私は東京ホテルに二日程滯在して、知人など訪ね、それからソローの田舎の根本氏を訪問することにしました。

スラバヤもソローも、その途中の景色も熱帶は四時餘り變化がないので、汽車の中で本を見たり眠つたりして居るうちにソローにつきました。

ソローには根本氏夫妻が出迎へて呉れました。ホテルで少憩し、自動車で根本氏の處に行き相談しボルネオへ一緒に行くことにしました。

船がスラバヤを午後五時に出帆しました。エロットと云ふ船で、KPM會社の船で、船は小さいが、奇麗です、運賃は目的地のサマリンダ迄百二十三盾でした。一盾は當時日本貨九十錢換でした。四泊でつくのですが、途中にコタバル、バリパパンなど云ふ港によります。

コタバルには翌々日の朝早くつきました。

コタバル港

夜が明けると、船は港について居ました。すぐ眼の前には林が見え、數十戸の町らしいものも見えます。

町までの棧橋には、トロッコ用の鐵軌も敷いてあります、棧橋の附近には木材が澤山積んであり、石炭なども見えて居る。コタバルに着いたこと、思ふて船の人に聞いて見ると、これはコタバルでなく、ほんたうのコタバル港は、これから十三キロ行つたところでこの附近には石炭山があつて、石炭を積み込んだり、坑夫を送る爲めに船つき場が出來たと云ふことでした。二三時間をたゞ船で過ごすもつまらぬので、上陸してコタバル迄の自働車を交渉して見ると二盾五十仙と云ふことでした。同行の根本氏は十餘年も爪哇に生活して居たので練れたものです。直ぐに自働車の中に懸けてあつた官許の運賃表をとつて調べて見ました、一キロ二十六仙餘では少し高いようでしたが、公定表にはさように書いてあるので、規定のように拂ふて一散に濱邊を馳せさせました。

濱邊は泥地でマングローブが茂つて居ります、熱帶の泥の中には、マングローブやこれに類した樹が、水中に成長して林をなして居ります。マングローブは紅樹林と書きます。この實の頂點に、五六十サンチの青い紐がついて居ります、その實が成熟して水中に落ちると、その紐が根の用をなして數時間の後には無數の細根が生へ數日の後には芽を出し、水中で伸びて行くのであります。この樹は木炭には非常によいさうです、又この皮は染料や、もみ皮用につかはれます。

海岸の方はマングローブの林ですが、一方の丘には盛んに胡椒を栽培した畑が見えます、この地方はペッパーの產地です。

自動車はペッパーとマングローブに挾まれた道を朝風に吹かれ乍ら走らせます。二十分ばかりでホントウのコタバルの港に這入りました。

松代の人大瀨房人君

コタバルの港は、後は若草と綠樹で彩られた小山を扣えた小さな港です。家數は總体で三百戸位のものでせうか、町は一筋道で海の側の家は鐵木で海の中に建てゝあります。鐵木と云ふのは鐵のやうに堅い木で、普通の鋸やカンナでは刃物の方がいたむ位の堅い木です、この木ならば水に腐ることもなく、白蟻に喰はれる心配もなく、命しらずの建築材であると云ひます。家の床は街道と同じ高さですが青波が床の下にゆらめいて居ります。運轉手にトコジャパン（日本商店）があるかと聞きますと、あると云ふて一軒の雜貨店の前で車を停めました、看板には柳澤商店と書いてあります。話をきいて見ると松代裏柴町の人で、妻君は篠井だと云ふことです、大瀨房人君と云ふ青年です。親戚の柳澤と云ふ人とこゝに來て、今はこの店をひき受けてやつて居るとのことでした。

私も前には埴科更級に居り、特に象山祭の頃には、よく松代に行き思ひ出の深いところです。同行者の根本氏には氣の毒の位いろ〳〵鄉里の事を語りました。ボルネオのコタバルと云ふ小さな港に唯一の日本商店、それが我が鄕國の人であると云ふので、非常に親しさを感じたのです。

大瀨君、は叮——叮と云ふても小さいが、案内をして、色々說明して吳れました。理事官廳もあり、稅關もあり、警察署、病院一通り体形は整ふて居りました。裏山に登つて一番見晴らしが良いと云ふて、燈臺のあるところに案內して吳れました。燈台守の處から椅子など借りて來て、鬱蒼とした樹の影に、暑い日光を避け乍ら、この土地の話をしました。この土地の物產は胡椒、ダマル、サロン、藤などであります。

土地の氣候は、さう苦しい程暑いものではなく、地方病と云ふものもないので、衛生上惡いところではないと云ふて居りました。

すぐ向かう側はボルネオです。さながら濶である如く近いものです。ボルネオで米をつくり胡椒をつくることを計畫した吉江民藏氏の話が出たのです。

吉江民藏君を懷ふ

昔、更級農學校に吉江民藏と云ふ人の居つたことを、御承知の方も大分おありでせう。その頃少壯銳氣の法學士の郡長津崎尙武氏若い法學士の郡長さんは珍らしかつたのです。海外發展は縣廳に故中村國穗君などが居て、盛んに唱導して居り、無論この若い郡長さんも大聲呼號大に鼓吹したものです、更級に居つた吉江君も奮然起つてボルネオに事業をやることになつたのもこの時代です。神保少佐と云ふ人が總大將となつて、青年血氣の會津男兒——吉江君は福嶋縣の人であつた——二十名を率きつれてボルネオに渡つたのでありました。始めは米をつくつて、次に胡椒を栽培したさうです。始めは平地に米をつくつて面白く行かず、次に山の中に這入つて胡椒の栽培を始めたさうです。

事業地はコタバルから二時間程ランチにのりて對岸ボルネオ嶋に渡り、それからモーターボートで數時間川を遡りて、更に六七キロ行つたところださうです、何せいみんな意氣は旺んであつたが、非常に濕氣が多かつた處で、雨期には床まで浸水するやうなことがあり、柱には茸が生へると云ふ始末だつたさうです。この事業が結果が面白く行かなかつたのは、ボルネオも餘り事情がよくわからなかつた時代には無理もありませんが、土地の選定や事業に無理が多かつたのと、試驗時代に資金を大分消費してしまつたので、非常に經營難に陷つたことです。かようの次第であたら有爲の青年達も、圖南鵬翼の英志を懷きながら、營養の不足の爲め——私はさう思ひます——病魔に襲はれ不歸の人となつたのも多く、神保少佐も吉江君もあらゆる奮鬪努力をしたのでしたが、軍資がつづかなかつたので事業は美果を收むるのを見るまでに至らずして、吉江君も病み、鄕里に歸つて白玉樓中の人となつて、けなげな若き數へ子達の後を追ふことゝなつたのです。尊い犧牲でありますが、吉江君とは一面識もあるので、一しほ深き感慨にうたれ、暗涙にむせんだのでした。

今回、飄然とボルネオにやつて來て、因緣ある松代の青年から、雲烟モコたる間の吉江君の事業地を指しながら、その苦心の情況を承はるとは、實に意外でありました。何だか吉江君の英魂この地にとゞまりて、私に冥鑑鞭韃を與へられたやうな氣がして、深き感激にうたれたのでした。

吉江君については、今一ツの因緣話があるのでした。それは同行の根本氏がジヤワ、スマランの臺灣銀行支店長をやめて、本店勤務となり、又それもやめて奥さんを連れてジヤワで農園經營をやらうと思ふてジヤワに行つたときの話です。船の中に一人の女、それも一人でボルネオの山へ行からと云ふ女の人がありました。船がバタビヤに寄つたとき、女の乘馬用のズボンやゲートル、ヘルメットの帽子などを買ふのを見て、妙なものを買ふと思ふて、色々話をきいたところが、この女の人が吉江君の妻君であつたさうです。その話によれば、鄕里で吉江君の葬儀をすませ、夫の遺志をつぐべく一人でボルネオにやつて來て、男裝して愈事業經營にあたる決心だと語つたさうです。根本君夫妻もこの健氣な覺悟に感心して、それからスマランで別れる迄、家族のやうな親みで話し根本君の奥さんもやさ形のこれ迄重いものも持つたことのない境地に育つて、こんど始めてジヤワに行き、始めて田舍に引つこみ農園事業にあたると云ふので、女は女同志、同情同感の度も深く、スマランで別れるときは骨肉のやうに哀別の思ひがして、實心前途の幸福を祈つたさうです。根本君の農園の在る處はスマランで上陸して、汽車でソロ王都に行き、そこから二十キロは入つた田舍です。根本君の奥さんも苦しい時はいつも吉江君の妻君のことを考へて、自ら勵まして居たさうです。根本君は獨逸人所有の農場を五ケ年賦で買ふて、始めはピヤノから株券まで賣つて二萬何千圓かの金を得て、これで十二萬五千圓の土地代を拂ひ事業、それは藍の製造でしたが、その事業資金にもあてやうと云ふのだから、非常な決心で農園に入つたことゝ思ひます。奥さんも私が始めて根本農園を訪問したときは、梯子をかけて天井のペンキ塗りをやつて居り、炎天に突つ立つて苦力の中に交つてカポツク(樹綿)の整理などやつて居ました。根本君の方は苦心の甲斐もあり、幸ひ獨逸の藍の生產地が剝奪せられたので、藍が一時ジヤワに來なくなつたりして、利益が續び、五年間に土地代の外戰時利得税を差迫せて十六万餘圓を拂ひ、一千五百町歩の地所は完全に自己の所有となり、今砂糖會社が五十萬圓で賣つて吳れと、しつこく交渉をして來るが手放さない程有望な土地であります。

根本君も、かう云ふ因緣があるので、熱心に吉江君の事をきゝました。

吉江君の妻君は、その後親戚關係のある中村と云ふ人に一切を委ねて歸つたと云ふことでした。

胡椒は南洋では、由緖のある古い作物であり、利益も非常に多いのですが、資金と經驗があつてミツシリやらないと害虫病菌の外に相塲の高低があるので困難があります。いつも白胡椒

の平均相塲一ピリル五十盾位ですが今年は百七十盾にも上つたのですから、胡椒栽培者は非常によかつた譯です。

山を下りて叮に歸りました。

この叮にはサロンを織る爲めに絹絲の商店があると云ふので訪ねました。サロンは土人の腰まきに用ゐる布です。絹絲をつかつた上等の品物が出來ると云ふので、どんな絹絲をつかふか見たいと思ふたのでした。それはアラビヤ人の商店でしたが、絹紡績の粗末なガス絲見たやうなものでした。百斤八百盾位のものです、スラバヤで日本商店で毎月あつかふ高が五六萬盾はあるさうです。支那からは入るやうです。

ボルネオに來て見て異やうに感ずるのは、子供や女の人などが、顏に眞白に粉を塗つて居ることです。おしろいならば日本だつて支那だつて塗るではないかと言はれるでせうが、その塗り方が顏に筋をつけたやうに塗つたり、又ムチヤクチヤになすりつけ處々斑になつて何ともえ体の知れぬものですが、これは聞いて見ると美と云ふ點よりは、むしろマジナイの方で米の粉を塗りつけるのださうです。海中に樹がはえて居たり、するのは如何にも南洋氣分がするので寫眞をとり、又大瀨君と根本君の棧橋上の姿を拜借したりして居るうちに、石炭山によつて船が廻つて來て、荷積みを終り、出帆の時刻も迫つたので船にかへりました。

船はボルネオの東海岸を靜かな波をけつて北に進んで行きます。(つゞき)

緊縮は伸びる日本の旗章

緊縮標語の一等當選作決定

內務省社會局で懸賞募集中であつた公私經濟緊縮に關する標語は去る十月二十日を以て締切つたがこれが應募者は內地は勿論朝鮮、台灣、樺太等に及びその總句數は實に五萬四千三百餘句の多きに達したが十九日左の通り內務省より發表された。

一等　緊縮は伸びる日本の旗章

東京市外西巢鴨町雲雀ケ谷二一九二
野口子之作方　高橋要一

朝鮮人の移住地間島(三)

在間島　藤澤定司

六、間島と馬賊及不逞鮮人

間島と聞けば馬賊を聯想する。それ程間島の馬賊は有名である。ところがそれは間島の接壤地安圖、樺甸、撫松の深山幽谷に潛據してゐる馬賊を普通呼び慣れて間島馬賊と稱してゐるのであつて、渠等が間島領に居るわけではないのである。而もその所謂間島馬賊も今では支離滅裂の狀態であるといふのは安圖樺甸兩縣內に在る各小馬賊團を糾合し之が牛耳を把つて聯合馬賊の總頭目の名を擧げてゐた仁義軍(本名徐鴻泰は大正十年頭道溝を襲擊我領事館も被害を被つたもの)が大正十三年秋奉天に歸順し間もなく張作霖に謀殺され及琿春を襲擊した萬順(大正九年琿春を襲擊し我領事館も被害を受けたもの)は龔山の爲めに殺され(漫談西伯利亞お菊サンの亭主即ち龔山で當時日本人側に被害を及ぼし且馬賊にあるまじき義俠が欠けたとの理由で)その後釜に王洪德といふのが推されて總頭目となつて居つたが之十五年の秋奉天より出動した討伐軍と間島駐屯軍とに挾擊されて安圖縣內で戰死を遂げて仕舞つたので茲に聯合馬賊團は瓦解に瀕するの止むなきに立至つた。其後占九州なるものが總頭目となつてゐたとの事だが之れ亦昭和二年一月安圖縣二道溝で戰死、上山好といふのが四代目の總頭になつたとの說がある。然し眞僞は審でない、何れにせよ、要するに押への利く大頭目を失つた聯合馬賊團は最早や有名無實の狀態である事は否まれない、而してその烏合的集團の內容を示すと占九州の卒ゆる九十名、兩廣の百二十名鐵雷の四十五名、南俠の五十名、双俠の二十三名上山好の十八名野猫の三十名總督の十九名となつてみる(何れも情報を綜合したる推定)尙ほ渠等は往々間島平野進出を呼號するがそれは渠等の重要な資源である阿片の栽培地を往々官兵に蹂躙されたり又は收穫したものを掠奪されたりするので之を牽制防禦すべく斯く揚言せるに過ぎないのである。言はゞ餌食にありついた痩犬が齒を剝き出して他の犬を威

嚇するのと同樣なのである。尤も叢きに記した如く前後二回間島平野に進出して來て琿春と頭道溝を襲擊したことがあるが今日では當時と異り、日支官憲の警備力充實して居り渠等馬賊もまた今日は當時の如き實力がないのである。

到底間島平野地への進出なぞ覺束ないのである再び云ふが間島馬賊といふのは間島平野に遠い、安圖樺甸撫松等の邊境にゐるのである。

それも長白嵐を眞ッ向に鐵蹄胡沙を蹴つて馳驅從橫する大馬賊團とは違ふのである。追手に述べて置きたいのは間島に於ける不逞鮮人のことであるが之れも大正九年に我軍隊が剿討して以來兇暴なるものは殆んどあとを絕つてゐる、尤も時々寧古塔方面から入り込むことがあるがそれも多くの場合日支官憲の峻烈なる取締りに手も足も出ず踪跡を晦ますのである。附言、之れを要するに間島は五穀の穰り豊なうへに極めて靜謐な別天地である十萬億土に安養彌蛇の淨土ありと聞かされて有難涙を流すものもあるに之は又方便ならぬ眞實の安樂淨土が我朝鮮と一葦帶水の此間島に現存してゐるのを知らぬとは勿體ない、之に安住して鼓腹擊攘の驩を盡すもの ュ眼から見ると强盜放火、殺人、等々絕へ間なく物騷な事件の續發する東京や、京城に在つて生活難を卿ち乍も間島を物騷地帶とのみ思ひ込んで、來住の勸告に遲疑逡巡してゐる人達が笑止で且つ氣の毒である。

七、治　安

間島在住日支人は十八ケ所の分館及派遣所と支那軍憲とによつて治安の慶福を享受してゐるのであるが我官憲の所在地に遠隔する邊陬地域の鮮農は鼠賊の刼掠と支那官憲の誅求とに隨分慘虐な目を見て居る者も尠くないのである。

八、面積と人口

總面積は一千六百五十六方里でこのうち可耕地面積は今のところ約四十万町歩とされてゐるが既に十九万六千六百四十八町歩は開墾されてゐる。尙西北に接壤する寧安、敦化、樺甸、安圖、各縣の面積は實に廣大で人口密度の如きも平方里百人未滿である、人口は（琿春を含む）昭和元年十二月末日現在で朝鮮人、三十五萬六千人、支那人八萬六千人、內地人二千人、歐米人百五人、計四十四万四千百五人である。（日本內地二千四百人、朝鮮一千二百人弱）而して密度は一方里二百六十八人である。

九、氣象の槪況

大陸的氣候の常で無論寒暑の度は甚しいが一年も住み慣れて見れば知れたものである。いま東經百二十九度二十四分、北緯四十二度四十六分、標高二百五十三米突に在る總領事館の過去十年間に於ける觀測記錄によると年中最高氣溫極三十八度五分年中最低氣溫極零下二十六度四分、最酷寒期（一月）の平均氣溫十四度一分となつて居る、なほ氣溫の零下に降つた平均初日は十月二十五日で同終日は四月二十二日初雪四月八日、降雨量四百八

十九ミリ六（例年略同じ）風向は一年の內西風百九十四日次は東風北風南風の順

一〇、日本總領事館及分館

龍井村所在間島協約に依つて明治四十二年十一月一日龍井村所在の統監府臨時間島派出所が閉鎖された卽ち二日に開設せられたのであるが大正十三年失火全燒の厄に遭つた爲め工費二十余萬圓と三ケ年の日子を以て大正十五年に堂々たる白堊の廳舍が建造されたのである、局子街、頭道溝百草溝、琿春の四ケ所が分館、琿春頭道溝涼水泉子、黑頂子、嘎呀河、依蘭溝、傑滿洞南陽坪、大砬子、釜洞、銅佛寺、天寶山、八道溝の十三ケ所は派遣所である。

漫談ノ三

―シベリヤお菊さんのこと―

大正十年の秋頃だつた當時西伯利亞ニコリスクに髙田の十三師團が駐屯して居り司令部は町より約十五六町も離れて昔の帝政時代の兵舍を其儘使用して居つた其頃私は何用だつたか司令部に行つた時裏門より四十格好の稍肥り肉の一人の支那婦人がヨボヨボ出て行くのを見受けたが何分にも周圍の狀況から見て一寸異樣に感ぢたので早速職務柄何者であるかを確めて見たくなつたそこで暫く樣子を見て居ると彼の女は司令部から出て町の方へ皈るらしい、途中は昔の將校の官舍續きであるが何分にも九年の四月の戰爭の後は何の官舍も砲彈の穴だらけで庭木は無茶に蹂り人は住んで居らず偶々兵隊サンの往來がある位で寧ろ夕方なぞはウソ淋しい位であつたそこを平氣で行くが何んとかして話掛け樣と思ふが何分にも私は支那語が餘り判らんがママヨと追つて碎けろと許り「ローボ」と呼んだ所が私の日本人なるのを見てニッコリ愛嬌笑をして私は日本人ですヨ……アーそうですかそれは失禮しました……處が私はお菊ですヨ……ハアハア西伯利亞お菊サンは貴女の事ですか私は分隊の〇〇ですと名乘り合つた、そうするとお菊サン否叔母サン只今司令部に一寸用があつての皈りですが御忙しくなかつたら是非寄つてお茶でも飲んで行つて下さいと勸められ一緖に程遠からぬ支那町の堂々たる赤煉瓦の二階建での室でビールを御馳走になり乍ら直接聞いた話はこうだ。

叔母サンの生れは長崎で十七八の頃娘子軍の一人として大連とかへ渡つたのであるが其の當時は只海外へ出さへすれば澤山の金が貰へるし時として客席のお酌位が稍の山と考へて居たらしいが今目の前に恐しき親兄弟に別れを告げ住み馴れた懷し國を離れんとした時は乙女心の哀しさに泣きの涙であつたが淚の中にも彼の女には彼の女らしい望みがあつたそれは一日も早くお金を蓄めて皈り親には安心をさせ意中の人のお嫁さんになる事だつた處が來て見れば豈計らんやお客は主に支那人しかも苦力對手の切賣商賣で（當時一切れ僅か五十錢均一）であつては流石の負けぢ魂のお菊さんも幾夜か泣き明した事や自殺しようと迄した事も本當であつたろう。然し幾等泣けど歎けどどうする事も出來なかつた只鬼の樣な楼主が牙を鳴らして監守するのみであつた處がある年の冬頃非常に彼を親切にして吳れる人が出來た勿論支那人ではあつたがお定まりの見

受けの相談迄出來た、然し彼女にして見れば自分は日本人であつて見ればどんな亭主でもよいから日本人を持ちたい事は當然だつたでしようが彼女には最早その資格はなし一ッは親切と義理づくにはどうしても勝つ事が出來ず漸承知したのであつたが暫くして夫の馬賊と云ふ事を知つた時には余り驚きもしませんでしたし又彼女の心には最早驚く可き何物もなかつたのでせう只將來共連れ添う覺悟をして見れば夫の何人であらうと何職であらうとそんな事は考へて居られませんでした當時は若くもあつたしどうせ「ヤブレカブレ」だ滿洲の曠野を馬蹄にかけて飛廻るも面白からうし元より命の事なぞは考へませんでしたある時は官軍に追はれて數日間逃げ廻つた時なぞは馬は斃れるし食ふ物はなし寧ろ死んだ方が增しだと思つた事も度々でした何時頃だつたか一度歸順した時は夫は旅團長格になつた事もありましたが何かの不服で復た叛旗を飜かへしたのですが日露戰爭の時など私の樣なものでも御國の爲めに盡すのは此時と思つて部下の野郎共を指揮して露西亞の密偵を殺してやつた事も一度や二度ではありませんでした又蚯蚓のノタウチ流の情報を無名で差上た事も度々でしたがその位いに迄したのに野郎共の話によると日本が負けそうだと聞いた時なぞは神掛けて勝利を祈りましたし若し日本が負けたらヨシ私が露西亞の大將の寢首でも良いから搔落してやらうと迄覺悟しましたが幸に勝つたと聞いた時などは豚の丸燒で御祝した事もありましたが今ではこんなお婆さんになつてしまいましたと話を區切り新しい「パイレット」に火を付け給仕に命ぢ私にも勸めて吳れましたがその給仕さん二人共白い「エプロン」でも掛けて居ると思ひきや拳銃を腰に彈藥を肩に掛けた武裝嚴めしい部下の馬賊である現在では自分としては全く活動は出來ませんが部下より聞いた情報を私が直接司令部に申上げ要するに受賣りして居りますが之れが最後の御奉公でしようと笑ふ顏には云い知れぬ淋しさがあつた其の年暮だつたと思う彼女の夫龔山は露西亞の合營司令部の爲めに銃殺され續きに副頭目格の姬路出身の一年志願兵の少尉だつたと云ふ小林某は日本軍と龔山との間の問題から責任自殺を遂げ全く解散狀態に陷つたが今一人の副頭目格たる支那人某は小龔山と名乘を擧げて今でも滿洲から西伯利亞方面に活躍して居るがお菊さん其後只一人十一年の九月か十月頃當地龍井に來たそうであるが今では全く行衞不明であるが願はくば老先短い彼の女の前途にも幸あれと祈つておく其他私が「スーチャン」分隊に勤務中にもその田舍に日本人の無名女頭目が活動して居る事を聞いた又有名な哈爾賓「おサク」も今では待合の女將になり濟まして居るが經路は稍之れ等と同ぢである！何れにしても作女「アラクレ」男を引連れ馬上豊に「國を出る時きや玉の肌ア、今では劍傷刀傷之でも大和撫子ぞオ同ぢ人情は猶コマイ小手をかざして眺むればア北滿洲の大平野私の住居ニャ未だ狹い」と馬賊唄を聲高らか唄ひつゝあの大曠野に露營の夢を結び空飛ぶ雁に夢破りては大都市の襲撃を計畫するその意氣たるや買つてやらねばならぬと思ふ。

それにつけても何處かの女性に海外と聞いた丈けで身震すると云う人に少しお菊さんの爪の垢でも貰つて置いて煎ぢて上げる事を忘れたのは殘念でした。

信州出身海外發展者列傳（四）

安南ノ俊傑 角屋七郎兵衛

（世界地理風俗大系4より摘記す）

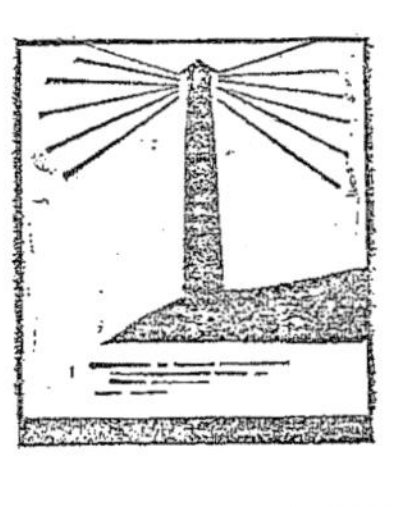

ツーラーヌから東南五里半の所に在り。由來フアイホーは（佛領インド支那、安南の唯一の開港場ツーラーヌから東南五里半の所に在り。內桂輸出港）古くから貿易港として榮え、殊に我が慶長年間から德川初期へかけては黃金時代であつたらしく「日本橋（ボン・ジャポネー）」の架かる川を中心として支那人街日本人街がそれぞれ境を接して居留地をなしてゐた。

從つて我が朱印船を始め支那船の往來は更に繁く其他の外國船の寄港も相當にあつたらしく思はれる節もあるので、港町として相當の賑ひを呈してゐたらしい。その當時の面影は現に名古屋の茶屋家に殘る交趾貿易に躍如として窺ひ知ることが出來やう。

今次の御大典に際し從五位の御贈位を賜つた角屋七郎兵衛はこのフアイホーに長年土着して、日本人のために万丈の氣を吐いた俊傑で、今度の御沙汰は誠に天恩枯骨に及んだもので空しく異域に眠る彼の英靈も定めし地下に感銘したことであらう。

慶長十五年伊勢の廻船問屋に生れた彼は生來野心家であつたので二十才台で安南に渡航したが其後幕府の鎖國令のためにそのまゝかの地に土着しときの王族玩（グエン）氏に勳功を建てその女（メスメ）を得て妻としフアイ、ホーに住居を定め聲望を四隣に馳せてゐた。從つて日本人が追々彼を中心として勢力を得るに至つたのは當然で「日本橋」は彼等の寄進に成つたものと想像するに難くない。

彼七郎兵衛は三十有余年の間餘儀なく故國との音信を斷つてゐたが通信を許されて漸く彼の消息が傳へられた。

その間彼は巨富を積んでゐた。故國懷しさの餘り爾來便船每に安南の名産を齎し、また日本の日用品をも取寄せた。奈良漬、干瓢、梅干、紫の足袋等が註文品の中にあるのを觀ると、如何

に彼の生活が日本風であつたかゞ知れやう。

晩年に及んで住宅近くに佛寺を建立し、祖先の出身地たる信州松本に因んで寺號を「松本寺」と名付けその梵鐘や扁額を長崎へ註文してゐる。

彼の歿後妻の玩（ゲン）氏は剃髪して松本寺に入つて亡夫の供養に專念しながらも尙亡夫存生以前にも增して日本へ通信と品物を贈り越したといふ天晴の賢夫人であつた。

かうして一時榮えた日本人街も鎖國令のために、故國との交通を絕たれて全く孤立に陷り一人歿り二人減りして遂には跡方もなくなつて僅に「日本橋」と田圃や砂濱に埋れた邦人の墓碑とに昔日の名殘を留めてゐるに過ぎない。

日本橋（ポンジャポネー）のこと

ファイ、ホーの街道筋に當る街中に水も涸れ〳〵の流に架け渡した瓦屋根葺の橋こそ由緒深い「日本橋」である。

橋の入口と出口の袖壁には一方に桃、一方に佛手柑を色鮮かに描き、入口と出口の間近に一方に犬の、他方に猿の等身像が据えてある。

それ等は十二支や其他の緣起によるものであるが、殊に我々邦人は懷しい聯想を起さずにはゐられない。兩側の欄干に沿ふて緣が張渡してあるので、三伏の暑熱を避くる好適の場所として土人のしどけない午睡の姿を見受ける。

橋の出口の由來記の碑によるとこの橋は「來遠橋（ライヴイエンキウ）」と稱へ元當地在住の日本人が架設したものでもあるが痛くも朽廢したから修理してその遺志を永く傳へるとのことである。

しかし果して何人の手に成つたかそれが證據となる確たる文献がないから解らないがほゞ想像し得ないこともない。

角屋七郎兵衛

角屋七郎兵衛は、信州松本の人なり、本性松本氏榮吉と云ふ。初め其の家神職たりしが、その後伊勢松坂に移りて農夫となり、父七郎兵衛榮吉は光秀の乱に家康の危急を救けて功賞せられたりきと。而して七郎兵衛は夙に海外貿易に志深かりしかば慶長中安南に往來し長く交趾に住み、終に其の地の婦人を娶りて妻となし、男吳順官を擧げき。當時我が邦人の交趾に居留するもの多く、日本町の一廓さへありしかば、七郎兵衛記念の爲めに一寺を建立して松本寺と號したり。

而して七郎兵衛懷鄕の情篤く、常に我國に便船ある每に、本邦の親族と信書の贈答をなせしも、後寛文十二年正月九日其地に死し、松本寺に葬られたり。

かくて由來七郎兵衛の寡婦及び吳順宮より尙消息を通せしも海外交通の禁令出るにより、遂にその消息聞へずなりたりと云ふ。（海の大日本史）

榎本武揚子植民地を語る（二）

在墨エスクキントラ　竹内駒雄

前に記した日墨協同會社は植民地失敗後離散したる數名の者は二三年後僅小の資本を擁して歸り來り、最後迄踏み止まりし山本氏と共に現在農場の所在地にて農業を營み他方菅原氏はアカコヤワ村に酒店を小規模ながら營み克苦奮鬪以て良く零細の餘裕を貯へ來り遂にはエスクキントラ村其の近傍に支店を設け逐次農業牧畜、商業の各方面も相待て擴張發展して數年前迄南墨唯一の邦人の共同事業たる財團日墨協同會社の前身の基礎を建つるに至つたのである。

榎本植民地入植者及び殖民地に現在居るものの姓名と事業を列記して見れば、

照井亮次郎氏仙臺農林學校を卒業するや當時榎本殖民地の殖民者募集を聞き之に加つて渡墨し殖民地解散後日墨協同會社を組織して社長となり農業商業方面に亘つて手廣く經營し傍ら子弟の敎育に意を傾注し又發電所の建設經營に苦心し良く其の大成を就けしも協同會社解散後は、オハカ州リンコン、アントニオ市に藥舖を經營しつゝあり。

淸野三郎氏仙臺の中等學校卒業後弱冠の身を以て殖民募集に加りて來り殖民地失敗後日墨協同會社に理事たりついで同社解散後日墨貿易株式會社の組織に奔走して會社なるに及び當國經營部の主任として日墨貿易業の爲めに盡され數次の歸朝により墨國事情を故國に紹介し又當國に有望なる日本商品、綿布類、絹布、ホーロー鐵器、陶滋器、セルロイド製品輸入して日本國の販路を擴張しつゝあり、他方獨立して當エ村に雜貨商を經營、餘力を以て牧畜業を營み子女の敎育に碎心し目下墨都の高等學校、醫科大學に各一名勉學せしめつゝあり、

一、有馬六太郎氏、日墨協同會社に理事たりし人、日墨貿易株式會社に理事たり、目下ウキストラ町に雜貨、藥舖、酒舖兼營又本州とオハカ洲の洲境近く廣大なる土地（約四萬二千町歩）以下町歩は皆我日本の町歩を所有して牧畜．製材業に從事して鐵用材木を廣汎に亘りて供給しつゝあり。

一、中村善兵氏（愛知縣）當エ村に酒舖を經營、餘裕を以て子女の爲め土地を求め牧場百廿町歩には常に肥牛百餘頭を飼養して又普通農作物を栽培しつゝあり一男は主都の高等學校に勉學せしめつゝあり。

一、タフーコ農場、山本淺次郎（愛知縣）氏は殖民地失敗後も同地に踏み止まり農業に從事し數名の同志と日墨協同會社の創業に努力し、タフーコ農場の經營に任じ後解散するに及び多年努力は報ひられ農場全部を得三百町歩の牧場に二百餘頭の牛馬を飼育し又數年前より珈琲園の有利なるに着眼して目下植付中、三人の子弟は各自獨立して藥舖、雜貨商を經營しつゝあり。

一、ハラツパ農場、布施常松氏（滋賀縣人）は駒場の農科出身植民地が藤野氏所有に歸すると同時に派遣され支配人として經營に任じ鋭意牧畜に護讀、珈琲、米作を試み追々成績を揚げ來りしも兎角經營者と出資者（會社）との立場に意見、行動を異にしてゐたので快しからず、布施氏も遂に獨立して約七百余町歩の土地を得牧場には常に百數十乃至二百頭の牛馬あり珈琲、カヽオ栽培をなし農場内に用水路を貫通せしめ灌漑用に又牛馬、家禽の飲用に充て尙動力タービンにて四基ワツトの發電機を運轉して點燈用に又電氣コンロ電氣風呂さては裁縫ミシン、製材鋸、酪乳の攪拌器に至る迄電氣モーターの應用を以て勞力の節約をなして餘力を讀書に修養に研究と日も尙を足らぬ有樣なり。尙氏は天文を研究し、又種牛、家禽の改良をなしつゝ餘生を樂しみつゝあるものゝ如きも氏が胸中に將來何物を企劃しつゝありやを知るべきもないのである。

一、エスペランサ農場、高田氏（山口縣人）は布施氏を助けて鋭意農作物の栽培、牧畜、農産製造に努力されつゝありしが後獨立して布施氏に隣接して二百五十町歩の地を求め牧畜を開始し數年後餘力を珈琲事業に注ぎ益々擴張發展の域に進みつゝありしが故國家族との事情長く氏の留まるを許さず歸朝の止むなきに至りたり氏の後を譲り受けたるは我が信州上高井郡出身の當時長崎なる三菱造船所技士池田氏（金井英雄氏實兄）と淸水繁三郎氏（長崎）にして目下土地の大半は牧場に開拓され百五六十頭の牛に珈琲園二十五町歩を經營しつゝあり、金井英雄氏も歸國前には此の農場に活動してありき。

一、チサツパ農場、竹村四郎（東京の人）駒場出身にして藤野氏により派遣され渡墨布施氏を助けて農牧を營み、後獨逸人の一珈琲園にて實地見學し、土地を求めて獨立したり。エスペラン農場に隣接せる豊沃の地に珈琲を植へ牧畜を兼ね農作物も栽培して珈琲の結實年齡に達るを待ちつゝあり。

一、堀田農場、堀田ドクトルは植民地の藤野氏の手に歸するや派遣されて邦人は勿論近村の人々に醫療を施しつゝありしも布施氏の獨立した前後氏も獨立して閑靜の地に居を仆して一介の百姓となり本業の醫者の方は多く顧みず子女を相手に地に親しまれ、珈琲栽培、米作、其の他カヽオ、玉蜀黍、豆に至る迄氏の丹精によつて立派に成績を揚げて居るのである。

尙植民地跡には現在分割されて獨逸人經營になる珈琲園、

植付面積我二十町歩、總面積六百町歩、カヽオ園植付十町歩總面積八十町歩、一土耳古人の珈琲園植付六十町歩總面積八百四十町歩等ありて其他は個人所有、共有地に歸したるもの多く中に拾指を以て屈する町村の部落が育まれつゝある。

結論―これを要するに殖民地失敗の原因を尋るに調査に先ち充分の時日と經費を準備して當り、確實の材料により精細に亘りて調査の歩を進めざりしか、調査に當りたる人々入植者の指導監督の任にあたりたる者に人物を得ざりしか、入植者が充分の覺悟と準備をなし來らざりしか經驗に乏しく適當なる作物の栽培法經營法を實現し得ざりしか入植者が渡墨前に於て知り得たる事情と全く相違する事實に逢着し些少の困難、障害に遭遇するや日本人の通弊とも云ふべき先づ是を統一するものなく又心良く有力者の統御に甘んずる雅量なく、又は一致團結して其の難局を突破して見るだけの試練に乏しく、剰へ資金の不充分を訴へるあり中途に送金の杜絕するに於ては、思ふに是等の事情が原因となり結果をなして遂に放棄離散せざるを得ざるに到りしならん當時世に人口、食料問題の現今に於ける如く囂しからざりし時代に今日あるを豫想して將に來らんとする經濟國難たる人口、食糧問題の解決の鍵を植民政策に見出さんとして之を企圖し計劃したる榎本武陽氏の慧眼は實に敬服すべきものと云はねばなりません惜むらくは其の着手に際し周到なる用意を以て調査し計劃して實行に際し經驗家、又理財に長けたる人物を拔擢採用して其の衝に當らしめざりしを。さすれば現在植民地跡に見る前記數名の同邦先輩の如く全植民地をして開拓し盡して立派な一大日本殖民地を建設し得たるに非らざるかと夢想せざるを得ません更らに特筆すべきはこれ等先輩は皆當國に歸化して土地を得て是處に見るが如き確固たる農業政策を採用して居る點です。

メキシコ國名の起源

墨西哥國名の起源はこの國の原住民たるアステク人即ちメキシコ人の名より來たるものである。このメキシコ人の名は又アステク時代に於て彼時の守護神として最も崇敬せられたる軍神メヒトルの名に起因する。この國最初の歷史的人間として知らるゝは紀元六四八年の頃より住せしトルテク人なりしが約四世紀の後チヽメカスと稱する游牧の民及びアコルアン人來りてこれに代り次で一一九五年の頃アステク人來住しチアプルテペク即ち現時の大統領官舍ある所を根據地としてテスコクの武士に對抗し遂に一三二五年の頃テスコ、湖畔に一城市を形成せり。これをテノチチトランと云ふ。即ち現今のメキシコ市である。

一五一九年の西班牙の勇將ユルテス侵入してアステク王國を滅し以來約三百年西班牙領となりて國號をヌエバ、エスパニアと呼ぶ。

我國とは三百年前の支倉ミツション以來の古い由來を待つ世界中で一番日本人に親しみのある國でメキシコ人は日本人を友人としてみなく兄弟として交ふ程の親日振りである。

移植民ニュース

明年度南米航路
出帆豫定發表

昭和五年一月以降の郵船及び商船の南米航路從航船の神戸出帆日は目下船會社當局に於て協議中であるが現在判明確定せるものは左の如くである。

一月十六日（商船）モンテビデオ丸
一月廿九日（郵船）備後丸
二月十八日（商船）ハワイ丸
三月　一日（郵船）河内丸
三月十五日（商船）ラプラタ丸
三月廿六日（郵船）神奈川丸

新造船 ベノスアイレス丸
一千余名の開拓者を乘せて處女航海

商船の新造船ベノスアイレス丸は十一月十六日南米航路の處女航海にのぼつた。本船の處女航海を目當てに南米渡航者は激增して遂に滿員の盛況一千余名の開拓者が新造船に四十七日の航海に身を托して雄々しく神戸港を鹿島立つた。因に神戸より乘船の伯國渡航者は二百三家族八百七十五人（男四百七十四人、女四百一人）で移住組合關係渡航者は內五家族十八人であつた。尙本船知名の乘船者は前メウル領事多羅間鐵輔氏、伯國大使館の野田良治氏、聖州總領事館駐在の拓務省江越氏、アリアンサ移住地に入植する與謝野修氏等であつた。

ブラジル事情を御進講
野田書記官の光榮

天皇陛下にはかねて海外で第一線に活躍する國民に對し大御心を致させられ時を定めて侍從を御差遣になり之等の便臣等を御慰問御督勵遊ばされることを屢々拜承する所であるが今回ブラジル國に在任する事廿餘年同國事情の權威者外務省一等書記官野田良治氏の在京を機とし木曜日の定例進講日をわざ〳〵月曜日に繰上げさせられ十一月十一日氏を宮中に御召出され氏をして「ブラジルの事情特に日本人のアマゾン河流域に於ける植民情態」の御進講を聞こし召さることゝなつた

主要使命を果すため
旅費の復活要求
拓務省豫算大削減

拓務省の昭和五年度豫算の既定經費に關する要求額百十萬圓に對して大藏省より二十一萬圓即ち、約二割の削減を受けたので復活要求をなすべく省議を續けてゐたが

一、他省の被削減額が五分見當に過ぎない
一、拓務省は新設省にして四年度豫算はその標準となし難きこと
一、大藏省へ提出した五年度豫算は削減の余地少なきこと

を理由として大藏省查定額に對し十六萬圓の復活要求を行ふことに決し二十五日大藏省に對して正式に復活要求をしたその主要項目に對する大藏省查定額および復活要求額は次の通りである（單位千圓）

節目	查定額	復活要求
旅費	一一〇	一一〇
機密費	五〇	二〇
事務費	五〇	三〇

これを當初の要求額に比すれば四分五厘余の削減となるがなほ旅費を最初の要求通り二十二萬圓に復活したのは旅費は拓務省の主要使命たる海外移民指導上必要なりとしたためであると

菅平青年講習所
第一回修了式

一般縣民から多大の期待をかけられ創立された縣立青年講習所第一回修了式は十一月十日擧行された半歳の間淸淨そのものゝやうな菅平高原の靈氣にはぐまれた多感の青年十五名は第一回の卒業生として今や疲弊困憊のドン底にうごめきつゝある農村の渦中へ新興の意氣を以つて新たに送り出されたのである本年五月十日の開所に際し宣誓式を擧げたものは二十二名であつたがその後或は病氣或は都合のため宣誓を裏切つて途中七名の退所者を出したのは頗る遺憾とされてゐるが殘り十五名の青年は能く勤勞辛苦に堪へ心身の鍛錬をも忍んで第一回修了の榮譽を擔つた卒業生の大部分は農村に歸り今後は眞に農村青年指導の中心に起つて行く使命を負はされてゐるがその一人々々について見ても每曉四時半といふにみそぎの行を經て來たゞけに剛健そのものゝやうな面持ちである。創業以來暇あれば青年講習所に來てわが子のやうに愛して來た小西學務部長は修了證書を授與した後訓示し思ひ出多い菅平高原半歲の生活はやがて新農村建設の中心指導となつて貰ひたい其時諸君の感慨は無量であらうと述べて其前途を祝福した。

青年講習所第一回修了生十五名意氣に燃えつゝある青年の農村將來に於ける活躍振りこそ興味あるものであらう

第一回修了者十五名は左記の如くである岩倉彌之助（上水）堀萬治郎（上高）上林友成（上高）高津小七郎（東筑）武田良助（上高）田中健一（西筑）小野留也（東筑）小田切春治（上高）岡村篤太郎（北佐）小林俊雄（下水）小林茂（更級）坂田周平（上高）（坂田八右衞門（上高）宮坂信義（埴科）春原新之丞（小縣）

懷ろほく〳〵
移民船歸る

三十七家族百八十名といふ同胞が橫濱へ上陸十一月十三日午後九時半橫濱入港の大阪商船アリゾナ丸には珍しい卅七家族百八十名といふ多數の北米移民が歸つて來たそのほとんど全部が母親と子供ばかりで大概三四人の子供を連れて故鄕の親戚へ果物や雜貨のおみやげを澤山持つて來たいづれも三等船客だが懷工合は中々好さゝうで七八千圓から五万圓の大金を所持して居たのもあつた、每年秋の獲期が終ると在留同胞の母國訪問團が續々歸つてくるのが例でこれが本年の皮切りである

日本の人口密度
人口增加率 各國との比較

東京商工會議所最近の調査によると我國の人口密度は耕地面積及農業用地面積に對しては世界各國中第一位を占め生產用地に對しては第二位を占めてゐる而して國土狹小天然資源乏しいのと文明國中最高を占める千人につき一五。二といふ人口增加率を收め增々人口過剩を來してゐるので國際貿易の發展と海外發展とが高唱されてゐる次第である人口密度及び人口增加率を各國別に見れば左の通りである

△人口密度　耕地一平方粁に對する人口密度
日本九九三　英國八〇〇　和蘭八〇三
瑞西七七二　白耳義六三九　諾威四一二
伯國四一二　墺地利三四九　伊太利三〇七
獨逸三〇五

△農業用地　一平方粁に對する人口密度
日本九〇〇　白耳義四三五　和蘭三二七
伯剌西爾四二三　英國二四二　諾威二九六
瑞西一七一　墺地利一五三　伊太利一八八
獨逸二一五

△生產用地　一平方粁に對する人口制度
日本一九九　伯剌西爾　—　和蘭三五一
諾威　三二　英國　—　墺地利　八八
瑞西一二三　伊太利一四三　白耳義　—
獨逸　—

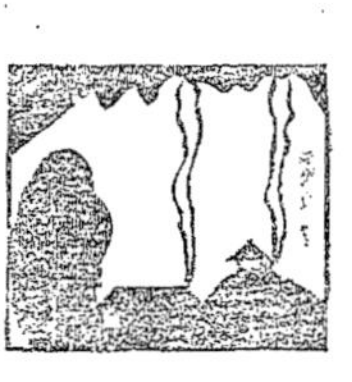

信州記事

明年度豫算總額
千二十八萬三千六百餘圓

十三日召集の通常縣會に提出された昭和五年度歳入出豫算は總額一千二十八萬三千六百九十一圓にして本年度當初豫算に比すれば百二十万二千百二十六圓の減額である。

即ち歳入經常部は九百五十七万八千四百六十二圓、臨時部は七十萬五千二百三十一圓であり歳出は經常部七百十一万八千五百八十二圓臨時部三百十六萬五千百九圓にして前年に比し一割五厘減といふ美事な緊縮の實を擧げて提出された、從來の本縣放漫政策はこゝに全く一掃されて眞に實行の出來る堅實の豫算と云はざるを得ない、これに對し鈴木知事曰く、明年度豫算の編成については相當苦心した、緊縮の間にも出來得る限り縣の既定方針を破壞しない方針で編成を行つた。只從來數字的に計上しただけで實行不可能の事柄は努めて實行出來るやうに方針を改め縣政の上に無理の出來ぬやうに改めたつもりである、新規事業等の思ひ切つて出來なかつたのは遺憾であつたが之もの[illegible]んが爲の緊縮で止むを得ないことである云々

昨年の實收に比し
二万餘石增す
本縣第二回米收豫想

長野縣の米收穫第二回豫想は十月三十日現在に於て行はれ十一日左の通り發表されたそれによると本年第一回豫想に比して萬七千九百四十六石即ち五分減、前五ケ年平均に比して二萬五千二石即ち二分の減收を來してゐるが昨年の實收高に比較すれば二万二千三百七十八石の增加を示してゐる

第一回豫想に比して減收を見込む原因は晩生の開花期に雨天續いたため主と

して早蒔きの南信地方に影響は見えなかつたが北信の更埴、高井、水内方面に相當の打撃をうけたことによるなほ反當り收穫高は一石九斗八升四合で昨年の實收に比し二升三合の增である第二回豫想高郡市別左の通りである

郡市	第二回豫想	第一回豫想との比較△印減	前年との比較
南佐久	[illegible]	[illegible]	[illegible]
北佐久	[illegible]	[illegible]	[illegible]
小縣	[illegible]	[illegible]	[illegible]
諏訪	[illegible]	[illegible]	[illegible]
上伊那	[illegible]	[illegible]	[illegible]
下伊那	[illegible]	[illegible]	[illegible]
西筑摩	[illegible]	[illegible]	[illegible]
東筑摩	[illegible]	[illegible]	[illegible]
北安曇	[illegible]	[illegible]	[illegible]
更級	[illegible]	[illegible]	[illegible]
埴科	[illegible]	[illegible]	[illegible]
上高井	[illegible]	[illegible]	[illegible]
下高井	[illegible]	[illegible]	[illegible]
上水内	[illegible]	[illegible]	[illegible]
下水内	[illegible]	[illegible]	[illegible]
長野	[illegible]	[illegible]	[illegible]
松本	[illegible]	[illegible]	[illegible]
上田	[illegible]	[illegible]	[illegible]
計	[illegible]	[illegible]	[illegible]

新裝の大屋橋
喜びの開通式
二尺玉やマネキンに身動きもならぬ賑ひ

小縣郡神川村縣道千曲川に架設の大屋橋開通祝賀式は十七日午前十一時から開催された此日朝來橋通り諏訪町本町を始め全町身動きもならぬ程の人出で擧式は橋の北側に祭壇を設け來賓三百餘名參列の如く神式で行つた後鈴木知事の式辭五明道路主事の工事報告に次ぎ內務大臣の告示山邊小山兩代議士、兒玉、瀧澤兩縣會議員其他の祝辭祝電元神川坂田村長の挨拶にて閉式引續き橋の渡り初めに移り神官先導奏樂裡に東內村山本莊一郎氏長窪古町丸山政太郎氏兩家三夫婦先頭にて來賓之に續き芽出度橋渡り初めを終り午後一時より大屋繭糸會社內の祝賀會に移り橫山鹽川村長開會の辭を述べ坂田町村長會長の挨拶知事其他來賓の謝辭ありて祝宴となり上田丸子の紅裙連の斡旋があつた此日大屋町に於ては競夜二尺玉その他の煙火打揚げを始め大屋神社境內の

母國通信日誌
（自十月十五日至十一月）

十月十五日（火） 早慶戰第三回戰六―三にて早大覇業成る▲濱口政府新千二百圓以上の官公吏に約一割減額を發表す

十六日（水） 不意討ちの大減俸に俸給生活者の大動搖を來たし反對の聲囂々と捲き起り政府窮境に立つ▲世界一流選手を迎へて日佛對抗庭球試合開始さる。

十七日（木） 明年度豫算案の既定經費節約額大藏省の查定は一億四千八十万圓にして震災後人口增加十餘万にして現在人口二百二十一万八千四百八人と發表。

十八日（金） 日佛庭球戰終る四―二にして日本快勝▲ロンドン海軍會議招請狀に對する政府の回答文發表さる▲丸山警視總監のカフエー取締と共に嚴格となり警察者[illegible]

十九日（土） 新任政務官の動靜『海運議』と發表さる▲減俸撤回要求で法曹團いきり立つ▲軍縮會議全權委員に若槻禮次郎、財部彪、松平恒雄氏等任命せらる。

二十日（日） 陸軍飛行學校の所澤、霞ケ浦間往復飛行決行▲仙石滿鐵總裁減俸撤回を政府に進言。

二十一日（月） 富士の初雪▲電燈五十年記念祭夜の帝都光の海に化す▲多香に苦しむ生活難打開方法の一として東京市が實施しようとする多塵制限の喝導は全國的に大反響を捲き起す。

二十二日（火） 世論騰然を聲明して政府減俸案を撤回す▲大阪商工會議所主催第一回輸出貿易振興協議會開催せらる。

二十三日（水） 太平洋會議の序幕準備會議は形式を離れて國際色の下に奈良ホテルに開かる▲東京、大阪間を六時間にして走行せんとする日本電鐵の敷設出願に對して政府は具体的調査をなすことに決定。

二十四日（木） 太平洋會議議長に新渡戶博士決定▲無賃の罪證偽法案よい〳〵今議會に政府より提出さるゝ由。

二十五日（金） 國債償還の獻金として寄附者殺到、各地に現はる▲淺草に浮浪者相談所兼無料宿泊所を東京市で建設の事に決定。

二十六日（土） 地租制度の改正委員會藏相官邸に開かる▲新日本の建設者伊藤公ハルビン驛頭にたふれて二十年、その祭典は市外谷中で執行參拜者多し。

二十七日（日） 第五回明治神宮体育大會開かる新興日本の意氣を示して秋晴の下若人の肉躍る

相撲大晝劇場演劇の公開あり大晝藝妓の手踊り晝褒農民美術製作所信濃電氣會社變電所の開放觀覽等で賑はひ特に上田丸子より一足お先き昨今呼び物のマネキンガールの出現に人氣を呼び素晴らしい人出であつた。

橋はボーストリング式の美橋で總工費約二十三萬圓が投ぜられた昨年四月著工本年十一月十五日完成に至つたが幅員三間延長九十二間、床板はソイデツト舗裝工事を施し眞に莊麗堅固な橋である

善白電鐵
創立總會終る
資本金二百萬圓で

久しく生みの惱みを續けてゐた善光寺白馬電鐵株式會社は最初の四百萬圓の資本金を二百萬圓にちゞめて漸く十一月十日長野市城山館に創立株主總會を開いた當日の出席者は

鬼無里、戸隠、柵、芋井、北城小田切各沿道村長その他代表、東京方面から十餘名それに地元長野市の發起人合せて約四十名出席發起人總代丸山市長が議長となつて經過報告をなし定款議定に移り定款中副社長を置くことに一部改正を見た外全部承認となり役員銓衡員井原岩太郎氏外四名を擧げて役員の銓衡を遂げた結果

社長	立見豊丸(東京)
副社長	左治木清七(長野)
常務取締役	吉岡國太(長野)
取締役	利根川久衛(東京)
同	中原岩三郎(東京)
監査役	笠原十兵衛(長野)
同	宮下友雄(長野)

が滿場一致を以て當選

敎育費減額を
三市で協議

小學校敎員の減俸を槍玉に長野、松本、上田三市ともに年々の豫算は敎育費が常に全額の三分の一强をしめてゐる程であるから今後各市にとつて敎育費問題即ち專ら敎育行政方面の研究は最も重大な役目となつて來た故に此際三市聯合學務委員協議會なるものを組織して將來常に相提携して進もうとの說が今

▲財政窮乏救濟には先づ陸軍の縮少を圖れと與黨の空氣次第に眞劍化して來た。

二十八日(月) 八ケ國の代表一堂に太平洋會議開會新渡戸稻長開會、の辭に先づ戰爭絕滅を高唱▲畏し緊縮の大御心初瀬御用邸の建造延期を仰出さる。

二十九日(火) 世界工業界の權威を網羅した萬國工業會議は新裝成れる東京市公會堂に於て幕開く▲世界動力會議東京部會衆議院議事堂に於て開會式を擧げる。

三十日(水) 國を擧げての經濟緊縮節約貯金の聲各地に高し▲萬引の發覺を恐れ時計を呑込んだ少年長崎署に捕まる現物肛門から現はる▲下り急行と貨物列車東海道山北松田間ですれ違ふ瞬間に衝突脫線顚覆の椿事。

三十一日(木) 皇后陛下には御出產後の御經過極めてお宜しく本日目出度く御床拂ひ遊ばさる▲青森市の火事二十六戸燒く▲全國各府縣青年團選手八百二十名は勢揃ひで明治神宮參拜▲千葉縣南總鐵道深澤トンネル崩壞鮮人一名即死五名生埋め。

十一月一日(金) 我が國初めての純日本發聲映畫封切り▲聖上陛下いとも晴やかに今日神宮競技を天覽、四千の選手光榮に輝やき運動史上空前の盛觀を呈す▲更生の「勞農黨」けふ結黨式

回漸く具體化して十二月七日午前十時から長野市役所樓上に設立協議會を開く事に決定し長野市ではそれ前の十一月二十九日準備學務委員會を開き當日の提出問題について研究する筈である、大體同聯合會の目的とするところは先づ小學校敎員の減俸問題をやり玉に次いで需用費、設備費、備品費等の支出方法について共同購入なり、買込み値段の協定なり其他あらゆる敎育行政一般に關し今後機會ある每に三市に於て順番に懇談的協議會を開いて出來得る限りの共同的研究を行はうといふのである

いよ〱着工の
免囚保護館
有力者の寄附一萬餘圓
長野市にできる

帆高長野地方裁判所檢事正の主唱のもとに小坂拓務次官を始め長野地方有力者の後援で計畫中であつた長野縣免囚保護聯合會の免囚保護會館の建設はその後市內宮下友雄氏等の奔走によつて有力者の寄附金一萬餘百圓に達したのですでに長野刑務所西妻科地籍に敷地三百坪を買收し十二月中旬ごろから工事に着手することに決定した遲くも明春四月ごろには完成の豫定であるから明春から家なき免囚者があたゝかきホームに安心して働ける譯である

公娼廢止請願書
トラツクに滿載して
開會中の縣會に持込む

長野縣廢娼期成同盟會の理事長佐藤敬一郎氏外同會の三村、吉澤、川原、小泉等の夫人連は十一月二十一日縣會議事堂に出頭してさきに縣下の同志の手によつて集められ當日はトラツクに滿積して運び込まれた六萬六百四十五通の公娼廢止請書願を午前十一時を期して平野議長に提出し更に書面を以て陳情したなほ本年は京都府はじめ全國約十縣に亙つて廢娼建議案が府縣會に提出される筈であり何れも通過有望であると一行は語つた

犀川線の改修をこ
猛運動開始

擧行▲救世軍の母アメリカ救世軍總司令官ブース女史けふ横濱入港直ちに來朝の第一歩を擧ぐ。

二日(土) 日本赤十字社長後任選考中の德川家達公に決定發表さる▲十月中の對外貿易出超五千五百万圓、生糸輸出八千萬圓なる由▲英國政府は印度に自治領の地位を與ふる旨インド總督から聲明▲トーキーの犧牲辯士の失業續出

三日(日) 明治節、大帝の御偉業をしのび奉る佳辰、國を擧げての歡喜祝宴▲神宮体育大會健鬪八日、若人の意氣揚々新記錄續出の成績を遺し幕閉づ▲甘藷芋の恩人靑木昆陽の頌德碑大宮の氷川公園に建設▲眼病の難症そこひを全治する療法が九大眼科庄司敎授に發見せらる。

四日(月) 議會解散問題運動先づ野黨より起る▲立川飛行第五聯隊の兵卒歸營時間に遲れて鐵道自殺▲大阪府泉南郡下小學校敎員五百名は俸給二百分ノ一宛獻金申合せ▲諏訪湖に薄氷張る。

五日(火) 不景氣の祟り自殺者各地に頻々▲太平洋會議で支那側盛んに日本を攻擊▲日本共產黨起訴總計八百二十五名▲日本ライン「木曾峽」と改稱。

六日(水) 對米爲替、四十九弗に暴騰▲郵便貯金激增十月中の取扱高二千六百萬圓に上る▲函

縣當局と縣議に向つて

本縣の道路改良計畫繼續費年度制廢止について最も其前途に暗影を與へたものは長野飯田線中のいはゆる犀川線の改良計畫である同犀川線は上水內郡七二會村大安寺地籍から縣道大町街道より分岐して東筑摩郡明科に至る十數里の間は目下全く道形のないところへ縣道を作らうとする計畫でありその總工費も三百八十餘萬圓を要し既定計畫によるも約卅ケ年を要する大工事なので政友會內閣當時の放漫政策時代でさへも持てあました道路であつたが今回の緊縮政策についてはそれがため先づ第一に打擊を蒙るに至つた一部關係民中にも今更の如く梅谷知事時代の立案通り發電會社に二間幅の道路を作らした方が地元の爲によかつたと噬臍の嘆をもらして居るものもある、而して地元では既に第一回の寄附を出した事でもあり今後關係村では其道路敷の土地を寄附しても可及的に同道路の速成運動を行ふこととなし尾澤既成同盟會長其他役員は縣當局及び縣會議員に向つて猛運動を開始した

世界の人口

國際常設統計局の發表によると一九二八年、即ち昨年に於ける世界の人口は十九億三千六百萬人でその中歐羅巴四億七千八百万人、アメリカ二億三千八百萬、アジア十億七百万、オーストラリヤ九百万アフリカ一億四千万である、主なる各國の人口を示せば

ロシア(アジアロシアを除く)	一億八百萬
獨逸	六千八百三十萬
英國	四千五百四十万
佛蘭西	四千一百万
伊太利	四千八百万
波蘭	三千二十万
西班牙	二千二百三十万
支那	四億五千八百万
英領印度	三億一千九百万
米國	一億二千万
ブラジル	三千九百万
白耳義	八百万

館私立大谷高等女學校では女生に軍事敎練實施する事になつた。

七日(木) 偉大なる貢獻を殘し萬國工業會議終る▲明年度豫算概算十六億八百萬圓、本年度成立豫算に比し一億六千萬圓の減額▲新興劇團の脚本檢閱に改革の氣運生まる。

八日(金) 印度の大王ジルダル、ムハベツトライ殿下來朝▲思想關係の犯罪事件激增の結果特高警察で危險人物は片端から指紋をとりはじめ現在指紋原紙三千人分突破したる由▲在外正貨益々增加し三億突破の盛況。

九日(土) 太平洋問題調査會けふ閉會式擧行▲濱口首相は現代我國の文壇、劇壇を代表する文士、劇作家を招待し近く懇談を交ゆる由▲東京市が率先して家賃値下げの手本を示し全國に運動起る

十日(日) 御大禮一周年兩陛下去歲の奉仕者を召され御物語りの御集ひ▲第二回米收穫豫想五千八百卅萬石一回より三分六厘減▲日露戰役出征の儘生死不明の父より群馬豊受村の息子宛三十萬圓送金して來た。

十一日(月) 世界大戰休戰滿十一年記念日▲早川雪洲映畫會社資本金百萬圓で寶塚に建設の運びとなる▲世を擧げての緊縮風と百貨店進出の影響を蒙り小商人青息吐息▶陸軍の大整理巨頭の諒解成つて具体案作成に着手。

「船」の話 (五)

商船 岩井杏水

上述のありぞな丸型の揚貨機は五噸、即ち千三百五十貫の荷物を一度にスル〱と揚げます、又もつと大きい重量荷物などをつむ場合には重量揚貨機があります、ありぞな丸の(前のマストに取付けてあります)ヘビーデリツキは四十噸、即ち一萬數千貫の力を有します、これこそ正眞正銘の千人力で御座いませう、若しこれ以上の荷物ならばどうして積み込むか?船の積載し得る荷物は一個の目方が三百噸でも、五百噸でも敢て驚ろきませぬ、容積が艙口にはいりさへしたら積込めます、然し船には何年に一度あるかなしかの稀れな大重量品などを豫想して平常から其の揚貨機を準備する必要もありませんから、そんな場合には大抵は積み揚げする港の造船所などに所有して居る五十噸百噸二百五十噸と云ふ浮起重機をかりて、積卸作業を致します。(若しかゝる大起重機が其積揚する港の何れかにないとせばもう致方はありません)

船の重量品に對する積戴力は殆んど無限と云つてよろしいが、汽車では、斯樣な重い荷物は扱ひ兼ねます、若し容積に至つては汽車に長尺物、嵩高品などは至極小さく制限せられて仕舞ひますが、船は五六十尺位のものでも平氣に積み込めます。

私は只今船の積載力に就いて、我等の日常生活に對比して、殆んど桁外れな大きい數字で諸君を驚かせました。しかし大きい數字で諸君を驚かせるつもりではない、かう云ふ大仕掛けな船の設備であつてこそ、始めて八千萬人の日用品が萬遍なく供給さるゝものである事を顧みて戴きたいのであります。

船の荷物運賃

船の荷役設備中かくの如き大仕掛なものでありますから、其の運賃は陸上運輸機關に比して殆んど想像も及ばぬ安價なものとなります。例へば南洋爪哇のスラバヤから神戸まで二千八十五哩の砂糖の運賃は百斤四十四、五錢であります。諸君こゝに注意して下さい、船舶運輸の便の多い國の國民の生活は如何に惠まるゝかを想像して下さい。砂糖の本場爪哇と我國との砂糖の相場は一斤の値違ひがやつと運賃たつた四厘五毛です、(勿論砂糖消費稅のかゝらぬものとして)どうです、世界至る所殆ん

ど物價の均一を企てるものは實に船舶以外にない。國民生活の安易を計るにはもう此の船舶運輸が幹であつて他の色んなものは枝葉の問題に過ぎないのであります。

日本は産物が乏しい。日本が外國へ品物を賣らうとしても純國産品は生糸、陶磁器、水産品、麥稈眞田位のものであります。こんな貧弱な産物では到底暮して行けるものではない。外國から原料を買入れ、之れに加工して外國へ輸出して利益を得ると云ふ方法にたよる外救濟の途はありませぬ。外國で原料を買つて、加工して外國へ賣り出すとせば、運賃が安くなければならない。現に印度から棉を買入れ、それを日本で加工して、綿糸とし、綿布として印度へ輸出して居る。そして印度の紡績に對抗して殆んど顔色なからしめて居る。これ等の原因の一は船舶の運賃が極めて安く原棉の相場がわざ〳〵運賃を拂つて日本へ持て來たものと、運賃を要せざる原産地の印度に於けるものと比較して殆んど問題にならざる程度の値違ひであると云ふ事がこゝに至らしめたのであります。産業立國の高唱さるゝ今日、皆樣も國家的見地から船會社の發達に力をお貸し下さい。

不定期船と定期船

不定期船とは一定の航路を持つて居ない船でありまして、荷物や乘客のある場合に初めて動き出し、積出港も陸揚港も定つて居らず、荷物や乘客の必要に應じて、どこへでも航走すると云ふ自由な船を申します。例へば濠貿から米をつんで神戸へ入港し、次には門司から石炭をつんで新嘉坡へ揚げ、次にはクリスマス嶋から燐礦石をつんで横濱に陸揚すると云ふ樣に、荷物ある港を轉々として營業を續けて行く船を申します。

定期船とはある港から港へ一定の時日に發着する船でありまして、その日その時が來れば假令荷物や乘客があらうが……あるまいが決して發着を狂はさないし航路も代へない事を特徴と致して居ます。毎週日曜水曜正午に神戸から大連へ定期出帆するばいかる丸、はるびん丸等年に十回神戸から南阿南米北米パナマ北米、横濱間を航走する南米線世界一週船さんとす丸外四隻等は何れも立派な定期船であります（我社は全世界に亘りて約五十の定期航路を經營して居ります）

昔の海運は往來客も少なく、荷物も左程多くないと云ふ狀態でありましたから、絶へず定期に船を往復させる必要もなかつたのであります。又たとへその必要があつても、其當時は未だ造船術が幼稚でありました。只今の樣にどんな暴風怒濤に遭遇しても、ビクッともしないやうな大きい堅牢な船を造る事は出來ない。船體が脆弱で、型が小さく、帆の力で進むより方法がなかつたので、航海も常に天候に妨げられ勝ちで、船の發着がとんと確に參り兼ねました。まことに船は風のまにまにと云ふ有樣で、到底神戸を何日何時に出帆して、天津へ何日何時に到着する等と云ふ樣な、正確な豫定は夢にも出來ませんでした。

處が年月を經まして、世界の交通が漸く繁くなり、一方又造船術が發達して參りまして、風や潮流の力などに任せず船に機械を据ゑつけて、蒸氣力や瓦斯力を應用して、自力で運航する汽船が出現するに及び、大洋は完全に征服されて仕舞ひました。風が逆に吹いても、潮流が向うから流れて來ても、船は自力でどし〳〵走る事が出來る樣になりました。又昔の造船は木造より出來なかつた、木を組んで造つて居る樣では、到底大きい船は出來ないのであります。然るに其後鋼鐵の船が出來る樣になつてから、船は幾らでも大きいのがつくれる、怒濤に堪へる力も強大となり、遂に如何なる荒波でも如何な天候でも、何の煩ひもなく一定の時間内に航走しうると云ふ立派な船が出來ました。

既に往來客も貿易品も增し、正確に發着出來る船もある、こうして定期船は生れて參りました。さて定期船は正確に發着しなければなりませぬが、前にも申上ました通り、海には潮の流れや逆風などと云ふものがあつて、船の速力を弱めます、けれ共定期船が外界の力に、あまり左右せられてゐては定期船の役目が勤まりませぬ、出來る丈け發着時間の狂ひを少なからしむる樣に力めねばなりませぬ。此の時間の狂ひを避けるのは強大な速力を保つ以外に何の方法もありませぬ。平素一時間十三浬の速力を出して定期に發着してゐる船も、いざとなれば十七八浬も走ると云ふ優良船であつてこそ、潮の流れや逆風にも影響を受けないのであります。勢ひ定期船は優秀船でなくば勤まりませぬ。

これに對して不定期船は速力は遲くとも差支えはありませぬ。速力の遲い船は安く出來ますし又消費する石炭の節約も出來ますので、速力が遲くとも、なるべく造船費を少なくし石炭を節約して運航費を少なくし、それ丈け安い運賃で荷物を運送しやうとするのでありますから、定期船より質素であるのは免れません。

現今の貿易は主として定期船によつて行はれます、しかし米小麥、砂糖、肥料、石炭、木材等と云つた荷物は、ある季節に莫大な量を取引されます、斯樣なときその積出港に定期船が通ふて居たとしても、到底定期船の船腹では足りませぬから、斯樣な場合とか、又は平素定期船の通はぬ港から積出さるゝ樣な場合に不定期船が定期船の補助的役目を演ずるのであります。

外國へ行くのに運賃は幾ら

海外の事情を聞くこと程面白いことはありませぬ、それに私どもがその昔學校で外國地理を教はるときは、面倒くさくて、先生が病氣でもして休んで呉れたらいゝな等と、誠に濟まない考へを持つて居ました。「香港は英領にして……」と、その丸呑みには閉口しました。私達はその産物がどんなものであつて人口が何十萬あつても、まるでお隣りの三毛猫が何故あの樣にお行儀が惡いのだらうと詮議する丈けの興味を持てなかつたのですもの、しかし此のとき、もし俺がその孟買と云ふ所へ旅行するんだと夢の樣な望みをゑがきますと、とても外國地理は面白くつてたまらなくなります。

高等學校の入學試驗の準備の爲めには都會の人口などは必要でせう。崑崙山脈の流れ方や、オビ、エニセイ、レナ河はどうのと云ふ事も肝心でせう、けれども今日の日本人の實際生活には何の役にもたちませぬ。

それよりも今日、教科書に忘れられてゐる所の、天津へ行くには何處から船が出るか、どんな船が出るか、何日目に出帆するか、日數は幾日かゝるか、旅費はどの位ひ入用かと云ふ事を知つて、地理の書物を讀んで御覧下さいませ。とても面白くなつて仕舞ひます。私は御參考の爲め表をつくりました。

表などゝ云ふものは味のないものですけれど一見して大摑みに知り、何にかの時一寸見たいと思ふ時、すぐ判ると云ふ利益があるので、一寸書き添へました。

港名	出帆港	到着日數	三等運賃	一等運賃
浦塩斯德	敦賀	四十時間	一三円00	五〇円00
大連	神戸、門司	(門)四十五時間	神 一九、00	六五、00
天津	神戸、門司	(門)六十四時間	神 三三、00	七〇、00
上海	神戸、門司	(門)四十六時間	神 一八、00	七三、00
青島	神戸、門司	(門)四十二時間	神 三〇、00	六九、00
香港	神戸、門司	(神)五日	神 三〇、00	一三五、00
西貢	同	同(神)十日	神 四〇、00	一六〇、00
新嘉坡	同	同(神)十三日	神 四八、00	一八〇、00
基隆	同	同(門)五十二時間	神 三〇、00	六五、00
マニラ	同	同(門)九日	神 四七、00	一四六、00
スラバヤ	同	同(門)十四日	神 七〇、00	一七〇、00
シドニー	同	長崎(神)廿六日	神 一五磅	六一磅
甲谷陀	同	門司(門)廿三日	神 一〇〇、00	二二五、00
孟買	同	同(門)廿六日	神 一四〇、00	四五〇、00
コロンボ	同	同(門)廿二日	神 八三、00	三一〇、00
マルセイユ	同	同(神)四十一日	三四磅	一〇二磅00
ロンドン	同	同(神)五十八日	同 三六磅五	一一〇磅00
アフリカ、モンベサ	同	同(門)三十日	同 一五五、00	四七〇、00
同上ダーバン	同	同(神)三十一日	神 二〇〇、00	五〇〇、00
同上ケープタウン	神戸、長崎	(神)三十五日	同 二〇〇、00	五三〇、00
南米リオデジヤネイロ	同	同(神)四十八日	同 二三五、00	七六〇、00
同上サントス	同	同(神)四十七日	同 二三五、00	七六〇、00
同上ベノスアイレス	同	同(神)五十六日	同 二三五、00	八〇〇、00
北米シアトル	神戸、横濱	(横)十三日	横 一二五、00	一九五弗00
北米紐育	同	同(横)十六日	—	三三五弗五四
北米桑港	同	同(横)十六日	—	二三〇弗00

右表中(門)は「門司より」(神)は「神戸より」(横)は「横濱より」の意。（完）

横濱神戸間の海の旅

東京から關西方面の旅行には横濱から南米航路の商船或ひは郵船の定期船を利用すると愉快な海の旅が出來る、海や船に對する理解と趣味を持つには實際に船に乘つて航海する事である。旅費も汽車賃より低廉で横濱神戸間が四圓五拾錢である併かも食事付きで入浴も出來て汽車の旅の樣に窮屈でなく自由な運動が出來てとても面白い。

（みやもと生）

誌上映畫

移民奬勵映畫劇

「行けブラジルへ」（二）

全四巻

製作　教育映畫協會

提供　日本教育映畫社

「實は人が殖えるにしたがつて耕す土地が狹くなるので善後策を講じてゐるのですが、どうも思ふ樣にゆきません」

良介は其の話に同情いたしました。やがて人の一人は、

「それにしても良介さんは、どうしてそんなに立派に成られたのですか」と問はれ聊か恐縮の体にて今迄の事を語り出しました。

「皆さん御聞き下さい」「それは父の初七日でした。隣家の娘が持つて來て呉れた供物の上の新聞紙を見た時。そこに現れた文字は果して何でありましたでせう。

行け南米ブラジルへ

農業者の樂天地……南米ブラジル移民募集廣告の記事でありました。額に紅を滿した良介は

「そうだ南米へ行こう」

そこには廣い天地が我々の行くのを待て居るのだ、と叫んだ。

妻のおふみも滿腔の熱誠を以て賛成しました。其の翌日出發の用意に中々忙がしかつたのです。良介はせめて彼地で朝夕禮拜せんと思ひ父親の位牌をうや〳〵しく頂いて荷物の中へ納めました。

數日すぎて彼等は村を去るにのぞんで父親の墓前に別れを告げに參りました。

「お父さん！きつと成功して歸つて參ります、しばらくお寂しいでせうがお待ち下さい」地下に安らかに眠る父に別をつげました。良介の胸には事成らずんば死すとも不歸と固い決心が秘められてありました。そして鎭守の社に前途の幸福を祈つて村へとさしかゝつて來ました。見下せば、今日迄住みなれし我が村、早霧に包まれてボンヤリと浮ぶ有樣を見ては流石に斷腸の想ひであつたのでありました。

「懷しい故鄕よ、さようなら」

如何に前途に燃ゆるが如き希望を有する彼等といへども、一歩々々と遠ざかる我が村に對しては、大きな執着を感じたのでありました。

東　京！

汽車に乘つた二人はやがて東京驛頭の人となりました。始めて上京した二人には如何に感じた事でせう、華やかな都、見上ぐるばかりの高きビルヂング、總てが珍らしき世界でありました。やがて彼等は自分達の後世の大事を託すべく海外移民相談所を訪れたのであります。其處で總ての手續を濟せ安心を得た彼等

は母國を去るに望んで東京見物をいたすのであります。先最初に、

宮城―二重橋

より皇居を伏拝み更に明治神宮へ参拝いたしました。

赤坂離宮

お濠端と帝國劇場

歌舞伎座

等を見物いたしました

愈々出帆の一週間前に良介夫婦は神戸の國立移民收容所に滯在する事になりました。

そして彼等の希望の旅へつきました。希望にみちた健氣な人々は既に岩壁に集合して居ります。

日伯間には日本郵船大阪商船の定期船が開かれて居ります。

遠く海の彼方へ平和の勇士を送るべく輸送船備後丸は神戸港岩壁に横付けとなつて靜かに出帆を待つて居ります。

海外協會、移住組合、移民會社等の手に依つて何の面倒もなく海外移住の一切を終つた人々は安心の色を浮べて此の大なる船へ乗り込むのでした。

旅券の檢査

を受けそれ〴〵各自の船室に落付き荷物の整理にせわしい折良介夫婦は雜踏から少しはなれた所にたゞずんで、而して正に別れを告げんとする故國の山々をヂット見詰め乍ら「彼地へ行つたらお互ひに一生懸命に働かう」と堅く誓ひ合ふたのであります。やがて長い〳〵汽笛が出帆を告げました。

スクリウが勇しく響をたて始め、何處からともなく「オオ〳〵」の聲が雪崩の様に流れて來ます。こうして希望にみちた多くの人々を乘せた船は徐ろに港をはなれ、八重の潮路を押分けて南へ〳〵と進み行くのでありました。

神戸よりブラジルサントス港まで、行程實に一万二千浬、四十七日間

サントス港

移民輸送船サントス港入港であります。

我が移民が初めて入國いたしましたのは明治四十一年六月十八日、移民輸送船は笠戸丸で、人員七百九十二人でありました。

珈琲の輸出港として世界第一貿易港としてもブラジルは第一であります。

汽車で二時間にしてサンポウロ市に着くのであります。

サンパウロ市はサンパウロ州第一の大都會でブラジル國の第二の都であります。

彼地に着いた彼等は一心に働いたのであります。

廣漠たる南米の天地、而も天惠の豊かな豊穣なる土地、農業者

の腕を振ふに絶好な地であります。

原始林の伐木

前人未到の原始林を伐木してから開墾いたのであります。一アール(二町五反歩)二百圓内外で求められます。一アール切倒すに約三十人の手間を要します、先づ最初の汗と油の價値は眞に偉大なるものでありました。最初の一年は

珈琲園の除草

これは珈琲園皆採集後十月から草取りをします、草取は毎千本に一ケ年伯貨三百ミル(約七十五圓)の割合であります。

珈琲樹

發芽は播種後三四十日位であります。

珈琲收穫

植付後三四年にして毎年五月下旬から九月頃迄の間に實の摘採にかゝります。

一本の樹から約四五升の收穫があります。

壽命の長い珈琲樹になると六十年とも云はれております。

摘採した珈琲は實は篩にかけ撰り分けます、一袋約五斗五升位に入れます道端に出しておきますと、後で馬車で集めて洗場へ運ばれます。

珈琲の流送洗滌

乾燥場

二年三年と働いてゐる中には珈琲樹の間に間作を行ひ次第に地歩を占めてゆくのでした。

流れる汗を物ともせず働く良介、彼方を眺むれば緑の丘に並ぶ美しい移民の住宅その美事な珈琲の出來榮え實にそれを見ても正しい力の表現結晶でありました。

そして數年後彼等の努力は美事酬ひられました。

永い間請負業をして更に經驗と蓄積を得た彼は更に未開墾地を買入れて自作農を始め腕一本で地主となつたわけであります。その二人の間にはいとしい愛の結晶をもうけ、幸福に惠まれて日々を送つて居ります。

植民地の學校

移民會社經營地には數多あります。日本人、ブラジル人の教師が專任となつて、よく教務に當つて居ります。

勤勞移民、津村良介

今は相當の地主となつた良介夫婦の見廻す眼下に展開された廣々たる珈琲園それこそ彼等の汗と血とに依つて耕された土地であります。

「お母さん!」

と云ふ可愛い聲、彼等の間に出來た子供でありました。日本をはなるゝ一萬二千浬の異郷の風にひらめく日の丸の目出度よ、良介は子供を抱いて決心の笑ひを洩したのであります。

―語り終つた良介は

「そうして私は父の碑を建てる爲めに歸つて來ました。」

更に言葉を進めて

「皆さん!彼地へお出でなさい、あの廣い天地が何んなに皆さんを待つてゐる事でせう」

感激した村人の一人は進みよつて

「良介さん私達はあなたと共に南米へ行きませう、よろしくたのみます」

良介は莞爾と笑み

「よくお決心なさいました。お互ひにしつかり働きませう、海の彼方で、而して一同は神前に其の成功を祈るのでありました。

そして彼等は第二の故郷を建設すべく勇ましく出發しました。かつて良介夫婦が抱いた様な燃ゆる希望に滿ちた人々は新たなる日本を建設する爲、我が日の本を後にして出發いたしました。

勤勞の鍬に不毛の地なし

彼等が善良なる移民の本分を守り、絶へざる努力を續けるなれば、他日必ず幸福の花は咲き、成功の實を掌中に握る事が出來るのであります。

―完―

海の外 歌壇

短歌　雄夫選

○　矢崎和夫

この山の霧ふかくして林ぬち鳴く秋鳥の聲のこもらふ

星月夜更けてすみゆく向つ森釣燈籠の灯ともれり

○　小林亀松

夕餉すみ椽に出づれば雨晴れの庭の垣根にこほろぎのなく

○　湯田緒

稲扱ける吾等の顔に一ときの夕映のして日はくれにけり

○　伊藤しげ

刈りあとの稲田に水のすみわたり畦の裸木影をうつせり

ポプラーのほつえはしろく色づきて秋たけにけり高原の村

今宵は編物の手を動かしつつふける思ひに心和まず

○　加納幸雄

曉の光(かげ)うごけども家裏の森の梟のなほなきてをり

のぼりゆく松上の上に一ひらの雲かがよひて秋晴るるなり

芒生ふ山のなだりにとびかかるあきつの群のなかを歩めり

朝まだき月の光のさやけくて雲居しづめる山の峯巒

○　雨角信次郎

夕の風吹きいでし畑にこほろぎの一つ鳴けるが澄みて聞ゆる

五月よりはづしておきし障子戸に紙張り替へて今日たてにけり

朝な朝なぬれいちじるし向つ屋根この頃露霜おほくなりけり

夕日の影うつろひゆけり湖のおかひの町に灯ともれり

○　川口水葵

夜あらしにめざめてあれば耳もとに雨もりの音聞えくるなり

峠路はたそがれにけり疲れ倚る石にぬくみのかそかに殘る

色づきし山に炭焼く烟立ちてますみし空に消えゆきにけり

○　藤澤露草

森深きみ寺の庭に日のささずしめやかにして苔生ひにけり

山裾の土の平はせまくして湖の岸まで家建てにけり

○　伊藤淳郎

今日も又雨降りつぎぬ故郷の蠶飼の仕事思はれにけり

夜汽車の發車の汽笛音ながく山にひびきてこだましにけり

○　中谷四郎

この朝げ霧のかかりてさ庭べのちさき秋菜は露光せり

このごろは朝米(あした)とぐ水道の水つめたくなりにけるかな

○ 六波羅靜馬

咲きさかる野菊のゆれて風寒き隠尻峠吾は越えにけり

葡萄棚のはての日なたに葉鷄頭秋陽をうけて明るくもえたつ

○ 中込宗吉

電燈の光とどかぬ停車場の廣場に自轉車習ふ少女子

店先の火鉢はいぶる煙の中に朝の電燈ともり居る見ゆ

○ 小山勇次

葡萄食はんと城山に妹等伴ひ來りけり家居まれなる今日の一日を

この宵は雨はたしげし明日の日の運動會をおもひわずらふ

○ 中島英太郎

富士の嶺は遠くかすみぬ伊豆の山にあや雲湧きて陽は落ちにけり

○ 小島喜興

畑より一株ぬきて吾が植ゑし鉢のサフラン花咲きけにり

しづけさの中にたたんと思ひつゝ今日も山路をただに歩めり

ぬば王の今宵の月夜晴れ渡り三原の山はそそりたちて見ゆ

○ 宮坂春郎

雨あとの秋菜芽生へし庭畑のうねの清しく秋さりにけり

つばめむれ見えずなりにし大空のいよいよすみて夕ならんとす

○木曾行 雉夫

ゆくりなく荻野の尾根の假小屋に小鳥を燒きて飯食しにけり

森林鐵道入りの極みの檜山くろふの中ゆ目に立つもみぢば

俳句 雉夫選

○朝鮮達摩山 千里

杖つないで捺る石斛閣の岩寒し

達摩山に時雨るや吾と石佛

美黄寺

礎石見て山門しのぶ芋畑に

保護たらぬ德利柱や咲く野菊(大雄寶殿)

開扉せし御堂小暗し仁王尊(冥府殿)

曼陀羅褪せた壁畫にて畏側す(極圓殿)

南倉

藁屋根へ戸毎に干せり唐辛子

弦月や温突(オンドク)宿の堅枕

土饅頭へ哀號と伏す墓參

歌壇應募規

短歌、俳句

一、題 隨意
但し成るべく新年に因んだもの
(一人五首限り用紙官製はがき)

一、選者 兩角雉夫先生

一、締切 十二月十五日

一、宛所 諏訪郡平野村 兩角雉夫先生

(備考) 海外在住者からの應募者は住所氏名を明記して選者宛直送をお願ひします。

協會記事

アリアンサ移住地 本年度の渡航者數

本組合取扱アリアンサ移住地本年度渡航者總數は左の如くである。

	船名	家族數	人員
一月		―	―
二月	モンテビオ丸	一二	五六
	河内丸	二	一三
三月	ハワイ丸	五	二六
	神奈川丸	五	二七
四月	ラプラタ丸	二	八
	臣多丸	一	六
五月	サントス丸	一	三
	若狹丸	三	一五
六月	マニラ丸	三	一七
七月	鎌倉丸	一	二
	モンテビデオ丸	四	二〇
八月		―	―
九月	神奈川丸	一	三
	ラプラタ丸	一	三
十月	サントス丸	二	四
十一月	ベノスアイレス丸	一	二
十二月		―	―
計		四四	二〇五

海外發展思想普及に 全縣下を映畫宣傳行脚する

本會は今年の一大事業として海外發展思想の普及を計り海外發展の眞精神を誤解なからしめるため十一月初旬より左の如き日程により映畫宣傳行脚した。

映畫は「ブラジル移住」全五卷「我等の日本」全三卷等で我國の現狀を經濟的に如何に疲弊せるかを明示し生產資源に乏しき限りある國土に年々百万の人口增加により益々生活難となり就職難となりつゝあるを物語り國民の自覺を促がしてこの經濟國難を打開するには擧國一致してまづ緊縮經濟を計り國民の精神生活を緊張せしめ海外發展の思想を皷吹して余れる力を海外未開の新天新地に進出せしむる筋書きで次ぎは現今最も國民の海外發展地目標なるブラジルの事情を詳さに述べて熱と希望と意志に滿つる開拓精神を煽つた。各地到る所滿員の盛況で一ケ所平均一千名とすれば縣民三萬余人が海外移住の機運に向つた事になる。

十一月五日 下水内郡柳原村(富倉)
十一月六日 同 (蕨ノ木)
十一月七日 下高井郡豐郷村
十一月八日 下高井郡瑞穗村
十一月九日 埴科郡清野村
十一月十日 上高井郡井上村
十一月十一日 西筑摩郡田立村
十一月十二日 西筑摩郡三岳村(黑澤)
十一月十三日 西筑摩郡三岳村(三尾)
十一月十四日 東筑摩郡[illegible]村
十一月十五日 東筑摩郡中川村
十一月十六日 東筑摩郡坂井村
十一月十七日 上水内郡小田切村
十一月十八日 南佐久郡南牧村
十一月十九日 南佐久郡小海村
十一月廿日 小縣郡東鹽田村
十一月廿一日 小縣郡浦里村
十一月廿二日 更級郡眞島村
十一月廿三日 北安曇郡廣津村
十一月廿四日 北安曇郡大町
十一月廿五日(晝) 北安曇郡池田町
十一月廿五日(夜) 南安曇郡烏川村
十一月廿六日 南安曇郡倭村
十一月廿七日 南安曇郡高家村

十一月廿八日 下伊那郡河野村
十一月廿九日 下伊那郡大下條村
十二月一日 下伊那郡千代村
十二月二日 上伊那郡七久保村
十二月三日 諏訪郡平野村
十二月四日 諏訪郡上諏訪町

ブラジル移住宣傳 講演熱辯を振ふ 最近歸朝者森田三樹氏

海外發展の大運動を起すため海外協會では前記の日程により縣下三十余ケ町村にわたつて映畫「ブラジル移住」を映寫してブラジル移住の宣傳を行ひ大いに縣下青年男女を動かしたが更らに十八日の南牧村からは本年八月ブラジルから歸朝した森田三樹氏の獻身的援助によつて氏の自ら撮影して「新天地ブラジル」全五卷を映寫し、氏のブラジル事情講演と相俟つて到る所一千餘の聽衆に多大の感動を與へた。因みに演題は「日本民族の將來と新興國ブラジル」で人種問題を中心に氏が在外二十余年の体驗から述べた。

森田氏は上田市出身明治四十年渡米前加奈陀內務大臣シフトン卿の秘書となり歐洲諸國を旅行し大正元年には英帝國地理學協會南米探險隊に加つて中南米を跋渉してゐる。その後米國加州ハリウッドに居住し在米邦人の南米移住を唱導して加州ブラジル研究會を組織し同志數十名を得てアリアンサ移住地建設についでは北米側を代表して多大なる援助をなして本移住地建設上忘るべからざる人である。一昨年はアリアンサを實寫すべく北米からブラジルに向ひ八ケ月を要して前記「新天地ブラジル」をものし本年八月母國に歸り、更らに母國の人々にブラジル移住を奬勵すべく熱と意氣を以て青年男女を說く熱血男子である。

海の外往來

△西澤幹事 ブラジルを視察中である本會幹事西澤太一郞氏は在伯九十餘日にして十一月十日サントス發亞國に向つた。而して亞國よりアンデスを越え智利に出で秘露、墨國を旅行して北米に入り、羅府港一月十五日發のラプラタ丸に乘船明年二月十一日橫濱入港歸朝の由入電があつた。因みに最初の旅行日程よりブラジルに於て滯在日數多きため墨國及び北米(桑港シヤトル方面)の旅行は短縮せらるるらしい。

市町村設立中の 海外視察組合(續)

上諏訪町海外視察組合

昨年の本會滿鮮視察團募集に際し諏訪郡下より上諏訪町久保田力藏北澤安右衛門氏外四名の參加あり爾來同地海外視察組合設立慫慂中の所志賀町長はじめ在住會員の熱心なる唱導により今回左記の通り創立を見るに至つた

組合長 志賀市藏
副組合長 伊東勝太郎
理事 藤原彥
久保田力藏 北澤安右衛門
宮坂作衛 松木潤一郎
河西剛 長島和江
小口諦治 上原幸次郎
矢島龍水 飯田守太郎
增澤有 藤森傳一
小松茂治 增澤庄七

關 順吉 土橋由衛 同
藤森謙三郎 岩本庸也 西筑摩郡神坂村
小池長時 太田篤 同
藤森安春 宮坂梅太郎 西筑摩郡山口村
鹽原克己 太田太郎 諏訪郡上諏訪町
武居正幸 關 貞英 同
有賀昌美 宮坂健治 同
宮坂伊兵衛 藤原松次 同
天野善十郎 花岡耕作 同
河野甫次郎 北澤清 下高井郡往郷村
藤森保平 河西正信 同
北澤芳雄 小松秀勝 同

新入會者(自十月二十二日至十一月三十日)

特別會員

下高井郡倭村 小林吉治殿
西筑摩郡福島町 伊東淳殿
西筑摩郡大桑村 大島傳八殿
同 坂本惣助殿
同 清水半治郎殿
同 高橋均殿
同 古谷〆藏殿
同 長岡由次郎殿
同 古根文作殿
西筑摩郡吾妻村 長澤粂太郎殿

山森宗四郎殿
島田千秋殿
原 一平殿
宮下虎三殿
志賀市藏殿
北澤安右衛門殿
北澤清殿
久保田力藏殿
伊東勝太郎殿
內藤賀一殿
丸山重明殿
宮崎與兵衛殿

一金貳拾六圓也 高橋熊次郎殿 岩波藤治殿 伊藤しげ殿
一金貳拾圓也 更級農學校海外視察組合殿
一金貳拾圓也 上水內郡柳原視察組合殿
一金貳拾圓也 小縣郡丸子町視察組合殿
一金貳拾圓也 上高井郡日瀧村視察組合殿

會費領收(自十月二十一日至十一月二十日)

一金拾圓也 維持會員費 下村万助殿
一金六圓也 田中清治郎殿
同 石坂作左衛門殿
同 小林喜一殿
一金四圓也 山宗爾太郎殿
一金貳圓也
矢島光人殿 石坂貞人殿
清水準次郎殿 櫻上謙爾殿
小坂治一殿 今川範春殿
栗林藤松殿 桑澤鎣殿
岡田季一殿 原田源八殿

編輯雜記

△師走が近づいてきた。毎年の事ながら種々と考へさせられる。緊縮で歳末の街頭は寂しいだらう。緊縮をはき違へて委縮しては困る。

△國難來るなんて絶叫してゐるが實は國難生ずだ、國民が腕を束ねて緊縮だ、委縮だ、國難來るなんて騒いでゐる傍から國難が生じてゐる。

△海外發展運動は國難を擊退する最良の運動、國民が開拓精神に燃ゆれば緊縮も國難もありはしない。開拓精神は海外發展の根本精神である。

△縣下を一巡して本誌を編む暇がなかつた。幸ひにして小里君や高津君が手傳つて立派なものが出來た。

△本誌で本年の終刊、元氣で新年を迎へませう、新年號は新裝を凝して御目にかゝります。 (みやもと生)

信濃海外協會規約抄錄

一、本會ハ信濃海外協會ト稱シ本部ヲ長野市ニ支部ヲ必要ニ應シ内外各地ニ置ク

二、本會ハ縣民ノ縣外發展ニ關スル諸般ノ事項ヲ調査研究シ其ノ發展ニ資スルヲ以テ目的トス

三、本會ハ前條ノ目的ヲ達スル爲必要ニ應シ左ノ事業ヲ行フ

イ、縣民縣外發展ノ方法ニ關スル立案

ロ、發展地ニ就キ調査ヲナシ其ノ結果ヲ紹介

ハ、在外縣民ト聯絡ヲ計リ指導後援

ニ、海外投資ノ研究ヲナシ之ヲ發表

ホ、海外發展ニ必要ナル人材ヲ養成

ヘ、機關誌「海の外」ヲ發行シ隨時講演會ヲ各地ニ開ク

ト、海外發展ニ關シ各種參考品及統計ノ蒐集

チ、前各項ノ目的ヲ遂行スル爲臨機本會ノ代表者等ヲ内外樞要ノ地ニ派出スル事

リ、會員ニハ「海の外」毎月寄贈ス

ヌ、其他本會ノ目的ヲ達スルト認ム事項

四、本會ノ會員ハ左ノ四種トス

イ、名譽會員ハ代議員會ノ決議ヲ經テ總裁之ヲ推薦ス

ロ、特別會員ハ一時金百圓以上ヲ醵出スル者

ハ、維持會員ハ會費年額金拾圓ヲ十ケ年間醵出スル者

ニ、普通會員ハ年額金式圓ヲ十ケ年間又ハ一時金十六圓以上ヲ醵出スル者

五、本會現在役員ハ左ノ如シ

總裁　鈴木信太郎

副總裁　平野桑四郎　佐藤寅太郎

顧問　小川平吉　今井五介　原嘉道　伊澤多喜男　岡田忠彦　本間利雄　梅谷光貞　高橋守雄

相談役　石垣倉治　佐藤正俊　小西竹次郎　降旗元太郎　越壽三郎　小里頼永　片倉兼太郎　福澤泰江　小林暢　山岡萬之助　工藤善助　松本忠雄　植原悦二郎　山本愼平　菱川敬三

海の外（月刊）（一冊廿錢）

定價表

	内地送料共	外國送料共
一冊	廿錢	廿四錢
六ケ月	一圓十錢	一圓四十四錢
一ケ年	二圓廿錢	二圓八十八錢
五ケ年	拾圓	拾四圓

御注意

△御送金は振替（長野二一四〇番）に御願ひします。外國よりの御送金は銀行、郵便局いづれにても確實に送金されます。

△御轉居の節は早速新舊兩御住所を御通知下さい。

△本誌へ廣告掲載御希望の方は詳細相談申上げます。

昭和四年十二月一日發行

編輯人　永田稠

發行兼印刷人　西澤太一郎

印刷所　長野市南縣町　信濃毎日新聞社

發行所　長野縣廳内　海の外社　振替口座長野二一四〇番

日本力行會長 永田稠先生著

海外立志傳

開拓精神に生る
新青年は讀め!!

定價金二圓
四六版四百二十頁
（送料金六錢）

本書に載せた人々の內には日本力行會員でない者もあるが、私の知人でない人は一人も無い。中々人に知られたる者もあり、未だ全く人に知られない者もある。私は年少の頃、英雄豪傑や、知名の成功者の傳記を讀んだ後で「俺はトテモ此人の樣には成れない」と失望するのであつた。ナポレオンや豐臣秀吉や西鄕南洲等の傳記が私に與へた一種の悲哀は皆さうであつた。それで私は「若し私が立志傳を書く時が來たら、讀者に悲觀させない樣な傳記を書き度い」と希ふて居た。今や其の希ふた時が來たのである。本書中の人々は、皆、私共と殆んど同じ境遇に生れ、畧同じ程度の敎育を受けた者で「此位の事なら僕にも出來やう」と讀者は必ず感ずるに相違ないと思ふ。私は、此傳記の內に記されたる人々が、他日ナポレオンであり、秀吉であり、南洲である事を希ふては居るが、よしんば、現在の其儘で終つたとするも、後進の讀者の爲めに多大の感激を與ふる筈であると考ふる者である。本書に錄する所は、嘗て博文館發行の「新青年」と云ふ雜誌に私が約四ケ年に亘つて掲載した所のものである。多くの人々から是非纏めて一卷にして發行する樣にとの勸告を受けたのが、今回多年の願が叶つて、一卷となし滿天下の意氣あり抱負ある青年諸君の前に提供する事の出來る樣になつた事は、私の深謝する所であり、又私かに愉快に感ずる所である。

私は本書に錄されたる人々が、いや益々向上發展する事を祈ると共に讀者諸君が、彼等の如く開拓の精神に生き、未だ祖先の知らざる所に我等の祖先の未だ知らざる一大建設をなされん事を希ふて止まざる次第である。（序文の一節より）

長野縣廳 信濃海外協會（取次）振替二一四〇番

（第二版）

日本力行會長 永田稠著

兩米再巡

菊版四百廿餘頁・寫眞版三十頁・布製函入

定價一冊金二圓八十錢・送料一冊拾八錢

永田氏は信州の生める一異才である。嘗て南米を一週して『南米一巡』を著はし、信州に來つて信濃海外協會の組織に努力し、更に『南米信濃村建設』に關する大使命を帶びて、大正十三年五月末横濱を出帆し、布哇、北米桑港、ローサンゼルス各地に於ては海外協會支部の設立に盡力し、ソートレキー市にはモルモン宗敎植民の跡をたづね、デンヴア、シカゴを經て華府に至り、紐育より大西洋を南下してブラジルに至り、移住地の選定、購入、入植の準備をなし、大正十四年二月日本に歸り來り、更に信濃村大成の爲めに努力奮鬪し、今や模範的にして世界に誇り得る移住地が建設されつゝある。『兩米再巡』は氏が南北兩米を再巡せる記錄である。志を世界に有する者の一日も看過することの出來ない快著である。

長野縣廳內
信濃海外協會取次販賣

東京市外上板橋 日本力行會發行 振替東京六八八一番

「海の外」第九十號 （毎月二回一日發行）

行け！椰子實る國 南洋へ！！

海外協會中央會幹事
信濃海外協會幹事
宮下琢磨著

邦人活躍の南洋

序 今井五介氏
裝幀 石井柏亭氏

最新刊

四六版絹布裝上製函入極美本
美術寫眞五十五葉挿入
紙數五百頁最新式九ポルビ付

定價二圓五十錢
（送料十六錢）

生活の樂土は今日、天然の富源に充ち開發の餘地綽綽たる南洋をおいて他にはあるまい。而も南洋は日本人に頼らねばその開發發展は到底望み得られないのだ。南洋こそ將來邦人の活躍すべき新天地である。本書は三ケ年に亘つてこの新發展地南洋を詳細に視察した著者がその赤裸々な實相を描いたもので、殊に、南洋に活躍しつゝある邦人の實生活と邦人發展の實際と指標とを示せる點は、儘に本書にのみ有する特色である。又、著者はその政治經濟、社會万般の記事を記し、尙、南洋の實に明媚なる風光を描き人情風俗を寫して餘す所がない。挿入せる美術寫眞と併せ讀めば魂自ら遠く南洋に遊ぶの感があらう。本書は南洋に成功せんとする士の必讀者たると共に、南洋視察旅行者の良き旅行案内書である。

東京 岡田日榮堂發行

取次 長野縣廳 信濃海外協會 振替長野二一四〇番

（大正十一年四月廿六日第三種郵便物認可） （昭和四年十二月一日發行）

信濃海外協會
海の外社發行

一九三〇（昭和五）年　海の外　第九一号〜第一〇二号

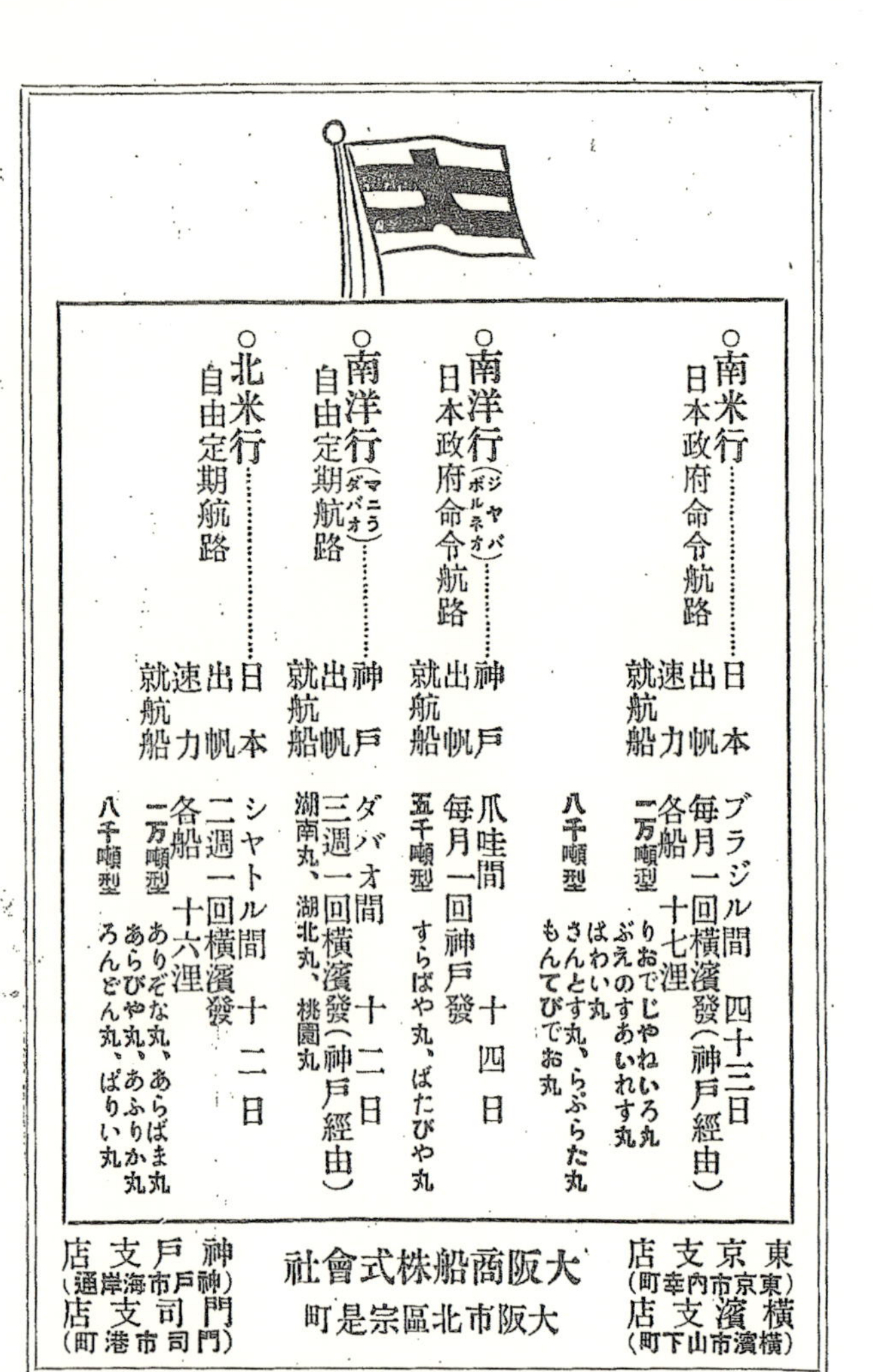

○南米行 日本政府命令航路……日本
出帆 速力 就航船
ブラジル間 四十三日
毎月一回横濱發(神戸經由)
各船 十七浬
一万噸型 りおでじやねいろ丸 ぶえのすあいれす丸
はわい丸
八千噸型 さんとす丸、らぷらた丸 もんてびでお丸
○南洋行(ジヤバ ボルネオ) 日本政府命令航路……神戸
出帆 就航船
爪哇間 十四日
毎月一回神戸發
五千噸型 すらばや丸、ばたびや丸
○南洋行(マニラ ダバオ) 自由定期航路……神戸
出帆 就航船
ダバオ間 十二日
三週一回横濱發(神戸經由)
湖南丸、湖北丸、桃園丸
○北米行 自由定期航路……日本
出帆 速力 就航船
シャトル間 十二日
二週一回横濱發
各船 十六浬
一万噸型 ありぞな丸、あらばま丸 あらびや丸、あふりか丸
八千噸型 ろんどん丸、ぱりい丸
東京支店 (東京市内幸町)
横濱支店 (横濱市山下町)
大阪商船株式會社
大阪市北區宗是町
神戸支店 (神戸市海岸通)
門司支店 (門司市港町)

海の外
THE UMI NO SOTO
第九十一號
新年倍大號
1930

賀正
元旦
中部日本の雄
信濃毎日新聞
捷曉版の新計畫
長野市南縣町
信濃毎日新聞社

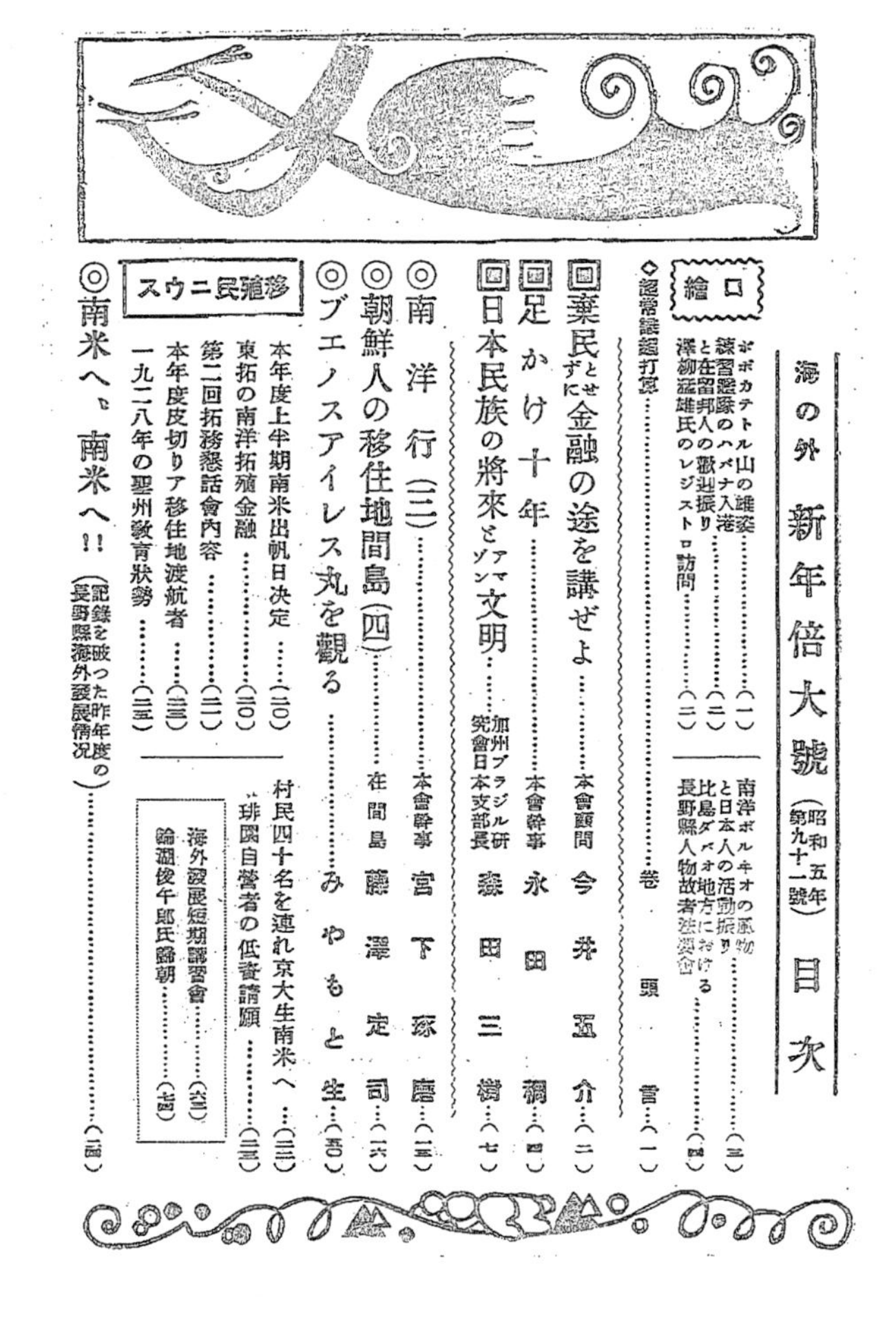

海の外 新年倍大號（昭和五年 第九十一號）目次

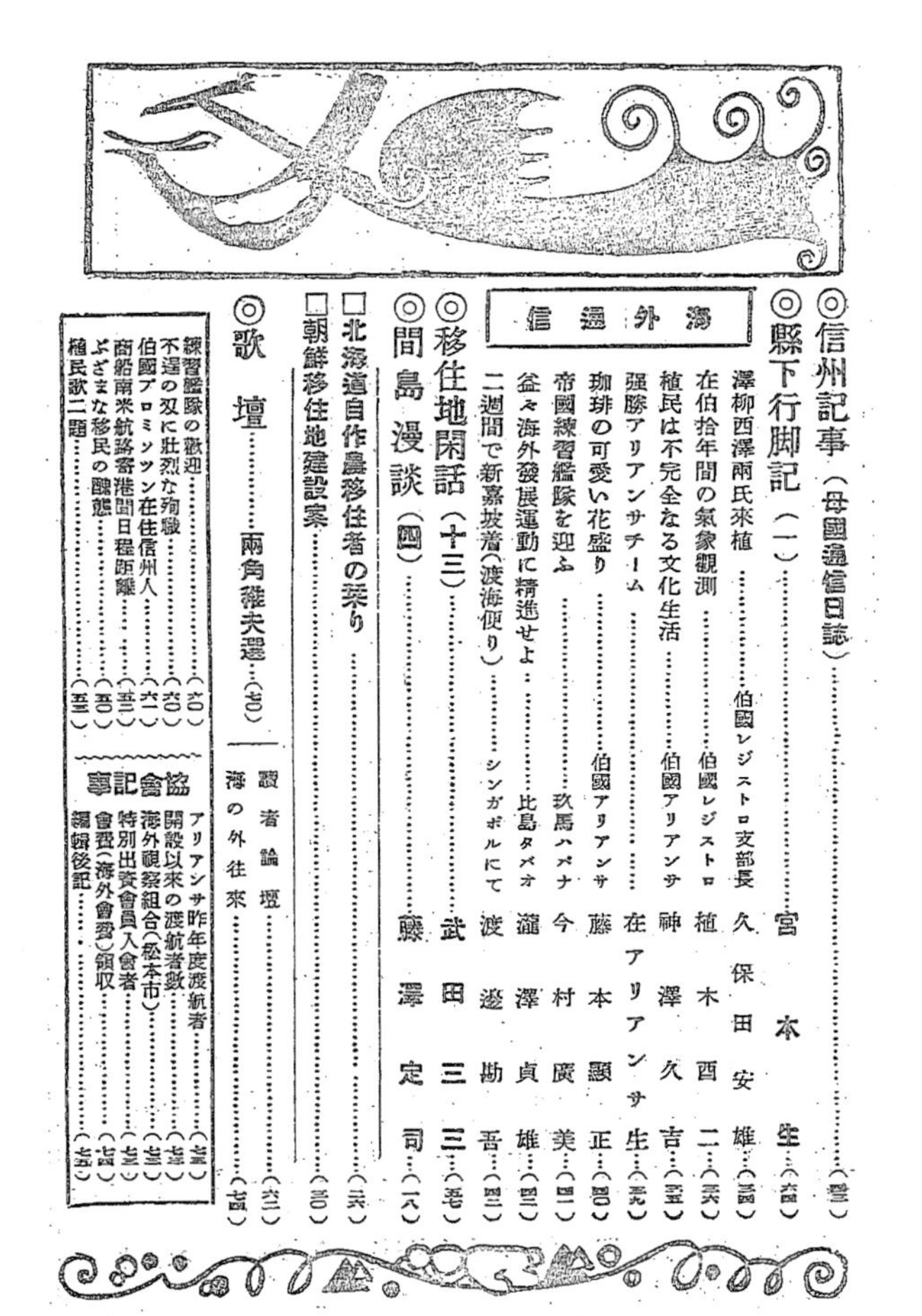

謹賀新年

昭和五年一月一日

松本忠雄

日本講演旅行中
加洲ブラジル研究會 日本支部長 森田三樹
日本 東京丸ノ内丸ビル四五四海外協會中央會
大坂市北區曾根崎町上二丁目十番地
米國 郵函ハリウッド四四四

依田源七
東京市外杉並町成宗五七

村上眼科病院
醫學博士 村上俊泰
東京日本橋區役所隣 水天宮前
電茅場(66)〇九七九

アマゾン興業株式會社専務取締役
澤柳猛雄
東京驛前海上ビル五〇九號

依田稔
神奈川縣川崎市東田二五

大平豁郎

謹賀新年

昭和五年一月一日

細川玖瑔
職業 農
住所 諏訪郡富士見高原

山田織太郎
職業 農
住所 長野縣上伊那郡飯島村六九三

移民奬勵映畫劇「行けブラジル」全四巻
日本教育映畫社
飯田惠二郎
東京府荏原町戸越五四〇
電話 高輪 七五三五番

株式會社 神戸旅行案内所
専務取締役 西川加壽衞
神戸市海岸通商工ビルヂング内

喪中缺禮
松山原造

汽船問屋（正金銀行門前）
長野屋旅館
横濱市辨天通五丁目
電話本局 一六二六番

渡航支度品販賣所
代表者 金子安太郎
神戸市山本通四丁目 國立移民收容所正面
電話 三宮 三三六九

横濱海外渡航案内所
津久井屋ホテル
横濱市本町（正金銀行）トナリ
電話 本局 〇二三六番

謹賀新年

昭和五年一月一日

長野貯蓄銀行
長野市西後町
電話 一一八七番

（松本驛ヨリ弊館迄自働車賃五十錢）
茶代廢止 御旅館 星輝館
信州松本市大名町幼稚園前
電話七三三番

藤屋ホテル
藤井平五郎
長野市大門町
電話二一番、一〇六六番

會席御料理 城山館料理部
長野市城山
電話 一三一五番 九四二番

御料理 そば やぶ
長野市縣町
電話 五一〇〇二番

年頭にあたり謹んで協會關係各位の御幸福を祝し本誌を通じて不相變御引立の程特に御願申上げます
湯元 上山田ホテル
信州上山田温泉
電話 五番

柏與印刷所
清水與助
長野市大門町
電話 三三一番、七三九番

御旅館 長門館
長野市長門町
電話 九四七番

―ポポカテペトル火山（墨國）の雄姿―
（海拔一万七千八百八十七尺富士山より六千尺高い）

澤柳猛雄氏と在レジストロ信州人の歡迎（左から前列四人目澤柳氏本號海外通信三十四頁參照）

帝國練習艦隊の在玖邦人の歡迎 トロピカル歡迎會場に於ける兩艦乘組將士

歡迎會に於ける團欒

サマリンダ街（一）

サマリンダ街（二）

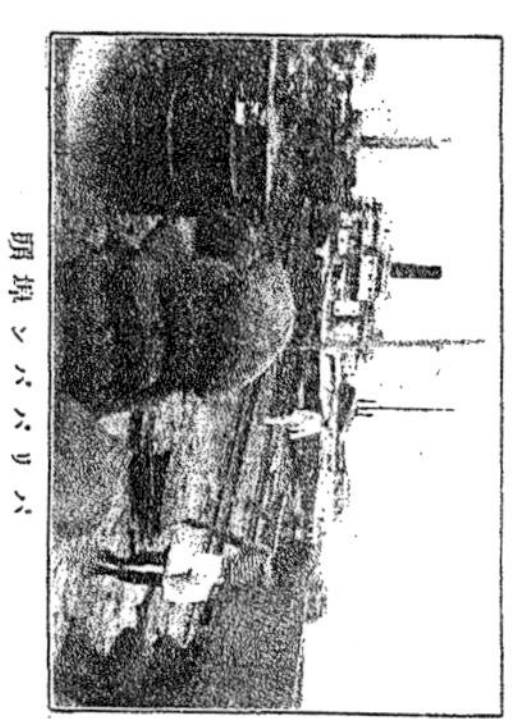

バリツクパパン埠頭

バリツクパパン雪本商店

南洋バリツクパパン港（本文記事旅行參照）

在ダバオ信州人の先亡者供養記念

昨年八月十五日在比ダバオ信州人は供養會を組織して同郷先輩の物故者を供養した。因みに同地方信州人の死亡者は六十五名であつた。

海の外

（昭和五年）第九十一號（一月）

超常識超打算

海外發展は未だ國民全體の常識までに進んでゐない。極く一部の人の間に常識化?してゐるにすぎない。

故に當分の間、吾人は超常識者として謂ふ所の常識者から指彈、嘲笑妨害等を甘受せねばならない。それは何時の世でも同じ先覺者達の受難であつた。

と共に先覺者は常に超常識の中に突進せねばならない。

海外發展は近眼眼派の打算で行くには餘りに冒險事である。吾人は超打算の内に打算ある信仰を持たねばならない。

彼等は打算に敏なるが故に二の足を踏んだり、移住一ケ年にして失望するのだ。

海外發展――移住（マイグレーション）――は打算で行くには餘りに高價な値打であるぞ超常識と超打算、

海外發展運動はこの間に突き進んでゆくのだ。

（昭和五年新春を迎ふるに際して）

――宮本乙巳――

棄民とせずに金融の途を講ぜよ

第一回拓務懇談會席上の意見

信濃海外協會顧問 今井五介

昨年九月九日午後四時東京丸ノ内工業俱樂部に於て拓務省主催の第一回拓務懇談會が開かれた事は本誌の履報した所であるが當日本會顧問貴族院議員海外協會中央會長今井五介氏の同會席上に於ける意見陳述は左の通りであつた。（拓務懇談會速記錄より）

段々と皆樣の御話を承りまして、時間も澤山ないと存じますから、私が感じた所を簡明卒直に御話申上げて御聞きを願ひたいと思ひます。

我國の現狀及び將來を考へて見ましたらば全く以て多事多難、容易の業でないことで此難開を打開せんには唯、海外進出に俟つより外途がないと云ふことは私の申上る迄もなく皆さんも御承知の通りであります。私は拓務省の所管に屬することのみに付て少し申上げます。

既往を顧みると我國の移民政策と申しますものは、是全く不徹底であり不統制であつて又指導後援もなかつたので今日の難局を醸したことゝ思ふのであります。既往の事は時代の然らしむる所ではありませうが、實に遺憾な事が多々あるのであります。斯る既往の覆轍を履まないやうに、其の欠點を篤と御調査願ひまして、遺憾なきやう御願ひしたいと思ひます。茲に其の欠點の一、二を申上げて見ますと從來の移民は全く以て不合理不徹底出稼的魂性であつた、尤も其時代は出稼的で宜かつたかも知れないが、今は其實質と其方策とを選ばねばならぬ唯、外國の錢を取つて來れば足れりと云ふやうな點にのみ眩惑し永遠の考慮を拂はないで、眼前の小慾に捉はれて居つたと云ふ狀態であつたが爲めに世界の誤解を招き、我大和民族の海外進出を阻害し遂に北米の如きは我國民の入國を閉鎖されたことは明かな事實であります。斯樣な現狀で進んだならば到る所各方面ら門戶が鎖されて海外進出は不可能に終ると云ふ事を私は憂る者であります。近事此不徹底なる所の國策に對し遺憾の點を何とかしたいと云ふので民間の有志相語ひまして、是が甦生をしたいと協力一致して其の目的を達成しようと云ふことを幾度か企てましたが、何分步調を一にすることが出來ず、依然不徹底なる譏を免れずして未だ吾々の希望を充すことが實現されなんだのは甚だ遺憾である。我々は何とかして此途を講じ打開したいと思つて居る折柄最も權威ある所の拓務省が今回生れたことは、吾々の平素希望して居た所であります。從て拓務省は之が方策を樹て指導啓發して戴くことは吾々の信頼する所で即ち拓務省の降誕は偉大なる救世主が茲に現はれたと私は大に慶賀に堪えないのであります。

要するに既往に於ける移民の狀態を見ますと、全くの棄民であつて、國外に民を棄たも同樣何等の指導も後援もない悲慘なものであつた。先刻石原君の御話のやうに、海外發展に金融機關が伴はないと云ふことも一大欽陥である。如何に希望と抱負とを有ちましても海外に於て其目的を達せんと欲するには、最も大切なる金融機關が伴はなければならぬ。我移植民事業今日の狀態は全く姑息退嬰にして、何等振はざる所以は是等の點にあると私は思ふのであります。私は多くは語りませぬ、どうか拓務省が第一步を踏出す時に當りては既往の惰力に促はれず、習慣に泥まづ總ての弊風を改善して時代の順應せる根本對策を御樹て下さることを私は希望して已まないのであります。

以上私の希望を申上げて本日御案内を戴きました御禮に代へる次第であります。

（備考本文の標題は編輯者の附したるものなり――編輯者）

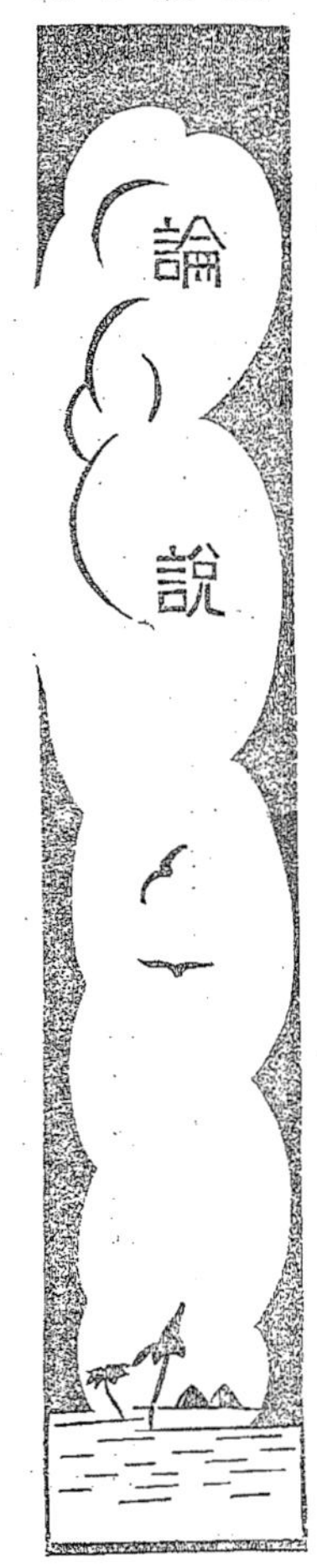

足かけ十年

信濃海外協會幹事　永田　稠

大正十一年一月廿九日に長野城山館で信濃海外協會の創立總會が開かれたのでした。東京からは當時の國勢院總裁小川平吉氏貴族院議員今井五介氏などがわざ〳〵御來會になり、縣下の有力者が百二三十名も寄り集まつて盛なる發會式を擧行したのでした。あれから指を折るともうかれこれ「足かけ十年」と云ふ年月が過ぎ去つて行きました。第一年度には小學校に顧みて在外者の調査をしたり、雜誌「海の外」の發行をしたり、海外發展の講習會をしたり、會員の募集をしたりして居りました。其成績は必ずしも優良なものではありませんでした。第二年度の總會には當時の各支部（郡役所々在地に支部がありました）と會員の分配の事か何かで、來會者の意氣は頗る消沈して、これではトテモ駄目だろうと思はれました。禍を轉じて福となし逆に來たるものを順に受くるの英雄的偉人が出現しました。それは時の總裁本間利雄氏であります。氏の乾坤一擲の大英斷から南米移住地建設の仕事が始められました。大正十二年五月十二日、今でもハツキリと其日を記憶して居ります。縣下の有志をお集めになつて「南米移住地の計畫は只に長野縣民の海外發展のみならず、我國の國策に影響を及ぼすべき事業である」と云ふて南米移住地建

設の計畫を發表されたのでありました。併し仕事は中々容易のものではありません、況んや關東の大震災のお見舞を受け、長野縣下から三十五万圓の寄附をせねばならぬと云ふのでしたから。

第三年度即ち大正十三年は種々の意味に於て信濃海外協會には記念さるべき年でありました。即ち南米ブラジルにアリアンサ移住地用の土地五千五百町歩の購入が出來たのであります。第四年度の大正十四年には當時此種の事業監督をして居た內務省社會局が移住地に渡航する者に渡航準備助金を下附するの新例を開いてくれました。外務省でも呼寄証書なしに旅券下附の新例を開いてくれました。而してアリアンサには第一回の入植者が出發をしたのであります。又、移住組合法制定建議案が津崎代議士の御盡力に依つて議會に提出可決されました。

第五年度の大正十五年には、移住組合法議案が議會に提出され、審議未了で終りましたが、此法律案は政黨の何れも大贊成であつて、來る可き年次には通過の見込みが十分に立つて來たし、信濃海外協會のアリアンサ五千五百町歩の分讓を終り白上氏の率ゐて居る鳥取縣海外協會と協力して更に第二アリアンサ六千二百五十町を購入するのでありました。一部の人々は猶「海のものか山のものか」などと批評されましたが、仕事は順調に進みました。

第六年度の昭和二年度には海外移住組合法が制定されましたし、信濃海外協會は富山縣移民協會と協同して第三アリアンサ六千二百五十町歩を購入したし、熊本海外協會がアリアンサ附近に三千八十町歩を購入することになつて來ました。處が意外の事件が出來しました。それは海外移住組合法は制定され各縣に此組合が組織されたが、信濃、鳥取、富山、熊本の四協會の移住地は除外されたと云ふ事であります。今日から考へれば或は除外されたまゝで進行した方がよかつたかも知れませんが、其當時に於ては之れが大問題でありました。政府との交渉に一ケ年半も費しやう〳〵此法律の下に組合を組織し、協會から引繼ぐことになりました。此間に汽車の衝突事件が出來まして「アリアンサ入植者を乘せたる臨時列車が衝突し死傷廿六名出來た」と云ふ樣な電報が私共の身邊をざわつかせました。

昭和三年と云ふ年は勿論土地分讓入植者の移住等の仕事は順調に進みましたが、謂ふ所の肩代りの問題で殆んど一年を費して仕舞ふたのであります。昭和四年度には大体肩代りの仕事も終り、海外協會には八千圓位の金が殘つて來ました。これは西澤君の努力が其多きに居るのです。大正十四年西澤君が始めて幹事となつて赴任して來た時には、協會の金は現金が二圓五十錢借金二万圓と云ふ有樣でありました。それが八千余圓の剩余金が出來たのでありますから、如何に骨が折れたか知らるゝのであります。それで千葉總裁や小西幹事長の御意見もあり西澤君には海外視察の途に上つて貰ふたのであります。アリアンサ入植者の

事業は聯合會の梅谷事務からの電報にある通り「入植者の事業は順調に進捗しつゝあり此點御安心を乞ふ」とある通りよく進んで居りますが、組合の方は中々經營に骨が折れるのでありました。特に移住地が共通りで、茲に政府から低利資金をかり入れる問題が生れて來ました。十月から十二月迄は此問題に沒頭しやう〳〵アリアンサに生產資金十万圓を借して貰ひました。

かくして今や足かけ十年目になつて來たのでありますが、本年度に於て最も大切な事業は「アリアンサ統一經營案」の遂行であります。信濃鳥取富山の三縣は不可分の事情にありますが、熊本の土地は少し離れて居り、聯合會の土地も三千七百五十町歩あり、これ等の土地を別々に經營して行くことは不利不便であるから、之れを統一經營をしたいと云ふのであり、移住地の方は大体に相讀が出來たが、聯合會や政府側には猶よく諒解を得ねばならぬ點があります。これが爲めに梅谷事務と前後して輪湖理事が歸朝することになり三月末には歸着する筈であります。上伊那の芦部猪之吉君は一月中旬に、西澤幹事は二月中旬に、輪湖理事は三月下旬に歸國されますし、熊本から行つて居た藤垣君も其內歸る筈でありますから、本年度は相當によく移住地の實況が理解せられ、聯合會も政府もよく理解され統一案が成立しよりよく事業が進捗する樣になるだろうと思ひます。

移住地の經營は文字通りに開拓の仕事でありますから、大概の事は「腰だめ」でやつて來ましたし、本部と移住地と其中間の東京支部とが完全に信じ合つて來たこと、縣民各位が仕事は總て一任して載き、萬事が機宜の所置を取つて來られた爲めに、極めて危險な仕事が、ひや〳〵しながらも兎に角今日迄漕ぎつけて來られたのであります。官民一致、內外呼應と申しますが、アリアンサが今日の成績を示し得るに至つた事は、實に官民一致、內外呼應の文字通りに行はれた結果であろうと思ひます。

本年度の終り頃になれば、アリアンサ移住地の事業の內の日本の部に屬する仕事は大体に於て終りに近づきます。土地所有者の土地に小作人を入れることが殘つて居りますが、これも段々片ついて行きます。只、不景氣の爲め小作人に資金が少なくて困ります。地主の方で四年契約の小作として幾分金を借して下さると開拓が非常に樂になるのであります。此處を特に地主の方々に申上げます。かくて小作人を入れて仕舞へば、私共は更に新たなる仕事を見附けてこれに向つて突進せねばなりません。從來、パイオニアの仕事をして來た本領により信濃海外協會は今後も日本民族の移住に於て第一線に立つて活動して行きたいと希ふて居る次第であります。（終）

日本民族の將來とアマゾン文明（上）

米國加州ブラジル研究會日本支部長　森田三樹

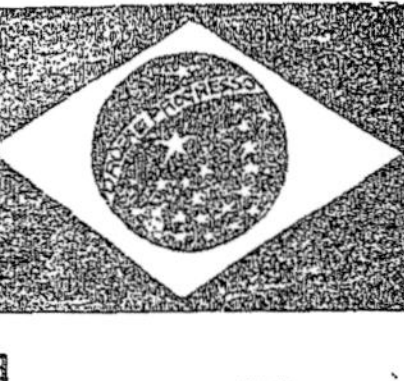

日本は行き詰つた

「日本は行き詰つた」と云ふ聲は國の內外を問はず吾等の每日聞く所である。之は決して輕はずみに云はれて居る流行語では無く却つて眞劍に現情を直視した達觀の士の放つ言葉である世界の時事を評論するに常に最も保守堅實な態度を以てするので有名なロンドン、タイムス紙すら「日本は日露戰後を境として下り坂に向ひつゝある」と評して居るのである。果して然るか？と問はるゝ時私は殘念ながら然りと答へざる得ないのを悲しむ者である。失業問題、勞資問題、其他思想惡化とか人口問題とか算へ來れば十指を屈する事が出來る程其例証は豐富である。從つて「如何にして此難關を切り拔けざるべからざるか」とは我國民の各階級を通じて今最も頭を惱して居る所である。

人口と原料

其原因と其救濟策とに關する意見とは實に十人十色であるが私は次に擧ぐる二問題が其最も重要なる原因をなすものと確信し之に對する私見と對策とを述べて見たいと思ふのである。日本現在の窮境の原因は一つは年々百萬を以て增加し來る我人口の完全なる發展地の無い事と今一つは我國將來の產業立國の基礎となるべき諸原料の產出地を我國も我民族も未だ確實に握り居らざるのみならず之等は現在人種上、國際上常に吾に對して對抗的態度を持し且つ將來吾が商敵として競爭者の位置に立つべき英米兩國に握られ居り從つて年を追ふて彼等との商戰其他の交渉に際して吾を不利の地位に陷れしめざるを得ざる事情にあるのである。之は我紡績業の原料たる綿花が米國南部、英領印度、エジプトのナイル平原等より來り羊毛は濠州、ニウジーランド、鐵製品等は米國より來るを見れば思半ばに過ぐるものがある。以上の二つ問題のみでも我憂えは十分であるが之にも增して寒心に堪へざるは吾官民共に此所に醒めずして之等の諸問題を內國的のみに解決せむとして之を海外に求むるの思慮も勇氣もなく今日僅かに殘れる好適地さへも將に失はむとしつゝあ

る事である。即ち過剩人口のはけ口にも原料の產出にも共に要するのは土地で有るのであるが吾國今日の現狀は之を有つて居ないのである、而も我官民共に未だ思いを此所に到さずして海外進出の意志なく、此枯れ切つた貧弱なる資源より他は有せざる日本國內のみに於て之を解決しようと悶いては居る。其間に時代の暗潮は益々深く吾を絕望の淵に沈めつゝ有るのが我國現狀の總勘定であるのである、實に我國は今や明治維新時代以上の國難に直面して居るのである。進取か退步か、建國此所に三千年事ある每に表れて過たざるの道を示し絕海の孤嶋をして世界三大强國の一に迄列せたしめし大和心の雄々しさが世界に向つて其美しき光輝を再び放つべきの好機は又もや吾に近づきつゝ有る、いざや諸共吾を此一小嶋國に結ぶ因襲の鐵鎖をかなぐり捨てゝ將に來らむとする。

太平洋時代に直面せむ哉

今日此行き詰つた現狀から脫出しやうとすれば吾々の直ちに直面するのは此太平洋時代である此頃頻々として開かるゝ幾多の「太平洋何々會」又は今度ロンドンに於て開かるゝ軍縮會議は之を立証して余りがある、而して謂ふ所の太平洋問題が其中心になつて居るのであるが我現狀打破は此問題の完全なる解決と離るべからざる密接なる關係があるを以て之を研究する事は實に我國目下の急務である而して吾々は先づ之を人口問題の方面から研究して見やうと思ふ。世界最大の大洋

太平洋を圍む國々は皆新進國

である從つて新進氣鋭の此諸國は今の內こそ太平洋と云ふ大面積によつて離れて居るから比較的平和に諸問題を解決して居るが將來は必ず衝突し易き恐れがある。之を今の內から出來得る限り平和的に且自分に有利に解決して置かうとするのが此頃盛んに開かるゝ諸會議の根本精神であるが之を今我人口問題から觀察して見ると先づ太平洋の東北岸から初めてカナダと北米合衆國は殆ど完全に我移民を拒絕して居る。キリスト敎の宣敎師を吾に送る一平方哩に僅々四人の人口を有するカナダと世界の富の大半を有して、正義人道の專賣國を以て自任する一平方哩に卅五人を有するに過ぎない米國はブース女史を送つて神の道を說きつゝも一平方哩の耕作可能地に二千五百人以上の人口を有して世界中稀に見るの生活難に苦しんで居る我同胞が入國して彼等と共同生活をなすを絕對に拒んで居るのは如何なる理由であるか、答は極めて簡單にして明瞭である。即ち彼等は皮膚の色白き白人であり吾等は黃き黃色人種であるからである。初めの內こそ正義人道國の世間体上「日本人は同化せざる國民である故排斥する」と云つて居つたが此頃では本音を吹いて「日本人の人種上の同化を慾せず」と。なんとなれば吾々白人の子孫の血と日本人の子孫の血とを混ずる事を慾せざればなりと斷然言ひ放して憚らないので明かである之は彼等の白人優越觀念から出でゝ居る所の宗敎や主義を超越せる根本思想である以上如何

に努力しても外交上之が撤廢に成功する事は絕對的に不可能と見て好いのである。更に南下するとメキシコ以南マゼラン海峽に到る所謂

ラテンアメリカ（中南米）

の諸國がある。之等の諸國は人種上はアルゼンチンとチリーを除いては非常な好意を持つて居る所が多い、殊にメキシコ人は吾々日本人を呼ぶに「兄弟（エルマノ）」を以てし非常な好意を有して居るのではあるが、我政府は米國がメキシコを見る事我國が滿州を見ると同樣に一種の勢力範圍と思つて居るのを知るが故遠慮して移民を自ら制限して居る。亦パナマ以北の中米同樣我移民に對しては封鎖されて居ると云つてよい然らば南米は如何。南米は亞智兩國を除いては吾々日本人と殆ど區別し得ざる骨格と酷似せる傳說と言葉とを有せる、インカ、マヤ、マヤアゼテック、トルテツク等の諸王國を過去數千年間に建設せる南米土人（インデイオ）と東洋趣味を白人中最も早くより解せるスペイン、ホルトガルの兩國民との雜居及び雜婚せる民衆に依つて形造られて居る國々で吾々日本人に對しては非常に好感を有して居るに、關らず現在ブラジルに約一万五千人、ペルーに數千人を每年送る他は自ら進出して新天地を海外に開拓するの意志なき無氣力なる現代日本人、殊に青年男女が自ら鎖國的態度を以て之に發展するを拒んで居ると云つても過言で無い。此の如く南北米は今の處吾人に對して殆ど完全に封鎖されて居る、次は南米の南端から西に向つて來るとニウジーランドとオーストラリアに達する

濠洲

一半哩に約一コンマ八の人口を有し、彼等の心次第では吾民族の發展する余地は到る所に在るに關らず勞働者と農民との所謂プロレタリアが實權を握つて居る濠洲政府は皮膚の色の黃なる故を以てし我が國內に生活難に苦みつゝある日本のプロの現情を冷眼視して公然『白人の濠洲』を天下に標榜し耻づる所がない。更に進んで北上すれば彼等はシンガボールの軍港を中心として我南進を防いで居る。次に來るは吾と同文同種の民衆四億余を有する支那で有る彼等は勿論吾に對して人種上からの排斥はして居らぬが自分自身が人口稠密に苦んで居つて民衆の大部分は生れ落つた時から死する迄常に食料問題に苦しみ所謂

慢性飢饉

の狀態に在り現に每年約百万以上の餓死者を出して居る所である以上我過剩人口の發展地としては絕望に近いのである。殘るは滿州である滿州こそは日本人が殖民する權利、少くとも帝國主義的に非ざる家族を單位とせるアリアンサ的集團移住地を建る權利可能性が有つた所である何故ならば滿州は日露戰爭迄世界到る所に約四百年間行れて居つた白人の世界分割に對する有

色人種の絕對的伏從の一例たる露國の東洋侵略に對して支那の徹底的無力を赤裸々に現してひいては殊に我國の位置をも危くせむとした一大危機の土地で有つたのである。我國は支那自身が己を守る事を得ざるを見て絕大の決心と大犧牲とを以て國運を賭して古今未曾有の白人の勢力東漸を打破する決戰を滿州に於て敢行したのであつた。戰後滿州人の數僅々四百万人に滿たざりし時こそ我殖民地建設の好期であつたのだ。アリアンサ式の殖民地を鐵道の近接地に枝道に依つて建て之に日本人のみの集團移住地を作りて作物は滿鐵により直接日本に販賣し必需品は日本より需むる樣にし此くして出來上つた新殖民を段々增加連絡して行つたならば今日五百万や一千万の日本人を滿州に植へる事は至難の事では無かつたのであるが惜しい哉當時（今も）？日本人に植民敎育無く從つて植民哲學なく此大犧牲を拂つて得た滿州を投資的に政治的に軍事的に握り居るのみに滿足して植民する事を忘れて居つた。然るに結果はどうなつたか。南方支那本部に於て內亂に續ぐに內亂を以てした結果生活の安定を得る能はざる南部支那人は日本が完全に秩序を保ちつゝ有つた滿州に向つて初めは年々五十万余から後には實に年々百万人の勢を以て移住し斯して日露戰後約二十四年を經たる今日では約二千三百万の南支那人が滿州に移住して了つて居る。即ち今日では滿州は滿州人の滿州でも無く日本人の滿州でも無く支那人の滿州になつてしまつたのである。結果は排日氣分に滿ちた支那本部人に依て南北支那は完全に統一（少くとも民族的には）されて居る。斯ふなつた以上は例へ張作霖的親日（?）政治家が百人居らうが我滿州に於ける位置は常に動搖せざるを得ないであらう。英國が百億以上の投資をなしたのみで英人を植へざりし揚子江岸の英國の所謂勢力範圍が近き將來に於て消失せざれば望外の幸福であらう。即ち見方によつては日本は自分の血と財とを以て支那人の爲に安住地を作つてやつた樣なものだ。此所に日本の滿州政策の根本的失敗の原因があるのだ何たる皮肉であらうか！ 吾々は之れから嚴肅なる敎訓を見出す事に依てのみ過去の失敗を轉じて未來の幸福の基礎とならしむる事が出來る。

人を植へよ

然らば其敎訓とは何ぞ曰く「人を植へざる海外に於ける投資的政治的又は軍事的位置は空文畫餅と等し」之である。人を植へよ」言は簡なれども意味は千歳に吾民族を生かすべき眞理であり命の基である。支那を過ぎて北すれば之ぞ今日プロレタリアの理想國視するロシヤである。彼等レーニン、トロツキーのソビエツト政府の幹部等はロシヤ帝國を亡ぼして政權を握つた時天下に宣言して曰く「吾等赤露政府は帝政時代に帝國主義に依て獲得せる利權又は條約を認めず」と豪語し而して國際友誼上各國が秘密を保つて居つた外交上の秘密書類さへ公開するを敢てしたが彼等は果して其宣言で忠實であつたらうか。私は之をシベ

リアの現實に於て否定されて居るのを視るのである。シベリアの大部分は元來簒略に非ざる遊牧の民に依て支那の一部として自他共に認めて居つたる支那領であつたのだ。之を露細亞は如何にして取つたか、彼等帝政ロシアは世界歷史中稀に見るの帝國主義の下にコサツクの鐵蹄とサーベルとを以て虐殺に次ぐに虐殺洞喝に次ぐに洞喝を以てして老大國支那から之を奪つたのである。之程帝國主義の惡用に依つて得た利權が他にあらうか、若し「ソビエツトロシア」にして眞に其主張する主義に忠實ならば何故に年々百万の餓死者を出す支那のプロレタリアに向つてシベリアを返却しトルキスタンの富源を開放せぬか。吾等は又もや此所に所謂主義なる物が人種の差別の前には二足三文の價値も無きを見て悲む者である。即ち又もや白人國ロシアは黃色人種たる支那人、日本人に對して共同生活を拒んで居るのである。上に述べ來つた事實により我民族は南米を除く總ての太平洋岸の諸國から人種上の嚴重なる封鎖を受けて居る事が解らう即ち今日吾等の故國日本は國際上は一等國の位置に在るに關らず共國家を構成する一人〳〵の日本人は足一度國を出づれば未だ劣等民族の待遇を受けて居る（學生や旅行者を除いた共同生活者）矛盾極まる位置に在る事を忘れてはならぬ、若し近き將來に於て此矛盾を除かぬならば明治以來吾々先輩父兄が拂つた犧牲と努力とは或は有終の美を完ふせずして終るやも知れない、明治維新以來の我國民の目標は『日本と云ふ有色人種の國を歐米各國中の白人の建てつゝある一等國と同等の位置に達せしむる』に在つた。之が爲明治大正の先輩は全心全力を盡くして世界の驚歎するあの大業を僅々五十年間に完成したのであるが、今日以後の我國民の新目標は「日本民族が世界の何所に行ても白人と共同生活するとも今日日本が白人の構成せる一等國と對等の交際をし得る如く一等民族として地球上何所にても交際し得る樣に力むる即ち『一等民族に日本人をする』事で無くてはならぬ。今迄は國家の完成、之からは個人の完成である、然も之位置を得るには實力が必要である、しかし今日日本が有する一等國の位置は武力のみに依て保たれて居るのだ。前にも述べた如く現在の日本は自分の必需品を我が民族の平等を認めぬ英米に握られ居り、一方買つて貰はねばならぬ絹糸の如き物の大部分は米國が之を買つて居る。將來我が主張を貫徹する上甚だ危險な位置にあるのである。

此難關を突破して新生面を開かむとする時吾等に與へられた對策は只三つあるのみである。

第一は平和的の發展

であるが南米殊にブラジルを除いては今日我民族の完全な發展地がなく、而も之さへ今日の內に大なる努力を以て將來の民族的發展の入口を開放し置くに非ずんば或動機の下に閉さるゝに到るやも知れぬのである。若し此の如く完全なる封鎖を受けて活路を閉されたと假定した時殘れる海外發展の方法は只一つのみ、即ち

戰爭による土地の獲得

であるが科學の發達が殺人破壞の能率を增加せる今日では少くとも二千万人位の全滅戰を敢行する覺悟がなくてはやる事が出來ぬ。而も之さへなす勇氣がなければ殘るは唯一つ即ち人口調節又は産兒制限である。然し日露戰爭以來の我國の世界的人種上の位置が之を許さぬ事を確つかり頭に銘記せねばならぬ。今日吾等の人種上の位置は吾等が自覺せると否とに關せず有色人種からは賴もしき而して白色人種からは誠に煙つたき有色人種の旗頭として見られて居る事である。即ち日露戰爭明治三十七年西暦一千九百〇九年は今迄白人の壓政の下に到底自由獨立を得る能はずと自己催眠（タゴーレ翁の言）に掛つて居た世界の有色人種に絶大のショックと希望とを與へ人類の進歩に貢獻せる事は佛國又は露細亞の革命の比で無く、吾等は十五億の有色人種解放のチャンピオンとして今や押しも押されぬ位置にある。殊にベルサイユ會議に於ける我人種平等案は此位置を更に堅くせる者である。

彼の日露戰爭は白人に對しては

實に晴天の霹靂であつたのである新大陸の發見以來優秀なる武器を持てる白人は名實共に五大洲を席卷した而して彼等は豪語して曰く『世界は白人の爲に作られたる世界である』と而して彼等の占領せる土地を名づけて『ホワイトマンスバーデン（白人の重荷）と稱した唯皮肉のは此『重荷』は彼等白人自身は負はずして其領土の民衆の肩の上に置かれた一事である。今日の印度の如きは未だに此『重荷』の下にあへぎあへぎ歩るいて居るのだ然るに前述の如く白人國ロシアの敗北は東洋人のみならず世界の有色人種に取つては新しき希望の瞳であり日の丸の國旗が「シンボライズ」する如く有色人種の旭日昇天の朝であつたのであつた。之を境として起れる支那の新標語變法自强、印度の獨立運動、アフガニスタン及びペルシャの內政改革殊にトルコの勃興等は皆直接に日本の勃興より得たるインスピレーションを基礎として興りつゝある動きである。就中一度は歐洲の病人と迄呼ばれて居つた土其古を僅々數年の內に回復せしめて世界の耳目を聳動せしめつゝある俊傑ケマルパシャは『土其古は日本が明治大帝の下に進める道を辿る事によりて一等國たるを得べし』と青年土其古を激勵して居る。米國文明の大汚點たる人種的壓迫の下より脫れむとして居る二千万に近き黑人の向上運動の諸結社は其指導者ブーカーテイ。ワシントン氏及びマーカス。カーヴイ氏の口を通じて之又日本の例證を黑人に示して之を激勵して居るのだ（ネグロヲールド紙參照）起てよ日本民族！此大使命の完成の爲に而して『有色人種の勃興』（ライジングタイドオブカラー）の著者ルスロツプ。ストツダードが『西暦千九百四年（明治三十七年）以來白人の世界的優勢は降り坂になつた』と云つた。其人種平等の實現の爲に戰へ。而して之が爲には「生めよ殖へよ而して地に滿ちねばならぬ。

（本文は筆者の許可なくして轉載を禁ず）

南洋行（三）

信濃海外協會幹事　宮下琢磨

石油の産地バリパパン

昨日の四時に、コタバルの港を出帆した船は、夜あけには、バリパパンの棧橋について居ました。船室の窓からは、翠緑の長い丘がすぐ眼の前に見えます。水浴場で行水（マンデイ）をして、衣服をきかへてから甲板に出て、ゆつくり外の景色を眺めました。

港には、石油の精製所があり、澤山のタンクが並んで居ります。港口には、石油の工場があるけれど町らしいものはありません。町と住宅地は海岸を廻つた丘の後ろにあるのです。見て居ると、幾台かの自動車は、右の方の岬を廻つて走つて來ます朝食をすませて上陸して觀ることにしました。

寫眞器と稅關

荷物は皆船に置いてあるが、寫眞器だけは根本氏も私も手に提げて行きました。私の寫眞器は、蘭領印度だけでも、どの位稅關の鐵門をくゞつたかわからない。が、一回も問題になつたことはありません。同行根本氏は新らしい寫眞器を新しいサックに入れて、肩にぶらさげて居ました。そこで稅關吏は、寫眞器は稅金を拂はねばならぬと主張したのです。根本氏は、只一寸上陸しるだけで直きに戻つて來るのだから……と頻りに辨明して居ます。が、稅關吏は單にこゝを通過するだけでも一割二分の稅金を拂はなければならぬ、と、中々頑强です。さうなると一個百盾と認定されても、十二盾五十歩、二個ならば二十五盾、馬鹿々々しい話であるから、結局船にかへつて置いて來ると言つたのです。さうすると稅關吏は、少し考へて居りましたが、「それじや宜しい」と言つて、無事通關と云ふことになつたのです。

寫眞などについて特に八ケ釜しいのは、外領の小さな港です。と言ふのは、バタビヤやスラバヤなどの稅關では旅客が寫眞器の一ツ位持つて居るのは、普通だとしてありますが、外領の小さな港では、一個二個の寫眞器の旅客に依賴して密輸入されるのを心配して居るからなのです。尤も一度蘭領で稅を納めたと云ふ證據を持つてさへ居れば良いのですが。セレベスのマカツサ港でも寫眞はやかましいから、非常に必要でない限り、一時上陸には持つて上らぬ方が面倒がない。

バリパンの日本人

自動車にのつて海岸の方を廻り、住宅地の方に出ました。海岸は一寸江の嶋あたりのやうな氣がします。岩ばかりの小嶋の上に、荒風にもまれまもれた磯馴松が生えて居ます。三キロ許走らせると、丘の一端を巡つて市街に出ました。市街と云つても、ただアメリカ松に被はれた一筋の街で、街に居て渚に打ちよせる波の音が聞かれます。この街にも、支那人。アラビヤ人。獨逸人。和蘭陀人の商人が居りますが、日本人も少しは居ります。

雜貨店としては雪本商店の處一軒くらひのものです。主人公は、四十五六位の年配で、デップリ太つた一寸支那人かと思はれるやうな人で、私は紹介をされて始めて雪本同店の主人公だと云ふことを知りました。店員も四五人は使つて、立派にやつて居ります。雪本君から色々の話をきゝました。

こゝの日本人は、材木屋が一軒、洗濯が一、寫眞が一、撞球（ビリヤード）。大工、氷屋各一といふところで、餘り大きい町でもないが、邦人の數も少ないのです。只こゝに一人、バリパパン郊外に野菜をつくつて居るが、年額三千圓も擧げて非常に希望である。野菜も良いので評判がよい………と云ふのです。その住居を聞いて覺ると、こゝから一キロ（約九町）位の處だと思ふのです是非訪問したいといふと、それでは下男に案内させませう……といふて下男を呼んで案内をさせて呉れました。

勤勉儉素の野菜作り

下男は、先に立つて街を出ぬけると、小高い丘の上に登つて行きます。丘の上は砂質で非常に乾燥して居ります。家も直きにわかりました。

こゝの主人公は、和歌山縣の大嶋と云ふ漁師を以つて立ちて居る所の人で、この嶋には産物は漁業の外何もないと云ひます。この人は始めに「マカッサー」の高瀨貝——洋服のボタンなどにする——を採る人として南洋に來たのですが、どうも仕事が面白くないと云ふてボルネオに渡つて野菜つくりをやつて見やうと思ふて來たさうです。この「バリパバン」では支那人の野菜つくりはあるので、始め支那人の地所をかりて野菜をつくつたさうです。ところが雨期になると浸水で、野菜が腐れてしまうので、非常に困つた、しかし、段々經驗を積んで見ると、平地では面白くない、高燥の地ならば雨期でも野菜の腐るやう

なことはあるまいと思ふて、それで一バウ（約七反歩）の土地を租借してこゝに引越し、野菜つくりを始めたさうです。一体ボルネオの中部は、雨期は長いやうです、それに乾季でも濕氣が多いやうでよ。濕氣が多いから、こんな高いところの砂地でも、野菜をつくることが出來るのです。最も日覆をしたり、肥料をしたり色々苦心をして居ります、肥料も金肥は使はずに、堆肥などに隨分努力して居ります。

家は夫婦と、十八九歳との三人暮しで、野菜に全生命を捧げて居ります。かう云ふ土地で良い野菜が來ないところへ、新鮮な野菜を供給して呉れるので、蘭人も獨人も、イヤ支那人でさへ喜んで歡迎して居るのです。野菜の高いことも驚くべきで、葱が一把一握り位のものが二十仙、大根が三本それも餘り太くないのが十仙と云ふ譯で、その他少し風變りのものだと値段も何もない位に競爭で買はれるので、生活費は農家で食糧は自家製で、社交費もかゝらず、非常に暮しが樂になつたと云ひます

いくら價段がよくも、支那人が仲介者になつて居るところは、支那人に利益をとられてしまふから儲からない、それでは自分で賣ればどうかといふと支那人でないとお得意がとれぬ。結局日本人はなり立たぬと云ふことになりますが、この人は前に支那人の地所をかりて、共同で仕事をやつて居つたといふことが非常に便宜を得て、支那人間に顏も知られて居り、純朴な點で支那人間に評判がよいので町にも自分で毎朝野菜の荷を持ちて行つて奇麗に賣つて歸るのです。野菜の價が高く、かつ仲介者の暴利をむさぼる支那人が居らぬので、これは良いに決まつて居ます。

この人は純朴そのものゝやうな、實に投機的で、野心の多い南洋に活動する人には珍らしいです。自分で言ふには

「私どものやうに學問もなにも無いものには、眞面目に百姓でもやる外仕方がないと始めから、その覺悟でやりました。働いて良い野菜をつくりたいと、この外に何の考もありません私の生れた大嶋などは、いくら働いたつて食つて行けるところでありませんから、皆稼ぎに出ます。それでもお蔭で、僅か地所は一バウしかありませんが、肥料も自分でこしらへ、かうやつて丹念にさへやつて居れば、年に二千や三千は殘つて行きます。こゝなどは私共には良いところだと思ふて居ります。一昨年は私が國にかへり、昨年は女房を國にかへり親や、親類にも會はせ、今年は若いものをかへさうかと思ふて居ります。

毎年金は、こんなことでつかいますが、家も粗末ながら、この通り新築しました。どうにかこれで立ちて行けるやうになりました。」

と吶々として語るうちに、無限の滿足と平和が見える、一バウの野菜つくりであるが、何万バウの護謨園主よりも、一層幸福に見える。天然に親んで居るものには健康と純眞な心とで素直に惠み多い生活を體得出來るといふことを痛切に感じたのであります。（つゞく）

朝鮮人の移住地間島（四）

在間嶋　藤澤定司

一一、鮮農移住の沿革

◎女眞高麗幾思惑、圖們長江日夜流
◎烽燧〻揚兵頻靡、白頭山外是皇州
德富蘇峰

間嶋は禁山圍場とされて、前清の初めから同治年間に至るまで韓清兩國互に相犯すことなく荒漠たるまゝに委棄されてゐたのであるが康熙帝が大軍を率ゐて羅禪を征した頃より獵夫或は採藥者が始めて足跡を印するに至り、次で山東方面の流民が進入したもので清朝が康熙五十三年に初めて琿春に協統を設けて邊疆の警備に當つた時は既に豆滿江及海蘭河の流域に韓人が三々伍々、居を構へて耕牧してゐたといふ。而して己巳庚午の兩年（我明治二、三年）に亘つて咸鏡南北道が稀有の凶歉に遇ひ、饑饉甚しく、哀哭の聲巷に滿ちて頗る酸鼻の狀を極めた時圖們江沿岸居住の韓民は遂に禁を犯して深夜密に渡江し間嶋各地に點居し荒萊を開拓したのが近代に於ける鮮農の間嶋移住の濫觴と謂はれて居るが其後癸未の春（我明治十六年）西北經略使魚允中が咸北視察の際圖們江封禁の例を撤廢したので沿岸の鮮人は先を爭つて移住專ら開墾に從事したところ幾百年か久しきに亘つて犂鍬を入れなかつた處女地のことゝて農作物の登實驚くばかりの豐穰であつた爾來風を傳へて韓民の移住絶へ間なく今日に及んだのである

◎啼く雁の行衞や遠し雲の峯

一二、支那人轉住の沿革

採藥者又は獵師らが跋渉したのは古いが定住者を見たのは前清光緒元年（明治八年）のころ、獵夫の先導によつて會寧に於ける清韓開市に往來した吉林の商人が途上間嶋の肥沃なる荒蕪地を見て垂涎した結果農民を伴つて來住したのが始まりで其後光緒十五年（明治二十二年）の交に至つて山東方面の流民が多數流れ込んだのである。

一三、歐米人の間島入

前韓光武初年（明治三十三年）に天主教神父佛國人南一良（キエリイ鮮人名前ニコヂ付ケタモノ）元亨根（ラリボウ）の兩名が布教の爲め龍井村に駐在したのが始まりで大正二年三月に至つて耶蘇宣教師英國人朴傑（バアカア）が之も龍井に來住して同年五月に龍井東方の崗上に洋館四棟を建造したが今尚そこで學校（恩眞中學）と病院（濟昌）を經營して專ら鮮人相手の教育と施療とをして居る

其他大正十年日本軍西伯利亞徹隊と同時白系露人が約百何十名も流れ込んだが現在では極く尠である

一四、住民の職業

朝鮮人は三十五萬六千人のうち八割六分迄が農業であとは商業其他である支那人は八萬六千人のうち五分の一が商業で五分の四が農工業其他である內地人は二千人のうち八割が商業其他で二割は諸會社及領事館の役員で現在では農業が二戸ある。

一五、天圖鐵道

天圖輕便鐵路股份公司と稱する日支合辨會社の經營で圖們江岸地方驛と老頭溝驛間（六十二哩七）及支線である朝陽川と局子街間六哩を運轉してゐる輕便鐵道であるが豐富なる資源地の鐵道としては余りに微力で毎年出穀期に入ると沿線各驛は立錐の余地なきまでに滯貨の山を築いて貨の持腐れといつた觀を呈するので有名である因に目下完成せる吉敦鐵道（吉林―敦化縣城の間）が開通したので天圖鐵道を廣軌に改造して之を豫定線の終點天寶山又は敦化まで延長せしめ軈て廣軌となるべき朝鮮の圖們鐵道と遺憾なき連絡を保たしめ大陸開發の機能を發揮せしめねばならぬとの提唱が漸次高まつてゐるなほ鐵道外の交通機關としては自動車牛馬車が用ゐられてゐるが道路は頗る惡く雨期や解氷期に至つては殊に甚しいので是等車馬の交通も往々杜絶へる

一六、水田經營の狀況

間島地方に於ける水田の總面積は約八千百八十五町歩で灌漑工事は大小五十個所の多きに達してゐるが其の總面積は僅かに四千余町歩である此のうち百町歩以上のものは僅かに八ケ所で見る可きものとしては㈠和龍縣四光社（社は郡のこと）に於ける光開水利組合の經營に係る同社の光宗及光昭長地方の灌漑工事……之は大正十一年二月より同十三年四月三十日に至る三ケ年の繼續事業で成つたもので溝渠の延長二里二十六町灌漑面積三百六十六町歩（總工費四萬圓）㈡東拓間嶋出張所の直營に係る琿春縣純郷南泰孟に於ける溝渠の延長一里十四町灌漑面積約一千町歩（工費二萬二千圓）㈢延吉縣守信郷尚五道溝に於ける支那人經營の溝渠延長十八丁灌漑面積四百七町歩（總工費僅かに五百圓主として勞役構造）等である。而して同工事の最も古い歴史を有するものは、延吉縣勇智郷大教洞在住の鮮人十四名が

明治三十九年に勞役出資で構築した溝渠の延長二十二町灌漑面積七町歩のもので爾來十年間といふものは水田開設に見るべきものもなく經過したが大正六七年頃に至つて俄に水田經營者の激增を見た結果灌漑工事の一大勃興時代を現出するに至つた卽ち大正八年には一年間の增加一千二百町歩同十二年には千二百五十余町歩といふ躍進的發展を見たのである之が原因は適ま財界の好況時代に際會した爲めと今一ッは大正四年の春總領事館警察部長末松吉次氏が間嶋米は其の種籾を改良するに於ては大いに將來あるものとして時の間嶋農業學校教師青江房太氏に諮つて朝鮮水原模範農場より小田代種籾一升を取寄之れを龍井村に於て試作した結果米質の優良なること啻に間嶋米の上位に在るのみならず鮮內產の優良米にも劣らぬものと認められたので之を無料で鮮農に領布して試作せしめたところ出來榮え頗る優秀であり且つ其の收穫米は在來米に比して高價に買はれる爲めこの米作の畑作に比して遙かに有利なるを知つた鮮農が相競ふて水田の經營に當つた結果であるといふ（當地方は勿論西伯利亞方面の普通在來米種とは北海道種にして赤毛白毛の二種類尤も多し）（續く）

註（總ての項を簡單に書く事に苦心して來月頃終らする豫定です引續き西伯利亞方面の農況をも御照會したいとは思つて居りますが永田幹事殿が朝鮮に移住地建設の下準備の御樣子ですから寧ろ朝鮮事情を漫談になりとして掲載した方が機宜に適する樣に思へます澁きの朝鮮風俗は極く表面的のもので今度は內幕を面白くしたいと思つて居ります　若し西伯利亞方面を御照會出來なかつたら目下勞農政府は日本より材料を購入して農業の開發は勿論鑛業方面にも大いに盡力して居る事を御承知下さい）

◎來て見れば鬼の棲むてふシベリヤも柴山つづき秋の蝶とぶ

漫談の四

―滿洲米のこと―

滿洲へ滿洲へと流れ込んだ鮮農は僅か十年間に百萬石の米を產出した。何んといふ素晴らしい汗の結晶だらう？東三省の覇王と稱し自ら大元帥に任ちた張作霖も滿洲では到底消化し切れぬ此產米を遂々我を折つて多年固持して來た滿洲米を海外輸出嚴禁の解除する已むなきに至つた。原始人にも劣る悲慘な生活に甘んじ豚か犬かのやうに明け暮れヨボガ〳〵と嘲けられてゐる彼等にも水到つて渠成る時到れば無言の裡に一國の政策を變へてしまふ。嗚呼尊い哉一の力。

◎群雀追はれながらもついばみぬ

―鮮人移住のこと―

住み慣れた故山を後に或は眷族群をなし或は妻孥砧杵を又は豚の子猫の子鷄を一輛の牛車に積んだ鮮人が、おの〳〵一家の運命を行雲に委せながら安住の地を求めて間嶋へ間嶋へと流れ込んで來る。彼等の移住期は大抵三四月頃であるが當地の三四月は未だ餘寒去らず名物の滿洲風の吹卷くる眞最中誰も出迎へて呉れる人もなし暖かい食物を準備して呉れるものもない。收穫迄の食料及種物は倍いにして現品を返濟するのが例である多少でも資金の有るものは由として全く資金の無いものは牛車や牛甚しいのになると婦や娘を擔保に月五分六分が普通で高いのは八分の金を借る（此高利に付いては何れお話しましよう）勿論債權者は支那人が尤も多く鮮人もチョイ〳〵ある現に今年の夏私の取扱つた〇〇事件の聽取書の一部を披露すると

聽取書

原籍　咸鏡北道射川郡…………里
現住所　支那間嶋延吉縣守信郷河南子
無職　金姓女
當十四年

右ノ者何月何日於テ――任意左ノ供述ヲ爲シタリ

問　オ前ハ今年何才ナルヤ
答　當十四年三月十五日生レデアリマス
問　オ前ノ夫ハ今年何才ナルヤ
答　今年四十才ニナリマス
問　何故ソンナ年違ト婣婚セシヤ
答　私ノ親逹ハ私ノ十二才ノ時大銀場ト云フ所ニ移住シテ來マシタガ金ガ無イ爲メ現在ノ夫ヨリ現金五十圓ヲ借リマシタソウデスガソノ金ヲ返濟スル事ガ出來ズ私ヲ擔ニ置イテ親逹ハ又西伯利亞ノ方ヘ移住シテシマイマシタ行ク時ニ今ニオ金ヲ蓄メテオ前ヲ迎ニ來ルカラ暫ク此人ノ處ニ居レト云マシタカラ金ノ爲メニ夫婦關係ヲ結バネバナラヌコトハ承知シテ居リマス
問　夫〇〇〇〇〇〇〇〇〇〇ヤ
答　昨〇秋〇〇〇〇〇思イマス〇〇私〇殺〇〇〇〇〇〇怖〇〇〇逃出〇〇事〇〇何回〇〇〇今回ハ隣ノ人ガ……

此の話を其日の夕食の時妻に話して聞かせると「エ、ッ」アノ小娘がと驚いて私にも今年十四の妹がありますが若し私がそんな境遇になつたらどうしようと涙を出して氣の毒がりました。實際戸籍法云々にも該當しない當地に於ては聞くも身震する樣な話しがよくありますそれにつけても何處かの國に移住の世話はして呉れる低利資金は貸す宿舎から食物迄萬事萬端何から何迄心配して呉れる有難い國があるそうだ。天父よ何事も爲さざる吾已みに何故斯く幸多く與へ下さるやと聞き度くなる

村端れ破傘急ぐ古寺の
いてふにゆれて暮れの鐘鳴る

移植民ニュース

昭和五年上半期

南米航路の出帆日決定

本年度一月以降七月までの南米航路出帆日は左の如く決定發表された。

神戸出帆日	船名
一月十六日(商船)	モンテビデオ丸
一月二十九日(郵船)	備後丸
二月十八日(商船)	ハワイ丸
三月一日(郵船)	河内丸
三月十五日(商船)	ラプラタ丸
三月二十六日(郵船)	神奈川丸
四月十九日(商船)	ブエノスアイレス丸
四月二十八日(郵船)	博多丸
五月十四日(商船)	サントス丸
五月二十六日(郵船)	伊豫丸
六月七日(商船)	リオデジャネイロ丸
六月二十四日(郵船)	鎌倉丸
七月十二日(商船)	モンテビデオ丸

東拓の南洋拓殖金融

順調に運べば本年上期中に

具体化して事業開始の豫定

金解禁の實施期が切迫して來るに從つて我が財界では海外投資の可能性が生じて來る即ち國價價値が割引なしに海外市場で働ける事となるので早くもこの點に着目して既に海外投資計畫を具體化しつゝあるのは東拓の南洋投資および南洋栽培金融計畫であるこの問題は井上藏相が在野當時南洋視察の結果東拓に奨めたもので最近も國際貸借審議會で「南洋拓殖金融改善」問題が議題となつた時藏相は「この問題は目下東拓で計畫を具體化しつゝあるので暫く自分に任せられたし」と述べ國際貸借審議會では審議しない事となつた。即ち東拓の具體案は大要左の如くであるが東拓では更に井上藏相拓務省等のアドヴァイスに待ち確定案を作成中であるが確定すれば主務官廳の認可を得て昭和五年上半期中にはシンガポール支店を設置して事業を開始する豫定となつて居る。

具體案内容

東拓の南洋拓殖金融改善計畫中現在までに具體化したるものは大要次の通りである。

一、東拓では昭和三年十二月この問題調査のため社員を南洋に出張せしめ昭和四年夏その歸社を待つて具體案の作成にかゝり最近成案を得たが更に案を練るため宮尾東拓總裁も一度南洋へ出張する豫定となつて居る

一、東拓が南洋栽培事業に金融せんとすればまづ自分でも栽培事業に投資し經營して見る必要があり拓務省もこの方針に傾いて居る

一、東拓が投資および金融を實行せんとするものはゴム、ヤシ、アブラヤシ、茶等の栽培事業であるもちろん貸出先は邦人企業に

限る

一、現在邦人の南洋栽培事業投資額は約七千萬圓(拓務省報告)であり内東拓、台銀、華南銀行から融通して居る額は約八百萬圓で内東拓の三百萬圓は台銀の貸付を肩替りして代理貸付となつて居るもので借入金以外は個人の投資や株式拂込金である

然して井上藏相はこゝ十年間位に約五千萬圓が出來るといつて居るが、これは今後邦人の努力次第でさしづめ

投資額二千萬圓の投資が直に實行出來る目安を造る必要がある

融資法　東拓が金融する場合は成るべくこれ等事業家に自己資金と借入金とを併用せしめる方針をとる

新支店　東拓がもしこの投資および金融を實行に着手すれば南洋に一ケ所乃至二ケ所の支店を設置する必要が當然ありはじめの支店設置地はシンガポールでマレー半島、スマトラ、ボルネオ(サラワクおよび英領ボルネオ)を管理してゆく事が出來る東拓の南洋拓殖金融の基礎が出來れば更にスラバヤに支店を設置してジャワ、セレベス、ボルネオ(蘭領)を管理すれば都合が宜しい

擔保物　金融の擔保は主としてゴム山等であるが英領蘭領とも法制が完備し滿洲の商租權の樣な不安定なものではなく法律的に見て外國人も機會均等である

低金利　貸付金利は少くも八分五厘程度の低資を必要としこれには預金部資金を一部東拓債券資金に加へて資金原價を引きさげる必要がある

貸付期限　ゴム山は創業五六年間收益のないものであるから貸付年限は十年乃至十五年間を必要とする

移植民行政統一改善

諮問三事項は各委員に付託

第二回拓務懇談會

拓務省主催の第二回拓務懇談會は舊臘十七日午後二時より丸之内工業クラブに開かれ

(拓務省側)　松田拓相、小坂、小村兩次官、武富參與官、殖田殖産、生駒管理郡山拓務各局長、課長等

(來賓側)　阪谷芳郎男、水野錬太郎、矢内原東大敎授、下村宏氏、拓務關係の實業家、學者、事業家等約九十名參集

松田拓相より一場のあいさつありたる後郡山拓務局長より

一、朝鮮、台灣、樺太、關東州および南洋群嶋の重要産業關係

二、移殖民關係

三、海外拓殖事業關係

の三項に關する諮問事項につき説明、審議の結果右三項に關して各特別委員會を設け松田拓相より委員を指し晩餐を共にして散會

拓相演説大要

(一)朝鮮、台灣、樺太、關東州および

南洋群嶋の重要産業關係(二)移植民關係(三)海外拓殖事業關係の三つの部門に分つ所以のものはまづ朝鮮、台灣、樺太、關東州および南洋群嶋の統治に關し一貫せる國策の下にその經濟的發展と社會的福祉の增進とを遂行しもつて重要産業の圓滿なる發展を計ることが國運消長に關すること大なるものあるに鑑みその國策上の見地よりするもこれを忽にするを許さぬのであります、我國現下の如き國情をもつてしては將來の伸展は國際間の事情に適應したる海外の開拓にまつの他ないといふことが出來ます。

第一部(朝鮮、臺灣、樺太關東州及び南洋群島關係)宮尾舜治、加藤敬三郎、有賀光豊、藤原銀次郎、松江春次、柵瀨軍之佐、東郷實、阪谷芳郎男、鶴澤宇八、佐々木行忠侯、水野錬太郎、細井肇、下村宏、小村俊三郎、牧山耕藏、岩切重雄

第二部(移植民關係)田付七太、井上雅二、大谷登、村田省三、淺見登郎、那須浩、今井五介、津崎尙武、鈴木文治、守屋榮夫、内田嘉吉、岡實、原脩次郎、武富敏彦

第三部(海外企業關係)宮尾舜治、門野重九郎、井上雅二、野村德七、安川雄之助、結城豊太郎、平生釟三郎、山地土佐太郎、藤山雷太、井坂孝、坂本正治、中村啓次郎、富田勇太郎、野村益三

村民四十名を連れ

京大生南米へ

京都帝國大學の一學生が八万圓の資金を握つて遙々南米に乘り出すといふ話京大經濟學部農村經濟科を來年三月卒業する榊柴夫君(二六)は狹い內地に見切りを付けて郷里鹿兒嶋縣薩摩郡東郷村々民十家族四十名を引き連れ南米アルゼンチンに渡りコーヒー畑け六百町步の耕作に從事する事になつた資金は神戸川西清兵衛氏が社長である日亞殖拓會社より三万圓アルゼンチン勸業銀行より五万圓を借受けることになり既に總ての契約が締結されて居る。

尙ほ榊君のこの度の壯圖は京大內部に非常なショックを與へ京大敎授間には同君のため醵金する計畫さへ進行して居る。

□

右について農學部農村經濟科敎授黒正博士は語る。

榊君は第七高等學校の出身で非常に痛快な男です空論をすてゝ實行するためにこの度のプランを立てたのです豫立は全部出來て居ります、同君の理想は鹿兒嶋縣東郷村(東郷大將の郷里)で第二の東郷村を南米に作るために行くのです。

□

當の榊君は經濟寄宿舍で語る

何も直接就職難の聲におびえて今度の計畫を立てた譯ではありません只學校時代から考へて居つた事を實現するまでの事ですお蔭ですべての計畫は出來

て只もう出發するばかりです過去三年間經濟で致つた農村經濟學を全く未知の南米に實行するのですからこんな愉快な事はありません。

本年皮切りの

アリアンサ渡航者

モンテビデオ丸でまづ七家族

昭和五年の南米航路皮切りは一月十六日神戸發の商船モンテビデオ丸であるが本船には本移住地入植者七家族三十四人が乘船して本年度渡航者の一番槍を努める。

香川香川郡雌雄嶋村	石岡又之助	四人
同　右	丸高吉太郎	三人
兵庫西宮市用海町	鈴木利兵衛	六人
兵庫西宮市東町	木戸實造	一人
埼玉北埼玉郡樋遣川村	小林安太郎	六人
同　右	矢澤清	四人
靜岡縣賀茂郡下田町	大瀧助國	三人
東京市小石川區九山町一一	北村豊次郎	七人
七家族		三四人

因みに同船は三月一日目的港サントスに入港する豫定である。

珈琲園自營者一團

三百七十五万圓の低資を請願

在伯邦人舊移民の金融問題

近着在伯邦字新聞の報ずる所によればノロエステ沿線邦人の元老上塚周平氏農田源行氏佐藤次郎氏はバウル濱口領事及び聖州中嶋總領事に會見して同沿線邦人珈琲園自營者のために三百七十五万圓の低利資金融通を祖國政府に請願する相談をなした。

右は邦人の舊移民が血と汗とで獨力獨步築き上げた珈琲園が平年相場三十五ミルしたものが昨年は十ミル以下に下落し金融は頗る固渴しこの難局を打開するためで現在の邦人所有成熟樹數は千五百萬株で一株一ミルを貸出すれば一萬五千コントス、圓四ミル換算で三百七拾五圓となるものであると。

一九二八年の

聖州敎育狀勢

學園(都市にある兒童數四百名以上)
　二九七校　一八七、三〇四名

合同學校(二個以上の學校が同一)
　二一四校　四一、七五八名

單級學校(主に農村にある)
　二、六八四校　一一五、九六〇名

補習學校(官立師範學校に附屬する)
　一〇校　一、七一六名

官立師範學校　十校　三、一二六校
　內九校は三年制、一校は五年制
　男生二八五名　女生二、八四一名

私立師範學校　四三校　一、五〇三名

(聖州大統領敎書に依る一九二九年六月十七日官報所載)

南米へ、南米へ!!

大正八年以來の記錄を示す
昨年度の海外發展者數

海外發展の機運は昨年度、大正八年以來の記錄を示して本縣下の海外渡航許可總數三百八十五名に上り、縣民の海外移住は益々激增を極めて來た。就中ブラジルが第一位で三百三十四名の九割を占めてゐる。次ぎは比嶋の四十一名である。

渡航の種別をみると再渡航及呼寄渡航者が殖えてゐる事は海外移住地の狀況が如何に良好であるかを物語るもので在外縣人の活動は着々歩を進めてゐる。殊に再渡航者の大部分は迎妻或ひは親兄弟等の家族、親戚者を同行してゐる事は注目すべき事である。

今最近十ケ年間に於ける渡航許可數茲に昨年後半期中に許可（昨年上半期中のものは本誌第八十二號、第八十六號に掲載）は左表の通りである。因みに本會直接ブラジル渡航者中アリアンサ移住地入植者取扱數は百三十名であつた。

ブラジル

中村才四郎　單獨　東筑摩朝日村　知人の呼寄
植松　平　四人　諏訪本郷村　海興
清水　盛行　三人　北安大町　海興(再)
柿木　忠雄・神内　良雲・山本　民夫　三人　香川縣大川郡造内村(長野縣に寄留)　信海
渡邊　勘吉　三人　新潟縣西頸城郡青海村(寄留)　信海
矢島　四郎　六人　諏訪永明村　海興
多田仁一郎　六人　諏訪下諏訪町　海興
川原國一郎　六人　北安北城村　海興
土屋　三男　三人　小縣室賀村　海興(再)
中澤　忠夫　四人　埴科杭瀬下村　海興(再)
坂本　福松　五人　北海道之別郡瀧上村(寄留)　信海
渡邊　清治　三人　新潟縣西頸城郡名立村(寄留)　信海
宮澤　平治　單獨　上水柳原村　父の呼寄　海興
鎌崎　秀吉　單獨　南安梓村　叔父の呼寄
鹽崎　正治　二人　上高井井上村　信海
桑澤　文一　二人　上伊伊那町　海興
竹内　勝眞　七人　更級牧郷村　海興
大峽　恒男　三人　上高井綿内村　海興
守屋　貞利　五人　東筑宗賀村　海興
矢島　久作　四人　諏訪宮川村　海興
天岡　保由　七人　東筑宗賀村　海興
堀内　祐壽　八人　諏訪平野村　海興
小林安太郎　六人　埼玉縣(本縣寄留)　信海
鈴木利兵衛　七人　兵庫縣(同)　信海
大鹽　助國　三人　靜岡縣(同)　信海
北村豐次郎　七人　東京市(同)　信海

計　二一〇人

フイリッピン

小池　直人　單獨　小縣中鹽田村　海興
小林　梢　單獨　小縣西鹽田村　夫ノ呼寄
日野たかゑ　單獨　上伊中箕輪村　夫ノ呼寄
市橋喜四郎　二人　下伊飯田町　從兄ノ呼寄
菅沼　德雄　二人　上伊赤穗村　再渡航
西澤　賢平　單獨　小縣室賀村　海興
大久保嘉吉　六人　小縣室賀村　海興
駒津　きよ　二人　上高仁禮村　夫ノ呼寄

西澤　寛　二人　小縣室賀村　再渡航
宮坂みつち　單獨　小縣縣村　夫ノ呼寄
小林　榮子　單獨　更級信田村　夫ノ呼寄
塚田久米治　二人　上水水内村　再渡航
塚田弘一郎　單獨　上水内田村　同行
立木　延平　單獨　諏訪泉野村　海興
青木重治郎　二人　上水安茂里村　再渡航
宮木　貞雄　單獨　上高須坂町　呼寄
小林帝次郎　單獨　上伊飯島村　再渡航
北原　國一　二人　上伊三義村　再渡航
五味やよゑ　單獨　諏訪本郷村　呼寄

計　三一人

メキシコ

北原きくゑ　單獨　上伊西春近村　夫ノ呼寄
片桐　一夫　單獨　上伊七久保村　義兄呼寄
増田　榮　單獨　上伊伊那町　知人呼寄
飯島　明壽　單獨　上伊東春近村　知人呼寄

玖瑪國

顯在千惠子　單獨　埴科五加村　夫ノ呼寄
宮坂　三郎　單獨　埴科埴生町　叔父呼寄

北米合衆國

代田　鐵造　單獨　上伊上郷村　布教ノタメ
師田　三郎　二人　北安會染村　再渡航
小川　榮一　二人　諏訪富士見村　再渡航
久保田安雄　單獨　更級共和村　修學

英國

高橋　常治　單獨　南佐田口村　商用
下平　績　單獨　上伊伊那町　歐米各國

新嘉坡

小川　きん　二人　上高川田村　夫ノ呼寄

アルゼンチン

小平　七雄　單獨　南安穗高町　日亞拓植會社
矢島　幸男　單獨　諏訪豐平村　叔父呼寄

秘露

春原　馨　單獨　小縣西鹽田村　叔父呼寄

合計　一六〇（七—十二月）

昭和四年度渡航許可國別

	一—六	七—一二	計
ブラジル	二二四	一一〇	三三四
比律賓	一〇	三一	四一
メキシコ	三	四	七
玖瑪	—	二	二
北米合衆國	四	六	一〇
英國	二	二	四
新嘉坡	五	二	七
アルゼンチン	四	二	六
秘露	—	一	一
北樺太	二	—	二
南北兩米	一	—	一
計	二二五	一六〇	三八五

最近十ケ年間渡航許可數

年	數	年	數
大正九年	二三七	大正十年	二〇五
大正十一年	二〇二	大正十二年	一四四
大正十三年	一三五	大正十四年	九一
大正十五年	一一四	昭和二年	二三三
昭和三年	二三九	昭和四年	三八五

北海道自作農移住の獎勵

三百圓を用意すればよい
北海道の農業は有望

北海道の總面積九百五十七萬町歩の內農耕に適する土地は百五十八萬町歩あり現在既墾地八十萬町歩であるから今後尙ほ七十八萬町歩は農耕に利用し得られる、右の內既成水田十六萬七千町歩將來の水田見込面積四十四萬三千町歩で全道到る處水田に適し年々一萬町歩位づゝ造田せられてたる狀態で北海道の農業は將來益々有望である。

一、移住する方面

獎勵移住地は毎年六、七月頃定めて公示せらるゝが大体附近開發せられ地形槪ね平坦地味良好で又鐵道軌道其他の交通の便ある地を撰擇せられ栽培作物は大麥、燕麥、稻黍各種豆類馬鈴薯其他各種の作物に適し又牧畜業は何處も有望である。

二、移住する土地の種類

(1)特定地　土地の狀況や移住家族の多少によつて五町歩乃至十町歩の國有未開地を無償で貸下げられ五箇年間に其の六割乃至八割を開墾すれば無代で所有權を移轉されるもので之を特定地と云ふ

(2)民有未墾地の購買　民有の未墾地を買入れんとする者には年利三分五厘の低利資金を貸付され五ケ年据置き二十五ケ年以內の均等年賦償還に依り普通小作料よりも僅かな負擔で自作農となれる方法であつて此の貸付金にて一戸につき大体十五町歩迄買入れる事が出來る共の土地は地主と買入れんとする者で協定し賣買を決定した上で資金を貸付される、しかし土地の買入を希望する者には道廳は申込に依りて地主の賣抑の希望地を通知し土地の選定及賣買（價格は勿論）を極力斡旋せられる、之等の土地は全道に散在する。

三、移住獎勵金の交付

許可を受けたる移住者には事業成功助成の爲土地狀況を斟酌して一戸に對し入植後移住補助金三百圓住宅補助金五十圓合せて三百五十圓以內の補助金を交付せらるゝから移住者は旅費の外二百圓內外の資金を用意して移住すれば成功容易である。

四、開墾費及牛馬購入補助

移住後開墾をなすには相當の勞費を要するから道廳は開墾面積に應じ開墾費の四割以內を補助し又牛馬購入の際は購入代金の約半額は補助せらるゝ特典あり其の他種々なる獎勵方法を講じて移住者の便宜を計つて居る。

五、移住者の資格

府縣在住者に限り戸主又は滿二十歳以上の男女にして家族と共に移住し永住土着の意志鞏固なる者であることを要す、一家數人勞動に堪へる者あれば萬事に好都合である、單身移住は絕對に不可である。

六、汽車汽船賃の割引

移住者の汽車汽船賃は携帶荷物共に五割引大貨物は二割引の特典あり、府縣廳、警察署及府縣の指定したる市町村役場に出願して汽車汽船賃の割引證の交付を受けるのである。

七、移住地の施設

(1)下車驛より原野までは殖民軌道や道路があり移住地內には簡易なる道路の設けがあつて入地に不便のない樣にせられてある又三月頃は下車驛其他樞要の地に係員が派出せられて居り入地上各般の便を計られる。

(2)共同居小屋　移住地には共同居小屋を建設してあるから各自の住宅建築が濟むまで之を無料で使用することが出來又食料品其他の購入には移住者世話所に於て斡旋するので遠慮なく相談し其指揮を受くることが出來る

(3)指導農家　移住地には其地方の事情に精通せる篤農家を道廳から囑託して開墾耕耘の範を示し實地に就いて指導をなさしめられるから北海道の農業に經驗の無い者でも心配なく經營が出來る。

八、衞生敎育の設備

移住地には道廳から補助金を交付して醫師産婆を開業せしめてあるので醫療及出產上の不要なく又國費より補助し小學校を設置してあるから兒童の敎育にも不自由はない。

九、移住者の義務

貸付を受けた土地及民有の未墾地を買收した土地は開墾成功する迄其土地若は附近に居住することを要する若し開墾成功せすして退去する場合には貸付地を取消され又獎勵金の全部若は一部を返還せしめられる。

十、移住の申込

希望者は本縣社會課に專任の係員が居てよく相談し北海道移住案內のパンフレットがあるからそれを精讀して北海道移住規程に定められたる移住補助願に、市町村長の移住證明書及最近の戸籍謄本を添へて本縣社會課に差出すのである（願書及證明書用紙は縣廳にある）

毎年六七月頃移住者の定期募集を公告せられるから其の際に早く申込むときは翌年の春早く渡道して作付けすることが出來て萬事好都合である。

十一、移住の承認及移住の時期

前號の定期出願者に對しては大体その年の末迄には許否を決定せられ、入植期限を指定して移住地の狀況其の他注意すべき諸點と共に通知せられるから之が許可あり次第直ぐ樣天々移住準備をするのである

移住の時期は大体出願したる翌年の三月中旬迄で之を入植期限として指定せられる此の指定期限迄に移住しない場合は許可を取消さる。

民有未墾地買受

今春の團体移住者

民有未墾地中昭和四年度府縣移住者收容豫定地として道廳が斡旋發表せられたる場所は十勝國十勝郡大津村字生花苗四一五町歩同河東郡士幌村字居邊一、四〇一町歩釧路國足寄郡淕別村並に十勝國中川郡西足寄村一、四四五町歩釧路國足寄郡淕別村字トマム二二五町歩十勝國河東郡士幌村上士幌一二六町歩同上川郡新得村八九町歩北見國常呂郡佐呂間村サロマベツ二〇〇町歩同網走郡美幌町字キキン九三町歩等であつたが本縣内よりは左の十六家族が十勝國河東郡士幌村字居邊の日本皮革株式會社所有地中約三百五十町歩を低利資金により買受け移住することに補助出願中のところ昭和四年十一月二十八日付を以て北海道廳長官から許可せられたので團体移住として準備委員は既に出發渡道し其の他は家族と共に三月中旬に入地することゝなつた。上伊那郡川島村の人々は昨年度買受けた十勝國河西郡川西村字岩内ある百六十町歩と本年度買受の前記三百五十町歩と合せて五百餘町歩の移住農耕地を十勝の國に持つことになつた。

十勝國河東郡士幌村字居邊團体移住者

○上伊那郡川島村小澤庄一、諏訪隆造、一ノ瀬作衛、土田喜十、土田幸司、田中定義、諏訪吉行、荒井要一郎、中谷三郎、中村禎一郎、一ノ瀬茂登務、土田幸平、小嶋光三郎、一ノ瀬訣

○西筑摩郡開田村藤村金雄、以上十六家族四十一人

昨年度の自作農移住者

移住初年度の活動狀態

昭和三年度の取扱で昨春移住したものは左の如くであつた。

移住先		出身地	氏名
根室國野付郡別海村西別		下伊河野村	岩崎定一
同右		上伊南向村	米山幸市
同右	上春別	東筑日向村	飯森亀一郎
同右		南佐田口村	井出祐之助
同右		南佐平賀村	田中助四郎
同右		東筑和田村	中嶋金
同右		南安西穂高村	木藤芳雄
同右		東筑日向村	小山常信
同右		下伊千代村	高橋熊榮
同右		下伊上飯田町	田中孝光
同右		下伊鼎村	永井要太郎
同右	春別	諏訪豊田村	平林住吉
十勝國河西郡川西村		上伊川嶋村	小澤忠治
同右		同右	小澤武雄
同右		同右	飯澤末男
同右		同右	久保田清一
同右		同右	吉田六郎
同右		同右	一ノ瀬正男
同右		同右	久保田仲三郎
同右		同右	中谷繁藏
同右		同右	小澤又一

十勝國內に移住せる長野縣人は昭和三年現在には參百戸以上であつて團体移住地の主なるものをあぐれば、

河東郡の藤澤農場、小川農場、更埴地方團体、河西郡の諏訪地方團体、川嶋村團体、中川郡の南北佐久團体等である。

昨年移住した井出祐之助氏から移住地到着後二ケ月の生活狀況を通信してきた。それによると、

寄等は三月廿六日郷里出發、四月一日入地許可同廿四日自分の住宅に移り毎日雜木の伐採後開墾をなし野菜物は五月初旬に蒔付け馬鈴薯は五月廿日迄に蒔付け、粟麥、燕麥等は六月十六日迄に蒔付け致し候。豆類、蕎麥、大根等も本月末迄に開墾蒔付の豫定に候。

現在の開墾面積は一町八反歩に御座候。

氣候は只今、朝晩五十七八度、日中は六十五度より七十度位、二三日は八十度位にも相成り郷里の氣候と同じく候。只朝晩の霧が深く御座候。

北海道の熊とよくきゝ申し候所、中標津にて親子三匹が射せられ候。尚先日は子供が蕨採りに出て家より三丁程隔れたる所に熊の巣を發見致し候。入口三尺位奥行二間高さ四尺五寸にて四月頃迄住みたるものゝ如くに候。傍らの樹木の上には枝を折り畳みてあそび積にも見受けられ候。又野兎の住みおる事には驚き申し日中の仕事中にも飛び來り近頃は麥を荒し閉口致しおり、わなにて捕獲せしも一〆匁位は御座候。附近の小川にはあめます、やまめ等の魚澤山おり食膳を賑はし候。

まづ食には事欠かぬ次第にて、追々面白く相成り生活を樂しみおり候」云々。

更らに昨年度の收穫狀況は小山常信氏の通信によれば

「本年度春蒔ものは開墾住宅建て等で仕事遲まず候も作柄は良好にて皆喜び居りたる處、八月九日頃より降雨續き、九月下旬の大霜で上春別原野は約三分作との事に御座候。

成績のよきものは馬鈴薯、大根類にて、豆類、玉蜀黍等は收穫皆無燕麥一反歩三俵立、蕎麥は一反歩一俵位にて候。小生の耕作反別は二町一反歩內一町三反が燕麥で十三俵、二反歩が蕎麥で六俵、六反歩が馬鈴薯で百五十〆の收穫に御座候

霜害のために豫期外の困難に遭遇致し目下道廳に救濟方を申込み居り候。

第一年度の收穫は豫期に達せず。移住の受難に遭遇せしも今年よりは生氣溌溂たる元氣を以て開拓に從事する覺悟の心組に御座候」云々

昭和五年の日曜と祭日

本年の日曜日と祭日の關係は十一月二日が日曜で三日が明治節の二日つゞきの休み、その他は二日つゞきの休みはないが二月には九日が日曜で一日を勤めればその翌日は紀元節、三月廿一日の春季皇靈祭が金曜日で土曜日をつとめてまた休み、四月廿七日が日曜で一日おいて廿九日は天長節、九月廿一日は彼岸入の日曜日、十月十七日の神嘗祭も金曜日なので一日つとめれば翌日は日曜日でちよつと樂しみのある休みです。がつかりするのは十一月廿三日の新嘗祭が日曜日と重なる事でせう。

日鮮融和實現の 朝鮮移住地建設案

海外協會中央會で着々進捗

目的――本地區開墾の目的は內鮮の農業移住者を收容し林野を開墾整備し新たなる一農村を建設し漸次範を附近の鮮農に示して以て朝鮮の開發に貢獻し兼ねて將來北鮮又は亞細亞大陸に農業移住者として進出せんとする者に對し必要なる訓練と準備とをなさしむる事にあり。

第一案 咸鏡北道慶興郡新安面鐵柱洞林野開墾計畫

位置及面積 本開墾地區は慶興郡新安面鐵柱洞西南部に位置し其面積は約一千町歩の集團である。

現況

地勢地形 地勢は新安面西南北部を境する約五六百米以下の山脈によりて包圍せられたる盆地にして內部に二三の丘岡あり又三流の小川ありて此小川に沿ふて低平の土地あり。地形は不規則の形狀を呈するものなり。

地級及土質、一部は灌叢樹林、一部は草生地にして不規則なる稍斜形をなし五十戸乃至百戸の農村建設には極めて適當である。土質の一部は花崗岩の風壞により構成せられ一部は粘質壤土である。共に多年腐植物質の堆積をなし居るにより頗る肥沃にして野草の長さ三尺に達する處ある。

附近耕地の農業狀況 附近には數戸の鮮人農家あり、粟、豆、蕎麥、玉蜀黍等の栽培をなしつゝあるも特に記載すべきものなく咸北一般の狀況と同様なり。

氣象狀況 寒氣は零下廿度に達する事あり、又各期間風力強きものゝ如くなるも豆滿江畔及び雄基港附近の濃霧の來襲は少なく各種作物の耕作には差支なく北海道樺太等に比較すれば農民の居住に困難を感ずる事なし。

計畫の大要

經營の主体 當初は海外協會中央會理事日本力行會長永田稠の名儀にて貸附を受け計畫を立てゝ內鮮の移住者を收容し產業組合を組織し得る人員に達したる時は直ちに之れを組織して本開墾經營の主体たらしむるものとす。

道路築造 本開墾地は雄基港の現在及び將來を考慮し現在の陸軍馬補充部派所在地より本開墾地の中心地に達する現在の小徑を改築して自動車を通ずるに適せしむ

諸施設 小學校、醫局、模範農場、共同浴場、植林地、牧場等の建設經營をなす。

土地分讓 內地人一戸に對し畓一町歩、田六町歩、林野五町より合計十二町歩を分讓し其の一半、水五段歩、田三町歩を朝鮮人に小作せしむ。組合は山林約二百町歩、牧場約二百町歩組合員の利用に供するために經營す。

移住者 內地人五十戸(自作農)朝鮮人五十戸(小作をなし漸次自作農たらしむ)

移住者の募集は海外協會及日本力行會

補助金 內地よりの移住者に對しては政府より一戸につき金參百圓を補助せられ汽車汽船賃は半減せらる。朝鮮よりの移住者には總督府の補助一戸五十圓ある。

開墾 昭和五年度中に道路一部の築造。入植準備乃ち灌漑工事家屋の建築其他移住者の入植に必要なる設備をなす。昭和六年中より內鮮人各十五戸、昭和七年に各三十戸、昭和八年に各十五戸を入植せしむ。

移住者一戸營農概算

營農計畫 一、一戸分畓適地一町田適地六町林地五町計十二町歩 二、右の內畓適地五反歩田適地三町歩を朝鮮人に小作せしむ 三、一戸の自作農耕作面積は畓五反歩田三町歩及森林とす、之れに稻、粟、燕麥、豆、馬鈴薯、桑等を栽培し牧畜、製炭其他の副業をなすものとす 四、朝鮮人小作人に對しては組合員より住宅耕牛の外に生活費の一部を貸附せしめ其代り開墾開田をなさしむるものとす。

開墾年次表 第一年畓二反田一町、第二年畓二反田二町、第三年植林二町五反、第四年植林二町五反、計 畓五反田三町植林五町計八町五反

營農收支

第一年度

作物	面積	支出	支出金額	收入	收入金額	備考
稻	二反	開墾費	二〇、〇〇	籾五石	三〇、〇〇	初年度なるにより開墾反當十圓を支出し其他勞力は自家負擔とす
		肥料代	一〇、〇〇			
		種子代	二、〇〇			
		農具代	八〇			
		計	三二、八〇			
粟	五反	種子代	二、五〇	粟五石	五〇、〇〇	
豆	三反	種子代	三、〇〇	大豆三石二斗	二三、一〇	
馬鈴薯	一反	種子代	四、〇〇	二〇〇〆	二〇、〇〇	
桑	一反	苗代	二、〇〇			
計			四四、三〇		一二三、一〇	益金 五七、八〇

總括的收入

イ 收入

營農益金	五七、八〇
小作料及副業益金	三〇、〇〇
政府補助金	三〇〇、〇〇
組合補助金	五〇、〇〇
計	四三七、八〇

ロ 支出

組合持分	一〇〇、〇〇
移住費	一〇〇、〇〇
住宅代金	三五〇、〇〇
土地代金	一〇〇、〇〇

	耕牛及農具代	一〇〇、〇〇
	生活費	四〇〇、〇〇
	計	一、一五〇、〇〇
	差引不足	七一三、二〇　移住者の準備する資金

但し事情によりては土代代及住宅代の一部を一二年据置きとなし借入金を増し移住者の準備資金は五百圓程度に減少せしむ。

第二年度

収入	營農益金	二七六、五〇
	小作料	一〇〇、〇〇
	副業収入	二三〇、〇〇
	計	六〇六、五〇
支出	組合持分	一〇〇、〇〇
	土地代金	一〇〇、〇〇
	生活費	四〇〇、〇〇
	計	六〇〇、〇〇
	差引殘額	六、五〇

第三年度

収入	營農利益	三八七、二〇
	小作料	一五〇、〇〇
	副業収入	二〇〇、〇〇
	計	七三七、二〇
支出	組合持分	一〇〇、〇〇
	土地代金	一〇〇、〇〇
	生活費	四〇〇、〇〇
	計	六〇〇、〇〇
	差引殘金	一三七、二〇

第四年度

収入	營農收益	五三八、五〇
	小作料	二〇〇、〇〇
	副業収入	二五〇、〇〇
	計	九八八、五〇
支出	組合持分	一〇〇、〇〇
	土地代	一〇〇、〇〇
	生活費	五〇〇、〇〇
	計	七〇〇、〇〇
	差引殘金	二八八、五〇

斯くして五年目には十二町歩の完全な自作農となり以後毎年三百五十圓位の純益をあげて行く事が出來る。朝鮮人は第五第六年に三百圓を貯蓄し得れば其蓄積資金六百余圓に達し自作農たるを得るに至るべし。

第二案 江原道平康郡平康面福溪上甲間

位置及面積

平康面、福溪上甲、間三ケ里内にして福溪驛に接續す。

面積は二百五十町歩内灌漑可耕地百三十町歩、熟田三十町歩畑三十町歩、林野(栗園)三十町歩、貯水池導水用池四十町歩であつて可耕地は二百十町歩である。

計畫の大要

經營の主体入植者を以て産業組合を組織し政府の低利資金の融通を受け。

移住者　日本人三十戸(自作者)朝鮮人六十戸(小作者)

營農計畫　日本人一戸當田五町歩、畑一町歩を所有せしめ、日本人一戸につき朝鮮人二戸を雇傭し各當一町五段歩を小作せしめ小作料は收穫の半額とする。

諸施設　小學校は附近にあり別に設備を要せず、醫者も附近にありて設備を要せず其他附近のものを利用する事を得。

移住者一戸營農概算

収入、	自作者水田二町より籾六十石(一反三石)の收穫あり、一石十圓平均として	六〇〇圓
	畑一町の耕作より	四〇圓
	小作料三町分籾九十石九百九十圓の半額をとり	四九五圓
	計	一、一九六圓
支出	肥料代五町歩分	一五〇圓
	種子代籾六石一石十二圓	七二圓
	生活費	四〇〇圓
	諸税金	二四圓
	計	六四六圓

第一年度

収入	移住費	一〇〇圓
	住宅代	五〇〇圓
	持分	五〇〇圓
	組合費	一〇〇圓
	土地代	五七〇圓
	分利子	四〇二圓
	營業費	六四六圓
	豫備金	一〇〇圓
	計	二、九一八圓
支出	政府補助金	三〇〇圓
	營農収入	一、一九五圓
	計	一、四九五圓
	差引	一、五二三圓

一千五百二十三圓の準備あるものは朝鮮に渡航後十ケ年にして五町歩の水田と一町歩の畑とを完全に自已の所有とする事を得べし尚土地及代利子九百七十圓は組合員の資産狀況によりて臨時借入を要する場合は五百五十六圓の準備金にて足りる。

富士農村産業組合
農業移住者を募集

從來の朝鮮移住失敗に鑑み近時産業組合精神に則つて産業組合農村の建設が計畫されてゐるが全羅北道沃溝郡面山北里にある富士農村産業組合では東拓の經營から獨立して産業組合農村の建設に着手し着々良好なる成績を收めてゐるので更に内地から農業者を募集する事なり一縣から十戸乃至二十戸を選拔して縣名を附する集團村を作る計畫である。資金一戸約五百圓を要し一月十五日までに希望者中より選拔して三月下旬内地出發する豫定であると。

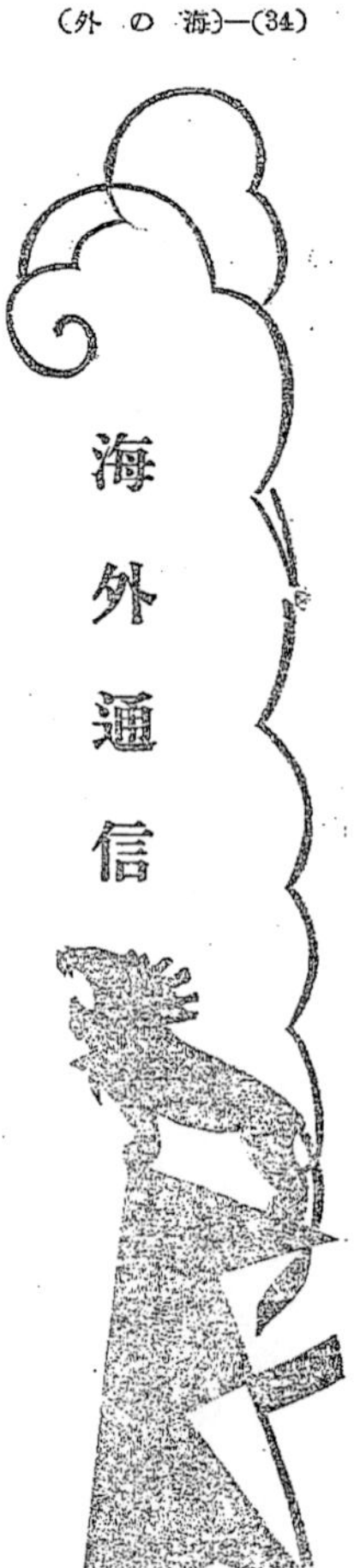

海外通信

海外支部便り

役員改選

—西澤氏澤柳氏來植—

信濃海外協會伯國レジストロ支部長　久保田安雄

拝啓貴會益々御隆盛の段奉賀候陳者當レジストロ支部に於て去る七月末日役員改選され左の諸氏が當選就任致され候間御一報申上候。

支部長　久保田安雄
副支部長　石川文夫
理事　中島貞雄
同　松村榮二
同　太田政彌
同　大谷政信

地方委員
宮下延太郎　永井覺市
湯澤藤平　青柳芳治
長澤信家　石倉竹雄
和田睦衞　大工原宗一郎
村澤和一　牧内忠
小笠原秀雄

現在支部員合計九拾名

最近當支部も順調會の趣旨に向ひ進渉しつゝ有之候本年定期總會は七月中に開催の豫定に御座候も協會本部より西澤氏御巡遊の爲御來着迄延期致し候も氏は、目下、アリアンサ御滯留中にて當地御來植は豫定より大分遲延され申候。氏の旅行日程により八月五日以後吾々支部員は鶴首御待ち申上げ居り候へ共本日迄未着、然し近々御來植の事と存じ候。尚レヂストロ植民地最近の趨勢特に我が支部員の活動狀態は、幸に近々御來遊の西澤氏に實狀を御紹介申上げ過古十五年の歴史を有する植民地並に植民奮闘の經過、及び現狀、一般の生話狀態將來の觀察迄・隈なく御視察を願ひ、御歸朝の上は、郷里に對し赤裸々に眞想をして御報告を願ひ且て疑問があり、誤解のありし點を今回西澤氏の御視察に依り一掃し、郷里との間に了解を得、進轉さる事と期待致し居り候。

去る八月廿五日松本出身、現アマゾン興業社長澤柳猛雄氏御視察被候、アマゾン地帶に於る、狀況、並に珍談を承り候壯者を凌ぐ大元氣にて、氣焔を揚られて誠に愉快の至に御座候、願くば信州より、氏の如く續々と投資企業家が積極的に未開の沃地に進入され、新事業を畫策されるも、痛快事と存じ候。別包寫眞(本誌口繪參照)澤柳氏御來植の際、有志歡迎會の記念撮影に御座候。植民地に關して詳細を次回にて申上可く支部員諸氏の活動狀態其他の寫眞等も追て御送附申上可く存じ候。敬具

(一九二九・十・十一)

ブラジル便り

植民は不完全な文化生活
—喰ふに困らぬ百姓—

在アリアンサ　神澤久吉

拝啓遂いつまでも御無沙汰して申譯ありません。御陰樣で私共も元氣ですから御安心下さい。

只今西澤幹事がアリアンサに來て居ります。そして歡迎會に出席するやら植民者の調査をしたりかなり忙しい樣です。一ケ月位滯在する豫定だそうです。今年の冬は當地は一向寒さも甚はすに過ぎてしまいました。そうして只今は日中はかなり暑くなつて霜の恐れはありません。只今コーヒーの花盛で眞白に雪の樣に咲いてゐます來年も豊作でせう。今はコーヒーの價が二十二三ミル以下に落ち逐ひ二三ケ月前までは三十ミル以上だつた。米の値段も二十四五ミルから十七八ミルまで下落したのでブラジルの百姓は青息吐息の休ですがそれでも澤山穫れたからそれだけでもよいでせう。でも何時までも下つきりでないのがブラジルの相場だから金の融通のつき者は平氣です。最近長野縣に於けるブラジルの評判は良くないと云ふ事をきゝましたがそれは近來の植民があまり理想を大きくして來た爲の失望を其の儘に日本へ通信したからだと思ひます。特に最近の入植者はアリアンサでも第二第三の未だ完備して居らない所に入りて居ると云ふ事と教育衞生交通の諸機關の完備と云ふ事に理解が無いと云ふ事が大きな失望の原因となるものだと思ひます。植民地の施設は日本人には却つて了解出來ないもので植民地が完備してゐると聞けば少なくとも日本の田舎位には想像するでせう。電燈が戸毎に付

く位は普通で交通だつて日本を比較して完備して位に想像するが實際失望するも無理もない事です。今米の價が安いので一向買ひ人がないので精米所は暇ですが今に雨期になつて交通機關が動かなくなつたら折角の米を廢物としなくてはならぬ運命になるでせう。二万俵からの籾がやつと四分の一程出だ計りだから少しでも價が出たら一度に目の廻る樣に忙しくなるにちがいありません。ブラジルの百姓位ひ呑氣の所は外にはありません。衣食住には決して困りませんからこれがブラジルの特長ですどうか皆さんに理解の出來る樣お話して上げて下さい。靜夫君とは常に交通はして居りますが靜夫君も貞さんと元氣で居る樣です靜夫君も今年は自分の土地へ入つて殘り十アルケールを開墾するとの事です。最近來た河合さんも靜夫さんの四ケ年契約をするとの事です。何んでも八九家族の契約者を入れて居る樣です。私も來年は自分の土地を開きたいと思ひます。飯田荘士さんも私の隣りに居つて學校の教員をして居ります。ではこんな樣な事をくどく書いてもさつぱり興味がないでせうから此の位で失敬しますでは。

八月十五日

在伯拾年の氣象觀測

―珈琲とバナヽのこと―

在伯レヂストロ　植木酉二

霜害をまぬがれた

當地では一般に稻の收穫が終り引續き珈琲の收穫となり多忙を極めて居ります。今年の稻作は、近年珍らしい降雨であつた爲植民地內で山の頂上に蒔付られた稻も割合に出來る、併乍ら一面に於ては平年良なら良く出來る、邊地や川端に蒔かれた稻は洪水の爲全部腐つてしまいました。

コーヒーは今年豊作の樣です。當地は拾壹年目毎に大霜があるとか言傳へられて以前大霜があつてから、今年で丁度拾壹年目になるので一般の人達が心配して居ります。併しレヂストロの人達は霜の心配は不用な樣です。當地は今迄の經驗から奥地の方が霜害を受けて珈琲の樹が枯れた時でも當地に於ては割合少なかつたのです。其れが今年は早や五月の末に當レヂストロに一朝うす霜が下りましたので驚きました。普通でも下るとしたら六月か七月であるのに、此の向で大霜であつたら當國の唯一の特產物たる珈琲にも大分影響しるであらうがと警戒してゐましたが既に春半ばの陽氣になつたので安心致しました。

レヂストロの者はもし霜でも降つたら今年は珈琲の價が上るだらうと、豫想をして嬉こんで居つたのも別に上りもしず、むしろ反對に安くなる樣であります。最近伯國產の珈琲も他國產との競爭品が

現はれ且つ當國產の生產過剩より珈琲調節局や珈琲會議では頭をかしげて色々と考へ込んで居るとか、邦字新聞では書て居つた。

現今レヂストロのフラゼンデーロデカフエーは一番澤山持つて居る人でも、今實の成る樹が一万株前後で、大方貳參千株の持主です。

レヂストロの珈琲は樹の成長及出來ばいは他に劣らぬ樣に思はれます、當コーヒーの實乾燥に付て未だ一般不完全な乾燥場である上に雨の多いのに困ります。品質としては、本場奥地のコーヒーに劣らぬのですが乾燥の惡いのが一ツの缺點であります。此の點を何んとか善くしたならばレヂストロ產のコーヒーも善くはなります。

バナヽ栽培

バナヽ栽培の熱の高くなつてジユキヤ線も昨年拾壹月以來の大雨降りには、一本何百レースと言ふ苗木を洪水の爲流したり腐らしたりして、今ではバナヽの値も安くなり多少バナヽ熱も下つた樣だ。私はジユキヤ線へ行つた時、ピグア驛とプライニヤ驛で或る沖繩縣人の家に寄つたらバナヽの話しを聞かされた某の人の話しには、珈琲は植てより三年後でなければ實は結ばないが、バナヽは植えた次年度より收穫があり、手入としては珈琲よりも樂くで、植た年はバナヽの木の廻りを二米突四方角ぐらいにイシヤダを掛けて後はロツサを年四回やればよしと。それで一アルケールより初年度の收穫が善ければ貳百拾打惡くも貳百打は取れ次年度は五百打、三年度は七八百打の收穫があると、其れで金にして一打山渡しの三十ミル（現在二拾三、四ミル）で珈琲の實の結ぶ迄にバナヽなら一アルケルより四拾コントスの收入が有ると、此の頃エスパニヤ人が拾アルケルスの土地へ植たばかりのバナヽの樹が一万五千株あつてポルトガル人に六拾コントスで賣つたと話されました。アレクリン驛は現在ジユキヤ線では一番大きい町になつて居る。其處もバナヽ熱が高い、尙サントス市に近いのでバナヽの外蔬菜等の栽培が盛んでトマト、カボチヤ、フイジヨン、ヴアジヤ菜類等で多く收入を得てゐる。

併しバナヽ栽培を致す人は澤山の資本を持つて大々的に致すか、其れ共團体で致すかして自分の地へレールを引込み貨車によつて積出す樣にでもせねば思う樣な仕事は出來ない。自身の力位で二アルケールや三アルケールをやつて居つた分では賣物の賣出しに困ります。

密柑及バナヽ栽培は將來有望であります

氣象觀測

百姓と天候とは第一に關係が有つて、百姓が何くら働ても良否は天候に左右されます。然し天候は人間の力で如何とも致す事が出來ませんのは當然、天候に順じて出來得る限り致さねばなりません。私も當地に於て拾年間暮しましたので其の間の天候工合何うであつたかと思い古い日記帖を取り出し拾年間の氣象を合して統計表を作つて見ましたら入植當時机も無く未箱も無く石油の空箱を机であり下

が本箱にして書た當時の三年間の帖面が下手な字で書てある上に虫に食はれて殘念作らも七年間の氣象統計表になつて了いました。

レヂストロ植民地氣象統計表（大正拾壹年度ヨリ昭和四年度前期マデ）

大正拾壹年度

月	晴天	曇天	雨天	日數	季
一	九	一〇	一二	三一	（夏）
二	一一	四	一三	二八	
三	二六	三	二	三一	（秋）
四	一九	四	七	三〇	
五	二八	二	一	三一	
六	一八	四	八	三〇	（冬）
七	三一	〇	〇	三一	
八	一八	四	九	三一	
九	二六	一	三	三〇	（春）
十	二一	二	八	三一	
十一	二八	一	一	三〇	
十二	二二	三	六	三一	（夏）
計	二五七	三八	七〇	三六五	

大正拾貳年度

月	晴天	曇天	雨天	日數	季
一	二一、五	三	五、五	三一	
二	一八	六、三	三、七	二八	
三	二三	二、五	五、五	三一	（秋）
四	二二	二、五	五、五	三〇	
五	二五	二	四	三一	
六	一九	五、五	五、五	三〇	（冬）
七	二九、五	〇、五	一	三一	
八	二四	二、五	四、五	三一	
九	一五	七	八	三〇	（春）
十	一九	七	五	三一	
十一	一八	七	五	三〇	
十二	一九	六	六	三一	（夏）
計	二五四	五一、八	五九、二	三六五	

大正拾參年度

月	晴天	曇天	雨天	日數	季
一	二一、五	五	四、五	三一	
二	一九	三、五	六、五	二九	
三	一九、五	九、五	二	三一	（秋）
四	二一	三、五	五、五	三〇	
五	一〇、五	一二、五	八	三一	
六	一九	九	二	三〇	（　）
七	一三、五	一七、五	〇	三一	
八	一四、五	一六、五	〇	三一	
九	一〇	一九	一	三〇	（春）
十	二〇、五	八、五	二	三一	
十一	二六	二、五	一、五	三〇	
十二	二二	四	五	三一	（夏）
計	[illegible]	[illegible]	三八	三六六	

大正拾五年及昭和壹年度

月	晴天	曇天	雨天	日數	季
一	一五	七	九	三一	
二	一五、五	三	九、五	二八	
三	[illegible]	[illegible]	[illegible]	三一	（秋）
四	[illegible]	[illegible]	[illegible]	三〇	
五	[illegible]	[illegible]	[illegible]	三一	
六	一六	一〇	四	三〇	（冬）
七	二三、五	二、五	五	三一	
八	一七	八	六	三一	
九	七	一一	一二	三〇	（春）
十	一七、五	七、五	六	三一	
十一	二〇	四、五	[illegible]	三〇	
十二	一八	七	六	三一	（夏）
計	二一〇	七二	八三	三六五	

昭和貳年度

月	晴天	曇天	雨天	日數	季
一	二一	四	六	三一	
二	二二、五	二	三、五	二八	
三	二〇	四	七	三一	（秋）
四	二二、五	一、五	六	三〇	
五	二一	三	七	三一	
六	二二	五	三	三〇	（冬）
七	一七	二	一二	三一	
八	二〇	三、五	七、五	三一	
九	七	一〇、五	一二、五	三〇	（春）
十	一七	六、五	七、五	三一	
十一	一五	四、五	一〇、五	三〇	
十二	一九	四、五	七、五	三一	（夏）
計	二二四	[illegible]	[illegible]	三六五	

昭和參年度

月	晴天	曇天	雨天	日數	季
一	一七、五	六、五	七	三一	
二	一八	[illegible]	[illegible]	二九	
三	一一、六	[illegible]	[illegible]	三一	（秋）
四	一六	一〇、五	三、五	三〇	
五	一九、五	九、一	二、四	三一	
六	一九、五	七、一	三、四	三〇	（冬）
七	一二	一五、二	三、八	三一	
八	八、九	一八、五	三、六	三一	
九	七、七	一七、七	四、六	三〇	（春）
十	一四、八	一三、五	二、七	三一	
十一	一五	一一、五	三、五	三〇	
十二	一五、六	一〇、五	四、九	三一	（夏）
計	一七六、一	五〇、八	三六、六		

昭和四年度（前期）

月	晴天	曇天	雨天	日數	季
一	一一、一	九、二	一〇、七	三一	
二	一二、八	六、七	八、五	二八	
三	一三、七	六、六	一〇、七	三一	（秋）
四	一七、九	六、六	五、六	三〇	
五	一七、七	五、二	八、一	三一	
六	一六	一一	三	三〇	（　）
計	八九、二	四五、二	四六、六	一八一	

大正拾壹年より昭和四年前期迄の總日數　二七三八日

内　晴天日數　一六三〇日八

内　曇天日數　五八三日六

内　雨天日數　五二三日六

場所は地圖の上より見て大西洋海岸から約四拾キロメートル離れたる所、海拔約百七拾メートルぐらいの我家の地區三〇九番地であります。ソロカバナ線とイグアペとの間に高き山嶽が有り其の嶺を境に當地の方が割合雨が多いのであります。

右の表で見ると約五日間の內三日晴天にて一日中づゝ曇雨となつて居ります。

尙本年の如きは晴天日數と曇雨とは半々ぐらいになつて居ります。

大正拾壹年度より昭和四年までの間の作物の出來榮えは

大正拾壹年より拾貳年は一般作物は善く出來た

大正拾貳年より拾參年は籾、ミリヨ、カンナ等豊作であり豆類は少々不作

大正拾參年より拾四年は一般作物大不作であつた。

大正拾四年より拾五年は普通の出來

昭和壹年より貳年は少々不作

昭和貳年より參年は普通

昭和參年より四年は籾、豊作、其他普通

此處に書きましたのは、レヂストロ植民地內の陸作物の事であります。（以上）

アリアンサ便り

全伯國を風靡する强勝アリアンサチーム

在アリアンサ生

アリアンサスポーツ、植民地發展と共に其の力量に相持つて行くべき精力それは老若共に運動機能に由るべきものなりと思ふ。

此處にアリアンサ植民地否ノロエステ線に於て星霜未だ淺さけれど其の名聲は如何に全伯國に謳はれ居るだろう。アリアンサ、文化植民地、新進の者揃え其の目標は皆生活の善化、晝はエンシヤダーにてお互の奮鬪、日曜には皆各區にそなわつて居る運動場にて一日を樂しく愉快に過し行く、そこには云ふに云はれぬ感興湧きテニスベースボールさては銃を肩にマツトにと、一日の行樂は思ふぞんぶんである。

聖市伯國リーグ協會主催のリーグ戰本年度優勝旗は又もアリアンサ軍の手に歸して野球のチンプオンと全伯國新聞に謳はれた。

リーグ戰參加チームは

モジアナ線代表（アニウマスチーム）

サントス線代表（サントスチーム）

サンパーロ市代表（ミカドチーム）
ノロエステー線代表（アリアンサチーム）
八月六日七日八日擧行
アニウマス對アリアンサ
十二對一アリマンサ大勝
サントス對ミカド
十八對二ミカド大勝
アリアンサ對ミカド優勝戰
球審、安養寺氏　壘審、ヒューバー氏

1 2 3 4 5 6 7 8 9
A 9 0 0 0 6 1 0 A | 16
M先 2 0 2 0 1 0 0 0 0 | 5

五對十六にて大勝せり。

アリアンサ軍メンバー　（出身校）

投手	弓場	三田中學
捕手	手嶋	明治學院
一壘	望月	青山學院
二壘	網嶋	札幌商業
三壘	鎌田	鹿兒嶋中學
遊擊	池上	函館中學
左翼	森	佐賀中學
中堅	山田	早稲田中學
右翼	津川	廣嶋商業
同	安田	函館商業
同	高野	上水内農學

此の外アリアンサ軍には名選手多勢居りしも本年は右のメンバーにて出場せり名選手中野球の早稲田安部氏と云はれる渡邊氏を筆頭に昨年聖市に於て奮闘しアリアンサの意氣を揚げたる信州健見諏訪蠶糸校出身の笠原投手は現在アリアンサのマネイジヤである。

尚太田、木村等實にカフエーの成長と共に植民地の意氣を充分發揚せるなり。

梅谷氏歡迎試合の成績は左の如くであつた。

A軍　審番（田中）壘審（木村）
P弓場　C高野　1B望月　2B瀧澤
3B太田　SS渡邊　LF神澤　CF橋田
BF三浦

B軍
P笠原　C手嶋　1B庭瀬　2B大田兄
3B網嶋　SS鎌田　RF森　CF弓場弟
RF箕輪

スコーワアー

A 0 0 0 0 0 0 1 0 0 | 1
1 2 3 4 5 6 7 8 9
先B 0 0 0 0 1 0 0 2 0 | 3

接戰に接戰いきも詰まる白熱戰を演じ三對一のスコーアーを尤つてB軍の勝利に歸せり。

終りて梅谷氏A、B軍選手に對し植民地發展と共に益々スポーツ精神向上と健全なる身體をもつて事業に精進せられん事を希望すと挨拶があつた。

珈琲が見事結實
—白い可愛い花盛り—

在アリアンサ　藤本顯正

（前略）西澤幹事も豫定の如く七月下旬　來植致されました。早速私から訪れまし

たが何分多忙にて、ゆつくりお話出來ずいづれお暇になつたら、ぜひ御來宅を乞ふてあります。

實は西澤幹事にお願ひして鄕里から弟妹の呼寄せたいので實父に了解を得させたいのです。私も二人の親父になり、仕事は手廣くなつて來年からは實際人手が隨分不足するのだ。

當地の實際の事を書いてやつても親父達は一寸も信用せぬのだから困る……まあ無理もないわけだ故國と比較したらウソ位「だからなあ、それで今回西澤幹事が歸國するにて相當實情も知れるし士産談と兩方で人をヒキツケル事と思ふから是非〳〵たのむ。今迄の事はむろん御判りの事と思ふし今から書く事も知れて居る事と思ふが參考迄に記します。まあ珈琲の事だが初年度入植る瀬下氏は兄等も御承知の事と思ふが七千五百本だか八千本だか本年六百五十俵の珈琲（果皮付）を收穫した位植民地にも余り類の無き事と思ふ。四年生で拾參本一俵だから來年度は約二倍の收穫がある事と思ふ、大したものだこれにても如何に當地が珈琲に適して居るかゞわかるわけだ次年度入植者の分はそれより多少成績良好と思われるこれを時價（二十五ミル内外）にて計算したら約拾六コントス（約四千圓以上）の收入だ昨年の相場なら五十五ミルだから此の　以上だまあすばらしい御百姓さんだ。

今年の相場もこれ以上にはなる事だと思ふ。詳細は西澤さんや芦部さん（來月十日出帆の汽船にて歸國のはず）に承ればわかる事だ僕の珈琲も仲々上成績だ今迄に二回雪の積つた様に開花した今後二回位開花する事と思ふ。

玖馬便り

日玖親善の
—帝國練習艦隊を迎ふ—

在玖馬　今村廣美

謹啓時下秋凉の候貴會益々御發展役員諸賢の御健闘を深く賀奉り候先頃小生より御願ひ申し候雜誌「海の外」五部本日正に落掌仕り重ね〳〵の御配慮深謝致し有難く拜讀仕り候。

故國の近情特に縣下の模様くはしく拜見致す事が出來今年は農蠶双方共豊作にて久しく窮境に陷りし農村に幾分の回復をもたらせ候由深く喜び居り申し候。

當地は此の數年殆んど變りなき沈靜狀態糖産國たる當國の前途は愈々以て深き警戒を要する時となり生等も一層健實なる奮起を自覺され參り候。

先日は野村中將の卒ゆる帝國練習艦隊の當國訪問あり當國官民は前例なき熱誠かつ盛大なる歡迎を行ひ遠來の海の勇士を慰め又日玖兩國間の親善頓に濃厚と相成れるは誠に喜ばしく存じ居り候。

先づは御禮旁近況御報告申上げ候貴會の益々御繁榮と諸賢の邦家の爲め貴き御活

動とを御祈り申し上げ候（昭和四年拾月拾五日）

比嶋便り

益々御奮闘を乞ふ
—書籍御送本煩し度し—

在ダバオ太田興業會社ミンタル支店　瀧澤貞雄

拜啓

吾が故國信州の高原も早や既に木枯吹く毎に紅葉、はら〳〵と地上に散り敷く程に、秋色も深くなつた事と推察致しますやがて灰色の冬も短い、ティンボの中に襲ひ來る事でありませう。

斯る秋に於て貴協會役員諸兄氏の、吾が信州移植民界に、涙ぐましき程の御奮闘振り機關誌『海の外』誌上にて拜閲致しひそかに、敬意を表して居る者であります。今後も一層、御自重、御自愛斯界の爲めに御努力あらせられん事を特に誌上を通じて激勵申上げます。就いては誠に恐縮と存じますが、野生最近少しく必要を感じ若干の書籍購讀致し度と存じて居りますが、御手數ながら下記の書籍二冊御送本願ひ致します。其代金として外國郵送料共合計金六比二十仙也、別紙横濱正金銀行小切手にて送金致しましたから、御落納の上御配慮願度と存じます。

永田稠著（第二版）
◎南米兩巡　一冊　定價二圓八十錢也
宮下琢磨著
◎邦人活躍の南洋　一冊　同　二圓五十錢也

（一九二九年十月二十六日）

航海便り

樂しい海の旅
—二週間で新嘉坡着—

新嘉坡港内 神奈川丸にて　渡邊勘吾

神戸出帆以來丁度十四日間、内降雨半日海上は鏡の如く陸上と大差なく一同元氣で毎日毎夜活動寫眞、角力、芝居等に行樂をつくし、一日の海上も夢の如く寒くもなく又暑くもなく樂しき航海を續けて今卅日豫定より早く新嘉坡に午後三時半着明十月一日コロンボに向ふて出帆の豫定。此の後は日に日にインド洋に近か寄るに付き暑く成るとの事で只今一番でも暑いくらいで有ります。先づは亂筆を持つて一寸御通知迄御一同樣によろしく。

（昭和四年六月卅日午後二時四十分）

信州記事

蠶糸業に對する
國策樹立の要望
各地で蠶糸業大會

蠶糸業國策樹立同盟發起人會は十二月七日長野市城山館に開き小山邦太郎氏外蠶業組合兩製糸養蠶業者等卅五名出席養蠶家側は養蠶組合法の制定を主張し糸價補償法の恩恵を蒙る製糸家側と大激論を闘はし結局糸價補償法の擴充並に單行法としての蠶糸養蠶兩組合法を制定强固なる統制の下に蠶糸業に對する國策樹立を要望して全國的運動を開始することに規約並に左の役員を決定十三日頃藏春閣で蠶糸業大會を開いた。

同盟會長小山邦太郎、副會長倉澤運平福嶋喜雄、顧問二木洵、今井五介、工藤善助、小口善重

筑摩連峰横斷の
ケーブルカー計畫
松本市大乘氣になる

松本市では十二月二日土木委員並に商工會議所役員の聯合協議會を市役所で開き筑摩アルプスを横斷して南北信を聯絡するケーブルカー敷設問題につき協議したが同日はこれを計畫中の小縣郡和田村長羽田貞義氏出席計畫の内容を説明した結果松本市としては非常に乘氣で近く市と會議所で研究更に上田、小縣、南佐久、北佐久方面と協力して計畫を具体化することに決定正午散會したが

この計畫によると上田、丸子方面より小縣郡和田村字上道まで並に松本市より入山邊村扉鑛泉までは道路を僅か修理すれば自動車が運轉出來るので扉鑛泉上上道間約三マイルをケーブルカーとしこれは四人乘で四分隔きに發車し卅分で聯絡するものであるがこの工費

母國通信日誌

（自十一月十二日至十二月　日）

十一月十二日(火)　内外名士九千名を召されけふ新宿御苑に於て宮中觀菊會の御催し△全國失業者廿六万八千人と社會局から發表さる△金澤放送局本日許可符號はJOJK

十三日(水)　伊勢神宮のお賽錢一月以降九万七千餘圓御神樂殿の收入四十万圓なる由△大和法隆寺國寶建築物の大修理總工費八十餘万圓十年計畫で着手さる

十四日(木)　國債總額五十九億六百万圓、利子年三億圓△地方豫算の節約で約六百万圓の減税

十五日(金)　陸軍特別大演習常總の野に行なはれ錦旗水府城下に飜る△兵役義務者と廢兵優遇委員會設置さる△輸出生糸の暴落から蠶糸界恐慌狀態現出

十六日(土)　對米爲替四十九ドルに昇騰△皇后陛下の御仁慈、寒さと飢への細民へ金壹万圓御下賜△内地の總人口六千二百万、男は女より四十万多いと内閣統計局から發表

十七日(日)　陸軍特別大演習終る△緊縮の世相に準じて家賃が全國的に値下となり諸物價漸次下落の歩調をたどる

は道路改修費その他を加へ僅か四十萬圓なので實現は極めて容易であると

非常な激增
縣内各市場における 夏秋蠶の取引狀況

縣内の繭取引市場に於ける夏秋繭取引狀況について本縣蠶糸會調査によれば取引塲所は昨年より二ケ所を減じて五十五ケ所取引期間七月三十日より十月二十四日までゞ取引口數は三十四萬千四百四十八口で昨年に比し四萬八千四百四十六口を增し取引數量は

	貫數	前年比△印減
上繭	二、三三〇、九三三	五三〇、四五八
中繭	五七一	△三〇五
玉繭	二、〇三七	六五六

右の如く激增を示し總收繭量に對する市塲の取引割合は三三、六一パーセントで前年に比し一、一八パーセントを增加して居る又價格は昨年に比し最高九圓五十一錢(五十一錢高)最低三圓(五十錢高)平均七圓十二錢(六十六錢高)であつた

伊那の乙女達
初めて街頭へ 同情週間初日の十餘圓

上伊那郡伊那町の女子青年會では今まで春秋二期總會を開いて會員相互の親睦と修養をはかつてゐたのみで時代の大勢である街頭への進出と言ふ方面には暫らく行き惱んでゐたが今年の同情週間には勇敢にも街頭まで飛び出し十日は早朝から役員全部が通町、入舟町の二ケ所に頑張り通行人に氣の毒な人々の救濟のためにと印刷したビラを配りながら慈善者に喜捨を仰いでゐる

第一日目の彼女等の報酬は十餘圓に過ぎなかつたが目下歸省中の戸田代議士は大枚五圓を投げ込んで男前を示して居た

女子青年會では斯うして得た金を町役塲に寄付し役塲では週間中貧困で治療も受けられぬ患者のために各醫院で往診投藥するのに費す事になつた

十八日(月) 陸軍大閲兵式、水戸西郊堀原練兵塲に 聖上陛下四万の精鋭を御閲兵遊ばさる△徳川圀順侯水戸家歷代の勳功を思召され公爵に昇爵さる

十九日(火) 上海交通銀行十圓紙幣五千枚僞造野大森署で捕まる△稚内沖漁船顚覆漁夫十四名行方不明の椿事△金解禁後の改善發達のため産業合理化の大調査機關設置を閣議できめる

二十日(水) 朝鮮の疑獄事件で山梨大將けふ召喚さる△産業振興と物價引下げの一助にと生活必需品の鐵道運賃直下斷行

二十一日(木) 金の輸出解禁期明年一月十一日とけふ正式に發表さる△青森市内に國債償還の献金運動起り同志四千名突破△十月中の對外貿易出超五千万圓なる由

二十二日(金) 水野錬太郎、岡田良平氏樞密顧問官となり、湯淺倉平氏會計檢査院長となる△今年皮切りのスキー登山、けふ松本高校の山岳部員雪のアルプス縦走

二十三日(土) 文部省では實業教育の振興を企圖し内容改善と共に制度上の改正について具体案作成に着手△高松宮殿下は明春御結婚後妃殿下御同伴英國へ御差遣相成るべく御決定

二十四日(日) 石狩厚田沖にて暴風雪のため漁船顚覆漁夫十九名荒海に溺死△二人組のピスト

さつと卅万圓を 抱いて歸る工女
南佐久の商人首を長くして待つ

糸價暴落に對する繰短決議に基く夏挽閉業は十四日限り一齊に行はれたので南佐久各町村から郡内の各製糸塲をはじめ岡谷方面及び縣下に出稼いでゐた製糸工女は閉業と同時に續々歸郷之がため佐久鐵の各驛は懷しい我家へ歸る喜びにあふれその姿も美しく着飾つたかの女達で大賑はひを呈してゐるそしてかの女達の懷中は世の不景氣をよそに大分重そうである一年の稼ぎ高百五十圓乃至二百圓の大金が大事そうに抱かれてゐるのであるかの女達がこの年末に持つて歸つて來るお金は郡下を通じて一体どの位の額に上るであらうかちよつと勘定して見る各町村から製糸工女として縣の内外に出稼いでゐるものは平均一ケ町村六十名と見てその總數千四百人一人當りの稼ぎ高を平均百五十圓とすると總額二十一萬圓平均二百圓と見ると約三十萬圓と言ふ巨額に上るわけであるところでこの大金が郡下全般にはいるのであるから不景氣の年末も多少景氣づこうと町の商家方面は彼女達の歸りを待ち構へ大いに期待して居る

俸給生活者は
はけ口がない 上田の失業者調べ

上田市では自由勞働者のために砂利ふるひ塲を設けて、求職難緩和の一助としてゐるが、今回市内の失業者調べを行つたところ、大體の推定數給料生活者男七十八人、女三十八人、筋肉勞働者男三十五人女三十人合計百六十五人で、數の上からは思つた程でないことがわかつた

右の内筋肉勞働者の方は、市職業紹介所等の活動等によつて割合に容易く解決出來るが、俸給生活者の方は可なりに難しい問題として、市としても今後極力これ等の緩和に努めることになつた

ル强盜巣鴨に現はる△不安の年末に備ふべく各家庭に護身用ピストル流用し警視廳管下のみ千人突破

二十五日(月) 軍縮會議に參列する若槻、財部全權並に顧問隨員一同宮中に參内拜謁を賜はる△東電、東邦、大同、日電、宇治電等の五大電力會社電力需要不振のため工事繰延陳情を起す△熱海の火事、全燒九戸

二十六日(火) 自主獨往の精神で我が軍縮訓令案けふ閣議で決定△眞に健全發達を期し體育審議會新設さる△中野驛構内で貨車大脱線六台粉碎の椿事△救世軍總司令官ブース女史けふ横濱出帆歸國の途につく

二十七日(水) 越後鐵道疑獄事件漸次擴大し政府、貴族院方面にも波及△文部省では一般民衆の思想善導に關する文獻編纂の方針を樹てるため協議會開く△新年號雜誌一億册鐵道輸送始まる運賃だけで十万圓

二十八日(木) 明年度各府縣豫算は一割六歩節減といふ豫期以上の成績を示す△疑獄事件展開して小橋文相危し△秋田縣の富豪庄司家の小作爭議遂に農民側と警官と衝突流血の慘を見るに至る

二十九日(金) 越鐵事件に疑惑を受ける小橋文相辭任後任は田中隆三氏となる△賜暇歸朝中の

お母さん係を
松本聯隊に新設 家庭的溫情を取入れる計畫

松本聯隊では軍律嚴しい兵營生活に家庭的の溫情を取いれるため明春一月十日入營する初年兵に對しその相談相手となりお母さんの役目を勤める係を新設することになり四日から七日間その講習會を開くことになつた、母の役目を勤めるものは各中隊の初年兵係の教官助教官の從來初年兵が凍傷に冒され又は執務上の失態を起す原因がいづれも軍隊生活に對する知識の不足並に不注意にあるのでこれ等を未然に防止し母らしい愛をもつて導かうといふのがこれが生れた動機である

罰金が拂へず
勞役を希望 刑務所から見た不況

四人がゐたりゐなかつたりして一時廢止說さへ持ち上つた飯田刑務所はこの頃に至り大入滿員、四人の看守が二十人餘りの囚人の世話をしなければならず大まごつきであるが、最近どうしてかうも囚人が多くなつたかといふにそれは飯田裁判所が最近罰金不納者の整理を始めた所、不景氣で三十圓四十圓と罰金を納める事が出來ないものが多く、勞役によつて事件を片つけてゐるためで中には高い罰金を納めるより五日なり一週間なり勞役に働いた方がよいとて勞役を望むものさへあり歲末が近づけば一層增加するものと豫想されこの一事によつても如何に下層階級の生活が慘であるかゞ分るわけである

突然大音響と共に
百五十間の土砂崩壞 岩倉山の崩壞余聞

更級郡更府村と上水内村との境にある岩倉山の山崩れの個所は砂とねんどまじりの土質である上、犀川の流れがカーブするところで同山の根は年々浸蝕されてゐたため五日午前十一時頃突然大音響が起

佐分利駐支公使箱根でピストル自殺△伊豆伊東町の大火、全燒七十八戸、北海道夕張町の大火百七戸燒く

三十日(土) 海軍々縮全權一行國民的感激の裡にけふ晴やかに出發△關西實業界の大立物、阪神電鐵社長島德藏氏召喚せらる△仙台市開業醫荒川琪氏七年間不斷の努力研究により乳兒脚氣に大發見をなす

十二月一日(日) 日魯漁業新社長川上俊彦と決定△一月以降の入超額愈に六千万圓に減少と大藏省發表△現行河川法が水力電氣の發達したる今日の時勢に適應せざる狀態にあるとて内務省では改正法律案を來議會に提出の運びとなる△靜岡縣富士川町の大火、五十六戸全燒

二日(月) 東京市を中心としてはびこる不良少年少女の數は年々增加し現在八千人を突破△十一月對外貿易、出超二千四百万圓△身を殺して友を救つた少年正太郎君の銅像本所中和公園に建設さる

三日(火) 選擧法を改正し政界革新に邁進せんと與黨から政府に進言△豫算内示會廢止とけふの閣議で決定△押し迫る歲の暮に嚴しい警戒網を潜つて東京市内外强盜續出

四日(水) 東海道線超特急の試運轉、東京から大阪迄八時間餘△豫讃東沿岸で大阪商船攝陽丸

つた時山際の道路を通りかゝつた更府村の柳澤榮三郎さんは驚いてそこを驅けぬけた間一髪山鳴りと共に崩壞して幅百五十間長さ百間程の土砂は背後僅二間のところまで落ちて來たが危いところをのがれたのであつた

一文の報酬も受けずに
兒童の齒四千本を療治 村から表彰される關田齒科醫

下伊那郡松尾村關田齒科醫師は本年六月から同村役塲より囑託された小學兒童の齒の診療をして居るがこれまで九百三十七人の兒童の齒四千三百本を療治するに一文も役塲から補助もうけず役塲及村民は之を徳として何等かの方法で表彰しようと考慮して居ると氏は現在同村衛生組合長、伍長等名譽職をつとめ貧者のためには犠牲的に診療してゐる由

老の身を村の風呂番
薪の謝禮さえ受けぬ七十爺さん

小縣郡泉田村大字日向小泉增田國太郎氏(七一)は數年前から同部落の西村と稱する十八戸許りに共同洗湯を順番に廻つて風呂番をしてお互に出費の一部を防いでゐたが一昨年から同氏はおれは何にも老齢で社會奉仕も出來ぬから風呂番を專心にやるとて隔夜毎に沸かして版木を打鳴らしては一同の汗や垢を流さして喜んでゐるが部落民はその厚意を喜んで薪の一部にもと謝金を出してるが翁は之では私の心に反するからとてより以上の品物を送つて返すを常として居るので何かの機會に村では表彰したいと語り合つてゐる

北アルプスの
スキー登山 鐵道省はスキー映畫撮影

法政大學山岳部員五名は北アルプス乘鞍のスキー登山をなすべく七日朝松本を出發したが本年乘鞍方面の登山者はこれが始めてゞまた日本大學山岳部員五名は七日早朝白馬に向つた

北アルプスのスキー登山もいよいよ賑

遭礁船客三十五名行方不明△公私經濟緊縮委員會では消極的緊縮より國産奬勵へ方向轉換△海軍では各戰隊旗艦に寫眞室を設け精巧な電送寫眞機を裝置する事となつた

五日(木) 政界淨化は選擧公營の外に方法なしとて安達内相選擧法改正の超黨派的大調査機關設置に決意△帝國劇塲の經營向ふ十年契約にて松竹の手に歸す△簡易保險の契約高十九億を突破す

六日(金) 東京市が財政困難の事情より市電從業員の年末賞與二割減と昇給一期中止の聲明に端を發し突如市電大罷業決行△越鐵事件急展降旗代議士瀆職罪で收容△信越國境大降雪スキーシーズン來る

七日(土) 東京市電爭議丸山警視總監の調停で圓滿解決△緊縮風を食つて一流の病院患者激減し醫師悲鳴を擧ぐ施療院のみ大繁昌△埼玉縣下小作爭議深刻となり小學校兒童二百名同盟休校

八日(日) 長い間紛爭を續けた露支問題は漸く解決の機に向ふ△郡部荒しの强盜コブ惣深川の木賃宿で捕縛さる△前回の選擧にばらまいた費用三千万圓、候補者一人約五万圓疑獄の根源こゝにあると選擧革正問題漸く叫ばる

九日(月) 東京ガスの爆發大慘事四邊火の海と化し負傷者十餘名を出す△貴婦人を裝ひ上流階

はひ始めたが鐵道省では北アルプスを背景にスキー宣傳映畫を作成すべく七日松本市へ照會して來たがこの映畫は數萬圓を投じ約三百名の登山者を使用し明年二月から三月上旬のスロープの絕好の時期を見計ひ撮影するはずでかゝる大規模の山岳撮影は始めてゞある

菅平スキー場 ジャムプ台完成

明春菅平で擧行する中部日本スキー選手權大會は一月二十六七日の豫定のところくりあげて一月十一二日の兩日に開催することに決定、溫電、上田市長、伊藤上田商議會頭等のカップをだすはず

尙菅平のスキー場は六日縣營のジャムプ臺が出來上つた目下雪は約五寸だがこれが根雪になり引續き積る見込で二十五日頃から滑れる豫定

スキー大會の準備打合せ

明治神宮スキー大會會場は野澤スキー場に決定したので本縣體育會では九日縣廳に開催される縣下二十一スキー團体代表者會でその準備並に豫選會につき打合せを行ふことになつたが

神宮体育會スキー競技部でも近く同スキー場調査および準備のため役員を派遣するにつき縣体育會では野澤スキークラブと協力して應援するはず

スキー客五割引 長野電鐵で乘車券發行

長野電鐵會社ではスキー客引致のため來る十二月二十一日から三月末日まで上林溫泉付近スキー場に來たるスキー客の便をはかり鐵道局とも交渉の上東京名古屋方面湯田中驛間往復の旅客に限り省線二割引長野電鐵半額五割引の乘車賃銀を發賣することになつた又はじめての試みとして回遊乘車券を發賣東京、新宿、上野各驛から輕井澤に來たりそこから草津溫泉に一泊澁峠横手山スキー場志賀高原スキー場等を踏破して上林溫泉スキー場に

出で澁溫泉に一浴湯田中驛から長野電鐵に乘車し長野若くは屋代經由發驛へ歸る旅客のため長野電鐵草輕鐵共に運賃の五割引を同期間行ふことになつた

昭和四年度の義務敎育費國庫負擔

各部配當金額は左の通り決定

更級郡	三七、九二一圓一四
埴科郡	二八、〇三〇、九〇
上高井郡	二七、四二八、五四
下高井郡	三〇、七四六、九二
上水內郡	五三、二八、三〇
下水內郡	一七、三五五、二八
南佐久郡	三七、六一四、八六
北佐久郡	四六、〇四四、〇〇
小縣郡	五四、七〇二、〇〇
諏訪郡	六一、七四六、七九
上伊那郡	七三、〇四三、四九
下伊那郡	八五、〇四五、三一
西筑摩郡	二九、三三六、二三
東筑摩郡	六五、八五八、三二
南安曇郡	二七、五三四、六八
北安曇郡	二八、六一五、七〇

不況知らずの今春の團體旅行計畫

長野運輸はほゝ笑む

財界不況にたゝられて收入減少の長野運事では名古屋鐵道局開催の輸送改善減收防止策に對する全管內の大會議に團體吸收方針として團體主催者に對して種々積極的便宜を與へることになつたので管內各驛に來年度團體旅行に對する調査を命じた處案外に

二月、豐野驛池田氏主催日光方面八十人團體、松本驛中村氏豐川稻荷行四百人團體三月、上田驛小縣聯合軍人分會横須賀行五百名團體豐野驛池田氏主催京都方面五十人團體五月、大屋驛鹽泉寺主會越前永平寺行五百人團體、坂城驛耕雲寺主催永平寺行四百人團體十月、豐野驛池田氏宮島行八十名等

の大旅行團體が既に定まつてゐるのに勢ひを得其上春秋二季の修學旅行製糸工女集散團體その他參詣スポーツ慰安を目的とした團體旅行は當然豫想されるので本年はこの方面に思はぬ好景氣が來るかも知れぬと大いに意氣込んで計畫準備し初めてゐる。

級をねらい十數方圓窃取したる女賊神戸で捕まる▲青森大鰐では今冬スキー客三万人誘致すべく宣傳に大童

十日（火） 社會民衆黨、全國同盟脫退し分裂するに至る▲鐵道省に觀光局を新設し大藏省は五百万圓の低資を民間に融通し全國各地にホテルを建設する等外人觀光客誘致策具体化す▲國産品奬勵は先づ官吏からと內閣諸公大力說

十一日（水） 主義者の策動に全朝鮮の學生動搖し乱闘、示威猛烈となり多數檢擧さる▲生活必需品の鐵道運賃大割引肥料は四割、米麥薪炭は三割と發表▲旭川市長年俸五千五百圓を全部市に寄付し名譽市長として留まる由

十二日（木） 山階宮茂麿王殿下臣籍御降下御家名は葛城伯爵▲朝鮮の府面制を內地同様自治制に改正し朝鮮統治に一新紀元を劃すべく齋藤總督より提案▲フォックス映畫會社日本へ野心を持ち松竹の株五割一分買收すべく交渉開始

十三日（金） ロイド人形キユーピーの背中にモルヒネを隱し本年三月から三十餘万圓密輸入せる男大阪でけふ發覺捕縛▲太平洋横斷飛行が當分出來ないと云ふ事が帝國飛行協會に始めて分る▲高岡電燈發電所撰堤に對する神通川沿岸漁民反對運動勃發漁民百餘名縣廳へ乱入

十四日（土） 高松宮殿下英國御訪問は六月中旬と決定▲全國社會、慈善事業六十の團体に對し皇后陛下より金一萬圓御下賜▲生糸市場大暴落、九年恐慌以來の新安直現出し根本對策要求

十五日（日） 全國師範學校長大會、小學校敎員の俸給國庫支拂とせよ、プロ文藝の愛讀を避くべしと大氣焰

十六日（月） 新年御歌會の詠進歌は內地は勿論遠く海外よりの詠進多く毎日二千通から三千通に及び締切までに三万突破した▲東京驛寥ひけふから開通▲高田郊外金谷山に壯大なるスキー記念碑建設さる

十七日（火） 日本大衆黨々首に麻生久氏決定▲和歌山進歩事件取調證人として宮田前警視總監大阪地方裁判所にけふ出廷▲映畫王ダグラスの日本訪問▲全國のファン熱狂▲島根縣有福村は村營溫泉を經營し村稅をとらぬ

十八日（水） 季節はずれの濃霧氣候訪れ全國各地に梅、櫻、チラホラ▲朝鮮大旋風暴露し山梨前總督、涜職罪にてけふ起訴さる

十九日（木） 澁澤子けふ宮中御內儀にて御陪食を賜はり財界の近況御下問に對し奉答▲柴田大阪府知事に會員達ちが辭職勸告▲大阪合同毛織會社では原毛の騰貴から經營難に陥り社員職三千余名整理▲（以下次號）

南米航路處女船

商船が自慢の

ベエノスアイレス丸を觀る

横濱神戸間の船の旅

みやもと生

南米――ブラジル――渡航者が逐年增加してこれが輸送の任をつかさどる船會社は一萬噸級の巨船を配して現在郵船、商船の二社が各五隻を就航せしめてゐるが尙且渡航者の激增には毎船滿員の盛況である。商船ではこの事實に鑑み、更に一萬噸級のデーゼル客船二隻を新造して日本南米間の運輸交通に一大刷新を加へる事になり昨年より三菱の長崎造船所で建造中であつたが其內第一船ブエノスアイレス丸が愈々竣成して十一月十六日神戸港發で處女航海に就く事になつた。

商船ではこのベエノスアイレス丸の處女航海を祝福して「吾が社の新造船」を宣傳したので私は横濱――神戸間を本船に身を托して見學旁々船の旅の興味を實驗する事になつた。

本船の要目

本船は大体サントス丸型を大きくしたものであるがその要目を記せば（括孤內はサントス丸型）

總噸數 一〇、〇〇〇噸（七、三〇〇噸）
載貨容積 一二、〇〇〇噸
全長 四八二呎
幅 六二呎
速力 七浬（一六浬半）
船客定員（一等 六〇名（四〇人）
（三等 一、〇七六名（六九〇人）

船內の設備裝飾は更に一段の工夫改良を加へたのが商船の自慢となるのである。

即ち船体は申す迄でもなく諸機關器械製品は皆日本製で船室の設備裝飾も西洋模倣を脫して日本獨自の境地を拓いて日本船としての眞實の名を謳はるゝに恥しからぬもの。日本の造船技術の進歩を世界に誇示するに足りる。

（ベノスアイレス丸）

本船は三等船客を主眼としてブラジル國渡航者の移民船である事は勿論であるが商船から印刷されてある本船の案內書には僅か六十名の一等船客のために挿入寫眞から船內說明が大部分費されてゐるので本船を利用せらるゝ移住者のために本船の使命とする三等船室及び諸設備について私の若干の航海生活の感想を加へて忌憚なく內容を紹介しやう。

三等室に二種ある

本船の三等船客收容數は一千七十六名であるが內百四十人は特別三等と云ふべき船室で上甲板に五室、中甲板に十室合計十五室に別れてゐる。この特別三等室は一室八名から十六名を容る事の出來る大小室で寢臺は二段（二階）になつてゐる。寢臺の長さは六尺、幅が二尺五寸位と三尺位のものとあつて子持女等の便宜を計つてゐる。寢臺は何れもカーテンが掛り毛布、シーツ、枕等の寢具が備へてゐる。この特別三等室は在來の船の二等に匹敵するもので百四十人が會合し得らる大食堂もあり浴室洗面所、便所等が奇麗に完備されてゐる。但しこの室は南米渡航者中の所謂自由渡航者が（今では海興取扱以外の初渡航者、再海航者、呼寄渡航者、アリアンサ移住地渡航者等）神戸――サントス間の船賃二百二十五圓を支拂ふて乘船する事になつてゐる。尙內地から香港、新嘉坡まで或ひは香港新嘉坡からコロンボー南米行

ぶざまな風態

南米行本邦移民の南阿上陸の注意

（在「ケープタウン」山崎事代理報告要領）

南米行本邦移民が長途航海の勞を慰する爲め南阿聯邦中「ダーバン」及「ケープタウン」の兩港寄港に際し上陸以て異國の風物に接するは理に於て情に於て正に當然の義なるが其の人數多數にして且言語、習俗等の關係上是等地方人士の視聽を惹き易きこと亦言を俟たざる所にして右本邦移民の是等寄港地上陸の際に於ける行動、態度は直に南阿人の對日感に不測の影響を及ぼすの虞無きに非ざるを以て本邦移民の是等寄港地上陸に際しては最善の注意を加ふるの肝要なるは勿論と謂はざるべからず。

由來南阿人は本邦事情に關し極めて無識なる結果日本人が印度人及支那人と均しく亞細亞有色人種たるの理由を以て之を蔑視し來れる嫌あるに加へ從來寄港の移民中には和服にて無帽、細帶、下駄穿等歐州人の風俗習慣より見て極めて不體裁なる風態にて上陸し殊に婦人の如きは胸部の大半を露出して育兒に授乳するの醜狀を示し痛く南阿人の顰蹙を買ひたることありと云ふ、素より近來此種の醜狀は昔日に比し大いに改善せられたる一方往年我練習艦隊の南阿訪問に依り其の優秀なる將卒に接するの機會を得又本邦定期船の熟練せる操縱振並乘組員の整然たる規律を如實に目擊すると共に領事館方面の日本事情の紹介宣傳に依り近時南阿人の對日感は之を從前に比し著しく好化したる觀あるも今尙移民の上陸に際し監督者くは引卒者なき爲め（南歐移民の當地上陸には監督者又は引卒者附添ひ居れり）三々五々思ひ思ひに街路を練り步き多くは食料品店にて零細なる買物をなし店頭に蹈して之を試食し行人の苦笑と蔑視を招き又徒步の市內見物に疲勞を感じ多勢路傍に据坐休憩する等の不體裁を演ずるもの無きに非ず、此種事項は本來歯牙に懸くるに足らざる一些事なりグーベ

ン等までの本船寄港地間の乗船者にあてられてゐる樣である。

次ぎは中甲板にある四つの廣大な室が一般南米渡航者の船室で寢臺が二段に列んで一室約五百名を容るゝ事が出來る。特別三等室よりは遙るに劣る事は事實であるがそれでも新造船丈けあつて通路の改善と寢臺の位置がよく出來て當分の間は新らしいので心持ちがよい。神戸の移民收容所の寢臺よりは幅が狹ひ。寢台は二段になつて第一段が床から一尺五寸位第二段目が五尺位で第一段目の者は頭を打つ心配があり、第二段目の者は梯子で自分の寢臺に入らねばならぬ不自由があるは止むを得ない。一室が五百名からの大世帶であるから特別三等室に比較すれば絕へず騷々しいのみならず各自が持ち込んだ荷物等で不整頓である。但し船賃は二百圓の金額補助であるから四十七日間無料で食はして無料で一萬三千浬を運んでくれるのだから一寸の不便は我慢が當りまへである。それにしても特設新造されてある上甲板前後の廣大なる甲板は全部三等客の自由な遊歩場となつて青空日光、空氣の三つに惠まれる事が出來、運動不足勝ちになる船中では思ふぞんぶんの運動が出來る。その他は洗面所が男子洗面所と女子化粧室に別れてゐる外、男女の便所が全然別室に設けられてある等はこの船に乗る者に與へられる。恩惠であらう。暖房器、電扇、換氣の裝置も採用してあつて先づ船客優遇の點ではぬかりなき樣に細心の注意が拂はれてある。

新造船だけに明るい氣分に爽快さを感じて始終、新鮮な雰圍氣に航海出來る事は、ともすれば薄暗い陰鬱の不愉快なる航海に比すれば本船に乗船する者はその新造船が持つ最大の特權を握る多幸者と言ふべきである。

すばらしい人氣

十四日午前十時、四號岩壁から私はこの多幸者の一人としてホンの短かい船旅を試みた。橫濱からは野田良治氏、多羅間鐵輔氏、江越技師のブラジル通が本船の處女航海を待つて渡伯するかの樣に名士が乗船する。與謝野鐵幹氏の令弟與謝

野修氏が乗船する。力行會の卒業生も輕部壽太郎氏外四名が一度に乗船する其の他數十名の乗船者で見送りの人々は今朝から四號岩壁に驅けつけて大混雜與謝野晶子夫人の顔も見えて處女航海に應しい盛んな送別の光景を呈した。此の日、空は曇り勝ちで時々太陽の光りが船出を祝福してくれた。五色のテープが切れて見送る者と見送らるゝ者との哀情を切斷すると、嵐の如く体中に渦き起る。いじらしき哀別の情に顔と顔とが視線を交すのみである。

渡航

かくて船は本牧を右に品川沖を左に。第三繫標を通過する頃はかすかに見送る者の姿が小さく動いてゐるだけである。いよ／＼本船は速力を出して第三繫標を右に殆んど九十度の角度を以てコースをかへる。曇天ではあるがなまぬるい風が氣持よく顔をなでゝくれる。

橫須賀の軍港を右に見て觀音崎を通る頃には房總半嶋の陸地を見る事も出來た浦賀海峽を出で相模灘に入る。海水は紺碧をなして海の魅力を感ずる。午後の二時過ぎ伊豆の伊東を望見すれば左舷には大嶋が指呼の間にある。一昨年八月大嶋に遊んだ記憶を呼び起す。三原山が低くたれた雲のために見る事の出來なかつたのは殘念である。鰹の群が時々海中から踊り出で初めての航海者の眼を慰ろかしてゐた。箱根の連山も見えぬ。富士山の雄姿も讃美出來なかつた事は返す／＼も殘念である。船は下田に近く神子元嶋の

特別三等室

と雖日本事物に關し智識を缺く南阿人としては動もすれば是等の事例を以て直に日本及日本人全体を律し本邦に對し好ましからざる印象を懐くに至るを免れず依て移民各自に於て遠く想を國家の對外的體面に致し、其の行動、態度を自制すると共に各方面協力一致右目的に當らん事希望に不堪。

商船

南米航路世界一周の寄寄地航海日程距離

往航

寄港地	神戸より日數	碇泊日數	各港間距離
香港	五日目	一日	一、〇七〇浬
西貢	九日目	一日	九三〇浬
新嘉坡	十二日目	一日	六五〇浬
古倫母	十八日目	一日	一、五六〇浬
ダーバン	卅日目	一日	一、六三〇浬
ケープタウン	卅四日目	一日	七八〇浬
リオデジャネロ	四五日目	入出	三、三七〇浬
サントス	四六日目	一日	二一三浬
モンテビデオ	五一日目	二日	八八〇浬
ブエノスアイレス	五二日目		一二〇浬

復航

寄港地	ブエノスアイレスより日數	碇泊日數	各港間距離
サントス	四日	六日	一、〇〇〇浬
リオデジャネロ	十一日目	一日	二一三浬
ニューオリンス	廿八日目	七日	五、一六〇浬
ガルベストン	三十七日目	二日	四八〇浬
クリストバル	四十四日目	入出	一、五〇〇浬
ロスアンゼルス	五十三日目	二日	二、九七九浬
橫濱	七十二日目	一日	四、八〇九浬
神戸	七十四日目		三五四浬

植民歌

吾が植民地（嗚呼玉杯の節にて）

森田三樹作

伯國獨立百年祭に際し遙るかに在伯靈國の同志に呈す

一、嗚呼漂渺の空遠し
　故國を離れて海萬里
此所ブラジルに健腕を
　揮ふ男子の意氣高く
清き心の友寄せと
　成れる吾等が植民地

二、望みは遠く天つ空
　櫻が地上の花ならば
星ぞ御空の花ならむ
　群星連なく大空の
中に輝やく十字星
　吾等が行手示すなる

三、春秋多き青年が
　覇氣稜々の自治の城
共れ質實を經として
　やよ勤儉を緯につ
浮華の衢を後に見て
　織りなす錦我が社風

四、峻は峻たりアルプス嶺
　天そゝりたりロッキー峯
雄々しき姿を南海の
　空を壓して聳ゆるは
吾等が集の心ぞや

五、北アマゾンの森廣し
　南パンパの原遠し
朝日に匂ふ芙蓉峯の
　清き心を身に負ひつ
自治の本領發揮して
　我がブラジルを拓かなむ

六、涙と仰ぐガリバリヤ
　ヒマラヤ渡る自治の鐘
洗えば赤き血潮の
　連想悲し吾妻原
愛の御國の建つ所
　流れし血汐君見ずや

六、五洲の民を同胞と
　呼びつ招きつ諸共に
いざ打ち立てん愛の國
　嫉み爭ひ悲しみの
暗に迷へる人の子に
　南十字の星示せ

七、平和の旗押し出てゝ
　勇む我等に敵するも
心を鍛へ身を練りて
　來れ大和の健男子
アンデス山嶺雲飛びて
　イグワス瀑布雷と鳴る

間を走る。

神子元嶋は岩石のみで岩の上には燈臺が立つてゐる。同室であつた商船の船員の話によればこの附近は暗礁であつて霧の深い朝や嵐の强い夜などは神子元嶋の燈臺が見えので座礁する事があると云ふ危險の場所である、なぜこんな危險な所を通らねばならぬと云ふと二つの理由がある。一つとは橫濱神戸間の航海は太平洋の海を渡るので余り陸から隔れると危險が伴ふ恐れがあるのと、もう一つとは東京灣を相模灘に出た船は大嶋を左舷にして之の下田神子元嶋間を一路遠州灘に出れば神戸への最短距離を走る事になるからであると。

船はいよ／＼遠州灘に進んでゐる。此處で富士山が見えねばそれまでだと今一度見返したが雲が駿河灣にかゝり海面にたれて陸の影すら眼に入る事が出來なかつた。遠州灘は搖れるぞと船に初めての多くは皆警戒してゐる。船員の話では今夜の七、八時頃が一番搖るでせうと警告を發する。併し海面は余りに穏かであるこんな事で船が搖るのかなと不信を抱きつゝも嵐の前の靜さを思ふとぞつとする程の氣味惡るさを感じた。

あたりはだん／＼と薄暗くなつて何時となく暮れてしまつた。海洋の日沒を賞する事が出來なかつた私は短かい航海をうらんだ程に此の日は午後から一度も太陽の光りに合はず遂に夕暮れになつてしまつた。が太洋の夕暮は又陸に住む人の想象だに出來ぬ所がある何時となく暮れ行く海洋の夕霧、それは眠るが如き自然の姿である。紺碧の海水を遠く圍む黑ずんだ雲の外にはこれと目に入るものもない光景は陸の人の到底想像する事の出來ぬものである。船はこの雲の圍ひを打ち破りつゝ進むのだ。

遂にやつて來た。船の動搖は前後になつてゐる。夕食の五時半頃には食卓についても一寸身体の調子が變るので氣持が惡い。然し船の動搖はこんなものであるかと安決めの出來る位で休んでしまつたな一んだと元氣を出して力行會員連の室に遊びに行く。面會を約束した江越技師

を訪れて一等船客のスモーキングクームで三十分余り會談した。話の中心を在伯邦人の金融問題と農業經營の指導機關農業知識啓發問題について御意見を質したが余り秘密でもない問題が奥歯に物のはさまつた樣な會話に業をわかして飛び出してしまつた。海興移民の室を通ると埼玉縣の北崎玉實業學校の生徒が八十余名關西旅行を此の船で利用したのだとあつて廣い室で獨り天下であつた。やがて多羅間さんのブラジル事情の講話を三等食堂で聽いた。

船の旅行でこうした方の講話を聽く事はこの船に應しい事であつて中等學校の修學旅行が此の方面に注意を拂ひつゝある事は誠に有意義な事である。

處女航海の第一夜

室に歸つてみると皆靜かに寢てゐる。船員から警告の船の動搖もなくして暗黑の遠州灘を航行してゐる明朝十時の入港十二時の上陸豫定だと聞いてすべて新調された寢具のベットに橫になる。建物なら新館の香りがすると云ふ氣分であるがこれは何んと云ふたらよからう。商船の「大」の字型を入れた毛布に身をくるんでみた。新らしい枕は氣持がよい、カーテンを張つて眠りに入る。何んとも云へない處女航海の第一夜である。

ほつと目をさますと夜中の二時、靜寂を破つて響く機關部の音がとりわけ耳に入る。一寸甲板に出ると足元も判らぬ程の物すごい眞黑さ。烈風を眞向に向けてゐる。きつと熊野灘にさしかゝつたのだ

三等食堂室

南米發展の歌

(1)
故鄉を出てから拾餘年
　今じやブラジル大地主
秋の牡鹿の鳴く頃にや
　黄金の波が五千町

(2)
アルゼンチンの大原野

らうと思ひながら再びベットにもどり込む。樂しい一夜をむさぼる。

スピードを出して四時間の短縮

再び目をさますと、白々と邊りは夜明けを告げてゐる。窓を開ければ海面に近く薄暗くして遠くに拂曉を告げてゐる。他人より早く洗面して紀淡海峽を通過する淡路嶋風景を當にして甲板に出で見ると驚く勿れ、紀淡海峽は二時間も前に通過してゐると云ふ。船は早や、大阪灣を入つて神戸港外の近くに進んでゐるのだ。船員に質すと豫定より四時間早く入港します。順風に帆をあげた帆船と同じく本船は始終追風であつてこれがため船足は思ひの外早くしかも航海も頗る平穩であつたのと新造船の機關部が船長の指揮によつてかくもの快速力であつたと。横濱神戸間は三百五十浬、所要時間二十時間速力十七浬半であつた、こんな調子であると神戸サントス間は一萬三千浬四十七日の所要日數は約八日間の短縮三十九日で行ける事になる。

斯くして船は神戸港外にすべるが如く雄姿を現した。大小無數の船舶が繋留されて流石は神戸港の光景を如實に物語る六時過ぎ船は全く港内に入つてゐた。急いで朝食を濟まして下船の準備を初める八時近く岩壁に横付になつた。

× × ×

翌日午後四時、本船は一千余名の精鋭ブラジル開拓者を乘せて花々しく神戸阜頭を鹿嶋つた。處女航海の船出、此の日空はからりと晴れて、たまに飛ぶ交ふ雲の行きき、晩秋の日には珍らしいおだやかな日、船は朝から商船が御自慢の船とあつて觀覽人の人波、見送る人、乘船する人で岩壁から船内はまるで人間の山を築いてしまつた。當日神戸の人氣の焦點はこの船に集つかの樣であつた。

一晝夜心よく待遇してくれた新造船、ブエースアレス丸、汝の名は「清く澄んだ空氣」の意、新造船の誇りを何時迄も保つて大和民族の先驅、ブラジル開拓者の心を安じて四十七日の航海を果せよ。處女航海の目出度き鹿嶋たち恙がなき海路を祈る。

見渡す限り渺茫と
わしの牧場にや恥かしや
たつた羊じが五萬頭

(3)
アマゾン河の岸遠く
原生林は晝暗し
森の彼方に響くのは
大和男子の斧の音

(4)
アンデス山は幾千里
天の恵みし寶庫
インカの富も何のその
汗で吾等の物となる

(5)
おまへも大和男子なら
北米なんぞにや住まれまい
排斥されて嘆はれて
それで男が立つものか

(6)
未練殘さず君よ來れ
椰子の花咲く南米にや
意氣に感ずる若者が
君の來るのを待ち居る

移住地閑話（十四）

在アリアンサ　武田三一

四九、蟻殺し（續き）

いや左樣に言つたものでもあるまい。既に神戸のブラジル領事は工業の指導と投資を日本の朝野に切望してゐるのみならず、今日ウッカリ當國の工業が發達して、北米の如く何百馬力の蒸汽機械で山野を耕し廻られたら、吾等日本移民はアンデスの山麓へでもケシ飛ばされて了ふであらうから、當分高價なる蟻殺しを使用に及んで、宜しく十アルケールを開墾せなければならぬ。

次なる方法は燃燒性液体を蟻の穴に注入點火して一擧に燒き殺すのであるが、藥品が高價であるのみならず、一缶を一回に使用し盡すを要する揮發性のものであつて、甚厄介であるから未だ使つて見た事が無い。

次に自然界の現象としては「蟻喰ひ」と申す動物が居つて時々出て來るのを見受ける。全身鱗甲に被はれた怪獸であつて一名「山龜」と申されて居るのは全く適稱である。原始林の中では此蟻喰ひが存分に蟻の巣を征服するが爲に、幾多の土饅頭のみが殘つて、大した活動蟻の横行を見ぬが、一度山林を開拓すれば蟻喰ひが遠く隱退するが故に、蟻の被害が漸增すると言ふ筋合であらう。

春期十月十一月になると蟻の女王に羽が生へて巣を飛び出し、到る處の地表から穴を掘つて、直徑三四分深さ數尺の穴一杯に幾千幾万とも數知れぬ卵を產み終るや、女王は穴を這ひ出て直ぐ死んで了ふ。此卵が夏に孵化して蟻と爲り、早速活動を開始すると申す順序である。此女王の產卵全部の卵が悉く孵化したならば恐らく當地の畠は蟻だらけとなるであらうが、そこは生物界の法則に依つて產卵の多いもの程孵化率が低いに因つて、吾等も農業が出來る次第である。動物學の教科書に依れば、蟻は蜂と兄弟であつて、節足動物の昆蟲の膜翅類に屬すると申され、獨逸の「ロイカルト」氏の調査に依ると密蜂の產卵數は一回一万以上と申されて居るから、蟻も大方似たものであらう。先達殺された無產黨の代議士山本宣治君は生物學者で產兒制限の研究者である。其講釋の中から右の產卵に關する御說を拜借に及んだのであるが、延いて人口問題から南米移民問題を說いて居る中で、石本惠吉氏の南米移民輸送機關の數學的說明がある一年に七十五万づゝ殖へて行く（今では百万）日本の人口處理の爲に、毎年六十万人を南米に輸送するが爲には、天洋丸型の船に毎航八百人を積んで一往復二ケ月で毎年六往復、一船一年四千八百人を積んで、百二十隻あれば毎年六十万人を運べる。經費は船賃一人二百圓、移住費二百圓として計四百圓。六十万人で二億四千万圓、日本の軍備費の半額を要すると書いてある。石本氏は男爵の新人で、銀座か丸の內かで大同洋行と言ふ洋書販賣を經營して居る事を承つて居るが、兎に角山本石本御兩所共に一世の識者であらう。此一世の

識者が右の如き突拍子も無き間違ひだらけの數を發表して南米移民を論じて居られては甚困却致す次第である。專門は專門で結構であるから、判らぬ事柄は能く先輩に推敲して、間違の無い所を發表せぬと、世間の大衆は何も知らぬから、ハヽア偉いもんぢやナアと間違つた感心許り致して居る。大体天洋丸型の船に八百人許りの移民を積んで走つて居つては引合はぬ。移民ならば三千人位は積めるであらうが、天洋丸は元々旅客船であるから移民船に改造せねばならぬ。一往復を二ケ月でする爲には神戸を出帆してから何處にも寄港せずして、一時間十七浬の全速で闇雲に走りまくらねばならぬ。一年六往復の爲には、碇泊も出來ねば入渠も出來ぬ。斯樣な氣狂船には誰も乘り手が無からうと思ふ。四百圓あつたら或は人間一頭を耕地迄放り込む事を得るかも知れぬが、要するに人口問題、勞働問題、食糧問題、移住問題、多くは無識の識者に依つて取扱はれて居るが故に片附かぬ次第と思はれる。

五〇、英蘇の旅

農閑の折柄旅行でも試みたくもあるが、懐中一寸都合不良の爲に、已むを得ず紙上を以て旅行する事に致す。杉村楚人冠先生は文名一世に響いて居るが、歐洲大戰紀行の中に「蘇國の秋」と題する一節があつて、今でも少からず感興を誘發しつゝある。「蘇國の秋」は大正四年の紀行であるが、拙者は大正元年に蘇國の旅をやつて居るから拙者の方が先輩であるが、遺憾乍ら文名一世に欠けて居るが爲に誰も知らぬ丈である。抑吾等の所謂英國なるものは、凡て慣習を重んずる古典的の國柄で頗る複雜なる慣例の裡に國民生活を續けて居る樣である。吾等は一言にして英國と呼ぶが彼等は「ウエールス」「イングランド」「スコットランド」と別々に呼び、各獨立國たるの誇やら痩我慢を有し、是等三國を總稱して大英國と稱して居る。愛蘭は固より此大英國に加入して居らず、是亦一個の獨立國である。此四國の牛耳を取るものは、申す迄も無く英國であつて、辛して伯仲を爭ふものは蘇國であり、最侮蔑せられて居るものは愛蘭である。英は商業の權を握り、蘇は工業を扼して居るが、ウエールスは石炭の代名詞であり、愛蘭は馬鈴薯の代名詞に過ぎぬ。故に英國の歷史は則英蘇の爭の歷史であつて、今でも仲が惡く、蘇國人を捕へて「貴方は英國人か」と聞けば「否々蘇國人である」と答へる。遺憾乍ら財權政權毎々英の爲に抑壓せられ、英蘭銀行の紙幣は世界中に通用すが、蘇格士銀行の紙幣は國境を越ゆれば通用せぬ。蘇は戰爭毎に敗け通しに敗けて居り、千二百九十七年蘇の勇將ウォレスがスターリングに於て英軍を打破つたのは見事であつたが、翌年部下の反間に因つて捕へられてロンドンに斬られたのは遺憾であつた。斯うなると吾等の人情は常敗の蘇國に與して常勝の英國を惡むは自然である。漱石先生が留學を終へて歸朝の折、テームス河口の船の上からロンドンを睨んで「再びコンナ國に來るもんか」と申されたと言ふのは、單に神經衰弱の故ばかりでもあるまいと思ふ。

英國は善い國でもあり惡い國でもある。楚人冠先生は目茶に氣に入つて居るが、漱石先生は目茶に癪に觸つて居る。世界國で社交的で古典的であると共に、御体裁的で嘘吐きである。大英國愛蘭の外に、屬邦として印度、カナダ、濠洲及アフリカがある。從つて皇帝の冠稱は、大英國及愛蘭國王、印度皇帝、カナダ濠洲及アフリカ聯邦の元首と申上げて居る。國民の性格は貴族的であるが、階級思想は日本よりもズツト少い樣に見受けたと共に、婦人と勞働者の發達は日本に比して格段に進んで居る。「蘇國の秋」はロンドンを起點とし

て蘇國の湖水地方に遊んだのであるが、拙者は反對に蘇國を起點として英國の湖水地方に遊んだのである。戰闘巡洋艦金剛は海外で製造せられた最後の軍艦である。此金剛見學を兼ねて英國の湖水地方の遊覽に出掛けたのは秋の初であつたと思ふ。見學終つた翌日船で「ウインダーミーア」を渡る。英國最大の湖水でベラ棒に細長いものであるから、横ぎるに非ずして縱ぎつたのである。英蘇兩國は互に國勢を爭ふのみならず、又兼ねて山水の明媚を競つて居る。加ふるに山水の名稱に迄特異の國色を發揮して居る所が妙である。則英に在ては山を「マウント」と言ふが、蘇に在ては「ベン」と言ひ、英に於ては湖水を「ミーア」と言ふが、蘇に於ては「ロホ」と言ふ「ウインダーミーア」は則「ウインダー」湖であつて長さ約二十哩、渡るに二時間も掛つたらう。一寸面白いと思つたのは、渡船の小蒸氣は船長一人で運轉して居る。つまり船長が舵も取れば機關も動かす仕掛けである。湖水を渡り終つた處に「アンブルサイド」村があり奇麗なホテルがある、泊つて見たら遊客雲の如く食堂に充滿して居る。同行の某君頻に心配して女中に言つて居るには、吾等は旅行中で禮服を持たぬが、晩飯の折平服で食堂に出ても差支あるまいかと言ふ。女中の申すにはソンナ事は少しも差支御座り申さぬ、御客は皆旅行者であるから禮服など一齊に及んで居る人は無いとの事で、大に安心したものゝ大体吾等は旅行中で無くても禮服などは持たぬのであつて、流石に英國にゐると斯樣に嘘吐きに相成る。

翌朝村の繪葉書屋で買物を爲たら、店の若い者が寫眞機を持つて御出かと聞く、何でも日本人と寫眞機は不可分のものであるといふ觀察は、世界的のものであるらしい。此所でも同行の某君早速旅行中であるから持たぬとやる。ホテルで朝食勘定を拂つて出たら玄關に乘合馬車が居つて、人が皆乘るから我等も眞似て乘る、何の爲に乘つて何處に行くのかサッパリ分らぬ。聞いて見たら分るだらうが、吾等は聞いても見ず從つて数へる人も無く、皆默り込んで乘つて居る。此所恰「蘇國の秋」其儘で大に英國式である。馬車がゴロ〳〵と少し許り走つたかと思ふと、妙な家の前で止まつて人が皆下りて了ふ。サア分らぬが吾等も下りた。馬車賃などは拂つたか拂はなかつたが一向に記憶せぬが、要するに行先が分らぬ暫く立往生の後、兎に角左の方角に歩いて見たら丁度よく貸自動車屋がある。早速注文したら親爺申すには、今居らぬが三十分程待つて呉れとある。賴り無き事夥いが已むを得ず待つて居たら、物の二十分もせぬ内に頗景氣のよい自動車が來た。早速乘つて早速走り出す。此處よりケジック驛迄約三十哩、人一人通らぬ田舍道は、日本と同樣の小石道であるが、手入れが上等の上に自動車標識が遺漏無く設けられある。途中の馬車を追ひ抜き追ひ抜き、ヒタ走りに走つて一時間許りで驛に着いた。空前にして恐らく絶後の壯快なるもので、今以て深く印象を殘して居る。ブラジル渡航の途上でも香港島を一周したり、シンガポールよりジョホールへ往復したり、コロンボよりカンデーに往復したり、ケープタウンのテーブルが丘を一周もしたが、餘り壯快には感じなかつた。運轉手は風采の立派なる青年であつたが、賃錢を拂つてから多少の心附をやらうと思つて呼び止めたら、高く左の手を振りつゝ、無言に車を旋回して一分の息ひも無く走り去つた。此邊も頗英國式であらう三十哩を驅けつけて賃錢僅に五シリング、是亦空前絶後である。ケジック驛で頻に地理を案じ驛員にも尋ねた結果、ペンリスとカーライルの二個所で乘換を要する。（續く）

帝國練習艦隊
玖瑪在留邦人の熱狂的歡迎

野村海軍中將の率ゆる淺間、磐手の練習艦隊は昨年七月一日横須賀發南北兩米巡航の遠洋航海に上つたが南米巡航はブラジルに黄熱病流行せるため中止して北米西海岸を巡航する事になり九月十八日玖瑪國ハバナ港に入港した。

在留邦人はこの遠來の一行を迎へるために玖瑪日本人會は帝國練習艦隊歡迎會を組織して經費四千六百圓余の寄附金を得て碇泊三日間にわたり熱狂的の歡迎をして乘組員一千五百六十名を十二分に滿足せしめた。

まづ入港第一日の十八日はハバナ港外までランチにて出迎へた司令官は公式訪問の國務省、軍務省、市廳に挨拶の後大統領に謁見して敬意を表し軍務大臣の午餐會にのぞみ午後はハバナ市第一のトロピカル公園に日本人會主催の司令官以下乘組員の歡迎會を開き市內の見學案內には數十台の自動車を列ねて至れり盡れの歡待振りをなした。翌十九日も前に引續き市の內外を案內して同夜艦隊附の音樂隊によつてマレマン音樂堂に在留邦人に答禮音樂演奏をなして綠樹の蔭椰子の實みのる玖瑪の孤島に在留邦人を中心に日玖兩國親善の契りは固く結ばれたのである

斯くて翌日廿日午前八時淺間磐手の兩艦は港外まで送られて無事紐育に向つた。

因みに玖瑪へ練習艦隊の來航は前後三回にして第一回は一九二十一年軍艦春日、第二回は一九二七年永野少將麾下の淺間、磐手の兩艦で今回も同艦の雄姿に接したので在留邦人七百八十四人（昭和三年十月一日現在）は同地に帝國公館なきに關はらず協力一致して十分なる歡迎をなした事は在外邦人の範とすべきである。（玖瑪日本人會編「帝國練習艦隊」なる百數十頁の書籍の寄贈を受けて）

滿鮮國境間島で不逞徒の刃に壯烈な殉職
下水秋津村出身の坪井三代治氏 功勞紀章下附され總領事館葬

滿鮮を境する豆滿江沿岸は不逞なる支鮮人のために常に日支官憲はその警備を怠らないが近來支那國民政府を標榜する不穩漢の跳梁甚しく昨今は間嶋地方の豊作と當て込みその金融を狙ふ强盗出沒し軍資金の徵募に口に藉つて巧みに日支官憲の警戒網を潜つて一般農家資産家を襲ひ民心は不安に驅かれるので間嶋總領事館警察部は各警察分署と連絡して警備中であつたが舊臘十一月二十八日國民有地方募捐隊と稱する不逞徒二十名が出沒する情報を受けた我警察部は直ちに坪井巡査部長の指揮する搜査隊に出動命令を發した。この特別任務についた坪井巡査部長一隊は翌日二十九日拂曉彼の不逞團と正面衝突し市街戰が開始され銃聲は天に響ろき遂に五名をたい捕したが首領張案是を

捕へとして追擊した坪井比は彼の發射した散彈を前額に受け致命の重傷を負ふて脫兎の張案是を追ふこと出來なく顏面に噴出する血汐に塗れて打倒れた。時をうつさず附近の病院だ收容應急手當を施したが遂に翌三十日午前七時二十分絕命した。

この壯烈極まる最後を遂げた坪井氏に對する同情と感激は同地邦人及支鮮人を問はず涙にむせんでゐるが總領事館では坪井氏の殉職を以て總領事館葬として葬儀を營む事に決し、外務省にも故坪井氏の殉職及び在勤中の功勞に合せて名譽の進級賞與等につき申請したので警部補に昇進。功勞紀章附兵の特別なる名譽を與へた。

葬儀は十二月三日總領事館庭內演武場に於て間嶋官民數百名の參列のもとにいとも嚴肅に盛大に行はれた。館葬は未だ曾て例のないもので故坪井警部補を以て嚆矢とする。

因みに故井三代治氏は本年三十三才の青年で其の敏腕は不逞徒から鬼の如く恐れられてゐたもので大正十一年外務省巡査拜命と共に同地に治安警備の任にあつてゐたもので將來を囑望され同民の死は各方面でおしまれてゐる。

プロミソン驛在住信州人が支部設立せんとす
土屋三男氏歸國報告

在伯拾年の小縣郡室賀村士屋三男氏は今回迎妻歸朝して新妻及び實弟を伴ふて十一月十八日神戶發のブエノスアイレス丸の處女航海に密月旅行で再渡伯した。土屋氏の實兄純氏は室賀村現收入役で本會の特別出資會員としてアリアンサに關係ある人である。

土屋三男氏の在住地は聖州ノロエステ線プロミソン驛でこの驛を中心にリンス驛に近し約一萬余人の邦人が珈琲園を經營して邦人發展地をなしてゐる。

同驛附近在住の信州人は左の如くであるが近く鄉黨的親睦を計るため本協會の支部を設立して團体的活動をなす計劃である今回土屋氏の歸朝に際しても此の議があり土屋氏を通して本會と目下準備を進め同氏の兩渡伯を機に具体化す豫定である。

小縣依田村	土井吉助	三人	大正七年
小縣神科村	瀧澤仁平	九人	大正二年
小縣泉田村	上原資平	五人	大正七年
小縣室賀村	土屋三男	三人	同右
南佐南相木村	中嶋順三	七人	大正十四年
上伊東春近村	飯嶋發政		大正八年
上伊長藤村	伊藤正三		大正八年
下伊富草村	野村忠行	五人	同右
下伊富草村	熊谷政男	五人	同右
下伊下久堅村	羽生與一	五人	大正十二年
東筑本鄉村	柳澤作治	六人	大正七年
東筑本城村	市川又太郎	五人	同右
東筑本城村	市川滿並	五人	同右
東筑堀尻村	內川榮	三人	同右
東筑東川手村	青木長男	三人	昭和四年
更級稲里村	花石勝人	一〇人	大正六年
拎水豐井村	神田政男	七人	大正十四年

讀者論壇

農村を毒する机上論を去れ
湯田 精

大都會に住食ふ所謂智識階級者なる者に依つて今尚盛んに稱へらるゝ農村振興策なる者は其の論旨には種々共鳴すべく說かるゝ節も往此々あるなれど

加何せよ此等論者の悉くが胸と頭とを同一の場所に置かぬ事に因つて大方なる名論も不徹底に終つて居るれ等論者は都會では有數な學者かも知れんが一度我々無智識階級の農村に來り同一の仕事をして見よ我等百姓の實行力と彼等有智識者机上論との其の間に生ずる差の如何に大なるかを

百問は一見に如かずとか學識如何に深くとも說く所如何にもつともなりと云へどもそれ等經驗乏しき人々の言は顛り少く却つてその理想論に反感をも起す樣な結果になる。

世の机上學者よ我々農村にはかゝる話があるのだ。曰く、泣等それ程此の農村が察じられるなら來りて俺達と共に一日一時でもよい鍬を握つて意い勞働の汗を流して見よ、農村問題をそれ程までに論ずるのなら高價な葉卷を棄てゝ藁を摑んで見てからにしてくれ此れが我々汗愛農民の聲だ

都合に於ける彼等有產者の生活狀態を見るに彼等には濃麗な農村の問題を論じるのは一寸考へものだと我等農民は思ふ

こゝろみに都會の學者よ足を一度農村に入れて見られよ如何に農民の生活が苦しきかを目擊するであらふ

勿論、山に住む樵人は海の事を論ずる權能がないと云ふのではないが海に行きて山の氣分を味はふとの出來ぬ如く都會にしかも安樂椅子の上より、又學窓の机上より山間の農村問題を論じ樣と云ふのはあまり虫がよすぎはせぬから云つて見たくなる

自己の名を賣る爲、黨利黨略の爲お座なりの皮想なる觀察、想像論空想論を堂々たる得意の曲筆で一流とか云ふ賣名雜誌に揭げて天晴れ世の木鐸面するに至つては無恥も極まれりである。

今日の如く農村の自覺發達したるのは何人のお蔭であるかと、それは云ふまでもなく農村振興の叫聲は彼等によつて揭げられた然しながらその聲によつて醒めたる農村は實行を伴はざる空論と、誤れる振興策を却つて迷惑にしてゐる、現に彼等が如何に聲高く叫ぶとも農村はこれに應じたであらうか學者の口笛は空しく吹かるゝのみにて眞面目な農民は遂ずに聞へてくる都會で『かなでる』机上農村行進曲には耳さへ傾けない只々少數の青年に共鳴者があるのみだ此の共鳴者を俺達は左傾思想中毒者と云つて居る我等は再び机上論者を呪ふ、今や此の中毒思想は平和なる農村を襲はんとして居る而も農村の中堅となるべき青年に向つて、農村にかゝる兆候のある事は國家の爲大いに自重すべきではなからふか。

學者達が道樂に研究した思想が國家の基礎にまで危險を及ぼすに至つては……學者は今後これ等の中毒者を如何に救導して行くか？

破壞のみが仕事でもあるまいあゝ我等は呪ふ現實を破壞し空論を持ち來る學者を！

進歩とは破壞にあらずよりよく建設する事である建設を知らざる者は亡國者であらふ又古き衣に戀々として國家の進歩を妨ぐ者も亡國者であらうこれ等兩者は無益有害

の徒である殊に農村にありては舊說保持者も破壞思想者も共に恐るべき敵である。

顧くば我等が農村に善き學者よ來れ眞の智識農生れよ、此處に於て我等は云ふ。

都會に學べる農村子弟諸君よ兄等が受けたる最高の學問を農村に持ち歸り一度土の中に埋め改めて堀出しそれによつて農村の智識とせられよすなはち、百姓の大學者となれ云ふ事であるこれ等の百姓大學者が農村に歸りて農夫となり自ら鍬を取り汗を流して指導するとき始めて完全なる言行一致の農村振興策が樹立されるのである。恐るべき農村を毒する机上論よ去れ。

而して百姓の子は百姓の父に還れ。

我等は常に此の事を祈つてゐる。（完）

× × ×

農村青年は迷ふ
ＯＭ生

僕は百姓の生れである。だから農村青年の心理はよく知つてゐる農村で生れた多くの青年が自分の將來を決するために各方面に就職を求めて進んで行く。然し樂と思つた仕事がずいぶん辛い事もあつたりして我慢出來なく我家に舞ひ戾つて來る。そしてぶら〳〵してゐる。現在の農村にはこういふ青年が充滿?してゐる。

そういふと生意氣な事を言ふと憤慨するかもしれないが憤慨する青年は大低こんな青年である。

彼等は村內に何かのお祭り騷ぎがあると出掛けてわい〳〵騷いでゐる。區長選擧や村議の改選であれば徹夜で血道をあげてゐる。更らに滑稽なのは消防の小頭やお宮の祭典に猛烈な爭奪戰に參加するのである。青年會の講演には代議士盟の連中を招いて講師から〇〇を持つてくる事を期待してゐる。

自分の將來を眞面目に眞劍に考へるとそんな暇がない筈である、であるから青年の一人をとらへて詰問すると自分がなんのためにこんな事に血道をあげてゐるかを悔ゆる。然しそうかと云ふて吾運命を如何に展開すべきかに迷ふてゐる。そして如何にして活動してよいか知らないでゐる。しかも迷へる農村青年にはこれを打開する熱と意氣がない。

まづ農村青年にはこの迷へる道から覺醒せしめて熱と意氣を注入せねばならない。

縣下行脚

若人よ血を湧かせ

海外發展奬勵の活動映畫宣傳行脚記

宮本生

海外移住！これは平凡の言葉である。そして海外移住は最早宣傳の時代でないと云ふ。然しながら現在の農村はあまりに行詰つてゐる。病める農村である。この農村の人々がなぜ、行詰つた病める農村に居なければならぬか。その理由は更らにない。何故に吾運命の開拓を海外に進出せしめないか。彼等は行く所を知らず、行く勇氣がない。此處に吾等の働らくべき使命があつた。海外事情の紹介と開拓精神の作興これが行脚の目的だつた。十月廿一日上伊那手良村と西筑木曾村で足踏みをして漸くしてスタートは切られた。

陣容愈々整つて第一日は遂に來た。伊那と木曾で見事成功したので縣下一巡が大行脚は十分に成算ある自信を以て、十一月五日朝六時に協會に出た。その第一日は

下水内郡柳原村富倉小學校である。富倉は飯山から徒歩で二時間餘、富倉峠を越えて行く。信越國境は富倉から數町にして達する。今日はこの國境まで行かねばならぬので朝から何となく心忙しかつた映寫機とフィルム十數卷其の他附屬品等で七貫匁程のトランクが二個である。長野驛七時五十五分發の下りに危ふく駈けつけて豊野驛で飯山線に乘替へ飯山着が十一時であつた。二個携帶の一人旅は却々つらい、驛の乘り下りはつく〴〵厭になつて終ふのだ。荷物を運んで出札口に出たが迎への恰らしい者も見えない。これは少々困つたな、とまご〳〵してゐると、

「貴殿ですか、富倉で活動をおやりになるのは？わつしもう二時間もお待ちしてゐたのです。マア〳〵ア、兎に角御苦勞樣でした」

と運搬人夫の言葉。富倉から飯山に出て來る者は自分の用事の外に近所からの用向きも澤山あるらしい、この運搬人夫もこの外にも酒屋に寄つたり、魚屋に寄つたり下駄屋でも用事を濟まさなければならなかつた。私は獨りで先きを失敬して近道を通つてこの村の役場に行つた。

今日は富倉に電話の開通祝ひ（電氣會社專用のものであるが民間でも利用出來る）もあると云ふので村長丸山藤吉氏（村長は富倉出身で夏は馬で二里餘を往復、冬は役場で宿直兼務の宿泊）はあちら（富倉）で待つてゐるとの事である。これで

は獨りで二里餘を歩かねばならぬと心細い顔をすると傍にゐた紺股引に紺襦袢を着た青年、

「私と一緒に參りませう。富倉の手前まで行きますから。」との快活の言葉。

話相手の出來たので嬉しい。ポツリ〳〵と語りながら小坂を歩む。稻の刈取りが濟んではぜ架けにしたのを收穫の眞最中である。畔に蒔きつけた大豆が茶褐色に枯れて北から南に緩傾斜をした柳原田圃は一面にこの大豆が殘つてゐて壯觀である。

此處でこの村の一覽を見ると田が四百二十町歩で米が六千七百二十八石の主要農產物の第一位。畑が二百七十町歩で馬鈴薯の產額が一萬七千貫の第二位を占めてゐる。桑園が五十七町歩でこの村では養蠶は農家の副業の副業である。戶口は戶數が八百三十七戶男二千三百六十六（現在一千八百三十一）女二千三百二十（現在一千八百四十）計六千六百九十三（現三千六百七十一）本籍人口より在在人には一千二十二人を減じてゐる。卽ち男五百三十五人、女四百八十七人がこの村に居ないのであつて本籍人口の約四分一强が他に一時出稼ぎ又は製糸女工として働いてゐる。更らに出入寄留者は入寄留者百十三、出寄留者七百四十であつて差引六百二十七の出寄留者である。と云ふ事はこの純農村で自分の村で生れて生活出來ない事を無意識的に知りながら自分の村を出てゆかねばならぬ現代日本農村の人口收容力の如何に慘なものであるかを如實に物語つてゐるのである。この戰慄すべき生活狀態危機に瀕しながらも人事どころか一向に氣附かずに純朴なるてう農村なる一事を誇るが如き態度である。とにかくこの村の村勢一般の概略をこの青年と語りながら何時しか峠の嶺に來てしまつた。時計は午後一時を示してゐる。飯山の町はづれで用意した食パンを青年にわけて食べながらこんどは下り道。秋晴れの太陽の光りは流石に汗だく〳〵であつた。下り道になつてから陽光を蔭にして程なく飯山糸川線の縣道に出た。縣道は新道で自動車が通ふわれる。此所までくれる人家がポツ〳〵ある。峠上り下りの一時間半は全くすれ合ふ事もなかつた程の人里離れた樣な氣がする。しばらくしてこの青年とも別らねばならなかつた。未だ一時間歩まねばならない。後先きを見ては連れがないかと探したが到々見つからずして富倉の部落にさしかゝつた。成る程電話開通祝ひの確實さを見る事が出來た。と云ふのは電工人夫が一生懸命で埋め立ての柱に電話線を架設してゐる。

盆地に數十戶の農家がある。これが富倉だ。明治維新前飯山城主本多氏の領地であつて米や石岩（泥炭）や石油が（石油が湧出してゐる）產出するので富倉と呼んだんだらう。

スレート瓦のモダーン校舍が下に見える。あれが富倉小學校だ、この村は部落が十六もあつて散在し山又山の交通不便の所であるから本校が二校（富倉と藤の木）と分校が二校計四校があると云ふわけ。學校に着いたが未だ機械（活動寫眞映寫機フィルム等を云ふ）が來ぬ。

役場で設へられた宿舍（屋號を忘れた）が學校前にある。雜貨商で吳服太物から酒類までこの部落で使ふ日用品必需品は何んでも取り揃へてある商店で旅舍を兼業。電話開通祝賀會もこの家であると云ふのでその準備で家中が大童。

まづ一室を與へられて休んでゐると、この室も使ふからと今度與へられたのが主人の書齋室である。主人はこの敎職に勤續二十餘年現にこの學校の敎鞭をとつてゐる。村長さんの妹婿である。主人が今年で二十九年の敎職で昨年の御大典には三十年に一年と六ケ月足りないので地方賜饌にあづかる事が出來なかつたと。やがて午後七時丸山村長の開會の挨拶がはじまる。騷然たる場內が水を打ちたる樣に靜まる。觀衆は三時間半、十時半まで一人も途中歸りもなく熱心に眞面目に見惚れ。說明にチヤーム?されてゐた。

無事閉會すると村人は何かのショックを與へられて歸つた。

この富倉からは大正八年に上野市平氏一家が渡伯してゐる。渡伯十年になるがこれと云ふ消息がないとの事である。先驅者から景氣のよい通信がないから村の人が二の足を踏んでゐるわけでもないが富倉はその名の示す如く富倉があるとの一種の自己滿足に墮ちいつてゐる心理が村人の頭を支配してゐる樣だ。そして信越に近いだけ雪の中の生活が永く一年の五ケ月をこの靜的生活にあるのだからこれを南信の人々と比ぶれば格段の差がある。然しこの靜的生活の中には反動的に蹶起する作用が多分にある。奬勵と指導さへよければこの村人が海外まで進出する事はもう一息であると考へて私は期待をかけてゐる。富倉の農家の人々―青年男女――があれだけの忍耐力と奮闘力で每日の活動をしてゐるのだからブラジルの農業―珈琲園就勞等は何んでもない。現在の每日の生活の方がどれだけ苦しいか判らない。たゞ村の人々はこの樣な勞働振りは當り前だと思ふてゐる。

富倉の青年男女が一人一人、自分の將來について眞劍に考へ、吾運命を海外にきり拓く熱と希望と意志に燃ゆる眞面目の希望者が出る事を望んで翌日は午後一時過ぎ、村長の東道で再び富倉峠に向つた。歸りの道は村長の說明でこの峠は面白かつた。土地の名所舊蹟や土地の風習について聽く事が出來た今日もこの村の**藤の木小學校**（役場の所在地）である。役場で夕食をいただき、役場に宿めていただく事になつたので會場の準備をしてゐると天候險惡となつて夕方には雨さへ降つて來た。これはしまつたと內心恐れてゐると雨はこやみになつて來た。しかも今晚は近くの飯山町では東京日日新聞の巡回映畫「山の凱歌」がある。人氣はこゝに集るだろうと氣づかはれてゐたがいよ〳〵開會時刻には八間に十五間の會場が滿員の有樣だ。ところがブラジル移住二卷目からモーターに故障が生じたらしく廻轉が頗る調子が惡い。或ひは電氣の具合が惡いのか、非常に心配してゐると第四卷目の途中で突然廻轉が止まつてしまつた。ハツトして見ると如何にせ

ん電氣が止まつてしまつたのである。しばらく待つたが、つく望みがないので殘念ながら中止のやむなきに到つた。その夜役場で村長と枕を竝べて寢む。

明くれば七日、雨は昨夜から降り續いてゐる。朝になるまで到々電燈はつかなかつた。此處はいづれ機會を見て今度は完全にやりたいと念じて上高井豊郷村に向ふ。飯山町の野澤溫泉行き乘合發着所まで機械を運んでもらふた。豊郷村は野澤溫泉のあるところ、近來は冬季スキーの好適地として賣り出してゐる。

豊郷村は校舍狹隘にして雨天体操場や廊下まで敎室にあてゝゐる程ので學校移轉と新築問題とで村內は二派に別れて歷代の村統治者を惱してゐたが移轉と新築の二案が決定して村の中央に地をトして頗る現代的な學校が建てられた。所が現政府の緊縮政策の槍玉にあげられて工事中止となりそうになつたりしてゐたが、お化粧最中の丸髷が外に飛び出られないと同樣、澁々ながら竣工して竣工再三縣當局に催促して漸やく認可の指令が祝賀式の前日來たと云ふ始末。明日がその目出度い新築祝賀式である。村人は擧つてこの祝賀を盛大ならしむべく種々の模樣しがある。農產物展覽會、兒童作品展覽會、スキー館等々、地方の村には春と秋との祭典の外にはこうしたお祭り氣分の機會がない。がこの村には今から四十年前に溫泉の大湯（共同浴場）開湯式をあげた。これが村人の頭に印象深く村に何か賑やかな事があればこの開湯式當日を思ひ出される。それで電氣がひかれて電燈がともされても「電燈の開湯式」だと云ひ、電話がひけてもその祝ひを「電話の開湯式」と云ふてゐる。新築落成祝賀の開校式も「學校の開湯式」だと云ふてゐる。

このお祭騷ぎに出喰したのは幸か不幸か、兎に角役場に行つた。雨はやむともなく降つてゐる。役場でも明日の準備で大騷ぎである。村長竹井豊吉氏に挨拶すると「實は折角の事ですが、新校舍を今晚使用する事で大問題となり私（村長）は差支へないと主張しましたが建築委員連が開校式前に使用する事は罷りならぬと强固に反對するので遺憾乍ら御中止に御取計ひ下さい。」

「それに適當な場所がなくて今から準備しては間に合はぬ」

と云ふ事で遂に中止になつてしまつた。夕方から雨が降り續いて假令公開しても村人は集らぬかもしれなかつた。前二回の慰勞が惠まれたのだと喜んで兎に角宿舍を決めて湯に飛び込む。一夜は疲れを癒するに十分だつた。十一月八日、雨はからりと霽れて今日の新校落成を祝福した。未明から煙火はあがつて景氣がよろしい。晝食をすまして瑞穗村にゆく。野澤から三十分、長野電鐵上木嶋驛に至る途中である。

役場で夕食をいたゞく事にして會場を準備したが電工が見えぬので取付が出來ぬ。再三催促に行つたが女房が「承知して外出しましたから今に歸つてくれでせう」との返事である。兎に角夕食を先きに頂戴する事にして役場に戾ると村長以下吏員一同が五升鍋を眞中に罐詰を二三

個切り放して盛んに氣焔をあげてゐる。鍋の中には甘そうなうどんである。酒に用事のない私はまづうどんから頂戴してウンと云ふ程腹を滿した。夕食がすむと電氣の取付も出來て萬事完了八時開會を待つた。五間に八間程の体操場であつたから子供で滿員、青年や婦人連は戸外で見る外にない有樣である。

前後の失敗もあるので、私の神經はいきり立つてゐた。一卷、二卷、三卷と我等の日本が無事にすんだ。海外協會やブラジル移住の方法について約卅分說明していよいよ本論のブラジル移住の第一卷二卷がすんで三卷にかゝるとモーターが異樣な音を立てる。「〆つた」と思ふと回轉が俄かに遲くなる。三四回故障の遲りを直して第四卷に移つたが、いよいよモーターの故障と判ると應急手當の施す術がない。致方ないので映畫は中止して殘りの五卷を說明し且つ深く陳謝して閉會にしてしまつた。明日の晩は埴科の清野村であるがこれでは到底駄目だ是非長野に歸り專問者の修繕に待たねばならぬ事どし明朝は早く出發せねばならぬ。昨年以來公開中には故障があつた中止した事は一度もない私にはこんな不愉快の事はないのみならず、折角準備して下さつた役場當局者及び村民に對して恐縮、これ程遺憾の事はないのであつた。

本村の海外渡航者は未だ曾て一人もなかつたが本年八月一青年が南拓のアマゾン移住者として單獨渡航したので村人はこの青年によつて初めてブラジル國を知つた位のものであつた。本村はとりたてゝ記す程のものがないが戸數は七百四十二戸、人口三千七百八十人內男一千八百九十二人、女一千八百九十七人（昭和四年四月現在）である。こゝでは農村の副業に和紙の製紙が旺んであつて農家經濟はこれによつて大いに緩和される。

九日朝起ると目の廻る樣に上木嶋驛から長野に向つた。そしてモーターの故障を直して貰ひ漸く安心して清野村に行く。小里君の應援があつて大いに助かる。篠の井驛に下車すると松代行の乘合が發車してしまつた。短かい日を相手にぐず〳〵してゐると間に合はぬ。タクシーを呼んで急ぐ、車內で汽車辨の夕食を濟ますと云ふ忙しさ。校庭に自動車を横付るとおそしと心配してゐた青年會役員一同が迎へてくれる。

「この學校には体操場が狹いので中庭の野外でお願ひます」と云ふ宣告である。

急いで映寫機を据えて電氣を通ずると安全器のヒウズは飛んで終ふ。何處かに故障があるなと心配するが判らない。機械でないらしい事だけは判つた。多分電柱から引いて來た電線であると電工が極力調べたが判らない。そこで今一度再調査すると機械に繋がるコードのショウトである。電工からお目玉を頂戴したのも有難くないが仕方がない。縣から借用した封切映畫「二の世界」「覺めよ國民」を公開して好評を博した。閉會が後れたので閉會も十時半近くになると流石は寒い夜である。手が凍へて機械の操縱に困難し、說明に口がもだらなつた感があつた。年の頃四十を越した青年會長近藤氏が壯者を凌ぐ元氣で觀衆を最後まで止得た。

閉會後學校の二階で私共のために盛大な慰勞宴が張られて恐縮至極であつた。澤山の御馳走に舌鼓を打ち、分に過ぎる歡待を受けて宿直室に戾ると將に一時が過ぎてゐる。驚いて疲れた体を横にしたまゝ深き眠に入る。

本村は薩摩芋の產地で有名、岩野芋とその美味を謳はれてゐる。その他西瓜も產出多く清野西瓜として近來出盛りには長野市の夜店に客を呼んでゐる。位置は屋代驛から松代町行きの長野電鐵沿線であり千曲川の沿岸であつて明治維新の先覺者象山佐久間先生の雅號象山はこの村の地籍である。佐久間先生がこの地に育ちし故を以てそのまゝ象山と號するに到つたのである。倘明治大正の有名な女優家松井須磨子はこの村の出身である事は云ふまでもない。

次ぎに本村の海外發展者を調べるとまづ第一に山崎忠直氏がある。君は除隊後海外に志を立て大正五年十月日本力行會で修養し單身アルゼンチン國に雄飛した。在亞拾年 奮鬪の甲斐あつて、鄉里から大正十五年妻を迎へて新家庭をつくり最近長男が生れたと云ふ。雜貨商の傍ら農場も經營して益々活動せんとしせんとしてゐる。山崎氏の外には滿州に活躍した者が多く、皆滿鐵に勤めてゐる。最も早く渡航した者からあげると、高野健三郎、西村和夫、中村褒馬、横田幸四郎、千田新治郎、上原實の諸氏で皆相當の地位と生活をしてゐる。

翌朝小雨が降るので外出は出來ぬ。到々晝過ぎまで居る內に小里君は父上の揮毫を青年會から頼まれる等あつて氣の毒であつた。三時近く電車で井上驛に下車雨は降り續いてゐる。

今日の會場は井上村信用組合樓上である。この組合の建物は長野縣第一の稱があつて組合長坂本重雄氏が多大の犧牲を拂ひ今日の模範組合とならしめた。坂本氏は本會創立當時からの特別會員でありアリアンサの移住地建設の出資者でもあつて本會のためには上高井郡を代表して盡力する一人である。組合の專務理事山岸住藏氏は昨年八年令息濟氏がアリアンサの移住者に入植するについて結婚まで御世話した關係があり又組合の書記臨崎氏は組合長や專務理事の海外發展熱の意見に動かされて本春早々新家庭を作つて山岸氏と同じく吾アリアンサに入植する事になつてゐる。現在アリアンサに入植してゐる、大峽俏氏も本村出身大正七年の渡伯で大正十五年アリアンサに入植してゐる、等の深い關係から組合が主催となつてすべてを準備してくれた。相憎くの雨であつたので入場者は期待程でなかつたが却つて子供が少なく青年男女が大部分であつたので質に於て第一等であつた。倘本村關係では現相談役菱川敬三氏の夫人が井上村出身であるとの事。

本村出身の海外發展者を調べるを前記のアリアンサ關係の外、布哇では明治三十七年の渡航された片山駿氏、滿洲遼陽の滿鐵工場に居る堀內榮一氏、青嶋に居る堀才助氏等である。

閉會後坂本氏から歡待されて十二分に頂戴し翌昨は六時半井上驛から須坂經由して長野に朝歸り今日から交代になる宮崎、小里兩君に渡した。私は十四日神戶出張を前にして十二月號「海の外」の編輯にかゝらねばならなかつた。

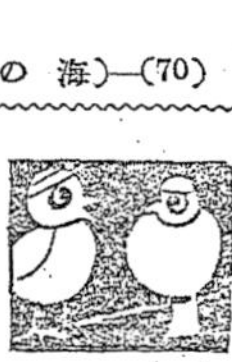

海の外 歌壇

短歌 雉夫選

○伯國アリアンサ 岩波菊治

山猫に食はれしならむ我家の野飼の鷄の數減りにけり

家近く伐り殘したるパイネーラの花はつはつに咲きにけるかも

銃あらばよしとし思ふ家近く肥えたる鵈の出でゝ遊べる

落葉せし林の中や仙人掌の太き木肌に淡き日のかげ

山畑に植えし茄子二年を生りつゞけつゝ未だ衰へず

珈琲の花いちじるく匂ふなりひとりわがゆく星明り道

○西澤氏を迎へて

海越えて探來し人よ太りたる豚を屠りてもてなさんかも

ふるさとの行詰りたる百姓のたつきを語る遠來し人は

手にあまる金はあられどふるさとの人に比べて安しと言ふべし

○ 伊藤しげ

此の心いかに和まんすべもがな渡航の企空しくなれり

軍苦しき心をもちて大空の雲の動きをたどに見て居り

どこまでも戰ひぬけとのたまひし師のみ言葉に涙湧きけり

○ 雨角信次郎

枯山のふもとの柿の實はところどころに赤く見えけり

遠きへに石屋ののみの音聞ゆこの山原は穗芒の原

幼子を枯山原の火葬場に送りて來れば夕づきにけり

さうさぎの皮はぐところ生徒等は何か言ひつゝ見て居りにけり

向ふ壁につらねて干せる大根の此頃目立ちて細くなりけり

○ 加納幸雄

柿の葉の散りたまりたる細道に季遲き蟀おとろへて鳴く

寒ざむと陽あたり居りし庭の面のたちまちかげり霙降り來ぬ

岡にかきてくれし坂道下り來て天龍川の釣橋わたる（伊那の友を訪ふ）

山霧のいまだこもれる麓より虹立ち初めぬ旭あたり來れば

○ 伊藤淳郎

この峰は陽あたり居れど火口原流らふ霧のしきりなりけり

船に來しからだ横たへ朝宿にしばしを休むうれしかりけり

潮騷の音は高けれ眼ざめ居て今日の船路を思ひあやぶむ

荷揚せし籠を頭にのせて來し島の女とものを言ひにけり

母の足立ちし便りをきゝし夜や心うれしく我は寢にけり（病後母の足まかりて立たざりしと）

○ 川口水葵

うつうつに吾めむれば病の妹のかたへに父は氷割り居る

たまさかに歸れる吾に乘乳根はいささか事件もものなくかたる

夕れぐて山を下れる子供等は溫泉にひたり來て早く眠れり

松山を越えて朝雲鎖みたる八ケ嶽仰ぐ原に出でけり

○ 藤澤露草

ふりつつもしづけき峽の雨空に湯室の煙立ちのぼりけり

岩の上ゆ谷川水の落ちたぎついちじるしくも泡たちにけり

岩魚とると友と來りて水音のこもろふ谷に一日過しつ

○ 六波羅靜馬

雨あがりの風すぎゆけば櫟林滴しきりに音して落つる

冬帽子古びたれども洗濯し今一年こさんと思ふ

暮れゆける峠に近き 枯の林の中に池の光れる

○ 中谷四郎

プラタナスのまだ青き葉は道の端へよべの嵐にちらまれて居り

今日子等は始めて辨當たふべをりおぼつかなくもささへもちつゝ

○ 中込宗吉

うすもやのこめし夕山燒ける火を電車の窓ゆ見つつすぎたり

仕掛花火見むとのぼりし屋根の面は霜の降りゐて足裏冷たし

○ 中島英太郎

たくましき若人あまた構內に焚火かこめり霜多き朝

山峽の驛のベンチに人氣なし緊縮のポスター眼に立ちて見ゆ

時雨の雨ふりだしける箱根山杉の並木をひとり吾が行く

○ 遊座武夫

朝會の体操場に集ひたる生徒の上を霧の流るゝ

花なくて幾日さびしき花瓶に紅の實のまさ木さしたり

弱の鉢入れし今宵の座敷ぬちいぬるにせまくなりにけるかも

○ 加納滿枝

幼子はひとりごちつゝわがそばに廣告紙を破き居るなり

もみぢばのさしくみおほふ釄近く岩燕あまたとびかひて居り

○ 川口初枝

この秋に嫁がす妹の式服を母と見たてゝ心安けし
生き殘る一つの蠅は膳の上に動かずに居るうすら寒き日

○　小山勇次

秋雨のしとゞふる夜は靜かなりふみかきあげてひとり茶を飲む

○　宮坂春郎

冬枯れの丘ゆ見下ろす湖の碧けきたゝへ夕ならんとす

○　小林龜松

東の空はれわたり山の端のあけゆく時のこゝろすがしさ

○　小島喜與

歸省せし兄をかくみてとるかるた今宵樂しく更けにげるかも

○　湯田精

さ庭べの笹吹く風も靜まりて雪となりつゝ夕さりにけり

○　雉夫

夜の明けを落葉の小徑上り來て囀りかはす尾根に憩へり
朝鳥のむれ越す尾根の小松かげ畑ぼがらに囀りて居り

アリアンサ陸稻會

芦庵兄送別（春雜）

「題」木の芽

木の芽垣別るる友と語りけり　芦庵
切り捨てし枝悉く芽ぐみけり　同
木の芽吹く向ひの森や打ちかすみ　同
故鄕に待たん妻子や歸る雁　掬二
枯さやの殘る楢や木の芽吹く　同
遠空に山燒く煙木の芽吹く　同
珈琲の花咲く春と傳へませ　圭石
山伐のあとまだ燒かぬ木の芽哉　同
雛拔けて母鷄惑ふ木の芽垣　同
長老を送る今宵や春の雨　里糯
芽ばへけり移し植えたる柿苗木　同
初花の果樹園君が記念哉　八洲男
君送る木れん徒らに赤き哉　同
母思ふ孝子を送る春の海　香露
木芽吹く田樂燒けや味そすらん　同
友送る峠の道や白すみれ　孤笠
友送る汽車を待つ間やおぼろ月　同

（日伯新聞より）

歌壇應募成規

短歌、俳句

一、題　隨意
但し成るべく春に因んだもの
（一人五首限り用紙官製はがき）

一、選者　兩角雉夫先生

一、締切　一月十五日

一、宛所　諏訪郡平野村　兩角雉夫先生

（備考）海外在住者からの應募者は住所氏名を明記して選者宛直送をお願ひします。

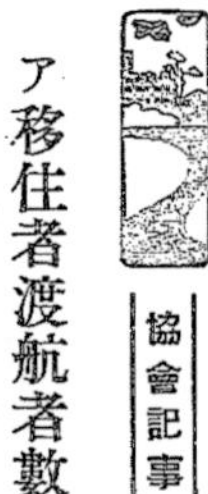

協會記事

ア移住者渡航者數　大正十四年以降

本組合取扱アリアンサ移住地昨年度渡航者總數は左の如くである。

月	船名	家族數	人員
一月		｜	｜
二月	モンテビオ丸	一二	五六
	河内丸	二	一三
三月	ハワイ丸	五	二六
	神奈川丸	五	二七
四月	ラプラタ丸	二	八
	博多丸	一	六
五月	サントス丸	一	三
	若狭丸	三	一五
六月	マニラ丸	三	一七
七月	鎌倉丸	一	二
	モンテビオ丸	四	二〇
八月		｜	｜
九月	神奈川丸	一	三
	ラプラタ丸	一	三
十月	サントス丸	二	四
十一月	ベノスアイレス丸	一	二
十二月		｜	｜
計		四四	二〇五

年次	割當回數	家族數	人員數
大正十四年	五	八	一九
大正十五年	十一	七一	二九一
昭和二年	十三	五六	二六〇
昭和三年	十一	五一	二二六
昭和四年	十五	四四	二〇五
	五五	二三〇	九九一

市町村設立中の海外視察組合（續）

松本市第一海外視察組合

組合長　小里頼永
副組合長　岩附修一郎
同　百瀬興政
理事　石川矩担
同　犬飼度
同　都筑眞衛　丸山武勝
平出園　原山仲一
相澤會兵衛　池上富三郎
川上茂　吉澤正雄
佐々木篤一　森貞文
松澤勇司　水野嘉一郎
館石貞雄　百瀬廣藏
井上源太郎

新入會員（自十一月廿一日至十二月二十日）

特別會員

長野市岩石町　矢島武殿
上諏訪町　長島和江殿
同　河西剛殿
同　藤森傳一殿
同　矢島喜水殿
同　小池長時殿
同　鹽澤辰造殿
同　藤森保平殿
同　原忠灝殿
西筑摩郡吾妻村　千村鶯殿
西筑摩郡福島町　武居午之助殿
西筑摩郡三岳村　眞岡龜四郎殿
同　木戸虎雄殿
同　福島町　井口由三郎殿
西筑摩郡木祖村　小口晴雄殿
同　奥原菊次郎殿
西筑摩郡大桑村　池口文治郎殿
同　淺川福次郎殿
同　小林滿平殿
西筑摩郡三岳村　田中新兵衛殿

普通會員

埴科郡屋代町　石澤貞人殿

德島縣海部郡赤河内村　今川範春殿
アリアンサ　小坂治一殿
上伊那郡西箕輪村　伊藤しげ殿
北海道中川町足高市街　相場政衛殿

會費領收（自十一月廿一日至十二月二十日）

一金百五拾圓也特別會員費　吉越富治殿
一金壹百圓也　同　羽田寅一郎殿
一金壹百圓也　同　島田佐門殿
一金壹百圓也　同　高木遜殿
一金壹百圓也　同　島崎喜壽殿
一金拾圓也　維持會員費　金井清志殿
一金六圓也　宮入源之助殿
一金四圓也　樫原安治殿
一金四圓也　小林幹藏殿
一金四圓也　青木秀夫殿
一金四圓也　堀越學而殿
一金貳圓也
若月治作殿　中村德左衛門殿
石川三郎殿　石川源藏殿
丸山藤作殿　內田楯男殿
青木啓治殿　太田政治殿
原才三郎殿　相場政衛殿
跡部勘夫殿　小林恒吉殿
西村保殿　松倉小市殿
野池清弘殿　井出勘一殿
佐藤幸藏殿

一金貳拾圓也　上高井郡井上視察組合殿
一金四拾六圓也　上水内郡中鄕視察組合殿
一金貳拾圓也　小縣郡和田村視察組合殿
一金參拾八圓也　篠ノ井町第一視察組合殿
一金貳拾貳圓也　小縣郡西内視察組合殿
一金四拾貳圓也　小縣郡依田村視察組合殿
一金貳拾貳圓也　上水内郡南小川村視察組合殿
一金拾八圓也　小縣郡川邊村視察組合殿
一金貳拾四圓也　上水内郡七二會視察組合殿

寄附金

一金拾五圓也　上水内郡津和村敎化團殿

海外會費

一金拾圓也　ダバオ　小林帝治郎殿

高田相談役死去

本會現相談役高田茂氏は心臟病のため十二月十八日上伊那郡上飯田町の自邸に於いて死去した。行年七十九才氏は町制施行以來の上飯田町長とし又久しく縣會議員を務めその間議長、副議長をもつとめて縣政に功勞多かつた。

本會としては本會創立以來の相談役又は副總裁として會發達のために努力されたので弔電及び香資をおくつた。

海の外往來

芦部猪之吉氏歸朝　在アリアンサの芦部猪之吉氏は一月廿一日横濱着の商船ハワイ丸で在外拾五年振で歸朝する。同氏は大正五年上伊那郡下の小學校長の要職を捨て玖瑪に渡航し大正十五年玖瑪からアリアンサに入植した。

輪湖理事歸朝　アリアンサ移住地理事輪湖俊午郎氏は一月十四日サントス發ブエノスアイレス丸にて歸朝の途につき三月廿三日横濱着の旨入電あつた。

因みに輪湖理事は本會創立當時の多忙なる事務を執務して大正十一年三月廿一日神戸出帆神奈川丸にて渡伯し在外滿八ケ年振りの歸國でこの間アリアンサ移住地建設には直接關與して來た殊勳者である。

藤森成吉氏　上諏訪町出身の文士藤森成吉氏は夫人同伴一月二日横濱發で渡米外遊の途に上る。

編輯後記

▽編輯部を代表致しまして先づ新年のお慶びを申上げます。われ等の「海の外」も愈々九年の春を迎へました。會員愛讀者諸賢の熱愛と保護に依て得たこの健かな發育振りは第九十一號を重ねました。お喜び下さい。

▽いつも時代の尖端に躍る本誌ある時には時代の反逆兒として扱はれ鬼ッ子のやうに白眼された「海の外」は今や本會と共に時代の魅力を一身に集めてゐます。吾が信州の海外發展運動も本會の創立と本誌の發刊により再燃されて順調なる發展をなし更らに我國海外發展は本會によつて一新機軸を劃され本誌は眞劔になつてこれを支持してあらゆる迫害の中にひるまず勇敢に進んでまゐりました。全く超常識超打算でありました。永田幹事の「足かけ十年」はこれをよく說明してゐります。

▽本號を一寸御披露致します。先づこの表紙を御覽下さい。地球の全面に躍る汗馬の勇姿は今年の午年に因みました。口繪も四頁みんな海外の嶄新なものばかりを載せました。內容は倍大編輯の技巧、体裁の完美、本號の偉容はきつと諸賢の御滿足を得て御賞讃を得る事と信じます新年劈頭この一册を捧げて本年の大飛躍を期します。われらが「海の外」の正しき發展のためにぜひ會員諸賢の御協力を願ひたいと思ひます。

▽殘念な事に本號の編輯には時間がなかつたのです。信毎の夜業十時過ぎまで自ら文撰、植字校正、印刷、製本の各部を飛び廻はなければならなかつた。幸ひにして各部の諸君の熱心なる活動によつて新年に間に合つた事を厚く御禮申上げます。

▽新年から「讀者論壇」を新設して廣く會員讀者に解放いたします。大いに氣焰を吐いて下さい。「歌壇」にも精進して振つて御投稿下さるよう。（宮本）

謹賀新年

昭和五年一月一日

信濃海外協會
信濃海外移住組合

海の外（月刊）

（一册廿錢）

	內地送料共	外國送料共
一册	廿錢	廿四錢
六ケ月	一圓十錢	一圓四十五錢
一ケ年	二圓廿錢	二圓八十八錢
五ケ年	拾圓	拾四圓

▲御送金は振替（長野二一四〇番）に御願ひします。外國よりの御送金は銀行、郵便局いづれにても確實に送金されます。
▲御轉居の節は早速新舊兩御住所を御通知下さい。
▲本誌へ廣告掲載御希望の方は詳細相談申上げます。

昭和五年一月一日發行

編輯人　永田稠
發行兼印刷人　西澤太一郎
長野市南縣町
印刷所　信濃毎日新聞社
長野縣廳內
發行所　海の外社
振替口座　長野二一四〇番

日本力行會長
信濃海外協會幹事　永田稠著

日本植民讀本

東京寶文館發行

菊版百五十頁
地圖挿畵澤山
定價六十錢送料六錢

海外發展主義の小學教育

四六版四百頁布製
定價二圓五十錢
送料十六錢

本會にて取次ます

著者が二十年間海外發展運動に從事せる体驗からしぼり出されたる血の結晶がこの二つの著書となつて現れた。

現在の敎育の欠陷は日本民族發展に關する活材料を等閑に附してゐる事で。一般敎育に海外發展に關する敎育を加味されたならばと著者は此の點に深く留意して今回文部省の認定を得て實業補習學校。各種實業學校。中等學校の課外讀本として日本植民讀本なる敎科書を編んだ。

更に現在の小學校の敎科書中。修身。國語。地理。歷史の敎材中に海外發展主義の高調に利用すべき點につき學年別に其活用法を示したものが海外發展主義の小學敎育で。この參考書によつて直ちに海外發展主義の敎育が施す事が出來る。世の敎育者に是非共必讀を願ふなければならぬ好著である。

海外渡航取扱所

◎東洋一の理想的設備を有する神戸港へ!
◎旅館は誠實にして信用のある神戸館へ!

各縣海外協會
日本力行會　指定旅館

神戸市榮町六丁目廿一番邸

神戸館本店

電話元町八六一番
振替口座大阪一四二三八番

支店（神戸市海岸通四丁目（中税關前）電話三ノ宮二一三六番）
別館（神戸市海岸通三丁目十四番邸 電話三ノ宮二一三七番）

◇本店へハ神戸驛、支店、別館へハ三ノ宮驛下車御便利

各縣海外協會
日本力行會　指定旅館

海外渡航乘船
領事館手續
貨物通關取扱

高谷旅館本店

本店　神戸市榮町六丁目
神戸市郵便局私書函八四〇番
電話元町八五四番、一七三七番

支店　神戸市宇治川楠橋東詰
電話元町六六六番

各汽船會社專屬元扱

日本郵船會社
大阪商船會社
ダラー汽船會社
加奈陀汽船會社
アドミラル汽船會社
南洋郵船會社

日本力行會、信濃、廣島、和歌山
福岡、熊本、沖繩　各縣海外協會　指定旅館

海外渡航乘客荷物取扱所

今泉旅館

本店　神戸市海岸通六丁目三番邸
支店　神戸市榮町通五丁目六八番邸
電話元町三二一番
振替大阪三五四一〇番

海の外—THE UMINOSOTO
Published Monthly by the Uminosoto Sha. Nagano, Japan.

「海の外」第九十一號　（毎月一回一日發行）

（大正十一年四月廿六日第三種郵便物認可）　（昭和五年一月一日發行）

信濃海外協會
海の外社發行

海の外
THE UMI-NO-SOTO
第九十二號
昭和五年二月號
目次
卷頭言
日本民族の將來とアマゾン文明
南洋行(四)
朝鮮人の移住地間島(五)
移植民ニウス
海外通信
異鄕に眠る若きパイオニヤ
信州記事(母國通信日記)
縣下政局展望
スキー界の樂土樺太の雪
歌壇
海の外問答
協會記事
信濃海外協會海の外社發行

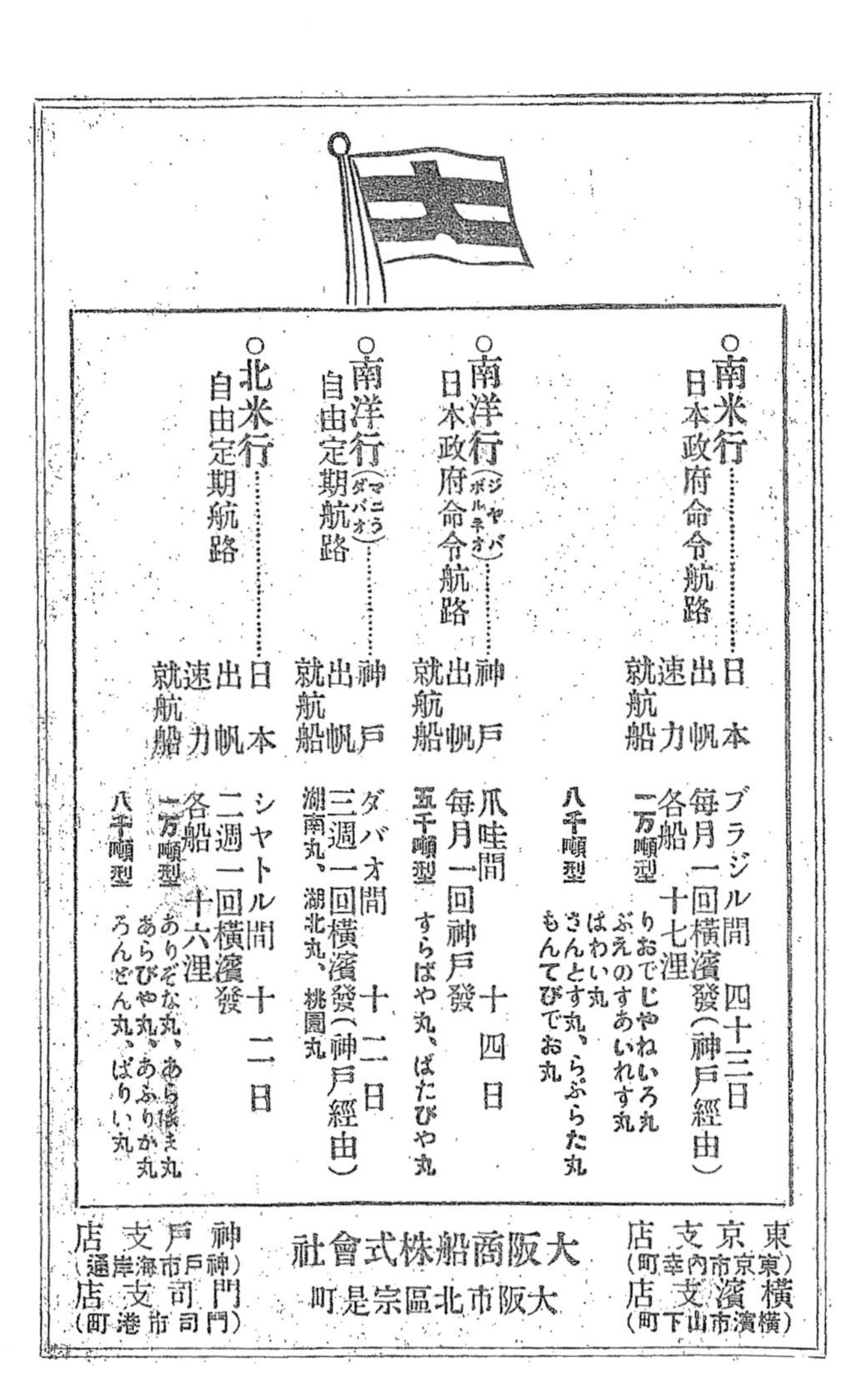
○南米行…………日本政府命令航路
日本出帆 速力 就航船
ブラジル間 四十三日
毎月一回橫濱發(神戸經由)
各船 十七浬
一万噸型 りおでじやねいろ丸 ぶえのすあいれす丸 はわい丸 さんとす丸、らぷらた丸 もんてびでお丸
八千噸型
○南洋行(ジヤバ ボルネオ)…………日本政府命令航路
神戸出帆 就航船
爪哇間 十四日
毎月一回神戸發
五千噸型 すらばや丸、ばたびや丸
○南洋行(マニラ ダバオ)…………自由定期航路
神戸出帆 就航船
ダバオ間 十二日
三週一回橫濱發(神戸經由)
湖南丸、湖北丸、桃園丸
○北米行…………自由定期航路
日本出帆 速力 就航船
シヤトル間 十二日
二週一回橫濱發
各船 十六浬
一万噸型 ありぞな丸、あらばま丸 あらびや丸、あふりか丸
八千噸型 ろんどん丸、ぱりい丸
大阪商船株式會社
大阪市北區宗是町
東京支店(東京市內幸町)
橫濱支店(橫濱市山下町)
神戸支店(神戸市海岸通)
門司支店(門司市港町)

アンデス越え

昭和四年十二月二日最高峯驛ボルギーロ驛（海抜九千四百六十七尺）を過ぐ、こゝを下ればレークインカン（湖水）あり風光實によろし
—西澤幹事通信—

（右）海抜五千五百七十八尺のコセンタ驛附近の山

（中）アルタール山の雄姿

（左）最高峯驛ボルギーロ驛の建物

（上）西澤幹事のレジストロ訪問 —昭和四年十月十七日—
右より後列 小松嘉夫、倉島駒次、宮下延太郎、石川文夫、內田登始雄、寺島要人、小松惠美耶、小松敬一郎の諸氏
右より前列 久保田安雄、相良三介、西澤幹事、松村桑治、中島貞雄、小松志げよの諸氏

（下）累々たるマモン（本誌海外通信大澤英三君の通信參照）

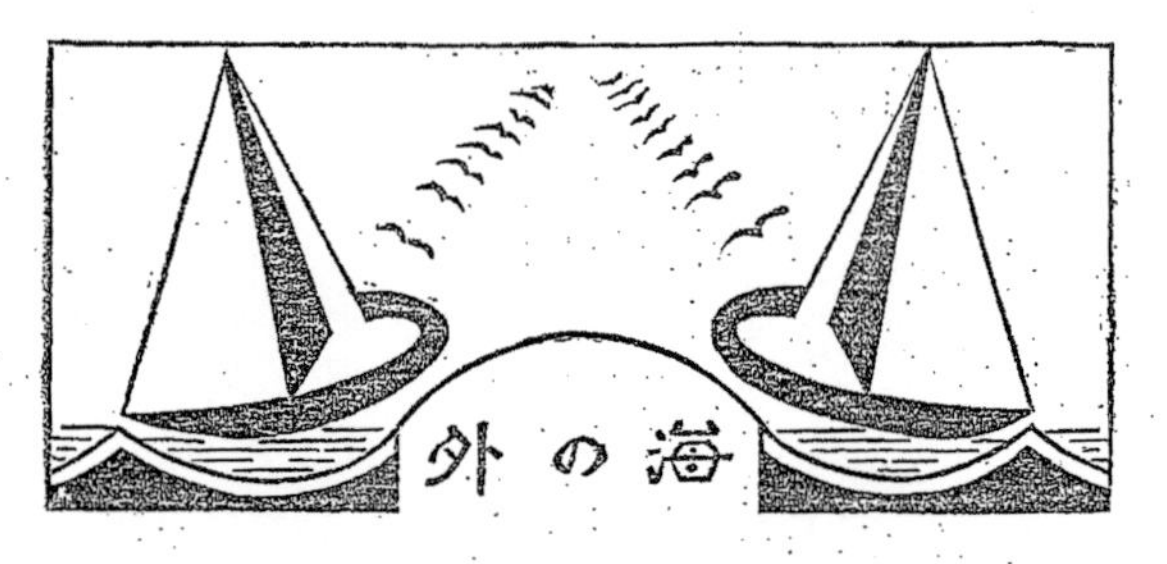

（昭和五年）第九十二號（二月）

呼寄の倍加運動

近時在外者からの呼寄渡航者が增加して來た。この呼寄者は既に在外拾幾年かにして經濟的基礎も確立し土地の事情にも精通して每年故國から一人や二人を呼寄せ世話する事は差程困難でもなく苦痛のものでもない境遇にある。

被呼寄者もこの呼寄者を賴つて容易に就職し安心して渡航し得る。もとより他人の世話は面倒であり厄介の事である。そして被呼寄者よりは呼寄者に責任を藉してうまく行つて當り前、惡くゆけば往々責められるのである。然しこれは被呼寄者の精神如何によつて寧ろ責任は自らが負ふべきものである。

在外者の呼寄は鄕里送金にもまして現在の日本を救ふ有意義の事であり被呼寄者自身に幸福を與へる事である。更に他人の世話は人間の麗しき發露で利己的でもなく打算的でない人間相互の義務的行爲である。

故に被呼寄者はこの呼寄の精神に則して、更らに幾年かの後には後進者を呼寄指導して呼寄渡航の實蹟をあげねばならぬ。

幸ひにして近時この呼寄渡航が增加し鄕黨的連絡が結ばれて行く事は喜ばしき現象、この傾向の益々倍加されん事を希ふものである。

—宮本 乙巳—

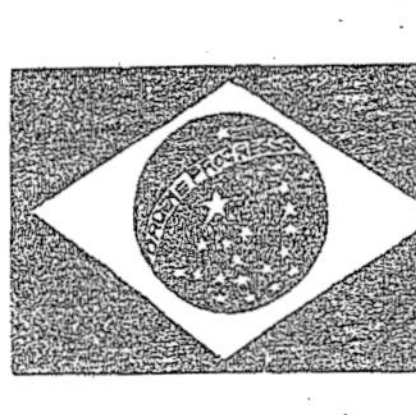

日本民族の將來とアマゾン文明〔中〕

米國加州ブラジル研究會日本支部長　森田三樹

世界極度の人口抱擁力

『十字街頭の人類』（ヒウマニテイアツトクロスロード）の著者イートス博士に據ると將來世界の抱擁し得る最大限度の人口は約五十二億とされて居る。之は勿論其論據を現在世界に行はれて居る農耕法の能率に置ひて有るので將來或はより科學的な、より集約的な農耕法が發見されて食物の產出高を倍加し得ないとは限られぬ故決して絕對的のものでは無い。が、然し一方所謂文化生活の普及より來る民衆の生活向上に要する消費增大と人口の增加するに反比例して年一年と狹少を告げ來る全世界の耕作地に對する報酬漸減の定理とを考ふる時は先づ五十億或は其以下の人口を以て世界の最大抱擁力を見るが適當であるまひかと思ふ。而して其極點に達したる時に當つては私は我が民族は少くとも

三億の人口を有す

るに非ざれば前述の我使命を完全に遂行する事は困難であると思ふ。何故ならば世界は今や非常な勢を以て大衆化しつゝあるのであつて例へば宗教問題にしても勞資問題又は今言はむとする人種問題にしても例へ其主義主張は如何に立派なるのであつても若し其背後に之を熱烈に支持する大衆が無かつたならば到底之を貫徹せしむる事は困難否な絕望に近いからである。之は前述の滿州に於ける支那人の現勢力の背景をなして居るのは支那をして過去約一世紀に亘る列强（日本も其一つ、？）の支那併呑又は分割の企てより來る毒手に起因する亂麻の如き狀態から脫け出でゝ朧氣ながらも財政外交其他諸般の對外的事件に關して自主的位置を獲得せしめつゝあるものは其背後にある「中華は中華民の中華なり」てふ標語を以て民族的に團結する四億有余万の支那の大衆の力である事を知る。更らに之を衆寡敵せず祖先傳來の土地を怨敵アレグロサクソン民族に失ひし北米インデイアンの悲慘なる現狀と比較し、人種的鬪爭の暗影が黑く

且廣く水平線の彼方太平洋の波を越へて吾に迫りつゝある世界の大勢を直感して一方飽く迄も心身を錬つて之に對して優秀なる質を以て當る覺悟を要すると同時に他方吾民族を量（卽ち數）に於ても增加せしめて少くとも三億に達せしめ之をして將來吾が民族の大使命たる『人種平等の理想に基調を存す眞の世界平和の確立』に向つて奮進せしめねばならないのである。現在の人口を以て生活難に苦しみつゝある日本內地人口を以て行はんとする事は絕体的不可能事であるのは明白の事實である故どうしても我民族の生活に適する海外の土地に人口の布植をせねばならぬ。然るに前に詳說せる如く我民族を受け入れて充分に發展せしむるを得る北米中米濠洲露領シベリア、等の諸白人國は人種的差別觀念に捕はれて直接問題に秋霜烈目的の封鎖を決行して吾を排斥して居るのであつて我民族の前途や實に不安の暗雲に閉されて居ると云はねばならぬのである。今試みに太平洋を圍む諸國の面積と人口との關係とを比較するに（國數は二十五ヶ國）

總面積　二千三百五十八万平方哩（地球全陸地の四割一分强）
總人口　六億八千八百七十万人　（全世界人口の四割弱）

一寸見ると誠に合理的に分配されて居る樣に見ゆるが次の表を見ると此內有色人種所有土地面積は五百三十四萬方哩（全面積の二割二分七厘のみ）なるに有色人種人口…は、五億二千百九十萬人（全人口の七割九分）を有し二割二分の面積に七割九分の人口が押込められて居る、斯かる狀態の下では生活上の無理が起るのは當然であるが更に心細いのは此內有色人種の獨立國は僅に日本、支那、ジヤムの三國のみであつて其人口と面積を白人の獨立國と其領地とに比すると

白色人種獨立國と其領土　面積　一千九百三萬方哩
　　　　　　　　　　　　人口　一億九千四百七十萬人
有人獨立國　　　　　　　面積　四百五十五萬方哩
　　　　　　　　　　　　人口　四億九千四百萬人

右の表の如くで一目瞭然たる如く有色人種の獨立國の數は極めて少く且つ其人口の割合に其國力甚だ振はず、今の處眞に獨立國と稱し得るものは僅に我日本帝國のみであるに氣が付くだらうと思ふ。然るに之に反して白色人種の諸國は人口の割合に國運隆んに殊に米國を以て最となすのである彼等白人の有す其領土は實に太平洋岸諸國の總面積の八割弱を有して居る。而して白人國一平哩方の密度は前述した如く稀薄である故兩者の間には之よりも更に激しき差を生ずるのである。此の如く有色人種は現在人口の割合に比して狹少なる土地內に押し込められ居るに反し彼等白人種は廣大なる地圖を有して其行動は自由に其所有せる富源は豊である。其結果人口と天然資源との非常なる不平均の分配とを之等白、有色兩人種間に生じ來たして居るのではあるが就中我日本の人口は他の太平洋岸の有色人種の諸國とさへも一平方哩の密度に付いて調べて見ると實に左の如き更に甚しき差を生ずるのである。

太平洋岸有色人種一平方哩人口密度　　九十八人

日本人の人口密度　　三百九十二人

而して右は前號に述べたる如く日本の全面積に割り當てたる數で耕作可能地に割り當てると我が人口の密面は殆ど三千人に達するのである。卽ち此等諸國を人口と面積との割合から見る時は我日本は

世界的極度の無產者

卽ちプルレタリア國であり其れに反して彼等白人國殊に英米兩國は人口と土地面積の割合からして見る時は實に世界最大の有產者で名實共に世界的ブルジョア國と云つて好いのである。此事實を前にして此の國際的人種的富源分配の不平均を知りつゝ而も此枯れに枯れたる日本國內の『富』の分配に血眼となりつゝある腰拔け自稱『プロレタリア』よ御身等の見苦しき此現實を直視し得るならば起つて先づ人種差別觀よりして吾を拒む「ロシア」「オウストラリア」等の御身等の『同志』を先づ責むるが好からう。そうして先祖傳來の此貧弱な日本の資源を寄生虫の如く搾取するを止めて海外に御身等の**理想に基く新天地を建設**する勇氣と自尊心とを養ひ徒らに『分配』を望む依賴心を捨てゝ兄等自身が絕叫する、『働かざるもの食ふべからず』の信條を最も完全に具体化せる海外理想鄉建設の事に從ふが好い。兄等には彼等自稱プロレタリアの建てたる濠州、ロシア等の白人國が人種的差別觀を基調として人類共存共榮の精神を無視しブルジョア北米合衆國と相應呼して人種上經濟上軍事上吾を壓迫せんとして居る明々白々たる事實が解らぬのか。此點より見て今や我日本及び日本民族は實に內憂外患交々到る八方重圍の裡にあると云つても決して過言ではないのである。

此時此國家と此民族とを此窮地より脫せしめて之をして更に一世二世萬世一系に榮へしめんと欲するならば吾等は從來採り來つた誤れる對外的思想及び之に基く誤れる國策を捨てゝ新しき理想鄉の建設に猛進せねばならぬ、誤れる思想とは、『移民は棄民なり』とか『日本で食詰めたものは外國に行くが好い』等の思想である。此又內地には「日本に居つて食ふ位な事は出來るじやないか」等の乞食根性も一つである。其れ海外植民の事に直接從ふ者は故國と吾民族との第一線に立つて異れる民族と文化との中に飛び込んで平和の內に優劣を爭ふ吾等の先驅者である。之を劍に例ふれば移住民は其刄であり切先であつて他人種と直接火花を散らすべき位置にあるのである而して故國及び其民衆は取りも直さず其刀身であり其重量である人已の生死を賭して敵と切り結ぶに際し何人か其刀の切先鈍く刄の弱きを選ぶの愚をなさすや必ずや而して求め得る限りの利刀を得て之に對するであらう。此の理は直に取つて以て植民哲學の定理とし得る卽ち『植民に成功せむと欲せば其最前線に立つ者は故國に於ても十分に腕を振ひ得る**一騎當千の人を以て**之に當て一方故國政府と民衆は一心となつて徹底的に之を後援すべし』卽ち之である。然らば『誤れる國策』とは何であるか曰く我國家が元來亞細亞より更に良き土地を求めて東漸し來つた民族によつて建設された事實も忘却し、而も我民族が平和的により有利

に自由に發展し得る土地が他に在るをも度外視して又もや人口稠密なるアジア民族發祥の地たる亞細亞大陸に吾が、民族吾が國家の精力を逆戻りせしめんとする從來の國策之である。殊に支那の歷史、文化、民族的自尊心等より來る力を度外視して政治、軍事等の優越の地位を得むと焦慮して小刀細工的の二十一個條、火事場泥棒的山東出兵或はシベリア出兵等を試みて一つは分裂せる支那の民衆をして排日的に團結せしむる因をなし索ひては我東洋に於ける自然的好位置より生じ得る發展を阻害し而も英米露の抗議に遇ふ每に一歩退き二歩讓り、果ては之より實に見苦しき態度で每日蒼々撤回又は撤兵をなして吾に斷乎たる國策と決心なきを天下に明かにして侮を負ふと同時に白色人種國の希望し計略しつゝある日支離間策に好個の材量を提供し、索いては亞細亞民族間の大同團結を遲め其力を減殺しアジア民族をアジア大陸の一部に己れ自らを封鎖してゐる白色人種が世界の富源を自由に開發して己の位置を益々鞏固以て自由の天地人口增加勢力扶植を行ひ得るに反して現在さへも人口に比して面積天產共に豊ならざるアジア大陸內の小地區內に己等が子孫を固定せしめ萎縮敗退せしむる從來の我政府の對アジア殊に對支政策である。日露戰爭後我國が世界有色人種の盟主として仰がるゝに到つたのは前に述べた如くであるが其戰爭に醉ひし我對外政策はどうであつたか事實とかけ離れたる事實は外交辭令を拔きにし其赤裸々たる所を總勘定して見ると代々の政府の爲せる所は同文同種の支那に對しては舊式帝國主義の慣用手段たる恫喝（二十一箇條其他）又は軍事的侵略（山東出兵）等を大なる決心をも有せずして之を行ひ徒に國辱と忠良なる國民とを犧牲にして得たる所は只彼の飽く事なき憎惡心と之に起因する日支關係の惡化であつた。而して新帝國臣民たる朝鮮の同胞に對する我國民の態度は『相變らず「ヨボ」を擲つて居ます』てふ朝鮮より歸國者の自白が證明して居る。かゝる有樣で例へ八道の山は我政府の造林方針に依つて鬱蒼たる見事な山林に依つて包まれても溝の如かりし道路は改造されて住民の生活改善に貢獻しつゝあつても日鮮民間に生ぜし深き惡感の溝渠は永久に取り去る事が出來ぬであらう。我國家と民族とを眞に偉大なるものとせんと欲するならば我等の有する諺言『一寸の虫にも五分の魂』は世界の人類に共通し得る眞理なるを覺つて『己を愛する如く吾等の隣人を愛する』事を忘れてはならぬ。以上でも解るが吾等は國家としても民族としても今迄には已が最も愛すべき之等東洋同種の隣人を蹂躪（少し極端には聞へるが）し、己が依賴もせざるに世界中吾々に最も好意を有するメキシコ以南のラテンアメリカ諸國の延ばせる握手に顧ず、我民族に平等の待遇を拒み吾を己の有する世界的優越の地位下に押へさんとしつゝあるアングロサクソン國殊に米國に對して低頭平身其鼻息をうかがひ其文化を摸倣する如き態度は果して光榮ある大和民族の精華と呼ばるゝ大和魂の發揮であらうか。

斷じて然らず。大和魂とは我建國の基をなせる神人一致人類

共存共榮の大理想を更に世界に普遍せしめて全人類をして其恵に頼らしめとする精神之である。而して之を斷行せんとせば先づ從來の誤れる態度を捨てゝ己が兄弟たる支那朝鮮の民衆國家を眞心以て愛し吾に好意を有するラテンアメリカ諸國と堅く結びて我位置を堅めて人道を無視して壓迫を加ふる英米諸國に對して『汝等の精神態度は神人共に許さゞる所である速に更めよ』と面責し彼等をして反省せしむるにある。而して之を我人口、人種、外交其他前述の結論より考ふる時は今後吾に此實力を與ふるに最好適の土地は南米ブラジルであり而して之を成すの最良法は家庭を單位とする『平和的侵入（ピースフルペネトレーション）即ち移住（イミグレーション）である』のである。いでや暗雲我が四面を閉ざす時吾々一道の光明を與へて誤たざるの活路を示す南半球の雄邦ブラジル合衆共和國 を研究し之に向つて我國内に欝結せる興國の大精力を注ぎ之れを通して我大理想大經倫を行はむ哉先づ第一に

ブラジルの位置

から研究して見ると我理想を行ふに絶好の位置に在るのが直に解る。即ち同國は歐米諸國（白人種國）から共に汽船にて約十日余にして達し得る近距離にあり殊に之等諸國中にても製造工業最も盛んに購買力の最も大なる西部歐洲と北米東部の諸洲に他のいづれの熱帶の原料生産地に比しても其距離近きのみならず將來其の內地の大部分が開發せられたる場合には他のいづれの熱帶地方の追從をも許さゞる大量生産をなし得る面積と地味（之は後で說く）を有して居る。即ち伯國は將來白人の世界的根據地たる歐洲西部と北米殊に東部の製造工業と民衆の生活に必要なる物資の大部分を握る事になり、勢ひ之等の諸國をして其一擧一動に對して敬意を表せねばならぬ位置に立つ事は今日の北米合衆國が有する世界的位置以上に達する可能性を有するのである。之は其三十分の一にも達せざる南伯のサンパウロ洲が全能力（面積の）を發揮せずして既に世界珈琲産額の七割以上を出し居るのを見ても又自動車王フォード氏が三年前よりアマゾン支流タパジョース河邊にゴム園を經營して以て將來に於ける此工業必需品の自給自足を計り自國及び英國のゴム製造業者の壓迫に對せんとする遠大なる計略を見ても共に歐米炯眼の士が此の天下無比の北伯の富源が彼等に取つて世界中最も有利の位置に在る事實に眼めんとする最も有力なる證左と見る事が出來る。此時に當り吾人の最も快心の到りに絶へぬのは我實業界の巨頭鐘ケ淵紡績の重役福原八郎氏等の一葉落ちて天下の秋を知る的の事業上の天才が此大勢を觀破してアマゾン河口の大都會ベレン市近傍のアカラ河岸に建設せる、砂糖、ココア、綿等を主とする約百三十萬町歩の大植民地の開拓が昨年より眞劍に其緒に着いた事である。殊に福原八郎氏が其故國に於ける有力なる位置を捨てゝ老軀を省みず自ら先頭に起つて入植奮闘されて居る一事は私が先に述べた「一騎當千主義」の一好例として取つて以て故國の退嬰的事業家の猛省を促さむとする所である其れは兎に角之等の事實は東西兩洋の具眼の士が伯國の有す

る絶好の位置と將來の可能性とに對して漸く着目し來りつゝ證左であるのである次は

ブラジルの面積

は其偉大なる將來を裏書きするに充分なる事である南洋又は南米諸國の中にも、ブラジルと同面積を取て比れば之と劣らぬ富源を有し且つ我民族の發展し得る所は無いのでは無いが「今後吾等が前述の人種上不平等の鐵鎖を破らんとする時吾に最も頑强に抵抗するアングロサクソン系の英米を向ふに廻して彼等をして我主張の正當なるを認めしめんと慾するならば吾々は世界の殆ど四分の一に達する面積を有して彼等が其領土内の大富源を提げて吾に壓迫を加へ來つても立派に之に對抗して大刀打ちの出來る實力を有して居らねばならぬのである、而して此實力を與ふ富源と人口とを抱容し得る大面積の沃地を吾に提供するは世界中伯國を除きては他にないのである。即ち之を握るものは將來英米をして吾等の主張に對して敬意を表さゞるを得ざらしむる一種の鞭を握る事になる。若し此の「鞭」を不必要と思ひ英米が實力なき（軍事、經濟、人口等の）者の正當な要求を易々として承認する所謂『正義人道の選手』的民族で有るか無きかに疑問を抱く人が有るならば英國の印度民族に對する態度及び對支阿片戰爭を見、米の排日案又はパナマ獨立時代のコロンビア國に對する高壓的手段を見て悟る所が無くてはならぬ。更らに我國の今日有する一等國の位置なるものは我武力が彼等の有する殺人破壞力に比して優ると劣らぬを見て不承不精認めて居るのに過ぎぬと云ふ事實を決して忘れぬやうにして貰ひ度い事である。將來は知らず現在は我有する軍事上の實力のみが彼等をして吾に敬意を拂はしめて居るのだ左れば甚だ殺風景な話ではあるが吾々の主張を貫徹する爲には彼等に我實力を否應なしに認めしめて反省せしめるより外には獅子や鷲を其のシンボルとする野生滿々たる英米人を屈伏せしむる事は出來ぬのである。此點より見て伯國が其大富源を藏する大面積の土地を吾が民族の自由發展に提供して居るのは我が民族の爲に實に望外の天佑であると云つて好い。而して此の大國伯國は其廣袤實に三百二十九萬方哩であつて之を地球の陸地の全面積に比すると其十五分の一、南北兩米の五分の一、而して南米の二分の一弱で我日本內地の二十二倍の面積を有して居る。更に其本國と領土の一團となつて居る點から見ると「ロシア」支那に次ぐ世界第三の大國であつて現在世界に覇を稱する米國本國に優る事二十六萬方哩の面積を有して居つて我活動の舞臺として充分である。（次號完結）

南洋行（四）

信濃海外協會幹事 宮下琢磨

つて居るから、ある場所は將來市街つゞきの住宅地にでもならうといふ有望な土地です。サマリンダの街も、昔は對岸の方にあつた小さな町に過ぎなかつたのが、二千噸の船が這入つて來るやうになつてから、東の岸に移つたのださうですが、今のところは人口三千くらいのものですが、理事官があり、稅關があり、ホテルがあり、船會社、ボルネオスマトラ物産會社、兵營病院學校など一通り備はつて居て、こゝからはＫＰＭの船は一週二回セレベスのマカツサーに行くのと、一週二回バリパパンを經てジヤワに行くのとが出ます。この外チヤワ、チヤイナの會社の船は、バリパバンを中繼港として、神戸、香港、スラバヤ間の連絡をとつて居ります。かういふ要地を包んで居る日本人の農園が、日本人の手に歸してから約十年、何等手を加へずに僅か百英反ばかりの護謨園からゴムをとつて來たと云ふだけで舊態依然そのまゝになつて居るが、地所はこちらで手をつけぬ

サマリンダ農園

サマリンダの街を包んで、サマリンダ農園と云ふ日本人經營の護謨園があります。護謨園といふてもまだ採收し得らるゝ地積は百英反位のものですが、兎に角サマリンダと云ふボルネオ中部の要港を中に抱いて一里半に三里といふ廣大な土地です。この農園の價値はサマリンダと云ふ港を包んで居る形勝の地であると云ふ點ですから、一應サマリンダの說明をする必要があると思ひます。

元來この地は、テンガロンに居城を構へて居るテンガロン王の領地です、テンガロンはこゝから四十哩マハカン河を遡つたところにあります。和蘭政府は、テンガロンの王樣から市街地としてマハカン河に沿ふて小一里、奥の方に約半里の地所を借りて市街地經營の地所としたのです。それでこの政府の借地を除いたマハカン河に臨んだ三千五百町歩及び農園の地所にな

うちに土人は、奥へ奥へと進んで、田をつくつたり、果樹を植えたり、山の上に護謨を植へ、パインナツプルの栽培を始めたりして段々侵蝕して行きます。租借地內に永久的の作物をつくつて行くことは、禁ぜられてあるのですが、さてこれを追ひ出すとしても、土人の側では、死活の大問題であるから、默つて居ない、多勢になればなるほど、又侵蝕面積が多くなればなるほど、トラブルの多くなるのは必要です。それで早くどうにかせねばならぬと所有者の方も焦つて居たのですが、資本金の關係で一年二年と延びて來たと云ふ譯で、私の參つたのもこの經營についての相談からです。

支那人鄭氏の義侠心

支那人と云へば、一般に利己本位で、鄙悋で、利益のためなら虛言も平氣で言ひ、殺人も厭はないと、かう云ふ風に觀て居りますが、しかし、支那人は非常に複雜した性格の持ち主で零碎な金の爲めに、何物を犧牲としても悔いないと云ふ風かと思ふと、數ケ月の給料を一夜の賭博にスッカリなくして、それで涼しい顏をして、又汗水たらして一生懸命にかせぐと云ふやうなのは、支那人に普通見受けるところでありまして、日本人のやるやうに落膽の極氣狂ひになつたり、自殺したりと云ふことはないやうです。

この農園の買ひ入れも、支那人鄭悛懷と云ふ人の義侠的の投資から、日本人のものになつたのでありますから、こゝで鄭悛懷のことを少し書いて見ませう。

その頃鄭悛懷は、スマランの貿易商で、華南銀行の大株主でありました。大隈內閣の時に例の廿一ケ條問題で、支那人が日貨排斥をやつたが、南洋一帶に亘つて、本國に倣つて大騷ぎをしたことがありました。支那人でボイコットに加擔しないものは脅迫狀を送られたり、耳をきられたり、爆彈を投げつけられたりしたものです。ところが鄭君は、大の日本びいきでしたから、盛んに日支親善を說いて居たので、支那人からは、ねらはれたもので、コールターを卵に入れたものを、自動車に投げつけられたさうです。コールターならば、何も恐れることはありませんが、後から脅迫狀が來るのです。それには「貴下が今の態度を改めなければ、コールターは爆彈に換るときがあるからそれを忘れるな」と云ふ氣味のわるい文句があるのです、側の人は大變心配をして、この際大ビラに日支親善など標榜するは宜しくないと忠告したさうですが、當の鄭君は一向平氣で、相變らず日支親善を說き廻つたといふ快男兒です。ボイコットがやんでから、再びかう云ふことがあつては遺憾だと云ふので、日支親善の機關を設立することを提唱し、澁澤子爵に交涉し

「自分も三十萬圓を出すから、貴下も三十萬圓の金を作つて貰ひ度い、そして日支親善會をつくつて、永久に兩國の親和を圖りたい」

と云ふので、早速三十圓萬の金を、台灣銀行に供託して、澁澤子の盡力を熱望して居つたが、日本人側では、とう〳〵その金は出來ずにお流れになつたのです。台灣銀行ではかうなつた以

上は、仕方がないから金を引きとつて呉れと言ふところが、自分は一度差し出した金だからと云ふて、引きとらない、そのうちに大震災となつたので、震災義損金と云ふことにして日本へ送つたさうです。

サマリンダ農園が、鄭君の義俠的の投資によると云ふのは、今のサマリンダ農園の支配人川波有一君が、未だ駒場の農大を出て間もない少壯氣鋭の支配人として、ソロの近くにあるスンベラワンのサイザル農園に活動して居つた當時のことださうです。何處からかサマリンダ農園の賣り物になつて居る話をきいて、實地を視たところが非常に有望に感じたので欲しくてたまらない、この農園は獨逸人の所有で十萬盾と云ふことでしたがその金の相談をその頃台灣銀行スマラン支店長の根本氏に持ち込んだのです、根本氏と川波氏は前からの相識でも友人でもなかつたさうですが、ある問題でスンベラワンの農園を視に行つたところ、川波氏は、非常な奮闘振りであつたので、前途有爲の人として非常に感心して居つたので、どうかして、この問題を成立させたいと思ふて、この話を鄭君に持つて行つたさうです。鄭君は

僕は、川波と云ふ人も知らない、又サマリンダと云ふ場所も知らない、けれども、君がそれほど熱心に贊成して居るなら金を出さう。

立ちところに承諾したさうです。それで話の末根本氏が四分の一、鄭君は川波君と自分の持分で四分の二、華南の重役淸水と云ふ人が四分の一と云ふことにして、こゝに南國栽培會社と云ふものが出來ました。これは全く鄭俊懷が義俠心に立脚して、われ〳〵も金を出さうと云ふことになつて、立ちどころに成立したさうです。

鄭君は、かう云つた風の面白い快男児であつたが、商賣上の手違ひから、失敗して今では新嘉坡の裏店住居をして居るさうです。が一度もサマリンダ農園が、どうなつて居るかと聞いて來たこともないそうです。

農園としての眞價や、色々の相談は今後經營上の機密にも亘るので、差し控へ逗留中に體驗したことをお話し致します。

閉口した便所

南洋の土人の便所は、川の中に大木二三本を並べ、その上に小屋がけをしたものです。その小屋が便所で、日本のカハヤと云ふのは卽ち川屋の意味でせう。川屋のズット立て並んで居るのは良い方で、川屋のないところは、川の中に屈んで居るこれが最も簡單な方式です。この農園の厠は一間に一間半の板張りで、一方に長方形に板を切つてある、これが便所です、一方の隅の方にもやゝ大きく板を切つてある、これが洗面所なり洗濯所です。この二ツの穴の區劃をするものは水面に浮べる大木でありますが、室内に區劃はありません。水面に浮べる大木で水は直に混合することはないと思ひますが、この便所内の水で直に顔を洗ふことは、氣持ちが惡くて閉口しました。それでも一週間許りしてだんだん馴れては來ましたが、この便所の外の板の上では、下男の佐助君が、朝晝晩とも茶碗から、皿小鉢鍋釜ホーク類迄洗つて居ります。しかし、その水は壁土をといて流したやうな黄濁の水であります。上にも、下にも川屋は立て並んで居りますが、土人は平氣でこの川水を飲んで居ります。雨水とか、濾過水とか、清澄な水を與へても、それは甘くないと云ふて居ります、却てこの糞尿の混じた黄濁の水が味があると云ふから、習慣と云ふものは恐ろしいものだと思ひました。

婦人は、川中で用使をたして、岸に上つて、新しいサロンと着かへるのですが、川に這入つて居る間に身体をスッカリ洗ひます。新しいサロンを頭から被つて腰の邊に下げる間に、濡れたサロンは足許に落ちて、手品師のやるやうな敏速巧妙で、衆人圜視の間で、手際よくとりかへてしまいます、肉體を見せるやうなことはありません（つゞく）

（昭和四、一、一〇京城客舍にて）

びた一文も要らぬ
若き南洋商業實習生を募る

南洋協會では昨年から南洋商業實習生を募つて日本品の南洋進出を計るため既に瓜哇の諸地方に在住邦人商店の有力なる商店に入店せしめてゐるが今年は新嘉坡、瓜哇、スマトラの諸地方に實業生を派遣する事になつた。

募集要項を略記すれば左の如くあるが希望者は同協會（東京市麹町區丸ノ內二丁目十番地）に直接照會すべし。

一、募集人員は拾名、申込期限は三月末日

一、年齢は二十才前後、家督相續人にあらざる二三男にして昭和五年に於ける徴兵檢査を受けざるもの、身体健全、意志强固にして不便不自由を忍び、困苦欠乏に堪え、永く此の地方に定住して日本品の小賣業に營み充分成功の見込あるもの。學力は問はず。

一、希望者中より嚴選して五月十五日迄に決定す。

一、六月一日より二ケ月間東京に於て彼地の事情、語學、渡航法等の指導を受け目的地に行く。鄕里より上京の旅費、滯京費、渡航費等全部支辨す。

一、目的地上陸後は邦人商店に入店して普通の丁稚小僧となりて誠實奉公五ケ年勤務する。勤務中は奉公の年數及成績により每月二十圓以上五十圓以內の給料の外、衣食住の諸費を給與する。

一、五ケ年の奉行を眞面目に勤め將來有望と認めたる者には二千圓內外の商業資金を貸與して獨立せしむ。

卽ち唯一文の費用も資金も無くて小賣業を開業し得る好條件で若き海外の活躍家を求めつゝあるので南洋の廣き舞台で吾運命の開拓せんとする眞面目な青年には絕好の機會である。

朝鮮人の移住地間島（五）

在間嶋 藤澤定司

坪井警部補の殉職

去る十一月三十日午前六時延吉縣（藥整溝子）「ウンスラーズ」市街に於て故坪井警部補（下水内郡秋津村字靜間出身）は部下十七名を引率して國民府地方募捐隊長（隊員約四十名）强盗殺人犯張豪星を逮捕格鬪の際突然同犯人の爲めに拳銃にて右目上を射ち貫かれ現場に殉職した。

嗚君の生前は間嶋は勿論南満州西伯利亞方面迄鬼刑事として怖れられたものである宜なる哉君の手に檢擧せられた不逞徒のみでも約四十名はあろうから。今回と雖も職務の手前生擒りにせんとしたのが仇となつたのである思へば君の死は實に尊い犠牲ではあつたのである斯くしてこそ治安は維持せられ移住者は安んぢて開拓に勤しみ然る後に理想的安住の地が生れたのである朝鮮と雖も最初はどうだあの尊い憲兵の流した血が今日たらしめたではないか決して偶然の發展ではないのである然るに當時總監の非難あり之れに對して○○大佐は涙を流して吾々は人の爲めに働くのではない國家の爲めに働くのである故に各自此際自重を望むとの訓授は君も聞いた筈である君の今回の死と雖も決して人の爲めに死んだのではない勿論將來此間嶋にも君の額から散つた樣な赤い櫻の花を咲き匂はせんが爲めなのである。噫「義忠院武勇義節居士」よ靜かにその期を待つてゝ呉れ給へ！

國葬の旗ひるがへり唐野哉

十七、宗教

鮮人側は耶蘇教、天道教、侍天教、大宗教、天宗教、佛教青林教、等多種多様であるがなかんづく耶蘇教が最も優勢である倚ほ耶蘇教會堂は可成多いが內地人側には佛教、神教、耶蘇教があるが神教及耶蘇教徒は洵に尠い、寺院としては曹洞宗間嶋別院と東本願寺布教所との二つである因に間嶋に在る外國人宣教師のうちには一部鮮人を教唆煽動して暗闇裡に何事かを企む宗教家として油斷のならぬ者が潜在して居る。

十八、教育

間琿兩地の內鮮人教育機關中其の主なるものは(一)間嶋中央學校（龍井所在生徒八百余名朝鮮總督府の經營に係り專ら鮮人子弟の教育）(二)普通學校「內地の尋常六年程度」（局子街、頭道溝百草溝琿春の四ケ所）(三)間嶋尋常高等小學校（龍井所在朝鮮總督府の經營であるが外務省の在外指定學校として內地人の子弟を收容して生徒百三十余名）(四)光明會經營諸學校―永新中學（師範科及小學科附屬）光明高等女學校、光明女學校、光明語學校、光明幼稚園、經營者內地人日高丙子郎氏で專ら鮮人子弟の教育に當り以上七校で生徒が七八百名(五)思眞中學（龍井所在經營者英國人生徒約三百名）東興中學（龍井所在鮮人經營生徒六七百名）明信女學校（龍井所在英人の經營に係り校長は英國婦人生徒約二百名）以上各學校の內で光明女學校と東興中學とが一風變つて居る前者は語學の教授を基礎として居るのであるが有夫の鮮婦人其の幼兒を背負ひ、或は床板に眠らせなどして我子のやうな少女と席を並べ勉强して居る後者は男女共學制を採つてをり常に不穩分子の策源地と見られて居るが一時は露領方面から來たと云う頤に毛の生へた年齢三四十才位の學生が二三名居た又同校の女學生は髮も露はな短いスカートに自由奔放ぶりを發揮することに於て有名である勿論男女學生同志が手を連いて校門を出入する位いの事は平氣の平座である其他間琿各地に總督府援助の補助書堂及寺小屋式の漢文書堂等多々ある

十九、金融機關

間嶋に於ける主なる金融機關は朝鮮銀行出張所、東洋拓殖株式會社出張所、間嶋商業金融株式會社、間嶋興業株式會社、間嶋琿春朝鮮人民會金融部等であるがその業蹟に就ては只今此處で略す事にするが間嶋商業金融株式會社の配當（株主）を聞くと每年二割五分頭道溝の金融會社の配當（株主）が三割。故に貸出しはどうしても月三四分らしいのである故に朝鮮及間嶋と金融に付いては餘程研究を要するので金利の高い事は先づ世界一だろうと思へます其他石本惠吉男が此金利に目を付け何かコソ〳〵計畫中らしい。

二十、牧畜

牧場としては牛乳販賣の小牧場が一二あるのみで之と云うものはないが家畜の類は相當ある。卽ち昭和四年度の十二月現在では牛八萬五千、馬二萬三千、羊三千五百、山羊二千五百、豚二二萬三千五百、鷄が三十五萬五千五百、驢八千五百、騾三千五百であつて逈に間嶋の總人口四十八萬人餘の七割强に當る牛は鮮農の耕作上缺くべからざるものであり且つ唯一の財產である、之を鮮支人農家の比は一戸當り一頭二分强である而して牛の價格は良牛で普通百圓內外であるが耕作期は三四割方騰貴する因に國境を脅威する間

嶋名物の牛疫は我總領事館當局が莫大の國帑を費つて多年來之が防疫に大努力を拂つてゐるが其の効果は最近頓に顯著である。

二十一、養蠶

六萬强ある間琿の鮮人農家にとつて輝しい前途ある副業は即ち養蠶であらう——元來、間琿在住鮮人農家の副業としては麻布以外に何等副業らしい副業がなく、而も其の麻布製造の副業なるものが生産者の農家にとつて利得が持てないとされてゐるのである。之に反して大いに至嘱されるものは實に養蠶である、抑も間嶋に於ける養蠶は、延吉縣二道溝居住鮮人農夫李君桓なるものが大正十年頃早くも間嶋を以て養蠶の可能性を持つ地帶と目して桑樹栽植に從事してゐたのである。然し當時の一般鮮農は之に深い注意を拂はずにゐたのであつたが大正十三年咸北道廳は間嶋に養蠶を奬勵して鮮農の經濟力を培長せしめんとの趣旨から同年の春桑苗若干を龍井鮮人民會の手を經て希望者に配布した、即ち之が間嶋の養蠶に關する最初の施設であつたが不幸にして右桑苗は適ま稀有の大旱魃に際會して其の大部分が枯死の厄に遭つたのである所が十五年に配給せられた桑苗は頗る好成績で相當の摘桑量が獲られたが現在では改良に改良を加へられ全く當地に適したものを栽培し居る現狀である其他飼育方法等に關しても鮮人民會が咸北道蠶業講習所の出身者をして巡講とし只管指導啓發に努めてゐるが咸北道廳並に間嶋總領事館が之を大いに助力して居るから間嶋の養蠶業も近き將來に就て相當發展するものと期待されて居る（をはり）

□……塞に啼く溫突隅の秋の蟲

漫談の五

——遠里農法のこと——

我が信州の今年の米收穫高は反當り一石九斗八升だと聞くが福岡縣には六石會なるもの組織せられありてどうしても反當り六石以上を產出せなければならぬと力んで居る然も肥料は堆肥のみにして絕對金肥を使用せぬ規定だと云ふ其の耕作方法に付てはその昔當縣縣知事たりし淺田德則閣下（貴族員議員の節）が直接同縣より農業技手を招聘し奬勵せられた事があつたが現在でも更級郡更級村坂田鑒氏が今でも其の方法でやつて居られると思ふ、小生も再び鍬採つたならば殊に朝鮮で此の方法を應用したいと思つて居る、即ち遠里農法である

○草も木ももの茂繁くなりぬれば
　實り少くなりにける遠里

——パイオニヤがもてる時代——

先日ある女學生から斯樣な手紙を貰つた我信州にも海外熱が非常に熾んに成つて來ました私も卒業したら是非叔父サンにブラヂルへ連れて行つて貰つて乍女働いて見たいが家庭の事情上親達に話した處で叱ら

れる計りで一人苦しんで居ります云々と。一葉落ちて天下の秋を知る昔は軍人がモテ、次は外交官現在は司法官將來はパイオニヤ嗚呼時代は廻る〳〵

□春陽にめぐまれ出でた一芽哉

——産を棒に振るノラクラ息子のこと——

今年の九月安岡縣に接壤する極く田舍に出張した事があつたが其部落は未だ新しい部落で何れも開拓に勵んで居るのを見て非常に賴母しく感ぢた其處で一泊する事にし夕食後村の有力者が晝の疲勞も厭はず訪問して吳れたので支那燒酒を馳走してやつた處が非常に喜んで色々な雜談に花を咲かせたその內に一人の有力者が云ふには當地方は鹽が高い（一斤十七錢）ので一ケ月一人當りドウシテモ三四圓はかかるので困るとの話、冗談ぢやない一人一ケ月三四圓とは一体何を食つて居るのかと尋ねると次の樣な獻立だ

朝食　玉蜀黍（主食）　味噌汁（臭氣のあるもの）　草の鹽漬
晝食　馬鈴薯（主食）　山鹽（土砂混りのもの）　草の鹽漬
夕食　全くの麥飯（主食但し稍豆馬鈴薯を少し混ぜ）味噌汁菜葉漬

但し季節に依つて多少の相違はあるがマア大体こんな調子だ此の話を聞いて成程と思つて撫然とした然しよく考へて見ると人事ではない吾々先祖と雖も必ず斯くの如くして子孫の爲めに血と汗を絞つて吳れたのかと思うと實際有難涙が出そうだそれにつけても何處かに「ノラクラ」息子は扨て置き分別盛りの御主人公邊りにもチョイ〳〵金を使うに事缺いて田舍醫者や白首に現を拔かして先祖傳來の財產を棒に振る人も無とは限りますまい。

◎無駄使せずと家業を勵めかし
　汗で創いた先祖思へば

——噫坪井警部補——

(1)□……雲は凍りて天寒し
　賊徒を集めて十九士の
　奥地に進む雄々しさよ
□……雪のあかりに峰を越へ
　星をたよりに谿を出で
　目指すは何處——明月溝
□……足音をしのび近か寄れば
　闇くらき山蔭の
　街は寢覺めず聲もなし
(2)□……指揮官坪井鬼刑事
　部署を定めて一齊に
　銃口を揃へて包圍けり
□……賊の住家に躍り込み
　隈なく捜索せどこはいかに
　討たぬ匪魁は影もなし
□……こは何事ぞと猛り立ち
　續けとばかり呼びつゝ
　妓樓をさして馳け出しぬ
□……東園に在りと覺りけん
　遊女の衣に身を包み
　逃げ出し怪漢そも唯ぞ
□……奇しき運命かな街角に
　雨虎は期せず組みつきぬ
　轟然一發血の煙
□……職務の手前生擒へんと
　務めしことの仇なれや
　無念——と一聲仆れたり
□……遲れて部下は彈を
　浴みせかけしが遺恨なり
　脫兎の渠を逸したり
□……呼べば鮮血噴き聲をあげ
　尚も指揮する剛男しさは
　百世儒夫も奮起しめん
□……時これ昭和四年末
　霜月晦日の朝まだき
　職友に抱かれてこと絕へぬ
□……嗚呼壯烈の殉職や
　尊き治安の犧牲や
　護法のかがみ神ぞ知る
□……英魂よ鎭まれ……東山
　海蘭河水はつくるとも
　勇士の譽や盡きざらん
（了）

移植民ニュース

移民の送金は

今後減少せん

歸國超過その他から

海外出かせぎ者の內地送金總額は內閣統計局の發表によれば昭和三年度は總計二千七百六十一万三千圓でその內米國移民送金が筆頭で約四割四分の一千五百十三萬圓に達し從つて內地送金の增減は一つに米國送金額の如何に懸つてゐる、去る七月初旬民政黨內閣出現以來爲替相場は一本調子に昂騰し四十三ドル台より四十九ドルと一割余り上騰を告げドル貨の低落から自然送金者はそれだけ不利な立場となり內地送金額は著減を來すのではあるまいかと深憂されてゐたが某銀行の調査によれば事實はこれに反し前年より約一割方增加を示する奇現象を呈したといふことは移民一般が爲替相場に對し常に敏感でその昂騰を見越し送金を急いだ結果である然しながら海外送金上左記幾多の難點があり今後の增加は期待し難く寧ろ減少傾向を示すであらうと見られてゐる即ち（一）移民中には既に第二世時代となり、市民權を得た彼等は農村生活を嫌ひ、都會集中傾向がある愛鄕心が欠如して來てゐる（二）歸國者が次第にその數を增し、現に本年ジューネヴ勞働局の發表によると三年度日本人の米國本土渡航者は四千百七十八名に對し歸國者九千九百四十二名を數へおびただしい歸國超過で、歸國者全部をもつて直に移民の歸國者と見なす譯にはゆかないが、入船每に多數の歸國者があるから可なりの歸國超過を示すであらう、以上根本的原因の存する外（三）米國株式の暴落の影響は遂次產業界に波及し一般購買力を減退し勞働條件の低下賃銀の引下が行はれ昔日の繁榮は期待し得られざるの事情に鑑みる時は送金額の減少は當然現出するものとされ現に、某銀行の取扱ひたる昨年十二月中の送金額はふくさうを例とする月にも拘らず比較的閑散であつたのはこの事實を裏書きし、この分でゆけば本年度の送金額は三分から五分減即ち六七百萬圓の署減は免れぬものとされ貿易外收入はそれだけ減額を來すこととなる

滿鐵の外交權

放棄の新政策

經濟第一主義の經營方針

仙石滿鐵總裁は就任以來滿鐵經營方針の大刷新を企圖し滯滿二ケ月間鋭意新政策の確立に腐心してゐたが遂に我が滿蒙政策の失敗に歸したるは滿鐵の無方針無定見の結果によるものであるといふので

一、滿鐵は國際的見地に立ちて經營せざるべからざること
二、滿鐵の經營は專ら經濟第一主義によるべきこと
三、從つて滿鐵が從來鐵道その他に關して行使せる外交權はこれを放棄して他に移管すべきものなること

の大方針を決定し一月二十七日拓相との會見においてつぶさにその理由を説明し

たところ松田拓相も全然これに贊意を表したので仙石總裁が一月十日頃鎌倉より歸京後濱口首相、仙石總裁、松田拓相三氏協議の上決定されることゝなつた、この外交權の放棄はいはゆる滿洲における三頭政治、四頭政治の弊害混亂を一掃せんとする大方針に基くもので從來事實上滿蒙外交をリードして來た滿鐵としては大英斷であるばかりでなく本邦滿蒙對策の根本にふれた重大問題でありその成行はすこぶる重視されてゐるが仙石總裁はこの外

一、右の新方針に適應すべき滿鐵職制の改革
二、滿鐵の傍系會社は五十七社の多數に上りその約半數は無配當若くは欠損を續けて非難の聲が高いがこの傍系會社の廢合整理を行ふこと
三、並に世間の視聽を集めてゐる昭和製鋼所計畫の根本的立直し

を策しすでに拓相の諒解を得たので新春の三氏協議においてはこれ等の諸點についても審議さるゝはずであると

拓植事業の

振興對策講究

國際貸借改善に計畫

我國の財界及事業界は逐年不況に沈論し悲しむべき幾多の事象を來してゐる。即ち國內產業の不振、人口の增加、從つて失業就職難等の現象を生じ、國民生活は益々不安と脅威とに襲はれつゝある現狀より見て、朝野を擧げて力を注ぐべきは海外拓殖事業である。現在我國の重要產業は殆んど悉く原料を海外に仰いで居る從つて內地產業の保護奬勵が必要であるやうに、海外の原料產地に於ける邦人の拓殖事業も極力これを指導奬勵するの必要がある、天然資源に乏しい我國の產業は海外に於ける資源を開拓利用する事に依つてその基礎を確立し、輸出貿易を振興せしめて不均衡なる國際貸借も改善せらるゝ事となるのである。海外拓殖事業の發展には海外移住者といふ原動力も必要であるし、又有力なる經濟機關の設置進出も必要であるが、更に政府の適切なる指導助長の措置も必要であるといふので之れに對し政府は漸次適切なる設施をなす事となつた、然し海外に於ける移殖民若くは拓殖事業と云ふが如き問題は國際關係に涉るので頗るデリケートな考慮を要するので、各國の事情を檢討し而して最も妥當滿圓なる方法を以て指導獎勵に努めつゝある。

利子補給制度で

南洋企業家に金融

四百萬圓を動かす台總府

石塚台灣總督は新施設の一として台灣關係者の南洋企業を助成する計劃を樹て目下拓務大藏兩者の諒解を求めつゝあるが案の骨子は次の通りである。

一、台灣總督府より一ケ年二十萬圓を支出
二、右資金は企業、商業資金として總督府の認可の下に華南銀行より貸付けたる資金の利子補給に充てる
三、補給さるべき利子は年七分以內

右の二十萬圓は從來とても南洋企業家に補助金として付與しおりたるものであるが今回はこれを利子補給制度に改め華

南銀行を經由して資金を融通せしむることによつて助成すべき人と事業を精査する機會を得、又事後監督を可能ならしめるもので企業家も確實なる方法を以て故國政府を背景とする保護の元に事業を經營し得る氣强さがある。

今回の制度を以て假に利子補給額を五分とするもこれによつて四百萬圓の資金が融通され得る結果となるので南洋金融の不備の折柄適切なる案として成行を注目されてゐるが大藏拓務兩省も大体異議がなる模様である。

拓殖金融策

金融機關の根本對策

拓務省の重要なる使命

海外拓殖事業の振興は金融機關の圓滑な活動にありこれが對策を誤らんか海外邦人關係の事業は一度事業上に支障を來たらせんが資金融通の杜絕ために折角の經營も水泡に歸すので拓務省ではこの重要なる使命を果すため金融機關の徹底的研究を行ひ現在の海外拓殖金融機關として東拓、朝鮮、台灣銀行等あるもいづれも財界恐慌後のいはゞ半身不隨の狀態にあるので

一、これ等金融機關の徹底的改革を行ふか

二、新たに拓殖金融機關を設立するか

何れかの方法をとるべく拓務省の態度をきめて大いに海外拓務事業の助成保護する事になつた。

現在在外邦人の金融を最も要求してゐるのはブラジル國珈琲自營者一園からなる三百七十五萬圓で本誌前號所載の如く故國低利資金の融通を請願してゐる。

ダバオ地方麻山經營者が台灣銀行傍系銀行たる華南銀行のダバオ支店又は出張所の設置を要望し、金融機關の設備をして在留邦人の經濟的發展に資する。

南洋ゴム園に

東拓が金融を開始

さしづめ三百萬圓程度を

拓務省の海外拓殖事業金融の根本對策は普偏的の確固たるものたらしめたいとの意向であるがこれが具体的實行には未だ相當の時期があるので現在金融を切實に要求し資金涸渇に苦んでゐる南洋ゴム園事業に對しては政府に於ても應急的對策を講ずる事になり本誌前號に報じたる如く井上藏相の東拓をして活動せしむる計劃案が着々進み新聞紙上に報ぜるたる所によれば南洋拓殖金融改善會議の結果に基き東拓は拓務大藏兩省と協議の上今年三月頃より金融開始する事に決定した

即ち目下南洋ゴム栽培業者から東拓に非公式の貸付申込額は約三百萬圓に達してゐるので始めは小規模に貸付を開始する豫定である

南洋のゴム事業は舊園は不成績であるが改良された新園は非常によくゴム價が現在の半額に落ちても引合ふのでこれ等を考慮して貸付を實行する。貸付期限は新園五六年の收益のないものであるから貸付年限は十年乃至十五年間を必要とする。

海外通信

棉作地チャコに 上條泰三郎氏を訪ね

—二月十一日横濱着歸國—

智利にて　西澤太一郎

小生十一月十四日サントス港發ラプラタ丸にてベノスアイレスに向ひ、十六日上陸直ちに北方八百キロのチャコに上條泰三郎氏及日亞拓植の石井忠一氏に面會致し當地の棉作狀況を承り、十分の調査をなす事を得申し候。

二十七日ベノスアイレスに引きかへし三十日まで郊外の邦人蔬菜栽培を見將來の計畫につき調査仕り候。在亞山崎公使の晩餐に招待を受け同國開拓について閣下の高說を拜聽仕り候

十二月一日アンデス越え、二日夕方智利バルパライソ港に着き三、四日サンチヤゴに參り在智森公使閣下の御世話に相成り智利における邦人發展策を承り再び郊外の邦人野菜業智利南部の開拓につき考へてバルパライソに歸り六日郵船樂洋丸に便乘仕り候。多忙の旅程のみにて閑口仕りおり候。御通信すら差上げ得ず候段御許し願上候。

二月十一日横濱着にて先電通り歸國仕るべく豫定に有之候。

（十二月六日）

海外支部便り

本會定期總會

—幹部改選新幹事報告—

信濃海外協會米國西北部支部

謹賀新年

去る十二月の本會定期總會に於て左の通り幹部選擧致し候

間御通知申上候

總務委員　中曾根武平　神津作一　宮田主計
會計　伊藤博隆　長谷川英人
理事　木村憲司　平林朋信
議長　尾羽澤義胤
副議長　伊藤恒司

昭和五年一月五日

海外支部便り

單農より復農

—珈琲市價暴落に鑑みて—

伯國レジストロ支部長　久保田安雄

拜啓御照會相成候本年度當地農作物豊凶狀況及びこれに伴ふ經濟狀況の最近を概略申上候。大体に於ける本年度農作物は氣候適順に惠まれ米作は平年作より二三割の增收、珈琲も近年當植民地より產出額漸次增加し前年度（昭和三年）の四千圓內外のピラードに對し本年は約倍加し市價も前年以來良好なるため植民の懷具合も暖かになる夢想を抱きおり候所本年（昭和四年）九月より珈琲市價の崩落に伴ひ諸農產物も下落し、俄かに財界金融の切迫を招來し經濟狀態は一變して不況に相成申し候。

今回の打擊は珈琲を單農とせるインテリオールは一層甚しき事と存じ候。幸に當植民地は從來米作、甘蔗を主作とし近年珈琲栽培も試植の程度にて州內奥地の如き大量生產は不可能なるを認め候も一面當地はサントス市場に近く生產品の搬出に便利なる事、霜害の慮えなき事等の特點あれば一部には栽培を奬勵されおり候。

當植民地も建設既に十幾星霜を數へ過古幾多の先輩の犧牲により苦き經驗を以て後進者は堅實に基礎を固ふし常に体驗と研究心に依つて方針を確立し時に遭遇する不況に面喰はざる様用心致しおり候。

此際伯國當局の政策宜しきを得て一刻も速かにこの不況を脫し度く候

西澤幹事十月十七日來植され申し候、日數尠なく十分の御視察を願はず殘念に候も小生等の活動狀態は同氏より眞想御報告下さる事と存じ候。

前支部長宛御送付被下候「縣勢大觀」は支部員間に回覽致し候厚く御禮申上候。今後貴誌は小生宛（Yasuo. Kubota Caixa postal 4. Registro）御送付被下度候

倚桂、セツテバラス兩植民地縣人諸氏は追て御報告申上ぐべく候（昭和四年十一月卅日）

伯國便り

夫婦きりで

—七町五反を開墾する—

お產もあつて目の廻る多忙

在アリアンサ　大澤英三

七月廿日付のお便りの送品（酒樽、唐がらし、梅干、シャツ猿又、黄布、ハンダー、仁丹、ネクタイ等）間違ひなく戴きました。小柳武夫氏（福岡縣）が持つて來てくれました。山田覺善光君（朝陽村）も十日卅日訪づれてくれました。

送品も戴きました前々から御知せしたお產は十月十七日午後十時半無事男子出產致しました。母子共健在ですから御安心下さい。お產當時は最も多忙で只今七町五反を夫婦きりで耕してゐますが到底間に合はぬので伯人勞働者を二人、近所の方を二人頼んでカフエー播種の準備をしてゐました。お產も豫定より二週間（ブラジルは概して早產であると云ふ）も早かつたので妻の陣痛を訴へてから、お產の用意をする、お產に經驗ある方を頼んでくる、湯を沸す、それは目の廻る様な飛び廻りをいたしました。近所の方々が皆よくお手傳して戴きましたのでよかつたのです。

所が若い同志の無經驗と無智から乳房が腫れ上つてきてそれをそのまゝに放つておきましたために乳線炎を患ひ醫者の手術を受けました。こんな事で私も畑に出られず一ケ月をぶらぶらして、こんな時に老人でもあればどんなにか助かるかしれないとつくづく感じました。小供の名前は未だつけません。何んと命名してよいか考へ中です。

只今カフエーの播種は既にすんで稻の播種準備中です。西澤幹事にも御面會致しました。同封寫眞（口繪參照）は八月十五日寫したもので果々たる實がマモンです、大きいでせう。人頭大位あります。瓜の代用、未熟なうちは味噌漬、糠漬酢もみ、熟せば柿の様な美味がある。（十一月二十二日）父上様

×　×　×

細心な心盡しに

—たゞ感謝するばかり—

品々澤山頂戴して

大澤をいと

妾も十月十七日夜男子分娩致しました。御蔭様で母子共達者ですから御休心下さい。たゞ左のお乳を腫かして手術を受け未だにガーゼで洗滌してゐります。痛たくて泣きながら洗つてゐます。ほんとうに二人きりなので夫には余計な苦勞をかけてゐます。こんな時に親でも居つたらとしみじみ考へます。そうこの頃は大變癒つてこうしてお手紙も差上げる事が出來ます。頂戴致しました品々の數々は產後の海苔、片栗粉などはほんとうに結構でした。細かい所にお氣を付けて送つて下さつた御心情に對して何んと御禮申上げてよいか言葉の術もありません。やはり年老いたお父さんやお母さんの心盡しならではならないと感じてゐます。重ねて厚く御禮申上げます。

隔日に鷄を料理してゐります。只今五六十羽もゐるでせう、赤子の育ても母國のやうに寒い時節がないから樂です。何をす

るにも樂で獨りで大きくなつてゐます、夫によく似てゐるなどと近所の方々が申してゐります。これから妾、丈夫になれば家に赤子をねんねさせて少しでも夫の手傳をしなければなりません。お子守のない身が悲しくなります。でもわたし共親子はこうして安らかな生活を營んでゐる事を無上の喜びとしてゐます。（十月二十二）日御兩親様

墨國便り

來墨を持ちつゝ
―徵兵延期申請注意も感謝―

在墨都　長淵鐘六

陳者西澤太一郎氏の來墨につき在墨都長野縣人は今日か明日かと鶴首して待ち居り候所旅行の豫定御變更相成候や御伺申上候。

タンピコでは矢嶋璋三氏は豫定の期日（海の外記載の）農場を休んで一週間ばかり停車場へ參りし旨通信有之候。尚ローカリホルニヤ州近くの荻野信男氏も之又打ち合せに參り候。

首府（墨都）では和田陸軍武官も須藤氏も最近渡航の宮坂、渡邊の兩兄も共に心配致し居り候。公使館宛には手紙及電信等も參り居る由に候へば恐らくは廿八日マンサンヨに入港着の船にて來られるものと存じ候。

荻野氏はソノラ州にて絹織物工場を設立し已に內地より技術者を招き着々發展されて居り候。

海の外第八十九號記載の徵兵延期申請せざる在墨萱神實君は目下太平洋岸アカプルコ港に在住致し、中曾根浩氏はチワヽ州に在住致し候へば來年度の申請を怠らざる樣通信する考へに御座候此等の事故は在外公館に遠く避地に居り候へば何かと不便なために起るものに有之貴誌のかゝる事の掲載は誠に有意義に候。（十一月二十七日）

南洋便り

金解禁
―海外投資家活躍―

在バタビヤ　牛田積善

我國經濟國難の打開の根本方策として愈々金解禁が斷行され昭和五年は海外發展年と存じ候。爲替昇騰と共に邦價の活動も十分の機能を發揮致すべく當方面にも宮下幹事の御活動を初め東拓の支店開設、三井のボルネオにおける石油、三菱のスマトラに於ける農園投資等々を聞く時直接關係なき在留者にも何んとなく心强きを感じ候

宮下氏の「邦人活躍の南洋」一部御送付被下度代金御送金申上候。殘金は會費として充當せしめられ度く候。

（昭和五年正月）

航海便り

面白い赤道祭
―文字通りの平隱の航海―

神奈川丸　渡邊勘吉

神戸出帆以來三十五日間たつた半日降雨ありしのみにて一路平安、毎日晴天文字通りの浪靜かにして鏡の面を走るが如き航海であります。私共三人は頗る元氣、樂しき航海を續け、印度洋の赤道通過は十月十一日午前二時、別に暑くもなく翌十二日は赤道祭擧行され運動會は甲板上に盛大に行はれ、船客の寄附金によつて福引、角力、活動寫眞等の余興、しるこ、うどん、すしの賣店等あり、陸上にもまして便利なお祭り騷ぎでした。

各寄港地上陸、新嘉坡は九月廿九日上陸の際二名婦人上陸のまゝ歸船せず（道に迷ふて）ために一日出帆をおくらせ、ダーバンにおひてラプラタ丸と同時に入港、拾月十八日午後三時ローレンソスルケスに向ふ。ブラジル着はラプラタ丸より三日おくれて入港する由、ケープタウン着は十一月一日內地歸船に托してこのお便りを致します。

渡航便り

比島に安着
―心配のない船の旅―

在マニラ　遠藤信次郎

拜啓小生渡航に際し多大なる御厚情を寄せ被下其の上種々援助を與へられ幾重にも御禮申上候。小生等駒津昌虎氏の妻きよ姉と共に元氣にて途中少しの心配もなく廿七日（九月）マニラ港に到着仕り候。現在表記の駒津氏宅に厄介に相成り居り乍他事御休心被下度候。當地は內地の五六月の季節に似て毎日梅雨が訪れ來り土人の家から流れ來るピアノのメロデー、レコード等の音は一日中音樂室に居る感を致し候。先づは安着の報まで

南洋便り

再渡南
―ダバオ安着―

在ダバオ　青木重治郎

拜啓　益々御清榮の段奉賀候

陳者小生再渡航に際しては種々御世話様に預り尚ほ出發の節は御厚情を蒙り候段奉深謝候

去る十一月五日神戸出帆の湖北丸にて海上も至極平穩に門司、長崎、マニラ、セブ、サンボアンガ經由、豫定の通り十二月十日無事ダバオに到着仕り候間乍他事御安心被下度候

先は御禮旁々安着の御報知迄に御座候　敬具

昭和四年十二月十五日

海外から―壽ぐ新年の挨拶

遠く海外各地から新年の御挨拶をいたゞきました一々御禮を差上げず誌上を以て厚く御禮申上げます。

謹賀新年

平素は御疎遠に打過ぎ何共申譯御座無く候本年も相變らず御交誼の程希上候

併而貴員御一同樣の御健康と御繁榮を祈上奉候

昭和五年一月一日

在紐育ロングアイランド　コマツク　代田金吾

Desea a Udifelices posuns yprospero Ano Nuevo

„El sol Naciente" Keitaro Ohir

在玖馬ハバナ　大平慶太郎

賀正　昭和五年元旦

昨年歸國中は種々御厚情を蒙り深謝奉り候。遙に協會諸氏の御健闘を祈上げ候

在比島ダバオ　塚田久米治

賀正　昭和五年元旦

在比島ダバオ　小林千尋

賀正　併祈高堂之満福

正月元旦

布哇馬哇島ワイルク町　東福寺四郎

新年のお喜びを申上げます。御一同様御變りなく御越年されました事と存じます。皆様がなつかしき炬燵にてお正月をなさいます頃、私共は汗を流しながら西瓜の馳走でお正月を致します。北と南と大分變つて居りますね、然し相變らず御交誼の程をお願ひ申上げます。

一九三〇年一月元旦

ブラジルにて　清水一郎　清水美代

恭賀新年

併謝舊歳の御厚情

尚希倍舊之御愛顧

（昨年十一月青嶋より肩書たる濟南出張に轉勤致し候）

一月元旦

支那山東省博山　日本總領事館出張所　宮原九市

異郷に眠る―

雄志果敢なき若きパイオニヤ
―墓標を建立して英靈の追悼　異郷に咲く美しき郷黨の心情―

比嶋ダバオ！　日本を南に約三千哩にして米領比律賓群嶋がある。この群嶋の最大嶋ミンダナオ嶋にダバオ州がある。ダバオは日本の四國位の面積で現在日本人が一萬余、大部分がマニラ麻の栽培に從事し投資額三千万圓經營面積四万町歩日本人の故國送金は年々百五十万圓を突破してゐる。

ダバオは全く日本人の勢力下にあり、農業方面の經濟的地位を掌握してゐるが初めて邦人がこゝに移住したのは明治三十七年今から二十七年前に過ぎぬ。以來日本人はこのマニラ麻の栽培に努力し比島貿易出輸品の重要なる産業たらしめたのである。マニラ麻の好況時代は何んと云つても歐州大戰開戰からでその需要は激增されて俄然麻栽培が勃興した。この好景氣時代に雄心勃々として信州の若きパイオニヤは渡南の翼を擴げて躍進したのである。

初めが大正三年の十四人、四年の四人、五年の十八人が麻栽培の足踏みをしてこれなら儲かると躍り上るとその翌年即ち六年に一躍二百四十名が陸續として渡航した。そして七年にも百五名が踵を接して大原始林の中に斧を振り上げた。ところが無智と不注意から風土病にとりつかれて折角の青雲の志も空しく異郷の土と化するものが大正七年の如き最大記錄を示して二十三名（信州人だけで）もあつた。加ふに歐州大戰が休戰となるを傳へらるゝ麻相塲は暴落又暴落して日本に歸る旅費すら窮するに至つたがその不況時代襲來と共に大部分が丸裸で歸國してしまつた。この慘劇の犧牲となつて地下に眠るパイオニヤの墓標をめぐつて二千の同胞が麻相塲の恢復と共に合理的麻經營に營々として働らきこの不況時代に應戰して遂に大正十三年から相塲の漸騰に漸次事業を擴張して前記の如くダバオ麻栽培の實權を握るにいたつた。

斯くて信州のパイオニヤは在ダ拾年、經濟的基礎は全く成り益々事業の擴張は家族の呼寄せとなり更らに久し振りの郷里訪問となり、新妻を相伴ふて再渡南、平和な生活が椰子の葉蔭に營まれるのであつた。

この在ダ信州人は今回先輩諸氏の犠牲者の冥福を祈るため數千圓の醵金が行はれ「先亡長野縣人靈塔」の鮮かな墓標が玉垣にかこまれ、郷黨親睦の發露となつて毎年八月十五日をトし追悼會が盛大に催される。

今回歸國した倉田國三氏はこの追悼會の記念寫眞を先輩物故者の家庭に贈り異郷に咲く同郷者の美しき心情を示すべく六十余葉を持ち歸つた。ダバオに於ける物故者は調査の結果六十四名であつたが中には未だ判名せざる者も二三名あるが左に物故者の氏名出身村死亡年月日渡航年月を示せば次の通りである。

因みに本會では記念寫眞を死亡者の家族に右の如き意味を合せて夫々早速配送した。

死亡者氏名

			死亡年月日	渡航年月
北佐久郡				
横鳥村	浦野武雄	病死	大七、五、一三	大五、五
岩村田町	星野精一		大七、一二、一三	
芦田村	飯嶋彌助	病死	大七、一一、一	大六、一
小縣郡				
青木村	山本利雄		大七、九、二九	
和田村	堀内友次郎	變死貫通銃創	大八、八、一四	大六、一
鹽尻村	依田袈裟三郎	病死	大一三、五、一三	大七、五
殿城村	正村袈裟一郎	病死	大一四、一二、一一	大六、七
殿城村	武舎義喬	病死	大八、四、二七	大七、三
彌津村	北澤喜太治	病死	大六、一三、一四	大六、九
神川村	太田莊平	赤痢	大七、一、一四	大五、七
浦里村	宮下任	マラリヤ病	大八、六、三	大六、四
浦里村	遠藤武雄	マラリヤ病	大七、七、七	大七、五
泉田村	小泉正巳	病死	大八、一、一三	大六、七
西鹽田村	小林吉松	赤痢	大七、九、六	大七、四
和村	竹内要	病死	大一三、三、二	大七、一
塩川村	北澤三郎	病死	大七、一〇、一三	大七、三
上伊那郡				
七久保村	宮下八十八	頸推脱臼	大七、一〇、六	大五、四
片桐村	大嶋鹿藏	病死	大八、二、一九	大七、四
片桐村	大嶋精一	病死	大一五、四、二六	大七、四
朝日村	赤羽貴作	病死	大一〇、九、二七	大六、一二
赤穂村	竹上一衞	病死	大七、六、一八	大六、一一
河南村	湯澤黄藏	マラリヤ	大六、四、一〇	大六、一
富縣村	池上權彌	マラリヤ	大六、七、二四	大六、五
東春近村	飯嶋光雄	不詳	大一四、六、一三	大六、七
美篶村	上嶋源惠	（不詳）		
下伊那郡				
喬木村	松岡欽一	脚氣症	大七、三、二	大七、六
山吹村	寺澤梅雄	病死	大六、五、七	大六、一
飯田町	木下義雄		大一〇、一〇、三〇	
上飯田町	佐藤三善	マラリヤ	大七、一〇、九	大六、七
東筑摩郡				
鹽川町	佐倉修一	病死	大七、三、二	大五、六
五常村	本郷吉久	マラリヤ	大三、一一、一五	大六、五
岡田村	西村盛長	病死	大一一、九、二四	大六、三
南安曇郡				
三田村	臼井可志雄	病死	大七、一〇、三〇	大七、四
三田村	丸山政義	病死	大一三、五、三	大七、四
高家村	二木梅吉	赤痢	大七、三、二	大七、二
穂高町	寺嶋正雄	病死	大八、九、二	大四、五
穂高町	保科重人	病死	大六、五、二	大六、三
穂高町	小平次雄	殺害	昭二、一〇、七	大六、三
穂高町	小平政子	殺害	昭二、一〇、七	昭二、七
北穂高村	堀内千万吉	チブス	大七、二、六	大六、三
同	清澤武次郎	チブス	大九、九、一	大六、四
同	林賢吾	自殺	大一一、九、七	大六、三
同	小林助一	チブス	大六、七、六	大六、三
同	嶋原與四郎	赤痢	大七、七、三	大六、四
同	嶋原久雄	赤痢	大七、七、八	
同	松尾喜佐市	脚氣	大七、六、二七	大六、三
有明村	島山熊雄	（不詳）		
北安曇郡				
八坂村	北澤國治	赤痢	大七、三、一八	大五、一〇
更級郡				
共和村	丸野幸榮	マラリヤ	大六、九、二九	大六、三
埴科郡				
雨宮縣村	小林麻雄	マラリヤ	大六、一〇、一八	大五、二
雨宮縣村	久保仫	赤痢	大八、六、六	大八、五
東條村	野村幸意	赤痢	大七、五、一七	大七、五
上水内郡				
朝陽村	千野富士之助		大七、三、一七	大七、三
同	橋詰愛次郎		大一二、八、二九	
同	小林貞之助	（不詳）		
若槻村	中澤欽四郎		大九、七、一五	
安茂里村	小池千万之介		大八、六、三	大七、三
下水内郡				
柳原村	山室久内	肺炎	大八、一、三	大五、九
秋津村	嶋田市次郎	殺害	大八、八、二四	大五、一〇
同	嶋田ちか	病死	大八、四、二	大五、一〇
同	木錦万藏	病死	大九、一二、二九	大六、七
下高井郡				
長丘村	黒川千代治	殺害	大七、一〇、三〇	大六、七
長野市				
古牧村	長田甚吉	マラリヤ	大七、四、一〇	大六、一一
上田市				
城下村	羽田通	マラリヤ	大七、一、一四	大六、五

死亡者郡市別

北佐	三	小縣	一三	上伊	九
下伊	四	東筑	三	南安	一五
北安	一	更級	一	埴科	三
上水	五	下水	四	下高	一
長野	一	上田	一	計	六四

死亡者年別（括弧内の數字は同年の渡航許可數）

大正五年	―	（一八）
大正六年	一三	（二四〇）
七年	二三	（一〇五）
八年	一一	（二九）
九年	二	（一二）
十年	二	（六）
十一年	三	（四）
十二年	一	（八）
十三年	二	（七）
十四年	二	（一五）
十五年	二	（二二）
昭和二年	―	（二〇）
三年	二	（一八）

立志傳中の 快傑瀧澤仁三郎氏逝く

意氣滿々たる生涯を叢く

在伯邦人間で瀧澤仁三郎氏を知らぬ者は一人もない程同氏の盛名は同胞間のみならず外人間にも知れ渡り氏の將來は大いに囑望せられてゐたが昨年十一月十一日肺病のために遂に四十二才の働く盛りを惜まれて黄泉の客となつた。

氏の生涯は意氣でもつて一如くであつて立志傳中の一人であつた事は永田稠氏著「海外立志傳」の一人として登場してゐる事によつてもわかる。氏が意を決して外語西語科を退學して渡伯し邦人珈琲園經勢の世話役をし、ミナス地方の米作の開祖をなす等在伯邦人の指導に多大なる貢献をなしてゐる。昨年十數年振りで歸國、直ちに再渡伯したが殆んど何もなし得ずして病に罹り遂に起つ能はざる到つた。

信州記事

小山代議士 民政入黨に決す

本縣第二區選出代議士明政會所屬小山邦太郎氏は今回民政黨本縣支部の縣議宮澤佐源次、百瀬渡、兒玉衞一および本部の小坂拓務政務次官、小山松壽、伊澤多喜男氏等の斡旋により一月二十六日民政黨へ入黨した。理由は同代議士が過般縣會閉會後運動に着手した蠶糸業國策樹立問題に付民政黨と意見が一致したためである。

お金を落さない 冬季登山者の傾向

北アルプスのスキー登山は本年未曾有の賑はひを呈したが各學校山岳部では經費の節約を計るため先輩がリーダーとなつて一行を指導し案内人を雇ふことをやめたためスキー登山をあてこんでゐた各登山口の案内組合では意外の結果に面食つた形であるが松本營林署の調べによると槍、穂高、乘鞍方面の需要に應じ繁忙を豫想されてゐた嶋々案内人組合の如き舊多來一名の申込もなかつたと

女工年齢調べ 七十余の婆さんもゐる

本縣では縣下機械製糸女工全員十萬千七百二十六名について勤續年限年齢等の調査を行つたがそれによれば勤續年限は

一年未滿	三三、八五七名
二年	一六、四九六名
三年	一二、八〇七名
四年	一〇、八八三名
五年	八、二九四名
六年以上	一四、二九二名
十年以上	四、三一二名
十五年以上	五七二名

母國通信日誌 自十二月廿日 至一月廿二日

十二月廿日(金) 倫敦の軍縮會議に出席する若槻全權一行はワシントン着、米國全權と再度會見軍縮精神一致する▲廿一ヶ條問題の中心人物小幡酉吉大使を駐支公使に任命したが支那で不同意、我儘な支那である。▲映畫主ダク一行入京、氣狂じみた歡迎振り。

廿一日(土) 復興完成の帝都を聖上陛下三月廿四日御巡幸と發表さる▲淺間丸で歸米するダグラスをランチで追ふて對面する草人、映畫人の奇想天外の實劇を演ず▲若槻全權一行紐育出發ロンドンに向ふ▲スキヤーを失望せしめてゐた連日の晴天、廿日から降雪して勇み立つ

廿二日(日) 疑獄事件は議會の開會を控へて先づ一段落と云ふ形▲草人十一年振りで故國に歸りファンの熱狂的歡迎振りに感慨無量

廿三日(月) 二大政黨對立して第五十七議會けふ召集、解散は必然の勢ひと兩黨白熱化▲衆議院議長堀切善兵衞氏當選▲歳末に際し社會事業團体に四萬一千圓を御下賜▲今年五十を迎へた歌人與謝野晶子女史の賀宴があつた。

廿四日(火) 岩手、淺間の練習艦隊中北米周航

二十年以上　二一三名

右の如くで、年齢では十六歳が最多數を占めて一萬五百三十八名次が十五歳、十四歳で、七歳からは年齢順に漸次減少して居るが六十歳以上の女工が十六名もあり內最高齢女工は七十三歳である

婦人團懇談會

緊縮徹底の第二期宣傳

本縣では公私經濟緊縮の徹底をはかるため第二期宣傳に入る手始めとして縣下婦人團體代表者懇談會を縣內各地に開催し

(一)經濟國難に際し婦人團體として如何なる點に留意するか又これに關して各團體で實施しつゝある事柄はどうか

(二)結婚費節約に關する具體的な良法はどうか

(三)その他生活改善上特に留意すべき點はどうか

についてその方面別に六三丸子支店長石黑嶋、日本銀行松本支店長高橋琫、松本女師講師宮坂喆宗師範校長片山昇の四氏が臨席懇談する日取は大體左の如く尙經濟學博士土方成美氏を聘し二月一日頃から小諸、大町飯田の三ヶ所で「金解禁の財界狀況と國民の覺悟」について演講會を開く豫定

△二月六日臼田町(南佐久郡各婦人團體代表者參加)△七日岩村田町(北佐久郡同)△八日上田市(上田市並に小縣郡同)△九日長野市(長野市並に上水內郡同)△十日篠井町(埴科更級兩郡同)△十一日大町(北安曇郡同)△十二日松本市(松本市並に東筑摩南安曇兩郡同)△十三日福嶋町(西筑摩郡同)△十四日飯田町(下伊那郡同)△十五日伊那町(上伊那郡同)△十六日上諏訪町(諏訪郡同)

善光寺御開帳に

早くも血眼の商人連

長野市は七年目に一度の御開帳が三月廿日から六十二日間にわたつて執行されるので市內の商店旅館等の營業者は年末年始の賣だしに引續いて落着いた氣持にもなれず書入時の御開帳に對する準備を進めてゐる。何しろ大正十三年の御開帳には關東大震災の影響をうけたとはいへ各地から押寄せてきた善男善女合せて六十萬に達し今年は不景氣でも苦しい時の念佛で百萬以上も集まらうといふ見込を立ててこれ等が市內に一圓づつ落したとしても短い間に百萬圓の有難い金の雨が降るわけで宿屋、飲食店、土產品店その他は腕にヨリをかけてゐる

善光寺院坊あたりでは年賀に添へて案內狀を發し一方家屋の增改築を行つてをり上林、澁、湯田中や淺間方面の溫泉宿でも客引の宣傳戰を始め樣としてゐるし、長野職業紹介所には御開帳終りまでの契約で女中小僧其他の求人申込みが特に目立つて殖えて來てゐる

を了へて歸る▲滿洲里附近における露支交戰の結果同地在留の邦人二百名は一ヶ月の後大体無事なる事判明▲小橋前文相不起訴

廿五日(水) 先帝御三年祭嚴に御執行▲對滿鐵治關係に新政策樹立の大評定を拓務省に開く▲厚い同情の使者同情週間クリスマスに活動

廿六日(木) 若槻全權一行英京に入る各國豫備交渉活氣を呈す▲日本は飽迄七割要求を强ひせず英米の軍縮精神の眞意さへ了解すれば互讓するも差支へない▲要するに我國要求の精神は絕對に戰爭招致をあてにするものでなく日本は却つて進んで軍備全廢にも賛成

廿七日(金) 箱根連峰を背景に天然色の撮影所にするフオックス社の大計畫▲議會休會となり解散は持越し一月二十一日再會▲社會民衆黨分裂宮崎龍介氏一派除名

廿八日(土) 北海道の監獄部屋から九十名內地に逃げ歸る▲表裏日本連絡をする清水トンネル前後八年の難工事がいよ〳〵貫通▲本年の對外貿易入超六千九百七十五萬圓

廿九日(日) 南極探檢の米人バード少將一行は八年前のアムンゼン氏探檢旅行の手記を發見▲佛國大增艦案下院で一氣に可決、佛國軍縮會議に有利の地位を占める魂膽か▲雪の世界スキーヤー大躍起

縣下の耕地は

總面積十七萬八百余町

本縣では九月一日現在で實施した農業調査の耕地總面積は十七萬八百二十七反九畝二十三步(田六萬八千七百六十三町七畝十一步、畑十萬二千三十九町七反二畝十二步)この割合は田四〇、二六パーセント、畑五九、七四パーセントで畑の大部分即ち全面積の四六、六〇パーセントは桑畑である、耕地經營の區別を見ると自作十萬五千三百五町(六一、六パーセント)小作六萬五千四百九十七町(三八四パーセント)で自作および小作のもつとも多いのは東筑摩郡、自作の少いのは下水內郡小作のもつとも小いのは西筑摩郡で南北佐久兩郡が割合に小作の多いのは大地主の土地兼併によるものである。次に土地台帳と比ぶれば田の面積八千四百六十五町步餘を減じ畑は二千五百三十五町步餘を增し差引五千九百二十九町步餘の減となつて居るが畑の增加は蠶繭萬能の反映である郡市別左の通り(單位町)

郡市	田	畑
南佐久	三、三〇〇	五、四三三
北佐久	三、五七一	七、三八八
小縣	五、三六五	九、四四三
諏訪	五、一六六	五、一〇七
上伊那	七、三三一	九、三〇五
下伊那	四、五五五	一〇、〇〇九
西筑摩	一、八〇五	三、五五五
東筑摩	六、六五八	一三、一七〇
南安曇	四、五六八	四、三三八
北安曇	四、八四五	四、三〇三
更級	三、七八二	四、八五五
埴科	一、三一〇	三、一五五
上高井	一、七四四	四、四五五
下高井	四、〇三〇	四、〇五五
上水內	四、八二一	一〇、四四四
下水內	二、五六八	二、〇〇二
長野	一、〇四七	六二
松本	四五四	六〇
上田	三六六	五六

卅日(火) 日本アルプス針ノ木峠で一昨年十二月三十日遭難惨死した早大學生の三周年追悼會現場に於て行はる▲支那國民政府治外法權撤廢を列國に宣布す

卅一日(月) 福島縣鶴生炭坑五十余名死傷▲大阪府の再選擧本田彌十郎(民政)當選

昭和五年一月一日(火)昭和の第五春、勇壯と平和の象徵午(馬)年天馬空の大飛躍に終始せん▲勅題「海邊巖」新春の雄姿は大自然を抱擁してどことなくすが〳〵しい。

二日(火) 我國經濟史上に紀念すべき金解禁近づく▲高松宮と喜久子姫の御慶事二月十日御婚儀▲大勢は解散多難なる新春の政局動く▲各地雪少なくスキーヤー悲鳴をあぐ

三日(金) 渡邊淳子急死澤正の戀女房として華やかにもさびしい悲劇的の晚年だつた▲プロレタリヤ文藝戰旗のげう將齋藤森成吉氏入露禁止家內同伴の條件で伏見丸で渡歐滞在一年

四日(土) 外客誘致の觀光局鐵道省部外局として新設四月から活動▲昭和二年の財界混亂に失墜した實業家の雄渡邊治右衛門氏さびしく死去行年六十歳▲總選擧に備へて昭和大疑獄事件は一段落

五日(日) 解散を見越して代議士各地盤を手入れ着々と進む總選擧準備▲內外文武官を召され

日本一の

菅平スキー場

一躍日本ダボスの折紙付

上信國境に聳立する四阿山猫嶽中腹の高原は面積五千四百町歩海拔四千三百尺にして一望果てしなく續く白皚々たる大海原緩急自在の大小スロープが到る所に散在する菅平スキー場は一躍日本ダボスの折紙附で全國的に宣傳せられた。スキー場は未だ開拓されず部落附近の二三が漸やく世に紹介せられてゐるが未發見のスロープが未だ澤山にある程に菅平スキー場は有望なる將來を約束してゐる。未だ宿泊の準備は急ぎのまに合せに農家を解放して現在では三百名位を收容する事が出來る。地元の青年會では溫電と極力してスキーヤーの應待に細心の注意を拂ひつゝ素人だけに宿泊待遇等は却つて營利一天張りのスキー場旅館に比較して氣安に宿泊出來るので好感を持たれてゐる。二食九十錢三食一圓二十錢の賄ひであるから一般スキーヤには手心。上田から眞田まで電車約三十分眞田から土合までバス約二十分土合から約一時間の距離で元日には七十名二日は早朝から續々と押しかけ三百名を突破して十日の中部スキー大會迄打續き日曜毎にも満員、雪の菅平は大賑ひを呈してゐる。

海外雄飛に關する

書籍が青少年に大歡迎

て新年宴會▲東京角力の春場所肩をならべて花形の躍進、新番附發表▲東北地方裏日本大雪で各地鐵道列車大混亂

六日(月) 拓相西園寺公を訪問▲濱口首相訪問▲選擧革正をめざして選擧調査會創設さる

七日(火) 小幡公使赴任不能から日支交渉は益々困難、我儘な支那を相手に對策ねる▲この三月から上野と横須賀に海と空の博覽會が開かる。海と空の智識と理解を持たせる今年は丁度日本海戰二十五周年奇緣な催しである。

八日(水) 産業振興審議案を商工省に設置▲金解禁に近づき財界混亂の險悪を極力警戒▲軍縮會議の小手しらべに日英交渉に英國首相の意見を聞けてゐる大國民たる感情が下る▲高松宮殿下東京市內の社會事業團体を御巡覽

九日(木) 八日陸軍始め觀兵式は代々木練兵場で愛上陛下御親兵▲二十年の土塊生活に別れをつげる清瀬川、年寄伊勢の濱となる▲劇界に左翼時代襲來、歌舞伎王國崩れ行く

十日(金) 執達吏を執行官と改名高等官に昇格する强制執行法の改正▲東海道で疾走する超特急列車に追ずがつて擴聞事通結のスピード時代の大放れ業▲怪しい學校取締から父兄のために東京の學校案內を市役所から發行

十一日(土) 我經濟史久に記念する金解禁日

縣立長野圖書館の讀書傾向

昨年秋から開館された長野市の縣立圖書館に於ける閱讀傾向は青少年の間に海外發展に關する書籍がすばらしく閱覽されてゐる。これは單に閱覽者が氣まぐれに閱覽するのではなくして、何かの收穫を得たいために眞劒なる態度が現はれ殊に高等小學、中學校等の卒業前を控へる生徒に多い。同圖書館の松本義治氏は次の樣な事を述べてゐる。

「此の頃すばらしく南米、南洋等の海外植民に關する書籍の出る事である。『南米へ』『邦人活躍の南洋』『南米ブラジルの信濃村』『ブラジルの實生活』『植民地としてのブラジル』『南米と移民』等の本を未だ幼い十三、四の少年が借りてゆくのを見てゐるとそれが單に昔の如く少年の夢見るやうなはれしい希望や罪のない大抱負からばかりでないかも知れぬと思はれて考へない譯にはゆかない。

これ等はたしかに現代のある一つのすがたの著しい現はれでないだらうか」云々

金本位制度復活▲經濟界今後の活路は產業振興と貿易の發展と國民今後の緊張と藏相のステートメント▲東海道列車內に奇怪な男女の一團、八人組の恐喝、詐欺團乘客を惱ふ

十二日(日) 珍らしげの金貨に吸ひ寄せられて日銀に押寄す▲金解禁の流言文書現はる、財界混乱の一大陰謀暴露さる關係首謀者は增田一悦(三〇)であるが陰謀の背後に相當の人物潛在の觀測▲熊本縣に四十年來の寒さ襲來して阿蘇郡地方は降雪一尺余に達した。

十三日(月) 社民脫退派『全國民衆黨』を結黨十五日式をあぐ▲重光上海總領事を代理公使に日支重要案件を交渉▲軍縮五國會議下準備各國暗中飛躍佛國は大型潜船保有主張

十四日(火) 議會解散を前に全國選擧人總類は一千二百九十四萬二千五百九十七人で第一回より四十一萬二千四百八十四の增加▲雪中スキー登山各所に遭難

十五日(水) 解散は大体廿一日夕刻答辯の直後を選ぶ政府重要諸問題に關する所見を明らかにした後との觀測である▲金解禁記念に國產品輸入品の對照展覽會を東京で開く計畫▲藤田書伯又パリへ旅立つ

十六日(木) 休會開けの議會質問の先頭は犬養總裁が老軀をひつさげる▲高野岩三郎博士全國民衆黨顧問に承諾▲イタリーから實業團來朝伊國產の海外販路擴張の見本市を開く

十七日(金) 高松宮殿下と喜久子姫の御成約日出度し御納釆の儀行はる▲櫻の花どきをめざして弗の國から押寄せる觀光團流石は米國の繁榮振り既に十團体に達す▲小川前鐵相約四ヶ月振りで保釋出所

十八日(日) 伊國全艦隊廢棄を持ち出すとのうはさどうせ五ヶ國會議では最低位にあるのだから自暴自棄的か▲解散準備全く成り各政黨候補者選衡する

十九日(月) 不景氣緊縮から中學と女學校の入學志望が激減實業學校へは殺倒▲無產黨支持の無產婦人が戰線を統一するため各派婦人團体が協議▲五國軍縮會議二十一日いよ〳〵開會

二十日(月) 解散の風雲險しくいよ〳〵明日に迫る▲角力春場所昨日千秋樂東一二七西八二で東大勝

二十一日(火) 議會開會首相藏相外相の演說後四時四十分解散を命ぜらる▲議會解散により昭和五年度豫算は不成立となつたので昭和四年の實行豫算を踏襲▲軍縮會議開かる、世界平和の首途日。

廿二日(水) 總選擧期日は二月廿日と決定▲第二回の普選に各派必勝を期して進聚明るい政治は濟き一票を正しく行使するにある。

縣下政局展望

總選擧を前に 手に総をかける各派

必勝を期して馬を陣頭に進める
普選第二回の政局は如何に動くか

議會解散は必然の勢ひとなつて遂に豫期通り一月二十一日午前四時四十分解散を命ぜられた。そして二月二十日を期して投票日が告示され此處に普選第二回の總選擧が行はれる事になつた。この政界の大混亂に縣下政局は如何に進展してゐるか。今後如何に變遷するか？ 今後の豫測は斷じて許されぬが新聞報導を基礎として現在までの縣下各區の形勢を展望すると左記の如くである。（一月二十八日記）――みやもと生――

第一區内の形勢

第一區においては小坂松本兩前代議士の再起は民政黨の公認がすみ、立候補が確實となつてゐる。その當選は與黨の關係と前回の成績から樂觀を許されるがこれは決して確實性のものでない。政友では前回惜敗した春日善之助氏派の政友系有志の間では同氏の身代りに何人かを擁立せんとしてゐるが立候補の呼聲の高いのは宮下友雄、鈴木梅四郎、大久保八朔の三氏の内から一人の立候補を目論見つゝあつたが大久保氏は立候補斷然した様子であり、宮下、鈴木兩氏の問題となつたが鈴木氏が公認となり宮下氏は非公認として出馬する模様である。山本愼平氏は右と別して政友公認となつて出馬するもので政友では三名をして民政の牙城に喰ひ入り遮二無二的に少くとも二名を獲得せんとの秘策をめぐらしつゝあるもの如くこれに對し民政では飽くまで現狀を維持して一歩も退かざる對策を練りつゝあり、相當の激戰を豫想されてゐる。

△

鈴木氏は往年實業界から政界に飛出して國民黨時代には財政通として鳴らしたものでその後政界を退き實業界に逆戻り最近又政友會に入黨して再び政界に返り咲きせんとしてゐる人である。氏は人も知る如く長野市外安茂里出身で郷黨の有志の中には鈴木氏の晩年を飾るべく密かに心を碎いてゐる。

前回の第一區有効投票總數は七七、八二三の内民政派 の得票四六、五六七 政友派三一、二五六で政友派の二候補の分け前は山本氏一七、〇〇 春日氏一四、二五六となり二者の開きは二、七四四であつた。この開きが來たるべき總選擧には如何に伸縮されるか候補者の顏觸にもよるが前回より一名多いだけにおのずと當選落選に數字が變つてくるだらう。

一昨年二月政友會内閣のもとに行はれた得票の結果は左の如くであつた。

二三、八六三 松本忠雄（民）
二二、七〇四 小坂順造（民）

一七、〇〇〇 山本愼平（政）
一四、二五六（次點）春日善之助（政）

つぎに有權者數を示せば（舊は一昨年の總選擧における數字）

（第一區）	新權者	舊權者
長野	一三、九七一	一五、三三三
更級	一七、三三六	一七、三八八
上高	一三、三四六	一三、〇八七
下高	一四、二六三	一四、〇三三
上水	二三、四五七	二三、四三三
下水	七、六六一	七、五五四

第二區内の形勢

民政派では現在三名の出馬が噂されてゐる。この内で最近民政入りをした小山邦太郎氏は親族一同の立候補反對決議を押切つて豐永薫策樹立で第二區の人氣を呼んで立候補を聲明着々準備を進めてゐる。山邊常重氏は大正九年政友派の强豪工藤善助翁を倒して以來上小民政派に根を張つてゐる。篠澤與四二氏は上田出身最初の代議士候補で慶應大學出の支那通であつて時事新報に勤めてゐた。上田中學出身でもあるから校友五千の應援もあるだらうし、支部も氏を迎へてゐる様である。

△

次ぎは政友派では篠原和市氏は押しの一手で安全地帶にあると云はれ前回に落選した春日俊文氏は現に疑獄事件で獄窓にあり今のところ候補難で血眼になつてゐるが山本莊一郎氏を起用する情勢に傾きつゝあるもの如くである。然し政友の混沌たる有様に民政でも候補者三名がいづれも公認爭をして紛爭をつゞけてゐる様であるから第二區今後の展開は見物であらう。

前回の選擧では政友二、民政一、中立一の四候補が戰つて政、民、中三派から各一名の當選が今回はどの様に變化されるか。前回の戰跡は左の通りであつた。

一九、五二六 篠原和市（政）
一八、三三四 小山邦太郎（中）
一八、〇五四 山邊常重（民）
一五、三三七（次點）春日俊文（政）

又社民黨では藤田喜作氏を立候派せしめる事に決した。藤田氏は廣島縣出身東京帝大を卒業し現在出身校及び女子大の講師を勤めて四十四才である。

△

勞農黨の無産系では細道愛光氏を押立てる事に奔走中であるが尚不明である。小縣郡内に潜在する無産派の勢力は可成り根强く浦里青木兩農民組合等の動きが注目されてゐる。

△

尙元代議士塚原嘉藤氏が第二區から政友を標榜して出馬するかの如く傳へられてゐる。

前回選擧の各派得票は政友 三四、九一三民政一八、〇五四中立一八、三三四となつてゐるが小山氏の民政入りで中立の投票が影に形の添ふ如くそのまゝ小山氏に追從するかどうかは疑問とされてゐる。兎に角第二區形勢の推移は格段の面白味がある。有權者數の新舊對照は

（第二區）	新權者	舊權者
上田	七、三三三	六、八九六
南佐	一五、九三三	一五、五八三
北佐	二〇、六八〇	二〇、三〇九
小縣	二三、九二二	二三、六六四
埴科	一一、九〇三	一一、七五七

第三區内の形勢

諏訪、上下伊那三郡からなる第三區は定員四名の多數區である。一時立候補は十指を數へられ小川平吉、山口秀九郎、平野榮四郎、林七六、山田繊太郎、（以上政友）戸田由美、宮澤胤男、北原阿智之助、（現縣議）（以上民政）原田治郎（中立）岩波茂雄（勞農黨）等の諸氏であつた。

然るに小川氏は疑獄事件から出馬見合せの情報が傳へられたが諏訪の政友派では黨の結束上兩伊那の政友派と共に小川氏推薦に決したもの如くあつたが小川氏は自ら出馬を斷念するに至り縣下政界のみならず全國的に氏の態度は一大ショツクを各方面に與へてゐる。山口氏は上伊那を地盤とするもの如くその勢力は未知數である。平野氏は現縣會議長として縣政に活躍し漸次國政に足を入れて政治の本舞台に乘り出さうとしてゐるものでこの新勢力はあなどり難いと見られてゐる。林氏の出馬も相當有力視せられ諏訪の政友派では小川氏の代りに擁立せんとするもの如く氏の奮起は有望とされてゐる。が政友は何と云つても頭目小川氏の失脚から昔日の面影がなく伊原も往年の鬪志なく折角開拓した地盤を惜げなく捨てゝ仕舞としてゐる。又前回惜敗した山田氏も雪辱の意なく交渉委員の立候補勸告に辭意固しとすれば今の所、政友派は顏振れの割合に結局候補難である。が此處數日中に立候補も確定して愈々戰陣を張るであらう。

民政では戸田、宮澤胤男兩氏が與黨の順風に帆をあげて出陣する豫定で戸田氏は上伊、宮澤氏は諏訪と大体地盤協定が行はれるもの如く同志打を避くべく關係者が奔走中であると云はれ北原氏の出馬は未だ海のものとも川のものとも判然しないが前回の最高點樋口氏の地盤を蠶取されまいとの意氣込みである。民政もやはり候補難であつて政友と共に苦戰準備を前にあせり氣味である。

△

次ぎに下伊の原田氏は同郡新政同志會から中立を標榜して雪辱戰を試みんとしてゐる。無産派及智識階級では未だ何人を推すかさへ噂立てられてゐないが誰人か新人を要望してゐる。勞農黨では藤森氏の敗戰に是が非でも雪辱を試みんとした結果神田の岩波書店主岩波茂雄氏の諏訪出身なる所から擔出し氏も又小川氏が出馬せば意地づくでも一戰を試みるべく鬪志に燃えてゐると傳へられ藤森氏の後をつがんとしてゐた樣であるが小川氏の出馬斷念から氏は目下去就に迷ふてゐる樣である。前回の戰況は

一九、三三四 樋口秀雄（民）
一七、四五一 小川平吉（政）
一六、〇三三 伊原五郎兵衞（政）
一四、五三六 戸田由美（民）
一一、七七八（次點）山田繊太郎（政）
六、九一六（同）藤森成吉（勞）
二、〇九二（同）原田治郎（政）

△

即ち前回は政友四七、三六〇民政三三、八六〇で政友が一六、五〇〇の優勢を示してゐるが今回は前回とかけはなれた

鬪と見せるだらう。

以上の如く第三區は次ぎに述ぶる第四區と共に縣下で一番注目されてゐる所で目下の情勢は今後尙變遷して豫記に反した番狂せを見せるかも知れない。左は第三區の新舊有權者對照である。

（第三區）	新權者	舊權者
諏訪	三一、四七九	三〇、四八九
上伊	三一、四〇〇	三一、一二〇
下伊	三八、八二八	三七、九六四

第四區内の形勢

定員三名の第四區では現在八名の立候補が數へ立てられてゐるから縣下隨一の激戰地と目されてゐる。

一時その進退を注目されてゐた降旗元太郎氏も再起を決意既に政談演說會を開らいて態度を明らかにし元代議士塚原嘉藤氏並に前回落選した唐澤龜雄氏も立候補するもの如く塚原は第二區に轉換するものとも觀測されてゐるが目下の所不明である。また初陣の信州國民黨では八幡博堂氏を押し立てんとしてゐる様である植原悅二郎、上條信、畔田明、百瀨渡の諸氏も出陣疑ひなしと見て八名の候補乱立の態である。

△

その地盤關係を見るに降旗百瀨上條塚原唐澤八幡の六氏は主として松筑地方に力を注ぎ植原氏は南北安曇を根據として西筑は各派の侵入にまかす事になるべく一部は上條百瀨兩氏の有望なる所もあると云はれてゐる。それにしても松本と東西筑摩がもつとも激烈なる混乱地となる見込である。前回の選擧成績は

一六、一三三 上條信（政）
一五、〇一五 降旗元太郎（民）
一三、四〇八 植原悅二郎（政）
一三、二九三（次點）百瀨渡（民）
六、一六二（同）畔田明（中）
一、四八五（同）小松雄道（中）
六七（同）唐澤龜雄（中）

これによれば政友二九、五四一民政二八、三〇八中立七、七一四の得票別となり政民兩派は互角の勢力であつた。

△

前回の選擧に惜しくも敗れた百瀨氏は第三位の植原氏とは僅か一一五票の差であつたが今回は必らず中原に鹿を射止める決心であり且その成算があるがあらうが政友でも植原上條兩氏が相助け合ふて民政にあたるとすれば民政も中々の苦心を要するだらう。それに尙今回も新候補者が入り亂れて來るから第四區の逐鹿戰は一層興味をひく事だらう。有權者數も前回より一、六一五人を增加してそのうち松本市だけでも九五九人の增加でこの新有權者の向背が各候補に致命的影響を與へることもあらう。

（第四區）	新權者	舊權者
松本	二二、一三七	二一、一七八
西筑	二三、二六一	二三、二〇一
東筑	二九、六四六	二九、三三三
南安	二二、九〇三	二二、八五九
北安	一三、六二六	一三、四九八

【附記】今後の情勢は刻々移り變り幾多の波瀾重疊、逐鹿戰は益々激烈を極めて行くであらうがその經過は次號に掲載して本記事と連絡をつけ投票の結果も發表さるゝ豫定である。

スキー界の樂土
樺太の雪

森　武

ウインタースポーツの王者　は何と言つてもスキーである。

十二月の聲を聞けば、高山の白雪を眺める毎に、新聞に雪の便りを見る度に、スキーマンの胸は高なりスキーの手入れをせずに居られないであらう。

スキーヤーの誇りは滑痕（シュプール）美しく處女雪を征服する歡喜を味ひ得るにある。空は限りなく澄んでゐる。雪をつけた針葉樹林を見下して山頂に一人佇む心地よさ。白玉の表面の樣な斜面（スロープ）に美しい連續曲線（スラローム）を描きながら滑り降りる心地よき、身には汗さへにじむで來る。何哩か續く大斜面を超人間的な速度で滑り降りる心地よさ滑り疲れて雪の上に腰を卸ろして雄大な雪景を我物と見惚れつつ用意の辨當を空腹につめ込む甘まさ。スキーヤーならでは味ひ得ない境地である。

樺太の雪　は乾（燥）粉雪（ドライパウダースノウ）である。樺太の雪は北海道の雪と共に吾國に於て最もスキーに適して居るとは吾スキー界の先覺遠藤博士の言葉である。恰も世界スキーの中心諾威の雪の如くに。

あの豪快なクリスチヤニアでもやらうものなら銀と輝く雪烟がスキーランナーの體を包んで舞上るであらう。内地の雪軟雪（ソフトスノウ）では到底出て來ない味である。

乾粉雪は軟雪の如くにベタ付かない。凝結力は乾燥してゐるだけに頗る少ない握つても雪玉（スノウボール）にはならない。サラサラして、衣服についても叩けば直ぐ落ちてしまう。密度が大でスキーの沒雪度は少ない。どんなスキングも安全に容易に出來ると言つた樣なスキーには最も適した特性を持つて居る。もう一つ軟雪と違つて居るのはスキーに喰付かないので滑行速度の氣持ち良く出せる事であるスキーヤーは内地では必ずしなくてはならない木臘塗付の手數から餘程のがれる事が出來るであらう。

スキーは樺太の嶋技　雪の良い樺太でスキーの盛大なるのは當然であらう。樺太でスキーは遊戯用ばかりではない、もう已に實用の域に達してゐる（尤も本嶋では現今のスキーか輸入せられる以前に所謂ロシヤスキーなるものがあり又樏（カンジキ）加奈陀のラケット—等が實用品として存在してゐた）程でスキーが嶋技と呼れてゐるのは誠にふさはしい事なのである。

毎年主都豊原のスキー丘で嶋技大會が開かれる。選ばれた戰士が北海道に將た内地に遠征して其優秀な技術を誇つて居るのも嶋技としてのスキーが如何に盛んあであるかを物語るものであらう。

樺太のスキーの普及せる事は一寸内地では想像もつくまい。少年少女、男女學生は言はずもがな、中年のものすらが立派なスキーヤーである。

スキーの樂土　雪は良し、スキーに對する理解はあり、旅館設備も整つて居るし、加之積雪季節（スノウシーズン）は頗る長いし、すべての條件に於て樺太はスキーの樂土である。そうして渡樺の爲めには交通機關は何れも優秀な設備がある。

苟くもスキーを足にする人は、征服し盡して新天地を求むる人は、内地の雪で滿足の出來ない人は、内地のシーズンの短いのを嘆く人は、是非共樺太の雪にその滑痕を印さなければなるまい。

避暑旅行地としての樺太は勿論優秀な目的地であるが、北地の本當の味は冬に於て味はるべきであり、その味もスキーヤーによつてのみ完全に味ひ得る。

渡樺の經路　小樽港を基點として二つある。

A　小樽大泊間を海路に依るもの

郵船の千歲丸は此航路での女王と言はれて居り、僚船弘前丸と共に碎氷暖房共に完備してゐる。五日一回の定期航海をなし、兩地間の航海時間は普通十八九時間。運賃食事付三等九圓。

B　宗谷海峽を經由するもの

小樽稚内間鐵道、稚内大泊間は連絡船亞庭丸か壹岐丸に依るもので陸路所要時間約十八時間、海路九時間、連絡船は二日一回の定期である。運賃三等七圓四十七錢（食費急行料を含まず）

樺太のスキー場　樺太は全嶋到る所にスキーに適し斜面を見付ける事が出來る郊外に一歩踏み出せば必らず其所はスキー場として利用出來るのである。又昨年であつたと思ふが豊原中學生の一隊は至難と稱せられた豊原眞岡間コース即ち豊眞山道十九里の逆コースの團體突破に完全に成功したと新聞紙は報導した。斯うしてクロスカンツリーコースも將來幾多開拓される事であらう。全く樺太全體が一大スキー場として稱へらるるに至るのも餘り遠い將來でないとすら思はれるのである。

然しストレンヂャーにはストレンヂャーとしての心懸がなくてはならない。以下最も普通な都市近郊スキー場とコースについて述べやう。

大泊附近

大泊町は戸數五千、人口二萬七千あり本嶋第一の港市である。千歲灣に臨み本嶋物資の最主要集散地であり、鐵道は此處に起り各航路集まつてゐる。

スキー季節　十一月下旬から翌年四月上旬までと言はれてゐるが十二月下旬から三月中旬までが最良である。

雪　乾粉雪、積雪約二尺。

スキー場　郊外一歩を出づればスキー場ならざるはない。集合練習場としては中學校敷地内斜面と養狐場に隣る丘が良い。

旅館　整備す。宿泊料二圓五十錢以上、數は中等以上北海屋外數軒あり

豊原附近

豊原町は樺太の主都である、樺太廳の所在地戸數五千人口二萬五千。大泊より廿五哩汽車約二時間行程三等一圓である鐵道は此處より分れて豊眞山道の嶮を越えて兩海岸眞岡に至る（豊眞線）ものと直泊大泊榮濱間本線との三叉點をなしてゐる。

スキー季節　十一月下旬から翌年四月上旬までが良い。

雪　乾粉雪、積雪約四尺

スキー場　スキーケ丘は本嶋第一のもので嘗て全國スキー大會も開かれたスキー場である。官幣大社樺太神社の鎮座せられる丘陵の左側面に在りシャンツエも設備されてゐる。樺太中央スキー倶樂部經營で毎年三月嶋技大會場に充てられてゐる。

旅館　政治中心地だけに旅館は中々立派なのがある。宿泊料は三圓以上、數は中等以上花屋本店外數軒ある。

旭岳登山コース　（約半日行程）

旭岳は標高約千五百尺、豊原驛の東北約一里半にあり、上り約二時間を要する。

先づ山麓のトド松の密林を過ぎ白樺の疎林を拔けて山嶺に出る。其所から遥かなるオコック海、鉛灰色の洋上に生けるが如く漂蕩する流氷を見るのは頗る神秘的なシーンであるに違ひない。又南顧すれば大泊港外水上に碇泊する汽船の姿も見えるであらう。歸路は山嶺から一氣に樺太神社迄滑降するのである。勿論山案内者がなければならないだらう。それは樺太中央スキー倶樂部に依頼すれば適當者を得られるとの事である。

鈴谷岳登山コース　（約一日行程）

鈴谷岳は標高約三千五百尺、邦領樺太南部の雄である。豊原から三哩程は起伏した小丘の間を平地滑走して二俣に出る。そこから左手の尾根につき白樺の疎林をくぐつて山頂に達するのである。距離は豊原より約六哩。好斜面に富む白樺の林間スキーは頗る快適とされてゐる。

鈴谷岳は標高わづかに三千五百尺であるが、緯度の關係上内地に於ける八千尺程度の高山と同一狀況を示してゐると言はれてゐる。

案内者は前者同樣にして得られるとの事である。

川上炭山附近

川上炭山は樺太石炭總産出量五十四萬噸中二十萬噸を産する本嶋第一の炭山である。汽車は豊原を出で小沼に於て分岐してゐる。二十哩約一時間半行程、三等八十錢。

スキー季節及雪　は豊原と同程度。

スキー場　は無樹急傾斜の小丘で、その頂よりは鈴谷連峰の轡の如く連亙するを眺め得る。

宿泊料　は二圓程度以上。川上炭山より二驛後返りすれば川上溫泉である。

落合町附近

豊原から本線により二十七哩約二時間三等一圓十錢行程。落合は戸數二千五百人口一萬三千あり、樺太鐵道會社線は此地より分岐して遠く知取町まで北上してゐる。

スキー季節　十一月下旬から翌年四月上旬まで。

雪　乾粉雪なるは勿論、積雪約五尺

スキー場　富士製紙工場構内が集合練習場である。

旅館　豊原と大差なし

豊眞山道コース

豊原中學生團體突破の難コースである豊原眞岡間を完全に徒歩道に從へば十九里と言はれてゐる。途中エゾ松トド松の大森林地帶を通過しなければならないのと頗る嶮岨な地點も含まれ且つ非常に永いコースである爲め地理に精通しないストレンヂャーには十二分の諸準備と好適の案内者のない限り近寄れないコースである。

然し乍ら昨年度此のコースに沿ふて鐵道が開通したから一部難所を鐵道により或ひは比較的平易にコース通過は出來るであらうが夫れでは眞當の味は出ないかも知れない。

兎に角此のコースは將來研究開拓されるコースであると信ずるのである。

眞岡町附近

眞岡は「樺太唯一の不凍港」にして戸數三千人口一萬四千あり、鐵道は豊原より分岐して此地にて本斗野田を通ずる西海岸線と合してゐる。大泊と共に古くより名高き西海岸の要津である。

スキー季節　十一月中旬より翌年四月上旬まで

雪　良好

スキー場　町の後方高臺は緩なるあり急なるあり思ひのままに變化に富めるスロープをなしてゐる。

旅館　大泊と同程度、華館外數軒あり。

追記　機會を改めて、樺太獨特な滑行記錄二〇哩クロスカントリイコースを九時間四十分と言ふ痛快極まりない犬スキイとか、犬橇とか。或ひは冬季運送用に用ひらるゝ手橇、馬橇、馴鹿橇等に就いて、更に又在來のロシヤスキー等に就いて書いて見度いと思つて居る事を附記して筆を止める。

四—一一—二四

（海の旅より）

樺太民謠

眞岡節

豊眞名所はレールで繋ぐ
　エンヤラホノホー
春は美海の魚の幸
　夏は手井湖の屋形の凉み
秋は春日峠の紅葉狩
　冬はナースキー飛び交ふ旭岳
エンヤラヤノヤーエンヤラヤノ
　エンヤヤノエンヤラホノホー
深い思案は一先づよして
　エンヤラヤノホノホー
早くおいでよ樺太へ
　陸に千里の沃野がつづき
海には盡きせぬ魚の幸
　日本なーH本男兒の腕だめし
エンヤラヤノヤーエンヤラヤノ
　エンヤラヤノエンヤラホノホー

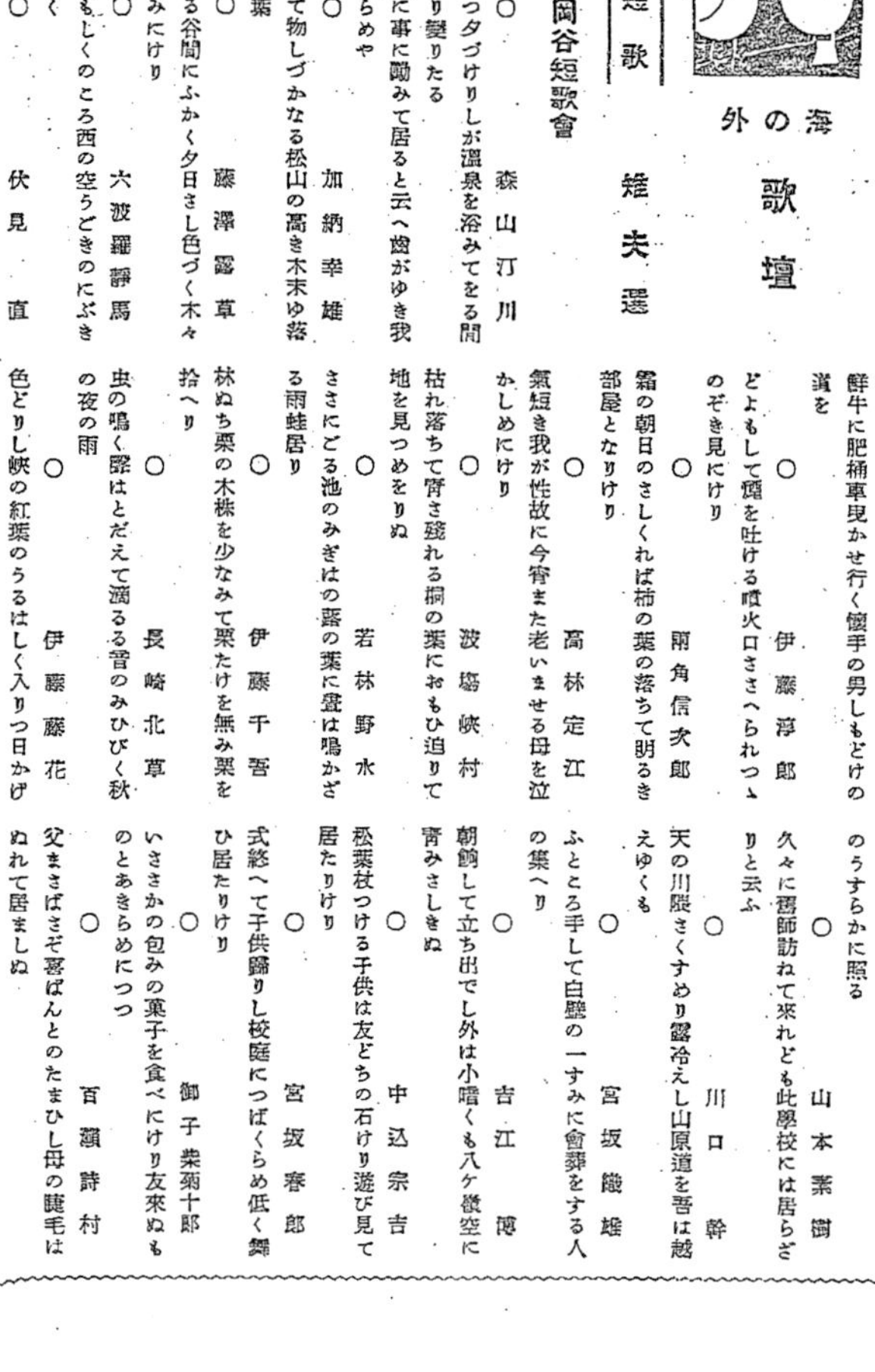

外の海 歌壇

短歌 雉夫選

岡谷短歌會

○ 森山汀川

霧らひつつ夕づけりしが溫泉を浴みてをる間に雨と降り變りたる

○ 加納幸雄

明け暮れに事に勵みて居ると云へ齒がゆき我を哭かざらめや

○ 藤澤露草

野分過ぎて物しづかなる松山の高き木末ゆ落つる松の葉

○ 六波羅靜馬

いり來つる谷間にふかく夕日さし色づく木々の月にしみにけり

○ 伏見直

夕明りともしくのころ西の空うどきのにぶき霧流れゆく

鮮牛に肥桶車見かせ行く懷手の男しもどけの道を

○ 伊藤淳郎

どよもして煙を吐ける噴火口ささへられつゝのぞき見にけり

○ 兩角信次郎

霜の朝日のさしくれば柿の葉の落ちて明るき部屋となりけり

○ 高林定江

氣短き我が性故に今宵また老いませる母を泣かしめにけり

○ 波塲峡村

枯れ落ちて寄さ殘れる桐の葉におもひ迫りて地を見つめをりぬ

○ 若林野水

ささにごる池のみぎはの露の葉に蛙は鳴かざる雨蛙居り

○ 伊藤千晉

林ぬち栗の木株を少なみて栗たけを無み栗を拾へり

○ 長崎北草

虫の鳴く聲はとだえて滴るる音のみひびく秋の夜の雨

○ 伊藤藤花

色どりし峡の紅葉のうるはしく入りつ日かげのうすらかに照る

○ 山本素樹

久々に醫師訪ねて來れども此學校には居らざりと云ふ

○ 川口幹

天の川隈さくすめり露冷えし山原道を吾は越えゆくも

○ 宮坂織雄

ふところ手して白壁の一すみに會葬をする人の集へり

○ 吉江博

朝餉して立ち出でし外は小暗くも八ケ嶽空に靑みさしきぬ

○ 中込宗吉

松葉杖つける子供は友どちの石けり遊び見て居たりけり

○ 宮坂春郎

式終へて子供歸りし校庭につばくらめ低く舞ひ居たりけり

○ 御子柴菊十郎

いささかの包みの菓子を食べにけり友來ぬものとあきらめにつつ

○ 百瀬詩村

父まさばさぞ喜ばんとのたまひし母の睫毛はぬれて居ましぬ

○ 新村阿耶子

製絲場の赤き煙突すく〳〵と秋の旦の空晴れて居り

○ 笠原重之

石炭がらしきたる庭の片隅に黑土置きて花の種蒔く

○ 中谷四郎

學校の歸りは今日もおそくなり夕暗がりに米とぎにけり

○ 加納滿枝

瑯疊る圓壺の垣に朝顏の紫の濃く咲きそろひをり

○ 中島英太郎

入陽射す道を急げば稻雀ゆ群れ立つとりのはね輝くも

○ 宮坂忠夫

秋の陽の背にあたたかき山坂を足弱き兒の手を引き登る

○ 樋澤桂光

久方に澄み徹りたる大空の下にかがやく山のもみぢば

○ 濱 迷雲

斷崖の色は赤赤と落日の陽にかがやける伊豆の乳ケ崎

○ 北村武夫

如月の頃より臥せし母親の御面やつれて秋づきにけり

○ 小坂一巳

うつつなく水の面眺めぬ吸ひつけろ石を離れてつぶ沈みゆく

○ 小口滿義

くれかかる夕燒空の風なぎて庭のいてふ葉音なく散りぬ

○ 河西さとし

秋雨のしばしゆるみてさ霧間にほのかに見ゆる山神の森

○ 增澤登代

朝霧の深き林に落葉かく我が足先のしるくつめたし

○ 堀口卓

入りつ日の赤き名殘のうすれ行く空鳴きつれて渡る鳥あり

あかねさすたそがれ雲のうつろへる湖に見ゆすなどりの舟

川面よりのぼる朝霧押し進む蜆船には霜置きてあり

ほのぼのと明け行く朝の川面には白き朝霧なびきて居るも

○ 細川天山

逝きし兒に手向し盆の燈籠はつりたるままに風に破れ居り

○ 唐澤馨

まなこ冴えて眠れぬままに起きて居り時雨るらしき外の面の氣配

山峡の朝霧むけれや實りたる稻田の面をさ霧なびかふ

○ 遊座武夫

眞裸を手術の台にのせ居りてたぎつ湯の中にメス光る見し

看護人らの食せる飯はも羨しかり日並かはらずおも過すれば

○ 小野三好

雨晴れの庭かわかねど幼子のゆまりにぬれし疊をほすも

秋雨の庭の焚火は消えゆきてやけのこりたる古下駄のあり

歌壇應募成規

短歌、俳句

一、題　隨意

但し成るべく春に因んだもの
（一人五首限り用紙官製はがき）

一、選者　兩角雉夫先生

一、締切　二月十五日

一、宛所　諏訪郡平野村　兩角雉夫先生

（備考）海外在住者からの應募者は住所氏名を明記して選者宛直送をお願ひします。

海の外 問答

漠然たる質問は不可
一人三問以下の事
詳細回答希望者は郵券封入の事。

一人息子の單獨渡航

問　私は長男で弟妹は一人もないものですがダバオに渡航する希望を持つてをります。兩親や近親の承諾がなければ長男で渡航出來ませんか（西筑、水尾武夫）

答　一人息子であるが故に海外渡航出來ぬ規則はありません。單獨渡航の場合未成年者は戸主の承諾を得る必要があります。ダバオへの渡航は例令呼寄證明書がなくても先方で就職口が確定し居る時は渡航許可なるまでに容易に渡航し得る所であります。

兄の呼寄せで渡航

問　兄がダバオに居ります。兄の呼寄せで私も渡航したいのですが如何なる手續が必要ですか（上伊、山口英一）

答　當方から戸籍謄本一通を送ると兄さんがその謄本によつて呼寄證明書を領事館から貰ひて送つてくれる。これに出願書類を作製し添付すると容易に許可になります。

再渡航證明書の有効期間

問　私は一昨年十一月末比律賓のダバオから歸國しました。永い事滯在して今度妻帶して再渡南します。再渡航證明書の有効期間はどの位になつてゐますか。（上田、池田彦八郎）

答　再渡航證明書の有効期間は渡航國によつて長短があります。ダバオは一年半位までよいでせう。

漠然たる質問は不可

問　小生ハワイ島、台灣、南洋等何れかに渡航致し度き希望ありこれに關する參考書其他手續等御報知下さい。（北佐、神津勝郎）

答　御質問が廣汎にわたり限られたる紙面では御答へ出來ません。且つ質問が漠然として御返答に困ります。只今ハワイ、台灣は個人的に特殊關係あつて渡航する外、殆んど絶望な所であります。南洋は濠州、ニユージーランドを除いて新嘉坡、ボルネオ、ジヤバ、比島の諸地方は發展地として有望であります。澤山の參考書籍が刊行されてゐます。書籍の新刊なる信用ある二三をあぐれば

邦人活躍の南洋　二圓五十錢
南洋樂土大ボルネオ　一圓五十錢
南洋年鑑（一九二九年版）七圓五十錢
比島ダバオ渡航案内　非賣品

植民歌『吾が植民地』訂正

本誌前號所載の植民地歌「吾が植民地」中左の如く訂正

一、「嗚呼漂渺の空遠し」は「空遠く」
「清き心の友寄せと」は「友寄せて」
二、「望みは遠く」は「遠し」
「中に輝やく」は「煌く」
「群星連なく」は「連る」
四、「險は險たり」は「險なり」
「天そゝりたり」は「そゝりたつ」
「雄々しき姿を」は「を」を除く
五、「北アマゾンの森蔭し」は「蔭く」
六、「涙と仰ぐガリバリャ」は「ガルバルや」
七、「平和の旗」は「平等の旗」
「勇む我等に敵するも」は「敵あるも」
「アンデス山嶺」は「アンデス山頭」
「六」を「七」に「七」を「八」

協會記事

アリアンサ渡航者
モンテビデオ丸で四家族

本年皮切りの一月十六日神戸出帆のモンテビデオ丸乘船本移住地渡航者は左記四家族二十名であつた（前號の訂正）因みに本船は三月二日サントス入港の豫定

香川縣香川郡雌雄島村　石岡又之助　四人
兵庫縣西宮市用海町　鈴木利兵衛　六人
兵庫縣西宮市東町　木戸寶造　一人
埼玉縣北埼玉郡樋遣川村　小林安太郎　六人
同　右　矢澤清　四人

四家族　二十名

二三月便船の
パイオニヤ渡航豫定

二月十八日神戸出帆ハワイ丸乘船者
東京府南葛飾郡寺島町　羽田光雄　二人
三月一日神戸出帆河内丸乘船者
東京府西多摩郡福生村　笹本薪吉　九人
埼玉縣北埼玉郡中島村　小島臨治　四人
福島縣南會津郡大宮村　山内安房　四人

市町村設立中の─海外視察組合（續）

東筑摩郡中川手村組合
組合長　竹田信平
望月勝一　波塲博志
池上一　山崎嘉根一
關恒次　靑木榮美
田中三郎　森田愛
小口伊藏　大堀優
倉科堅二　清水康治
關則一　加々美一雄
田中詮　竹田一治
望月長平　濱内顯雄
關康茂

新入會員（自十二月二十一日至一月二十日）

樺太久春内郡三濱村　鈴木清殿
下伊那郡豊丘村　中田史郎殿
小縣郡泉田村　石井清六殿
上伊那郡南箕輪村　倉田初美殿
香川縣香川郡雌雄島村　石岡勝殿

會費領收（自十二月二十一日至一月十五日）

一金壹百圓也（特別會員費）　佐々木安五郎殿
一金壹百圓也（同　）　丸山鉼三郎殿
一金拾圓也（維持會員費）　西澤太一郎殿
一金拾圓也（同　）　小井土周造殿
一金六圓也　關　肅殿
一金五圓也
宮本乙巳殿　宮崎褧褧殿
坪内忠治殿　高津榮殿
小里頴孝殿
一金四圓也
井出正雄殿　宮島久義殿
内田純老殿　中島太郎吉殿
北村準之助殿　荻原嘉治殿
丸田律殿　倉澤運平殿
赤羽壽平治殿
一金貳圓也
畔上日義殿　雨宮博殿
西澤善十郎殿　宮入汎省殿
佐藤市三殿　長谷川眞一殿
矢島進殿　深堀倉次殿
北島武雄殿　小林英一郎殿
野地湇治殿　宮澤直治殿

丸山辰之助殿　一ノ瀬章雄殿　村田基一殿　木内良雄殿　鹽野谷剛哉殿　羽塲金重郎殿　清水與助殿　近山隆平殿　原順英殿　藤原保殿　小林和一郎殿　北村市平殿　宮尾富雄殿　鹽澤龜太郎殿　小林勇次郎殿　金兒源吾殿　戸谷耕司殿　中村富吉殿　中村芳治殿　福島文之助殿　山崎實雄殿　牛見定吉殿　宮崎安太郎殿　持田德三郎殿　關口主税殿

瀧澤正智殿　吉村勝行殿　村松益治殿　北澤新太郎殿　樋口長衛殿　米倉龍也殿　宮本操殿　伊藤詔雄殿　瀧澤質助殿　原紋右衛門殿　松澤信太郎殿　宮澤道太郎殿　甘利康次郎殿　高野信義殿　中野次男殿　今井登殿　藤原登殿　富士原繁夫殿　鈴木伸一殿　宮澤謙三殿　寺島熊太郎殿　栗太島金男殿　近藤渡殿　宮澤龍男殿　丸山憲藏殿

鈴木清殿　小林龜松殿
小口晴雄殿　小野寺養太郎殿
松島紋治郎殿　清水友次郎殿
伊藤治郎殿　小澤誠殿
宮川良治殿　丸山龍治殿
春原安治殿　中田史郎殿

一金貳拾貳圓也　上水內郡長沼觀察組合殿
一金貳拾圓也　下高井郡日野觀察組合殿
一金參拾六圓也　下高井郡中野觀察組合殿
一金貳拾圓也　更級郡眞島觀察組合殿
一金參拾貳圓也　小縣郡鹽尻觀察組合殿
一金拾八圓也　小縣郡大門觀察組合殿

海外會費領收

一金參拾圓也　ダバオ　倉田國藏殿
一金拾圓也　西班牙　笠井金太殿
一金拾圓拾六錢也　バタビヤ　牛田積善殿
一金拾圓也　ボルネオ　高木利兵衛殿
一金拾圓也　ダバオ　等々力芳治殿
一金拾圓貳錢也　カナダ　丸山響城殿

海の外往來

西澤幹事歸朝

南北兩米を旅行中の本會幹事西澤太一郎氏は一月初め北米羅府に來たり附近を視察して一月廿五日同港發のラプラタ丸に乘船二月十一日横濱に入港する

矢田校長歸朝

昨年六月歐米諸國外遊の途についた更級農學校長矢田鶴之助氏は一月十五日桑港發の淺間丸に乘船して一月三十一日横濱に無事歸朝した

倉田國三氏迎妻歸朝

上伊那南箕輪村出身の倉田氏は大正六年比島ダバオに渡航し麻栽培に從事現在では七萬株の麻山を經營して使用人三十五人を雇傭し年收四萬圓をあげてゐたが今回十二年振りで歸國、新妻を同行して二月便船で再渡航する。

等々力芳治氏

迎妻旁々一時歸朝した南安曇高町の等々力芳治氏は時病の神經痛のため當分日本で靜養し全癒を待つてダバオに再渡航の豫定

堀内兼吉氏歸朝

上伊那飯島村出身の堀內兼吉氏は舊臘二十七日伯國から歸朝した。氏は大正八年の渡航、現在ノロエステ線リンスに七十五町歩を所有し二萬五千本の珈琲園を經營してゐる同地方在住本縣人の代表の一人である

五明忠一郎氏

北米から南米に向はんとしてゐたが總選擧のため急據歸朝。

編輯後記

△今年の冬は以外に寒さ弛いのに驚ろきました。それに雪もほんとうに少なく一月中には二三回の降雪しかありませんでした。しかも積雪量も多くて三四寸でした、お正月はほこりがたつて新調のあしだ(高下駄)も不用の有様でありました。こんな冬で陽春を迎へると有難いが二月に入つてから雪もどつさり、寒氣も峻烈を極めるでせう。未だ寒い日も續くのでせう。

△西澤幹事が二月十一日歸國されます。在外正味二百七十九日の大旅行。海外協會は西澤幹事の海外觀察によつて海外發展運動の適切なる事業をドシドシ行ふ決心です。次號から同幹事の嶄新なる觀察報告や御意見で本誌は賑ふ事でせう。

△戸部猪之吉氏が一月の下旬に郷里上伊那の飯島村に歸國されました。アリアンサ入植者としては最初の方です。移住地入植者の希望及び感想について個人別に意見を纒めてまゐりました移住地狀況の一班及び入植者の心理を知るには非常によい參考資料でありますので永田幹事が移住地經營者側としてこれに意見を添付して次號に發表致します。

△朝鮮移住に關連して在間島の藤澤氏が毎號有益なる玉稿を寄せられました。今度、朝鮮閑話として朝鮮人の風俗人情等について面白い玉稿を頂戴しました次號をお待ち下さい。

△森田三樹氏は一月十一日報知新聞社講堂で海外發展講演會に熱辯を振ひました。二月中は東北諸縣に遊説を試み多大の反響を與へてゐます。森田氏の玉稿も次號を以て完結の豫定です。來たるべき文明はアマゾン平原に起る、その文明建設に大和民族の參劃は何んと意義ある事でせう。進軍ラッパは勇しくなつてゐます。民族的使命に燃ゆるパイオニヤよ、足並揃へて進もうではありませんか。

△前號には澤山の誤植脱字等がありました。十分の時間がなかつたのです。本號から注意をいたします。御容赦下さい。

△讀者論壇を新設いたしましたから奮つて御投稿下さい。これは海外會員の海外通信に對する內地會員の諸賢を解放した紙面ですから。(M生)

投稿歡迎　海の外社

海の外(月刊)(一册廿錢)

	內地送料共	外國送料共
一册	廿錢	廿四錢
六ケ月	一圓十錢	一圓四十四錢
一ケ年	二圓廿錢	二圓八十八錢
五ケ年	拾圓	拾四圓

△御送金は振替(長野二一四〇番)に御願ひします。外國よりの御送金は銀行、郵便局いづれにても確實に送金されます。
△御轉居の節は早速新舊兩御住所を御通知下さい。
△本誌へ廣告掲載御希望の方は詳細相談申上げます。

昭和五年二月一日發行
編輯人　永田稠
發行兼印刷人　西澤太一郎
長野市南縣町
印刷所　信濃毎日新聞社
長野縣廳內
發行所　海の外社
振替口座　長野二一四〇番

(第二版) 日本力行會長

永田稠著

兩米再巡

菊版四百廿餘頁・寫眞版三十頁・布製函入

定價一冊金二圓八十錢・送料一冊拾八錢

永田氏は信州の生める一異才である。嘗て南米を一週して『南米一巡』を著はし、信州に來つて信濃海外協會の組織に努力し、更に『南米信濃村建設』に關する大使命を帶びて、大正十三年五月末横濱を出帆し、布哇、北米桑港、ローサンゼルス各地に於ては海外協會支部の設立に盡力し、ソートレーキー市にはモルモン宗敎植民の跡をたづね、デンヴア、シカゴを經て華府に至り、紐育より大西洋を南下してブラジルに至り、移住地の選定、購入、入植の準備をなし、大正十四年二月日本に歸り來り、更に信濃村大成の爲めに努力奮闘し、今や模範的にして世界に誇り得る移住地が建設されつゝある。『兩米再巡』は氏が南北兩米を再巡せる記錄である。志を世界に有する者の一日も看過することの出來ない快著である。

長野縣廳內
信濃海外協會取次販賣

東京市外上板橋 日本力行會發行 振替東京六八八一番

日本力行會長
信濃海外協會幹事 永田稠著 ― 東京寶文館發行

日本植民讀本

菊版百五十頁
地圖挿畫澤山
定價六十錢送料六錢

本會にて取次ます

海外發展主義の小學教育

四六版四百頁布製
定價二圓五十錢
送料十六錢

著者が二十年間海外發展運動に從事せる体驗からしぼり出されたる血の結晶がこの二つの著書となつて現れた。

現在の教育の欠陷は日本民族發展に關する活材料を等閑に附してある事で、一般教育に海外發展に關する教育を加味されたならばと著者は此の點に深く留意して今回文部省の認定を得て實業補習學校、各種實業學校、中等學校の課外讀本として日本植民讀本なる教科書を編んだ。

更に現在の小學校の教科書中、修身、國語、地理、歴史の教材中に海外發展主義の高調に利用すべき點につき學年別に其活用法を示したものが海外發展主義の小學教育で、この參考書によつて直ちに海外發展主義の教育が施す事が出來る。世の教育者に是非共必讀を願ふなければならぬ好著である。

海の外—THE UMINOSOTO
Published Monthly by the Uminosoto Sha. Nagano, Japan.

「海の外」第九十二號 (毎月一回一日發行)

海外協會中央會幹事
信濃海外協會幹事 宮下琢磨著

邦人活躍の南洋

序 今井五介氏
装幀 石井柏亭氏

行け!椰子實る國
南洋へ!!

最新刊

四六版布製上製函入極美本
美術寫眞五十五葉挿入
紙數五百頁最新式九ポルビ付

定價二圓五十錢 (送料十六錢)

生活の樂土は今日、天然の富源に充ち開發の餘地綽綽たる南洋をおいて他にはあるまい。而も南洋は日本人に頼らねばその開發發展は到底望み得られないのだ。南洋こそ將來邦人の活躍すべき新天地である。本書は三ヶ年に亘つてこの新發展地南洋を詳細に視察した著者がその赤裸々な實相を描いたもので、殊に、南洋に活躍しつつある邦人の實生活と邦人發展の實際と指標とを示せる點は、惜に本書にのみ有する特色である。又、著者はその政治經濟、社會万般の記事を記し、尚、南洋の實に明媚なる風光を描き人情風俗を寫して餘す所がない。挿入せる美術寫眞と併せ讀めば魂自ら遠く南洋に遊ぶの感があらう。本書は南洋に成功せんとする士の必讀者たると共に、南洋視察旅行者の良き旅行案內書である。

東京 岡田日榮堂發行

取次 長野縣廳內 信濃海外協會 振替長野二一四〇番

(大正十一年四月廿六日第三種郵便物認可) (昭和五年二月一日發行)

信濃海外協會
海の外社發行

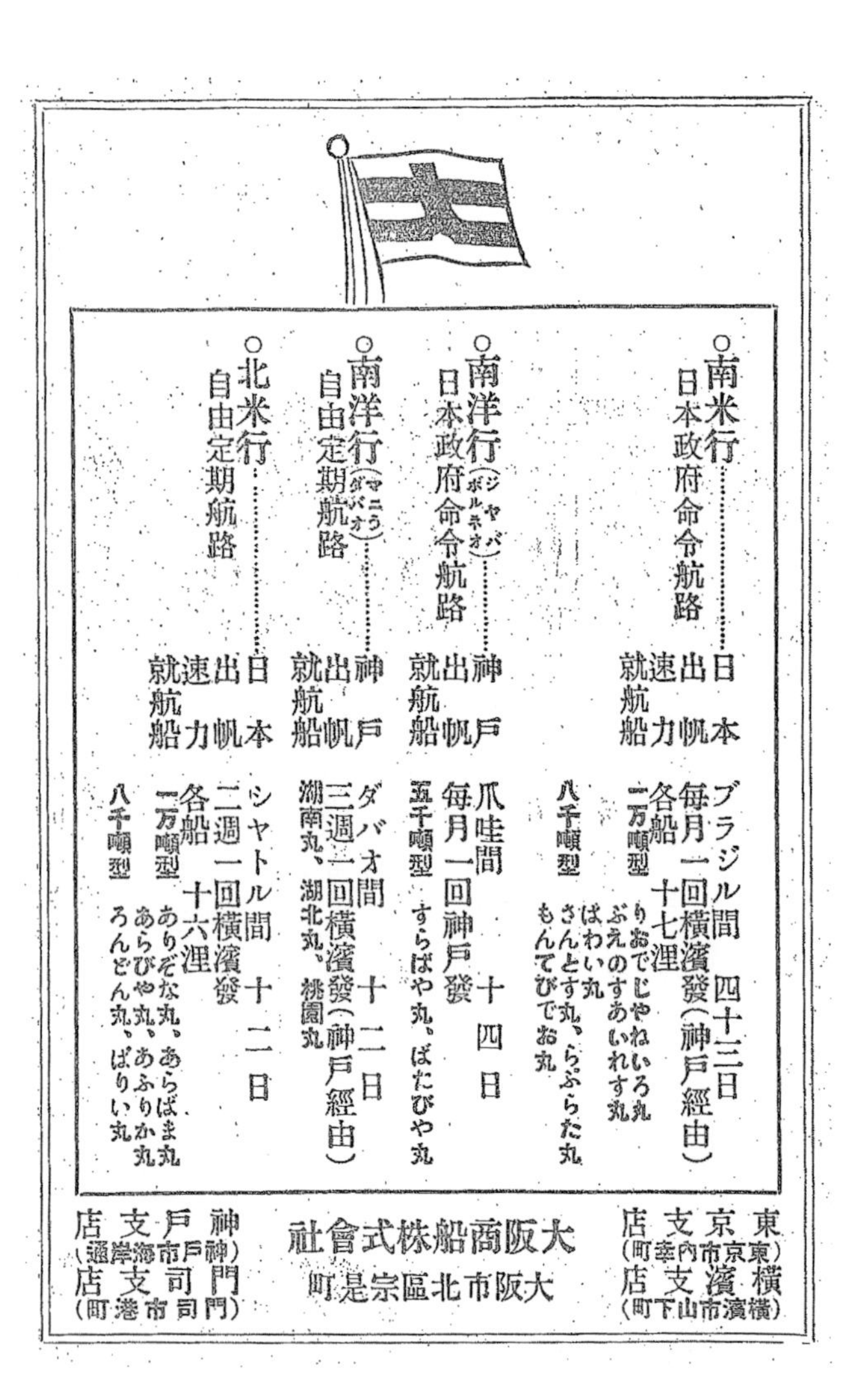

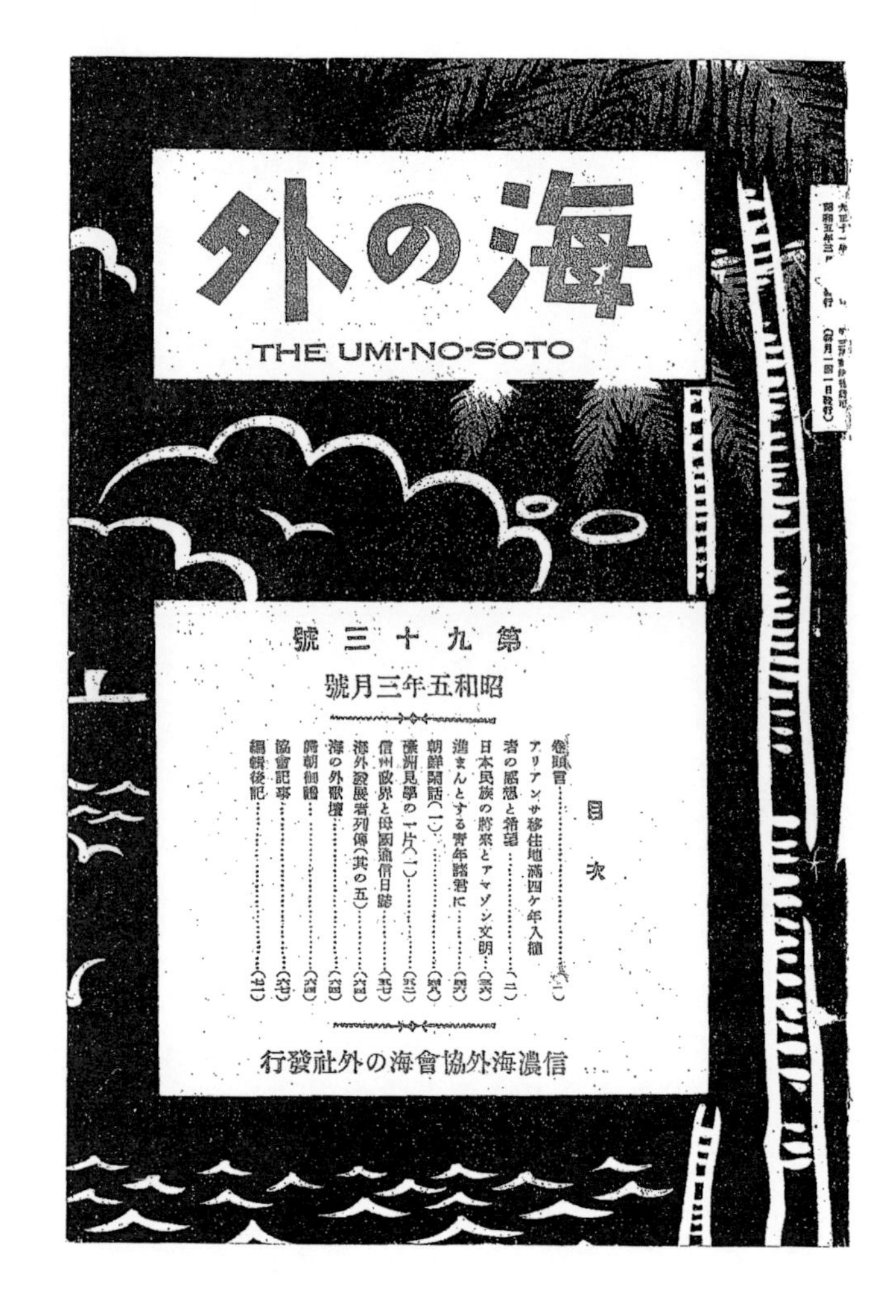

本會で推薦出來る海外發展參考書

書名	著者	定價・送料
ブラジル人國記	駐伯大使館員 野田良治著	二、八〇 一八
新南米	全 氏	二、六〇 一八
若き日本の進路	海興社長 井上雅二著	一、八〇 一〇
西半球を巡りて	全 氏	三、八〇 一八
今日のブラジル	八重野松男著	三、〇〇 一八
大アマゾニヤ	野田良治著	二、六〇 二三
神秘境 大アマゾンを探る	古谷敏惠著	一、五〇 一八
南米實情 ご移民の告白	革新日報社長 濱田勘太郎著	一、二〇 一八
ブラジルの實生活	神戸久一著	〇、九五 六
我等のアルゼンチン	芝原耕平著	二、〇〇 一八
滿蒙の探査	鳥居龍藏著	三、五〇 一八
南米の理想郷	田中誠之助著	一、五〇 一六
改正 海外渡航關係法規集	外務省通商局編	、五〇 二
中南米旅商記	横濱貿易商會編	一、五〇 一六
南洋諸島の富	吉田梧郎著	一、五〇 一六
邦人活躍の南洋	宮下琢磨著	二、五〇 二三
南洋談叢	藤山雷太著	一、〇〇 六
比律賓の現狀	商工省商務局編	二、六〇 二〇
黎明の南洋	井手諦一著	二、五〇 二三
世界植民史	大塩龜雄著	四、五〇 一八
植民及植民政策	東大教授 矢内原忠雄著	四、八〇 二四
植民夜話	農學博士 東郷實著	二、五〇 二〇

取次 長野縣廳 信濃海外協會 振替長野二一四〇番

最も權威ある語學研究書と地圖

書名	著者	定價・送料
實用ブラジル語會話	海外興業會社	一、二〇 一〇
西語會話篇	村岡玄著	二、五〇 二三
葡語文法解說	駐伯大使館員 大武和三郎著	二、五〇 一六
日伯會話	全 氏	、七〇 四
葡和辭典	全 氏	四、〇〇 一八
和葡辭典	全 氏	四、〇〇 一八
葡萄牙語 手紙の書方	中尾熊吉著	二、五〇 一六
最近 西班牙語會話	植民學校講師 酒井一郎著	二、〇〇 一六
獨習 西班牙語講義	全 氏	〇、五〇 二
聯絡式 日西自由會話	全 氏	〇、八〇 四
西班牙語文法	全 氏	一、六〇 八
西和辭典	酒井一郎著	一、五〇 一八
獨習 西班牙語全解(一)(二)	村岡玄著	二、五〇 各一六
西班牙語 會話文法	全 氏	一、五〇 一六
西和辭典	全 氏	六、五〇 二四
實用 蘭語文法	全 氏	四、〇〇 一〇
實用 蘭和辭典	ファン・デ・スタット	四、〇〇 二三
ブラジルサンパウロ州地圖	海外興業會社	〇、七〇 四
ブラジル新地圖	全 上	二、〇〇 六
和西辭典	村岡玄著	四、〇〇 一八
南洋新地圖		一、〇〇 四
スパニッシユブック	第一卷、第二卷	一、一〇 各六

取次 長野縣廳 信濃海外協會 振替長野二一四〇番

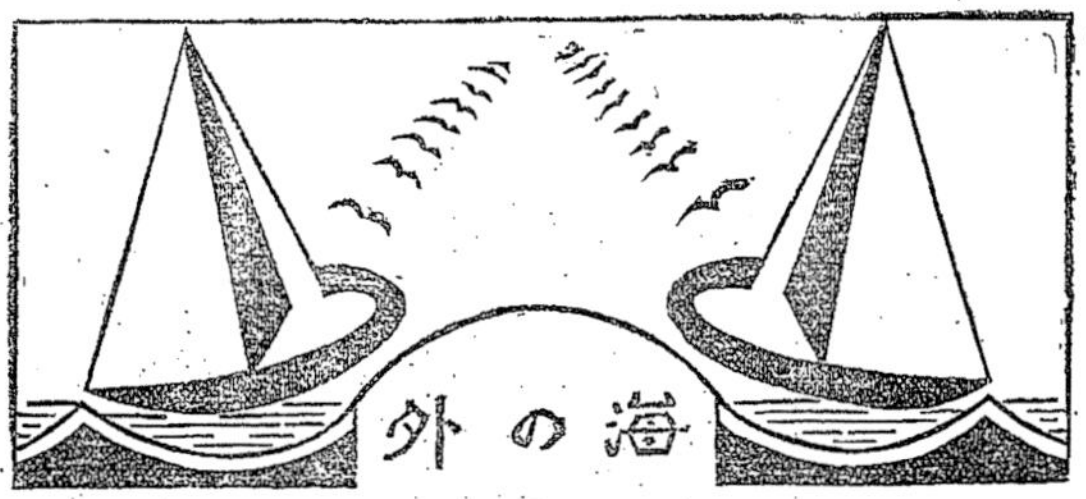

海の外

第九十三號（昭和五年三月）

ブラジルの不景氣

昨年後半期からブラジル國の財界は行詰り伯國經濟史上類例稀な大恐慌を招來した。

同國產業の大宗たる珈琲の生產過剰と價格暴落、カ、オ及び砂糖の生產過剰は何れも產業界の不振を來たし、經濟界は大混亂に陷り經營資金の涸渇に苦んでゐる。

ために珈琲園契約コロノも賃銀は大抵三割乃至四割方を低落し中には半減された所もあると。故に渡伯移民はこの惡條件で就勞せねばならぬのみならず勞賃も暴落して一ミル邦貨二十錢台を割る氣配であるから一日の勞働賃金は僅かに一圓位である。

而してこの伯國經濟界の不況は直ちに恢復せられず尙當分引き續く觀測が多い様であるが故に吾人の對伯移民政策は之れに善處せねばならぬ。

即ち海外發展は相手國の一時的現象の好、不況に左右せられずして遂行さるべきものである事は吾人の屢々体驗し、辛酸をなめて得た教訓である。好況に乘じた投機的の海外移住は最早過去の夢であり、眞實の移住者のとるべき途でない事は吾人が常に筆を代へ、言葉を盡して警告せる所であるが故に、伯國の不況は決して悲觀するものにあらず「禍を轉じて福となす」の用意と決心と努力とを持つてこの機會に於てこそ大いに進出すべきではなからうか。尙それ母國農村經濟破綻の現狀を直視してブラジル國現在の不景氣現象に渡伯決心に二の足を踏む者ありとせばそは未だ過去の一攫千金の夢を見る域を脫し得ない者である

——（宮本乙巳）——

アリアンサ移住地滿四年入植者の希望及感想一班

芦部猪之吉

序

芦部猪之吉氏は長野師範卒業後縣下の教育に從事し小學校長たる事十年、更に農村に於て產業組合耕地整理等各般の仕事にたづさはり、「これ以上は村の青年を海外に指導するの外はない」と思ひ自ら海外に渡航した。玖瑪共和國に多年留園しアリアンサの建設せらるや、玖瑪よりブラジルに轉じ約四ケ年間開拓の第一線に活動し、令息に妻を迎へ、とに角やつて行ける様にし、故郷に殘れる老母に奉養を盡さんが為めに今回歸國された。歸國せらるるに當り「アリアンサ移住地滿四年入植者の希望及感想一班」をお土産として持つて來てくれたのである。私の様にアリアンサ移住地建設の當初から關係をして居た者、特に經營者側に居つた者には非常によい參考資料である。これを其儘に發表する事は勿論よい事であるが、入植者側の言ふ所と共に經營者側の言ひ分をも添附した方が、これを讀む者に一層の利益であることを信じ、「永田曰」として愚見を挿入して發表することに致したのである。

——永田稠

例言

昭和四年七月末信濃海外協會より西澤幹事が移住地視察として出張せられ、當移住地狀況調査に着手せられ予は其手傳として八九二ケ月に亘り戸別訪問をなし、調書を作成した際調査事項最後の頁にある移住地經營上の希望事項及び感想と云ふ項目に記入せられたものを見當り次第、自分の手帳に扣へて見た所が第一アリアンサ百八十四家族中四十人の多數に上つた。

海外に於て試みられた理想的移住地として世人の注目を引きつゝある、我アリアンサの入植滿四年（第一年即ち大正十四年の入植は直營地四年契約者四家族と自作農若くは不在地主の契約耕作者八家族と合計十二家族のみであつて其餘の大多數は大正十五年の入植なれば適切に云へば入植滿三年）の成績如何は誰れもが知らんと欲する所であるから、アリアンサ現在の家族狀況を初めとして開拓狀況、珈琲植付、作物收穫、家畜其他生產狀態、經濟狀態、衞生、教育及び文化施設等の詳細に亘りては何れ後日、協會本部に於て正確なる統計表に依りて發表せらるゝことゝなるであらうが予は玆に先づ入植者今日の感想一班を諸君に報告して我アリアンサの現況を概括的に髣髴せしめようと思ふ。

此の感想は第一アリアンサのみで第二第三のが未だ出て居らぬから多少物足らぬ感じあり、又家長が悉く書いたので婦人としての希望感想が記されてないのが、更に物足らぬのであるが之は他の方法で更に調査する必要があると思ふ。

調査開始の當時から數ケ月經過したので今日では周圍の事情が餘程變遷した點もある。例へばカンピナスの組合會社が財政紊亂のため其當時繭代支拂不能に陷り居りたるが今日では州政府後援の下に財政を整理して再び從前の如く活動して居り、基督教會堂の如きは其當時は單に敷地の撰定が出來ただけであつたが、今日では資金募集を進行し建築も近きに着手せらるゝ筈であり青年補習教育の如きも基礎鞏固とは行かぬが特志者の間に土曜學園と稱する私塾の形を以て生れ出で前途に光明を認められつゝある等が其の一例である。

移住地金融の不況は協會若くは移住組合より資金融通の途が開かれぬ限り聖州一般金融不況と共に否な寧ろ其れ以上に鐵道沿線一般金融界と隔離せられたる我アリアンサは一層困難に陷ることゝ思ふ。

希望事項の內には到底行はれぬ様なこともあり、又感想として正鵠を得て居らぬのがあると思はれるが一々之を批評するは予の目的ではない、唯だ希望感想の有りのまゝを報導して諸君の判斷に供するのである。

各人の感想を順次列記するに當り人名の代りに番號を附し、尙適宜に題目を附したるが讀者幸ひに諒せられよ。

第一、移住地建設意見

一、現今に於ける內外の世相に鑑み限りある財力を以て母國に於ける經濟的落伍者を糾合し未開の地に理想鄕を建設せんとするの企劃は到底實現せざるものと思考す、假りに移住地を形成する各分子が最初より精神的に結合し、思想の一致を見、將た又其經濟力に於て略ぼ均衡を保ち且つ之が經營に潤澤なる資力を以てせば、或は一時的に一定の理想に向て進展するやも知れずと雖

も、世の推移と共に漸次其理想を沒却するに至らん。若し思想高遠にして人格識見共に卓越し世人の欽仰を博するの士ありて其の衝に當り、財力に拘束せらるゝことなく悠々其經營を爲すあらば或は初期の目的に近接するやも知れずと雖も、斯くの如きは恐らく空想にして到底望みなきことゝす。故に予は信ず理想郷の建設は經世家の一夢に過ぎずと。

永田曰、アリアンサを理想郷にしたいと思ふのは入植者が理想に向ふて努力向上する移住地としたいと熱望したのでありまして直ちに吾人の理想を實現しようとは考へて居りません。

二、然らば移住地の建設は、何を目標とし如何なる主義に立脚すべきやを定めざるべからず。曰く人口問題、食糧問題の對策として移住者の經濟的發展を期するこれなり。蓋し國民の經濟的發展は國富を增進し、思想混亂の救濟策として最も有効なればなり。

永田曰、只經濟上の問題丈けの爲めに移住地の建設をした譯でもありません。多少精神上のことも考へて居ります。

三、然れ共既に移住地を建設するや以て經濟的發展を期すると共に其統制を確立し、公安を維持し、風教を端正して淳良なる農村を形成することに努力せざるべからず。故に此の見地より入植者の素質を考査するの必要あり。尚移住者の經濟的發展を期すべき要件は資金の多寡よりも寧ろ勞働力の如何にあるを以て家族の構成には大に注意を要す。

永田曰、移住者募集の實際的から云へば入植者の素質の考査は殆んど出來ません又家族の構成は夫婦二人の者を除外することも出來ません

四、移住地の統制は如何なる方法を可とするや現今の世相に於ては各人の自由意志を尊重するを以て恐くは合議制を採擇するの意見が勿論多數なるべきも、予は最初の間、經營者の專制に依るを可なりと思考す、何となれば法律制度を異にし且つ風俗人情悉く異りたる異郷に於て新來移住者の抱懷する意見は到底正鵠を得ざるを以てなり。但し移住者の推薦に係はる、若干人員を以て諮問機關を形成する等一面に於て移住者の意見を尊重するの方法も考慮せざるべからず。

永田曰、アリアンサはお說の通りにして居ります。

五、教育及び宗教問題に就て諸多の意見あるべきと雖も結局移住國の制度及慣習に從ふの外なかるべし。然れども日本國民性の涵養は忽せにすべからざるを以て、家庭教育に於て不斷に之を注意するを要す。青少年の思想動もすれば混亂に陷り易く殊に單獨渡航青年の指導には深甚の注意を望む。

永田曰、これも大体御意見通りです。

六、移住地撰定に就ては細大の注意を要すること言を俟たず、當アリアンサの如きは當事者の選定其宜しきを得たるため、順調の進展を見つゝあるは我等の幸福にして衷心感謝する所なり。希くは將來此の種の企劃に當るものは層一層の研究あらんことを望む。蓋し選定其の宜しきを得ざるときは獨り移住者の不幸のみならず、經營上の苦辛甚だ大なるを以てなり。

七、移住地決定の上は新聞紙を通じて一般狀況を成る可く速かに發表するを可とす。斯れ世人の誤解を防ぐ手段なればなり。世評の如きは敢て顧慮するの要なきが如しと雖も一旦惡評の傳はるあらば新來入植者に不安の念を抱かしめ、或は入植を躊躇し又入植するとしても疑念を抱くものあらば經營上幾分の障害なきを保し難し。先人主となるの諺あり最初に於ては公明正大に一般の狀況を發表し置くこと最も必要なり。

永田曰、世の云ふ所の商賣敵もあり、アリアンサを種子にして儲けようとして儲からなかつた者、他の理由で反感を持つ者などの惡宣傳は「時」を待つより外に仕方がありません。

八、入植者に對する地區の分譲に就ては、各植民地の模樣を聞くに多くは土地の高低、肥瘠、交通の便否等に依り等差を設け、其價格を按配しあるが如し。然るに當移住地にありては價格に若干の等差ありと雖も概して均一制度にして、抽籤によりて之を定められたり。而して實際の狀況を見るときは甲乙甚だ懸隔を生じつゝあり、將來研究を要す可しと思ふ。

永田曰、一一入植者が現地を見て價格の決定が出來れば好都合であるが日本で土地分譲をせねばならぬのでこれは如何とも致し方がありません。

九、移住地建設の宣傳はなるべく具体的にして修飾なく且つ平易の字句を用ひ殊に入植者の收支豫算の如きは寧ろ内輪に計算し入植後失望せしむるが如きことなき樣留意するを要す。若し其收入を過大に見積り置くときは忽ち生計上の齟齬を生ずるに至らん。

永田曰、移住地入植者の收支計算豫想はトテモ困難です同じ土地に同じ人員の家族が入植しても大差あること今日のアリアンサの通りですから。

一〇、移住者を愛護し情味を以て之を指導するは移住地經營の要諦なり。然れども愛護に過ぐれば徒らに依頼心を生じ、敢爲の氣風を失はしむるを以て飽くまで獨立獨行の覺悟を保持する如く指導するを要す。

永田曰、お說の通りにてアリアンサなども少し依頼心が多過ぎはせぬかと思ひます。

一一、移住地には專務的の農業指導者を置くを必要と認む。伯國内よりの轉耕者を除き他は悉く指導を要するものにして殊に入植當初するのみならず士氣に影響すること尠なからず、而して一方に複雜なる業務を有する者にては到底完全なる指導を遂行し得ざるものと考ふ。

永田曰、其指導者を得ることがトテモ困難でありますし金もないのです。

一二、移住者の必要品を母國より追送する確實の方法を立つるを得ば頗る便利なり、當國の工業品概して高價にして勞働服其他被服類及び日用品の購入大いに困難なり。故に母國留守擔當者より此等必要品を追送せしめんとするときは移住組合本部等に於て之を取纏め年三四回位に船會社に托して運送しサントス港に特約者を置き之を受取り各移住地に配送するが如き方法を研究あらんことを當局者に希望す。

永田曰、移住者の荷物を余分に持參する樣に極力努力したが移住組合になつてから一人分十二貫とされたので御氣の毒ながら如何とも出來ません。

第二　希望の數々

一、低利資金の融通

永田曰、土地代と生產資金と地主から小作者への貸附金と、もうこれ以上はアリアンサでは出來ません、これはアリアンサ計りではありませんドコの移住地でも出來ません。

二、農產物を有利に販賣する方法の研究と實施

三、勞力及び資金の供給を潤澤ならしむる方法

四、アルマゼン（賣店）の物品を豊富にし、且つ物價を低下にすること

永田曰、これも今日の所、名案がありません。

第三　目下の急務

一、產業組合（信用、販賣、購賣）の成立と事業資金の融通

二、當移住地に貳名の醫師を置くこと

永田曰、醫者をさがして居るが適任者がありません。

三、市街地の開放を早くせよ

第四　好適地

盛夏の期節と雖も風あり雨ありて暑からず、冬期と雖も霜降る年は少くして寒からず、年内通じて就勞し得る。果實類は年内無休に成熟し小供の發育には最も好適地なり。

第五　援助の均霑

一、移住組合は海外協會を繼承して入植者の經濟狀態の收支相償ふに至る（即ち獨立可能となる）まで販賣購買其他の事業の運轉を援助せられたし。

二、土地代未納分に對する取扱方法を移住組合員と同樣にし三ケ年据置き、三ケ年賦支拂ひ並に利率等すべて組合員と同樣に援助の均霑を希望す。

永田曰、信濃の分は組合となりたる後も從前通り土地代は三年賦となし居れり、それでなくては組合の經營が出來ませんから。

第六　理想的小作者の聲

一、雜草を極力防止すれば一日千コーバの除草は容易なり（甲）若し雜草を防止せざれば一日五十コーバの除草も困難なり（乙）

（註、コーバとは珈琲植付の穴にして其間隔三乃至四米突あり假りに四米突とすれば千コーバは壹町六反六畝歩に當り五十コーバは僅々八畝歩に當る）

故に

（甲）餘力を以て勞銀收入／珈琲樹の發育良好／間作物收獲多量 ｝貯金
（乙）勞力不足して勞銀支出／珈琲樹の發良不良／間作物收獲少量 ｝借金
｝勞力問題解決の鍵

二、不在地主代理人たる協會理事は請負小作者に對し嚴重に監督せよ、その小作者自身の爲めになればなり。

三、理事は入植者に中庸の道を取らしめよ。即ち智識階級にて他の凡ての行爲はよろしきも經營上に成績あがらざる人達に對しては之を指導し又非常識にして金錢のみを目的として日常の衣食住などは更に意に介せず例へば靴を買はずして草履や草鞋穿き外人の嘲笑を招き排日の原因になる如き行動（他の移住地にありと聞く）なき樣に常に我々は國民外交の第一線に立つこと

を自覺せしむる様指導監督すること必要なり。

四、理事は最初入植者が事情に通ぜず、能率低下の爲め生産、意の如く擧がらざる故に無用の失費を防ぎ極力生産增加に努力する様に敎へること。

五、地主は移住地にある小作者に書信或一葉の新聞雜誌を送り慰藉激勵し、小作者はより善き珈琲園を經營し責任を以て義務を果たし、勞資打て以て一丸となし民族發展の爲めに盡くさんことを望む。

永田曰、小作人より地主への通信なき爲め地主は土地がどうなつて居るやら不明なり、小作人より通信があれば雜誌を送る位のことはいくらでもやります。

六、青年男女殊に女性には土の香りに親しむこと即ち大地を愛する事を誇りとするの氣風を作られたし、神を信じ人を愛する事更らによし、ミレーのエンゼルスの鐘、之を以て理想としたい。

七、入植後の感想としては開作物の豫想より少かりしこと、しかし餘力の勞銀に依りて之を補ひて餘りあること。

八、意外に餘力の生ずること、勿論力と共に頭を使ふ事必要なり。

九、全般的に殺風景なれども土地肥ければ如何に美麗なる庭園も出來得べく、材木豊富なれば勞力さへ惜まざれば如何なる文化住宅も出來得べし、要するに頭の使ひ樣一つにして天國たるの地なり。

一〇、敎育、宗敎は最も必要なり。されど智識階級が自己の農園を雜草の海と化し、其の種子を四方に撒布して他に迷惑を掛けながら他人に聖者の道を說き敎育の必要を論ずるは其の是非に迷ふ、移住地の敎育、宗敎の振はざる原因は此等智識階級にあらざるか。

一一、サンタ、カタリーナ州獨逸人植民地が衣食住に重きを置き、少しの耕地より總てを工業化して合理的生産を擧げ視察者をして讃美せしむると從來の日本人植民地が少しも衣食住を顧みず只だ耕地の大なるを願ひつゝ動もすれば、失敗を繰り返し、排日の原因となる行動も意に介せざるが如き、此の兩者を比較して學ぶ所なかるべからず。

永田曰、御說は一々御尤もなり

第七　入植當時の冗費

一、母國在住の時は筋肉勞働に從事せしことなき爲め、當地入植後能率擧らずして意外の負債を生じたることの外は極めて樂しく生活し得ることを喜び渡伯せしことを幸福と感じ居れり。

二、旅券下附出願の際には未だ當移住地の存在が全國に認められ居らざりし爲め、兵庫縣廳に於て他の移住地を指定紹介せられたるに自分は當移住地を選みて入植したることを今日より見て非常に幸福なりと思ひ居れり。

三、入植後アルマゼン（賣店）勘定は月大概二百ミル（註、其當時は壹圓が三ミル內外、現時は四ミル內外）以上三百ミル乃至三百五十ミルに達し居り、今より考へる時は何を左樣に多く買ひ求めたものかと不思議に思はれる位にて本年に入りては月平均五十ミルを要せず、例へ其の當時は飯米並に副食物等一切買ひ入れたるにしても入植當時の冗費は全く夢の樣に感ぜらる。

第八　資金の融通

一、運轉資金の融通を切望

第九　人と金と

一、移住民全般を精神的に統御し得べき大人物の出現若くは招聘

永田曰、そんな人はありません。只入植者の努力協力犠牲に依るの外は方法はありません。

二、金融機關の設置

第十　第二世の敎育

一、今回移住者各自より書き出された調査書を一讀せらるゝ方は、移住地經營の任に直接當られて居ると否とを問はず我が日本民族のより善き海外發展の爲め一言一句をも一笑に附せられざる樣第一に希望して置きます。

二、土地十アルケールスを所有して三人家族で耕作するとすれば協會の宣傳書に依る數字通りの開拓をすることは普通に於ては不可能である。それ以上の開拓は勿論のことであつて土地を其儘放棄して置くことは不經濟であると思ふ。協會經營當時の樣に請負耕作者を政府の補助に依て渡航せしめ希望者に配せられる樣せられたし。

三、經營の任に當らるゝ方は常に兒童敎育に就きて考慮せられ然る後他の經營の事に當らるゝ樣に。

四、經營が協會より組合に移りたる爲め經營振りが官廳式とならざる樣、又協會が直接經營者でないと云ふ理由にて事大小にか

ゝわらず回避する事なき樣從來の通り親切に取扱はれたし。

五、獨身青年が多數在住して居り、今後益々多くなることゝ思ふ、然るに之に配すべき女子は僅少である爲めに青年の意氣が甚だしく揚がらない、此の點特に考慮せられたし。

六、現在に於て一般に財政が豊かでないのと青年男子に配すべき女子が少いとの爲めに結婚が賣買の形になりつゝあることを見聞する。此際婦人ホームを建設し有爲の婦人を渡航せしめ尙在住者の女子青年を敎養すべき機關を設ける樣努力せられたし。

七、移住地の自治機關をして權威あらしめる樣組合に於て常に考慮せられたきこと。

八、青年及兒童の母國觀光の便を計る樣組合、協會及びアリアンサ會相協力講究せられたきこと。

九、出版物の購讀を便ならしむる爲め組合事務所又はアリアンサ會は協會、中央會又は組合聯合會と連絡し送金の便を計り購讀を容易ならしむること。

一〇、組合又は協會は常に新刊の兒童讀物を集め送附せられたきこと。

一一、移住地自治機關の會長は或る時期まで組合より任命するか、組合理事が就任する樣せられたきこと。

一二、神戸に於ける移民收容所に於て極端に荷物の制限をせぬ樣に取計はれたきこと。荷物の箱詰を行李詰となす等は當國の事情を知らざるによる。行李詰は內容物紛失するものと覺悟し置くこと。

永田曰、移民會社で行李にせよと獎勵するので私共も困つて居ります。

一三、感想を述ぶれば今日に於ける移住地の狀態は建設當初の考への樣な理想的移住地になつたとは思へません、しかし海外に於ける日本人の集團地を見ますと何處も同じであることを遺憾に思ひます、日本に於ける宣傳が誇大であるとか當局者が無責任であるとか言ふ人もありますが之は左樣に考へるべきものではありません。建設の宣傳通りを頭に入れて來たものもあらうし理想は兎も角計算だけを胸に納めて來たものもあらうし、既に永年ブラジルで奮鬪して居て全く違つた考へを以て入植した人もありますから三年四年で理想鄉にしようと考へることが無理だと云はなければなりません。移住者の內には建設當初の理想を失はないで居る者が相當多數にあつて其方向に進みつゝあることは信じられます、だから此上兒童の敎育と云ふことに充分に力を注ぐことが出來れば近く吾々の後繼者である現在の兒童達が吾々が望んで居た通りの移住地を完成して吳れることゝ信じて居るので母國出發當時の考へと現在の狀態とが實際違つて居て自分としては比較的大きな損害をして居る譯ではあるがそれを後悔して居りません。只だ兒童敎育に對してだけ心配して居ります。日本人は共倒れをすることの好きな性質を持つて居ることをブラジルに來ても矢張り見ることが出來るのを殘念に思ひます。

第十一　我が一つの希望

我が一つの希望として印刷機が欲しい、早くから此の希望を持つてるけれども仲々實行せぬ、アリアンサを導く一つの方法として活字の力を借りたい。

それによりて各人は高遠の理想を說くのもよい、各種研究の結果を發表するのもよい、立派な藝術を發表するのもよい。

新聞でもよい雜誌でもよい我々自身の力で培いたい。アリアンサを導くと共に在住同胞の光りは我がアリアンサから輝く樣に。

我等のアリアンサは米を作り珈琲を育つること許りではない人を作ることである。敎育の充實と共に言論、思想、藝術の發表機關として早く印刷機を欲しい。

永田曰、二千圓位あれば活字や印刷機が買へます、何とかして金をつくつて下さい。印刷機を買ふて送ります。

第十二　圖書館の建設

一、圖書館の建設

二、敎育に就きての施設保護

三、共同組合の創立（主として倉庫運搬等）

永田曰、入植者諸君の協力に依り實現を希望す。

第十三　六年契約條件

一、契約當時と比較して物價の騰貴、カマラーダ（日傭人）の賃銀騰貴の爲め今日普通に行はれ居る契約條件と大なる相違ありよりて契約當時の條件を變更して今日の條件と同樣にせらるゝことを希望す。

永田曰、多少考慮は出來ませうが契約は契約で致し方なきものと御考へは願ひます貨幣價値の高い時に借金し貨幣價値が安くなつたからとて貸借金額の變更は出來ません。

二、內地に於ける宣傳が當地入植後の實際と違り相違せる爲め携帶金殊に內地にて借入し來れる元金どころか利子さへも拂ひ込

みが出來ざるは甚だ遺憾なり、此際地主なり協會なりが資金の援助を與へられんことを切望する。

第十四　移住地經營難

一、本移住地は産業組合の精神と理想との下に建設せられたるものなれども開拓四ケ年の經過を觀、且つ又獨人の同精神同理想の移住地「アマナ」國又は英人のロバートオーエンの移住地「ニューラナーク」及び「ニューハーモニー」の覆轍に鑑み且つ又本邦人が積年官尊民卑の慣習に捕はれて自治の訓練に缺如せるに鑑み本移住地は矢張り經營の主體を移住組合に置き産業、衛生交通及び文化を擔任する有給專務理事を置き、行政を運用する方が治績良好なりと思はる。況んや目下住民の負債七百コントス（註、一コント邦貨換算二百五十圓）に達し之を償還して名實共に獨立するが如きは恐らく十年河清を待つに類するに於てをや。

永田曰、私は必ずしも、しかく悲觀して居りません。問題は入植者の努力如何によりませうが。

二、負債山積して資金缺乏の爲めに玉石共に貸出を停止せるは當面已むを得ざるべしと雖も速かに資金部を設けて合理的なる企業資金の融通を願ひたし。

永田曰、政府の低資十七万圓行きたる筈なり、それ以上は出來ません。

三、賣店の經營を改善し物價の低下を計るべきこと

四、市街地の一般賣り出しは後廻しとするも特種の商工業者例へば靴直し屋、鍛冶屋、木工其他修繕屋等を速かに開店せしむること、六人の家族にして一年の靴代のみにて三百ミルを突破するは閉口なり。

永田曰、靴を自分で修繕する工夫を願ひます。やつて見れば何でもないものです。

五、財政の整理に就きては當路者の案あるべきも愚見の一として住民一戸が所有林の單位を五アルケールスとし（但し負債なり開拓の餘力あるのを除く新たに日本より移住者を募集して之を賣却入植せしむれば開拓を促進せしむるのみならず、立ち所に約十萬圓の資金を擧ぐるを得べし、當移住地の癌は借金しつゝ開拓不能の土地を寢かし置くにあり。

永田曰、一戸分廿五町歩は過少と思ふ、これを更に小さくするなどには反對します、五反百姓はコリゴリです。暫らく御辛棒を願ひます。

六、日貨圓と伯貨釺とを同等と見倣して日伯物價比較表を作り組合本部に備へ付けられたきこと。

永田曰、圓と釺とを同等に見ることは出來ません。

七、各府縣の組合並に組合聯合會の理事主事以上の人々は必ず當國の植民地に於ける耕地生活の體驗あるものを任用せらる可きこと。

永田曰、人がありません。

八、移住地に於ける公安の保持は組合に於て其の責に任ずべきこと。

永田曰、これも駄目です。

九、各縣組合特に當移住地にありては、一切の宣傳をやめて內容の充實改善に努力すべきこと。

永田曰、宣傳せねば後續者が行きませんし、資金の運轉も出來ません。自分の事計り考へてはいけません。

附　記

一昨年海興植民部が宣傳發表せるレジストロの純農移住者大澤氏の收支決算と當移住地の豫算とを比較すれば左の如し。

家族六名勞働者三名換算三、三〇〇レースとす

	當地豫算 收入	當地豫算 支出(資産)	大澤氏決算 收入	大澤氏決算 支出(資産)
一年目	5,255釺	4,433	1,200	1,500
二年目	9,230	1,419	1,700	1,800
三年目	4,841	4,666	4,500	3,200
四年目	6,105	—	6,000	5,000
五年目	11,860	7,230	7,500	6,800
合計	37,291	17,748	20,900	18,300
殘		19,543		2,600

當地四年後の資産（二十五町歩）大澤氏四年目資産（二十二町五反歩）

	當地	大澤氏
珈琲園	一〇町＝七、〇〇〇本	九町＝五、〇〇〇本
牧場	二、五	二、五
雜作地	五、	五、
原始林	七、五	六、
住宅、井	一、	一、
牛	二、	一、
馬	二、	二、
豚	若干	四
鶏	若干	七〇
加工場	—	一
馬車	—	一
農具家具	一式	一式
評價合計	六六、〇〇〇釺	三五、〇〇〇釺

之を觀るに宣傳式海興の方が着實なる收支を發表せるに對し當移住地が突拍子もなく實際と相違せる收支を公表せるは遺憾とする所、今之を論爭するは目的にあらず要は經營者移住者和衷協同自疆不息、自慶安住の鄉地を現出せんことを希望す。日用品を初め物價就中勞銀の騰貴甚しく今後の移住地は恐らく採算不能と思はる。

永田曰、比較が少し無理の樣です、レジストロの土地とアリアンサの土地とは價値がちがいますし、これ丈の數字ではよくわかりません。

日貨物價比較表（但し圓と釺とを同等と見做す）

物資	日本	當地	比率
マッチ一包	〇、一〇錢	一、二〇〇レース	一二倍
石油一罐	三、〇〇	三三、〇〇〇	一一
メリケン粉一袋	九、〇〇	五五、〇〇〇	六
靴　一足	五、〇〇	二五、〇〇〇	五
砂糖一キロ	〇、五〇	二、〇〇〇	四
石鹸一個	〇、一〇	二、〇〇〇	二〇
歯磨粉一袋	〇、〇五	二、五〇〇	五〇
手拭一本	〇、二五	四、〇〇〇	八、
夏シャツ一枚	〇、五〇	五、〇〇〇	一〇
歯磨楊子	〇、一〇	三、〇〇〇	三〇
鋸　一丁	五、〇〇	二八、〇〇〇	五、五

此の如き物價の內に生活し而して暴利は悉く商人の懷中に入るを目擊すれば人情勢ひ農業が馬鹿臭くなるを免れず、組合今後の移住地に於ては日本品の日用品を輸入し實費を以て販賣するを最良と考ふ。

永田曰、圓と釺とを同樣に見ることが根本的の間違ひです。

二年前と今日との勞銀比較左の如し

勞銀種目	二年前	今日	比率
珈琲一株植付	五〇〇レース	一、〇〇〇乃至一、二〇〇	二倍以上
四年間一株育成費	六〇〇	一、二〇〇乃至一、五〇〇	二倍以上
日傭人壹人	八、〇〇〇	一〇、〇〇〇以上	二割五分増
山伐費一アルケール	四四〇、〇〇〇	五〇〇、〇〇〇以上	一割五分増
四年目珈琲小作人所得	珈琲半分	珈琲全部	
小作人住宅建築	材料部地主持 手間小作持	全部地主持	
珈琲採集費	二、五〇〇	五、〇〇〇	二倍

右の如く勞銀は急進的騰貴をなし而して移住地の主要産物たる珈琲は價格半減（豫算は珈琲一袋邦貨十圓即伯貨換算四十釺なるに現下の市價二十五釺純益二十釺以下）なるが故に今後の方針としては

一、隣州に移住地の建設（地價及勞銀半分以下）

二、生活必需品の安價配給

三、生活不必需品の不販賣

四、蔬菜類果實の購買販賣を計るを要す。

五、米作の奬勵

永田曰、アリアンサ建設の時には入植者が勞働者を屈ふて仕事をさせるものとは考へず勞力は主として自家供給と考へたのです。

一大英斷としては當移住地の一部又は全部をブラジル資本家に賣却し潤澤なる資金を以て新たに捲土重來の新移住地を作り過去の經驗を活用せば初めて理想に近き安住郷を現出することを得べきか。

永田曰、やはり同じ事をくりかへす結果になりませうか。

元々移住生活は利殖を目的とは爲さざるが故に衣食足りて子弟の教育が出來るを滿足の限度とし投資の元金などは生涯償還し得ずとも差し支へなかるべきも、せめては天地廣濶人間稀薄の境地に於て幾分なりとも醇厚なる風俗を涵養するを得ば足れりとす今それも出來ずとせば移住地の取柄は何もなきこととなる。組合移住地は此の取柄なき我利亡境に近つきつゝあるを慨嘆す。

永田曰、入植者各位の反省を請ふ。

大正十五年入植滿三年經過の移住者が現在十コントスの負債を有し今後六ケ年則ち開拓十ケ年にして收支を精算したりとせば左の數字となる。

〇アリアンサ入植者滿九ケ年收支表

大正十五年入植者、經營第三年、家族三四名現在負債十コントス、珈琲六千株（平均價額）

（負債元價十五コントス內自費十コントス、借入五コントス）

	昭和五年	同六年	同七年	同八年	同九年	同十年	計	資産	賣價	純利
負債	10、000	九、五00	八、五00	七、000	五、000	二、五00	0	—	—	—
負債返還	五00	1、000	一、五00	二、000	二、五00	二、五00	10、000	—	—	—
負債利息	1、000	九五0	八五0	七00	五00	二五0	四、二五0	—	—	—
經營生活費	三、000	三、000	三、000	三、000	三、000	三、000	一八、000	—	—	—
(丙) 計	四、五00	四、九五0	五、三五0	五、七00	六、000	五、七五0	三二、二五0	一五、000	六0、000	三五、000
自資償却	—	二、000	二、000	二、000	二、000	二、000	10、000	—	—	—
(乙) 計	四、五00	六、九五0	七、三五0	七、七00	八、000	七、七五0	四二、二五0	一五、000	六0、000	四五、000
資產金利	五00	二、000	二、五00	三、000	三、五00	三、五00	一五、000	—	—	—
(甲) 計	五、000	八、九五0	九、八五0	10、七00	一一、五00	一一、二五0	五七、二五0	0	六0、000	六二、000
負債	10、000	10、000	10、000	10、000	10、000	10、000	10、000	—	—	—
利息	1、000	1、000	1、000	1、000	1、000	1、000	六、000	—	—	—
生活費	三、000	三、000	三、000	三、000	三、000	三、000	一八、000	—	—	—
(丁) 計	—	—	—	—	—	—	三六、000	三六、000	六0、000	三二、000

前表(丙)は眞面目に負債を返濟しつゝ漸く生活し得るもの(丁)は負債を一文も返濟せずして十年目に山を賣れば(丙)と大差なき純利を得べし斯る結果にならぬ樣考慮を要す(乙)は最上の部(甲)に至ては百中一二の例なる可し農田源行氏の如きは此の例にして十年間に一割二分の純利を擧げたるが新移住者の眞似し得る所にあらず。彼は過去の十年にして此れは將來の十年なればなり。

永田曰、此計算にても日本に居たよりはよいと思ふ日本で十コントスの借金は子孫永久に仕拂ふ望なし。又、此計算の如く悲觀する必要もなからんと思ふ切に努力を祈る。

第十五　荷物の制限

一、荷物の制限嚴重にして携帶品少かりし爲め入植後甚だ不便なり。

二、自由商人を入れて發展を進められたし。

永田曰、自由商人を入れず入植者の組合でやることがアリアンサ建設の理想の一であります。

第十六　純眞なる青年の叫び

一、青年男女の修養並に社交機關を完備せられたし、卽ち相當內容充實せる圖書館、娛樂機關及び大小ホールを有する青年會舘の設立、基督教會堂の設立等。

二、醫局の設備及び從業員の充實希望

三、感想＝移住者多數の不平は當移住地天然並に人爲施設の狀態が內地に於て想像せし所（卽ち主とした協會の宣傳書）と相違する點多しと云ふにあり、されど我々に於ては斯の種の不平は全然なし、我々移住の目的は富を得んとするにあらずして住みよき社會を創造するにあれば從て我々の不平は次の諸項にあるを以て必然とす。

(a) 已に移住者の選擇を誤れる當移住地に於ては良社會創造の希望は之を第二世以後に求めざるを得ず、然るに移住地の子弟の教育の現狀は單に當面糊塗を事とす眞に憂慮の極なり。

永田曰、移住者の善良にして理想的なる人のみはありません世界中にも善人のみの村はありませんアリアンサなどはトテモよい方です。

(b) 經營當事者及び移住者の多數は社會共同生活の理想を有せず孜々として我々が最も忌避せんとする日本社會の模倣を事とす、實に寒心の至りなり。

(c) 移住者に相互扶助及協調の精神を缺き徒らに私利を逐て相抗爭するは嘆ず可し。

(d) 移住地の狀況斯くの如くんば物質的繁榮は期して待つべしと雖も精神的滅亡は目前に瞭然たり各人共力して飜意改善を要す。

第十七　帳簿の公開希望

一、不在地主は請負耕作者を早く送りて山を開拓すること必要なり兩隣のロッテ（地域）が開拓せられてあるにも拘らず本開拓の不在地主の土地が介在すること甚だ不可なり。

永田曰、開拓者を送らぬ不在地主の土地が決定して居る筈はありませんと私は信じて居ります。

二、幹線道路四十粁地點の公園豫定地と稱する山を早く公園にするか若くは開拓して珈琲園にすること、然らずんば蟻の巣窟となりて近所の畑に害を及ぼすこと大なるべし。

永田曰、當分御辛棒を願ひます。

三、病院の建築は最大の急務なり。

四、市街地に娛樂場を設け入植外人勞働者の分散を防ぐこと。

五、アリアンサの行政には今後協會は無干涉であれ。

永田曰、一日も早く獨立せられんことを希望す。

六、珈琲以外の農產物例へば養蠶とか果物とか其他の方面にも注意を拂ひ度いものだ。

永田曰、多角形農業は經營者も熱望すアリアンサはコーヒーを植へずともよし。

七、法學士だとか工學士だとか兎に角立派な肩書のあるものには指導者たらんよりは百姓たらんことを悟らすべし。

八、アルマゼンの番頭が御役所の役人か巡査かの樣な態度で植民に接する現在の有樣には全く困る何とか出來ないか。

永田曰、そんな筈はありませんが。

九、理事から常々聞かされることだがアルマゼンは損だ精米所は損だ製材所は損だと實に聞き惡い言葉だ、そんなに損ばかりしては協會よりも植民側の方が困る、もつと高くても良いからそれでも納得出來る樣に帳簿を公開せよ。俺等は借金を道樂でしたのではない借金しなければならぬ譯があつて借金したのだ、借金の公開も又大に歡迎す。

永田曰、帳簿は何時でも點檢を願ひます秘密などにはして居りません。

第十八　教育第一及び趣味生活

一、Educado Unne（エスペラント語にて教育第一と云ふ意）なる語が日本にて學制發布五十年紀念の際の徽章に彫出されたことを憶ひ起します我等の前途に横はる希望は多々ありますが先づ何は措いても兒童の教育を相當にしたいことです。

二、早く公認の（公立でも私立でも）小學校にして正式の伯國教育を教授するは勿論補習の日本語教育も適當に施すべき道を開きたいものです。

三、敢て適當の教育と云ひます。現今の如き日本內地の小學校の教授課程を殆んど其儘にしたのでは飽き足りません(a)正課の伯國教育と連絡を計り(b)徒らに字劃の多き漢字の學習殊に書取に小さき頭腦を苦しめざる樣にし(c)地理歷史の教授を簡明公通のものとし(d)數學理科の理解を容易にして趣味あるものとし(e)結局は新規に敎科書を編纂するまでに日本兒童が無益に費す努力を輕減せしめたいものです。

四、兒童敎育に就きては以上の如くです。更に少年青年の敎育にも思を潛めねばなりません。少くとも中學程度の敎育は男女共に施さねばなりません。其機關を如何にすべきか。差當りは私塾樣のものにても有志の人が開設せられたいものです。

五、其他大人も常に敎育せられねばなりません。學術講演、精神の修養、藝術の研究等時に應じ機を求めて決して怱せにされません。

六、我等日本人が小學校入學以來苦めらるゝ所の漢字學習の苦痛から一日も早く免かれたいものです。之が爲めには自國語にはローマ字（日本式の）國際的にはエスペラント語の使用を奬勵し內は無益の學習に徒費すべき時間を節して、有益なる思想、研究に資し、外は國際共通の人造語を操りて言語不通の障壁を撤去し、人類共愛四海同胞の實を擧げ世界永遠の平和を達成したいものです。

永田曰、信濃では敎育を主にしたいと敎師の養成から始めて居ります。

七、諸感想(a)一般に生活の安易なる點は喜ぶべきも外界の刺激少しもなく、僅かに母國より送り來る新聞雜誌に依りて世事を知り共れも二月後れの事實となりて一向に興味を引きません(b)母國在住中は每日曜の敎會禮拜に出席し居りたるも當地移住後は幼兒が日曜學校に出席するのみ近來每土曜日の夜我家に同志相集りて聖書研究會を開き居るのみです(c)家長は俳句謠曲等の趣味あり俳句は同好者と句會を開き謠曲は時々獨唱自ら樂しむのみです(d)主婦は箏曲を嗜み女子は洋樂を解すれども琴は壞れオルガンは母國に殘し來りたるを如何せん。長男マンドリンを三男ヴイオリンを試むることもあります(e)翻て一方に多大の負債償却の前途を考ふるとき專念日々の勞役に勵むべき決心をなすも、事は容易に心に任せず、畢竟今更あせらず、急がず、悠々自適、精神的娛樂に心を遣り前途の幸福を待つの外ありますまい。只管老境の健康を切望します。

古鄕の雪の噂や三ケ日
上り桑分け擔ひける老夫婦
薑殺起き又パン竈を築き初め
朝寒や焚き付くまでの外竈
夜を守る犬に殘せし焚火哉

永田曰、移住地によき文學や藝術を盛にして下さい。村芝居などはどうでせう、盆踊りもよいと思ふ。

第十九 社交簡單

一、氣候の上から見ても日常生活主として食料の上から見ても日本に比して大に良好なり。

二、交通の不便は已むを得ざれども隣家又は社會の交際まことに簡單にして住心地、甚だよろし。

三、農業方法としても內地の複雜なるに似ず、簡單安易にして心持ち常に平靜なるを感ず。

第二十 衛生施設

一、移住地在住者對組合の關係を國家對自治體との關係と略ぼ同樣の關係を以て指導監督あらんことを希望す。一例を擧ぐれば移住地自治に關する諸條規の如きは拓植組合に於て適當なる標準條規を示され、既設及び將來建設の移住地に共通の條規に基き、自治することにし年一回又は二年に一回位、各移住地の自治代表者を組合に招集して諸般の打ち合せ指導及び連絡を圖り一朝國家有事の際には共同一致の動作の下に奮起することを得る樣、適當の方策を講ぜられんことを必要と認む。

二、既往の實驗に基き希望したきことは將來建設せらるゝ移住地には第一着手に衛生施設を適當に施され、原始林中瘴癘の氣を一掃して移住者をして。マレーク等には絕對に罹らしめざる樣收容所及び各移住者住宅附近の土地整理（燒拂、除草排水）等の工事を勵行せられ、入植者をして安心して入植し得る樣又進んで移住し來る樣に健康地たらしめられんことを希望す。

永田曰。東京の眞ン中が生活には不安で寒中に病院は腸チブス患者で滿員です、衛生は病院では完成せぬことも御承知を願ひます。

三、既設移住地に對しては住民の經濟狀態獨立するまで敎育費に組合の補助を希望す。

四、感想(a)當移住地に於て所々にマレータの散在的に發生を見るは當初家屋の建設に關する衛生的注意、不行屆の點あり低地、濕地に住家を建築し又は住家の周圍を雜草の繁茂に委するが如き非衛生的生活に起因するにあらざるか(b)協會又は組合の今日までの施設に就ては我等は。十二分の滿足を以て感謝す世間往々彼是と不平を鳴らすものあるもこれは各自の我儘より、生ずる不平と認む。

永田曰、入植者は經營者の云ふ通りに衛生法を守って下されたるや？此點に疑問があります。

第二十一 請負契約條件の平等必要

一、協會直營地の請負耕作者と日本在住地主の請負耕作者の契約條件は其の耕作者所得の點より觀て同一程度の方よろしからん、何となれば日本に於て契約し來るものは地主も請負者も契約條件の有利、不利等一切判らざるなり。唯だ協會に直營地もあること故、其處に働く人々（多くはブラジル在住者の入植せる人々）が滿足して契約し居れるを以て唯一の賴りとなすもの多し。然るに當地に來りて之を見るに其條件は此等の人々と格段の差あり。それには相當の理由もあるならん、併し請負者より見れば甚だ面白からざることにあらずや、これ或は我田引水なるかも知れず。唯だ簡單に述べて一考を煩はす次第なり。

永田曰、請負契約は常に小作者の有利なる樣に考へつつあることを御承知下されたし。

第二十二 信仰生活

一、目下計劃中の基督敎（新敎）の敎會堂に援助を與へられたきこと。既に其の敷地を協會より指定せられたるは、感謝する所なり。

二、珈琲脫殼工場を設置せられたきこと。

三、伯國の製糸會社財政困難に陷り繭の買入れを中止せりと聞く此際邦人の手に依りて伯國に製糸及び機業の開拓を希望す。

四、次回に經濟調査用紙印刷の時は支出科目運賃の附近に麻袋の一欄を記されたし。これは運賃に劣らざる重要科目なり。予は今回の調査書支出科目第十八生活費欄には賄費と被服費とのみを各別々に記入し其他のものは他の科目に配記したり。飮食する爲めに何程、衣服、頭足の爲めに何程の使用するかを別々に知ることは興味あることとなり。終りに此回の當移住地狀況調査御實行の擧を衷心感謝して止ます。

五、感想(a)宗敎生活の憧れを以て來りたる予には今日の現狀は予の豫想に比し甚だ振はざるものなることを遺憾とす。併しながら他よりの附け力でなく住民の自覺に依つて起つ所に力ある宗敎が實現することゝ思ふ。不肖亦之が爲めに勵まん哉(b)産業的方面に於ては萬事予の豫想以上なることを滿足す。但し協會に對する債務の償却遲々として進捗せざるは予の力の足らざるの致す所と此の點深く陳謝せざるを得ず。

第二十三 入植者の素質嚴選

身體の健康をすら左右すると云ふ心の健全なる植民を送り込むを以て移植民政策の根本とせられたし。

第二十四 青年としての希望

一、青年會に依りて移住地內の便利を取計ふ設備を望む。

二、青年會に依りて物品賣買の取次を爲す便を設けたい。

三、移住者をして每年二三回他地方の實地視察を爲さしめ廣く樣子を知らしむることを必要とす。

四、遠地にて病者を出した時に醫師を招くに便利なる樣電話の設備を必要と信ず。

五、區內に於て輕き病者に對して應急手當の出來得る樣簡單なる手當方法を知らしめ及び藥品等を分配し置くこと必要なり

六、慰安として公園の設備を早くして戴きたい。

七、移住者の腦裡を刺戟させる材料を多く見出して與へて貰ひたい

八、兒童敎育材料を集めて智識を廣くさせてほしい。

九、一ケ月に定期運搬をなし各區入植者に農業發展の時間を多く與へて貰ひたい。

第二十五 產業振興策

一、個人として特に希望するにあらざれども當區內には地券の下附を急ぐ向きあれば成るべく早く手配せられたし。

永田曰、第一の地權は完全に御渡しすることを得られます。

二、協會時代資金貸出しありしも組合となりては貸出しを禁止せる爲め古き入植者と新しき入植者と恩惠に浴することの厚薄あるは面白からず。考慮ありたし。尙ほ現時の金券制度一得一失あり。これも研究ありたし。

三、日本よりの郵便物不着往々にしてあり。途中紛失は勿論當地着後紛失することありとの風說あり。良方法の考究施設を望む

永田曰、これは當方にても困ることなれども今の所は如何とも方法なし。

四、組合とアリアンサ會と二者併立せるは何かと不都合あるやに考へらる。アリアンサ會が獨立の資格未だ備はらずとせば廢止すべし。既に備はるとせば組合の事業全部をアリアンサ會に引き渡すべし。而して經營上資金に差違ある場合は創立者たる協會又は組合が補導の義務を負ふべきものと考へらる。

永田曰、これは極端には參らず。アリアンサ會が立派に生長し獨立の出來る日の早からんことを希望す。

五、時としてアルマゼンに於て農産物を買ひ上げざることあるやに聞く。アリアンサ會に於て産業組合式の事業を始めざる間はアルマゼンに於て持續の義務なきや。

永田曰、アルマゼンを早く組合に致したし入植者の出資を希望す。

六、珈琲の生産或は販賣の制限法が實施せらるゝの處あり豫じめ有利なる生産品の攻究を望む

七、停車場までの交通を一層便宜迅速ならしむる樣助成せられたし。

八、養蠶製糸製擴等の助成計劃を望む。

九、日本に於ける宣傳を改良し實際に近きものにせられたし。

永田曰、出來る丈け實際のものを發表し居れり組合にてはウソを云ふ考へはなし。

一〇、小學校經營上困難多き模樣なり國家的に或る程度まで强硬交涉を望む。

永田曰、政府にも金は少なし依賴心をおこすこと勿れ。

一一、入植者各自が當地に愛着心を持つ樣に施設せられたし。

一二、金融機關を早く設備せられたし、勿論他地方との金錢送受機關をも併せて。

一三、諸感想(a)我等はアリアンサに骨を埋む可く決心して來りしも珈琲の打算的收穫は一定の年限あり加之當地は餘りに永久に囑望し難き由、他日放浪生活に散解する時期なきやを杞憂せられ國家百年の大計として創められたる植民地が樹齡僅かに二十何年かの珈琲のみを奬勵して餘年を如何せんと考へ居らるゝにや(b)迷ひ易く放浪し易き青年の思想を統一的指導する偉力の示現なきを憂ふ(d)雜草の生長力の大なるは豫想せざりし所なり(d)乾燥期に適當なる農作物なきは遺憾なり(e)婦人青年等に慰籍方法乏しきに苦しむ、婦人は寂寞に泣き青年の心は荒ぶ。

永田曰、アリアンサは必ずしもコーヒーの奬勵をなし居らざるものと御承知を乞ふ。

第二十六　賣店の改善

一、アルマゼンの日用品を豊富にして品切の不自由を與へざること

二、病院設備の完全

三、アルマゼンの配達を迅速に行ひ吳れること

四、娯樂物の設備をなすこと

七、アルマゼンの品物を出來るだけ廉價にすること

第二十七　故國惡習慣打破

一、故國に於ける如き階級思想及び習慣の改革

二、植民地の理想目標を立つること

三、植民者及び故國間の通信等に關し相當機關を設置し敏速に其目的を達すること

四、植民地に於ける生産物の販賣は協會の許す限り自由商人を誘入せられたきこと

永田曰、自由商人を入れざるをアリアンサの本則と御承知を乞ふ

第二十八　第二次の建設着手

一、移住地の地形交通其他より考へて制度としての自給自足を希ふ。

二、國體其れ自らの内に完全とまでは行かずともせめて生活の脅威を感ぜざる程度の設備を希望す。

三、此の生命の發育旺盛なる伯國の大地に於て、吾人の生活の脅威を感ずるは其制度上の欠陷によるものと思はる。

四、殊に農業によりて立つ我等は所謂今日の企業としての珈琲園農業の經營に究極の滿足は望み得られず。

五、一切の制度動搖不安を排擊して大地の上に吾人の生活を打ち起たしめよ吾人の望みは只だ一つなり。

六、感想(a)今日に於ける我が移住地は所謂ボーターラインの生活の域を脫して既に組織の第二次的の境地に進んで居る。此の組織の問題は既設の所謂文明のそれを其儘受くるか或は異りたる体系少くとも此の我等の大地自然の狀態を基礎としたるものゝ上に其れに適する組織をなすかに依りて吾人の願求する所のものゝ成否は決せらるゝと思ふ(b)然るに吾人は大なる慊さを感ずるものである。與へられし大地はまこと汚れなき處女地なり、大いなるものを生ずと否とは唯々吾人の人爲的の如何によるのみ。

第二十九　感　謝

日本の現狀は人口問題、食糧問題で行き詰つて居るも我々は幸ひ此の廣大なる國土即ち開拓さへすれば何程の人口でも收容し得らるゝ土地に移住し來りたることを大なる幸福と感じ、此國に移住地を建設し能く今日の盛況を得せしめたる永田氏はじめ當局諸氏に深く感謝する次第なり。

第三十　希望に生く

一、生活の安定及び物質の豫想以上の豊富に滿足す

二、將來に對する大なる希望に生きて行かれる

三、唯々植民地特有の自我的生存競爭を悲しむ

第三十一　日本語教育

一、伯國在住の邦人兒童に日本語敎育を施すことは勿論必要であるが小學校入學當初より伯國敎科目と併立して複雜なる五十音イロハ、及び漢字を敎へることは兒童の頭腦發育の上から見て最も良くないことである。

二、第一に伯國敎育令に於て公立小學校には外國語は許可せられず私立と雖も滿十歲以下の兒童には許されてない、但書に於て十歲未滿と雖も葡語を正確に讀み書きし得るものは此の限りにあらずと規定してあるが偖て十歲以下の兒童で此の條項に適合する樣なことは實際不可能だから、結局邦人の小學兒童の幼年級には法令上日本語敎育は公然と敎授することは出來ぬのである。

三、そこで田舍の小學校に於て（私立は勿論、公立に於てさへ）伯國敎師と諒解を求め補助敎育と云ふ樣な名義の下に若干時間の日本語を敎授するとしたならば如何にすれば最も合理的で有効なるかと云ふに片假名、平假名若くは漢字等は凡て之を上級若くは卒業後の補習敎育時期に讓り幼年時代には葡語と連絡を取りローマ字綴により日本語を書き表はすがよい、

四、其のローマ字綴にしても故國で行はれ居るものを若干變更して葡語の綴り方と接近せしめる樣にしたい例へば「カ行」の Ka, Ki, Ku, Ke, Ko を改めて Ca, Qui, Cu, Que, Co となし「ガ行」の Ga, Gi, Gu, Ge, Go を改めて Ga, Gui, Gu, Gue, Go とするの類である。斯くすれば伯國文字と一致するから日常伯國敎育を受け居る兒童は何の困難なしに日本語（家庭に於て用ひ居る所の）を自由自在に書き綴ることも讀み續けることも出來、今日實際行はれ居る如く六づかしい漢字に煩はされる苦痛がないから、多少込み入つた事柄でも如何に長いお話しでも、樂々とそれを文章に綴ることが出來る。又敎師は此の時間の餘裕を以て日本語の標準語を敎へるとか、正格な會話を練習するとか、文法を敎へるとか、童話童謠を敎へるとか國語の實質に觸れた最も有益な敎育を與へることが出來るのである。

五、父兄の大多數のものは邦人小學兒童には日本語を以て地理歷史や算術理化學等一切の敎科目を敎授せらるべきものなりと考へ邦人敎師も之に追從して故國の敎科書を其儘用ひつゝあるを見聞するが、これ程間違つたことはない。小學校敎育は謂ふ迄も

なく凡ての教科目を葡語で伯國教師若くは公認された邦人教師によりて教へられねばならぬので殊に伯國の地理歴史は伯國生れのものでなければ教へることが出來ない。

六、小學校の滿十歳以上のもの若くは卒業後の補習學校兒童に補助教育の意味に於て日本語を正式に教授するは一移住地の問題ではなく、在伯國邦人兒童全体に關する問題であつて主として伯國の天然、人文の環境に適應せる教材を取り併せて祖國民族性涵養に必須なる教材を加味したる讀本を編纂すべきものであり、その實現を見るまでは各邦人教師は自己の意見によりて教授案を作り活版若くは謄寫版によりて印刷し之を兒童に配附するをよしとす。國民性涵養の方法として邦字邦文によりて書かれたる日本地理及び日本歴史等を教へるは小學卒業後の補習教育乃至青年教育に於てすべきは謂ふまでもないことである。

第三十二　自由社會の創造

一、故國政府援助の下に公營或は官營の金融機關を設置致されたきこと。

二、勞資ともに不足の當國なれば前項と共に勞力補給の途を講ぜられたし。

三、學校及び醫局は其適任者を故國より派遣し完全に經營致されたし。

四、故國の同胞に當國の眞相を知悉せしむる途を講し一時も早く移住する樣導くこと。

五、感想(a)物産豊富にして氣候良好なる當地に移住したることの幸福なるを感謝す(b)自由の天地に自由の社會、理想の村を何等の束縛なく創造出來得るは世界に唯一つ此處ブラジルあるのみ(c)今日まで爲し得ざることゝのみ思はれしことにても努力次第にて殆んど悉く成し得るの自覺を得つゝあり。

第三十三　組合の獨裁政治を希望

一、小作及び勞力難は日本以上の狀態にあるが故に今後の移住者は多分の資金を持參するか又は勞力の雇傭を要せざるものたるを要す。

永田曰、教科書については考へ居れり文部省に提出したる豫算を大藏省でけづられたり然れども何とかして實現したく努力して居れり。

二、當區の住民十八戸、悉く滿三年を經過し對組合負債なきもの七戸、負債あるもの十一戸、負債總額約九十コントス一戸當り八コントス今後二年以上五年以内に元利皆濟の見込あるもの八戸、殆んど見込なきもの三戸、而して右は對組合負債觀なれども自家の收支觀よりすれば各戸の不足十コントスを下らざるべしと思はる、之を建設當初の計算（建設豫算は滿三年にして邦貨千五百圓の殘）に比すれば正に十六コントスの違算となる組合今後の移住者も亦之に劣るとも優ることなきものとして立案せられんことを望む、況んや生産は年に低下し物貨と勞銀とは年に騰貴し、今日に於て四年後を豫算すること殆んど不能なるに於てをや。

永田曰、三年間に十コントス殘したる小作人もアリアンサにあることを考へられたし。

三、右の經濟難に當り組合本部は無闇に土地の買入に投資することを中止し既成移住地産業の開發と教育衞生の設備に若干を投資せられんことを望む。

永田曰、聯合會が政府より借入れたる金は土地購入以外に使用出來ざるを遺感とす。

四、自治の行政は今後とも實行困難と認む組合に於て遠慮なく善政を布かれんことを望む。

五、小學卒業後、丁年までの男女を教育指導せざれば悔を百歳に殘すに至る可し、速に施設を要す。

六、政治經濟思想難は日本と同樣なり。

七、青年の移住は必要と共に弊害百倍あり適切なる考察を要す。

第三十四　呑氣なる生活

一、一般の經濟狀態あしき爲め、こゝ一、二ケ年間學校の經營だけ移住組合又は協會へ依頼したいと思ふ。

二、感想＝呑氣に生活が出來て有がたいと思ひます七コントスも協會から借りて居ても出て行けとも云はれぬが若し日本で無資産者が此れ程の金額（邦貨換算千七百五十圓）を借りたりしたらどうでしようか我等入植前の豫想と入植後の實際との相違などに對して不平がないでもないが、すべては此の厚意と差し引いて餘りあり將來に希望を持ちて大に奮勵する覺悟です。

第三十五　渡航手續の改善

一、鄕里より渡航するものゝ手續を最も簡單にせらるゝ樣援助せられたし

二、婦人の單獨渡航の出來る樣取計はれたし、

永田曰、ブラジルの法律がこれを禁止して居るのです、日本本國でやらぬのではありません

三、生活に潤ひのあらしむる樣娯樂慰安に關する設備を完全にすることを望む。

第三十六　珈琲以外の産業

一、目下勞力不足の狀態にて將來事業擴張の曉は必ず之が爲めに大問題起るべし、宜しく之が補給方法を講究す可きこと

永田曰、自家の勞力の範圍でやれる計畫を願ひます。

二、青年訓練所又は補習學校を起し青年の向上進歩を計り同時に離村の惡風を防ぐべきこと。

三、病院建設の急務なるを思ふ。

四、珈琲の外に養蠶、牧畜、製糖、養豚、其他種々の事業を興して自給自足の村としたい。

五、概括するに資金不足に源因するものなれば適當なる金融方法を講究すること。

第三十七　呼び寄せ手續

一、勞働者大缺乏の爲め鄕里の親戚知人を呼び寄せたし就ては母國政府及び協會に於て其手續きを簡便にし十分便宜を與へられたし。

第三十八　賣店の改善

一、低利資金の融通を仰ぎたし。

二、協會に於て今少し農産物販賣の便宜を與ふること。

三、アルマゼン部の生活必需品の價格を他の地方に比較して餘り高くない樣にして貰ひたい

永田曰、アルマゼンの賣價は今の所致し方がありません組合がボッて居るのではありません。

第三十九　地區割り方の均一

地區の割り方は主として地勢の高低、方向等に依りてせられたるは大体に於て異議なけれど、更に細かく入植者各自のロッテ（地域）を比較すれば頗る不公平なるを免れず。當移住地の如き珈琲園の經營を主とする場合は更に精密に地勢に適應せる區劃を立て珈琲適地の面積をなる可く均一ならしむる樣に注意し、それが爲めに低窪地を除外して協會保留地とすることもある可く又丘陵地の好地籍は十アルケレス平均を七八アルケレスに減少することもあるべし。尚不均一の已むを得ざる場合は其の價格に等差を附して均衡を保たしむる等出來得らるゝ限り公平を保つることが必要なり。

第四十　邦人集團地の缺陷

一、少額の資金を以て入植せると農業上の經驗なかりしとの爲め、多くの不利を免れず、依て此の缺陷を補ふため十分の準備を要す。

二、植民者各自永久的覺悟を以てすること。

三、兎角利己主義に傾きつゝあれば相互相助くるの精神を助長せしむる方法を實施すること。

四、移住地社會發達を常に考慮し、各自の産業と共に進展をはかること。

五、移住地の社會的設備は日本よりの後援を要し創業當初の經濟的方面の救濟をなすこと。

六、金融機關の設置は當初よりすること。

七、一ロツテの地形は略ぼ正方形に近く分割すること。
八、珈琲の栽培法其他農事百般に關し相當經驗あるもの實際的指導を要す。
九、感想＝入植當時の困苦より今日に至る迄は實に奮闘の連續にて思ふも實に痛快なり。されど小供の教育を思ひ又一般社會人の思想や理想を見るにつけ敢て憂なき能はず、殊に純日本村の觀ある當移住地が將來伯人の社會に如何に映ずべきか、眞に永住を思ひ伯國內に根强き進展を企圖する時、餘りに偏したる伯國民とならざるやと思考す、勿論經濟的には必ず相當の地步を得べしと信ず。

永田曰、信濃關係に於ては日本でやる仕事の大部分は終了しました。即ち土地分讓も大体に終了し、政府から借入るべき低利資金も其極度迄借りこれ以上は借りられません，加之、他の人々から約三万圓の借金があります。只、殘されて居る仕事は移住者の發部を募集して送る事だけであります。從つて最早移住地の爲めに送るべき金もないのである。私共は日本に於てなすべき任務の大体は終了したのであります。從つて今後は只入植者諸君に期待するの外はありません。

第一は入植者諸氏の努力であります。今や諸氏がいくら他の力に依賴しようと思ふても助力をする者はありません、故に依賴心をさらりと捨てて獨立の意氣を以て努力して貰はねばなりません。小作をしながら三年間に既に十コントスの貯金をした者さへあります，諸君が一生懸命に努力するより外には最早諸君の運命を開拓するの途はありません，組合も政府も諸君の爲めなすべき最上のことをなし終つたのであります。平野植民地でも上塚植民地でも政府や故國から何等の援助をも受けず，只、入植者の努力に依つて今日の成功を得て居ることを見ねばなりませぬ。

第二は入植者の協力であります、大人物を他から輸入しようと云ふ樣なことは夢であります。諸氏の協力の外にアリアンサを平和の村として行く方法はありません。住みよい村にすると否と、幸福な村にすると否と。獨身靑年を適當に指導すると否と。諸種の文化設備をすると否とは、皆諸氏の協力するか否かに依つて決定するものであることを覺悟して貰ひたいのである。聖書に曰く、「汝等各他人の德を建つべし」と。

第三は犧牲の行爲であります、入植者の凡てが我利々々では村はよくなりません。各々隣人の爲めに犧牲の覺悟を要します、犧牲者なくして平和幸福なる村は出來ません。

第四は不斷の向上であります。理想鄕とは村中の人々が理想に向ふて不斷の向上的努力をする村のことであります。あこがれに向ふて突進することであります。經濟上の裕福丈けでは駄目です、精神的にも常に向上して行かねばなりません
第五は獨立の意氣であります、いつまでも組合や其幹部に依賴して居てはいけませぬ、諸氏の內から役員を選み村の萬事は村の人々の考へと努力に依つて善き樣にきめて行かねばなりまぬ、組合が諸氏の世話を見なくなる日が段々に近づきつつあることを承知し、獨立の準備を着々と進めて貰ひたいと思ひます。

第六は世界最良の村となして貰ひたい事である、アリアンサの如く有識有資者の集まつた村は外には少ないのである。各種の方面から見て世界第一の良村となるべきの資格を持つて居ります、常に日本人の模範村であるのみならず、世界第一の良村とするの覺悟をしていただきたいのであります。

諸君の上に天の祝福を祈ります。

歸朝御禮

謹啓小生昨年五月南米ブラジル國アリアンサ移住地事務打合せ並に南北米視察のため横濱出帆以來は非常なる御配慮に預り候段難有厚く御禮申上候。途中香港。西貢。新嘉坡。古倫母。ダーバン。ケーブタウン等を經て六月下旬。ブラジル國サントスに到着仕り候
それより輪湖。北原の移住地理事。鳥取。富山。熊本。ブラジル拓植組合その他關係當局と。アリアンサ移住地に關する諸般の打合せをなし。又チエテ。バストスの兩組合移住地を視察調査し。アニウマス。レヂストロ。セツテバラスなど海外興業會社經營の植民地片倉農場其他サンパウロ州內邦人の事業發展狀況を視察して滯伯丸半ケ年を過し申し候。拾一月拾四日サントス港出帆アルゼンチンへ參り。チヤコ地方の棉作。ベノス附近の農場各地の狀況を視察してアンデス山を越へ。チリの農業。硝石採掘事業などを見て十二月下旬ペルーへ參り申候

ペルーにてはガイナフの邦人棉作及當國諸般の事情を見聞しそれよりパナマ運河の大工事を見てメキシコに入り申し候。首府附近。モレロス。サンルイスホトシの諸州その他各地の農業狀況。邦人の發展策などを視察調査して本年一月北米へ渡り申し候
桑港。ロスアンゼルス。スタツクトンなどの邦人活動狀況その他加州地方の諸般の調査をすまして二月十二日無事横濱へ到着只今歸廳致し申候
到る所。在外公館。本協會支部。縣人會。日本人會。その他知人友人などの御親切なる御指導と御世話とに預り大ひに有益なる旅を終了誠に感謝にたへざる次第に有之候。今後微力ながら益々斯道のために捧げて御報恩の道とも致したく存じ居り候
歸國早々事務山積御禮の御挨拶も遲れ候次第惡しからず御ゆるし願上候玆に誌上もて御世話に相成り候內外皆々樣の御健康にして御多幸御多福ならん事と御祈り申上げ厚く御禮申上候

昭和五年二月十五日

信濃海外協會幹事
信濃海外移住組合理事　西澤太一郎

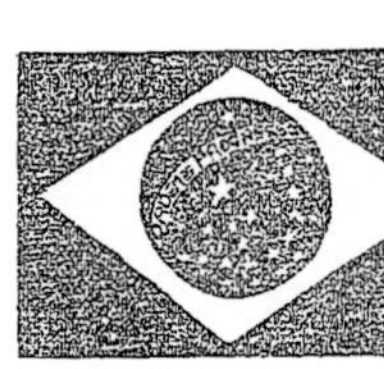

日本民族の將來とアマゾン文明〔下〕

米國加州ブラジル研究會日本支部長　森　田　三　樹

ブラジルの人口

ブラジルの人口は現在約三千六百萬と稱されて居る故之を總面積に割當てると一平方哩十人强となる。之を一平方哩約四百人の日本と比すれば當に四十分の一の密度である。故に將來の人口抱容力の大なる事は大方想像が付く。更に其厖大なる領土の九割五分迄は未だ人跡未踏の處女林に包まれて之が愈開發されて耕作地となつた曉には優に二十億以上の人口を抱擁し得ると稱されて居るのも決して過大な計算では無い事が解る。

即ち現在の世界の全人口を入れても尚余裕を感ずる。故に對伯移民政策の宜しきを得ば此の邦土に將來三億に近き民族を扶植する事は決して至難の事では無いだらう。これは在伯國帝國大使館一等書記官にして我外交官中隨一の伯國通である野田良治氏が其名著『ブラジル人國記』中に於て伯國が將來抱擁し得る最大人口を十三億余と發表されて居るのを見ても如何に伯國が人口上の樂天地であるかは解らうと思ふ。

ブラジルの地味

此點に於ては、伯國は實に天下の理想鄕である。北はアマゾンの大森林地帶より南はリオグラレデ、ド、スール州の牧場地帶に到る迄眼に映ずるものは千古斧鉞を知らざる大密林に非ざれば、海洋のうねりに似たるブラジル高臺の面を蜒々長蛇の如く數百哩に連る大珈琲園であつて北米カリフオルニア州ネバダアリゾナ州等に在る沙漠の如きは藥にしたくも無ひ。

何しろ世界の陸地の中で最も古ひと云はれて居る其諸地層が完全なる風の作用を受けて出來た土壤は幾千萬年間とも知れぬ間、密生した森林の枝葉が腐敗推積して混合したのであるから實に完全なる植物質の沃土となつて居る。其肥沃さは別に分析表を調べなくとも開拓後其地に育成した農產物を見れば直に解る。

試みに吾等のアリアンサ移民地の例を取つて見ると同植民地

の地質はサンパウロ州では最上の物では無くて「中の上」又は「上の下」の位と云はれて居るに係らず、全々無肥料で吾々ブラジル研究會員竹村安定氏が作つた甘諸は一莖に一貫から一貫二三百目もあるのが六つ位付いて居つて余り見事なので私は舊に撮つた位であつた。里芋なども葉の高さ往々一丈を越へ一つの芋がバケツに入らぬ位の大さを有する事がある稻はV形をした播種器で一秒一株位の速力でパタン／＼音を立てゝ無雜作に播かれた後は、給水は雨に任せ、草を取るのでも無ければ分植田植するのでも無くして五尺五寸位迄になり一穗に三百五十粒位の籾が着き立派な陸稻である。

次に吾等日本人が特技とする養蠶等にして見ても南ブラジルは將來世界一の蠶業國となり得る素質を有して居る。第一桑（苗魯桑の一種）は養蠶希望者に對して州立農事試驗所より蠶種と同樣無代で送つて吳れる。初め鉛筆位の大さの桑苗を植えて置くと一年目には根元の直徑二寸五分以上で長さ一丈三尺余に成長するのみならず、年中桑が有る故少しく精を出せば一年八回位繭を取る事は樂である。臺灣植民地では一年十二回から十四回採つた人が有る位で日本內地の人の想像も及ばぬ所である。云ひ遲れたが蠶は二十四日で上簇し（アリアンサ移住地百瀨三郎氏實驗）之から十二糸位に樂に取れのみならずデニールなども日本のに比して更に細く優良であるとの事である。繭は今の所內國產業保護法に依り鐵道の輸送は無賃で製糸工場に送られ一貫（四キロ）日本金の九圓乃至十圓で買はれ居る故コーヒー耕作の片手間に年一千圓位から二千圓位の小使錢を取るは困難でないとの事である。（モジダス、リルーゼス市郊外小野豊造氏談）只一つの欠點は今日の處ではハレピーナス市に絹糸工場が一つとサンパウロ市にマタラーゾ會社の絹糸工場が一つある外には余り大規模の工場が無く、從つて繭の生產過剩に陷る恐れがある事である。此點から見て行き詰れる日本殊に信州の製糸業者の猛者をうながし將來伯國に於ける此產業の中堅となる日の一日も早からん事を熱望する次第である。次はブラジル現在の主要產物であるコーヒーにしても種を播いてから肥料らしい肥料を與へず只精製したコーヒーの實の皮を株の近邊に散布して置くだけで一株から年々平均少くとも五十錢位の純益を三十年位は擧げ得るを見ても伯國の地味が如何に豊であるかゞ了解され得ると思ふ。

ブラジルの氣候

氣候は之を大体二つに分けて北部のアマゾン河邊の大アマゾンニアのセルバ（林原）地方と中部と南部のブラジル高臺地方との二つに分ける事が出來る。アマゾン地方は從來一般に「人外魔境」「炎熱燒くが如し」等の形容詞で頭から不健康地とされて來て居る地方で又地圖の上だけでも赤道に添ふて流れるアマゾン河を見るので譯も無くそう信じられて來て居る所であるが事實は之に反して熱帶地方に於ては稀に見る健康地帶である。之は私が大正元年四月頃から約六ケ月半上流と下流に英國地理學協會員と共に此地方の產業氣候等の探險に從事した

體驗から確証し得る所である。實に彼の太平洋上の天國と云はるゝハワイ嶋を連想せしめる爽快なボレーリとした温かさや又は夕方其樹間を縫ひ來る涼風等に接した刹那今迄教科書其他の悪宣傳で先入主となつて居つたアマゾンの「焦熱地獄」は夢の如く消へ去る。吾等の心は來るべき文化の潮を乘せて世界に其大理想を宣する使命を有する大アマゾンの大江が其幾千とも數へきれぬ大河小川を合せて悠々として遙か大西洋の大海原に向つて流れ行く雄大なる。其姿に醉然とするのである。アマゾンの氣候が好良なる理由は第一に其東方より絶へず吹き來る貿易風に依る事が大である。其の風速約十哩乃至十五哩を有する。貿易風は暑氣を緩和する等、實に大であつて、爲に吾々が日本內地で梅雨期以後八月末頃迄經驗する樣なあの暑苦しい氣分は殆ど絶無に近く、寒暖計は最高九十度最低七十度平均八十度內外である。之を要するにアマゾン地方は今迄誤り傳へられた樣な炎暑の土地では無いのである。

次は南伯の高臺地方の氣候であるが之は大体所謂高原の氣候と見て宜しく、二千五、六百尺から一千尺位のブラジル高臺は全伯國の三分の二を占めて居て、此所も又殆ど絶へず南東から貿易風がそよ／＼吹き込んでゐる。最高九十度最低三十度位平均七十三度位で、雨期も日本の入梅時の樣にじよ／＼降るのでは無く十一月に數回驟の樣な夕立の降雨があつて後はからりと晴れて實に痛快な降雨である。そして「冬」の最も寒い時でも吾々のアリアンサ植民地の例を取つて見ても薄い霜が下る位であつて、大体日本殊に乾燥する信州の春夏秋の連續と思つて差支へないので我同胞は全々安心して移住して好い。

ブラジルの人種

之れは植民上吾々の最も注意を要する點である。何んとなれば前述の如くカナダ北米合衆國、オーストラリヤ、ニウジーランド等に吾日本民族が移住出來ぬのは其國の山河、氣候等が吾々を排斥するからでは勿論無く、只其土地に在住する先住民が吾々を人種上の差別觀から吾々の來住を拒んで居るからである然れば移住を企つるに先立つて吾々は最も此點に留意せねばならぬのである。此點から伯國民の人種上の立場を研究して見ると吾々日本人に對して非常に好都合である事が解つて來る。何故なれば伯國の人口三千六百餘万の內其半ば以上は南米土人と葡萄牙系の白人との混血人種で構成されて居り、殘りの人口の中にても純白人と稱し得る者は極めて少く、嚴重に調査したならば、恐らく五百萬位のであらうと云はれて居る。其れに加ふるに黒人種の血も多量に雜つて居つて國會議員又は地方長官中にも純黒人を見る事は往々ある事である。而して之は東北ブラジル程其傾向が強いのである。

北米合衆國では白人中の白人と自他共に許すドイツ系の米人が最も人種的差別觀に強く他人種排斥の急先鋒となつてゐるが伯國中にて全州殆どドイツ人系の植民を以て固められて居るサンタカタリーナ州の主府フロリアノーポリス市の守備は

其殆ど九割迄がドイツ人であるに係らず、副聯隊長は純黒人の陸軍中佐を戴いて其命令に柔順に服して居る實例などは現在人種平等を實行して居る伯國ならでは見られぬ愉快な國である。

而して先に述べた南北米土人は吾々日本には其言語、骨格傳說等に於て酷似して居つてどう見ても吾々と同人種である樣に思はれる點が多ひ。先づ言葉から云ふと、アラスカ。ミネハハ（笑ふ水の意）タコマ、ナナイモ、チヽカ、（父母）グワナバラ（海原）其他履物を。ワラジと云ふなど非常に日本語に似て居る骨格に到つては全く吾々と同樣で若し日本人が衣服を脱いで少し日に燒けたらば見分けが付き惱い程である。更に彼等の傳說に至つては日本の其れに彷彿たるものが有る過去數千年間にメキシコ以南ペルーに到る中南米の西海岸には「アゼテツク」「トルテツク」「マヤ」「インカ」の四帝國が興亡續けて來て居るが之等の諸民族は皆太陽崇拜の宗敎を有して居る殊に「インカ」帝國の傳說に到つては日本の其れに酷似して居つて彼等は「吾々の一番の御先祖は日の女神」であると云つて居る。而して彼等の帝室の代々の所謂御陵なるものを見て之を歸朝後拜したる桃山其他の我皇室の御陵に比すると畏れながら其餘りにも同型なるに驚き云ひ知れぬ一種神秘的靈感は我が胸に湧き上つて來るのであつた。斯の樣な原因からして彼等は先天的に吾等に好感を有して居るのであつてメキシコ人は吾等を同胞と呼んで居るのは前述の如くであるが此點では伯國の土人も亦同樣である。殊にアマゾン地方のインデアンは北米の其れよりも吾々日本人に似て居るのである。

吾人は人種上富源上吾々に十分の活路を與へ得る南米の可能性を無視して到底成し得ざる支那覇權を夢みて居つたのであるがその小力細工を支那に於て爲し得ず向背常なき支那の「督軍」と稱する强盗を買收する剩余の金があるならば之を伯國植民地の購入費に投ぜよ。伯國サンパウロ州議會は既に吾等のアリアンサ村の建設が彼の地方の開發に貢献せるを多して該植民地を貫通する國道を「新日本街道」（ヴィアノーバニポニア）と改名し其終點コトヴエロ驛を「新日本」（ノーバニポニア）と改稱し、リンス近傍の日本人植民地帶の町エートルレグルーをプロミツソン（有望）と改名して迄吾等日本人を歡迎して居るのである。されば今迄の東洋式豪傑風は既に骨董店の棚に安置さるべき能率皆無の不必要品である事を自覺して國策の方向轉換を直に斷行するが宜し。

以上述べ來つた事により伯國が其の位置、面積、人口、地味氣候、人種上如何に日本人の發展に適して居るかゞ解つたと思ふ。更に意を强ふするに足るは今日迄約二十二年間日本人が十萬余人南部ブラジルに移住して農業に從事した結果各種方面の實驗は既に試驗濟みの狀態に達して居る事であつて、今後の移住民は其成敗の跡を省みて誤たざる道に進む事が出來る事である。之は土地を持て移住する人々のみならず日本では何年働いても借金が增へるのみと言はれて居る小作人にしても渡伯して四年か六年の小作契約を履行してしまへば、四五千圓の貯蓄を得て二十五町歩位を所有する地主となる事が出來るのであつ

て實に名實ともに天下の樂土である、

新興國ブラジル

今後新世界の雄邦として起たむとするブラジルは前述の天惠を更に有効に合理的に開發し得る二大特長ある事を忘れてならない。而して其一つは北伯に一つは南伯に有つて之を北に於ては

アマゾン水系の水理

を形成する大江アマゾンと其支流とが運輸交通に與ふる絶大なる水理の便である。此點に於ては世界廣しと云へど之に匹敵し得る者は殆ど無く只北米のセントローレンス河と五大湖地方運河による水系が少しく之に似たるものあるに近いのみである實にアマゾン水系は本流アマゾン自身が河口二百哩延長二千九百哩（又は四千二百哩）の大江であつて殊に其深水は世界の河川中之に比すべきものなく河口より一千哩上流のマナオス市迄は優に二百乃至百尺の深水を有し。二萬噸以上の汽船はマナオス市迄定期に燈台の要無くして通つて居つて、五六千噸の船ならば更に一千二百哩上流の河口よりは二千二百哩に近きイキトス市（ペルー國）に迄遡航し得るのである。更に之に加ふるに其偉大する支流リオネグロ（二千哩）ヂュルアー（一千七百七十哩余）ブルース（千七百二十哩余）マデイラ（二千百哩余）クパジョース（千九百九十哩余）シュイングー（約一千二百哩ト）カンチレ（千六百餘哩）其他大小の河川を合すれば二百噸の船にて二萬五千哩更に小さいカノア（獨木船）ならば五萬哩の航路を有すると云われて居つて恰も一葉を見る如くアマゾン本流を主脈とし其十に餘る大支流を支脈とし更に細脈が縱横に通つて居る。如何なる森林地帶の果てまでも其産物を之により「ベレン港其他の集散地に出し得る樣に在る可能性を有して居るので言葉を換へて云へば伯國は之が爲に將來數百哩の鐵道を敷設する必要から逃れ得ると云へるのである。

南伯の孫長たる水力

之も亦實に伯國の將來の爲に慶賀すべき一大特長であつて其七千二百萬馬力を有すると稱せらるゝパラナ河上のセッテケーダスの大瀑布はナイヤガラをして顔色無からしめる、伯亞國流の幅一里十町高さ二百有餘尺の雄大なるイグワッスーの瀧等を初めとして四十四萬馬力のウルフブンが其他數へ來れば驚くなかれ實に三億二千萬馬力を有すると云はれて居る。此點から見て伯國は實に世界一の水力電氣國となり得る將來を約束するのである、今迄伯國の産業が比較的進歩遲々たりし原因の一つには確に動力の缺乏（石炭等の）であつたのであるが今や此の水力を利用してサンパウロ市近傍にはマタラゾ會社其他六十有餘の工場が建てられ將に來らんとする南伯製造工業の動力電化は近い將來の事である。數年前に天下無比の良質と藏鑛量とを有すると云はれしミナス州デイアマンチナ近傍の鐵鑛より製鐵をなさす爲設立されたるカンピーナス市の電力應用の製鐵所なども其好一例として擧ぐる事が出來るのである。

以上屢述した所により伯國が吾植民地として又將に興らむとする南米の雄邦として如何に無限の可能性を有し此大可能性に結び付くるに我嶋帝國内に三千年來蓄藏し來つた大和文化の粹を以てして將に來らむとする新文化の急先鋒たる位置を獲得し新時代の選手として世界を光の道に導かむ哉。

然して今假定的に日本人が眞の植民精神に燃へて少くとも三百萬人乃至五百萬人伯國に移住して政治、産業、社會、學術其他有らゆる方面に發展したとして其結果を豫想して見ようと思ふが、先づ第一に植民精神の最も必要なるは

己の血に對する自尊心

之は大戰前にドイツ人が持つて居た樣な「ドイツ人のみが完全な人間」で他人樣を虫けらの樣に見下した心持ちを云ふのではない。大和民族は先天的にも後天的にも決して他の民族に劣る所なき民族であるのみならず、世界の偉業をなし得る優秀なる民族であるといふ堅き自信を指すのである。彼の明治時代に歐米文化攝取に急なりし頃之に心醉せる學校の教師又は所謂名士が鸚鵡の如くくりかへした「日本人は眞似のみに長じて創造力なし」とか「日本人は熱し易く冷め易し」とかの雜言を今でも頭に入れてあるならば港を出づる前に先づ之を捨てねばならぬ。何故ならば之程事實に反した而して吾民族を侮辱した言葉は無く、而して一度外人殊に白人と共同生活をするに際して己の血に對する自尊心を欠く時は到底彼等と伍して精神上平等の生活をなす能ざるのみならず、引いては己の子孫をして己の日本人種たる事を恥とする悲しき結果を招來するに到るは北米加州在留同胞の家庭中に起る此種の悲劇に徵しても明白である。即ち白人優越觀を全々破壞消滅せしめ日本民族としての眞の己の絶對値を內省する事だ、漢字幾萬の中より「いろは」四十八を作れる弘法大師を有する日本人は「眞似をする猿」ではない常に現在の物よりも更に善き物を創作せしんとて努力する大民族である事は醫學界の恩人野口博士を見よ、歐米舞踊を日本藝術の下に完全に統一して之に「日本風韻」を與へ藝術映畵の都ハリウツド、ニウヨーク、パリーの舞踊家三千を其足下に屈伏せしめつゝある伊東道夫氏を見よ英米海軍をして造艦競爭は到底不可能と絶望せしめロンドン會議を餘議なくせしめし世界海軍の追從を兎さゞる我海軍の世界獨特の造艦術を見よ、又「日本人は熱し易く冷め易し「と稱する輕信者は日本民族が今日迄建國以來實に二千五百九十年の永き間、萬世一系の皇室を奉戴する確固たる事實を何と見るか、以上に列擧したる諸點はほんの一二の例に過ぎぬか以て吾民族の優秀なる性格と永續性とを證するには十分であると思ふ。アメリカ合衆國の如く世界に比なき排日法案によりて日本人を苦しむる所にてさへ而も人種上自ら世界中最も優秀なりと信ずるアングロサクソン民族中に在つて尚野口、伊東、雪州。高峰を出し米國一の雄辯青年相磯ジョンを出し得るならば天の時、地の理、人の和共に吾民族に絶好の條件を具備する伯國に於ては、吾にして只「爲さむ」とする意志あらば前人未成の大偉業を完成するの何の難き事あらずやである。

起てよ！行けよ！渾身の血を之に注げよ！極東帝國の青年！兄等の現在有する知識、體力は伯國に於て指導者たる優越者たる位置を獲得するには十分である。然り而して三百萬人以上の我民族の選良が前述の如く伯國の中堅を形成するならば果して如何なる結果を生じ來るや今試に左に列擧すれば

血統上と文化上の友邦

の現出を見其結果一つは我人口の完全なる發展地が形成され我民族は自由に入國し安住の地を得るに到るべく一つは日本植民の努力によりて國運は發展昇天旭日の如く隆盛となりし伯國は英米等の要求する原料を握る位置にあり而も國內に於ては人種平等を實行し居るを以て血統上文化上共に日本に同情を有するに到るべく、從つて英米殊に米國の日本に對する壓迫を徹底的に牽制し得る。間接には吾理想たる人種平等の完成せしむる事が出來、素ひてはアジア民族の眞の開放を近からしむるに到るであらう。

我産業立國策の基礎

の確立である。而して之を左の二つに大別し得る。

（一）我産業に必要なる原料産地の民族的獲得

（二）我加工品の購買消費地の民族的獲得

（一）は日本人が土地を開き之から原料を産出するのである故其結果日本の産業に及ぼす影響は一目瞭然であらう。卽ち日本は最早や英米原料を仰ぐ必要なく、我産業の基礎は全く獨立したものとなり得る。從つて吾が主義主張は憶する事なく之を提出し得る事が出來る樣になるのである。

第二は我加工品殊に純日本式の衣食住の必要品は日本人が三百萬五百萬と大集團をなせる土地に於ては日本本國と殆ど變化なき日本式の生活をなす結果最初財力の豊かならざる間は粗衣粗食に甘んじて居つても、伯國の邦人農業成功家の如く購買力を增し來るに從い本國より更に優良なる日本品を得て己の趣味を滿足せしめんとするは人情の自然でもあり、且吾々海外在留二十三年餘の實驗によつても明な所である。ブラジルでは四年前位迄は手前味噌でやつて居つた所が多かつたが一昨年の豊作でサントス港の波止場には初めて龜甲萬醬油樽の山積が見へ出した。米國加州ロスアンゼルス在留の同胞婦人社會では今日では諸會合（殊に日本趣味の）に行くには日本人に似合はぬ洋裝を捨てゝ日本風で行く「振袖會」なるものを組織して居つてメンバーは約二百人以上有り諸會合の花として內外人の好評を博して居るが殊に面白いのはアメリカ生れの日本人系女子連中に之に加入するものが增えて來た事である銀座あたりの猿眞似モガ連は果して之を知るや否や。

在羅同胞僅十四萬人でさへ本國との間は貿易並に送金等を合する時は一億圓近き巨額を示す。其內には勿論生糸に非ざる加工品「振袖」も入つて居るのであるが翻つて伯國同胞の現在より押して將來を想見すると現在同胞の所有するサンパウロ內の土地は約百万町歩に近づきつゝあり。北伯に於ては南米拓植アマゾン興業其他の企業の得たる特權は之又三百萬町歩に近づきつゝあり、殊にサンパウロ州コーヒー樹約十億萬株の內我同胞の所有株數は五千万本に近づきつゝあるを知れば、之に三百萬人以上の日本人系伯國人が住み込んだる曉には日本との貿易額は彼等の購買力が土地を有せざる北米同胞よりも豊富となるべき點より鑑みて一年十億以上二十億圓に達せしめるは困難な事でない事が解らうと思ふ。然らば現在生糸として北米に其の息を伺ひつゝある糸は之に更に加工して日本獨特の物として伯國に輸出するを得べく此點よりしても我産業は北米の專橫より獨立し得るに到るであらう。以上說き來つた事により數百万の伯國植民が我國に及ぼす影響の一端は解つたと思ふ。今の處では購買力なき人口のみ植へて生産過多に陷つて居る日本內に於て色々策を廻らしても其は一時の彌縫策に過ぎずして我國家民族を永遠に生かすべき策は如何しても對外策である。

アマゾン文明の建設

ブラジルは實にその世界を一週せると云ふ意味に於ける「最後の文明」の起るべき諸質を前述の如く完全に具へて居る。由來大文明の起るや全部船運に便なる大河畔に勃興して居る彼の支那文明は黃河揚子江の平原に抱かれガンジスの流は百花爛漫たる印度文明を乘せて久遠の光は人類をして浴せしめた。ユーフラチス、チグリスの沃野にはメソポタミアの文化は起り。ナイルの河浪は六千年間のエヂプト文明を立てダニウフの曲江畵の如き歐州の山河を縫ふて流るゝの邊に近代泰西の文明甚を築いた。而して今や歐州文明の將に倦怠を催さとする時に當つて近代科學の粹を右手に百二十五萬哩の世界の長流ミシシッピーの與ふる富源を左手に提げて豪然として天下に號令し、世界を風靡するの槪あるは之ぞ國境觀念に囚はれて鬪爭果して無かりし歐州各國人を移民として其胸に抱く事により其怨を忘れて一國とならしめ白人の急先鋒として有色人種を壓迫する。アメリカ文明である。果して彼等の文明が、彼等の誇稱する如く「世界一」の者であるであらうか又あらしむべきであらうか、吾人は遺憾ながら「否」と答へざるを得ないのである。アメリカ文明の功業の一として歐州の國境氣分は囚はれたる白人を其「鎔塢爐（メルチングポット）」に入れて「アメリカン」とする事に依り怨を忘れ相愛せしむる社會組織を造つたのは確に人類運歩の上から見て一進歩であつて吾等も贊辭を吝む者ではない。北米文明の中には殆ど其最初より其將來を濁し害すべき毒的思想が無意識的入つて居るのには彼等建國者自身も氣付かなかつたらしい。然らば其「毒的思想」とは何であるか其れは彼等が獨立當時云つた事と其行つた所とを比較し而して現在の米國有力者の之に對する態度を研究して見れば解るのであるが。米國獨立に際して其幹部が天下に向つて宣言した一節に「吾々は獨立に當つて人は皆平等に作られたる事を自明の事實として認む」と宣言して居るが然し彼等宣言者は果して其理想を實行して居つたか、先づ第一にワシントンを見るに彼は獨立の前も後も約百七十人の奴隷を所有して」居つたのである。一方人權の平等を絶叫して流血の慘をも辭せざるに一方自分自身人身を賣賣したる僞善者なら

ずや而して此點に於てはジェフワーソレフラレクリン又然りであつたのだ。つまり米人は建國當時より既に白人有るを知つて有色人の存在權利を徹底的に認めなかつたのである。然らば現代米人は如何に太平洋岸の排日南部の黑人壓迫等の事實は充分に吾等に研究材料を與へるが眞に其國論を動す人物はどう考へて居るか、彼の

重大なる結果

を生んだジョンソン移民法案の眞の原動力であつた北米の「人類學者マヂソン、グラント氏は其著書『偉大なる民族の消滅』を該案提出前に北米國會上下院全部の議員に配布してノーデック(北歐人)を以てアメリカを固めねばいかぬと力說したのであつて日本人の如きは勿論其眼中に無き程であつたが。其卷頭に前の獨立宣言書に對する自分の解釋を入れて居る。「吾等の祖先が獨立に際して人間は皆同じく作られたる事明なり」と宣言せるは其眞意のある所は「吾々米大陸に在る英人は海の彼方の英國に在る英人とは同等なりと云ふ意味にして決して他人種を含みしには非ず、其證據としては彼等は自身奴隸を所有し且つインデアン北米土人を見る事人を以てせず全々犬猫に對する態度を以てしたり」と云つてマヂソン氏自身も有色人種の排斥をすゝめて居るのである。之を畏い事ながら、吾建國の祖、神武大帝が大和の國の平定後兄君を弑せ奉りし怨敵ナガスネビコ族を抱容せられて直に大和國の國守に任せ給ひし大量仁慈に比すれば梅雨滴り烟る鬱蒼たる密林を出でて旭日に輝き渡る富士の靈峰を仰ぐ樣な氣分がする。

以上說き來つた事により「ミシシツピー文明」の內容は吾等を滿足せしむるに足らざる事が明らかになつたと思ふが然し吾等決して失望するに當らないのである常に我民族に優遲なる天佑は又もや吾等を天の選民として更に新しく更に自由なる更に偉大にして更に美しき世界初まりて以來の最も富める最も有力なる而して東西古今の文化の粹を集め、世界の有らゆる人種を完全に融和せる文明國を建設するに最理想的の資格を有する南半球第一の雄邦ブラジルが其厖大なる山野に滿つる大富源を開き其世界に冠たる水力を驅り其五萬哩に連る大アマゾンの水路を利して世界最大の平原アマゾン二百七十五萬六哩の大自然を掌握するにある。

大アマゾン文明

建設の最適任者として吾民族を呼び之を完成するを祝福する神の御志。日本の同胞よ。眞の已に歸れよ。古人云はずや「遠き慮無き者は近き憂有り」と兄等の起つべきは今を置きて又と無いのである。大和民族よ眞の建國創業の精神に歸れよ。古人又曰く「百戰百勝は善の善なるものに非ず戰はずして敵を屈するの善の善なるものなりと」今吾を圍むアングルサクソレ民族は神人共に許さざる人種優越觀に囚はれてゐる。然れども吾等「惡を以て惡に報ゆる」事をしては不可ない。一方國防を嚴にして彼等をして非望を起さしめ能はざる程度の武力を養ひて飽く迄も戰はずして彼等を壓へねばならぬ。

神武東征になつて進む

歷史は繰り返す河內に上陸を拒まれて神武の南方廻迂は吾人が今日、ナガスネビコのヤンキーに拒まれて南方迂廻をなして實力を貯へ北上して彼等を反省せしめむとする手段のインスピレーションである。敵を眞に兇すの氣分、植民地の先住人を同胞として交らむとする精神は吾先祖がナガスネビコを兇し、アイヌ、土クモ、熊襲等を抱容し、渾然已の人種と結合して大和民族を造つたと同じ愛の國家の建設の基調である。「酋長各々爭ひて罪なき民の苦しむを救はん」てふ神武の大理想は「各人種各國各々爭ひて罪なき民衆の苦しむを救はむ」と言い換へ得るのである。此精神こそ金城鐵壁に據る歐亞の諸帝王室諸豪族が興亡常無きに反し僅一丈の壁を以て境とて戰國時代も城を築き給はず我皇室の御繁榮の眞因と拜察するものである。之に反して心に愛なくして敵を作らば、難攻不落の大坂城を落城し大井川の橋を除き函根に關を置き參勤交替にて諸侯の軍用金を消費せしめ外樣の周圍に譜代を置き、江戸八百八町を迷圖の如く造つて大軍の驅引きに惡しくしても民心一度愛なき德川家を離るれば千代田城は一月で開城せねばならぬではなかつたではないか。

神武の廣量、日本武命御夫妻の犧牲心は万世一系の眞の基礎である。吾等にして吾等の理想の完徹、吾子孫の繁榮を心から希はゞ勢ひ我建國の純眞の精神に歸らねばならぬのである。今や我四方は暗く、吾同胞苦しみ我心は悲に滿ち、我胸は不平と不安とに破裂せむとして居る。而も心を靜めて沈思默考郷等の思いを遠く三千年の昔に歸さば暗夜に閃き來る電光の只一閃を世に示す其の如く我活路を示す言々句々、「木立茂る豐葦原のブラジル國は汝が子孫の世々榮ゆべきの地たりいましますらを行きて拓けよ眞の喜び、世界の平和之より生れて世界を褒はん」と溢然天地に滿つる神鈴の響きのそれの如く勇躍して起たむとする郷等の心靈の耳朶を打つであらう。(了)

進まんとする青年諸君に

加奈陀晩香坡　林　月虹

滿つる力を海の外に開け諸君。
島國には日本男子が女子が滿ちて來た。
樂しい大自然は西に東に廣く君等を待つ。
一方哩に唯だ二人か一人の大陸がある
數千哩一線をなす大山系は千古の斧を入れず
之を開き富源と化す人は誰ぞ。
唯ぞその任は唯ぞ爲し得る人は！
たれぞ元氣ある青年よ、又之を內助せんとする青年女子は！
太平洋は今日は池の如し、行く先は何處と問はんや、新大陸の南北亞米利加あり。

南洋の嶋々は唯小島の巣にまかせてあり。人の進むも又流るゝも學問にあらず權力にあらず　强き決心　獨立心　協同共進實行第一主義　强き宗敎心　唯唯之れあれば足れり、何ぞ吾の不足を語るや、決心して永住の二字を決心して、立て出發せよ青年諸君、諸君の先驅の失敗するの第一は腰掛的、浮草的決心で故郷の錦がほしい爲にあるこの人に限つて錦は一代得ず

世界の隅々に、一代に一つの斧の跡をしるせ、一人一人が示せる跡は之を結べば一寸一寸の電線がよく四千哩の先に電報を送る線となるが如し若しこの間に一寸切れてゐたとせよ。他の三千九百九十九尺九寸はすでに用を爲さず諸君はこの一切の用をつとめる大切なる一寸の銅片であつて決して路傍にすてたる一寸の針金ではなし。

若き元氣滿つる元氣それは力と行によつて驚くべき光を示す
海は靜かに千鳥に託して君を呼ぶ海の外へ活力の新天地へ！
何といつまでも思案のみしてゐるのだ考へただけでは一つの光もそはぬ
狹い天地で官位の競爭をやめよ

君の一步一步開ける新天地の影刻は永遠の官位なり、强く出でんとする人よ、心に第一の父を第一の友を得て、來れそは、信仰にあり、强く宗敎心を持てそは難關が一つ去つて又一つ來り、君の腕と忍耐とを試驗すればなり

こちらの岸より日本の岸へ通へる船は幾百を數へ、ラヂオによりて夜半靜かに聽けば四千五百哩彼方東京の音樂は亞米利加にきこゆ。彼のツエツペリン伯號は東京と、紐育、の二停船所を得て世界を一週したり、リンドバークは一夜にして大西洋を越えしにあらずや、
世界は、實に實に近くなりたり。
海外へ出ずるは、近所隣へ行く心持で出でよ、案ずるより產むは易し、
海の外に人も住む人情もあり、吾の心　暖ければ他人も此の人を捨てず先づ吾より盡せ、他人も情あれば吾に動く、

强き婦人よこの奮鬪せんとする海外の勇士を內助せよ、婦人の內助は、げに偉大なる光を、そえて海外の青年はこの內助者の情により樂しく永住の地を定め家を爲し、家風を作り子孫を得て其の德を、未來に傳ふにあらずや又波浪の彼方の人々よ其の開かんとする運命と、努力の跡を故郷の靑年に知して、共に行かんとする人々を助けられよ共に大和民族にあらずや、同胞の發展はげに、益々急を要す、每年、百萬人宛增す人口を、何處に養はんとするや、一日も早くこの生活難の天地より、生活安定へ進むは海外發展にあり

海外へ出でゝ二三ケ年は、故郷へ歸らんとするの情强けれ共土地にすめば　土地を知り人を知り、吾が子は其土地が故郷ともなれば、次第に、樂しき世界は開けて、永住何ぞ淋しからずげに樂し「靑年至る所靑山あり」實に、甲にきゝて惡しと語る土地も乙には好天地あり、好天地を見出すは地圖の上にあらずして何處にてもよし、そは自己の努力開發せる土地其物が第一なればなり

昭和の御代に昭和の靑年あり、
世界的に勇躍されよ、廣き天地は諸君の腕を待つ、元氣を待つ、

兩掌を上げて諸君の運命の開墾を待つて居るではないか。

(終り)

朝鮮閑話

藤澤定司

朝鮮風俗

朝鮮の風俗を研究して之れを日常營業執務に參考することは極めて必要な事であろうと思ふ風俗を心得て居る爲に執務がうまく執れたとか經營事業が順調に發展したと云うよりも風俗を知らない爲めに事務が圓滿に執れないといふ樣な事があるとすると誠に遺憾な事といはねばならぬ

總て朝鮮の言語や風俗を研究するには朝鮮人と接觸してをらぬと決して出來るものでない接觸して覺える言語は常に上品な言葉を習ふ樣に心がけねばならず見聞する風俗は表面の正風を慕つて下品な言葉は後から參考に止める位とし惡風やアラさがし的の研究は互に愼まねばならぬ

內地人は朝鮮語だと思つて平氣で使つて居る言葉に朝鮮語と國語の中間言葉が澤山あるこれを頻りに使用するのは禁物である

例は旦那樣を「ヨンガミ」というがこれは見識の低い言葉であるからキッパリ旦那樣といへばよい。旦那樣で通じなければ奮發して朝鮮語を修得するか通譯を使へばよいこんな例はまだある。「ナップン」とか「シンダンデー」とか「チーベリ」とか「トャヂベリ」等は皆不正確な見識の低い中間語であるから決して使用せない樣にせなければならぬ

さて風俗が甲と乙と違つて居る場合に甲の眼から乙の風俗をみると可笑なものに見え又乙の眼から甲の風俗を變に思うかも知れぬが無下に風俗が違つてゐるからと云つて他人の風俗を笑つたり蔑視したりする事は紳士淑女のなすべき事でない萬一非常に惡い風俗があり甚しい迷信があつて社會に害毒を流して居る場合には徐々に研究してこれを改良するのが吾人の務めでありそれと同時に美風良俗は飽く迄もこれを保護して益々美しい社會に仕上げねばならぬものと思ふ

二、「キミ」の濫用

朝鮮人に向つて「君」といふ言葉を濫りに使ふと非常に感情をそこなふ事がある爲めに折角纏りかかつた相談も破裂する樣な事がないとも限らない相談は纏めてこそ役に立つがそれが「君」を濫用すると否とによつて關係するといふ事ならば何を苦しんで「君」を使用しようとするのか元來內地人同志なれば「君」は敢て感情を害する言葉ではない然し上官長者に向つて「君」とはいひ惡いであろう。

朝鮮人間では同輩以下の間柄でも今後互に君を使用しやうじやないかと約束してからでないと「君」は使はないのであるからこの邊の呼吸を呑み込んで置く必要がある。敢て越感に嫌きたらぬ感情問題とのみ見る譯には行かない

總て言葉は愼んだ上にも愼んで上品な言葉を使ふ樣にせねばならぬ。昔佛國天主敎の宣敎師は大院王に對して敬語の使用を誤つた爲めに殺されたそうであるから命有つての物種

畑あつての芋種殺されない樣に愼しむ可きは言語である。

三、「オモニ」と「チョンガー」

オルガンの上へ帶を置いたり火鉢を上げたり螺鈿細工の煙草盆を雜布で拭く內地人も我慢して敎育してゐるのであるが時にや平手で一つ御見舞をせざるを得ない場合も出て來るチョンガーよとれはコハレ物であるから大事に持つて行けチョンガー「ハイ〳〵」と途中で荷車の上にそのレコードを積んで山坂越えて鼻唄歌つて貸主に返した處廿枚のレコードは皆割れてしまつて廿圓辨償させられたその時の雇主たる內地人の心中はどんなであつたろうか無智であつた爲めの所爲とはいへこの邊も雇はれる朝鮮人たるものも考へなければならぬ處である

要するに內地人は「オモニ」や「チョンガー」を使つても氣長に敎育して使はなければならぬが朝鮮人もまたそれを忍んでよく聞けて行かねばならぬ朝鮮の社會はまだ〳〵暗黑な場面が澤山ある

四、「ヨボ」とは何ぞ

「ヨボ」と朝鮮人を呼び掛けるのは決して咎むべき事ではない內地人が優越感を前提に朝鮮民族の代名詞として朝鮮人を「ヨボ」と云ふから咎められるのである。

昔或る大官の家へ或る貴族から電話が掛つて大官が取次の女中に何氣なく誰からと尋ねた處女中が何氣なく「ヨボ」からですと答へたそうであるその答へは電送されて貴族の受話機に響いたそれ以來その貴族はその大官の親切を疑ふ樣になつた事と云うを聞いた事がある

捉まつた泥棒は內地人かいや「ヨボ」であると云はれた時に朝鮮人同僚は一種の恥辱と侮蔑を感じるのである況はんやどうせ「ヨボ」の細工だから碌な事は出來やしない等と云ふ場合には其處にデリケートな感情が起るのである單刀直入的に朝鮮民族は內地人からこの何の温か味もなく親みもない侮蔑的代名詞を以つて接しられる事を非常に嫌つて居るのである內地人は或は無邪氣に何氣なし使用して居るかも知れぬが聞く方では常に感情を尖がらして居るのであるし又これは實に無見識な言葉使で苟くも紳士として淑女として口に上すべきものでないのである「ヨボ」さん「チョンガー」さん等いふに至つては無識の程も思ひやられてあわれ憫然を催すのであるそんな事を平氣でいふ人は如何に身に錦襴寶石を箝けた紳士淑女でもその素情が疑はれるのである

「もし」なら「もし」とキッパリ呼掛けお前ならお前君なら君と通せば事は充分に運ぶのであつて「タンシン」だの「ヨボサン」などといふ言葉は使用してはならぬ。

因に「ヨボ」といふのは「こゝを見よ」の意味だといふがその尊敬語「ヨボシヨ」でなほ一層尊敬する場合には「ヨボシブシヨ」となる然しそんなに四角張つてこゝを見なさいことを御覽遊ばされます樣に申上ぐ等といふ意味ではなくたゞ呼び掛の言葉と見ればよい

五、長幼の序

昔から長幼の序ありといつて幼者が長上を尊敬することは宛ら父母に對すると同樣にするの美風があつた昔は學問が普及せず無學文盲の上長があつた時代には學問をした輕浮な青年が之れを馬鹿にしたのはほゞ想像がつくがかく秩序が保たれぬから何んでも彼でも經驗を積んだ年長の者のいふ通りに服從させたものと思はれる一方年寄連中はそれをよい事にして飛んだ處で長上振を發揮したものである最近になつては個性が發達して來て年寄だからといつて關係のない知らぬ他人等のいふ事

には無暗に服從しない樣になつて兎角理窟を並べて長上を頭にまく青少年が非常に殖へて來た樣である。

然しそれでも朝鮮ではまだ〳〵子供の人格は認めてをらず立派な家庭の子供でも子供は子供であるからあかの他人の年寄から呼び捨にされる無禮があれば答の下にたしなめられるのである。

又子供は死んでも碌々葬式もして貰れず平生の荷物等でも家庭には不相應な粗末な物を着せられて居るそれで內地人が子供を齊飾らしたりして可愛がるのを見て非常に子煩惱の樣に思つて居るが親として子供の可愛くない者はどこにもないので只朝鮮のそれはまづ余り干渉しない無關心に育てゝ來たものであつて今いふ通り極めて粗雜な言葉遣ひをもつて取扱ひ放任して育てられたのである迷惑なのは子供であつて八方塞りで金剛の川流れと同じで頭の上る翻がないのである。

だから早く「子供の城を脫しなければならぬとの希望は子供心にも抱くのであつてその方法としては學問も必要であり藝を修めるのも必要であるが[illegible]あるのは結婚して社會上の地位を向上させる事であるが今日ではとんなつまらぬ考へを持つて居る青少年は一人もいない筈である。

さて內地なら結婚の「ケ」の字も考へてをらぬ十五六才の少年に對しても朝鮮では「君は結婚して居るか」の寄問をまじめに發しなければなら時と場合と必要があるそんな場合に「ハイ結婚して居る」と案外の返事を聞くからこれを濫發したがるがこれは自ら社會に上長として尊敬される者としては幼者を遇するの道ではあるまい。

朝鮮の上長の者が幼者を叱責する時の怒罵は實に聞くに堪えない惡罵を發する場合があるこれは長上たる者自ら謹んで改良せねばなるまい。

六、民族と語亡國

滿洲族ヌルハチが奉天から起つて大明を倒して淸を建てたがそれが二百年で亡びたのは滿洲民族語を貴んじなかつたのがその元因であると、朝鮮人の學者連中が見立てゝ居るから面白い

七、新來の內地人

關釜連絡船から吐き出される內地人の內には初めて朝鮮の土を踏む人も隨分あるのであるが中には單に視察とか遊覽とかに來る團体もあつて大抵の內地人は初めて汽車の中で朝鮮人に遇つて國語で會話を取換はすのを非常に珍らしがるものである

その時の話題は絞切形に百人が百人共定まつて居つてまづ第一に妓生の話次が濱物の話次が日本が强國である話し次ぎが何故朝鮮人は獨立なんかの事を思うか仲よく融和して暮したらいゝじやないか等である

上面を飾つた外交辭令を心にもなく使へと云うのではないが受身の朝鮮人はそんな手合に幾度も遭遇して居るのであるからその底から思つた通り答へるものでもなく又聞く方も面白半分に聞いて居る樣に思はれるそんなもでは鼎の輕重を問はれるおそれがないともいへぬ。

八、チゲクン

關釜連絡線から降りて釜山の大棧橋からプラツトホームの方へ歩を運んで居るとそこで初めて負子を肩にした朝鮮人夫を見出すのであるこれは朝鮮の荷物運搬夫であつて農閑期を利用して負子一つを資本にして出て來て立働いて居るので中には釜山界猥町內の貧困者も交つて居る事は勿論であるがいづれも藝のない貧民で他の熟練を要する勞働に從事する事の出來ない勞働者である

負子の事を朝鮮で「チゲ」といひ「クン」は君の樣に聞ゆるが實は「軍」の事で「人」といふ古語であるから「チゲクン」といつても別に「君」と尊敬を拂つて居る譯でもなく又軍兵の意味でもない「チゲクン」の事を漢字では「擔軍」「支機軍」等書くさて昔は荷物運搬夫を雇つて荷物を背負はせても別に公定の相場がある譯でもないので從つから五錢か十錢を投げ與へて喧嘩を吹き起し更に要求通り五十錢なり一圓なりを吐き出されたり又は反對に續いて追ひ拂つたりしたのであるが今日では相當の相場をたてゝあつて無暗に要求もしなくなつたり又鐵拳等で亂暴と云ふ內地人もをらなくなつたのである「武士は食はねど高揚子」式に朝鮮人にも古來勞働者を厭ふて遊んで食ふのが名譽の如くに考へた時代もあつて今日明日の食事しかないに安然とブラ〳〵遊んで居ると云ふ風な遊民が澤山をりそれに對してチゲでも背負つて働いてはどうかとすゝめてもチゲは下等人の背負ふ者でわれ〳〵はその負ひ方も知らぬと長嘯しておつた時代もあつたが今日では遊衣遊食の惡風が漸次に改まりつゝあつて昔の諺通りに「ひげが三尺でも食上つておつて兩班はいはれぬ」といふ現實主義が實行されつゝある。

九、朝鮮人の特性

諺文雜誌に表記の題で朝鮮人の長所が十三ヶ條列擧してある、內地人も三省して守つて惡い道理はない

一、孝行を盡して長上を尊重す
二、夫に仕へて從順に口返答をしない。
三、夫婦間の言葉が鄭重であれ
四、墓地を輕ろんじない
五、舅姑に溫順である
六、冠婚葬祭を尊重する
七、忌服を尊重する
八、家門を尊重する
九、同族を扶助する
十、他人の惡事を發かない
十一、近親同族は通婚しない
十二、お隣を助ける
十三、薄運の者は同情する

がこれである、ねがはくば形式にながれずよくその精神を汲み守つて社會をして益々うるはしきものにする事に人もわれも共につとむべきである。

十、貧に陷る道

朝鮮人が貧に陷り生計に逐はれて行く原因は幾通りもある樣には思はれぬ、その內消極的方面だけを述べて參考に供し一人でも貧に陷る事を防ぐ事をうる樣にしたいまづ飲食物をこしらへる時間が余り長い極端にいふと一日掛るこれが陷貧道の第一歩ではあるまいか結局婦女子は飲食物をこしらへるために終日厨房にをらねばならぬ「ムーク」を作つたり湖豌豆腐を作つたり餅を搗いたりそれは大變手數のかゝるものをこしらへて食べる然もそんな手數と時間のかゝる飲食物を作る度數が余りに多い、冠婚葬祭にも大金をかける外に、手數のかゝる飲食物を多數澤山にこしらへる

忙しい世の中であるから人の倍も手早く立働いても食つて往けないのに一日中飲食物をこしらへて安閑として食つてをつては結局座して食せば山をも空しうするといふ格言を實行するより外になく自然に貧に陷るのである

飲食物の材料自體が原始的で自然のまゝの物であつてそれに時間と勞力とを借まずに手數をかけて精製して飲食物にこしらへるのであるから斯くは手間取るのでこの點をまづ改良しなければ永久朝鮮人は飲食物の製造の爲にその生計が追はれ通しになる事を免れまい。

濠洲見學の一片——

濠洲と云ふと南洋の南にある島國位に思ふて居る人が可成多い樣であるから彼の國を見たり聞いたりした事を斷片的に書いて見ようと思ふ。

勿論私とても昭和三年度の練習艦隊で約二ケ月余り廻つたに過ぎないので漫談も時には老人の繰言に過ぎぬ樣な場合もあるかも知らんがその邊は見遁して貰ふことにする

軍艦八雲　宮原正一

濠洲はどんな處かと云へば南大平洋の西南にあつて其土地の廣さは我國の約十五倍ともある此處に住んで居る人は我國の人口の約十分の一位であつた樣に記憶する。しかも之等の住民は多く都會（海岸）に集中して居るので內地は唯荒漠なる山野で全体の五分ノ四は未開拓になつていると云ふことである。此の世界第一の大嶋又は世界最小の大陸たる濠洲が文明人に知られる樣になつたのは今から約三百五十年前歐洲諸國が競ふて新領土を探求して步いた時代で英國軍艦が今のシドニー附近に取つき玆に始めて本嶋の有望なる事が英本國に傳へられたのだそうである。時の船長クック少佐の立派な銅像はシドニー公園に屹立して居た併し英國も直ちに開發に着手するには至らなかつたが、偶々其頃迄英國の殖民地であつた今の北米合衆國が獨立戰爭を起して遂に目的を達した爲め英國は大いに其領土を削られ其埋合せを考へねばならなかつたのと、之迄英國は囚人の多くを米國に送り本國の不良の徒の跡を絕つと共に彼等の力で米國を開發せしむる政策を執つて居たが米國獨立の結果それが出來なくなつたので、其代りに濠州を利用しようと考へ、玆に濠洲開發が稍具体的に行はれる樣になつたとの事である。開發の進むと共に囚徒や並に之を監視する軍隊以外の冒險好きの良家の子弟も移住して來たのであるが、何と言ふても開發の第一步が前科ある者に依つてなされ、之等の勞働者は次第に確乎たる地步を占める樣になつたのだそうである。一体白人が始めて濠洲に來た時、濠洲には素より土人は居たのではあるが此の土人は眞に無智で白人には敵對は出來ず、次第に壓迫されて今や濠洲の東南岸には殆と見ることは出來ない。一方英人は着々と開發を進めると同時に同じく濠洲を覗つて來た白人を驅し出して仕舞つた。其後產業開發の爲めに白人勞働者を迎へた時代もあつたから佛伊米露人等が若干居るには居るが十中九迄は英吉利種と云ふてよかろうと思ふ。如斯廣漠な大國に人種の斯の如く單純なる事は稀に見る處であつ

て從つて、濠洲人は之を誇りとして、飽迄白人のみの天地として見せると力んで居る。之が則ち白人濠洲主義の由來で、彼等は吾人有色人種の移入を拒み殊に其勞働者の移入を絕對に禁止して居る。

濠洲の識者の中には濠洲北部の地が酷熱にして到底白人の居住に堪へないから寧ろ有色人を入れて開拓するがよろしいではないか、一体かゝる大陸を少數の白人で獨占しようと云ふのは天理に戾ると說く者もあるが、前云ふ通り濠洲の開拓者で其選中が今や大臣にもなり、市長にもなつて居る狀態であるから、彼等は自分の利益の爲めにはどうしても正論に耳を籍さないと云ふことである。併しいくら白人濠洲でも商取引迄も有色人種とはしないと云ふ譯には行かない有色人には賣らないなんて云ふて居れば益々困る。そこで商人とか智識階級は色が黃色でも歡迎する案より永住は許さないが、現にシドニー市には正金、三井等とを始め會社の支店出張所が可なりある要するに濠洲人の今步いてゐる途は亞米利加によく似てゐる。其國の組織則ち聯邦制度なども米國を眞似たものらしい、何しろ等しく英國の殖民地から始まつた國である故に、濠洲人は英國人と云ふよりも寧ろ米人に近い感がする。尤も聯邦總督は英本國人より任命される慣例であるから總督周圍には純粹の英人を見る事が出來るそうだ。又そう云ふ人の感化で上流社會の人は米國式とならず依然たる英國式の舊態を存して居るとのことである。一口に云へば濠洲人は英米人を加へ合せて二で割つた位の處だろう。何しろ金持ちが多くそこへ南半球に孤立してゐる丈に日常の生活が單調になり易い、そこへ外國の艦隊でも行くと珍し半分に非常に歡迎をしてくれて、お祭りさわぎのようである今から其歡迎をしてくれた主な都市を紹介しよう。

「フリマントル」

濠洲に於ける最初の寄港地たるフリマントルの事であるから定めしコンクリトの阜頭や香港シンガポールで見た樣な大きな建物で棧橋近く見得る事を思ふて居た人も大部居つた樣であつたが、案外岸壁と建物も皆當が外れ只見苦しい風体をした、見物人が澤山居るのを見て驚いたフリマントルは西濠洲西南岸スワン河口にあつて本洲の首府パース市を距るゝこと十二浬の地港である、元來西濠洲の地は港灣に乏しく、西の角にあたつてアルバニー港があるが壁地の事で中部の富源に遠く、パース市との距離も鐵路十九時間も要すると云ふ狀況なのでフリマントルは西濠洲隨一の良港として貿易が盛んであるが、市街は繁昌して居るとは云ひ難い。人口も僅かに三萬五千位である。然し濠洲に航行する商船は最初必ず寄港し又東岸より來る船は最後に必ず、此の地に寄港するので諸外國との交通は比較的頻繁であり東部南岸との交通も鐵路によつて通じて居る。

氣候は溫和で寒暑の差も著しくなく、盛夏は二月で平均溫度七十四度位で最も寒いのは七月で平均五十五度內外だそうだ。故に冬季でも霜を結ふ事は極めて少なく雪を見る事は全くない、晩秋より初

春までの間に降雨があつて、冬は殊に多くて夏季は時として數月に亘り見ない事もある。パース市は整然として相當に立派な店も澤山あり、氣持のよい町である。郊外は「パース」「フリスントル」共に實にゆつとりした氣持ちのよい所謂文化住宅のみである。兩市ともに所々に毛氈を敷き詰めた樣な芝生雜趣に富んだ公園が凡て日本で見受ける樣な「可ラズ」式の立札もなくそれに不潔物もなく總てが開放式になつて居て少しも不快な氣持を起さぬ樣にしてあるのは感心した。碇泊中棧橋は常に恰好の散步場として見物として相當に賑つた。軍艦では餘り變つた事もないのに朝から晩迄立盡して居つた人もあつた樣だ、彼等の氣の長いこと呑氣なこと辛棒強いことは感心させられた餘程暇のある老隱居が金滿家か探せど口のない失業者が氣持晴しにやつて來て居るのか他では見られない藝だ。「物好きにも程がある」とはこんな時に用ゆる言葉ではあるまい？

勞働賃金の高いのは自濠主義のオ陰であるが、卽ち正八時間勞働で土曜の午後と日曜は休業し一週間四磅乃至四磅半を得ると云ふ、若し此處に東洋人勞働者が入たならば彼等勞働者は乞食より慘めな有樣になるではあるまいか？此處は排日の本場だと聞くが彼等は吾等に對しては如何にも身親しい心持を抱いて居るらしい、自分等の樣な貧弱な觀察力や英語の理解力では解りもせぬが確かに吾々に比し常に愉快な心を持つて居るらしく見受られた。日本海軍の母と自稱し自ら悅に入つて居る日本贔負のお婆さんが每日船を訪問する名はスペンサーヒューズ夫人と云ふ日本ではこんな氣持ちの人を見ることは出來ぬ、日本の海軍を自分の贔負相撲取りか何かの樣に思ふて獨り力んで居るらしかつた。

アデレード

アデレードは南濠洲の首府で人口約三十万「セントヴヱンセント」灣の東岸に在つて西は「ヨーク」半嶋が突出し南は「カンガルー」嶋に依つて遮られ灣の北方は深く內地に灣入して居る本市はトレンス河口に跨つて東南にロツテー山脈が圍りを繞らし其遠望の美と街路の整然として居ることは公園の美と共に眞に花園都市の名に背かない、又市の附近は風光明媚の沼湖河流山嶽海濱等あつて舟遊漁獵釣魚其他の行樂遊散に適して濠洲中の樂天地である又氣候も伊太利に似て世界有數の健康地であつて夏は最もよく冬は稍風が强いとの事である交通も極めて便利で汽車電車自動車等發達し特に近傍行樂地には鐵路が網の樣に敷かれて居る海運は船舶が非常に多くて我大坂商船日本郵船も此の地に航路を有して居るとの事もあつた市內の道路は我東京都の樣に整然として氣持よく交通の整理も良く整ひ南濠の文明都市として又世界の模範都市として推奬される程であつた沿道は街路樹が多く夏季は最もよろしかつた又文學藝術の名があつて公共建築物學校等が多い卽ち博物館美術館圖書館大學病院議事堂動植物園政廳寺院等の代表的建築物があつて先づ東京の丸の內銀座通りに匹敵するだらう要するに「アデレード」は町の美しきと風光の明媚なことは誰も感じた事だらうが吾人は「アデレード」人士の心から歡迎してくれた事は忘れられない老人も若人も彼等は此が白濠主義の白人かと思はれる程に親切に吾人を迎ひてくれた一度市街に入り或は郊外に行きて見れば會ふ人々は必ず笑顏を以て吾人を迎へてくれた若し彼等が日本に來たと考へて見ても彼等の樣に日本の人々は親切に接し迎へられるであらうか？吾人は此點に於て彼等人士に學ぶ所が多からんと感じた

シドニー

シドニーは濠洲ニユサウスウヱルスの首府でジヤクソン灣の南岸にあつてジヤクソン灣は天然の良港で灣內凸凹して全海岸線の延長が二十三浬に達し市街は北南岸に接して四浬に亘つてゐるこの多數の入江は殆ど全部棧橋や阜頭を成し各倉庫貯炭場等の設備が施してある又灣內は水深齊一で深く大船を容れる而も四圍は小丘を以て繞られ又港口の南大平洋に面する所は南北岸とも斷崖屹立して何れよりも風波は打ち込まぬ爲港內常に波靜かである濠洲人はここを稱して世界一の良港と誇るのも一理あることである又最も早くより開けたところで內地の物產の輸出港となり海外よりの輸入港となり一大貿易場として隆々たる發達を遂げ人口も約百五萬と云われ濠洲第一の大都會で世界有數の都會である緯度から云ふと我下ノ關位のところであるが之等に比して非常に暖かで我が練習艦隊の入港したのは七月であつたから此の地の冬の眞中であるのに氣溫七〇度夜間の外は外套を着る必要もなかつた四季を通じて激變なく平均六十二度位で常に海陸軟風が吹いて氣持ちがよい此の地は別に珍しい產物はないが石炭羊毛牛肉金毛織物革製品等が澤山出來るそうだが土產として買ふて來るやうな品は毛布「ブランネル」位であつた市街は古くより漸次發達した爲め新興都市のように整然とはしてゐない

それは又一面市街が無數の入江岬角等に沿ふて發達した爲めでもあらうがともかく「メルボルン」や「アデレード」に比した感じが暗くて道路が狹く不規則であつた併かしミドニーも我東京の樣に每年區劃整理や火災等に依つて整頓されるそうである要するに「バタビヤ」以來絕へて久しく邦人に接しなかつた吾人にとつて灣口までモーターボートで迎へに來て吳れた時は何とも云へぬ嬉しさを感じた彼等又練習艦隊の二隻が沖合遙かに其黑い影を發見した時は思わず萬歲を叫んだそうであつた同胞愛の眞價は祖を離國れて始てしみじみ味へるものだと云ふ感を深ふしたのである。灣口を入ると一幅の繪卷のやふな美景が展開されてゆく誠に我が瀨戶內海に髣髴たるものがある七月の冬の眞中と云ふに此處は內地の春のように長閑な風景であつた上陸して見ると流石濠洲第一の都會だけあつて高樓櫛比せる街路殷賑なることに大都會らしい感がするが全体としてはあまりいい感の都會ではないそれは街路の狹いことや建築物が古いことや汽車や電車の掃除の行き屆かない不潔なこと等あるがここに往來する所謂シドニー人なるものが我大坂人のやうに心にゆとりがなく氣が忙忙しく「メ

ルボルン」や「アデレード」人のやうにゆつどりとしたところがない又「ゼントルマン」なるものが比較的少なく街路のすぐ傍にごろごろした勞働者達が多いことなどにも基因するとも思われ上海や新嘉坡あたりの支那人馬來人と選ぶ所がない樣で非常に白人なるもの對して侮蔑の念が起つた在留邦人は三井とか郵船とかに屬してゐる人には立派な敎養ある人が多いが一般人は早く移住した爲か敎育が少ないらしく外國人にして日本人を評價することが往々にして誤られるのは此等の邦人の言動が基因することが多いではあるまいか？今日は日本人の海外に發展する勞働者の多くは吾人と同じ樣に中等敎育すら受けない人が多く敎育ある人は皆退嬰的になつて內地に引込み勝で昔の山田長政のような氣分が消え失せてゐることも我が海外發展の不振の一因ではあるまいか？支那人にして白人の妻を持つてゐるものが多かつたが彼等は皆に同化されてゐる換言すれば日本人たる自覺が薄くなつたように感ぜられる郷に入つては郷に從へで白人の妻に日本の婦人を要求する樣なことは出來ぬとしても少なくともその子供や妻に日本語位は敎へる可きであらう

信州記事

縣下政局展望

國民審判の下に凱歌は民政に揚る

中原に逐鹿競ふた戰跡
われらの選良十三新代議士の面々

後二旬に迫つて縣下政局の趨移は、前號に報導した後、立候補の顏振も決定して各地激戰に激戰を加え、息づまる緊張裏に遂に廿一日縣民總意の最後の審判が下された。民政いづれに勝ちどきが上るか、三旬の不眠不休の大接戰は縣下の政界に如何なる新分野をもたらすかわれ等の選良は誰榮光に輝く十三氏は誰と誰。縣下政界の荒波は春ののどかな海に平穩に歸した、今戰績の結果を總合的に展望しやう。(二月廿五日みやもと生)

不可思議にも 無投票の第一區 —長野市、更級上、下高井上下水內

民政では小坂松本兩氏が立候補して極力當選を期してゐたが政友では本部の公認問題が立候補者間に起り一時宮下大久保兩氏の斷念と共に鈴木山本兩氏の立候補が決定するや宮下氏の斷念後は屢々大久保氏の再起が噂立てられてゐた一方に山本氏の政界隱退聲明となつて鈴木氏の一人舞台となるや、反鈴木派の政友同志は大久保氏の再起に奔走し同氏も又色氣を見せて立候補と決定選擧演說に立ち廻つてゐたが政友の元老格鈴木氏が厳然と立候補してゐるに對してはその戰況甚だ不利であるを觀破してか同氏の近親者中

母國通 信日誌 自一月廿三日 至二月 十日

一月廿三日(木) 地方に展開する政戰續々立候補屆出△無產戰線異狀あり、同志討ちは自黨勢力を減滅させる△濱口首相戰ひは公明正大に斷然政策で爭へと黨員を激勵す

廿四日(金) 政友會犬養總裁の御曹子健君文士生活を淸算して東京第二區に立候補△倫敦軍縮會議は險惡、若槻全權故國政戰を外に帝國の保全のために奮鬪△節約奬勵の惱み煙草の大減收とは皮肉△無產四派協議物別れ

廿五日(土) 筆を舌に變へて名乘り出る文士軍△各大學生間に飛行熱上り航空局でも大乘氣である△中立議員は何處へか消える選擧傾向△投票買收を嚴視せよと安達內相の訓示

廿六日(日) 聖上より西班牙皇帝に勳章贈進のため高松宮を御差遣△選擧公正を旗印に演說取締は寬大と云ふので民政黨受けよろし

廿七日(月) 昨年の郵貯增加三億八百萬圓で年末在高二十億五千萬圓△校門を出る若人に暗い影さす就職難官廳も會社も大制限△政戰日に激烈を加へて與黨は乱立を氣遣ひ野黨は立遲れの惱み無產は友喰ひの戰火を交ふ

より立候補取消の屆出があり又々同氏の態度が不明となるや、右の屆出は本人の意志でない事が判明した然し大久保氏の動搖は常なく選擧民はこれがため大いに迷惑を感じたものらしく、選擧らしい氣分に浸る能はず、平凡裡に終始せんとし十六日正式に辭退屆を提出して此處に無投票と云ふ普選史上の一新記錄を作つた今回の選擧で無投票區は本縣第一區と京都第三區にすぎなかつた。

小坂氏は拓務次官の立場から選擧區を外に自黨の應援演說に近縣に出てゐたが今期選擧を通じ小坂松本(民)鈴木(政)三派は約二十日間に松本派は百七回の演說會を開き第一區の最大回數、小坂派の約百回、鈴木派の七十六回で相當の苦戰ではあつたが熱の上らい選擧氣分であつたと消息通の意見である。

△第一區 (定員三名)

鈴木梅四郎 (政友)元

會社重役△慶大卒 △元國民黨幹事長△元時事、橫濱貿易記者、三井銀行橫濱神戸支店長王子製紙重役、三越監査役△當選四回△六九

小坂 順造(民政)再

拓務次官△東京高商卒△前長野縣會議長、信濃每日新聞、安田銀行重役△當選五回△五〇

松本 忠雄(民政)再

無職△慶大卒△元やまと新聞記者△元內閣總理大臣祕書官△前東京市助役△當選三回△四四

民政一名を增した第二區 —上田市、埴科、小縣、北、南佐久郡定員三人

本縣の選擧界は第一區は前述の如き無風の狀態であつたが第二區に來ると定員三名に對して五名が出馬して俄か活氣を呈して來た民政では小山山邊鷲澤の三氏が公認となり與黨に力を藉りて意氣揚々と陣頭に進み、小山山邊兩氏は多年の政治經から巧みに對選擧策を練つたが少壯の鷲澤氏は兩氏に比して常にあせり氣味の態であつた。最初鷲澤氏の出馬は民政の內輪喧嘩の種子となるものを豫想せられてゐたが果して鷲澤山邊兩氏の爭ひが

廿八日(火) 日淸、日露兩役の殊勳者出羽重遠大將七十六才で逝く△世の中が厭になつた女學生上野松坂屋七階上から投身自殺△投票日の前後には召喚拘束を避ける政府の方針

廿九日(水) 政友小川平吉氏、民政小橋前文相立候補斷念△宇垣朝鮮總督「いそぐ時にはゆまずよするあら波を凌ぐいはほの力をおもふ」

卅日(木) 日本青年館理事長井上準之助氏辭任後元台灣總務長官後藤文夫氏就任△禁酒同盟員卅萬は上戸候補に反對して新議會からアルコール臭い者を驅逐する△ロンドン、名古屋間の中繼無電放送上成績

卅一日(金) 朝鮮字の投票は有効と內務省で決定△首相關係の名を連ねた推薦狀が山の樣に飛ぶ△新人の活躍を期待する全國スキー大會青森縣大鰐で開かる

二月一日(土) 金解禁の洗濯屋文書事件關係者は罪狀明白であつたが未然に防止された情勢を參酌され釋放△全國製糸業者は昨年の糸價暴落で女工の賃金不拂ひ八割に達すると

二日(日) 普選第二次戰のスタートを切つてから既に十三日國民最後の審判の日は二旬を出でずして來らんとす、二日までの立候補者數は政友、民政、無產、中立等各派を通じて七百廿五名を突破政戰行進曲を奏す

生じてゐた。政友の篠原氏はお山の大將氣取りで民政の內紛をせゝら笑つてゐたの態度にありまづ安全地帶に游ぎついてゐた觀測は最初かであつた。社民の藤田氏は移入候補であつたが本縣唯二人の無產候補であつてその當選は別問題として如何なる程度まで社民が進出するかの興味を起してゐた。

斯くして五候補は筆に舌にあらゆる戰術を弄して白兵戰に入り藤田氏の如きは敎へ子の若き女性が遙々東京から來て、壇上から紅唇を吐き、みそや大根を持寄つて自辨當の活躍振りは無產に應しい光景。

開票の結果は小山氏の得票が意外に多く最高點一方政友の篠原氏が僅々三百余の差で危く落選の憂目を見るところだつたのも意表外。もし民政が手分けして篠原君を攻めたら三名が難なく當選したのだらう。社民は當選圈などとは考へなかつたらうが五千票ぐらゐ獲ることは一般の觀測であつたが漸やく保證金にかぢりついた慘さであつた。やはり地盤の薄弱輸入候補等の原因で選擧大衆に迎へられてゐない事を物語。

鷲澤氏は落選の憂目を見たのみならず與黨に力を藉り過ぎてか違反事件が續發して益々擴大せられてゐるのは氣の毒である。各候補の得票は左の如くであつた

	上田市	南北久郡	北佐久郡	埴科郡	小縣郡	計
篠原 和市(政友)	九三	四、三三三	四、一〇七	二、〇五三	四、三〇四	一五、七〇〇
山邊 常重(民政)	二、六三九	二、三〇五	二、〇六六	一、六六八	七、三一四	一五、九九九
鷲澤與四二(民政)	二、〇六六	二、九四五	一、七一六	三、二一七	五、五三三	一五、四五六
小山邦太郎(民政)	四四一	四、四四八	九、六三一	三、三五二	四、一四〇	二三、二三三
藤田 喜作(社民)	三五五	四八三	六三四	三〇七	七六六	二、五五四

△第二區 (定員三名)

三日(月) 立候補斷念の裏面警戒に司法當局嚴重監視△無產は到る所で血で血をあらふ抗爭を續く△明日の皇弟高松宮殿下の御婚儀に全國民祝福を祈る

四日(火) 銀行や會社の重役連は代議士候補の訪問避けに旅行するものが多いが、近縣位ではドシ／＼押しかけて來て反つて斷るに都合が惡いので遠出とて台灣旅行と振れ出しに門司に落ち延びてゐる△蘆花未亡人、吉村女史と共に世界巡禮の旅へ、出發は今年の秋頃

五日(水) 台灣總督府のアヘン吸飮者追認(七千人乃至一萬人)は拓務省で無期禁止△子供にスリを働かせ捕まると仲裁に出る巧妙な父この手で七十余回の犯行

六日(木) 名古屋の放火十二回は消防手の仕業何んと云ふ放火魔だ△總選擧白熱化して來た今日選擧違反はまた僅か四件△一月中の帝都感冒死亡者九百四十二人、一日平均三十余

七日(金) 朝野各派の立候補大体出揃ふ政友三〇二、民政三六一、國民同志會一三、革新六無產八七、中立六五計八三四△軍縮會議愈々本舞台我全權大ひに奮鬪中

八日(土) 就職難を飛越す不景氣の珍現象雇主の冷酷や都會を慕る人で求人が增加したとは悲むべき新傾向△戰機いよ／＼熟して兩黨

小山邦太郎（民政）再 △蠶糸業△神戸高商修△縣議△製糸組合聯合會長△縣蠶絲同業組合長△當選二回△五二

山邊常重（民政）再 △會社重役△中大卒△前日本會社重役、地方鐵道株式會社重役△當選三回△五五

篠原和市（政友）再 無職△日大卒△前司法、内務各大臣秘書官、元東日記者△當選二回△五〇

政友の顔色をなからしめた第三區

諏訪上、下伊那

定員四名の多票區の第三區では政友ぽつ落から勢を得た民政では戸田氏を筆頭に北原宮澤の三候補共公認となつた。中原に鹿を射んと三頭轡を列べて戰陣を張つた。これに對し政友では平野、林の兩氏を立たしめたが林氏は稍々遲れて立候補したのであるが多年培つた小川射山の地盤であるから政友本部から公認されたのは時は同氏の幸運兒なる事を思はしめた一時岩波氏の出馬が對小川と關連して注目されたが小川氏の出馬斷念から自然消滅の形となつて第三區無産派では山崎一雄氏を社民の公認として戰陣を張り、前回に敗戰した原田氏再び雪辱戰に出で中立を標傍して下伊那を地盤として蹶起した。

前回と同様七候補が入り亂れて活躍したが開票の結果から見れば金城鐵壁の諏訪の政友地盤に一万二千九百八十三票を獲得せしめて宮澤氏を當選せしめた。宮澤は口の人、雄辯であつた事は與黨の關係と共に諏訪出身といへ選擧區の知己すらなく、金にも縁がうすく强固の政友壘にぶつかつて片や百萬長者に對峙したので野黨のやうな困難な戰をしたのだらう。

伊原氏絶對不起に平野氏では危く見て最初から心配しながら戰つた下伊政友、逝いた樋口氏の後任に迷ひ抜いた下伊民政、各派の惱は形こそ違へ根本において同じものだつたが平野氏に北原氏は相鍔ひ安金地帶の戸田氏は諏訪の宮澤氏を助けて林氏派に喰ひ入り、下伊で北原氏を助けた紳士的の行動が幸ひにして二名を當選せしめた一原因であらう。然し政友の黨鎭縣政の功勞者脇の人平野氏を落したのは殘念であつた。

原田氏の敗戰は全く氏自身の若さとこれをめぐる同志の人々が政戰に不なれな事及び違反續出が主因で第三期戰においては鬪士相次いで倒れ矢彈の盡きたのは悲壯の極みであつた。斯くして選塵は見事政友の牙城をついて民政は三名を獲得してしまつた。第三區各派得票は左の如くであつた。

△第三區（定員四人）

戸田由美（民政）再 △會社重役△慶大卒△元南信日日新聞社長、南信新聞社長△當選三回△四五

北原阿智之助（民政）新 △農業△松本中學校卒△飯田ガス會社取締役△六三

林七六（政友）新 △蠶業△縣會議員、聯合蠶業會長△五六

宮澤胤勇（民政）新 △會社重役△早大卒△スタンダード靴株式會社取締役△四四

	諏訪郡	上伊那郡	下伊那郡	合計
平野桑四郎（政友）	七〇	二、〇三三	一三、〇四一	一五、一四四
林七六（政友）	一〇、九九五	四、七二八	六五一	一六、三七四
宮澤胤勇（民政）	一二、九八三	二、〇八二	五七二	一五、六三七
戸田由美（民政）	一、一七三	一六、九二七	三五一	一八、四五一
北原阿智之助（民政）	七一	五三一	一六、九一三	一七、五一五
山崎一雄（社民）	七八八	八二九	八〇五	二、四二二
原田治郎（中立）	二二	三五八	二、二八一	二、六六一

此處でも民政一名を増した第四區

松本市、東西筑摩、南北安曇

隣の第四區は八名の立候補が數へられ縣下第一の激戰地と目されてゐたが塚原八幡兩氏の不出馬が決定するや政友各々二名が政戰を演じる事になり、興味の中心は政民四候補に注がれた。戰端が開かれて民政降旗百瀬は同志相攜へて「一糸亂れぬ活動を續け前回の百瀬氏の惜敗に鑑みて細心の注意は拂はれ雪辱戰も又百瀬氏に同情の念、こつ然と湧き立ち前回より七千餘票の多票を得て最高點で當選した事はお目出度い。降旗氏も成績よく民政は完全に二名を獲得して前回の最高點上條氏が慘敗して當選點數と一千餘票の開きを生じて止まつた。

政友植原、上條兩氏は私交上には問題がないが戰ひは最初から亂脈で殊に植原派の極端なる侵略主義から上條派では中途から方針を一變して植原派の地盤（南北安曇）へ切り込んだその効果なく西筑では二千票を植原派に奪はれ東筑で三千近く離反し遂に落選の憂目を見た。

一方破竹の勢ひであつた植原氏が第三位當選は意外であつた。一時あなどり難い勢力を示した中立畔田氏の慘敗は地盤なき上に立てられたから景氣と云ふより一般有權者の政黨政治への自覺がもたらした結果のみるべきであらうと。

各派投票數は左の通りであつた。

	松本市	北安曇郡	南安曇郡	西筑摩郡	東筑摩郡	計
植原悦二郎（政友）	一、三六五	四、一四四	四、二九七	二、〇一三	二、八五七	一四、四三三
上條信（政友）	一、一二三	九九一	九一八	二、五六五	七、四三六	一三、〇三三
百瀬渡（民政）	四、九六八	四九四	五、四二一	五七四	九、三〇一	二〇、七五八
降旗元太郎（民政）	二、一〇一	六、〇〇五	三七六	三、八二一	五、八一七	一八、一二〇
畔田明（中立）	八六〇	三一七	五二四	一、二六三	六〇四	三、五六八
唐澤龜雄（中立）	三五五	二	九	四	一一八	四八八

△第四區（定員三名）

百瀬渡（民政）新 △會社員△松本中學卒△縣議△信濃日報副社長△五七

降旗元太郎（民政）再 △新聞社長△早大卒△元陸軍、海軍、鐵道各政務次官、信濃日報社長△當選九回△六七

植原悅二郎（政友）再 無職△ワシントン、ロンドン兩大學卒△元明大教授、前遞信、外務各省參與官△當選五回△五四

斷然優位を示して民政九―政友四

三旬の戰塵にまみれてドツト勝ちどきあげた十三新代議士の政黨派別は解散直前は政友六對民政七（前回選擧は六對六であつたがその後中立の小山氏が民政入りした）の互角の均勢を保つてゐたが今回の總選擧で民政は第三區第四區に於いて夫々一名を増して遂に九名を獲得して斷然優位を示した。政友では各區一名を辛じて出したに過ぎず慘敗した。今縣下の總投票數を各派別にすると民政が前回の二倍を獲得して政友が七割減、社民は今回が最初で中立は前に四分一弱にすぎなかつた。

各派の得票

		前回
政友	七四、九七七	一一一、八〇三
民政	一四五、〇八六	七八、七七七
社民	五、〇一五	―
中立	六、三四五	二六、二〇二

（備考）第一區は無投票區につき前回の得票數は第一區を加算せず

供託金沒收は

第四區の唐澤龜雄氏

十三新代議士は何れも普選法第六十九條による法定得票の關門を大手を振つてパスしたが法定數は

第二區　六、〇八四票

第三區　五、五一一票

第四區　五、八五二票

右の如くで第二區最高點二三、二四三票の小山邦太郎君は三、八倍强第三區同一八、四五一票の戸田由美君は三。二倍弱第四區同二〇七四三票の百瀬渡君は三。二倍强獲得し一方負けたのみならず二千圓の供託金をまきあげられたのは第四區一九七票（法定一三三四〇票）の唐澤龜雄氏のみであつた

一票やりどころなし

無効投票千五百余票

今回の選擧に投じられた縣下の無効投票千五百七十七票の内にはふざけたものやニヒリズムを現したものなどがあつた

第二區では春日俊文氏並に寳弟善之助を連名にしたもの

第三區諏訪郡第一開票所からは小川平吉が數票現れた、又同郡から二票の朝鮮字が出た管理者は朝鮮字の手本と引比べてその達筆に感心させられた

埴科郡からは勳一等鷲澤與四二といふのが出たがこれは同君がかつて張林霖から支那の最高勳一章を贈られた事があるので氣を利かした管理者は無効と決定

然し鷲澤君に對する投票には假名文字が多く面倒な姓名は候補者には損だといふ事を示した

第四區東筑摩郡第一開票所にはもつとも辛らつな投票が多く中でも秀逸は左の三つである

あら惜なや一ぺうの淸水を投ずれば忽ち濁水となる

醜議員いづれを見ても我利候補淸き一票やりどころなし

官吏減俸、百姓恩給

首陣頭に立つ△卒業期を前に新聞、雜誌の記事を利用して不正をむさぼる不德漢を取締る

九日（日） 政友は二百廿名、民政は二百四十名、無産は十三名と共に自黨當選に戰術を練る△平泉地方に四十九年目の寒氣襲ふ、零下九度一分△不景氣に貸用額かず立候補の取消すでに五十六名に達す

十日（月） 世界島人の宿題太平洋の征空は飯々計畫發表される△梅見、どこも今は見頃△東朝で全國から日本一の健康兒を探して次の時代の國運を支配する少國民の標準を定める

十一日（火） 金解禁して一ヶ月遊資續去る、自然的金融統制行はれて一流銀行救はる△けふの佳節に廿萬圓を下賜△六十名解雇から秋葉原驛下五百名の運送勞働者罷業

十二日（水） 政戰後旬日に迫り呼吸迫る激戰振り△國太郎と市營自動車の宿罪合はその成績惡し市電と競爭共倒れの四苦八苦

十三日（木） 足立太郎博士日本人の動脈硬塞は米國人と違ふと云ふ新發見△福岡上海の空に旅客定期飛行機所要時間は五時間半△朝鮮人の内地移民流を防止する爲め鮮内に失業救濟事業三百萬圓を計上

十四日（金） 藤森成吉著「蜂起」本郷座上演に際し全く筋なしになるほどカツトされた△立候補劉の結果政友三〇六、民政三五七、社民三、大衆二三、勞農一三、全民四、地方無產二一、國同一二、革新六、中立其他九六計八四三、定員四六六の約二倍、現代議員は半減、元前代議士は四六の再立候

十五日（土） 參謀總長に金谷大將決定△軍縮の聲盛んな全部實取り平和の自動車製作するフオード宣中を語る△フオード氏更らに私財二億圓を職業教育に出すと表明△秋葉原驛の運送爭議は爭議團側慘敗して解決

十六日（日） 龜戸東洋モス工場閉鎖一千の男女工失業△大阪のマン中に穴居の九十組逃げ二年間を荒し廻る△國際登山隊が世界最高峯アンチエヂュンガ（ヒマラヤ山中の巨峰二萬八千百五十フイート）を今夏征伏

十七日（月） 政戰余すところ僅に三日、殷かな國民最後の審判が下る△無產陣營は軍資金集めに行商や夜店に短刊畫賣り△一兩日の貨幣價今や天下分け目の大接戰新聞紙は選擧正から失明の毎日樂器を渡して選擧民の自覺を促して居る

十八日（火） 出生が減して死亡が殖えた昨年七月から九月の自然増加は前年同期より四萬九千二百八十三人減の十一萬七千九百二十四人△候補者夫人の出動し口説落しの新戰術各候補死物狂ひの大活動

十九日（水） 七年目に父と再會した小競爭災害話が帝都のマン中であつた△しやべつたりな一人で百五十五回の社民松岡駒吉氏△昨年の小作爭議二千件を突破東北地方は激増す

廿日（木） 三旬の政戰を經て投票日遂に至る今日下る國民の審判△支那に反蔣運動起り國政府危まる△京城で學生三千余名盟休

廿一日（金） 全國民の總意は秘めて投票函に春日麗かに晴れ絶好の選擧日和△干渉騷ぎが前日より少ないのと民政第一黨は動かぬと自黨のは算盤△「此の一票の力」は何派へ

廿二日（土） 萬歳と悲涙の一喜一層に全國津々浦々どよめきかへす△無產枕を例べて落選△到る所民政壓倒的に優勢與黨大喜び△好日和と棄權防止の宣傳で投票大成績

廿三日（日） 市都に民政斷然勝つ△勞農大山郁夫氏勝つ△中立は打ちそろつて慘めな最後

廿四日（月） 民政絶對多數を獲得して二七三政友一七四、無產五 國同六 革新三 中立五合計四六六落選の主なる者麻生久、山本前農相、田淵豊吉、鶴見祐輔、元田肇、安部磯雄、内ケ崎參與官

廿五日（火） 政局安定、十分に政策遂行と首相聲明△特別議會は四月二十日召集會期三週間

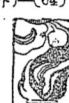

信州出身海外發展者列傳　五

無願開墾の壯擧

十勝開拓功勞者故新津繁松翁

鄕黨一團を率へて拓殖に精進

開拓功勞碑を建立して功績を永へに讃ふ

北海道の大平原六百三十六方里の十勝平原は現在十三万余町歩の既開墾農耕地となり年額數千万圓の農産物を産し今や全國的の農産王國とうたはれてゐるがそれは過去三十余年間の汗と血でつゞられた拓殖の結晶である。

雪未だ消え去りぬ或る日、北海道植民視察の目的を以て全道にわたりあらゆる危險を冒して探險しつゝ遂に十勝平原の一角に毅然と立つた一人の青年があつた彼は年僅かに廿七才、見るからに意志强固を物語る眼光は尖どく胸廣く張りたる偉丈夫であつた

故新津繁松翁

原始林は空と接する廣漠たる十勝の大平原はたゞ彼を恍惚とせしめ十勝川の流れは岸邊の葦にあたつて颯々と何事か彼に物語るのみである。彼は深く沈默を續けてゐたが、やがて頭をもたげ、腕に力を入れて「よし！」と心に答へ再來を約して何處ともなく姿を消してしまつた。十勝の處女林は彼の再來を祝し、喜々として深綠滴るまゝに待ち受けた。春過ぎ夏來りて秋も去つた十一月の北海道は木枯しの强く吹き荒び、深霜柱の立つてゐるしてゐた。やがて深雪にとざされる、北海の天地は將に暮れ行く薄い日ざ、しにかゝつた夕もや迫る夕方の姿である。然しこの寒空に默々として川邊に小屋掛をしてゐる青年、彼は此春この地を去つて歸國、何事か準備して單身再び此處に來たのである。この青年こそ本篇の主人公故新津繁松翁である。

×　×　×

彼の開拓史は先づこの第一頁から尋ねばならぬ。それは明治廿五年にさかのぼる。當時道廳當局の拓殖方針は渡嶋、後志、石狩膽振の地方より開放し土地貸下げを實行してゐて未だ十勝までに及んでゐなかつた。彼は明春を待つて開墾致すべき土地の貸下げを出願したが十勝は開放せずの故を以てすげなく願書は却下せられてしまつた。彼は口惜しげに同年の開墾期を徒らに過ごさんとしてゐたが、彼が郷里に歸り移住を決行するに當りては家に老母を置き去り、妻子をすて、親戚の故障を排し、政友、學友に別を告げて業成ればよし、もし業成らざれば再び郷里を見ざる決心をなし渡道したるものなれば土地の貸付をうくる能はずして何の面目ありて家に歸るを得んや、法を守り不面目を忍ぶか、然らずんば法に背き業志を貫徹するか二者いづれかの一を選ぶべからず、遂に法の反逆者として無願開墾を決意してしまつた。當時此の附近には僅かに二十四戸の農家のみであつた彼は小作人六戸を從ひて第一年度に六町歩を開墾し大豆、稻黍を蒔付け八月郷里に歸り妻子を伴ひ來たるも蒔付けの後れたると、結霜の早かりしにより僅かに大豆十九俵を收穫したにすぎなかつた。食料は欠乏して親子三名と共に小作人六戸も餓死の悲境にあつたが附近の熊谷氏より清酒數樽を借受け土人の獲狩したるテン熊狐等の獸皮と交換して其の利により漸やく糊口を凌んで越年したが更らに困窮は度を增して愈々深刻となり融雪を待つては草根を掘り出して生命をつなぐに到つた。コヾシ、コジヤク、蕗、蕨「をとりて常食にあて顏色は蒼白として生ける死人の如くであつた。

然し彼の意志は一難の加る毎に固くなり無願開墾の違法を敢へてした壯擧はいかで中途に挫折するを得んや、決心勇氣を振起し、小作人を鼓舞激勵して共に開墾の進捗を計り同年には十七町歩に蕎麥大小豆、菜定、稻黍等を播種したのにその生育極めて良好、蕎麥一町歩より五十六俵二斗、小豆一升二合を播種して八俵五升を多收して初めて一同秋眉を開いた。

斯くて翌年は三十七町歩を墾成し順調なる發達を辿りつゝあり同年當局者の巡視にあたりては無願開墾の意見を開陳して了解を得るや愈々郷里より移住者を呼寄せて十勝開發の大使命を果さんとしたが偶々當局者間の意志相合はず開墾地全部の沒收を宣告され五ケ年の身を賭したる努力は水泡に歸せんとした。」今にしてこの憂目に遭遇せんか半生の開拓事業は全く徒勞に終る悲慘なる狀態であつた。然し天我を未だ殺さず、時の桐野郡長は既墾地十町歩を貸下許可したので蘇生の思ひをした。

故新津繁松翁彰德碑

新津繁松君之碑

正三位勳一等　小川平吉題字

士之立功于一世垂于不朽者莫非至誠之士知新津君即其人歟君姓新津名繁松信州佐久人弱冠游東京學法學院大學業畢後入自由黨深知受于前並石塚重平君夙倡自由正義卓論風發常爲人所服一且有所感去游北海觀察各地以十勝平原開墾爲已任專履跋涉君乃具狀陳議冒出至誠竟蒙許容是本開墾與發明移居作利別市開墾業作當出者凡數十町業市未發秀賞聞里鄉黨皆浴其餘澤毅之為翁父大正六年三月廿九日病卒於本別村享年五十三知與不知無不哀惜君天資篤厚接人信富事克興奉公而不私立功而不倣殆遊一誠乖心不急厥三選爲道會議員其興望之隆可知也今茲同志者胥謀欲鐫貞珉而傳於後昆持狀來徵予文予與君有舊誼不可辭乃記梗槩繫以銘曰

窮北之野　十勝之原　孰闢荊莽　有斯吉人　爲經營盡　年豐乃穰　遊惠不歇　民儼厭仁

昭和四年　月　日

從五位勳四等　木下成太郎篆書

斯くして更らに八万六千坪の新開拓に着手し毎年郷里より親戚故舊を招來して能ふ限りの便宜を與へ獨立開拓に着かした。然し一難去つて一難來る。その翌年には大豪雨のために田畑は泥の海と化し收穫皆無となり、或る時は牧種農産物を滿載せる船舶の轉覆ありて大損害を受け濕氣排水の便惡しきを以て收穫僅少の事もあり、牧場經營の起業に着手せりと馬匹畜牛は毎年疫病のために斃れて牧畜經營の成功は容易に達せられず損失を重ねつゝも不屈不撓の彼の意志は更らに外國より優良品種の購入に多額の費用を投じて如何に苦心したるかは彼の日誌の一節に「今後の發展を期するには自ら牧場内に居住し直接の任に當るの熱誠あるにあらざれば能はざるものと確信す」と決心し「余畜産業に未熟なる」と懐述してゐる。

彼の奮闘は全く先驅者の同ふする血と汗の開拓苦闘史であつた。自然に闘ひ人爲に逆ひて自己の意志を貫徹する彼の活動は遂に報ひられて現今畑地二百余町歩牧場地千四百余町歩牛馬二百餘頭を子孫のために遺したのである。

彼はこの苦戰の中にも郷里より二十五家族を呼寄せてよく後進者の指導に當り現在本別村に七十余戸足寄村に八十餘戸池田町に三十餘戸の繁榮をもたらした。更らに公的には村の總代に選ばれて自治行政に盡し農事、兵事、教育、衞生等各般にわたる公職にあつて奔走し明治卅八年より道會議員に當選する事三回その德望は恰ねく四鄰に傳はり益々熟慮果斷の敏腕と政治的手腕を期待されてゐたが大正六年三月廿九日焉然としてこの開拓者は世を去つた。享年五十三此の十勝開拓の先驅者故新津翁の英靈と德望を思慕する念は全村民の心につのり遂に擧村一致以て幕内村長を委員長として昨年十一月十七日本別神社境内に翁の開拓功勞碑の除幕式が盛大に擧行された。全村民感激に湧いたのである。本別市街を瞰下する高臺の地に建てられた地上總高二十五尺余の石碑は永へに新津翁の開拓功勞を讃へる表徵である。

此の偉大な開拓者を産んだ地、それは南佐久郡小海村にして山間の僻地は、既に翁の心を滿足せしめず雄飛拓殖の先驅者たらしめた。翁は明治二十三年東京法學院を出たが家業の農産を繼承し明治大帝の北門開拓の御聖旨を尊守して自ら一介の移住者として渡道、幾多の犧牲を拂ひて道政發展に精進したのである。

現在の信州青年、この開拓先驅者の血を受けて未だに姑息なる手段に猫額大の地に齪齪ぶ。雄飛—移住—「成功の機會の國」——先づ開拓の精神を先輩に學ばねばならない。（みやもと生）

海の外　歌壇

短歌　雄夫選

岡谷短歌會

○　森山汀川

旅立つと雛の鳴く音に目ざめしが夜の引き明けに未だ間のあり

こぼしたる温泉に解けし雪の上にはつかに雪のたまり初めつゝも

○　小野三好

夕ぐれの部屋の障子をあけはらひ幼きわ子と角力とりをり

枯枯の雑木のかげの細瀧にかかる氷柱は光りゐるなり

○　中谷四郎

冬に入りすみて流るる天龍に水あかつける底石の見ゆ

一日を何もせざりし激へ子の歸りの挨拶丁寧なりき

○　六波羅靜馬

路ばたに高く積まれし罹災者の荷物の上に赤子泣き居り（キネマ大火）

明け方の冷えいちじるし濡れ通りし法被はかたく凍りてしまひぬ

○　兩角信次郎

月清に照りわたりをる湖の氷たまたま音立つるなり

燒あとの廣場に支那の子供二人鐘鳴らしつつ人寄せてをり

○　下瀨由比

ガラス戸よりさし入る春の陽は溫くし外のかぎろひは疊にうつる

幾構に淡き電燈ともりたり湖のむかうの夕明り空

○　增澤登代

あかつきの冷に目ざめし床ぬちにちぢこまりつつ鷄鳴くをきく

あれなぎて一時夕の靜けさを鳴き行く鴉の聲の淋しも

○　若林野水

風和ぎて日ぐれまぢかき山院の氷柱にうつる夕日のなごり

○　遊坐武夫

よべの雨に雪とけはてし裏庭のよごれしるくも眼につきにけり

○　武井想水

扇壽草未だ開かず朝しみの幾日をすぎて二月となりぬ

○　河西さとし

いとし子の墓に詣でて歸り道唯さびしまれて潺流すも

○　小林直和

近くなく蜩やめば遠くなくひぐらし聞ゆこの森の中に

○　川口水葵

日當れる庭にをりをり風立ちて散りしく落葉吹きよせられぬ

○　細川天山

吾がのべし意見まづしと列らなれる親族の人等いたく叱れり

○　樋本英雄

この朝霧の深みに日のもれず鼻すすりつつ窓による子等

○　兩角光雄

柿の木をこめてふりける朝霧の中に雀の鳴きて居にけり

○　宮下博義

異郷より歸るてふ友を迎へむと靜けき朝の驛に佇ずむ

○ 宮坂織雄
門口に雜具など見ゆ工場に年せぬ女工あまたあそべり

○ 土橋阿玖瑠
眞晝間を雪降りやまず禪寺にひびき渡ましおつとめの鐘

○ 唐澤香
貧しかる生活にはあれたまさかの休み日今日や心安けし

○ 伊藤淳郎
暮れ果てし長坂道に子等いまだ橇すべりする聲のきこゆる

○ 藤澤露草
このあひだわらはべが來ておきさりし雜誌を今宵拾讀みせり

○ 加納幸雄
徐行する汽車の窓ゆかたよりて登火事を見る顏並びをり

○ 中島勝元
母になりし我が姉上の細おもて今日このごろの晴れやかさなる

○ 笠原寅之
四万近き女工踊りて岡谷街とみにさびれて暮迫りたり

○ 小山勇次
朝夕の炊事營けて氣安なる下宿住居となりしこの頃

○ 小口幹夫
境內の雪消えさりて日蔭なる石垣の苔きわだちて見ゆ

○ 濱迷雲
眞夜中に近火の鐘の音繁く焰のひかり山を染めをり

○ 濱茉莢子
生業のみちのくらさがおのづから心に滲みて歸る夕ぐれ

○ 伏見直
永井柳太郎來れりといふ噂に演說會場はどよめきあいぬ

○ 高林定江
松林すきよりもるる冬の陽の乏しきままに雪のとけざる

○ 雨角雉夫
これの世に聲あげにける男子汝盥の中に足を伸しぬ
産あとの母子すこやかに部屋の外の日はたけにけれ深くねむれる

○ 小林龜松
嫁ぎゆく小女は多ししかすがに移住地にゆく小女稀なる
冬枯の千曲川原を吹く風にアマゾン河邊の暑さ思ほゆ
アルプスの雪の初日を眺めけん親しき友はことに年あり

○ 伊藤しげ
三十三才裏藪に來て鳴く長床出でがてにまろまりて居り

○ 雉夫
玉の緒の生命たもちて生れ來し汝がうぶ聲のさやかなるかも (孫一月七日朝生る)
隈どしの聲さすことも忘りぬまろふど續き孫も生れつ
産あとの母子すこやかなり七草の朝の酒に醉つみにけり

歌稿について

一、題 隨意 首數制限なし
一、締切 每月十五日
一、選者 雨角雉夫先生
寄稿者は住所氏名を明記し諏訪郡平野村下濱選者宛直送を願ます

協會記事

アリアンサ渡航者 三月までに十家族

本組合版のアリアンサ移住地渡航者は一月便船で四家族廿名二月便船で一家族二名、三月便船で五家族廿四名の合計十家族四十名の渡航者で之れを前年同期の廿四家族百廿二名に比すれば十四家族八十二名の減少である。

本年一月乃至三月便船は

一月十八日サントス丸 (三月二日)
二月十八日ハワイ丸 (四月十六日)
三月一日河內丸 (四月二十八日)
三月十五日ラプラタ丸 (四月三十日)
(括弧內は上陸港サントス着)

で三月便船乘船者は左記の如くである

東京府南葛飾郡寺島町 笹本新吉 九人
福島縣南會津郡大宮村 山內安房 四人
(以上河內丸乘船者)
東京府北多摩郡武藏野町 黒田信一 四人
埼玉縣大里郡明戸村 齋藤守治 四人
福島縣安達郡旭村 中山榮治 三人
(以上ラプラタ丸乘船者)

市町村設立中の 海外察視組合 (續)

東筑摩郡上川手村組合
組合長 長崎傘十
曾根原政
村田多作
平林成幸
竹內一海
上條端
下里武門
横山繁春
平林與五郎
增澤寅雄
村田一朗

新入會員 (自一月二十一日 至二月二十日)

上伊那郡南箕輪村 倉田初實殿
西筑摩郡楢川村 百瀨伊之助殿
上高井郡綿內村 小林孟千代殿
上田市常入 條村孝兵衛殿
東京府下寺島町 羽根田光稚殿

會費領收 (自一月十六日 至二月十五日)

一金壹千圓也 (特別會員費) 柳澤德治殿
一金壹百五拾圓也 (同) 伊藤岩雄殿
一金壹百圓也 (同) 北村深志殿
一金壹百圓也 (同) 久保田茂一郎殿
一金壹百五拾圓也 (同) 志賀市藏殿
一金壹百五拾圓也 (同) 伊東勝太郎殿
一金壹百五拾圓也 (同) 河西剛殿
一金壹百五拾圓也 (同) 鹽澤良猶殿
一金壹百五拾圓也 (同) 北澤清殿
一金壹百五拾圓也 (同) 長島和江殿
一金壹百五拾圓也 (同) 藤森傳一殿
一金壹百五拾圓也 (同) 小池長時殿
一金壹百五拾圓也 (同) 藤森保平殿
一金壹百五拾圓也 (同) 矢島瀧水殿
一金壹百五拾圓也 (同) 北澤安右衛門殿
一金壹百五拾圓也 (同) 久保田力藏殿
一金五圓也 小林仙之助殿
一金四圓也 横山林十殿
櫻井仁太郎殿
一金參圓也 瀬田活三殿
一金貳圓也 湯本判久殿 湯本竹茂殿
閏井勻殿 野口陸三殿

川口龍造殿 市川杉蔵殿
新井彦治郎殿 石岡勝殿
今滿永森作殿 武田島治殿
大口直治殿 高坂宗司殿
石井清六殿 倉田初實殿
佐々木碌雄殿 松木七三郎殿
由井定右衛門殿 內村玄三殿
山崎正殿 小出眞基殿
酒井讓助殿 川島和三郎殿
坂口一郎殿 丸田直太郎殿
山崎三猶治殿 常田信治殿
宮島臺太郎殿 柳澤嘉輔殿
室川十藏殿 竹內傘藏殿
西澤寅之助殿 新井武二郎殿
百瀨伊之助殿 小林孟千代殿
西澤猛殿 水島久馬殿
郡司彪殿 脇坂重雄殿
宮川勝三郎殿 安藤淳殿

一金貳拾圓也 上水內郡古間觀察組合殿
一金貳拾六圓也 上水內郡榮觀察組合殿
一金貳拾圓也 上高井郡川田觀察組合殿
一金貳拾六圓也 更級郡共和觀察組合殿

海外會費領收

一金四圓九拾八錢也 ダバオ 菅沼達雄殿
一金伯貨五拾ミル ブラジル 上原養朗殿
一金亞貨貳拾貳ペソ アルゼンチン小林一郎殿

海の外往來

中島寬信 大正九年の渡伯者下水內郡永田村出身の同氏は本年一月歸國した。

大井藤吉 加奈陀バンクーバー、パーエル街一二八にホテルを經營してゐる小縣郡、浦里村出身大井藤吉氏夫妻は三月便船で再渡米。

宇都宮譽雄氏 大正七年內田登始雄氏の家族として渡伯した宇都宮譽雄氏(三十才)は在伯十二年振りで二月十五日郷里に歸つた。氏は上水內郡淺川村出身で十九才の時、內田氏と渡伯し、レジストロの藤田克巳氏のピンガ製造に奉公して今日に到り五月便船で新妻を連れて再渡航の豫定。

海外會員の賀狀

謹賀新年 遠く南國の地より一九三〇年の新春を賀し奉る
一月一日
在亞メンドサ州アンデス農園 日村一憲

謹賀新年
昭和五年元旦
伯國聖州レジストロ植民地
海外協會支部長 久保田安雄

謹賀新年 小生去る十二月十七日當地着任。無恙、風景好適の地なるも植民地氣分、小生の乘船せる船、ブエノスアイレス丸は南米行移民九百名を乘せ一路南米に向け一同元氣賑やかに御座候ひき。
ケープタウンにて 村松薫

編輯後記

▲普選第二回の政戰が一ケ月に渡つて全國に激戰を極め國民の總意は民政にかたむいて現政府は大磐石の上におかれた、民政の政策揭揚に必ずしも吾人の期待を達せしむる事には無理があろうが國民はしばらく政爭から離れて現實の個人的生活と國家の立場から民政黨の政策遂行を靜觀するがよい。徒らに政爭の渦中に躍り狂ふ事は禁物である

▲新鋭四百六十余人選良議員によつて特別議會は開會される。政策遂行の政略的具味を多分に含んだ諸豫算中に國民の注意を余り惹かなく移植民關係豫算が五百萬圓計上されてゐる。これは新聞紙上の發表で內容については未だ知るよしもないが吾人はこの五百万圓が無事協贊される事を海外發展運動の促進上祈るのである。

▲ブラジルの不景氣は深刻だ、日本の不景氣も深刻だ。吾人は自分の國の不景氣に馴れつこになつてブラジルの不景氣を恐れては不可ないブラジルの不景氣を秘密にしてブラジル天國を說くものがあればそれは渡伯移民に氣の毒な事である。吾人の海外發展運動は公明的な暴露宣傳で進みたい。獨りブラジルばかりが不景氣と思つては大間違い世界的の不況の嵐が當分吹き荒すのだからその積りで進まねばならぬ。冠頭言はその意味で見てもらいたいし芦部氏の記事も永田氏の漲書きも十分に吟味願ひたい。

▲西澤幹事が無事歸朝されました海外各地で種々御便宜を御取計ひ下されました事を厚く御禮申上げます

▲藤澤氏の「朝鮮閑話」宮原氏の「滿州見學」は面白く拝見いたしました。海外の事情を知る常識として有益なものであります

▲今月號は紙面の關係から海外通信や移植民ニウスの主要な記事を割愛せねばなりませんでした。讀者論壇、海の外問答も次號に送らねばなりませんでした。惡からず御了承下さい。

投稿歡迎
海の外社

海の外 (月刊) (一冊廿錢)

	內地送料共	外國送料共
一冊	廿錢	廿四錢
六ケ月	一圓十錢	一圓四十四錢
一ケ年	二圓廿錢	二圓八十八錢
五ケ年	拾圓	拾四圓

▲御送金は振替(長野二一四〇番)で御願ひします。外國よりの御送金は銀行、郵便局いづれにても確實に送金されます。
▲御轉居の節は早速新舊兩御住所を御通知下さい。
▲本誌へ廣告揭載御希望の方は詳細相談申上げます。

昭和五年三月一日發行
編輯人 永田稠
發行兼印刷人 西澤太一郎
長野市南縣町
印刷所 信濃每日新聞社
長野縣廳內
發行所 海の外社
振替口座 長野二一四〇番

日本力行會長　永田稠先生著

海外立志傳

開拓精神に生る　新青年は讀め!!

定價金二圓　四六版四百二十頁（送料金六錢）

本書に載せた人々の内には日本力行會員でない者もあるが、私の知人でない人は一人も無い。やゝ人に知られたる者もあり、未だ全く人に知られない者もある。私は年少の頃、英雄豪傑や、知名の成功者の傳記を讀んだ後で「俺はトテモ此人の樣には成れない」と失望するのであつた。ナポレオンや豊臣秀吉や西郷南洲等の傳記が私に與へた一種の悲哀は皆さうであつた。それで私は「若し私が立志傳を書く時が來たら、讀者に悲觀させない樣な傳記を書き度い」と希ふて居た。今や其の希ふた時が來たのである。本書中の人々は、皆、私共と殆んど同じ境遇に生れ、畧同じ程度の教育を受けた者で「此位の事なら僕にも出來やう」と讀者は必ず感ずるに相違ないと思ふ。私は、此傳記の内に記されたる人々が、他日ナポレオンであり、秀吉であり、南洲である事を希ふては居るが、よしんば、現在の其儘で終つたとするも、後進の讀者の爲めに多大の感激を與ふる筈であると考ふる者である。本書に錄する所は、嘗て博文舘發行の「新青年」と云ふ雜誌に私が約四ケ年に亘つて掲載した所のものである。多くの人々から是非纏めて一卷にして發行する樣にとの勸告を受けたのが、今回多年の願が叶つて、一卷となし滿天下の意氣あり抱負ある青年諸君の前に提供する事の出來る樣になつた事は、私の深謝する所であり、又私かに愉快に感ずる所である。

私は本書に錄されたる人々が、いや益々向上發展する事を祈ると共に讀者諸君が、彼等の如く開拓の精神に生き、未だ祖先の知らざる所に我等の祖先の未だ知らざる一大建設をなされん事を希ふて止まざる次第である。（序文の一節より）

長野縣廳　信濃海外協會（取次）振替二一四〇番

信濃海外協會　日本力行會　指定旅館

神戸市榮町通六丁目二一番邸
旅館　神戸館本店
長電話元町八六一番
振替大阪一四二三八番

神戸市榮町通六丁目中央局私書函八四〇番
株式會社　高谷旅館本店
長電話元町八五四番・一七三七番
振替大阪一一五八二番

神戸市海岸通六丁目三番邸
旅館　今泉本店
長電話元町三三一一番
振替大阪三五四一〇番

（第二版）日本力行會長　永田稠著

両米再巡

菊版四百廿餘頁・寫眞版三十頁・布製函入

定價一冊金二圓八十錢・送料一冊拾八錢

永田氏は信州の生める一異才である。嘗て南米を一週して『南米一巡』を著はし、信州に來つて信濃海外協會の組織に努力し、更に『南米信濃村建設』に關する大使命を帶びて、大正十三年五月末横濱を出帆し、布哇、北米桑港、ローサンゼルス各地に於ては海外協會支部の設立に盡力し、ソートレキー市にはモルモン宗教植民の跡をたづね、デンヴア、シカゴを經て華府に至り、紐育より大西洋を南下してブラジルに至り、移住地の選定、購入、入植の準備をなし、大正十四年二月日本に歸り來り、更に信濃村大成の爲めに努力奮闘し、今や模範的にして世界に誇り得る移住地が建設されつゝある。『両米再巡』は氏が南北両米を再巡せる記錄である。志を世界に有する者の一日も看過することの出來ない快著である。

長野縣廳内　信濃海外協會取次販賣

東京市外上板橋　日本力行會發行　振替東京六八八一番

日本力行會長　信濃海外協會幹事　永田稠著

日本植民讀本

海外發展主義の小學教育

東京寶文舘發行

菊版百五十頁　地圖挿畫澤山　定價六十錢送料六錢

四六版四百頁布製　定價二圓五十錢　送料十六錢

著者が二十年間海外發展運動に從事せる体驗からしぼり出されたる血の結晶がこの二つの著書となつて現れた。

現在の教育の欠陥は日本民族發展に關する活材料を等閑に附してゐる事で、一般教育に海外發展に關する教育を加味されたならばと著者は此の點に深く留意して今回文部省の認定を得て實業補習學校、各種實業學校、中等學校の課外讀本として日本植民讀本なる教科書を編んだ。

更に現在の小學校の教科書中、修身、國語、地理、歷史の教材中に海外發展主義の高調に利用すべき點につき學年別に其活用法を示したものが海外發展主義の小學教育で、この參考書によつて直ちに海外發展主義の教育が施す事が出來る、世の教育者に是非共必讀を願ふなければならぬ好著である。

本會にて取次ます

海の外—THE UMINOSOTO
Published Monthly by the Uminosoto Sha. Nagano, Japan.

「海の外」第九十三號（每月一回一日發行）

海外協會中央會幹事
信濃海外協會幹事
宮下琢磨著

邦人活躍の南洋

序 今井五介氏
裝幀 石井柏亭氏

行け！椰子實る國
南洋へ!!

最新刊

四六版絹布裝上製函入極美本
美術寫眞五十五葉挿入
紙數五百頁最新式九ポルビ付

定價二圓五十錢（送料十六錢）

生活の樂土は今日、天然の富源に充ち開發の餘地綽綽たる南洋をおいて他にはあるまい。而も南洋は日本人に頼らねばその開發發展は到底望み得られないのだ。南洋こそ將來邦人の活躍すべき新天地である。本書は三ケ年に亙つてこの新發展地南洋を詳細に視察した著者がその赤裸々な實相を描いたもので、殊に、南洋に活躍しつゝある邦人の實生活と邦人發展の實際と指標とを示せる點は、儀に本書にのみ有する特色である。又、著者はその政治經濟、社會万般の記事を記し、尚、南洋の實に明媚なる風光を描き人情風俗を寫して餘す所がない。挿入せる美術寫眞と併せ讀めば魂自ら遠く南洋に遊ぶの感があらう。本書は南洋に成功せんとする士の必讀者たると共に、南洋觀察旅行者の良き旅行案内書である。

東京 岡田日榮堂發行

取次 長野縣廳 信濃海外協會 振替長野二一四〇番

信濃海外協會
海の外社發行

（大正十一年四月廿六日第三種郵便物認可）（昭和五年三月一日發行）

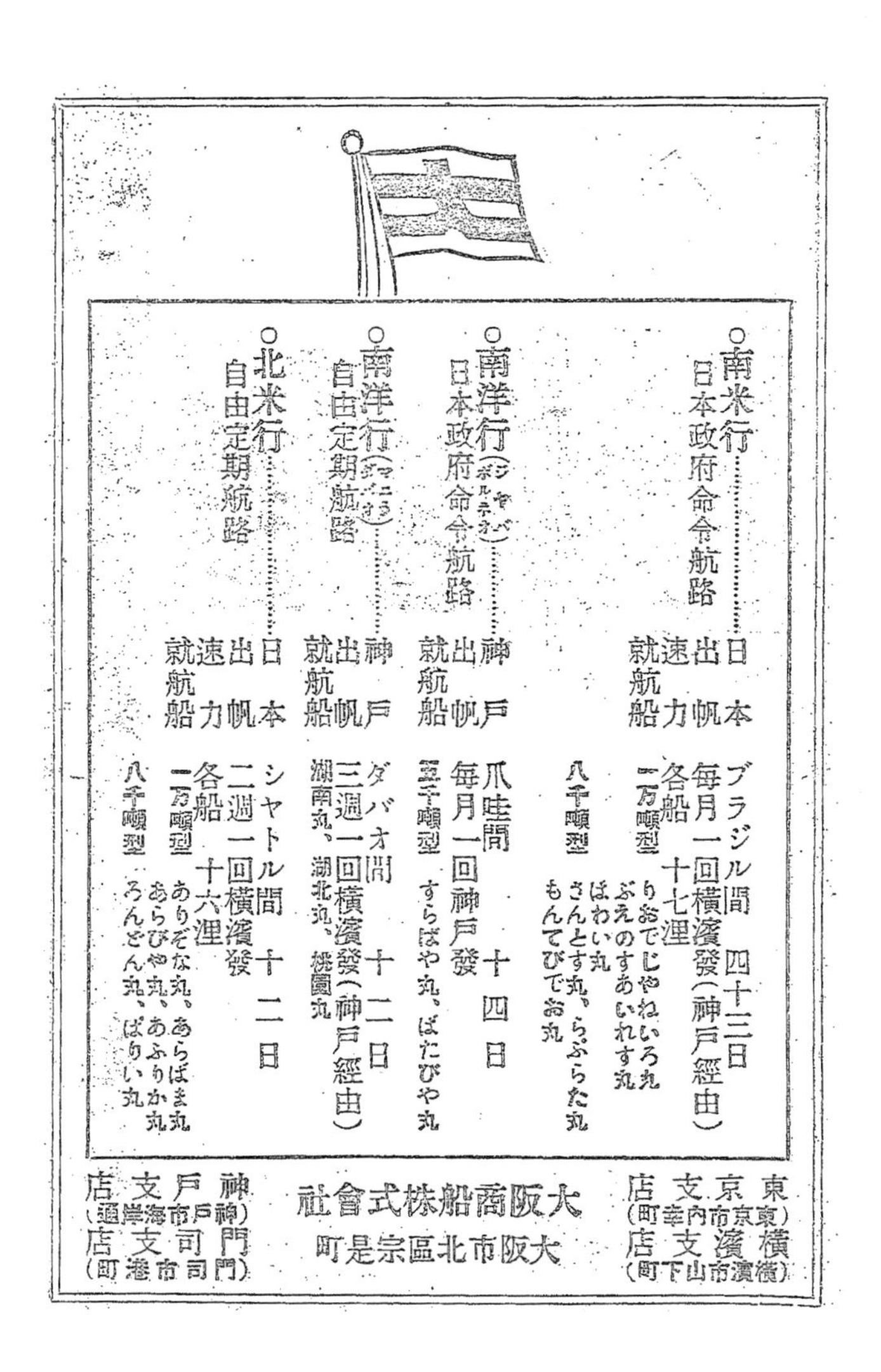

―住家―

―住宅改築の準備―
入植後四年を經たる植民は掘建小屋を捨てゝ落ちついた立派な住宅を改築する。（アリアンサ移住地所見）

―南洋―

カラモンスの流を溯る

アハカン河上りサマリンダ農園を望む

（本誌「南洋行」記事參照）

サマリンダ農園事務所

潮流と緑樹

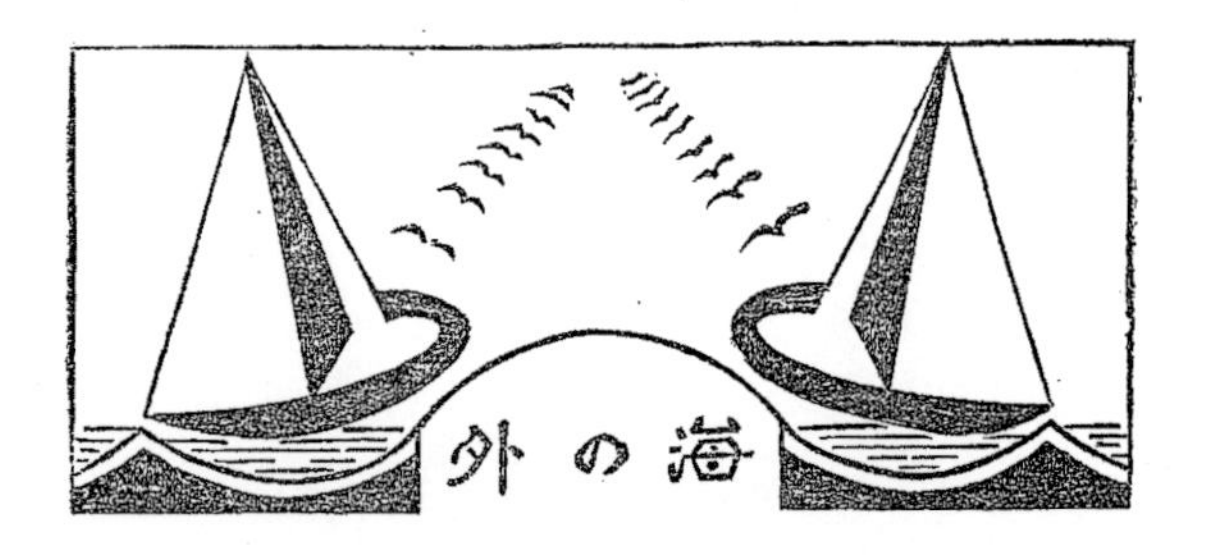

(昭和五年)　第九十四號　(四月)

ブラジルでも米は出來る

ブラジル國事情紹介の展覽會場で「ブラジルでもお米が採れるのですネ」とは、よく參觀者から聞く言葉である。

米の出來るのは瑞穂の國の日本ばかりでない事は熟知つてゐてもブラジルで出來るとは意外の發見の樣に驚ろいてゐる。「米が出來るなら安心してゆける」と續いて言葉が出る。

古來、移住者（主に國内の出稼者）の間には「米の飯とお天とう樣はついて廻る」と言ふ諺があつて出稼人はこの鐵理？によつて濶く旅他國に出かける。

ブラジルは日本と反對側にある國である。地球の向ふ側にある國であるがお天とう樣も出るし、米も出來る。しかも樂に二回も採れる所がある。

吾々は餘りに移住の經驗を持たない故に徒らに行き先き國に取り越し苦勞をするが地球の向ふ側でお米がとれる事實があり、移住者には、米の飯とお天とう樣がついて廻る鐵則があるからには安心して海外いづれの地に行くも心配はない。

―（宮本乙巳）―

邦人最初の植民地を觀る（一）

信濃海外協會幹事　西澤太一郎

我が日本の南米海外發展の第一のものとし、ブラジル國へ建設したる移住地の最も古いものとしてその名の內外に知れ亘つておるのがイグアッペの植民地である。

これはサンパウロ州のイグアッペ郡に於ける海外興業株式會社の建設せるレヂストロの植民地と、セテバラスの植民地と、ジプブラ植民地とを指すのである。

此植民地は其經營の古い事に於て、其邦人植民地の第一先進植民地たる點に於て、何人もブラジルに着手せざる中に建設に着手したる點に於て、伯國內唯一の植民地である。

殊に會社經營の移住地としてその經營上に於て事業上に經濟上に於て、幾多の難局を切り拔けたる點に於て邦人唯一の植民地である。又その經營上の問題につき又國際上の問題につきて後進の此種移住地の建設の上に於て幾多の生きたる敎訓や、指針や、實例や、得難い体驗を提供されたる點に於て實に邦家の官民の感謝に堪へない所である。又移住地入植者は何れも大正六七年頃に於て邦人のブラジルに發展の唯一の先輩諸君にして邦家海外發展の勇士であり志士であり先覺者である諸先輩の集つて各種の問題について試練され洗練され苦心され努力奮鬪されたる光榮ある幾多の物語りと、尊き体驗とを有する植民地たる點に於て頗る大切なる所である。

邦人の海外發展の上に於て是非共視察をし調査をし研究しなくてはならない所であると共に其苦心や努力やを決して忘れてはならない植民地である。

又此植民地に居つた人々でブラジルの各地、サンパウロ州の各地に於て目醒しい活動をして居る人々に於ては何等かの點に於て此植民地に關係を有するものであるといふ點に於て實に當植民地こそは重要なるものといはねばならぬ。

氣候こそ良好申分ないが地味のあまり良くないといふ點に於て、地形の惡いといふ點に於て、交通のあまり便利でないといふ點に於て幾多の不便や不利の點のあるにもかゝはらず、今日兎に角三百七八十戸のものが定住し否永住の決心もて着々好成績を擧げて行つておるといふ事は實に注目すべき事である。のみならず、地形地、味や交通やの進んだり勝つたりしておるサンパウロ州の他地方の邦人の事業の經營振りに於て敢て遲れを取らず、敗けを斷じて取らぬとの決心もてずん〳〵奮鬪努力をなし研究に調査に力めつゝあるは一面誠に痛快を感ずる所である。今後十數年にしてイグアッペ植民地は落付たる相當の進步と發展をするものと思はれる。

セテバラス植民地迄

サンパウロ市のエスタソンルスを午前六時頃の汽車で出て行けばサントス市へは九時頃には着く。それから市內を少々行つてジユキヤ線の始發驛へ行き午前十時の汽車に乘れば午後の五時頃にはジユキヤ驛に着く。

サントスの町はづれは所謂郊外といはるゝ所であるが大正七八年頃の邦人の始めて渡伯した頃は殆んど住宅は無かつたとの事であるが近年サントス市の發展につれて住宅が出來、商店が出來て大變な繁盛ぶりである。殊にサンビセンラ附近からサントスの始發驛迄の間は驚く程の變り方である。

サントス嶋と海岸とは一寸した河の樣な入江を鐵橋で渡つて段々西南へ行くのである。兩側はカンポである。卽ち極く短小なる雜木林である、地味は惡い瘠地ばかりである。然かし花岡岩の砂原でもしも赤松や黑松の海岸であつたら日本の須磨や明石の濱の樣に白砂青松とでもいふであらうがこゝは樹木は短かく雜然と繁り所々に紫や、黃や、赤やの美しい花のある樹がある、蘭類の寄生木が多くある。草花もある。然かも風景は中々よい。何れもサントス附近にある如く住宅地としては極くよろしい。地味は瘠地で農牧には向かぬ。一般に沿線何處も地味は惡い方である中々の急坂の樣な畑もある。日本流の傾斜した畑が多い。ブラジルにもこんな急坂な畑があるかと思はれて寧ろ驚く。

バナナ畑が多い。ジユキヤ線のバナナといへば中々有名なものである。

バナナ園の多いのはサントスより何十粁と行つた地である。沖繩縣人が中々多く此種のバナナ園や耕作などをやつておる。

途中イタリリイ驛邊から谷川が流れて來る。此邊では小川となつてどん〳〵西南へ流れておるこれがリオデリベイラの東の方の支流である。ジユキヤ驛の附近では中々廣くなつておる。

今鐵道はジユキヤで止めてあるがこれはリベイラ河を渡つてセテバラスへ出でソロカバナ線の一驛へ連絡するとのことであるジユキヤから又レヂストロへ直通の大道路が出來る譯で、今は大部工事が出來ておる。ジユキヤにはホテル、商店がよいものがある。旅館の中土井氏は中々盛大にやつておる。ジユキヤからレヂストロと、セテバラスへは船が常に定期に通つておる。モーターボートでどん〳〵と進み行けば中々早い。河中の兩側の樹木の鬱蒼たるもの、土人の家屋の小さい見苦しいのが所々に見へる、中には美しい大きいサンパウロやリオ市にある樣な程の家もある。然かし多くは殆んど原始的で全くの小屋である。籾を作り、フエジヨンを作りペイッシをとりして色々と農漁業の上手なものもあるが多くは貧弱なものばかりである。又牧塲が多い川の中に牛など三々五々水に浴びたり砂原に寢たりして如何にも樂しそうにやつておる。小形のガソリンボートは實に又早く走る昔の土人の用ひたカノアの所へモーターを据付けたものである中々早く又痛快に走る。モーターボートでジユキヤを夕方の六時頃出れば午後の九時半頃にはセテバラスへ着く。月光西天にありて河水に映じ金波銀波の中を走り行く心地、廣い〳〵茫々たるゆるやかな流水の眞中をひた走り兩岸の樹林の綠滴る中を進み行くその樣は何ともいはれぬ愉快さである。如何にもブラジルの旅の樣に誰しもが思ふ。うねり〳〵曲り〳〵。大凡八十粁も行く。

セテバラスは中々早くから開けた所で一寸した町の形をしておる。事務所は最近立派なものが建設されておる。

移住地狀況（昭和四年四月現在）

一、總面積　一二、〇九七町步

（イ）現在植民配置の地域　六、六七〇町步

（ロ）地形調査の上配置を準備中の地域　三、九一四町步

（ハ）利用準備未着手の地域　一、五一三町步

二、地區數　二九一

三、道路延長　九七粁

四、入植濟家族及人口。一一七戸　六八三人、その府縣別內譯は、

北海道	二九戸	山口	一四戸	愛媛	一三戸	福岡	八戸	徳嶋	七戸	長野	四戸	大阪	四戸
和歌山	四戸	兵庫	三戸	千葉	三戸	岡山	三戸	新潟	二戸	宮城	二戸	福井	二戸
静岡	二戸	茨木	二戸	東京	二戸	山形	一戸	熊本	一戸	愛如	一戸	群馬	一戸
栃木	一戸	石川	一戸	嶋根	三戸	滋賀	一戸	埼玉	一戸	福嶋	一戸	岩手	一戸

計　一一七戸

五、小學校生徒は男六一人女六一人計一〇四人である。植民地の中央に一校あつてこゝは邦語と伯語と兩方を敎授し、河岸に近き一校は伯語のみを授く。此生徒數は凡四五名で邦語と伯語兩方を學ぶものは五二名である。又邦語のみ學ぶものは七名である。

六、耕作面積及生産物その他入植者の事業狀況

四三五町步　籾、豆、果實、蔬菜等計　一二三四コントス

作物としては米、甘蔗、モロコシ、豆、マンヂヨカ、珈琲などである。珈琲は凡六万本位である養雞、養豚、製材、精米、などをやつておるものもあるが家畜や家雞は中々多い。野菜、果實、仕立屋、大工、養蠶、バナナ栽培、煙草、など將來相當盛にならむ。

養蠶は試育せるも一グラム當り繭二、一〇〇グラムの收獲を擧げたとの事である。

家畜は馬、五八頭、牛二頭、豚三五〇頭、山羊四頭、

雞　二〇〇〇羽、パット五三、アンゴーラ七位であるマンジヨカ製粉工塲水力四戸ビンガ同上二戸、精米同上三戸製材一戸ある。

七、靑年會

會員は凡六四人あつて夜學、運動、農事研究、産業發展を計る爲めの統計調査等の資料を蒐集しておる。又修養を目的とする圖書館を兼ね靑年會館設立を計劃しておる。

八、植民會

植民一般を網羅して組織し會員凡一一二名あり道路の修理維持、學校經營、其他相互扶助的に會員の福利を增進し親睦を計る等にあるのである。

九、産業組合

有限責任農業者産業組合を合法的に組織して資本金五〇コントス五〇〇株とし既に拂込金一〇コントスを得て昭和四年三月より開設せり株主八一名なり理事長は相良三介氏にして海外興業會社のイクアッペ支所長なり。

一〇、植民の素質及教育狀態

植民の素質は一一七戸の中農業者六三戸商業一八戸會社事務員は八名でその他は教師、技師、軍人、官吏等の農業者ならざるもので入植後の成績に於ても又退出者の數よりいふも非農業者に於て頗る成績不良である。

教育程度は私立大學出二、專門學校出三、中學校程度のもの一八、女學校出八などである。

作業能率は減退して學歴、素養等は年々向上したるものの入植する傾向である。

一一、植住地としては學校建設、醫療上常設機關設置、産婆の招聘又は同家族の入植誘入、種苗配布、交通機關の整備道路の開鑿連絡等に今後力を注ぐことを計劃してをる。

一二、植民地の主任

セテバラスは大野常一氏が主任として熱心に指導されてをる。殊に同氏は海外興業會社の中でも最も永く植民地經營に力を注がれたる人物優秀の仁で幾多の經驗と識見とを持たれてをる。セテバラスは今後注目すべき發展をするであらう。

又事務所に大花福藏君とて力行會出身の北海道に永く居られた新潟縣出身の人がある。頗る熱心であり研究的であり、誠心誠意、職務に盡す眞劍なる人物があつて叮寧親切に植民のために面倒を見てくれてをる。植民は非常に感謝してをる、植民地は氏の力によつて日に日に善くなつて行つてをる。其調査、研究、努力振りは實に稀に見る秀れた人物である。事業は人である植民地の爲めに喜ぶ。

見たり聞いたりした事共

一、土地代　セテバラスは地域を十アルケールを標準として（中には稍大小あるが）賣り渡される。代金に於ては一定して居つて一アルケールス當り二五〇ミル卽ち十アルケールス二コント五百ミルレースである。然かしその支拂方法は甲種と乙種との二つある。乙種といふのは會社が一時渡航準備補助金を立替へて入植せしむるもので日本を出る時に補助金を渡すものであるこれは土地代の中最初に於て九〇〇ミルを拂込ませる。甲種といふのは渡航補助金を會社に立替拂ひを賴まず同費で渡航するものであるこれは渡伯前土地代中へ六〇〇ミルを拂込ませる。補助金は入植後大低一ケ年半前後で伯國州政府より會社を經て交付される土地代殘金は年利六分で六ケ年賦で拂めばよい。

入植預托金は渡伯後の生活費や開拓費の經費に充つるもので渡航前に會社へ豫納しておく、甲種は一〇〇〇圓乙種は一三〇〇圓を要する。貸附金の利子は年一割二分で預金などは當座、定期といふ別になつてゐる。

二、植民地內の道路地形　赤粘土で中々煉瓦や、瓦にするには格別の土である。雨でも降つたらそれは大變なものである。今新らしく道路の廣いものが事務所の邊からソロカバ線へ通ずるべく工事中でセテバラスの中は大部立派に出來上つてをる。開通後はセテバラスはジユキヤ線とソロカバナ線との二鐵道とリベイラ川の水運とで大いに便利の地となるであらう。地形は中々波狀形の起伏の急なるもので日本の山地の如きものである。長野縣の山部の如きものである。中々急傾斜なものでブラジルは平地の如く思つてをる人々は入植してその山地なので一寸驚くであらう。ブラジルではサンパウロ州のセントラル線山地に比すべきものである。此起伏波狀形山地內を巡り廻つて植民地地區が切られ、道路が出來てをる。森林は大樹は少ないが中々の繁つたものである。割合に細いので山伐りには鉎りが大部都合がよいとのことである。外人に賴む山伐代も割合奥地よりも安い。一アルケールス二五〇ミル。山伐などのカマラダ賃は一人先飯八ミル位だとのことである。

移住地へ入植せんとする人々への注意

植民地に於ける成績はその家族の每日の心掛とか、入植前からの用意の良否とか、入植後の經營の如何とかによるものであるが大体は入植前からの心掛や狀態によることが多いからその渡伯せんとする人々の爲めに斯道の權威者であり何十年といふ体驗のあるセテバラス所長大野常一氏の注意事項をそのまゝ記載する。非常によい御注意であると思ふ。尙移住組合の移住地へ入る人々も大なる參考となる。

一、家族會員ガ心身ノ健全ナルコト

二、土着永住ノ覺悟ナル事

少ナクモ二拾年內外常住（一時歸鄉等ヲ別トシテ）ノ覺悟ナルベキ事

三、內地ノ資産ハ可成ク整理シテ携帶金トスルカ信用アル內地銀行ニ預ケ爲替相場ノ好都合ノ時、資金ヲ自由ニ取寄セ得ル樣配意ノ事

四、携帶金ハ標準額（植民地ニヨリ異ナルモ）ヨリ若干多額ナルベキ事

但シ勞働人多數ノ場合ハ能率上ルガ故ニ標準額ニテ差支ナキモ老幼多人數又ハ自カラ原始林ニ伐木シテ開拓ニ對シ自信ナキ向キハ兩三年食込ノ方ナルガ故ニ夫々ニ對應シク餘分ノ資金用意ノ要アリ

五、內地ニ可成係累者ヲ殘サザル事

六、四五年送金不可能ヲ覺悟スル事

七、家族ハ直系者ノミニ依ルヲ最良トスル事

八、構成家族殊ニ從兄弟ノ如キハ着伯後環境ト利害關係上短期間ニテ分離ヲ生ズルガ故ニ好マシカラザル事

九、直系家族ノ場合可成多數（男子勞働者アルモノ三、四名）殊ニ勞務ニ堪ユル老夫婦ヲ含ムハ成功確實ナル事

十、止ムヲ得ズ構成家族ニ依ル場合ハ若干資金ノ余分アルニ於テハ寧ロ婦人ノ方定着確實ニシテ當該家族ノ內部一致ニ好都合ナルベキ事

而シテ構成家族ハ夫婦ノ內主婦ノ緣者ノ方男女共ニ家長緣者ヨリモ分離率低ク植民地生活中、一家比較的平和且ツ婦人ノ在住數低キ植民地ニ於テ有爲ノ青年ノ配遇ノ機會トナリ却ツテ當該家族ノ發達ヲ迅速且ツ強固ニスル場合アルモ注意ヲ價スベキ事

一般的注意

一、移民ハ既成ノ珈琲園主ニ勞働ヲ提供スルモノナルモ

二、植民ハ未開地ニ創成セラル、植民地ニ入リテ若干、資金ヲ自カラ用意シ新農園ヲ開拓スルモノナルガ故ニ交通ニ便ナラズ共他一般既成珈琲園ニ於テ享受スル文化ニ遠カリ勝チナレバ自給自足自治共同ノ精神ヲ以テ原始作業ト其ノ生活ニ一時忍從スルノ雅量ヲ要スル故ニ家長ノ決心覺悟ノ外主婦家族等之レニ能ク理解ヲ得ルヤ篤ト自省ヲ促シ之レヲ確ムルヲ緊要トスル事

三、植民者ノ短期移動ハ抑テ不成功ノ因、多クノ場合、主婦ノ苦情ヤ愚痴ガ移動ノ眞因トナル。

四、青年家族ガ時ニ主婦ト同樣ノ感情ヲ起シ不平ヲ持出シ之レガ主婦ノ愚痴ト結ブ時比較的堅固ナル決心ニアリシ家長ヲシテ遂ニ屈服相率ヒテ都市浮遊又ハ轉々シテ事志ト反シ不遇又ハ罹病途ニ死歿其他一家ノ分離流轉ノ不幸ヲ自カラ誘致スル場合等アル事

五、植民地ノ事情ニ就テハブラジルノ一般ニ付高調宣傳シテ海外進出ノ鼓吹スル機關乃至人物ニ依リ採用スル外機會ト方法ガアレバ植民地カラ一時歸國シタ人ニ直接聞クガ能ク又ハ植民地ニ現ニ在住スル者ヨリ直接又ハ間接ノ通信ニヨリ實情ヲ熟知シ

イ、目家族ノ健康、志向、資金、事業ノ將來其他各般ノ點彼是對照熟慮シ卽チ自己判斷、自巳撰擇スルハ最モ理想的ナル事

ロ、一般宣傳講演ノミニヨルヨリモ著書又ハ雜誌記事中植民地カラノ植民者ヨリノ通信ヤ植民地ヲ見テ實際ニ觸レタル記事モ漸次現ハレカ、ツテ居ル事ナレバ精讀セラル、モ有効ナ實際的方法ト思ハル、

參考

「ブラジルの實生活」神戸久一氏著「今日のブラジル」八重野松男氏著ハ比較的適當ト思ハル。

出發前ノ用意

イ、蒲團ノ薄手ノモノヤ蚊張ハ必ズ携帶ヲ要スルコト

ロ、使用ノ出來ル人ハ可成簡單ナル大工道具モ持參ノ事

ハ、和服デモ當地デ仕立テ直シテ間ニ合フカラ自給生活ノ經濟上可成捨テズニ持ツテ來ル事

ニ、卷脚絆ヤ地下足袋ノ樣ナモノハ調法デアルカラ相當用意セラル、ガヨキ事

ホ、其他、贅澤品ヲ避ケ實質的モノヲ採リ制限ヲ余リニ超過シタリ同種ノ新品ヲ同一包製ノ許ニ多量ニ持參シテ商品ト判定セラル、事ノナイ程度デ可成各種取混ゼ多量ニ携帶スル程好都合ナルコト但シ農具ヤ風呂、釜ナドノ重量品ヲ混入セバ巧ミニ按配スルニ留意ノ事。

以上ノ外內地デ注意スル處ニ準ジテ用意スレバ足ル。

（附）セツテバラス植民地本縣人在住者

（昭和五年一月十日付久保田安雄氏報告）

家長氏名	家族人員	入植年月	原籍
平出延平	五	大正九年八月	諏訪郡境村六四五二
吉川九十治	七	大正十二年四月	下伊那郡波合村一五三
原今朝五郎	六	大正十三年一月	東筑摩郡洗馬村本洗馬上町二、〇二四
吉畑寛	三	昭和四年九月	北安曇郡常盤村三、四二二
柳澤喜四郎	七	大正七年七月	北佐久郡高瀬村
宮澤今朝吉	四	大正七年八月	上水內郡柳原村

南洋行（五）

信濃海外協會幹事　宮下琢磨

サマリンダ農地の實地踏査

サマリンダ地方の情況は、スラバヤの姉崎領事がボルネオの視察をした際、サマリンダ農園も視て來たと云ふ話でしたから、豫備智識を得る爲めに領事を訪問しました。領事の話では、サマリンダは何せい土地が低くて滿水の時は水に浸たるやうな處で、一面の平原だといふやうなことでした。滿水といふのは洪水ではなくて滿潮のとき十七八尺も河水が増すのを云ふのです、又、飲料水は危險であるから、サイダーやビールで喝を醫し、茶も飲まなかつたと云ふやうな話でした。如何にも地圖で見ると、一帶が平野になつて居、この平野のところを水が縱横に流れて居る。で、水浸地では農作物は絶對駄目であるから、少なからず失望したのでした。然るに、今こゝへ來て現狀を視ればどうでせう。河に臨んだ處は幾分の平地ではるが至るところ三十メートルから百メートル内外と思はるる小丘小陵が連立し、それは恰も、鎌倉あたりの地勢を見るやうに小丘ではあるが嶮峻であり、見渡したところ、草原どころか蜒々たる山地であります。では、領事ともあるべきものが、何故虚僞の言を弄しましたか。故意に虚僞の言を弄したのでないとすれば、何がこの幻覺を起させたのでせうか。それは領事は、平生スラバヤの風通しの良き官舍に起臥して居つた身で僻陬地の視察となつたで、視たさは視たし怖くもあり、頗る疑惧の念にかられて居つたさうです。それで、サマリンダまで行つて、船の中にとまつて一寸農園の事務所まで二十町程自動車で行き、豚のスキ燒にビールで良い機嫌になり、「大に有望なところである折角努力し賜へ。」てな事を言つて、そのまゝ、その船で歸つたさうです。歸れば、安樂椅子に悠然と構へて、抑々サマリンダは……と云ふ調子で不完全な粗雜な地圖と、ビール氣分でゴツチヤになつた印象とを結合して、天晴經營との名論？を聞か

せようとしたところに無理があつたのでした。しかし、責任ある人のこの位の出鱈目も珍らしいのです。

サマリンダ農園にも、賣買契約當時の地積だけの略圖しかありませんので、賣地をしらべて見ねばなりませんでした。しかも、三里に一里餘の山地ですから、さう簡單にはまゐりません。

この農地を流れてマハカンの大河に注ぐ支流が三ツありますが支流の通ずる近傍をしらべるには、土人に小舟を漕かせて、ところどころ上陸しては調査し、また、舟を漕がせては上流に遡るのです。が、深い谿が續いて、樹木鬱蒼と茂るところなどは一寸調べて見る譯にはまゐりません。舟が小川を遡つて、川の上に大木が枝を交へて日の光をさゝぬやうな緑のトンネルの中を行くと、川は一面の水草で、水草のうちには大輪の花の咲いて居るのもありますが、この水草の花をわけて行くと、緑葉の蔭に笑いさゞめく聲が聞へてきました。村の乙女たちが、水泳をしたり、行水をつかつたり、水をくんだり、髪を洗つたりして居たのです。どうしても二千年も前の遠い國に遊んで居るやうな氣がするばかりです海の世界であり、夢の世界であります

兎に角川を行く方は、涼しい緑蔭の中をビール瓶につめた茶をのみ乍ら、靜に上つて行くのですから、よしんば、岸に上つてけ驅廻つてあるいたとしても樂なところがあります。が、始めから道のない山地を踏査するときは、さうは參りません。土人の通つたやうな細徑を辿つて行くうちに道はなくなつてしまふ。がそのかはりに、山豚――猪と豚の合の子――の潜つて歩いたトンネルのやうなものが、一丈もある茅萱の中に見出されます。これをくぐつて行くうちに寢床のやうなものとなつて、行きとまりとなる。歌にでも詠めば臥す猪の床とかつて、優美にも聞こゆるであらうが、實際は優美どころの騷ぎではないのです。手には山刀を引つさげて、茅萱をミシ／＼押し、倒し、又は樹の枝を伐り拂つて進んで行くので、一時間かゝつてやつと三四十間しか進めないこともあります。

午後になると、流石に赤道直下であります、寒暖計は遠慮なく上つて百三十度くらいになります。こんなときに、樹の下で辯當を滿喫しますと、他愛なく地の上で眠りこけてしまひます全く樹下石上の安樂世界です。

夜　市（パッサンマラン）

サマリンダでは、毎日あるき廻つて、地圖をつくつたり土塊をあつめたりして居ましたが、その間に夜市があつたので見にまゐりました。夜市と云ふのは、産業共進會のやうなもので、偏土のサマリンダでは、アンペラ圍ひの賣店が並んだだけです。大都市などでは、金をかけて特別の建築物もつくりますが、その中に、最も賑かであつたのが餘興場でありました。餘興といつても簡單なもので、踊りと賭博の二ツ。踊りはジャワの踊りもありましたが、ダイヤの踊り、ブギスの踊り、ベンジャルの踊りなどの色々ありました。こゝで一寸ジャワの踊りの習慣について申しますと、農園などで、何か祝があれば舞踏會が始まりますが、中の踊り娘は、踊りながら中て巾のきく兄さん株

か、勢力のある頭分の前に行つて、情味ゆたかな眼をあげ、一寸會釋をいたします。相手として選ばれた若者は、身に餘る光榮として、場中に飛び出し娘の相手として踊ります。双方の調子がシツクリ合つて來ると娘が會心の笑をもらし、銀聲をあげて歌をうたふ。男はうれしがつて無中になつて踊ります。大鼓や木琴や、胡弓などの樂器も勢よく洋々融々たる音を出して調子を合せる。男は娘に御祝儀を出して喝采裡に引きあげます。これが普通で、これならば天下泰平ですが、娘が日本人の監督とか、主任とか云ふ來賓の前に行つて一寸挨拶する、日本人にはこんな踊りの素養がないから、チンプンカンプン知らぬ顔をして居る、又踊つて二度その前に行つて挨拶する。まだ知らぬ顔をして居る。群集の顔には、明に不滿の色が見えます。二度まではよいさうですが、三度挨拶に行つて知らぬ顔をして居れば大變です。ジャワ人を侮辱した最大のものとして、歡樂場は忽ちストライキの相談所となり、翌日から休業となるさうです。これは久原農園の人からも聞きましたが、踊りが出來ないでも場中へ出て、腰をふり手を動かして御祝儀の五盾も出せば大歡迎で、トアン（旦那）の威風なびかぬ草木もなかりけりと云ふ情態だと云ふから頗る簡單ですが、少し事情に通ぜぬと、一毫千里の差を生じて、殺人騷ぎなど出來るのが未開人の常であります。ジャワ人の踊りは悠々迫らざる悠長なものでありますが、中には左右の手二本の指だけ出して、それで左右の手を烈しく交入させたり上下に動かしたり頗る滑稽なものもあります。ダイヤは、後に述べますが、これは非常な剛强勇武の民族でありますから、武器を以て踊ります。

踊りはこの位にして次は賭博でありますが、支那人位賭博の好きなのも珍らしいと思ひます、いや何處の人間でも皆すきなのでせうが、弊害をみとめて政府でとめてあるが、支那人は、政府の取りしまりが寛であつたためか、賭博はすきであります先づ婚禮があるとすれば大抵三日位の大饗宴が開かれますが、この三日間は、官憲の許を得て裏座敷は盛んな賭博となりまして、勝つた人から何歩と云ふテラ錢を出してもらへば、それで三日三夜の長夜の宴の費用を拂ふてまだ殘るさうです。滑稽なのは葬式ですが、死者があれば、支那一流の誇張した慟天哭地的な風悲み日月も光が薄くなりさうな悲哀な死亡通知が發せられると續々會葬者が集り、またこゝに大賭博が開かれ、そのテラ錢が御葬式の費用になります。これは南洋の支那人に見うけるところでありますが、土人も支那人に劣らざる好賭博國民です。祭日とか、夜市には、各種の博戯が行はれますが、最も流行して居るのは、南米のサントスで大規模でやつて居るが、台の面を三十幾つかに區分して各思ふ場所に金を置く、一方にプン廻しがあつて止まつた處に數字がむいてある。只サントスの設備は、巍々堂々たる建物であるが、こちらは野天か、精々テント張り位なところで、場内はあちらもこちらも實に身うごきが出來んほどの混雜であります。彼等から賭博をとり上げたら人生の大半の娯樂はなくなつてしまふでせう。

次はテンガロン三域地と剛勇者ダイヤについて御話致しませう。（以下次號）

移植民ニュース

歸米運動
市民權擁護のため

在米邦人中米國及布哇にて出生したる邦人數は十三万余に達し日系米人として米國に於て第一世とは特殊權能を有し將來日米兩國に立つて洵に重要なる地位を占べきにかゝはらずこの市民權所有者は約二万五千余が日本にある。これは一日も早く歸米してこの市民權擁護のために自ら在米する必要があると云ふので邦人各種團体では一致してこの運動を起すべく今回母國關係各方面に檄を飛ばして來たその第一着手の仕事は在日本の米國生兒童及青少年の個人調査であつてこの外に米國の事情案内書渡米注意書を作成して渡米方法を促進せしめる。

墨都に
邦人青年會生る

墨都に在住する邦人青年は約七百名に達してゐるが未だこれが統轄された團体組織なく青年の相互親睦向上發展の上に種々の支障を來たしてゐたが今回墨都日本人青年倶樂部を設立する事になり二月二日盛大なる發會式をあげた。倶樂部は運動、文藝、辯論、人事相談、圖書の五部を設け各部に部長を置き活動の基本となるものである。

森田三樹氏が
大日本ブラジル研究會組織

本誌論壇の一人、森田三樹氏は今回拓務協會理事に就任したが更らに氏は日頃の宿望を果すため大日本ブラジル研究會を組織して東京市芝區櫻田鍛冶町十番地三友ビル三階に事務所をおき全國的に同志を糾合する事になつた。同會の趣意は日本の行き詰りは二つの方面から打開せねばならぬ即ち民族の上から見た人口過剰と國家在立から見た産業原料の不足を解決するには邦人の海外發展より外途なくこれが發展にはブラジル國を除いては他にないと云ふのである。

届出は四月十五日限り
改正徴兵法に伴ふ實際手續

徴兵適齢者の海外渡航は四月十五日までに海外渡航許可若くは旅券下付の事實を證明した承認書を下付官廳からもらひ。これに徴兵延期願書を合せて聯隊區徴兵官に差出し最近發便船を以て出發する事になつてゐるが徴兵檢査當日までに本國を出發し能はざる時は當然檢査を受けねばならぬのであつたが昨年の實例によると檢査日までに尚乘船の都合上本國を出發せざる事能はざる場合は七月十五日に迄故國を出發すれば徴兵延期の恩典に浴する事が出來る。而して右の場合は絶對徴兵忌避の疑ひなく正當の理由を以て七月十五日迄本國出發し能はざる場合のみに限られたる事は勿論である。尚四月十五日迄に旅券下付せざる時は前述の

手續出來ざる事は勿論である。

人材を養成
海外協會中央會で

國民海外發展に關する諸機關の增加と國民海外發展希望者の增加とは海外發展に必要なる人材養成の急を告ぐるに至り海外協會中央會では多年此方面に努力し相當の成績を擧げてゐるが今年度も三十名以內を採用して四月から一ヶ年間日本力行會海外學校に依託し普通科に在學せしめて敎育する。年齡は十八歲以上にして係累少なくして海外に移住可能なる事、出來得れば海外移住に要する資金三百圓以上を所持する事、學資金は約三百六十圓を要すべきも內一名百圓以內を補助せらるゝにつき二百六十圓の學資を有する事、希望者は四月十日迄に海外協會中央會申出づる事。

伯國官憲の
認證は本邦官憲がやる

現在伯國渡航者中年齡十八未滿の呼寄者又は六十歲以上の者若くは單獨婦人なる時は伯國聯邦農工商務省植民總務局の認證ある書類を必要としてゐるが右は事情不可能のため非常な手數を要してゐたので本邦外務省に於て交涉の結果總務局の認證ある書類と同一効力を有するものを在サンパウロ總領事館に申出づれば交付する事になつた。

拓務協會
交涉成つて發會の運び

東洋協會、南洋協會、海外協會等は昨年拓務省の諒解の下に全部合體して「拓務協會」を設立し移植民および海外拓殖に雄飛すべく各協會の首腦者たる水野錬太郞、內田嘉吉、永田秀次郞、井上雅二諸氏の間に昨夏頃から交涉が進められた結果、この程漸く合體することに決定した、然し拓務省側の希望もあり發會式は本年の夏頃となるらしい。

拓務協會成立の曉は拓務省の指定する事業を請負ひ補助金の下付を受くると同時に民間資金も吸收せんとする大規模のもので、人口食糧問題解決のための各地の實地調査、宣傳博物館の設置を始め移民事業の經營にまでも進出せんとするものである。

ブラジルの
邦人自然增加

	出生 男	出生 女	死亡 男	死亡 女
大正十五年	一,一一五	一,〇七〇	三八五	二八六
昭和二年	一,三八二	一,二六四	四一八	三九六
昭和三年	一,四四三	一,四三六	五六四	四八四
三ヶ年總計	三,九四〇	三,七七〇	一,三六七	一,一六六
合計	七,七一〇		二,五三三	

ブラジルからの
日本人歸國者數

	男	女	計
昭和二年	三二二	一四一	四六三
昭和三年	五六一	三七二	九三三
昭和四年	四四六	二九二	七三八

（移民情報第三號より）

海外通信

支部便り

西澤幹事を迎へ
鄉黨相集ふて快談

北加信濃海外協會幹事 臼井省三

桑港を中心に郊外五六十哩は雪や雨雪が降り仕切り十五六年振りの寒氣に襲はれますので人々縮み上がつて居りますが桑港も朝夕四十五度位の氣溫で春雨がしと〳〵と十日間許り降り續いて居ります。一月十四日午後四時頃突然本部の西澤幹事が南米視察の途次五百哩隔たるローザンゼルスより當桑港へ汽車で御出だと云ふ電報が南加支部長から參りましたので早速小川ドクターが自用車を飛ばして御出迎へを爲し、臼井幹事の宅に於て三四人と共に晩餐を採り午前の一時頃迄色々と故國の思想問題農村の現狀南米觀察談が續きました。

西澤幹事は南米移住地の用務が思ひ外手間取れ二ヶ月の豫定が三ヶ月となりそれが爲め各支部（重に北米の各支部）への御訪問の時間が無くなりどうしても西北部支部への御訪問が出來ない事を非常に遺憾に思はれて居りました。而して當支部御訪問も旣に羅府より南船のラプラタ丸に便乘の手筈になつて居りますので再び南加へ、十八日御歸りになり十九日の南加支部の會合に御出席にならねばならぬと云ふ御忙しい中にも不拘北加支部をワザ〳〵御訪ねくだされた事を深く感謝する次第であります。當支部でも餘り突然の御訪問でありますが故多數會員を集むる事が出來ず只だ新聞紙上に廣告いたし去る十七日夕酒井喜多市宅に於て理事會を開き、酒井喜多市氏田中常助氏、華村松田午三郞氏、臼井幹事、大久保政壽氏霞野鉦二郞氏等々力利明氏小川榮一氏佐市の北澤武右エ門氏及桑港領事館の金子副領事足羽書記生等と會食を共に致し移住地の話を專門的に御說明

被下し故金子副領事など職務上大いに得る處ありと大に喜ばれて居りました。最も西澤幹事の海外在留の吾々を寄せた御話は在米日本人の第二世の指導問題に就き未だ曾て吾々が思ひ寄らなかつた新らしい腹案の御提唱であります。卽ち確かりした日系市民で有利な事業を起す場合故國の資本を投じたいと云ふ事であります。今日本の資本家の心持ちは外國事業に投資を希望して居る事は事實で殊に金解禁後の日本は北米への投資する機會があらば喜んで投資をするでせう。夫れには日系市民たる第二世の手を經て投資するのが尤も安全でもあれば便利でもある決して机上の空論ではないサテ此の結論を得たとすれば諸君在留者の眞劍なる御奮鬪にまたねばならないと云ふ鞭韃の辭を加へての近年にない愉快極まる側話しでした。

却說夫に付けても現今の在留日本人の疾患とも云ふべき有樣に付いて少しく申述べて見たいと思ふ。

千九百廿四年七月最後の排日法の新移民法施行以來米國の日本人は本國政府の外交々涉に信賴するには餘りに賴りなく亦た幾多の渡米所謂名士の意見も千偏一律的に御座成り永住を說いて最後には判で押した樣に次期の選擧に可然御後援をそふと云ふ仕末。內には第二世の指導機關の設立を說く者はありましても多くは職業的に傾いて確固たる中心人物が無く外務省の方針も商業立國に基き貿易を主として居るから在留日本人の多數には向ない樣である。要するに事を樂く可成問題を起させたくないからでもありませう。日本人會は二十年も過去の遺物で去勢した馬疋の樣で過去のをもかげは段々薄らき行くのも自然の勢ひでどうする事も出來ないが、第二世の將來を思ふとき親達の考いも昔日と違ひ色々思ひ惑ふのであります。そこで從來の日本人會の重なる仕事が邦語學園に移り幹事が敎師に代ると云ふ有樣ですが子供がスク〳〵と年と共に延び行くが學園の組織が夫に伴はぬのが妙な珍現象邦語學園で習ふ日本語よりは戶外で白人兒童と遊ぶ英語の方が實際的で面白味があるから親の小言の仕返しには英語でベラ〳〵遣り返すと親は素より語學の爲めに永い間どんなに苦んだかと過去の事を偲ぶと二ノ句か出でずに小言處か其の流暢さに感心して仕舞ふから子供も自然親をなめて仕舞ふ。義務敎育の放課後（第二世は日本と同じに必ず就學の義務を負ふものとす）日本語學校へ通學さする父兄の內にも意見を異にして居るものもあるやうである。元來邦語學園は月謝で經營して行くから學園當事者も父兄は素より子供の御氣嫌をそこねぬ樣心掛けて敎へる謂はゞ遊び半分身の入らぬ事は御話にならぬ、就學兒童に勿論競爭心の起る筈もない、大体幼年兒女には二つの學課を科するのさへ重荷に堪へないだらうと識者は思ふて居るけれど父兄の多くは未だ腰掛生活で日本へ歸つた時に困ると云ふ用意から出發して居る樣である今回西澤幹事から南米の御話を承り北米の日本人の痛手とする腰掛浮腰の生活から子供の敎養の事を考ると冷汗が流れる樣であります。而して今一つは北米に於ける日本人の最も善くない處は飮酒と賭博である。米國の國情が左樣に傾き安い處もあるであろうが可成りの潜在力で行はれて居る隨つて夜更しの民族で總ての會合に時間の觀念に乏しいのは通り相場、斯樣に惡い處許り申上げて申譯ありませんが、他の各國人に比べては矢張り日本人は優良な民族で米國の犯罪統計に現はれた日本人は酒と賭博が無かつたならば恐らく世界一の國民だと云ふて居るそうです。

（一月十九日）

米國シヤトル中心の
―信州人活動狀況―（一）

米國西北部支部

昭和四年度幹部

總務委員	平林破魔雄
同	中曾根武平
同	神津作一
理事	木村憲司
同	尾羽澤義胤
會計	伊藤博隆
同	長谷川英人
議長	宮田主計
副議長	伊藤恒司
ベルビユー地方委員長	山極啓吾
白河地方委員長	平林利治

昭和四年度貯蓄部役員

部長	中曾根武平
副部長	平林破魔雄
會計	尾羽澤義胤
幹事	神津作一
同	伊藤博隆
同	太田留吉
監査役	宮田主計
同	長谷川英人

會務報告（自昭和三年十二月 至同 四年十一月）

◎十二月一日 太田丑太郞氏に名譽會員推薦の通知發送す。

◎十二月三日 北米日本人會より過般各國体連署にて日本政府に請願中なりし徵兵猶豫特典失格者の特典回復承認の旨通知來る。

◎十二月九日 勝野庄一郞氏より歸國に際し金拾弗寄附せらる

◎十二月九日 午後三時より錦華樓に於て定期總會開催出席者二十二名、神津議長議事を掌る。

△日程第一、尾羽澤總務委員挨拶。

△日程第二、會務報告、宮田理事說明承認。

△日程第三、會計報告、伊藤會計說明承認。

△日程第四、議案討議。

▲議案第一、昭和四年度豫算案、伊藤會計說明、可決

△日程第五、役員選擧の結果左の如し。

▲總務委員（定員三名）

十七點　平林破魔雄
十七點　中曾根武平
十五點　神津作一
以上當選
次點者
三點　尾羽澤義胤

▲理　事（定員二名）

十六點　宮田主計
十四點　木村憲司
以上當選
次點者
七點　尾羽澤義胤
五點　太田留吉

▲會　計（定員二名）

十三點　伊藤博隆
十三點　長谷川英人
以上當選
次點者
六點　太田留吉

新任役員を代表して平林破魔雄氏の挨拶後、忘年會に移る。
◎十二月九日　中村學一氏夫人より病氣見舞に對する禮狀來る
◎十二月十五日　定期總會にて選擧せられたる昭和四年度新役員に當選通知狀發送す。
◎十二月十六日　宮田理事辭任次點者尾羽澤氏補次當選
◎十二月十七日　定期總會に缺席せる會員其他各地方の海外協會支部に昭和三年度會報發送す。
◎十二月二十日　宮田、木村兩理事間に事務引繼ぎ完了。
◎十二月二十日　各區代議員及主任決定。
△第一區、主任、小林英德、小林慶太郎、田中正作、山口良之助
△第二區、主任、尾澤永吉、山浦與十郎、中村逸慶、小池代次郎、川船和夫、原春樹、宮澤常太郎、神津知
△第三區、主任、吉村國會、依田武左衛門、依田謹一、池田倉助
△第四區、主任、原渡、保刈陽夫、名取三重、宮田主計
第五區、主任、荒川山壽、伊藤恒司、望月秀一、藤原正富、黒岩滿次、瀧澤百二、平林朋信、須坂美須裒
△第六區、主任、池上榮七、田中映一、今牧連藏、黒河内欣一
◎十二月廿三日　本年度第一回代議員會を午後四時より玉壺軒に於て開催、正副議長選擧の結果左の如し。

議　長　宮田主計
副議長　伊藤恒司

尚新年會を本會貯蓄部總會を兼ね一月廿七日錦華樓に於て開催すること。
◎幹部會　代議員會閉會後引續き開催貯蓄部總會に提出すべき役員候補者詮衡に關し懇談的に相談をなす。
◎十二月廿六日　代議員會に於て當選せる正副議長並に各區主任に夫々當選通知狀發送す。

○恭賀新年

千九百廿九年一月元旦
◎一月二日　太平洋商業銀行より年賀狀。
◎一月二日　信濃海外協會本部に當支部昭和四年度役員名簿通告。
◎一月八日　長野縣人小松顯一氏ホテル經營中失火大負傷せし由、尾羽澤理事市病院に訪問。
◎一月八日　ドクター井出氏より年賀狀來る。
◎一月十六日　小池代次郎氏負傷神津總務委員本會を代表して訪問、本會よりは見舞狀を發送。
◎一月二十日　本會々員並木伯太郎氏病氣、神津總務、尾羽澤理事數次訪問中なりしが本日タコマ實弟並木週三氏宅に移轉。
◎一月廿一日　來る廿七日本會貯蓄部總會兼新年會開催の通知狀を一般會員に發送。
◎一月廿一日　平林破魔雄氏より金拾弗初老の祝として寄附せらる。
◎一月廿四日　神津總務より第二區主任尾澤永吉氏辭任につき次點者小池代次郎氏當選受諾の旨申込まる。
◎一月廿四日　來る廿七日午後三時半より臨時幹部會の旨通知狀發送。
◎一月廿五日　故國なる井出憲三氏より年賀狀來る。
◎一月廿五日　小池代次郎氏より禮狀來る。
◎一月廿七日　午後三時半より幹部會開催、貯蓄部新役員候補者二十名を詮衡す。
◎一月廿七日　午後四時より貯蓄部定期總會開催出席者二十五名中曾根部長開會の辭後尾羽澤會計報告全部承認、後役員選擧となるや小林英德氏より前年度役員全部留任の希望あり滿場一致贊成投票せずして新役員決定す、即ち

部長　中曾根武平、副部長　平林破魔雄、會計　尾羽澤義胤
監査役　長谷川英人、宮田主計、幹事　神津作一、太田留吉
伊藤博隆

◎一月廿七日　午後六時より錦華樓に於て新年會開催
◎一月廿七日　太田丑太郎氏より金貳拾弗寄附せらる
◎二月七日　太田丑太郎氏、平林破魔雄氏寄附芳名を兩新聞紙上に發表。
◎二月九日　代議員藤原正富氏一家歸國につき尾羽澤理事見送り且つ餞別をなす。
◎三月四日　タコマに轉住せる並木伯太郎氏本日死亡
◎三月七日　故並木伯太郎氏葬儀本日タコマに於て執行、尾羽澤理事弔辭を述べ供花を贈る、シアトルより會員多數會葬せり
◎三月九日　並木伯太郎氏實弟周三氏より香奠返しの意味にて金五弗寄附せらる。
◎三月十八日　今般當市よりシカゴ市に轉住せらるゝ原渡氏一家の爲め送別會を玉壺軒に於て開催、出席二十一名、尾羽澤理事司會、宮田、山浦、中曾根、平林の諸氏の送辭、原氏の謝辭あり盛會。

◎三月十八日　午後十時より臨時役員會開催、四月上旬代議員會開催することに決定。
◎四月一日　宮田議長より第四區代議員原渡氏補缺として細川德衲氏主任として寺田誠治氏を選定せる由報告ありたり。
◎四月十二日　第二回代議員會を午後八時より日本商議に於て開催、出席九名
△日程第一、會務會計報告、承認
△日程第二、議案討議
▲議案第一、會費募集の件
▲議案第二、運動會開催の件
前者は可及的早く募集すること。
後者は六月中旬開催總て前年度に準してなすこと、總委員長を紳津作一氏とす、尚各部委員左の如し。

副委員長　宮田主計、尾羽澤義胤
特別會計　伊藤博隆、長谷川英人

（以下次號）

アリアンサ便り

蒔さへすれば
——よく出來る農作物——

在アリアンサ　長谷こみゑ

> 長谷とみゑさんは木曾山口村の出身、實兄の海外發展熱に共鳴して一昨年力行會員長谷君と結婚して直ちにアリアンサに入植しました。此の通信は實兄宛に若い夫婦が活動の一端を知らせたものです。

兄さん、度々御手紙有難うございます。「山口」雜誌も夫と樂しみながら拜讀してゐます、本當にブラジルの生活と今の日本の生活とはよく竝べられますよ。それから家ではみんな無事とのこと何よりです。

今年はお米も籾で五十俵位とれる豫定です。野菜物は大根や菜類はよく出來ます。玉菜（甘藍の事）は余りよく出來ません。此處では蒔さへすれば自然に大きくなり肥料一つやるでなくズン〱育ちます。薩摩芋は羨の頭位の大きさになります。近所の方には差上げてゐます。百姓も面白くなりました。去年七八粒蒔いた、ゐんげん豆が石油罐に一杯半もあつてこれには驚きました。自然の天惠に農作物は實に豐富です。何一つ不足がありませんが猶足りないものは魚類です。流石にこゝは魚類が高値です。

いろ〱書きたい事がありますがこれで失禮いたします。

（八月十二日）　　妹より

兄さんへ

丸一年は夢の様
——お產もあつて大忙がし——

在伯アリアンサ　長谷芳松

母國を出發して早や丸一年になります。私共も誠に健全で毎日働いてゐます。日本は今、櫻花爛漫人の心も浮き立つ春の酣でせう。當ブラジルは秋です去年蒔いた籾の收穫期で黄金の波が漂ふてゐます。努力が酬いられたのですね。秋と云つても木の葉一つ枯れるのでなし唯今までゐた蚊がゐなくなつて蚊張がゐらなくなり、朝晩が急に冷える位です朝晩の溫度は五十度から六十度日中八十度から八十八度（中略）

珈琲も穴から早いのは葉を現してゐます。二千二百本植えて完全に珈琲らしく育つてゐるのは千八百本位と思ひます。何と云ふても去年は初年度で要領を得ずアミーバ赤痢で十五日の臥床が最大影響でしたが今年は大いに頑張つて二千二百本位植える豫定です。妻も八月頃の出產ですから妻の勞力は當てにせず自分一個の力を賴みと致します。珈琲は全部で四千四五百本で止めます、無茶に植えても後の始末に了へませんから。後の三アルケールの森は養豚でも大いにやる積りで豚小屋も妻と二人で二日かゝりましだ。どうやら目鼻もつきそう、今年の仕事も豫定が立ち、亦六年度の小作を終つてからの方針も考へてゐます。

私の様に日本で鍬一つ持つた事のない者でも結構やつて行けるブラジルの百姓は呑氣です。六年の小作と云ふても日本の小作とは大違ひで契約年限だけは取りたい丈け取れるのですから働けばそれ丈け正味自分のものになるのです。（中略）

先日送りました繪ハガキは着きましたか。幾分御參考になればと思ひまして。それからお送り下さいました餅は未だ着きません。多分五月サントス着の船で來るのでせう。とみゑにも手紙を出す樣に言ひますが仲々書けないやうです。二人の心と心が和合夫婦は睦じくある事を御安心下さい。この事は御兩親にも必ず御傳へ下さい。（四月十五日）　長谷

古井乙三郎樣

×　×　×

その後は意外の御無沙汰致しました。日中の勞働は夕食を食べて寢て鼾をかくのが何よりの望みです。若輩の私にとつて一家の切廻しは容易でありません。每日仕事に追はれてゐます。

妻のお產は七月廿七日午後十時男子を分娩いたしました。私共には初めての出來事ですし、又年上の人もゐなく心配しましたが產婆さんもきてくれましたし、原さんの奥さん、妻のお友達の骨折りで何んなくすませた事は何よりの幸ひでした。お產は二十日も早かつたので一時は大變間誤つきました。八月三日は「名付祝」をして隣の人や、御厄介になつた方々を招待して心ばかりの祝をしました。名は哲夫とつけ初めて子を持つ親の

身となつた二人は感交々です。

畑は雜草がグン〳〵伸びてゆく、いくらあせつてもエンシャーダは一丁より動きません。夜は赤兒の泣聲で熟睡は出來ずいよ〳〵忙はしくなりました。

當地は唯今山燒の時で毎日二つ、三つの山燒きがあつて太陽も煙のために色が變る程です。我々の山も二十五日に火を導れます。全部で三十八アルケールです。山燒きの具合でその年の仕事が狂ひ出すので誰しもよく燒ける樣にと祈つてゐます。

最初に植付た人達の珈琲は本年盛んに收穫してゐます。十五本で一俵、一俵が二十ミル安いので持ち越す人も多いそうです籾は二十一ミル之れから値が出るそうです。私も三十五俵は賣れる豫定です。今年は百俵取りの豫定で仕事を急いでゐます。

妻は未だブラ〳〵身體も恢復してゐません皆樣に御心配をかけて早く御通知すべき事をおくらして相すみません。

(八月廿四日)

古井樣　長谷

多角形農法が
―ブラジル國でも必要―

在伯アリアンサ　林　光衞

目的のアリアンサに無事到着いたしました。目の前の忙しい仕事のために御無沙汰致してゐりました。

今日まで雨季になるまで無我無中で働らきました。近頃は毎日の雨ばかり、これもしつきりなしに降り續くので何の仕事も出來ません。モウ五日も降り續いてゐます。手不足の人々はフエヂョンや瓜類がベツソリと腐つてゐます。

山の方は一、五アルケール程カフエーを蒔付けました。先輩の經驗談に從つて種々敎へられてゐます。アリアンサは余りにも開發がされてゐて「開拓者」なんて自負した者にも物足りない感じをします然し今迄の內地生活に較べてこゝの仕事は格段と筋肉に苦痛を感じます。然し又こうしたマット(森林)の生活は實に呑氣です。………このまゝ考へる事なく生活したら確かに彼の土人達黑奴連となつてしまひます。

伯國經濟界の不況は深刻となり珈琲專業が危險となり多角形農法が當ブラジルでも考へる樣になりました。そして更らに原始生產から加工生產までの諸機關を施設して一個の商品として市場に出すまでに完備せねばなりません。此の意味からしてもアリアンサは更らに工業方面に農產物の加工施設を必要とします。出來る事なれば養蠶より繰糸、そして絹織物まで。棉作より綿布まで、とする設備をして昨今の不況時代に動搖せぬ丈けの準備をしたいものです。

伯國はモウ眞似的のコーヒー作りは駄目ですそして珈琲栽培も合理的の經營でなくては駄目です。

御無音を謝し乍ら入伯早々の所感を申上げて協會皆樣の御健鬪を祈ります。未筆乍らつね子もお蔭樣に丈夫で働らいております。皆々樣によろしく申して居りました。入植早々は大澤兄に御厄介になり御親切に感謝してゐります(十二月十九日)

宮本曰　林君は上伊那郡中澤村の產、快活で熱のある青年、新妻を娶つて神戸まで行つて乘船する矢先き妻君が發熱して止むなく中止、全快すると今度は船客滿員等にて遂に約九十日を神戸の旅舍に送らねばならなかつた。この間君はホテルの料理の手傳や、免囚者と市內の夜警番等をして遊ぶは嫌ひの君で評判だつた。

伯國便り

食ふには
―心配のない生活―

在伯西北線ペンナ驛ノゲラ殖民地　安江惣右衞門

永々御無沙汰致し候共後御一同樣御變りもなく御壯健にて御暮被遊れ候や御伺申上候。

次に小生等家族儀渡伯以來至極壯健にて暮居り候間乍他事御安心被下度候。殊に小供等の成長振りは驚く程にて候、末吉は日本人の學校に通學致し居り候も昨年の場所と變り矢張り日本人にて世話に相成り居り候へども何も不自由の事なく誠に親切にして貰ふ事は淚の出る程に御座候。

本年はコーヒーの二年生と八千本の手入を請負申候このコーヒー畑より籾三百俵も取入申候其他大豆八俵小豆六俵土豆十六俵ブラジル豆十二俵唐きび馬車に四臺で芋が十六貫入二十俵野菜類は何でも種子を蒔けば日本で見る事の出來ない成育振りには實にすばらしく、又小川には魚類澤山棲息致し居り候。家畜類は豚が十頭、鷄が何羽にでか不明に候も百五十羽位は育ち居り候、何んでも無肥料にて只草取りをすれば成長致し多忙の時は外人を雇傭しその外は皆自家の勞力にて間に合せ居り候。日本に居る時より余程面白く又費用も澤山かゝり候も本年は三ケ年の契約で二年目よりは手入賃と採種賃で若干の資金も出來得べく候。

日本もよろしく候へ共此のブラジルは第一氣候が宜敷日本人に適して一番暑い時でも八十五度又一番寒い時でも五十度、霜が降りません。今日は七月十五日で當地方では一番寒い時節でも矢張りシャツ一枚で朝夕は上衣をきる位です。果實や野菜類は何時でも青々として成長し居り候。

食物は日伯混食と云ふ獻立に御座候。朝は起床と共にコーヒーを飲みて畑に出で妻は飯を焚り菜を用意する、菜は大抵味噌汁に肉片を入れ鍋と洋皿を用意して畑へ持參する。午前十時頃朝食する。十二時と午後三時にパンとコーヒーを飲む、夕食は魚や鷄肉漬物で御飯を食べる。斯くして一日は愉快に働らいて入浴致し候。仕事がおくるれば互に助け合ひて共同心は重んじ居り候。日曜はすべて休息日に有之候。

貴君の如き山仕事を働く人は當地では殊に有望に有之候御渡伯の希望あらば呼寄航船の手續き致すべく候。

色々に書き度き事御座候も近頃は諸方面に通信の必要もあり性來の筆不精に有之失禮がちに候、當方の事は決して御心配御無用に候。(七月十五日)

記者曰　安江氏は岐阜縣の人、今より七年前の渡伯者である木曾野尻の親戚者にあてたる通信である。

航海便り

愉快の船旅
―初て眼に入る異國の趣向―

土屋雄四郎

航海第一信

前略御許し下さい。私共の故國日本には今頃寒い〳〵冬が訪れて居る事で御座いませう、御無沙汰をいたしました。私共神戸出帆の際は態々御見送り下さいまして感謝の至りで御座います未だ御禮狀も申上げず失禮の段平に御許しを願ひます。御蔭樣にて皆んな元氣よく今朝未明にダーバンに着港いたしました。御安心下さいまし、神戸を出帆いたしました私共の「ぶゑのす丸」は二十日の午後四時に香港に着き、二十二日正午出帆、二十六日午後二時シンガポールに着き、二十八日午前八時出帆、十二月二日午後二時に印度セイロン嶋の古倫母に着き、三日午後五時出帆いたしまして十一日目で無事に南亞ダーバン港に着船いたしました。

香港以南からは非常に暑くて多くの人が甲板上の海水浴場にひたつてゐましたが去る六日赤道を通過しましてからは日增しに涼くなりまして大變凌よくなりました、前記寄港地には何れの港市にも上陸いたして博物館、植物園、ゴム園と言ふ樣な所を見物いたしました。街は何れでも支那印度人が多い爲めゝたなく有りますが一度郊外に其の歩を移さんか石人石馬の立並ぶ曠野に敷かれし科學文化の極致は流石は大英帝國でこそと思ひました。

强烈なる陽下に咲き誇れる濃色の草花、常に實る、バナナ、椰子、パパイヤやパインアツプル何れも始めて御目に掛るものゝみです、加ふるに何れの地にても周圍の人種や、又言葉が違ふので奇異な感じに打たれます。

同船者には船員一三六、一等客六〇、三等客一、〇三六人です、此の頃一人赤ちやんが生れまして船長さんが美知子さんと命名なされ皆んなに赤飯の祝ひものを下さいました。一人も亡くなつた人は有りません。船內には幼稚園から小學校、青年會婦人會、等あり毎日簡語、西語の講習がありますので多忙です商店には日用品はほぼの事、飲食物、日本のリンゴが內地と同價位で買ゑいてゐますし、醫者には只でかゝれる、不自由さは感じません、シンガポールそれから古倫母間では船客主催の第一回演藝大會が開かれましたがその面白かつた事、八日には朝から武術大會があり十日には船員の演藝會が開かれ、十一日には大運動會が行われましたがその盛んな且つ總ての點に完備されてゐるのには驚嘆の外は御座いません、陸以上です。今後も尚ほ、懸賞結將棋、角力、圍碁、學藝、演藝大會及びキリスト降誕祭等が催される相でして、兎もすれば、あきんとする我々を慰め又奮ましてくれます、詰らぬ事をくど〳〵と永く書きまして濟みませんでしたが同船の縣人は非常に少く八人程です、多いのは廣嶋、岡山、等にて四十家族も居られて大騷ぎをして居られます。長野縣の諸兄にも今後大いに發展なされます樣大いに努力の程御ねがひ致します。非常に失禮の話しですが宮澤君と同封にて申上げるかも知れませんが惡からず御寬容の程をねがひます、中澤さん、及び兄さんからもよろしくと申しました、尚ほ今後も宜敷御指導御鞭撻の程を希望して擱筆いたします。亂筆幾重にも御詫の程を、(ダーバン港にて)

航海第二信

十二月十七日午後八時(平素荒い航海と見なされて阿弗利加南端も無事にケープタウンに着港いたしました。此處は南阿の首府だけ有りまして市街も廣大、且つ美麗であります、加ふるに周圍の山が非常に岩石にて獅子頭山、卓子山、及至鬼の峰等雲に聳いた雄大な景色は實に美事です。此の市にても博物館、圖書館、公園等に遊びセシルローズの雄姿にも接しました。此の頃も拓務省のサンパウロに駐在の江越技師の講演を私共カトリツク、及び伯國事情研究會が主催となつて催して戴きましたが何時の話しを聞いても異らざる伯國の事情にはほんとに嬉しくなります、後々の皆樣にも安心して御渡航の決心定まる樣心から祈り居る次第です。先は亂筆にて亦時折りは感じのまゝを御送りしたひと思ひます。(阿弗利加ケープタウンにて)

宮本曰　土屋君は小縣室賀村出身、一番の兄さんは村の現收入役本會の特別出資者であつて海外發展の理解者である。次兄は大正七年渡伯して今回迎妻歸國新妻を連れて再渡伯した。三番目の土屋君はこの時とばかり家族の一人となつて渡伯した、信州青年としては典型的の快活な青年である。神戸の船上で偶然の會談を得て深い印象が殘つてゐる。折角御奮鬪して下さい。

伯國大統領決定
財政經濟は好況を呈せん

本年三月一日伯國正副大統領選擧は政府黨(民主派)ジュリオプレステス、デ・アルブケルケ氏(現聖州知事)及ヴイダル、ソアレス(現バイア州知事)が夫々大統領、副大統領に當選し反政府(自由同盟派)は敗北した。因に新正副大統領の就任式は本年十一月十五日であるが現政府は自黨の政策遂行に一段の努力を拂ひ財政經濟の安定恢復は樂觀され珈琲保證局の改善も容易であると見られてゐる。

改暦の賀辞朗吟

改暦之賀辭母國を距る六千里遠く對蹠國のブラジルよりまづ貴方に向ひ日出度申納候。

「常春の國も御鬮に改まる」

昭和も玆に五年、小生等も移民として三歳の春(?)を迎え、アリアンサ村の住民として、漸く田園に即したる心境と生活を得られたる悦びに進み候

「生きながら西方淨土に渡り來て
即身ブツと霽の屁をコク」

開拓二ケ年患ひとせし羽虫も余程少なくなり暑氣にも馴れ、夜の涼しさ、蚊蚤の皆無なるには案外、意外の、大儲けせし心地がせられ候。

「目淸く大梅雨晴れて大樹海」

近來雨屢々、間作の稻早きは既に膝より腰に及ぶ、今年も又豐作にもや候らん。

「秋豊か嫁女よ瘦やせ孫寶」

珈琲園一萬三千本、遠く十町に連なり未來を思へば樂しとも、樂しく。日日撫で養ひて、來む稔りの年を、千秋の思ひして待ち侍べるにこそ。

「一家健在カフェの花も咲いて候」

働き得る者は幸福に候、不平無く、煩悶なく、生活難なく、職業難なく、惡思想も起らず當平和な常春の國を包み居り候。

「鳥獸まで睦く合ふ此里に
など爭ひの人にある可き」

鄕里よりの通信に依れば、稻作不充分の爲めに小作爭議が又々各方面に持上ると有之候。生存に食糧は必要のものなれば、死力を出して何處迄もやるがよく候。

「四分六だイヤ半分けと修羅道の
田畦の餓鬼に淡き冬の陽」

濱口內閣となりて緊縮主義の建て直し宣傳が行はれたる由、不足のものを儉約とはズイ分御苦勞樣の事にて候、併も日本の生存問題に必要と成れば不止得候

「褌をヒイキ角力にと供にめ
フレー〳〵と野次の應援」

現在の日本として、海外發展が事實上急務と叫ぶ、されば乏しき國庫より二百萬圓近くの費用も支出さる海外に進出する者是か、母國に固着する者が是か

「花と酒、日本に生れ男可南
夫れにつけても金が欲しさよ」

要之、海外進出も是に對する國策の確立無くば無意味、而して總べてに渉り貴會の主動に俟つ所彌々多し。

自重と健闘とを期待して止まず候。

「元日や大日輪と米の飯」 (以上)

年頭の賀辭として

午之旦

宮原和三郎

コロンポ及セイロン島

西澤太一郎

コロンボ港

新嘉坡を出て十三日印度洋の波高く氣候も又大分變つて、蒸しあついので、胃腸を弱らし又船酔も大部大勢出來る。其中をだんだん西へ進んで漸く元氣も恢復する頃遙かに右手に陸が見える。セイロンの嶋あるを誰れも叫ぶ。島を眺めつゝ進んで行くいつしか船は港へ入つてゐる。

コロンボの港はこれかと何やかやと調査や見物をして見たくなる。

コロンボ入港は未明であつた確か午前の四時頃と思ふ。朝食をすませて見物をやつた。

コロンボ港の防波堤は三つからできてゐる、港も中々廣い、然かし多くの船は棧橋迄ピタリとうまく着かぬシンガポールの樣に行かぬ。荷物は數多の小さな土人船で運ばれそれを皆土人の人足の手で船へ積まれるのである。

此の港は半世紀前和蘭が經營して居たが今は嶋と共に英吉利の國旗の下へ入つてしまつた。英國は大いに築港に力を注いで良港としたのである。此のために費した金も八〇〇萬留比だといふ、大きな汽船が五〇隻位は入り得る、又七〇〇呎もある大きな船梁もある、此港へ出入する船舶は一年の中凡四千隻以上である一九二七年の調べによれば實に四、一四三隻一、二一八萬とん餘である。

此港には燃料の積込についての設備がよく出來て居て三哩半も隔てた遠い所から港迄引いてある、此港で船が積込む燃料は(油)一九二〇年に五六、七九六とんで一、九二七年には一八九八八五とんになつて居て驚くべき進歩と船の需要である。

コロンポ港より積出される重なる物貨

此コロンボの港の人口は凡二十五萬といつて居る、此港から積出される重なるものはセイロン嶋の産物で大体は次のようなものである。(一九二六年の統計による)

コプラ(椰子乾燥內果)	Copra	二六五、六五六五留比
椰子實(乾燥ズミ)		一一五、一七三三同
椰子油		一〇三、二六二一
椰子實(新ラシキモノ)		九、二九一二
茶		一四一二、二四七一
ゴム		一一三三、八五四七
椰子皮纖維(果實外皮)	Coir fiure	一三、八五一二
椰子皮	Coir Yarn	一二、二〇八〇
椰子皮縄	Coir Rope	一、二三〇〇
プーナック	Poonac	五、七九三四
(イ) (椰子關係計五二二五、一二三五六)		
檳榔樹果實		二八、三一八八

カカオ(Cacao)	一三、〇二四五
肉桂(Cinnamon)	二六、五六八二
シトロネラ油(Citronella)	一一、八二八八
プランベーゴー(Plumbago)	一七、四六六
煙草	二、九七五八
スキンス(Skins)(獸皮)	二、九一七五

などである

(ロ) 茶の輸出(一九二七年)

ユーナイテッドキングダム	一四五〇〇萬封度
ルシヤ	三六三
歐洲諸國	三四一
濠洲	一八六五
ニュジーランド	七七九
アメリカ	一五〇七
カナダ	九九〇
支那	三六四
其他	三三一
計	二二七一〇

(ハ) 護謨産額

セイロン島では到處ゴムを栽培されてゐる。その産額は左の通りである。

一九三〇年	三とん强
一九〇二年	九とん强
一九〇六年	一五〇
一九一〇年	一、六〇〇
一九一四年	一五、八〇〇
一九一八年	二〇、六六五
一九二二年	四七、三六七
一九二六年	五八、八〇〇
一九二七年	五五、三五六

近年は市價調節のため産量の制限をやつてゐる。

輸出方面

	(一九一〇年)	(一九二七年)
アメリカ	七九〇とん	三四、八〇四とん
ユーナイテッドキングダム	七五一	一五、四七一
コンチネント	五四	三、一五五
濠洲	三	一、六一八
日本	三	一七一
其他	一	一三七とん
計	一、六〇一	五五、三六五とん

(ニ) コプラ

中々澤山にとれる、一九二六年の輸出は二五八、七四〇〇四カウトcwt(百封度)一九二七年の輸出は一九一、八一七カウトであつて獨逸へ一ぱん多く輸出された、それは凡五五、六七四カウトに達して居る。

(ホ) 乾燥椰子

一九二七年には凡九、一〇〇萬封度を輸出して居る、其國々は凡左の通りである。

アメリカ	二、三〇五封度
ユーナイテッドキングダム	三、二六四
獨逸	一、五〇四
歐羅巴諸國	一、二〇六
濠洲	六〇九
カナダ	二四二
計	九、一三〇

(ヘ) 椰子油

椰子油は一九二七年に於て六六七、一三七カウトを輸出しておる、其輸出の重なる國は獨逸で全体の十九パーセントを占めておる、伊太利も亦ドイツに次ぎ二〇パーセントに達し九〇〇〇カウト位である

ユーナイテッドキングダムは最も多くて三〇万カウトである。

(ト) 椰子果實纖維

果實の外皮より製した纖維も中々需要多く綱、ヤルン yarn 莚 mats 剛毛類 bristles などとして用ひられ一九二七年には總計で六三三、五七一三カウトを輸出し英國へ一六、〇〇〇カウト外獨逸、日本、ベルギー、アフリカ、などである。我日本へは七、〇〇〇カウトを輸出しておる。

(チ) 椰子果實

一九二七年の調によれば一、八〇〇万箇といはれ中米國及エジプトは一、二〇〇万箇を輸出しておる。

プーナック

椰子實より油其他のしぼり粕で家畜などの食料となる一九二七年調によれば一七五、四〇五カウトで重にベルギーへ輸出されて居る。

(リ) カ、オ

米國及フイリツピンなどへ何れも二、三七四九カウト位は輸出されておる。

(ヌ) 其他の輸出品

此外シナモン(肉桂)は一九二七年には四七三二、六〇二ポンドを輸出しアメリカの二〇〇万ポンドを最高とし、西班牙、獨逸等も又二〇〇万ポンド近くを輸出す其他諸國にて一八〇万ポンド位である。

シトロネラ油はジヤバ嶋及セイロン嶋を名産地とする、三、四尺の草より取る栽培面積は五萬エーカーに達し一九二七年調によれば一四四、五一八二ポンドを輸出しアメリカ、へ大半輸出し(四四パーセント)ユーナイテッドキングダム二十二パーセントを占む。

檳榔樹の實は一九二七年一七萬カウトに及び二九萬留比に達す九〇パーセントは印度へ輸出して居る。

此外煙草も一、四〇〇ポンドを輸出しておる。

輸入品

日本からは陶磁器、玩具類、セルロイド製物品、雜貨などが入つてゐる、漆器も入つてゐる。

市內狀況

コロンボの市にはセイロン嶋を統轄する總督が駐在しておる總督は英本國の植民省の直轄であつてガバナーをして治めしめ

ておる市は又十人の總督の任命する議員と市長とによつて合議機關と執行機關とがあるのである。

　市長は議長となるのであつて市民の中から選出されたものである即ち九人の議員は總督任命し議長たる議員は市民の選出である。セイロン第一の市で政治的、社會的、經濟的、中心都市である。常備軍駐在して防備して居る要塞もある。昔和蘭の經營して居た時の城壁の跡は今は市のマーケツトになつて居る邊で、今の市場は重にムーア人によつて多く利用されて居る。和蘭が築いた城壘は半世紀前英蘭の戰の時に占領破壞されたものである。

　市内に有名なジネラルハルフトの教會堂や植物園もある。教會堂はセントペタースチヤーチといふて居る、公園にはビクトリヤパークといつて名高いのがある。

　又佛陀の遺跡として名あるケラニの寺院がある參詣者は引きもきらぬ所である如何にも莊厳な又壯大な建築であつてその石造の大建築は日本の木造建築寺院と比較して又一種の趣きを異にして居る。

　又名高きペタはこゝにある

印度の人口及街の有樣

　香港や新嘉坡では印度人といふのはあの人々かと珍らしい樣に思ふた人々の本場の國である。赤や白の鉢卷や黒い身体に白洋服や赤い布をゆるやかに仕立た着物、裸足で、素頭で歩む多くの人々、黒い頸に白い布を卷きつけたり、黒い足にゆるやかな腰卷の樣に色物、模樣物、縞物の長いのをダラリと下げて頭の上に果物や、野菜や、色々のものを載せて歩るく多くの男女が殊更に眼につく、椰子の葉などで楕圓形に長く高く丸篩を横から押しつぶした樣に日覆をした荷牛車に牛子が中へ乘つて二頭引を靜かに追ふて居おるのも數多である。印度は牛の多い國である。市中の荷物運搬も皆牛車である。電車は日本の樣なもので二重ではない香港の如く二階電車は見受けぬ。自動車も中々多い。しかし重に白人が所有してゐる。運轉手には黒い印度人が大部分やつてゐる。英語を皆やつておる。

　商店で今迄と異ふて見ゆるのは支那人の店、支那人の殆んど無い事である。さすがの支那人、支那商人の勢力も印度へは深く入りて來ぬ。新嘉坡や、西貢とは際立つて感ずる事である。

　人力車はやはり中々多い。乘つてもとこへでも引張つて行く事はどこも同じだ。乘つて居て常に方向を示して注意しなくては何處へ行くか別らぬ。大概十仙で行かれる。

　石造の店、煉瓦建、赤瓦の屋根、椰子葉の屋根など色々であるが大通りは實に美しいよい街である。立派な建物の街である。

　道路の良い事は日本の比較にならぬ。やはり英國式である。街路樹が多い、ミモサとて日本のネムの樹の樣なのに眞紅な花がついて咲き揃つて居るのが特に目につく。椰子や芭蕉や檳榔樹の大きいのが澤山ある。其他熱帶の珍らしい草花や、樹木が並木に或は家のまはりに植えられて美しい。熱い所であるが街中はいつも涼しい。靜かな感じがする。

人種及宗教

印度の町の人々やセイロン嶋の人々といふのは色々あるが大体左の通りである。(一九二一年調)

歐州人	0.8万	〇、二%
バヘースアンドユーランアンス	3.0万	〇、七%
シンハーレスローカントリイ	193万	四二、八%
シンハーレスキャンデアン	109万	二四、二%
タミルスセイロン	51.8万	一一、五%
タミルスインデアン	60.3万	一三、四%
ムーアスセイロン	25.2万	五六%
ムーアスインデアン	三、三	〇、七%
マレイス	一、三	〇、三%
ベダース	〇、五	〇、一%
其他	二、二万	〇、五%
計	四五〇、四万	一〇〇、%

で一ばん多いのがシンハーレスで三〇〇万人次ぎがタミルで凡一〇〇万人ムーアは三〇万近くである白人及雜混血は四万人近くである。マレーは極めて少數である。
　宗教も又人種の異るに從つて違つて居る。
佛教は凡二八〇萬人で凡六二%
ヒンズー教凡一〇萬で二二%
ムハメツト教凡三一萬で七%
キリスト教凡四萬で一〇%
其他凡〇、二%

である。それ〴〵その風習を異にして居るのである。

田舍

　コロンボから自動車で凡七〇餘哩足らずでキヤンデイへ行く事が出來る。

　道路は實によい、一時間三〇哩から四〇哩の速さで走る、涼風、靜かなる並木、印度人の樣々の生活、よく眼につく。多く眼につくのは椰子園、護謨園である、檳榔樹、パンノ樹、マモンジヤツクコルーツなど頗る多い、殊にジヤツクフルーツの西瓜大のが木の幹からづら〴〵下がつて居るのは印度でなければ見られぬ珍らしさである。

　パイナツプルの畑も多い。バナナの野生のもの、畑に栽培せるものそれも中々多い。シーナーモンの畑も所々にある。山と積まれた椰子の果實、コプラ、椰子果の皮、實に珍らしい。シソーをかむ印度人、裸足で洋傘をさす印度婦人、大きな果い乳房をブラ〴〵と出して歩く印度婦人、赤い着物に黒い腰卷に裸足であゆむ多くの土人の群や黒い小さな子供を負ふ土人中々色々の風習が目につく。

　所々に水田がある日本の苗代の樣に造り扇形に切り種子を播く。田の草もとらず、肥料もせずに稻を作る、水牛や、牛を使ふつて中々丁寧に上手にやつて居る。

ベラデニヤ植物園と大象の勞働

　キヤンデイに近くベラデニヤの植物園がある。熱帶各種の珍植物、一般植物を網羅して實に大規模で且つ立派に出來た植物

園である。熱帶植物を研究するには南洋又は熱帶にて此植物園の右に出るものはないといわれて居る。園内には實に立派な道路が出來て居る。自動車にて自由に觀察し得るのである。椰子、蘇鐵、芭蕉、檳榔樹、旅人木、パンの木、紫壇、黒壇などを初めとして有らゆるものを見る。

　途中に印度產の象が口に鐵製の大鎖りにていはひたる數十貫の石を食へて運ぶものがいと珍らしく感ずるこれも亦印度でなくては到底見られぬ所である。

　植物園では丈一丈餘もある大象がルーラーを引きつゝ道を修繕して居る實に怜悧なものである、土人は脊の上に乘らして靜かに指圖して居るも亦一入面白い。象は右に廻り左に廻り或は行き或は歸り何十貫何百貫といふ大ルーラーを自由に引きまはして色々の仕事をして居る。

　熱帶產の草花も亦美しく咲き亂れて居て殊に麗はしく園を飾つて居る。

　園の廣さは一四六エーカーといはれ海拔一五五〇〇呎の處なれども年中華氏の五五度より七六度の中にあるのである。雨量は八八吋位である、園内には花園あり湖水あり、オクターゴンハウスあり護謨樹の大樹などありて特に目立つておる又ジヤバハダンキヨウ樹の大きいものなどある

キヤンデー

　キヤンデーは人口三万五千と言はれて居る有名な佛陀の遺跡のある所である、大きな寺院がある石造の奇麗な寺である印度の尊敬禮拜引きもきらずである。キヤンデー湖のほとりにあつて實に風景がよい所である、東亞に於ける名所である風光明眉絶佳といつてよい。緑樹は鬱々として茂り清らかなる湖水に映じ又立派なる建物は立ち並び道路も善く實に清遊にも適するのである。

　寺は古いもので中には佛陀の經文、佛陀の齒などあり、又日本の寺院にある樣な色々の佛畫もある。僧侶の服裝も日本の僧服の如く袈裟衣である、香の煙絶えず。經文を書ける矢尻の樣な筆、經文を書ける木片の紙及其器など殊に珍らしい。梵語梵字で僧侶が上手に書いてくれる。

　然かし氣持の惡いのは印度人の僧侶あり、案内の印度人ありて一伽藍一堂參詣毎に賽錢をねだり、花を賣り、香を賣り金錢ばかりとりたがるのは如何にも氣持が惡るい。又賽錢とはせずして僧侶のとり去るなど實に氣持の惡るいことをするのもある又寺の階段には癩病患者や不具者や樣々の見苦しい黒い裸体の印度人が參詣者の慈悲を乞ひ、寄捨を持ち、助けを乞ふ樣は如何にも佛陀の尊厳と寺院のゆかしさを害ふものと思はれる。參詣者の心を惡るくすること一通りではない。

　キヤンデーの町は寺院の土產物、佛具、佛畫などの商店が多い、又その參詣者の爲めのホテルが中々よいものがある、丁度長野の善光寺の樣なものである。然かし善光寺の樣な木造の立派な建築ではない。ホテルではグインスホテルなど中々よい。

昭和四年六月十二日

朝鮮閑話(二)

藤澤定司

十一、呼賣と詐欺

　春先きがくると蕨を賣りに來る二本位が一把になつて居るよく肥たのは中々うまい但軸の方が折つてあるのを發見するに至つて味も金も忘れて仕舞つて「シテヤラレタ」と云う憤慨心が「コミ」上げてくる、その時分には蕨賣は濁酒でも引掛けて春風にさらされて涼しそうな顏をして居る事であらうと思ふと矢も楯も堪まらぬ樣な氣がせんでもないつまり折つてあるから一把の大さは澁んで居るが實際はその半分の本數しか括つてないと云勘定になる「ヅルイ」事を覺えた物である誰が敎へたかしらん。炭が大變安いから買つて下さい、一俵ナンボか四十五錢でシヨドレ一ツ見せて見ろあまり上等じやないじやないかイヤイヤ根炭の上等でシヨ四十錢にまけて置け何俵買つてくれますか澤山買つてやるから三十錢にまからんか、モー少しキバツテ下さい損がイキマシヨ十俵買つてくれますか五俵でよいよ、それぢや旦那さん三十八錢にまけます。時價一圓の根炭を三十八錢で五俵買込んで妻も子も大喜びで夕食の仕度にかゝるとさあ大變根炭は一列にならべてある側の方からのぞいて見たら立派な根炭が澤山這入つて居る事と思つたら豈計らんや俵が二重になつて居るつまり中の仕切がしてあつて一方の側にはわら屑が詰込んであるこれで結局炭俵とわら屑と炭少し許を三十八錢也で買占めた事に歸着する憤慨心を勃長させても追つつかぬ。

　夕方こたつで新聞を讀んで居るとワレキが安いから是非買つて吳れとウルサク頼むから買うともなしに出てヒヤかして見る氣になる四五人のワレキ賣がさも寒むさうに「終日呼び賣りしても買手はなし〇〇迄一里半も持つて歸れないから安く負けるから買つて下さい」といふ、クヌギの上等じやから火持ちがよいとウヌ明で見せびらかす如何にもクヌギの樣で白くて堅い一車二十五圓の處を二十圓だといふ十七圓に値が落ち合つて物置へ積込ませて翌日見ると松のワリキが洪水で泥水につかつて白く乾いてクヌギの樣に見えたのである

十二、昔の人心

　昔は咸南咸北では人から金を借りても保證人を立てるが關の山で、抵當物などを入れたものでなかつた咸鏡のみぢやない、全鮮一般にそうであつたがこの頃ぢやどうか抵當を入れた金でも拂ふまいとするのが常であるこれは誰の罪でもない世相の罪に歸せねばならぬ。この金返さぬ時は人の前でお笑ひ彼下度候が嬉しいのである、道に落たるを拾はず夜は戸を閉ずといふことがあるが日露戰爭までは會寧邊でも夜戸を閉して寢るなんと云ふ事はなかつた然し盜賊がなかつたのではないただ近隣の者が皆正直者で隣保の實があつたと云うのである。

十三、思つて居る事

下層の朝鮮人は內地には兩班（ヤンバン）がないと思つて居る兩班が兩班であつてその兩班の數が少いから朝鮮には別に來てをらぬで大概の內地人は皆常漢であるとかう思つて居る何と思つても勝手だ構はぬといふ譯には行くまい

十四、就職難

兒童が普通學校（小學校）へ入學したら兩親は大いに喜んでその兒の將來は必ずや土臭い田舍に埋もつて農商工に身を委ねる樣な代物にはならないであらうと獨り定めをする子供もだん／＼成長して上級へ進むにつれて農工商といふ希望を持つ樣になる、世の中に學業といふ職業はないはずであるが皆の人は學業といふ職業があるかの樣に考へてそれを實行して居る卽ち普通學校の上級にでもなると家庭は貧農であつても農業の手傳へをしない。父兄も手傳へをやらせないのを名譽とし誇りとし子供も農業に從事しないのを當然と考へてゐるそれが普通學校を卒業すると官吏になりたがるしかし就職口はそうない。學業といふ職業があつたはずであるから一生これに從事した方がよいのではなからうか。何故に中途で學業といふ職業を擲して官吏になるのか要するに農業に從事してをりながら學問をするのであるといふ觀念がないから卒業して農業に從事しないのは勿論であつてやがては就職難に泣かねばならぬ事になる、家業を擲つ爲に學業に從事するのではなくて家業を營むが爲の「學業」であるといふ根本義を親たる人も子たる者もよく／＼のみこまねばならぬ

十三、廣く社會に告ぐ

世間にはたまに倫理を蔑にし常道に悖く者があるが豈○山郡○○父子の如き禽獸の型があらうか本人の父○○氏は當年七十歲の老体にして何の咎もなくその從弟たる前記○○父子に無數に乱打せられ頭部から胸部に重傷を受け、鮮血淋漓生命さえも危篤である。從兄たる叔父たる人を毆打致傷せしめた○○○○等の獰惡なる輩の罪狀は全社會の公正なる批判を以つて痛論せらん事をここに泣いて告ぐ

某年某月　某郡　某白

右の樣な種類の廣告記事が諺文新聞に時々出て居る內地人が身を隱して「三郎話ついた歸れ」「父危篤花子歸れ」を平氣で見るのも同樣不幸者はどこにもあると見へる

十四、船乘り

朝鮮も昔から船乘りを見下げてをつた朝鮮では文と武の官員以外は人間と思はない時代があつただから船乘りなんと云ふ特種の職業は實に世の中に認めせられなかつたのである。勿論船乘り自體も身持を愼まず惡行を行つたりした事が多かつたのも事實であつた

食ふのは閻魔大王からの使供へる飯
執つて居るのは天と地との境目の板

といふ諺がある實に「板子一枚下は地獄」といふのと同じで、船乘の悲慘な生計を物語つて居る西洋の諺にも

どこもかしこも皆水だ、水ばかりだが、飲む水はない。

といふのがある、船乘りの奴船頭の奴と、朝鮮の陸上勞働者は船乘をけなして來た、然し今日では立派な高等船員も澤山に出來て居る目下朝鮮には凡そ五千人のいはゆる船乘が居る。

十五、女中の賣買

山口縣の海岸通り地方でも日傭人夫や手傳女中の市を立てゝ人の市が立つた當代もあつたと云話であるが朝鮮人のは今少し徹底的に全

くの奴隷として女中を賣買したものであつて毎年陰五月にその市が立つたそれで貧乏な女共は五月を悲むのである、うられて行くのがいやだからである因に奴隷には男もある。そして男女奴隷の間に出來た子は又奴隷として一生終る譯で容易に常民の階級には上れなかつた。今日も其の名殘として「附藏」といつて主家の戸籍の末尾に喰ついて一戸獨立の生計を營んでおらぬものが大分殘つてゐる

十六、挨拶

初對面の挨拶は近時段々碎けて來てゐるが昔は四角張つた形があつてさながら武士が名乘りを擧げる樣にやつたものである。

內地人は姓だけをつげ合ひするのが普通であるが朝鮮では姓だけは變なもので名をもつげ合ふし祖先の鄕貫や職業も尋ねあひするのが普通で家族の數等もつげあふのである。

挨拶をする場合は一脚の閒膝を屈き初對面の挨拶がすんで寒暄の見舞もすみ主人側から御樂にと言葉が掛つてからあぐらを組みつまり立膝は禮儀正しい座り方となつて居る。

謝罪の場合謹愼の意を示す場合の外は跪づく座り方はない然し跪いて座すべき身分のものが不謹愼な座り方をした場合には長上の者は叱責する權利は保留されて居る。

十七、禮法

朝鮮へ來ては一通り朝鮮の禮法を心得て置く必要がある朝鮮では立禮が主であつて內地の樣に座つた儘頭を疊の方へ持つて行く樣な禮は無い總て立つて居る者は座し座して居る者は立つのが尊敬を含んだ禮儀となつて居つて立つては拜し拜しては立ちするのが最上の禮であつて位牌を拜したり墓場でお祭りをする場合にはこの揖禮を行ひ、又上長にもこの禮を行ふのである。

禮が終つてからはそのまゝ立つて居る座して居るものに物を命じるとすると立つて承はり立つて居るものに物を命じても立つたまゝで承はるのである朝鮮では着座を命じない間は立つて居るのが長上に對する禮である內地の命令を座して聞く禮法とは全く反對である。

凡そ長上の前では起居振舞に注意して膝たり立を立てたりせず又立つにしても中腰にいそ／＼と命を聞くのが禮である誰かの本に濫突が低くつて始終頭を打つから中腰になつて出入口等で頭を打たない樣に用心するのだと云つて居るそんなつまらん簡單な理由で中腰になつていそ／＼とするのではないその中腰の時位朝鮮人が心に緊張して居る時はないのである。

十八、冠り物

朝鮮では外出の際は必ず帽子をかぶります無帽のまゝで出るのは非常に賤しいものであるとされて居ります。禮儀の正しい家庭では室內でも儒巾なり宕巾なりをチヤンと冠けて讀書するといふ有樣であるわれ／＼が唐風の書に帽子をかぶつた人が室內で讀書して居るのを見るのも、この邊の事を思合はすと成程と合點が行く事と思はれる。で、誠に衣冠を美しくする美風があつて入浴に行くにも帽子を冠つて行く朝鮮笠は人を訪問して室內へ這入つても脫がぬ位な注意で上にも會釋をしても朝鮮笠は手をつけません朝鮮人は朝起きたら亂れ髮を梳つて「網巾」を頭に卷き網を纏めて宕巾をかぶり冠を着けて祖先の位牌に拜禮してから食事をとるのが朝鮮の「ヤンバン」の日課の一つである斷髮してゐる人は左樣な譯には行かぬがそれでもなほ「宕巾」又は「儒巾」を脫つて客に接するのは內地人が袴を着けて來客に接すると同樣である。

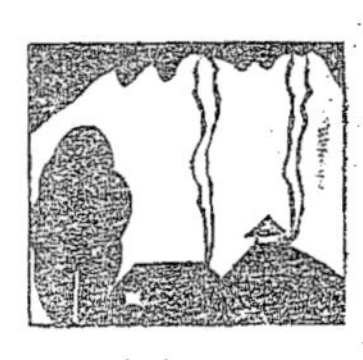

信州記事

補償法發動による

取引の活發糸價の好轉

糸價は昨年末千百五十圓に低落し一時千百九十圓まで回復したが操業短縮共同保管等の方法も効果なく又々千百四十圓まで暴落し近く糸價補償法の發動を見ることになつたが當業者の主張する千二百五十圓の要求が貫徹するものと假定すればこれによつて縣內製糸家の受くる利益は六百萬圓以上に上るはず

卽ち補償額と現在の糸價との開き百十圓の一梱當りが六十圓で昨年三月以來の横濱出荷高三月三二、一〇三四月三五、三三一、五月三〇、七九〇、六月一一、一二一、合計十萬九千三百三十五梱に對し本年は生産制限一割と見て約九萬八千四百梱に達する見込であるから五百九十萬四千圓だけは損失を補てんし得られる譯である

相場が現在の安直で進むものとしても直接の利益は右の如く補償法發動の聲のみでも横濱において現物十圓のハネ上りを見た程で間接の利益も相當大きく横濱の糸況漸次回復すればニユーヨークにおける相場も上向となり機業家は買進むことゝなる關係上ストツクも減少していよ／＼好轉することゝなるべく發蠶家も相當の意氣込をもつて春蠶を飼育することが出來るだらうと

掃立は二割減に

糸價暴落の策對として

松本蠶業試驗場では矢澤場長外技術官が縣當局と協力し養蠶經營の合理化を縣下各町村に講演して回ることになつた矢澤所長は語る

糸價の下落に際し、蠶糸業補償法業とか生産制限等を實施しても肝腎の原料繭の

生産減を實施しない限り徹底した生産調節による人爲的糸價維持は不可能である從つて春蠶掃立前に縣內の養蠶家に對し掃立二割減を實施して蠶作の安定と優良繭生産を行ふやうにさせたい繭價の安値を豫想される本年飼育法桑園等の改良により繭の安價生産を行ひ經營方面に今一段の改善を實現しないと養蠶家は全く行詰りの狀態に陥る

滿堂わき立つ

青年團研究大會

本縣聯合青年團第九回研究大會は八日午前十一時から上田市公堂で開催朝來大雪のため出足鈍く代議員約三百名傍聽者も四百名許りで期待された程の賑やかさでないが上田聯合青年團長和田君令旨を奉讀し執行委員小宮山縣聯合會長が開會のあいさつを述べ菅沼縣學務課長は「本縣青年の名譽のため」にと痛いところへ一本くぎを刺し「赤い思想」の言葉を封じ十一時十五分から議事にいる代議員中問題の下伊那の青年が一人も顔をださなかつたのはさびしかつたが他の青年連は農村の青年といつた感じは少しもなくいづれも堂々たる洋服にかばんなど抱へ込んで縣會でも觀るやうな空氣で議長には先例によつて地元の和田君が選ばれ議事はすこぶる緊張し魚河岸の競賣のやうにわつと一せいに發言を求め中には兩手をあげて飛び上る等思ひ切つた格好をして居るものもあり大した活氣、贊否兩論に混つて「大和魂は二千年前なくなつた」とかの野次が飛び滿堂わき返る第一問題の「教育に關する現代教育の欠陥を明し我等青年の取るべき態度如何」は上伊那郡の花岡君提案理由を説明し直に討議に入北安中山君外二十名發言し討論五十分にわたつたが結局長野の伊藤君北佐久の中澤君等の現代教育は食はんがためのそれだとの攻擊が大勢を制し小縣の坂口君の學問の獨立、上水內の藤澤君のデンマーク論、下高井の多嶋君の社會科學教育論等が注意をひき上水內原田君の大學專門學校學生一人が八百圓を要するに對し實業補習教育費は一人前五十錢だとの數字

母國通信日誌　自二月廿四日　至三月　廿日

二月廿四日（月） 來月二十六日帝都復興祭は五日間日比谷公園を中心にしていろ／＼な賑かな催し物がある▲軍要政策は特別議會に提出して國民に對する公約を果すと閣議で一決▲中立議員減少を祝福して議會政治の確立成るとロンドンタイムス紙の批評

廿五日（火） 全國の總得票數で民政は政友より百六十萬余票を拔く▲各派當選率政友五割七分强民政七割六分强無産五分四厘弱中立その他一割六分强▲東京市助役白上佑吉氏辭職

廿六日（水） 落選のうさ晴しに山本悌二郎氏外遊▲民政黨國民に公約した義務教育國庫負擔額增加案金解禁の善後處理案產業合理化に關する諸案を特別議會に提案▲帝都復興祭を機に震災當時同情を與へた米國に答禮使節四孃決定盛野きみ（一九）徳田純子（二四）佐藤美子（二二）松平佳子（二二）

廿七日（木） 前橋市目拔き約百戶燒く▲還曆の度每に年齡增進し五十歲以上六十歲未滿が最多數である▲比島獨立熾んに氣勢を揚ぐ▲今年六月から始められる少年航空兵の募集は定員の六十倍に達し征空に憧がる少年は五千

廿八日（金） 就職難は中等學校以上の卒業生に襲ひつゝあつたが遂に小學卒業にも暴威を逞し少年紹介所は懸命である▲大都市の中等學校入學志望率は地方よりも強く前年と變りがない却つて增加を示した▲白上助役留任勸告で當分留任▲復興局廢止に伴ふ職員の身の振り方につき政府精意協議

三月一日（土） 軍縮會議の米國案に日本不賛成を表明▲失業對策調査機關設置に六萬圓を特別議會に提出する▲上海福岡を六時間半で連絡する定期飛行が開かれる▲禁酒代議士長尾半平氏等が議場の禁酒運動をやる▲民衆との接觸を柔かにと中野警察署で若い女事務員を受付に据へた▲主要二十七驛の入場券を十錢にして五十余萬圓の增收を計る

二日（日） 無所屬議員等の小數派發言を壓迫する與黨に反省を促がす▲朝鮮自治擴張具体案を拓務省に提出▲與黨少壯派に貴院樞府改革の擡起る▲無產各派統一促進運動進む

三日（月） 中等學校に公民科新設を特別議會に提出▲來月廿日桑港出帆の秩父丸でチャプリン來朝す▲印度獨立運動の英國不服從同盟運動にガンヂ氏立つ英國日旣に沒すか

四日（火） 緊張せる日米の折衝軍縮會議愈行

は感動を與へ零時五分第一問題を終つた

農會は存續論多數

署長の注意に憤然怒號

零時五十五分再會傍聽者殖え下伊那組も來ていよ〳〵活氣を呈し第二問題農村に關するもの「現在農會は如何なる意義を持つか、しかしてその廢止の可否如何」を長野甘利君說明發言者北安の中山君外十三名で現諏訪の矢崎君廢止を痛論し上水內の赤司君自主的農會を主張したに對し東筑櫻井、上水內藤澤、北安片瀨君から存續論を高調し討論者の六割以上は存續を主張し第三問題社會に關するもの「現代社會の欠陷を如何にして除去すべきか」は當日の中心問題としていづれも緊張下高井郡但馬君提案理由說明長野長谷川君外十三名發言したが上田市辰野君「資本主義制度を改革すべし」と叫んで小松署長に注意されるや滿場承知せず何が注意だと署長を詰つて騷然次いで北安笠置長野丸山兩君注意され再び議長は鳥啣し議長の必死の制止も徹底せぬので二時十五分休憩二時三十分續開第四問題の經濟に關する「合理的經濟組織は如何にすべきか」を東筑深君說明したが依然議場騷がしくて徹底せず發言者十六名で下伊那吉澤君が明快に階級鬪爭を主張した他いづれも資本主義經濟組織の打破を論じ第五の「現代思想に對し青年は如何なる立場に進むべきか」は長野長谷川君の說明あり唯物論と唯心論に分けて考察したいとすこぶるうまくヒントを與へたので討論常軌に復し午後三時五十分散會した

第二日目には

遂に議長不信任案提出

第二日目は九日午前九時より上田市公會堂において前日同樣上田署の嚴重警戒裏に開會直ちに第六問題「現代文化と宗教との關係如何」を南安横川君より說明し北佐久片桐君外十數名既成宗教をコキ下し第七問題「現在における既成青年團の存在意義如何」は上伊坂井君の提案理由說明に次いで下伊那座光寺君等の青年團の手によりて將來合理的な社會組織を建

惡し△世界的スキー極位者シユナイダー（オーストリ人）來朝△がん研究の極位山極勝三郎博士逝く年行六十七△インドの綿布關稅引上げに反對運動起り英印當局に外務省抗議

五日(水) 糸價慘落に補償法適用を協議△無產黨合同促進各派代表者の懇談會開かる△熱海地方に地震起り引續き活動狀態に町民不安にかられる△小橋前文相起訴に勅裁を仰ぐ

六日(木) 亡命中の印度獨立運動の志子ボース氏は故國の形勢に憂國の熱情を抱き鎌倉義烈莊にインド國旗揭揚した△陸軍定期異動に際し秩父宮殿下步兵大尉に御進級遊ばさる

七日(金) 富山縣聯全銷△中小商工農救濟貸出五千萬圓が放資される貸付方法は未だ不明△小異を捨てゝ大同團結へと無產合同促進する△中小學教員の初任減俸問題となる

八日(土) 日本女子スポーツ界の恩人サラ、フエリス孃來朝△滿洲で絹關稅を引上げた△昨年十二月現在の全國失業者卅一萬五八△工事中止の證明を裏切つて新嘉坡軍港建設費增額

九日(日) 航空スポーツの向上發展のため帝都大學に學生航空聯盟發會式擧ぐ△起債事業を起し失業者を救濟する內務省社會局の方針

十日(月) 日支關稅協定假調印を了し十六日から實施されん△糸價補償の條件補償額基準

設し同問題を解決してゆくべきであると絕叫少憩の後第八問題「如何にして政界を革正すべきか」これに對する青年團としてとるべき態度如何を付議長野麻場君選擧取締に當る警察組織の改革を叫ぶや臨時警察官より「中止」を食ひ、更に北安佐藤君上伊坂井君を始め發言者多く場內は大混亂に陷つた

この時突如上伊那、諏訪兩郡より緊急動議として「青年の政治的權利獲得の件」を提出、第八問題と一括付議し決議せよいや決議出來ぬでいよいよ熱狂腰かけの上に立ち上り怒號する者、足踏して妨害する者等現れ遂に議長、討議打ち切りを宣し、この間四回にわたつて議長整理の爲休憩五度再開したが怒つた各代議員より議長不信任案をだし、各郡市より一名づつの委員を擧げ、交涉を迫つたが決議をなす場合は治安維持法に抵觸する爲、幹部は討議中止を命じ一切を小宮山幹事長坂井幹事に一任する事になつた二日にわたる研究大會終り大嶋博士の講演に入つた。

危く破壞を免れた

天下の名勝「寢覺の床」

一昨年八月大同電力會社が木曾の名稱寢覺の床付近に九千百廿七馬力の發電所を建設すべく出願をしたに對し本縣で調査の結果寢覺の床の上方二百五十間のところに木曾川を橫斷しえん堤を設けて水流を右岸に導き床の下方二百間のところに放流發電することにより床の上下各數十間を隔てたところで激たんをなしてゐるけい流の影を失ひかつ右岸には發電用水路の堤防上下流はえん堤および發電所の建物を望み水量激減して床に近接せる深淵は漸次砂土で埋まり名勝地を破壞されることになるので今回不許可とすることに決定した

象山神社の

建設計畫進む

明治維新の先覺者として吾が信州の生んだ郷黨の大偉人象山佐久間先生の敬德を慕んで有志の間に象山神社建設の議が起り現在建設資金三萬圓に及んでゐるがこ

千二百五十圓損失補償額百九十圓百圓に付き△敎育費問題で貴院の空氣惡化政府對策中

十一日(火) 前米大統領タフト氏逝く△今日から全國各驛一せいに鐵道の「親切第一」を一週間實行△ヂャズの踊り子が分け前を五分五分にしてくれとストライキを起す

十二日(水) 朝鮮鎭海で陸軍紀念日活動寫眞から見物小學生百四名燒死△陽春を憧がれて三百萬圓が落ちると鐵道省外人觀光團に一と馬力△來朝中のスキーの極位者シユナイダー氏露支國境で露國官憲に抑留されたが釋放さる

十三日(木) 鎭海にて燒死者の遺族へ兩陛から一千圓御下賜△對英非軍事反抗運動ガンヂ氏自ら義勇隊を率ゐて不服從行脚實行△カナダ東洋人排斥次第に深刻を加ふ

十四日(金) 軍縮會議は豐行惡しく日英米三國會議にも我主張を容れぬ限り參加せぬ意向△豫備曹長の發狂亂し軍刀で二兒を刺し自殺

十五日(金) 帝都復興祭當日は官聽學校は休日△日本石油王中野貫一氏死去の相續稅は百廿萬圓△五國協定を熱望して英米全權頻りに奔走各國全權個別會談の結果窮狀緩和さる

十六日(土) 狂亂の女房夫と二兒を殺す春は惱しく展開する△タンクを意のまゝに無電で

の毬本縣營繕、社寺兩課に於いて建設地たる象山の生地埴科郡松代町に敷地其の他を調査したが內務省では佐久間象山の弟子吉田松陰が縣社となつてゐる關係から象山神社の建築物がよければ縣社とする意向だが現在資金では縣社としての外觀を保つ事は不況の今日むづかしいので有志の間では郷黨の大偉人を世に出すべく各方面に奔走中である。尙象山先生の墓は京都西郊妙心寺境內に四時參詣者が絕えない。

恐しい試驗地獄

看護婦志願者は六倍

遞信講習は十四倍

赤十字長野支部では看護婦見習生採用試驗を執行したが採用人員十五名に對し志望者は六倍以上の九十二名で中には高女卒業者四十名あつた又長野遞信講習所では六七兩日入所試驗を執行するが縣下全部での採用豫定人員二十名に對し長野だけの應募者二百七十三名に達し中學卒業者も十名程志願して近年珍らしい就職地獄が出現してゐる。

珍しい子福者

兄弟九人の野球團

兄弟九人で野球チームを組織するといふ全國でも恐らく始めての話が松本市に生れた同市仲町二丁目繭糸商大輪寅十(五三)妻つね(五二)との間に十三人の子供をあげたがその內二人死亡し殘る十一人の內九人は男でいづれもスポーツ好きそこで二三年前から兄弟で一チームをつくる計畫を進めたが八男と九男の兩君が小さくてものにならず他から二人を補充し各地に轉戰してゐたが本年は全部兄弟で出來上つたので大輪兄弟野球團を編成マネジヤーは父親の寅十さん、主將は長男の勇太郎君、長女と次女が應援に出るといふ同チームのメムバー左の通り

投手四男傳十(二五)捕手二男一男(二九)一壘手長男勇太郎(三二)二壘手五男竹雄(二一)三壘手三男義雄(二七)遊擊手六男幸吉(二〇)右翼手七男貞治(一八)中堅手八男重治(一六)左翼手九男正八(一四)この報導が一度新聞で傳へられるや拔目のない映畫會社では遙に米國から兄弟九人の野球チームを映畫におさめたいと申込んだ

操縱する事に成功長山少佐の實驗△島德藏氏をめぐる明政會議員買收事件で鶴見祐輔氏取調らる△ヒマラヤ山の高峰カンチエンジユンガの國際登山隊用意萬端を終へて英國を出發

十七日(日) 四月八日の花祭に日比谷の奏樂をパリへ放送する△大巡保有量を殘し日米の主張接近す△デンマーク皇太子殿下御船路恙なく御入京△津浪の如く全國を襲ふ失業地獄に各方面對應策をねる

十八日(月) 復興祭近づき早春の都は賑はん△震災同情の還米婦人答禮使橫濱出帆△緊縮政策と冬越えの春先きにたゝつて失業者が激增し對策は朝野共苦心△財界不安定の現況に怪文書流言等の橫行を取締り財界混亂を防ぐ

十九日(火) 無產派合同促進するも吾等の立場は捨てないと勞農黨の賑△復興帝都の整美に街頭作法を守れと朝日新聞社で市民公德運動を起す

廿日(水) 實業專門學校入學志望者昨年より七百名減少す△長春で活動寫眞館から出火百數十名死傷す△金澤市內に五十戶燒失

海の外

人事相談

本欄は求人、就職、婚姻等個人的の人事に關する相談に應じ紹介、斡旋の勞をとる。御相談に關して係りで負擔出來ざる費用は實費を頂戴す。（係）

△求緣▽

嫁度 本縣人、某實科高等女學校卒業、年齡二十三才、小學校敎員免許狀有、目下某小學校勤務、先方思想堅實相應なる渡航資金を準備せる三十五才迄の青年にして、身体強壯、系統正しき確實の海外發展者たる事(姓名在社)

嫁度 本縣人、某高等女學校三年修業家事都合に退學爾後某病院に事務員として勤務、先方身体強健意志堅固、十分なる渡航資金を持つて伯國に渡航する系統正しき青年たる事、なるべくは五年位ブラジルにて奮鬪せし人を望みます（姓名在社）

嫁度 小學校卒業後自家農業に從事中、年二十九才の處女、可成は三十五才迄の男子に嫁度、身体強壯品行方正何等恥ずる所なし、(姓名在社)

嫁度 自村小學校卒業後家事手傳中、年齡二十一才、先方條件人物確實、二十五町步以上を有する伯國アリアンサ移住地入植者たる事、鄉里の家庭が近隣の嫌忌する狀態ならざる事、以上の條件に適合せる青年にして熟談の上緣談進行致度(姓名在社)

求妻 當方二十年前に渡墨、雜貨業を營む資產數萬圓在、年齡四十六、先方系統正しき日本婦人たる事(姓名在社)

求妻 當方二十五才、某公民學校卒業後自家農業に從事中、アリアンサ移住地に請負耕作として入植準備中、住所本縣北佐久郡、先方身体強健、意志堅實なる二十五才迄の品行方正なる婦人(姓名在社)

求妻 當方年齡三十三才、十年前にヒリツピンに渡航し大會社の監督、月收三百圓他資產數千あり、先方体强健、常識ある東筑摩郡西筑摩郡南安曇郡北安曇郡の婦人たる事(姓名在社)

求妻 當方飯山中學卒業、大正五年アルゼンチン、ブイノスアイレス市に渡航し商業に從事中、資產數萬在、店員五名使用、年三十四才、先方高等女學校卒業、思想正しく容姿十人並、身体壯健、血統正しき婦人(姓名在社)

嫁度 希望伯國及亞國に於て獨立農業に從事せる品行方正なる男子たる事、當方年齡二十才、体強健、尋常小學校卒業常識普通、住所本縣上高井郡、先方他府縣人たるを問はず血統正しき人(姓名在社)

海の外 歌壇

短歌　雉夫選

○　藤澤露草

雪雲のうするるひまゆもるる日の光さむけき湖つ邊に來し

天龍の淺瀨に潛く家鴨らのたまさかたつる聲とほるなり

都邊にいでてすぎにし七年の昔思ひつつ麗なひをらむ

○　兩角信次郎

きぞの夜ならぬ眠りの疲れ出で眞晝炬燵にいつかねむれり

姉弟ひたゐあつめて茶を呑むも幾年ぶりぞ母なき吾が家に

昨日今日ようきゆるみて降る雪に庭木は多くいたみけるかも

冬深み雪焼したる吾が顔を鏡にうつしてひげそりにけり

○　六波羅靜馬

草鞋より沁み込む水の冷さをひとりわびつつ峠を越ゆる

公園の凍てし路邊に餌をあさる雀は松に逃げさりにけり

夕ひかり峰にのこれる松山の麓の村に電燈つきたり

○　加納幸雄

煙草の煙こもれる室の障子あけゆふべしづかに雪の田を見る

片言もいまだいへぬに欲るものに自が幼手を重ねいだしぬ

新校舍の窓の向ひに氣にとめし墓原も目に馴れて來にけり

○　中込宗吉

水あせし河原の石に霜すぎの冬のうすら日さしにけるかも

ふる葱の枯葉の蔭に眞青く新芽二三寸のびてをりたり

○　伊藤淳郎

風邪にきくと妹のつくりし大根のおろす汁飲み眠らむとする

終宵を渡しにのりて船頭の不景氣かこつ話ききをり

演壇の辯士大に脫線し野次りたき心しきりにわけける

○　久保田健次

ほがらかに謡うちあげて唱ひをる子供の心いとけなきかも

數へ子にあはんと出づる道のへに青くなぎたる湖水をみおろす

○　川口水葵

凍みて來し燗あとに夕べ居殘れば曇れる空に月はあがれり

庭すみの焼け殘りたる滿天星(どうだん)に一日氷柱のさがりて居るも

夜のいまだ明けぬ臥所(ふしど)にねたらひて久びさ降れる雨をききをり

たまさかの休みを日ざしよき部屋にこもりたまれる仕事つづけり

○　中谷四郎

逝きませし叔母のかんばせやせもせで亡き吾が父にただににてをり

この世をば老ひ給ふまで貧困とたたかひつづけて遂に逝きたり

學校もいまだ卒へじと思ふ子の手馴れしさまにたがかけて居り

この頃はしみのゆるみてさ庭べに吾が歩みする下駄のあとつく

○　小山勇次

東京に住ひし姉はこの頃の諏訪の寒さに堪へかねて居り

○　中島英太郎

萬歲の歡呼の裡に候補者は涙ぐみつつ突立ちて居り

○　矢澤砂多路

雲ひくく山のいただきにかかりをりみすずの原に春雨のしつ

○　伊藤しげ

歌つくる心もおきず幾日も過ぎ來し吾をさびしみにけり

外に出でて春雨けぶるさ庭べをそぞろ歩きぬ日曜の晝

もの蔭に雪は殘れど花園の芽立ちは伸びて春となりにけり

○アルゼンチン　田村一惠

井戸掘りのピオン雇ひて今日もまた三メートルぼりしが水は出でざり

週に一度通ふ朝汽車今宵きぬ此植民地乘る客もなし

三年越しにおとづれくれし土人の子煙草など吸ひ見違ひにけり

入植の友訪ひ行けば夫婦して泥にまみれて壁土こねをり

朝戸出の吾が眼にしみてアンデスの嶺の白雪てりはへにけり

○アリアンサ陸稻會

蒼ぶくれて日向ぼこりや病み上り

今日も又飛行日和や日向ぼこ　孤笠

道端に毛唐居並ぶ日向ぼこ　了策

汽車窓の日向ぼこりや客まばら

穏錢を數ふる翁日向ぼこ

地に印す枯木のかげや冬の月

寒月の澤渡り行く家路かな　芦庵

枝々の野飼の雞や冬の月

退校の兒を待つ道の日向ぼこ　圭石

細細と野風呂にうつる冬の月　里橋

畑中に突立つ枯木冬の月

曇原の草家小さし冬の月　拘二

日向ぼこ次の汽車待つ密柑賣り　皺女

鷗女林の影黒ずみて冬の月　あきら

圓木に小供一杯日向ぼこ

おきまりの乳兒と婆とが日向ぼこ　八洲男

隙間もる光つめたき冬の月　古城

冷々と枯木の上や冬の月　雅秀

花園の芽立ち數ふる日向ぼこ　柳

静なる堀立小屋や冬の月

校庭にづらり並びし日向ぼこ　白羊

窓枠に日向ぼとりや孕み猫　乙女

山畑の餘畑おぼろに冬の月　佐和太

○　朝鮮の南倉　千里

草足らぬ海苔の乾場のさびしかり

春日さす牛の背にかささぎたてり

引鶴や荒麥畑へ施肥いそぐ

嫁ぎ行く鮮人轎に行く春日傘

海の外歌壇募集

◎短歌　□□　題隨意（一人五首用紙ハガキ）

◎俳句　□□　題隨意（一人五句用紙ハガキ）

締切　每月二十日限り

宛名　諏訪郡平野村　兩角雉夫先生

海の外 問答

×漠然たる質問は不可
×一人三問以下の事
×詳細の回答希望者郵券封入の事

獨身婦人の渡伯

問　來年ブラジルへ知人を訪づれて渡航致し度く目下準備中でありますが

一、婦人の單獨渡航は許されない場合

二、近親者の渡伯を機にその家族の一員に加はつて渡航出來るか

三、その場合の養女入籍は一ヶ年經過せねばなりませぬか(松本横内よし子)

答　一、婦人の單獨(未婚者結婚者共)渡航は伯國在住者より呼寄證明書を貰へば渡航出來ます

二、呼寄證明書を貰ふ事が出來ない場合はその家族の了解を得て養女として入籍するもよろしいでせうが渡伯方便に入籍する事は種々の弊害が伴ひ贊成出來ません。

三、右の場合年齢十五歳以上の者は入籍後一ヶ年を經過せねばなりません。

問　親戚者がメキシコ國に在住してゐます。私は未だ十八才です。どんな手續が必要でせうか、入墨手續について御敎へ下さい。(上高井、宮前宮雄)

答　この様な照會が澤山ありますので此處で一緒に御返事致します

一、先づ先方から呼寄證明書を送付して貰ふため貴下の戸籍謄本（抄本）を御送りになり、證明書が到着したら出願書類を調製して縣に出願する。出願用紙は本會にあります。

二、旅券下付された後墨國領事の査證に要する書類は

イ、海外旅行券　一通　縣廳より下付

ロ、呼寄證明書　一通　在墨日本領事館發給

ハ、身許證明書　一通　所轄警察署長發給

ニ、種痘證明書　一通　乘船地に於いて檢査

ホ、戸籍謄本　一通

ヘ、寫眞正面撮影六葉

ト、寫眞横面撮影三葉

更に滿二十才未滿の場合は

チ、渡航承諾書　一通　父母兄又は後見人證明同、印鑑證明書　一通　承諾者のものを要します。

尙渡航費用及査證料の概算を記してみます。

△北米航路線にて桑港經由

一金壹百拾五圓　（日貨）　横濱、桑港間三等汽船賃

一金八弗　（米貨）　米國入國稅

一金墨貨二百ペソ　墨國上陸の際見せ金（船會社へ預ける事）

一金廿七弗廿五　（米貨）　桑港よりメキシカリー迄の汽車賃

一金墨貨二十ペソ　船會社桑港支店に於ける入墨手數料

△南米航路線にてマンザニヨー上陸

一金壹百貳拾五圓也(日貨)横濱よりマンサニヨ迄三等船賃

一金墨貨二百ペソ墨國上陸見せ金(船會社預け)

△墨國領事館査證料

一金參圓七十五錢　旅行券査證料

一金貳圓五拾錢　種痘證明書證明料

一金六拾錢　身許證明書證明料

一金拾貳圓五拾錢　呼寄證明書證明料

一金拾貳圓五拾錢　渡航承諾書證明料

一金拾貳圓五拾錢　婚姻證明書證明料

協會記事

第四回臨時總會
輪湖理事が移住地狀況を詳細報告

本組合では三月三十一日海外協會評議員會後第四回臨時總會を開き左記事項を協議するが本總會に於いては特にアリアンサ移住地經營の實際を組合員及び關係者に報告するため今回歸朝した移住地經營の實際に關與した輪湖理事が詳細にわたり專ら說明する。

一、長野本部昭和四年度豫算更正の件

二、昭和五年度收入支出豫算議定の件

三、昭和五年度に於ける借入金額並に借入利率の最高限度決定の件

四、昭和五年度に於ける本組合の取引銀行決定の件

五、昭和五年度に於ける借入金額並に借入利率の最高限度決定の件

六、昭和五年度に於ける一組合員（又は組合員と同一の家にある者）に對する貸付金最高限定決定の件

七、昭和五年度土地分譲代金決定の件

八、定款附則追加の件

九、熊本、信濃、鳥取及富山四海外移住組合移住地統一經營に關する委員選定の件

海外協會の評議員會開催

三月三十一日本會評議員會開催左記事項を協議する。

一、昭和三年度收入支出決算認定の件

二、昭和四年事業報告並昭和五年三月二十五日現在會計狀況報告の件

三、昭和五年度收入支出豫算議定の件

四月便船二船で五家族十九名が渡航

三月便船までに本移住地に渡航したものは前號報告通り十家族四十名であつたが四月便船二船では左記五家族十九名が出發する

四月十九日出帆ブヘノスアイレス丸（六月四日サントス港着）

北海道中川郡西足寄村　相場政衞　九人

長野縣上伊那郡西春近村　澁野信　九人

四月廿八日出帆博多丸（六月廿五日サントス港着）

大分縣直入郡竹田町　河野寛　二人

神戸市岩尾町　小林喜市　七人

宮城縣栗原郡畑岡村　安部敬吉 }

山梨縣中巨摩郡野之瀬村　石川健次 }　二人

尙本年一月以降の渡航者數は左の如し

一月三日サントス丸	四家族	二十人
二月十八日ハワイ丸	一家族	二人
三月一日河內丸	二家族	一三人
三月十五日ラプラタ丸	三家族	十一人
四月十九日ブエノスアイレス丸	二家族	十八人
四月廿八日博多丸	三家族	十一人
計	十五家族	七五人

新入會員紹介

東京府西多摩郡福生村　笹本新吉殿

福島縣南會津郡大寄村　山內安房殿

長野縣東筑摩郡東川手村　青木俊吉殿

岐阜縣可兒郡御嵩町　金子彙太郎殿

會費領收（自二月十六日至三月十五日）

一金千五百圓也特別會員費　宮澤龍男殿

　　　　　　　　　　　　宮澤清男殿

一金拾圓也維持會員費　唐澤俊文殿

一金拾圓也同　宮下友雄殿

一金四圓也宛　飯島長藏殿　藤澤正三郎殿

松山勝三郎殿
一金二圓也宛　羽根田光雄殿　岸本　興殿
平田義雄殿　倉石大治郎殿　竹内榮助殿
關口喜一郎殿　矢島義二殿　笹本新吉殿
山内安房殿　二木卯太郎殿　栗野卯次殿
金子兼五郎殿　松山勝三郎殿　尾崎賢治殿
北條芳博殿
一金參拾四圓也　下高井郡延徳村視察組合殿
一金拾八圓也　下水内郡岡山村視察組合殿
一金貳拾貳圓也　埴科郡雨宮縣村視察組合殿
一金拾四圓也　上水内郡神郷村視察組合殿
一金拾八圓也　上水内郡若槻村視察組合殿
一金拾六圓也　小縣郡室賀村視察組合殿
一金貳拾貳圓也　更級視察海外組合殿
一金貳拾貳圓也　埴科郡東條村海外視察組合殿

海外會員費領收

一金二圓八拾八錢也　在北米羅府　大泉　肇殿
一金二圓八拾八錢也　同　松元清次殿
一金貳拾圓參拾貳錢也在キューバ島　柄澤豊次殿

海の外往來

矢崎畫伯渡伯　パステル畫家として有名な矢崎千代二畫伯（五十九）は令孃鳳子（二〇）さんを連れて南米へ繪行脚のため三月十六日神戸出帆のラプラタ丸でこつそり三等に收まつて渡伯

ラウル。ポップ氏來朝　ブルジル電報通信社記者ラウル、ポップ氏は日本を故國に紹介する使命を帶びて來朝した。神戸の移民收容所の完備した施設を賞讃してブラジルへの第一報はこれですと語つてゐた。

元幹事沼越氏渡歐　本縣工場課長沼越正巳氏は來る六月初旬ジュネーブに開れる國際勞働會に政府代表隨員として出席する事になつた。同氏は昭和三年五月本縣社會課長齎任と共に本會幹事として敏腕を振つた縣内少壯事務官として評判が高い。

御尋ね

北米羅府の正金支店から貴下名儀にて本誌一ケ年（送料共）に相當する誌代の御送金に接しましたが御住所不明にて御送本出來ません。當社まで至急御知らせ下さい

海の外社

松元清次殿
大原　肇殿

前號（二月號）訂正

在ダバオにおける死亡者關係記事中誤植や調査の上明瞭となつたる主たる訂正左の如し

頁數と行數　誤植　訂正
二六上段閉目から一行目　山本利雄　山本武利
二六下段同　二行目　不詳は病死、死亡年月日は大六、一一、一三、渡航年月は大六、二
二六下段同　五行目　湯澤寅藏　湯澤從藏
二六同　八行目　大島精一　大島清一
二七上段同　三行目　死亡原因は病死、渡航年月は大七、一〇
二七下段同　一行目　不詳は病死、死亡年月日は大六、九、二五、渡航年月は大六、一
二七同　八行目　久保俗氏死亡は南洋委任統地サイパン島につき消除
二七同　十三行目　不詳は病死。死亡年月日は大七、七、一渡航年月は大七、三
二七同　十四行目　中澤欽四郎氏は長野市古牧出身、病死

編輯後記

▲麗らゝかなる春の日射しは軟らかい芝生に接する樣な感じである。陽光を浴びて萬物は更生する。春！希望に滿ちて力强く此の春を迎へねばならぬ。▲郷土の春色は深みゆく中に北信には七年每に行はれる善光寺御開帳で全國から集る善男善女で長野市は近來にない空前の賑ひを呈してゐる。南信では今次第二回普選における縣議の代議士立候補に伴ふ、縣議補欠で上下伊那、諏訪、東筑臨四郡は欠員五名の逐鹿戰に入り活況を呈してゐる。現在立候補は合計十三名を數られて四月五日の投票日までには多少の變動があらう上伊では欠員一名に三名の立候補、下伊では二名に三名の立候補、諏訪、東筑各一名に前者は四名後者は三名の競爭振りである。

▲信州記事で是非今月號に掲せねばならぬのは大每主催全國選拔中等校の野球戰である。本縣からは松商と諏蠶が出場したが松商は高松と戰ひ七對一で慘敗諏蠶は松山商業と對し三對二で惜敗した。何れも第一回戰で斃れたのは殘念である。信州健兒も今年は意氣揚らない。▲海外協會の人事に關する事を今月號から本誌で發表し廣く内外會員の便益を計る。この事は以前から協會では重要なる事業の一つとして相當の活動をし成績をあげてゐたが更らに百尺竿頭一歩を進めて十分の活動を計る事になつた。内外會員は本誌を十分御活用して下さい。▲海外協會や移住組合は縣廳内にある關係上、地方青年などで來訪される事を遠慮してゐる方がある。縣廳はお役人の勤場所であるが私共の事務所はお役人もゐないし、お役人肌の方もゐないから遠慮なく訪會して下さい。手紙で要領を得ない事や、渡航上の相談は來訪されて、じつくり相談するに限ります。序でに申添へておきますが現在の事務所は縣廳分室となつてゐる元上水内郡役所内で縣町通り犀北館の裏手であります。▲海外通信は海外會員に、讀者論壇は内外會員に御投稿の程を切望します。歌壇にも御精進して下さい。選者が一生懸命でやつて下さいますから。▲西澤幹事がブラジルから澤山の標本や寫眞を御持ちになつてゐる。ブラジル國の習慣は文字以外に手にとる如く判りますから遠慮なく御覽下さい。（宮　本）

海の外（月刊）（一冊廿錢）

	内地送料共	外國送料共
一册	廿錢	廿四錢
六ケ月	一圓十錢	一圓四十四錢
一ケ年	二圓廿錢	二圓八十八錢
五ケ年	拾圓	拾四圓

▲御送金は振替（長野二一四〇番）に御願ひします。外國よりの御送金は銀行、郵便局いづれにても確實に送金されます。
▲御轉居の節は早速新舊兩御住所を御通知下さい。
▲本誌へ廣告掲載御希望の方は詳細相談申上げます。

昭和五年四月一日發行
編輯人　永田　稠
發行兼印刷人　西澤太一郎
長野市南縣町
印刷所　信濃每日新聞社
長野縣廳内
發行所　海の外社
振替口座　長野二一四〇番

日本力行會長
信濃海外協會幹事
永田稠著＝東京寶文館發行

日本植民讀本

菊版百五十頁
地圖挿畫澤山
定價六十錢送料六錢

海外發展主義の小學教育

四六版四百頁布製
定價二圓五十錢
送料十六錢

本會にて取次ます

著者が二十年間海外發展運動に從事せる体驗からしぼり出されたる血の結晶がこの二つの著書となつて現れた。

現在の教育の欠陥は日本民族發展に關する活材料を等閑に附してゐる事で、一般教育に海外發展に關する教育を加味されたならばと著者は此の點に深く留意して今回文部省の認定を得て實業補習學校、各種實業學校、中等學校の課外讀本として日本植民讀本なる教科書を編んだ。

更に現在の小學校の教科書中、修身、國語、地理、歷史の教材中に海外發展主義の高調に利用すべき點につき學年別に其活用法を示したものが海外發展主義の小學教育で、この參考書によつて直ちに海外發展主義の教育が施す事が出來る。世の教育者に是非共必讀を願ふなければならぬ好著である。

（第二版）日本力行會長

永田稠著

南米再巡

菊版四百廿餘頁・寫眞版三十頁・布製函入

定價一冊金二圓八十錢・送料一冊拾八錢

永田氏は信州の生める一異才である。嘗て南米を一週して『南米一巡』を著はし、信州に來つて信濃海外協會の組織に努力し、更に『南米信濃村建設』に關する大使命を帶びて、大正十三年五月末橫濱を出帆し、布哇、北米桑港、ローサンゼルス各地に於ては海外協會支部の設立に盡力し、ソートレキー市にはモルモン宗教植民の跡をたづね、デンヴア、シカゴを經て華府に至り、紐育より大西洋を南下してブラジルに至り、移住地の選定、購入、入植の準備をなし、大正十四年二月日本に歸り來り、更に信濃村大成の爲めに努力奮闘し、今や模範的にして世界に誇り得る移住地が建設されつゝある。『南米再巡』は氏が南北兩米を再巡せる記錄である。志を世界に有する者の一日も看過することの出來ない快著である。

長野縣廳內
信濃海外協會取次販賣

東京市外上板橋　日本力行會發行　振替東京六八八一番

海の外—THE UMINOSOTO
Published Monthly by the Uminosoto Sha. Nagano, Japan.
「海の外」第九十四號（毎月一回一日發行）

（大正十一年四月廿六日第三種郵便物認可）（昭和五年四月一日發行）
信濃海外協會
海の外社發行

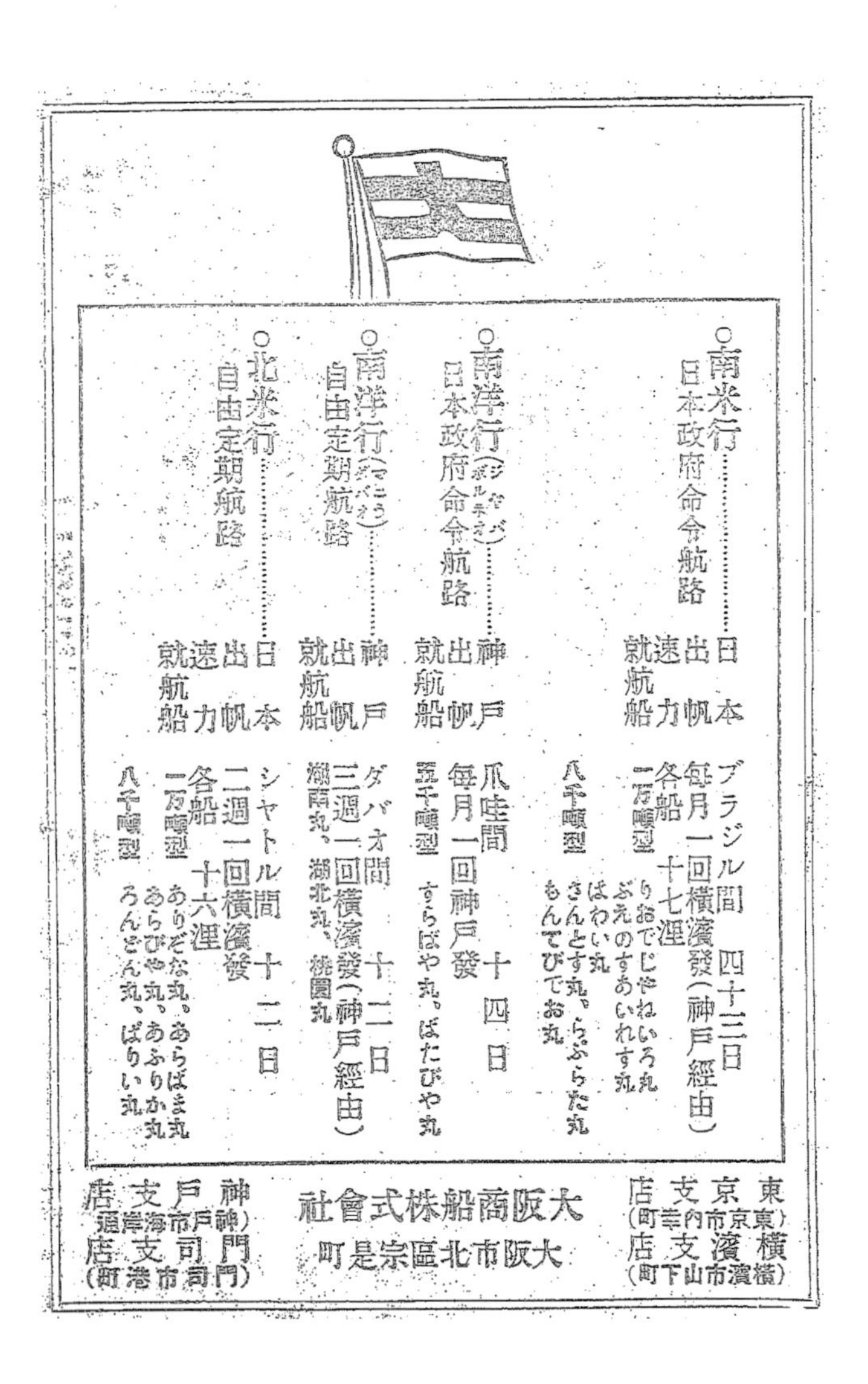

海の外

THE UMI-NO-SOTO

第九十五號

昭和五年五月號

目次

信濃海外協會海の外社發行

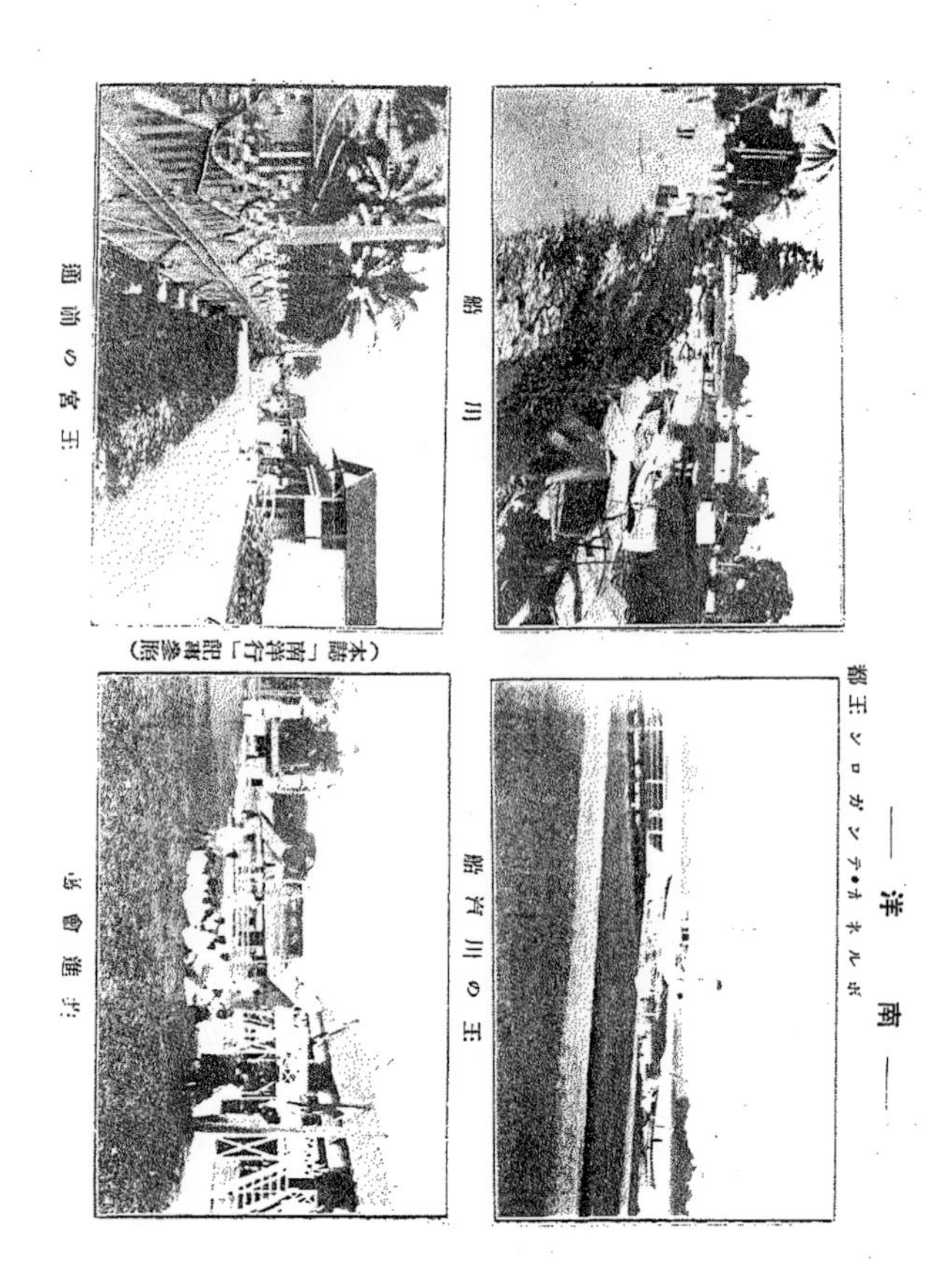

― 南洋 ―
ボルネオ・テンガロン王都

王宮の前通

川船

王の川汽船

共進會場

（本誌「南洋行」記事參照）

―バナナの栽培―

珈琲のブラジルではバナナの栽培も盛んである（サントス所見）

本會で推薦出來る海外發展參考書

		定價	送料
ブラジル人國記	駐伯大使館員 野田良治著	二、八〇	一八
新南米	同氏	二、六〇	一八
若き日本の進路	海興社長 井上雅二著	一、八〇	一〇
西半球を巡りて	同氏	三、八〇	一八
今日のブラジル	八重野松男著	三、〇〇	一八
大アマゾニヤ	野田良治著	二、六〇	二三
神秘境 大アマゾンを探る	古谷敏惠著	一、五〇	一八
南米實情と移民の告白	革新日報社長 濱田捌太郎著	一、三〇	八
ブラジルの實生活	神戸久一著	〇、九五	六
我等のアルゼンチン	芝原耕平著	二、〇〇	八
少年世界地理文庫 ブラジル	西龜正夫著	一、五〇	一三
南米の理想郷	田中誠之助著	一、五〇	一六
改正海外渡航關係法規集	外務省通商局編	、五〇	二
中南米旅商記	横濱貿易商會編	一、五〇	一六
南洋諸島の富	吉田梧郎著	一、五〇	一六
邦人活躍の南洋	宮下琢磨著	二、五〇	二三
南洋談叢	藤山雷太著	一、〇〇	六
比律賓の現狀	商工省商務局編	二、六〇	二〇
黎明の南洋	井手諦一著	二、五〇	二三
世界植民史	大鹽龜雄著	四、五〇	一八
植民及植民政策	東大教授 矢内原忠雄著	四、八〇	二四
植民夜話	農學博士 東郷實著	二、五〇	二〇

最も權威ある語學研究書と地圖

		定價	送料
實用ブラジル語會話	海外興業會社	一、三〇	一〇
西語會話篇	村岡玄著	二、五〇	一三
葡語文法解說	駐伯大使館員 大武和三郎著	二、三〇	一六
日伯會話	同氏	七〇	四
葡和辭典	同氏	四、〇〇	一八
和葡辭典	同氏	四、〇〇	一八
葡萄牙語 手紙の書方	中尾熊吉著	二、五〇	一六
最近西班牙語會話	植民學校講師 酒井一郎著	二、〇〇	一六
獨習西班牙語講義	同氏	〇、五〇	二
聯絡式日西自由會話	同氏	〇、八〇	四
西班牙語文法	同氏	一、六〇	八
西和辭典	酒井一郎著	一、五〇	一八
獨習西班牙語全解(一)(二)	村岡玄著	二、五〇	各一六
西班牙語會話文法	同氏	一、五〇	一六
西和辭典	同氏	六、五〇	二四
實用蘭語文法	同氏	四、〇〇	一〇
實用蘭和辭典	ファン・デ・スタット	四、〇〇	一三
ブラジルサンパウロ州地圖	海外興業會社	〇、七〇	四
ブラジル新地圖	同上	二、〇〇	六
聯結式ぶらじる語會話	酒井市郎著	〇、五〇	四
新渡航法	永田稠著	二、〇〇	〇八
スパニッシユブック	第一卷、第二卷	一、一〇	各六

論說

在鄉軍人の海外移住に就て

信濃海外協會幹事　永田稠

〔本稿は四月十三日帝國在鄉軍人會上水內郡聯合分會の春季總會に於て述べられた講演要旨である。〕

今日、軍人分會の御招きに應じて喜んで參りました大きな理由の一つは、私も軍人であつたからであります。

私は日露戰役に際し身命を献げて邦家の爲め奉公の誠を盡さんとして働きました。國家に盡すべき軍人の精神は名譽の戰死でありました自分の個人的の事情からもあつて私は戰死を希つてゐました。然し幸か、不幸か私は戰死も出來ず、大した手柄も爲し得ず、恥を忍んで鄉里に歸つて來ました。出征の時の決心は命と身体を御國に献げたつもりでありましたから、鄉里に歸つた私はこの命と身体を持て余したのであります。そして、どうかしてこの身命を邦家のために捧げたいと考へ余生を國民海外發展運動に投じ、大和民族の世界的發展に盡したいと今日までやつてまゐりました。たゞ淺學菲才未だ十分の効果を現はす事が出來ないでをります。以上の次第で私の海外發展運動は軍人精神から來たと考へらるゝのでありますが故に今日忙しい身体を都合して軍人分會の講演にまゐりました次第で御座います。

御承知の如く軍隊教育は學校でも、家庭でも爲し得ざる人生の大切な部分をやつてをります。軍隊教育の目的は國家の中堅人物を作る國民養成にあります。軍人の猛烈なる訓練は志操を強固にし、身体を強健にし、獨立敢爲の精神を養成する。この進取剛健なる氣慨は戰時に於て國家を守る事は勿論であるが、平時に於ても國家活動の原動力となるものであります。この軍隊教育を受けたる軍人の海外移住は現在總數の一割二分位であるが、在外同胞七十萬の内七萬乃至八萬の者は軍人であります。而して在外軍人の成績は諸他の人々に比して好成績を示してゐる事は申すまでもありません。

私の立場から見れば軍人の海外發展は實に理想的なことだと考へられます。軍人は一旦緩急あらば義勇奉公に盡すのは當然であるが、日清戰爭から歐洲大戰まで拾年毎に戰端が開かれ戰爭は一ケ年位で後の九ケ年は平和な時代であり、更らに軍縮會議によつて國際協調の平和が招來されてゐるので軍人は平時に於ても別の形を以て軍人精神を發揮せねばなりません。

現在我國の事情は行詰つて居るが先づ私共は行詰りの精神的の方向から研究する必要がある。

先づ私共は日本建國の祖、神武天皇について考へたい。私共が村里に行つて海外發展を主張すれば、ある者は海外に行くなどと云ふ事は第一祖先に對して申譯ない事である、第二海外まで行く程喰ふには困らぬ、行つた覺悟で働けばこゝでも生活が出來る、第三行き先きが不安で行つて果して生活出來るかどうか疑問である等と反對します。

神武天皇は日向の國に於いて相當の御生活をなして何不自由のない平和な御家庭に御生活になりました。然し此の平和な生活に御滿足なさるには、余りに剛健であらせられ、祖先未見の地に祖先未知の文明を建設せんとする大抱負が、御胸の中に燃え上つて居りました。茲に於て御兩親の御承諾を得、御兄弟と共に大日本帝國建設のため、萬里遠征の途に上らせられたのである。天皇は日向の東岸を出發せられ、速吸の門を經て宇沙に着き、今日の馬關海峽を西へ出で岡田の宮に至り、引かへして多郡理宮より高嶋の宮を經て浪速に出で、更に水門を渡り紀の國の東岸に出で、道なき山に道を造り、今日の奈良縣櫻井町附近に御到着になる迄の永い歲月の御苦辛は容易のものでなかつたと拜察致します。乃ち風波の難、病傷の難、土人の難、水火の難、獸蛇の難、不和の難、破船の難、飢餓の難、資金欠乏の難。數へ來れば殆んど限がありません。加之、御兄弟は土人の毒矢に斃れ道なき山に道を開いて御到着遊ばされた。大和の國は千古斧鉞を知らざる森林と瘴烟の毒氣が漲ぎつて居る沼澤に、萱が茂り、其間にアイヌの酋長が、とりかぶとの根より製したる毒をぬつた矢を持つて待つて居たに相違ありません。

日本民族の先着者も少しはあつたが其勢力は微々たるものであつた。此の境遇に處して天皇は少しも怖れず、斧を揮ふて森林を伐り、鍬を持つて土地を開き、土人を愛撫して心服させ、掘立小屋に住み、着々と開拓建國の基礎を築かるゝのでありましたその當時の地理の知識では大和國は一番遠い所で神武天皇は其最遠の所迄御移住なさつたのである。今日ブラジルへ政府の補助

金で渡航することは發達至極であります。思ふに神武天皇は開拓の精神を以て御精神の中樞とせられたので天皇は元より武勇の方にましましたけれど武人と申上げ奉らんよりは寧ろ理想的の移住指導者であり移植民地建設の大偉人でおはしましたと申上げたいのであります。此の移植民界の大偉人を、第一代の天皇と仰ぎ奉る我日本帝國の國民は宜しく天皇の御精神を以つてその精神とし萬里の波濤を蹴破つて、更に大なる邦家の建設に努力せねばなりませぬ。

又、關東八州の開拓は神武天皇から十一代を經た景行天皇の時代に日本武尊の東征となつたもので横濱、横須賀　東京の建設の基礎ともなつてゐる。日本武尊の東征は決して戰爭ではなくして日本民族のために移植民地建設調査の御旅行と見る方が當を得たものだと私は確信するものであります。

新しき天地に進む精神があれば行き詰りの悲鳴をあげる必要はない。今日の國民は余りに先輩に頼り先輩の道を踏み過ぎる故に共に行き詰るのである。明治維新は明治の時代の人によつて行はれ、大正は大正の時代の人によつて、昭和は昭和の人によつて行はるべく決して明治時代の人のやつた事を眞似する必要はない。

この樣に神武天皇、日本武尊の御精神は開拓精神を以て終始されたので日本國民はこの精神を指導精神となし軍人精神も又これにより平時は劍の代りに鍬を携へて進まねばならないと考へるのであります。

次に國運打開の實行は議論ではなくて實行であります。山國の信濃では大正十二年當時の縣知事本間利雄氏が南米に信濃村建設を着手した。當時、當局者は誤解され、嘲笑を受け、本間知事は氣でも狂つたかと冷笑されました。最初購入した土地は五千五百町歩で諏訪の平位で一と周りすると七八里、直經二里位である。その後鳥取、富山、熊本も加つて面積は二萬町歩に擴大され、民間の力ばかりでは足りないと云ふので海外移住組合法が制定され政府が援助する事になつた。各府縣に海外移住組合が出來て縣民の海外移住を取扱ひ今日では南米における移住組合の土地購入は二十五萬町歩購入價格は七百萬圓に達してゐる。その中心は梅谷前長野縣知事で盛んに活動されて居る。三人の一家族で三千圓の資金を得れば二十五町歩の地主となつて行く事が出來る。土地代は三年賦でもよい。渡航の世話や旅券の心配は協會でやつてくれ、神戸港までは汽車賃が半額で神戸には國立移民收容所があつて一週間乃至十日は無料で宿泊し乘船の準備をする。船は一萬噸級で普通四十七日、永くて五十余日かゝるが船の中の生活は設備もよくて航海の不安は少しもない。途中は各地寄港して見物も出來る。サントスに上陸してサンパウロ市に行くと政府の移民收容所があつて四千人が宿泊出來る移民收容所がある。こゝから汽車で二晝夜にしてノロエステ線ルッサンビラ驛に下車すると自動車便があつて一時半余りでアリアンサ移住地に到着する。こゝにも收容所があつて自分の地區が決定し掘立小屋

を作るまで宿泊する。地區は形が違ふが巾二町で長さ三十町位のもある。私共は日本で五反百姓で困り〳〵したからブラジルでこれを繰返したくないので二十五町歩が一戸の最小面積である。大密林でこの採伐は請負者にやつて貰ふ。採伐後は約二ケ月天日で乾燥して燒拂ひ、掘立小屋を建てる。氣候は暖かで信州の秋の霜から春の霜までの冬期間取去つた氣候であるから小屋は防寒の設備は要らない。小屋も一番お金をかけたのが三百圓位で最低は三十圓位で仕上げた人もある。井戸も掘れば水が湧き出で飲料水に困る事はない。

そして珈琲を先づ第一に蒔付けする、一町歩に六百株位仕立てる、その間作には豆類、玉蜀黍、陸稲を栽培するが陸稲は播種期間が九月から十二月の四ケ月間（ブラジルはこの時分が春である。）あるから一人の勞働で四町歩を耕作出來る、一反歩から五六俵の收穫で一俵五圓位まづ二百俵一千圓位の收入があるので一家の生計はこれで立てる。

更らに養蠶について申上ぐれば飼育期間は八ケ月もあつて桑樹の生長振りは驚ろくばかりである。九月の降雨前に苗木を挿して八ケ月後には地上一尺五寸の切口は直徑二寸になつてゐた。然かもブラジルには蠶糸製糸の國策が樹立されて桑苗は勿論蠶種まで無料で給與し收繭は一貫匁八圓の相場を以て買上げ製糸場までの運賃は無料であり、尙製糸場を經營する場合にはその投資額の三分の一を補助し絹糸は二割絹製品には六割の關稅を附して國內絹糸業を保護助長せしめてをります。

日本でも養蠶救濟の國策樹立が叫ばれ製糸家救濟の糸價補償法が適用される樣になつて來たがそれでも養蠶家も製糸家も損をして勘定が合はない、世界の養蠶製糸業を日本人の手によつて管理せねばならぬ。日本で損をする養蠶もブラジルや南洋でやれば遂に世界の養蠶業を獨占する事が出來る。

移住地の生活は此方では想像の出來ない程豊かである。バナヽ、パイナツプル、マモン等の果實が年中成つてゐる。殊にマモン（台灣では木瓜と云ふ）は未熟の時は漬瓜や味噌汁の菜になり、瓜の代用ともなり熟せば甜瓜にもなり干瓢にもなると云ふ重寶なものであります。茄子は信州では一年生であるがブラジルは多年生で三年でも五年でも一本からとれる。鷄の如きは自分の家に何羽ゐるか知る者がない。斯くの如く年中樂な生活が出來、仕事が出來る天國であるが困つた事に資金がゐる。資金は自作（地主）であれば三千圓かゝる。ところがその莫大のお金は出來ないがその半分位は出來ると云ふ人があります。その方々には日本で土地を持つてゐるが自分では渡航して開墾する事が出來ずしてゐる人の土地に四年契約若くは六ケ年契約として請負耕作を致します。その契約年限中の收穫物は全部請負者の收入となるもので四年乃至六年に五六千圓を貯蓄して五十町歩の自作となる事が出來ます。所が此の不景氣に千五百圓のお金はとても出來ない。ホンの二三百圓しか出來ないが行く方法がないかと云ふに

既に出來上つてゐる珈琲園の勞働者として除草や實の採集の仕事をする方法もある。獨身者の渡航法もある。現在獨身者の渡航には政府の補助金がないがこの獨身者は五六百圓を用意すれば私の力行會の南米農業練習所がある。この農業練習所では獨身者ばかりを收容して開拓に從事してゐるので一人が珈琲樹二千株を請負ふて仕事する。この仕事を四ケ年やれば二千圓位を殘し國元から娘を送つてもらつて夫婦になれば立派な獨立農となる事が出來ます。

こうして約十ケ年辛棒すれば獨立して立派な農民となる事が出來ます。更らに私は獨りブラジルのみならず各地に移住の方法を考へてをります。樺太では三百五十圓あれば政府で十町歩の土地と六百圓を補助して農業に從事させる。朝鮮でも咸境北道に六百歩の移住地を本年から建設する準備にかゝつてゐます。其の他長野縣よりはよい生活の出來る所が澤山あつて移住する御決心さへあれば幸福なる運命は自分の腕により築き上げる事が出來ます。

由來、日本は氣候溫和にして五穀豐穰と云はれてゐる。私は小學校の時、赤道直下の溫度はどの位かと先生に尋ねると、赤道直下は裸体になれば肩が火ぶくれになると敎へられ恐れてゐました。が、赤道はそんなものでない事は私の三四回の通過で知りました。それから私は南米旅行の途次、紐育の或る女學校を參觀致しました。丁度地理の授業中で日本の事を敎へてゐたが私の日本人なるを見て日本に關する質問を生徒にやつて下さいと云はれました。そこで私は日本の土地は肥沃であるか瘠せてゐるかと質すと、日本は世界中で一番瘠せてゐます、と答へた。私はすかさず、續いてその理由を尋ねてとその生徒の答は、日本は世界で一番多く肥料を用ひてゐる事を敎りました。肥料を使ふ樣な土地は肥沃であり樣筈がない、との返事であつた。

紐育の女生徒は日本の土地がやせてゐる事を知つてゐるが日本の子供は肥沃の土地だと敎つてゐます。そしてそう信じてゐる樣であります。これは愛郷心を養ふ爲め止む得ない事かも知れませんが青年になれば自分の耕してゐる土地のやせてゐる事を直視せねばなりません。氣候溫和では決して氷こんにやくは出來ず、五穀豐穰では食糧問題は起らない筈です。

農村の疲弊が叫ばれてゐる。農家は自家の經濟を數字で計算せねばならぬ、私の生地は諏訪の山浦であるが私共の中學時代には諏訪中學の生徒の半數以上は山浦地方の農家の子弟でした。所が現在はそれが反對になつて上、下諏訪、岡谷の市街地の子弟に替りました。これは明らかに農村疲弊を如實に物語る一つであります。

農村の行詰りは國民の健康や体格迄關係して來てゐる、死亡平均年額は每年下つてくる、徵兵合格率が明治四十五年の壯丁は五十二%が大正十一年には四十%に下つてゐる。人口增加は困る問題の如く考へてゐるが實は人口增加率が減つてゐる事が問題である。日本帝國が安全なる國家として行くには大和民族は二億以上の數を有たなければならぬ。然るに八千萬の同胞で人口問

題を騒いでゐたでは二億の同胞を如何にして養ふか。日露戰爭の際、補充兵が召集されたが体格が倭小で腰の彈藥袋の上に背嚢がのしかゝつてゐるではないか、現役兵は彈藥袋と背嚢との間隔は二十サンチ以上あるのが普通である。日露戰爭の二ケ年足らずの戰爭にこの始末ではこれから起る大戰が永く續くとすれば戰場に送り出す兵士の体格を如何にして作るか、それには結局滿山の國民から選ばねばならぬであらう。然し二億の國民をこの嶋國に養ふ事は絶對に出來ないとすれば日本民族は世界各地に發展してゐなければならぬ事になる。

あの世界大戰に於て獨逸が斯くまでに强硬であつたのは獨逸本國以外の海外各地に在住してゐた獨逸人の活動を閑却する事が出來ないのであります。

私共は今日まで海外發展運動について微力をつくし來つてアリアンサ移住地の如き兎に角、國民海外發展の道を暗示して來ました。然しこれは一つの例に過ぎません。國民は總がかりになつて今一度考へ直し神武創業の精神に立ち返らねばならぬ。神武天皇の御兄弟は、親居ませば遠く遊ばず、なんて支那人の寐言を言はなかつた。私は今日までこの運動にたずさはつて敎育者に可成りの信頼を待して來ました。然し余り期待する事の出來ない事を發見した。靑年會にもずいぶん力を入れてやつて見たがそれも駄目である事を知りました。此處に於てか私は最後に在郷軍人に多大の期待と信頼をかけてゐます。一旦緩急の場合に猛烈と立ち得る軍人が平時に於て鍬と算盤を持つて進む時に於て初めて新日本の建設は出來得るのであります。蓋し在郷軍人の使命は平時に於ても一旦緩急の場合と同樣國民發展の第一線に活動せねばならないと信じます。（了）

現在のアリアンサ移住地

輪湖俊午郎

本稿は三月三十一日海外協會評議員會席場に於いて最近歸朝せる輪湖俊午郎氏が自ら生みの苦しみに終始した移住地に關する報告概要である。

聖洲開發上から見たアリアンサの地位

聖洲は面積二十九萬八百七十六キロメートルでその三分二が農耕地に利用されてゐる。殘余の三分の一は農耕地として不適當でありまして僅かに奥地に若干殘されてゐるに過ぎない。この聖洲三分の二の農耕地は最も豊沃な土地であるがそれでも已づと甲乙に別れてゐる。大正十二年海外協會がアリアンサを購入する頃は當時の輿論は未だアリアンサが非常に奥地に位すると云ふので多くの反對（惡口）があつたが今日になつてみれば聖洲では最早好適地の購入は困難であつて隣接洲にドン〳〵進んでアリアンサは現在では奥地でなく中程になつてしまつた。

アリアンサは必然的に聖洲最後の開發さるべき土地として何人が手をつけねでも地理的に發展する運命にあつた。これはアリアンサを中心として一帶は未開發のまゝになつてゐたのでこの地方は經濟的の發展は大いに注目されてゐた。

それでこの地方は現在新聞で盛んに喧傳されるアマゾン河域一帶の開發が各國企業家の競爭する國際的企業地と注目されてゐる樣にアリアンサも聖洲內では可成りの重要なる土地と目されてゐた。それが計らずも私共が手を染める樣になつたのは誠に意外でもありまして、これを日本人の立場から見れば將來の在伯邦人發展上重要なる一つの定石が置かれた樣なものであつた。

その樣にアリアンサの土地は重要な所であつたが現在ではこのアリアンサを中心に第二第三の移住地が擴張され更に移住組合ではチエテに十一萬余町步を購入してゐる。

アリアンサの現況すばらしい發展振り

本移住地の建設經過については既に「海の外」や永田氏著書の「兩米再巡」にありまして私が改めて申上げる事もありませんが今日までの經過は決して樂なものでなかつた。此方で資金調達や移住者募集や當局との交渉に可成りの困難があつた樣に私共移住地の現業者にも、ずい分苦勞がありました。

現在の本移住地人口總數は第一、第二、第三で三百八十二戶、一千七百三十二人、一戶平均四人半である。人口動態は一九二五年（この年から入植し初めた）から

出生　一七七（男一〇〇女七七）

死亡　六〇（男三一女二九）

で出生は出産能力旺盛なる年齢の家族が多いので驚ろくべき數字を示してゐる。卽ち出生は人口千に對する三十二の增加でこれを日本の一三（昭和二年調査、朝日年鑑による）に比すれば二倍半に相當する。

死亡は大部分子供でアミーバ赤痢であつた。この病氣はそう恐しいものでないが多くは親の不注意から犧牲者を出すのでこの病氣は河川の水をそのまゝ飲用するのが主なる原因である。子供が咽喉を喝してゐるのを親が不注意に生水を與へるのである。次ぎにマラリヤについてずいぶん惡評があつてアリアンサはマラリヤの巣の樣に傳へられ移住地の當局者はこの死亡者が多いため死者を隱蔽して發表しない、と云ふ樣な流言が聖市で專らであつた。所が事實はこれと相違して今日までマラリヤで死亡した者は一人もないのは私共として大いに喜んでゐる次第である。

現在の開拓面積は八百九十六アルケール（二千二百四十町步）珈琲樹約百九十萬本、籾の收穫高は昨年二萬三千五百俵で內賣却可能數は一萬六千二百俵であつた。道路は延長百二十キロ（約八十哩）に及び自動車道路である。經濟、衞生、日常生活に必要なる施設は先づ農産加工場の精米、製糖等の設備である。精米所は毎日約百俵精白の能力をもち、製糖は毎日六俵の製糖力をもつて活動してゐる。

製材、瓦、煉瓦工場も盛んに活動中である。學校は第一、第二、第三に各校舍があつて兒童の敎育には差支へない。現在の兒童總數は百九十名に達してゐる。

醫局は第一に本營があつて第二、第三に出張し尙アルマゼン（商店部）が日用必需品の供給に活動して移住地における生活は

此方でカレコレ臆測する樣に決して不便ではない。

驚嘆すべき事實を物語る珈琲成育振り

珈琲の蒔付は毎年六十萬本で（勿論最初二三年は入植者少なきためこの半分も蒔付出來なかつた）昨年末現在の本移住地珈琲樹は百九十萬本と想達され蒔付けられた面積は八百九十六アルケール（二千二百四十町步）である。この內入植第一年度に蒔付けられたものは昨年滿四年生となつて見事な實が結び、私共はこの吉報を內地の方々に報告し、共に苦心の甲斐あつた「歡び」を分つために昨年遙々彼の地から珈琲實を送り此方ではこれを製精して、皆樣に贈り芳香高いアリアンサコーヒの味を飮んでいたゞいたのである。

今この四年生のものについて耕作者別に示せば次ぎの通りである。

四年生樹珈琲收穫高調査表

氏名	收穫高	四年生樹樹數	一俵收穫ニ對スル平均本數
穎下登	五〇〇俵	八二〇〇本	一六、四本
竹村安定	二五〇	三六〇〇	一四、四
上條佐和太	一四〇	一六〇〇	一一、四
座光寺與市	一五〇	二五三〇	一六、八
松井熙龍	四五	一二〇〇	二六、六
小川林	五〇	二五〇〇	五〇、〇
鈴木京壽	三五	一五五五	四四、四
伊藤長喜	五〇	二六〇〇	五二、〇
協會直營地	九七四	三三六六一	三四、八
合計	二二五四	五七四四六	三一、八

備考　乾燥濟珈琲一ラッタ（石油クワン）に五杯を以て一俵とす

以上申上げた數字で私共の特別の注意を促がされるのは珈琲一俵當りに對する珈琲本數である。卽ち珈琲の收穫高は樹齢、手入れの巧拙、土地の肥瘠等によるが本移住で最も成績のよかつたのは上條氏の十一本四で一俵採れ、これを平均すると三十一本

で一俵收穫されてゐる。これをノロエステ沿線の平均四十本に較べれば非常によい好成績を示してゐる。これから考へて本移住地の收穫豫想率は今後十五本で一俵と計算して決して不當ではないのである。これは私共の多年の經驗とブラジルの各地珈琲園の經驗から斷言し得る所であつて、今これを基礎として向四ケ年（昭和八年度）迄の收穫豫想は次ぎの樣になる。

昭和五年度	九三五〇俵	五、六〇〇〇圓
昭和六年度	三〇七三〇	一二、二〇〇〇
昭和七年度	六六六三六	五〇、〇〇〇〇
昭和八年度	一〇七八六〇	七五、〇〇〇〇

右の事實を頭において移住地全体の實際收益を見る時は收益全体の三割と云ふものは珈琲以外から得るもので穀、養畜、養蠶等からの收益である。此處に於いて移住地は經濟的生活の消費をこの珈琲以外の收益金に當てゝも珈琲の收益金は完全に殘る事になる。そこでこの收益金はどの用に利用されるか、これが今後の大きい重要問題である。

四ケ年で壹萬圓に賣れた事實

これを明らかにするために現在移住地の資産狀態について述べて見ますと（勿論これは昨年十月現在であつて概括的で極く內輪に見積つたものである。）即ち現在移住者の投資したる總額は、

一、土地代、借金等	百十萬圓
二、移住者の持參金	四十萬圓
計	百五十萬圓

でこれは負債と見るべきものである。次ぎに資産と見るべきものは、

一、百二十五萬本の珈琲價格	百五十萬圓
二、未開墾の原始林	百二萬圓
計	二百五十二萬圓

珈琲樹は一本五ミルで六千二百五十コントス（邦貨百五十萬圓）である。百二十五萬本は一戸當り四アルケール（十町步）七千本平均として百八十戸分である。アリアンサ全面積は七千二百アルケールで珈琲植付面積以外は全部原始林と見做してその原始林は五千四百二十アルケール（一萬三千五百五十町步）一アルケール價格は七百五十ミルとみて四千六十五コントス（邦貨百二萬

圓）となる。即ち現在資産は差引百二萬圓のとなる。これを百八十戸當りの資産は一戸八千五百圓余になる。これは四ケ年の汗と淚の結果によつて評價とされたものであつてこれによつて見てもアリアンサの將來が如何に有望であるかが立證され得るのである今この立證され得る一つの例をあぐると、それは高木利治氏（夫婦二人鳥取縣人）の所有土地二十五町步は五千本（滿三年生）の珈琲樹があつた。それを三十二コントスで賣却した。三十二コントスは當時の換算で邦貨約一萬圓であつた。即ち高木氏は大正十五年當時の値段で十アルケール（二十五町步）千二百五十圓（現在は二千圓）で購入して移住し日本から持參した金は約一千圓であつた。それが開拓四年目には一萬圓で賣れたのであつて假令四年間の開拓は並大抵の苦心でなかつたとしてもこの事實には涎が出そうである。

不在地主はお金を貸しても小作者を入れた方が利益

現行移住組合法では不在地主を認めてゐません。これは私共現業者側から見れば不在地主を認めて請負耕作者を送出する樣が邦人の海外發展上有意義なものと考へてゐる。現在の本移住地では海外協會當時の關係から特例として不在地主を認め請負耕作者を入れて開拓に當つてゐるが未だ不在地主の土地で請負耕作者の入らぬ土地がある。これは地主が土地に對する熱心があまりない樣であるからではないかと彼の地では思つてゐました。此方に來て見ればあながちそうでもありませんので地主も組合も協力して請負者を送らねば移住地全体の開拓促進上支障を來たすばかりでなく、地主自身も非常に不利益である事は先程の御話でよくお判りと思ひます。從來は地主の方が土地にお金をつぎ込む事を甚だ無鐵砲の如く考へ四ケ年契約よりは六ケ年契約を望んで殆んど望觀的態度でありましたがアリアンサの滿四ケ年の成績は如上の樣に明らかになると地主の賢明なる方は一日も早く自分の土地を開拓するの利益なるを考へ、請負者に資金を貸與して開墾を急ぐ樣になつたのは甚だ當然だと考へてゐます。尙一部の地主の方は殆んど無關心でゐる樣であるがこれは一日早く請負者を入れる樣に御努力願ひ度いのであります。勿論組合でも努力してゐます。

次ぎに此の請負者の素質について一言申上げますればその良否によつて結果は非常の等差を生じてくる。第一に勞働能力澤山の請負者は何と云ふても仕事は能率が上り、珈琲の手入れも行き届いてゐるが夫婦若しくは幼兒のある家族では仕事が遲れ勝ちであつて手が廻りかね珈琲樹の生育振りは前者に較べると大した差を生じてゐる。故に假令資金は僅少でも勞働力の澤山ある家族を請負者に選ぶ事が大切であります。

（終）

南洋行（六）

信濃海外協會幹事　宮　下　琢　磨

サマリンダの日本人

こゝで、一寸サマリンダの邦人の消息をのべませう、蘭領ボルネオの東海岸南緯一度のサマリンダに、雄々しく活動して居る邦人が十一、二戸はあります。その內譯を言ふて見ると、雜貨店が三戸、寫眞屋が一、ホテル業が二、菓子屋が三、材木屋一農園經營者といふところです。齋藤君は內地では、日露戰爭當時軍隊に居つた關係で、兵隊さんの寫眞など撮つて居たさうですが、南洋で一旗あげやうと思ふてボルネオにやつて來たさうです。私は、每日とつた寫眞を仕上げして貰らうために、屢々君の家を訪問しました。昔は、寫眞業は、最も簡易な、又手つとり早く金になる職業でしたが、今は、一般に技術も進んで參りましたし、また、素人向の寫眞器械なども數多く並べて置かぬと仕事になりませんので、優秀な技術も要し、資金もいるやうになりました。たゞ喰つて行くだけには差支へありませんが發展は六ケしくなつて來ました。この町にも、支那人の寫眞屋がありますが、蘭人の客が絕えず出はいりして繁昌して居るやうに見えました。しつかりした技術を持つて居れば相當に仕事はあります。ホテルは、朝日ホテルとホテルチヤパンと二軒あります。田舍から用たしに來た土人のとまるホテルです。次に菓子屋ですが、これも南洋では輕便に取りつける職業です。最も簡單なのは煎餅をやいて賣るのです、少し資本が出來るとコーヒー店に進み、菓子やビールや、ウヰスキー、サイダーの類を並べるのです。雜貨店としては平田、阿部、鈴木の三軒あります。阿部商店といふのはボルネオのバンヂヤルマシンにも、スラバヤのマカツサーにも店があつて可成り大きくやつて居ります。

テンガロン

このサマリンダを領して居らるゝ王樣は、こゝから約四十哩

マハカン河を遡つたところにあるテンガロンと云ふ王都に居られるのです。王都といふとスバラシイものに聞えますが、その實田舍の小さな町です。王宮といへば武備儼然たる輪奐の美を聯想されますが、この王宮はホテル位なものです。

こゝで王樣について一寸お話します。昔は南洋諸嶋みな大小の統治權を持つた王樣があつたのです。和蘭は、何百年もかゝりて漸く自己の勢力權には入れてしまつたが、王の統治權は奪つても、王の領地は認めて居るのです。その代表的なものに、ジヤワにソロとヂヨクジヤとマンコネゴロの三王領地があります。ソロの王は蘭政府から年額八十万ギルダー、ヂヨクシヤ王は年額四十万ギルダー、マンコネゴロ王は十万ギルダーの年金をうけてその金で武官を養ひ諸有司を使つて居りますが、租稅は政府にとりあげられてしまふから、王宮の下級の武士ではとても食つて行けないので日本人の店に來て働いて居るのなどがあります。それで、王樣は何か儲けなければいかんと臣下のすゝめにまかせ、高い砂糖畑を買はせられたり、鐵道を敷くことを政府に强要されたりして頗る財政逼迫をつげて居るさうです。テンゼロンの王樣も、土地の所有權を持ちて居ります、サマリンダの町も川にそふた長さ三千メートル、幅千五百メートルの市街地を蘭政府が、テンガロン王から借りて居るのです、こゝの王樣は、ソロやヂヨクジヤとは比較にならぬほどの貧弱なものです、それでもマハカン川のドツクには、王の所有の川蒸汽船が一艘繫いでありました。川蒸汽は隅田川の川蒸汽位ですが幅八百メートルのマハカン川を上り下りするには、必要缺く可からざるものでありまするが、滑稽なのは、一代の豪奢をつくしたつもりでズツト前に自動車を一台買つたさうです。自動車は早く走るものだといふことは知つて居つたが、道幅の廣い道路のいるものだとは知らなかつたので、自動車の通る道は町の中五キロだけしかなかつたさうです、近年漸くサマリンダの對岸から、テンガロンまで新道が出來て自動車が通ずるやうになりました。テンガロン王は新政の有り難さに感泣して居るさうです。

私どもは、この自動車道路を通りてテンガロンを訪問しました。丁度一週間の賑いのあつたときで、町の廣場のやうなところに共進會風な建物が出來て、各地の物産を商ふて居りました家具織物類、煙草菓子野菜いろ〳〵ありますが、ボルネオの特色を發揮したものには、鎗刀楯などがあります。刀と背負籠を標本に買ひました。刀は青龍刀のやうに切先の方がやゝ大きくなつて居るものです。上等なのは寶玉を飾りベツカフや象牙の彫物をしたのがあります。この簡單實用向のものが山刀（パラン）で飾りのある軍刀がガヤンといふと敎はりました。腰にブチ込むのではなくて、日本武尊の繪に見るやうた紐で腰に結びつけるものです。

テンガロンに來て、體格偉大な日本流の「ふんどし」をグツトとしめ込んだ人種を見ました。これが、ダイヤ族の人だといひます。

剛强無比のダイヤ族

だれだかの書いた褌と云ふ本の中に、世界中にふんどしを締めて居る人種は日本人と南洋の土人だけだと書いてありました前二回の旅行中に、サロンを捲いたものが殆ど全部でふんどしを締めて居るものは一人も見ませんでした。甚だ、失望したのでしたが、今日本流に堂々たる大の男が褌をしめて居るのがノソリ、ノソリやつて來るのを見ると、實に、痛快に堪へなかつたのです。その褌は全く日本流で、前に垂らした巾は短いのもあり、長いのもありますが、最も見事なのは、二尺も垂らして、その先きに南京玉の總などがついて居るのは、角力とりの廻しのやうです。ダイヤ族は中央山地に盤居し、それから西の方にも、北の英領にもひろがつて居ます。英領ボルネオには、海のダイヤと山のダイヤとあります。ダイヤは、剛强勇武の民族でありまして、酋長の命令は絶對服從で、一度命令をうけたことは、如何なる艱苦をしても遂行するといひます。弓矢にかけては彼等は絶妙の技術をもつてゐます。高い樹の間に居る小鳥を射るとき、矢は絃をはなれて高く中天に向つて飛びます。それが、半圓形を畫いて逆に落ちて來て鳥の羽を射抜いて矢と共に小鳥は樹下に落ちて來るさうですが、これ等は彼等の仲間では普通のことで柳葉を百歩の外に射ることなどは何でもないさうです。

ボルネオには鹿が澤山居ります。ダイヤの勇士が鹿を一度び追ひかけたが最後、その鹿を手に入れない限り村に歸つて來られないさうです。鹿は藪の中をくゞる時は、人間よりか便利に身體が出來て居ます、鹿は角を背負つて首を伏せ、輕い足で谷を越へ、藪をくゞり走つて行きます。ダイヤの勇士は見のがすまいと何處までも何處までも追ひかけます。衣服は藪にひつかゝつて邪魔になるから、途中でかなぐり棄て、徒跣で裸体で弓矢を持ちて後を逐ふさうです。平生ならば背負籠の中に食糧の用意をするのですが、この場合そんな手ぬるいことをして居られないので、愈空腹になれば木の實草の葉などで饑をしのぎ、兎に角三日もたてば鹿をひつさげて歸つて來るさうです。

英領のゴム園などでは順化したダイヤを使ふさうですが、測量などするときに、眞直に行つて山の上に旗を立てろと言ひますと、途中川があらうが、崖があらうが藪があらうが一直線に進んで行きます。少し廻り道をすれば平易なる途があるのに、眞直にと言へば何んでもかんでも眞直に突進して行く、どんな難所があらうが、兎に角目的地までは行く恐ろしい奴等だとの話がありました。

ボルネオとセレベスとの邊に横はる無数の島嶼は海賊民の巣窟であります。この海賊民は實に慓悍獰猛だといひます。山には又山賊組がありますが、英政府はダイヤの民族をならし、屯田兵の如くし、各自に一挺の鐵砲を支給し、自活上には農作上の便宜を與へて置き、一朝事あるときは、これ等の酋長格に命令を傳へると、實に勇敢なる働きをするさうです。

又、ボルネオの民族の間には、祭とか祝の時には、人間の首

をかざる習慣があります。

近頃はダン〱やんで來たやうですが、サマリンダの寫眞師齋藤君が、瑞西人についてマハカン川を遡りて探險に行つたときの談には、ある酋長の家にとめて貰らつた時は、代々集めた首が座敷に吊してあつた。古いのは古色蒼然展覽會の塑像のやうであつたが、新しいのは氣味がわるかつたといひます。

玉蜀黍でも吊したやうで、どうしても千五、六百あつただらうといふことです。とつた首は烟でいぶして長く保存し、家の格式をつける爲めに保存して置くのださうです。

ベンチヤルマシンの野村ゴム園に行つたとき、こんな話をきゝました。

野村では、鐵筋コンクリートで、精製工場を建築中でありますが、この位の大建築では首の五ツ位は要るに相違ないと決めて、今、首を集めに歩いて居ると云ふ流言が盛んで、今時首などは不必要だと言ふて聞かせても中々納得せぬで困つたとの話がありました。

それで苦力は戰々恂々として居つたさうです。

事務所から奥二百キロも行つた處にカルワ工場と云ふのがありますが、こゝで建築の出來た時に、首が幾つ入用か、一ツ二十盾位でとつて來ると眞面目に交渉に來た土人があつたさうですから、統治の行き屆いて居る方面でも、今にその習慣は殘つて居るらしいから、奥地へ行つたらば、首の多いのを自慢にする位は無論やつて居ることゝ思ひます。（昭和五、五、一八）

南洋に定期航空路開設
――バタビヤ、新嘉坡間――

三月四日より開始された蘭印航空會社のバタビヤ新嘉坡間定期航空（一週一回）の時間表並に運賃は左記の通り發表された。

バタビヤ發	火曜日	午前七時
パレンバン着	同	午前十時三十分
パレンバン發	同	午前十一時
新嘉坡着	同	午後四時十分
新嘉坡發	水曜日	午前七時
パレンバン着	同	午前十時二十分
パレンバン發	同	午前十時五十分
バタビヤ着	同	午後三時五十分

旅客運賃

バタビヤ――新嘉坡	一八五盾
バタビヤ――パレンバン	九三盾五〇仙
パレンバン――新嘉坡	九一盾五〇仙

（南洋協會雜誌四月號より）

外海視察記

ダーバン港（其二）
―寄港地の巻―

西澤太一郎

アフリカ南部は所謂南亞弗利加聯邦である。やはり英國の領土である有名な産金地のヨハネスブルグや金剛石の産地のキンバーリーなどは皆ダーバンの奥地にあるのである。ナタール洲トランスバール州オレンジ州など天産豊富であるが何れも此ダーバンが東岸の要地としての良港である。南緯三十度に近く氣候は溫帶としての極くよい所である。東經も亦三十度に近い。

港は鬱蒼たる濶葉樹林の半嶋に抱かれた良い港である。亞弗利加東岸第一の港で各國の船舶が多く出入する殊に我南米航路の船及大阪商船の亞弗利加航路の船、日本郵船會社の南米航路の船は常に出入して居る。今度も商船の亞弗利加航路のメキシコ丸及日本郵船會社の博多丸と同時に入港したのである。

博多丸は神戸出帆乘船のとき滿員で乘船困難であつたため、非常に苦心をして聯合會や船會社富山移住組合や神戸の南米渡航案内合同事務所へ毎日電報〱で漸く交渉して乘せて貰ふたアリアンサ行の群馬縣出身の新井君の家族が乘つて居るので一入なつかしい感じがした。それが今又一船後で大分神戸を後から出た（神戸十二日出帆）我サントス丸が同日入つたのも又何といふ面白い旅行であらうか。長野出身の林君や富山出身の龍田君長谷君山口君の家族合計二十五人が此サントス丸へ乘込み皆アリアンサへ行かれる人々である。面白い久しぶりの會合である。港は中々廣く然かも防波堤もよく出來て居て碇泊安全な港である山の麓の方には石炭の倉庫の大きいのが棟を並べ又其石炭の積込の鐵道や、石炭輸送の設備や、積載の設備が實によく出來て居る。

又遙か向ふの方には船舶用の石油のタンクの大きいのが幾つも並んで建られ小さき幾隻かの輸送船で油を運搬して居る。

港から積出されるもの

此港からは色々の産物が積出されるが何れも亞弗利加奥地の産物である。鐵道によりて此港迄運ばれ各地へ、積出されるのである。其重なるを示せば石炭、砂糖、玉蜀黍、羊毛、綿、楔那皮などである。

石炭は中々多くナタール産のものが主である。一九二六年に

は船にて積み出されたるもの及倉庫 にあるものを合せて合計二七八萬とんに達するといふことである。

年々増加し一九一四年には一四三萬とん一九二三年にはそれが二三二萬とんとなり一九二六年には二七七萬とんとなつたのである。

砂糖も亦此ダーバンの附近の耕地にて栽培せられ郊外を歩いて見ると到る所サトーキビの畑である。遠くで見ると青い青い大草原の樣に見える。私共の上陸したのは六月の半であつたが何れも一丈位のものが多かつた。中には六尺内外のものもあり大部分は一丈から一丈五尺位のよいものであつた。畑一面といふよりも野原一面に甘蔗畑と言つた方がよい又大きな製糖會社も此畑耕地の間に幾つもあつた。此甘蔗の葉を去つたものの幹を多く積込だ列車や、馬車やトラクターをいくつも見るのである。又粗糖を運ぶもの、其積込れた倉庫及驛構内の袋に眼を引くのである。一九二七年の調によればナタールの砂糖は二四二、六六二とんと云はれて居る（二、〇〇〇ポンド一噸）此二十四萬とんの中英本國及カナダ等へ六萬とん以上輸出されて居る今は砂糖の製法の改良、甘蔗の種類改良等で中々善いものが出る樣になつた。ダーバンの南北二十五哩内外に於て産してダーバンの北一哩以北にて十九萬とん南一哩以南で五萬とん位でるのである。氣候に於てやはり産地は制限されてゐるのである。

玉蜀黍は又ダーバン附近に澤山出る。羊毛は中々良いものが出る。我日本へも輸入してゐる、棉も亦日本へ來る、日本棉花會社などの手で輸入されてゐる。牛皮及獸皮類も多く輸出されてゐる。楔那も樹皮のまゝ輸出されて居て一九二二年には一三五、八五八とん(2000ポンド噸) で大凡十四萬とんである漸次減少して一九二六年には九萬とん位となつた日用品や雜貨や織物を輸入してゐる。絹織物、綿織物など多く輸入する又毛織物も多く輸入してゐる。卽ち亞弗利加は原料の生産地であるけれども製造工業や機械工業の進歩尚幼稚であるため工業品は多く輸入である。

亞弗利加の商業上の發展は玆に着目すべきである。今日なほ機械工業に於て絹、綿、毛、麻及その他織物に於て販路頗る有望である。日用品に於ても製造工業が未だ盛ならざるにより亞弗利加への發展は投資によるか又は日用品、織物類、陶磁器類、其他玩具類、裝飾品、雜貨等需要多く輸入へ入らば尚更に販路大なるべく又大いに日本品も理解されて價格や品質や、實質や、種類などが理解されたならば中々有望なる日本品の得意先であらう。今後は大に日本品の良質のもの、格安の堅牢のもの、柄の良きもの、絹織物類など大いに販路擴張に好かるべく玩具など又頗るよからん、陶磁器セルロイド製品など研究の上にて販路の擴張をなすは最も大切のことである。人種的排斥の傾向は中々强烈の所なれども近頃日本の理解さるゝに從つて大いに氣分のよくなりつゝある時である。人格といひその素養といひ、識見といひ又其他優秀なる日本人の多くいり來りて眞の日本を理解せしめ又東洋人と雖も支那人や又印度人やなどゝ比

し馬來人と比し其優秀なる眞價を知らしめ、商業方面、にて着々入り込む計劃が大切であらう。多くの人々は日本人も支那人もごつちやにして皆同じものと思ひ、日本人を喜ばず又歡迎せぬ風があるが大いに注意すべきである。

日本人の眞相。我日本の眞相を理解せしめるに官民協力して力め又優秀なる人々の旅行、視察、調査、交通等によりて其日本の實際上の優れるたるを理解せしむることが大切である。

ダーバン人力車夫

今の所日本人としては商業方面に考へて發展するより外は方法の上の良法はなからん。然からざればマダカスカル嶋アビシニヤ、ケニヤ、などに日本の眞相を知らしめ、企業上に、農業上に、商業上に着々計劃せねばならぬ。勞働者の移住及び競爭は絕對に今の處不可である。

ダーバンの歴史的の變遷

ダーバンは今から凡百年前の一八二四年までは、船といふ船は一隻も立寄らず今日の如く繁華港にならうとは夢にも思はれなかつた所である。

航海者の葡萄牙人バースコダガマが一四九七年のクリスマスの日に始めて到着してナタールの名をつけたのが今日のまづナタール州の名の起源である。（我慶長二年頃）德川家康の初めの頃で關ヶ原の役三年前であつて今日から丁度四三二年前である

兎に角此のバースコダガマが到着したのは歐州人及東洋人の何れも足跡を印しなかつた所である。バースコダガマがその一番の初めての上陸者であつたのである。況んや船などはかつて一隻も入つたものではない。

太古以來所謂アフリカの土人と獅子、虎、豹、ジラフ、象、斑馬、河馬などのアフリカ產の猛獸の住家であつたのである。無智にして蒙昧なるアフリカ土人の社會より外なかつたのである。其文化程度や智識の程度やあらゆる方面は極めて低級なものであつたのである。

一八二四年にケープタウン駐在の一海軍士官リエウト・エフ・ジー・フアレエウエルが數人のパイオニヤを引きつれて、此地へ探險に來てその風波を防ぎ船泊の碇泊によい所であることを發見したのに始まるのである。小高き半嶋の如く突き出た低い山脉に抱かれ河も深く灣も廣く又その風波を防ぐ自然の地形が實によく出來てゐることを發見したのである。然もその海岸のつゞきには隨分廣い地域の平があり又奥地には畑にするに適したる原のつゞく事も判つたのであつた。これが今日のダーバンであつたのである。從つてそれ迄は所謂アフリカ象や、獅子や、虎や、豹や犀や、河馬などの猛獸の住む處であつたのである。

海軍士官は當時サリスバリーと云ふ帆船に乘つて上陸しヅールの酋長に乞ふて永住することを許されたのである。そこで此等の茂り、沼地ある所を、經營して今日になつたのである。

一八三五年 時の喜望峯植民地の總督のサー、ベンジヤミン、ダーバンの名を取つて付けたのが今のダーバンの名の起りになつてゐる。當時の人々は三〇〇人以下であつた。

南緯は三十度に近く又東經も三十度に近い。我日本で考へると京阪地方が北緯三十度近くであつて、氣候や、植物がよく似てゐる。柏なども久し振りで眼についた。日本の冬の時季であつたから落葉して日本の冬の初を思ひ出した。

即ち六月十二日であつたから日本は夏であつたが私共の旅行して此地に入つたのは冬の初めであつたのである。

附近には亦海水浴場が多く此頃にも浴場には多くの男女の避暑客や海水浴の客が見えた。

ダーバンの大通り

私供の旅行したダーバンから十八哩ばかり南の方の海岸にアマンヅムトチ海水浴場には同名の大きなホテルがあつて多くの浴客が散歩して居つた。此外海水浴場が中々多い氣候は非常によい處である。

ダーバンは一年を通じて非常に健康地とされて居る。夏は避暑に適し冬は南部の人々の避寒によい地である此健康地であることゝ附近の農產物の多いことゝ奥地には鑛產物の多い所を控へ更に此天然の地形の良好とが今日のダーバンとなつたのである。

ダーバンの狀況

ダーバンは十二平方哩位で人口の稠密な所だけでは凡三千町歩內外である。

一八三五年頃（九四年前昭和四年より）は人口三〇〇人以下であつたが一八五四年頃は一、二〇四人となり一九二六年（昭和元年大正十五年）の調によればダーバンの區域全体で凡そ十七萬人である。それで市のみの人口は一〇萬二千內外である。

此中白人が大部分である所謂歐羅巴人は凡七萬である土人は凡三萬人其他の有色人二千人位である。

港から近い整つた所が街の中心地になつてゐる。市役所や郵便局、博物館、美術館、植物園、大運動場などがある。博物館には合計二萬三千點、又美術館には陳列品だけでも五十萬圓もかけてあるとの事である。何れも街の中心地のタウンホールの中にある。兩方共入場料は徵收しない。毎日午前十時から午後五時迄は開館されて見ることが出來る。此のタウンホールのある所の町の名はスミスストリートと呼ばれて居るウエストストリートと共にダーバンの二ツの最も繁華な町と言はれて居る。

博物館の中にはアフリカ土人の模型や、其使用した器具や武器やが陳列されてゐる。アフリカの象、犀、獅子、虎、河馬、鹿、豹、斑馬、麒麟、狸、猿類各種、ゴリラ、蛇、鰐、蛇の巨大なもの、大龜、魚類各種、鑛產物、岩石類、コーモリ、鳥類駝鳥、などと實に様々のものが澤山に陳列されてゐる。實にアフリカに於ける動物、植物、鑛物、の全般に亘つて整然に集まつてゐる、巨大なる象及大いなる鯨、及其の骨格、など殊に眼を引くのである。美術館の方は歐羅巴諸國の繪畫の有名なものを皆陳列されてゐる獨乙、英國、伊國、伊太利、和蘭と中々優れたもの大作が多い又古代より現代に至る優越せる作品の數々が陳列され又其寫しが多く陳列されて居る。アフリカの蠻人より外は住まなかつた所、ニグロホツテントツトや、ブツシマンや印度人の無智蒙昧の人より外に住まなかつた所、其等の人種の進めた文化より外なかつた所、虎や、獅子や、豹や、象や大蛇や、鰐やの猛獸毒蛇の住家であつた此アフリカに此の様な立派な博物館が出來たり美術館が出來たり歐羅巴や東洋、アメリカで文明の最も進んだロンドンや、巴里やローマやベルリンやの文明までも一目の下に眺むと恰も歐州の眞中にあり博物館や美術館を見る様な氣持がする。館内に居る間は決してアフリカに居るといふ氣持は起らない。文明の中心地の歐州の眞中でも旅行してゐる様な氣がする、文明の中心地に觀察して居る様な感じがする。さすがは英國のやり方はよろしいどこ迄も英國式である。かくして英國の植民地はだん／＼ジリ／＼と開かれ、設備され、文化は進められ、英國の鞏固な地盤は植え付られ、純英國式の植民地が築かれて行くのである。どこ迄も英國の植民地經營は徹底的である。

決して他國に乘ぜられぬ。土人に反抗される餘地を造らぬ獨立や反亂の起る隙を造らぬ。獨立運動の起る機會と氣運を造らぬのである。

これを勞働者に移しては勞働者としての土人を保護するを名として決して有色人種を入れぬ。東洋人を入れぬ。如何にも上手に亞細亞人を排斥して入れぬ。極めて上手な法律や名義や、申譯を造つて決して他國人の勢力の入らぬ様にして居る。

（續く）

移植民ニユース

昭和四年中の各移住組合渡航者數

昨年四月より本年三月までの各府縣移住組合は左の如く移住者を夫々渡泊せしめた旨聯合會から發表された。今、これを移住地別に大別すれば左の如くである。

アリアンサン移住地	五四家族	二六七人
パストス移住地	八八	五〇〇
チエテ移住地	三三	一八〇

次ぎに組合別にすると

組合	家族	人
信濃	三〇家族	一三三人
富山	一〇	四八
鳥取	九	五八
熊本	五	二八
計	五四	二六七

（以上アリアンサ移住地關係）

聯合會 （二一 三）

組合	家族	人
北海道	五	三〇
三重	一一	五六
岡山	二〇	一三一
廣嶋	五（二）	一三三（一一）
山口	五	二六
和歌山	一九（一一）	一九八（一九）
香川	（二）	（一一）
愛媛	八	三一
福岡	七（六）	五五（三八）
鹿兒嶋	八	三九
計	八八（三三）	五〇〇（一八〇）

（以上パストス移住地括弧內はチエテ移住地）

合計 一七五 九四七

ブラジル移民救濟
百五十万圓を特別議會に提出

ノロエステ沿線邦人の珈琲園自營者一園から請願中の三百七十五萬の低利資金融通は外務拓務大藏の關係各省に於て聯合協議會を開き救濟方法を考究した結果救濟所要金額三百五十萬圓は困難であるがその半額百五十萬圓程度を貸付ける下相談が出來上り、松田拓相はこれを閣議に報告し追加豫算として特別議會に提出する事になつた。資金の財源及び貸付方法は大藏省に於て作成する事になりたるが大正十五年の八十五萬圓と同じく正金を通じて債務者團体に貸與する模様であると。

妻女の呼寄せ
渡米自由となる

日米新聞記者熊野御堂好文氏はさきに日本に歸り結婚した夫人しづ子を同伴し歸米したところ移民官は日米新聞は國際的商業機關でないとの理由により移民法を適用し夫人の上陸を拒絶したため熊野御堂氏はサンフランシスコ地方裁判所に私訴を提起し敗れて更に合衆國巡回裁判所に上告係爭中であつたが原告勝訴の裁判があつた。判事は前海軍大臣カーピス・ウイルバー氏で、判決理由は日米通商條約の「トレ

「ード」なる文字は國際的と國內的とを問はずこれを廣義に解すべきである。商人の妻は入國出來ると條約が認める以上、當然入國許可さるべきだといふにあり、この判決によつて從來入國を移民法によつて拒絶されてゐた在米數千の商人の妻子は今後自由に呼寄せ得ることゝなり。日本人には大福音である。本件を扱つたラッセル。カントレル辯護士は語る

「加州といはず全米に合法的に居住し、商業に從事する數千人の日本人のためにこの大かつ壓倒的な勝利を得たことはきん快に堪へない。本判決によつて日米兩國間に一九一一年に締結された條約、約束する日本國民の權利を完全に保障かつ維持されることになつた。本判決は條約の條文により示された憲法上の根本的大原則がまさに危機にひんせんとするかに思はれた時、突如これを救濟した、然してこの判決により神聖なる條約の當然保護さるべきことおよび條約により與へられた保障法を汚すことの出來ぬことが明瞭にされた譯である。

中米玖馬國に 本邦領事館再開

玖馬日本間の貿易關係は益々繁く日玖の國交は親善の度を加へてゐるが大正十四年一月十五日以來一時閉鎖された同國駐在ハヴアナ帝國領事館の再開については在玖邦人の間に盛んに故國政府に開館方懇請中の所、紐育本邦領事館の管轄では不便が多いと云ふので四月廿七日より再開された。領事は紐育領事館在勤內山清氏をハヴアナ勤務に命じられた。

スキーを捨てゝ 高田の花形選手南米へ

青森縣大鰐における今年の全日本スキー選手權大會で十八キロで二等を獲得しその他全國各種スキー選手權大會の覇を握る雪の高田フラタナルクラブの花形選手近藤守榮君(二四)は今回信越國境妙高小學校の訓導を退職し妹のいよ子さん(二二)と南米ブラジルに渡りスキーを捨て、專心農業に從事する事になり旅券下付方を願ひ出た。同クラブではこの花形選手に去られては全くメンバーの中心勢力を失ふ事になるので非常に惜まれてゐる。同君は語る

スキーを捨て教職を去つて南米ブラジルに渡航を決意したのは日本の農村がすでに行詰つてゐるのでブラジルへでも行つて働きたいと云ふの外ありません。旅券が下り次第妹と二人で渡つてスキーも忘れて稼ぐ積りです。

加奈陀渡航者の 査證は在東京同國公使館で

從來加奈陀渡航本邦人に對する旅券の査證は在本邦英國領事館に於て之を取扱ひ來りたる處本年四月一日以後は右査證を在東京加奈陀公使館に於て取扱ふ事になつた。

尙、加奈陀渡航者の中再渡航者（加奈陀政府發給の有効期間を經過し居らざる登錄證書を所有する者）に付ては其旅券に對する加奈陀公使館の査證の要否に關しては目下外務省に於て公使館に協議中の由。

海外通信

支部便り

米國シヤトル中心の ―信州人活動狀況―（二）

米國西北部支部

會場委員長　太田留吉
運動委員長　平林朋信
接待委員長　田中正作
運輸委員長　池田倉助
賞品委員長　春原候
演藝委員長　小林英德
赤十字委員長　今牧運藏

▲議議事項

一、早稻田大學柔道部選手高畑氏、明大野球部選手米澤潔、手塚美齋雄氏の歡迎會を開くこと若し都合惡ければ紀念品を贈ること。

二、貯蓄部會計監査を毎月實行すること

五月一日　早稻田大學選手高畑氏、明大野球部撰手二名に記念品を贈り長途の勞をねぎらう。早稻田撰手高畑吉太郎へは尾羽澤、明大撰手へは宮田氏本會を代表す。

五月九日　神津總委員長宅に於て役員會兼ピクニツク委員長會議を開催、可及的內輪に擧行することに決定

五月廿四日　午后八時錦華樓に於てピクニツク委員會開催。

六月十三日　神津作一氏宅に於てピクニツク委員長會開催。

六月十六日　野外大運動會開催、來會者三百餘名、盛會。

六月廿六日　ピクニツク決算委員會開催。

七月五日　午后七時より錦華樓に於てピクニツク慰勞會開催、神津委員長の挨拶後十二分の歡を盡して散會。

六月廿五日　會員中村學一氏夫人自動車事故にて負傷せるを尾羽澤理事、又會員山口良之助氏息負傷につき中會根總務夫々本會を代表して見舞をなす。

七月十三日　ピクニツク會計報告書を一般會員に郵送す。

七月十三日　八月三日入港の帝國練習艦隊歡迎に關し助力ありたき旨歡迎本部より依頼狀來る。

七月二十日　本會員山崎五也氏葬儀ボネーソ。トソンに於て執行、中會根總務本會を代表して弔辭を述べ且つ供花を贈る。

八月一日　練習艦隊乘組本縣人に對する歡迎方法相談會を神津作一氏宅に開催。

協議の末一人宛凡そ五十仙位の贈物をなす事。

八月三日　艦隊入港に付午后六時尾羽澤理事旗艦岩手を訪問。乘組本縣人に贈物をなし本縣人名簿を得て歸る

八月四日　ジエフアソン公園に於ける一般歡迎會席上に於て本縣人の集會地を臨時設置し主客の便宜を計る

八月六日　軍艦淺間に病める茅野軍醫少尉を見舞ふ。花束を送る。（軍醫は桑港より歸國諏訪郡より禮狀を寄せられたり）。

八月九日　艦隊乘組本縣人名簿をタコマ、バンクーバー、桑港ローサンゼルス、各地の信濃海外協會支部に郵送す。

八月廿七日　桑港北加信濃海外協會支部、羅府南加信濃海外協會支部より禮狀及び會員名簿來る。

九月三日　信濃海外協會本部より長野縣大觀一部寄贈せらる。

九月八日　本日玉壺軒に於て故國評論界の第一人者、淸澤冽氏の歡迎會開催、出席者四十二名盛會。

九月廿五日　南加信濃海外協會支部へ本會々員名簿一部送る

九月廿五日　山崎未亡人より金拾弗本會へ寄附せらる、當日大北、北米兩紙上に記載し且つ山崎夫人宛禮狀を出す。

九月廿五日　去る廿一日夜ホールドアツプに出會せる山口良之助夫人を見舞ふ。

九月廿六日　植原代議士より『政友』一部、『支那現狀の解剖』一部、寄贈せらる。

十月一日　特務艦早鞆歡迎に關し本縣人の助力を求むる依頼狀歡迎本部より來る。

十月四日　特務艦入港に關し歡迎方法相談會を開催す。

▲決定事項

一、日台副長歡迎會を開催する事、其打合の爲め入港當日神津中會根、伊藤、三氏特務艦を訪問すること、尙『まねき』に於ける一般歡迎會に出來る丈け出席する事。

二、拾月中に代議員會を開催すること。

十月六日　特務艦入港、中會根、神津、伊藤の三氏本會を代表して訪問歡迎打合をなす。

十月七日　午后七時より錦華樓に於て海軍中佐日台副長の歡迎會開催出席三十二名、中會根氏司會、宮田春原、神津三氏の歡迎の辭、中佐の答辭あり盛會裡に閉會。

十月十日　本會々員望月淸見氏負傷入院に付、尾羽澤理事訪問尙經過良好にて數日後退院自宅に靜養

十月十日　北米日本人會より昭和五年度徵集延期に關する書面來る。

十月廿五日　第三回代議員會を錦華樓に開催、出席者八名の少數なりし故懇談的會務會計の報告をなし全部承任、協議決定事項は

一、日台中佐歡迎會費不足分を本會計より支出する事。

二、十一月下旬第四回代議員會を開催すること。

十一月廿九日　第四回代議員會を錦華樓に於て開催。

▲決定事項次の如し。

一、會報作製の件　例年の通り。

二、總會を十二月十五日錦華樓に於て開催する事。

三、新年會を正月第二日曜日錦華樓に於て開催する事。

四、總會席上に於て各區代議員を撰出する事、尙議長副議長も總會席上に於て他の役員と同樣選擧する樣規則改正を提案する事。

五、本年度理事に謝禮拾弗をする事

六、來年度豫算を例年の通りとす

以上

信濃海外協會貯蓄部

創立　昭和三年七月
現在積立金額二千八百七拾五弗
口數　百七十六口
會員數　五十六名

昭和四年度會計報告（自昭和三年十二月一日 至同四年十一月卅日）

收入之部

一金五拾七弗也　會費
一拾參拾弗也　寄附金
一金五拾六弗五拾五仙　運動會剩餘金
一金七弗九拾仙　新年會剩餘金
合計百五拾壹弗四拾五仙

支出之部

一金六拾九弗五拾仙　社交費
一金四拾五弗五拾仙　會報其他印刷代
一金五拾參弗拾仙　會議費
一金貳拾弗七拾五仙　文房具及通信村
一金五弗也　廣告料
合計百九拾參弗八拾五仙

差引支出超過　金四拾貳弗四拾仙
前年度繰越金　貳百參拾弗參拾七仙
基本金元利　貳百四拾九弗五拾六仙
總計金四百七拾九弗九拾參仙

右之通り相違無之候也

昭和四年十一月卅日

會計　伊藤博隆
同　長谷川英人

昭和五年度歲入出豫算案

一金百五拾弗	會費百人分豫想
一金參拾弗	雜收入
歲出之部	
一金四拾弗	社交費
一金四拾弗	會場其他印刷
一金貳拾五弗	文房具及通信料
一金貳拾弗	會議費
一金參拾弗	廣告料
一金貳拾五弗	豫備費
計金百八十弗也	

會費御送金まで

北米南加支部長 松島鋤人

謹啓貴會益々御濟榮之段奉大賀候。陳者先般貴會幹事西澤太一郎氏御來羅の節御話有之候「海の外」誌代御送金については不取敢住友銀行を通じて金六拾弗(日本貨百廿一圓廿一錢也)申上候御受取り被下度此段及御通知候猶御參考迄爲替受取書番號は二八四〇番日附二月廿七日にて送り先きは橫濱支店に御座候。

通信其他の件は思ひながら延引を重ね候へ共至急取纏め御送り可申上候(三月八日)

加州の邦人出生率

逐年減少の傾向

七分四厘から二分九厘にガタ落ち

最近加州衞生局の發表するところに依れば一九二九年末加州に於ける人口概數四、四五三、六五九にして同年中の出生數八一、四九八此の千人當出生率十八人三分となり、最高記錄の一九二四年分より三人九分を減じ又一九二五年の二十一人三分、一九二六年及二七年の各十九人九分、一九二八年の十九人二分に比し逐年漸減の趨勢にあり。而して出生數は大都市に多く羅府の一七、一六四桑港の七、五八五オークランドの四、一九七等の順位、を示し出生率は中流都市高率を示しサクラメントの千人當二十三人二分、サンデイーゴの二十二人八分ロングビーチの二十二人三分の順である。次に一九二九年中加州に於ける前記出生數の內白晳人は六二、七一六即ち全數の七割七分を占め墨人之に次ぎ一三、九五五にして全數の一割七分一厘に當り日本人二、三五三にして二分九厘、黑人一、〇四八支那人七八九にして九厘の割合なり、而して墨國人の出生率は同年度千人當り十七人一分にして逐年增加の一方なるに反し日本人の出生數は一九二〇年の最高記錄(同年度全出生數の七分四厘を占めたり)を界とし以後逐年減少し一九二九年分は前記の如く全出生數の二分九厘に低下したり。

信州記事

縣議補欠

四郡下の當選者

上下伊那、東筑、諏訪四郡における縣議補欠戰は下伊を除き選擧競爭の渦中に中原の鹿を追ふ活況を呈したが何分選擧民は候補者笛吹けど踊らずの意忌氣分であつた。

下伊那郡(無投票)
當選北原源三郞(民政新) 農業(五八)
當選平田 史郞(政友新) 醫師(五四)

東筑摩郡
當選 九三五七 波多腰鞆六(民政新)農(三〇)
次點 七一七〇 小林 茂樹(政友新)醫(五三)
三八三 遠山 治夫(中立新)農(二九)

上伊那郡
當選五四八三 下平炳四(政友新)蠶種家(四八)
次點五二六九 柄澤榮吉(民政新)會社員(四七)

諏訪郡
當選六一六五 山岡菊八(民政新)吳服商(五八)
次點三四〇七 平林菊雄(中立新)會社員(三四)

縣會の新分野

補欠選擧による民政兩派は民政三政友二を獲得して昨冬の通常縣會當時の政友二十六、民政十七、中立一の分野は政友二十五、民政十六、中立一名の結果となり政友は依然として明年九月の改選まで絕對多數を誇り得る。

前例なき棄權率

諏訪郡最も甚し

無投票の下伊那郡を除き他の三郡における縣會議員補欠選擧の結果諸種の理由により選擧民の氣乘薄を如實に示し棄權率は諏訪郡六割七分二厘、上伊那郡五割三分七厘東筑摩郡四割四分一厘で殊に諏訪郡玉川村の如きは當日現在の有權者九百八十五名中棄權者八百七十六名、投票者僅に百九名、棄權率實に八割八分九厘といふあらゆる選擧において類例がない程の珍現象を呈した又上諏訪町の如きも

母國通信日誌 自三月廿一日 至四月廿日

三月廿一日(金) 海と空の博覽會が春に先きがけして上野と橫須賀に開かる▲ロンドン會議の對案に我邦償薑協議▲指紋學の大家フォールズ博士八十六才で逝く

三月廿二日(土) 國內産業振興を計り國産品使用を奬勵するため地方の起債事業の材料は國製品を使用すべしと政府の方針▲倫敦會議の五國交渉絕望して三國協定進む▲五年度實行豫算額は追加豫算三千九百萬圓を加へて十六億六百餘萬圓となる四年度成立豫算に比して一億六千萬圓の減である

三月廿三日(日) 御巡幸を待ち奉り廿哩の道筋晴れの裝ひ全くなる▲中學敎授改善の骨子は實業敎育を加味する▲勞働爭議は激增して大正八年の記錄突破件數六百件に達す

三月廿四日(月) 擧國七年の刻苦は酬いられて今日復興祭をあげる復興完成は官民の努力と濱口首の聰明▲震手問題の中心人物金子通吉氏召喚さる▲一ケ年の變死は一千六百五十七名で一日四名强、內失戀九一情死七九

三月廿五日(火) 商工業偏重は窮乏の農村に對し無爲無策と現內閣批評さる▲選擧革正を

有權者三千九百五十四名棄權者三千百二十六名棄權率七割九分で候補者の供託戰辭退戰に患ろうされた選擧民が選擧そのものにさへ愛想をつかしたといふことも重要な原因であるらしい尙當日における有權者數有効無効は左の通り。

郡名	有權者數	有効	無効
諏訪	三〇、二二四	九、五七二	二九四
上伊	三〇、四四八	一三、八八二	二〇六
東筑摩	二八、九一三	一五、九一〇	二二七

南佐久郡

佐久の酒屋悲鳴

遠慮無いのは稅金許り

南佐久郡下に於ける淸酒の産石は縣下においても有數なるもので、而もその品質は佐久の酒として上戶黨から折紙を以て歡迎され稱美されてゐるが時節柄世を擧げての不景氣に、景氣觀測のアルコールバロメータは、頗る銳敏に感受性を發揮し醸造元の酒屋さん大打擊、まづおくい先きの花柳界方面が火の消えたやう從つて消費量は甚だしい激減振り、一般の需要も節酌の緊縮やら節約やらで升が減り、めでたい祝儀の酒まで大いに制限を實施するといふ徹底狀態、加ふるに現金買はいよ／＼少くなり貸賣りの金は更にはいらず、一方稅金はドン／＼取り立てられる始末に、酒屋さんは全く動きがとれない。

下伊那郡

下伊の掃立準備

一週間も早い今年の陽氣

早場所下伊那地方の桑葉は近頃の暖氣に著しく伸長し例年より一週間以上も早いといはれて居りもつとも早い平岡村地方は、ツベクロとなりこの分で降霜がなければ掃立も例年より一週間位早くなる見込み尙一般に貴霜が多いと

掃立は五月十日

霜害は一萬三千圓

今回の霜害は辛うじて免れ最初の危害を突破した下伊那地方各蠶業家は十八日以來の暖氣のため桑が一齊に發芽し稚蠶飼育が出來る程度になり掃立準備は忙殺されてゐるが掃立五月二十日頃だが平年

擬して民政黨選擧革正特別委員會を開き八項に分ち對策研究▲伊國政府軍縮會議の六ケ月休會を提議して會議の切拔け策を政る

三月廿六日(水) 復興帝都は聖上陛下の御巡幸に際し一大歡喜を現出、更生の幸を祝す▲東朝の帝都運動の公德運動に各地共鳴の歷

三月廿七日(木) 復興功勞者廿八日を宮中で賜餐▲人口食糧問題調査會人口部會では社會省設置を決議答申▲復興祭で記錄破りの乘客省電は百六十萬、市電は百七十萬人の乘客

三月廿八日(金) 市川左團次ムソリニ劇上演でイタリーの勳章を授かる▲軍縮會議の日本政府回答遲れ米國側不滿を表明する、回答案は外務省案と海軍省案に不統一を見、協議中

三月廿九日(土) 明政會献化事件で鶴見祐輔氏等召喚さる▲帝都に支那人大萬引團を發見六十名を檢擧▲基督敎界の巨星、內村鑑三氏長逝す行年七十▲石川縣小松町七百戶燒く

三月卅日(日) 帝都は櫻花滿開例年より稍早い▲鰹相場昇騰四十九ドル半出現▲外務省案を基礎に軍縮回訓案なる

三月卅一日(月) 早川雪洲いよ／＼日本向け桑港出發▲西園寺公突然退京▲政府の義務敎育國庫負擔增加額一千萬圓の削害で方法に野黨注視する

の掃立は十五日頃で今年は昨年より五日乃至一週間位氣候が進んでゐるから現在の狀態から見て一般の掃立は五月十日頃である。然るに二十三日朝の飯田地方の降霜は飯田蠶業取締所で被害面積調査の結果總反別百五十一町歩、全桑園の二反一分七厘に當り損害見積高一萬二千九百余圓の見込である。

新綠の美觀

天龍峽の一大遊覽計劃

下伊那地方の櫻は去る四月中旬を最後に散り果て早くも新綠壯快の候となつた中にも天龍峽畔一帶の楓、櫟その他の雜木は一齊に新芽をふき出しその間を桃色の岩つゝじが點綴して大美觀を呈し元善光寺の園參を初め遠近からの遊覽者が押すな押すなの大盛況を呈してゐる地元では遊覽者の便を計つて峽一帶に遊覽道を開鑿するなどお客の吸引策に懸命の有樣である。

小縣郡

雪の菅平へ

スキーホテル建設

雪の菅平は國際的スキーヤーシュナイダー氏の來訪により一躍日本シュワルツワルツに進出したが未だ完全なホテルを持たぬので同好者は等しくこれを遺憾としてゐるため來るべきシーズンに備ふべく漸くこれが建設の機運濃厚となつたしかくして上田溫泉電軌會社では重役會に於て意見を交換したが會社とは別個に株式會社を以て設置するがよからうといふ意見の一致を見たので市內有力者にもはかり具體方針を決定する筈で大體資本金を五萬圓とし半額拂込みで地元他方面から株式を募集する事になるであらうといはれてゐる

中途退學續出

農村不況深刻の結果

不景氣の深刻化は遂に試驗地獄時代を一轉させて受驗缺乏時代を出現したが、各學校當局の狩り集め劾を奏してかどうやら穴埋めは出來た模樣であるが小縣郡東北部地方には中等學校中途退學者が續出するに至つた原因は固より過度の不況のため父兄の學資缺乏によるものと中等學校出位では實業界に進出不可能の時代

四月一日(火) 復興局解散千七百名の局員が悲壯の告別▲冷たい刑務所に溫かい賣店を軍隊の酒保と同一形式で囚人生活を慰める▲生活難から一家六名を殺傷己れは割腹自殺の慘劇が栃木縣下にあつた▲軍縮の回訓案たる外務案に海軍側不滿を表し軍事當局緊張

四月二日(水) 如實に現れた緊縮物價低落日米が十キロ當り七錢安野菜は半値▲帝都下各小學校に地震ッ兒三萬五千入學

四月三日(木) 國際觀光局官制決定▲朝鮮の失業救濟事業費千三百五十萬圓決定これによつて四萬八千人が救濟される▲神武天皇祭兩陛下皇靈殿に御親拜▲閣僚を代表して拓相園公見舞

四月四日(金) 西園寺小康を得る▲三月の入超四千六百萬圓▲郵船秩父丸一萬七千噸處女航につく▲主力補助艦に關し三國協定成る

四月五日(土) 特別議はあと二週間に迫り議席準備に懸命▲三國協定成立で造船界に受難時代招來▲軍縮の剩餘金は國民負擔の輕減に充當

四月六日(日) 無産黨の足並揃はず紳現國爭を續ける▲鐘紡王國の從業員に寢耳に水の大減俸を發表して問題化す▲日本人を毛嫌ふ米國の漫遊船記者團さへも入船拒絕

となつたことを父兄が自覺したのによるものであるが蠶飼村である同地方は本年の繭價次第更にこうした不景氣の反映が現實化するだらうと非常に憂慮されてゐる

評判のよい 菅平馬鈴薯

本縣が菅平に於て採集する馬鈴薯は年々約四萬貫で昨年の如きは配布希望に應じきれず同地の組合の援助を得て辛うじて五萬三千貫の需要に應じた程であるが本年は昨年の採取原種圃合計十町歩を廿二町歩に擴張し縣立馬鈴薯採取圃は菅平の採取組合に移管して十九町歩の供給圃を設け原種圃三町歩は委託經營を行はしめることに決定した

諏訪郡

敎へ子二人を 連れて一週間彷徨歩く

諏訪長地小學校敎員平田訓導(二八)は敎へ子山田八千代(一四)久保田テル(一三)を連出して姿をくらました事件があつたその後三人は伊豆大島へ渡り死に場を探ねたが死にきれず東京に引き返し遂に子供は家戀しさに歸郷の里心つくや平田訓導は當惑し知人を尋ねて身の振り方を相談し遂に捜索中の警官に取り押へられた。

東筑摩郡

島々の原始林を 人夫百五十名を増員して伐彩

松本營林署では嶋々谷國有林内で人夫約六十名を使ひ伐彩事業を開始し更に五月頃には一躍百五十名に人夫を増員して未だかつて斧を入れたことのない嶋々の原始林に向つて樹齢二百年乃至三百年のもみつが、とうひその他の伐木を行ふ豫定だが期限は八月一杯で石數約一萬二千石に及び之を五月中旬から賣り出す筈だが何分にも財界不況に加へて外材の進出にて果して同署の豫算通りに賣れるかどうかは氣づかはれてゐる

西筑摩郡

高等科滿員 各校ハチ切れさう

木曾谷各中等學校が生徒募集難で惱んで居る一面郡下の各小學校高等科の大繁昌は非常なもので四月一日授業を開始した結果に依ると各校とも平均一割乃至二割位宛て昨年より進級者が増加し大桑村野尻小學校の如き今年は高等科一年生が約六十餘名もあり一學級に收め切れないで大狼狽し大きな敎室を探して漸く落ち付いたやうな有樣であつたこれは矢張り不景氣のために何れも高等科で我慢させるといつた家庭の事情であるらしい

生活を脅す貯水池 西筑四ヶ村長上京陳情

大同電力が西筑摩郡王瀧村三浦に設置せんとする大貯水池は内務省では認可指令を發したので盛んに反對運動を繼續して來た地元町村長は大いに力拔けがし泣き寢入になるやうな模樣であつたが幸ひにもまだ遞信大臣の認可になつてゐないので今後はこの方面に反對運動を續けるべく讀書村山口村大桑村上松町の四町村長は出京遞信省に對し前記貯水池の出現は郡民の生命を脅かすものなりとて極力反對陳情を示す筈である

上水内郡

乘合河中に逆落 死傷者七名を出す

四月七日午前八時近く川中嶋自動車乘合が長野に向け上水内郡榮村と日里村境の土尻川の境澤橋に差しかゝた際カーブを切りきれず同橋上より高さ四間ばかりの河中に眞逆に墜落車体は滅茶々々に破壞され乘客六名と運轉手は重傷を負ひ内榮村長檀原賢男(六二)は胸部を強く打つて卽死をとげた。

長野市

長野市長 丸山氏再選

長野市長滿期に伴ふ市長問題は改選派は平山萃氏(松本出身)を推薦し再選派といがみ合つて市民大會まで開き市民の旨調に訴へたが再選派が勝を制し現丸山市長が再選された。

散る花片を浴びて 人出七人の善光寺中回向

四月七日(月) 貴院に政府反對の故意的態度に出づれば敢て一戰を辭せずと▲國公平熱に復す▲花の飛鳥山に迷兒百三十人を出す

四月八日(火) 今秋の國勢調査に二十三萬人を囑託▲國産奬勵のため巡回博覽會を開くと閣議で決定所要經費は特別議會に提出

四月九日(水) 鐘紡の減給問題に無産黨共同鬪爭が各勞働組合色めく▲東京京城間に電話が開通する世界でも有數の長距離線▲經費節約から眞面目な葉書が淡黃色になると

四月十日(木) 減給問題から鐘紡主國に大動搖招來▲全國を通じて就學の出來ぬ學齢兒童は二十餘萬の多きに達してゐる▲警官の立番を廢止して不案内の通行人へは「指導票」を立てる

四月十一日(金) 本月上旬出超石一萬五千圓大正十四年來の記錄▲政府は特別議會前に勅選の補充に行ふ方針で目下人選中▲普選から歸還へ—婦選獲得團体で神宮外苑に氣勢を揚げ議會へ示威を行ふ

四月十二日(土) 去る十日は故後藤新平伯の一年忌に當るので盛大な追悼式が行はれた▲メートル法發布十周年にあたり一週間のメートル宣傳を行ふ▲學生の航空聯盟發會式あぐ

四月十三日(日) 鐘紡爭議は無産各派の共同鬪爭委員會成り政黨を通じて爭議應援と聲明▲東海道超特急運轉は九月十五日から實施▲禁酒國の紐育州議會では六〇對八〇の多數で撤廢案可決さる▲雪洲、淺間丸で歸朝

四月十四日(月) 波瀾重疊で終始した軍縮會議は本日總會を開き十七日調印の運び▲東京市の大疑獄は漸く結審して審理中三名の死亡者を除き四九名の罪狀明白となる▲深刻な不景氣から入學志望者激減して定員に達せぬ府縣は三十三縣に達す敎育萬能の風潮衰ふ

四月十五日(火) 秋田縣和野町七十五戸燒失▲農村をなやます不正肥料商の横行百圓の硫安を二百七十圓で賣る▲慶明野球戰四對二で明大見事雪辱成る▲若葉かをる五月末に聖上靜岡に行幸

四月十六日(水) 東京市電氣局に勞働爭議突發總罷業氣分に入る▲高松宮同妃兩殿下來る二十一日御外遊の途上らせらる、御乘船は鹿島丸

(以下次號)

御斷り

本誌廣告中の村岡玄著「和西辭典」は目下編纂中にていづれ發刊次第發表すべし

善光寺御開帳なか回向の廿日は朝來素適な日和に惠まれた、初夏の裝ひしても肌えに汗のにじむ暖かさで最高温度が華氏の七十九度九分——市内の人出はまたよくもこんなに出たもの、大勸進側の庭儀式お練しきりなく花の散りゆく城山では上水女子青年團總會、縣下肥料商組合總會、西によつた圖書館では産業組合青年聯盟創立總會、若葉に薫る信濃毎日新聞主催の素美展、東によつて鍋屋田小學校では家屋税調査委員選擧等々市内至るところのお祭り總會、催しものを中心に全市の人出凡そ七萬——人の波、人のいきれ停車場では來る汽車出る汽車窓から乘り降り、人の頭の上だけで散歩も出來さうな賑はひ、緣日心ゆくまで佛都はあげてお祭氣分の昂奮に醉つてゐた

參詣して自首 東京市外巣鴨町二〇尼野三九郎(二二)は去る二月瀧野川町砂田洋服店に雇はれ中洋服類數點價格三百余圓を持ちだし各地を流れ歩いてゐたが二十二日夜善光寺御開帳に參詣して前非をくひ長野署に自首した

松本市

練兵場引越して その跡へ松中を四十万圓で

松本中學校の移轉改築問題は數年來の懸案であつたが縣財政逼迫の折柄何時も具體化せず今日に至つた而して既に校舍建築決議三ヶ年餘を經過し至るところ腐朽して危險であるのと衛生的に見ても多くの缺點があり一方一年遅りに改築をのばして居れば縣下各中等學校の改築期が接近する虞れがあるので今秋の豫算縣會に工費四十萬圓を計上し昭和六年度に移轉政策を實現する豫定である移轉先は松本聯隊練兵場とする豫定でこれに付いては陸軍省と松本市とで接衝の結果練兵場を市外岡田村地籍へ移轉することに略内定し松本中學校は縣營運動場の管理をかねる筈である尙校舍は鐵筋コンクリート造りとする豫定であると

下士志願者倍増 不景氣の産物聯隊では大喜び

松本聯隊では第一期檢閲が終り漸く初

在布哇邦人の國際的結婚

布哇衛生局は一九二九年度(自一九二八年七月 至一九二九年六月)布哇人口統計を發表したが其内容要領は

(一)人口總數及人種別

總數 三五七、六四九

内譯

日本人	一三七、四〇七	土人及白人混血種	一六、六八七
比島人	六三、八六九	土人及東洋人混血種	一〇、五九八
白人	三八、〇〇六	ポートリコ人	六、九二三
葡萄人	二九、七一七	朝鮮人	六、三九三
支那人	二五、二二〇	西班人	一、八五一
土人	二〇、四七九	其の他	五〇八

(二)日本人の日系市民及日本臣民數

日系市民	八七、七四八
日本臣民	四九、六五九

(三)日本人の出生及死亡數

出生數	五、一八四
死亡數	一、四七三

年兵の成績がわかつたので下士志願者を募集したところ各中隊から九十余名の多きに達し内中等學校卒業者が約三分の一近くもあり例年の志願者數に比較すると約二倍の激增であつたこの原因は不景氣と就職難の關係からと見られそれだけ素質の良い志願者が得られるので聯隊では大喜びで嚴選の結果十九名を下士志願者として採用今後特別敎育を施すことになつた

上田市

勝俣上田市長 現職中に逝去

勝俣上田市長は四月七日午後四十分胃癌のため逝去した、行年六十六、市では市葬を以て故人の功勞を謝し功勞金六千五百圓を贈つた。本會でも創立以來の支部長にして盡瘁する所多大であり移住組合の理事としても御盡力せられてゐたので西澤幹事が代表して弔辭及香奠を贈つた

職業紹介の成績 製絲場就職が第一位

上田市職業紹介所一月から三月に至る三ヶ月間の成績は

△求人男三一〇、女一一三計四二三人△求職男一八七、女一八一計三〇八人△紹介狀交付數男一〇三、女一一二計二一五人△就職男五三女九四計一四七人で就職步合からすれば比較的男は我まゝ女の方が高率を示してゐる而して職業別就職數は製絲場男三女五十九計六十二人が第一位で次は土方日雇の男十八女一計十九人であつた

ローマ字投票

代議士總選擧に際して縣下のローマ字投票は總投票數は百十七票で內有効九十八票、無効十九票郡別にすると左の通り

(カッコ內は無効)

南佐六(一)北佐久三(一)小縣一二(三)埴科一八(〇)諏訪四二(六)上伊那六(一)下伊那一〇(一)西筑摩五(二)東筑摩一一(五)南安曇四(〇)

(四)結婚數及配偶者國籍別

(イ)日本男子結婚數 八一六

其の配偶者たる女子の國籍別

日本人	七八四
土人の白人混血	一五
布哇土人	六
葡萄人	三
土人と支那人混血	二
土人と日本人混血	二
獨逸人、西班牙人、支那人、朝鮮人	各一

(ロ)日本人女子の結婚數 八三〇

其の配偶者たる夫の國籍別

日本人	七八四
亞米利加人	一二
支那	七
比島人	六
葡萄人	四
布哇土人	四
朝鮮人	四
英國人	三
土人及白人混血	三
獨逸人、土人及日本人混血、土人及支那人混血	各一

(移民情報四月號より)

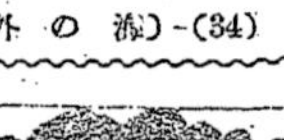

朝鮮閑話（三）

藤澤定司

十九、茶菓

來客があつても純朝鮮の風俗では茶菓をすゝめる樣な事はなかつた。近頃は茶菓も出す家があつて紅茶や玫瑰茶を用意して居る家庭も澤山ある。

お茶は朝鮮人嗜好物ではなかつたが然し昔から貴族や僧侶の一部がこれを愛用して居つた樣であるそして煎茶と同樣煎ぢるのである。用途は精神の爽快を取る目的としたもので煎じ方も藥と同樣に充分に煎ぢて用ゐる。さういふ關係で一般家庭へいつても菓子や茶の饗應を受ける樣な場合は少いのである。然しその代りに來客にはまづ何よりも「タバコ」をすゝめる事になつて居る。

こゝに一つ注意せなければならぬ事は、主人がお茶に手をつけない間は朝鮮客は遠慮して手をつけないから來客に茶菓をすゝめる場合にはまづ主人がお毒味をする必要がある。

全南光州の南に名山がある。無等山といふ。新羅の高僧哲鑑巨殺を創始したと傳へられて居る。古來附に茶の產すとある、これを見ても僧侶は盛んに茶を用ゐたものと見える。野生のお茶の木があり、又關が自生しており、全北の金山寺にも寺僧の手になる雀舌茶を饗供して居る。又全南羅州郡茶道面には今日もなほ野生茶を產してかつ又全南一般に茶の木がある。

因に朝鮮在來の菓子は多くは油菓子であつて、いづれも支那傳來のものであり菓子は多くはお祭りの供物にされるのであつたが、最近では內地人から各種の製菓法を傳習して田舍向きの駄菓子は各地で製造せられて居る。

二十、煙草

來客に饗應する最も普通なものはタバコである。客が見えたらまづ何よりもこれをすゝめるのである。そしてタバコは朝鮮人男女老幼の嗜好物の一つである。タバコは元來長上の面前でスパ〳〵吸ふのは失禮となつてをつて、父母の面前では飲酒喫煙は禁物であるが內地人は父母の面前で平氣でタバコを吸ふといつてその無作法を嗤ふ朝鮮人もある位であるだから、或る場合には長上を侮辱する意味で吸いたくもないタバコを取出して、吸ふ樣な場合があるかもしれぬ。通りかゝりの年寄りが兒童の喫煙を叱責して居るのに隱とからかつて吸いながら杖を免れて逃げ廻るといふ樣な實景はよく目擊したものであるが、最近朝鮮の兒童も敎育の普及につれて漸次喫煙の惡風もなくなりつゝある。

從來、刻みタバコばかりであつたが當時は來客用のキセルが平生から準備されてをつてそれにタバコを詰めて火をつけて客にすゝめたものであつた。

その來客專用のキセルを朝鮮語では客竹といふ。婦人も姑がなくなつて自分の世帶になるとタバコを用ゐるのが普通である女同士訪

ね合ふと「女竹」でもつて煙草をすゝめる事、男と同樣で女竹とは女持煙管の事で男子のよりはやゝ短くて、小型に出來てゐる。

朝鮮婦人の喫煙の惡風のある事は、朝鮮の女子が從來如何に無聊で如何に退屈からツヽマシヤカでなかつたを有力に物語るものである。婦が姑に隱れて吸ふ煙草は昔から秘密に仕掛られてゐる事を喫破抜かずにはゐられぬのである。

宴席等では煙草は西洋皿に盛つて出されるがその煙草を取つて吸つて灰は平氣でその中へ落して顧みない、人も我も新らしい煙草の上へ灰を落し不潔にも又その中から灰に汚れた煙草を取つて吸ふのである。これは誠に物を極端に粗末にする惡風である。又內地人が盃洗へ高い酒を無茶苦茶に流しこむのと同樣事の一つであると思ふ。

昔は煙管を使用した關係上、火鉢がなければ唾壺又は木で作つた茶盆の眞中に穴のついた灰落しを用ゐたのであるが近來だん〳〵とハイカラになつて兩切煙草を愛喫する關係上こんな風になつたのである。

さて朝鮮には昔から非常な事變や經濟逼迫があつた場合には牛の屠殺を禁じたり、酒類の釀造を止めた事はあつたが煙草を喫ふなといふ布令を出した事はなかつた。處が舊韓國の末葉に際し、國步艱難に陷り外債を返還しなければならぬとか、禁酒して外債基金を作らねばならぬと騷いだ時に、禁煙會が各地に一時流行した事があつたけれ共その外債返還基金を募集した發起人等が之れを携帶逃走して計畫が水泡に歸したので緊張してゐた禁煙會も自然有耶無耶に終つたのである。

その後大正八年の萬歲騷ぎの直後にも人心が一時非常に緊張して、各地で禁煙會が發起せられて、長煙管を束に括つて火に燃やして了ひ斷然禁煙を誓つた事もあつたが、それも日時が經て何時とはなしに立消えになつたものである。然し目下の處では地方的に一、二の禁煙會が殘つて居る樣である。又基督敎方面では節制生活を盛んに唱導して居る關係上、その方面の青少年禁煙會があるのである。

さもあればあれ、昔から煙草は阿呆草と云はれて居つて喫煙して一益がなく百害のある事は昔人の心得てゐる處であるが中々禁煙の斷行は六ケしいものである。

二十一、昔の階級

朝鮮には兩班（ヤンバン）といふ階級がある。これを朝鮮語では yangban と發音するが內地人は普通にヤンバンと呼びならはして居る。

兩班は昔、官吏になつた階級であつて、兩班以外の者は官吏になれず、又官吏に登用せられる「科擧」の試驗に應ずる資格もなかつたのである。

兩班はよく官吏たる資格を生れながら持つて居る。特權階級であつたのみならず、納稅の義務もなく、兵役の義務もなく、農商にも從事せず、たゞ孔孟の敎を學問して座食して居たもので、場合によつては、私かに人民を捉へて裁判をして袖の下を強制してその多寡で罪科を決定したり、隨分橫暴の限りを盡したものである。かくの如く罪咎のない良民を拷問して、金品を掠奪せしめる事を朝鮮語では「土豪亂」（トホヂル）といふが常民共はその惡例に依つて身體に損したものである。昔は、一般人民が途中で、兩班に出あふと乘物から降りるのは勿論土下座もせねばならず、又平生兩班はあらゆる無理を通して常民を苦しめるけれどもそれには反抗も出來ず絶對泣き寢入りして來たもので若し反抗でもしたならば益々辛い目にあはされて全財產を殘らず沒收されたので今日までもそれに對して怨嗟の聲を放つてゐる。

（次號に續く）

濟南の近狀（一）

在濟南日本領事館　松井佐久平

松井氏は更級郡鹽崎村出身、一昨年拓殖大學を卒へて直ちに濟南に赴任せられた仁である。濟南は田中內閣當時濟南事件が突發して信州人とは關係深い所である。

濟南は山東省の首府であり、古禹、貢時代は靑州の城と云ひ春秋戰國時代は齊魯の都した處であり、秦に至り齊郡となり、漢の始めには濟南國となり後、魏は齊州と名付た。唐、宋、元を經て明、淸、に及んで濟南府となり、民國になつて濟南府を廢して歷城縣となつたが今尙一般に濟南府或は濟南の名で通つて居る。省政府公署其他軍事行政上の官廳があり、一九〇四年膠濟鐵道の開通、同年商準地開放一九一二年津浦鐵路の開通によつて靑嶋天津南京の接合地となり、北支那に於ける交通の要路、經濟上の一大中心地となつた。濟南の名は土地が濟水(水濟沙)の南にある處より出て又歷城の名も歷山の麓にある處より來たといふ。

濟南は山東省の稍中央部に位して、我故鄕長野市福嶋市と略同緯度に當る。靑嶋へは膠濟鐵路により東へ二四五哩天津へは津浦線によつて北へ二二〇哩、浦口(南京の對岸)津浦鐵路により南へ四一一哩の地點にある。

地勢は平坦で黃河河畔の大平原の一隅に當る東南は泰山山脈の余波である歷山の連丘低く、緩かに起伏して平和なる風景を添へ、西北は黃河流域の一大原野である。

黃河は北方約六哩の處を流れ、濟南城市に端を發する小淸河は北流、黃台に出で、東北流して渤海に入る。昔からの重要なる交通路てある。之を要するに濟南城市は歷山連丘の一である。千佛山を背景とし內に大明湖を抱擁して建設せられ土地は黃藉の大平原中稀に見る水澤地で恰も大砂漠中のオーシスの觀があり城北一帶の水澤地には水田さへも見受けられ地勢上住居に適し、歷史上古くから城市として發達し來つた所以が首肯せられるのである。

濟南は長野、福嶋市と略相當る所なるも氣候は所謂大陸的であるから、之れを比較することは出來得ない。先づ春季は三月中旬より四月で終る、五月より夏期に入り空氣著しく乾燥し六、七月の頃は暑氣が最も甚しい、九月末から一年を通して最好期節となる。冬期は十一月初旬より始まり十二、一月が寒氣最甚の西北風強く降雪は割合に少ないが二、三月には所謂蒙古風が吹き時には黃塵咫尺を辨じ難いものがある。最近の平均の寒暑は

寒ー零下廿度、暑ー百十五六度で三寒四暖の差が甚しく、最も苦しむのは火事場の樣な暑風が吹き廻る爲支那人の日暑病の死者の多いのは之を証明するに足る。

濟南城市及商準地人口は詳細のことは不明なるも、支那人五六十萬と言はれ、日本人二千余其他の外國人四百と云ふ狀態である。商埠地は西外壁の外側、舘驛街から南大槐樹に至る間東西十支里、南北五支里の長方形の地、一九〇四年外國條約に據らず、支那が自發的に外國人の居住貿易地域として開放した土地であつて、當時獨逸の勢力牽制の爲めの擧であつたと稱せられて居る商埠地北端に膠濟線の濟南驛があり、それに北隣して商埠地外に津浦線の濟南驛がある。東西を七馬路に南北を緯十一路に分ち市街整然交通極めて便利である。

外國領事館外國商社銀行其他外人關係の建築物は殆ど玆に集合して居る。最近城內の支那商の商埠地に其の本據を移すもの漸く多く次第に城內繁榮を奪ひ行くの觀あり、其の急激なるは眞に驚嘆すべきものがある、現在日本人の居住するものは棉花、鷄卵、落花生等土產物取扱商其他藥種商貿易商雜貨商等最も多い。我軍政時代には在留邦人二五〇〇名を算したが大正十一年民政部徹退と共に漸次減少して現在數を算し居れり。

英國、米國、獨逸及日本の四國の領事舘あり。

城內は二重の城壁に圍れ內城外城に別れ內城は明朝の初に修築せられ、高さ七間厚さ四間の城壁を繞らし城市の中心地域である。周圍約二十支里、內に大明湖を抱擁し外城に向ては五三事件で知られる、樂源門、歷山門、新東門、濟川門及新西門の五門を開き外城との交道路に當ている。內城市街は道路狹く車馬絡繹織るが如く雜踏している、最も繁華なるは西門大街東門大街芙容街等であつて、省政府其他重要なる官廳銀行會社は多く此處に集る。外城は周圍約四十支里の城壁を繞らし、商埠地及郊外に向て普利門外八門を開く道路は內城と同樣狹く普利門大街の如きは眞に肩摩轂擊の觀がある。

學校は省立專門學校六校、大學一校、同中等學校九校外人經營學校は齊魯大學(英米)東魯學校(邦人豐田神尙氏)(中學制で六ケ年)

(留日學生多く士官學校其他各種の留學生を出し居る)病院は濟南醫院、本邦同仁會の經營で規模、設備等總てに於て第一の病院であり日支醫者二十余名居り。

入院患者收容力は二百余名、附帶事業として日、支の看護婦敎育と支那醫學校卒業生の實地研究指導の部あり、東京慶大醫科病院にも比適する位の大さである。齊魯大學附屬共合醫院　濟南醫院には及ばざるも慈善に意を用ひ親切丁寧に患者を取扱ひ下層支那人間に人氣がある。

山東醫學專門學校附屬醫院其他二三の病院あるも洋醫一〇〇、漢法醫二〇〇名と云はれて居る。

商務總會　城內にある中國「商會法」により組織されたる商業會議所で政治上にも一種の勢力を持つて居る。（未完）

外の海 歌壇

短歌

雉夫選

○ 加納幸雄

旅立つと妻がひろげし荷のものを踏みちらしつつ子は遊び居り

覺めきらぬ吾子を背負ひて妻子等の早立送る夜のひきあけに

いとけなき二人の子等をつれゆくに馴れざる妻を旅立たしめぬ

○ 中谷四郎

錢湯に兄と來しとふ嫩へ子は小さき手にて髮とかし居り

校長になりて行くとふ先生二人話もしなくうどん食べ居り

○ 六波羅靜馬

芽ぶきしるき野の桃畑に人出でゝ樹の手入する春となりけり

温泉宿の背山に登り晴空に慓なびけり淺間を見たり

○ 兩角信次郎

汽車にふれ死なせし兄によく似たる喜六はひとしほ愛しく思ふ

廣原のむかひに見ゆる八ケ岳祭にしてはつきりと見ゆ

朝床に眼ざめて聞ける雉の聲師が島住みの歌思ひいづ

○ 前澤露草

春雨のあがりともしみ出で歩む磯田の畔に水あふれ居る

寺の庭に卷き起りたる埃風岡下の田にうつり行きけり

○ 川口水葵

引越しの荷のつまれたるかたはらに交る交るに晝飯食せり

向ふ嶺に雪見えしより朝な朝な仰ぐみ空はすみて來にけり

○ 伊藤淳郎

首くくり死にし女の襟足の青かりにしを今も忘れず

貨物自動車につまれし花輪眞晝間の日に照らされて道を行きたり

○ 中込宗吉

吾が店に屆ひてくれと訪ね來し人は銘仙のそろひ留て居り

○ 中島英太郎

釜のせて天龍川をのぼる舟曳人の足にこもれる力

○ 藤澤あい子

春淺き夜更けに一人窓あけてしとしととふる雨を見いりぬ

○ 一ノ瀬斜月

草笛をふきならしつゝ子供等が樂隊眞似て田の畦を行く

○ 小林龜松

雪空となりゆく午後の軒近く三十三才あまたさへずりて居り

○ 矢澤砂多路

ジシヤの花にほふはざま路たどりつつゐがかん場所を探しあぐみぬ

○ 伯國アリアンザ短歌會 行方正治郎

青草原とよもして降る夕立の日にけに來る夏さりにけり

ふるさとの寒空高く仰ぎけるスバルの光今宵も澄める

かげろひの夕べとなりて歸り行く我が衣の汗しとどなるかも

夕さりて百日草の花叢に花摘むしまし虫の音

止みぬ

この丘巾幾重はるけき丘の上に大き明るき星流れたり

はつはつに穗孕みそめし早稻畑にかげらふ夕日眺め吾がをり

○ 藤田晶子

兄上が心づくしの贈物押しいただける手に落つ涙

さ庭べに咲ききほひたる百日草昨夜のあらしにあはれたわめり

いとし子の日日につのれる惡戲に思ひなやみて夫に告げつる

○ 芦部八洲男

もろもろの芽生へ出でし木の間徑梅雨やうやくにしげき此頃

昨夜の雨押し流したる庭のべにマモンの花の散れる見て居り

雨晴れて夕日ぞ映ゆる大空にトカノの島の鳴きわたるなり

○ 樋田M子

出でましし夫は歸らず只一人冷えたる夕餉食しにけるかも

うまゐせし吾子の面わの安らけさうち見守りつつ夫と顏交す

吾が夫の植えしレモンのはつはつに花咲きにけり今年はじめて

○ 木村十郎

いづくにて巣立ちし雛か親鷄のつれしを見つけ見等數へ居り

前庭の棉の木伸びぬ今年は櫻のごとき花開くべし

朝露にしとど濡れつつもぎとりし胡瓜茄子のすがしかりける

○ 小川紅村

夕立の押し流したる畷道に露出(いで)し木の根を月に見るかも

うからの誰もなくて醫局習の少かりしを妻と語れり

○ 細川蔦江

朝霧のしめりすがしき庭のべに幣をもちて吾子と下りたつ

宵闇のみ空に星はきらめきて蟋蟀の聲鳴きまさりたり

○ 中條秀夫

わが死をば思ふこと多きこの病床に友の逝きにし便り屆きぬ

○ 大窪文秀

道端の大き木蔭に佇みて夕立雨の降りすぐを見し

○ 中江克巳

稻妻の光るたまゆら高樓の見えわたるなり向ひの丘に

○ 藤田勝次

ふるき友の住めるこの地を慕ひつつはや半年をすごしつるかな

○ 篠原良作

朝露に濡れつつ草を取りてをりのぼる日かげのただにこほしき

○ 城倉角雄

夕月はマットの上にのぼりたり故郷の空の慕はしきかな

○ 岩波菊治

とよもして夕立凄まじまなかひの珈琲畑は見えずなりぬる

この村に惡疫(えやみ)はやれり妻と共に豫防藥を分ち飲みたり

豫防藥のみし後の腹痛し背戸の畑に草とりてゐて

早刈の陸稻の株は拔きもあへず冬豌豆の種蒔きにけり

日曜に拔がなと思ひしジヤボチカバの實はことごとく猿に食はれぬ

只一つ生りにしコンデフルツタの色づき行くを日毎待ちをり

外の海 人事相談

本欄は求人、就職、婚姻等個人的の人事に關する相談に應じ紹介、斡旋の勞をとる。御相談に關して係りで負擔出來ざる費用は實費を頂戴す。(係)

求縁

嫁度 當方住所本縣更級郡、某實科高等女學校卒業、年齡二十四才、小學校教員免許狀有、目下某實業補習學校助教諭勤務先方意志堅實相應なる資金を準備せる三十五才迄の青年にして身体强壯、系統正しき、中等教育ある確實の海外發展者たる事(姓名在社)

嫁度 當方住所本縣諏訪郡、某高等女學校三年修業家事都合上退學、爾後某病院に事務員として勤務、先方身体强健意志堅固、十分なる渡航資金を以て伯國に渡航する系統正しき青年たる事、可成五年位伯國にて奮鬪せし人を望む(姓名在社)

嫁度 當方本縣小縣郡、小學校卒業後自家農業に從事中、年齡二十九才の處女、身体强健品行方正何等恥ずる所なし、先方可成は三十五才迄の系統正しき男子に嫁度し(姓名在社)

嫁度 當方本縣小縣郡、實業補習學校卒業後自家農業從事中、年齡二十八才、先方本縣人にして堅實なる青年にして、近隣に嫌忌せられざる家庭に生れたる男子たる事、

嫁度 當方本縣上高井郡、小學校後在家年齡二十才、先方本縣人、他府縣人たるを問はず伯國、亞國内に居住せらるゝ、系統正しき生活の基礎定まれる男子たる事(姓名在社)

嫁度 當方本縣南佐久郡、勞働に耐得る二十八才、二十五才、二十才の娘三人あり堅實なる男子に嫁せしめたし、可成は父親見屆の爲渡航致度に付旅費支辨願度

求妻 當方本籍本縣更級郡、二十年前に渡墨、雜貨業營み資産數萬圓在、四十六才先方系統正しき日本婦人たる事(姓名在社)

求妻 當方本縣北佐久郡、二十二才、某公民學校卒業後自家農業に從事中アリアンサ移住地に請負耕作として入植準備中先方身体强健、意志堅實品行方正なる婦人たること(姓名在社)

求妻 當方本縣南安曇郡出身にして、十年前にヒリツピンに渡航し、大會社の監督、三十三才、月收三百圓他資金數千在先方身体强健、常識ある南信地方の婦人たる事(姓名在社)

求妻 當方本籍本縣下高井郡、飯山中學卒業十年前にアルゼンチン、ブイノスアイレス市に渡航し、商業に從事中、資産數萬圓在、店員五名使用、年三十四才、先方高等女學校卒業、思想正しく容姿十人並、身体强体、血統正しき人(姓名在社)

海の外 問答

×漠然たる質問は不可
×一人三問以下の事
×詳細の回答希望者郵券封入の事

比島渡航に就て

問 小生は比律賓ダバオ移民を志す廿三才の青年です。左の件に就き御尋ね致します。

一、ダバオ地方の麻山經營は未だ勞力が過剩してゐませんか、又、日本人を排斥する樣な事はありませんか、

二、比島移民には政府の渡航補助金がありますか。

三、單獨渡航と妻帶して行くと、どちらがよろしいでせうか、單獨で四、五年努力し地盤を固めてから妻帶したいと思ひますが無暴な事でせうか。

四、ダバオ麻栽培の事情を詳しく知るため、直接彼の地の方と文通したいのですが本縣人で麻栽培に從事してゐる方を御紹介下さい。書籍や雜誌で見ましたが信用出來ません。

五、海興扱ひですと多額の手數料を要しますが外に取扱つてゐる處はありませんか。

答 一、ダバオ地方の未開墾地は未だ澤山ありまして勞力は常に不足を告げてゐます。此の地方では働く意志さへあれば失業と云ふ事はありません。米國本土の樣に排斥問題は直接ありませんが統治權が米國であるが故に樂觀は許されないのでせう。

二、渡航補助金はありません

三、ダバオは單獨渡航者の天國です。と云ふのは麻山の就勞は獨身者で十分能率を上げる樣になつてゐますし、渡航資金の少ない方はこの方がよろしいでせう。單獨で四、五年麻山に就勞し迎妻の準備が出來てから妻帶せられた方がよろしいでせう。

四、事情を詳しく知るには實際に見聞するより外に方法ありません。書籍で信用出來なければ彼の地からの通信だつて疑へから貴君が實際に見聞する事をお獎め致します。

五、海興の渡航手續手數料は三十五圓です。呼寄せ以外には海興の扱ひで渡航するのですから三十五圓が多額の手數料とお考へになるならば呼寄せて行かれたがよろしいでせう。

渡伯移民の補助金に就て

問 小生今回補助移民として家族構成妻帶致しましたが在伯弟の妻も同行致します。然し弟の妻は夫の呼寄證明書を所持してゐますがやはり補助金が御座いますか。呼寄の妻は單獨で行つても補助金がありますか。

答 渡伯補助移民と云ふのは海興若くは移住組合の取扱ひで家族構成條件を備へたものを云ふので貴下の場合は家族構上補助移民の資格がありますが、多分在伯弟の元に行かるゝお積りでせうからやはり呼寄せ狀を貰はねばなりません。海興では珈琲園、移住組合では組合移住地に行くものですから自由に補助移民の行動は許されません。呼寄移民には補助金がありません。勿論渡航費補助を受くるためには貴下夫婦と弟の妻が一家族になつて海興扱ひで珈琲園に一農年就勞し、然る後に弟の元に行かるゝもよろしいでせう。

問 移住組合の第三種移住者ですが妹(又は姉)と被傭者として妹のお友達を同行したいのですが渡航補助金は得られますか。

答 第三種移住者は妹(又は姉)を同行出來るか否かは目下考究中です。同行出來るとしても補助金は得られません。お友達を被傭者する事は出來ません。被傭者は十八才以上の男子に限られてゐます。

問 貴會のアリアンサ移住地要覽は無料でいただけますか。

答 無料で差し上げますから遠慮なく申越し下さい。

協會記事

移住組合の

第四回臨時總會

移住組合の第四回臨時總會は三月三十一日縣廳內に開催、出席八十八名、前號所載の各議案は滿場一致を原案の可決をみた。即ち第一案は收入三千八百圓の增加支出九千三百三十圓七十一錢の增減零の追加更正豫算を可決し第二案は十三萬二千六百九十圓の本年度豫算と移住地豫算三百二十九コントス（邦貨七十六萬二千五百圓）を可決した。第三案の取引銀行は長野貯蓄及六十三兩銀行、第四案の借入金最高限度は二十五萬圓利率は最高一割二分、第五案の一組合員に對する貸付最高額三千圓、第六案の土地分讓代金は十アルケル二千圓（二百五十圓昇騰）と夫々可決更らに第七案の定疑附則追加は昭和四年度に限り豫算年度を三月卅一日までと可決、第八案の移住地統一經營に關する調査交渉委員選任の協議案は委員選任を組合長に一任する事に決せり。本席場に於いては輪湖氏より移住地の狀況について約五十分に渡り報告あり、參考のため本號にその概要を「現在のアリアンサ移住地」と題して揭載せり。

本年度豫算議決

本協會の評議員會

三月三十一日本協會評議員會は出席二十余名に達し昭和三年度收入支出決算二萬八千七百七拾七圓五拾六錢（內繰越金一萬一千四百九拾八圓六拾錢）の承認を得、昨年度の事業報告並本年三月二十五日現在會計狀況を報告し、次で昭和五年度收入收出豫算六萬七千七百七拾圓を議決した。（收入支出內譯は省略）

五月便船の

本移住地渡航者

五月十四日神戶出帆サントス丸（六月二十九日サントス港着）

東京市淺草區新吉原江戶町　百瀨作之進　三人

五月廿六日神戶出帆若狹丸（七月廿日サントス港着）

山梨縣南都留郡東桂村　佐藤二三
福島縣石城郡大野村　木村美和三郎
愛知縣知多郡大府町　山內映
（以上三人）
埼玉縣北埼玉郡中島村　小島隆治　四人

本年の渡航者數

本年一月以降の渡航者數左の如し

神戶出帆日	乘船名	家族數	人員
一月三日	サントス丸	四	二〇
二月十八日	ハワイ丸	一	二
三月一日	河內丸	二	一三
三月十五日	ラプラタ丸	三	一一
四月十九日	ブノスアイレス丸	二	一八
四月廿八日	博多丸	三	一一
五月十四日	サントス丸	一	三
五月廿六日	若狹丸	二	七
計		一八	八五

西澤幹事の

海外事情講演

八ケ月の海外觀察旅行から歸つた西澤幹事は各地靑年會、婦人會、學校等より講演を懇請來たり旣に左記各地に於て長時間に渡り海外觀察談を試みて海外發展

を力說し聽衆に多大の感動を與へてゐる尙同幹事の講演希望者は豫め申込み下されば御希望に添ふ樣都合する。

三月五日　更級篠ノ井町（更級敎育會）
三月六日　下高井中野町（下高井郡農學校）
三月八日　更級農學校自由大學
三月十日　埴科淸野村（淸野村軍人分會）
三月十一日　篠ノ井女學校
三月十三日より二十一日まで富山、鳥取、熊本の各縣に出張講演
四月三日　更級共和村（共和靑年會）
四月三日　長野市古牧（古牧靑年會）
四月五日　下高井上木島村（上木島小學校校友會）
四月六日　下高日野村（日野靑年會）
四月十九日　更級更府村（更府小學校）
五月二日　更級更級村（更級小學校）

新入會員紹介

埴科郡南條村　宮下彌門殿
更級郡青木嶋村　新井松治郎殿
下高井郡中野町　小野才吉殿

會費領收（自三月十六日至四月十五日）

一金壹百五拾圓也（特別會費）　小林吉治殿
一金壹百圓也（同）　中村熊三郎殿
一金四圓也　阿部安之輔殿　鳩田松造殿　櫻井莊八郎殿
一金貳圓也　藤本多市殿　中村喜榮殿　河野政三殿　梶尙禮殿　市川國次郎殿　山本幸吉殿　市川三郎殿
一金七拾八圓也　上水內郡富士里村視察組合殿
一金貳拾圓也　上水內郡三水村視察組合殿
一金貳拾圓也　上水內郡水內村視察組合殿

海外會費領收

一金壹百貳拾壹圓貳拾壹錢也　北米南加支部殿

海の外往來

矢崎節夫氏　珈琲園經營の手腕家アニューマス農場長矢崎節夫氏は今回ブラジル拓植組合より主事として招聘され事業部を擔任する。

中田義介氏（山口縣海外移住組合理事）**藤原茂氏**（福岡縣海外移住組合理事）今回兩氏は四月十九日神戶出帆ブエノスアイレス丸にてブラジル國視察旅行につかれた、

伯國有吉大使　ブラジル國駐箚帝國有吉大使は四月十六日米船ノーザンプリンス號にて賜暇歸朝の途についたと。

桝谷光貞氏　四月二十九日サントス發北米經由六月十日橫濱着の豫定

石澤此衞氏　下水內郡秋津村出身大正六年渡比今回迎妻歸朝五月便船で再渡南

伊藤傳兵衞氏　上田市の豪商伊藤傳兵衞氏は今日ジャパンツーリスト上海支部主催の世界一周旅行に長男啓治氏と共に參加六月中旬日本出發の豫定である。同氏は本會の出資會員及び評議員である

小坂武雄氏（信濃每日新聞社常務取締役）拓務次官小坂順造氏令弟小坂武雄氏は東日新聞社主催の歐米諸國視察團に參加し五月卅日大阪發約四ケ月の豫定で歐米諸國に旅行する。

信濃海外協會規約抄錄

一、本會ハ信濃海外協會ト稱シ本部ヲ長野市ニ支部ヲ必要ニ應シ內外各地ニ置ク
二、本會ハ縣民ノ縣外發展ニ關スル諸般ノ事項ヲ調査研究シ其ノ發展ニ資スルヲ以テ目的トス
三、本會ハ前條ノ目的ヲ達スル爲必要ニ應シ左ノ事業ヲ行フ
イ、縣民縣外發展ノ方法ニ關スル立案
ロ、發展地ニ就キ調査ヲナシ其ノ結果ヲ紹介
ハ、在外縣民ト聯絡ヲ計リ指導後援
ニ、海外投資ノ研究ヲナシ之ヲ發表
ホ、海外發展ニ必要ナル人材ヲ養成
ヘ、機關誌「海の外」ヲ發行シ隨時講演會ヲ各地ニ開ク
ト、海外發展ニ關シ各種參考品及統計ノ蒐集
チ、前各項ノ目的ヲ遂行スル爲臨機本會ノ代表者等ヲ內外樞要ノ地ニ派出スル事
リ、會員ニハ「海の外」毎月寄贈ス
ヌ、其他本會ノ目的ヲ達スルト認ムル事項
四、本會ノ會員ハ左ノ四種トス
イ、名譽會員ハ代議員會ノ決議ヲ經テ總裁之ヲ推薦ス
ロ、特別會員ハ一時金百圓以上ヲ釀出スル者
ハ、維持會員ハ會費年額金拾圓ヲ十ケ年間釀出スル者
ニ、普通會員ハ年額金貳圓ヲ十ケ年間又ハ一時金十六圓以上ヲ釀出スル者
五、本會現在役員

總裁	鈴木信太郎		
副總裁	佐藤寅太郎		
顧問	小川平吉	今井五介	原嘉道
	伊澤多喜男	岡田忠彥	本間利雄
	梅谷光貞	高橋守雄	
相談役	石垣倉治	佐藤正俊	小西竹次郎
	降旗元太郎	越壽三郎	小里頼永
	片倉兼太郎	福澤泰江	小林暢
	山岡萬之助	工藤善助	松本忠雄
	植原悅二郎	山本愼平	菱川敬三

海の外（月刊）（一册廿錢）

定價表

	內地送料共	外國送料共
一册	廿錢	廿四錢
六ケ月	一圓十錢	一圓四十四錢
一ケ年	二圓廿錢	二圓八十八錢
五ケ年	拾圓	拾四圓

御注意

△御送金は振替（長野二一四〇番）に御願ひします。外國よりの御送金は銀行、郵便局いづれにても確實に送金されます。
△御轉居の節は早速新舊兩御住所を御通知下さい。
△本誌へ廣告揭載御希望の方は詳細相談申上げます。

昭和五年五月一日發行

編輯人　永田稠
發行兼印刷人　西澤太一郎
印刷所　長野市南縣町　信濃每日新聞社

發行所　長野縣廳內　海の外社
振替口座　長野二一四〇番

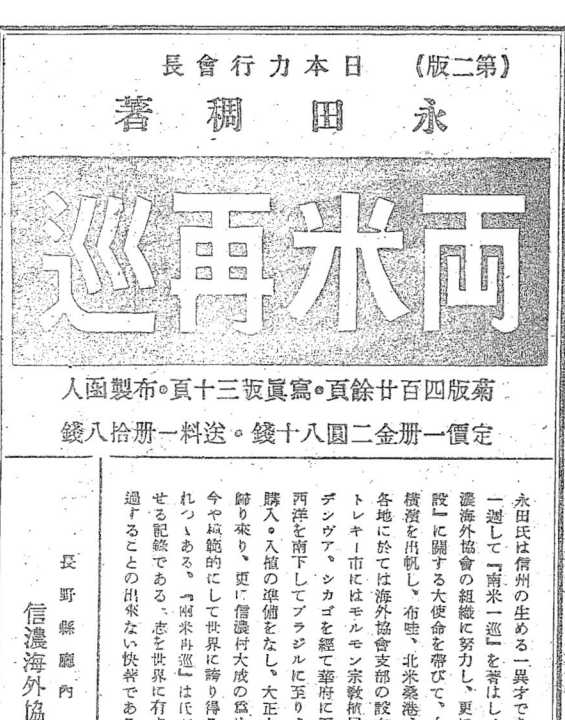

（第二版）　日本力行會長　永田稠著

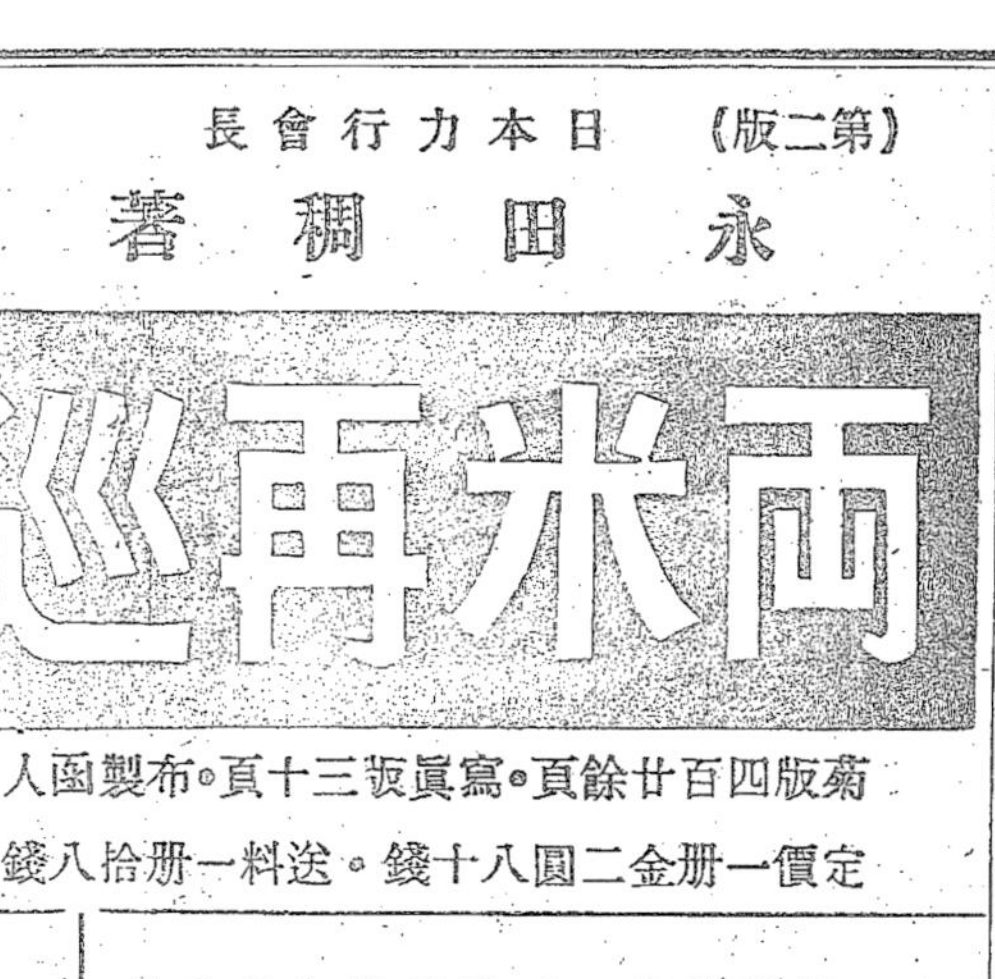

菊版四百廿餘頁・寫眞版三十頁・布製函入

定價一册金二圓八十錢・送料一册拾八錢

永田氏は信州の生める一異才である。嘗て南米を一週して『南米一巡』を著はし、信州に來つて信濃海外協會の組織に努力し、更に『南米信濃村建設』に關する大使命を帶びて、大正十三年五月末横濱を出帆し、布哇、北米桑港、ローサンゼルス各地に於ては海外協會支部の設立に盡力し、ソートレキー市にはモルモン宗教植民の跡をたづね、デンヴア、シカゴを經て華府に至り、紐育より大西洋を南下してブラジルに至り、移住地の選定、購入、入植の準備をなし、大正十四年二月日本に歸り來り、更に信濃村大成の爲めに努力奮鬪し、今や模範的にして世界に誇り得る移住地が建設されつゝある。『南米再巡』は氏が南北両米を再巡せる記錄である。志を世界に有する者の一日も看過することの出來ない快著である。

長野縣廳內
信濃海外協會取次販賣

東京市外上板橋　日本力行會發行　振替東京六八八一番

新學期開校にあたり全國小、中學校教育者に推薦す

永田稠著

文部省認定
日本植民讀本

菊版百五十頁
地圖挿畫澤山
定價六十錢（送料六錢）

東京　寶文館發行

北澤種一序
海外發展主義の小學教育

四六版四百頁美本
定價二圓五十錢（送料十六錢）

著者が二十年間海外發展運動に從事せる体驗からしぼり出されたる血の結晶がこの二つの著書となつて現れた。

現在の教育の欠陥は日本民族發展に關する活材料を等閑に附してゐる事で、一般教育に海外發展に關する教育を加味されたならばと著者は此の點に深く留意して今回文部省の認定を得て實業補習學校各種實業學校、中等學校の課外讀本として日本植民讀本なる教科書を編んだ。

更に現在の小學校の教科書中、修身、國語、地理、歷史の教材中に海外發展主義の高調に利用すべき點につき學年別に其活用法を示したものが海外發展主義の小學教育で、この參考書によつて直ちに海外發展主義の教育を施す事が出來る、世の教育者に是非共必讀を願はなければならぬ好著である。

（取次）長野縣廳內　信濃海外協會　振替口座　長野二一四〇番

海の外—THE UMINOSOTO
Published Monthly by the Uminosoto Sha. Nagano, Japan.

「海の外」第九十五號　（毎月一回一日發行）

（大正十一年四月廿六日第三種郵便物認可）（昭和五年五月一日發行）

信濃海外協會
海の外社發行

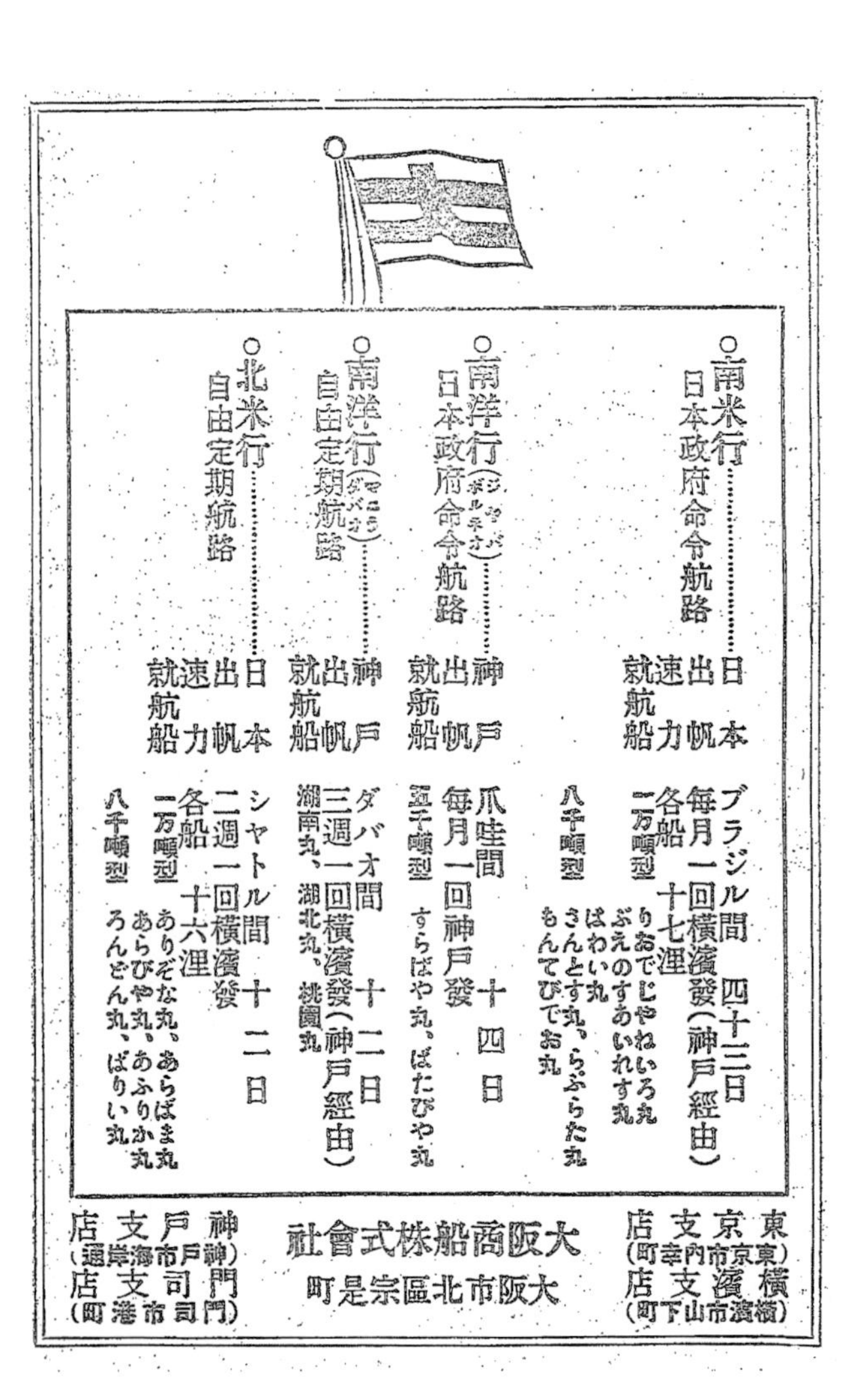

本會で推薦出來る海外發展參考書

書名	著者	定價 送料
ブラジル人國記	駐伯大使館員 野田良治著	二、八〇 一八
新南米	同氏	二、六〇 一八
若き日本の進路	海興社長 井上雅二著	一、八〇 一〇
西半球を巡りて	同氏	三、八〇 一八
今日のブラジル	八重野松男著	三、〇〇 一八
大アマゾニヤ	野田良治著	二、六〇 二三
神秘境 大アマゾンを探る	古谷敏恵著	一、五〇 一八
南米實情 と移民の告白	革新日報社長 濱田勘太郎著	一、三〇 八
ブラジルの實生活	神戸久一著	〇、九五 六
我等のアルゼンチン	芝原耕平著	二、〇〇 八
少年世界地理文庫 ブラジル	西龜正夫著	一、五〇 一二
南米の理想郷	田中誠之助著	一、五〇 一六
改正 海外渡航 關係法規集	外務省 通商局編	、五〇 二
中南米旅商記	横濱貿易商會編	一、五〇 一六
南洋諸島の富	吉田梧郎著	一、五〇 一六
邦人活躍の南洋	宮下琢磨著	二、五〇 一三
南洋談叢	藤山雷太著	一、〇〇 六
比律賓の現狀	商工省 商務局編	二、六〇 二〇
黎明の南洋	井手諦一著	二、五〇 一三
世界植民史	大鹽龜雄著	四、五〇 一八
植民及植民政策	東大教授 矢内原忠雄著	四、八〇 二四
植民夜話	農學博士 東郷實著	三、五〇 二〇

最も權威ある語學研究書と地圖

書名	著者	定價 送料
實用 ブラジル語會話	海外興業會社	一、三〇 一〇
西語會話篇	村岡玄著	二、五〇 一三
葡語文法解說	駐伯大使館員 大武和三郎著	二、三〇 一六
二版 日伯會話	同氏	五〇 四
葡和辭典	同氏	四、〇〇 一八
和葡辭典	同氏	四、〇〇 一八
葡萄牙語 手紙の書方	中尾熊吉著	二、五〇 一六
最近 西班牙語會話	植民學校講師 酒井一郎著	二、〇〇 一六
獨習 西班牙語講義	同氏	〇、五〇 二
聯絡式 日西自由會話	同氏	〇、八〇 四
西班牙語文法	同氏	一、六〇 八
西和辭典	酒井一郎著	一、五〇 一八
獨習 西班牙語全解(一)(二)	村岡玄著	二、五〇 各一六
西班牙語 會話文法	同氏	一、五〇 一六
西和辭典	同氏	六、五〇 二四
實用 蘭語文法	同氏	四、〇〇 一〇
實用 蘭和辭典	ファン・デ・スタット	四、〇〇 一三
ブラジルサンパウロ州 地圖	海外興業會社	〇、七〇 四
ブラジル新地圖	同上	二、〇〇 一六
聯結式 ぶらじる語會話	酒井市郎著	〇、五〇 四
新渡航法	永田稠著	二、〇〇 八
スパニッシユブック	第一卷、第二卷	一、一〇 各六

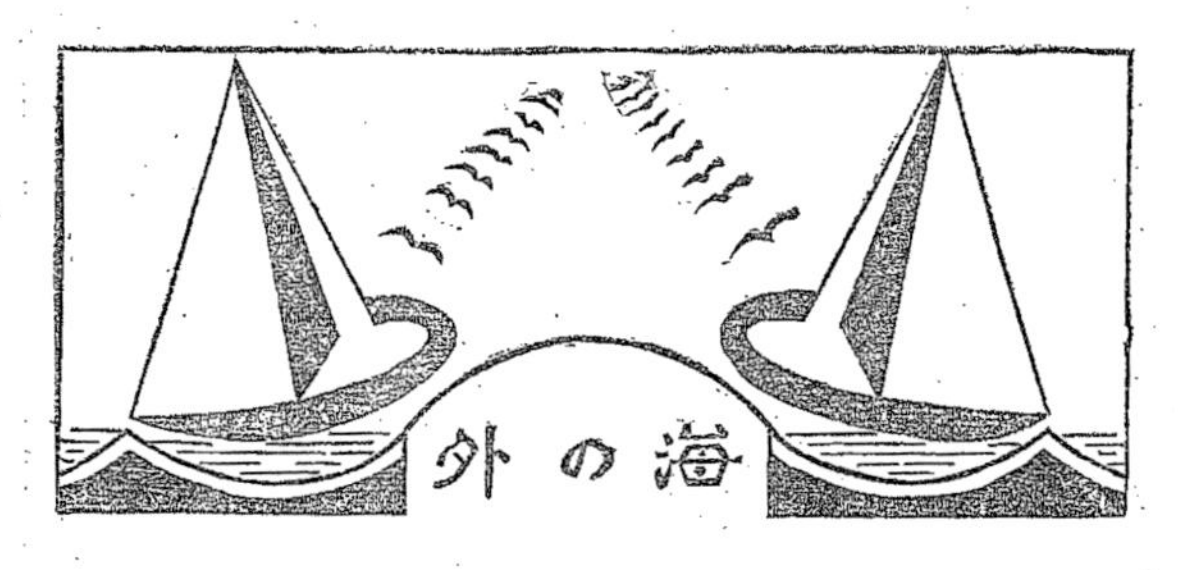

（昭和五年）　第九十六號　（六月）

海外志望青年者よ

現在、海外に行くには二、三百圓のお金が要る。身体一つの青年はまづこのお金を用意せねばならない。三百圓は月拾圓の貯金で二年余りを要する、無産青年の海外志望者はこの二年余りの辛棒が必要である。

何時の時代でも、自分の運命を他人に頼んだり、待つてゐるのは百年河清を待つ樣なものだ、自己の運命は自己の腕によつて切り拔く自力がない限り、目的の彼岸に達する事は不可能である。

海外發展は奬勵され、宣傳が棚からぼた餅式でも文なしの無產青年を迎へてゐる樣な膳立は決して用意してない。

身体一つの漫然たる靑年は一人も欲してゐないのだ。假令無產靑年でも三百圓を二年余りで貯める樣な心掛けでない限り、誰がこの靑年を信頼出來やう。

私共の要求する無產靑年もこの覺悟と決心を有する者以外にない。

無產靑年よ、三百圓の資金に失望する勿れ、志堅ければ資金調達の途は自ら開けん。

珈琲園を巡禮して除ろに其の將來に及ぶ

米國紐育市　珈琲仲買商ノルツ商會主　エフ、エ、ノルツ

本稿は紐育市にある珈琲及茶商間の機關誌に掲載せられたるものにして、伯國珈琲界の將來について參考資料となるべきを以て轉載する。

（一）序

筆者は先づ珈琲の根本問題及將來を研究せん爲に、暫く聖州に止る事にした。一番始めに訪問したのが、リベロンプレート地方であつて、御承知の通り此邊は昔は此の州の珈琲中心地であつた。驚いた事には私は無論過去數ケ月の雨で、木（珈琲樹の事を云ふ）が良好な狀態に在る事は期待して來たのであるが大正七年の大霜害で傷んだ古い木が斯樣に生々として恰も廿年前自分が見た時と少しも違はぬ位に恢復して居る事であつた。葉の色も飽く迄濃靑で今頃秋の哀色なんど見たくも無かつた。

（二）木は最上等の狀態に在る

段々歩を進むに連れて此感想は益々濃くなつて行つた。昭和二年より三年へ掛けての結實が重い爲に若い木を傷め葉を失つて箒の如くさゝくらになつた彼のひどい狀態も、今では、影も形もなくなつて復活してる彼の年には一般に暫くは收穫が減るだらうと噂されて居た。尙昭和三年十二月に紐育へ達した報知に由れば、旱魃の結果、昭和四年度の收穫は一千二百萬袋に減ずるであらう等と、取沙汰されて居たものだ。處が來て見て其生々たるのに驚いてる。只、アララクララとタグラン、チンガの間に在る木丈は、目下各一千本に就いて百乃至百五十アロバ位取入中だが、木が弱つて、中には葉がなく、良く豊作の後なんかに見る樣な狀態で、此邊許りは、例外だつた。

次に手入だか丁度、庭師が細工する樣に實に良く行屆てる、殊に木の廻りの盛立てある所なんか全く完全なものである。之を見ると勞働問題は世界到る處喧敷しくなつてるが、珈琲園丈は金を惜しまずどん〳〵手入さしてる事で判る。

（三）新しい珈琲地帶を巡りて

過去十年間珈琲は適當な土地へどん〳〵植えられて行つたが今新しい地帶に行つて見ると實際其發展振りに驚嘆する。

今ブラジルには四つの重要な新珈琲地帶が出來てる。

(1) 聖州の北リオプレート邊

(2) ノロエステ線

(3) バウリスタ線の延長アグダスよりピラチンガマリ、ア地方へ掛けて、此線は目下百二十基米に達してる。

(4) 目下喧敷しいパラナ州

ブラジル政府の發表する所に由れば、聖州には目下六年生以下の若い木が、三億五千万本其他約十億万本、あるそうだ。然し只、夫れ丈では良く事情が判らない。

吾人は其處に或貴い物を見出すのである。卽ち人生と云ふものは、永い間に、自然に由つて作られた數多の驚異に接するであらう。然し、今私が、此廣い〳〵珈琲園の美しい靑々とした珈琲園に立つて眺める時に、此驚嘆す可き現像を爲し遂げた人々の絶えざる倦まざる努力に對し、如何に天然の恩惠があるとは云へ、誰か感激の涙を禁じ得ざる者あらうか？

自分の會つた或大珈琲園主の話に由れば、自分の長い四十年間の經營中未だ曾てこんな立派な狀態を見た事がないと云つたのも尤もだと思つた。

（四）昭和四年度收穫の豫想に就いて

先日聖州政廳は、今年の（昭和四年）の收穫を一千三百万袋餘と發表した。然し此豫想は何うも少な過ると思ふ、或人は聖州丈でも一千六百万袋だと云つてるのみならず、之にミナスゼライス州産で聖州を通過するものが百乃至百五十万袋あるから合計先づ一千七八百万袋と云ふものが、向ふ一年間に出て來るものと思はねばならない。一体毎年〳〵澤山の新しい木から收穫が取り始めるので、今年の收穫豫想なんか實際難しいんだ、今の良好な狀態から押して、自分の友人の所では先日、一千本に就いて四十乃至五十「アローバ」取れるだらうと云つてた、若し君が御望みとあれば、今年は八十「アロバー」位は大丈夫だ、賭ても良いと冗談を云つてたが、夫以來、自分は自分の考へを餘り發表せぬ事とした。と云ふのは、葉の繁り方が中々深くて少つと表から見た丈では、何の位、結果があるのか判らない。昔は、良く、二百乃至三百「アローバ」採れたと云ふと騷いだもんだが、今そんなものは、普通で、セロン、コヒーにすると五十乃至七十五袋が取れるし、場所に由つては四百「アローバ」も採れる所があつたそうだ。栽培者は一般に古い木に對しては、二年前より一割乃至二割位の收穫減を豫想してる。然し古い木はそうであつても毎年どん〳〵加はる新しい木は、更に、加速度を以て收穫率を高めつゝある事を吾々は考へねばならない。

（五）收穫の豫想は困難

或栽培者は自分に向つて、二年前は、六万三千「アローバ」を採つたが昨年（昭和三年）は五万「アローバ」更に今年昭和四年

度は五万六千位だらうと云つてた。有名なダーモン珈琲園にては、大正九年から十一年迄每年平均三万三千百九十九袋、大正十二年から十五年迄三万八千三百九十五袋、昭和元年から三年迄平均四万四千百三十一袋今年(昭和四年)は三万五千袋位だらうとの事だ。然し此處に不思議な事には、リベロン、プレート地方では、昭和二年度には大分惡かつたが昭和三年に盛り返し、四年度も良いとの事である。

ペベデイロの栽栽者は昭和四年度を三万五千「アローバ」採れ三年は一万四千「アローバ」昭和二年度は四万三千袋であつたと云つてる。

更にバウル市近邊の或珈琲園では昭和二年に十五万八千「アローバ」三年は僅に一万「アローバ」四年は二十万「アローバ」だと云つてる、何でも今年から新しい木が採れ出すそうだ。此處には、全部で二百七十万本の木があり、內七十万本は一年生より三年生で尙空地に植えられる數が、五百万本あると云ふ。

以上の例で御覧の通りの各栽培者に由りて豫想がまち〳〵で良く判らない。

一方昭和四年度に栽培者の行ふ可き豫想申告に由ると、リオプレト地方の三郡では、四年度を百万袋とし前年の八十万袋よりも增加し、更にアララグンセ線に沿ふて見ればアラ、クラ、よりリオプレート迄に掛けて前年は二百八十万袋四年度は三百万袋と云つてる。此地方は一体に木が若い。五年前は、此地方は聖州全部の收穫の六分、モジアナ、パウリスタ兩地方が夫々二割、ノロエステ線は僅に二分を占むるに過ぎなかつた。夫が此若い木の結實し始めた結果一大變化が生じたのである。六年前に、私は今喧敷しいノロエステ線を見た時、餘り其將來を良いとは思はなかつた。夫が、今回歩いて見ると驚いたのは、此地方の生産力が、他の地方に勝るとも劣らぬ事で自分は前の考へを取消さねばならなくなつた。

(六) パラナ州

未だ行つて見た事の無い人々の間にさへ大分此地方は問題になつてるので今回は足を入れて見る事にした。而して、今迄聞いた良い事も惡い事も大体間違のない事を確めた。

現今此地方に在る木は合計二千七百五十万本見當で、之を地方別に分けて見ると、

カンバラ	八百万本
リベロン、カラロ	五百五十万本
サントアントニオ	五百万本
ジヤカスンニヤ	四百五十万本
オマゾナ	二百萬本
コロニヤヌルラ	二百五十萬本

であつてどん〳〵增加しつゝある。

英國の資本に由つて作られた鐵道卽ちオリンニヨスよりカンバラ市迄の線は更に其先三十基米許りどん〳〵延びつゝある。今約一千人の工夫が此線に働いてて近い內に九十基米を延びるそうだ、のみならず。奥地に向つて鐵道の各地に延びつゝあり植民者は之を追つて進みつゝある狀態だ。カンバラ市の如き六年前迄は一軒の人家も無かつたものが今では、立派な繁榮せる都市になつてゐる。

(七) 珈琲の急速度開墾

自分の友人である或珈琲園主が二年前は十一萬本所有し、四萬八千「アローバ」卽ち一千本に付、四百四十「アローバ」を生じたので、是等の新しい木は僅に三十乃至五十アローバ位しか生ぜぬ古い木を壓倒しつゝあるのであつて此現象はブラジルの珈琲問題に或障害を示す事は御判であらう。卽ち或人はパラナ州の昭和三年四年の收穫に五十萬袋と云ひ或は八十萬乃至九十萬袋と云つてる、更に聖州パラナ州の協定に由り、聖州產の內三十萬袋が、パラナ州から積出される事になつてるから合計八十萬から百萬袋當りになるのではなからうか。霜害も見た所他の州とあまり違はないし將來此州は隣の聖州の地位に肉迫し而ももつと賑く出來やしないかと思ふ。

上述の如く今現存する本數は餘り重要でない、又種々な原因から栽培者の手取が段々少くなりつゝあるのであるが昨年又は一昨年中に植えた栽培者は夫に由つて今苦むとは思はれない今回の旅行にしても、今迄人に知られて居る所は可成く止めて奥地へ奥地へと進んだのであつた、そうせなければ、眞んとの事情は判らないからだ。夫で現今の植付は大抵四年又は六年契約の下に行はれ、四年目迄は契約者は收穫がないのであるから、現今の如き値段(暴落前)が續く間はどん〳〵植えられて行く。

(八) 品質

ブラジル政府の必死の努力の甲斐は品質の上に漸く現れて來た。單に昭和四年の收穫が上等のみならず、栽培者は全力を盡して品質を向上しつゝある。例の收穫品を十二に分けた事は、收穫を取扱ふ上に、立派な助となつて來た。從來は六月と云ふともう收穫の最中であつたが、今回自分は六月の終頃に歩いたがテレエロスには未だ一つの珈琲もなかつた。今迄は六月には百萬袋出盛るものだつたのが、卽ち此頃は未だ數週間前に採集に掛つた許りだつたのでゆつくりと實らせる事ができる。昔は三割乃至四割の收穫は、先を爭つて市場に初荷を出す爲に未だ靑々として熟してなかつたが、今はそんな事はなくなつた。

(九) 種々な新規程

到る處何處でも急いでる氣配は見えなかつた。之もやはり此新規定の御蔭であらう。もし焦り出す事があれば、夫は栽培者が珈琲を市場に持出た時である。それから亦、紐靑等では良く收入が制限され、金融が堅くなるので苦しからうと思ふ人があるが夫は間違で皆栽培者は、此困難に打勝ち敢て川の曲り角で舟を乘上る如き下手はやらない。政府の命令に從つて行く考で居る。過去三年間政府の保護政策の恩惠を蒙つた彼等は良く來る可き不況時代に準備する事を怠つてないが、他方亦此調節策の可否も問題にせず、豊作に次ぐ豊年を以て醉ひ彼等の先輩が、廿世紀の初頭に味へる生產超過の苦痛も忘れ夫に對し充分なる覺悟が用意されてるか何うか怪しいものだ。(未完)

外海 觀察記

—寄港地の巻—
ダーバン港（其三）

信濃海外協會幹事 西澤太一郎

日英關係は親密だとか同盟だとか、國交益々圓滿で親和で兩國の友誼は世界無比とか、やれ勳章奉呈とか何かと頻りと表面を上手に巧名に作り假面を造るが愈々日本民族が移住する、日本商品を賣り込む、商權擴張をやるなど云つたらあらゆる工夫と手段とを考へて排斥する。英國のやり口には如何にも油斷すきもない。此の相手の心理と國民性と國家的背景と、常套手段とをよく承知しておいて我々日本民族は徐ろに考へ、用意周到その對策を講じ一歩一歩我永劫なる發展を計りその天惠と其機會の均等を計らねばならぬ。一歩一歩、其實力と人物の修練と教養とをなし然かも協力一致して大同團結して大いに世界の永遠なる平和と人類の幸福のために此天與の廣大なる土地と豊富の寶庫とを世界的に開放することを迫らねばならぬ。そして其の黑、白、黄の如何を問はず與に人類全体として◎眞の幸福と進歩のために計り新らしき新文明新文化を造らねばならぬ。考へねばならぬのは此大切なる鍵を何處の國民が握るか。何處の民族が握るか。

我日本國民、我大和民族、我日本國民運動、それは何處へ向ふべきか。

道路は又さすがに英國式だ實によろしい。アスフエルトの立派なもの、コンクリートの立派なもの、廣い整つた綺麗なもの何とも云へない偉大さである。

自動車が數多走る。二階造の電車が引きりなしに通る。綺麗の赤い花の吹くあかしあ(ミモサの樹)街路樹など澤山に植えられて道の兩側を飾る。石造り、煉瓦造、コンクリト、其他雲を凌ぐ樣な立派なビルデイングが立ち並ぶ繁華な街、美しい商品の陳列方、店の飾付の上品のこと、商品の豊富なこと、商人の叮嚀なこと、數へて見れば中々よろしい。山の麓の方は赤いフランス瓦の美しい洋館が實に廣い綺麗な、ホコリ少しも立たす木の葉一枚落ちて居ない、鏡の樣なアスファルトの路の兩側。縱の道、横の道、整然として一段一段と高くなれる住宅地、緑の樹、赤や黄や、白や、紫、青と名も知らぬ樣々の草花を澤山に植え飾れる公園內の住宅か、花園の中の家屋かとまごう樣な

る美しき住宅、如何にも住んでみたい。香港も、新嘉坡も、コロンボも到底ダーバンの美しい、清潔な整つた街、住宅的市街。公園式都會、花壇式の都會には及ばない。

ダーバンは全市街が公園といつてもよい。人の住むは最良の地である。住宅地といつてもよい。氣候もよい。植物園がある。植物園には、重に熱帶、亞熱帶。溫帶の各種植物が澤山に整然と植えられてある。實によく手入が出來てゐる。

タウンホール前の郵便局これも中々堂々たるもので屋上に高く時計台がある。打つ鐘の音は誠に心持よく市中へ響き渡る。

此少し前の處にデックキングの銅像がある。

彼は植民當時土人に包圍された時に味方の援軍としてグラハムスダウンに殊勳を立てた人である。

市內の人々は英人及其子孫が凡白人の六割を占めて居る、白人中四割は和蘭人及其子孫であつて所謂ダッチといつてゐるのである。白人の中でも英國人及其子孫の方はダッチよりすべて勝れてゐると考へて居つてダッチを馬鹿にする風がある。然かし中々ダッチも商業上に於ても勢力を得て居る。ダッチは英本國とは何等の關係もない樣に考へてゐるのみならず、かつては彼等ダッチの勢力であつたのを英吉利人によつて征服されたものであるから一種の反感を以てゐる、英吉利人及其系統のものとは仲がよくない、常に相爭ひ相反目し又英國に反抗する氣分を以てゐる、ダッチは英國の植民地の統治上頗る厄介なものの一つである。

黑人には所謂ホッテントットがある。これは唇の厚いのと其口の大きいので他の黑人とすぐ區別される、ブッシマンはホッテントットより小形である。臀部の後へとび出した樣に段になつてゐるのや、胸が妙にはり出して居て一種異樣な格好をしてゐるのですぐ分かる。ニグロは色の黑いことが一ばんでこれもすぐ分かる。殊に頭髮は羊の毛の如くに縮れてゐてまるで黑い毛糸の帽子を縮らして冠つた樣な髮をしてゐる。黑人は兎に角名の如く黑い。夕方などは黃昏の暗いのと黑人の黑いので全くゐるのが別らない、話の聲がしたり眼のみが暗の夜に猫の眼の樣にちらり〳〵と光るのでそこに黑人が居ると分るのみである。路の端に十人や二十人の黑人が隊をして蹲つて居たり話をしてゐる群があつても夕方は何處にゐるか分らない、話聲のみわあ〳〵いつて居るたま〳〵光る眼の數々が見えるのみで居場所は知れない。中折帽の古腐れた樣なのを冠り素足で裸足で步いてゐる、一寸した上着の樣なものや、ずぼんの破れた樣なのをはいて步るくもの、半裸体の樣な風をして步く樣、赤い腰卷や、短い古いズボンをはいて步いてゐる樣は如何にも無智の下等の、愚鈍な人間だか動物だか區別がつき兼ねる樣である。これ等は皆安い賃銀で勞働しておる。中には自動車の運轉手や電車の車掌もある。

鳥の羽で兜の樣に造つた妙な冠のようなものを冠つてゐる。土人の酋長かと間違ふ樣な身なりをして居る。これがダーバン

の車夫である。波止場や、停車場や、街の辻や、到る處に群をなして客を待つて居る。如何にも異樣な風をして妙な格好のものである。彼等は何れも無智のものであつて極めて低級な生活をしてゐる。

車賃は安くて大概の處迄は三片位である。貨幣は磅であつて日本の十二圓が英國の一磅位になつて居つた。勿論爲替相場は時によつて違ふのである。二十志が一磅で十二片が一志である貨幣には紙幣にも色々あるが銀貨其他で1/2片、一片、三片六片、一志、二志、三志半などある。此の相場では一志が凡六十錢一片が凡五錢位である。又貨幣にも二色あつて所謂英本國と共通に使用できるものと、サウス、アフリカのみに通用するものと二種あるからなるべくならば英本國の形の貨幣を持つ方がよい。これならば英本國でもシンガポール、ケープタウン、コロンボ、香港など英本國の殖民地何處でも使へるが、サウス、アフリカの形のものならば、南亞弗利加聯邦内に於て使へるばかりである。自動車はシンガポール、コロンボなどに比すれば遙に少ない。賃銀も中々高い所である。コロンボやシンガポールの樣にタクシー一時間が二圓や二圓五十錢では雇へぬ中々値の高い所である。馬車もあるが數は餘り多くない。

ダーバンの田舍

ウエストン海軍少將とは長い間同じ食卓で朝夕に樂しく語り合つて居たが、愈々鄕里ダーバンの田舍へ歸られることとなつた。橫濱から知遇を得て香港、西貢、新嘉坡、古倫母と旅行を共にし面白く交際することが出來たがさすがに世界的に訓練された英國の紳士として又海軍軍人として立派のものである。人格も優れた人であつた。其抱ける思想も世界的であつて偏屈な英國氣質もない人格者であつた。歸つてすぐ一週間たゝずにロンドンへ向はれるといふことである。思ふに世界的の旅行や調査をされて英國海軍の高等政策の參考資料とされるのであらう。日本に滯在中の觀察なども中々要點をちやんと握つてをられた。渡航者についての觀察も中々正鵠を得ておる。ウエストン氏については何れ又書く事にするが此懷かしい仁とお別れすることになつたので惜別の意を述べ大きな手と握手をなして別れた。

一行は例の新嘉坡で客となりブラジル行きの前英國總督府に勤務して十數年といふ小出積善民（栃木縣出身）ミス塚越婦人（二十八才）ブラジル移住の下調査のため單獨渡航の婦人、アルゼンチナへ歸るセイフアー氏年五十に近く然かも尙獨身で暮してゐる人）及小生の四人であつた。ダーバン埠頭へ行つたらば、大きな乘合自動車があつた、それは始めて見た大きなもので上段の處と下段の處と前後二段に二室に造られた旅行專用の自動車であつた。而かも僥倖のことには此自動車こそは南アフリカ鐵道會社が今度始めて購入したものでそれも此日が試運轉の日で重役も一人試驗に乘車して居たのである。一行の外、外人四人計八人が乘込むと愈々出發した。私共はアフリカの田舍を僅かの時間ながらも調査したかつたのである。午前十時頃出

發した。

やがて田舍へ入つて印度人の住宅や、土人の住宅がある、これは亦白人の家とは比較にはならぬ。東京の震災當時のバラツクそのまゝである。トタン屋根や、サトーキビの莖やモロコシの葉や莖で造つた實にく見すぼらしい家屋、否まるで鐵砲打の小屋か、形容の語もない見苦しい、粗末な小屋ばかりである。其小屋の中に眞黑の毛、羊の毛の樣な髮、塗板の樣に黑い土人鍋の底の樣な顏で、ヤーくと大形の珍らしい自動車が始めて通つたので驚いで居る。大人も子供も同じ樣な智識の程度裸足でしかも極く粗末な衣服をまとひ大きな黑い乳房を出して子供に乳を飮ませてをる婦人や、眞裸体で眞黑な顏や、身体をした子供、如何にも文化の差の大きい、多いのには驚かないわけには行かぬ。いつになつたら白人と水平になる迄の修養が積めるだらうか。

一時間四十哩の速さで十八哩走ると海水浴場アマンヅムトチに着く。風光明眉な海岸である。高原を走る兩側は甘蔗の畑、バナヽの畑、玉蜀黍の畑である。高原は土地が無限に續いて拓人を待つてゐる。

午后三時ダーバンに着いた。自動車賃は一人八志片（一志此時邦貨六十錢）かゝつた。

一流のマリンホテルで饗食をした。マルビルの食堂より遙によい。日本の唐金の火鉢に色々の植木を植えてあるのも珍らしい。いくつも並べられてある。支那商人の手で入つたものらしい。洋畫の逸品がある。室の裝飾は工夫されたものである。昔は日本人のよく理解されぬ時、歐洲戰爭前などには日本人の排斥的氣分のため此等のホテルへはよられぬ有樣であつたとのことである。近頃大阪商船會社の直航路が出來たり、我日本の人々が時々上陸したりして理解される樣になつた。それも大正の終り昭和の始めからとの話である。

明くれば十二日の午前六時サントス丸はダーバンを離れた。大きな河豕が四五匹飛んで居た。鯨の大きいのが小屋の如く大きい胴体を橫たへて陸上されて居た。大きいものである。此邊は漁が非常に多い。鯨の本場ときいた。（未完）

南洋行（七）

信濃海外協會幹事　宮下琢磨

神の如く崇めらるゝ獨逸宣教師

ダイヤ族の話の序に、ダイヤの間で生神樣の如くに崇められてゐる獨逸宣教師の話をしよう。

こゝは、ボルネオ中部のサマリンダの方ではなくて、南部のバンヂャルマシンの方に近い、バンヂャルからは百里も東北の山に這入つたボンドツクといふ處であります。

元來獨逸では、裏南洋を領地としてからは土人教化に身を入れて居ります。獨り裏南洋のみならず、親善國の蘭領の方にまでも手をのばして教化に力を盡し、又獨逸商人なども、世界大戰で本國から金の來ない場合にも、喜捨してその事業を助けて居つた程でした。

このボンドツクに居る獨逸人はヘランダといふ人ですが、永年ダイヤ族の間にすんで居て、ダイヤ語は實に流暢だそうです。夫婦と子供で、その生活は全く土人と同一であります。

日本へ始めて參つた宣教師のやうに醫術の造詣も深く、カンボン（部落）からカンボンを說教をしてまわり、三週間もたてば教會に歸つて來ますが、歸つて來れば患者と信者が列をなして居り、みな敬虔なる信者として熱心なる信仰を捧げて居るさうです。

宗旨は、新教でバイブルもダイヤ語で書いたものもあり、馬來語で書いたものもあります。ボルネオの獨逸商へネーマンがこの聖なる事業を助けて居ると聞いて居ります。

權勢に陶醉し、形式の末に虛位を有して居るに過ぎない法師功利にあこがれつゝ口先きだけで實めるもの、神の國に入るは難い哉と說きまわる僞善者、侵略者の手先きとなつて虎踢をかくして居る徒輩の話ばかり聞いて、ウンザリして居つた時、聖徒ヘランダ師の如き話をきゝ、世は澆季でも野蠻でも、信の力の人を動かす偉大さに、思はず頭の下がるのでありました。

中部の氣候と物產

中部のサマリンダを去るに臨みまして、今一つ言ひ殘してることがあります。それは視察記などを觀ますと、サマリンダはマラリヤが多くて生活に適しないやうに書いてあります。尤も熱帶地は改善された市街地を除けば、至るところマラリヤが多いと云つて間違ひはないやうで。事實、私も出發前に二三の視察記などを讀んで困つた土地だと心配して來たのでありますしかし、サマリンダに居る人に聞いてみると、十年も又それ以上も住んで居る人でも誰一人マラリヤにかゝつた話を聞かないと云つて居ります。で、私は絕對マラリヤは心配はないと思ふたゞ、濕度が非常に高いやうで、洋服などを汗になつたと思つて室內にかけて置くと、點々とそれがカビになつて洗つても仲々落ちないのには閉口しました。こゝは乾季が二三ケ月しかないやうで、降雨量は多くあります。夜は七〇度臺に下がりますが、日が出ると八十度になりそれから午後百二三十度に上ります。この農園では、小さな虫が這入るとかで、私の爲に寢臺の周りを蚊幬の代りに白い布でスッカリ被ひして呉れたのでしたが、疊一疊位の袋の中の風も通さぬ處では隨分暑いと感じました。

鰐と川蛇

鰐といへば何かしら非常に氣味のわるいやうに思ひます。鰐樓む淵などは、怖ろしい感じがします、しかし、サマリンダの農園事務所の前を流れる川、すなはち每朝顏を洗つたり、用便所にしたり、水泳をやつたりする黃濁の水が流れて居る川にも鰐が棲んで居るのであります。この農園に寄寓して居た學生達は、鰐をとる計畫をたてました、天狗猿を一匹つかまへて來てこれを餌に、首の處に鉤をつけてボートを漕いで上つて行つたものです。丁度鰐が出て來て一口パクリとやつた迄は良かつですが、何せ、强い力でグンく引つ張つて行くので、こちらが危險を感じてツイ網を切つてしまつて、とり逃がして仕舞つたのです。

スマトラのパレンバンではある獨逸人が象をうちに行つた歸りに、片足を舟から出して眠つて居たところを、鰐にパクリとやられたと云ふ話をきゝましたが、この邊の人は、川中に屈んで用便をして居るのにも片手で水を叩いてザブく音をさせて居ります。かうすると鰐は決して喰つかぬさうです。又水泳などして居る人には喰ひつきませんから平氣で鰐樓む淵に泳ぎまわつて居ります。

鰐は可愛らしいところのある動物で、陸上の虎や獅子のやうな怖ろしいものではないやうです。肉もたべられます。

マハカン川は、有名な川蛇の產地です。これは、水の上を泳いだり、水をくゞつたりして居る蛇でありますが、可成り奇麗な斑紋をもつて居ります。土人の軒下には、この皮を剝いで板に張りつけてあるのを見受けますが、これは女の靴や、財布、帶皮などにするので、高い價で賣れるので土人には良い收入となります。

（未完）

議會戰論

現內閣は海外發展に冷淡

拓務省豫算の六百萬圓はなぜ消滅したか

東鄕實代議士の痛擊

第五十八議會に於て五月六日政友會代議士東鄕實氏は海外移植民問題について追加豫算案に關する討論中に次ぎの如く述べた。因に東鄕氏は農學博士にして植民學者として海外發展論者の第一人者である。(速記錄による)

(前略)我國の農村の組織乃至農業經營の合理化をやるのには、色々の方法手段があります。其經營の上に於て共同の經營をやり、或は金融の問題、其他色々ありまするけれども、一番根本になる問題は、余りに農村の人口が多過ぎるからである。此過剩人口を適當に余所に移すと云ふ事でなければならぬと思ふ。卽ち今日の農村の經營を合理化し、而して我國の農村を疲弊のどん底より救ひ、而して最も合理的な農業經營をやると云ふには、此農地に對する過剩の人口を余所に移すより外に途がない。是に於て農業合理化の重要な手段の一としては、海外發展、移植民の政策を斷行すると云ふ以外に途はないと思ふのであります。(拍手)

此海外發展、我國の植民地の經營、更に進んでは海外の經濟的企業と云ふ事の問題まで、吾々は進まねばならぬのに、此點に於て吾々は追加豫算を點換して見ました所、拓務省の豫算は追加豫算まで加へましても、昭和五年度の施行豫算に比較して、約二割の六百萬圓を減じて居ると云ふ此豫算から考へましても、現政府が此海外發展、拓務事業に余りに冷淡であると云ふ事を私は裏書したものであらうと考へるのであります。(拍手)

吾々は多年拓務省の設置を主張した一人でありますが、斯の如く折角出來た拓務省が、何等海外發展に對して積極的方針を執り得ない實情にあると云ふ事は國家の進展の上に私は悲むべきものなりと信ずるのであります。(拍手)

吾國は我國の國家的地位を安固ならしむる上に於ては、飽迄も今日の疲弊せる農村を打開し、而して是が振興の實を擧げ、農村を益々健實に發展せしめて、吾々國民の必要とする食糧の大部分は出來るだけ之を內地に於て生產すると云ふ國策を樹てなければならぬと思ふ。此國策を樹てると同時に、此增加せる人口を適當に調節するには、外に色々の手段もありますけれども、之を海外の適當なる地方に移植して所謂海外發展の方策を實現しなければならぬと信ずるのであります。(拍手)

斯く申上げますれば、或は世間では海外發展と云ふのは、或は侵略主義であり、或は軍國主義であるかの如く言は

れるかも知れませぬ、或は又今日何れの地方に吾々日本人が發展する余地があるかと云ふ事を御考へなる方もあるかも知れませぬが、吾々の主張する所の海外發展の方策は、是は侵略主義でもなければ、軍國主義でもありませぬ、眞に今日世界的一大思潮となつて居る所の、所謂世界平和の實を擧げるためであります。

世界全人類の幸福を增進せんとする高遠なる理想に出發した所の國策であります。(拍手)諸君、此間倫敦會議、所謂海軍の軍縮の目的は平和を冀ふ所以であらうと思ひます。併しながら軍縮であつて、是が軍備の撤廢でない以上は、要するに戰爭と云ふものを前提としての一つの協定であると謂はなければならぬ。吾々の理想は、此世界から戰爭の種を除ると云ふ事でなければならぬと思ひますが、然らば今日戰爭の原因となる點は何れである。

諸君、私は眞面目に申上げます。今日世界の平和を破るべき色々の理由がありませうが、主なものは是は經濟資源の分配の其宜しきを得ない點であります。言葉を換へて言へば、所謂土地の國際的分配が其宜しきを得ないと云ふ所に、世界平和を破る根本の原因があると謂はなければならぬ。卽ち今日は或る國が資本の力を以て徒に尨大なる土地を占有し、而してそれを全世界人類の爲に開發する力を持たないけれども、之を斷乎として開放しないと云ふ國家民族があるかと思ふと、一面に於ては人口は增加し、食糧には欠乏し働かんとしても職なき所の、哀むべき國家民族があると云ふ、此一事が取りも直さず世界平和を破り、世界の戰爭を誘引する根本の原因と謂はなければならぬのである(拍手)

我が日本が國土狹く、而して人口多く、開拓の余地もなく、働かんとして職なく、殊に現內閣の消極政策に依つて益々失業者を續出して居ると云ふ今日、此國難を吾々は具さに嘗めてゐる一面に於ては、徒に領土大にして、而して之を全人類の幸福のために開拓する所の余地、勞力を持たない國家がある。そこで吾々は玆に大きな聲を以て叫んで宜しい。世界人類の幸福を增進するため、若し土地に余裕があり、而して之を開拓する勞力を持たないのは其有り余れる領土を全人類の爲に之を提供し、人口徒に尨大にして而して開拓の余地なき國民があれば、其有り余れる力を全人類の爲に之を提供せよと云ふのである。

卽ち是に於てか吾々は全人類の爲に全人類の幸福の爲に、全人類の平和の爲に、吾々は海外發展を主張する者であります。之を吾々が堂々と天下に呼掛けて何等の過ちはないものであらうと確信して疑はないのであります。

而して斯の如く全人類の幸福を增進し、全世界の平和を冀ふ所の政策は、我國建國以來の是は大精神であるのであつて、此大精神は消極退嬰の外交をやるやうな政府に於ては、到底實現は出來ないのである。(拍手)所謂開國進取の此積極的國是を黨是とする所の政黨を基礎とした所の內閣に依つて、始めて實現が出來ると謂はなければならぬのである。(拍手)　(以下略)

朝鮮閑話(四)

藤澤定司

二十一、昔の階級(前承)

文明開化の世の中になつてからは兩班と雖もそんな無法の事も出來ず、オトナシク成つたけれども尙々今日でも書院の兩班儒生連が小作人を庭へ打捨て笞刑を行つたりする事も絕對に無いとはいはれない。

過渡期には何事も突然な事が起りやすいと見えたりする事も往々にして起きたりして兩班は常民に生意氣になつたといひ人民は兩班が白骨を擁してまだ〳〵橫暴だといつてゐるが、然し一村の門閥も高く學問もあり人物の立派な兩班があるとすれば、村民はこれを尊敬し師事すべきこそ眞に常民ではあるまいか

兩班とは文官と武官とを合はせた總稱で、昔宮中で文官は西の方に並び武官は東の方に並んだその西班と東班と合してこれを階級の稱として兩班と呼稱したわけである。

一般に生產に從事するもの、卽ち農夫商人工匠等を「常民」と稱し不生產的の業務に從事するもの卽ち屠獸とか演劇に從事するものとか僧侶奴隸の類はこれを賤民と稱して來た。

昔は常民は「宕巾」をかぶる事が禁じられて居つて、たゞいはゆる朝鮮帽子卽ち「笠」だけをかぶる事丈けになつて居る。「笠」だけをかぶると、笠の座りが惡くつて常に歪む、田舍のお上りさんが笠を歪めてかぶつて居るのは「宕巾」をかぶつておらぬ爲めである。又常民は禮服を着る事も許されてをらなかつた禮服の色は靑である。結局、常民は「色」に對しても使用を制限せられてをつた事になる。普通の禮服を「道袍」といふがこれが紋つきに相當する譯であるが、つまり常民は道袍を着用する場合がない。たゞ結婚の場合と、お祭りの場合に家庭內で着用しうるに過ぎなかつたのである。

婦女子のかぶりものも色々あるが結局、兩班大官の夫人は夫の地位に相當する帽子や禮服があつたけれども、常民以下の婦人は禮服の制規も別になかつたのである。常民以下に賤民がある事は前にも述べた通りであるが、賤民は笠も普通の笠でなく竹で作つたものであり、又常民が兩班に對すると同樣程度の形式的の尊敬を拂はしめられたものである。最近は服裝上から常民や賤民の區別もつかず、又兩班だからと云つても、別に變つた服裝をしてゐる譯でもなく、かつ精神上にもこの階級の區別は非常に薄らいで來た樣であるが然しその潛在心理は中々そう簡單に平等無差別にはいつてをらず、結婚の場合などには露骨にその意識が現はれて來て昔の階級の異同で絕對に通婚や社交を左右してゐるのは止む得ない事である。

因に昔は兩班常民賤民のあつた事を大略述べたがこゝに醫生や通譯や天文や數學等今日のいはゆる科學的方面に從事する階級を常民と兩班の間に入れてこれを「中人」といつてをつたがこの階級は數に於て極めて少しである。

二十二、醫生と藥局

醫生は病人を診察して察法を渡し、藥は藥局で買求めるのが朝鮮の立前になつて居る。藥局は卽ち木藥屋で、夜中でも藥を賣らなければならぬから「藥窓」と云ふ小窓があけてあつて、大門を開けずにその藥窓から藥を渡す樣になつて居る。醫生は漢法醫であるから草根木皮で病をなほすのであるが草根位のもの木皮の樣なものだからといふ人もあるが、これがきかないのよりも診斷がうまく出來ない爲めに取り返しのつかぬ治療を試みたり、投藥を誤つたりするのが原因ではあるまいか。

外科の方では今日では殆ど漢法醫にかゝつて治療をするものもないではない。

それで痔疾の治療には「キセル」の雁首に藥を盛つて肛門に挿し入れて吹き込む等といふ珍無類の手術を行つてゐるのを見受ける事もある。

內科は漢法醫が朝鮮人の體に適當してゐるといつて、まだ〳〵朝鮮人の大部分は漢法醫を心から信賴してこれに診療を托して洋醫にはかゝらぬ現狀である。こんな手合に幾何漢法醫は診斷が覺束ないから藥材が原因的だからといつても承知しない、之れは只、時と人智の進むのを待つて、朝鮮人自體が一日も早く覺醒して生命の眞の貴重なゆゑんを自覺するのに待つより外ないと思はれる。殊に醫生や藥局の缺點の一つとして最も寒心に堪へないのは漢藥は時日を經過すると氣が拔けて効能が半減しおまけに黴が生へてかへつて毒になる樣なものがあるかも知れぬのにそんなことはその筋の取締りを待つまでもなく、醫生や藥局自身が何とか奮發して改良する樣にしてなければならぬ事ではあるまいか、殊に又內科の諸病は藥材を用ゐないでも非常に六ケ敷いものを除いては體の組織が其病氣に抵抗して行く樣になつてゐるものであるさうなそれに漢藥は毒にもならず藥にもならぬものが多い、それを飮んでゐると大抵の病氣はなほつて仕舞ふ。朝鮮人は內科は漢法醫に限るといふ人が多いが實際において自然になほるべき時が來てなほつたので別に不思議はないとさえ極言する。洋醫がある今日であるからなほ更、朝鮮人は猛省せねばなるまい。

漢法では天地間の萬物が一として藥にならぬものはない程廣汎に利用されてをり、それに陰陽の理等一種哲理や迷信がつき纏つて隨分如何はしいものが藥になつてゐる樣である

「女の醫生」卽ち女醫は今日では一人もないが昔は宮中に女醫があつたさうである。婦人の病氣の場合には殿御に肌を見せるのは恥であり、かつ、また禮でないと考へてをつた關係上初年じは西洋式の醫法の受診を容易に肯じなかつたが、今日では內地人醫師なり、鮮人醫師を總ての點に於て信賴してくる傾向が顯著になつて來てゐる。婦人でさへもその樣に開けつゝあるから男子の方の開け方一層顯著である。

ここに貴重な生命や愛兒を漢法醫に托して萬病がなほると確信してゐる連中には或は極く少數かも知れぬが、經濟關係から來てゐる事を見出すのである。

何れにしても早く立派な醫師が全鮮に普及してその恩澤に浴する事は二千萬民衆の爲めの幸福であらねばならぬ。　(未完)

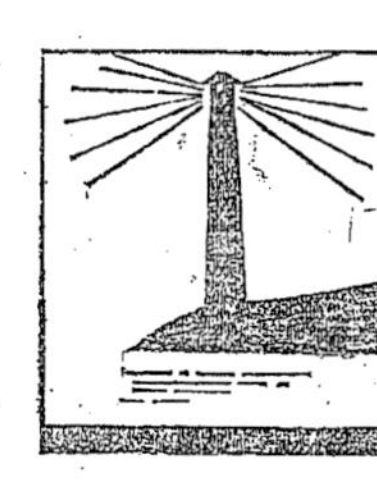

信州出身海外發展者列傳（六）

小笠原嶋から南洋へ

腕一本で押し通した豪傑

隱れた志士日本主義者松岡好一

かつては民權擴張の中江兆民、松澤求策と事を策し、或る時は三宅雄二郎、志賀重昂、杉浦重剛等と日本主義を高唱して國粹保存の急先鋒となり、又或る時は三菱を向に廻して犬養木堂に決鬪狀を送り、やがて海外雄飛を企て晩年支那廣東に料亭日本館を建てゝ彼の地の志士と往來し、機密をさぐつて邦家の爲に力を盡したといふ、隱れたる志士松岡好一は南安曇郡溫村の產にして、松澤求策の從弟である。

幼にして兩親を失ひ、叔父松岡啓吉に育てられたが、飯田の日野屋漆器店に小僧にやられたが、飯田藩の指南番關口某につき劍を學び、福澤諭吉、中村敬守を慕つて主家の賣掛金十五兩を懷中して上京したが、兩家の門をたゝけども面接できず、路銀を失ひ、雷門の新門辰五郎の俠骨をたよりて、そこに身を寄せ、下谷に住む漢學の權威榊原健吉の學僕となり、夫人と愛孃のマツチ箱の内職を手傳つて勉學してゐたところ、國會開設の請願運動で、上京し、東奔西走中の松澤求策と榊原の門で逢ひ松澤に引き取られて東京愛國社の給仕となり、松田正久、河野廣中と相知り、西園寺公望の主宰する東洋自由新聞社に、ルーソーの民約論で名を賣つた中江兆民と共に松澤も入社するやうになつてから彼は、新聞遞送係となり、後に松田正久、粕田盛文等の驥尾に附して記者となり、自由新聞廢刊後松澤の援を得て芝愛宕町の溫知學舍に英語と漢學を修めてゐたが、松澤が出獄して南海開島會社を創立するに及んでそこに集まり、彼も一本立として世の中に出た。

同會社は天下の糸平や、榎本六兵衛等を大株主として生れたもので今の拓殖會社であるが、彼はこゝで士人の奸策の爲に罪を被り東京に送られ投獄された。その後、飄然として九州に渡り三菱の高嶋炭坑に入り工夫の群に加はつたりしてゐたが、再び東京に歸り、松澤に逢うて旅費を貰つて小笠原嶋を渡り棕梠

園扇製造の計畫を立てたが失敗し、朝鮮の志士金玉均と交はり東京に歸りて、八丈嶋での知己、玉置半右衛門（現在神戸市に生存）を說いて鳥嶋探險に同意せしめ、高崎東京府知事の許可を得遞信省の明治丸に乘り、一行十四名と共に鳥嶋に至り、探險に從事したが、その後杳として消息を斷つたので、東京の新聞は大騷ぎとなり、高崎知事が何等救援の手段をも講じないと責めたので、遂に加藤某をして民間の有志志賀重昂と共に救助船吉野丸を出して、一行を迎へた。その後彼は鳥嶋開發を玉置に一任し、自分は志賀重昂、三宅雄二郎、杉浦重剛、嶋地默雷とはかり當時天下を覆はんとしつゝあつた歐化主義に對抗して、國粹保存主義の雜誌「日本人」を發刊して、松岡はその署名人となり、筆を振つたが、玉置は、鳥嶋の信天翁の羽で巨萬の富をたくはへ、今日に及んだものである。

松岡は、雜誌「日本人」に彼が九州の三菱炭坑で体驗したところの、非人道的な酷使事實を暴露したので、岩崎家では周章狼狽、大番頭豐川良平を杉浦の許にやり、主筆志賀並に筆者松岡に取消しを申込んだが、氣骨稜々たる志賀は一言にして拒絕したので、問題は大きくなり、政府は時の警保局長淸浦奎吾を九州高嶋に派して、親しく炭坑の實情を調査せしめ、岩崎では朝野新聞の犬養毅、東京電報の柴四郎、郵便報知の加藤政之助等に炭坑視察を囑し對抗した爲、犬飼と松岡の大論爭が始まり犬飼は朝野新聞に工夫優遇至らざるなしと書き、遂に松岡は志賀、杉浦、を介添人として犬養に決鬪狀をつきつけるに及んだ。然るに犬養は朝野新聞紙上に決鬪は野蠻人のわざで文明人はよろしく文筆によつて雌雄を決すべしと書いたので、松岡は政府から危險人物として見られ鍛冶橋監倉に投獄された。

その後彼は日本人の食糧問題に頭を突つ込み、これが解決は南洋探險とその開發並に移民にあるとなし、二十四年三宅雪嶺、依岡省三等同志八名と軍艦比叡で遠洋航海に上り、時の外相榎本武揚は松岡に金一封を送りてはげまし辻新次をはじめ、鄕土の士が醵金して送つたのを懷中に、同船が濠州シドニー港に碇泊中飄然として彼は上陸して姿をくらました。それより彼は木曜嶋に渡り三百餘名の日本人倶樂部を創立し漸次日本人の渡來するにつれて、領事館設置の必要を痛感したので在留邦人の調印を取り、明治二十六年歸朝して、外相陸奥宗光、通商局長原敬等に會ひ、嘆願數次に及んで翌年の臨時議會で、濠洲タウンスビルに領事館は設置された。

木曜嶋に渡つた彼はそこに見切をつけて香港に渡り、更に澳門に入り、康文の主催する知新報の記者となり、三十四年知新報解散と共に廣東の時敏學堂の敎師に聘せられ、三十六年にそこの河南に日本館といふ旅館を經營して臺灣總督の依囑を受けて機密通信をやり、日本人美妓十餘名を抱へて軍部の高官を巧に操り、又座に侍る美妓をして機密を聽取せしめて邦家の爲に盡したが、大正五年日刊新聞「南國報」を發刊しやうと計畫し、着々進め大正七年歸朝するや、神戸で病んで死んだ。

邦人の經營する在支商店にして、領事館の如き日章旗のかゝげられてあるは、信州人松岡好一の經營する日本館ばかりであるが、それはよく故人の偉をしのぶに足る。（信濃風物記より）

移植民ニュース

ノロ線の首都 リンス驛邦人調査

聖州時報で發行する三線年鑑の調査によれば、ノロエステ線首都と呼ばれて居るリンス驛の邦人發展振りは次の如き數字で表れてゐる（但し二ケ所の小殖民地統計漏れのまゝ）

家族總數	一、三四五
人員	六、〇二八
所有土地面積	七、七三九
開拓面積	五、三〇二
地主	四〇〇
珈琲栽培請負業者	四二三
コロノ	四三七
外人コロノ（邦人傭）	七六
珈琲栽培樹數	七、一八七、二〇〇
成樹數	二、三五五、七〇〇
昨年度珈琲收穫	二三三、〇一五俵
もみ	一一九、七〇六俵
豆	六、三九一俵
ミーリオ	一一、六六一俵
棉花	一〇〇アローバ
豚	四二〇五頭
牛	一一八頭
馬	一六四頭
自動車	四五臺
貨物自動車	一一七臺
桑株	四、五〇〇
收繭量	二〇〇瓩
伯生	一、六九三人
男	八八四
女	八〇九
伯死	三八五人
男	一八四
女	二〇一

（聖州時報より）

いよ〱活氣づく 北パラナ珈琲地帶

サンパウロ、北パラナ鐵道工事は豫定通り着々進捗しつゝあるが、カンバラを距る五十七キロの地點迄は本月末に營業開始の運びになるだらう。北パラナ土地會社の此度賣出した三万城といふ廣大な土地は、山科と移住組合の大口と距離も近いし將來は此のジヤタイを中心として邦人の一大集團を形成する事になるであらう。

地質はテーラローシヤで珈琲栽培には高度に於ても氣候に於ても他に類の勘い地帶である、目下は不便利だが鐵道の開通につれて地價の騰貴する事は勿論で、土地會社は日本人に限つて利子の割合も低くしてゐる位で會社の信用は既に一般に知れて居る。

珈琲の値が下れば下る程生産力の强い所程採算歩合がいゝのは當然で殊に北パラナはサントス經由よりも、長期停滯の不便なく輸送費も割安につく事は考へる價値がある。

第一回視察團は既に去る十六日チバジーを經て目的地に行つたが、評判以上に條件がいゝので將來益々大きな期待を與へられつゝある。每月十五日に引續き視察團を組織して案內するとの事であるが宿舍の設備も出來て居り乘合自動車の設備も整つてゐる。

不景氣風の吹きまくる今日土地賣出しはちと向ふ見ずの樣に素人は考へるが、いゝ土地は景氣不景氣かゝはらず望み手があると云ふ此處ばかりは鐵道工事と相俟つて景氣のいゝ風が吹いて居る。

（聖州時報より）

墨都日本學園開校

第二世の敎育をめざして

墨國主都に在住する邦人學齡兒童は五六十名に達してゐるが未だ日本語敎育の學校がなく久しき以前よりこれが設立につき輿論を高めつゝあつたが墨都日本人會が中心になり四月廿日墨都日本學園の看板を揭げて盛大なる開校式が擧行せられ駐墨青木公使その他の祝辭があつた。

（メヒコ新報より）

ペルーの第二世が月掛

在外邦人の第二世がその國の敎育を受けて立派にその國の國民となる事は大切であるが日本人としてより以上の素質を發揮するには母國を見なければならぬと云ふ輿論が高い。

米國の邦人第二世間には既に母國見學に二世ばかりの青少年が一團となつて初めて日本の土を踏む感興に相當の效果があると云ふので每年行はれてゐるが、今回ペルー國在住の第二世間でも日本見學を計劃中で每月五圓の積立を行つて旅費を作ると云ふ。

邦人漁師を壓迫

飽くなき排日の魔手

米國大藏省では五月三日付をもつて左の如く布告を發した。

市民權なき外國人が自己の所有する漁船でアメリカ沿岸において獲得した魚類を沿岸諸港に持込む場合これを外國輸入品として關稅法規通りの輸入稅を課すべし

右布告の結果日本人三千の漁業家にとつて大恐慌を來してゐるが既に稅金を納入せるものも相當あり關係當業者は法規上および國際條約の立場から不法だとして訴訟提起に着手したと。

南洋濠州行の

便利な切符を郵船で發行

日本郵船では今度比較的割安な經費で南洋や濠洲の各地を遊歷する事の出來る便利な回遊券を發行する事になつた。これは同社の出城丸と近江丸が從事して裏南洋航路西回線をダバオまで延長し濠洲航路と連絡せしめて往復に同一路を通らずして南洋濠洲を一巡する事の出來るやうにしたもので

運賃は一等三百九十七圓、二等百十七圓、寄港地は橫濱、サイパン、テニアン、ヤツプ、パラオ、アンガウル、ダバオ（裏南洋線）ザムボアンガ、マニラ香港、長崎、神戸、大阪、名古屋、橫濱（濠洲線）で切符は何の港でも起點とする事が出來るやうになつてゐる。

日本觀光に

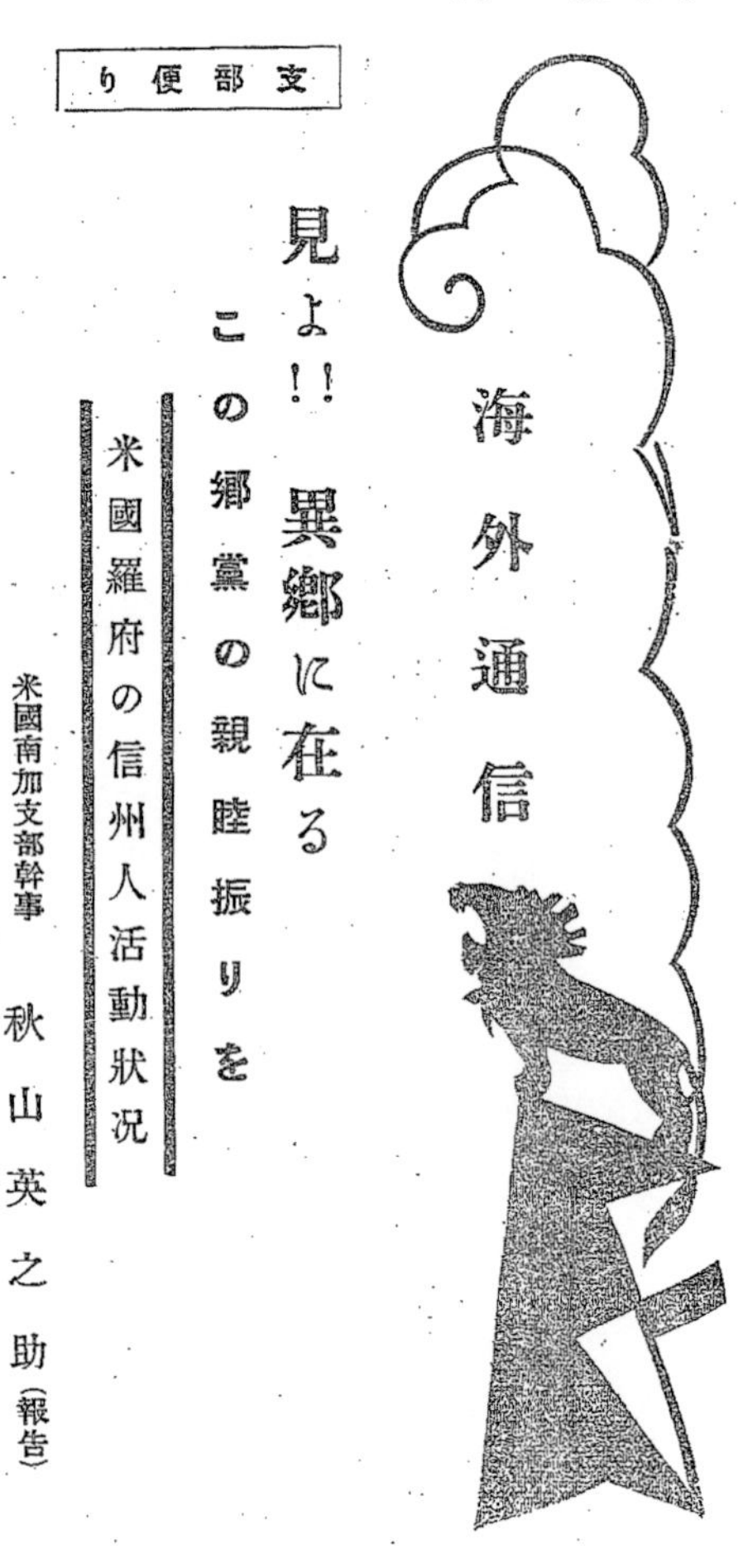

支部便り

見よ!! 異郷に在る この郷黨の親睦振りを

米國羅府の信州人活動狀況

米國南加支部幹事 秋山英之助（報告）

拜啓時下寒暖の候貴會益々御清榮の段奉賀候陳者先回貴會幹事西澤太一郎氏當地御立寄の節奥々も御依頼ありし我が南加支部事務報告の件思ひながら雜事に忙殺され延引いたし候事怠慢の段何卒御寛恕被下度候就ては昭和四年一月十三日以降の事務報告左に列記詳報仕り候間貴誌上に御掲載相成度候

（昭和五年四月二十八日）

新役員を定め 陣容を整ひて活動へ

昭和四年一月十三日午後七時より南散街正月亭に於て定期總會並に新年宴會を開催し定刻に至り會長唐木ドクターの司會の下に同氏の新年所感、幹事宮嶋氏の事務報告に次ぎ、會計秋山氏の會計報告あり何れも承認、終つて新幹部の改選後、宴會に移り、席上は同亭美妓の斡旋宜しきを得て、アメリカに無い筈の禁斷の水の廻るに伴れて一同十二分の歡を盡し午後十二時散會す、出席者廿五名、選擧の結果左の三氏新幹部として當選す

會長 丸山晋五郎氏
副會長 松島鍋人氏
會計 田中銀三郎氏

一月十九日夜、南散街松浦洋服店内本會事務所に於て新幹部によりて、本年度幹事として秋山氏推薦せられ、並に左の諸氏本年度評議員として推薦せられたり、唐木、浦田、伊藤(寛)、堀内、丸山(清)、伊藤(政)、小木曾、藤本、木下、大平、入、青木、宮嶋、大澤、溝口、和田、小口、望月、小林、埋橋、以上二十名、

一月二十一日、幹部並に評議員會開催、本年度の方針につき二十四日、三光樓に於て評議會開催と決定し、通知狀を出す、

一月二十四日、夜七時より、三光樓に於て役員會開催左の諸氏出席す、丸山、田中、松嶋、秋山、浦田、唐木、伊藤(政)、伊藤(寛)、青木、小木曾、入、埋橋、堀内、議題として、昨年度、會員相互の親睦を圖るために設けし頼母子の繼續に關し討議の結果代ふるに縣人會附屬貯金部設立の決議を直に全會員に對し往復はがきを以て贊否如何を紹介し多數決に依り決定し、定款の作製を、會長丸山氏に一任す。次に故國名士の歡迎に關しては可成く有意義のものとして冗費の節約を旨とす。

三月十七日、午後八時より、三光樓に於て貯金部設立の報告と定款の討議及び方法に就き逐條審議し拂込金、領收證の裏面に規約を印刷し各部員に發送す、株數四十三、人員二十一名縣人會貯金部役員、互選の結果、事務理事丸山晋五郎氏、會計、秋山英之助、會計監査、青木梅作、同、小木曾壽一の諸氏

賞品はトラックに滿載 相集ふ園遊會一日の行樂

六月九日、園遊會開催の件に就き、午後六時より桂林樓に於て相談會開催、唐木、浦田、丸山、堀内、秋山、宮嶋、小木曾、埋橋、井上、松嶋の諸氏出席、會場を赤司興樂園と定め、委員長並に、各部委員は昨年通り、期日七月二十一日の事、寄附金委員長、宮嶋清衛、上町委員、木下糾、下町委員、田中、秋山の兩氏サンピドロ委員、大平ドクター、席上縣人會用々幾封筒並にスタンプ、調製を決議す

六月十四日、本會幹事並に、評議員として、多年盡力せられたる、伊藤寛水氏一家を擧げて歸朝せらるゝに就き、本會より感

謝狀並に記念品として置時計壹個を贈呈す。

七月二十一日、本會園遊會を赤司興樂園に開く、同日、午前十時一同事務所前に集合し、食料及景品、果物等を二台のトラックに滿載して會場に向ふ、會場には、既に設備委員の努力に依りて餘興場を始めとして會場一帶に万國旗、提灯等を以て裝飾を施したり、一年一度の縣人會ピクニツクの事なれば縣人は勿論、各親友をも伴ふて集まる者、三百余名、自動車委員の斡旋に依り百數十台の自動車も、所定の場所に整頓されたり、聽て來會者一同の揃ふや、就任以來、敏腕家として、又、實踐躬行を以て、名聲嘖々たる、會長丸山晋五郎氏開會の辭を述べられ、一年一度のピクニツクなれば、縣人同志の親睦、慰樂を盡さむ事を望むや、一同の歡聲と拍手を以て狂喜し、豫定のプログラムに依つて余興の第一場の幕は開れた。特に丸山氏の長女惠美子孃の手踊りは八才の少女とも思はれざる程の鮮やかなるものであつた。その他井上笑和園の喜劇二幕の黒人素足の腕前には來會者一同、御蔭でお臍の宿替へに惠まれ、有志の安來節とドヂョー掬ひの手振り足並、是又歡を盡すに十二分であつた。一方、又、同胞第二世の子供の方は、運動部委員の手配に依りて、男女、年齡に應じて組分けしたる樣々の運動競技を始めとして、來會者一同の參加競技等に十二分の歡を盡して更らに記念の撮影をなして、さしも盛會なりしピクニツクは、限りなき喜びを語らひつゝ、日沒を共に家路に着いた。

八月二十日 會員塚平九平氏令孃、死亡し葬儀に際して本會より花輪を贈呈し、丸山會長本會を代表して吊辭を述ぶ。塚平氏の逝去したる令孃四十九日忌の記念として本會へ金拾弗、寄附せらる。

西澤幹事の歡迎會 淺間盤手兩艦同縣人將士も觀迎

八月二十三日 帝國練習艦隊、淺間、盤手の兩艦廻航に際し本會より、丸山、松嶋の正副會長本會を代表して歡迎の意を述べ各乘組の同縣人將士に對し記念品として、寫眞帖及、名勝繪葉書を贈呈し尚各艦半舷上陸、觀光に際しては秋山、田中の兩氏を派し、各名所地、案内の勞を取つて犒ひたり。

八月二十五日夜 會長、丸山氏宅に於て、淺間艦乘組、海軍機關特務中尉、松澤今朝太郎氏の厚意に依り、軍艦備付の活動寫眞故國名勝の映畫を觀覽す、畫中、御大典記念特別觀艦式に行幸あらせられたる御召艦上の聖上陛下の御英姿を拜しては海外在留同邦の吾々は、無上の感激を以て國運の隆昌と、聖壽の萬歳を祈りつゝ拜觀さして頂いた、猶、一部會員の希望に依り艦隊來航に際して遠來將士の便を圖り急に會員名簿を作製する事に決したるも時日のなきを以て印刷も、間に合はず止むを得ず會長丸山氏に依頼したるに、同氏の絶大なる努力に依り三晩も徹夜しての御盡力にて、會備付のミネオグラフにて會員名簿を作製し、各將士に呈する事を得たるは、來航、兵士の便益と共に、同氏の勞を多とする所である。

昭和五年一月十日 會員、白井康治氏及原宮次兩氏歸朝につき記念品贈呈す。

一月十九日夜 北散街濱ノ家に於て、本會總會、海外協會幹事西澤太一郎氏歡迎を兼ねて新年宴會を開催し、開會に先ち會長丸山氏の挨拶と幹事秋山氏の事務報告、會計田中氏の報告ありて一同異議なく、承認、貯金部事務理事、丸山氏の事務報告秋山氏の會計報告等ありて後、幹部選擧に移る、是より先藤本氏の緊急動議として、幹部選擧は、投票の煩を避け選擧委員に依りて推選しては如何との議あり會長一同に讓りたるに、滿場一致してそれに決し、左の諸氏を選衡員に推薦す、唐木氏浦田氏入氏丸山氏藤本氏以上五氏、別室に於て協議の結果、

會長 松島鍋人 副會長 木下糾
會計 田中銀三郎の諸氏推薦せらる

それより新年宴會にうつり前年度會長丸山氏の挨拶と、幹事西澤氏を一同に紹介す、同氏は起つて信濃海外協會設立當時の幾多の苦心談と今回の南米視察による。感想及將來の希望等を述べられ以て謝辭に代へられたり、一同乾杯、同氏の健榮と本會の發展を祝して、後、第二司會者、藤本氏、獨特の安來節に依つて、餘興隱し藝等百出し、加ふるに、濱ノ家美妓連の手踊り等に、調子はずみて、豫定の禁水も追加に加へて倍加したる に見てもその盛會なりしを語るに充分である、出席者三十名近年稀なる盛會なりき、同夜、ロングビーチ在住の矢澤氏本會に入會せられたり。

二月二日午後一時より 三光樓に於て本年度第一回幹部並に評議員會開催、出席者左の如し、松嶋、堀内、入、唐木、丸山(清)竹内、大平、山岸、大澤、岩岡、溝口、木下、田中、秋山、宮嶋、高田、丸山、青木

會員の吉凶に人情の美 米窪後援會も組織する

○協議事項及決議

米窪氏後援會、今回故國に於て無産黨より立候補につき、後援希望の電報により極力盡力するに決し、名稱を、米國米窪後援會とす、

席上、各自より醵金あり合計百弐拾壹弗、

○會務整理の件左の如く決議す

幹部へ一任する事

○本會に相談役を置くの件 唐木保藏、浦田毛佐次郎の兩氏を推薦す

○大師教會婦人會の懇請に依り昨年度水兵歡迎費中へ金若干を寄附する事に一決す

○前年度幹部へ評議員會の決議を以て感謝の意を表す

○四月二十四日、會員、竹内政門氏夫人葬儀に際し本會より花輪を送呈し、秋山氏本會を代表して吊辭を述ぶ。（以上）

濟南の近狀（二）

在濟南日本總領事館
松井佐久平

商埠商會　商埠地の商業會議所で商埠地の發展と共に漸次勢力を得つゝある。同業組合は多數あるが銀行公會、錢業公會などが有力である。其他敎育總會、實業敎育研究會、通俗敎育普及會及會孔會濟南分會など敎育關係のものが多くある。

新聞　漢字新聞十二種外に邦人の漢字一邦字一あり。

交通　膠濟鐵道津浦鐵道に依るの外黃河により小舟にて航運に當り、又、小淸河濟南から發して黃海に入る、約二百哩に余る運河である。山東及奧地の物資は水路及鐵道に依り運搬されている。

通信機關　山東郵務總局、山東郵務管理局あり總局の下に郵政局代辦局を城內及商埠地の各所に置く。

電信は津浦線膠濟線黃河沿岸線濟河東昌線に連絡あり城內商埠地に電報局あり外國電報をも取扱ふ、濟南電話公司あり一般電話の便にす。

商業　棉花、落花生、鷄卵、牛等主要物產であると共に主要輸出品である、輸入さるゝものは綿糸布類、砂糖煙草燐寸等の雜貨、石油、染料、藥品、機械類等、

工業濟南の工業は目下振はないが麵粉の如き支那人日常必需品製造は從來相當發達し現に工場數も各工場中首位を占めて居る其他製革工業も牛の產地だけに相當發達を見、次位を占む、骨粉製造工業も之に附隨して起つた。鷄卵に加工する蛋粉工業、紡績、搾油工業の如きも將來有望である。「ヘヤネット」製造工業は英米獨人の企業に始まり、特殊工業として特記すべきものである。燐寸製造、製糖工業は僅に省內の需要に應ずるに過ぎない

之を要するに濟南は豐富なる原料と燃料(石炭)の產地を扣へて將來工業地として期待さるべき都市であるが最近林立する煙突も空しく靜止してローマの廢跡を想ひ出ささる現狀である。之れは數年間物資の集散期に於て打續く內亂の爲に斯く寂凉たるに致つたものである。

社會事情　大部分は漢人である、男女の比は一〇對六の割合と云はれている、出生は千人に對し十四人の割合と云つて居るが實際はより多いことゝ思ふ、出生の二割五分は死產で尙出生後も三割は育たないといふ事實から見て死亡出生の割は略同一と云はれて居る、然し地方より都會へ移入して來るものが數多いので約年々五六千名は增へると云つて居る。勿論之れは支那の確實なる數字を知ることは出來得ないが當館の觀測である。製粉工場は九ケあつて各工場は五〇―二〇〇名の職工が働いてゐる燐寸工場は二所（約千名）紡績工場ヘヤネット工場製糖製紙鐵道修理工場各一千名以上の職工か居り其他金物工石鹼製造製針染色印刷製革電燈電話等を合して工場數五十余職工約二萬と稱せられてゐるが、昨今の不況によつて若干其の數字が動いてゐる事は事實で確實の所は不明である。不熟練職工に對する賃金は一ケ月銀二三元より最高熟練工銀三十元位である。人力車夫約一萬人、手車押しが五千である。商店員五万。（これは一寸した店舗にも五人六人の番當店員が退屈そうに客の來るのを待ち乍ら居眠りをしているのを見ねば本當とは思はれません）

勞働者一人の衣食住に要する費用は一ケ月約八元全家族五人の十八九元は先づ必要の限度であるが之れを上海邊りの勞働者一人十二三元五人家族二十二三元に較べると可なりの懸隔が認められるのである。

又花子(乞食)は一萬七八千、無職者約八万と云つて居る。公安局（我警察署にあたる)(本部)總局は城內に城內分局(三ケ所）城外三ケ所商埠地四ケ所近郊に三ケ所の分局(警察署)より成り立ち徹夜にて要所々々に立番して居るが之れが甚だ以て信用の置けない代物であるから困る。

犯罪は强竊盜、誘拐等其の主なるものにして小偸見に到ては實に困却する代物なり、之れには未だ銃殺或青龍刀にて昔乍らの手段で首切りをやつているので見るに耐へない感である。

名所古跡

大明湖は城內にあり周圍約四哩、湖畔には匯泉寺、張公祠、李公祠、鐵公祠、佛公祠、北極廟がある。湖中には歷下亭がある。舟を浮べて訪ね遊ぶ人四時絕へることとなし。

千佛山は、舜耕山とも云ふ。城外より南約一哩半の處にある、隋朝時代の開皇年間石を用ひて建立した佛像千を數ふと傳へる故に千佛山の名が生ると、山上より濟南を脚下に見る、遠く黃河の水帶を眺め絕景の遊散地たり。

趵突泉は城內、呂祖廟は境內にある、泉は三泉あつて、淸水湧出する大門內の兩側は大小商店軒を並べ小雜貨賣る樣は淺草仲見世の縮めたるに似た感がある。

釣魚台は城內にある昔大公望が釣を垂れた處と傳へらる。王函山は濟南の南約十哩の處にあり、山上に碧雲殿があり、頂上よりは泰山連峯黃河及濟南は一望の中にある。

唐隋時代美術の發達の極の跡が今尙國寶として、保存せられ我好古學者及東西の歷史家の等しく見物研究の地として知られて有名なるものである。

龍洞寺は東南十六七哩の山隙谷深き處にあり、山間に一洞窟があり、洞內の岩壁には大小多數の佛像が刻まれ惰唐時代の作で千古の逸品と傳へられている。

開元寺は唐代開元年間の建立で千佛山の裏山にある大きな佛像があるから大佛寺とも云ふ。

泰安は津浦線にて四十五哩、泰山に近い所である、孔子廟のある由。阜も同線によつて濟南より八十六哩兩者を訪ねて濟南より往復二日の行程である。（了）

本縣の 在外徵集延期者

在留申告書滯りなく届出

兵役法改正便法により申告未濟は消滅した

改正兵役法による徵兵檢査は本年で三年目になるが海外に在留する適齡者又は徵集延期者中徵集延期に要する在留申告書届出は每年一月三十一日までに在留地本邦公館に屆し、同館にては四月十五日までに本籍地府縣に送付し居る事になつてゐる。昨年はこれが手續不案內のため多少の延期未濟者を出したが今年はこれが手續を知悉した關係上目下徵兵檢査施行濟の上下伊那、西筑の三郡についてみるに一人の未濟者もなく好成績を示してゐる。今、各郡別の徵集延期者は次の如くである。
（檢査施行濟次第各郡市徵集延期者は次號に掲載す）

下伊那郡

本籍地	徵集延期者	現住所	適齡年
伍和村	河合正雄	布哇島プナ、ホア町	大正十年
伍和村	園原學	伯國聖洲、中央線イタケラ	大正十三年
下條村	小笠原武夫	伯國聖洲イグアッペ郡レジストロ植民地	昭和五年
富草村	熊谷政雄	伯國聖洲ノロエステ線プロミツソン驛サビヤ植民地	大正十年
大下條村	伊藤喜三郎	布哇ホノル、市ヌアヌ街一二三五	大正七年
大下條村	關正一	布哇島カチスタウン	大正十二年
旦開村	後藤德右エ門	布哇島コナホナウナウ	大正八年
下久堅村	尾曾鈴一	伯國聖洲ノロエステ線リンス驛第三上塚植民地	大正十三年
下久堅村	羽生正美	伯國聖洲ノロエステ線カモン驛ボラ植民地	昭和三年
喬木村	豊口愿	比島ミンダナオ島ダバオ	大正七年
三穗村	木下東	伯國聖洲イグアッペ郡レジストロ植民地	大正十年
三穗村	伊東重彥	同右	大正九年
川路村	清水茂	伯國聖洲ノロエステ線リンス驛マンドリン耕地	昭和三年
鼎村	長谷川茂	同右	昭和五年
鼎村	長谷川淸一郎	[illegible]	昭和二年
座光寺村	池田敏男	米國加州羅府東廿五街七一六	大正十一年

本籍地	徵集延期者	現住所	適齡年
座光寺村	中嶋鶏郎	伯國聖洲ノロエステ線ビリグキ驛ビリグキ植民地	昭和二年
座光寺村	吉川利	伯國聖洲北西線ルッサンビラ驛アリアンサ植民地	大正九年
座光寺村	吉川芳	同右	昭和四年
飯田町	大平麟三	玖馬國ハバナ市オレイリ街八〇	昭和三年
飯田町	大平忠勇	同右	大正八年
飯田町	中山巖	比島ミンダナオ島ダバオ	昭和二年
松尾村	田中正勝	伯國聖洲イグアッペ郡レジストロ植民地	大正十一年
松尾村	田中秀雄	同右	昭和五年
山吹村	井上泰見	米國オレゴン洲ポートランド市北第三街五四	大正十四年
上郷村	吉川滿雄	伯國聖洲イグアッペ郡レジストロ植民地	昭和五年
上郷村	代田正人	米國紐育市東五九街二二四	昭和四年
上郷村	吉川德雄	伯國聖洲イグアッペ郡レジストロ植民地	昭和四年
上郷村	吉川茂雄	同右	昭和二年
上郷村	吉川壽	同右	大正十三年
上郷村	吉川芳市	同右	大正十五年
大島村	小澤仲二	比島ミンダナオ島ダバオ	昭和三年
大島村	松尾英穗	米國紐育市東五九街二二四	大正三年
大島村	岡村富男	比島ルソン島マニラ市サンニコラ區マドリイ街	昭和三年
大島村	香山忠男	同右	大正七年
市田村	北原正次	比島ミンダナオ島ダバオ	昭和五年
市田村	今村廣美	玖馬國ハバナ市ベダド區エフ街一九六	大正九年
市田村	竹內正三	伯國聖洲ソロカバナ線プレシデンテウエンセスラウ驛	大正十二年
市田村	竹內寛三	同右	大正九年
生田村	林一美	伯國聖洲ジユキア線セードロ	大正十五年
竜丘村	木下文雄	米國紐育市東一七街四五	大正八年
河野村	壹神實	墨國ゲレロ洲サンヘロニモ	大正十二年

計四十二名（徵集延期申告書未濟者ナシ）

上伊那郡

本籍地	徵集延期者	現住所	適齡年
片桐村	大場磐男	比島アルベイ、リガオ	大正七年
片桐村	中平三夫	伯國聖洲パウリスタ線ペーラクルス驛サンタテレジンニヤ耕地	大正十一年
伊那村	藤原金三郎	伯國聖洲中央線カンポスドジヨルドン驛ペンソングロリヤ	大正十二年
伊那村	澁谷初	伯國聖洲イグアッペ郡レジストロ植民地	大正十一年
伊那村	馬村富士	墨國ハリスコ洲テケスキトラン農地	大正五年
宮田村	小田切傳	伯國聖洲ヤンポス、ド、ジョルドン	大正十年
宮田村	川手英雄	伯國聖洲北西線アラサツーバ驛サンタアントニエタ耕地	大正十一年
宮田村	加納四郎	墨國下加洲メキシカリ市フランシスコマデロ街七五三	大正七年
中澤村	堀內春成	伯國聖洲北西線リンス驛上塚第二植民地	昭和四年
中澤村	宮脇寅太郎	伯國聖洲パウリスタ線マリイリヤ驛	大正十一年
中澤村	宮脇常雄	伯國聖洲パウリスタ線マリリヤ驛昭和植民地	大正十五年
上片桐村	南嶋武雄	比島ミンダナオ島ダバオ	大正七年
飯島村	星野義美	同右	大正九年

住所	氏名	在外住所	渡航年
同村	田中治男	伯國聖洲北西線アリアンサ植民地	大正十三年
同村	芦部安夫	同右	大正十年
同村	堀内三良	伯國聖洲北西線リンス驛上塚第二植民地	大正十四年
同村	井口吉三郎	伯國聖洲中央線モヂダスクルゼス驛コッチイラ	昭和三年
同村	北原勇	同右	大正九年
同村	野村忠三郎	伯國聖市グレゴリオセロン街九番地	大正七年
同村	宮澤松男	玖馬國イスラデピノスサンタバルバラ	昭和四年
同村	小林百龜	玖馬國カマグエ州セントラルヘテポニコ	大正九年
同村	下平敏	佛國巴里市ヴグイニューズ街三〇	大正十二年
同村	小林帝次郎	比島ミンダナオ島ダバオ	大正六年
七久保村	吉澤忠	玖馬國松島サンタバルバラ	昭和五年
同村	吉澤治男	玖馬國松島サンタバルバラ	昭和五年
同村	吉澤正	同右	大正三年
同村	那須野寅三	伯國聖洲イグアッペ郡レヂストロ植民地	大正十年
同村	上山義保	伯國聖洲サントス市ペードロアメリカ街二二二	大正十三年
赤穂村	宮下重治	比島ミンダナオ島ダバオ	昭和四年
同村	龜田豊	墨國ソノラ洲グアイス郡エスペランサ町	昭和五年
同村	菅沼達雄	比島ミンダナオ島ダバオ	昭和四年
同村	小平宗男	加奈陀ビシー洲晩香坡市東ヘステング街二〇	大正八年
同村	堺澤松一	伯國聖洲北西線ペンナ線タバシイ植民地	大正九年
美和村	伊藤正三	伯國聖洲北西線プロミッソン驛イタコロシー耕地	大正十二年
南箕輪村	高木茂樹	伯國聖洲ソロカバナ線ジオンアルフレッド驛	大正九年
同村	高木茂利	同右	大正十一年
同村	有賀國平	同國同洲北西線アリアンサ植民地	大正十一年
長藤村	伊藤實美	同國同洲イグアッペ郡レジストロ植民地	大正十三年
同村	池上熊治郎	同右	大正八年
同村	伊藤長喜	同國同洲北西線ルッサンビラ驛アリアンサ植民地	大正九年
西箕輪村	伊藤忠雄	同右	大正十四年
同村	原孝一	米國紐育市西六五街一四八	大正十年
同村	本山喜久雄	伯國聖洲バウリスタ線ヅアルテーナ驛マンジョーカ耕地	大正十年
箕輪村	淺川米雄	同國同洲北西線ビリグキ驛ビリグキ植民地	大正十年
中箕輪村	唐澤猪雄	英國エセツクス、ロイフオードセーメールロード九五	大正六年
手良村	名和三五郎	米國ワシントン洲シヤトル市ヂエフアーソン街六〇五	大正八年
同村	名和三郎	伯國聖洲イグアッペ郡レジストロ植民地	大正十二年
同村	石倉武夫	米國加洲羅府西三五街一五八六	大正十三年
同村	向村秀夫	加奈陀アルバータ洲キャルガリー市	昭和二年
富縣村	寺澤濟	伯國パラナ洲クリチバ市ワルテイロンダスメルセス	昭和四年
同村	堀橋耕作	米國加洲羅府ウエスタンアベニユ三五三〇	大正八年
同村	板山美和衛	墨國ベラクルス洲オリサバ市フランシスコ街一一一	昭和三年
西春近村	北原昌計	墨國墨都サルバドル街八一	大正九年

住所	氏名	在外住所	渡航年
同村	唐木三雄	加奈陀アルバータ洲レーモンド	大正十五年
同村	滋野英一	伯國聖洲北西線ガイサラ驛アウローフ植民地	大正十年
同村	野溝寶	同國同洲同線ルッサンビラ驛アリアンサ植民地	昭和二年
伊那町	春日一美	米國桑港ポスト街一六四七	昭和五年
同町	中村三郎	ブラジル國渡航中	昭和五年
同町	三澤智秋	比島ミンダナオ島ダバオ	昭和五年
同町	高橋信四郎	伯國聖洲ゴヤス線モンテアズール驛バウリセア耕地	大正七年
同町	唐木千嶽	北米羅府東第一街二六一六	昭和四年
同町	伊東信一	加奈陀晩香坡市西第三街一五八七	大正五年
同町	林敬一郎	北米加州ツラレ郡リンゼー市マウントバーシ街一六五	大正五年
同町	熊谷茂雄	北米加州ベルモント郵函二四	大正八年
同町	田中傳	比島ミンダナオ島ダバオ	昭和二年
同町	伊藤準二	加奈陀晩香坡市ヂヤキソン街三〇六	大正七年
同町	三澤壽重	伯國聖洲北西線ペンナ驛カイビラ耕地	大正十年
同町	小玉泰	伯國聖洲イグアッペ郡レジストロ植民地	昭和三年
美篶村	竹内駒雄	墨國チヤパス州エスクイントラ村	大正四年
同村	小林要太郎	墨國首府ブカレリ街六五	大正四年
同村	山岸優	米國加州ツラレ郡リンゼー市マウントバーシ街一六五	大正六年
同村	竹松啓之輔	伯國聖洲ソロカバナ線ボウルトジヨンアルフレード驛	大正十三年
同村	織井今一	伯國聖洲パウリスタ線ベウル驛ガビローバ植民地	大正九年
同村	橋爪秀雄	伯國聖洲北西線ルッサンビラ驛アリアンサ植民地	大正十年
川島村	足助四郎	長春錦町一丁目二	昭和五年
伊那富村	矢嶋正一	墨國下加州メキシカリ郡バタケ郵函三八	大正八年
同村	宮原桑男	伯國聖洲パウリスタ驛コレゴリコ驛アニウマス耕地	大正十年
同村	宮原甚市	同右	大正十五年
朝日村	中村榮市	伯國聖洲中央イタケーラ驛	大正十一年
同村	中村太郎	同右	大正十五年
同村	中村次郎	同右	大正十五年

計 八十一名（高遠町矢澤庄三郎氏は伯國より一時歸朝中滯在期間（九十日）經過したるもそのまゝ再渡航したるにより徴兵延期事故止みとなり（その後伯國より在留申告書送付來たりしも）當局より戸主に本人の徴兵檢査を受けせしむる樣通告せしに戸主は本人の歸國望みなきにより通告せぬ旨を表示せり、よつて徴兵法規に基づき戸主を告發して本件を解決せり）

西筑摩郡

住所	氏名	在外住所	渡航年
山口村	嶋崎隆	伯國聖洲北西線ルッサンビラ驛アリアンサ移住地	昭和四年
田立村	長淵鐘六	墨國主都アベニダアフレス三八	大正八年
田立村	岩田篤三	伯國聖洲トウテデンセ驛イビチンガ驛	大正十四年
上松町	山下生樹	馬來半島柔佛王國士乃熱帶產業會社士乃ゴム園	昭和二年
同右	長戸精一郎	英領新嘉坡コールマン街三三號江畑洋行	昭和四年
同右	加藤虎男	蘭領スマトラ島デリ州メダン市チサワッ八八	大正八年
同右	村上眞一郎	伯國聖市コンデデサルゼーダス街一二	大正七年
日義村	松原源市	米國紐育市東五十九街二二四	

計 八名（徴集延期申告書未濟者ナシ）

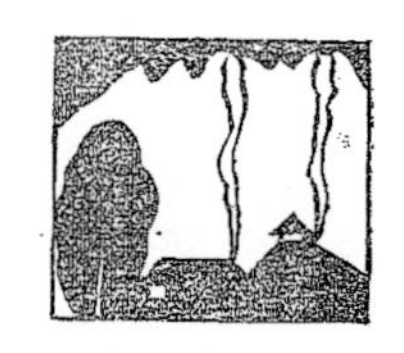

信州記事

職に殉じた教員
過半數が信州人と判る

縣學務部では故小菅訓導の殉職事件から百回の教化講演より、さうした事實の方が精神教育上有力と切實に感じ全國各府縣に教育者として殉職した人々の事跡を照會して、それを印刷して縣下の教育者その他の配布する計畫を立てた既に北海道、大阪府他七縣を除く各府縣からの回答によると殉職教員は奈良、長崎、東京山口、鹿兒嶋、栃木、埼玉、朝鮮および本縣關係の十五名で内八名は實に本縣人であることがわかつた、即ち有名な井ノ頭公園で殉職の故松本虎雄訓導は上水内郡津和村出身その他上田小學校長在職中殉職の久米正雄氏嚴父故由太郎氏、埴科郡南條校故中嶋仲重氏、上伊那郡中箕輪校故赤羽長重氏、埼玉縣幸手農學校故渡邊平和氏、朝鮮で殉職の故鈴木志津衞、同宮下茂輔の兩氏および前記小菅武夫訓導はいづれも信州人で内、赤羽、松本、渡邊小菅の四氏は兒童の危難を救はんとして身を犧牲にしたもの他の四氏は御眞影保護のため身の危險を忘れて遂に職に倒れあるひは自己の教育せる兒童の行動に對し深く責任を感じて自殺したもので事の是非は別としそれ〴〵嚴肅なる死は縣教育界をどれだけ刺激し感奮させるか測り知らぬものがあらうと

農家の借金
一戸當り八百八十圓

縣農會では昨年九月から系統農會を督勵して縣下農會の負債調査を行つてゐたが松本市を除きこの程漸く完了した、これによると總額一億七千八百二十八萬六千六十八圓の驚くべき多額に達し農家一戸當り平均借金は約八百八十圓となつて居り最高は長野市の一戸當り二千九十圓最低諏訪郡の五百十二圓で農家の不況を如實に示してゐる。負債種別を見ると（單位圓）

無盡金	七一、九一二、六八一
信用組合	四一、〇二四、五六二
銀行	三四、八〇〇、一七六
一般個人	二〇、七三六、三一三
金錢貸付業（高利貸）	五、四九二、二四八
耕地整理	四、三三〇、〇八八

母國通信日誌
自四月十七日
至五月十五日

四月十七日（木）政界裏面の醜狀を白日の下にさらされたつぎ〳〵の大疑獄事件に今更暗涙にむせびつゝあるこれらの人達に對し、友人のために法廷へ特別辯護人として起つ美しい友愛物語がある。佐竹三吾氏のために元鐵道次官中川正左、經博永井享、前臺北地方法院長宇野庄吉の三氏、小川前鐵相のために前横濱地方裁判所長横山鐊太郎氏等▲福田雅太郎大將樞密顧問官に親任さる

四月十八日（金）中小業の低資二千萬圓に申込殺到飢ゑ切つた商工業者東京府下だけで半額を占む▲昭和大疑獄の中心四私鐵事件小川前鐵相等の收賄額六十萬圓と豫審終結決定書發表▲右疑獄の公判は今秋行はる模定

四月十九日（土）日本人以上の日本式の英人ボ氏は紋付袴で洋食は一切食べぬと云ふ日本式を發揮今回高松宮殿下御渡歐の箱島丸に乘船歸國する。▲外客誘致を目的とする國際觀光局官制發表▲北海道紋別町二百五十戸燒失

四月廿日（日）政民兩黨對議會の陣容を張つて所信を天下に高言する無産黨共同委員會を

自轉車の新鑑札
二万圓の税金增收

本縣では自轉車の新鑑札十六萬五千個を十三日各市町村に向けて發送し來る八月三十一日までに全部付替をなさしめることになつたこれによつて無効鑑札取締を完全にすると共に脱税を發見して新たに課税し得られるはずである

尚現に課税中の車台數は約十五萬六千台で脱税してゐるものと見られる數は五六千台に上り新鑑札配付によつて縣は約二萬圓の税收入增を期待してゐる

退職者の年齢

惜まれる若年の退職

過般退職した縣下小學校教員の年齢別を見ると五十歳以上が百三名四十歳以上が百五名、若朽、自發的退職を意味する二十歳以上が三百三十名、もつとも能率の上がる三十歳以上が八十六名であつた

	五十歳以上	四十歳以上	三十歳以上	二十歳以上
校長	一五	二五	—	—
小正	三二	三九	二八	五三
尋正	四〇	一五	八	四一
專科	二	五	一五	四四
准教	五	五	一一	二五
代用	九	一六	二四	一七七
計	一〇三	一〇五	八六	三三〇

伊那

飯田地方の被害
損害五割のもの約百町歩

飯田地方は二十一日夜來氣溫降下し二十二日朝は各所に降霜あり上郷村南條方面では全滅桑園が七八歩町被害五割程度のもの二十町歩高木村小園方面では被害程

組織して對議會策をとらす▲鐘紡爭議益々深刻惡化す▲三井物產の全社員へ給與減額の警告出てヽ一般會社へも大衝動

四月廿一日（月）總罷業の市電、圓太郎のにはか運轉手に交通事故續出す▲五十八特別議會けふ召集さる朝野兩黨の戰端はまづ議長選擧によつて開始▲東京市電罷業に足を取られた市民悲鳴をあぐ▲民政正副兩議長を占めて我黨天下の春を誇る議長は藤澤幾之輔氏副議長小山松壽氏

四月廿二日（火）東京市電罷業事件に神戸市電でも同樣罷業の形勢▲罷業對策に臨時運轉手五百名を採用市内交通の圓滿を期す▲鎭海の活寫事件軍法會議に責を一身に負ふ高橋大尉の陳述は立派な軍人的態度と傍聽者に涙が光る。

四月廿三日（水）菊五郎君を校長に推戴する日本俳優學校生徒百十名で開校式をあぐ▲鐘紡爭議國會社側と氷解相容れず益々離隔す▲朝鮮疑獄の核心山梨前總督の豫審終結發表さる▲市電右翼派就業申出での形勢總罷業の一角崩るか

四月廿四日（木）罷業團内に暗流を發見、これとみた當局益々强硬な態度に左翼派でも解決を要望す▲議院控室でプロ、ブル議員が大度七割のところ十七八町歩五割程度が四五十町歩でその他部分的に降霜はあつたのが全滅の所は極少なくかつ寒氣が左程でなかつたため凍害には罹つてをらず回復は案外早い見込である

桑の豐作を見込んで

下伊は掃立增加せん

下伊那地方の蠶種家は月末から五月はじめにかけて掃立天龍沿岸の早場所は五月二三日から五六日頃山岳部の遲場所も十から日十七八日頃まで掃立てる模樣、桑葉は例年より十日位早い二十三日朝の結霜は部分的に發育を抑へたが掃立までにはまだ時日があるので、それまでには回復の見込み飯田蠶業取締所管内の掃立枚數豫想は二十四日現在で十四万五千百六十二枚、前年春蠶の實數に比し六千九百十二枚の增加のわけは桑の椊丈が高く桑の豐作を見込んでである

欠損明かな此春蠶

かせぐに追つく農家の貧乏

飯田蠶業取締所の調べによると繭一貫匁の生產費は

桑代肥料代計四圓六錢、蠶具損料並に購入費(平均)三十八錢、保溫費二十八錢、蠶室修繕費三十二錢、勞銀二圓五十二錢、諸税十二錢、雜費四十錢、總計八圓十六錢となつてゐる

これは一反歩當りの收葉量平均三百貫と見ての計算で假りに反當り四百圓の收葉とすれば繭一貫匁は七圓八十六錢となるがやはり平均は三百貫見當であるからどうしても一貫匁の繭を作らうには八圓以上を要するわけ

然るに現在の如く糸價が一千百圓台では繭は到底八圓どころか四圓から五圓にしか賣れずたとへば一反歩から桑が五百貫とれた所で尙六圓十四錢に賣らなければ元が取れぬ事になる、したがつて養蠶家が桑を他から購入したらその結果はまるで問題にならない

桑葉自給自足でさへこの通りだから自家勞力を加算すると一貫匁につき三圓內外の欠損といふ事になる

論戰した即ち武藤氏と片山、淺原、松谷の三氏の對陣

四月廿五日 (金)婦人公民權案を政民共同提案▲全國町村長會で小學敎員初任給引下を決議し全國聯合敎育大會では俸給の國庫負擔を決議▲市電罷業慘敗の狀勢堀切市長代表と會見

四月廿六日 (土)六日間の爭議に疲れ切つた罷業團即時就業と緊急指令を發す▲議會質問戰に入り鬪將相次で政府に迫る▲不景氣失業對策とロンドン會議に兩黨論戰に白熱化す▲外蒙に五ケ月投獄された邦人醫師歸る

四月廿七日 (日)罷業中止後の東京市電全く平常に復す▲倫敦會議より統帥權問題起り憲法違法として內政化す▲屈辱的對米軍縮比率に軍部內に不滿多く議會を中心に相當波瀾起らん

四月廿八日 (月)學生の航空聯盟けふ發會式をあぐ▲排英運動の本營キャンプに聖雄ガンヂ氏は修道院にも似た嚴かな生活に印度獨立の雄志に燃えて自ら陣頭に立つてゐる▲大山勞農黨主壇上に金融資本家政治を痛擊して劃期的演說を試みる我國議會政治の歷史的記錄

四月廿九日 (火)大山氏「解散」「檢束」の心配なく議會を通じて一般大衆に初めて自分の意

父の燒死に娘發狂

大下條村の火災悲慘事

二十七日午前十時頃下伊那郡大下條村齋藤義雄方の土藏より發火鷲家を全燒午後一時鎭火原因は義雄の養父が中風で前記の土藏內に就寢してゐたところから發火したもので乘吉は無殘にも燒死しこれがため義雄の妻は發狂した

上小

成澤氏市長に當選

正副議長も夫々決定

市長選擧の上田市正式市會は八日開會出席二十七名で投票により選擧の結果二十六票成澤伍一郎氏一票伊藤傳兵衞氏で豫定通り成澤氏當選し次で俸給も三千圓とすることに決定成澤氏は「市政に對し白紙で臨む」とあいさつし伊藤副議長議員を代表して祝辭と希望を述べた

議長は全員一致で副議長の伊藤傳兵衞氏を推し、副議長は七名の選考委員を擧げ中立派の提議通り横關一郎氏に決定

骨身にしみる違反

罰金が約二萬五千圓の痛手

二區鷲澤派の選擧違反で略式言渡を受けた罰金の總額は合計一萬一千六百圓に達した更に豫審中の二十余名の者の罰金は一人大體五百圓見當と推定されこれがざつと一萬圓になる又目下逃走中の者が六七名あるのでこれ等が合せて三千圓乃至四千圓の罰金に處せられると見れば合計約二萬五千圓の巨額におよびこの外收容中の差入今後結審までの各被告人の費用等を推算するとこれも相當の額に上る一方收容中又は逃走中各家庭の受けた有形無形の損失も甚だしく如何に、この選擧違反が悲劇であると共に各方面に惡影響したかを物語つてをる

珍らしい春の雷

變壓器に落雷して暗闇

二十日午後九時頃から同夜半にかけて上田市地方はすさまじい雷鳴とともに豪雨があり坪當りの降雨量三斗二升余に達し

志を傳へ得たと喜ぶ▲共產黨最高幹部鍋本和夫外卅名の豫審決定豫審公判に附さる▲財界恐慌の論議あり政府警戒の手配

四月卅日 (水)明治十七年濱離宮延遼館の天覽角力以來の盛事が昨日宮城內門內で行はる▲敎育費全額負擔に政友總裁反對表明▲御踐祚以來五年常に國民の生活に大御心を注がれ國產御愛用の御思召に御使用の時計は名古屋製のクローム、御靴下は國產の木綿物であると承る。誠にかしこき極みである。天長節の佳辰にあたり國民の深く感銘すべき事である。

五月一日 (木)帝都で一萬五千名のメーデーの行列▲聖上靜岡縣行幸は五月廿八日東京御發六月三日還幸の御豫定▲首相統帥權問題で惡聲から猛襲さる「答へられぬ」で押通す

五月二日 (金)家庭購買組合の發展振りに商人恐慌をあげる▲文士で狂人の島田清次郎死

五月三日 (土) 高松宮同妃殿下香港御出發▲昨年の煙草賣上高二億八千二百三十四萬二千圓昨年より百五十七萬圓の增加▲皇后宮御手づから春蠶の掃立を行はさる▲勳章の意義を傷けた天岡氏等の收賄事件豫審終結さる

五月四日 (日)故川原茂輔氏の子息四人乘合

風に伴つて珍しい大荒れであつた、小諸輕井澤等佐久地方も激しい雷雨で午前二時頃輕井澤地內の電柱變壓器に落雷同地方一帶暗黑となり又同時刻輕井澤地內の電信線も故障を生じ各地への通信不能に落ち入り大騷ぎを呈したが四月中の雷雨は近年珍らしい事であつた。

學窓から農民へ

蠶糸の祖國を守れ

上田蠶糸專門學校の上級生間に、悲觀のどん底にある養蠶家の氣持鼓を舞し不景氣の極にあつても決して落膽などせず努力奮鬪せよと青年の熱で世間に呼びかけようとの話が持ち上り我國蠶糸業の魂とまでいはれる同校の校歌を高らかに蠶糸の祖國を守れのモットーをかゝげ學窓から農民大衆へ呼びかけようと偉い意氣込みである。針塚校長は語る

「學生の仲間にさうした話のあることはすこぶる結構で學生の本分は外れない範圍で精神的に直接間接世間を勵ませば相當の効果はあるだらう」

上田高女生徒

海の旅に南米船に乘る

近時修學旅行に海と船を理解し趣味を持たせるため關西旅行には神戶阜頭に海と船の見學が盛んであるが今回上田高等女學校の春季旅行では東京より關西への旅を横濱から船で行く事になり、南米船リヨ、デ、ジャネイロ丸に乘船し心ゆくまで海と船に對する氣分を味ふと。因に同船は六月五日横濱港から南米に向け處女航海の途につくのである。

製糸業不振で

丸子町の人口激減

丸子町では最近製糸業の不振から失職し他町村に移轉して行くものがメッキリ殖え約千七百人の人口激減を來した、これは昨年の春びき開始不能工場が六工場で約七百人操業短縮による二割減が約八百人とその他の結果に因るもので同町の平常の人口は約一万三千人と稱されて居るがこの調子では今秋の調査には一萬人以下になりはしないかといはれて居る

自動車で列車に衝突慘死▲粕谷義三氏逝去行年六十五▲明政會敷化事件で鶴見氏渡米前召喚さる。

五月五日 (月)樺太大暴風溺死者二百七名▲反英不服從運動の總師聖雄ガンヂ氏捕縛さる▲議會を中心に統帥權問題に微妙たる動きあり政府對策に腐心▲軍閥の政治進入排擊に輿論高調

五月六日 (火)東日新聞で日本一健康兒童發表▲朝野攻防論陣を張り追加豫算原案通過▲貴院は希望付で通過の見込▲日支關税協定調印

五月七日 (水)僞高島秘密を利用して易斷に名士夫人を惱ます▲軍縮の造艦縮少の中にメキシコから軍艦建造注文に横濱ドラク大喜び▲建築關係の失業が全國で六十萬を突破する

五月八日 (木)經博福田德三氏逝去行年五十七▲醫者のない村が三千產婆の無いのも三千全國農村の悲慘衞生狀態▲財部全權滿洲里着

五月九日 (金)旅客優遇で東海道線に十日から三等急行寢臺を實施▲婦人公民權案貴院で委員附託となつて握り潰し▲芳澤駐佛大使渡歐

五月十日 (土)減收に血迷つて鐵道省廣告收入を見當てに風景を汚す廣告板に靜岡縣から

折角放たれる

カゴの鳥の惱み

松安

松本市横田遊廓では先に病弱な娼妓と五ケ年勤めた娼妓を無條件でかごから解放する制度を設けた事は當時所報したがこの程松本署員が立會調査の結果本年の解放者は前借金を完濟したもの五人病弱者一人、五ケ年勤めたもの二人の合計八名と決定した、しかし今は各地とも非常に不景氣であり故鄉へ歸つても適當の働き口がないのと家庭がいづれも貧しいため折角解放されてもその日の生活に困る始末だからと解放決定の娼妓から當分廓に置いてくれと歎願したので廓では協議の結果これを容れ適當な就職の見つかるまでといふ條件で右八名を引續き廓內でかせがせることになつた

松本驛の夏山準備

專任者を置き便宜を計る

松本驛ではこの夏アルプス登山者のため登山照會に對する回答登山案內所の設置山上天氣豫報の揭示等を行ふ外近年驛あての登山照會が非常に多く電信電話の照會が頻々とあるので特に北アルプスの事情に通じた驛員を專屬としてこれらのことに當らせると

佛都の街々を

行列華かに練る落慶養供

長水高

二十五日の善光寺本堂落慶供養第一日は午前九時から獻納五色もち二十八俵を積んで大八車を牛に引かせ小學兒童千七百名が紅白の手綱を持つてくりだし殿りの底拔屋台には藝者連が加はつて中央通り目拔の場所で信濃節を踊つて景氣を添へた行列は午前十一時半善光寺に到着本堂で落慶供養を執行し文部大臣代理松尾宗務課長鈴木本縣知事その他の祝辭あり終つて山門上のやぐらから五色もちと五寶錢を投げた善光寺本堂落慶供養の行列に五色もちを引いた上水內郡中鄉村平井嘉一氏所有の黑牛は計らずも佛緣が結ばれ善光寺開帳協贊會の幹事連が肝入役となり謝禮をだしこの牛を寄附させた上善光寺境內に牛小屋を造つて余生を送らせる事となつた

抗議▲米人になつた日本人國友ドクドルは自分の子供の米人との結婚に破綻を生じ米人の人種偏見を歎いて歸國▲婦人公民權案衆議院通過

五月十一日 (日)ハルビンで病氣滯在の海相に議會逃避と非難さる▲盜犯防止法案通過で正當防衞を是認し斬捨て御免の物騷沙汰が起き易い▲議會の論爭は貴院に移り不景氣軍縮小艦問題で政府を追擊

五月十二日 (月)一萬トン巡洋艦高雄の進水式に皇后陛下行啓▲政府案多數黨の威力を擁して全部可決明日無事閉會

五月十三日 (火)文士田山花袋氏逝く行年六十▲堀切東京市長辭職市會で承認▲第五十八回特別議會閉會

五月十四日 (水)渡歐中の高松宮妃殿下印度洋の難行に動じ給はず日本婦人のために萬丈の御意氣を示す▲特別議會後野黨黨部關係を刺激して倒閣に進まん▲倫敦條約御諮詢に樞府の形勢に政府憂慮

五月十五日 (木)農事に深く大御心を寄せさせ給ふ　天皇陛下には十五日宮城御學問所に農業の實際家でわが國農村の改善と自治問題の權位者前代議士山崎延吉氏を召され「農業の經營」を聽こし召さる▲求職は激增し求人は激減する失業地獄益々深刻となる

海の外 歌壇

短歌 蛙夫選

○ 伊藤しげ

日頃見る遥き東の山脈は遥けく高し見あかざるかも

苗代小田の蛙の鳴きあいて此頃とみにせわしさ増せり

今日も又山畑に來て閑古鳥聞きつつ一人耕しにけり

○ 矢澤砂多路

峠路杉の並木の茂り居て空とぼしめり宵きその空

○ 湯田禱

大槻の鎭守の森の若葉かげ小鳥囀る初夏となりけり

○ 井出せみ子

未知の國に嫁ぎゆかんと吾はもよ決心をして父母に告げたり

赤彦忌歌會 其一

○ 森山汀川

吾を宿めて氣ぜはしからむ瞬早く柴焚く爐にほひ來れり

○ 上原長市

製糸工場燒けはてにける曉を雨降りいでて燒けあとぬらす

○ 飯山忠一

風なぎてくらくなりゆく宵空をわたりおくれし鳥なきゆけり

○ 伊藤淳郎

演壇の辯士の理論とほらざり野次りたき心しきりにわける

○ 雨角幾郎

妹の草履作ると氣持小さく赤きこぎれも入れて作れり

○ 上條行雄

產む日近き妻を叱りて出で來しが氣にかかりつゝ一日勤めぬ

○ 小川まさ代

雪山の尾の上に月のすめる時春いかづちは鳴りすぎにけり

○ 長田林平

いつしか年を經ぬればやゝくひきおくつき宵く芝をかうむる

○ 今井さか枝

松の霧の葉ぬれのしづく皆落ちてこの朝空のふかき明るさ

○ 今井野菊

ふと云ひし人の噂もかたはらの子供はばかり聲をひそめぬ

○ 若林野水

裏庭の枇杷の廣葉にふる雪を障子ひらきて妻に見せしむ

○ 池上庫文

たちまち月のかげりし庭先を時雨に似たる雨過ぎにけり

○ 五味ゑい

岡の上の森のかたへにまどかなる月はのぼりしづかなるかも

○ 加納幸雄

稚児は叱る口元物眞似てにがれる父をただに笑はす

○ 河西信三

まがなしき三人の子等は父の手にとはの命を斷たれつるかも

○ 折井親臣

芽ぐむもの見出でて子等は砂遊び掘る手をやめて吾をよびにけり

○ 小池昌

旅にして病む母上は常いはぬ心細さを言ひ給ひつる

○ 堀内皆作

多の間の塵芥掃きすてし山羊小屋の格子の外に草青み來し

○ 小口金一郎

眠り深き吾子の頭の毛を分けてシラミの卵つぶしつつあり

○ 雨角七美雄

不景氣に行詰りたる工場の朝朝鳴らす笛は身に泌む

○ 田中周三

昨夜より熱やや出てし幼子は母をはなれて遊ばんとせず

○ 杉村悟穗

吹雪かれて歸り來る夜の踏切にシグナルの火の赤く輝く

○ 佐藤芳重

木のさけし音のしたるは裏山か今宵嵐の吹きつのるなり

○ 羽塲菊三

雪氣空くらみそめたる河原に芹つむ子等の歸りゆく見ゆ

○ 矢崎源藏

燒け殘る立木の幹は明け近き風に吹かれて火を吹きて居り

○ 宮澤幸男

春いまだあしたの寒さ奥津城に供へて瓶の水は凍りぬ

○ 藤森精二

すこやかさ惠まれもてる幼子の心はつねに足らひ居るらし

○ 中村德三郎

みはりだる大きまなこの面影の年月經りていよよ思ほゆ

○ 有賀阿具利

驛夫らのとどむるきかずかけつけて危うく列車にのりし人あり

○ 久保田健次

きさらぎの深き雲間に輝ける日射しにあたり窓をかく幼子

○ 雨角雉夫

時ありて酒量の減りしこと思ひ過ぎ行く吾を寂しみにけり

伯國アリアンサ陸稻會

羅女の去にける後を蝶の群れ　篠女

大野來て凧揚がる里に出でけり
群蝶の中に見つけし木の葉蝶　掬二

紫雲英の田の面に落ちし狂ひ凧
井戸釣るや群がりて飛ぶ蝶の中　佐和太

咲殘る野良の小花に蝶一つ
マツト中の道に飛び居る蝶の番　紅村

鍬の柄に蝶とまりぬ午休み
切れ凧や沖の帆船に落ちかかり　圭石

擂くぐるつがい蝶々出でにけり
雨の道蝶れんとすなり蜆蝶　芦庵

きれ凧の落ちすると屋根を越へ
城跡に小店も見えて凧日和　白羊

人住まぬ古門に集ふ蝶々かな
黄昏の空や靜に凧あがる　あきら

强風を蒹葭によけて胡蝶かな
病める子の眞正面や大繪凧　柳

肩越しに飛んだ胡蝶のかへり來る
群蝶の花畷ふるや揚羽蝶　八洲男

坂下りて日向汀の蝶々かな
影射して皆とび立てる蝶々かな　孤笠

雲はれてみ空に凧のうなりかな　岳南

畑中や名もなき草の揚羽蝶　乙女

海の外歌壇募集

◆短歌 □□ 題隨意
◆俳句 □□ 題隨意
宛名 諏訪郡平野村 雨角雉夫先生

海の外 人事相談

本欄は求人、就職、婚姻等個人的の人事に關する相談に應じ紹介、斡旋の勞をとる。御相談に關して係りで負擔出來ざる費用は實費を頂戴す。(係)

求縁

嫁度 當方住所本縣更級郡、某實科高等女學校卒業、年齢二十四歳、小學校教員免許狀有、目下某實業補習學校助教諭勤務、先方意思堅實相應なる資金を準備せる三十五歳迄の青年にして身体强壯、系統正しき、中等教育ある確實の海外發展者たる事(姓名在社)

嫁度 當方住所本縣諏訪郡、某高等女學校三年修業家事都合上退學、爾後某病院に事務員として勤務、先方身体强健意思堅固、十分なる渡航資金を以て伯國に渡航する系統正しき青年たる事、可成五年位伯國にて奮闘せし人を望む(姓名在社)

嫁度 當方本縣小縣郡、小學校卒業後自家農業に從事中、年齢二十九歳の處女、身体强健品行方正何等恥ずる所なし。先方可成は三十五歳迄の系統正しき男子に嫁度し(姓名在社)

嫁度 當方本縣小縣郡、實業補習學校卒業後自家農業從事中、年齢二十八歳、先方本縣人にして堅實なる青年にして、近隣に嫌忌せられざる家庭に生れたる男子たる事(姓名在社)

嫁度 當方南安曇郡、明治四十四年生、村立高等小學校、實業補習學校卒業後自家農業に從事中、先方思想堅實身体强健相當なる家庭に成長したる青年にして三十才迄の人たる事(姓名在社)

嫁度 當方本縣南佐久郡、勞働に耐得る二十八歳、二十五歳、二十歳の娘三人あり堅實なる、男子に嫁せしめたし可成は父親見屈の爲渡航致度に付旅費支辨願度

求妻 當方小縣郡西部の某村に生れ、三十四才、大正十二年ヒリッピンに渡航し麻栽培從事中、先方身体强健、意志健固眞面目なる婦人たる事(姓名在社)

求妻 當方本縣北佐久郡、二十二才、某公民學校卒業後自家農事に從事中アリアンサ移住地に請負耕作として入植準備中先方身体强健、意思堅實品行方正なる婦人たること(姓名在社)

求妻 當方本縣南安曇郡出身にして、十年前にヒリッピンに渡航し、大會社の監督、三十三歳、月收三百圓他資金數千在先方身体强健、常識ある南信地方の婦人たる事(姓名在社)

求妻 當方本籍本縣下高井郡、飯山中學卒業十年前にアルゼンチン、ブイノスアイレス市に渡航し、商業に從事中、資產數萬圓在、店員五名使用、年三十四歳、先方高等女學校卒業、思想正しく容姿十人並、身体强壯血統正しき人(姓名在社)

海の外 問答

×漠然たる質問は不可
×一人三問以下の事
×詳細の回答希望者郵券封入の事

家族員の分割渡航

問 私は第一種移住者として九人の家族員を有し家族中に事故を生じ乘船出來ざる場合に於てその事故者を後殘せしめるも渡航補助金を得らるゝや

答 全員同伴渡航する事困難なる事情あるときは、その事故者のみを除外するときは渡航補助金なきも、事故者を含めて第一種若くは第二種移住者の種別になるときは補助金を得られる。即ち渡航補助金は家族員構成規則に準據する事を原則とします。故に貴下の場合は九人もの家族ですから先發家族も後殘家族(事故者を含める家族員)もいづれか渡航補助金交付の構成家族たる樣編成せねばなりません。使用人左に御參考の爲に第一種第二種移住者の所要構成條件を示します。

(一)、第一種移住者　年齢五十歳未滿の夫婦にして其の孰れか一方の左記續柄の中より年齢十二歳以上五十歳未滿の者一人以上を同伴する者

(イ)實父母、養父母、繼父母、(ロ)實子女、養子女、繼子女及其の配偶者但し養子女にして入籍後滿一ケ年以上を經過せざる者は十五歳未滿に限る

(ハ)兄弟姉妹及其の配偶者、(ニ)伯叔父母、(ホ)從兄弟姉妹及其の子女、(ヘ)再從兄弟姉妹(ト)甥姪及其の子女

第一種移住者は右續柄の者を幾人同伴するも差支なし但し年齢六十歳以上の者は二人以内とす

(二)、第二種移住者　組合員又は組合員と同一の家に在る年齢五十歳未滿の夫婦、但し夫婦又は年齢十二歳未滿の實子女、養子女、繼子女又は年齢五十歳以上の實父母、養父母、繼父母祖父母を同伴するも差支なし、但し年齢六十歳以上の者は二人以内とす

第三種移住者の姉妹同行

問 前號に確答を得られませんでしたが第三種移住者で自分の妹(又は姉)と妹のお友達を同行する事は差支ないでせうか。

答 政府が單獨青年渡航の便法を設けて第三種の名儀で渡航費補助金まで交付してくれるまでに進んで居るから自分の妹(又は姉)や妹のお友達を同行する位は何んでもない樣にお考へでせうが、事實は之に反し、單獨婦人の渡航は伯國移民法の入國規則によつて同じく取扱はれます。故に假令貴殿と同行されるにしても伯國植民總務局の認證ある呼寄證明書を必要とします。

アマゾン行き希望

問 アマゾン行の希望者です。南拓とアマ興とどちらで行くがよろしいでせうか。

答 南拓では本年度百五十族を募集して五、六、十の月に渡航せしめ、アマ興では本年度二百名を募集中です。兩者いづれがよろしいかは私共の立場では申上げかねますから双方の案内印刷物を差上げます。それによつてよく御研究下さい。

日亞拓植は中止

問 日亞拓植の手で亞國に渡航したいのですが未だ移住者を募集中ですか、事務所は何處にありますか(亞國渡航希望者)

答 日亞拓植では募集中止です。事務所は神戸市西出町六九一日本毛織株式會社内です。

事實無根の流言

問 去月上旬の新聞に大蛇に呑まれ生命危篤と云ふ見出しで上諏訪町出身資實健氏妻がブラジルで大ウワバミに呑まれた記事がありましたが事實でせうか。私は蛇を大嫌ひです。

答 あの記事は當會の斡旋でなく海興の扱ひで渡伯、珈琲園に就勞の筈です。アリアンサ移住地での出來事でない事は確かです。當會では早速、上諏訪町在住の本人の親類に依頼して調べて戴きました所、親類でもそんな事は云ふて來ないと迷惑がつて居るのです。輪淵俊午郎氏は日本へ歸つてそんな話を初めて耳にすると事實を打消してゐます。

眞價を認められて
躍進する第二次視察組合の出現

本會事業の一たる海外視察組合は今や燎原の火の如き勢を以て縣下に擴りつゝある次第であるが昭和二年計劃當初に於て一般の理解を求むる事は容易ならざる事であつた。其際に於て率先設立を見たるは更級農學校組合上水内郡富士里村組合であつて兩組合共當事者組合員一同の熱意により無事三ケ年の積立を完了し其間に於て海外發展講演會並に活動寫眞會開催等海外的思想の喚起に努め、殊に矢田先生の歐米各國視察は特筆すべき事である、今回日出度滿期、貯金拂戻しの上、續ひて左の第二次組合設立を見るに至つた

更級農學校組合
組合長 矢田鶴之助
黑田良次
中條勇
板倉長三郎

上水内富士里村組合
組合長 佐藤藤吉
理事 福澤啓藏
理事 西村要
大草彌一
佐藤利市
外谷本治
小川袈裟一
水澤豊惣
丸山幸三郎
早川喜七郎
今井正三
丸山文哉
安達益之助
若林茂一
若林信賢
末永武
宮本邦基
荒井雅次郎

上水内町柳原村組合
組合長 中村榮太郎
理事 中村與惣治
理事 外谷嘉三治
池田茂左衛門
小林卯吉
高橋義元
中村德右衛門
鹽島利男
小林淸次郎
若月治作
三澤義惠
竹内潔
花岡武雄
永井彌右衛門
竹内久吉

六月便船渡航者
若狹丸渡航者の變更
六月七日神戸出帆リオデジャネイロ丸
（七月廿三日サントス港着）
靜岡縣駿東郡浮島村 西家佐登里 三人
計 一家族 三人
五月廿九日（廿六日出帆延期となる）の若狹丸乘船渡航者山內映氏は中止した。

本年の渡航者數
アリアンサ移住地入植者數は左の如し

神戸出帆日	乘船名	家族數	人員
一月三日	サントス丸	四	二〇
二月十八日	ハワイ丸	一	二
三月一日	河内丸	二	一三
三月十五日	ラプラタ丸	三	一一
四月十九日	ブノスアイレス丸	二	一八
四月廿八日	博多丸	三	一一
五月十四日	サントス丸	一	三
五月廿六日	若狹丸	一	六
六月廿三日	リオデジャネイロ丸	一	三
計		一八	八七

會費領收
（自四月十六日至五月十五日）

一金壹百圓也 特別會員費 羽生田源三殿
一金貳圓也 鹽田與吉郎殿 內山重利殿 高野末太郎殿 百瀨作之進殿 濱重雄殿 橋本喜三殿
一金參拾圓也 埴科郡寺尾村視察組合殿

山田織太郎氏逝去
本會評議員特別出資會員として盡力された上伊那郡飯島村出身山田織太郎氏は五月十日腦溢血で逝去した、行年五十八才、同氏は模範組合製糸龍水社長として敏腕を振ひ南信の政界に於いても一方の重鎭とされてゐた

宮川良治氏逝去
本會員宮川良治氏は東筑摩郡生坂村の自宅に於いて五月七日逝去した。行年五十三才、前縣議にして蠶糸業に貢献した功勞者である。

海の外往來
永田稠氏（本會幹事）日本力行會の朝鮮農業練習所開墾着手のため先發隊を連れて渡鮮、五月十五日歸會された。

坂元靖氏 軍人の海外發展模範者とし、又ブラジル移民の珈琲園就勞の功績者として名高い後備歩兵中尉坂本靖氏（四三）は十六年振りで歸朝、開拓軍を指揮する偉風は將に凱旋將軍そのまゝ、永田稠氏著「海外立志傳」の一人物として登場してゐる仁である。

倉島彌太郎氏 力行會員で大正十三年渡米、今度歸國して新家庭を作りアリアンサに入植の準備中、故里は上高井郡川田村

澤柳猛雄氏 アマゾン興業會社事務澤柳猛雄氏は五月十四日神戸出帆のサントス丸で再度渡伯の豫定

お頒ち
讀者のために外務省通商局發行の左記印刷物を無代にて差上ます。
部數に限りがありますから申込順に差上げます。（送料は郵券にて可）

書名	發行年月	送料
一、亞爾然丁國北部地方殖民地視察報告	大正十三年四月刊行	八部 六錢
一、ボリビヤ國視察報告	大正十三年九月刊行	二部 十錢
一、伯國北部東岸及南部諸視察報告	昭和二年四月刊行	一部 十錢
一、伯國に於ける棉栽培	同	二部 六錢
一、コロンビヤ國移殖民事情視察報告	昭和二年七月刊行	一部 十錢
一、智利國事情視察報告	昭和三年二月刊行	一部 十錢
一、亞國「チャコ」の棉作及殖民地設計書	昭和三年七月刊行	一部 十錢
一、亞國移住に關する各種調査書	昭和四年一月刊行	一部 六錢
一、伯國ベイヤ州踏査報告及桑港河域の經濟調査	昭和四年五月刊行	二部 六錢
一、墨國事情	昭和四年七月刊行	一部 六錢
一、パラグアイ國視察報告	昭和四年十一月刊行	二部 六錢

編輯雜記
▽初夏が訪れて來ました。日増しに濃くなる綠が美しく、若人の胸を爽快にさせます。拓人はこの「綠」を愛する事が熱烈です。

▽とりわけ、雨後の綠は格別です艶々とした若葉に光る露は燃える樣な希望と光明を與へてくれます。本號はこの六月の綠に相應しく、冠頭第一頁に希望と光明をみつめて進む拓人を掲げました。前途に光明をみつめる青年が僅かの資金調達に失望して、挫折するのは余りに意氣地なき事です。拓人はまづ、胸中に躍るパイオニヤ、スピリツトによつてこの難關を突破する意氣と熱を示さなければなりません。それは春の野に陽光を浴びて大地を割り出でたる萠芽が六月の朝に滴るばかりの綠葉となる努力であります。

▽拓務省が新設されて一周年になります。拓務省一ケ年の努力は移植民政策遂行の上に幾多の成績を擧げて來ました。外務省の旅券規則も改正されて一ケ年になりますこれも好結果を示しつゝある事は慶賀に堪えない。本會では西澤幹事が海外視察に出發されて此處に一ケ年になります。過去一ケ年の移植民界を展望してこの六月は吾々に特別な奇縁がある樣に感じられます。

▽本號は有名な經育の珈琲通エフ、エ、ノルツ氏の伯國珈琲に關する觀察記をのせました。論述中には總括的にも斷片的にも得る所が澤山にあります。御精讀して下さい。西澤氏の海外觀察記、宮下氏の南洋紀行、藤澤氏の朝鮮閑話等毎號の呼物として喝采を博してゐます。代つて筆者に厚く御禮申上げます。

▽東鄕氏の論擊は政府當局を刺激し議會を通じて普く國民に此種運動の徹底化を呼びかけたものとして近來の快事です。海外通信では羅府在住信州人の親睦振りに異鄕に咲く人情の花の麗しきに感激してゐます。故松岡好一の奮鬪振りはどうです。現在の信州青少年にこの元氣がありますか。

▽人事相談では本欄が新設僅か三回でありますがすばらしい成績をあげて既に左の如く日出度く結婚が成立しました。

更級郡鹽崎村 宮本芳郎氏（在墨者）
下水内郡飯山町 飛澤てい子孃
東京市外南綾瀨町 松橋孝之助氏（アマゾン行）
小縣郡武石村 北澤たけ子孃

他に進行中のもの四件です。海外からの申込みもだん〳〵殖える事かと思ふてゐます。

▽視察組合が滿三年を經て更らに第二次の組合が續設してゐます。慶賀すべき事です。未設町村へのよき刺激となるでせう。（宮本）

◇寄稿大歡迎

海の外（月刊）（一冊廿錢）

	內地送料共	外國送料共
一冊	廿錢	廿四錢
六ケ月	一圓十錢	一圓四十錢
一ケ年	二圓廿錢	二圓六十錢
五ケ年	拾圓	拾四圓

▲御送金は振替（長野二一四〇番）に御願ひます。外國よりの御送金は銀行、郵便局いづれにても確實に送金下さい。
▲御轉居の節は早速新舊兩御住所を御通知下さい。
▲本誌へ廣告掲載御希望の方は詳細相談申上げます。

昭和五年六月一日發行
編輯人 永田稠
發行兼印刷人 西澤太一郎 長野市南縣町
印刷所 信濃毎日新聞社
發行所 長野縣廳內 海の外社
振替口座 長野二一四〇番

◎海外各地渡航手續
◎日本郵船大阪商船其他の乘船券取扱
◎臺灣滿洲支那其他世界各地引越荷物小荷物運送取扱
◎旅客手荷物船積卸通關手續運搬保管
◎旅券下附査證手續

營業所　神戸市京橋商工ビル内（電話三宮二〇八八番）
本社　神戸市三ノ宮驛前（電話三宮三〇八八番）
出張所　神戸市海岸通メリケン波止場（電話三宮三八一九番）

株式會社　神戸旅行案内所
KOBE EXPRESS (KOBE RYOKO ANNAISHO)

海外各地へ御旅行の場合は勿論、滿州、臺灣、瀬戸内海方面御旅行の際は是非弊社を御利用下さい。旅館の御周旋、汽船々室の申込、御手廻品の運搬又は通關等には必ず御滿足して戴ける事と信じます。

信濃海外協會
日本力行會
指定旅館

神戸市榮町通六丁目二一番邸
旅館　神戸館本店
長電話元町八六一番
振替大阪一四二三八番

神戸市榮町通六丁目中央局私書函八四〇番
株式會社　高谷旅館本店
長電話元町八五四番　一七三七番
振替大阪一一五八二番

神戸市海岸通六丁目三番邸
旅館　今泉本店
長電話元町三三一一番
振替大阪三五四一〇番

新學期開校にあたり全國小、中學校教育者に推薦す

永田稠著

文部省認定
日本植民讀本
菊版百五十頁
地圖挿畫澤山
定價六十錢（送料六錢）

北澤種一序
海外發展主義の小學教育
四六版四百頁美本
定價二圓五十錢（送料十六錢）

東京　寶文館　發行

著者が二十年間海外發展運動に從事せる体驗からしぼり出されたる血の結晶がこの二つの著書となつて現れた。
現在の教育の欠陥は日本民族發展に關する活材料を等閑に附してゐる事で、一般教育に海外發展に關する教育を加味されたならばと著者は此の點に深く留意して今回文部省の認定を得て實業補習學校各種實業學校、中等學校の課外讀本として日本植民讀本なる教科書を編んだ。
更に現在の小學校の教科書中、修身、國語、地理、歴史の教材中に海外發展主義の高調に利用すべき點につき學年別に其活用法を示したものが海外發展主義の小學教育で、この參考書によつて直ちに海外發展主義の教育を施す事が出來る。世の教育者に是非共必讀を願はなければならぬ好著である。

（取次）長野縣廳内　信濃海外協會
振替口座長野二一四〇番

（第二版）　日本力行會長
永田稠著

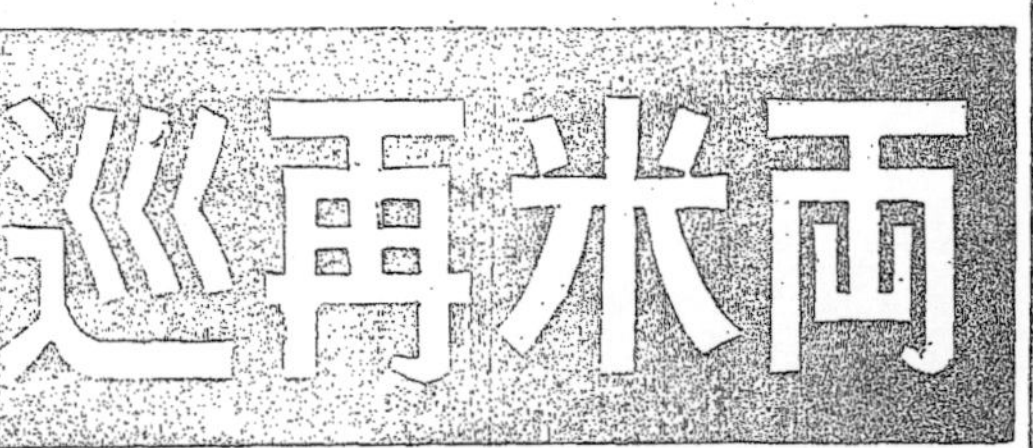

菊版四百廿餘頁・寫眞版三十頁・布製函入
定價一册金二圓八十錢・送料一册拾八錢

永田氏は信州の生める一異才である。嘗て南米を一週して『南米一巡』を著はし、信州に來つて信濃海外協會の組織に努力し、更に『南米信濃村建設』に關する大使命を帶びて、大正十三年五月末横濱を出帆し、布哇、北米桑港、ローサンゼルス各地に於ては海外協會支部の設立に盡力し、ソートレキー市にはモルモン宗教植民の跡をたづね、デンヴア、シカゴを經て華府に至り、紐育より大西洋を南下してブラジルに至り、移住地の選定、購入、入植の準備をなし、大正十四年二月日本に歸り來り、更に信濃村大成の爲めに努力奮鬪し、今や模範的にして世界に誇り得る移住地が建設されつゝある。『南米再巡』は氏が南北兩米を再巡せる記錄である。志を世界に有する者の一日も看過することの出來ない快著である。

長野縣廳内
信濃海外協會取次販賣

東京市外上板橋　日本力行會發行　振替東京六八八一番

海の外—THE UMINOSOTO
Published Monthly by the Uminosoto Sha. Nagano, Japan.

「海の外」第九十六號 （毎月一回一日發行）

（大正十一年四月廿六日第三種郵便物認可） （昭和五年六月一日發行）

信濃海外協會中央會幹事
信濃海外協會幹事 宮下琢磨著

序 今井五介氏
裝幀 石井柏亭氏

邦人活躍の南洋

行け！椰子實る國
南洋へ！！

最新刊

四六版紺布裝上製函入總六本
挿術寫眞五十五頁挿入
紙數五百頁最新式九ポルビ付

定價二圓五十錢 （送料十六錢）

生活の樂土は今日、天然の富源に充ち開發の餘地綽綽たる南洋をおいて他にはあるまい。而も南洋は日本人に頼らねばその開發發展は到底望み得られないのだ。南洋こそ將來邦人の活躍すべき新天地である。本書は三ケ年に亘つてこの新發展地南洋を詳細に觀察した著者がその赤裸々な實相を描いたもので、殊に、南洋に活躍しつつある邦人の實生活と邦人發展の實際と指標とを示せる點は、獨り本書にのみ有する特色である。又、著者はその政治經濟、社會万般の記事を記し、尚、南洋の實に明媚なる風光を描き人情風俗を寫して餘す所がない。挿入せる美術寫眞と併せ讀めば魂自ら遠く南洋に遊ぶの感があらう。本書は南洋に成功せんとする士の必讀書たると共に、南洋視察旅行者の良き旅行案内書である。

東京 岡田日榮堂發行

取次 長野縣廳 信濃海外協會 振替長野二一四〇番

信濃海外協會
海の外社發行

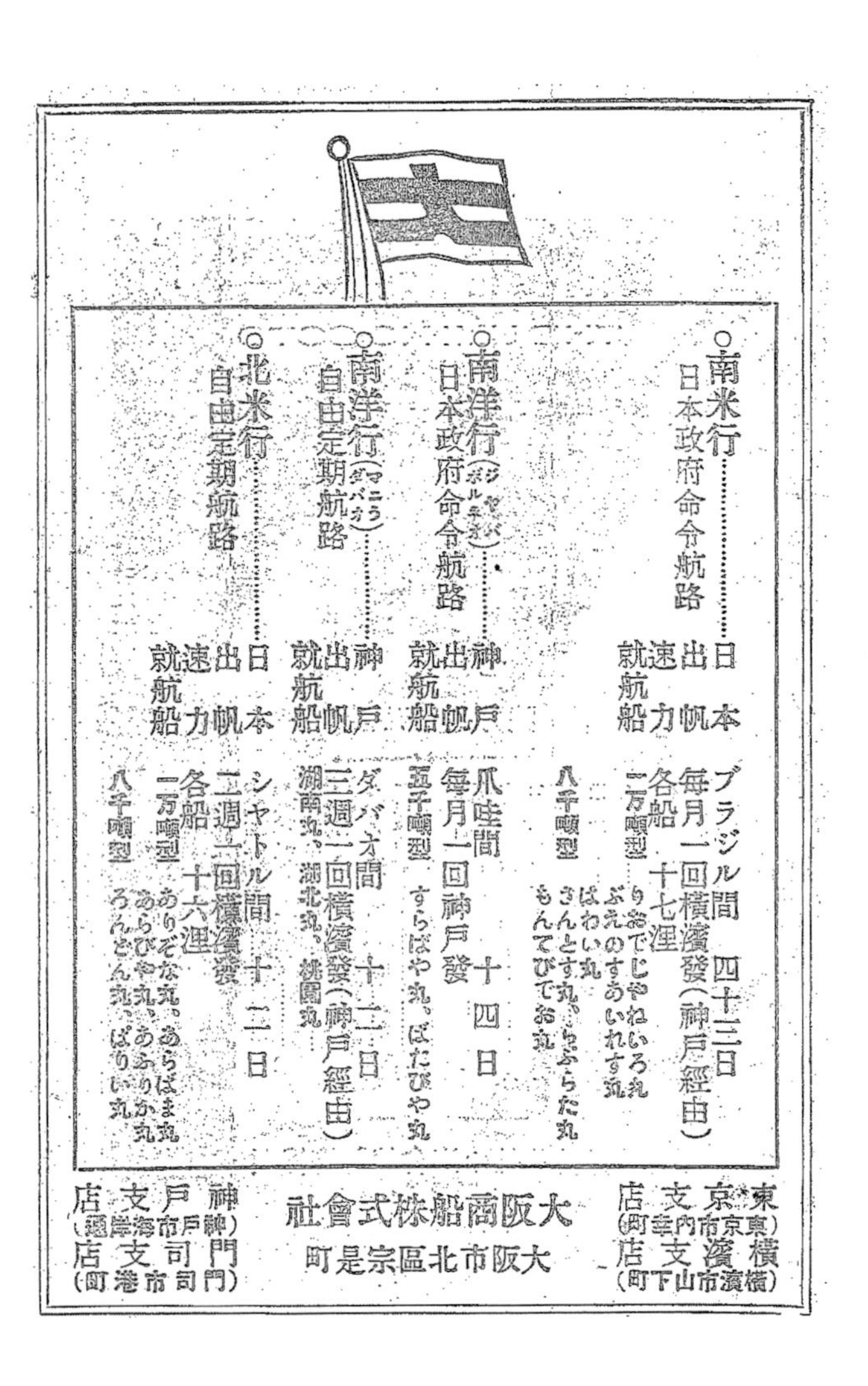

海の外
THE UMI-NO-SOTO

第九十七號
昭和五年七月號

目次

信濃海外協會海の外社發行

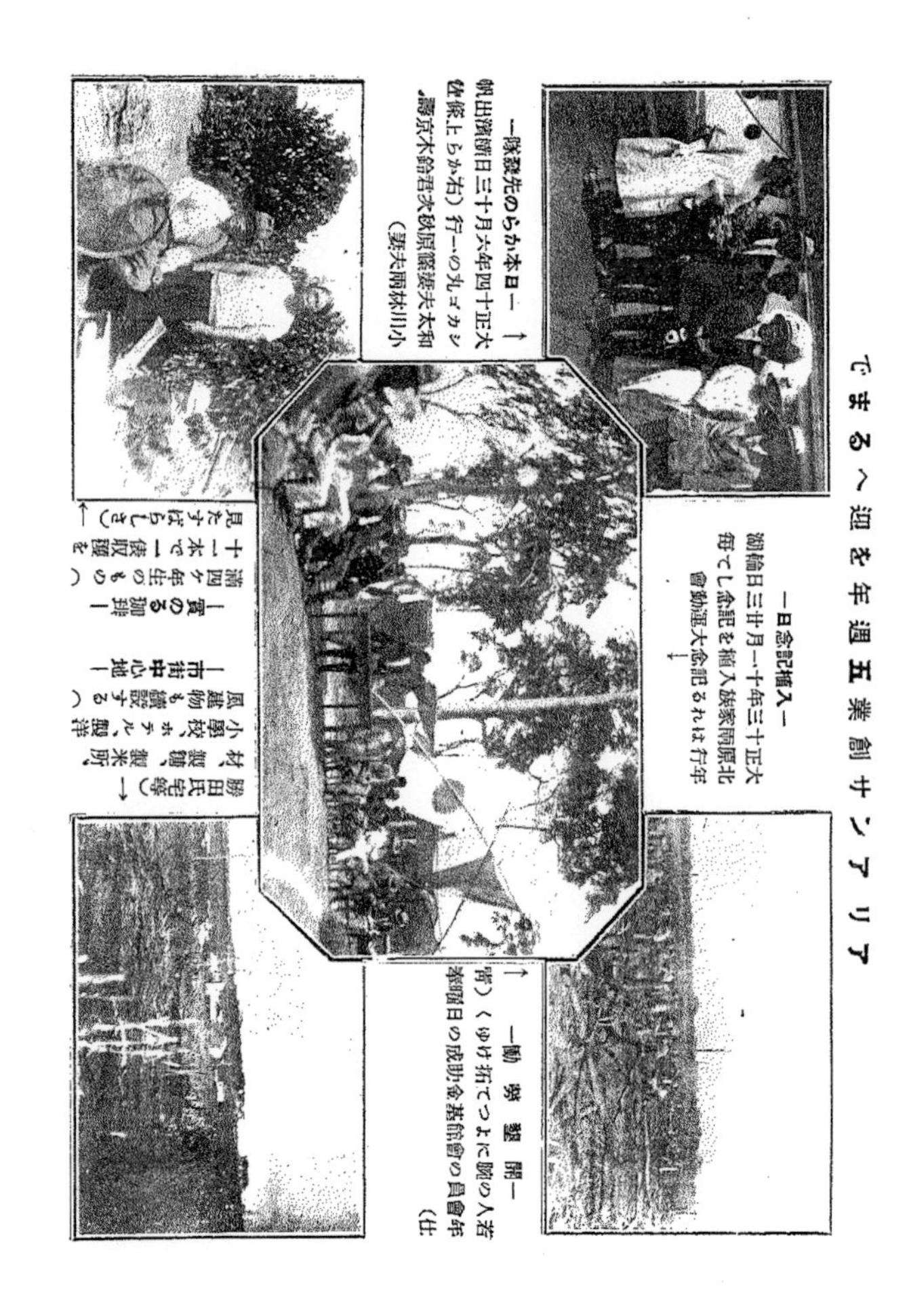
アリアンサ創業五週年を迎へるまで

—入植記念日—
大正十三年十一月廿三日輪湖北原兩家族入植を記念して毎年行はるる記念大運動會

—日本からの先發隊—
大正十四年六月十三日横濱出帆シカゴ丸の一行（右から上條佐和太夫妻、篠原秋次君、鈴木京壽、小川林兩夫妻）

—開墾勞働—
若人の腕によつて拓けゆく（青年會員の會館基金助成の日曜奉仕）

—市街中心地—
（勝田氏宅等）材、製糖、製米所、小學校、ホテル、製洋風建物も續設する

—實のる珈琲—
（滿四ケ年生のもの十一本で一俵取穫を見たすばらしさ）

夏の魅惑（北アルプス西穗高の勇姿）

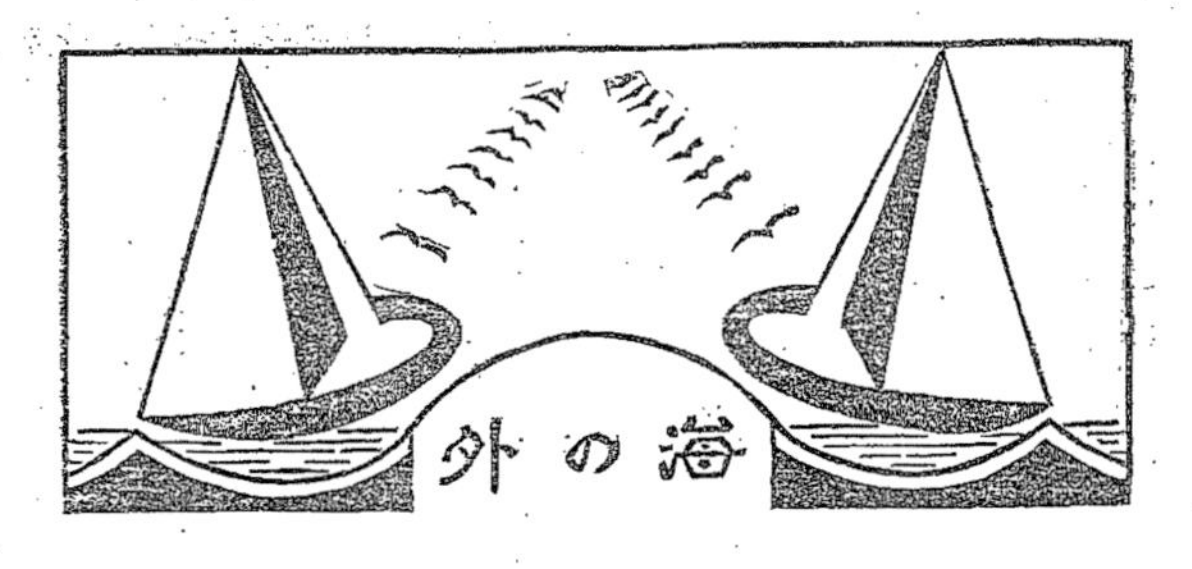

(昭和五年) 第九十七號 (七月)

千苦一掃

經濟苦と生活苦に惱む者。

農村と都市の衰運を歎く者。

社會國家の前途を憂ふる者。

須からく眼を海外に開け、心と身を海外に運べ、汗と血になる淨財を海外に植えよ。

天意豊富の大自然と千古斧鉞の入らざる大森林と沃野萬里の大平原とは限り無き愛と喜びとを以て君を待たん。

大風一過、萬塵と千苦とを拂はん。

—西澤太一郎—

珈琲園を巡禮して除ろに其の將來に及ぶ（二）

米國紐育市 珈琲仲買商 ノルツ商會主 エフ、エ、ノルツ

（十） 新しい政府の倉庫

目下ブラジル政府は各所に新倉庫を設立し舊倉庫を擴張しつゝある。人々の話に由れば聖州丈で二千萬袋を倉に入れるんだと簡單に云つてゐる。一方政府は不相變一袋に就き仲買に、六十「ミルレース」栽培者には八十「ミルレース」前貸をしてる。誰も不思議と思つてないのみならず栽培者は一本の珈琲に二「ミルレース」の前貸を貰つてる。但し金貨拂だ。政府が此奥地補助政策を採用してから、一袋に就き百四十乃至百六十「ミルレース」拂はれてる。

自分がリベロンプレートへ行つた時は、直積に對し百四十「ミルレース」の標準であつたが、他の地方では、百乃至百十「ミルレース」であつた。

（十一） 下等品控除

下等品は仲買が政府の倉庫に返し之に對し、新しい奥地からの品を引換に貰ふ。昭和四年の一月より六月迄如此取引は既に五十萬袋に達した爲に、上等品がサントスで一時品薄になつた。

新しい收穫は未だ內地であまり取引されてない。之等の取引は、荷爲替引換に行はれ珈琲は倉庫に入れられ、一二年の內に積出されるのである。從つて買手は二年間の利息を一割二分の率で計算し且つ自己の危險を防ぐ差益を引去るのである。

現在奥地の値段は、一袋百「ミルレース」であるが、サントス港では(第四番)に二百ミルレースで取引されて居り、此內諸掛たる運賃の口錢、Gold Lox 等は百五十ミルレースである。だから近い未來に聖州の栽培者は或新しい重大な困難に遭遇するであらう。

（十二） 取引及栽培上の困難

政府の倉庫へ持込む珈琲に對して發行する荷爲替に由る取引

は、必ずしも安全とは云へぬ。何となれば或場合には、僞造の爲替をつかまされたり、又、品質の置換をしたる場合の一二年後始めて惡い品をつかまされた事が判るからだ。

目下の狀態（昭和四年六月）では此先何うなるか全く見當がつかぬ。勿論昭和四年、五年の收穫如何が九月十月開花後に判る事云ふ迄もない、上述の良好な結果狀態のみを見て將來を判斷するのは早計であらう。或は栽培者が恐れ仲買人が喜ぶ霜が降るかも知れぬ。又は、旱魃、降雨が開花を妨るかも知れぬ虫害があるかも知れぬ。尤も之は政府の努力で無くなつては居るが。

今回の旅行で驚いたのは、Nitrophosphate と云ふ肥料の使用である。例のサン、サルバドル國の珈琲の發達は、此肥料に由ると云はれてる。一本に就いて約三百ミルレース即ち米貨の約四仙であつて、立派に償つて行くそうだ。若し之が古い木を有する地方に行はれ出したら「ブラルジ」の珈琲も一大變化を爲すであらう。

實際の所今度の收穫が何うなるか判らない、表面は良さそうだが、例へば、明治四十四年には、花がウント開きそうだつたのが葉が多くなつて了つて、收穫が、八百五十八萬五千袋に終つた事があつた。だから、(今昭和四年七月)此處で、本年度の收穫量を述べ度くない。

（十三） 珈琲調節策に就いて

昭和四年九月に、亦珈琲園主會議が開かれ昨年からの狀態に應じて調節策を論議する事になつてる。其議題の一つは、各州の私限を中央政府に集め輸出高を制限しやうと云ふ事である。之は、聖州で始つた調節策を更に押廣めて各州の增加しつゝある生産、及他の中米南米、南洋諸國の生産に應じやうとするのであらうから、最後の手段としては、生産を制限する爲に、植付を禁止するかも知れぬ。そうすれば、漸く開拓の緒に着いた許りの他の州が承知せぬ即ちパラナ、エスピリツトサント、バイヤ、ゴヤス、マツトグロツソ、ミナスゼライス等では聖州、リオデジヤネイロ州の古い珈琲園よりぐつと廣く出來るからだ後の二州なんか將に飽和點に達してる。更に實際上より見れば各所で既に盛んに植付て了つた後に今頃、植付禁止も遲いではないかと云ふ人もある。此問題は仲々難しいもので、各州の間に反目軋轢が出來やせぬかとも考へられる。

（十四） 次期大統領選擧と調節策

ミナスゼライス州知事、アントニオ、カロラス氏が次期四年間大統領の候補者に立つたと云ふ事は、大恐慌を起した。一般には、昭和五年に任期を終える現大統領後繼者としては、順で行けば、誰か他の州から出る筈だが、聖州知事がなるとの噂だ。つまり現往の珈琲問題があるからだ。アントニオ、カロラス氏は最早や七十才餘の老人で日本で云へば所謂元老株の人であり進歩改革の人とは云ふものの兎に角老人である。反之現聖州知事プレステス氏、調節局長ラリンフオレス氏、更に新ブラジル中央銀行頭取ゴルダス氏等は揃つて若手のチヤリ／＼であり、

精力家である。

（十五） 一般商業界及財界

金融は目下梗塞狀態に在る。誰も彼ももつと金が入用に思はれる。之は何も奥地に珈琲が貯つてるからでなく、此國の驚く可き急速な發達に種々入用だからである。之は丁度我々母國北亞米利加合衆國でも土木事業だ、やれ鐵道だ、やれ建築だと金が要ると同じだ。

商人は目下一割二分の高利を銀行に拂はねばならぬ、此狀態は昭和四年の終り近くに從つて段々ひどくなつて行き、一般經濟界を劫すに到るであらう。噂に由れば、新に外債を募集すると云はれてる。成程之は、昭和四年度の珈琲が出廻り出せば、一般の金融界の梗塞及世界金融市場の趨勢に鑑みて、ブラジル政府殊に聖州廳の面す可き重大な問題であると思ひます。

經濟界及政治界が珈琲の生産に及す影響、輸出、新市場の開拓、調節局は最後の鍵を握る。

前回は、サントスへ出て來る收穫を一千七百萬乃至一千七百五十萬袋だと豫想したが、今種々の生産地の人々に會つて聞いて見ると此數字は少過ぎると思ふ。即ち、結實が良いので收穫が增すと思ふ。先日エスダード、デ、サンパウロ紙に發表されたパウル市よりの報告が良く示してる。夫に由るとノロエステ參線の收穫は昭和四年度は、百六十一萬袋との事だ二前年は百八十萬袋だつた。然し珈琲園主の大部分は本年は若い木が大分結實するので、百八十萬袋を越えるだらうと云ふてる。ボルボン、コーヒーの上等品が、今年（昭和四年）は盛に若い木から取れる所を見ると、之は眞んだと思ふ、

（十六） 一般珈琲界

幸に今回は多くの有力な、珈琲界の人々に會ふ事が出來、聖州奥地の人々の意見を聞く事が出來た。

其處で問題の調節局の政策に就いては、幸に同局長は昭和四年五月十五日に、極めて率直な意見を出して居る。曰く「今此處で値引を以てするとしても夫は既に遲い。吾人は、凶作があつて此剩余の手持を吸つて了ふ迄は、ドン／＼生産する積だ。丁度大正五年の大豐作の後に起つた如き現象迄。且つ若し此方針が誤つてるなら其時吾人は始めて兜を脫ぎ吾人と一處に外の生産國も共に倒れて了ふであらう」

頻々として來る奥地よりの豐作の報導に由り實際調節局も大分面喰つたらしい。然し夫も、サントス市で昭和四年十二月渡の先物をウント買ひに出た爲に一般の疑は解けた。のみならず、調節局の買所は遂に從來の方針を續くるものと思はせられる。更に、七月十一日調節局は、各地の栽培者に通告を發し、鐵道で收穫はドン／＼運んで、倉庫に入れ、前貸もすると云つた。目下一袋に付、六十ミル出してる。尤も「五十ミルレース」に減すと云ふ噂もあるが、未だ實現されない。

（十七） 聯邦政府及縣廳の保護

近々政府筋は、收穫を買上げ一般金融界の逼迫を救ひ、同時に、栽培者の安賣を禁止するだらうと專ら噂されてる。昭和四

年七月十四日に發表された、縣立銀行の貸借對照表を見ると、現金は、十九万七千「コントス」とあり、約三百五十萬袋の前貸分に當る。之に又前年以來の古い手持が、各地の倉庫に未だ八百七十五萬袋見當ある。調節局最近の態度に由ると亦々外債が成立した如く思はれる。責任ある當局者の言明する所に由れば、「ブラジルは、二千萬乃至三千萬否例ひ四千萬袋の珈琲が奥地の倉庫に貯はるもびくともせぬ。又、他の諸外國がどん／＼生産せやうがそんな事は一向平氣だ」との事だ吾人は之に質問して

「そんな大きな手持を買入れる事は大變な事で結局御百姓の負擔になりはせぬか」

と云ふたら、之に反駁して

「今の値段なら充分栽培者は其危險を償つて餘りあり、投賣をする事から考れば、ずつと樂だ」

と樂観されて居る。

此處に我々の注意す可きは、此拂はれた金は結局此國に殘るものであり、今の値段は、充分に爲替を支持して行くものである事を知る必要がある。

當局者は曰く、昭和四年の收穫は一千四百萬袋である。昭和五年は、九百萬か一千萬袋であらうと云ふてるが、成程、木の狀態は良好ではあるが、萬一、又葉が繁つて結實が少くなる事があるかも知れぬ。吾人は、一体政府當局が、此危機を如何に處理して行くのか、判斷に苦むものであり、此一大事に際して當局者は相不變斷乎として從來の方針を續けてゐる。此憂ふ可き狀態に際して實に大膽であると思ふ。

（十八） 內政の問題

所が、之を生産地、仲買人、銀行の連中に聞いて見ると、大分話が違ふ。吾人は今問題を云出し度くない。と云ふのは事、ブラジルの內政の問題であり、我々外國人は皆、「ブラジル」人から話を聞かされるのだから。然し一言し度きは、一体政府は此先何うするのだらうと云ふ不安の念が、各地に次第に高りつゝある事だ。金は珈琲の買附の爲にどん／＼持出して金融界逼迫してる。小賣業者は仲々入金がないので、取引停滯し、又、物價は騰貴してゆく。一般の人々は我慢してゐれば、其內に政府は、何等かの切拔策を講じるであらう、と思つてゐる。呑氣なものだ。無論、事態重大だと云ふ事は知つてゐる。調節が何時の間にか値段の釣上になつて了つて大消費者たる北米合衆國へ挑戰したのは仰々いかぬのみならず、世界各地に珈琲の栽培を激成し、自己の獨專的地位を失はれ出した事を悟るに至つたのである。

斯の如くブラジル政府が珈琲の値段を狂値段に釣上げしたために、土地の投機熱を揚り、製造工業に手を出たせ對外貿易及金融界は珈琲に由つて支配され、四六時中珈琲によつて、良い氣持になつてゐたから、こんな大變の事になつたのだ。若し其代り節約、緊縮を說き、生産費を切詰め、從がつて値段を下げたらこんな事にはならなかつたかも知れぬ。（未完）

外海視察記

―寄港地の巻―

大西洋上（其四）

信濃海外協會幹事 西澤太一郎

ケープタウンの街の様子や邦人將來の發展の方法などを詳細に調べたり、領事館に、永い航海の間親しく語らひたる新任山崎領事とも盡きせぬ名殘を惜しみ、令夫人及び可愛い長男の御幸福多からんことを祈りたかつたが既に午後七時の出帆の時間が迫つたので、遺憾ながら外出を中止した。

黑い土人が、何やら分らぬ言葉で頻りと荷物の積込みを急ぐ。夕暮れ近いので其聲のみ聞えて顏が判らぬのも、うら可笑しく感じる。やがて出帆のドラががん〳〵なる。氣笛が三度港内やテーブルマウンテン、ライオンス山に丁度そのライオンの吠ゆるが如く浦々へ響き渡る。いつしか船は港を離れた。海上波靜かにしてケープタウン灣上は美しいイルミネーションのあかぬ眺めである。大空は寒い夕ぐれに星またゝき昨日の夕月は亦新たなる姿を見せる。かくて我等の惜しいケープタウンの別れはすんだ。

船中ではケープタウンで、購入した寫眞帳や品物の批評や、繪端書の整理や、街の中を見物したる色々の話で賑やかである。六月十六日今日は日曜日である。

船はだん〳〵西へ向ふ正午には南緯三十三度五十二分西經十三度二十八分へ行つたケープタウンを出帆してより二五〇浬である。空中溫度は五十七度水溫五十九度である。波稍高く天氣は晴朗なり。

船內では、氣候がよくなつたので色々の催しがこれから度々實現されるだろうとの話し合ひが諸所に起る。

今日は午後になつたら一層氣分がよいなどと話すものが多くなつた。

四時頃になるとそれ鯨だ〳〵と大騷ぎが始つた。船尾の方に多くの人々が集まる。遙か後方には二ケ所に噴水が見える、大海原の眞中に勢よく水を吹き上ぐる二匹の鯨如何にも雄大といふか痛快といふか此大海原を住家として巨大な体を自由に泳いで魚界の王を氣取つて居る樣である。あゝ大きい、あゝ壯觀だ、あゝ勇しい、生れて始めて鯨を見た拍子がよかつたと喜ぶ人ばかりである。

六月十七日月曜日　サントス丸の新聞は次の記事を掲げた

英國新議會愈々二十五日召集
　マ首相陛下よりの敎書持參
（ロンドン發十六日）　（一）
英國新議會は愈々今廿五日火曜日に開會される爲め開地にあつたマクドナルド首相は內閣施政に關する陛下の敎書原稿を持參し歸京の途についた。勞働黨が議會開會に當り責任者として、陛下の敎書作製に當つたのはこれが最初である。嘗て一九二四年勞働黨が內閣を組織した時は右の大任は既に前保守黨內閣の手によつて果されその爲めに此の光榮ある任務を果し得なかつた。

待たれた會見、マ首相ド新大使
（ロンドン發十六日）　（二）
マ首相と新米大使ドース將軍との會見は十六日午後フォルスステーションで行はれたが、是より先兩氏の會見を見んが爲め群集は多數停車場に押しかけ數萬の人を以て埋められた。マ首相は夜行列車でロンドンから同所に向ひドース將軍を業々停車場まで出迎へ、大使の列車內に入つて殷懃なる挨拶をなし數分間會談の上共に汽車を出て、市の公式歡迎會に臨み終つてロージーハウスに向ふた。こゝでは、首相終生の友たるアレキサンダーフランド夫妻が出迎へた。

×　　×　　×

こんな記事が出た。勿論サントス丸へきた外電を載せたものである。

午後の二時には救命假想練習があつた

第二回救命假想練習會

船底に大穴があいた、三米浸水した。それ大事だといふのが想定である。

時ならぬ警笛が鳴る。物凄い様な響きである、九百の乘船者は總立ちとなつて騷ぎ廻る。近藤事務長から船底に故障が起り本船は既に三米浸水したから速かに救命器を用意して、船上に集合されたいとの命令が出た。

船內は忽ち修羅場と化した。阿鼻叫喚、悲鳴號泣、上を下への大騷動となつた。船客は何れも我先きにと押し合ひ、ひし合ひ救命器を持ちて日頃定めてあるボート目がけて集つた。上甲板へは一等船客の男女各々救命器に身をかため同じく大さはぎで定めのボートへ集る。手廻り荷物も携帶品も何もかも皆打捨てゝ誰かれの別なく唯早くボート〳〵とその下りるのを待つて居る。油がきれてボートを下ろす機械の堅いもの、時間がかゝるのであはてゝ居るもの、待ちきれずして飛びまはるもの、ボートが異るのでかけ付けても拒絕されるもの、船員のボート下ろしを手傳ふもの、大聲で早く〳〵と賴むもの、汗びつしよりになつて機械を廻はすもの、ボートに乘込むもの、覆ひをとるもの、艫の梶を取付くるもの、繩を切斷するもの、忽ち訓練されたるサントス丸の船員諸君は受持のボートを皆完全に下ろし乘込員や、乘客全部を乘せ込ませて避難の準備が出來た。皆救助された。ボート內は泣く者、叫ぶもの大騷ぎであつたが今は皆

喜びと變つた。ヤレ嬉しやと皆ホツト一息ついた。そして船長以下船員各位の平素訓練され誠練された敏速機宜を得たる處置と、其大膽にして用意周到、沈着にして應急處置をなされたるを驚嘆した。そして大に其の行動に驚き且つ感激した。淚さへ流して喜ぶものさへ多つかつた。すべてが冷靜に歸つたのが二時二十五分。

これが演習と假想である。

船は益々早く進み毎時十四浬半位である。甲板でデツキゴルフをなすもの、テニスをなすもの、金捧、繩とび、繩廻し飛越え、鬼ごつ子など樣々の遊戲をなす。日は西海に沒した夕やけの景殊によい。

悲しき水葬

「長崎縣人永田杉松長女永田照子（一ツ）は十六日午后五時半痲疹から急性肺炎を併發して遂に死去した。因に十七日午前十時納棺午後八時讀經八時半水葬するこれで痲疹死者九名」新聞は報じた。

私共は一人でも少なかれと祈つたが遂に又一人死んだ。船醫の原ドクターは寢食を忘れての努力、看護婦も又我が子の如くに專心看護につくされた。然し天壽の止むなき又一人の死を！あゝいたましいことである。其兩親や家族のものは如何にも悲哀にたえぬだらうと御察しした。乘組の移住者や、知人、婦人會、青年會、船長、家長委員長など皆その悔みをする。

夜は例の如く船尾のハッチで形ばかりの佛壇が作られる。線香の煙りが登る。鐘が据えられる。菓子や林檎が供へられる。定めの時間に船の葬儀係が出で一切を準備する。やがて遺族や兩親の淚の手で死体の小袋が運ばれて佛壇に安置される。例の如くに讀經あり。兩親遺族、船長、機關長及一等運轉士、海興監督、家長委員長、小學校長、青年會長、婦人會長、一等船客代表、一般總代、其他特別關係ある知人などの燒香ありて讀經の終る頃三度弔ひの氣笛いと悲しく大海原に大どらがねの如く大音に響き渡る。星は晴れて見えて居たが、此愛兒の靈に弔ひのつもりか急に曇つた。淚の光るものすゝり泣きの聲、小さな低い聲で所々で南無阿彌陀佛々々。咳一つ聞えぬ、足音一つせぬ歩む音もしめやかにいと靜かである。おゝゝ―と母親の泣き聲、あゝ悲しくも又憐れにも此兒も九人目で又日の丸の旗の下から大海原へドブーン汽船の走る水の音、スクリューの音より外は何もない。一時に時雨の如く雨の降るに會ふ。あゝ此兒の淚雨かいつしか兩親は知人や、遺族に伴はれて室へ歸つて、さめ〴〵と泣き明かす、他人と同室に居るので思ふ存分に泣けぬ悲しさ、御察しする。我等は只々此の亡き兒の靈を弔ひ殘れる親は又子の爲めに兄弟は又はらからの爲めに、其子の働きや、人の世の爲めに其の身盡すことにより慰靈の誠となるであらう。嗚呼亡き子よ、と瞑福を祈るのみである。

たらちねの深き恵にうるほはで
　大河原のたもとくぐりぬ

（六月十七日）

南洋行（八）

信濃海外協會幹事 宮下琢磨

鐵木

鐵木はボルネオが產地です。一口に鐵木（アイオンウード）と稱するものも、仔細に言へば、ボルネオのものをボルネオ鉄木といひ、錫蘭のものをセイロン鉄木、といひそういふ具合に太平洋、交趾、ビルマみな異なつて居ます。藤黃科に屬するものもあり、樟科、荳科に屬するものもあり、木麻黃科に屬するものもありまして、その種類も八十餘種あるさうで、鉄木といふだけあつてその木質が堅くて水にも腐らず、白蟻にも犯されず萬代不易といはれて居ります。建築材としては堅牢で耐久力のある點から理想的のものであります、只、餘りに堅くて加工上非常に困難のあるのが缺點であります。この邊の土人の家はヂヤワなどに比べて、堂々たるものですが、細く割つた鐵木材を用ゐますので、骨組などは華洒に見えますが、これで、なか〳〵堅牢なものださうです。うす〳〵剝いで屋根板にしてこけら葺にしたり、又鷄の羽根のやうに小板を組み合せてつくつた板壁も綺麗なものです。しかし、これもだん〳〵土人が濫伐をしたので、交通の便のあるところなどには少なくなつて山奥に行かなければないやうになりました。

ボルネオ材

ボルネオ材は建築用家具用などに用ゆるもので海外に輸出する木であります。セラヤと云ひ、ラワンといひ、スマトラでいふメランチーも同じものと思ひますが、直徑一尺位の幹で三四十尺それ以上も同じ太さを保つて筆を押し立てた如く直立して居ります。それから頂上に行つて枝を四方に張るので、外見震へつくやうな良材でこれなど立派な建築材として需要の多いものだと思ひましたが、歸りの船で、英領ボルネオのタワオから久保田農園の材木部の人が管理をして、香港へ送るボルネオ材を、始めて材木として觀たのでありますが、これ等の良材が上

から下まで、又は半徑まで十文字に通しで疵が這入つて居るのです。これでは利用可能率が何パーセントになるか、實にこの木にしてこの缺點あり、惜しいものだと思ひました。日本でも多少の使ひ途はあるやうですが、フイリツピン材に壓倒されて取引にはならないやうです。

土人ゴム

土人ゴムは僅かなものだと思ひましたが、どうしてボルネオは實に盛んなもので、南部に行けば益々盛んで侮るべからざる勢力を持つて居ります。これはバンヂヤルマシンのところで猶詳しく述べることに致しますが、土人ゴムの强みは全く生產費をかけない點にあります。ゴム園は一エーカーで三百五十ギルダーは開墾、除草、植付、カバーグラスなどにかゝるのですが土人はゴム種子を拾ふて來て、空いて居る地所へいきなり蒔きつけるのです。土地の所有權もなにもありはしない、作物を植ゑればそれが自分のものになるのです、ゴムの幼樹は雜草と共に成長して行きます、そのうちに雜草よりゴムの木の方が大きくなつて行きます。もとより、樹の配列も間隔もありません。密生したものを威勢のよいものだけ殘して間伐して行きます。雜草の爲めに養分を吸ひとられやうとそんなことは構ひません元來が餘暇と餘地を利用したのですからゴムの價が出れば採液者と折半で盛んに採液します。値が下れば、そのまゝ何年も抛つて置きます。集めたゴム液は錯酸のやうなものを加へて、凝固させ庭先きの垣根に持ちて行つて干して置くと、これが、商品となるのです。野村の工場などはこれで立ちて行つて居るのもあります。これを買ひ集めて更に精製して二等品をつくるのです。南部に行けば十萬エーカーも連續して居るところがあります。サマリンダ、テンガロン附近も土人ゴムが殖へて懐工合が良くなつて居るのです。

そのほか胡椒あり、籐があり、ダマルもありますが、菓樹なども栽培をして居ります。菓樹にはドリヤンもあり、マンゴスチン、などもありますが、近頃コーヒーの栽培を試みて居るのもあります。

サマリンダの市場で調べて見ましたところ數の多いのは、左の品々でした。

ラツキヤウ、水瓜　マンゴウ　シエーレー（口に入れて嚙んで居るもの）バナ、芋　コ、ア　玉蜀黍　サゴ（澱粉椰子）パインナツプル　茄子　胡椒　南瓜　サ、ゲ　アヒルの卵鷄の卵

サンガサンガの日本人

サマリンダの近く、近くといつても船で行つても、自動車で行つても三時間かゝるところです。これは石油の產地で有名であります。從前石油汲み出しの高い枠を立てるのに日本から大工が行つたものです。今では土人が可成り複雜な家の建築位やるやうになりましたから、餘り日本人を要さなくなりましたが、それでも設計や請負の親方に谷口といふ人が頑張つて居ります。それから雜貨店で後藤、山本といふ二軒がありますが、微々たるものです。

中部はこの位にして南部の野村王國バンヂヤルマシンの方に移りませう。

南ボルネオへ

愈中部ボルネオのサマリンダを引きあげて南部バンヂヤルマシンに向ふことにしました。サマリンダの野山をあるきまはつて、三週間を夢のやうに過ごしたのです。

サマリンダからバンヂヤルマシン行きの船が一週に二回出ます。この時乘つた船はゼン、ヘルスベツクといふ六百四十噸の船でした。凡て和蘭の船は運賃も高いが、南洋通ひの日本の汽船のやうな御粗末のものではなく、こんな小さな船にさへも、相當の裝飾がしてあります。

出帆が間近くなつたので、見送りの人が一パイ波止場に集まつて居ります。こゝの或る會社の青年社員が乘り込んだのを、社交倶樂部といふやうな連中が船まで送り込んで來たが、その騷ぎといふものは、實に凄まじなんど言ふばかりなしといふ光景でありました。一寸御紹介しますと、その乘込みの青年を先頭に立て、次の青年は、その青年の兩肩に兩手をかけて押して來ます。第三の人は第二の人の肩に兩手を當て、かくして、二十人程長蛇の如く、日本で言へば山車の時のやうな掛け聲で、船の中にナダレこんで來たのでした。さて、船の中に這入つたら靜に酒でも飲むかと思ふ所。この長蛇は、景氣のよい掛聲で、船の中ぢう練つてあるき、最後に、食堂の中を押しまはして騷いであるいて居ります。これが青年だけならば、異樣にも感じませんが、二人おき位に年輩五十過ぎの、顏が皺だらけの人や、頭の禿げた人などが無邪氣の騷ぎをやつて居るので、馬鹿氣ても居るが、その天眞爛漫無邪氣なところに感心もしました。日本人だと五十にもなろうといふ手合では義理にも中々この氣持ちになれと言はれたとて成れるものではありません。この騷ぎが終つて、皆々盃を擧げ、健康を祝して歌を唱ひながら外に出て行きました。これで一段落かと思ふたら、ビール函を二函ばかり上甲板に持ち出でました。どうするかと思ふと、蓋を破つてビールを取り出す。一本二本、三本、高い處から下に拋げおろす、ベースボールの稽古です。一つも間違ひなしにキヤツチしました、受けとつた連中はラツパの如飲み、忽ち一函空になりました。こんどは次の函をあけます。景氣はますく～よくなつて、ビール瓶を振り、旗をふり、歌をうたつて居るうちに、汽船は出帆の號笛凄まじく徐々に岩壁をはなれました。

こんな馬鹿騷ぎで、わたしは和蘭人が好きになりました。

バンヂヤルマシン

バンヂヤルマシンは、スマトラのパレンバンの如く、又サマリンダの如く海から數十哩ネガラ川を遡つたところにあるのです

大体、靜かな川を挾んだ港町で、スマトラのパレンバンよりは遙に小さいのですが、ボルネオに於ての一等の街です。バンヂヤルマシンの附近から奧地へかけて、護謨の生產を以て聞えて居ます。このゴムといふ產物があるので、このバンヂヤルも發展したのです。西部ボルネオにはポンテアナといふ港がありますが、ここは昔し金剛石が出て、支那人が多數入り込み早く開けたところであつて、豐臣氏の頃の御朱印船もポンテアナに、は來たやうです。これに比べるとバンヂヤルは新しいが、近時ゴムによつて長足の發展を遂げたのであります。

船はバンヂヤルマシンに着きました。

豫め、川波君の方から電報を打つて置いてくれたので、野村護謨園總支配人三竹氏が船に見えました。

それからもと獨逸人の家であつたといふ宏壯な野村事務所にまゐつて三竹氏の御紹介になることになりました。次に野村王國の御紹介を致しませう。

× × × ×

× × × ×

邦人栽培面積地方別表（ゴム、椰子、麻、茶珈琲等、面積英加）

	總租供面積	植付面積	生產面積	農園數
馬來半島	九七、〇三一	六二、三三五	五〇、七四五	一三五
英領北ボルネオ	五八、八三八	一九、四三〇	一三、二八一	二八
サラワク	七、四三三	四、七三一	三、三三一	一八
蘭領スマトラ	一三三、〇三五	三一、八五九	一四、六九一	三六
同ボルネオ	九三、五三九	一三、四五六	五、八五六	四三
同瓜哇	七二、二〇六	三三、〇五八	一八、三五二	一五
其他	一九、一四二	六、九七七	二、五〇〇	一七
比律賓	六五、〇八一	四四、二〇八	三四、三〇〇	四三
計	五六五、二六五	一九五、〇三四	一四一、九二七	三二四

邦人ゴム園面積地方別（一九二九年四月現在比律賓は僅少ニ付略ス）

	租供總面積	植付面積	生產面積	豫定年產額（單位千）
馬來半島	九三、〇四七	五九、六一六	三〇、二二九	一七、四六八
英領ボルネオ	三一、八六九	一三、一二四	一〇、六二一	一、九八三
サラワク	六、九八五	四、五四八	三、三一一	一、〇五七
蘭領スマトラ	一四八、七五九	一九、八二三	一四、〇〇五	四、四〇九
同ボルネオ	三七、九五四	一〇、一三一	五、五八六	一、九〇五
同瓜哇	四三、九四六	四、六一四	三、三六八	一、二六九
計	三六一、三六〇	一一一、八四五	八七、一三一	二八、〇九一

專政國シヤムに於ける モダニズムの伸展

在暹　一閑生

凡そ完全なる獨立國として國際間にその存在を明にして居る國々の內に、形態に於て實質に於て暹羅程その專制政治の本領を發揮して居る國はあるまい。尤も伊太利とかソヴエツト聯邦とかその內容に於て極端な專制政治が行はれる國もあるが絕對的君主獨裁政治が完全に行はれて居る國は恐らく暹羅以外には有るまい、然も國民の大多數はこの現狀を以て先平安無事として喜ぶの次第であつて印度支那半嶋の中間に位し東に佛領印度支那、西南に英領緬甸、馬來に回繞せられる此所暹羅は國の象徵である白象そのものの樣に鷹揚であり象の目の樣に穩に半ば閉されて居る、と誰しも思ふであらう。然り外表に於ては如何にもその通りである。爲政治は努めてこの外觀を粉飾して平安を裝ぐに日も足らないの態を示して居る。果して實際に於ては如何であらうか。

今や世界は滔々として動いて居る。古きものはその殼を破り出で新しきものは更に新奇に走りつゝある、政治的にも經濟的にも世界を襲ふモダニズムの風に人として物として染みないものとては無く、世界に國をなすものも亦多かれ、少なかれその影響を受けつゝあるのである。この秋に當つて暹羅のみ獨り何時迄も武陵桃源の夢に甘醉して居ることは果して許されるであらうか。

暹羅の外表には平安の古さがあるであらう。然し仔細に見渡せば色々の方面に新しき色調が古きものの上ににじみ出て居る事は否むことは出來ない。或はその色調は未だ薄いものであるかも知れない然し時と共に徐々にその濃厚さを加へて軈ては夫れが彩る古きものの形態の外觀を一變せしむること無しと誰が斷言し得ようぞ。

この際暹羅の社會各般に亘つてにじみ出た又出でんとして居る新しさの色調の一つ二つを拾ひ上げて見ることは暹羅の現代から將來に及ぶ方向並にその速度を卜する上に可なり役立つ興味あるものであらうと思ふ。

× × ×

暹羅に於ける政治態樣は國王獨裁である之は建國の昔から今に續く所のものであるが夫れは昔の支那や歐羅巴諸國に行はれた樣な征服者が被征服者に對したものでは無く寧ろ日本などに見られた天皇獨裁の形式であつて國父が國子を統べると言つたもので一種の仁政である。之は當國の歷史上に於て重要な作用を爲し來たつたもので之あるが爲めに今に至つて尙專政が續け得られたのだと思ふ。シャムの中心を形成するタイ族は自ら自由の民族として古來獨立を愛すること異民族に對し寬恕であること、及び同化力の强いことを以て三大國民性として誇つて來た、往古西南支那の高原に發したタイ族は永く南下を續け遂に湄南河流域にその國を樹てて以來異民族の爲めに全邦土を征服せられたことは無かつた。隣邦諸國と常に戰を交へながらも或は假令三朝の代を替へながらも國王を中心にタイ族卽ちシャム國を守り立てて來た。獨立は彼等の生命とする所であつたのだ。然も彼等はその勢力內に在つた異人種に對し極めて寬恕であつた、異敎徒壓迫の史實もないのである、他民族異敎徒に對し寬恕であつた許りでなく之等を凡て同化して終ふ力が彼等にはあつた。この樣な歷史を辿つて來た暹羅に於て歐洲諸國や支那の政治組織の變革の動因が爲政者階級に反抗する被治者たる一般大衆の間から先づ起つたとは趣を異にして凡ての組織の異動は上から起つては來ないだらうか。

筆者は右の如き豫想を以つて暹羅最近の政治組織の變遷を點檢して見よう。

暹羅には今迄所謂奴隷の制度が有つた、然し之はタイ族固有のもので無くアンチャ王朝時代東甫寨に戰捷して當時捕虜となつたものを初めて敵國に倣つて奴隷としたものであつて之に牛馬の如き待遇を與へたとは無く寧ろ仁慈を以て一種の家僕とした位のものであつたが、奴隷と言ふ名稱を附されてあつたのは事實であつた、之が第五世王の晩年全く廢止する勅令が發布せらるるに至つたのである、之は當國政治思想の上には可なり重大な出來事であつて社會各方面に於けるデモクラシー氣分の胚子であつたと稱して可い。

× × ×

政治上のデモクラシーが世界の風潮で之に抗することは出來ないものである以上國民が自發的に之を求むる前に國民を導いて之に歸趨せしむることは達識ある爲政家の本務であらう。果して然らば當國の爲政者階級はその方面に如何に施設したか。筆者は之が答として現王卽位後直に創設せられた最高顧問(一九二五年)と樞密顧問委員會(一九二七年)の二を擧げてその特質を略說しよう

先最高顧問に就いて見るに當時喚發せられた詔勅に次の樣な文句がある。

朕榮譽ある皇統を繼ぎ國威の發揚と臣子の福祉の爲め最善を致すべきを期するも一方有司の居沃に負ふ所亦大なるもの有るべし。國王の諮問機關としては從來樞密顧問官と省大臣

會議あり、然れども時運の進歩に伴ふ國務の多端に善處せんとするには之を以て十分と言ひ得ず。依而手腕識見共に有衆の範となるべき皇族五名を撰び朕の常住左右の顧問となす」とて當時の最高身分に在つた皇族五名を任命して居る。當時の樞密顧問官と言ふものは後年一九二七年に至つて同顧問官委員會が設置せらるるに至つた時迄は單なる名譽職で現職に在る官吏及び退職した許りの官吏を多數之に任命しても殆んど定つた機能を働かすこととても無かつた、又他の大臣會議は閣議と言ふ名稱を附しては居つたものの勿論內閣制度などはなく大臣會議の如きは單に各省の事務の連絡統一を計るが主であつて重要なる國務は一に國王の獨裁であつたのだ、然るに今回の最高顧問は多くの重職の經驗を有する練達堪能なる身分高き皇族で國王と雖も一目も二目も置くべき塲合の方々であつた、而して之に對し常に重要國政を諮問すると言ふのは取りもなほさず嚴しい叔父達の後見の下に若い主人が何かと制肘せられると言つた格構で專制政治の上に餘程な制限が加へられたものと稱して可い。現在最高顧問は每水曜日に陛下の臨御の下に會議を開き各種高等政務に關する諮問に奉答して居る。この制度は各省が現在の樣に個々獨立のものではなく連絡ある內閣と言ふ樣なものとして各省大臣は內閣の一員として連帶責任を負ふべき制度となるの端緖ではあるまいか。最近に於ては最高顧問の一員たる現內務大臣(皇兄)を更に一段高い總理大臣の樣な地位に置き國政の根本方策は凡て總理大臣の下に合議決定して天皇に上奏裁可を得ることとするの制度が近く創められるのであらうと言ふ噂さへあるのである。

× × ×

次に樞密顧問官委員會に就ては從前の顧問官は單に一の名譽職でその數も多かつたのであるが新なる官制に依つて可なり重要なる職能を有することとなつた。この委員會と言ふのは從來任命せられて居つた舊顧問官及び新に任命せられたものの多數の內から四十名を撰び一つの常任委員會を構成するもので議長及び副議長各一名を委員中より選擧したものを勅任する、而してこの委員會の重要なる職務としては國王の審議を命じたる各種法制を多數決に依つて採決して上奏さることである。この審議は決して形式的なものでは無く立法範圍に迄深く立ち入るのである。筆者はこの制度を立法議會制度への第一步だと見たい委員は凡て勅任せられたもので現職官吏をも含んで居るのであるが議長は兎に角委員中より選擧せらるるのである。現在は商務次官より退職した皇族がなつて居るがこの方は非常に進步的な方で歐洲にも遊學し議會制度にも深い知識を持つて居り本官制が公にされた當時パーリアメントの構成及機能等を說明し更に夫れの暹羅國体との關係などを述べた長文の啓豪的文字を新聞に發表された程である。

又右委員會官制に關する勅令の首文には特に萬機公論に決せんとするの趣旨が唱へつあり委員中の新思想を有するものは本制度は幾分でも議會制度と言ふものに近かんとする道程だと意

識して居るものも多數居るのである。

斯く見て來るとこの國の專制政治の上に幾分新しい動きの跡が伺はれるのである。假令その動きは微弱なものであつても後に說く樣な當國社會諸現象の上に見られるであらう所の新しき氣分と合流して或は互に因果的に刺戟し合つてこの白象國もそんなに永い先の事でもあるまい。將來に新世界の舞臺に出られる新しい衣裳を身に着け得るのではあるまいか。

× × ×

當暹羅に於ては極最近迄爲政家や思想家の痛心する樣な迫つた社會事相が表はれて來なかつた。天然の恩惠を多量に受けて衣食住が甚だ簡易であつた許りでなく敎育機關の不完備は國人の希望の眼を開けるに十分で無く佛敎思想の影響を不知不識に受けて只管後生を願ふて安心立命せんとする彼等暹羅人の間にとげとげしい人と人との交涉が擴大される筈はなかつたのだ。庶民の上に居つた爲政家と言ふものは如何なる階級に依つて占められて居たかと言ふにそれは國王を圍繞する皇族及先王朝時代から連綿として續いて居る少數の大豪族に依つて形成された世襲的團体である。當國の印刷術は漸く八十年の歷史を有するに過ぎないと言ふ樣な事實から敎育が極く限られた範圍に及ぶに過ぎなかつたことは容易に想像される處であるがその限られた敎育に依つて爲政者乃至指導者としての資格を具有せしめられるものは當然前に言つた皇族及少數の豪族であつて彼等は世襲的に社會の上層に在つて常に爲政者たり指導者たり得たのである。而して之等に對する被治者たる、一般下層大衆との間には整然たる斷層があつて下層人はその生業たる農漁に從事するだけで彼等を遮斷する斷層を越えて指導階級の中に飛び込むことは先づ不可能で勿論そんな慾望などははじめから、持たず甚だ平和に暮して來たのである。

然るに世の移り變りと共に新しい世界から掛け離れた樣な當國にも段々文明開化の風が吹き渡つて來て先づ敎育と言ふことがやかましく言はれるようになつて來た、而して敎育機關の發達は敎育の機會均等の途を開き下層平民中の秀才と高等學校出身の故を以つて登官の機會が獲られるようになつた、卽ち出世及び之に依る出世の機會均等は下層平民階級がその面前を遮る斷層を飛び越して一步上層指導者の間に踏み込んだことを意味し正しく當國に於ける劃期的な新しい社會事相と稱して可いだらう。

然しながら高等の敎育を受けたものが皆容易に官吏軍人たり得た時代はまだ何等の問題も起きる餘地がなかつた。それが一方に於ては人口が漸次に增加する、例之一九一九年の人口は千百万となつて正しく十年間に二割二分の增加となつて居る而して又一方には敎育機關は益々充實完備せられ、年々社會に送り出される有識青年の數はどんどん增加して來た、だが限られたる官界は之等を凡て收容することは出來ないと言つて民間

に職業を需むるには當國の經濟狀態は極めて幼稚で人を要する範圍が狹いと言ふに至つては玆に面倒な問題を生ぜざるを得ない。此の秋に當つて現王ラマ第七世王は一九二七年その卽位後大規模な行財兩整理を行つて未だ曾て暹羅に於ては見られなかつた失業者を多數社會に吐き出した、卽ち就職難が此所に於て世相の一端にはつきりその姿を表はすに至つたのである。

以上は從前極めて平和だつた當國の比較的上層階級もつと適切に言へば知識階級の間に最近特に表はれた變移である、然らば下層被治者階級は昔の儘に穩やかな生活を續けて居るであらうか。

暹羅國は古い昔から今に及んで農業を以て立國の基本として來た、國人の約九割に近いものは農を以て生業とし其の主產物たる米作に大部分の勢力を費やし餘力を以て己の生活必需品其他のものの自給に充てた、而して農業の主產物米の餘剩分を以て國人の他の約一割に屬するものが生活し得たのである、農民の間には物々交換に依つて價値の移讓が行はれて居つたが支那人其の他の外來人が多く入り込むに從つて此所に商業が新に開けて來た。この商業と言ふ金錢を土台とする職業は先天的に計理の念に薄い暹羅人の性に何うしても合はないかつたので、現在に至るも商業は支那人を主とする外來人の占有する所となつて居る、農民の生活する糧の餘剩を買集め之を精米し輸出する方面の分擔も自然外來人の手に納められて終つた、之等の分擔は元來價値の生產の上に最も利潤率の多いものであるが之が外來人に依つて占められたと言ふことは農民に對する搾取階級が外來人に依つて作り上げられたことになる、而してこの外來人の大部分は實に支那移民であるのだ、此所に於て當國の庶民階級の生活狀況を見るには何うしても支那移民の實況をも一瞥するの必要があらう。

今手許に有る統計に據るに千九百年台になつてこの方三十年間に當國への支那人の移入數は約二百萬その移出數約百三十萬で差引約七十萬に達する巨大なる居殘り移民數を示して居る。加之華暹兩國の關係は中々に古く近古暹羅の建國當時卽ち今から約七百年程前に既に多數支那の工人が渡來した史實が殘つて居る、そんな古い頃の事は別としても前王朝アンチャ時代今から約二三百年前から支那船の往來盛んで支那商人の居留も多かつたことが傳へられて居る、之等の事實から推して當國に如何に多くの華僑が居るかが判明するであらう、之等の支那人は凡ゆる職業を網羅し只に商人のみならず色々の手工業者、勞働者等より今では農耕に從事するものも亦多く見られその本國の常に內亂續く不安な情況に比し當國を平和なる天國として安住し暹人の生活圏內に入つて行つて他人の作る甘い汁を吸つて居る彼等は直接暹人に對する搾取階級となる許りでなく生活樣式の現代化の貨物宣傳をして農民の欲望を增進せしめそこに需要新市場を建設して外國商品がどんどん入つて行つて地方民の購買心を唆る。而して相連鎖ある階程を通つて玆に農民を中心とする下層社會の生活難が結果されて來た。

こんな具合で暹民階級は昔の平和を何時までも樂しむことは許されず人口の自然增加に依つて生活は苦しくなつて來る上に無制限に入りつゝある支那移民に依つて一層生活難を急速に誘發されて居るのである。

果して然らば爲政者は之等移民に對して如何なる態度をし持て居るかと言ふに、從來極めて寛大であつて支那が當國と無條約關係にあるに拘らず支那人は當國に於て凡て國民待遇を享受し何等差別的に虐遇せられるところはない。當國への支那移民が既に大勢力を築き上ぐる迄に成功した一因は勿論こんな所にもあるのであらうが兎に角從前左樣な態度を續けて來た當國爲政者も最近に至つて漸く支那移民が當國の國家生活の上に重大なる結果を招來すべきものであることに多くの關心を持つようになつて支那人の入國制限を重點とする移民問題が各方面に於て論議せられ之が一種の輿論とさへ成らんとして來たのである。處が困つた事には彼等支那移民は過去の永い華暹の關係の間に處して既に經濟的に牢固として拔くべからざる勢力を當國內に於て築き上げて居て暹羅の經濟的生命の中樞は華僑團に依つて握られて居ると言つて可い。今後入り來る支那人に對して高壓的手段を採ることは當國內の華僑團に對する氣兼ねの結果許されない程夫れ程彼等の勢力は强大なものに成つてゐる。一九二七年公布された移民法中一ケ年間の外國移民の入國許容數設定、入國税の制度等支那移民の制限に有効なるべき條項があるに拘はらず實際には未だ之が施行されないと云ふのは當國爲政者はその華僑政策と當國內の華僑の勢力との間の一種のジレンマに陥つて居るの爲めではないかと見るのは誤であらうか。

最近新聞や雜誌に移民問題が論述されることが多くなつて來たことや又暹羅貴族や高官が機會ある度に暹羅國が歷史的に華僑に對し寛恕であることを誇張し或は又支那移民が單なる經濟的移民としてのみ暹羅に於て迎へらるべきであると言ふ樣な意味を繰り返して居るのは方法的手段に依つて急速に移民を制限し得ない結果方向を換へて支那移民に對し動きかけて來た輿論を大いに促進せんとする爲政者の意圖の反映ではなからうか。兎に角當國爲政者が外來人の增加に最近の如き一種の苦慮を示して來たことは建國以來の顯著なる出來事として特筆せらるべきものであらうと思ふ。

次に盛に增加する支那移民と危險思想潜入の問題は大いに關係あるものとして痛く爲政者を惱ますやうになつて來た事も亦最近の見逃すべからざる事實である。近來の支那の本國の政情の變化と共に彼の地より渡來するものの中には暹羅現在の國体や政治經濟組織と相容れない思想や學說やにかぶれたようなものが段々多く成つて來た。（未完）

×　×　×　×　×　×

朝鮮閑話（五）

藤　澤　定　司

二十四、鼻病の妙法

李恒福號は白砂といふ人の一人娘に非常な別嬪さんがあつた。嫁いで某進士の室となつたが琴瑟相和して家庭內はいつも春風駘蕩の感があつた。或る冬李恒福が鼻の尖に腫物が出來て非常に苦しんだこれを聞いた婿がそれは妙法があるといふので教へてくれた。その妙法とは障子に穴を開けて鼻の尖を突出して寒氣に晒らす事であつた。李恒福もどうかと思つたが可愛い婿のいふ事であるから早速信ぢてその通りにやつた、ところが鼻は益々腫れ上る一方で堪へ兼ねて辛棒が仕切れずやめてしまつた、更に再び醫師にかゝつて手古摺つた、揚句やつとの事でなほつた、しかし婿のいふ事ですから腹は立つけれども惡意のあつた事でないからと思つてその儘にして置いたが婿の父が學問もあり地位もあり金もあり何一つ不足はないけれどもたゞ鼻下に立派な八字鬚がないのを苦にしてゐたが、或る日婦がいともはぢらいながらいふ樣、それは犬の陰莖で擦つたら見事に生えると申しました。父も可愛い婦のいふ事ですからまさか虚言をいふてだます樣な事はないだらふと思つてその通りやる事にして手頃の犬の陰莖を求めてこれで朝晩鼻の下をまじめになつてこすつてゐたがさて幾日撫でても一向効能がありませんから又新しいのを切つて來ては撫でゝ見ても更に産毛さへ生へて來ません或る日息子がフト見ますと父が辛子でしきりに口のはたを拂つてをりますから其の譯を聞いた處父も瞬さず右の次第を話した處息子は大いに立腹しましてその無謀な事を責め妻を呼んで、叱りました處、妻はそれには相當の經驗があり、その効果を認めた事があるから申上げたのですが、しかし効果がなかつた處で命に別條がない事と思ひます。父は二人に向つてなんてこんな途方もない無謀な事を俺に教へるのかと叱ると「已にも相當の經驗を以てをつた事で決して無謀な事でないといふのは寒い日に尻をまくつて川を渡ると睾丸が小さくなるから鼻の大きくなてるのも寒い日に合はせたら縮んで小さくなるだらうと思つたから教へて上げたのです。」「お前のは一體どんな經驗があるのか」と責めかけましたので妻も恥ぢらえながらその樣な經驗し得た事から思へついて申上げた事だといつたそうである。

二十五、麻　疹

ハシカは「紅疫」といふ內鮮共人凡そ一度はこれに罹らぬ者はなく又免疫性である事は痘瘡と同じである。

ハシカに罹ると水を飲みたがるが水を飲むと死ぬるといつて內鮮共に水を飲ませない。

昔或人が「北邙山」に行つた處が骸骨がまるいて出て來て水をくれ〳〵といふので聞なと死因を調べるとハシカで水を飲んで死んだ幼兒が死後もなほ飲み足らぬで水を求めて止まないのだといふ。

二十六、明太の眼玉

明太のほしたのを北魚といふ。北魚は朝鮮全道どんな片田舎へいつてもない處はない。かくまでに廣く使はれる北魚に眼玉がない。一つ〳〵なければならぬはずの眼玉が一つもない。余程念を入れて拔かなければ殘るが不思議に一つも殘つてをらぬのが妙である。

鯛の眼玉の吸物は吸物中の王であるが如く牛の眼の吸物も中々美味である。北魚の眼玉のないのは子供が拔いて食ふからである明太漁場の子供等は暇にまかせて明太の眼玉を拔いて食ひ食い余つたのは一升幾何で賣にゆく干乾の眼玉をしがむと視力が衰ないと云ふ傳說があるから子供は競つて拔き取つて食ふのである。だが最近北海道でも明太を澤山製造して朝鮮に輸出する樣に成つて其の使用人が朝鮮人である。かくして大概は例によつて眼玉を拔き取つてある。然し內地人によつてほしあげられた分には立派に眼玉が揃つてゐるのは是非もない。

二十七、野菜の種

朝鮮には農業が惠まれてをらぬ爲めに農林は衰微する傾きがある。農業國の農業が貧弱であると云ふ事は即ち朝鮮は貧弱國といふ事になる。全民族が必死の努力をしないと農業の進歩發達は思ひ農を以て國を立てる事も出來なくなる。然るに朝鮮農民は一向これが改良とか進歩とかに真劍の努力を盡さない樣に見受けられる。

朝鮮農民はする仕事がないからなまけるので仕事さへあつたらなまけないといふ。農村の青年が居る諺文の新聞雜誌には毎日の樣に農民覺醒とか農村の急務とか農村の破滅等といふ文字が形を換へてのせられて居るがその內容は赤化にでも導かうといふ下心なのか一向に農村の眞の急務、農民の眞の覺醒は說破してをらぬ樣に思はれる。する仕事がなくて遊んでなまけてる農村の青年に試みに問はん仕事がなければ畑の石でも拾つてはどうか、東拓移民の畑と朝鮮農民の畑とが並んである場合にその作物の色からして違つて居るのに氣がつかないのか。

する仕事は有り余つてゐる。その有り余つて居る急務を今一々列擧するのは煩に堪へないから何れ他日に譲るとしてこゝに最も痛手し易い仕事で然も閑却されてゐる一事は朝鮮白菜は仲々立派なものであつて支那白菜の樣に混て、かたくならず味も甘味があつて支那白菜以上の代物である。然し朝鮮に來て居る內地人は見掛倒しの支那白菜の方が朝鮮白菜よりもまさつて居ると思つて居る。それに對して少し骨を折つて朝鮮白菜の宣傳をしたら一般の需要は頓に殖へて來て支那白菜を驅逐する事が出來ると思うが朝鮮農夫は一向頓着せずに支那白菜が大手を振つてばつこしてゐるのに任せてをる、これは朝鮮がする仕事があつてもなまけて遊ぶ一つの證據である。痛切無比の一例がまだある。それは一日も忽に放置して置く事の出來ない問題がある。朝鮮の白菜の種の問題であるが某氏は獨りこれを憂ひて獨力でその改善に努めて居るがそれは白菜の種は予開城産が一番である事はいふまでもないが、京城も訓練院種といつてよい種子が出るこの種はどんなにして採取されるかといふに賣殘つた小さい白菜から採つたものである。まだ〳〵それ位の事じやない賣殘つた小さい白菜を根から切つて葉は炊いてたべて根の處だけを越冬させて翌春それから芽が出て花が咲いてそして出來た種をとつて賣つて居るのである。これを聞いたら驚くだらうが然しこの寒心に堪へない罪惡的罪惡は平氣で朝鮮農業の進歩改良發達はなんとしても期待する譯には行かぬ。朝鮮農業の爲めに放任して置かれぬ問題であるが朝鮮農民は一向に平氣である。これを放任して怠けて居りながら仕事を內地人に取られたとは譯辯でなくて何んであらうか。

南瓜の種子もそうである。朝鮮南瓜は西洋南瓜や日本南瓜の樣に上等種とはいはれぬがそれ相當に風味があつて「ユーホバク」として朝鮮人間には嗜好物の一となつてゐる。

賣つてゐる朝鮮南瓜の種はどんなにして採取されてゐるかといふに一番晩くなつた惡い南瓜で漸く間に合つた種子である。これを毎年一番成りの優等の南瓜から採取して行つて改良を行ふといふ赤い心即ち見上げた心は起さないものかしら。朝鮮農業の爲めに否農村自身の爲めに惜むのである。朝鮮人に限つて堅い苦い短い二俣になつた大根が好きだといふはずはない筈である。朝鮮大根が短くて堅いのも結局右に述べた樣な次第である惡辣で拙劣な方法で種子を取つたのを播くからである。

その上耕作は大根に對しては極めて不親切で土の中へ大根が根を卸さうとしても石が邪魔して這入られないから仕方なしに二俣に分かれるのである。朝鮮人に限つて二俣大根が好がよくて經濟的だとは斷じ得れない。

日本大根の味がよいのは朝鮮漬にすると解けて仕舞つて味がないといふ强情も張つて見る朝鮮青年もないではないが然し味のよい朝鮮漬は何といつても日本大根の大きいのを漬けたのに限る。朝鮮大根の大きな優良な奴から種子を取つて一年〳〵改良していつてもそれだけの効能は乾度目に見へて來るからである。遊んで怠ける間に施肥の一回も余分にして大根は大根らしく改良し葱も深耕して立派な葱をうる樣にしていつたら仕事は幾等でもある。

そしていつか日本人が蔬菜を奪つたからする仕事がなくなつて遊んでゐる等といふ負惜みをいふ暇はなくなる、尤も何處かにも機械が發達した爲めに否々の仕事がなくなつたなぞと愚痴を語る人の御參考にも供したいものである。

二十九、農　業

朝鮮は農業に適して居る。併し農業の最惡國ではない、地味も荒れて居る方であるから肥料の力でないと良果は產しない、ゆゑに農をもつて立つて行くにはあらゆる方面に非常な努力を拂はねばならぬ、果して朝鮮農民がこの絶大の努力を惜まないと自覺と決心と勇氣とを持つて居るかどうか、今日では農民は昔日の苛斂誅求と小作料の責め立てとに遭ひ續けた爲めに自然自暴自棄的に怠惰を貪る樣になつて居るのであるからその指導啓發には死力を盡くさねばたらぬ大業であると思ふ。

勿論地方により人によつては朝は早く起きて農に勵み夕は星を頂いて家に歸るといふ風に家業に勵めるものも少くないが、然し其の農法や農具が非常に原始的である爲めにその割合に收穫が多くないといふ悲慘な結果に甘んぜしめられて居る現狀である。

兎に角も全人口の七割は農民でその又大部分が小作農民であつてその農村その子弟その敎育その家庭その生活程度その信仰乃至はその娛樂等は即ち朝鮮風俗の全部といふ譯になるが昔から詔は士大夫以下には下さず農民は非常にいやしまれておつた爲め殆んど鮮諺材料以外には何物も書く事が出來ぬ現狀である。今日では農村は益々破滅に瀕して居ると騒いでおつて社會主義者等はこれを好餌として變な處へ力を入れて宣傳してゐる樣であるが、農村破滅に落ち行く原因は主義者がいふ樣な他働的のものでなく病根は遠くの昔から農民自體が持つておつたものである事は爭はれぬ處である。

日墨の親善はこれ

「私の兩親代りだつた」

御親切な鈴木梅四郎さん

墨人留學生感激の謝辭

東洋の先進國として日本に最大の敬意と尊敬を拂つてゐる國はメキシコ國及びメキシコ國民である。米國で排日移民法が可決されるや日本人の一部で日墨攻守同盟論が主唱される程に日墨兩國は外交辭令を拔きにして非常の親善關係にある。それは兩國の利害が衝突しない國際關係にあるばかりでなく墨人は日本人を同種同族の民族として先天的に溫かい友情を示す民族心理があるからである。

大正十五年夏墨國政府は我國水產業發達の事實を認め自國の若き學徒マルチネース及びソリース兩君をしてこれが研究のため水產講習所に留學せしめた。當時新聞紙はこれを「日墨國交に慶賀すべき」事だ報導した然るに計らずもこの二人の「日墨親善の使者」の日本滯在は本縣出身現代議士鈴木梅四郎氏の庇護監督を受けて同氏宅に夫妻と共に家族同樣の家庭生活を送る事になつた。水產學は勿論日本語の發達は驚くべき程で在日二年半にして學を了へ昨年十一月歸墨する際送別會の席上に於て流暢なる日本語を以て兩君は交々鈴木氏夫妻に深甚の謝意を述べて、日本の家庭生活を禮讃し日墨親善に盡すべき事を述べた。鈴木夫妻の兩君に與へた好意は日墨兩國の親交に一層好果をもたらすであらう。

皆樣、今晩の會合に於て、永遠に殘る處の私の感情は、第一には日本人の懇懃なる諸儀第二には吾々墨西哥人に對する心からの友情であります。

今日本を去るに當りまして、私共の歸りを待ち詫びて居る私共の兩親及び同胞に會ふの欣びを思ひ、又同時に多くの年月日本に滯在し漸く其眞相が解り且つ多くの親しいお友達を見出しました、この樂しき日本を後として出發する事を思へば、萬感交々至つて何を申述べてよいか云ふ處を知らないのであります。

二年前、此協會に來た時は何んにも日本の事情を知らなかつたが、只何でも知りたいと望んだ事が今日あるを得せしめた事と思ひます。

墨西哥政府は、日本の漁業の進步して居る事を認め、又兩國親善に依り、又同時に鈴木梅四郎さんの御好意とに依り、吾々二人を遠く派遣したのであります。吾々の學び得た事は、他日墨西哥に於て有利に活用せられる事と信じます。

私共の仕事は本當云へば、來た當時は日本語がよく解らなかつた關係上、何んでも非常に六ケ敷しく困難を感じました。夫れで日本語が出來るやうにと熱心に勉强しました。其

結果勿論まだ完全ではありませんが、自分たち勉强に必要な丈けの日本語はどうやら間に合ふ樣になりました。全く何にも知らなかつた吾々の立場から考へて見れば、無責感な言葉でありますが、非常なる進步でありまして他日歸國の上は我々の勉强した事は大に役立つ事と思つて居ります。併し乍ら我々二人きりの力のみでは斯くは進步しなかつたのです其れは我々の先生學友、其他揭ぐれば隨分澤山ありますが、この皆さん方の絶えざる援助と好意とにより今日あるを得た事と信じ人々に感謝して居る次第であります。

鈴木さん及び其の御家族から今日何から何まで、我を忘れて常に最大の誠意、最大の信實を受けました。

思ひ出せば船が橫濱に到着し未だ上陸せずに、一方には富士の勇姿に感心し、又同時に他方には橫濱の殷盛を眺めつつあつた其の時に、早や鈴木さんの御親切なるお出迎を受けたのであります。そして鈴木さんの家庭に連れて行かれ、何も解らない我々に面倒をも顧みず、初めての日本語及び日本の習慣などを敎へて貰ひました。

それから景色のよい處、古い昔の神社や、靑い海及び綠の箱根に連れて行つて貰ひました。こんなに迄我々に對して親切な人が世界に又とあるでせうか、遙く祖國を離れ、父母の下を離れ、海を越へて、見知らぬ國に到着した其の時程、この親切を沁み〲と味ふ事はあるまいと思ひます。

鈴木さん並に鈴木さんの奧さんに申上げます。貴方は私共が、日本に到着した時に私共に申されました「お前達の日本に滯在中はお前達の兩親になつてやる」と、事實其の通りであります。初めて鈴木さんの家庭に行つた時から親切丁寧なお取扱を受けたのであります。若し私達のした事及び品行が（其れは私共は眞面目に何事でもやらうと、二人で申合せて居たのでありますが）時に或は脫線し、或は若氣の元氣から色々缺點を犯し、お氣に障りや、大變な御心配をかけた事も多々ありました之れはどうか若い者の加かも無經驗な者の誤と大目に見て又全てを心からの告白した事に免じて許して下さらん事をお願ひ致します。吾々を臨々この櫻咲く日本國へお招き下さいました鈴木さんのこの立派なお心が、他日意義ある樣にしたいと願つて居ります。（中略）

今此日本を去りますが、日墨兩國親善の精神的連鎖は永久に存續する事と存じます。

吾々は日本に二年間家庭的生活を送り、深く日本の特質をよく識りました、即ち自然を好愛する質素な生活から來る幸福及び親切な丁寧な、ゆかしい大和民族の特性、これであります。吾々はこの點を深く體に銘じ歸國の上は、日本人は吾々墨西哥人が日本人を敬愛する如く、日本人も亦吾々墨西哥人を歡迎すると云ふ事を話しませう。吾々二人の共同力はそれは極めて小さいものでありませうが、一生懸命やりませう。假令その效果は小さい乍らも私共はそれで滿足であります。

吾々は初めての留學生でありますが、これが終りではないでせう。お互に學生を交換し一層親密なる關係を生ぜん事を希望して止みません。鈴木さん、森山會長、小林さん並に他の會員各位に對し、心から深甚なる感謝の意を表します。

終に臨み、閣下並に皆さんどうか日墨兩國の益々隆盛に、又日墨協會の愈々盛大ならんことを祈り茲に乾盃を願ひます。

大日本帝國萬歲々々々々、墨西哥萬歲々々々々、

× × × × × ×

海の誘惑

居ながら……

誌上銷夏

まづ海に憧れて 繪の國詩の鄕

小笠原島へ

郵船の芝罘丸が橫濱を午後二時に出帆する植民地視するには大袈裟である（東京府の管轄である）が海に憧れて海洋に親しむのも銷夏の一つである。しかも大平洋時代來る！の流行語に相當重要視せれるこの大平洋上の小笠原嶋は見落してはならない。

嶋乙女の心、そのものをシンボルする樣に瞭爛と咲き誇る紅椿の林、そこから哀調を帶びた嶋唄が微かに洩れて來る椰子の葉蔭の綠風薰る海邊、そこには南國の情緒が湧いてゐる。凡てが南國的な情趣、バナヽ、樹は夢の如く、砂糖黍が白い粉を吹き樂園の美觀を呈す。と云ふ樣な此の世ながらの繪と詩に彩られたユートピアを描えて船は一行を乘せて無事出帆した。鏡の面をすべるが如き船路、夏の海は全く靜かだ。日も間もなく暮れて日沒の海洋は壯嚴である。その末明船は早や八丈嶋着。成程、椿の實が成つて椿林の間を縫ふ道はかすかに消えてゐる。

八丈島は周圍十五里余、佐世保軍港と緯度が同じ、人口は男四千女四千で島民は進取の氣象に富むから島以外に移住してゐる。農業も盛んで米も麥も出來るが甘藷が一番、美味しい芋である、蠶繭も五千貫位の收繭をとつてゐる。牛が二千頭余りで海濱に鹽水を浴びてゐる情景はのんびりしたものだ。島民は質朴で昔ながらの淳良人な柄であると思つたら、とんだ間違ひ、ジャズの音は紅燈に流れ、斷髮のモガが眼で呼んでゐる。港街は何處も同じらしい。然し足を島內に入れると、島乙女が恥らい顔にそむける。頭上にのせた糞尿桶を落すまいと。

午後船は出る。翌日は水天髣髴とする大洋の一日、たゞ見る空と海の靑い大海原である。海洋に起る大小の變化はこの智識を持合してゐる者には面白いものだ。翌朝は父嶋着。

熱帶の氣分を起す嶋の景色、南國の若人はこの自然に熱情が激いのだ。農事試驗に珍植物を見て、宮の濱、扇浦等の景勝地を散策する。『文錄二年松本深志の城主小笠原貞頼が本嶋を發見した偉勳を貞頼神社に參拜して信州男子の意を强くした。見よ、東洋のコロンブス邦人最初の大平洋進出者の勇姿を。父嶋には歸化人が深山居る。十六世紀の歐州人の海外活動の波はこの嶋岸をも洗つたのだ。

（小笠原の島々）

海外視察組合員が增加致しました。今夏は納涼銷夏をかねて多年宿望の植民地巡りを極く短期日の間に致さうと思ひます。經濟の點からも時間の點からも

大陸の魅力

出來る……

植民地巡り

スピードが喜ばれます。日本本土を包圍する帝國の範土を巡る大旅行ですから誌上乍らも今夏は御身体を十分御氣を付けて。

母嶋は指呼の間にあつて約三時間で行ける。母嶋は周圍十四里父嶋が十三里、この二つを兩親にしてる數十の兄弟姉妹の嶋がある。母嶋は二泊、嶋の情緒、熱帶の氣分を十分味つて今日は歸帆だ、小笠原は一九三〇年の尖端を走つてゐる。なぜなら一昨年（昭和三年）聖上陛下の御巡行を機にすつかり現代化されてゐる。文化の施設は信州以上だ、日米間の海底電線、大平洋橫斷？の着陸飛行場もある味覺をそゝる熱帶の果實バナナ、マモン、コンゴウ等が戀人の唇以上なんだ五百五十浬を一直線に橫濱に歸る。（途中八丈嶋に寄港して）愉快、々々、船の旅は南國的の情趣、バナナ、樹下に四時綠衣を纏ふ恒春の別天地に「又、會ひにくるよ」と手を振り切つた。

四季絶えぬ豊醇 熱帶の果物を尋ねて

「美の島」台灣への旅

新世界發見の先驅者、葡萄牙人が東洋へ進出して水天遙かに髣る美しい陸地を望見した。彼は思はず「フルモッサ！」と叫けんでこの發見を祝福して「フルモッサ島」と命名した。フルモッサ（Foronosa）は「美しい」事である。台灣は世界的にこのフルモッサ島で通る。「台灣」で通るのは日本位である。高砂の島、蓬萊島はこの樣な美的詩的の鄕として憧憬の的であつた。鬱蒼たる檜の森、涯しなき甘蔗畑、水牛の群、四季絶へざる豊醇なる果實は溫帶の旅行者をして奇異の眼をはらしむるであらう、然し台灣には未だ無智猛適な蕃人が蟠居してゐる。マラリヤ病が流行してゐる。と戰慄もするが、領有後三十余年の歲月を閲した統治の結果は全く平和の鄕として台灣の文化は內地のそれ以上だ。

門司基隆間は五十二時間で台灣の土を踏む事が出來る。船の中で槪要を調べると台灣は周圍三百九十九里面積二千三百方里、內地人二十萬、本嶋人三百九十萬、生蕃人八萬、支那其他三萬で米は六百萬石、砂糖、バナヽ、樟腦甘蔗等が主要產物五億五千萬圓に上る產業の寶庫である。バナヽは三億斤を生產し日本內地のバナヽは大部分台灣產である基隆に近いたので上陸の準備をする。海上は思ひの外涼しく上陸したの午後の四時、直ぐ台北に向つて宿をとる。臺灣神社、總督府植物園等を見物して同夜は乘車、翌朝高雄着。南から北上して全嶋を見んとするのである。高雄は南支那、南洋方面との交渉繁く臺南と共に本嶋の重要都市である。製糖所、塩田、開拓水利事業を見て嘉美か

（台灣のバナヽ畑）

海の誘惑

居ながら……誌上銷夏

ら臺中に向ふ。嘉義では阿里山に登り新高山の勇姿を眺望する。蕃地に入つて蕃人の珍奇な風俗も見る。日月潭もよかつた。臺中のバナ、市場はものすごい程、壯觀なものである。新竹の莚草製品工場も見る。台灣も開發は十分に進んで余り未開墾の有望地は處分濟みになつてゐると見てよろしかろう。嶋內の交通機關は完備されて鐵道と自動車の發達は驚く程であつた。文化施設も近代的のものが遺憾なく利用されてゐる。台灣の偉大なる產業はこの樣な最近科學の機械力によつて天惠的物資を製品化する事に努め、歷代總督の統治方針は嶋內の文化的政策その効を奏し台灣財政の獨立は早やくも明治四十二年に母國財政を助けるに至つた。

累々たるバナヽ、成熟せるパインアツプル、レモン、マモン、マンゴウの果物に云ひ知れぬ味覺を滿足せしめて台灣の旅は嶋內二週間を以て無事終了、基隆に午前九時母國に向ふ。香港丸に船の人となる。新範士に加へられたこの嶋に遊び具さに嶋內を視察し得たつきせぬ感興に吾は未だ新高山麓に止まるのであつた。

曠野の都奉天驛

日本の生きる道 大陸進出の目標

鮮滿蒙への旅

深緑の産蒙は男性的爽快の氣分を旅行者に與へる。七、八月は雨季に入るが大陸は內地に見るが如き細雨はない。大陸の野に接吻する旅行者はその艶麗な姿に恍惚とするに相違ない「大陸禮讃」はこの旅行者の唯一の土產となるであらう。

大きな期待を以て廿一日間滿鮮哈爾濱周遊の旅に勇ましく上る。翌朝釜山着に關釜連絡船に乘る亞細亞と歐州の續く土を踏んだのだから感興が湧く。縣人會の歡迎を受けて奉天行列車の人となり大邱を過ぎて京城に着いたのは同夜おそくである車窓より沿道の風光は展望よろしく、山も川も野も荒廢そのもの、未開であると思つたら見當違ひ、よくもこんなに內地化されたかと驚くのである朝鮮全土は一萬四千三百十二方里、內地本州と略同じ、鮮人は千八百萬、內地人四十萬、農業と言ひ、水產と言ひ、すべてが未開發で資本と勞力と技術を待つてゐる。米は年額一千五百萬石、朝鮮米が內地に三百五十萬石も移入せられ產米增殖計畫は食糧問題解決の一助として大に期待されてゐる。其の他麥が八百五十萬石、大豆四百五萬石、棉一億一千八百萬斤、煙草、繭も主要產物である。人參は不老長壽の靈藥として特產物と知られてゐる。

大陸の魅力

出來る……植民地巡り

京城は二日の滯在、仁川にも行つて來る。京城は本邦植民地中第一位の都市で人口は卅二萬である。夜行で出發すると翌朝は平壤につく、牡丹台乙密台等の名所を見物し、午後乘車すると眞夜中に鴨綠江を渡る。すぐと安東につく。稅關の檢査があつたり、時計を一時間遲らせたりする。早朝奉天に下車して市の內外を見物。翌日は撫順に炭坑視察と出掛けた。露天堀には流石に驚ろく。埋藏量は九億噸每年六百萬噸堀つても二百年は大丈夫だ。長春行列車にのると午後は四平街長春と赤い滿州の夕日に照されて二晝夜にして哈爾賓につく。ただ、沃野千里の茫々と續く陸の海である。滿州は六萬四千方里、日本內地の三倍だ。大陸進出は來て見ていよ〳〵合點が行く。ハルビンでは異國情緖を味はふのだと云ふので有名な裸体踊も見物した。「露骨だわい」。ハルビンには歐亞連絡の國際列車が通る。偏狹な嶋國根性は捨てねやならぬと大いに國際的になる。

哈爾賓から夜の急行で翌朝は公主嶺に滿鐵の農事試驗場を見、湯崗子溫泉に長途の旅塵を落す翌朝は營口を經て大石橋を過ぎ、その夜大連着。旅順の白玉山表忠塔に戰蹟を尋ね護國の鬼の英靈を悼む。明日は大連出帆だ。旅嚢も整理してあれやこれやと土產品も漁つたが稅關の面倒の事も考へる。各地の縣人會で至れり、盡れの歡迎も受けた事や各地の情景が走馬燈の樣に追ひかけてもくる。幾日か大陸の抱擁に心ゆくまで陶醉してゐたが、明日は生れ故鄕ながら信州の山奧に歸らねばならぬ。嫌な事だ。この儘、何時までも大陸禮讃の實感者として殘りたい氣持も多分にある。

朝十時出帆、大連縣人會が會旗を翻して盛大に見送つてくれる。テープが切れる。船が動き出したのだ。大陸の幸と大陸に雄々しくも活躍する縣人の健鬪を祈つて不覺の淚が兩頰を流れる。海も穩やか玄海灘は心配しただけ野暮、昔の船と今の船は違ふのだ。

かくして三日の航海の後下關につく。滿蒙通にならなくも、話だけは出來る。と一人前顏して歸るのもこの旅行の一つの收穫でもあつた。

北國の寶島

やがて寒帶文明の

北海道樺太への旅

北國の寶嶋を探ねて、北海道から樺太の旅に上る。北海道の未開墾適地が十勝、釧路、北見の諸地方に八十萬町步がある。樺太にも七十萬町步拓人を持つてゐる。やがて世紀を待つ寒帶文明が築き上げられる時、その原動力となるのはこの勇ましい拓人の力なのだ。この度の旅行は主にこの點を重視して約二週日にわたつたが誌面が最早行き詰つてゐるので殘念乍らコースだけを錄する事にする。

靑森―函館―札幌―旭川―稚內(以上北海道)―大泊―豐原―眞岡(以上樺太)―小樽―靑森　(歸長)

在留申告書提出濟の

在外徵集延期者(二)

上高井郡　(未濟者無シ)

本籍地	徵集延期者	現住所	適齡年
保科村	小宮山佐助	伯國聖州パウリスタ線アグスト驛	大正十五年
高甫村	村石密太郎	同　同州モヂヤナ線イガラパヴバ驛	大正十年
日野村	中村鑿太郎	同上ドウラデンセ線ヌベヂガ驛	昭和三年
日瀧村	北澤忠三郎	英領新嘉坡ヂナー路二號	大正十一年
日瀧村	井之浦三三男	伯國聖州イグアツペ郡レジストロ植民地	大正十三年
日野村	勝山芳雄	布哇オアフ島ホノルル市ヌアヌ街	大正十五年
日野村	木原賢治	英領ボルネオタワオ日本產業株式會社	大正九年
綿內村	依田	比島ダバオ市カラワダ	昭和五年
仁禮村	吉田鶴治	伯國聖州コンデサルゼーダス街四六	大正八年
豐洲村	中村義一	同右	大正九年
同　村	森山清二	伯國聖州イグアツペ郡レジストロ植民地	昭和二年
同　村	森山泰太郎	同右	大正十一年
同　村	中島貞男	同右	昭和四年
同　村	植木太郎	同右	昭和五年
同　村	植木酉二	比島マニラ市サンパロク區ボステ	同
須坂町	濱藤信治郎	伯國聖州北西線ルサンビラ驛	同右
同　町	和久井泉	伯アリアンサ移住地	昭和五年
同　町	和久井正市	同右	昭和五年
同　町	前島富見	同右	昭和三年
同　町	宮尾要吉郎	米國ワシントン州ケント村	大正十二年

下高井郡　(未濟者無シ)

本籍地	徵集延期者	現住所	適齡年
長丘村	秋山俊夫	伯國聖州イグアツペ郡レジストロ植民地	大正十一年
平岡村	武田昌二	米國加州サンノセ、ルート二函三九六	大正十二年
同　村	塚田孚	伯國聖州グランデ、スイエボルグ	大正十一年
同　村	田中佐內	同國同州イグアツペ郡レジストロ	大正十五年
同　村	永井雅夫	伯國聖州イグアツペ郡レジストロ植民地	大正九年
高丘村	小林每好	亞國ブエノスアイレス市カビルド一七五	大正七年
同　村	小林義彥	亞國ブエノスアイレス市エスヒノサ街一二七四	大正五年
倭　村	鈴木邦芳	伯國聖州北西線グワキサラ驛藤植民地	昭和五年

下水內郡　(未濟者無シ)

本籍地	徵集延期者	現住所	適齡年
水內村	上倉萬夫	加奈陀晩香坡市ターン街二四七	昭和三年
水內村	佐藤好郎	伯國聖州ソロカバナ線ランジヤ	昭和二年
岡山村	市村千春	同右ソロカバナ線アルワレスマツ	大正十五年
太田村	宮澤武士	同右シヤードグランジ植民地	大正十年
豐井村	佐藤幸男	比島ミンダナオ島ダバオ	大正七年
秋津村	臼井知則	亞國ブエノスアイレス市リオハ街一八五四	大正五年
柳原村	前澤富朝	比島ミンダナオ島ダバオ	大正九年
永田村	上野源次	伯國聖州モジアナ線カジユル驛ノ一	大正十二年
同　村	松野正	同右サンヴロカバナ線アルヴレスマツ	大正十三年
飯山町	市川利治	同右シヤド驛	[illegible]
同　町	岡登林坪	馬來半島トレンガヌ市カンポンチイナ街三九	大正七年
同　町	磯田克巳	佛國巴里市	大正十四年

移植民ニュース

移住組合渡航者

府縣別及移住地別調

昨年四月以來初めて第一回の移住者を送出した各府縣海外移住組合の成績は左の通り。(本年五月現在)

アリアンサ移住地	六四家族	三一二人
ベストス移住地	一〇四	五七一
チエテ移住地	四八	二六四
熊本移住地	一一	七三
計	二二七	一、二二〇

これを府縣別にすれば次の如くである。(括弧內は本年三月末現在、本誌五月號參照)

府縣	家族數	人員
聯合會	二(二)	三(三)
北海道	五(・五)	三〇(三〇)
三重	一三(一一)	六六(五六)
山梨	一(—)	四(—)
岡山	二七(二〇)	一六〇(一三一)
廣島	九(七)	五四(四五)
山口	八(五)	四二(二六)
和歌山	四四(四〇)	二三六(二〇七)
香川	九(二)	五一(一一)
愛媛	九(八)	四〇(三二)
福岡	一五(一三)	一〇四(九三)
鹿兒島	一〇(八)	四五(三九)
信濃	三八(三〇)	一七一(一三三)
富山	一七(一〇)	八三(四八)
鳥取	九(九)	五八(五八)
熊本	一一(五)	七三(二八)
計	二二七(一七五)	一、二二〇(九四七)

通信綱を完備して

「アリアンサ時報」發行

創設六ケ年を經過した吾がアリアンサ移住地では漸次內容の充實整頓へと整理時代に入ると共に移住地の文化經濟施設は益々進步され、第一二三各移住地は自治的に進み移住者自らの力によつてこれが運行されてゐる。特に移住地に在住する二千名に近い本移住地では移住者各自の意志疏通を計り圓滿なる。向上發展を計るため機關誌の發行が要望されてゐたが今回力行會員の力によつて「アリアンサ時報」を發刊する事になり第一號は四月二十九日花々しく發行された。社長は移住地醫勝田正通氏、主筆中川權三郎氏、各區の在住會員中より記者を任命して全移住地の情況を報導すると云ふ通信網を張つてゐる。

時報がもたらす

最近の移住地ニウス

アリアンサ時報第一號第二號によつて最近の移住地情況が報導された。これによると、

産業組合の組織　第三アリアンサでは資金二十五コントスで購賣組合を組織、會長宮尾厚氏は物品購入その他の用務をおびて四月廿五日出聖した。第二アリアンサでも組合長推野源之助氏を中心に豫貿三十九コントスで購買販賣の二事業を經營する。これに刺激されてか第一第五區でも組合長吉田榮氏外廿名で購買組合を組織した。

今年の米收穫豫想　第一第二アリアンサの今年度米の收穫豫想高は第一、一萬三百五十俵第二、六千六百四十五俵で昨年度に比し二割減收の見込み、

追悼會　力行會員故相馬文雄君（東京中村パン屋相馬愛藏氏愛息、南安穗高出身）が昨年アマゾンで死去した一年忌に當るので同會アリアンサ支部主催で追悼會が四月二十七日行はれた出席者は北原理事同會員外八十名

運動會　アリアンサ野球部は六月中旬リンスに遠征。第二第三各移住地では天長節佳辰をトし各小學校庭に競技會開催。第二コトベロ對三十キロの野球戰が五月四日行はれ十三對八でコトベロ軍大勝

四海波　昨年末渡伯した若林房子孃（小縣青木村）は五月十八日與謝野修令息素氏と結婚披露式をあぐ。

比島で邦人排斥
直ちに在留邦人覺書廻附

比嶋ダバオにおける邦人の發展は比嶋政府當局の重視する所となり六月九日マニラ聯合通信によれば農務資源事務長官アルナン氏の如きは、日本移民は同嶋の内外貿易及び商業を獨占し不法に土地を占有してゐる旨を述べダヴァオ港を閉鎖すべしと總督に建言した。

右に對しマニラ駐劄總領事越田氏はダバオ在留邦人の提出した覺書を提出し比嶋各高官に回附して、若し米國が日本人をダバオより排斥すれば比嶋のマニラ麻はスマトラのオランダ製麻に壓倒され將來資本の流入による比嶋の開發を期待するのは不可能であると、諫辨しこれに對しマニラ税關長アルダネーズ氏は日本人の立場に有利な聲明をした。

青年五割を占む
在比邦人の年齢別調

昨年十月の調査で比嶋ダバオの邦人總數は九千三百十一人で、これを年齢別にすると、

一—六才	一、二〇二人	（幼年期）	
七—十五才	二四一	（學齡期）	
十六—廿才	五三二	（青年期）	四、三八四人
廿一—廿五才	一、九五二		
廿六—卅才	一、九〇〇		
卅一—卅五才	一、五九七	（壯年期）	三、三六六
卅六—四十才	一、〇七〇		
四一—四五才	四七七		
四六—五〇	二二二		
五一—五五才	七七	（老年期）	一〇九人
五六—六〇才	二五		
六一才以上	七		

即ち青年期のものは總數の四割七分を占め其の内廿二才のものが四百廿九人で同年者數の最高を占めてゐると。年長者では安政四年生れで最高が本年七四才七三才七二才の各々一人で最近の呼寄である。更らに注目すべきは幼年期の千二百二人で第二世の激增はダバオ在留邦人の將來に根强い發展を期待されてゐる。因みに年齢合算數は約廿五萬才、これを平均すると廿六才十一ケ月になると

借款一億圓成立
珈琲界は安定して移民を大歡迎

伯國の最近珈琲界は五月廿日外務省着在伯濱口領事の報告によれば、客年來聖州の珈琲園調節資金欠乏の結果各耕主は金融難に陷りて以來勞働賃金を引下げたるも耕主側は何れも極力勞働者の生活安定を計り居り、最近英貨二千萬磅の外債成立せるため俄かに金融の途は開け珈琲界の不況は一掃されつゝあり特に、明年の珈琲生産は相當豐作を豫想せられて各耕地共勞働者の補充に今から留意し始め我新移民は明年に於てその需用は增加するものと觀測せられてゐる。

信州記事

一二三十萬圓起債し
土木工事を起す失業救濟

縣では失業救濟事業について長野松本上田三市並に岡谷等の市街地において道路工事を農村においては荒廢地復舊砂防治水工事等を起すことに大體決定しその財源二十五萬圓乃至三十萬圓を起債によることゝなりこれがため菅澤社會課長は再び主務省と打合せのため上京するはず尙失業者登錄の方法等を決定した上市町村長方面委員職業紹介所等をして失業者確認の手續をとらせるはず

入湯者は信州へ
衛生課の温泉宣傳

本縣には七十八ケ所も温泉がありそれ〴〵特色をもつてゐるが未だ全國的に紹介されてゐないので縣衛生課では明年度事業として縣下各温泉について泉質の分せき試驗を行ふ他土地そのものが病氣保養に適してるとか遊覽にもつてこいだとか又歷史は……といつた方面まで詳細に調べて全國に紹介し本縣の温泉に來遊するものに親切な手引をなす計畫である

賴みの綱切れて
慘憺たる縣下繭相場

百姓はこの先きどうして行くか

唯一の財源して當て込んだ春蠶は縣下違蠶の聲もなく、豊産に農民が微笑むんだのも束の間、繭價は暴落につぐ暴落を以てし、出繭出盛りの廿日頃より遂に製糸家の買入中止の噂さへあり、農家は今更の如くこの慘狀を目にして途方に暮れてゐる。即ち昨年の最高値段の半値に至らず繭一貫匁生産費六圓とすれば二圓余位の欠損となりこの情なき實狀に百姓はこの先きどうして行く悲壯の腑を固めつゝある。

母國通信日誌　自五月十六日 至六月九日

五月十六日（金） インド哲學の權威者木村泰賢博士逝く行年五十△政友會總會で犬養總裁現内閣の軍縮及財政策を難詰して大いに氣勢を揚ぐ△國定教科書來年から一割二分下ぐ
十七日（土） 關係夫人連が社會事業や實際運動の研究してお國のために盡そうと毎月各家庭に持回り閣議を開く△早大に利あらず慶應三A對二で勝を制す△聖上靜岡行幸に靜中と靜商の野球試合を天覽△既成政黨に失業對策なしと斷定される程全國に失業者渦卷
十八日（日） 外國資本家を溫める自動車關税の不備に一億圓を損失すると鐵道省で發見△早慶戰二回戰も早大力闘及はず四A對二にて再び慶應勝つ△財部全權入京臨時閣議に經過を報告す△極東オリンピツクに續々來朝
十九日（月） 知識階級失業者の登錄に殺致△昭和四年十月乃至十二月の人口增加は十九万七千八百五人で前年同期よりやゝ衰ふ△加藤岡田の兩巨頭財部海相と軍要會見△日活撮影隊下田で雜木林千五百坪を過燒
廿日（火） 世界のゴルフ王ヘーゲン氏來る△生田春月氏投身自殺死体は不明△沼津春繭初相場額を四十六がけ白繭五圓三十五錢が最高昨年に比して十六かけの大安値に惨落する△軍縮問題の最後やま中に軍令部参謀草刈少佐列車内で割腹自殺死因は不明
廿一日（水） 社會局案勞働組合法に資本家側徒らに階級闘爭を激成せしむ」ものだと斷然反対△海軍軍令部長と會合△日、比、蘭、印の極東大會迫り外死に猛練習を續く
廿二日（木） 地方長官會議△御下問△英國勞働内閣失業對策の無能から一角崩る△統帥權の獨立につき双方硬軟両論混色
廿三日（金） 産業合理化と國際貿易を地方長官會議に諮詢△國有鐵道の營業成績は一日十一錢減収と云ふ不況振り△大相撲の九日目に常ノ花引退聲明△公衆用の電話賃値下
廿四日（土） 極東大會開く△四ヶ國の若人は若葉に彩られて技を爭ふ△三河島の千軒長屋に二千圓の金をまく三青年、風の如く立ち去る△陸上競技で日本健見の意氣高し△草刈少佐の死因は極度の神經衰弱
廿五日（日） 排日移民法修正の旨論熱し議會提案の意圖を聲明す△後任東京市長は前市長永田秀次郎氏の呼聲が高い△快晴に惠まれ極東大會賑ふ日本軍依然優勝新記録續々に作る
廿六日（日） 大相撲夏場所千秋樂、優勝は山錦で大正四年の夏場所で五人目である△政府軍令部相譲らず政府難關に逢着せん
廿七日（火） 想起す廿五年前、けふ國民的感激新たなる海軍記念日△日本大學全學生盟休△關西の共產黨事件上告全部棄却さる△東京市長永田氏當選△加藤軍令部長の轉補を政府希望して難局を展開か
廿八日（水） 海軍記念日に廣瀨中佐銅像前に記念植樹百本△國債償還義金一錢から今や四十八萬圓に上る△聖上靜岡縣御巡幸御出發
廿九日（木） 座ながら話せる台灣內地間の電話は明春開通の豫定と△畑關東司令官危篤△海相官邸に軍令參議官會議開く
卅日（金） 統帥權問題は閣議で余り論議せず海相に一任して內輪で解決の意向か△支那濟南に北南兩派對立開戰の機熟し邦人の危險を慮り保護救助の手筈成り第二の濟南事件を繰返さぬ△プロ文藝作家宮島資夫氏が主義も浮世も捨て京都洛西嵯峨天龍寺道場に毘沙門堂の堂守となるこれが本當の人間だと
卅一日（土） 東京府下にもらひ子七人殺し犯人があつた△北海道空知で百十七戸全燒△警察合理局官制及職員發表△印度の反英運動に當局益々彈壓を加へ反英抗爭取締令を發し

縣下春繭相場（廿二日現在）

取引所		取引高	最高	最低	平均
長野繭糸	白	[illegible]	[illegible]	[illegible]	[illegible]
	黄	[illegible]	[illegible]	[illegible]	[illegible]
須坂繭糸	白	[illegible]	[illegible]	[illegible]	[illegible]
	黄	[illegible]	[illegible]	[illegible]	[illegible]
屋代繭糸	白	[illegible]	[illegible]	[illegible]	[illegible]
	黄	[illegible]	[illegible]	[illegible]	[illegible]
高井繭糸	白	[illegible]	[illegible]	[illegible]	[illegible]
	黄	[illegible]	[illegible]	[illegible]	[illegible]
丸松繭糸	白	[illegible]	[illegible]	[illegible]	[illegible]
	黄	[illegible]	[illegible]	[illegible]	[illegible]
吉田繭糸	白	[illegible]	[illegible]	[illegible]	[illegible]
	黄	[illegible]	[illegible]	[illegible]	[illegible]
明科繭糸	白	[illegible]	[illegible]	[illegible]	[illegible]
	黄	[illegible]	[illegible]	[illegible]	[illegible]
更級繭糸	白	[illegible]	[illegible]	[illegible]	[illegible]
	黄	[illegible]	[illegible]	[illegible]	[illegible]
川西物産	白	[illegible]	[illegible]	[illegible]	[illegible]
	黄	[illegible]	[illegible]	[illegible]	[illegible]
坂城繭糸	白	[illegible]	[illegible]	[illegible]	[illegible]
	黄	[illegible]	[illegible]	[illegible]	[illegible]
丸子繭糸	白	[illegible]	[illegible]	[illegible]	[illegible]
	黄	[illegible]	[illegible]	[illegible]	[illegible]
丸子第二	白	[illegible]	[illegible]	[illegible]	[illegible]
	黄	[illegible]	[illegible]	[illegible]	[illegible]
上田繭糸	白	[illegible]	[illegible]	[illegible]	[illegible]
	黄	[illegible]	[illegible]	[illegible]	[illegible]
東北繭糸	白	[illegible]	[illegible]	[illegible]	[illegible]
	黄	[illegible]	[illegible]	[illegible]	[illegible]
信濃繭糸	白	[illegible]	[illegible]	[illegible]	[illegible]
	黄	[illegible]	[illegible]	[illegible]	[illegible]

諏訪

富士見高原病院
不如丘博士犬養氏等援助

諏訪郡富士見高原病院は債務不履行により諏訪興業會社から競賣を申請され異議を立てたが證據不十分のため大審院で却下され競賣に付されるはずのところ興業會社が保證金を準備しなかつたため競賣延期となりこの程更に大審院へ抗告し爭中であるが院長正木不如丘博士は同事業を財團法人組織として經營すべく奔走中犬養政友會總裁（小川平吉氏も）とぶをいれてゐる）その他の援助によつてほゞ目鼻がついたもの丶如くであるが右につき正木博士は語る「病院と興業會社間には複雜な事情はあるが病院を閉鎖してしまへば債權者も債務者も大きな損失を招くから何とか讓歩し合つて圓滿に解決をつけ一日も早く解決したい」

雇人賃金協定

諏訪郡湖北五ケ村農會聯合會では雇人賃金協定に付き協議を遂げた結果左の如く決定春蠶男一圓三十錢女一圓十錢（食事先持ち）夏蠶男一圓四十錢女一圓二十錢秋蠶男一圓二十錢女一圓十錢田の草取男一圓五十錢女一圓二十錢（辨當持ち）畑仕事男一圓四十錢女一圓二十錢桑摘上等一貫目四錢下等五錢秋蠶同上等三錢下等四錢秋稚入れ男一圓二十錢女一圓雜役男一圓から一圓五十錢女七十錢から一圓（辨當持ち）

松安筑

中信地方初取引
昨年の半値に及ばぬ

中信地方に於ける春繭の初取引は十八日松本市丸松繭糸市場で行ばれた北安七貫村を始め東筑川手筋新村南安倭村等より立會開始までに二百數十貫の出廻りあり買手は諏訪の矢嶋社及片倉、石井館石、清澤等市內縣糸家が大部分を占め十三名であつた出る相場も出る相場も三圓六十錢內外で糸分十一匁七分掛目三十一掛見當を狙つてゐるのを目のあたりに見て何れも靑息吐息をもらしてゐた昨年の同市場に於ける初取引に比べると七日早く口數に於て五口取引高に於て約百貫增加してゐるが昨年は買馴相場は八圓二十四錢であつたから半値にはるかに及ばぬ四圓五十錢安を現はした

すばらしい人氣
家族天幕生活の試み

夏山の訪れが近づき各方面とも山の準備や登山計畫に忙しがつてゐるが長野運輸事務所では名古屋鐵道局と協力のもとに素晴らしい「ファミリー・キャンプ」の計劃を立てたこの家族天幕生活は七月二十一日から八月十日までの間に四日間づつ五班に分ち一班人員約七十名の見當で家族でもよし戀人でもよし氣の合つたお友達同志でもよし上高地に登つて用意された六十張りの天幕小屋に睦じく家族的な山岳殿堂を築いて樂しく美しく淸々しく四日間の日本アルプスの生活をしようといふ面白い計劃で早くも人氣を呼んでゐる

上高地局競願

上高地郵便局は先きに上高地溫泉株式會社長靑柳氏から設置請願書を提出してあつたが今度更に五千尺旅館主丸山が設

置に要する經費全部を負擔するとの條件で河童橋詰に梓村營の郵便局設置願を提出し競願となつてゐたが今回官營で梓村駐在所に設置と決定

伊那

繭價暴落に

農家自給自足への叫び

伊那地方の春蠶は近年にない大當りで頗る好成績目方にしたら增收でも金額にしたら例年にない減少で今更ながら養蠶家は呆然として居るが繭價暴落に鑑みて伊那地方には勃然と自給自足の農業經營が唱道され遼原の火の如くひろまりつゝあり卽ち近年の養蠶業は製糸家の請負勞働以外の何物でもなく現在の狀態では到底蠶家自身自己の行くべき途を開拓し得る能はずして生活の安定を缺いて居るが養蠶業の發達は米麥を耕作する農業の本體を忘れて投機的事業たる養蠶業に片よる利害になつて來た然るに本年の樣な場合は假令繭に於ては豫期以上の成績を得たとしてもその利得に於ては甚だ薄い養蠶業が本體となつた結果農家でありながら米麥を買込まねばならぬ狀態で蠶に依る金が入らぬ爲事實上食ふにこまる樣な現象になつたので總てを自給自足經濟にし封建時代に立歸つて衣食住一切を農家自身で生み出し養蠶業は從屬的のものとなしほんの小遣ひ取り程度に進めようとの說にて繭價暴落に刺戟されて痛切に叫ばしむるに到つた。

二百町步開拓　上伊那郡南回村下平區その他四部落で耕地整理組合を組織し經費十五萬圓十ヶ年計畫で約二百町步の水田を開こんする事に決定今秋着工する

上水

屑繭處理に躍起

小縣地方農家風景

小縣郡地方の養蠶家は繭値が高かつた時代には屑物は殆ど勘定に入れずいはゆる女衆の小使ひに位に考へてゐたが年と共に逼迫して行く農家經濟は之もまた大切な收入あ一部として取扱はれるやうになり漸く屑物處理の有利化が眞劍に叫び出されて來たので郡農會當局では副業としても最も有望な事業であるとなした

一日(日)　拂曉關東地方一帶に强震▲勞働組合全國同盟及び組合同盟合同して全關勞働と名づく▲極東大會盛會裡に閉會式

二日(月)　元警視廳巡査が强盗となつて知事官舍へ押し込む▲帝都の辨當のない全小學兒童にパンを惠ぐ糧友會の美しい企て▲農家の不況に鑑み蠶繭資金四千萬圓融通を決す▲暑氣訪れず鎌倉海岸に人波寄す

三日(火)　失業救濟にと純情な若き使用人百圓を投げ出す何んと云ふ美しい清い眞心▲國產獎用運動全國に開始する▲敎育勅語發布四十年記念に全國の孝子節婦烈士を百數十名表彰

四日(水)　永田東京市長は第一助役臼上佑吉第二助役菊池愼三第三助役十時尊三氏を推薦▲持久戰五十五日にして鐘紡爭議解決▲明年度豫算の物件費は一割減と決る

五日(木)　東京府の失業救濟事業三百五十萬圓追加を府會に提出▲百歲長壽法など朝飯前だと云ふ佛人若返り博士ウオルフ氏來朝▲實業家を招待して失業問題を首相官邸に懇談

六日(金)　農村の慘狀は目にあまる牛乳の飲める子は百人にタツタ三人▲自動車王フォード氏事業界を引退して余生を社會事業につく

この氣運に乘じて屑繭整理組合を起すべく目下佐久方面其他既設組合につき資料を蒐集中で近く具體計劃を樹てる意向である

長水高

參詣者の半數は

長野市內を素通りした

善光寺開帳總決算

全國から善男善女をあつめ善光寺一山や長野市內の各商店、旅館その他を大いにうるほさうと意氣込んだ七年一度の善光寺開帳は五月廿日六十二日間のお祭り騷ぎを終つたこの期間中長野驛の乘降者は約百萬人で豫想より約卅萬少く鐵道側でもそれだけの收入減であるが前回の開帳に比べて比較的割のよかつたのは市內外の自動車業者や長野電鐵は一日平均少くも四百人を上林溫泉地に遊び同方面は意外の景氣を見た。しかし交通の便がよくなかつたのと不景氣のせいか足早となり市內に宿泊しようといふものは來長者の約半分位で旅館はいづれもこぼしてゐる、善光寺本堂だけのおさい錢も一日平均七千圓位保存會のお札賣高も一日五十圓は下らず納骨依賴者も二三十件平均その他一山の中ではいく因緣のついた所には相當の淨財が集まつて居り法事は大勸進、大本願等の法事料上り高等を合せると相當額に達し、院坊等も豫想の三分一位の宿泊者であつたといつてゐるが各院坊を押しなべて宿泊者一日六七千名を下らないからこゝばかりは丸まうけである、市內賣店の方では何といつても本堂前土產品店で、一日百圓近くの賣上を見たところもあるが一般に豫想よりも約五割位の減收だと見られてをり境內城山公園等に並んだ飲食店では入費を差引けばほとんど利益は少く城山陳列館は一萬二千圓を賣り前回の開帳當時よりも約四割減である市內の提燈屋、印刷屋善光參詣草鞋製造人等も案外懷中を肥やした方で約一圓づつ費つたとしても槪略約百萬圓は市內に金が落ちたことになる

山家神社縣社に昇格　小縣郡長村鎭座の郷社山家神社は縣社に昇格した

す▲湯錢値下げの大會を開く、悲痛な叫び

七日(土)　失業者の歸農增加で農村は益々窮迫するとその影響を調査▲郵貯は一億四[illegible]一日平均四十萬圓の增加は不景氣[illegible]とは何事かな▲昭和六年度豫算は本年度より更に節約八千萬圓すると井上藏相意氣込む

八日(日)　近世における女義太夫界の大立物豐竹呂昇逝く行年五十七▲若槻全權[illegible]國的後援を深く感謝すると第一聲

九日(月)　軍令部長更迭後任は永野中將軍縮問題を中心とする政治的異動に注目する▲女子醫專が貧しい人の救濟[illegible]▲賣行の惡い煙草を整理して新製品を賣出す

元氣な老夫婦

アリアンサに立つ

「若エ奴等にばつかり任せて置くと老人の顏にかゝはる」とばかり本年六十三になる老人大工が老妻と連れて五月廿六日若狹丸で神戶を立つた。この元氣な老人は日本力行會に永年働いてゐた石川雄吉妻とり(六八)の老夫婦で長男定吉君夫婦が三年前アリアンサに入つて大工をやつてゐるのを助けに行くのである。

「アリアンサで住い心地よい家を建てゝやるのだ」と抱負の一端を語り乍ら「お前達も早く來い、おれはもう年寄りだ、金なんか殘したつて仕方がない。みんな甘い物を買つて食はしてやる」とどこまでも職人肌に力行會員の見送りに初めて着るセルの背廣服をきにしながら大元氣だつた。

海の外 歌壇

短歌　雉夫選

○　在アルゼンチン　田村一葉

見はるかすパンパが原の地平線風車一つが廻り居る見ゆ

まれにして食糧買ひに町に出ぬ町の少女の皆美くしき

メンドサの葡萄園畑多晴れにつる夢る人の頸のごとみゆ

家たてん杜を伐ると原始林に探しつかれぬサボテンの花

カルナバおへて歸きにし薬苗の多の此月いくらものびず

三度目のねづみかかりし夜の更けを留守居佗しくマテ飲みて居り

○　伊藤しげ

人皆のいねしづまりし此の夜更け水雞の聲はさびしかりけり

つばくらめ土間の天井に巢造りてひねもす卵子あたためて居り

岡谷短歌會

○　唐澤馨

久し振りに師をおとなへば遠蛙きこゆる部屋に通されにけり

今年また庭のつゝぢは咲きにけりわかめ賣來る頃とし思ふ

○　河西剛

檢査に絣袷着て行くと言ひければ父母はこぞりてあざけり笑ふ

○　武居

朝霞はれゆくなべに見えにける森の高槻若葉すがしも

○　宮下

向つ家の娘は背に泣く子をゆりつ產の話を語りて居りぬ

○　吉江博

朗かな五月の空と湖にいよいよ小さくつばめとぶ見ゆ

○　山田忠良

水鳥の啼きとび去りし谷川のふちの流れは青く澄み居り

○　中谷四郎

たまさかに歸りて泊る吾々家の朝まだきに郭公の鳴く

學校の歸りを幼き子供等は雨晴れたるに傘さしてゆく

○　濱迷雲

目覺むれば夜半に起き出で弟は旅出の仕度母として居り

○　加納幸雄

嬰子を思ひ出て妻はをるならん既に細りし乳絞りつゝ

思ひ出て吾子が弟をよばふ聲物縫ふ妻をさびしがらせつ

○　堀內卓

水蒸氣眞山木立にこもりつゝ雨はれの朝明けわたりたり

○　藤澤露草

湖の面にちらばる小船おのもおのも動くとはなしに水脈ひきて見ゆ

山の上に直立ち並ぶ雜木木の芽ぶきおのづから早きおそきあり

○　北村

室內に蒔殘されし果芋はいつか白く芽生え來にけり

○　兩角信次郎

暮れ方の雲間をもるゝ日の光に楢の林の新芽明るし

○　小野三好

雲間より夕月てれり畑徑をおぼつかなくてふみはづしつゝ

泥道をあゆむこの頃ゴム底の靴のくづれはしろくあるなり

○　中込宗吉

落葉松のまばらに芽吹きし枝をもれ日光眩しくさして來にけり

○　岩本

遠足の子供等去りて水かれの河原に紙のあまたちり居り

金かしてしばし經にけり我が友は此頃われにもの云はずなりぬ

○　中島英太郎

若草の原に憩ひて此原のつたへばなしを子等に語りき

○　笠原

いぶかりて向ふ若者に慶ましくなさせて性の話きかしぬ

○　六波羅靜鳥

燒原に若草萠えしがまばら生ふ松の木立は枯れはてにけり

茅屋根を葺きゐる家の庭さきに櫻の花はさきさかりをり

○　今井

じしやの花ねむれぬ部屋にほのぼのと咲きのたらひて靜けさあまれり

○　川口幹

頻々に學校盗難ありといふこと思ひ出でみまはりて居り

一日の仕事を終へて土ぼこりめだてる廊下つたひ來にけり

○　小口幹夫

ゆく春のなごりかそけくからたちの花さびてあり雨にぬれつゝ

○　若林野水

青木叢に夜雨の音は高まれり妻うながして寢ねむと思ふ

南向く山の傾斜の茨藪に毛虫は孵れてうごめきにけり

○　伊藤淳郎

くどくどと己が心を父に告ぐ手紙の返事又やぶりたり

長き手紙書き終へたりし疲れ身に山鳩遠くなくをきき居り

○　泉陰

谷向ふ崖に立ちたる櫟の上に眼にさえて見ゆ赤つゝじ花

○　森山汀川

給はりし山女魚を愛しみ余したり一日二日に稀人な來ね

翁さび左千夫あそびし山川にこれの山女魚は釣られたりけむ

○　兩角雉夫

日ならず巢立ちゆくらし雛燕若葉の庭をきさんじくとぶ

きさんじくとびかひ居りし雛燕多くは立ちて巢のみ並べり

○伯國アリアンサ陸稻會

牧場のイベの大木や夏の月　入洲男

夏の月の面に伸びたる芭蕉哉

垢け行く畑斑々と夏の月　紅村

唐黍に風立ちそめぬ夏の月　掬二

月涼しやしの葉影のゆれやまず

棉の木の枝や拂はん夏の月

唐黍の穗先離るゝ夏の月　圭石

密に疎に地に落つ木影夏の月　佐和太

歌壇募集

◇短歌 □□ 題隨意

◇俳句 □□ 題隨意

宛名　長野縣諏訪郡平野村　兩角雉夫先生

讀者論壇

雄飛せんとする同志に
(勇ましく戰線へ)

南信　一女性

「生き難き世にもあるかな、御愛の絆太々、吾を動かさず」菊池寬氏のこんな歌がふと私の頭に浮んで來た。現在の私は此の御愛の絆の蔭に海外雄飛も空しくせられた形と成つて居る。何故親は兄弟は私達を飛ぶ處迄飛ばせて呉れないのであらうか。私達は何時迄も生家にのみ止まる事を許されない、さあれ私達は又何處へでも行かれる自由さを持つて居るのである然るに世の親は何故小供を自由に解放して呉れないのだろう御愛の絆か、資金調達不可能の爲か、否々。資金調達の途はいくらもある。見よ、嫁ぎ行く子女の衣服調度の數々を、五百圓を下らない費用がこれに投じられてゐるではないか、衣服調度の數を誇とし。人格を無視した物質價値のみを尊重する世の多くの親よ、娘達よ、かゝる結婚は何が神聖だ結婚が人生の最大事であるから斯くするのか。それは余りに誤りも甚しい言語道斷の事であるぞ然し遺憾作らそれが現在の親、娘等の心境なのだ、かゝる人達に海外發展を說いた處でそれは一笑にふされて終ふ。「なんだ女のくせにそんな考へを起すのは生意氣だぞ」と異端者扱ひを受けるのだ。彼等に限つてサラリーマンの妻なる事を望み美衣美食を夢みて居るのである。私達には結婚の爲に衣裳道具は必らずしも必要しない、それ等の品を捺へて呉れる親心と余裕のお金があつたら私達のこの溢れる希望を滿して頂き度いものである。

或人は云ふ「男ならまだしも(それも次男だけ)女の癖に」と次男で有る事と女であると云ふ事にどこに差がある。海外進出は男女併進が要諦である。男子の眞似を女性がやると云ふのではない。女性は女性としてその立場に於て海外進出の境地がある。と私は云はざるを得ない。「どこの何さんの息子は渡伯準備中であつたが親族會議?の反對に逢い行かれなくなつたですつて」これは私の最近耳にした實話である。何んたる不甲斐なき事だ。親讓りの猫の額の狹き土地に戀々とする勿れ、世の次男坊諸君よ……蹶へつて私達女性にして倘更徒に土を放れた生活に憧がれる勿れ生かじいの學校の家の富、名譽、これ等をはなにかけ「私は理想が高いです」といふ女の友達を私は知つてゐる。土を放れた生活、貧サラの闘貧術に苦しむより私達は土の上に苦しみの跡を印し度い。土に育つたものはよろしく土に生くべきである。いはんや吾が信州の女性に於てをやである。どうせ苦しんで行かねばならない世の中である、苦しみ甲斐ある生活をしたい。私の日頃の願望はそれである。「私は現在の日本に多くの希望を託するには余りに心細い。私は過去(現在も)かゝる意志をもつて父兄に承諾を求めた。然るに一も二もなく斷固して反對を受け未だ初志の貫徹する所なく其の方面に向つて歩みを續けてある一女性である。幸い近親者にも、知人にも理解ある仁のある事を心ひそかに喜んで居る。だが然し行く手はたゞ戰である。

私達は周圍の反對を打破る雄闘突破の覺悟がなければならない。嗚呼、勇しく進軍喇叭が響き渡る、吾が敬愛する、信州の女性よ、私達は海外發展の爲に戰いませう。熱烈なる意氣、そは私達若人の生命其のものである。(春蠶多忙の一夜)一九三〇、六、一六

海の外 人事相談

本欄は求人、就職、婚姻等個人的の人事に關する相談に應じ紹介、斡旋の勞をとる。御相談に關して係りで負擔出來ざる費用は實費を頂戴す。(係)

求緣

嫁度 當方住所本縣更級郡、某實科高等女學校卒業、年齡二十四歲、小學校教員免許狀有、目下某實業補習學校助教諭勤務、先方意思堅實相應なる資金を準備せる三十五歲迄の青年にして身体强壯、系統正しき、中等教育ある確實の海外發展者たる事(姓名在社)

嫁度 當方住所本縣諏訪郡、某高等女學校三年修業家事都合上退學、爾後某病院に事務員として勤務、先方身体强健意思堅固、十分なる渡航資金を以て伯國に渡航する系統正しき青年たる事、可成五年位伯國にて奮鬪せし人を望む(姓名在社)

嫁度 當方本縣小縣郡、小學校卒業後自家農業に從事中、年齡二十九歲の處女、身体强健品行方正何等恥ずる所なし。先方可成は三十五歲迄の系統正しき男子に嫁度し(姓名在社)

嫁度 當方本縣小縣郡、實業補習學校卒業後自家農業從事中、年齡二十八歲、先方本縣人にして堅實なる青年にして、近隣に嫌忌せられざる家庭に生れたる男子たる事(姓名在社)

嫁度 當方南安曇郡、明治四十四年生、村立高等小學校、實業補習學校卒業後自家農業に從事中、先方思想堅實身体强健相當なる家庭に成長したる青年にして三十才迄の人たる事(姓名在社)

嫁度 當方本縣南佐久郡、勞働に耐得る二十八歲、二十五歲、二十歲の娘三人あり堅實なる、男子に嫁せしめたし可成は父親見屈の爲渡航致度に付旅費支辨願度

求妻 當方小縣郡西部の某村に生れ、三十四才、大正十二年ヒリッピンに渡航し麻栽培從事中、先方身体强健、意志健固眞面目なる婦人たる事(姓名在社)

求妻 當方本縣北佐久郡、二十二才、某公民學校卒業後自家農事に從事中アリアンサ移住地に請負耕作として入植準備中先方身体强健、意思堅實品行方正なる婦人たること(姓名在社)

求妻 當方本縣南安曇郡出身にして、十年前にヒリッピンに渡航し、大會社の監督、三十三歲、月收三百圓他資金數千在先方身体强健、常識ある南信地方の婦人たる事(姓名在社)

求妻 當方本籍本縣下高井郡、飯山中學卒業十年前にアルゼンチン、ブイノスアイレス市に渡航し、商業に從事中、資產數萬圓在、店員五名使用、年三十四歲、先方高等女學校卒業、思想正しく容姿十人並、身体强壯血統正しき人(姓名在社)

協會組合記事

海外視察組合
北安に進出

本會海外視察組合運動は北信より順次南下しつつありし所遂に北安の天地に進入し大町當局者の主唱により左記有志の贊同を得て今回大町海外視察組合の出現を見るに至つた。

組合長　平林　秀吾
理事　清水　正二
　　　　橫澤　民彌
　　　　杉木　篤次郎
　　　　伊藤　平二
　　　　腰原　玉二
　　　　栗林　英策
　　　　小池　鍵之助
　　　　雲河原龜太郎
　　　　曾根原　義重
　　　　福島　幸重
　　　　澤井　芳介
　　　　金原　周一
　　　　平林　治一郎
　　　　金原　政一

七月便船乘船者と 本年の渡航者數

七月卅日神戸出帆備後丸に乘船する本移住地入植確定者は左の通り、因みに本船は九月廿六日サントス着である。

長野縣上伊那郡赤穗村　石澤　貞人　四人
岐阜縣可兒郡御高町　田中　勇夫　二人

石澤氏(三〇)は農業技術員にして現在埴科郡農會に勤務し多年海外雄飛を試さして今日に至り嘉永五年生れの實母そで(七八)を同伴する大元氣である。田中氏(三二)は陶磁器商で軍隊では伍長勤務を勤めた實直な人で妻やすゑ(二五)は產婆の資格をもつてゐる。

本年の渡航者數

アリアンサ移住地入植者數は左の如し

神戸出帆日	乘船名	家族數	人員
一月三日	サントス丸	四	二〇
二月十八日	ハワイ丸	一	二
三月一日	河内丸	二	一三
三月十五日	ラプラタ丸	三	一一
四月十九日	ブノスアイレス丸	二	一八
四月廿八日	博多丸	三	一一
五月十四日	サントス丸	一	三
五月廿六日	若狹丸	一	六
六月廿三日	リオデジャネイロ丸	一	三
七月卅日	備後丸	二	六
計		二〇	九三

アリアンサ珈琲
會員一同に贈呈す

昨年本會では第一回收獲のアリアンサ產珈琲を縣下の神社に獻奉し、移住地建設盡力者に贈呈したが未だ、會員一般に分與するに到らなかつた。昨年度の珈琲收獲高は二千百五十四俵(本誌第九十五號輪湖氏の記事參照)に到つたので、今回これを本會員(維持會員以上)に贈與する事になり、東京の有名なる喫茶舖カフエー。パウリスタに於て精製し、三百余名の會員に送達した。本珈琲は普通の喫茶店。商店にあるものに比すれは品質は優良で混物は絕對になく新鮮なるため(普通のものは收獲二、三年經つてゐる)芳香强列にして美味であると澤山の禮狀が來てゐる。尙本年收獲豫想は約一萬俵、明年は三萬俵に達する見込みで明年中には本會員一同にもれなくアリアンサコーヒーが頭味されるであろう。

新入會員紹介

特別會員

上伊那郡富縣村　羽場　金重郎殿
更級郡上山田村　山崎　親喜殿
更級郡八幡村　太田　朝太郎殿
更級郡桑原村　關　爾殿
更級郡信田村　吉澤　政重殿
更級郡川柳村　西澤　一俊殿
更級郡中津村　越川　鉾太郎殿
更級郡御厨村　山崎　袈裟三殿
更級郡小島田村　清水　清殿
西筑摩郡木祖村　湯川　寛雄殿
下高井郡上木島村　山崎　一學殿
下水內郡豐井村　小林　茂一郎殿

會費領收

一金百五拾圓也　特別會員費　羽場金重郎殿
一金百五拾圓也　同　小林茂一郎殿
一金壹百圓也　同　丹澤　美助殿
一金武圓也　普通會費　宮本　喜代雄殿　小島　隆治殿
　木村美知三郎殿　佐藤　二三殿
　西家　佐登里殿　神方　敬勝殿
　林　益一殿　監栗　万藏殿
　林　新一郎殿　梶田　行政殿
一金參圓也　海の外購讀料　佐藤　力夫殿
一金武圓武拾錢也　同　眞弓　吉雄殿
一金五拾八圓也　上諏訪海外視察組合殿

海の外往來

伊藤八十二氏 上伊那郡美和村出身伊藤八十二氏(四三)は在伯邦人の精神淨化運動に携はり神の國建設の傳導に各地を巡回してゐたが今春歸國、米國留學から歸つた和歌山縣人名出文子孃(三四)と華燭の典を擧げ、近く再渡伯の豫定である。

原鶉氏 (在智利公使館)近く智利に赴任するに際し同國養蠶業の本邦人企業の參考資料蒐集のため來縣、蠶業試驗場、上田蠶專、岡谷の製糸場業を視察、六月二十五日訪會、西澤幹事よりも諸材料を得た。同國養蠶業は同國當局も相當援助してゐるので有望なるものゝ如くである。

海外社移轉 東京市芝區愛宕町三丁目三染ビルデング內(舊事務所は東京市外落合町文化村)

青年講習所生訪會 六月五日菅平青年講習所生廿名は長野市に蔵買りに來長、訪會した。

虛構の惡宣傳
何等不安のないブラジル

五月中旬都下及地方新聞紙は伯國歸朝者小田某の伯國移住の惡宣傳記事を掲げ、渡伯希望者に一大障害を與へたが、その記事による伯國情況は多く虛構たるものであつて、少しく伯國事情を知る者には意に介する程のものでなかつた。然るにこの輕薄なる記事は以外にも渡伯希望者に衝動を與へ、中にはこれによつて渡航を斷然中止したものさへあると云ふので政府當局は移民政策の見地からかゝる惡宣傳に迷はされざる樣、出先完憲の公文を發表してブラジルは何等不安なき事を聲明せり。尙小田某は在伯僅かに六ケ月にしては皮相なる觀察をなし移住者としての資格なく徒らに移住者を煽動したる無賴漢である。

中島總領事發
外務大臣宛

松永及小田ハ未ダ當地ノ事情ニ通セサル者ニシテ其歸朝談ナルモノハ全然事實無根ナリ珈琲恐慌後ニ於ケル本邦移民ノ收支狀態ニ付テハ特別ノ注意ト調査ヲ繼續シ居ルモ目下ノ所收入狀態比較的良好ニシテ何等心配ヲ要セス疫病其他不適勞働者ニ非ル限リ生計ニ困窮スルカ如キ事絕對ニナシ

信濃海外協會規約抄錄

一、本會ハ信濃海外協會ト稱シ本部ヲ長野市ニ支部ヲ必要ニ應シ內外各地ニ置ク

二、本會ハ縣民ノ縣外發展ニ關スル諸般ノ事項ヲ調査研究シ其ノ發展ニ資スルヲ以テ目的トス

三、本會ハ前條ノ目的ヲ達スル爲必要ニ應シ左ノ事業ヲ行フ

イ、縣民縣外發展ノ方法ニ關スル立案
ロ、發展地ニ就キ調査ヲナシ其ノ結果ヲ紹介
ハ、在外縣民ト聯絡ヲ計リ指導後援
ニ、海外投資ノ研究ヲナシ之ヲ發表
ホ、海外發展ニ必要ナル人材ヲ養成
ヘ、機關誌「海の外」ヲ發行シ隨時講演會ヲ各地ニ開ク
ト、海外發展ニ關シ各種參考品及統計ノ蒐集
チ、前各項ノ目的ヲ遂行スル爲臨機本會ノ代表者等ヲ內外樞要ノ地ニ派出スル事
リ、會員ニハ「海の外」毎月寄贈ス
ヌ、其他本會ノ目的ヲ達スルト認ム事項

四、本會ノ會員ハ左ノ四種トス

イ、名譽會員ハ代議員會ノ決議ヲ經テ總裁之ヲ推薦ス
ロ、特別會員ハ一時金百圓以上ヲ釀出スル者
ハ、維持會員ハ會費年額金拾圓ヲ十ケ年間釀出スル者
ニ、普通會員ハ年額金貳圓ヲ十ケ年間又ハ一時金十六圓以上ヲ釀出スル者

五、本會現在役員

總裁 鈴木信太郎
副總裁 佐藤寅太郎
顧問 小川平吉 今井五介 原嘉道 伊澤多喜男 岡田忠彥 本間利雄 梅谷光貞 高橋守雄 千栗了
相談役 石垣倉治 佐藤正俊 小西竹次郎 降旗元太郎 越壽三郎 小里頼永 片倉兼太郎 丽澤泰江 小林暢 山岡萬之助 工藤善助 松本忠雄 稙原悦二郎 山本愼平 菱川敬三

海の外（月刊）（一册廿錢）

定價表	內地送料共	外國送料共
一册	廿錢	廿四錢
六ケ月	一圓十錢	一圓四十四錢
一ケ年	二圓廿錢	二圓八十八錢
五ケ年	拾圓	拾四圓

御注意
△御送金は振替（長野二一四〇番）に御願ひします。
外國よりの御送金は銀行、郵便局いづれにても確實に送金されます。
△御轉居の節は早速新舊兩御住所を御通知下さい。
△本誌へ廣告揭載御希望の方は詳細相談申上げます。

昭和五年七月一日發行
編輯人 永田稠
發行兼印刷人 西澤太一郎
印刷所 長野市南縣町 信濃每日新聞社
發行所 長野縣廳內 海の外社 振替口座 長野二一四〇番

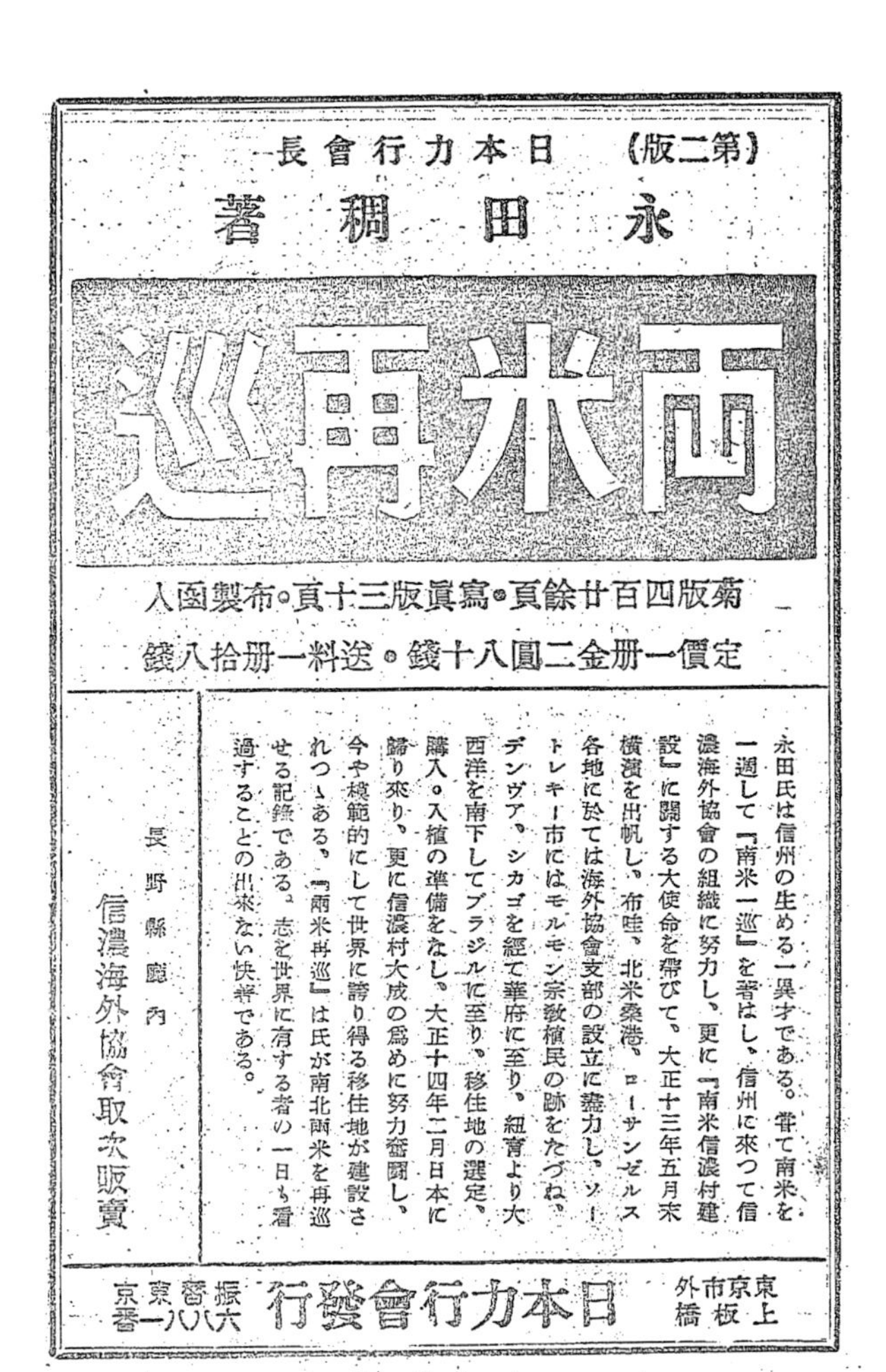

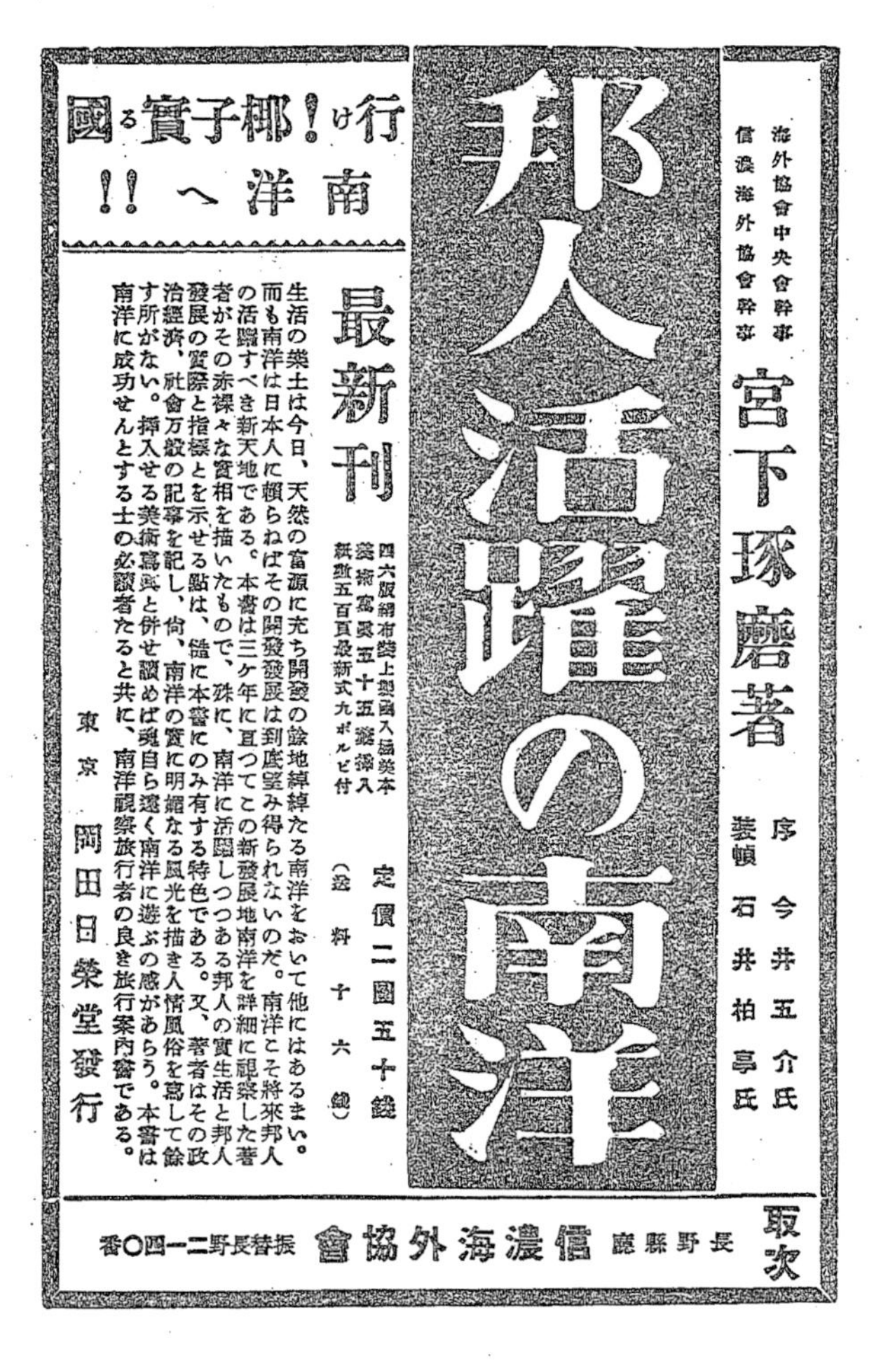

海の外—THE UMINOSOTO
Published Monthly by the Uminosoto Sha. Nagano, Japan.

「海の外」第九十七號 (毎月一回一日發行)

珈琲栽培請負耕作者募集

一、本組合經營ブラジル國アリアンサ移住地は大正十四年來、四百家族、二千人が入植して普通一萬二三千圓の資産を造り中には參萬圓以上の人もある。

二、本組合は尚多くの自作者、請負耕作者、自由勞働者の入植者を募集する。

三、自作者 (イ) 五十未滿の夫婦を中心とる十二才以上三人を有する家族、男三人の兄弟、從兄弟等で二千二百圓位の資金を有する者。(ロ) 五十才未滿の夫婦者、十八才以上の兄弟、從兄弟、伯叔父と甥等の二人以上の者が千八百圓位の資金を有する者、場合によつては千三百圓位でも採用される。自作者は二十五町歩以上の地主となり六ケ年後には資產二萬圓を得爾後毎年三四千圓の收入が得られる。

四、請負耕作者 (イ) 五十才未滿の夫婦で十二才以上四人なれば資金三百圓位できる者。(ロ) 同上家族三人なれば千圓を用意し得る者。(ハ) 獨身青年三人なれば千五百圓位を有する者。以上の條件に叶ふ者には政府や組合から五百圓以上千五百圓までの資金を貸與する。
六ケ年請負耕作者は契約完了迄に五六千圓より八九千圓の貯金をなす事が出來る。

五、自由勞働者 本組合では請負者、雇傭者等の希望者も多く募集する。資金は三百圓位あれば獨身者でも夫婦者でもよい。

詳細は御照會願度し。

長野縣廳內
信濃海外協會
信濃海外移住組合

(大正十一年四月廿六日第三種郵便物認可) (昭和五年七月一日發行)

信濃海外協會
海の外社發行

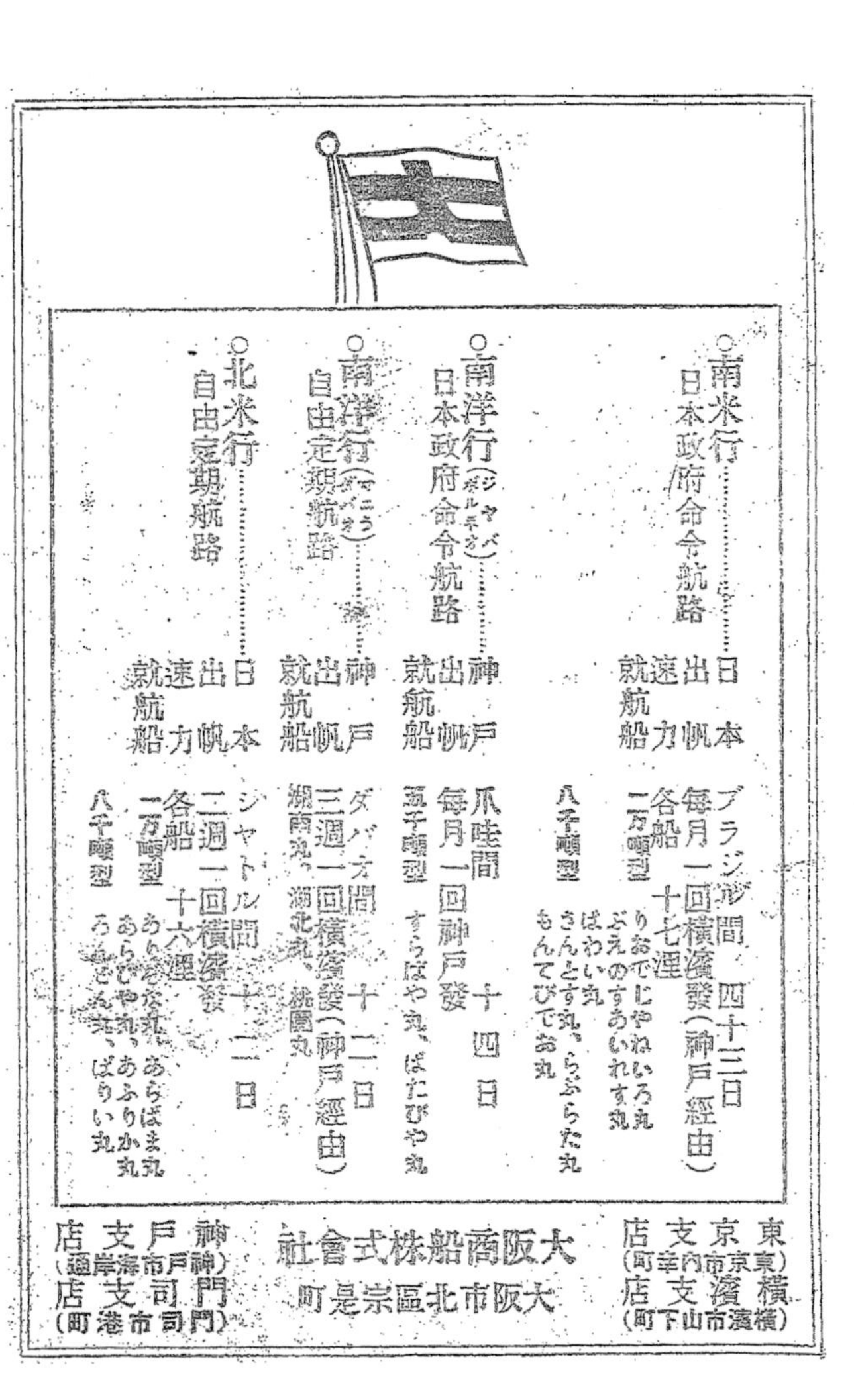

最も權威ある語學研究書と地圖

書名	著者	定價 送料
（實用）ブラジル語會話	海外興業會社	一、二〇 一〇
西語會話篇	村岡玄著	二、五〇 一二
葡語文法解說	駐伯大使館員 大武和三郎著	二、五〇 一六
（二版）日伯會話	同氏	五〇 四
葡和辭典	同氏	四、〇〇 一八
和葡辭典	同氏	四、〇〇 一八
（葡萄牙語）手紙の書方	中尾熊吉著	二、五〇 一六
（最近）西班牙語會話	植民學校講師 酒井一郎著	二、〇〇 一六
（獨習）西班牙語講義	同氏	〇、五〇 二
（聯絡式）日西自由會話	同氏	〇、八〇 四
西班牙語文法	同氏	一、六〇 八
西和辭典	酒井一郎著	一、六八 一〇
（獨習）西班牙語全解（一）（二）	村岡玄著	二、五〇 各一六
（西班牙語）會話文法	同氏	一、五〇 一六
西和辭典	同氏	六、五〇 二四
（實用）蘭語文法	同氏	四、〇〇 一〇
（實用）蘭和辭典	ファン・デ・スタツト	四、〇〇 二二
（ブラジルサンパウロ州）地圖	海外興業會社	〇、七〇 四
ブラジル新地圖	同上	二、〇〇 六
（聯結式）ぶらじる語會話	酒井市郎著	〇、五〇 四
新渡航法	永田稠著	二、〇〇 〇八
スパニツシユブツク	第一卷、第二卷	一、二〇 各六

本會て推薦出來る海外發展參考書

書名	著者	定價 送料
ブラジル人國記	駐伯大使館員 野田良治著	二、八〇 一八
新南米	同氏	二、六〇 一八
若き日本の進路	海興社長 井上雅二著	一、八〇 一〇
西半球を巡りて	同氏	三、八〇 一八
今日のブラジル	八重野松男著	三、〇〇 一八
大アマゾニヤ	野田良治著	二、六〇 二三
（神秘境）大アマゾンを探る	古谷敏恵著	一、五〇 一八
（南米實情）と移民の告白	革新日報社長 濱田勘太郎著	一、二〇 八
ブラジルの實生活	神戸久一著	〇、九〇 六
（我等の）アルゼンチン	芝原耕平著	二、〇〇 八
（少年世界地理文庫）ブラジル	西龜正夫著	一、五〇 一二
南米の理想郷	田中誠之助著	一、五〇 一六
（改正海外渡航）關係法規集	外務省通商局編	、五〇 二
中南米旅商記	横濱貿易商會編	一、五〇 一六
南洋諸島の富	吉田梧郎著	一、五〇 一六
邦人活躍の南洋	宮下琢磨著	二、五〇 一二
南洋談叢	藤山雷太著	一、〇〇 六
比律賓の現狀	商工省商務局編	二、六〇 二〇
黎明の南洋	井手諦一著	二、五〇 一二
世界植民史	大塩龜雄著	四、五〇 一八
植民及植民政策	東大教授 矢内原忠雄著	四、八〇 二四
植民夜話	農學博士 東郷實著	二、五〇 二〇

海の外

（昭和五年）　第九十八號　（八月）

進まん哉

一難去つて、又一難來る。

事の成就には、次ぎから次ぎへと難事が襲ひ來る。

されどこれに打ち克つ者は偉人となり、これに辟易とする者は凡人となる。

人生の快事はこの難事を敢然として乘り越える所に妙味がある。

進まん哉、百難吾に迫り來るとも。

（一九三〇、七、二八）

ブラジルに於ける日本移民と傳染病豫防

在ブラジル同仁會理事　高　岡　專　太　郎

私は丁度十四年間ブラジルに居りましたが私の參りました當時は未だ日本人の人口も至つて少く、その集團地は主としてサン・パウロでありましたがその後段々發展いたしまして今日では凡十万人の日本人が居ります。此の狀勢で參りますならば近々五、六年の間に二十万人位になるであらうと思はれます、人口が增加するに從ひ相當政治的にも勢力を得る樣になると豫想せられて居りまするが一方移民が增加すると共に最初は問題にされて居らなかつた樣な問題—日本人の些少の缺點とも申す樣な事迄も次第に社會的問題になる事は注意せなければなりません。私は此の機會に於て諸君に訴へ且つ希望もいたしたいと存するのであります。南米の衞生問題に就ては既に今日迄種々の報告もありまするが何れも事實とは多少の相違點があるのでありまして實際の事情と云ふものは長く滯在して充分に土地の事情をも熟知した上でないと事實との間に相當の誤差を來し易いものであります。

私は同仁會關係で居るのでありますが同仁會の事業は九分九厘迄は政府の補助でやつて居ります、その事業費は年々四万八千圓位でありますが一般衞生に三萬六千圓、トラホーム豫防治療事業に一萬二千圓位を支出いたしてをります。

同仁會の事業も決して容易ではないのでありまして在留日本人の了解、在外日本官憲との提携等の上にも屢々困難を發見するのであります、日本官憲の間にも絕えず異動がある爲め折角了解を得る運びとなつた問題に就ても異動の爲めに新規に說明を爲して了解を求める必要が起りその爲め屢々連絡困難にも陷り易いので私は努めて日本官憲及在留同胞との連絡をも保つて注意いたして參りました。

移民問題に關聯して特に重大なる疾病は寄生虫とトラホームでありまして此の豫防及治療は最も必要なものであります。私は是等傳染病の豫防措置は日本に於ける衞生事業の延長として行はれなければならないと存じます、夫れ故に日本に於ける衞生事業に携さはれる方々が時々渡來せられて彼我の連絡をとり且つ指導の任に當つて戴かれたいと思ひます、殊に移民船內の衞生問題、トラホーム治療問題に就て御協力を得相互の間に一貫したる方針を設けらるゝ事を希望いたし度いのであります。

ブラジルに居る日本人の九九％はサン・パウロに居ります、その大部分は農業に從事するものであつて之れ等に就て申上ぐれば畢竟ブラジル日本人事情の全部と云ふ事になります。新渡航者は大部分契約移民として渡來し契約耕地のコーフイー園に働き數年にして多少資金を蓄積したるもの卽ち舊移民は奧地に入り土地を購入して自作農となりコーフイー耕作に從事するのを普通の徑路といたします。

○契約耕地の衞生事情

前に申しました通り新移民の大部分は契約耕地に於てコーフイー栽培に從事するのでありますが初め一ケ月內外に細菌性赤痢に罹るものが多いのでありまして死亡も決して尠くないのであります。或る土地では四十家族の部落に每日三人宛の死亡者を出し慘憺たる情況を呈した事もあります。

尙注意すべきは腸チフスでありまして腸チフス、ワクチンは先方へ到着いたしました移民には全部行つて居るにも係はらず二三ケ月の後によく腸チフスにかゝり死亡するものが少くないのであります、死亡率も相當高く四〇％を示してをります。之れは相當重要なる問題にして到着早々の病氣が中々多いのであります、ブラジルは病氣さへなければ利益が必ずあがる處であります。

腸チフスは舊移民と移民後一年以內の人との間には罹病率に顯著な差があるのであります、然し契約移民の入る場所は多くは耕作されてをる處でありますからライシマニオージスやマラリヤは少くなつて居りますから是等に就ては問題は起らないのであります。

茲に注意すべきはアメーバ性赤痢が非常に多く腸チフスと共に重要なる衞生問題の一であります。

渡航船內の衞生狀態如何は又渡航後の移民の健康狀態に影響する事が多いのであります、殊に必要なる點は小兒にして船中にて痲疹に罹りたるものは渡航後も養育する事が困難の場合が多いから船中の衞生狀態を注意する事は極めて肝要であると思ふ。

○自作農地の衞生狀態

舊移民の多くは資金を得て奧地に入り自作農となりその七分通りはカフエー園を作り三分は棉花園を作つてをります、舊移民の衞生狀態は中々重要でありまして最も大打擊を與ふるものはマラリヤでありますマラリヤに屢々繰り返へして犯かされる爲めに移民の活動力を消耗する事が甚だしい。奧地に至りて自から開墾しカフエー樹なり棉花樹なりを植ゑつけて行く事は極めて困難である處へマラリヤが入り込んで慘害を與へ事業が出來なくなり解散したものがあります、三百家族又は百二十家族のものが解散いたした事があります。是等は私の調査によりますと移民の生活狀態が土地の事情に適さない爲めであります、將來は生活狀態の改善を計りよく土地に適合したものとせなければならないと考へるのであります。

マラリヤ媒介者たるアノフエレス蚊の飛揚力の防疫學的距離

を調べますとそれは傾斜度に關係がありまして急傾斜の處では四百米以上は飛びません、中傾斜の處では八百米にて安全地帶を得、平地に於ては一粁六百米位の飛揚力を有するのでありますから此の飛揚力は防疫上必要であつて防疫案も之れから案出して行かなければなりません。

然し乍ら一般の衞生宣傳が必要であつて防疫的智識の普及が緊要であります。而して家の建築も蚊の飛揚力等をも考慮に入れて行はれなければなりません。

一般にブラジルに於ける殖民地住宅の建築種々の點に於て注目せられ易いのでありますが日本人住宅が非常に粗末なもので ありまして豚小屋式にて辛棒してをるものがあり、外國人移民の家屋に比して見劣りのする事甚だしいものがあるばかりでなく、その衞生的影響は甚大なものがあります、先年京都帝國大學衞生學教授戸田正三博士が參られまして住宅に就て種々有益なる教示を爲されましたが相當移民間に大きな影響を與へ住宅が衞生的見地から如何に重要なるものであるかゞ諒辨せられた様であります。

日本人にあらざる外國人の移民は生活を樂しむ爲めに住宅は美くしく、住みよく衞生的でありますが日本人の家は甚だしい懸隔がありまして、も少し生活を向上せしめて一等國の移民として各國人に列して恥かしからぬ生活狀態にありたいものであります、要は餘り經費を要せぬ様にして衞生的な建築を希望いたすのであります。

嘗て基本的様式を作つて見ましたが外務省、移民組合等と連絡がなかつた爲めによく行かなかつた事がありました。

ライヒマニオージス、アメリカーナによつて皮膚の露出部より感染するものでありますが初め二三ケ月にして一錢銅貨大の潰瘍を作り半年又は一年後に鼻粘膜及鼻軟骨が犯かされます、日本人の山林殖民者の一〇%は罹患します、治療法は吐酒石の注射をいたしますが皮膚の方の潰瘍は治癒いたしますが粘膜の症狀は治癒しないから醫療は長くかゝります。之れも住宅地と蚊の棲息する處との距離が問題であります、此の蚊は百米位飛揚し、夜間主として感染いたします。

開墾して三年も經過いたしますとライヒマニオージスはなくなり、五年も經るとマラリヤも無くなりますが夫れで安心が出來ないのでありましてその後必ず襲つて來る疾病があります。それは執拗なる腸チフスでありまして殊に注目すべきは經濟的豊かな人が罹り易いのであります、これに反し貧民には比較的少い、何故有資產家に多いかと申しますと外出の機會が多く飲食物等に充分注意を拂ふ事が出來なくなり、又新規雇ひ入れにより病菌輸入の機會を與ふるからであります。

腸チフスの流行豫防に就ても適當な指導者がないから流行は益々高まつて行きます。私は豫防智識普及とワクチン供給及水の消毒藥供給をやつてをりますがワクチン注射は相當普及し良好な結果を得てをりますがワクチン製造能力が不充分の爲めに屢々分布が充分でない事があります、昨年度の如きは一萬八千

人分のワクチン注文に對して政府からの供給は僅々一萬人分位の配布を得たに過ぎません。

〇トラホーム情況

在ブラジル日本人間のトラホームは日本の統計より高い爲め事實を疑ひ調査して見ますと矢張り事實も相當高く新移民間には五〇%乃至六〇%の罹患者があり古き移民には實に九〇%にも及んで居ります。その結果は失明者や視力障害が多く出で之れによる經濟的損失も多大なものであります、到着年數に依れば古き者程多く、初めの二三年中は少く一〇%内外に過ぎないものが漸次增加して行くのでありまして渡航後家庭に蔓延する事が著しいのであります、外人から傳染した傾きはないのでありまして症狀は比較的悪化と思はれるものが多くパンヌスが刺激症狀なしに漸次現はれて來てそれが潰瘍になります。將來の爲めに何等かの方法を考へなければならないと思ひます。

私はパンフレツトを配布して衞生思想の向上を圖ると共にトラホーム治療を奬勵いたしましたがトラホームの治療は簡單に行かないので忍耐して長く持續する必要があり且つ一般に普及せしむる必要もありますので餘り危險でない藥品を以て小學校の先生に治療方法を敎へて治療の普及と持續とを計つてをるのであります。最もよいのが流酸銅棒を使ふ事で後に簡單に水洗すれば足りるのであります。

〇住宅衞生

日本人は特に注意せなければなりませんと存じます。不完全な住宅の生活は風土病及小兒の健康に多大の關係があります、不完全な住宅にては風邪に犯され易く、風邪から急ぐ肺炎に移行する事が多いのであります。

寢床の改良が最も必要と思ひます、ブラジルは暖い國で涼しい時でも六十度位の溫暖でありますからベツトには毛布が衞生的で良いと思ひます、夜具や蒲團を態々日本から持參する事は禁ずる様にして戴きたいものです、先方では玉蜀黍の皮を以て蒲團の棉に代へるものもありますが此の方が良いのであります。

（五月十六日日本公衆保健協會第二回研究會例會に於ける高岡氏の講演要旨）

外海視察記

寄港地の巻
伯都リヨデジャネイロ外觀（其五）

信濃海外協會幹事　西澤太一郎

六月二十五日午后三時頃船は汽笛を鳴らした。碇舶すると間もなく水先案内のランチが來た。檢疫官が來てまづ一等船客の名簿のチツクがすんだ。檢疫もすんだことゝなつた。三等船客は痲疹流行したために上陸禁止の災難にあつた。その中に水上警察官が來た。色々と通譯付きで話し合つた。その通譯の人は千葉縣銚子出身の白田君である。同君は二年程前から伯國内務省に勤め收容所其他船の入港毎に其方の通譯をなしたり庶務に當つて居るとのことである。我同胞の同省にあることは何かと便宜のことである。益々重きをなすことを希望にたへぬ。

内藤眞氏夫妻、小出氏と共に市内見物を約す。兩替の必要があるので皆々その心配をして居る。丁度正金銀行のリオ支店から次席榎本榮藏氏とて中々御熱心な深切な方が船へ出張されて一生懸命に、移住者の群なす人々の兩替をなして下ださつた。特三の室は此兩替の人々にて埋つてゐる。やがて三、四時間ですんで歸られた。日本貨の下落のため三ミル六百六十レースの換算であつた。早く日本の貨幣の信用の恢復を希望する。始めてブラジルの金を兩替して手にしたので皆珍しそうに見たり、數へたりして居る。コントス、ミルレース、などと彼方此方で盛に話がある。夕食のときに南米に大業を計畫實行して居る我敬愛する同縣人澤柳猛夫氏に會ふた。實に偶然の會見である同氏は人も知る如く文學博士故澤柳政太郎氏の令弟であつてアマゾンにアマゾン興業として今回州政府の大なる保護や奬勵、助成援助の下にガラナの栽培をなしておる大事業家である。アマゾン開拓のため、本邦の先覺であり邦國民族アマゾン發展の先驅者たる仁である。リオよりサントスへ向ふため今日乘込まれたのである。それで今夜初めてその食卓の初對面であつた。アマゾンの話や同氏は昨年サントス丸で渡南されたのでその懷舊談で大にぎやかであつた。佐久の人で船長西村氏の知人であり元の船長であつて非常に氣慨がある人物といはれた高見澤氏が來船された、それで船長西村氏と懷舊の懇談を長くつゞけられた色々面白い話を承りたかつたが遂にその機を得ず汽車の時間の切迫のまゝに辭して歸らる、何れ後日の快談を約して別れ

た。

リオ市の夜景を見るべく内藤氏夫妻、小出氏及小生の四人にて出で行く。美しい奇麗な街である。整つた街である。前に聽いた様に道路もよい、建物もよい、立派な街路樹もある。電燈の光まばゆい街である。町も廣い。幾階建の家は石造、人造石などと實に堂々たるもので東京の丸ビルの建物の續きである。堂々たる街である。今迄見た總べての街より建物は揃つて大きい。東京よりは人口が少ないが（約百五十萬）中々よい街である。街の清潔、廣いこと道路のよいこと建物の高大なること、石造の美麗壯大なることなどは遙かに勝れておる。市内の交通の繁瑣加減は到底東京の様ではない。從がつて東京の様に、塵埃の本場でない、人間の群集場ではない。清潔で靜かな立派な街であることに於て東京の比ではない。私供は東京よりよいと思ふた。

電信局と、郵便小荷物局と違つてゐる、日本の様に郵便電信電話皆一局で出來ぬので不便である。リオからサンパウロの移住組合聯合會の事務所、即ちブラジル拓植組合のサンパウロの事務所へ電報を打つた。「アリアンサ行きが三〇名着く宜しく頼む」旨の電報であつた。又輪湖理事宛にサンパウロに上地旅館氣付て同上電報を打つた。二、三日前サントス丸より無線電信は打つておいたが海上の電報はこれが始めてで、ブラジルに於ける小生にとつては始めての記念すべき電報である。料金は二通で九ミルレースを要した。日本より料金は一寸三倍である

夜の十二時出帆なので十時十分前から一時間の約束で夜景を見た。不夜城の如き明るい町、植物園を過ぎて郵便局、大統領の住宅、上院、大統領官舍、陸軍省の前をドライブする。軍器廠、外務省は貧弱の建物であつた、陸軍省は堂々たるもので時々暴動や、反亂があるからでもあるまい。警察署の大きいもの、中央停車場などの堂々たる代表的官衙建物を見て十一時近く歸船した。一般の人々の外出の出來なかつたのは殘念なことであつた。十二時汽笛がけたゝましく三度鳴つて出帆するのである。

涼風にそよ吹かれつゝ不夜城を
　ひと時あまり走り廻りつ
名にし負ふ光まばゆきリオのまち
　空すみ渡る十四夜の月

リオの港で一ばん强くよい印象をブラジル人に與へたのは我移住者がサントス丸の甲板で打揃つて合唱したブラジル國歌の響きであつた。

集り來れる人々や、伯國の人々の如何に好感をもたしたことであらう。

折よくブラジル人の港新聞記者が居つて、我移住者の諸君のサントス丸上の國歌の合唱には非常に感心して大いに記事にかくとの事であつた。

私供は國際的に試練され、敎養されゆく我民族の將來を思ひ誠に愉快に堪えなかつた。（二十五日夜十二時）

南洋行（九）

信濃海外協會幹事　宮下琢磨

ボルネオの野村護謨園

野村ゴム園は、大阪の銀行家事業家野村得七氏の經營です。片倉の社長が、野村氏を訪ねてゴムの話をきいた時、野村氏の答へが數字を擧げ、利害を說き、理路整然一絲紊れず、一滴洩らさぬのに、悉く敬服して『成程、話には聞いて居たが偉らい人だ。あの人なら南洋に事業をやつても損はしないだらう』といつて居られた。全く野村氏は、銀行家のやうな緻密な頭で、それで居て、消極的に偏せず放膽な海外の事業に進出するのです。今南洋に於ては、ボルネオに厖大なるゴム園を經營し、スマトラにコーヒー園を創め、ブラジルのパラナにはコーヒー園を持つて居ります。

ボルネオでは、バンヂャルマシンに事務所を持ち、こゝにボルネオ總本部を置き、新嘉坡の事務所との連絡をとつて居ります。こゝには事務所の外、ゴムの再製工場があります、これは土人の粗製したゴムを買ひ集めて、スッカリ洗滌し、更に、之れを精製して二等品をつくるのであります。

バンヂャルの事務所は、何か大事業を經營しようとして中止してしまつた獨逸人の事務所を安く買つたのださうですが、巨大なる樹木に圍まれた大厦は、羽狀形をなした鐵木の板を張つた壁で被はれて、やゝ黑ずんで明るい感じは少ないが、立派なものです。裏口の倉庫は直に河に臨んで、千噸の船が横付けにされ、直に貨物の積み込みが出來る頗る便利な設備になつて居ります。

この事務所は、總支配人三竹勇馬氏の住宅兼用で、私どもは、こゝに御厄介になり、久しぶりで、糞尿混合の水で顔を洗はなくてすむことになり、涼風をうけて廣い寢台に横はり、又、獨逸製の濾水器で濾した綺麗な水でたてゝ下さつた奥様の心つ

くしの御茶をいたゞくことが出來たのでした。

野村のゴム園はとして三ケ所あります。第一農園はバンジヤルマシンから五十キロを距てたダナンサウーといふ處にあります。これは、大正六年に獨逸人から買ひとつたもので、今は新租借地を加へて一萬五千英反あります。第二農園は、第一農園から十キロ西北に距てゝ居る一萬英反の農園で、第三農園は、第一農園の東北につゞいて五千二百英反あります。農園としてはこの三ケ所でありますが、この外に、土人のヌレゴムとか、スクラツブとかいふつまり土人の粗製ゴムとか、又切り口から流れ出た汁の容器へ行く迄の分が、長い白紐のやうになつて乾いて居る、これらの屑、かういふものを買ひ集めて精製する工場、さき程述べたバンヂャルから百六十四キロを距てたビラヤーにもあり、なほこれから八十キロ北方のカルワにもあります。ヌレゴムの買ひ集めから一歩進んで、今では、牛乳を集めるやうに液のまゝで買ひ集めても居りますが、これは、中に水を加へると容積が増すので、比重で計算したり、凝固させて實質をはかるとか、色々手數がかゝります。

兎に角野村ゴム園は、單に自家のゴム園經營のみならず、土人ゴム生産地たるを利用して、船着場バンヤヂャルを起點として二百五十キロの地點に亘つて、農園に工場に一王國を形づくつて居ります。奥の方に進みますと處々に小さな町がありますが、月曜の市とか、火曜の市とか、日によつてゴムの市がたゝります、土人はゴムが出來るに従つてイカのやうに干し固めたゴムの薄板を背負つて近郷近在集まつて參ります。街は人を以て埋められ、廣場には自動車が數十台も集ります、ボルネオも馬鹿に出來ぬと驚かされます。取引はゴムですが、日用必需品の店も並ぶので實に賑かなものです。

兎に角、南洋に於て、邦人經營のゴム園は幾百とあるが、その經營が合理的で、堅實なのは野村ゴム園などその冠たるものであることを、ボルネオに來て親て感じたのでありました。

ゴムの運命は改良種

野村ゴム園では、三年間も練習生をバイテンゾルグの試驗場にやつて、ゴム改良種の研究をさせ、又、これが試驗や、栽培に骨を折つて居る。これは他の邦人ゴム園でもやつて居るが、組織的にやつて居るのはスマトラの明治製糖直系のゴム園スマトラ興業株式會社と、ボルネオの野村ゴム園が双壁と謂ふ可きものでありませう。

今のところ護謨園の運命は、この改良種の成効如何と云ふことにかゝつて居ること程左樣に重大な使命を持て居ります。改良種の方が完全に行けば三倍もしくは五倍の收穫がある。だから、改良種で行けば儲かる、といふのなわかり切つた事でありますが、今の問題は改良種が完全に成果をあげるならば、馬來その他舊來のゴム園は廢滅してしまふといふ興廢の岐路に立つて居るのであります。

今、そのわけを簡單に申上げますと

護謨の需要は年々に増して來て居る、増しては來て居りますが、それにも増して生産が増嵩して來て居りますので、ゴムの値段は年々に低下して、時には苦力の賃銀すら拂へぬ狀態になつたことも珍らしくはありません。そこで、英國政府は、生産調節をはかつて制限をすべく蘭領の方にも交渉したのでしたが蘭領は、土人ゴムが非常に盛んで、單に資本家經營とのみ限りません、これを制限するとすれば、土人の生業を奪ふことになるので蘭政府は同意しません。そこで、英政府はやむなく自己統治下の農園に嚴しく勵行したのでしたが、これは何にもなりません、あべこべに對岸のスマトラにゴム園興隆の機運を作つたに過ぎませんでした。英政府が生産調節で、値段の維持にこれつとめて居る間に、蘭政府は、得意の栽培法改良に全力を注いだのでした。蘭領の砂糖も、一時セレ病にかゝつて殆ど全滅の悲運に遭遇したのでしたが、學者企業者銀行家が協力一致して、强壯な莖を持つ種類と、液汁を多く出す種類との花粉の交媒をはかつて、遂に、今日の優良甘蔗の發達を觀るに至つたので、ゴム價低落の悲境にあつては、當然の歸結として一本の樹から數倍の收穫を得て、生産費の低減をはかり、こゝに作絡を見出さうと努力したのでした。

とゞで、優良種について一寸說明を加へますと、ゴムの原産地はブラジルのアマゾン河畔でありましたが、英政府はどうかしてこれを英領印度に栽培して見たいと考へて、窃に、ゴムの種子を持ち出させることを計劃しました、最初が約六十年前一八七三年で六本の苗木がカルカッタについた、二回三回隨分金をかけてやつて見たが、その成績は良くなかつた、その後一八七六年に七萬の種子を集めて栽培して二千七百本の苗木を得て二千本をカルカッタに送つた、その結果二十二本の苗が發育しました。この二十二本の苗木が印度南洋一帶世界を支配するゴム樹の元祖であります。

この苗木のうちには、樹ばかり大きくなつて、その割合に液の出ないのもあれば、又、樹は大きくないが、盛に液を分泌するのもありました。そこで、試驗場で優良な種類を選定して、その花粉を交媒して更に優良なものをつくつて觀ますと、枝ぶりから、葉の形全く似たやうなものが出來ました。その結果、これまで一エーカーから三百五十ポンドを得れば馬來半嶋では普通の成績として居つたのに、改良種になれば、一エーカーから八百ポンド、千二百ポンド今では千八百ポンドを得らるゝと云ふ成績です。

英領では、始め冷眼視して居つたのが、愈大面積に亘つて、その實績が確實となりさうになりましたので大恐慌が起つたのであります。

英領管でのゴム園は、全部が舊式のゴム園で、急にゴム園の如きは改造する譯に行きませぬ、他に適當な場所を探しても馬來半嶋は良い處は開墾してありますので適地が得られない勞働の規則がやかましくなり、苦力賃は上り苦力の待遇は良くして

生活の向上を圖らねばならず、しかも、ゴム價は年々低落する狀態では、舊來のゴム園は氣息奄々四苦八苦の狀態で、英政府六十年の苦心も、興廢の岐路に立つと云ふ場合となつたのであります、この時、只向上の一路は改良種にあるので、改良種に力を注ぐか注がぬかの一點が、經營上の眞價の問題で、いかにゴム園が廣大でも、今では問題でありません。むしろ、小規模でも優良種をつくつて、園藝的に小面積から大生産を得ることが急務となつて居ります。

これは獨り南洋ゴムの問題ばかりではない、南米のコーヒーも同じ運命をたどることゝなるであらうと思ひます。約言すれば廣大な地所を持ち、多數の勞働者を使ひ、安いコーヒーを賣つて居ては成立出來ぬ、將來は、豊沃な地所で、合理的に園藝的に、小面積から大量の生産を得るやうに、つまり、「粗放から縮約に」進むものと思ひますので、南洋ゴムの將來について少し長く絮說したのでありま十。（つゞく）

功名成つて夫人を迎へる
移植民功勞者　上條泰三郎氏の結婚

昨年曠古の御大典に際し移植民功勞者として表彰を受けた在アルゼンチンの上條泰三郎氏は本縣更級郡信里村出身である。同氏は長野師範卒業後大正四年渡亞し同國北部チャコ地方に棉花栽培を志ざし幾多の困難と災難に遭遇せしも屈せずその先驅的努力は漸次酬ひられて現在では耕作世帶十七、同耕作者數卅名、所有土地總面積三千町歩內耕作實面積六百六十六町歩評價總資本價格は約九万圓に達するチャコ棉作の將來に一大貢獻をなしたのである。

上條氏のこの同地開發の努力は筆舌に盡し難きもので同氏はこの事業の完成には身命を賭し誓つて郷里との音信を絕ち、孜々營々として苦節遂に今日の功名をかち得たのである。從つて氏は未だ獨身者として家庭生活に惠まれざる境遇にあつた。

昨年本會西澤幹事は同地に親友同氏（同郷、同窓の友である）を訪問し、偶々結婚の談合ありしも氏は敢然として「私よりも外の單獨諸君に御心配願ひ度い」と固辭したが今回永田幹事の月下氷人で力行會海外學校在學中の北海道小樽高女出の才媛齋藤はな子孃（二六）と目出度婚約が整ふた。同孃は九月の便船で新夫上條氏の元に鹿島立つ豫定である。

朝鮮閑話（六）

藤澤定司

土地を買ふ心理

田舎で内地人が土地を買ふとすぐに朝鮮人が買ひに來る。買つたばかりであるから賣らぬと斷つても、是非賣つて呉れといふ實に妙な心理である。そんなに買いたいなら賣つてやるといつて買つた時の倍位に吹くとそれでも喜んで買つて行く。何んとも想像のつかぬ事で内地人の買つた土地は將來きつと價がといふ緣起でもあると見えるらしい。

三十一 商業

商は「末利」といつて士大夫はこれをいさぎよしとせず、かつて金錢を手にするのをいやしいとして顧みなかつたし、又商人も顧客を大切にせず少しも上手をいはず買ひたければ、賣つてやるといふ様な横柄な態度で構へ込んで居つた關係上朝鮮の商道は發達しなかつた。然し開城だけはそれでも仲々商業の發達した處で、昔から諸商人は皆開城から出て居つて開城簿記といふ立派な記帳法まで作り上げて居る。一般は大福帳のことを「致富册」といひこれが當座帳に當る譯で何もかもこれに日記して行つたものであるらしい。掛賣は昔から一ケ月拂で「臥上册」といふ通帳を顧客に渡して置いてそれに附込んだものである。然し別に五日拂や十五日拂の制度もあつたから金融にも相當の苦心はあつた樣である。總て商取引は「得意」の間では絕對の信用を保ち合つてをつてかけ値を吹掛けたり「イカモノ」をつかませたりする事はないが、通り一遍の顧客や行商小賣商は途方もない犧牲を吹掛けて其の値開きの協定に多大の時間を空費する。今日までその悪習が殘つて居つて兎角商人は懸値を吹いて存外の利益を貪らうとしてゐる。然し今日では大商店では決して懸値等は吹かけなくなつた。

さて昔から田舎では村々に商店のなかつた關係と物々交換の便宜上から五日毎に市を定めて市場商人が商品を持運んで來る。地方人がそれを買込んで歸るのであるが男は負ひ女は頭の上に戴いて農産物やら家畜を持つて來てそれを賣つて酒を飲んだり石鹼を買つたり鹽を買つたりして歸る。田舎の市には種々の情弊が纒ふてをつて質朴な農民を遊惰に導く様な事がある。即ち久しぶりだからと意外の人に會つて一杯飲んだあげく親しい程度が嵩じて喧嘩別れになる事も稀でない。甚だしいのになると何も知らぬ村婦を僅二三尺の絹布を餌に使つてその貞操を弄んだりする。不心得者もある。又不貞な女は態々此の市日を目當に小使どりのつもりで出て來るものもある。

三十二 商業の二

その勤險貯蓄の精神から見ると市は有害物の様に見られるからその改善否、廢止を叫ばれねばならぬもの丶一つの様に考へられる。市場の商人は市日々々を逐つて界限の市場を

行商するものであるがこれを總稱して負褓商といつて負褓商は團結力の鞏固なものでその仲間入には俠客の弟子の様な式があり一旦入團した者に對しては飽くまでも脈絡を保つて保護し合ふ義理がある。それが市場を獨占して商買をしたもので入團してゐない者は市場へ立ち入る事が出來ない事になつてゐたのである。

右の様な性質の者なので昔はこれを大官が利用して警察の事務を手傳はせたり國の變事に立ち働らかしたりして自然政刑に手をつけて隨分横暴な行動に出た事もあり情弊を醸した為に光武年間に解散を命ぜられて以來この團體も俤を止めずなつたのである。

さて大都會には大抵毎朝市が立つて近郊から百貨を持ち込んで來て賣買するのであるがなほいはゆる「坐商」といつて一定の店舗を持つて開業して居る事はいふまでもない。しかしてその店舗は大方は賣場だけであつて住宅は別に持つてゐる。夜分はその店舗を閉ざして住宅へ歸るのであるから盗難にかゝりやすく又火災等の場合には飛んだ目にあふ事がある。京城等でも鍾路通りの溝の上に板を張つて假の家を建てゝそこで商品を購ひしたもので商品の事を今日でも「假家」といふ位で如何に商業が粗末に取扱はれてをつたかゞ判るのである。さて鍾路附近の主なる假家では何を賣つてをつたかといふに支那絹物朝鮮絹物白木綿麻布帷子類紙合羽の六大品の專賣權を得て卸し小賣を行つて居つたものでこれを「六矣廛」の名殘は今日鍾路の普信閣の附近に僅に殘つてゐる。これを「列立軍」といふのである。大商店の使用人は「列立軍」の外に番頭を「差人」といひ丁稚小僧を「使喚」といひ「取利軍」といふ莢取もあるが今日では主人の外に事務とか書記といふ新式の代名詞を用ひた使用人を使つて居る。

昔の商店の名稱を二三紹介して見るとツチム廛といふのは呉服屋のことで一切の布切を小賣する店であり、縮廛といふのは顧客を呼びこんで支那絹を賣つた店であるが今日では支那絹に輸入税がかゝるので全部内地製に鞍替をして居る。

床廛といふのは唐物屋でこれを今日の言葉で云へば洋品雑貨店になる。又菓子屋の事を「モヂョン」といふが菓子類は主としてお祭りや婚禮の時に用ふるのである。魚物廛とは乾物屋のことで鮮魚は販賣せず、生魚は多く市場より呼び賣りによつたものである。

商店は住宅と別である事は前にもいつたが偶々家族を引纒めて賣場の奥に居住して居るものもある。これはおほくは卸問屋であつて在家と書いてあるのがこれであつてたとへば「馬尾在家」とか「五房在家」といふ類である因に五房とは色々の加工商品即ち荒物といふ意味である。商取引上の習慣上旅館が商品を仲介して莢取を行つてゐるのがこれを「物的客主」といつたが今日ではその名を旅館と改め漸次新式の取引法を行ふ様になつて來た。

三十三 朝鮮の狼

朝鮮には狼よりも「ヌクテ」といふ一種の山犬の獰猛な奴がすんで居つて他獸をとつて食ひ時には子供を攫つ浚つていつたり豚を盗んでいつたりして被害を及ぼしてゐる。内地には狼は今日一匹も棲息してをらぬそうだがただ狼といふ言葉だけが殘つてゐる。狼の足には蹼があつて水を泳ぐといはれてゐるがこの蹼のないのは狼ではなくつて山犬である。だから内地で狼をとつたらまずその足の蹼の有無をしらべて見れば眞の狼であるなしが判明する譯だ。

專政國シャムに於けるモダニズムの伸展（前承）

在暹 一閑生

殊に支那南方派が擡頭し勢力を把握すると共に彼等が傳統的に在南洋華僑の財的後援を大なる力として來た關係上一層當方面の華僑を重視し何かにつけて密接な關係を一層深くせんとするの跡露骨なものがある。從て當國に渡來する移民中にも可なりの知識階級に屬するものと思はれる分子が多く或は之等は本國官邊の策略的意圖に出る官製移民では無いだらうかとさへ邪推される程である、その結果當國から見て甚しく不逞なるべき共產主義やその他の過激なる主義思想を當國内に於て宣傳せんとするが如き輩が表はれて來た譯なのである。

此所に於て支那移民も單なる經濟問題からのみ見ることは許されず新しい方面からも解決せらるべき極めて難問題を當國爲政者の間に投げかけて來たのである。

當國には從來所謂過激思想を取締るべき特殊の法律的規定が無かつた依而上述の様な外來の危險思想潜入の事態に備ふる必要上一九二七年九月刑法の一部に改正追補をなし又同時に舊出版物取締法を改訂して新なる取締法を公布施行した、前者に於ては當國の國体乃至政治經濟組織の變革を企て又は示唆するもの及之等を目的とする主義思想學說等の宣傳流布を取締る條項並に之に關する死刑禁固十五年などと言ふ刑を規定する罰則を補追したもので又後者に於ては右に言つた刑法追則と相關連しその對照となるべき主義や學說に關する文書出版物等の取締條項を規定して居る、次で一九二八年四月に至つて警察制度の一部に改正を加へ現役陸軍將校の數十名を警察官に轉官せしめ地方各警察部に附屬せしめ地方に於ける思想取締を嚴にすることとした。

斯の如きは當國官憲が如何に外來の危險思想に神經過敏となり來つたかの一端を語るものであらう。實際右の樣な官邊の神經過敏も決して無理もない話である。不逞支那人の跳梁の一例を抒するならば一九二九年十一月の天長節當日「打倒〇〇王國」「建設〇〇〇和國」なるスローガンを印刷せる英文支那文の

ビラに南洋共產黨と書したものを多數市內に撒布した支那人があつた、この一味は間もなく逮捕され主魁者は夫れ夫れ十五年の禁固に處せられた。がその後も或は盤谷市內支那人學校に於て或は地方の支那人倶樂部に於て所謂共產黨員と稱する支那人が多い時は一度に數十名も逮捕せられることが頻發しつゝある之等の中には禁固十五年十年と言ふ重刑に處せられるもの多く他は皆追放處分を受けて居るのである。斯の如く古來太平な白象王國に於ても爲政者の新しい苦慮の種が飼犬に手を噛れる樣な具合に支那移民に依つて撒かれつゝあるのは何とも同情に堪へない次第である。

○

斯の如き風潮を示しつゝある際又他方見逃す事の出來ない新しい傾向が表はれて來た、即ちナショナリズムの振作之である當國の建國からの歷史を見るに第一に外來人そのものに對しても又思想や宗教の外邦から入つて來たものに對しても當國爲政者の態度の中には甚だコスモポリタンなものがあつたのであつて國粹運動、愛國精神と言ふ樣なものが故に宣揚せられた事は無かつた樣である。

それが最近に至つて一種異つた傾向となつて來た、學校教育の上に佛教思想を深く取入れようとして居る、國語の尊重がやかましく言はれる。その結果として支那人學校に於ける暹語教育が嚴格に監督せられるに至り私立小學校令の中に殆んど支那人學校のみを對照とするものと解して可い改正條項が加へられた、少年赤十字及義勇少年團運動が甚だ熾烈となつて來た、等々青少年の間に愛國的精神を涵養せんとするに努むるの傾向が著しく成つて來てゐる。

その他新聞雜誌等に國粹主義宣揚の文字が殊に多く成つたことも亦注意を惹くに十分であつて之等は總じて一種ナショナリズム振興運動と稱し得べく而してこの運動は支那移民の激增並に之に伴ふ危險思想から來る脅威に對抗せんとするものと見るのは決して筆者一人の獨斷ではあるまい。即ち當國社會の新しい現象の一つとする所以である。

○

以上當國の政治經濟方面に特に表はれて來た新しい傾向の顯著なるものに就いて大部長々しく書き立てゝ來たが次にこの際最近に於ける婦人の位置に就いても一瞥を與へることは當國社會の將來を察する上に是非共必要であらうと信ずる。

當國には今に及んで尚一夫多妻の制度が容認せられて居る。上流社會には歐米に於て教育されたものが多いので夫等の間に於ては多數の妻妾を持つことが支那に於ける樣には外部に誇示はされないであらうが、然し妻妾共に一家內に同居して多く怪しまない事となつて居る。第五世（在位一八六八―一九一〇）には後宮三千とは行かなかつたらうが少くとも常に三百位の美妃達に取り卷かれて居つたと言ふから或はその頃迄は民間の上下を通じて妾の多少を以て男の甲斐性を尺度したのかも知れない。

然るに極最近に於ては婦人教育の進歩に依つて上流間の婦人の考へ方も大部に變つて來た。上流人の正妻となるもの々內には歐米に於て教育を受けたもの乃至は自國に在つても外國宗教團經營の女學校で外國風の教育を受けたもの多く之等は大体に於て妻妾同屋に起臥するの醜を自覺するだけの誇を持つ様になつて來て居る。

而して之に經濟問題が强くからんで來て多數の妻妾及之に侍する多くの使用人を擁して物價騰貴の此の頃堪へたものではないと考へる。更に又多くの子女の教育のことを考へると皆大抵の事では無いと反省するのである。上流間に於て既に然り、恒產なき下層庶民階級に於ては一層經濟問題が緊密な影響を與へるのであつて彼等の間には多妻は非常に少くなつて來た。卽ち一般的に言へば道德的には兎に角として先づ經濟的に多妻が不可能になりつゝあるのである。婦人は自ら幾分でもその位地に關し自覺を促されて來る。

然らば從前男子に對する寄食的位地に居つた婦人がその狀態から離れざるを得なくなつて來た斯る際彼等自身の心構を如何に作らんとして居るか。

先づ新しい教育を受けたものは一様にその身の經濟的安定を考へるようになつて來た。夫婦共稼生活が決して卑下されなくなつて來た。この國にも過去の時代に於ては「天下の人をして男を輕じ女を生むを重ぜしむ」と言ふ様な氣分があつたとは不思議でなく更に佛教國として妻帶を禁ぜられた僧侶の多數の存在を經濟的にも容し得た爲め勢ひ女子の過剩を來たし多妻が寧ろ社會的に必要の事もあつた。だが生活難は自然に僧侶の數を減じ俗界に於て自力を以て生活する男子の率は昔よりは確に增加して來たのであるからこの方面への女子の捌け口も多くなつて來た。又一方世の進むと共に婦人の職業も增加して來た。看護婦、助產婦、女教員などには可なり上流の婦人も多數入つて居り、その他商社の賣子乃至家庭使用人など婦人の經濟的位地を高める原因となるべき職業も種類を增して來た。こんな具合で婦人の經濟的位地の向上と共に段々彼等も自覺しつゝあるのである。

最近では民商法に於て前述の様な婦人の自覺に立脚して夫婦關係、妾及庶子などを律すべき條項が制定せられんとして居り茲に婦人の位地が法律的にさへ論議されんとするの時期となつて來た。

斯るが故に先覺婦人の知識の欲求は近來大に熾となつて來て男子の專有に屬して居つた知識の世界も漸次婦人にも開放されるに至つた。この內最も注意を惹くものは年々行はれる宗教試驗に於ける婦人の受驗者が近年急激に增加して來た事である。又更に驚くべきは昨年度の司法官辯護士試驗には婦人の應試者がありその前期試驗合格者中に一人の婦人が見られたことである。

斯の如く暹羅婦人の自覺と言ふものは近來相當顯著なるものがあるのであつてこの際婦人運動を意識的に指導する者を得ることが出來さへすればこの傾向は一層加速度になり婦人の團体力が當國社會の各方面にも及び婦人本來の和平思想が政治的にも經濟的にも大いに反映することとなつて社會の進歩を捗くることが出來るであらう。

○

以上筆者は暹羅に於ける主として政治的經濟的方面に於ける新しい傾向を示して來た顯著なる事相を大体解剖し得たと信ずる。こんな拙文を以て幾分でも當國に於ける今後の經濟的政治的の新しい方向への動きを察することが出來たなら筆者の目的は達せられたのである。

この外文藝方面に表はれて來たモダニズム卽ち佛教や印度教の直接影響を受けたシャム古典文學が段々大衆の人氣を失つてアメリカンヂャナリズムに色上げされた活動寫眞的所謂大衆文藝の普及と言ふ見方に依つては文藝の墮落とも稱せらるべき新しい傾向や更には一般庶民階級の嗜好の變化、賭博享樂の變遷と言ふ様な方面にも見逃せない新しい傾向を伺ふことが出來るのであるが之は方面が余り違つたものであるから更に別の機會に漫談的にでも記述して讀者諸君の御目に掛けることとして一先之で擱筆しよう。

（二十頁より續く）

を遂げ公使館に報告されました。其報告書は力行世界の一九二九年一月號に記載ある通りであります。

以前日本人入植問題のあつた時は入植者を日本より募集する計劃なりし故、其間に種々の面倒があつたのであるが唯今は當農場のみにても三十人近き日本人が居りますので、此青年等が入植するには甚だ容易であります、且多少スペイン語を解し、果樹栽培の智識と經驗とを持てる者なれば入植後の成績も必ず良好と信じます。で日本より妻を迎へ家族を構成したる者は順次に入植する積りであります。

幸、一昨日（五月二十八日）內山領事が當農場へ來訪され、私等の農場及日本人入植の豫定地等を視察され、將來、日本人の發展地として有望なる事に折紙をつけ此度內山領事も賜暇歸朝にて私と同船であり甚だ好都合であります。

私は二三日中に當地出發、サンファン洲の果樹チャコの綿作ミショネスのマテ茶栽培地を視察し時間があれば伊藤博士の農場、長野縣出身の小松氏の牧場、ブエノスアイレス市附近の蔬菜栽培花卉栽培の情況を視察して後歸朝の途に登り度いと思つて居ります。（五月卅日）

邦人の亞國發展をめざして重要使命を帶び歸國

澤山の嫁探しに十七年振りで歸る開拓者

在亞アンデス農園　田村一惠

「海の外」每號喜しく拜讀致します。

はるかに貴誌を通じて民族發展の爲に御努力下さる海外協會の皆様に遠き南國の果てより感謝致します。

特に信州記事（母國通信）は遠く海外に在る、私等に一としほのなつかしさをおぼへます。

私も、あの山紫水明を以てほこる、わが故鄕、信州を後に燃ゆるが如き希望の旅に出てより、南船北馬十有七年の星霜を夢と過し去りました。

漂泊の子も樹下石上假寐の夢にだも忘れ得ざるは實に山美はしく水淸き故鄕のそれであります。

吾々在外者にとつて故鄕より、もたらす通信程うれしいものは他にありません。亦將來海外に發展せんと志す故國の青年には在外者よりの、偽らざる通信程、喜びの種となるものはありますまい。此意味に於て『海の外』誌の編輯方法をうれしく思ひます。私も回顧すれば最早十七年の昔になります、當時合併されて間も無き、新領土朝鮮に於ての農業經營を志し、友人と語らひ渡鮮し、忠淸南道論山郡城東西圓峰里に土地十數町歩を購入し、圓峰里農場を建設し、自ら模範農場として經營の任に當り、鮮人の產業智識啓發の爲に犧牲的精神を以つて米作の改良、果樹栽培養蠶の奬勵植林事業等に向つて專心奮鬪努力致しました。而し其後私は大いに感ずる處あり、內地に近き新領土朝鮮の經營は他に適任者あらん、私の如き未だ若き青年は宜敷百尺竿頭一歩を進めて、未だ同胞の發展し居らざる國に突進し開拓者としての使命を果すべくと、かく覺悟したのであります。

偶々私の隣村出身の永田稠先生が北米より歸られ、力行會を經營する事になりましたので、早速南米行の件を相談した處大いに讚同されました。依つて朝鮮の農場は友人に依託し、私は直に東京小石川の林町にありました、力行會に參り修養する事

になりました。かくて修養と準備とが出來ましたので永田會長の言に從ひ一度故鄕に歸り父母の許可をも得て、アルゼンチン及ブラジルの農牧業視察と云ふ名儀にて旅行券を下附されました。

私の父の叔父が當時諏訪電氣會社の社長をして居られましたが、以前長野縣の警察部長をした事があり、旅券下附願に付き種々面到を見て呉れた故か、吾が諏訪郡にては、一番最初のアルゼンチン行旅行券なるにも、かゝはらず案外容易に下附されました。

忘れもされぬ大正五年五月二十九日、滿々たる希望を抱いて故國を出帆したのです。當時は未だ、南米航路が開通されず大平洋より智利國に上陸し、アンデスの積雪を越へて當アルヘンチナ國の首府、ブエノス、アイレス市に到着したのは八月の中旬頃かと思ひます。

同航者には『我等のアルゼンテン』の著者芝原氏、長野縣人にて同じく力行會員の牧野右內氏、公使館、勸業部囑託の辛嶋秀男氏等が居られました。其後、總ての開拓者にともなう、幾多の困難を經て、コルドバ洲なる國立農業牧畜學校に入り四ケ年間、當國に於ける農牧業の研究を致しました。卒業後獨立して農牧業を經營しましたが見事失敗し、其結果當國に於て多くの資金を有せぬ日本人の發展には果樹及蔬菜栽培の如き集約的農業が最も有望なりとの自信を得ました。依つて其目的に進むべく、今より七年前、南米のカルホルニヤと稱せらるゝ當メンドサ洲に來たり、當地日本人の草分なる星氏と共に現在の處に於て、果樹栽培を主とし、蔬菜、養蠶、養豚、養鷄、養蜂等を經營して今日に至りました。

目下私等の許に三十人程の日本人青年が居り皆熱心に果樹栽培其他經營方法の研究をして居りますが、比較的智識階級の者が多くあります。慶應大學、東京外語、農學校、力行會、植民學校、植民同志會、スペイン語學會等の出身者あり、亦北米、加洲に於て十數年、農業經營の體驗を有する人、北米、ネブラスカ農業大學出身者等も居ります、當地に參らるゝ者は皆眞面目にて如何なる筋肉勞働をも厭はず眞黑になつて土人等と同じく働ひて呉れます。中には大資產家の小供等もありますが當地にありては皆一様に汗を流して働きます。私は此等青年諸君の活動振りを見て涙ぐましい感謝を捧げずには居られません。當農場に於て二三年研究の上は開拓者としての資格は充分に得らるゝのですが、悲しい哉四人の妻帶者を除いて、他は總て未だ獨身者です。かく云ふ私からして未だ獨身であるのです。

私は此青年等と一致協力して當地に理想的日本人の植民地（愛の村）を建設する計劃を建て、今日迄着々其準備をして來ました。いよ〳〵其準備も進捗しましたので、此度私が其要務を帶びて歸着する事になりました。

六月二十一日當地出帆のブエノスアイレス丸に歸國、八月の下旬横濱着の豫定であります。

私の歸着の主なる目的は

一、先づ第一に自分の妻を求むる事

二、私の許に居る青年等の妻を求めて同行する事

三、私等は當地方に日本人を入植させる理由の一として養蠶及米作を揚ぐべく、四年程以前より試驗的に經營せしが成績甚だ良好なる故先づ當農場にて養蠶製糸織物を行ひ羽二重を織り、大統領、洲知事其他共進會等へ獻上、出品すべく製糸工女及羽二重織の工女數名を同行する事。

四、當農場內へ果樹及蔬菜栽培の契約農家を連れ來る事

五、製糸機、羽二重織機、養蠶、養蜂其他日本特有の農牧用具購入持參の事

八、個人としては老父母を見舞、私は長男なるが故に、家督相續、村人、親戚の人々に挨拶、朝鮮に於ける事業の視察、日本見物等々であります。

何れ歸朝の上は第一に貴社を御訪問致し右の要件に付きお願ひ致し度き積りで居ります、宜敷御敎導の程お願ひ致します。

アルベアル、オエステ植民地に日本人を入植すべき計劃は今より四年前、古谷公使の時代でありました。オエステ鐵道會社の社長レキサモン氏より時の大統領、アルベアル氏を介して、古谷公使に、鐵道會社所有地に、日本人を入植させ度き故便宜を計りては呉れまいかとの話があり、古谷公使も私人として其土地を視察しても宜敷と云ふので、大統領の世話でレキサモン氏は、古谷公使をはじめ時の上院及下院議員數名、移民局の官吏等十數名と共に當地に參られ、星氏と私とで經營せる當農場を充分に視察し且日本人入植の豫定植民地も視察して歸られました。當國政府の人々も私等の農業經營の實際を視、且私等の意見を聞いて日本人入植に皆贊成の意をもらしました。

其の後石井商務書記官は、辛嶋、渡邊の兩農業技師と共に植民地の調査に參られました。

便宜上私等の農場に宿を定め、星氏と私と都合五人にて數日に、わたつて充分の調査を遂げ、各々意見交換の末、日本人を入植さす事は、如何なる方面より視るも將來非常に有望なりとの結論に達し、先づ試驗的に果樹栽培を主目的とする者十家族を限り、日本より募集して入植すべく、其具體案迄成つたのであります。そこで古谷公使は直に電報を以つて外務省に打合せをして呉れました。而しいろ〳〵の面倒があつて徒らに時日のみ經過し、次ひで古谷公使の賜暇歸朝となり、石井商務官は、チヤコの綿作地の件で多忙を極め、私等も自分の農場の雜務に追はれ遂に其まゝに延び〳〵になり續ひて石井商務官も賜暇歸朝されたので入植問題は一時立消への形になつて了ひました。

其後辛嶋氏が勸業部の囑託となられ、メンドサ洲及サンファン洲に日本人を入植すべきに付調査を命ぜられて參りました、幸、辛嶋氏とは同航の友であり、其後は同じ理想を以つて日本人の農牧業方面に發展の爲努力せる盟友でありますので私等の農場に居を定め寢食を共にしつゝ四ケ月間に涉つて充分の調査

(十七頁へ續く)

在留申告書提出濟の在外徴集延期者（三）

本籍地	徴集延期者	現住所	適齢年
上水內郡			
朝陽村	山田覺善光	伯國聖州北西線ルツサンビラ驛アリアンサ移住地	昭和五年
同	本藤忠治	伯國聖州イグアッペ郡レジストロ植民地	大正十四年
戸隱村	二本松年治	同右ソロカバナ線マンドリ一驛サンタバラバラドリオバルド	大正九年
同	和田二朗	同右ノロエステ線グワイサラ驛	大正七年
同	小和主計	比島ミンダナオ島ダバオ	同
柳原村	横谷久	伯國聖州イグアッペ郡レジストロ植民地	大正十二年
同	關谷重雄	米領布哇ホノル、市	大正十二年
古里村	柄澤泰藏	伯國聖州イグアッペ郡レジストロ植民地	大正十二年
同	倉島駒治	伯國聖州ソロカバナ線クッタ驛	大正七年
同	柄澤登治	同右ソロカバナ線アルパレスマシヤド驛プレジョン植民地	大正九年
同	柄澤勝之助	同右	大正十五年
同	德永思我夫	北米加州サクラメント市エム街三一二	大正四年
日里村	北澤嘉幸	北米加州桑港サター街一四〇九	昭和五年
榮村	吉原千苗	伯國聖市ガルボンヴエノー街八五	大正十年
北小川村	松本善二	伯國聖州北西線リンス驛上塚第二植民地	大正十二年
長沼村	丸山武雄	同右イグアッペ郡レジストロ植民地	昭和四年
鳥居村	野田榮	同右サントス市トレチーノフイゲエーラ街一三九	昭和四年
同	山田實	布哇オアク島ホノル、市イヴリー街	大正十四年
中鄕村	渡邊鐵雄	伯國聖州モジアナ線イガラパーバ驛マツタ耕地	大正十三年
神鄕村	水上誠治	同右イグアッペ郡レジストロ移民地	大正九年
三水村	高橋田太郎	墨國ソノラ州ヒラレスデナユサカ	大正十一年
更級郡			
眞島村	宇敷貞長	比島ミンダナオ島ダバオ	昭和三年
同	近藤小一郎	伯國聖州イグアッペ郡レジストロ植民地	大正十二年
同	竹內助雄	同右モジヤナ線イガラパバ驛	昭和三年
同	北村克己	同右ノロエステ線ルッサンビラ驛	昭和三年
同	北村立志	同右	大正十四年

本籍地	徴集延期者	現住所	適齢年
同	羽生田武志	同	同
更府村	村岡今朝治郎	同イグアッペ郡レジストロ植民地	大正九年
同	村岡知重	同右ソロカバナ線オウリンニョス驛	同
川中島村	正村厚	比島ミンダナオ島ダバオ	昭和三年
同	大室猶治	伯國聖州イグアッペ郡レジストロ植民地	大正十年
同	大室政美	同右	昭和二年
更級村	大谷幸信	同右北西線ルッサンビラ驛アリアンサ移住地	大正十二年
同	大谷政信	同右	大正七年
川柳村	山本信男	同右	昭和四年
同	高松重成	北米ワシントン州ゼアス市ナショナル	大正七年
信田村	小林幾次雄	比島ミンダナオ島ダバオ	大正七年
同	柳澤武茂	布哇布哇島オノメア耕地	大正八年
大岡村	竹內增太郎	伯國聖州イグアッペ郡レジストロ植民地	大正九年
村上村	竹內晉治	英領馬來半島ペラ州打巴	昭和五年
同	竹內繁治	同右	昭和五年
同	邊見通	伯國聖州モジヤナ線サンジョアキン驛ホルタレーザ耕地	大正八年
同	西澤襄雄	同右	大正十一年
桑原村	綠川忠七郎	同右イガラパーバ驛フランシスコドール耕地	大正八年
小島田村	瀧澤計男	比島ミンダナオ島ダバオ	大正十二年
稻里村	花石貫	伯國聖州北西線プロミッソン驛サンタオリンピア移民地	大正七年
同	花石勝人	同右	大正六年
力石村	中曾根益雄	北米羅府西第卅六街一六一九	大正六年
上山田村	安藤安貞	伯國聖州クロカバナ線アヴアレー驛	昭和五年
同	山崎長文	同右北西線リンス驛リンス市	昭和三年
同	田島悅男	同右リンス驛上堤第二耕地	昭和三年
同	安藤忠人	同ソロカバナ線アバレ驛	大正十五年
同	安藤清男	墨國シナロア州チョイス郡エコラット村	昭和二年
青木島村	小山米吉	伯國聖州イグアッペ郡レジストロ植民地	大正八年
八幡村	若林榮二	伯國パラナ州カンバラ驛サンタクレメンチーナ耕地	大正十一年
篠ノ井町	若林政治	[illegible]	大正十三年
同	宮尾董五	伯國聖州バウル驛	大正十年
埴科郡			
倉科村	島田了止	伯國聖州イグアッペ郡レヂストロ植民地	大正十四年
屋代町	小川重雄	北米桑港バレンシヤ街五四五	大正九年
同	酒井直衛	獨乙伯林ウイルマースドルフ區ウーランド街四二	大正九年
同	村山光衛	伯國聖州英國驛ジユケリ驛ピラジユケリ植民地	大正十年
同	春日文藏	同イグアッペ郡レヂストロ植民地	大正八年

本籍地	徴集延期者	現住所	適齢年
同	和田孝	米國加州羅府東十街一、一一四	昭和二年
同	大井統一	米國ミシガン州デトロイト市ヤロストンアベミユー一、一六八一	昭和五年
東條村	西澤春次	伯國パラナ州カンバラ驛サンタクレメンチナ耕地	大正十一年
坂城町	荒井貞雄	米國イリノイス州シカゴ市シカゴ大學院	大正八年
戸倉村	宮本清	瓜哇島スマラン市野村貿易商會	大正三年
同	中村哲次	米國シヤトル市ジヤクソン街五一七	大正十二年
杭瀨下村	中澤忠夫	伯國聖市コンデデサルゼダス街四六	大正十年
同	中澤武	伯國聖州地西線ルツサンビラ驛アリアンサ移住地	大正八年
南條村	宮原基	亞國コルドバ州コルドバ市サンテアゴデエステーロ街二〇〇	大正六年
同	西澤幸夫	伯國聖州地西線リンス驛サンジユオン植民地	大正十一年
同	中村善作	同上館本移住地	大正十五年
同	宵木留雄	ペルー州フニン縣クンカーヨ市レアル街五七一	昭和三年
同	宮原大和	伯國聖州北西線ルツサンビラ驛アリアンサ移住地	昭和四年
五加村	赤池三男	墨國ソノラ州ナボホア市	昭和三年
同	赤池邦之助	同右	大正八年
同	中村太郎	伯國パラナ州カムバラ袋宮耕地	大正十四年
中之條村	窪田久登	比島アルバイ州レガヲ町	大正七年
松代町	大瀨房人	蘭領ボルネオ島ブロラウット、コタバル	大正八年
同	岸良次	墨都コロニアローマ區バハカリホルニア街	大正七年
埴生村	中澤英男	比島マニラ市マラテ區サンアンドレス街	大正六年
同	宮坂寛司	玖瑠國カマゲー州セントラル、ストーワー	昭和一年
同	宮坂耕三郎	伯國聖州パウリスタ線バウへ市	大正十三年
同	宮在實郎	同右	大正七年
同	宮坂救治	玖瑪國コセンビヤイスラ、デピーノ	昭和五年
森村	笠井胖	伯國聖州地西線リンス驛大和植民地	大正十年
同	笠井良登	同右	大大七年
同	久保德実	英國ドーセウト、ドチエスター、ゼ、クロスウエース	大正六年
雨宮縣	西村行男	伯國聖州バウクスタ線フエルナーン、デーアス驛	大正十二年
同	窪田軍太郎	米國羅府北モット街一一八	大正十四年
小縣郡			
青木村	金井忠夫	伯國聖州地西線プロミッソン驛サンダオリンピヤ植民地	昭和四年
長久保新町	高橋勝	同右ルッサンゼラ驛アノアレサ移住地	昭和二年
武石村	北澤義衛	加奈陀晚香坡市メーン一八七	大正十三年

東内村	籍山正一	墨國コハウイラ州トレオン市セベダ町三二八	大正十五年
和田村	柳澤保金太	比島ミンダナオ島ダバオ	昭和五年
同	柳澤勇雄	同右	大正十一年
同	高橋正吾	伯國聖州北西線ペンナ線アフエランジヤ町	大正十五年
同	宮下貞猪	同右ルツカンピラ驛アリアンサ移住地	昭和四年
西内村	今井武雄	瓜哇島ボンドヲソン市	昭和四年
依田村	土井佳四雄	伯國聖州北西線プロミツソン驛アンチンニヨ耕地	大正十一年
同	大井浩	同右バウリスタ線アニウマス農場	大正十二年
同	内堀運平	米國加州サンタバヾラ郡ガダルーブ郵函二七一	大正八年
同	村松利亮	同右オークランド市フートビル九、八〇九	大正十五年
丸子町	瀧澤忠世	同右	昭和四年
同	瀧澤忠世	佛領印度支那安南フクキ	昭和四年
本原町	田中正武	米國ワシントン州タコマ市セントポール街二〇	大正十五年
同	田中忠雄	米國シアトル市第七街二一四	昭和三年
中鹽田村	山口幸一	南洋群島ポナペ島ナツト村	昭和五年
同	堀内金一	墨國サカテーカス州フレスニーヨ驛レイヴア街八三	大正十二年
殿城村	榮崎實	比島ミンダナオ島ダバオ	大正七年
同	上原貫	同右	大正八年
同	寺島要人	伯國聖州イグアツプ郡レジストロ植民地	大正十二年

豊里村	中村勇次郎	加奈陀ビー、シー州ステブストン	昭和五年
同	六川豊太郎	比島ミンダナオ島ダバオ	大正七年
和村	田中久	墨國チヤパス州タパチユーラサフゴサ街	大正八年
神川村	山邊清	加奈陀ゼ、シー州サンマーランド	大正十年
同	尾崎英二	墨國タマウリパス州マスエル	大正四年
神科村	成澤留治	布哇オアフ島ワヒア、	大正八年
同	細谷謙三	米國紐育市アクヘダクシアベニエー二、一一四	大正八年
同	井出嶷	加奈陀晩香坡市マクハーデー街四、六九五	昭和二年
同	瀧澤仁平	伯國聖州北西線プロミツソン驛イタコロミ植民地	大正九年
同	龍澤浩	墨國チワワ州ファーレス市ハヒヤ町二二〇	大正十四年
同	中曾根忠雄	同右	大正八年
同	土屋貞雄	伯國聖州北西線リンス驛上塚第二植民地	大正十年
同	倉島守雄	同右	昭和三年
同	瀧澤傳	同右	大正十三年
西鹽田村	佐藤武臣	伯國聖州西線アラサツーバ驛ミモーザ耕地	大正十一年
同	山極越海	米國ミシガン州アンオルバー市第五街六一三	大正十五年
傍陽村	半田續善	瓜哇・バタビヤ市サレムバ一四	大正十一年

東鹽田村	曲尾琴	伯國聖州イグアツペ郡レジストロ植民地	大正八年
同	曲尾遠雄	同右	大正十一年
同	曲尾良顯	同右	昭和四年
同	林光次郎	米國紐育市ブロードウエイ一七七五	大正七年
同	工藤種明	加奈陀ビージー州ポートハモンド	大正十四年
同	池田智榮	布島ブナ、パホア耕地	大正七年
同	池田昇	同右	大正十五年
鹽津村	石川文夫	伯國聖州イグアツペ郡レジストロ植民地	大正十年
富士山村	伊藤春好	比島マニラ市トロソ區アスカラガ街一〇四四	大正八年
別所村	宮澤虎雄	秘露國リマ市パツスソルダン四〇四	大正十一年
浦里村	大井藤吉	加奈陀晩香坡市パウエル街一二六	大正七年
同	南澤利治	伯國聖洲モジアナ線プロドキスキ町九六六	大正十年
同	池田孝平	比島ミンダナオ島ダバオ	大正八年
鹽尻村	原量	米國シヤトルジヤクソン街一六〇五	大正十二年
同	沓掛要三	加奈陀晩香坡市東九街七五三	大正三年
同	瀧澤克巳	伯國聖州北西線ルツサンピラ驛アリアンサ移住地	大正十二年
室賀村	西澤廣平	比島ミンダナオ島ダバオ	昭和五年
同	西澤寬	同右	大正七年

同	山崎東司	同右	大正七年
同	土屋三男	伯國聖州北西線プロミツソン驛サンタオリンピヤ植民地	大正十四年
泉田村	宮崎福治	比島ミンダナオ島ダバオ	大正七年
同	竹內總三郎	同右	大正六年
同	田中壽治	同右	大正八年
同	小泉理覺	同右	大正七年
同	大澤繁喜	同右	大正八年
同	石井哲次	同右	大正七年
縣村	小宮山袈裟夫	同右	大正九年
同	小宮山昇夫	同右	大正六年

南安曇郡

豊科町	丸山磐城	加奈陀オンタリオ州テンプランスヴル	昭和二年
同	石田幸成	比島ミンダナオ島ダバオ	大正六年
梓村	百瀨求	伯國聖州パウリスタ驛マリリア郡アルトカフエザール市	大正十五年
同	太田孝一郎	米國シヤトル市エムパイヤ六五〇五	大正十三年
高家村	藤原秀人	伯國聖州タンビナス郡モレテデステ農場	昭和二年
穗高町	茅野勝義	比島ミンダナオ島ダバオ	大正八年
同	茅野秀夫	同右	大正八年
同	望月正次	同右	大正八年
同	小平重雄	同右	大正十一年

移植民ニユース

失業者救濟に開墾事業を起す

失業防止委員會は次回の會議において日傭勞働者の失業應急救濟策に關する政府上申案を決定する事となつたが、引續き各階級を通じて最も有効な失業對策と見られる農事訓練並に開墾事業に關する審議を開始し至急具體案を得て企業の經營を明年度豫算に計上せしむる事に決定した。全國の各開墾地は內地、北海道を通じて約二百萬町歩を有し合理的農業技術動力の配分經營及び適當な改善指導を加へれば充分これを開發して生産收益を擧げ得ると共に疲弊した農村も振興し得る餘地があり、玆に現在都會及び農村に偏在的に溢れて居る失業者に一定の農事訓練を與へて海外に移住せしめる一面、失業問題解決に資せんとするもので國庫補助を與へると共に地方には大いに起債許可を行ふ方針で計畫の大要は左の如くである

一、開墾移住地

內地においては北海道を主として本州では東北地方、紀州及び宮崎、鹿兒嶋地方、植民地においては臺灣が最も有望で總督府も熱心に希望し樺太南洋にも收容の餘地あり朝鮮は專ら朝鮮人農業者の救濟を目的とし朝鮮人の內地移住を防止して間接的に內地の失業緩和に資する

一、農事訓練所

失業者多き都市の附近又は移住開墾地の國有地を選び此處に失業者を收容し專門家を囑託して開墾方法及び農事技術の實地講習を行ひ一定の賃銀を給して訓練を終つたものは內地又は海外へ移住せしむ經費は訓練の生產收益を以て先て國庫補助を興ふ

一、開墾事業

道府縣は政府において開墾地の道路飲料水宿舍等の基礎設備をなし移住者の智能の程度に依り企業移民と勞働移民に別ち指導者を置く開墾工作器は貸附又は拂下の方法に依り政府より低利資金を融通する

海外企業の合同に便宜を圖れ

拓務懇談會第三部會は十七日拓相官邸に開會、委員長野村益三子はじめ各委員ならびに本省側松田拓相、小村次官など出席、拓務大臣諮問第三號「海外拓殖事業指導奬勵に關する件」につき前回までに審議を重ねた事項を取まとめた答申原案を附議し、審議の結果原案通り左の通り答申を決定した。

諮問第三號に對する答申　わが邦人の海外における拓殖事業の指導奬勵に關しては特に改善を行ひまたは新たなる施設を必要とする事項多くありといへどもなかんづく最も重要なるは金融問題なりとす、よつて南洋における該問題

を主とし緊急實施を要すと認むるものにつき左の通り答申す

一、南洋における邦人の拓殖企業に對しては主として東洋拓殖株式會社をして金融の途に當らしむること

二、政府は必要の場合海外企業の合同に向つて相當の便宜を加へられたきこと

三、南洋諸地方における邦人醫師の開業を容易ならしむること

五、南洋航路の改善および新設をなすこと

六、海外における邦人拓殖企業に對しては所得税を免除すること

七、南米の農企業に對し金融の途を講ずること

八、南米資源の調査研究奬勵のため調査機關を設くること

九、海外拓殖企業に必要なる人材を養成すること

南米移民增加す　上半期の渡航者數

コーヒー暴落を理由として一時ブラジル移民渡航に關して悲觀説を流布する者あり從つて今年度のブラジル移民渡航數は減少を豫想せられたが事實はこれに反し本年前半期は却て前年同期よりも約三千七百人を增加した、卽ち海外興業會社の取扱へる同社契約移民、移住組合、南米拓殖、アマゾン興業各關係ブラジル移民渡航數を擧ぐれば左の如くである。

	本年六月まで	昨年同期
一月	一、二七一人	六〇七人
二月	八七二	七九八
三月	二、四七三	五九六
四月	二、一一三	一、六四三
五月	一、四五二	一、六〇四
六月	一、六一八	八四五
計	九、八〇九	六、〇九三

增加原因は主として不景氣の深刻化と大阪商船の新船ぺのすあいれす丸りおぢやねいろ丸の就航、一部航海延數增加等による輸送能力增加の結果であると見られてゐる

縣下に動く海外投資熱　西澤幹事が町村長會で講演

七月三日長野市に開かれた縣下町村長會議席上に於て本會西澤幹事は縣民の海外移住奬勵策について述べブラジル觀察談を試みたる結果各町村には海外發展熱が勃然として起り町村長自らが乘り出してゐる。その具体案はアリアンサ隣接地に擴張する追加購入面積一萬五千町歩を一口申込に對し二町五反を提供し一口の金額は六百圓六年賦として拂込み、一町村又は個人で十口を以て一家族の請負耕作者を送出し開墾に從事せしむるもので六ケ年後には一口當りの二町五反は二千五百圓位の價格となり每年三百圓の利益をあげる事が出來る。小資本の海外投資として好箇のものであり且つ堅實なる所より非常の歡迎を受け稱澤相談役の赤穂村ではいの一番に申込んで來た。

信州記事

臨時縣會招集
救濟事業輪廓成る

本縣における失業者救濟事業計畫の大體左の如し

縣の事業費總額百四十四萬圓で政府が六大都市並に本縣の事業を失業救濟事業と認むれば總額の二分の一に相當する勞力費の半額卽ち三十六萬圓の國庫補助が得られるから殘りを折半して縣と地元とが各五十四萬圓づつ負擔することになる市町村事業の總工費は百五十萬圓で國庫補助が同樣あるものとすれば四十二萬五千圓に達し三割の縣費補助額四十五萬圓となるから市町村の負擔は六十二萬五千圓となる譯であるしかしその財源は縣も市町村も起債に仰がねばならぬが縣の起債額は合計九十九萬圓市町村は百十六萬五千圓（國庫補助がなければ百五十九萬圓）となる勘定で國庫補助がない場合には縣の工事はそれだけ縮小を見市町村の場合はそれだけ負擔增加となる譯である

尙右によりどれだけの失業者が救濟されるかといへば一日一圓として勞力費總額の關係上延人員にして百四十五萬人が救濟されることになる

これにつき鈴木知事は語る

この計畫は全くの概略で臨時縣會にかけなければ決まらない又臨時縣會招集の時期も決定して居ない

産業助成の低資
本縣へは七十五萬圓

預金部運用委員會が決定した本年度各種産業助成の低利資金二千五百萬圓の貸付については豫て農林着で各府縣の申請に基き割當査定中であつたがこの程決定し

母國通信日誌　自六月十一日　至七月十六日

六月十日(火)　政府の勞働組合法案に關西の事業家「階級對立の思想を激成す」と反對運動開始▲日本に煙草なしと觀光の外人非難す▲勝手放題の日本語を近く閣議で正式決定すと▲加藤軍令部長參內單獨帷幄をこひ奉る

十一日(水)　十數年の沈默を破つて淺間山大爆發す▲新軍令部長に谷口大將親補▲宇垣陸相病氣その任に堪へず近く辭職か▲盜犯防止法今日から實施

十二日(木)　德川家達公一行渡米の途に上る▲勞働組合法反對に資本家側戰線統一▲南洋飛行第二班橫須賀を出發サイパン島に向ふ▲女性の高文試驗初めて受理さる

十三日(金)　木田少將令孃殺し杉山懲太郎上告棄却され死刑確定▲日英米三大會社の大平洋上旅客爭奪の影響を受け瓦船のお客がたつた十名

十四日(土)　登山期が近づき人氣の南アルプスに山小屋が殖える▲いかもの食ひの熊谷彌道氏「食物を携帶せぬ登山」實驗の爲富士山

たので三日各府縣長官に貸付決定の通牒を發した本縣に對する割當は左の如く申請總額四百二萬圓の一割八分に當る七十五萬七千圓でこれを耕整、産業、畜産三組合の手を經て貸つくる事になつたが利率は預金部貸出四分八厘、借主負擔五分四厘、年限は耕地整理組合三十年、その他は二十年である

割當總額　七五七、〇〇〇圓△內譯耕地整理事業　二三四、〇〇〇圓△産業組合五一五、〇〇〇圓△畜産組合八、〇〇〇圓

佐久

町村長會も動く
敎員官吏の俸給を削れ

南佐久郡町村長會は二十八日郡聯合事務所で開き元郡役所建物賣却については反對意見多く縣當局に對して現狀維持を陳情することに決定、小學敎員給二割引下げについては單り敎員給に止まらず一般官吏敎員給を削減すべしといふに意見一致し縣當局に建議する一方本縣町村長會へ提案することになつた

避暑登山者は
昨年よりも增加す

長野運輸事務所調査による去る十一日から十五日までの避暑客や登山者概數は野尻湖內地人五百九十余名外人六百三十名赤倉妙高等の信越國境溫泉地には二百余名滯留し輕井澤附近は十六日現在で內地人千四十七名外人五百六十七名入込み昨年同期より二百二十七名の激增で知名の士も多く草津方面は約七百名に達してゐる

又十五日までの松本驛扱ひの登山者は上高地、白馬、燕その他で男女合計約千四百名、明科驛扱約三百名、淺間登山は小諸御代田驛で約百八十名、柏原田口驛等から戶隱、妙高等へ登つたもの約二百七十余名でいづれも昨年同期に比べて非常に增加してゐる

に登る▲關東學生庭球單試合に早大佐藤優勝▲駐獨長岡大使駐伯有吉大使歸朝

十五日(日)　首相の懇望默し難く宇垣陸相留任を決意▲阿部中將無任所大臣となり陸相代理をなす▲關東中等學校競泳大會

十六日(月)　國際學生競技大會選手派遣費調達困難▲百貫の繭をとつても收益僅に三十圓久方の雨にお百姓蘇へる

十七日(火)　若槻全權七ケ月ぶりで故國を踏み「自分は全力を盡したのみ」と神戶で第一聲放送▲弊害除去の爲煙草元賣制度廢止に決定▲南洋飛行の海軍機翼を連ねて歸還す

十八日(水)　熱狂的歡呼に迎へられ若槻全權一行入京▲歐洲デ杯戰チエコを破り日本決勝へ▲二十余日に亙つた日本大學の盟休も文部省の警告を食ひ當局學生側の要求を容れ解決

十九日(木)　兵力量問題の覺書に財部海相調印▲英米協同主張に面し日本の立場困難を極むと若槻全權の閣議報告

二十日(金)　若槻財部兩全權拜謁を賜はる▲加速度的な失業者增加ぶり四月は三十七万人

二十一日(土)　煙草元賣廢止で四千万圓浮すと▲皇太后陛下上野音樂學校へ▲財部海相海軍首腦を集め國防補充計畫を說明す　▲死刑確定の杉齋眞犯人は他にあると奇怪な陳述

諏訪

下諏訪の陳情隊
出京を檢束さる

十八日夜諏訪郡下諏訪町における不況打開郡民大會の決議をもたらして上京し濱口首相外各關係閣僚に直陳情し更に都下各新聞社を歷訪の豫定で同夜下諏訪驛から乘車した陳情委員一行二十四名は上諏訪驛で全部檢束され上京を防止された右は時節柄成行きを重大視した縣警察部の計畫的彈壓と見られ郡民は不滿を有つて居る

直下げせねば
全村消燈と値下げ運動

諏訪郡電力料金引下期成同盟會では十五日夜上諏訪町龍東館に代議員會を開催五割直下を目標として猛運動を續けることゝなつた尙豊平村會では電燈料三割直下の決議をなし會社が應ぜぬ場合は全村消燈すると

町で保證せぬ限り
無擔保貸出しは不可能

下諏訪町國用製糸救濟策最後の手段として選んだ低利資金融通について陳情委員五名山岡、今井兩縣議大和町長は十五日朝農工銀行に相原支配人を訪問事情を述べて無擔保により三萬圓乃至十二萬圓融通方を希望したところ同銀行としては下諏訪町會の決議によつて保護するならばともかく全然無擔保で貸す事は出來ないとの事で陳情委員連は失望して引取つた

伊那

お蠶に愛想をつかし
桑園を水田に

下伊那郡下四十一ケ村中、食ふ米を自給自足出來るのは僅に市田、座光寺、伊賀良、下條、伍和の五ケ村に過ぎず他はいづれも輸移入米で生活してをり今までは米作する者を馬鹿だとアザ笑ひ養蠶を專業として來たが最近の繭價安から養蠶にあいそを盡かしたもの多く昨今續々桑園

二十二日(日)　一時的救濟よりも根本整理が必要と濱相財界不況對策につき演說す▲輿論支持のうちに御諮詢奏請手續をなす事に三相の意見大体一致▲水上八百リレーに早大チーム日本新記錄を出す

二十三日(月)　山のシーズン始まる▲星の爭議解決す▲東京ベルリン間の無線電話遂に成功▲北大越智博士トラホームの病原發見か

二十四日(火)　ロンドン條約正文閣議に付議▲松竹歌舞伎俳優を減給して劇場の直下斷行▲元小學校長愛兒四人を毒殺す▲就職難は大學卒業者を紙くづ拾ひに

二十五日(水)　鄕、團兩男首相を訪ひ組合法反對陳情▲濟南同胞續々避難▲赤兒の死体續々發見さる▲皇太后陛下御喪明け最初の御誕辰日▲台灣大金脈探檢隊華々しく出發

二十六日(木)　高松宮兩殿下晴れの國賓として英京に御到着▲突如留學生派遣の取止めに大面食ひの各官學飛んだ緊縮受難▲二マイル五十錢タクシー現はる

二十七日(金)　銀價の暴落から中華留學生の歸國者續出▲授業料値下げ運動の響早大に起く▲日本で一人のおし女學生皇后宮御前で讀唇法で講演

二十八日(土)　乱暴な露國監視船かに工船に

を水田に變更してゐるが各村共に從來の倍位水田が今年中に出來る模樣である

木綿以外は
斷じて着るなと嚴達

上伊那郡箕輪村小學校教員は何れもこの際全校兒童の虛榮防止のため綿服着用を申合せ又伊那高等女學校でも全校生徒に「綿服以外のものは絕對に着用してはなぬ」らと嚴達した

敎員給料を
一ケ月支拂延期
四苦八苦の和田村

下伊那郡和田村では村稅滯納から小學校敎員俸給の支拂に窮し先月二十一日に支拂ふべき給料を一ケ月延拂ひとしたため敎員達は月末の支拂が出來ず困りはてた末兒童の家庭から米や野菜をもらつて生活してるものもあり村當局へ支拂方を迫つてゐるが「村稅滯納の折柄如何ともなし難い」と辨明され取りつく島がない尙龍丘村でも村稅の滯納がおびたゞしいため敎員の給料に困り五十圓以上の者は三割減にするか退職敎員を代用敎員に採用して急場を凌かんとして目下研究中

松安筑

贄川の大火
一意復興に努力

六日午前一時五十分頃長野縣西筑摩郡楢川村字贄川小字仲町の沼田市重方から出火水利不便と烈風のため消防意の如くならず遂に全燒住宅六十一戶、納屋五十一棟、土藏三棟、半燒二戶計六十三戶百十七棟をだし同部落を全滅して五時半鎭火原因は市重方納屋のわら灰かららしい損害は卅萬圓位、因に同村では六日午後急施村會を開き罹災者救護復舊方法等を協議したなほ同村はこゝ卅年間に三度目の大火である大火の善後策について

一、御料局へ建築材料拂下を願出すこと

一、建築材料および生活必需品の鐵道運賃割引方を申請すること

一、應急救濟資金借受を申請すること

發砲漁夫を殺す▲客車顚覆死傷者多數—山口縣英彌線の慘事▲船の無電技師賃金問題で續々下船▲社會民衆黨々員一家六人心中を遂ぐ

二十九日(日)　駐日最初のペルシャ公使來朝▲投入花に歐米人を感激させて橫山大觀畫伯歸國す▲數日來の豪雨に各地の被害甚大

三十日(月)　深川職業紹介所長等公金八千圓を橫領▲緊縮萬能の夢より醒めた政府各種政策にあせる▲八代大將逝く

七月一日(火)　新萬國郵便條約御批准が濟み本日より實施▲富士の山開き▲若槻財部兩全權國民歡迎會に出席▲小泉遞相時勢に鑑み人氣轉換政策を力說す

二日(水)　皇后陛下東京聾啞學校と盲學校へ行啓▲少女を救はんとして十歲の少年がいぢらしい溺死▲マージャン賭博最初の檢擧全部起訴と決定

三日(木)　超特急運轉東海道を砲丸の如く走る▲財界人を一堂に首相產業合理化を說く▲故田中義一男の邸宅人手に渡る

四日(金)　首相園公を訪問▲近松の離文句「天の網島」の書き出しはチベット語と判明▲政友政調會で五千萬圓の減稅を目標に調査開始

五日(土)　傳染病研究所の矢追博士笠井氏に

一、村内より見舞金を集めこれを罹災者に贈ること
一、道路を擴張すること
一、水利不便による今回の火災に鑑み水道を敷設すること

なほ罹災者一同は七日午前十時から燒跡に集まり復興に關し協議した中には窮乏に堪へかね村を捨て〻他へ移らんと叫ぶものもあつたが村長等の慰撫により一同身を粉にしても復興に當ることを申合せた

上小 これでも相場か

貫て一圓九十錢

六日の繭市場では例年もつとも高値をだす丸子の第二市場からとうとう一圓九十錢の繭が出た、今後も先安見越であり買手は相當買ひた〻く形勢である

浦里にも

不納同盟成る

小縣郡浦里村字越戸部落では農民組合その他無産團体に一切關係のない區民約百五十名が二十九日集會所に會合し國縣町村の各税金全部の不納同盟を決議しその旨を宮下村長に申出た村當局は對策考究中

村の失業女工で

百カマほど操業

小縣郡傍陽村では縣農會と産業組合とで協議の結果同村の産繭の大部分を干繭として保管し繭代金の貸出を行つた上丸子町の休業製糸工場約百かまを借入れ自村内の失業工場を使つて操糸し製品は蠶糸中央會の手を經て賣却するといふ完全な自治の方法を取ることに決定實行に着手した

更埴 借金の返濟期を

繰延べて下さいと

△埴科郡戸倉村並に小縣郡滋野村では小學校建築費その他に充てるため簡易保險積立金から借入をなし戸倉村は本年度より向ふ三ケ年に六千圓づつ滋野村は一萬二千圓を償還するはずのところ繭安によつて擔税力激減し戸數割を減額することになつた結果戸倉村では更に一ケ年延長し滋野村では償還額を二分してその半額六千圓を明年度に回すべく内務、大藏兩省へ許可申請をなすため兩村理事者は七日出願し地方課長に諒解を求めたがこの企ては新たなる不況對策として注目されてゐる

區民が血判して

納税延期を歎願

埴科郡東條村中川區では去る二十六日夜區民大會を開催し不景氣の上繭直安で二進も三進もゆかぬ際であるからとの理由で一切の公租公課の納入延期を知事村長に陳情することを決議し四十名は陳情書に血判したこれを切かけとして同村竹原岩澤、菅間の各區も二十七八兩日にわたつて同様の決議をなし鈴木知事に陳情書を提出したので同村當局ではらうばいし二十八日午後三時から役場に村會議員協議會を開き對策を協議した

長水高 東京中繼の他にも

放送する長野放送局

長野放送局設置については木造建だつたのを鐵筋コンクリートに又放送所の鐵塔建設位置を改める等設計を變更して遞信省に認可を申請中だが十月頃から中繼放送が出來るはずで長野放送局は東京放送局の放送を中繼する一方本縣下を始め新潟等近縣の經濟、氣象、民謠、趣味、ニユース等を放送する事になつた。

夏休に鮮滿へ旅

更農職員の意氣込み

更級農學校職員で組織する海外視察組合員安達板倉兩教諭は夏休を利用して七月二十二日篠ノ井發、朝鮮より滿洲に出でハルピンまでの三週間の大旅行を決行し八月八日歸宅の豫定である。

より種痘法の欠陥を一掃せる世界的な發明成る▲起工以來足かけ十三年新帝國議事堂外廓工事終る▲内治外交の全般に關し首相園公に報告諒解を求む

六日(日) 廢止の煙草不二、やよひ外方種に決す▲手當二萬圓で星爭議解決▲大臣夫人連貧しい人達へ白米を配る

七日(月) 加藤財部正面衝突で新國防計畫案決せず▲高松宮の御思召水上小學校開設に決定▲佛波大公使信任狀捧呈

八日(火) 大阪の各病院料金直下を斷行▲西久保弘道氏逝く▲鰹の産卵場奄美大島近海學界の大問題に初光見ゆ

九日(水) 辯護士試驗に七十才の老書生三人受驗▲社民黨首相に組合法通過に普選の熱誠を求む▲母子心中頻々として各地にあり▲警官隊三高を包圍盟休學生團解散す

十日(木) 海軍省の支拂延期案果然物議を醸す▲砂糖きびから「防音板」を發明▲諮詢目鼻つかず政府甚しく燒慮▲各地の水害甚大

十一日(金) 政策轉換は有害と首相言明す▲兩陛下照宮御同伴にて葉山へ御避暑遊ばさる▲大臣夫人連貧しい子供達へ浴衣一萬反を一婦人らしい優しい贈物

十二日(土) 新國防計畫案付議に元師會議は取止め軍事參議會を召集と政府の方針漸く決定す▲國立公園調査初總會開く▲歐州デ杯日伊決勝戰第一日一勝一敗▲高松宮兩殿下本日御退英▲大難航の旅客機へ無電力の大手柄

十三日(日) 支拂延期案お流れ▲判例を覆へして過失機關手に無罪▲大火傷に屈せず決死の機關車運轉北陸線列車の美談▲本日富士登山者午後四時迄に二千百一人

十四日(月) 對日伊決勝三—二日本惜敗▲燒けつく炎暑人を山と海に追ふ▲東京遞信局料金を下げよと各電燈會社へ警告す▲財部加藤兩巨頭意見尚一致せず▲死者百名に上る朝鮮の水害▲踏切では轢かれ損判例を覆す新判例

十五日(火) 忍び込んだ曲者は夜警中の現職巡査▲電燈料金の直下げ再び全國的運動化▲政府米五十萬圓を一時に賣却と決定

十六日(水) 海軍巨頭會議五回におよんで決せず▲高專校野球豫選始まる▲闖入の青少年各地で溺死す▲ベルリン南京間の寫眞電送見事に成功▲朝鮮の死者百九十名行方不明七十二名▲夏空をかける若人の意氣—學生航空聯盟の猛練習始まる

海の外 歌壇

短歌 雉夫選

伯國アリアンサ短歌會

○ 菊治

仰ぎ見る朝明の山に鳴く鳥は雁にぞ似たり列なりて飛ぶ

安けさに我が在り慣れてゐるならめ返し文さへ書かで久しき

○ 正次郎

群鳩は去りて入日のかげ寒き曠野の果に鹿の歩めり

キニーネを日にけに飲みてかにかくにいたつきの身を守り來にけり

○ 十郎

晩蒔の實らぬ稲は刈りすてつ牛に足らぬ收穫あはれ

この頃の旱つづきや待ちわびし時雨曇の空を仰ぎつ

○ 克巳

闇みつかれ瞳をあげぬ隙間(すき)もる稲妻のかげ淒く氣をうつ

職求め來りし人をすげもなく歸せし後のわが心いたし

○ 文・秀

なごやかに嵐は晴れて光りつつ秋の入日は輝きてをり

遊びつかれ芝生に集ふわらべらのおのもおのもが物欲しげり

○ 八洲男

見はるかす新墾畑うちこえて番ひの鳥の幾群か過ぎぬ

○ 美沙子

病みませば我一人に氣遣ひぬ日頃か弱の母に在せば

○ 光衛

軒かけて小路が芝に鳴く虫の今宵はしげし寂しきろかも

○ 晶子

一時を書よまなんと座りしにはやも幼子目覺めぬるかも

○ 勝次

珈琲の木の下かげに假寐せし吾子を氣づかひ草とりてをり

○ 秀夫

闇ふかく野をひた走る汽車の窓ゆ南十字の星を仰げり

○ 陽荘

文よむにわがうるさしと叱りしをあはれ稚子は笑みかたまけぬ

○ 百合子

見はるかす珈琲畑に夕日落ち憂ひ心の一日くれたり

○ 草小路

鍬とりて草とる業に慣れざりし己が畠にはびこる雜草(あらくさ)

山すげ短歌會 藤澤露草

○

雜木山を夕べ一と吹く風のさやぐともなし葉の若みかも

山鳩のこゑとほぼし落葉松の芽ふきあかるき谷越にして

おのづから一つのこゑをくりかへし郭公鳥なく森のおくがに

○ 中谷四郎

税金を集めに行けばある家は大き銅貨を數出し呉れぬ

人住まぬ吾が家の縁の日あたりに野良花虻の鳴きまひて居り

子供等と理科教材にとりて來し蟹のあし折れ片這ひて居り

○ 中島英太郎

朝生けし机の上の小草花光明るき外の面向き居り

嵩高く驛につまれし繭かごのこの頃とみに多くなりけり

○ 伊藤淳朗

一貫目三圓の繭は安けれど賣らねばならぬ百姓かなし

草山の草ぼけさすと春去れば木曾山人は山燒きて居り

○ 雨角信次郎

經かたびら着ればいぢらしき姿なり小さき佛のしたくしにけり

誰か參りくれしにあらむしぼみたる山吹の花さしてありけり

善光寺に詣でしときにいただきし經かたびらを着せてやるなり

小さき石に經文かきて積まれたる五郎の墓に水をそそげり

○ 加納幸雄

道のべに見る嬰子にたくらべて妻はあづけし子のことをいふ

たまさかに山に遊びてわが家のせせこましきを妻はいひつる

天文台の人は一夜をいねざらむかかはりもなくこの夜靜けし

○ 川口幹

うれひごと次次おこるこの頃は一時も多く眠りたきかも

幼子のねむれる間をうながしてみとれる妻をやすませにけり

重さうに頭をたれて座り居る吾子よ何をか思ひて居らむ

○ 六波羅靜馬

店かげの机にかがみ時の間を今日出す歌稿讀みかへしけり

俄雨過ぎさりゆける庭の面に雀しきりに餌拾ひをり

——・・——

○ 一ノ瀬斜月

鯉子賣今日も來たれり吾が村の田植じまひとなりしこの頃

○ 伊藤しげ

新墾の西天龍の青田原稲草のそだちひたによろしき

むだごとと知りつつも尚微かなる望み得捨てぬこころさびしき

○ 小林滿治

庭先に見知らぬ花の咲きて居り我故郷を出で〻三年

伯國アリアンサ陸稲會

草枯やさへぎる物も無き牧場　掬二
一と群の木傳ふ猿に時雨れけり　同
木を倒すひびき由由し時雨かな　同
窓近き龍舌蘭や春の雨　同
ゆく春や珈琲の花の二番咲　同
蝸や犬先立てて野良戻り　同
蝕みし胡瓜を遠くなげすてぬ　同
ちぎりたる末成胡瓜と抱へけり　紅村
秋近く胡瓜の尻の曲りたる　同
野良泊り勝手に摘げし胡瓜かな　同
店先に初瓜を見て欲しと思ひ　八洲男
連子窓に入りて糸瓜や五月雨　同
種採ると目印置くや大胡瓜　圭石
幾度も採り殘されてへぼ胡瓜　同
坂下の茶店に瓜のおびただし　敏女
夕立によごれて仇し泥胡瓜　同
繋馬嚙りとりけり日まし瓜　佐和太

以上

外の海 人事相談

本欄は求人、就職、婚姻等個人的の人事に關する相談に應じ紹介、斡旋の勞をとる。御相談に關して係りで負擔出來ざる費用は實費を頂戴す。(係)

求縁

嫁度 當方住所本縣更級郡、某實科高等女學校卒業、年齢二十四歳、小學校教員免許狀有、目下某實業補習學校助教諭勤務、先方意思堅實相應なる資金を準備せる三十五歳迄の青年にして身体強壯、系統正しき、中等教育ある確實の海外發展者たる事(姓名在社)

嫁度 當方住所本縣諏訪郡、某高等女學校三年修業家事都合上退學、爾後某病院に事務員として勤務、先方身体強健意思堅固、十分なる渡航資金を以て伯國に渡航する系統正しき青年たる事、可成五年位伯國にて奮鬪せし人を望む(姓名在社)

嫁度 當方本縣小縣郡、小學校卒業後自家農業に從事中、年齢二十九歳の處女、身体健康品行方正何等恥ずる所なし、先方可成は三十五歳迄の系統正しき男子に嫁度し(姓名在社)

嫁度 當方本縣小縣郡、實業補習學校卒業後自家農業從事中、年齢二十八歳、先方本縣人にして堅實なる青年にして、近隣に嫌忌せられざる家庭に生れたる男子たる事(姓名在社)

嫁度 當方南安曇郡、明治四十四年生、村立高等小學校、實業補習學校卒業後自家農業に從事中、先方思想堅實身体強健相當なる家庭に成長したる青年にして三十才迄の人たる事(姓名在社)

嫁度 當方本縣南佐久郡、勞働に耐得る二十八歳、二十五歳、二十歳の娘三人あり、堅實なる男子に嫁せしめたし可成は父親見届の爲渡航致度に付旅費支辨願度

求妻 當方小縣郡西部の某村に生れ、三十四才、大正十二年ヒリッピンに渡航し麻栽培從事中、先方身体強健、意志健固眞面目なる婦人たる事(姓名在社)

求妻 當方本縣北佐久郡、二十二才、某公民學校卒業後自家農事に從事中アリアンサ移住地に請負耕作として入植準備中先方身体强健、意思堅實品行方正なる婦人たること(姓名在社)

求妻 當方本縣南安曇郡出身にして、十年前にヒリッピンに渡航し、大會社の監督、三十三歳、月收三百圓他資金數千在先方身体强健、常識ある南信地方の婦人たる事(姓名在社)

求妻 當方本籍本縣下高井郡、飯山中學卒業十年前にアルゼンチン、ブイノスアイレス市に渡航し、商業に從事中、資産數萬圓在、店員五名使用、年三十四歳、先方高等女學校卒業、思想正しく容姿十人並、身体强壯血統正しき人(姓名在社)

協會組合記事

移住地の現狀と組合要覧を編纂出版

本組合では最近歸朝せる輪湖俊午郎氏の執筆にかゝる「アリアンサ移住地の現狀」を出版して移住地の狀況を一目瞭然正確ならしめた。本冊子には移住地の最近施設せる諸設備成園せる珈琲畑、住宅等の寫眞を收め移住地の日新月歩の跡を歴然たらしめ記述は氏獨特の麗筆によつて、移住地經營實際の体験から移住地の現狀は一語半句の無駄もない程に描寫されてゐる。更らに本組合では本組合の組織機關事業等について別冊とし組合定款、役員、組合員等を始め移住地土地所有者、移住者を合せて組合の何如なるものかを説いた上に西澤幹事の調査による移住者の個人的調査を發表して移住地の活動狀況を知悉せしめた

八月便船乘船者と本年の渡航者總數

本組合經營のアリアンサ移住地 八月二十三日神戸出帆ラプラタ丸で五家族十二人が渡航する。因みに本船は十月八日サントス着の豫定である。

長野縣北安曇郡七貴村 小出斌 二人
滋賀縣甲賀郡土山町 谷口健一 二人
宮城縣名取郡玉浦村 星英喜
宮城縣亘理郡吉田村 齋藤義治
長野縣南佐久郡野澤町 箕輪新七 三人
長野縣更級郡川中島村 宮本乙巳 二人
佐賀縣佐賀市水ヶ江町 溝口敏夫 一人
長野縣上高井郡川田村 倉島鋼太郎 二人

小出氏(二九)は朝鮮で巡査を拜命し恩給年限に達したので今度はブラジルで再生の活動をすると云ふ。谷口氏(二五)は郷里の産業組合で活動し兵役を了へて力行會に入り日本音樂學校出のノブ子夫人と同行ピアノを携へて珈琲園の中で琴瑟相合のスヰートホームを營むと云ふ。星(二二)齋藤(二〇)箕輪(一八)の三君は力行會ではち切れる様なパイオニヤスピリットを教育を受けた力行健兒、三人で仲よく渡邊農場で働らくと。宮本氏(二六)は本會で本誌の編輯や外國旅券事務、海外移住奬勵宣傳等をやり、溝口君(一九)を同行する。溝口君は東京五中を卒へて父は下諏訪町の福音ルーテル教會の牧師を勤めてゐる。倉嶋氏(三一)は米國歸りで力行會の媒介でカズヱ夫人を同行する。

本年の渡航者數

アリアンサ移住地入植者數は左の如し

神戸出帆日	乘船名	家族數	人員
一月三日	サントス丸	四	二〇
二月十八日	ハワイ丸	一	二
三月一日	河内丸	二	一三
三月十五日	ラプラタ丸	三	一一
四月十九日	ブノスアイレス丸	二	一八
四月廿八日	博多丸	三	一一
五月十四日	サントス丸	一	三
五月廿六日	若狭丸	一	六
六月廿三日	リオデジャネイロ丸	一	三
七月卅日	備後丸	一	二
八月二三日	ラプラタ丸	五	一二
計		二四	一〇一

海外視察組合(續き)

東筑摩郡坂北村組合

組合長 青柳八郎
理事 栗田興
宮澤俊
宮入廣身
宮入武美
小河原寛香
山崎良三
中藤今朝吉
山本世喜夫
山崎福重
高野唯雄
鬼頭瀧三
增田武義

下高井農學校組合

組合長 樋上讓爾
理事 山下晟
荻原德峰
阪島徹
天田晋三郎
山崎惣吉
關芳男
露崎巖
柴本忠香
菊田通雄
高野穰
柴本一好

新入會員紹介

特別會員

東筑摩郡芳川村 田中左仲殿
同 坂北村 青柳八郎殿
同 本城村 山本與九郎殿
同 本城村 花岡關十殿
同 本城村 横山貞治殿
同 坂井村 玉井彦永殿
更級郡稻里村 野本菊次殿
105 Valley St. pasadena Cal, U. S. A. 石原正殿

會費領收

一金壹百圓也 特別會員費 北村深志殿
一金壹百圓也 同 清水藷治殿
一金壹百圓也 同 中村禮三殿
一金壹百圓也 同 宮下忠治殿
一金壹百圓也 同 野本菊次殿
一金貳圓也 普通會費、柳澤貞雄殿 酒井達男殿 久保田茂男殿 笠井安良太殿 小泉玉貴殿 柴田伊八殿 工藤正夫殿 中曾根伸治郎殿 松崎綠殿 畠山七七殿
一金參拾八圓也 篠ノ井町第一觀察組合殿
一金參拾四圓也 上水内高岡村觀察組合殿
一金貳拾圓也 上水内三水村觀察組合殿
一金貳拾圓也 上水内古間村視察組合殿
一金貳拾四圓也 東筑摩坂北村視察組合殿
一金拾九圓九拾錢也 ダバオ 倉田國藏殿
一金參圓壹錢也 羅府 石原正殿
一金拾圓也 ブラジル 伊藤八十二殿

小西理事長辭任 本組合理事長本縣學務部長小西竹次郎氏は今回福井縣警察部長として榮轉されたので理事長を辭任。又本協會幹事長も同時に辭任された。小西氏の本縣赴任は昭和三年六月で在任期は二ケ年余りで移住地肩替り、移住地低資の融通等の功績をのこされた。尚理事長は當分專務理事菅澤肇氏(學務課長)が兼任する。

幹事長階川氏就任 新任本縣學務部長階川(シナガワ)良一氏は北海道より榮轉された本協會で前例に倣つて幹事長に推薦した。

御挨拶

今回、小生信濃海外協會を辭し、八月廿三日神戸解纜ラプラタ丸にてアリアンサ移住地に渡航する事になりました。大正十四年四月、本協會に就職以來皆様の御援助により、本誌の編輯にあたり今日までその仕事に携さはりました。ただ力及ばずして本誌は皆様の御期待に添ふ事甚だ遠く不十分なる點頗る多く誠に殘念至極であります。これは全く小生の不明と不敏の致す所と深くお詫申上げます後任編者の手腕に十分御期待被下度一層本誌を御後援されん事を特にお願ひします。又、縣下各町村に於ては活動寫眞により皆様の絶大なる御助力をお願ひしました。皆様の相變らぬ海外發展熱に信頼して益々斯道のために盡し度く小生の出來得る事が御座いましたら遠慮なく御利用下さい。喜んで御引受け致します。皆様の公私共與へられました御援助と御友情とは小生の深く感謝し終生忘れる事の出來ぬ所であります。猶今後共相變らず御交誼と御鞭撻をお願ひします。出發にのぞみ、皆様の御壯健を祈り失禮乍ら誌上を以て御挨拶申上げます。

八月一日 宮本乙巳

海の外往來

田村一惠氏(在亞) 諏訪郡米澤村出身の田村氏は大正五年渡亞し國立農業收畜學校卒業後同國メンドサ州に邦人農業殖民の先驅者として果樹栽培に專念し現在では約三十人の日本青年を雇傭してゐるが今回同地邦人移住計畫の重大使命を帶びて八月二十九日横濱入港のベノスアイレス丸で歸國する。

伊藤八十二氏 歸國中の牧師伊藤八十二氏は新夫人と共に八月二十三日神戸出帆ラプラタ丸で再渡伯する。

石澤此衛氏 歸國中の同氏は七月下旬新夫人と共にダバオに再渡南

御斷り

エフ、エ、ノルツ氏の「珈琲園を巡視して除ろに其の將來に及ぶ」は原稿紛失の部あり遺憾乍ら前號を以て打ち切る」

信濃海外協會規約抄錄

一、本會ハ信濃海外協會ト稱シ本部ヲ長野市ニ支部ヲ必要ニ應シ内外各地ニ置ク

二、本會ハ縣民ノ縣外發展ニ關スル諸般ノ事項ヲ調査研究シ其ノ發展ニ資スルヲ以テ目的トス

三、本會ハ前條ノ目的ヲ達スル爲必要ニ應シ左ノ事業ヲ行フ

イ、縣民縣外發展ノ方法ニ關スル立案

ロ、發展地ニ就キ調査ヲナシ其ノ結果ヲ紹介

ハ、在外縣民ト聯絡ヲ計リ指導後援

ニ、海外投資ノ研究ヲナシ之ヲ發表

ホ、海外發展ニ必要ナル人材ヲ養成

ヘ、機關誌「海の外」ヲ發行シ隨時講演會ヲ各地ニ開ク

ト、海外發展ニ關シ各種參考品及統計ノ蒐集

チ、前各項ノ目的ヲ遂行スル爲臨機本會ノ代表者等ヲ内外樞要ノ地ニ派出スル事

リ、會員ニハ「海の外」毎月寄贈ス

ヌ、其他本會ノ目的ヲ達スルト認ム事項

四、本會ノ會員ハ左ノ四種トス

イ、名譽會員ハ代議員會ノ決議ヲ經テ總裁之ヲ推薦ス

ロ、特別會員ハ一時金百圓以上ヲ醵出スル者

ハ、維持會員ハ會費年額金拾圓ヲ十ケ年間醵出スル者

ニ、普通會員ハ年額金貳圓ヲ十ケ年間又ハ一時金十六圓以上ヲ醵出スル者

五、本會現在役員

總裁　鈴木信太郎

副總裁　佐藤寅太郎

顧問　小川平吉　今井五介　原嘉道　伊澤多喜男　岡田忠彦　本間利雄　梅谷光貞　高橋守雄　千葉了

相談役　石垣倉治　佐藤正俊　降旗元太郎　越壽三郎　小里賴永　片倉兼太郎　福澤泰江　小林暢　山岡萬之助　工藤善助　松本忠雄　植原悅二郎　山本愼平　菱川敬三

幹事長　階川良一

海の外（月刊）（一册廿錢）

定價表

	内地送料共	外國送料共
一册	廿錢	廿四錢
六ケ月	一圓十錢	一圓四十四錢
一ケ年	二圓廿錢	二圓八十八錢
五ケ年	拾圓	拾四圓

御注意

△御送金は振替（長野二一四〇番）に御願ひします。外國よりの御送金は銀行、郵便局いづれにても確實に送金されます。

△御轉居の節は早速新舊兩御住所を御通知下さい。

△本誌へ廣告掲載御希望の方は詳細相談申上げます。

昭和五年八月一日發行

編輯人　永田稠
發行兼印刷人　西澤太一郎
印刷所　長野市南縣町　信濃毎日新聞社

發行所　長野縣廳内　海の外社
振替口座　長野二一四〇番

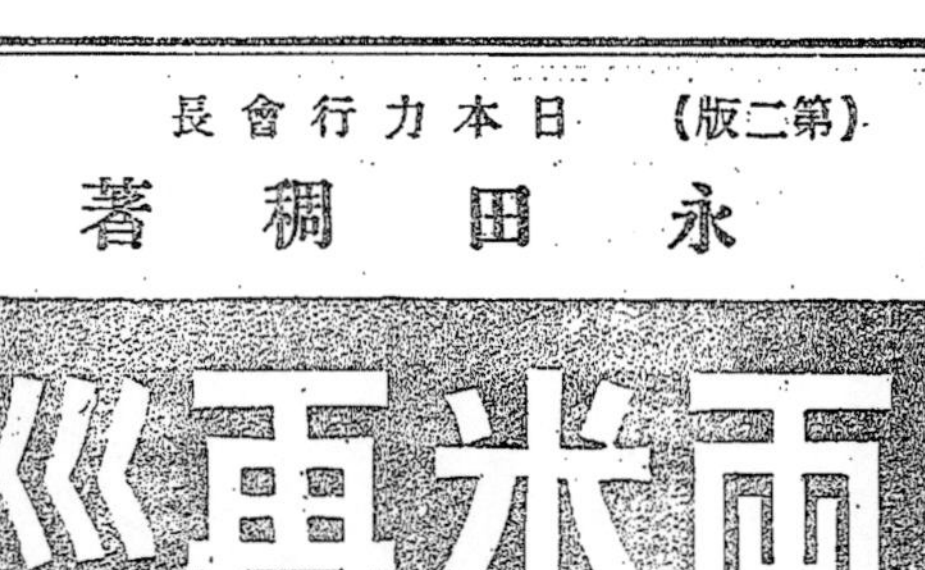

菊版四百廿餘頁・寫眞版三十頁・布製函入

定價一冊金二圓八十錢・送料一冊拾八錢

永田氏は信州の生める一異才である。嘗て南米を一週して『南米一巡』を著はし、信州に來つて信濃海外協會の組織に努力し、更に『南米信濃村建設』に闘する大使命を帶びて、大正十三年五月末横濱を出帆し、布哇、北米桑港、ローサンゼルス各地に於ては海外協會支部の設立に盡力し、ソートレキー市にはモルモン宗教植民の跡をたづね、デンヴア、シカゴを經て華府に至り、紐育より大西洋を南下してブラジルに至り、移住地の選定、購入、入植の準備をなし、大正十四年二月日本に歸り來り、更に信濃村大成の爲めに努力奮闘し、今や模範的にして世界に誇り得る移住地が建設されつゝある。『南米再巡』は氏が南北兩米を再巡せる記錄である。志を世界に有する者の一日も看過することの出來ない快著である。

長野縣廳内
信濃海外協會取次販賣

東京市外上板橋 日本力行會發行 振替東京六八八一番

海の外—THE UMINOSOTO
Published Monthly by the Uminosoto Sha. Nagano, Japan.

「海の外」第九十八號 （毎月一回一日發行）

一、本組合經營ブラジル國アリアンサ移住地は大正十四年來、四百家族、二千人が入植して普通一萬二三千圓の資産を造り中には參萬圓以上の人もある。

二、本組合は尚多くの自作者、請負耕作者、自由勞働者の入植者を募集する。

珈琲栽培請負耕作者募集

三、自作者 （イ）五十才未滿の夫婦を中心とる十二才以上三人を有する家族、男三人の兄弟。從兄弟等で二千二百圓位の資金を有する者。（ロ）五十才未滿の夫婦者、十八才以上の兄弟、從兄弟、伯叔父と甥等の二人以上の者が千八百圓位の資金を有する者、場合によつては千三百圓位でも採用される。自作者は二十五町歩以上の地主となり六ケ年後には資産二萬圓を得爾後毎年三四千圓の收入が得られる。

四、請負耕作者 （イ）五十才未滿の夫婦で十二才以上四人なれば資金三百圓位できる者。（ロ）同上家族三人なれば千圓を用意し得る者。（ハ）獨身青年三人なれば千五百圓位を有する者。以上の條件に叶ふ者には政府や組合から五百圓以上千五百圓までの資金を貸與する。
六ケ年請負耕作者は契約完了迄に五六千圓より八九千圓の貯金をなす事が出來る。

五、自由勞働者 本組合では請負者、雇傭者等の希望者も多く募集する。資金は三百圓位あれば獨身者でも夫婦者でもよい。

詳細は御照會願度し。

長野縣廳内
信濃海外協會
信濃海外移住組合

（大正十一年四月廿六日第三種郵便物認可）（昭和五年八月一日發行）

信濃海外協會
海の外社發行

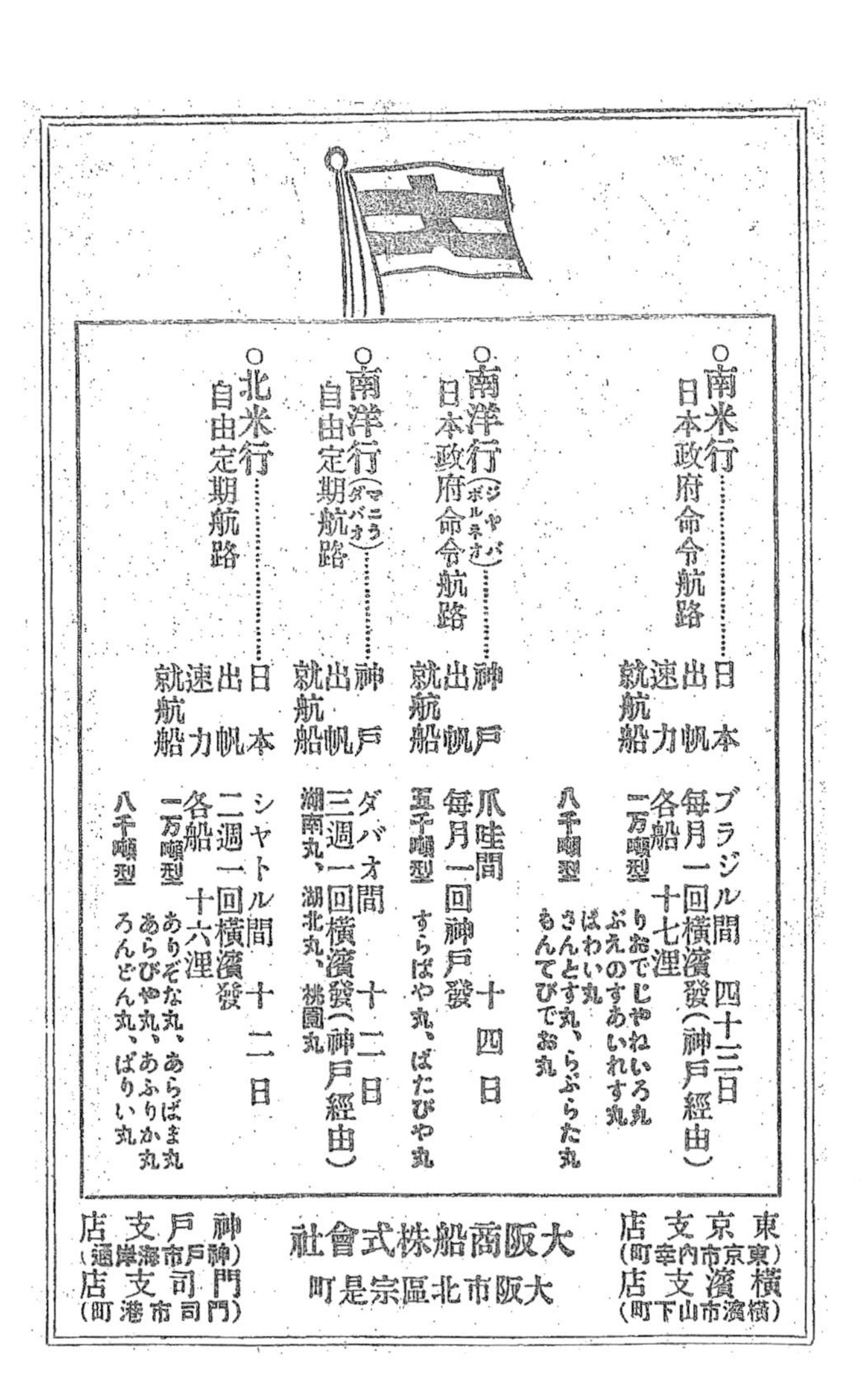

最も權威ある語學研究書と地圖

書名	著者	定價	送料
實用ブラジル語會話	海外興業會社	一、二〇	一〇
西語會話篇	村岡玄著	二、五〇	一二
葡語文法解說	駐伯大使館員 大武和三郎著	二、三〇	一六
二版 日伯會話	同氏	五〇	四
葡和辭典	同氏	四、〇〇	一八
和葡辭典	同氏	四、〇〇	一八
葡萄牙語 手紙の書方	中尾熊吉著	二、五〇	一六
最近 西班牙語會話	植民學校講師 酒井一郎著	二、〇〇	一六
獨習 西班牙語講義	同氏	〇、五〇	二
聯絡式 日西自由會話	同氏	〇、八〇	四
西班牙語文法	同氏	一、六〇	八
西和辭典	酒井一郎著	一、五八	一〇
獨習 西班牙語全解（一）（二）	村岡玄著	各二、五〇	各一六
西班牙語 會話文法	同氏	一、五〇	一六
西和辭典	同氏	六、五〇	二四
實用 蘭語文法	同氏	四、〇〇	一〇
實用 蘭和辭典	ファン・デ・スタット	四、〇〇	一二
ブラジルサンパウロ州地圖	海外興業會社	〇、七〇	四
ブラジル新地圖	同上	二、〇〇	六
聯結式 ぶらじる語會話	酒井市郎著	〇、五〇	四
新渡航法	永田稠著	二、〇〇	八
スパニッシュブック	第一卷、第二卷	各一、一〇	各六

本會で推薦出來る海外發展參考書

書名	著者	定價	送料
ブラジル人國記	駐伯大使館員 野田良治著	二、八〇	一八
新南米	同氏	二、六〇	一八
若き日本の進路	海興社長 井上雅二著	一、八〇	一〇
西半球を巡りて	同氏	三、八〇	一八
今日のブラジル	八重野松男著	三、〇〇	一八
大アマゾニヤ	野田良治著	二、六〇	二三
神秘境 大アマゾンを探る	古谷敏惠著	一、五〇	一八
南米實情 と移民の告白	革新日報社長 濱田勘太郎著	一、二〇	八
ブラジルの實生活	神戸久一著	〇、九五	六
我等のアルゼンチン	芝原耕平著	二、〇〇	八
少年世界地理文庫 ブラジル	西龜正夫著	一、五〇	一二
南米の理想郷	田中誠之助著	一、五〇	一六
改正 海外渡航 關係法規集	外務省通商局編	、五〇	二
中南米旅商記	横濱貿易商會編	一、五〇	一六
南洋諸島の富	吉田梧郎著	一、五〇	一六
邦人活躍の南洋	宮下琢磨著	二、五〇	一二
南洋談叢	藤山雷太著	一、〇〇	六
比律賓の現狀	商工省商務局編	二、六〇	二〇
黎明の南洋	井手諦一著	二、五〇	一二
世界植民史	大壚龜雄著	四、五〇	一八
植民及植民政策	東大教授 矢内原忠雄著	四、八〇	二四
植民夜話	農學博士 東鄉實著	二、五〇	二〇

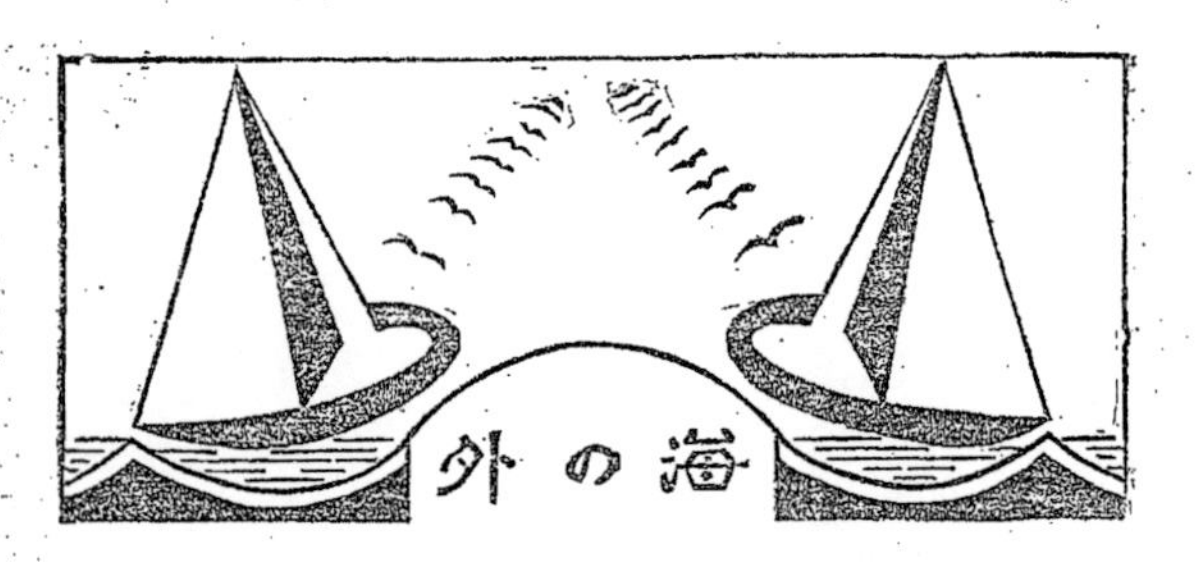

（昭和五年）第九十九號（九月）

他力主義を排し自ら運命を開拓せよ

擧世滔々として他力本願に墮し、自主獨往の氣魄は地を拂つて消失せんとしてゐる。

即ち失業救濟、農村救濟、漁村救濟等々、今や當局は救濟策樹立の渦濔に直面し更にまた何れにか救濟を頼らねばならぬ状態である、然かも尚此操縦の自由を失したる扁舟に縋らむとして悲鳴叫喚してゐるのが現下我國の状態ではあるまいか。

然るに國の富力は餘りに貧弱にして救世の實を擧ぐるに難く、國土亦狹小にして濟民の途なきを奈何せん。

難局打開の方策は斷然新生面の開拓に突進すべきである、

失業に惱む都市の青年よ、不況にあえぐ農村の士よ、此際他力主義を排し毅然として激浪に身を挺し抜手を切つて光明の彼岸に到達するの雄圖なきや。

海外の新天地は歡呼して卿等を迎するであらう

—芳水生—

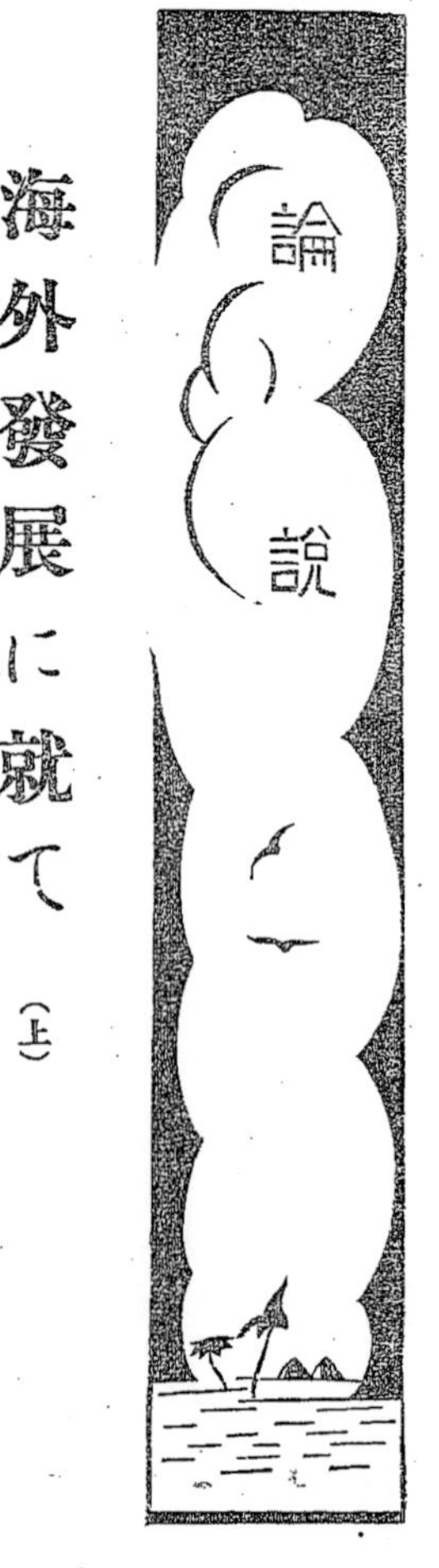

海外發展に就て（上）

松本高等女學校教諭　羽場金重郎

劈頭私は在外六十餘萬の同胞諸氏に對して滿腔の敬意を表します。諸氏或は諸氏の父兄は内は從來の牢固たる傳統を脫却し次で異境の地に開拓創業の辛酸を嘗め、直接には各自の生活の爲、間接には同胞の將來の爲に適に其第一線に健鬪せられて居られる。其間人知れぬ障害・苦心・蹉跌・迫害・病患等に惱まされ幸運の人々は既に生活の安定を確立されたであらうが、不幸の人は尚重なる荒波に揺られて居るであらう。

然し諸君の目指す處は世界經濟の最も自然の流に乘つて居られる。乃ち過剩人々と過剩自然との調和と云ふ事は時に人爲的政事的等の障害はあつても結局人口のポテンシヤルの高い所より其低い所に流れて行く大自然の法則をどうする事も出來ない。南洋にした處で滿洲にした所で南米にした處でポテンシヤルが低い所であるから必ず何れかの民族が流れ込んで之を充塡するまでは止まない。成敗は人生の常、得失は時の運であつて人格の眞諦ではない。方途既に正しければ如何なる犧牲も悉く意味を爲す何卒不拔の信念を以つて理想郷建設まで進展せられんことを祈るのである。

私等は「大和民族の將來は一に懸つて海外進展にあり」と云ふ信念を持ち、中等教育の科目もこの問題を取扱ふ事の出來る地理修身を擔任して居て、海外發展の後備隊の一員としては一日も其任務を怠つた事は無いつもりであるが、不幸にして周圍の事情私の自由意志を發揮させぬ境遇に生まれ、四十餘の今日に至る未だ其第一線に立つ機會が來ない事は返す〲も殘念至極である。子供は二十一才の女子を頭に二女二男を持つから其一二の者には自分の意志を繼がせ度いと思つて居る。

海外發展にも自ら二種あつて自ら海外に渡つて活動出來る人は何よりの境遇であるが、私のやうに其意思はあつても境遇の許されぬ者は海外投資の方法を取るも宜しい。中産以下の者が海外投資等を口にするも痴がましいと云つてしまへばそれまでだが、海外發展が民族國家の現情に照らして唯一無二の大策である以上何とかしてこの道に參しなければならないではないか。幸にして我信濃海外協會は率先して具体的立案を實施し海外移住組合成立にまで進んで來た。小資投資の方法も明に示されてあるから奮つて參加すべきである。斯かる永遠にして根本的の問題は民族全部が十分の理解を以つて一臂の力を添へる覺悟を要する。共力によれば一人六百圓位の小額投資でも、百人寄れば六萬圓内地一千戸中の一割百万戸が一口づゝ持つとすれば六億と云ふ巨額に達する。我國のやうな小資産の國では斯かる運動が最も大切であり又それが小國であるから出來易い答で實施出來ないのは各人の自覺が乏しいと云ふよりは民族の最大缺點である、情意の薄弱と眞理に不忠實である心理狀態より起る當然の結果で各自猛省せねばならぬ點である。

我國經濟生活の前途に對して有識者は多くは悲觀論に傾いて居る。農業國としては既に行き詰り、工業國としては支那・印度・等原料生産地の工業勃興は我國工業の前途を截斷する。商業海運界は大体生産に追從するもので獨り隆盛には赴き難い。殊に我國自ら原料生産地を持たず、熱帶多生産地も少なく。取引先が殆んど悉く東洋人を排斥する傾向最も著しいチユートン系である事等、悲觀すべき材料が甚多く樂觀的材料に乏しいのは爭はれない事實である。加ふるに國民の大多數は國策の前途に對して確乎たる所信なく、所信を創定すべき研究もせず、徒らに生活難を嘆じ、不景氣を詛ひ、自ら平常の準備を怠つた事は棚に上げて置いて、一朝一・二回の不況來に狼狽・窮迫して栄色なく思想動搖して社會主義的行動を是認するに至つた事は、敢て經濟的方面に止まらず我國古來の武士道の精神の頽敗も想はれて遺憾千萬である。

斯く經濟的に精神的に不堅實な社會狀態を招來した事は勿論其由來する所久しいのであつて、誰も責任を嫁する譯でもなく御同樣祖先傳來の共同責任である。最初鎖國國で世界の大勢より後れ始め、三百年間の目覺しい植民地競爭時代には、自己の門戸を閉し敢て眼をつむつて木戸・庭前まで洋人の奪取に委したのである。斯く三百年の惰眠を貪り漸く覺醒した時は既に世界殖民地の境界が確定し終つた時であつたから、新日本の悩みは將に其誕生の時よりつき纏つて居る。所謂明治の偉業と云はるゝ領土の擴張も三百年間の惰民時代を取り去つて自然的平和的の進展線を想定するならばまだ其自然の境界に達しない事大であるは万人の認める所であらう。言ひ換へれば鎖國の傷痍未だ今日全治に至らない。そは他人事に非ず今日南米に機會を逸したらば乾坤球上遠久に大和民族の發展する事は出來ないであらう。

凡そ世界大國強國の根本要素を見るに一に人民の多い事、二に領土又は植民地の廣大な事、三に文化の發達して居る事、四に今日では尙軍備が充實して居る事一要素たるを失はない。其中我國では三要素に就て强大國の資格はあるが大切な一が欠乏して居る。之を充塡するが我國策の根本である位の事は小學生と雖も覺らなくてはならぬ管である。只今日は所謂先進國連の取つた手段のやうに侵略奪取の方法に出でることを許さない。殊に領域が確定した今日平和的に共榮的に進展するのみである。

國策既に然るのみならず需要供給の自然則よりするも我國民族が世界經濟に貢献するは一にこの過剰人口供給に存する。而も其勞働力には勤勉・知識・拔擢。敎養を伴なつて居る點に於て優秀である。明治時代には前述の如き不自然な蟄居から自然的平和的の境界恢復といふ國策があり、大正時代には極めて平和的な日本人を好戰人種として誤解受けたのを釋くを要する時代であつた。昭和以後は積極的に精神的。肉体的の勞働を其不足地域に供給して一は以つて大和民族の平和・正義・勤勉。正直である事を世界各地で實證し、大にしては世界經濟の自然の大勢を促進するに貢献し、人爲的政治的の舊式束縛を超越して、乾坤球上を一の共存共榮地域としの理想を實現すべきである。

明治大正時代は海外發展より云へば其準備時代と云へる。大に世界の學術を吸收し、風俗習慣も理解し、次第に國民の敎養を高め來つたので、今や海外へ出る前に若干の特殊準備さへすれば世界何れの地に送つても其文化を理解し其國風に順應する位の敎養は十分持つて居る。即ち良質の移植民を出す國として聲價を上げ得られる可能性がある。斯くて需要供給の自然法に從い平和的に進出し、自他共に繁榮するの道を講ずるのである。世界歷史を通覽して最も華々しいのは民族移動及植民時代である。ノルマン人の大移動、スペイン・ポルトガルの探險遠征史、オランダ・イギリス・フランス・ロシヤの植民地獲得競爭皆一國の國勢全盛期であつた。青壯年期であつた。スペインポルトガルは蠻民の住地に入つたので勞征服的手段を用ひ本國よりの移植民に對しても誅求を重ねて一意本國の爲のみ圖つたから植民地の發達に伴つて其全部が離反獨立してしまつた。オランダ・イギリスは前車の覆轍を踏まず、植民地の自治を許して其離反を防いで居る。要するに植民地を本國の手段と考ふるは本國と植民地との文化の程度が著しい時代の遺物であつて、今日の如く各地の文化が平等に發達した時代には斯かる舊式の思想では通らない。我國の如きは僅かの植民地はかへつて本國より助成して其地の發達を計つたし其他には植民地は無いが移民地北米・カナダ・滿州・沿海州等では時々面倒な問題を惹起こす。けれども人口的ポテンシャルの差は其流動によつて平均するに至るは世界經濟の大勢であつて結局其大勢を如何ともする事は出來ない。と云つて只伸氣に自然のなり行に委せる事の出來ない。我國の如く移植民に就て三・四百年後れて居る國では唯一つの南米を疎外し逸失する事は出來ない。

今世界の人口的ポテンシャルの低い地を見るに南米・アフリカ・オーストラリヤ・シベリヤ・カナダを擧げることが出來るが、氣候や人種的偏見や政治的制限で、今の處アジア人の流入を許さないから南米こそ唯一無二の移植民地である。住民もラテンアメリカと云はれチュートン人の如き人種的偏見を抱かず吾民族の發展には最も宜しい状況にある。然し例の歐米人は既にこゝにも目を附けてドイツ・イタリー・スペイン・ポルトガルは移植民を英米は資本を注入し更にポーランド・ロシヤ等も大々的の移民を計劃して居る。

海外觀察記

—ブラジルの卷—

サントス入港(其六)

信濃海外協會幹事　西澤太一郎

上陸稅關

サントス港でまづ最後の一夜を明かす移住者は思ひ／＼の仕度をなして上陸の準備をする。もうこれが最後の一泊と思ふと何となく船から下りるのが淋しい樣な氣がする。船と別れるのが如何にも名殘り惜しい氣がする六十餘日の間一行一千餘人と共に寢食を共にし或は運動會に或は柔道擊劍に芝居に船中小學校に靑年會、婦人會、家長會、としてサントス丸は又サントス村であつたのだ。そして或時は一等船客の講演や、再渡航者、船中の重なる人々の講話や又靑年會員の辯論會やで樂しく面白く愉快に暮した事や、又幾人かの小さき子供等の悲しき水葬の事や上陸間際に亡つた八十餘歳の吉田老婆の事、彼れ此れと交々心に浮び出て止め度もないことである、故國出發のときのことや橫濱や神戶の出發の際の事ども、船醉の苦しさそれから／＼と考へて盡きぬ裡に早や又上陸が近づいた船が急に止つたサントス港の最後の碇船。上陸の用意、などと聲がする船の中は船員を始め一千餘名の人々は何れも俄かにさわがしくなる、荷物は運び出される、人々は忙しさうに飛び廻はる、檢査が始まる人員點呼、トラホーム其他病氣の檢査中々さわがしいやら忙しいやらである聽て中甲板で一切の檢査がすむ長く／＼並んだ人々の列は先きから先きとすんだ人から又自分の部屋へ歸るさきにすんだ人々は荷物の手近のものから持ち出す用意をする着物や仕度を改める、久々の別れに色々と互に手を握り合ふもある、御氣嫌樣もある、此次に合ふときは一萬町步のファゼンダ主だとか、一千町步の地主だとか、二千や三千の金持ではないとか、子供も兩手に運れて又會ふ樣にとか立派なブラジル紳士で會はうとか、いや失禮とか、又しばらくとか御丈夫でとか御大切にとか色々と別れの言葉は各處でかはされる記念の寫眞の交換もあれば又記念の品物の交換もある、記念の歌や、詩や繪の書き寄せや、歌や文字の寄書きや中々船中各室殆んど騷動の樣なさわぎである、荷物は皆船から波止場の船と並べて着けた貨物列車につまれてサンパウロの收容所へ送られた。アリアンサ行の移住組合員の荷物は又別に扱はれてサントスの稅關で

すぐ檢査をすませて移住地へ送られることとなつて居たのでこれは又何れも稅關へ運ばれた。

サントスの稅關で檢査の荷物は一等船客自由渡航の三等船客及アリアンサ移住地行のものの分である。

何れも貨車で稅關へ運ばれた。

移民として珈琲園の耕地へ行かれる人々は直ぐサンパウロに行き列車に乘込んで仕まつた。又海外興業會社へ取扱を昭和四年度に限つて委任されたる移住組合の組合員の渡航者の人々も此列車に乘込むことになつて居るので何れもその豫定で一人殘らず人員點呼の後乘込みがすんだ。朝の七時出發と云ふのであつた。然しブラジルの汽車が、とう／＼延び／＼になつて午前十一時近にサンパウロへ向つて行つた。ブラジル國歌又勇ましく歌はれる、船長以下船員の百餘名のも全員は移住者の健康と健鬪と成功とを祈られつゝ送られた。萬歲、／＼／＼。

汽車は千餘の人々を乘せてサンパウロへ行つて仕まつた。稅關も中々檢査が始まらぬ。十二時もすぎ午後一時頃になつてやつと荷物の檢査は始つた。幾つもの荷物の中からまづ各自分の荷物を見付て一ヶ所へ集め一人／＼に蓋をあけたり品物を見せたりして檢査を受けるのである。中々やかましい。中々丁寧の檢査である。荷物は大抵は無事である。紙の印刷物は稅金をとるのである大抵紙の目方の一キロに付き四ミル位の稅を徵收される。日本から出發のとき稅を收むる樣に調べが出來又伯國の領事の證明を受けて置かなければならぬ。

科稅金は容積又は目方によるものと、原價の一、二割の金額の一割五分を徵せらるゝものとあり、大部分は此原價格——一倍二割增のものに對する一割五分の課稅によるのである。

移住者の荷物はすべて特別の場合の外は稅金を徵收しない。其同一のもの多き場合とか、商品とかには稅金を徵されるのである。紙の印刷物や、同一種別のもの多くある荷物などは稅金を課される此場合は一割五分である。其多くは其價によるものである。

罰金を課されるときには其稅金の外に凡稅額位の稅罰金を徵されるのである。其六割は英貨にて徵され四割は伯貨の支拂とする。大体合計二倍一割位になつてしまうのであるから稅金を課される樣なものは日本の出發のときによく準備して稅を納むるものは其手順にして出すことが大切である。此手順を怠つて課稅され罰金を徵されるときは中々多くの料金を徵されて思ひ掛けぬ損と心配と手數とをかけることがある。注意すべきことである。檢査がすんでから荷物は何れも移民地へ送られるのである移住者は何れもサンパウロの收容所へ入り一泊又は二泊して各耕地へ向ふのである。

さんとす丸乘船者

社會局補助家族移民

府縣名	家族數	十二歳以上1	十二歳未滿七歳以上1/2	七歳未滿三歳以上1/4	三歳未滿	人員	男	女
北海道	八	四〇	七	八	六	六一	二七	三四
秋田	一	三	〇	〇	〇	三	二	一

イクアッペ植民(乙種)

府縣名								
山形	一	三	二	二	〇	七	三	四
宮城	二	一二	二	〇	〇	一四	九	五
福島	六	三六	六	九	五	五六	二五	三一
茨城	三	一二	四	三	二	二一	一二	九
靜岡	一	四	〇	一	二	七	四	三
新潟	四	一六	〇	〇	二	一八	八	一〇
石川	二	八	三	一	〇	一二	六	六
長野	三	一八	三	三	〇	二四	一三	一一
山梨	一	一三	〇	〇	二	一五	七	八
京都	一	九	一	一	一	一二	七	五
和歌山	四	一三	三	二	三	二一	一〇	一一
大阪	一	三	一	一	〇	五	四	一
兵庫	二	九	〇	三	二	一四	八	六
岡山	一	三	二	一	一	七	四	三
廣島	八	三一	六	三	四	四四	二四	二〇
山口	三	一一	一		一	一三	七	六
香川	二	七	一	一	一	一〇	五	五
高知	三	一一	一	三	三	一八	一〇	八
愛媛	一	四	一	一	〇	六	三	三
福岡	一五	五五	一三	一六	一二	九六	四五	五一
佐賀	五	二二	二	一	一	二六	一五	一一
長崎	一	三	一	〇	一	五	二	三
熊本	二三	八五	一三	一八	一六	一三二	六四	六八
鹿兒島	二	七	一	一	〇	九	三	六
沖繩	一	四	〇	〇	一	五	二	三
合計	一〇五	四四二	七四	七九	六六	六六二	三二九	三三二

府縣名	家族數	換算一	同1/2上	同1/4上	同上	人員	男	女
北海道	一	四	一	二	〇	七	五	二

自費家族移民

府縣名	家族數	十二歳以上1	十二歳未滿七歳以上1/2	七歳未滿三歳以上1/4	三歳未滿	人員	男	女
香川	一	六	二	二	一	一一	七	四

自費夫婦移民

府縣名	家族數	十二歳以上1	十二歳未滿七歳以上	七歳未滿三歳以上	三歳未滿	人員	男	女
茨城	一	二	|	|	一	三	二	一
廣島	一	二	|	|	|	二	一	一
熊本	一	二	|	|	|	二	一	一
鹿兒島	一	二	|	|	|	二	一	一
合計	四	八	|	|	一	九	五	四

自費單獨移民

府縣名	家族數	十二歳以上1	十二歳未滿七歳以上	七歳未滿三歳以上	三歳未滿	人員	男	女
岡山	|	一	|	|	|	一	一	〇

呼寄及再渡航

府縣名	家族數	十二歳以上1	十二歳未滿七歳以上1/2	七歳未滿三歳以上1/4	三歳未滿	人員	男	女
茨城	|	二	|	|	|	二	二	|
靜岡	|	一	一	|	|	二	一	一
兵庫	|	一	|	|	|	一	一	|
岡山	|	二	|	|	|	二	一	一
廣島	|	一	|	|	|	一	一	|

高知	|	二	|	|	|	二	一	一
佐賀	|	二	|	|	|	二	一	一
鹿兒島	|	一	|	|	|	一	|	一
沖繩	|	一二	|	|	一	一三	五	八
合計	|	二四	一	|	一	二六	一三	一三

總計

區分	家族數	十二歳以上1	十二歳未滿七歳以上½	七歳未滿三歳以上¼	三歳未滿	人員	男	女
社會局補助家族移民	一〇五	四四二	七四	七九	六六	六六一	三二九	三三二
イクアッペ植民(乙)	一	四	一	二	|	七	五	二
自費家族移民	一	六	二	二	一	一一	七	四
自費夫婦移民	四	八	|	|	一	九	五	四
自費單獨移民	|	一	|	|	一	一	一	|
呼寄及再渡航	|	二四	一	|	一	二六	一三	一三
小計	一一一	四八五	七八	八三	六九	七一五	三六〇	三五五
海外移住組合	二一	八一	八	九	一八	一一六	六四	五二
計	一三二	五六六	八六	九二	八七	八三一	四二四	四〇七
信濃 富山(累計)	一三六	五七九	八八	九三	八八	八四八	四三一	四一七

参考 海外移住組合別乘船者調

(海外移住組合聯合會扱ノ分)

移住地任務者

組合名	家族數	十二歳以上1	十二歳未滿七歳以上½	七歳未滿三歳以上¼	三歳未滿	人員	男	女
和歌山縣海外移住組合	一	四	|	|	一	五	二	三

第一種移住者

三重	六	二三	三	二	三	三一	一五	一六
鳥取	一	三	一	|	二	六	四	二
岡山	二	一〇	|	|	二	一二	六	六
廣島	二	一〇	一	二	三	一六	七	九
和歌山	六	一九	二	四	五	三〇	二〇	一〇
愛媛	一	五	|	|	一	六	四	二
計	一八	七〇	七	八	一六	一〇一	五六	四五

第二種移住者

岡山	一	二	|	一	一	四	二	二
和歌山	一	二	一	|	|	三	一	二
計	二	四	一	一	一	七	三	四

使用人

三重	|	|	|	|	|	一	一	|
岡山	|	|	|	|	|	一	一	|
和歌山	|	|	|	|	|	一	一	|
計	|	|	|	|	|	三	三	|

組合直接扱ノ分

信濃	一	三	|	|	|	三	一	二
富山	三	一〇	二	一	一	一四	六	八
計	四	一三	二	一	一	一七	七	一〇
◎組合計累計	二五	九四	一〇	一〇	一九	一三三	七一	六二

南洋行(二)

信濃海外協會幹事 宮 下 琢 磨

細密なる事業組織

海外に大農園を經營する、聞いた許りでも痛快で、何だか豪放的な感じがするのでありますが、今の經營法は、いづれも微に入り細に亘り、何千町歩の農園の經營も、一樹一本、一苦力の勤怠も本社にわかるやうに精密な表が調製されるのでありまず。十日目毎に出すのが旬計で、これを纏めて月計が出來ます。これを作るには。各農園のものを事務所で集めて統計をつくるのでありますから、農場で働く人の外に、事務所には十人位の人が毎日算盤を弾きペンを走らせて汗を流して居るのでありまず。これを觀ますと、毎日毎日の工程から苦力の働き工合經費がどの位かゝつてどの位の製品が出るか一目瞭然であります。本社に於ては、海波千里を距てゝ居ても、京大阪の支店と何等變りはないように出來て居ります。

何れにも利弊は伴ふものと見えまして、これは野村農園の話ではありませんが、「若し支配人を信用して居るならば、始め基礎的計算を出して置いて、後は年一回でも二回でも、總括的に豫定の計劃通りに行つたか、行かなかつたかを見る位でよいではないか、實際支配人なり主任なりが、朝食前に一通り山を廻りて苦力の作業の状況を觀、朝食後工場を廻り、事務所では煩瑣の事務を觀、午後は山を一巡して、八時に夕飯をたべるとガツカリして仕舞ふ、實際の問題は表の數字を合せるよりは、一度でも多く見廻りて、自分で小刀を取りて切り付けの工合を世話をやき、病木の有無を檢し、手入を早くし、貨の貯藏を完全にして鼠に喰はれぬ用心をさせる、可成事故を少なくする、これ等で精一杯、要は成績をよくして利益の上がるやうにしてやれば良いではないか、何も役所の眞似をして、算盤の辻棲を合せることに沒頭しなくても良いではないか」と、こんな不平まじりの述懐を聞いたこともあります。

これについて思ひますのは英國人や、和蘭人の農園を觀たときの感じであります。可成り大きな農園でも、支配人に助手一人、外は土人の書記などを雇ふて、社長も株主も、充分信をおける支配人に全權を委任して、その實績の擧がるのを確信して居る、隨て、事務は頗る簡捷、支配人も農園と死生を共にする覺悟で忠實にやつて居るといふような感じであります。

しかし、これは實際人を得ることは六ケ敷もので、大抵の場合には、二三年もやればムチヤクチヤにしてしまひ勝ちなのは普通でありまして、人物本位よりは、むしろ、組織本位となり屋上屋を架し、冗員駄員を多くし、事務を繁瑣にするも亦已むを得ざることゝ思ふのであります。

苦力統御の困難

苦力(クーリー)——農園勞働者——はボルネオの南部は、全部スマトラ同様ジヤワから移入されるのでありますが、これが、昔は從順なものであつたさうです。近頃だん〳〵勞働問題が、和蘭統治上の政治問題と關連したり、國際的勞働問題に刺戟されたりして、扱ひにくひものになりました。農園でも苦力(クーリー)の監督には、見たとこの貧弱な人は餘り用ひません。體格雄偉風采堂々とか、あるひは、武術に自信があるとか、又は、統御上特に才幹があるとかいふ人を用ひます。處が、外人の農園にも邦人農園にも、しば〳〵問題が起きます。規律嚴たる野村農園にも、前には苦力を柔道で抛げたが爲めに、抛げ方がわるくて死んだとかいひますがその爲めに、當人は永い間監獄に這入つたり、上々の人までも和蘭官憲から、ひどい制裁を受け、その職に居ることが出來ぬやうになつた苦い經驗もあります。現總支配人三竹氏も赴任早々苦力監禁問題で、支配人自身は關係せぬ問題でありましたが、それでもスラバヤの未決監に半歳も拘禁されたことがあつたさうです、これは、結局無罪になりましたが、一度び、かういふ問題が起きれば、國の興廢に關するほどの重大事件となります。

苦力は、槪して柔順でありますが、中に、昔の渡り仲間のように、スレツ枯しの手へおへぬものも居ります。若い監督などテンデ馬鹿にしてかゝつて居るのになりますと、若い者は、ツイむらむらとして來ますから手荒なこともやりかねます、苦力をなぐつたといふだけで、その事實が明瞭になれば、嚴重な法の制裁をうけねばなりません。といつて、口で叱つたり諭したりした位では、却て、輕蔑してかゝる全く手におへぬ代物もあるのです、逃亡者も常に絶えないやうです。

農園經營と苦力の問題には熟練したコツがあるのです、野村農園の嚴禁のうちに、苦力の虐待と土人の婦人と關係するこの二ツは最も重いもので、直に免職追放となるさうです。

資本主は三省せよ

熱帶下に年中百度以上の處に、マラリヤその他の病毒と戰つて、營々苦心をして勞力して居るのを見ますと、全く薄給でよくやつて居ると感心します。流石に野村農園などは、住宅も良く出來て居り、テニスコートもあり、學校も建たつて居ります

が、多數のの中には、農園の事などはソツチ除けにして、不完全の設備と、不充分な手當を以て、利益を出せ、利益を出せと責めて居るのもあります。

邦園の自作ゴム園

野村ゴム園の附近には小規模で小企業のゴム園を試むるものがボツボツ出來て來ました。丁度ブラジルに於ける企業移民のコーヒー園のやうなものです、しかし、ブラジルと蘭領印度との相違は、ブラジルでは外國人に土地を賣ることも自由であり隨て、ブラジル國籍にないものでも自由に土地所有者となり經營者となり得るのですが、蘭領はこの點が頗る八ケ間敷ので、ブラジルのやうに簡單に參らぬのであります。土地は買ひ受けでなくて租借であります。

租借は、誰れでも出來るかといふに、これには和蘭臣民はその資格がありますが、外國人は定住權を與へられないものにはその資格がありません、定住權も以前には、入國一ケ年後には浮浪者でない限り與へられたのでしたが、今は入國許可證の効力を重くして、十年位の處は、入國許可證だけで通用して定住權を與へるのを避ける傾向があります。しかし、土地の租借をする場合などになると明文があるので定住權の必要があるのです。これも大資本を擁し、事業に直に着手するといふ見込みさへ立てば、官憲は直に定住權を與へるのですが、小資本で土地だけ早く手に入れやうとしても、それは官廳で許しません。それで南部ボルネオの人達は、邦人の租借した大面積の一部を分けて貰らうのですが、これも實は表面公然許されて居る譯ではありません、名義は矢張り始めの租借人名になつて居るのでありますから不安心なところもあります。これなどは小企業者にとりて、ブラジルに比し難點となつて居るのです。

金子護謨園

野村のゴム園近い豊沃な八百七十五英反(エーカー)といふ園の所有主金子久松君は、堂々たる資本家並の園主でありまして、聳々天を摩す欝蒼たるゴム林は先年に二十五万盾(ギルダー)の買手があつた位ですから、大資本家の事業です。しかるに、金子君なるものは、一介の使用人勞働者から、さう多額の資金を投じなくて、努力健鬪でこゝまで漕きつけたのですから、この界隈の邦人間に異常のセンセイションを捲き起して居るのは無理もないことです。

金子君は、北九州の生れでボルネオに渡つたのは少年時代であつたといふことです。野村護謨園の前身は、獨逸人の經營であつたさうです、金子君はある緣故からこのゴム園に働いて居たのです。それが、野村の經營に移つても、何かと便宜が多いので引きつゝき野村護謨園の支配人として働いて居りましたが君の理想は、小規模でも一園主として充分に腕を揮ふて見度いといふことです。それで、その附近の土地を物色して最も豊沃な土地を租借して、野村護謨園を辭して專らこの經營に當つたのでありました。金子君の健鬪振りは超人間の仕業として一般の驚嘆の的となりました。何せい朝は星を戴いて出てゝ夕べは月を踏んで歸るといふ位なところでなく夜も中夜月光を沿びて

働いたのでした。熱帶下でこの過激な勞働を三月もやれば普通は參つてしまふところですが、金子君の赤銅づくしの身體は益々頑健の度を加へて行くのですから、超人間として驚嘆されたのも無理もありません。

始め農園を始めるとき、賞與金や月給の蓄積で二万圓位はあつたらうといふ話ですが、それが孜々營々勞動の結果が、こゝに植付面積二百十八英反のところ迄漕ぎつけ、年三萬ポンドの收穫をあげやうといふのだから驚かざるを得ない。一ポンドが不況の相場五十仙でも一萬五千圓はあり、少し相場が良くなれば、二万にも三万にもなるのであるから、少し小金があり、事業上にも腕の鳴る連中が、おれも一ッやつて見やうと、奮起するに至つたのであります。

以下小企業者の實情について申して見ませう。（つゞく）

本縣郡市別一戸當借金番附

東方			西方		
横綱	長野市	千五百五十一圓	横綱	北佐久郡	千三百九十一圓
大關	小縣郡	千百六十三圓	大關	上伊那郡	千百十七圓
關脇	更級郡	千八十圓	關脇	下水內郡	九百八十五圓
小結	上高井郡	九百七十九圓	小結	北安曇郡	九百七十七圓
前頭	下高井郡	九百九圓	前頭	南安曇郡	八百七十一圓
同	南佐久郡	八百二十四圓	同	松本市	七百六十二圓
同	下伊那郡	七百十五圓	同	埴科郡	七百十四圓
同	西筑摩郡	六百八十二圓	同	上田市	六百二十六圓
同	上水內郡	五百五十九圓	同	東筑摩郡	五百十六圓
			同	諏訪郡	五百十二圓

供御覽

行司　八百六十八圓　長野縣農家一戸當平均

勸進元　不雑有　長野縣農會

朝鮮閑話（七）

藤澤定司

三十三　朝鮮の狼

朝鮮語にも狼に相當するもの豺に相當するもそれ〳〵存在してゐるが足に蹼あり眼が三角で夜光るなどといふシベリヤの狼の樣な種類は一匹も棲息して居らぬただ前言のヌクテがすんでをるがこれを朝鮮人は「勒犬」といふ當て字をもつていひあらはして居る。

ヌクテは馬の子でもとつて食ふ位の怪力があり、年々人畜に危害をおよぼすので最近では捕獲奬勵金として一頭の捕殺に十圓、十五圓といふ賞金が附せられてゐる。仁田の四郎猪の速太俵ノ藤太源三位賴政等は生れかはつて朝鮮へ來てヌクテ狩でもした方が余程成功したであらう。そこに行くと加藤清正は流石に大物に眼をつけてをつただけ役者が一枚上であつた。

三十四　山猫が狸で狸が山猫

山猫は朝鮮には澤山ゐる。伊藤公が耆統監邸に山猫が澤山ゐるのを見て早速その筋の人に命ぢて山猫を生捕を命ぢた。銃殺捕殺要らば手易いが生捕は一寸六ケ敷い。どうしてとろうかと頭を捻たのは秘書官ばかりでなかつた一人の智者が飛出して來てそれは山猫の常食即ち最も好んで食ふ餌を思ひついた。餌は雛である。寝棺の樣な長い箱を作り—入口に仕掛のあるのは勿論—その奥に雛をくゝり澤山つけて夜中ピヨウ〳〵鳴かすと南山一圓に居つた山猫共が押すな〳〵で來るは〳〵大入滿員で毎晩の樣に一匹づゝ生捕られるそれを伊藤公が飼養して置いて間もなく出來た李王職の動物園に寄附されたのだといふ。朝鮮では山猫の事を「狸」と書くだから朝鮮語で「狸」と書いてあるのは山猫の事である。一寸間違い易いしかし狸の事を「山猫」といふからなほ更間違ひ易いのである。

狸は人家に近くに忍んで出て來て臺所へ潜入し食物の殘滓を好んで喰ふ動物である。山寺の大台所へ附近の狸共が集つて來るのはこれが爲めである。和尚さんと狸とが深い因緣を持つ樣になつたのも皆食ゆへの事からではありませんか。但し朝鮮の狸を普通一般の動物とみなしてをり徳利持つて酒買へに往く豆狸もをらず文福茶釜の腹鼓も打たず文化だしたりする大入道式狸の迷說も存在してをらずどうも內地の狸程ユーモア式に富んでいないらしい。ただ溫突の發坑等に巣を作つて一家圓滿な家庭生活を營み子福長者として山猫等のガミ〳〵亡者から羨まれてゐる程有福の生活を立てゝ居る。然し近頃の樣にこふ朝鮮の隅々否溫突の穴の中迄不景氣風が吹込んで來ては中產以下の狸は大分困るらしいその上心ない輩に時々溫突の發坑を焚く人があつて煙くて〳〵居たゝまらずそこから十四も二十匹も這出し一家分散の憂めに遭ふこれが狸穴の松葉責めといふやつらしい。

何れにしても狸といふ奴は朝鮮でも內地でも餘程愛嬌者でユーモア式であるが人間の狸

は一寸油斷がならぬ。

三十五　惚れ藥

內地ではイモリの黑燒が惚れ藥では止めをさして居るらしい樣であるがこれは男が「アクチブ」で惚れこんだ女にソレヲ振かけると忽ち靈驗あらたかに現はれて來ることになつて居る。

鏡が惚れた男に振りかけたり、風呂の中で其ぢて風呂へ男を入れた位ゐでは餘り効力がないらしい。然るに朝鮮ではこれと反對で男を惚れさす爲めに狐の陰部を切り取つて腰に下げると思ひ込んだ角男が惚れ込んで來て結局願が叶ふ事になる。

その狐は生捕にしたのでないと餘り効がないといふ事である。かつ又牝狐でなければならぬ牝狐の陰部とその爪とを併せてブラさげたら一層の利目が早く現はれるといふので大抵この二ッを一組にして販賣してゐる。實値は最近迄十五圓見當であつが此の頃では確な事は判らぬ希望者は鍾路三丁目〇〇へお行きなさい。この惚藥を秘密に下げて以つて昇下官吏君等で實際昔は盛んに下げて以つて昇下長運をタラシ込む一ッ材料だつたそうである。

思出して見ると內地では男の方がモーションを起すのが通例になつて居るのに朝鮮では女がモーションを起す處にいふにいへない妙味がある。

尤も內地と雖も藝妓や料理屋では招き猫を祭り上げてゐるのは女の方がモーションをかけて居る事になる猫は陰性動物だといふ人もあるが何れにせよ比較して見ると朝鮮の程罪はないかも知らぬ。

三十七　動物學

漢學の支配を一歩も脫しないで長い月日を暮して來た朝鮮に於ては動物學に對しても科學を無視した幼稚極まる漢學的觀察が先入主となつてをつた途方もない考へを持つ動物學を取扱つて來てゐるいかに最新の究明を說明しても容易に之を信じようとしない又容易に過を改め樣ともしない傾向がある

學校で修得した新知識も爲めに其の實地運用には多大の障害を蒙つてゐる樣である。

迷信邪說の根本も多くは科學を無視した漢本から生れて來る樣である漢籍に文字類聚といふ動物學教科書があるがそれには古代式一流の卓越說がのつてをつてこれを闇誦した漢學者は未だその所說を信じて一歩も譲ないから厄介千萬である

曰く鶴は胎生である、曰く鳥類が卵生である位ゐの事は三才の童子でも知つて居る然るに鶴に限つてそうでないそれではと鶴の卵を御園に入れると野鶴である野鶴の如きものが胎生であるかないかは吾人の知る處に非らずと跳付けられるわれ〳〵の申すは白鶴であつてその白鶴には仙人が乘つて雲の間を往來するのであるよと反つて槃激を受けねばならぬまるで鶴を飛行機の代用品として片づけられてしまうこんな先生に向つて如何に現實を論じた處で結局不得要領馬の耳に念佛馬を指して鹿といはれ兎にも角があり驢は馬に非らず蛟は淵に潛んで浮世へは顏出ししなかつた事になる

支那流に猛しく宣傳せられた動物中に覇者は何んと云つても龍であらう科學に及第する祕訣は受驗の前夜に龍を夢みる事である居室に龍を畫き龍の字を書いてはり明暮口に龍を唱へて龍にすがつて及第を願つたものである雨が降らぬと龍の字を書いて水甕に浮べると雨が降る何んとなれば龍は雲を呼び雲がやつて來ると雨が伴ふからであると仲々心理を穿つた三段論法である近頃流行語の合理化とでも云いたくなる

況んや龍は帝王にたとへられてをりその頸には如意の火の玉だか寶生の玉だかをいだいてゐると信じられてをつたのである但し實際にそんな動物がこの天地間に住んで居つて且つそれに御して宇宙間を驅廻つた人があつたとしたらその人は隨分と蛇臭い思ひをした事であらうと思う今度機會があつたら朝鮮の生んだ崖飛行錢を前記の三段論法で漢學の先生に話込んで見樣鳳凰は竹の實でなければ啄まず梧桐の木でなければ巣を掛けないそこで梧桐の木に一段の品格が付いて來て何を飲んでもなほらない天刑病もこの梧桐即ち鳳凰のトマル木を煎んじて飲んだら根治すると云ふので梧桐は盛んに天刑病に愛用せられて居る、忠清南道儒城溫泉某氏が庭木に梧桐を植た處一本盜まれ二本盜まれ遂に全部盜まれ仕舞には根迄掘られて仕舞たとの事である、いふまでもなく溫泉地帶に集つて來る天刑病者の仕業である

麒麟は大体高原地帶に棲息してをつて餘り平原へは降りて來ない動物であるこれが平野に現はれると聖人が出るといはれて居るが今では動物園に居るから毎日の樣に聖人が現はれる譯である。

獅子に對しては內地人程敬裔心を持つて居らぬ內地人は獅子をライオンと唱へ百獸の王として又牡丹に唐獅子として又神社の狛犬として獅子に對して種々雜多な想像がしてある朝鮮では獅子によく似たカイダといふ想像上の動物を引合に出して來てゐる、この獸は火をくらふ動物である、ブラジルには夢を食ふ獏といふ動物が棲んで居て夢を食つて異れるといふ、尤も日本でも昔は殿樣邊りの婆搖りの箱枕に金の浮字で獏と書いて惡夢を盛んに食つて貰つたものであるそうだが朝鮮のカイダは火を食う上に惡魔をも追拂す力があると信じられて居る爲めに狛犬と同一の役目を負はされて殿堂の左右に置かれてゐる。京城は火氣が冠岳山に迫つて來てゐるから何時大火が起きんとも限らんそれで景福宮の前に一つのカイダを安置してその火氣をにらみ返さしてあつた、因にカイダといふ煙草が火を食ふ動物であるからしてカイダからとつて措けた名前である事を思ひ合はすと人間も火を食ふ動物である事はいふまでもない。

三十八　熊は馬鹿だ

內地人は熊を非常に利巧な獸として木にも登るし水も泳ぐし死肉は喰はないから死んだ振りをしたら助かる等と私共の教はつた小學校の讀本にすら二人の旅人が山奧で熊に出逢つた處が先に見付けた一人は素早く木に登つて仕舞つたが後に發見した者は突嗟の氣轉で死んだ振りをしてお互に助かたが死んだ振りをした者に自分一人で木に登る樣な不信用な人と旅をするなと云殘して行つたと書いてあつたので私も小さい時から熊は木に登るものでないと信じて居つた處が豈計らんや西伯利亞出征當時見上げる樣な高い木にチョコナンと座つて居るのを見た又死んだ振りをした處で實際死んで居るか生きて居るか位判らない馬鹿な熊でもあるまい何れにしても臆測に過ぎなかつたのである

朝鮮では熊は非常に馬鹿な獸として取扱はれておつて「馬鹿さ加減は熊の樣だ」と一番馬鹿な獸としてある熊が利巧で虎が馬鹿か其邊はメンタルテストが出來ぬから判然する事は出來ないから虎は朝鮮では一番利巧な動物に徽られて居る、そこで昔噺にも虎の智惠で馬鹿熊の怪力を防ぎ買にこれを捕つて食つたといふのもある、こんな風に熊が馬鹿にされる原因を考へて見ると大藏經に熊が誤つてその主人を殺して食つたといふ記事があるそうである、それから熊は朝鮮では馬鹿扱にされる樣になつたのであると云う支那では熊は淫猥の寵物と思はれてゐる何んと所變れば品變るではありませんか。（續）

海外邦人七十六万

一ケ年の增加四万九千人

外務省發表による我が邦人の海外各地に在留する數は昨年十月現在において七十五万九千四百三十九人で過去一ケ年間の增加せる數は四万九千六百一人である。今在留國別、男女別によつて、示せば左表の如くである

在留地	男	女	計	對前年增加人口
英領加奈陀	一四、一四三	八、五三三	二二、六七四	一六八
北米合衆國	八五、九八一	五四、九六四	一四〇、九四五	減 六〇五
布哇	六八、七二〇	六五、三二二	一三四、〇四二	三、一〇一
メキシコ國	三、二二八	一、六二九	四、八五七	三三三
玖馬國	六二七	一六一	七八八	四
パナマ國	一六六	五〇	二一六	減 八
ヴエネズエラ國	七	四	一一	二
コロンビヤ國	四四	六	五〇	八
ボリビヤ國	三三五	一一八	四五三	四三
ペルー國	一二、一四四	六、二五七	一八、四〇一	一、四三三
チリー國	五三三	一九一	七二四	八八
ウルガイ國	一六	四	二〇	九
パラガイ國	五	―	五	―
アルゼンチン國	二、九〇四	九二四	三、八二八	四二三
ブラジル國	五七、八八三	四五、二八三	一〇三、一六六	二六、六七八
比律賓群島	一二、〇八一	三、六九一	一五、七七二	一、五三一
英領南洋各地	五、一〇四	三、六二四	八、七二八	二四九
蘭領東印度	三、六七七	一、九〇四	五、五八一	四〇七
佛領印度支那	一四〇	一六二	三〇二	減 四〇
シャム國	一六六	九三	二五九	減 三五
印度及セイロン島	七五四	五三一	一、二八五	減 五七
ペルシア國	三	―	三	三
大洋洲	三、一一七	三三七	三、四五四	減 一〇一
支那本土	三一、三三〇	二四、三四八	五五、六七八	五五三
英領香港	九三三	六九〇	一、六二三	四四五
滿洲	五六、一〇四	五二、四四八	一〇八、五五二	四、八七三
極東露領	一、六八三	三一四	一、九九六	三七四
歐羅巴洲	二、五七三	七四二	三、三一四	三三三
アフリカ洲	八七	二九	一一六	二〇
南洋委任諸島	一〇、一四三	五、八八八	一六、〇三一	三、七四〇
關東州	五五、〇四三	五一、四〇四	一〇六、四四七	五、七六八
合計	四二九、八一八	三二九、六二一	七五九、四三九	四九、六〇一

尙最近五ケ年間の在留邦人數及增加數は左記の如くである

年別	在留人口	對前年增加人口
大正十四年	六一八、四三九	一三、八八八
同 十五年	六四〇、〇九九	二一、六六〇
昭和二年	六七六、二六二	三六、一六三
同 三年	七〇九、八三八	三三、五七六
同 四年	七五九、四三九	四九、六〇一

アンデス山の彼方より

故國の青年諸君へ

南米秘露ワンカーヨ市　埴科郡南條村出身　青木保

南米秘露……斯く言へば諸君は必ずや銹熱たぎるゝが如き所井水尙沸き返へるの地を想像するであらう、然り秘露は赤道直下の熱帶國である。

アンデス山脈……斯く聞けば諸君は直ちに白雪皚々として行くに道なく通ずるに方法なきを連想するに違ひない然りアンデスの連峯は世界の高峰中屈指の所……而し諸君よ……諸君の想像や假定の餘りに事實と相違せるを餘輩は悲しく思ふ。

否斯く諸君に敎へたる地學者斯く諸君に傳へたる旅行家將又一部半可通者の罪を憎惡すると共に之を一般未知の諸君に傳へて毫も自責する所なき彼等の行爲を國家の爲日本植民政策の爲め尙又雄志世界の競爭場裡に飛躍せんとする諸君の前途の爲めに嗟歎して止まない、

此處に余は拙文不明をも省ず諸君將來の參考にもと當地の概略的氣候風土を草して諸君の我が秘露に對する誤解を解きたいと思ふ……諸君……諸君は多數の地學者旅行家から又は種々の雜誌等によりて南米秘露……否其の一部のコスタ（海岸地方）の事を見聞された事であらうで余は茲に海岸地方に對しての報告は其の骨子にとゞめて置く、

首府里馬市

里馬市……秘露の首府里馬市は地理附圖にて見らるゝ通りカイヤオ港に隣接して居る都會である地勢から言へば海拔六百尺と言ふが余はたゞ平坦な地と思ふばかりで別に氣にとめて調査した事もない此處は人口貳拾五萬學校あり會社あり官衙あり三階五階の高樓軒を並べ當國第一の大都會である、

此の處に在留する者一見世界人種展覽會の如く白人あり黃色人種あり黑人あり世界各國人洩れなきの有樣である流石に新らしく建設せられたる國である自由の地である…との感を深くする中同胞約一万五千其の多くは雜貨販賣商、理髮業、喫茶店を營み帝國公使館、領事館、邦人小學校を始め在留同胞を以つて組織せる中央日本人會其他約參拾有餘の團体（商業團体縣人會）あり道路はすべてアスフアルドを以つて固め何千臺の自動車音もなく滑り行く到底道路の美麗なる點に於ては日本の如何なる

地も之を凌ぐ所はない。地味肥沃にして其の郊外の耕地は作物繁茂し氣候亦溫和にして苦痛を感ずるが如き事はない。

嘗つて五百年前、西班牙の將ピサロは此の地を見てケーエルモサ、キンタデルビレイと賞された。卽ち何と言ふ美しき所ぞ副王の別莊として……と歎賞せられた所である次に余は氣候に關して一言する。

諸君……諸君が銹熱の地獄なりと想像せらるゝ秘露は緯度に於て十度以内にありと雖も決して諸君の假定し想像せらるゝ銹熱國として諸君の思考に添ふ所ではない。

北米ハドソン或はカナダ近海に起る黑潮……卽ち寒流は此の熱帶國の沖を南過する其の關係によりて一轉冷熱相和して溫和なる氣候を創り上げる。最も南北緯度の關係上日本の冬は此處の夏此處の夏は日本の冬である、卽ち正月は最も暑く盂蘭盆會は最も寒き時である、最酷暑よく日本の土用の暑氣に足らず最寒又晩秋を越ゆる時なしとは當國の氣候である、

故に里馬地方否當國に在る者は夏冬一着の服を以つて足れりとする、而も其の夏服にせよ多服にせよ何等他をはばかる事なく他をそしる所なく夏冬交合相談して毫も異とせざるを以てしても氣候の溫和を證するに足れりと思ふ。

里馬市の面積約一、五方里近くカイヤオ市ミラフロレス、チヨリヨス、バランコ等あり、カイヤオ市は當國一の商港にして他は別邸多く遊覽地として名あり、何れも海に面す其の家屋の壯麗優美此の上もなし又一、三十里以内にはワラル、カニエテ和長等の町點在す、此の地方はアンデス山脈の南北に縱貫せる關係上降雨なき所として智利の北部と共に世界に知らる、住民は前述の通り世界各國人にして日、支、伊、米、西、土、英等殆んど總ての人種を網羅して就中日支、伊人多數にて伊西人等に到りては長き歷史と宗敎其の他より秘露人として歸化する者過殺又其の勢力甚だ大にして徹底的植民の實を擧げ今後尙益々勢力の普及に躍進せんと意圖しつゝあるは吾人の遠く及ばざる所と思惟す、

ワンカーヨ市

余は今アンデス山脈を橫斷せし所否山脈中の中腹ワンカーヨ市に在り此處は世界の最高峰アンデスを想像せらるゝ諸君は一讀にして肯定するを快しとせざる所である今其の理由を述べん

里馬市デサンパランド驛を朝の六時半に立ちて汽車を中央に…中央に、東へ東へと進めば約夜の九時頃アンデス山の彼方フニン縣第一の都ワンカーヨ市に着く其の里程約四拾有餘里列車は黑煙を吐きて進む事約二時間にしてチヨシーカの町を過ぐ此の頃より昇登又昇登……急坂又急坂……黑煙凄じく車輪頻りに響音を立てゝ進まざる事恰も人力車の如く三回、四回水を得てリオブランコと稱する僻村の驛につく此の邊より急に冷寒を覺え又々數時間を要してテクリオと稱する驛に着く此處は當國のセロデパスコと共に世界の鐵道貫通地として最高なる所海拔實に一万八千尺富士山より高き事約五千數百尺、數軒の土人家屋を見るのみ。雪解水所々に湧き其の冷き事切るゝばかりなり然

し諸君よ此處にも尙人ありパンチヨツ等を賣るを見る、

見渡せば白雪點々として其の佳景言ふばかりなし此處より汽車は火を捨て窓を閉し下降する事五千尺ハウハ町に着く此の間トンネルを過ぎる事七十一回、長きあり短かきあり化學の力の自然を征服せる事の大なるに驚く此の山中名もなき美花咲き亂れ紅白の彩色天然の美又よく人工の美を壓するを見る此のハウハ町は世界に於て肺患者の休養地として最も卓効あるを以つて知られ此處より約九里降る事一千尺、フニン縣唯一の大都市卽ち余輩の第二故鄕たるワンカーヨ市に着く。

僅かに里馬を離るゝ事四拾里、アンデス山の中腹一万二千尺の高所に四時花咲き亂れ野菊にすみれにたんぽぽに日本の春景に異なるなく暑くなし寒くなし雨あり綠樹あり實に日本の美を此の一小天地に移し來りたるが如し一万二千尺の地原野拓け大家軒を並べ花を賞し鳥を賞で最もよく吾人に親しみ而も相似たるセラノ（純秘人）を友として商業にいそしむ此の地こそ春夏秋冬ありて吾人に故鄕をしのばしむるの地なり。

都市整然として美しく面積約一方里。人口二万六千人、在留同胞約二百名日本人會あり邦人小學校あり何等の哀愁をも感ぜず。

當市は縣下第一の都として中學校、商業學校、師範學校、其他大會社銀行の支店出張所軒を並べ綠濃きユウカリプトの中點に高樓の聳え立つを見る嘗つて秘露獨立の旗ひるがへるや絕世の雄將シモンボリバル、スークレの諸將此處を通過してアヤクチヨの地に戰ふ百拾年前の僻村今や縣下第一の商業市となる今後の發展又期待して可なりと自信す、

アマゾン河畔森林地帶

此處を去つて約卅里メルセーデスなる地を過ぐれば此れ世に世界の寶庫と言はれ、謎の森として知らるゝアマゾン大森林にして、十疊敷、二十疊敷の大木林立して盛夏尙日光を見ざるの地其の廣大なる其の雄大なる又筆舌に盡くすべきもあらず。

廣きと言はんか宏きと稱さんか綠林の海果つべくもあらず恰も大洋の如く此處よりボリビヤ、ブラジルの地に到る何千萬否何億万町步の地は唯人工の拙と化學の無力を嘲罵しつゝ尙深く眠る。

此の地一度努力と忍耐と資力と開拓心とに燃ゆる青年によつて開かれんかよく世界總人口の約百五十年間以上無爲美食に耐ゆを得とは驚くべき事ならずや而も尙唯然として唯眠りに眠る

國土あれども其の地に主なく何れまでを甲の地とし奈邊迄を乙の有とする地價なく所有者なく知るものなく眞にこれ不可解百五十萬町步を有する邦人あり五十萬町步を拂ひ下げし日本人あり曰く何萬町步の英人米人……數へ來れば其の數何千萬町步ぞ、然しながらそは實に何百分、何千分の一なるやも知らず此の中を洋々として世界の河川の王大アマゾンは蜿然大海の如く雄々として千古相變するなく密林より密林へ流れ去る其の水量の大なる其の河幅の廣き實に世界一の稱に洩れず對岸雲波に霞みて見えず河水澎湃として下るとは實に之等を稱すべく中に

我が四國より大なる嶋三つもありとは喫驚惜く能はざるべし。

嗚呼千古倚變せざる大アマゾンを探るは誰ぞ永遠に眠れる我が大アマゾン資庫を拓くはそも誰が力ぞ、余は今此の大森林……否大森原の入口大アマゾンの上川リオマンクローに臨めるワンカーヨ市に在りて堅忍不抜の青年を待つ。

諸君よそも世界の資庫を開くの鍵は何人ぞ有する……立て而して拓けそは人の意義ある快心事ならずや

× × × ×

終りに余は海外に雄飛せんと志ざす青年諸君に苦言を呈して此稿を終了する事にする。

諸君……諸君は多く海外旅行者地學者、視察家の講演會に臨まれた事と思ふ。然して余は其の講演の内容を總べて其の儘呑み込んで眞とせられて居る諸君に對して再び氣の毒に耐えないと思ふ

諸君……彼等の旅行は所謂縮少旅行と言はんか誰かが言つた鑵詰旅行である。

彼等は上陸と共に其の地の公使館、領事館を訪れる然して大部分公使、領事の言を參考とするかもしくは首府の附近を視察して直ちに出發する、其の間僅かに拾數日何んぞ其の國狀の一端をも知るを得ん。其の地の氣候風土を解するを得ん大東京の地理を知らんと欲せば克く十年を費やさざるべからずと言ひし人ありいはんや我が邦土の二倍に當る大秘露に於てをや。

彼等は鑵詰的に國より國へ首府より首府へ公使館より公使館へと流れ歩く、彼等は入口の大小を知ると雖ども内容の大小を知らざるの輩である。彼等が公館内に於て綠酒佳肴に親しみつゝ參考として國狀の一端を聞き居る時吾人は孜々として國狀の研究に頭を廻らす……然し之は又彼等旅行家を非難し責むるの理由ならず、然り彼等は僅かに十數日の日程を許されたるの鑵詰旅行者なればなり、

嘗つて諏訪郡平野村尋常高等小學校長兩角喜重氏の視察せられたるあり、諸君は同氏の講演によつて或る程度まで秘露に對するの智識を得られしならん余は玆に兩角氏の人格と教育者としての視察眼の深きに感歎せる一人として諸君に氏の講演を拜聽する事をおすゝめする。

又同時に唯々行つて見ろ。內地が面白くないから出かけろ主義の無定見者や外國へ行けば道路に黃金の塵溜めあり宜しく拾ひ來るべしの空想的對外者流は渡秘拾年倚幣衣成功を見ずして徒らに駄辯家即ち小理窟屋となり何等同胞に益するなきの徒輩となり終るとの言を大にし忍耐、体力。努力その何れの地に於ても成功の原素なりと申し上げ諸君の奮勵を切望して此の稿を擱く。

在留申告書提出濟の
在外徵集延期者（四）

本籍地	徵集延期者	現住所	適齡年
南安曇郡（續）			
同	平林明信	米國シヤトル市ワシントン街三一〇	大正八年
同	勝野千秋	加奈陀ビージー州ポートヘネ	大正十年
同	勝野毅	同右	大正十五年
同	平林義明	米國加州ガーデナ市RFG氏一二二七	大正八年
同	武田登三郎	伯國聖州シリ、ヤ郡セツセパラス町	大正十五年
北穗高村	清澤林藏	比島ヌエバンハ州カバナウカンブルゴス街一三	大正九年
温村	中島清人	伯國聖州イグアツペ郡レジストロ植民地	昭和三年
同	臼井文平	米國紐育市東十五ノ八	大正七年
三岡村	中谷芳太郎	比島ミンダナオ島ダバオ	大正七年
同	青柳喜美人	同右	大正七年
同	中谷幾久男	同右	大正六年
有明村	千國民治	同右	大正七年
同	杉島稚光	同右	大正七年
同	金森晋市	同右	大正九年
同	千國國司	瓜哇バンドン市レヘンスワエグ二號	大正六年
北安曇郡			
松川村	平林昇	加奈陀トロント市ロバート街二六八	大正七年
同	一柳要	伯國聖州サンボウロゴヤス線モンテアズル驛パウリセア耕地	大正十一年
大町	曾根原重男	同右北西線ルツサンピラ驛アリアンサ移住地	昭和五年
同	清水盛行	同右リンス驛上塚第二植民地	昭和三年
會染村	師岡堅太郎	北米加州ロングビーチ市外ロウトニボツクス五〇六	昭和五年
同	上原修	墨國ソノラ州ノガレス市カンピオ街一九	昭和二年
同	片瀬淺治	墨國ソラ州エルモシーヨ市外ランチトラグランハ	大正七年
同	牛越三男	伯國聖州イグアツペ郡レジストロ植民地	大正十年
美麻村	飯澤今朝義	同右	大正十一年
同	武居武健	伯國聖州モヂアナ線ジユサーラ驛サンタジエルフルデス耕地	大正十二年
八坂村	北澤六郎	比島ミンダナオ島ダバオ	大正六年
諏訪郡			
宮川村	伊藤友市	伯國聖州北西線ルツサンピラ驛アリアンサ移住地	昭和四年
四賀村	宮部忠治	伯國聖州バカリスタ線コレゴリツコ驛アニユーマス農場	昭和三年
同	矢崎秀夫	同右	大正十二年
同	小松登	同右	大正十五年
富士見村	小池八雄	伯國パラナ州カンバラ驛七	昭和三年

本籍地	徵集延期者	現住所	適齡年
米澤村	吉田悲一	同右ベウリスタ線モツカ驛東京植民地	昭和五年
同	森元武雄	同右北西線ペンナ驛カフエランジヤ町	大正十二年
上諏訪町	村松二郎	同右ベウリスタ線コンゴリツマ驛アリアンサ移住地	昭和五年
湖東村	藤原了策	伯國聖州北西線ルツサンピラ驛アリアンサ移住地	昭和三年
同	藤森忠一	同右北西線ルツサンピラ驛	昭和四年
同	河西岩三	亞國ブエノスアイレス市ベルグラーノ町一四七〇	昭和三年
原村	森實鐡	蘭領ボルネオ島バルックパパン	大正十三年
同	折井嘉英	伯國聖州北西線グアラレタ驛アグアリンカ耕地	大正十四年
同	人形源英	米國加州フルアトン市ピーオーピー五八二	大正十二年
境村	平出清	同右	大正五年
同	平出桑治	伯國聖州ノロエステ線コリツゴ驛アニユーマス農場	昭和三年
平野村	武居武雄	秘露國フニン縣ワンカーヨ市レアル街五九七	大正十三年
同	清水泰雄	米國加州羅府ブロードエー五四七	大正三年
湖南村	藤森守正	伯國聖州ドウラデンセ線イビチンガ驛	昭和二年
中洲村	守屋晋四郎	米國デレウエヤ州デレウエヤ大學	昭和三年
落合村	名取洋三	獨逸伯林市ビクトリヤ街二	昭和五年
豊平村	木川新次	比島マニラ市マラテ區カロリナ街二六一	大正十四年
永明村	竹村要七	亞國サンラファエル郡レアルデルパドレ植民地	昭和五年
同	矢島四郎	伯國聖州北西線リンス驛上塚第二植民地	昭和四年
同	神澤久吉	同右	大正十三年
同	小池靜男	同右ルツサンピラ驛アリアンサ移住地	大正十三年
長野市			
西尾張部	村田政勝	伯國聖州イグアツペ郡レジストロ植民地	大正七年
平林	石川忠愛	同右	大正九年
東和田	寺澤公平	同右	大正十年
平林	石川義誠	同右	大正十三年
三輪	宮下良太郎	同右ソロカバナ線アルバレスマシヤード驛ブレジヨン	大正九年
三輪	宮下莊吉	同右	昭和二年
西後町	宮島實	同右北西線リンス驛第二上塚植民地	大正十年
三輪	鈴木幸雄	同右聖市ヴイスコンデ、デ、パラナパ街九七	昭和四年
鶴賀町	宮田金治	新嘉坡安順路一一一號	昭和三年
松本市			
筑摩	榎內五郎	亞國ブエノスアイレス州ナエステ線アユド驛キンタヘツポノテサ	大正六年
南深志	中山治三郎	北米ニウジヤ州レオニア、カテージ、プレス二一	大正五年
同	中山敏雄	同右	大正十五年
同	中山邁	北米羅府南ローサンゼルス通七五四	昭和四年

本籍地	徵集延期者	現住所	適齡年
北深志	矢部外市	伯國パラナ州ソロカメナ線カンベラ市	大正十年
上田市（未濟者ナシ）			
常入	山崎義雄	比島ミンダナオ島ダバオ	大正八年
上田	小宮山貞夫	同右	昭和四年
上田	浦田對	北米加州羅府	大正九年
	松澤文雄	北米ワシントン	大正十一年
	田中和助	北米紐育	大正十二年
	長谷川晃一	北米桑港	大正十二年
上田	井部藤作	北米ワシントン州タコマ	大正十四年
上田	堀內忠一	北米加州羅府	大正十五年
上田	堀內濟治	同右	昭和二年
上田	羽藤幹雄	伯國聖州北西線リンス驛	大正十四年
北佐久郡			
協和村	松本多喜藏	伯國聖州ノロエステ線アラサツーバ驛	大正十二年
布施村	小松正信	メキシコ、チヤベス州タパチユーラ市サラゴサ街	大正十五年
小諸町	塩川良藏	伯國聖州イグアペ郡レヂストロ植民地	昭和四年
同	塩川秋生	伯國リオ市サルヴアドルコレア街六二ノ一八	大正十三年
同	平野重雄	北米加州オークランド市第七街七五八	大正十一年
南大井村	青木貢	伯國聖州イグアペ郡レヂストロ植民地	大正十五年
同	青木何人	伯國聖州セントラール線モザダスクルス驛	大正十一年
川邊村	清水茂	フイリツピン群島タヤバス州ムラナイ村	大正七年
高瀬村	柳澤富雄	伯國聖州ノロエステ線リンス驛上塚第二植民地	大正十一年
志賀村	並木和男	伯國聖州アリアンサ移住地	昭和五年
南佐久郡			
川上村	井出勇	伯國聖州アリアンサ移住地	昭和五年
同	井出篤治	伯國聖州アリアンサ移住地	同
畑八村	櫻井長之助	伯國聖州ソロカバナ線パラクワスー驛文化植民地	昭和四年
畑八村	中島四郎	伯國聖州ノロエステ線プロミツソン驛	大正十三年
同	佐々木智	伯國聖州アリアンサ移住地	昭和四年
北牧村	篠原貞雄	伯國聖州ノロエステ線テビリツサ驛	昭和三年
平賀村	森澤晋重	比島マニラ市マラテ區サンアンドレス街	大正八年
同	大井得二	亞國ブエノスアイレス市タルカワノ街四二八	大正九年
青沼村	高橋久雄	伯國聖州ノロエステ線ビクグキ驛	大正十一年
大澤村	阿部勇	伯國聖州ノロエステ線リンス驛上塚第二植民地	大正八年
同	阿部貫一	伯國聖州ノロエステ線リンス驛上塚第二植民地	大正十一年
同	阿部影勝	北米羅府北サンピードル街	大正十一年
同	阿部景則	北米羅府サンピードル街	大正十五年
田口村	高橋ウリー	英國ロンドンバーモンヂー	昭和四年
野澤町	箕輪勤助	伯國聖州アリアンサ移住地	同
中込町	木下源彌	比島ミンダナオ島ダバオ州タロモ	大正六年
同	青木正親	伯國聖州イグアペ郡レヂストロ植民地	昭和二年

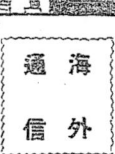

海外通信

支那間嶋より

拜啓酷暑の折柄各位益々御精榮の段奉賀候陳者は引續原稿御送附申上候よろしく御取計被下度候就いては原稿用紙終り申候ば御送附願上候二伸當地の暴動事件蔭々犯人檢擧・判明したる處に依れば實に意外な方面（不逞系西伯利共産系支那共産系、の混成及朝鮮人個有のヒネクレ根性）に展開しつゝ有之候然し新聞紙上程の危險には之なく只部分的の被害は止むを得ざる處にして當管內は比較的甚大は事實にして既に御承知の通りに御座候

（七、二〇）　藤澤定司

秘露より

謹啓貴會益々御清榮の段奉賀候陳者小生其後無恙消光業務に勉勵致し居り候間乍他事御休意被下度實は貴會御創立と同時に小生等海外在留者の爲め否帝國植民政策の爲めにあらゆる犧牲と御費用とを以つて專心青年指導海外發展の大業完成の爲めに御盡力の程遙かに欣謝致し居る次第に候次に今回當地領事館の手をへて秘貨七十ソール也御送附申上候右は甚だ僅少にて汗顔の到りながら滿二ケ年に至りて雜務に追はれ之加筆不性の爲め御通信も申上げざりし事を謝すと共に貴會の意義ある事業に對して其の一端とも爲し賜はらば幸甚の到りと存じ上げ候次第何卒宜しく御取り計へ被下度候尙別封小生の感想希望並に當地の概略を草し御送り申上候間甚だ拙文ながら青年諸君に御傳ひ被下候はゞ本懷此の上もなき事と存じ申候

先は右用事のみ末筆ながら邦家の爲め貴會の益々御隆盛ならん事を切に祈願申上候　敬具

昭和五年七月一日

秘露國中央線ワンカヨ市レアル街五七一　青木保

歸國の途上より

岡村一憲

私儀去る二十一日ブエノスアイレス出帆、二十四日、サントス港着、七日間の定泊中を幸ブラジル國に於ける日本人の發展情態を視察して居ります

二十九日に當港出帆の豫定です

其感想はいづれ歸朝御面會の節

いづれ次便にて（一九三〇、六、二七）

馬尼剌より

拜啓

再渡航以來一度も御手紙を差上ず今日まで延引仕り誠に申譯之無く候

昨年四月來馬以來本業大工職のかたはら、要や須坂の遠藤信次郎君等が來る用意に氷店を出す場所の撰定より店の開店までには隨分苦勞仕り候幸に現在の場所を五百圓の立退料を出して借受室の修繕から店の陳列にて千圓程かゝり申候

商店內は二尺に四尺の鏡にて全部飾り申候御蔭様にて要と遠藤君と無事渡航が出來今は仁禮村の島田利生、遠藤君小生等親子三人士人一人の六人暮にて店も場所の撰定良く店員一同が一生懸命に働らき開店當時は一日十五六圓程より廿五六圓位なりしが此の頃には三十五六圓位より六十圓まで賣上有之尚一層勉強

して百圓位までは致可く努力致し居り候此の分なれば色々と全部の經費を差引ても月百五十圓位は確實に預金出來得ろ事と思居候然し自分は店の方は唯晩歸宅後若者等の監督致すのみにて相變らず大工職を致し居り習より馴ろとかで自分も近頃は少々の請負も致す様に相成候へば腰を落付かせて此所を第二の故鄕として大いに奮闘努力致す考に御座候若し當マニラに來らるゝ様な人が是有り候はば一度御尋ね被下度出來得るだけは御盡し致す考に御座候マニラ市の現狀一寸申上候

面積縱十キロメートル、横六キロメートル、人口三十一萬、內支那人三萬、西班牙人二萬日本人四千、米人二千、軍人を合すれば五千位は居るだらうと思い候、英、獨、伊、五六百人位づゝは有るべく支那人は少々の勞働者の外全部商人、米英獨佛伊は勞働者はなく會社商店のみ、日本人は少々細かく職業別に申上候、大工の六百人を筆頭に、（昨年十月頃よりボトカンと云ふ田舍に水力發電所の工事が始まりマニラより百五十人程の日本人大工が行き居り候）次が氷店、百三十五軒・就業員四百人・雜貨店六十軒程、三百人程ガーデンボーイ三百人、コックハウスボーイ三百人位・外貿易商の十二三軒、シヤツ製造、四會社就業員と隨分ある事と思候、時計店五軒、自轉車店三軒、自動車運轉手二百名位、養鷄者三軒レンガ製造場ガラス製造場ホテル五軒船舶御用商、料理店、六軒魚獵師の三百名、外人の小供の守、五六十名位其の外にも數ふればまだ隨分ある事と思へり、小供や婦人を合すれば四千以上もある事と思ふ、每月六十名位は新渡航者も是有り候（其內歸國者も相當有）マニラ現今の景氣世界一般の不景氣の由、當地も昨年より今年がまだ不景氣の様に思はれ候、雜貨店の如きも資本金のある者は物貨が下落致し新な物をドシ〳〵仕入る故に安くも買られ誠に商ない安き様なれども、資本もなく今まで借金で來りし者は支いる事も出來ず外國店賃月六百圓位も拂へ居りし商店が日本人間にても、五六軒破產者を出し申候殊に岡村ケンデー製造場破產の時などは、彼處に五万圓此處に十万と云ふ様な借金にて日本人間にも五千六千圓と一文も取れなき者も數名有りし様な次第に御座候、外國と云ふ所は結構な所にて、千圓や二千圓の金を借るには其の人に信用されれば我々の様な者でも證書一本なくも貸しくれ申候

各々勞働者の賃金大工一日四圓より七圓位まで監督者は十圓位まで頭師は日給三圓向食付氷店のボーイが月給廿五圓位より四十圓位まで食付洗濯草履主人持、雜貨店ボーイ廿圓位より三十圓位まで支配人は其の外年末ボーナス有、ガーデンボーイ廿圓位より、六十圓位まで自動車運轉手三十五圓位より、百二十圓位まで其の外大概二十圓より三十圓位までに御座候其の內無職の者にて資本を集るに一番よきは氷店のボーイと思候暑き所なれば一日二回や三回は冷き物も飲みたく氷店のボーイなら其の飲み喰のみにても月十圓位は還甲候して二三年も心棒すれば小資本で出せる店なれば店の一つ位は持てる様に相成りして又四五年もして資本が出來たなら雜貨店なり他になりと始めるが第一の近道と思候然し手に職の有る人は他に近道も是有り候昨年八月より表記の場所に移轉致し候へば海の外は表記の場所に御送りを願ひます

末筆乍貴協會の益々御發達並に皆々様の御健康を御祈申上候　（五、七、五）

マニラ市サンパウロク區ボステクオス街一〇九番　駒津昌虎

移植民ニユース

海外企業地調査
拓務省新計劃

拓務省では邦人の海外企業として有望な資源及移住適地の獲得が現狀から推して一日も忽緒に附すべからざる事情に在るのでこれ等資源及移住地の獲得に關しては、地理、氣候、風土、交通、衞生等に關する狀態及企業し得べき産業の種類方法等につき精密なる實地調査の必要ありとなし、本年度實行豫算にこれが調査費十万圓を計上したが本年度調査豫定地方は左の通りである。

○ボルネオ、サラワツク地方に於ける移住地並に栽培企業及石油に關する調査を基礎としこれが企業に關する實地調査

○スマトラ、同島において既に着手されてゐる拓植事業の現在調査をなすと同時に既に調査濟の資源の企業化に關する調査

○ブラジル、移民地ゴヤス及マツトグロツソ地方に於ける調査の結果に基き實際移住者指導上の必要なる具体的調査をなし、アマゾン地方に於ける邦人事業の現況を調査し、これが指導上に資すると共に既に調査濟資源の企業化に必要なる調査をなし倘邦人移民の金融事業の現況及これが指導方法に關する調査

○アルゼンチン、チヤコ及メンドーサ地方に於ける果樹栽培及、柑橘事業經營の方法に關する調査をなし、且つ沿岸地方の漁業調査

獨身渡航者に大福音
船賃全額補助

日本力行會海外學校卒業生にして南米ブラジル、サンパウロ州內同會經營南米農業練習所に渡航する者に對しては、今後獨身者と雖も拓務省より渡航船賃全額補助の特典を與へらるる事となつた。

海外發展館設置
神戸の海港博覽會で

今秋大阪灣に於て擧行される觀艦式記念に神戸市では海港博覽會を九月二十日より十月三十一日まで四十日間にわたつて開催する事になり各種海港に關する諸材料を蒐集中であるが特に神戸港は海外移民と密接の關係にあり現在ブラジル、比嶋の諸地方へ渡航する大部分の移民は神戸港を出帆する現況にあるので同博覽會では海外發展館を設けて海外發展の氣運を一層助長せしむる事になつた。

聖州の養蠶業奬勵
宣傳費二十五万圓支出

ブラジル、サンパウロ州では、珈琲價格に依る經濟界の大恐慌に遭ひたる爲、州政府側では珈琲以外の産業開發に着目し、最近數年來主として日本人伊太利人に依つて副業的に營まれて好成績を擧げ

つゝある養蠶業に對し茲に法令を發して斯業の發展を計るに至つたのであるが、今回の養蠶、製糸業の宣傳並に奬勵費として一千コントス（二十五万圓）支出する事となつた。

拓務省新事業
明年度豫算要求

拓務省所管昭和六年度豫算の各局別要求は十八日までに大體會計課に出揃つたが新規事業費の主なるものは左の如くである。（單位千圓）

一、拓務議會新設費	五〇
一、樺太移民收容所の事業擴張及新營費	八〇
一、海外駐在員設置費	八〇
一、滿洲産業並移民狀況調査費	四〇
一、熱帶産業調査所設置費	一、三〇〇
一、水産冷藏指導奬勵費	三六
一、拓殖事業奬勵費	二〇〇
一、拓殖金融狀況調査費	一七
一、遠洋漁業助成費	七
一、萬國植民博覽會參加補助費	五〇
一、拓務協會設置補助費	一六〇
一、移植民渡航奬勵費增額	八〇〇
一、關東廳、樺太移民渡航補助費	三五
一、ブラジル金融中央機關設定補助	三〇
合計	二、八七三

本年上半期貿易
入超二億八千萬圓

朝鮮、台灣の殖民地貿易を合算した我國の本年上半期に於ける對外貿易は左表の通り輸出入とも激減し結局二億八千五百九十二萬六千圓の輸入超過となり前年同期の入超額三億五千三百五十九萬七千圓に比すると六千七百六十七萬一千圓の減少である（單位千圓△印減）

	上期總貿易額	前年比較
輸出	七五四、三三五	△二九二、七七三
輸入	一、〇四〇、二五一	△三六一、四四二
計	一、七九四、五七六	△六五三、二一五
差引入超	二八五、九二六	△六七、六七一

歸鮮者増す
見限られた內地

內地出稼ぎの渡航鮮人勞働者は每年增加して本春までは每日千名內外の勞働者が渡航し、常に內鮮兩取締當局者の頭を惱ましてゐたが、六月中旬以來は急に激減して、一日の渡航者は平均百五、六十名に激減し、その代り歸還者は激增してゐる、この現象は大正十四年內地渡航阻止制度實施以來初めて見ることで內地が遂日不景氣となり工場、鑛山、會社商店等の休業續出するため從業中の鮮人勞働者の多數が歸鮮し內地渡航の希望を斷念するものが增加したゝめであると見られてゐる

國營開墾豫定地に
野邊山ケ原採擇さる

南佐久郡南牧村の千百町步に亘るこうばくたる高原「野邊山ケ原」の開墾に關しては地元の要望運動により鈴木知事上京農林省當局に對し極力國營開墾地の指定實現運動に努めつゝあつたが今回同省より本縣に對し國營開墾豫定地として採擇せる旨通牒があつた。

信州記事

養蠶偏重を捨て
何でも屋に宗旨替へ

本縣では町村經濟立直し案として今回六大項目を決定し農業者に勸說する事になつたその項目は

(一)農業經營の改善(二)二毛作の實行(三)金肥の節約(四)副業の振興(五)農業共同作業(六)農産物共同販賣

で右のうち農業經營の改善は多角形農業經營の採用で今後は副業を始め野菜果實を奬勵して收益を多方面より得る樣に改め

農業の共同作業は現在ある地方において好成績を收めて居る共同苗代、共同桑園共同田植等の普及をはかり、共同販賣によつて品質の統一荷造りの改良等を行ふもので縣當局では米の希望檢査にまで手を延ばす意向である。

縣下の銀行は
大部分が減配

縣下各銀行の大部分は左の通り減配を實施した、今日までに縣當局へ報告されたもののうちもつとも高率配當を行つたものは伊那銀行と農工銀行の各九分である。(カッコ内は前期配當額、單位分)

△六、佐久銀行(七)△六東北銀行(六、七)△無、川西銀行(六)△八、富士見銀行(八)△七、中洲銀行(八)△相當減配、平出銀行(一〇)△六、上伊那銀行(七)△七、大島銀行(八)△九、伊那銀行(一〇)△六、百十七銀行(七)△六、信産銀行(七)△無、木曾銀行△七、溫銀行(八)△五、安曇銀行(五)△無、池田商業銀行△八、更埴銀行(一〇)△六、六十三銀行(八)△五、松本銀行(五)△六、信州銀行(八)△七、興信銀行(七)△六、常盤銀行(七)△六、第十九銀行(八)△四、信濃銀行(六)△無、長野貯蓄銀行(五)△九、長野農工銀行(九)

尙合併すべき安曇五行は合併後記念配當をなすはず

縣下失業者數
實に新記錄

社會課の調査による七月一日現在の縣下失業狀況は郡部男三千八百二名女三千三百九十名計七千百九十二名で前月同期に比しそれ〳〵三百三十九名百三十四名計四百七十三名の增加を示してゐる而して市部に於ては長野市千五百五十六名上田市四百五十名松本市九百四十三名で合計二千九百四十九名は前月同期に比し百十八名の增加で總計一万百四十一名に達し前月同期の九千六百七十七名より更に四百六十四名を增加して新記錄を作つてゐる右增加の主要なる原因は歸農勞働者の漸增と養蠶の不況による自給自足の經營から專用養蠶勞働者が失業しつゝあるによるものである。

佐久　流石の輕井澤にも
不景氣侵入

不景氣のため輕井澤は避暑客メッキリ減少して十四日現在で内地人四千六百九十四外人千二百〇四合計五千八百九十八名前年に比し約五百名の減少郵便物の引受數も同日一万一千二百七十通最高全盛といふのに前年の一万六千通には到底達しないが外國人は先年に比して三百人も增加し内米國人五百二十、英國人二百六十三、支那人百六十四、ドイツ人百三十六が代表的のもの外二十四ケ國の人たちがある、中央大所よりの出張商店は毎日新聞折込を山ほど出した紅紫とり〳〵の大旗を掲げての客引き策も一向に反映はなく各商店共に去年の半分の賣上よりないとコボしてゐる

上小　桑園を水田に
小縣地方で約四百町步

小縣郡農會では養蠶經營狀態不良のため今年末は桑園を水田にする見込が多いのでその準備調査を行つた結果同郡現在の桑園は七千五百町步水田四千七百町步だがこのうち約四百町步は水田に變換される見込でこゝ數年間かなりの速度で增えて來た桑園は今度は逆の傾向になるわけ

母國通信日誌
自七月十七日
至八月十六日

七月十七日(木) 陸海軍の節約額各省合計六千万圓と決定▲滿鮮内地間の連絡船發送すべき貨物なく二日間運航中止▲水の慘事續出▲中學制度の改革第一回協議會開催

七月十八日(金) 全鮮に渡る水害一千百三十万圓▲明年度豫算編成方針依然緊縮政策を固守す▲本年度實行豫算節約額六千三十万圓と決定▲フィンランド國際陸上競技大會に日本選手いづれも一等の榮冠を占む

七月十九日(土) 北九州に大暴風雨襲來、風速五十米海上遭難の報相次ぎ各地の被害甚大▲奧元帥腦溢血にて逝去▲天皇陛下陸軍士官學校卒業式に行幸

七月二十日(日) 上野長野間二時間を短縮する超特急本日より運轉▲全國大衆黨生る▲刻々に判明する北九州の暴風雨慘害▲

七月二十一日(月) 軍事參議會に於て東鄕元帥兵力に關し强硬なる意見開陳▲ハワイに於ける國際水泳大會に明大チーム第二位獲得▲他の物價と反對に白米また値上げ

七月二十二日(火) 第二回參議會政府の言明を得た上軍令部案を遂に承認す▲ビルディングの大欠伸、丸ビルや海上ビルさへも空室だらけ▲訪日イタリー機追濱に着陸す

七月二十三日(水) 正式軍事參議會で奉答文異議なく決定す▲訪日伊機釜山下關追濱の三要塞上を飛び問題を引越す▲使ふ見込のない貨物車三千五百臺に封鎖の命令

七月二十四日(木) イタリー機要塞問題氷解して立川へ▲野蠻とはヤバン人の集團―よくも出た壯丁の珍答辯▲奧元帥葬儀青山で執行さる。

七月二十五日(金) 政府米入札に血眼の商人▲杉靈の陳述は無茶なでたらめと判決近く死刑執行▲貰ひ子殺しで殺人部落の名ある板橋在岩ノ坂に又も五人殺しの事實發覺す

七月二十六日(土) 財政の緩急を案配して國防の欠陷補充を期す政府の覆奏文案成る▲震災當時の經驗など使つて自由勞働者へ情けのテント提供▲鐵道省自動車營業を始む

七月二十七日(日) 高專野球大會四高覇權を握る▲勞働手帳の不正二万件を暴露す▲東海道超特急の名は「つばめ」と決定

七月二十八日(月) 橫濱港にもけい船續出して見得張り切れぬ海運大不況▲訪日イタリー機は日本學生航空聯盟に寄附すと▲朝鮮水害地へ三万圓御下賜さる

七月二十九日(火) 長沙の暴動重大化し避難の邦人に危險迫り全部軍艦に引揚ぐ▲陸軍の名物男肉彈大佐櫻井忠溫氏引退す▲神奈川縣鶴見町村小學教師一致して賞與や手當を辭退

七月三十日(水) 長沙の我領事館共産軍に燒拂はる▲警察の合理化へ日本警部會動く▲風船でプロペラを廢し飛行機を推進する珍發明を大阪砲兵工廠の一技手發明す

七月三十一日(木) 農會代表農村の窮狀を訴へ農相に迫る▲共産軍進出に長江筋一帶の邦人重大事態に直面す▲海軍機密三氏殉職す

八月一日(金) 陸軍定期大異動發表四十名に上る▲共産軍暴動に政府對策を講究▲暴風雨去らず蒸雨が襲ひて各地に出水騷ぎ

八月二日(土) 重光代理公使正式抗議提出の爲め南京に急行▲ロシア監視船の暴狀いよいよ募る▲暴雨のため鐵道三十八ヶ所不通となる

八月三日(日) 慶應明石空中急害を受け見事に爆沈▲華嚴の瀧つぼ暴雨に溺れ死体七八個を吐出す▲全國中等學校野球大會甲信越豫選に諏訪蠶糸優勝す

八月四日(月) 山と海の遭難各地に頻發▲農民は自給自足で景氣回復を待てとは農林事務當局の見解▲白米連續して四度目の値上げ

八月五日(火) ロンドン海軍條約下審査終了▲聖上那須へ御避暑遊ばさる▲樞府の審査方針强硬に政府諒解運動を協議す▲農村の窮狀電燈料さへ拂へずランプに還る

八月六日(水) 不況深刻化に煙草の賣れゆき著しく減少▲農村を生かす爲教員へ四割減俸し宮城教育界の旋風▲鐵道省東電へ强腰の値下交涉▲和歌山縣下の四十の劇場不況の爲全休す

八月七日(木) 樞府の奉答文提示要求を政府拒絕す▲長崎造船九百名解雇▲橫濱ドック四百名解雇▲白米十キロに七錢値下げ

八月八日(金) 政府態度强硬で樞府の空氣險惡條約の審議遲れん▲日本より北米タコマへの大平洋橫斷飛行を目ざすプロムリー中尉來朝▲郵貯の利下げは十月一日實施と決定

八月九日(土) 電燈廢止各地に流行ランプの賣行良好なり▲政府奉答文提示拒否の爲樞府の反感昂まる▲婦人公民權案來議會に提出の事となる▲淺間山の爆發で輕井澤の避暑客度膽を拔かる

八月十日(日) 海軍の新補充計畫費五億圓に

菅平高原に
青訓五百名の野營

青年訓練所創設四周年記念のため訓練所生徒約五百名は上田市外菅平高原に天幕野營露營會を十日から十二日まで二泊三日間開設し大明神澤を中心に松本五十聯隊から借り受けた天幕を廣漠たる綠蔭に張り各自持參の精米を溪流にかしぎて飯盒飯に腹をこしらへて野營に關する實地指導や修養講演を聽く

諏訪　教員費に手をふれず
上諏訪で町豫算に大英斷

目下各地に叫ばれてゐる小學校教員及び役場吏員等の減俸に就て諏訪郡では全く之が見當違ひであり且小學校の兒童盟休事件等は自治體の將來は勿論教育を阻害する重大問題だといふ堅が起つてゐる即ち既報大檢擧事件まで惹き起した郡民大會幹部の如きも最初は小學校教員及び役場吏員の厚意的寄付に向つて輿論を喚起したが之に要するに一般村民の團結とやがては最後の目的である政治の改革資本主義經濟組織の改新へ突進する覺醒を促す等の手段で農村及び不況にあへぐ商工業者の最大眼目は決して下級官吏教員の生活を脅かすが目的でないといふにあり したがつて郡民代表がその陳情の主體を本縣にあらず中央に求めその題目の如きも農村を重視して政治及び經濟組織を考へよといふにあつて官吏減俸の如きはその結果起る末梢的のことゝしてゐる尙上諏訪町でもこの點に關し何等か具體案が協議される模樣で或は町會によつて小學校吏員の減俸問題が行はれるでないかと言はれこの方法が目下の不況を打開する唯一の對策ではないかと言はれてゐる

伊那　植民地へ就職運動
下伊那の教員に多い

下伊那郡の小學校教員中には今回の不況のため町村當局から減給若しくは寄付の强請にあつて甚だしく愛想をつかし小學校教員給の市町村支出の制度を呪ひこれがため台灣朝鮮等植民地教員を志望し暑中休暇を利用しひそかに彼地の知人先輩等を賴つて就職方の運動を開始したものがあるが台灣朝鮮等の植民地教員は内地と異なり純然たる官吏にしてその俸給が全部總督府豫算より支出され且つ恩給も内地と異なり年限も十年にして受ける資格を有するため今回の如き市町村不況が影響を被る際は内地小學校教員に取つては羨望の的となつてゐるといふのである

上伊那東部に
廢燈申合せ成る

上伊那東部電燈需要家組合は高遠電燈會社に料金四割直さげを要求しハネつけられたので需要家は廢燈を申し合せ續々電燈取外し既に約一万燈の内二割二千燈を廢し殊に河南村では三分ノ一を廢燈しこの割合で行くと九月末には四千燈秋蠶終了後は高遠町を除く六ケ村全部消燈する模樣で同地方ではこのほど松本市から石油百石ランプ四千個を共同購入したなほこれがため同電氣會社は毎月五千八百圓内外の電燈料集金が二前減じて居る。

松安　北安町村長會
時局對策

北安曇郡町村町會は三十一日大町役場内に時局對策會を開き左記諸問題の實施を急ぎ効果を納めよと決議を行つた。

一、經濟界の不況に伴ひ動もすれば人心動搖の嫌なしとせず町村當局は愼重事に當り各人の向ふところを示し精勵以て時局收拾に努められんことを望む

二、先年借入れた養蠶應急資金返濟期日は今年十月なるも財界不況につきこれが延期をその筋に申請すること

三、今回貸付けの養蠶應急資金は迅速に簡單に貸付けするやうその筋に要望すること

四、現下の經濟狀態に鑑み公務員並に教員俸給令改正方その筋に申請すること

五、電燈料金の値下げを行ふべく會社に依頼すること

俸給に指を觸れず

松本市の負擔輕減策

市民の負擔輕減策を協議すべき松本市會協議會は七日開會され市理事者まで遠避けて密議したが中には强硬な減俸論をふりかざすものもあつたがみだりに極端な節減を加へれば能率を低下し事務の澁滞を來たす恐れありとしこの際給料には一指も染めず人件費に於ては市吏員の高給者並に病院職員の年末賞與を廢すると共に議員の費用辨償を辭退することなどで約一万圓を削減し物件費でもほゞ同額を節約して合計二万圓を戸數割に振りむけ一戸當り一圓四五十錢づゝ輕減を實行することゝし之れ等の具體案については正副議長十名の委員に調査を一任することになつた。

更埴

更級郡町村長會

猛烈に論爭

更級郡町村長會は五日午前十時から篠ノ井町郡聯合事務所で開會し教育費に關する件を付議し管下町村から減給問題に對する現下の情勢報告あり意見交換の結果佐久小縣と共同戰線を張つて飽迄教員給の減額を計るべしと主張するものと反對意見のものと二派に分かれ猛烈に經濟鬪爭を展開したが結局實行豫算編成に當つては成るべく教育費の削減に努め人件費即ち教員給には全然觸れず町村各自の事情に依つて學校側と懇談し教員の整理手當等の好意的寄付若くは辭退を計る程度に止めるやう申合せ總ては全國町村長會の結果を待つことゝなつた

桑園ごし〳〵

水田に變る

繭價安に依る養蠶農民の經濟的破産から桑園を水田に塗り潰すもの續出するので埴科郡農會では過般來異動調査を行つてゐたがこの結果に依れば從來水田から桑園に異動しつゝあつた傾向が逆となり六年度見込みは一躍八町歩に達し集約農業經營への急テムポの轉向をはつきり示してゐる。

	水田から桑園に異動したもの	桑園から水田に異動したもの
昭和三年	七〇反歩	一〇反歩
同四年	一四〇	二五
同五年	一九〇	二一
同六年	六	八四

達す▲東京の貯蓄銀行の預貯同率に利下げ▲全國三百万人の小漁民魚價低落と機械漁業のはさみ打ちに悲鳴を擧ぐ▲全國都市對抗野球戰に東京優勝

八月十一日(月) 海軍條約の審議審査委員發表され漸く本舞臺に入る▲地方債の許可激増この一月間に二千万突破す▲正貨は尙流出の傾向あり日銀の對策注目さる

八月十二日(火) 高利貸の親方乾新兵衞収容さる▲伊藤公を記念し博文寺京城南山に建立の議成る▲九州南部暴風雨襲來被害甚だし▲全國の失業者益々增加し三十八万に垂んとす

八月十三日(水) 全國中等學校野球大會甲子園に開かる▲昭和銀行の小使六万圓持逃げ潜伏中捕縛さる▲陸軍の軍制調査會で少年航空兵採用に意見一致

八月十四日(木) 民政黨有志代議士會で高級官吏の減俸を申合▲町村農會廢止運動各地に越る▲農漁村救濟に農相奔走す▲內務省要求の小學校教員減俸を文部省一蹴す

八月十五日(金) 福府の惡化を憂慮し政府初期の强硬方針を變更して諒解運動を始む▲不況と夏枯れに藝人の受難時代現出し放送局へ拜み倒しの大競爭始まる▲藤田前東京商工會議所會頭有罪と認定

高水長

長野市助役

高野忠衞氏に決定

長野市助役羽田重一郎氏は滿期退職せられ後任に日本赤十字社長野支部主事本協會幹事高野忠衞氏推薦せられる。因に日赤主事後任は上田警察署長小松吉治郎氏に決る。

電燈直下運動

刻々擴大

長野市内の電燈電力消費組合が運動を開始した外上水內郡柳原村では不況對策村民大會を四日夜同村小學校に開いて電燈料直さげ要求の聲を擧げ同郡安茂里小田切その他の村落でもそれ〳〵直下方を長野電燈會社に迫り更級郡稻荷山町社民黨分會では更級、埴科兩郡に渡り電燈料直下期成同盟會を組織し運動を開始するはずで本縣聯合青年會代議員會でも既に電燈料直下の決議を發表し運動開始の準備中であり上水內郡聯合青年團でも三日直下問題について運動方法等を協議した

湯田中温泉の發展

貸別莊建築

湯田中温泉の發展策として聖觀世音大佛建立の計畫次に三十棟の貸別莊建築次に新温泉の掘鑿大公會堂の建設といろ〳〵計畫され併も何れも著手してゐるがとりわけ貸別莊は今年から客を收容する事が出來るやうになつた計畫の三十棟の內十五棟は既に竣工し貸し渡し契約をしたものもある料金は棟によつて一日七十錢、一圓、一圓五十錢と三通りに分け事務所で布團蚊帳食料品等を希望によつて貸しも賣りもするそれで水道もあれば電話も各棟に入れる事になつてゐる、公會堂は八間に二十間のものが立つ筈であるそれで新温泉が豊富に出るやうになつたら湯田中の發展は大したものだ。

國産愛用標語

懸賞當選十一句

日本商工會議所と大阪毎日新聞社共同主催の國産愛用標語懸賞募集は投稿總數五十二万余句に及びその左記十一句當選す

一等「ぜひ國産!」(賞五百圓) 愛知縣瀬戸市陶本町 前田敬三

佳作

われに國産あり

國産愛用日本晴れ

國産ですかと問いてから

國産にかへれ

よそのものよりうちのもの

日本製だよ

國産で買け

國産愛用いま直ぐに

國産にきめた

ここに國産あり

海の外 歌壇

短歌 雄夫選

○ 加納幸雄

教室に朝入り來れば窓先の稲付けすみし田の面あかるし

梅雨ながら夕べ射し初む日の光(かげ)は單衣の肌に暑さを徹す

梅雨晴れの朝さやけき湖水(みづうみ)の岸近く行くモーターボート

山峽の曇は深し霧ひつつほとゝぎす鳴く聲をききをり

○ 伊藤淳郎

眞夜近き道を歸ればひそかなる家居ゆもるる人のしはぶき

小夜あらしふける今宵は灯をしたひよりくる海蚊ひそみたるらし

失業をせし人ならむ學校の庭に子をだき日毎くる人

○ 兩角信次郎

父となり三年過ぎけり今日始めて心いためて子のみとりする

父われはむせきにんをば今悔ひつ氷枕を取替へて居り

繭價の垣根にはひてこの朝はいくつも咲けり朝貝の花

芽の出でゝ霜にあたりし庭の木は再び芽ぶかず夏さりにける

○ 川口幹

新しくひかれし街の砂利の上を踏しまひて夜ふけ歸れり

山影を深くうつすときをりし湖をたしたしく見下しにけり

幼子はねむりつづけり雨はれし庭木にうすく夕日うつるも

目の前にせまりてそそる岩山にそれて青葉の谷に入りけり

夜更けて街のひびきも靜まりぬひとり起き居て汗をぬぐへり

○ 中谷四郎

久しくて逢ひたる叔母は歯のとれて亡き吾が祖母にいたく似て來し

幾日かを降りつづきたる梅雨やみて今朝はうすもや村中をこむ

○ 中込宗吉

繰絲時間短縮されし女工等は早き夕の町を賑はす

ぬかるみに自動車來れば女工どち傘を傾して泥よけにけり

晝のいきれいまだこもれる夜の店にものを買ひつつ汗の出で來る

宵嵐ふき過ぐごとに馬鈴薯はみな一やうに葉裏返しぬ

○ 六波羅靜馬

山火事に疲れて歸る草枯の山原に寢てしばし憩ふ

木繁みにたまたまつけるアーク燈雨にぬれたる舗道にうつる

○ 久保田健次

夏ふけし裏山かげに郭公の聲はとぼしくなりゆかんとす

よろこびの聲をぞあぐる幼子の手にたづさわり春の野に來ぬ

○ 中島英太郎

みづうみの砂地に並ぶ子供等にラジオ体操の號令をかく

水泳ぎせんと岸邊に並ぶ子供肌の白きも二三まじれり

○ 伊藤よしげ

貧を擬げ家ぬちせまくなりければ廊下に蚊帳をつりて寢ねけり

夕づきてほのかに咲ける夕顔の垣邊に子供は集ひ遊べり

去年の夏房總の海に遊びしを思ふことあり桑つみにつつ

よろこびて吾にまつはる幼子にいらだてる心和み來にけり

北米桑港短歌(日米新聞より)

○ 新井英一

朝朝の目醒め寂しもわれに來て戲れ騷ぐ子等の居らねば

子供等は遊びに出でて居らぬらしかそけき室にひとり將棋す

父が指す將棋を眞似て遊ぶ子等王手と云ひ合ふ姉も弟も

○ 伊勢田はつゑ

歌の友一つハガキに書き並めしみ歌羨しも山登りの歌

エプロンに濡手拭きつつ送り來し小包受けぬ重き小包

○ 森中生字

潮ひけばこもごも出づる岩肌に青藻かぶりて居たりけるかも

大海岸ふりさけ見つつこ磯の山腹に座して握飯食ふ

磯岩の隙間ゆ出でてはひありく小蟹は泡をふきて居りけり

五月の日溫かくして和田津海の渚の砂に吾れもまろびつ

○ 南條よしを

酒のむな心の狂ひおそろしとさとし給へり故鄕の母は

酒の爲め命を捨てし我が父を思ひて我は酒つつしまむ

たまたまに斷りかねてのむ酒の味のうまかり親の子ゆゑか

○ 落葉

文學ぶ子の歸り來て久久に夕餉の時のにぎはひにけり

久方に都の樣を物がたる子を見守りつ母はほほゑむ

○ 泊良彦

そぞろにも墨をすりつつありにけり香の煙のただよふ室に

巧拙は兎も角わが心傾け畫かむ妻が墓文字

○ 永野幻花

谷添の流れに搖る五月光(さつきかげ)まぶしきばかり明るくし見ゆ

すくすくと空に伸びゆく落葉松の生命羨しと思ひけるかも

○ せ江子

背早く眠るくせつき一冊の本もたやすく讀み終へがたし

○ 醞島茂理太

病みて待つ妻いとほしく妻の名も綴りて消しぬ白砂の上に

○ 前田保志

九番の雷はわれ殊にすきぬれば今日も來り飽かずながめつ

○ 續秋江

食卓に飾りし薔薇は香に立てど水を揚げ得ず萎びぬ

歌稿について

一、題 隨意 首數制限なし
一、締切毎月十日
一、選者 兩角雄夫先生
寄稿者は住所氏名を明記し諏訪郡平野村選者宛直送を願ひます

海の外 人事相談

本欄は求人、就職、婚姻等個人的の人事に關する相談に應じ紹介、斡旋の勞をとる。御相談に關して係りで負擔出來ざる費用は實費を頂戴す。（係）

求縁

嫁度 當方住所本縣更級郡、某實科高等女學校卒業、年齢二十四歳、小學校教員免許狀有、目下某實業補習學校助教諭勤務、先方意思堅實相應なる資金を準備せる三十五歳迄の青年にして身体强壯、系統正しき、中等教育ある確實の海外發展者たる事（姓名在社）

嫁度 當方住所本縣諏訪郡、某高等女學校三年修業家事都合上退學、爾後某病院に事務員として勤務、先方身体强健意思堅固、十分なる渡航資金を以て伯國に渡航する系統正しき青年たる事、可成五年位伯國にて奮鬪せし人を望む（姓名在社）

嫁度 當方本縣小縣郡、小學校卒業後自家農業に從事中、年齢二十九歳の處女、身体强健品行方正何等恥ずる所なし。先方可成は三十五歳迄の系統正しき男子に嫁度し（姓名在社）

嫁度 當方本縣小縣郡、實業補習學校卒業後自家農業從事中、年齢二十八歳、先方本縣人にして堅實なる青年にして、近隣に嫌忌せられざる家庭に生れたる男子たる事（姓名在社）

嫁度 當方南安曇郡、明治四十四年生、村立高等小學校、實業補習學校卒業後自家農業に從事中、先方思想堅實身体强健相當なる家庭に成長したる青年にして三十才迄の人たる事（姓名在社）

嫁度 當方本縣南佐久郡、勞働に耐得る二十八歳、二十五歳、二十歳の娘三人あり、堅實なる男子に嫁せしめたし可成は父親見屆の爲渡航致度に付旅費支辨願度

求妻 當方小縣郡西部の某村に生れ、三十四才、大正十二年ヒリッピンに渡航し麻栽培從事中、先方身体强健、意志健固眞面目なる婦人たる事（姓名在社）

求妻 當方本縣北佐久郡、二十二才、某公民學校卒業後自家農事に從事中アリアンサ移住地に請負耕作として入植準備中先方身体强健、意思堅實品行方正なる婦人たること（姓名在社）

求妻 當方本縣南安曇郡出身にして、十年前にヒリッピンに渡航し、大會社の監督。三十三歳、月收三百圓他資金數千在先方身体强健、常識ある南信地方の婦人たる事（姓名在社）

求妻 當方本籍本縣下高井郡、飯山中學卒業十年前にアルゼンチン、ブイノスアイレス市に渡航し、商業に從事中、資産數萬圓在、店員五名使用、年三十四歳、先方高等女學校卒業、思想正しく容姿十人並、身体强壯血統正しき人（姓名在社）

協會組合記事

市町村設立の海外視察組合（續）

松本第二視察組合の出現

松本市海外視察組合は小里本會同市支部長の熱心なる主唱により市役所內各位他市內有力者二十餘名の賛同を得て昨年七月第一視察組合の成立を見たる事は其當時本誌報導の通りであるが今回續ひて左記諸賢の賛同を求め第二視察組合の設立を見るに至つた。尙貯金は同市信用組合に於て取扱い毎月集金の答

組合長 赤羽九市

小池彌平　丸山岩雄
赤羽茂一郎　寺村德兵衛
小林清高　小松爲吉
分部紡一郎　石曾根群悟
岡村其次　安藤喜一郎
渡邊榮藏　細萱茂一郎
高美實五郎　山本清治
平林傳六　中村彌平
今水英男　都筑新七
百瀬長十　松尾竹三郎
傳田精吾　大野幸一
寺村德三郎　中田金治
近藤茂雄　上條吉治
飯島長一郎　渡邊定次
水橋良吉　岡野庄平
松澤豊一　犬飼通作
太田武矩　土橋莊三
閼　軍忠　加藤廣吉
小林大三郎　佐々木健次郎
寺田義信　米窪皴悟
二村鹽次郎　住山哲也
矢口富司　增田薩治
中島次太郎　長崎德一郎
中山峰三　藤森龜太郎
清井朝三　三輪義治
車　賢七郎　增田豐次郎
坂田新藏　內藤玄勝
仁科爲治　浦野淵臣
百瀬十一郎　上野清次郎
島尻乗吉　原　喜
宮澤治登　鹽原盛治
塚田昌次　小池四郎造
横田熊造　白鳥佐富
大和佐市　宮坂光次

上水內郡三水村 第二次視察組合

昭和二年六月設立の同村視察組合は各位の熱意により無事三ケ年の積立を完了し今回滿期解散の處續ひて左記第二次組合の設立を見るに至つた。

組合長 小林三右衛門

大川榮一　春日原政賀造
渡邊綱治　馬島弘
大川友芳　荒川貞治
丸山昇　高野鐵治
山下國治

九月便船乘船者と本年の渡航者數

九月二十八日神戸出帆ぶえのすあいれす丸便乘本組合經營アリアンサ移住地渡航者は左の通りにして十一月十二日サントス着の豫定。

石川縣羽咋郡西増穂村　組長　澤邊地六　二八
更級郡鹽崎村　岸田清
同郡中津村　草川壯一郎
埴科郡坂城町　小宮山茂夫

因に前記三名は何れも更級農學校出身の獨身者にして今回同校の推薦を受け三名一組となり移住組合幹旋の下に、六年契約請負耕作者として渡航の事になつたものである。

この種獨身青年組は既に香川縣木田農學校卒業生が二組渡航して居るが本縣人としては今回が嚆矢たるのでその成績には多大の期待を掛けられてゐる。

澤邊氏は日本力行會婦人ホームの才媛とめ子夫人を娶り、北米に在つてアリアンサ土地五十町歩所有の兄澤邊卯之助氏の土地の入植の筈。

本年の渡航者數

アリアンサ移住地入植者數は左の如し

神戸出帆日	乘船名	家族數	人員
一月三日	サントス丸	四	二〇
二月十八日	ハワイ丸	一	二
三月一日	河內丸	二	一三
三月十五日	ラプラタ丸	三	一一
四月十九日	ブエノスアイレス丸	二	一八
四月二十八日	博多丸	三	一一
五月十四日	サントス丸	一	三
五月二十六日	若狹丸	一	六
六月二十三日	リオデジャネイロ丸	一	三
七月三十日	備後丸	一	二
八月二十三日	ラプラタ丸	五	一二
九月二十七日	ブエノスアイレス丸	二	五
計		二六	一〇六

會費領收（自七月十五日 至八月十四日）

一金參百圓也　特別會員費　清水清殿
外九名殿
一金拾圓也　維持會員費　板倉操平殿
一金拾圓也　同　小松寛爵殿
一金拾圓也　同　濱澤寛次殿
一金貳圓也　普通會員費
丸山義一殿　宮坂亮殿
藤森俊一郎殿　山田興惠殿
丸山山司殿　丸山光司殿
笠原好一殿　笠原政一殿
山本新平殿　山田謝藏殿
西澤兼太郎殿　小林和嘉市殿
中澤茂富殿　清水春重殿
丸山琅竝殿　市村九內殿
依田乙一殿　松崎寛雄殿
横山政太郎殿　田中市治殿
西澤正樹殿
一金貳拾六圓也　更級郡育英視察組合殿
一金拾圓也　ダバオ　原山芳保殿
一金貳拾圓也　同　田中壽治殿・太田嘉祿殿・小泉理覺殿
一金拾圓也　ブラジル　倉島彌太郎殿

海の外往來

玉川香作氏歸國　上高井郡綿內村出身大正八年、メキシコ渡航の同氏は今回一時歸國、迎妻の上十二月頃再渡航の由

小泉理覺氏歸國　小縣郡泉田村出身大正六年比島ダバオ渡航の同氏は病父看護の爲歸國中

編輯室より

○在職五ケ年餘り本誌の爲め多大なる御盡力下された宮本氏は先月號にて御挨拶ありたる通り八月二十三日神戸出帆ラプラタ丸にて憧憬のアリアンサ移住地さして壯途に就かれました。吾等は今同氏を失ふ事は本誌の爲に頗る惜情の情禁ずる能はざる次第であるが多年親しく同志を指導されて來た事其儘を一移住者の立場となつて實地に体驗せんと毅然として勇島立ちたる氏の雄圖に對して滿腔の敬意を表するものであります。讀者諸君と共に謹んで一路平安、目的地に到着して年來の宿望の達成せられむ事を祈る次第である。

○宮本氏の後を襲つて本號から不肖私は本誌の編輯事務に携はる事になりました淺學菲才加ふるに何等經驗とてなく今後如何にしてこの責任を果そうかと頗る憂慮に堪へないのであります諸賢の熱誠なる御厚情に縋り、益々本誌の發展を期したいと存じます。編輯に關して改善を要する點、其他御氣付の點が御座いましたら何卒忌憚なき批判と御示教の程切望します。

○本號は恰も暑中休暇の時期に際會したので協會一般事務が多忙だつたのと未熟、不慣れのため御誓の通り自分乍ら御恥しい出來榮えで甚だ慚愧に堪へませんが、來月號は何か新味をとり入れて御目にかけたいものと今から胸に描かけて居ります御期待下さい。

○藤澤定司さんの朝鮮閑話は毎號面白く拜讀致して居ります。海外思想の涵養にはいかに冷淡な國民であつても朝鮮問題に就ては八千万同胞何誰も無關心ではあり得ないでせう。大和民族の亞細亞大陸進出には先づ以て朝鮮事情を一般に徹底せしむる事は必要である。間島暴動事件の渦中に在つて而も邦人保護の重任に寧日なき藤澤氏は貴重なる少閑を特に本誌の爲に割愛せらるる御厚意に對して厚く感謝の意を表すると共に益々御健鬪を祈る次第であります。

○秘露青木保さんから玉稿を頂きました、錦上燦として華を添へてゐます。凡海外會員には日常の茶飯事と思はるる事であつても內地會員にとつては知りたいと渇望止まざるものばかりです。後進の御指導を願ふ意味に於て是非共皆さんの御消息をお願ひ致します。暑い暑いといつてゐる間に高原の朝夕は頃に涼味が加はつて參りました活動のシーズンを迎へて皆樣の益々御健鬪を祈ります

―芳水―

海の外（月刊）（一册廿錢）

	內地送料共	外國送料共
一册	廿錢	廿四錢
六ケ月	一圓十錢	一圓四十四錢
一ケ年	二圓廿錢	二圓八十八錢
五ケ年	拾圓	拾四圓

▲御送金は振替（長野二一四〇番）に御願ひします。外國よりの御送金は銀行、郵便局いづれにても確實に送金されます。
▲御轉居の節は早速新舊兩御住所を御通知下さい。
▲本誌へ廣告掲載御希望の方は詳細相談申上げます。

昭和五年九月一日發行
編輯人　永田稠
長野市南縣町
發行兼印刷人　西澤太一郎
印刷所　信濃毎日新聞社
長野縣廳內
發行所　海の外社
振替口座　長野二一四〇番

東京市外上板橋村字小竹

日本力行會直營

南米農業練習所

◎場所南米ブラジル、サンポーロ州アラサツーバ郡内
◎面積千三百五十町歩、◎健康地。

廿歳前の青年に結婚せよと云ふても無理である。資金の少ない者に土地を買へと云ふのも無理である。志を立てゝ南米に行きたい者に行くなと云ふのも無理である。玆に於て日本力行會ではブラジルに千二百五十町歩の土地を得て、獨身の青年を收容し四町歩の土地を貸し、四ケ年間農業練習するかたわら、二千圓の貯金と、迎妻の費用を貯蓄させるの方法を講じ、大正十五年度から實行を始めた既に約五十名の有爲なる青年達が入所して開拓に從事して居る。三百餘名の收容が出來る。希望者は日本力行會に申込み規定を送つて貰ふて見るがよい。

海外渡航婦人修養所

日本力行會內　所則送料金貳錢

◎國民の海外發展に成功するは男女の並進にある
◎在外同胞の最も苦しんで居るのは適當な配偶者を得られない事である
◎而かも日本には在外同胞に嫁ぎたい婦人が澤山ある
◎只此兩者を結びつける機關がない
◎日本婦人を海外に移住せしむるには、猶種々の點に於て修養を要するが、其機關がない
◎我が海外渡航婦人修養所では、結婚の世話と渡航する婦人に修養を致させます
◎創立以來正に三十ケ年の實驗を經て日本に於て唯一つの機關であります

日本力行會長
信濃海外協會幹事　永田稠著

東京寶文館發行

日本植民讀本

菊版百五十頁
地圖挿畫澤山
定價六十錢送料六錢

海外發展主義の小學教育

四六版四百頁布製
定價二圓五十錢
送料十六錢

本會にて取次ます

著者が二十年間海外發展運動に從事せる体驗からしぼり出されたる血の結晶がこの二つの著書となつて現れた。

現在の敎育の欠陷は日本民族發展に關する活材料を等閑に附してゐる事で、一般敎育に海外發展に關する敎育を加味されたならばと著者は此の點に深く留意して今回文部省の認定を得て實業補習學校、各種實業學校、中等學校の課外讀本として日本植民讀本なる敎科書を編んだ。

更に現在の小學校の敎科書中、修身、國語、地理、歷史の敎材中に海外發展主義の高調に利用すべき點につき學年別に其活用法を示したものが海外發展主義の小學敎育で、この參考書によつて直ちに海外發展主義の敎育が施す事が出來る、世の敎育者に是非共必讀を願ふなければならぬ好著である。

海外各地渡航手續

◎海外各地渡航手續
◎日本郵船大阪商船其他の乘船劵取扱
◎臺灣滿洲支那其他世界各地引越荷物小荷物運送取扱
◎旅客手荷物船積卸通關手續運搬保管
◎旅劵下附查證手續

營業所　神戸市京橋商工ビル內（電話三宮二〇八八番）
本社　神戸市三ノ宮驛前（電話三宮三〇八八番）
出張所　神戸市海岸通メリケン波止場（電話三宮三八一九番）

株式會社

神戸旅行案內所

KOBE EXPRESS（KOBE RYOKO ANNAISHO）

海外各地へ御旅行の場合は勿論、滿州、臺灣、瀨戸內海方面御旅行の際は是非弊社を御利用下さい。旅館の御周旋、汽船々室の申込、御手廻品の運搬又は通關等には必ず御滿足して戴ける事と信じます。

信濃海外協會
日本力行會

指定旅館

神戸市榮町通六丁目二一番邸
旅館　神戸館本店
長電話元町八六一番
振替大阪一四一三八番

神戸市榮町通六丁目中央局私書函八四〇番
株式會社　高谷旅館本店
長電話元町八五四番
一七三七番
振替大阪一一五八二番

神戸市海岸通六丁目三番邸
旅館　今泉本店
長電話元町三三一番
振替大阪三五四一〇番

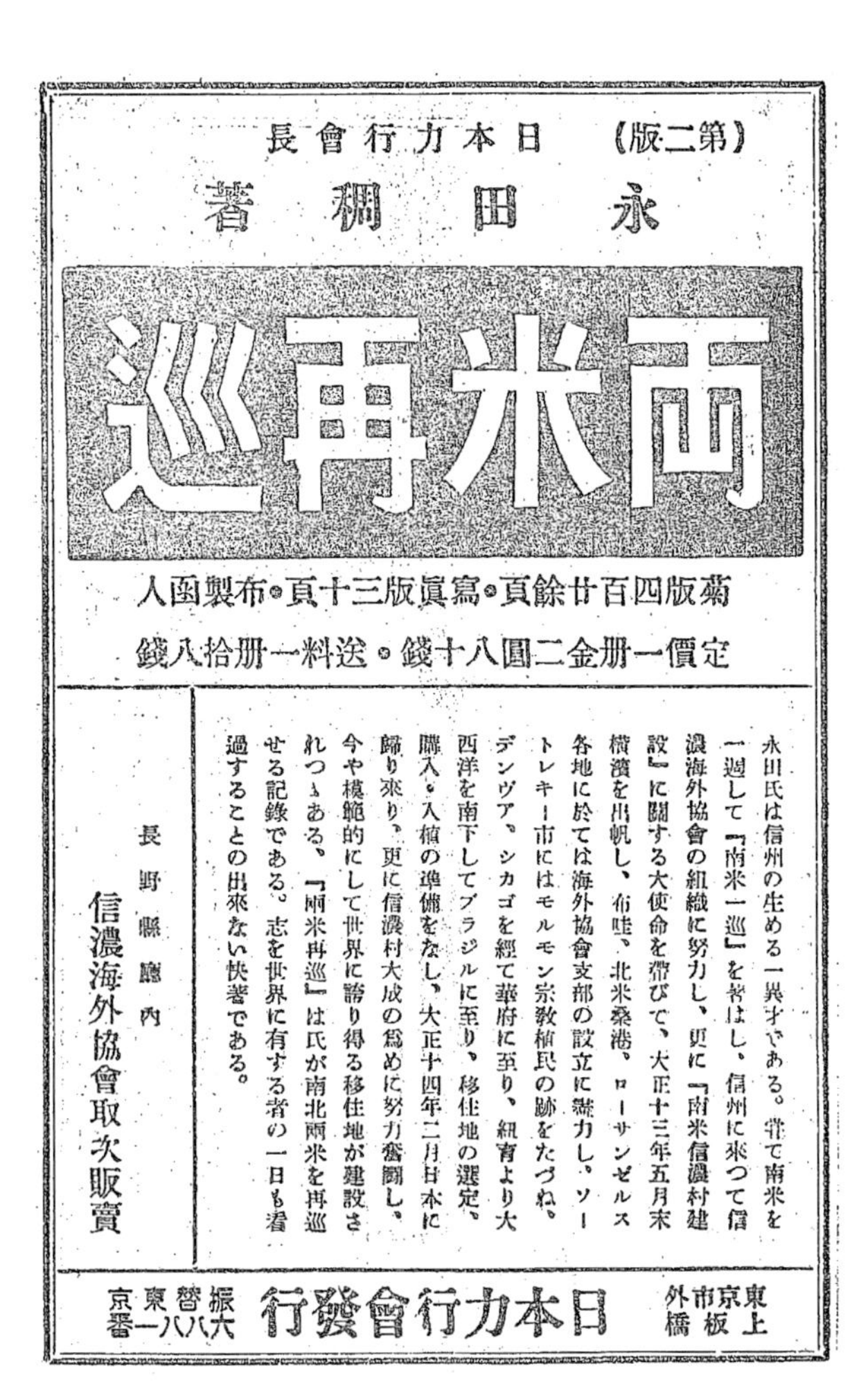

珈琲栽培請負耕作者募集

一、本組合經營ブラジル國アリアンサ移住地は大正十四年來、四百家族、二千人が入植して普通一萬二三千圓の資産を造り中には參萬圓以上の人もある。

二、本組合は尙多くの自作者、請負耕作者、自由勞働者の入植者を募集する。

三、自作者 （イ） 五十未滿の夫婦を中心とる十二才以上三人を有する家族、男三人の兄弟、從兄弟等で二千二百圓位の資金を有する者。（ロ） 五十才未滿の夫婦者、十八才以上の兄弟、從兄弟、伯叔父と甥等の二人以上の者が千八百圓位の資金を有する者。場合によつては千三百圓位でも採用される。自作者は二十五町歩以上の地主となり六ケ年後には資産二萬圓を得爾後毎年三四千圓の收入が得られる。

四、請負耕作者 （イ） 五十才未滿の夫婦で十二才以上四人なれば資金三百圓位できる者。（ロ） 同上家族三人なれば千圓を用意し得る者。（ハ） 獨身青年三人なれば千五百圓位を有する者。以上の條件に叶ふ者には政府や組合から五百圓以上千五百圓までの資金を貸與する。六ケ年請負耕作者は契約完了迄に五六千圓より八九千圓の貯金をなす事が出來る。

五、自由勞働者 本組合では請負者、雇傭者等の希望者も多く募集する。資金は三百圓位あれば獨身者でも夫婦者でもよい。

詳細は御照會願度し。

長野縣廳內
信濃海外協會
信濃海外移住組合

（大正十一年四月廿六日第三種郵便物認可） （昭和五年九月一日發行）

信濃海外協會
海の外社發行

海の外

THE UMI-NO-SOTO

第百號

昭和五年十月號

目次

信濃海外協會海の外社發行

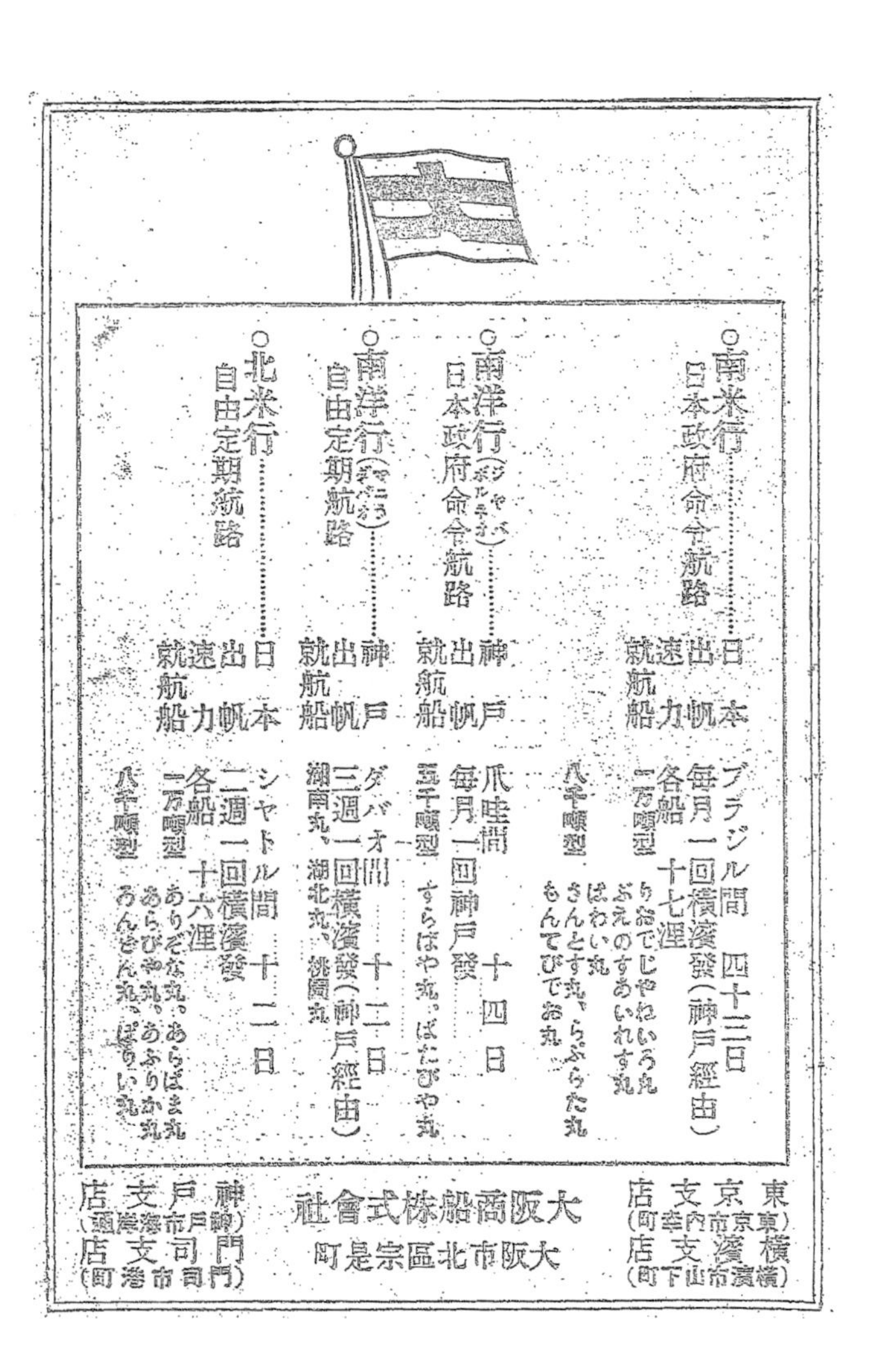

新副總裁（縣會議長）山本荘一郎氏

新幹事長（學務部長）階川良一氏

鹿島立ちたる
宮本乙巳氏　夫人靜子さん
（海外通信二四頁參照）

長閑なアリアンサ

向ッテ左　大澤英三氏
中　央　同氏妻おいとさんと子供
右　山田覺善光氏
（海外通信二五頁參照）

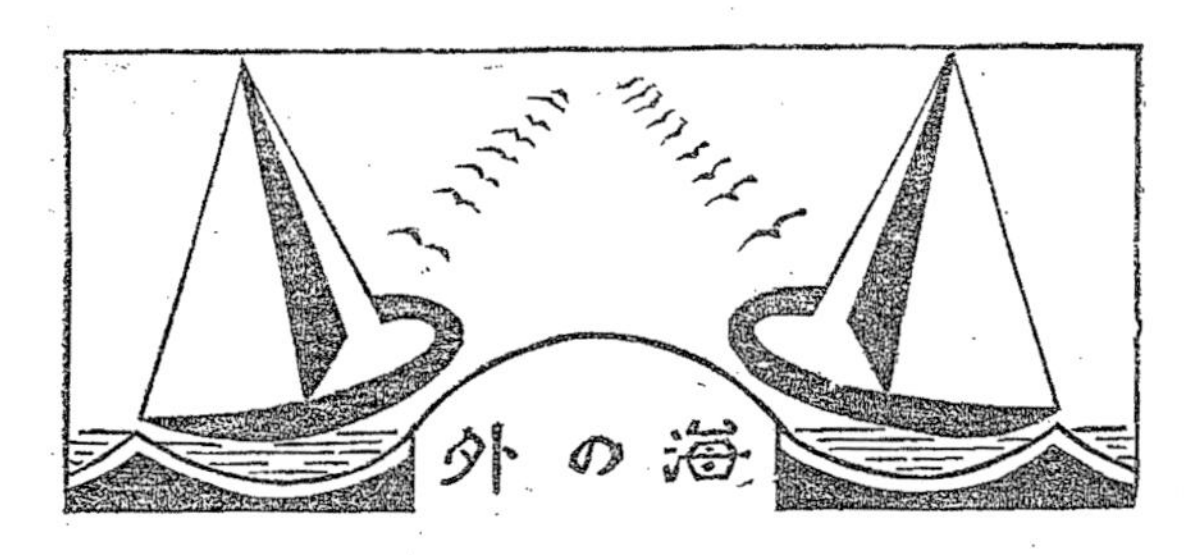

第百號（昭和五年十月）

海の外第百號發刊詩

海上千里一日程　空中航路更易平
人間到處無限福　請看滿蒙未開坑
亦見南米草茫漠　古來日出男兒續
雄飛活躍自由族　決行何懼須遠征
蹶躍躍時徒發悔　行兮壓手擧英名
千載不滅信山磐　勃々雄心陳詩誠

昭和庚午秋日

平禮　佐藤藤山

論説

海外發展に就て（下）

松本高等女學校教諭　羽場金重郎

若し大和民族にして此の地に於て又々移植民の敗殘者となつたら、それこそ地球上永遠に發展地を失ひ恰も吾々が彼の三百年前の鎖國令を怨むと同樣に二三百年後の吾々の子孫は吾々の不見識を痛罵すること一層甚しいであらう。一日も早く國民は此點に目醒めて資本の大小を論ぜず南米の地を購入開拓して彼我双方の繁榮を增進せねばならぬ。土地に餓えて居る我國、土地を持て餘して居る南米そこには實に自然の交替作用が働かざるを得ない。この絕好唯一のチャンスを逸して又々歐米人の跳梁に委せんか永遠に大和民族の發達は阻害され終るであらうこの際三十年間に一百万人の人口を入れ五千萬町歩の土地を購入するのである。一年三萬位の移民は南米としては別に問題にはしないであらう。開拓さへすれば土地の提供も決して面倒は無かろう。南米では人間や土地は問題でなく要は眞面目に開拓するや否にあるであらう。斯くて彼の地の開發收益に參し吾國にとりては吾國內地全耕地の數倍の田圃を得るであらう。內地現耕地僅かに六百萬町歩に止まるそれを知る時思半に過ぐるであろう。

斯くて失業救濟、不景氣對策となり、貿易振興、海運業發達

を誘發し前途洋々として自然に悲觀論、萎縮病、不健全思想を驅逐する事が出來る。吾々はこの大策を是非具体的に實現し度い爲に諸方面に注文があるのである。

先づ海外移植民關係の諸會社組合等では全國の津々浦々の山間僻地にまで其趣旨の宣傳を徹底して戴きたい。移植民を指導して實績をあげて國民に示して貰ひ度い。實績とは必ずしも收益の大のみでなく彼の地の住民として經濟的に社會的に堅實に地歩を占めて行くやうに。それから上陸の際の檢疫で返されると云ふ樣な事は何とかして皆無にしなくては不安でならない。こうした一二の實例が海外に意志のある者の決心を鈍らせる事は豫想以上である。

普通教育に於ける地理教育者に極言せんとする一事がある。南北兩大陸・南洋・滿蒙・シベリヤ・アフリカを教授するに際しては其地の自然地理及人文地理を學術的に授けた後吾移殖民地として氣候風土地味産業が如何なる關係にあるかを明にし現狀を具体的に授けて健實なる殖民地の常識を持たせて貰ひ度い。今の地理教育者に一大缺陷が存するのは此點である。數年前までは地質地形と云ふ方面に偏し過ぎ、今日は郷土的小局部の人文景觀に歿入して身世界の大勢に就て時代の先覺者たるの位置にありながら其重任を忘却し居るかを疑はざるを得ない。今日南米に相當の移植民の基礎を確立しなければ數十年後は既に遲く百年二百年後は子孫より其機を逸したるの責任を問はるゝ事吾人の鎖國を怨むと同一であろう。吾人は此際特に地理教育者に期待する。斯かる永遠の大策であつて而も再來の機會なき時期に直面して居るのだから滿身の智嚢を絞り熱血を濺いで國民の自覺を促し其實行を誘導せられん事を熱望して止まない次第である。營利關係にない公平にして學術的の指導は堅實なる移植民的常識を普及させるに最も有力なものである。

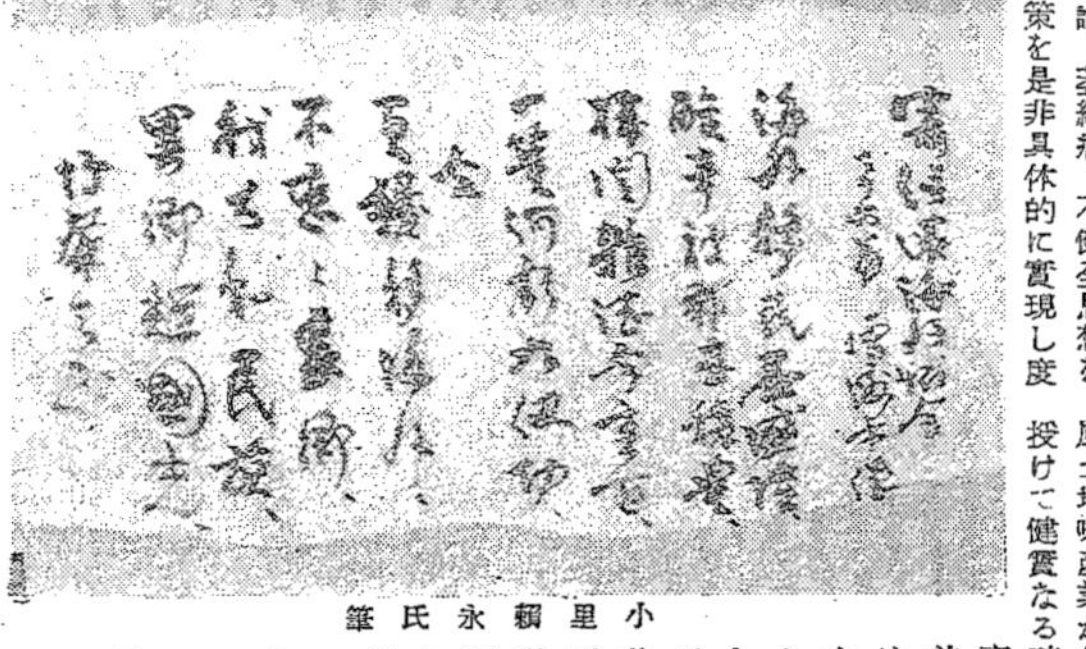

小里頼永氏筆

新聞・雜誌も確實な報導以外民族の發展は移植民にある事を各國の歷史に引證しセシル・ローズ・クライブ・ヘスチング・フッサール・ラレー・クックスタンレー・アムンヅエン等內外の英雄を紹介して少青年の胸裡を闊達ならしめ絕大の光明に接せしめ

なければならない。

日本人の最大缺點は眞理と實行との連絡がない事である。今日我國人の持つて居る知識は決して劣等のものでない。一二でも之を忠實に實行すれば生活を安定し理想に近づく事は敢て難しとしない。數學的能力はあるが家計的應用は零である。世界地理は知つて居るが國策に對する信念は零である。海外に活動したいまでは行つて居ても實現は零である。眞理を熱愛するならば斯かる二元的心理を持つ事は出來ない筈である。十分ノ一百分ノ一なりとも實行に現はれる筈である。理想と眞理に不忠實である結果必ず行き詰りを來す。行き詰まれば間に合せの小細工をする。其小細工が小内爭を起す。小波のやうな喜び小波のやうな荒れ社會主義者は財産平等を叫ぶ我國の財産等平等に分割した處で如何程になるかそれが將來どうなると云ふのか男一匹の心血を濺ぐ所はもつと大所高所に着眼せねばならぬ。我國の要緊する人物は國際的・現代的・平和的な植民的勇者である斯かる人物の活動によつてのみ國運は進展し民族の將來に光明を投ずる。

最後に爲政者に注文がある。移植民の事は民間の自發的活動に待つべき性質のものであり國際的にも其方が宜しいが第一には移植民的勇者の不可抗的災害に對しては相當救濟の方法を細目に亘つて救助しなくてはならない。第二には國家民族永遠の大策である事そして此機會を逸してはならない程緊急である故に途航費等の補助は他を極度に緊縮してもどし／＼支出して設きたい。第三には移植民地の狀況を適當なる機關によつて全國民に知らせる方法を講じて貰ひ度い。第四には小學校の敎科書に移植民に關する課を挿入し中等敎育の要目に移植民の項目を掲げ直接海外に出づる目的の者の學ぶ學校には授業料を免じ寄宿を低廉ならしめる程度の補助を與へ多數の有志者の學び得る樣にして良質の移植民を送つて世界各地で民族の聲價を高からしむる基礎を確立する必要がある。第五は吾人は日本人程平和と正義とを熱愛し人情濃なる民族は少ないと否人がよすぎると迄信じ居るにかゝはらず世界に逆喧傳されて居る事は遺憾の極みである今日は特に多數の海外移動を行ふ必要のある矢先各在外外交關係者をして此方面の誤解を解くべく一段の努力を致され度い。

次に政爭に就て一言したい。英國とか從前の米國とかロシヤ支那と云ふやうな複雜な組織や多方面な經濟的内容社會狀態を含む國では政黨の對立も意味を爲すが我國の如く國体純粹國是判明の國では有意義の政爭は出來ない筈のものである。消極緊縮、積極興業と云へば其文字には著しい相違があるが其内容を精査すれば大した内容の相違があろう筈なく。何れの政府も奢侈は戒めなくてはならぬ國産は奬勵しなくてはならず社會政策を考慮せねばならず、海外には平和的に發展せねばならぬ。故に政府の進退の原因が主義綱領に因るのではなくて多くは非本質的な突發事件等に左右せられるのを見てもわかる。故に有爲な政事家があつた處で非本質的な横道的な問題に煩はされ悩まされ安んじて其所信を遂行出來ないのは惜しみても餘りある次第である。この意味に於て極端ではあるがイタリーの一黨獨裁主義も他山の石と爲すに足るのである。要は高遠雄大な國是の下に機智技巧を抜きにした本質的の爭をやつて貰ひ度い、と言ふのは我大和民族が如何にして平和的に海外に進出すべきかと云ふやうな根本問題緊急問題に就て意味ある論究をしなくてはならない。

以上の所論は要するに

「三百年前の鎖國は民族の自然的發展を阻害して明治以後の大努力も未だ其瘡痍を恢復するに至らない。昭和以後の國是は世界經濟の大勢に掉し人口的ポテンシャルの自然的流動を捉進し平和的共存共榮的精神を以つて先づ南米を開拓し大に彼我の交通貿易を盛大にする事。この機會を逸すれば永遠に民族の發展は不可能に陷る事。」

海外視察の回顧（其の一）

長野縣更級農學校長　矢田鶴之助

一、出發

視察の動機　海外の視察を回顧するに先ち、其の動機に就ても思ひめぐらして見たい。之を打明けて申せば、小學校の時代に海外の事情をきかされたり、讀物などから見せつけられたりして、强く動かされたことを記憶する。されど、いよ／＼決心を堅くすることゝなつたのは、最近のことで、思想的にも、經濟的にも、農村の荒み行くさまは、見るにつけ聞くにつけ、特に復興獨乙の底强さなどを考へるにつけても、其の一端なりとも知り得て、之を我が農村の復興に資せばやとの感慨に耽つたことであつた。

出發の感激　如何に視察せんと焦心し來つても、財に惠まれぬ身のなすべき道を見出し得なかつた。折しも、私の舊友や、また昔の敎子たち、其の他私の内情を知れる多くの人達は、私のために、私の乏しいのを助けて呉れた。やつとのことに、世界を一周するだけの旅費を整ふるに至つた。やつと諸準備も出來たから、六月十日といふ私の誕生日を出發記念に、昭和四年度に之を決行し得たことを好運とする。若し、本年の如き農村不況の時であつたら、到底問題になり得なかつたであらう。よく／＼の好運兒であつたことを、天地神靈佛魂に對し、感謝せずには居られぬ。

出發の日を定めてから、暫く經て、文部省からの電報を受け、其の電報に「六月十日午後六時ヨリ海外敎育視察者ノタメニ大臣官邸デ晩餐會ヲ開ク出席セヨ」との意味をこめられてあつたことを、奇蹟的に感激し、當日豫定の時刻に、篠ノ井驛を發し上野驛に着いてから、直に大臣の官邸へと馳せ、玄關に上つて時計を見ると、其の時正しく午後六時で、時の宣傳日に相當する上から、格別の感激に打たれたことであつた。そして、それが、また、私の誕生日に當り、東京の眞中で晩餐會の嬉しい催しに遇ふとは、實に感激の上の感激であつた。

思へば、實に最初一人旅の無聊を味ふ身と覺悟してあつたのに福徳生命保險から派遣の鈴木東京府荏原郡松澤實業補習學校長と同行の好運に會し、更にまた林帝國敎育會長を團長とする歐米敎育視察團の一行と其の行を共にすることゝなつた。これまた好運の上の好運といふべきで、あまりに多く惠まれたことを感激せずには居られなかつた。

外國旅券の査證をすまし、服裝其の他の諸準備も了へ、恩師舊友の音づれもすんだ。そして、また、故恩師の墓參も濟ましたいよ／＼出發の日が迫つた、出發の當日は朝早く明治神宮を拜し、其の翌日は伊勢に大廟を拜み、郷里に立寄つては、氏神たる出雲大社に御參りや、家の墓參や、母の慰問や、親戚故舊への訪問に數日を費し、山陰線によつて、山陽線小郡に出で、下關の驛前に振分髮となり、頭につくる油などを求めて、夜行の朝鮮連絡船に乗り、朝の八時はやくも朝鮮釜山の埠頭へと着いた。

二、朝鮮路に入りて

水原に寺島氏を思ひ　感慨實に無量であつた寺島氏は、我が校の卒業で、野溝氏の經營する水原城門の種苗店主任となり、殆んど朝鮮全土の種苗供給に當れることを、これも、氏が十年以上の苦節を甞めつくした結果であると考へさせられた。大正十四年に滿・鮮・支の旅行をなした時は、水原視察に寺島氏を煩はしたことを思ひ起し、鮮土に於ける氏の開拓精神が、今後愈々活躍せんことを望みかつ祈つた。

京城に大矢氏を偲ぶ　大矢氏もまた吾が校の卒業生として、朝鮮の第一成功者と數へらるゝだけ、農に商に活動力の偉大を感じあつた身には、大正十四年、氏によつて與へられた朝鮮視察の當時に於て、時偶々漢江の大洪水に際し、氏の事業に甚しい破綻を見るに至らなかつたのは、全く林業經營の御蔭であると、力をこめて氏の直話せることなど、追懷湧き出で、一層深く朝鮮の開拓と林業との關係を深刻に考へさせられた。

更に田口氏の奮闘を偲ぶ　特に强く印刻せられたのは、更級郡青木島村出身の田口氏にかゝる美談であつた。田口氏は、長野中學の出身であるが、かねてより、朝鮮開拓のことを思立ち、嘗つて母校の校長であつた小寺農學士を朝鮮に訪ね、小寺氏のみによつて朝鮮の敎員を勤め、何不自由もなかつたのに、氏は、もと朝鮮開拓を目的として入鮮したからに、現狀を以て滿足すべきにあらずとなし、敎職によつて幾分の開拓費金を得るや、漢江の奥深く遡つて、開墾事業に成功し、他人羨望の的となつた。然るに、好事魔多く、天はなほ當人を試錬するかと思はれしは、大正十四年の大洪水に、折角の開墾地も、悉く荒廢地となり果てた。信州健兒として意志强かつた氏も、一時は喪心せんばかりに、旻天を仰いで號泣もしたことであらう、眞に悲慘の窮地に陷り、進退維谷つた。偶、當時の齋藤總督は、水害視察として、此の地に來り臨み、田口氏の受けた慘害のあまりに甚しく、之を見るに見かねた總督は「かく不毛の地となつた地に、心血を灑くも功覺束なければ、余に從ひ總督府に任用の途を求めたらば」と氏を携へ連れ歸らんとした田口氏は、其の場、直に辭退するは、總督の好意を無にし其の信に背くは禮にあらずと思ふがまゝ、總督の言ふがまゝに漢江の中途まで歸り來つたが、固より氏の素志ではなかつた。玆に、氏は、其の赤心を披瀝するに「入鮮當時の目的は、永久に達成せずんば止まない一念、固より死を決して來つたからには、如何なる苦行も難航も、天の試錬として甘受するところ、希くは、余をして再び荒廢不毛の地に歸らしめ給へ」と熱誠をこめて頼入りしかば、總督も其の志に感じ、厚く賞して、元地に還らしめたとのことを思ひ浮べて、田口氏の開拓精神、實に信州男子の代表であるとの感慨に打たれた當時を述懷し、「今少し近く、今少しく時あらば、其の開墾地を見舞ひ、幾多の資料も與へらるゝこともあらう」と嘗しの京城驛停車時間も田口氏のため、種々の感想に耽つたことであつた。

三、新義州より安東縣に入る

新義州の北、即ち鴨綠江の下流には、富士株式會社によつて、經營の干拓農業に、もはや三千町歩以上の水田も完成し、工事更に擴張を見る今日こゝには、高野・宮崎・小林の三卒業生も活躍しあれば、三氏を見舞ふの心切なるものがあつたが、同行者のために、殘念ながらも、鴨綠江を踰えて安東縣へと入つた。

安東縣に長野縣人會を偲ぶ　思へば、これまた大正十四年九月から十月へかけての視察旅行として、安東縣に着いた時のことである。夜に入つた時刻にも拘らず、長野縣人會旗をかざして安東縣在住の長野縣人が、多衆プラツトホームに整列して迎へられ、大抵は夫婦同伴であつた、そこに總代から歡迎の辭が述べられ、私ども十五人の農學校長中から、當時の下高井農學校長神戸昌平氏が、一行を代表して答辭を述べられたことを記憶する。この旅行は公主嶺で全國農學校長會議が催され、それに出席する校長七十一名の中に、長野縣の農學校長が五分の一以上を占めて居ること、既に異數であるのに、縣人會が特に出迎へ與れたといふことは、時計を滿洲時間に直して、停車時間が多かつたにせよ、到底他縣人には見られぬことゝ、嬉しく感謝して安東縣を通過したことを、思ひ起さずには居れなかつた。

四、奉天から長春まで

奉天の回想、汽車は、奉天驛でも暫く停車した間にも、思ひ起されたのは、先年の奉天視察について、奉天神社に參拜したことを第一印象として、數多くの記憶を惹き起した、中にも城內の支那人活動は言ふまでもなく、奉天驛から城內までの間に、大部分を占めて居る我が日本の鐵道附屬地が、商賈上手の支那人により逆襲的發展を見せて居り、ロシヤ人までも、日本の勢力範圍に喰ひこんで居ることで、如何にも邦人の腑甲斐なさを偲ばせた當時をも、回起せずには居れなかつた。

長春までの回顧　奉天を出發した後からも、奉天を中心として撫順炭坑の視察をなし、こゝでも百五十有餘人を代表する縣人會の幹部諸氏から、手厚い待遇や、種々の土產品までも頂いたことを追憶した。また、四平街から、蒙古の白音太來地方を視察して、途中鄭家屯に宿つたことや、公主嶺驛に下車して、滿鐵の農事試驗場や農學校を視察し、更に同所で開かれた全國農業學校長會議に、關東長官の兒玉伯や、安廣南滿鐵道株式會社長の祝辭を思ひ起し『滿蒙の農業と滿鐵の施設』について話された柄內業務課長や、また『滿鐵事業一斑』について述べられた保々學務課長や、また『大陸農業經營の特色』につき語られた千葉滿鐵囑託や『滿蒙土地問題』で氣焰を吐かれた岩間金州農學校長のことなど、それからそれと、當時の光景を想起し、その時の議題であつた『農學校卒業生ノ滿鮮地方ニ於ケル活動ヲ助成スル方策如何』について、花を咲かせたことも、强い聯想となつた。

かくてまた長春に近く、鐵橋の邊に接する墓碑、これ、長沼挺進隊所屬田村中尉の勇敢にも、鐵橋破壞を企て、遂に銃殺せらるゝに至つた忠魂の宿るところ、日本が長春まで東淸鐵道を得るに至つたのも、畢竟この忠魂の御蔭であると感激しながら、長春に着いた。長春では、乘替時間の關係上、自動車を飛ばして視察を重ねた人もあつたが、私は先年の印象今なほ新なるが如く覺えて、驛に荷物の番役をつとめ、その間、日本宛の禮狀を書くことに忙しかつた。夜行列車で、ハルビンへと向つたが、こゝでは時計をハルビン時間に直し、寢臺車に深い眠をとることゝなつた。長春の北方一哩餘の寬城子が、現在に於ける東支鐵道の終端で、滿鐵長春驛の出現以來、昔日の榮華消えてたゞ歐風建物の殘留せるところ、纔に露人の面影と、驛のあたりに露小供乞食の群を見出すに過ぎない。そして、汽車は、車掌の露人に、驛夫の支那人に、列車內の物賣また支那人に、日本語の解せないだけ心細い。

五、ハルビンの視察

ハルビンに着いた、ハルビンに着いたのは、昨年の七月四日の朝で、北滿ホテルに宿りつき、朝食を了ると、自動車を驅つて松花江の沿岸であるヨット倶部樂に、ロシヤの舞踏や料理に目と口とを驚かせ、それより汽船で、松花江を橫斷して、黑龍江洲なる大洋嶋に、支那風俗を觀察することを得たが、生活の低級なのには驚かされた。この日は、日支文化協會や、支那文物展覽會やを視察し、また、總領事館に八木總領事を訪ねて、海外發展、わけても滿蒙發展に關する話をきかされ、モスコー下車の困難なる事情なども、物語られ、なほ、前夜東支鐵道と關するロシヤの重役が、支那人のために殺されたことが、外交問題を捲き起し、シベリヤ通過のやがて杜絕するやも知れずと物語られた。大正十四年の視察には、伊藤公が一鮮人によつて、御氣の毒なる最後を遂げさせられたハルビン驛內、プラットホームの光景を偲び、更に、ハルビン郊外日露協會學校よりやゝ離れて沖・橫川二烈士が銃殺せられた跡を弔つたことなど、思ひめぐらすにつけても、殺氣みち〳〵の感深く、大正十四年の當時は、日本人三千五百人を算したのに、僅か數年後の人口は、五百人を減じて、三千人となつたことなど考へさせられ、ハルビンは、東洋のパリとして、人口三十万以上なるが、支那人その大部分を占め、その次はロシヤ人の十萬以上で、日本人は漸く全人口の百分の一にも足りないことから、一層の心細さを感ぜずには居られなかつた。同夜半浦鹽から着いた夜行列車によつて、滿洲里に向ふことゝつた。

六、滿洲里まで

滿洲の荒野。ハルビンを出發したのは、夜半のことであつたが夜明けて七月五日の朝ぼらけ、車窓から眺めた滿洲の光景はたゞ一筋の地平線を劃する草野原、眞に荒漠無緣の地である。所謂滿蒙と稱する地積は、大蒙古を除くも、

奉天省　一五一五一方里、一三九四七二〇〇人
吉林省　一三六〇五方里、六四二九七〇〇人
黑龍江省　三五四九七方里、三二五八〇〇〇人
東部內蒙古　一〇一六八方里、四三六六〇〇〇人
計　七四四二一方里、二八三〇〇九〇〇人

實に廣大なもので、中にも黑龍江省の如きは、奉天・吉林の二省と東部內蒙古とを合したものと比敵し居るにも係らず、人口の稀薄であることを思ふにつけても、日東男子の意氣を示すべき餘地また綽々たるの感を深うした。殊に、多數の露人が、本國から押しよせて、滿蒙に侵入しあるさま、實に想像以上で、これには支那も手を燒いて居る。日本としても、傍觀の出來ない次第で油斷すれば、東洋攪亂の禍根は、これより發するかも知れぬ。深く考ふべきは、滿蒙の天地で、我が同胞の發展は切に望ましいのに、事實は之に反し、中心地であるハルビンでさへ日本人の人口を減少しつゝある狀態で、故伊藤公や、また沖・橫川の兩志士に對しても、大に耻つべきことゝ思ふ。先年蒙古を旅行した際も、

鄭家屯　西に進めば　パインタラ
一望際なき草野原　日本男子の意氣あらば開け田畑や牧場を

と口吟んだことなど思ひ起された。

荒野を切つて走る車窓の感想としては、各驛の支那兵によつて所謂鐵道守備兵により固められてあることや、また處々に砂丘が見えて、小砂漠の光景を呈しあることや、草多きところに人家も點在して家畜の多く飼はれあることや、種々と語りたいのもあるが、何分に車窓からの瞥見に過ぎないから省略することゝ致したい。

滿洲里、こゝに着いたのは、午後九時頃であつたが、まだ、人の顏色もよく識別が出來る。如何に夏の日の長いかゞ想像せられる。この夏の日の長いといふことが、農業に非常な關係をもつて居ることは言ふまでもない。この驛で汽車を乘替へる。そこで稅關の檢査を受けねばならぬ。列車の發着毎にジャパン、ツーリストビューロー、ワゴンリー・東支鐵道等の出張員が來て居る。

通關代辨・手荷物託送・兩替其他總べての斡旋をして吳れる（露貨への兩換は次の驛でする事になつて居る）。人口は一萬二千、內露人が六千四百、支那人も五千人ばかりで、日本人も二百名居る。

また物價が、需要供給即ち物資不足のためから來る高價といふことに驚かされたことである。それは、小さい蕃茄（ドマト）一個が三拾錢で、ネーブルの如きも五十錢以上である。

また、特に附記したいのは、信州出身の田中領事が、この地の領事館に勤めて居らるゝことである。同領事は、熱心に敎育問題と關して日本人の發展に關することを話された。國境の領事館を主宰する同領事の使命もなかなか大であることを感じた。

なほこゝに敍したいものは、信州人と滿蒙開發といふ問題である。信州人それは實に滿蒙の開發に適して居るといふことである。これには、左の三美點があるからであるといはれて居る。

第一、信州人は、氣候に抵抗する力が强い。
第二、信州人は、乾燥農業に慣れて居る。
第三、信州人は、協同一致の力が他縣人から見て一層優れて居る。

第一第二はよく了解されるが、第三のことは如何にも、不思議と思ふものもあらう、併し事實は其の長所を證明して居る。この理由としては、畢竟信州敎育の上に歸結すべき問題かと思ふ。とにかく、これは愉快のことである。

七、第八十六番驛に着く

滿洲里驛より約十分で、この驛に着く。列車は、此處に相當長い間停車する。旅券の檢査があり、また列車內に國立銀行員乘込來り、露貨即ち留に代へて吳れる。兩替の率は、時によつて幾分違ふであらうが、私の兩替した時は、日本の百日本ホテル大正旅館等、日本人經營の宿屋もあつて、室代二圓以上とされた露人經營の名高い露西亞風呂もあるとのことであつたが、急行の身には、宿屋に休憩せで、直に乘替の列車へと移つた。

こゝに附記したいことは、滿洲里に於ける日本人の敎育である。この敎育については、よく注意され、日本人二百人の中に育てられた數十人の兒童に、外務省の補助金もあるが、在留日本人また少からぬ金をかけて、小學敎育だけは、相當骨折られて居ることである。

圓が八十五留にされて仕舞ふ。ハルピンまたは浦鹽斯德で兩替すれば、頗る高値に兩替されて儲かるとの話も聞いて居たが、かゝることは國禁であるから、損して身を持て主義を一貫することにした。（未完）

海外に雄飛せよ

平穩　佐藤藤山

海外發展の題目は我帝國の生命である、卽ちこれを思ひ、これを勸め、これを考ふるものゝ多きは、我國勢の盛なる象徵にしてこれを忘るゝものの多きは、我國勢の衰徵を意味するものなり、これ我國古來の歷史に明かなる所なり。

上代の我國民が海外萬里の波濤を破りて、海國男子の眞面目を發揮せしは元より、文化の輸入に努め、發展的國民の眞價を顯はし得たるは、誠に我民族の美を表明し得べき所なり。

この精神の感ずるや外患亦驚くに足らず、拾萬の元寇怖るゝに足らず、鎌倉武士の勇氣を示し、武士道の精髓を發揮し得たる悉く靑史に明なり、戰國の時代に培養せられたる勇猛の精神は永く海外發展の元氣となりて、或は片舟に乘じて南海に航し或は帆船を操りて支那海に出入し、八幡大軍神の旗風は異國の人をして長懾せしむるもの多かりしにあらずや。

顧れば德川時代の鎖國主義、實に千秋の遺憾我國民の英氣を挫き、發展的元氣を阻碍したること、實に憤慨言語に絕す、三百年泰平の夢に醉ひ、文弱滔々として風をなし、徒に小黨分立して內爭に陷り、然らざれば軟弱軟骨碌々として徒に安靜無爲を事とし、世界の大勢の趨むくところを知らず、姑息因循無氣力卽ち知るべし、四拾七義士の一擧天下の耳目を振動したるを、また見る黑船の來航浦賀一發の砲聲如何に天下の人心を驚倒せしめしことを。

幸に國士の存せるあり、林子平蒲生君平佐久間象山橋本左內等先見の士憂國の諸氏あり、國論の向ふところを正し開國進取の氣象を振起して、維新の大業を助成することを得たるは、我國民の眞の個性を再興せしめたるものにして、爾來國難に堪へ國威を發揚し得たるものなり。

然れども日淸日露兩役は國民をして緊張せしめし効偉大なりと雖歐洲大戰亂は寧ろ國民をして物質的精神の偏重を來し、却て歐米文化の餘弊を助長し、國民徒に文弱の風と無氣力の弊風に陷らしめたるは、顧みて實に遺憾とする所なり。

今や經濟國難思想國難に會す、由來する所已に遠し、謂ふに吾人是を憂ふること久し、夙に海外發展の大思想を唱道し、鼓吹

せし所以にして、海外發展の思想は、最も國民の志氣の養成にありとなし、躰育の奬勵、旅行の實施、活知の開發、實業の奬勵、武士道の振起、年來の實行稱道せし所なり、他に大に伸びんとするものは、内に潑溂たる意氣と對外的活知と實行的意志の培養最も肝要なりとす、即ち一郷興りて發展的の美風を作興するに至らば、内に止まるものは益々質實勤勉實業の發揮と創作の能を振起するを得べく、外は海外も比隣の如く考へ、機會ある毎に他に出でゝ活動するの氣風と、その活動の範圍をして益々廣からじめ、安んじて異境に活動するの廣量を養ひ、外人と交るの秘決も、外國に活動するの有利なる大道も、悉く自得し得て、當に我海國の實を擧げ眞に世界的日本の位置を穫得することを得ん、即ち海外發展の問題は永遠重要なる問題なれども、その關するところ頗る廣大にして且つその要とすべきものは將に各一家一郷の方針の徹底すると否とに關す。

吾人滿鮮に遊び、親しく彼地に活動せる信州人につきてその意見を聞くに及び、益々縣人教育の方針に關すること大なるを思はずんばあるべからず、その細論に至りては再び之を論ぜんとす、之を要するに海外發展の問題は決して一部分の問題とならずして、國家永遠の重要なる問題なれば、宜しく國民の各種階級を通じて熱心努力すべきものなることを信じ、所感の一端を記すること此の如し。九月六日

新刊紹介

ブラジル事情と渡航法

本書は日伯協會がブラジルの實狀を一般に周知せしめこれにより、同國方面への發展を一層振興せしめん爲編纂したるもので、この種刊行物中最も簡にして要を得、而も正鵠を得てゐる、最近やゝもすればブラジルの實狀の誤傳せられんとする際本書の如き權威ある案内書の發刊された事は頗る有意義なことであらう。

（發行所神戸市海岸通一丁目、日伯協會定價參拾錢送料四錢）

信州之輿論

前信濃日々新聞社長小笠原幸彦氏、椿士眞來信州言論界に再出現し其識見抱負を傾到せらるゝもの即ち本誌である

（毎月十日發行一部參拾錢
長野市中御所五五ノ一信州之輿論社發行）

外海視察記

―ブラジルの巻―
サントス港（其七）

信濃海外協會幹事　西澤太一郎

サントス港の位置

サントスの港はブラジルでは第一の要用なる地位をしめておる即ちサンパウロを始めとしてその門戸をなし、天産、農產豐富なサンパウロ州、北パラナ州地方、ミナス州などの奥地一帶の咽喉である。殊にこれらの地方はリオ州などと共にブラジルの繁華な地帶であつて殆んど伯國の總べての經濟力、勢力の八割をしめる地方である。人口に於て產業に於て、政治上に交通上の殆んどブラジルの全部の如くに思はる地方であるからその地理的の位置としては極めてよい所である。リオと共に伯國の主要港である。

地形氣候

サントス港は所謂サントス嶋と、大陸の半嶋の灣の部分との一地帶である。嶋と大陸とは極めて狭い恰も川の様な、海狭と言ひ得ない程の海狭になつておる。よく地形を知らずに船で行くと全く海口を溯るが如くに思はれる。此サントス嶋と陸との間はものの三町とは離れて居らぬ所によれば三〇〇米もない位に見える。イイハデサントアマロに、イイハデサントスとで立派な港をなしておる入口は所謂サントス灣である。サントスの町と大陸とは鐵橋によつて聯絡されサンパウロの方へ行くサントスとジンデアイ間（一三九粁）のサンパウロレールウエー（英

人經營）と、サントスからガルヂヤの海岸迄は電車がある。又サントスとジキヤ間のジュキヤ線（一三八粁）の二鐵道とがある。二つの嶋の間は渡舟になつて居て自動車でもなんでも自由に渡られる。實に海陸共非常に便利になつて居る。

大陸の方は高い山によつて圍まれ、嶋の中にも又二三百米の山があつてよく港の風波を防ぎ、山の景色と海の景とを兼ねて居る。岩石は花崗岩地帶で日本の所謂白砂青松の實に美しい海岸の景色を造つて居る。嶋々は日本の松の様なものはない。皆櫚葉樹で小葉のものばかりである。所々にブラジル椰子や、熱帶植物的のものが見える。南緯二十四度近くで丁度温帶と熱帶との兩地帶の境だけあつて熱帶植物、亞熱帶植物と實にその種類は豐富である。動物も又その通りで樹林の中には非常に美しい鳥類が澤山とんでゐる。

ブラジル海流の影響や、緯度が二十四度内外である點から實に暮しよい氣候であつて申分がない。年中平均温度が弍拾弍度内外で我沖縄縣から九州の南鹿兒嶋の南部の間位の氣温である、年中を通じて熱暑すぎることもなく又寒むすぎることもない日本の春や、秋の好適の氣候と思へばよい。實に住むにはよい氣候である。理想的のものである。雨量は年平均千五百粍以上で日本の東海道線地方や北陸地方位のものである。年中同じ洋服で過される。下着や、外套をかへる位で暮せる氣候の點についてはサンパウロでもサントスでも實に理想的である。ブラジルのサンパウロ州の氣候はブラジルとしてもよい事に於て一ばんであるがその中でもサンパウロやサントスは特によい様に思はれる。こんな風に氣候や地形に於て交通上に於て地理的位置に於て非常に良港たるのである。

人口及附近邦人

サントス港の人口は凡二十萬で數年前に比べれば非常に増加しておる。其急激な増加はサンパウロ市と共に有名なものである一五〇〇年葡萄牙のカブラル將軍が始めて今のサントスの西方海岸のサンビツシュンテに上陸してから僅か四三〇年當時蕃人インヂアン生蕃の住家であつて多くの獸類・鳥類・などの自然のまゝの繁殖にまかせ、又人跡入らざる大森林や、海岸沼澤地であつたのが今日立派な港となりブラジルの門戸となつたのである。今サンビツシエンテの海岸を一寸入つた所に當時の記念碑が立てられておる其又記念碑のある所を西の方へ行き狭き海狭を渡つて五六粁行けばその所には昔の税關の跡や、役所跡の石垣が殘つておるこんな風に僅かに四〇〇年で歐洲から白人が渡り、黑人が亞弗利加から入り、其又混血子孫や、インヂアン土人の熟蕃となれるもの、及其の白人との雑種、黑人との雑種、その後の歐洲より葡萄牙、西斑牙、伊太利、ロシヤ、トルコ、獨逸、英吉利、佛蘭西、和蘭、白耳義、などの人々が渡り近い時代に日本人や僅かの他の東洋人が入り今日の如く世界各國の人々が入り幾十種の人種や雑種が住む様になつたのである、白黑、黃、及各雑種、銅色人と白、黑などの雑種と色々となつたのである。而かして最近百年五拾年の進歩も大いしたものであ

るが中でも極々最近の五年十年の間は非常な人口の増加である今や嶋の中及大陸沿岸その他どんどんと人家や、市街の延長が出來て行つて大いなる開け方である。我日本人も又最近になつて大變に入りて種々の事業をなして居る。旅館經營、雑貨商輸入品、輸出商、漁業、自動車業、雑勞働など種々様々のことをなしておる大凡一八〇〇人と云はれておる。其邦人所得も年には一五〇〇コントスと呼ばれておる。今後はどん〳〵郊外の方へも廣まり行くことであらう。旅館にては潮、Hotel Ushio Rua. Rangel Pestana 44. Caixa Postal 328, Santos
平和 Hotel Praça Jose Bonifacio 51, Tel. 1765 Santos
成功館 Largo 7. de Setembro 15, Tel Central 2008, Santos
などのホテルがある。又日人會も出來て居るその事務所は日人會 Caixa Postal 696, Rua. Marechal Pego Junior, 19 Santos

海外興業會社サントス派出員事務所
Rua. Riachuelo No 65―67 Sala 17. Santos
日本領事館サントス出張所
Sucoursal do consulado geral do Japão, Santos, Brasil

こんな風で中々の發展である。

サントスの港及棧橋

サントスの港の棧橋は非常によく出來て居る。その長いことは驚く程のものであつて何万とんといふ大きな船が幾十隻と横付にすることが出來る。そのレールを幾條となく敷き起重機による荷物の積み込みや荷下ろしは何か所でも一度にやり得る様に出來て居る。又倉庫の立派な大きいものが數町に渡つて造つてある。税關もある。その兩側に倉庫が長く續いておるサントスは珈琲の港であるからその積出しと倉庫とが大いしたものである。殊に積み込みには、エレベーター式に革製の大きなしらべですん〳〵と幾十俵幾百俵、幾萬俵と忽ちに積込まれてしまふ出入の船舶は夥しいものである。米、日、英、佛、蘭、葡、西伊太利、獨逸などと、歐米の船舶の出入多く、我日本も相當に多い方である。輸入品の主なるものは
小麥、羊毛、石炭、石油、綿花、織物（綿製品）、絹織物、生絲（伊太利及佛蘭西、トルコ等より）罐詰類

輸出品の主なるものは
一珈琲　九五〇萬俵（一九二七斗）
二バナナ
ラランジヤ　五〇萬箱、アルゼンチン、葡、英、獨等へ
砂糖、豆類及雑穀

サントス市街及郊外

道路は石煉瓦を敷つめ、又コンクリトの場所や通りもある、電車も四通八達便利がよい。公園あり、散歩場ありである。カフエーの取引所があつて中々壯大なる建物である。又カフエー局のサントス出張所もあり、市役所その他學校病院、ホテル、廣大なる商店、カフエー輸出商などもある。商業の繁華な市街で

ある。如何にも輸出入貿易の盛な市街のように思はれる。伯國サンパウロその他奥地一切の門戸として立派な商業都市である將來尙非常なる發展をする港であらう。

郊外はサントス市街の隆昌と共にどん／＼開け行くのである。或る所は公園に遊歩場に、或る所は農園や果樹園として開墾され、或所は住宅地、別莊地として開け行き或る水は工業地帶として工場や停車場となり、或る所は海水浴場や遊覽場として施設されて行くのである。サントス市の郊外の目ざましい進歩は何人も驚くのである。

ジユキヤ線方面

サントス市の西南の方にジユキヤ鐵道の出發驛がある。此鐵道の開通によりイグアツペの植民地行きの人々は非常な便利となり、又鐵道沿線へは隨分多數の邦人が發展して行つたのである又驛の附近には殆んど十數年前には住宅も點々たるものであつたが今では立派な町や、邸宅が軒並べに澤山建築されたのである。

サンフランシスコ町を眞直に南西海岸に出て行くと途中に立派な海水浴場がある。ホテルアトランチツコやホテルイントラナショナルなどがある。海水浴場になつておる海岸はサンビセンテのからボンタダブライヤなどである。殊にイリヤボルシヤー附近は浴客が多い。風景も大變によい。此のサンビセンテの邊からフライガンダの地帶は農園としては皆バナナ園である。何アルケールスといふ大きなものが續いておる、大きなバナナの房が幹も折れんばかりに下かつておる。

途中に昔の税關の跡がある。石門の壊れたるもの、石垣の崩れかゝれるものがある。その昔何百年始めて葡萄牙人の上陸したる跡や税所の跡もある。何百年の前に遠い南米に新天地の開拓に、新運命の開拓にと出掛て來て此地帶に上陸して、ブラジル開拓のための一斧を打ち振ふた雄々しさを思ふときうたゝその壯擧とその傳ふる精神とに敬仰おく能はざるものがある。昔を追憶してうたゝ感慨にたへぬものがある。敬慕の心と、今後の進展の念とが悖々として又禁じ難いものが湧いてくる。

サントスの下水道は大きな鐵管で何杆といふ遠くのブライガンダの海岸の山の麓から遠く海中へ捨てられておる。

邦人の漁業者

サンビセンテの海岸や、フライガンダの海岸地帶には邦人の漁業をやつておるものも大分ある。

彼れ是れ毎月二十コントス位收穫しておる者も幾人もおるとのことである。嶋谷氏や津田氏などがそれである。漁人夫賃も中々高くて食持で月三〇〇ミルから六〇〇ミル位迄だとの事である。サントス市附近邦人漁業從業員は二〇〇人はあるそうである。

ボンダプライヤ

海水浴場として遊覽地として名ある所、海軍の兵學校がある。

（未 完）

南洋行（十一）

信濃海外協會幹事　宮　下　琢　磨

少年佐藤源一君

前記金子氏の成功に感奮して、ボルネオで護謨栽培によつて一旗擧げようと、雄々しくも南洋の事業に志した二人の少年がありました。一人は佐藤源一君で、一人は大阪の商業學校卒業生で、二人は共同で、自力でゴム園を經營して見やうとボルネオに出かけたのでした。

佐藤君は、金子氏の姻戚にあたる關係上、始めから何かと面倒を見てくれたのです。土地は、金子氏の租借地の分譲をうけて、苗木や、栽培法なども指導をうけて、熱心に經營に奮闘して居つたのでしたが、私の訪問したときは、一人の少年は歸朝して、佐藤君が苦力を相手に働らいて居りました。事業を始めてからモウ三年になります、自分の土地は七十エーカーで、そのうち二十六エーカーは既に植附を終はりて、土人から譲り受けた分などは――十エーカほどであつたと思ふ――二メートル程の高さに成長して居ました。家もベランダのある小ぢんまりした間口八メール奥行四メートル浴場つきで、移住地の始めの生活としては堂々たるもので、千三百ギルダーかゝつたさうで日本金でその當時千圓以上のものです。外に細長い一棟は苦力住宅で中は三ツに區劃されてありました。苦力には一人に年八十ギルダーを支拂らうさうです。契約苦力は、男が一日四十一仙、女が三十六仙ですが、契約滿期のものは國に歸へらずに、かういふ氣樂な家には、安くても落ちついて居るのを喜ぶのです。

植付から日除草、一切の指導は、金子氏も近くに居り、野村の人も世話をやいて異れるので、順調に進んで來て居ります。今は苦力を指揮して、自ら陣頭に立ちて釆配を振るだけの經驗も出來て來ました。今佐藤君のやつて居る仕事を觀て、これをブラジルの小企業者と比較して見ますと、コーヒーも護謨も數年後でなければ收獲のないところは似て居ります。只、コーヒーの分は地質と樹の種類により四年から收獲があるので、餘程樂な點があります。それよりもブラジルに於て有利の事は、間作物として玉蜀黍とか、陸稻とか、豆とかいふものが、よくとれるので、コーヒーの成熟するまでに、生活の主要食糧に困らぬこと、これが非常に有利な點です。今佐藤君のところで觀るに、生活費は、一人當り月二十ギルダーはかゝります。もし三人家族ならば年七百ギルダー以上はかゝります、がブラジルのやうに土地が肥えて居らぬから間作などは出來ない、別な土地に作るとしても片手間では六ツかしい相當苦力をつかはねばならず、使へば高いものにつく。殊に米などは、小部分に作つたならば野鼠が、好餌ござんなれと許り、四方から押し寄せて來て、とても人間の口に這入る迄にはならないといふことです。又、餘程よい適地でないと米は出來ません。野菜も可成り金入れにつくらないといけませんから手數がかゝります。要するに移住者として、ブラジルに比べて始めに固定資金がかゝるといふことになります。ブラジルでは、一寸訪問しても鋤をとる手をやめて、鷄一羽ぐらい料理してくれます。こゝでは鷄一羽は一ギルダー五十仙ぐらいします。

少年佐藤君は、始めの計劃は一ケ年に十九エーカーを開墾し十年間この努力をつゞけるといふのでした。過去三年間に、二十六エーカーの植付が出來て來た。生產量は、從來の種類で最低英カー三百ポンド、値段も最低五十仙としても始めの年植付十エーカーに對し六年目からは千五百ギルダーノ收入があるから後は樂です。三十才前には、年額數万の收入のある立派なトアンになることは受合ひ、吾々は、佐藤君の中途挫折せざらんことを衷心希望して別を告げたのでした。佐藤君のみならず、この附近には、野村に働いて居つた人や、その外にもボツ／＼小農園主となる計劃を立てゝ事業を始めた人もありましたが、こゝに始めから主要食糧も自給で間に合せ、粒々辛苦經營にあたつて居る中村榮作君兄弟の御話を致しませう。

土人を感奮させた奮闘振り

中村榮作君は、石川縣江沼郡矢田野村といふところの生れです。明治廿五年生れであるから今年は三十九才の働き盛り、南洋へ渡つた動機は、徴兵で金澤聯隊に入營し、朝鮮駐屯軍として龍山に居るとき、演習としてあちこち出懸け新に開拓されつゝ行く朝鮮の山河を觀ました。この時活氣満々の若き兵士の胸には新天地の開拓といふ新使命が有つたのでした。除隊後朝鮮で開拓をとも思ふたさうですが、からいふ天惠に薄い土地では仕方がない。やるなら一層綠樹鬱蒼として紅花香し南洋で一活動して見やうと思ひ立つたのださうです。そこで、漠然ボルネオがよいといふ話で、始めはある外人經營の農園に働いて居て、ダン／＼栽培法も覺え言葉もわかるやうになり、一旦歸朝して弟まで引きつれ一家ボルネオで奮鬪するといふことになたのであります。

事業地は、バンヂヤルマシンから東南の方百八キロの處であります、この邊は國道筋にあたつて居てプレハリといふ市街が九

十二キロのところにあつて、そこから十六キロ這入つた山地であります。交通は便利で、乘合自動車もあつて、參ギルダー七八十仙でまゐります。此の地帶は東海岸にそびえ立つ連山の裾野で、南方は、三角形に海へ突出した地勢で、風は涼しい。地方病などは絕對にない衛生に適したところだと、バンヂアルの醫師正源寺さんも語られました。

土地も肥えて居り、水もあるので、稻は陸稻水稻ともに出來ます、ゴム、胡椒、バナヽ、甘藷などはよく出來ます。野菜のうちで茄子、西瓜、大根などはよいやうです。土人は牧畜をやつて居ります。

土人は順良で、日本人には非常に敬意を拂うて居るといふことです。

中村君は、この土地を最適地と認めて、こゝで事業を始めることにしたさうですが、二千圓足らずの金で、一家をまとめて家族六人の船賃旅費の諸拂をして、それから、家を建て農具種子を買ひ、當分の食糧をもとめ、後は自給自足ですゝんで行かうといふのですから、並大抵のことではありません。

家は手作りの自分手間の素人大工で二百ギルダーで家族六人の住宅が出來たさうです、熱い國であるから、シャツ一枚にヅボン一ツで年中間に合ひます、それから米をつくり、野菜をつくり、ゴムを栽培して努力をつゞけたのでした。朝は日の出前から出かけて夜は暗くなりきる迄働きました。

土人は、日本人はヨウロッパ人と同じに、洋服をきて威張つて居るものだと思ふて居たのに、トアン（旦那）自身が苦力よりもひどいなりをして、苦力の二倍がけも勞働し、苦力もいやがる仕事を平氣でやつて居るのを見て、ビツクりもし輕侮の眼を以て見ました、陰では貧乏トアンといふのが通り名の位であつたさうです。南洋の土人は、妙な虚榮心を持つて居まして、有ればありつたけ着かざり、ブラブラして居るのが普通でありますから、可成り驚きの眼をみはり、さげすみの冷笑をかくして應對して居つたらしいです。それがどうです一年たち二年たちするうちに、土人の生活は、年々歳々熱帶の風物のやうに、一向變化がないのに、中村貧乏トアンの農園は年々進展して、ゴムは成長し、野菜畑は殖へ、米穀は山積するやうになりました。今まで輕侮の眼を以て觀た土人が、新に尊敬の念を起したのは勿論ですが、こゝに最も感奮したのは郡監督官の下にジヤクサといふ役人が居る、この土人のジヤクサの役に居る人が、餘程感心したと見えて、土人としては郡長に次いでの榮職である、その官職を拋つて斷然鍬をとつて額に汗して働らかうといふ決心を起したのであります。ヂヤクサは土民を集めて桂冠の辭とともに訓諭をしました。それは

「皆も貧乏トアンといつて居つたトアン中村のことを見聞きして居るだらう。皆が豚一匹も田地一反も何年たつても殖えぬ間に、トアン中村はどうだ、吾々の家よりひどい無一物の生活から出發して、今ではゴム園をもち、野菜も出來、米穀も餘るほどとれる身分になつたではないか。もし、吾々がこの

生活を十年廿年つゞけて行つたならばこの地方の山野は悉く立派な農園と化してしまふ。今のやうな生活を何代くり返へしたところで生活は益々苦しくなるばかりだ、今のうちに覺醒して皆が働く氣になれば、數年ならずして生活は見違へるほど向上する、自分もこの職に居て、得意になつて居たが、トアン中村の活模範によつて、斷然、今日限り辭職して産業をやることにした、皆も一生懸命家業に勉勵して貰いたい」大體かういふ趣意で談をした、兎に角土人に深い感激をあたへたのは事實で、官憲もかういふ日本人が來て吳れるならば、ボルネオの開拓も意外に早く成果をあげることが出來るいふて、非常に評判がよいといふことであつた。これも正源寺氏の話である。

それで、當人の事業はゴムの二年半木が十五エーカー二年木が十英カー、一年木が五エーカーあります、これは昨年の話ですから今ではなほ增して居る筈です。

中村君に今少し資金があれば、なほ順調に進展するのですが何せい食つた上に、ゴム園の經營をやつて行かうとするのですから、その苦心と努力は、想像に餘りあるのですが、よくその勞苦に堪へ難作業をやりつゞけて行くところに、中村君のゑらさもある譯であります。吾々は、海路はるけき異域にかういふ努力をつゞけて居るわが同胞を觀るたびに自ら頭が下ります。そしてわが民族のまだまだ力強い底力のあるのを心强く思はずには居られません。

快男兒正源寺ドクトル

正源寺寛吾氏が、新嘉坡からバンヂャルに落ちついたのは十數年前ださうです。氏は口を開けば民族の發展を論じ、植民の必要を力說し、滔々盡きるときを知りません、只、力をそゝいだ椰子園が山火事の爲めに燒かれてしまつて事業の方が一頓挫を來たしたが、中村君の方に租借地もあるので、大に何かやつて見やうといふ抱負を持ちて居ります、中村君の努力も大に正源寺氏の激勵が與りて力あることゝ思はれます。

護謨事業の將來

護謨の栽培は、前號に述べたやうに一に繋つて改良種の成績にあるやうです。改良種が果して從來一エーカー三百ポンドのものが千五万ポンドの收獲が確實に得られるものとなれば大したものです。ゴムは文化の向上につれて需要の益增加するのは勿論でありますが、今の世界的不況時代に於ては、一方需要は增さず、一方は舊來のゴム園經營法によるので全く四苦八苦の狀態です。けれども生絲に對する人造絹絲のやうに、曡に迫つて來る代用品もないし、砂糖のやうに熱帶でも出來るが亞寒帶でも蒔栄として出來るといふ譯でなく熱帶の特産品であり、且つ、一本一本から液を採收して行く原始的のものであるから勞働力の豊富な勞賃の低廉な南洋に於て始めて成立するといふことにもなる。アマゾンが如何に本家でもホードが如何に手をのばして見ても勞働力の貧弱なアマゾンでは如何とも仕方がない。

（次號に續く）

朝鮮閑話（八）

藤澤定司

三十九　一寸二寸三寸

家族制度の麗はしい發達は東洋倫理の美點であつてすべての道德がこれを根源にして展開して居る事は今更いふまでもない、だからその改廢は至大の影響を社會に及ぼす事は識者は深く考へて置かねばならぬと思ふ。

それ自己のよつて生れるゆゑんは祖先の御蔭であつて祖先があつての自分であるから祖先を大切に祭らなければならぬ、祖先崇拜を偶像禮拜と一緒に取扱ふ西洋思想（キリストの偶像禮拜の誤解思想）はやがては恐ろしい第二の惡思想生み出して來る事を慮ばからねばならぬ自己に一番近い祖先は兩親である第一代の始祖だけは大切にするが現に生きて居る兩親は粗末にする樣では話にならぬ、さて朝鮮では祖先は勿論兩親を非常に大切にすこの思想を推し廣めて同一の祖先から出て居る血族間に如何に遠くても皆「一家」と稱して互に扶け合ひ一致協同して利害をさへ共にするの美風があるそこで一家一門の名譽利害に關する樣な事が起るとその一門の者が何千人でも全部結束して事に當つて抗爭を辭しないと云ふ風がある彼の墓地の紛爭等は兩方の一族一門が死を期して鎬を削つて爭つた有樣であつた斯く親族間は親厚敦睦の交りを續け貧富を扶け合ふといふ程に信賴し合ふ反面には又獨立獨步の奮鬪努力が自然と缺乏して來て一族の内に一人の高官が出るとそれに皆集つて來て居喰を敢てし一門の内に一人金持があると「一家」の者が押よせて來て遊衣徒食を貪るといふ惡風もある譯で今日朝鮮民族がやゝもすると遊衣徒食をはぢないのもこんな處から芽生えて來た樣にも思はれるさて朝鮮では親等をいひあらはすのに古來「寸」といふ字を用ゐてゐる父と子は互に「一寸」間であり即ち一等親で祖父とは二寸間である但し直系尊卑族間には「寸」を用ゐないこんな事はなんでもない樣であるが一寸二寸が絕對に稱へられない言葉であるから注意が肝要で「寸」の最小限度は「三寸」から初まる夫婦間は「無寸」で兄弟姉妹間は二寸となり傍系の三寸は叔父甥の間柄となるが叔父が同年輩若しくは自分より年少の場合に「三寸」と「寸」を用ゐる事になつてゐる「寸」の數へ方は同始祖までの世數を數へ一世を一寸とするのである。

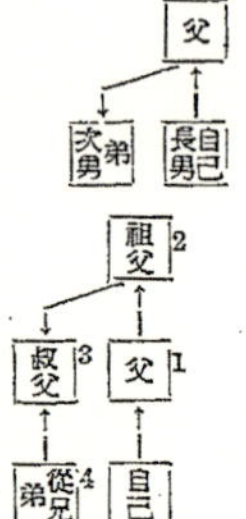

從兄弟姉妹間は互に四寸間で從兄が年上の場合には「四寸兄」と呼び年下の從弟には「四寸弟」ととなへて殆ど二寸間の兄弟位の親密さで同一家庭で生長し互に兄と敬ひ弟と愛んで暮して往くのが朝鮮の家庭の實際である。

四十　妾を殖やす藥

ロシア人は鹿の肉を珍重するだから大鹿を

飼育してその肉を喰ふ事が昔から行はれて居るそこへ持つて來て支那や朝鮮では鹿の袋角を煎じて飲む事が流行するから考へたのはロシア人で飼つて居る鹿の袋角を叩き切つてドシ〳〵輸出して一擧兩得の金儲けをして居る、シベリヤで飼育された大鹿の袋角が朝鮮の藥種屋へも澤山輸入されて居るのを目撃する。

鹿の袋角は人蔘以上の補陽劑でこれを飲んだら啞が物をいふ樣になるとさへ云はれて居る位で從つて高く一對で百圓弍百圓を呼ぶものも珍らしくない然しそんな高價な「鹿茸」即ち袋角は朝鮮原産の「小形の鹿」で自然に深山に育つた不老草を喰つて生長したものでなければならぬそんな誂へ向きの鹿はさう澤山捕獲が出來ないので兩班階級や山家の鑛師の家で飼つた鹿で間に合はされる場合が多い春先になつて袋角がムツクリ出て來ると時期を見計つて飼主は鹿と訣別をつけて他出する樣に見せかけて使用人をして切り取らすのであるが悲鳴を擧げて苦しむ狀はこの世ながらの地獄でさすがの飼主も見てをられぬだから罪亡ぼしにこな芝居をするのであるがかくも殘酷な事をして切り取つた袋角で不良草で育つた自然産の袋角に比較すると其の效めは非常に劣るそうであるさてその效めとは專ら補陽が目的でいひ換れば妾乃至は花柳の巷で淫樂に耽溺せんとする爲めに外ならない。

因に不老草とはマツチのレツテルにあるタコの化物の樣な草をいふのであるこの不老草を喰つた鹿の角は大層なきゝ目があるは勿論の事その血でも飲めばこれまた補陽の妙藥で「トツカヒン」どころの騷ぎでない故に鹿を逐て深山にわけ入り捕殺してその場で生血を飲むのが兩班紳士富豪の豪奢な遊樂の一つとなつてゐる鹿の血が其位きゝめがある位いだから兄弟分の獐の血もまた補陽の大關で金持ち連中は大勢の勢子を引具して江原道の山奥へ「鹿血」飲みに出掛けて獐を獲つてその血を飲んで歸て來て早速妾を一人殖す事にするなんと皆樣うらやましい事ではありませんか然し一寸待つて下さい何處かの國にも最近戸塚ピンやキングオブキング等の性藥がドシ〳〵廣告されホルモン注射迄も實行して居るのを見ると鹿の袋角を煎じて飲む當ばかりを笑ふ譯には行きますまい鋼一寸云ひ忘れたが甲州「エンヂン」の安物は朝鮮江原道産の獐の皮の化物であるのを御承知ですか朝鮮には狐が餘り人をばかす話はないが狐計りを餘り御用心なさる内地の御方は朝鮮獐にばかされて居ますよ尤も東京の眞中の淺草苦りが朝鮮慶尙南北道産のばけものですから一九三〇年後の化物には仲々油斷がなりませんが餘り脫線しそうですからこの項を改めます。

四十一　牛泥棒

朝鮮には牛泥棒が仲々多い足の甲が大きい者は牛泥棒の相がある相だ牛を盜まれて廐を直すといふ諺もある通り盜まれぬ前に頑丈な牛舍を作つて置けば大丈夫であらう。

然るに甚しいのになると畑の隅や畑の眞中に括り放しにして置くから冬の寒い雪の降る晩に金はなし腹は減る一杯飲みたいしフト傍を見ると大きな奴が背中に雪を背負つて人懷しそうにモー〳〵と呼びかけるから一寸失敬したくなる朝鮮牛の耐寒力は實に驚く計りで零下二十度三十度の嚴冬にも平氣で雪を背負つて悪寢を食つて居る爲めに反つて牛疫にかゝりやすいのであるといふ。

張某李某が牛を賣つて一杯機嫌で夕方家路につくと思はぬ處から追剝が來て牛の金を强奪して逃走する牛泥君張君李君が牛を市場へ賣りに行つた事を豫め見當をつけて居るのである。だから金を出さぬと命を落して目的を達する場合が起るその他靳賣りを殺して牛と並に新代とを盜む強盜殺人犯はまだ〳〵そ

の跡を絶たないゆゑに牛籍の完備は益々綿密に行はくてはならない問題である。

昔牛籍もなく牛疫豫防もなかつた時代に全南木浦方面で盜んだ牛を專門に買ひ込んでこれを屠殺してシコタマ小金を蓄め込んだ人間が居るその名前は聞き漏らしたが總て泥棒を防ぐのにはその泥棒した結果を處分する處に手を入れる必要がある。

四十二　官　官

王家に宦官を置くことは古い昔漢の時代から初まつた樣であるが西洋でも宗敎上の關係から羅切した人があつたそうである。

朝鮮では高麗朝時代にすでに宦官が殿中に置かれてをつて李朝に入つては最も盛んになつた即ち女官や官妓の數がふえるにつれて宦官も之れにつれてふえた樣である。

内殿の事は萬事一切を女官が奉待して晝となく夜となく御用を辨ぢるが女官は外殿に出る事を禁んじられてゐるしかつ又表向きに政事に關する取次は出來ないから自然外殿に宦官を置いて晝夜王に接近して奉待させたものであるそして女官との交渉が非常に頻繁で且つ密接である處から初めは陰嚢を腐敗させた兒童を採用してをつたが後では陰嚢はその儘で陰莖のないものを採用する事になつた。

宦官には子供がないから自然養子を迎へるが朝鮮では血族外から養子をする事は出來ないが宦官に限つて異姓の血族から養子を迎へる事が認められてをつたこの養子は結局宮中の株の相談勢力の相續である事はいふまでもない宦官は直接王に近侍して居る關係上自然政事に嘴を出したり取次を態と鈍らせたり遠めたりする潜勢力を持つて居るかつそのバツクを利用して富貴を一身に集めて當路の大臣を頤で使つた人もあるので閹官熱に浮かされた人々からは羨ましがられるのも無理ではなかつたそれで宦官の家へ養子にやろうとすると生れて二三ケ月位で最愛の兒の陰莖を唐糸で縛りその括り目から腐つて落ちるのを見屆けて養子に遣はし親父は左團扇で暮そうと云う殘虐無道の非望を企てるものであるが實際そんな事をしたかどうか第一小便の出る口もないから信ぢられぬが兎角どうかして去勢したものであると思はれる。言傳によると局部に鑞便を塗つて犬に食はしたのであとともいはれて居るかくも殘虐な惡風も今日ではその所要もないから自然跡を絕つたがそれでも現に最年少者二十才位の宦者が某學校に通學して居つた可憐な犠牲者もある。

宦官にも生地といふか系統があつて昔の高陽郡西山面は一村多くは宦官の家筋でありその他楊州郡一圓および黃海道からも宦官が出身して居つた。

四十四　宦官最後の奉公

宦官は王の「殮」に召されて參與するものであるが然しいやしくも玉體に手を觸れる事を許されぬ玉體を洗つて布團を襲ね殮具を奉る身分の者は何としても王家の御親戚でなければならぬ。

宦官はたゞその際殮具を奉る使をする位ゐに過ぎないのである。

最近故李太王熙殿下故李王坧殿下の親ら襲殮した人は故男爵閔泳綺であつたそうである。

四十五　淸正と妓生（傳說ヨリ）

時は天正十四年四月一代の偉傑秀吉が一令の下に荒狂ふ玄海の波濤を乘越へて釜山浦に上陸した三十萬の大軍は息をもつかず一路王城の地へとヒタ押に進擊した。

朝鮮の王は宣祖倭軍來の報傳はるや臨海順和の二王子に江原咸鏡の募兵を命ぢ漢城の防備を嚴にして應戰の準備を整へへしめた。

（續）

海外通信

宮本氏の第一信

拜啓小生渡伯に對しては一方ならぬ御配慮にあづかり厚く御禮申上候。神戸における一週間も無事にすみ、廿三日午後四時出帆仕候航海は頗る平穩にして波殆んど騒がず、從つて船醉の如き氣味更らに無之、愉快なる船旅を續け居り候間他事乍ら御休心被下度候。本船今回の航海は十回目の航行に有之、船員一同親切に見受けられ候。小生は商船の神谷氏の厚意によつて船の中央部に位する四人室を二人にて占領出來る事に相成り水入らずの氣樂生活が相營み出來申し候。

但し機關部に接近せると船窓なきため暑氣甚しく終日九十度を下らざる狀態に有之、船室には永くゐる事出來ず候。扇風器も二六時中回轉到し候も蒸し暑を風從ら起るのみにて堪へ難く多くはデンキに出で涼をむさぼり居り候。甲板は海風吹きて涼しく居心地よろしければそのまゝ居眠むりする者多く、到る處に天國を出現到し居り候。

本船乘客は左の如く定員の半數に滿さざる不成績にて海興も船會社も共に辛きものと推察致し候。

一等船客　一〇名
三等船客　四〇一名　計　四一一

行先別は

香港行　八名　ダーバン行　一名
ケープタウン行　五名　サントス行　三六五名
ベノスアインス行　三二名　計　四一一名

右によつて知る如く、ブラジル行き（サントス乘陸者）は三百六十五名にして本船定員の約三分一强に候。

本船ラプラタ丸には船客の自治機關組織せられ、船室C、D、Eの三室に別れ、各室に室長副室長を設け各船室の責任を負ひ候。活動機關として只今發表せられたるものをあげれば、運動係（役員三名）郵便係（三名）風紀衞生係（四名）學藝新聞係（八名）船內小學校（三名）靑年團（十數名）にて學藝新聞係にては隔日發行のラプラタ新報を刊行致しおり、船內小學校は幼稚園、小學校の二部に分れ、幼稚園（滿五才―學齡年マデ）二十名小學校（小學一年―高等二學年）七十余名に候尙此の外に婦人會も組織せられ、會員五十余にて洋服の講習、料理、精神修養、其の他補助作業等却々活動致し居り候。愚妻はこの會長、幼稚園を受持ち、飛び歩きおり候。

力行會員は十名にて右の機關の各部に活動致し居り候。同行の濱口靑年も頗る快活にて吾等と行動共し尙進んで骨身を惜まず働きおり感心致し候。從て評判もよく吾等のグループは誠に愉快に力行精神の發揚に努め居り候

明朝はホンコン午前六時入港八時上陸翌日（二十九日）午前十時出帆するとの事にて今晩は只今よりホンコン上陸についての諸注意有之、殊に熱帶流行病の傳染恐れ有之由に船側にては神經を尖がらし、果物の買込み等嚴禁の制札を出す有樣に候。

船中にては運動不足に候へば昨日より甲板洗ひの手傳をする事になり船員と共にデッキ上を椰子實にて、コスル（洗ふ）事はよき運動に御座候食物も昨日より麥飯に候、副食物も澤山に有之、只今にては食事に不平を云ふ者無之樣にてよく耳にする待遇改善の船客運判狀を事務長に突付る樣な珍事件は未だ無之候

本船が台灣に近づきつゝある二十五日正午過ぎ電報を接受致しました。早速一同に回覽仕り御厚意を傳へ候。

先づは不取敢御禮まで。

昭和五年八月廿八日　於香港　宮本乙己

巴里より

拜啓愈々御盛昌の段奉賀候陳者永らく貴會御盡力の、海の外誌御恵送相受け居り候處、今回御用都合の爲め歸朝する事と相成り來る十月中旬當地出發歸京可仕候に付九月以降の御送本は中止方御取計置き被下度候。就ては甚だ輕少乍ら雜誌代金として別添（拾圓）也御送付申上候に付可然御處分被下度候。

在歐四ケ年間、故鄕に於ける各種の情況を承知する事を得候儀謝在候、其間何彼御通報申上度思ひ居り候も常務多忙のため御無沙汰致し居り候當地も目下在留日本人は約千名に有之各種方面より御出張相成り居り殊に畫家が一番多く三百名位は此の方面の研學者に有之候、最近は歐洲への旅行も西比利亞經由ならば十八日を以て到達可能となり爲めに此の線を利用して來歐せらるゝ人々多く且つ以前と異り當方の事情も段々知れ渡りたる關係上滯在も至極便利に經濟的に出來得る樣になりたるに付呼々渡歐者も順次增加し當地巴里の如きさしも廣大なる處に於てさへも一寸外出すれば随所に日本人を見受くるが如き情況にて此點は海外見學者の增加を顯著に物語るものにて今後に於ても益々交通運路の便と海外事情の周知せらるゝとにより自然增加せらるべく海外智識の增進上慶賀に不堪候。

先は一筆申上度　不一

八月二十二日　在佛日本大使館內　川口英俊

渡伯の途上より

殘暑之候愈々御多祥大賀候、二十三日出帆の際御見送り下され有難く御禮申上候、宮本兄始め、アリアンサ行の諸君方とも御懇意を得、出帆以來向手の涼風に暑さも覺えず毎日欣快な航海を續け、廿八日午前七時香港入港、支那大陸觀きも試み、此處の人情風俗も珍數熱帶的情緒自然にも人生にも濃厚なる支那色彩と相待ち感ぜられ候、流石は英國領だけに市街之整然、道路の完實は羨やましく、勞銀安と自由港、銀價下落などが物價の著しく低廉なる等御報告の所感に御座候、船內自治團体組織せられ小生は語學精神生活方面の御用を命ぜられ候

八月二十九日　香港にて　伊藤八十二

ありあんさ便り

拜啓其の後御兩親には御變りはありませんか、小生等無事に居りますから御安心下さい、何時も乍ら御無沙汰の致し大分御心配の事でせう、而し此處に居ればブラジル式になるのか百姓の無性になるのか筆を執るのが實際大儀になり文章も字体も下手になり自分乍ら昔の太古に歸るのではないかと思はれる位です、度々の荷物御送り被下され誠に有難く感謝致して居ります、御通知ありました通り間違ひ無く受取りましたから御安心下さい。

左に一寸書いて見ます。

持參者　東京府下　羽根田光雄殿

二月十八日神戸港出帆のハワイ丸で來伯しました。

五月四日に受取りました。內容は左の通り

鰹節二、鑵詰サケ二、貝二、メリンス布團數點、種子類、（桃、柿、靑豆、大豆、黑豆、ヒタシ豆等）ガーゼ二、脫脂綿二、乳口道具、玩具類、ミスズ飴一

右品、石油鑵半鑵の中に入れてヘトロン紙に包んでありました。玩具は小兒は喜こんで

居りますミスズ飴は中々美味かつたです。當地の如き菓子を殆んど年中口にした事の無い者には余く珍味です。

羽根田光雄樣は態々持つて來て吳れました實際感謝です。運賃も何も支拂ふと云つたが受取つて吳れず、運賃は一文も要しませんでした。何れ何かで御禮をして置きます。

又北海道人小野寺養太郎氏が持參致して吳れた品物內容、カキモチ、タホル三枚、齒磨粉二、杏ホシを木綿包にしたものを一個、之れも確かに受取りましたから御安心下さい。カキモチは早速食べました、久振りに日本のものに有付いたので非常に美味かつたのです杏ホシも砂糖で煮て食べました。之れも中々美味かつたです。

實際何時も乍ら荷物を送つて頂く事を厚く御禮申上げます。協會の方へも御禮手紙は出して居きますが、家の方からも又協會へでも遊びに行つた時よく禮を云つて下さい。

妻の乳の病氣は丁度七ケ月半ばかり掛りました。實際小生もひどひ目に會ひました、小兒は元氣よく毎日家の中や庭の土の上をはひ廻つて居ります、今三ケ月もしたら步く樣になるかと思はれます。未だ一度も病んだ事がありません。

此の頃寫眞を撮りましたから御送り致します、寫眞は山田君と一家皆んなで家の前のバナナの下で撮つたものです。

日本も中々の不景氣の樣ですね何處も同じです。ブラジルも只今は不景氣のどん底です而しブラジルは日本の樣に喰ふに迄差つかふ樣な事はないです。來年は景氣がよくなるでせう。政府が二千万ポンドの借款が成立したのですから之れが次期大統領の着任、即ち今年の十一月からこの金が使はれるのでお互ひに樂になれると思ひます。

次に一寸仕事の樣子を御知らせ致します。只今は山伐りの最中です。毎日天氣續きで乾燥しきつて居ります、此の間四五人共同で近所の山を少し開きました。二三日の中に今度は僕の所の山を一アルケール（二町五反步）開くのです、今年からは山田君が一所に仕事をして吳れるものですから山も伐れるのです今年はうんと米を作り二百俵か三百俵取つて來年の景氣の良い時にうまく賣り飛ばしてそれでロッテ（土地）を買はうと云ふ勢ひなんです

ブラジルでは相場の變動が甚だしいから不景氣の時はひどいが又その一面に事業の成功も早いです。

實際昨日迄米が五十ミルしたかと思ふと、もう今日は三十ミル、二十ミル甚だしい時には籾で一俵三十ミル位（約七圓五十錢）したのが僅か一ケ月か二ケ月で五ミル位になるのです。たつた一圓ですよ。實際話しにならない。此處に又ブラジル式の面白い所があるのです

只今は山伐の最中にて忙がしいのです、朝は暗い中に起きて日の上らない中にマット（森）の中に入つてマッシャードや鋸で直徑二尺から三尺五寸位の木を切ります、木の硬い事、日本の木なぞとても話しになりません。一番柔かい木でも日本の杉より硬いです。

七月十日　大澤英三

寫眞機受領

拜啓御一同樣には御變りもなく御暮しの由嬉ばしく存じ候私方一同達者で働いて居りますから御安心被下度候

去る四月二十五日御送り被下し寫眞機送附證六月十九日拜見仕り六月廿五日第一に行き馬場樣より確に受取り申候

種々御多忙の折柄ら御手數相かけ御厚心添く深く御禮申上候近々中に寫眞材料買入にサンパロ迄で出かけ七月末日頃ろより追々と當地ブラジルの景色寫眞を御送り致しますが組合に於て必要の所御思召しが御座いますれば御用命被下度候今六月廿九日日曜休み晴天日中七十度夜は四十度御かげ樣にて住宅井戸も掘る家は三間に四間、四間に一丈の差出褒方に倉庫三間二間半全部とば屋根井戸十二メートル半自分で掘る、家は二コント八百ミルレース大金をかけましたが無事で働いて取返したく存じ居り候　（五、六、三〇）

六月卅日　第二アリアンサ四區十一號　渡邊勘吉

移植民ニュース

海外移民

檢査醫囑託さる

本縣では今回各郡市醫師會長の推薦により左記諸氏を海外移民身体檢査醫師として、囑託したがこれは主としてブラジルへの移民中にトラホーム患者が多數あつたところから同國政府が先般患者の送還を命じたことに鑑み今後特に眼疾に對する嚴重なる檢査を行ふべく眼科醫を囑託したものである。本縣人にして今後伯國渡航者は必ず最寄囑託醫の診斷書を添付出願する事、他縣人にして右に依り難き場合は所在地專問醫の診斷書を要する事となつた。

郡市別	住所	氏名
南佐久	中込町	小池勇助
北北久	小諸町	川口泉
小縣、上田市	上田市	松山喜又
諏訪	上諏訪町	土橋秀彥
上伊那	伊那町	瀧澤喜太郎
下伊那	飯田町	阿野政之助
西筑摩	福嶋町	今井碧海
東筑摩、松本市	松本市	中澤達三
南安曇	南穗高村	小穴末作
北安曇	大町	横澤泰一郎
更級	篠ノ井町	井上瞭
埴科	屋代	鴇澤新九郎
上高井	小布施村	渡邊仙岳
下高井	中野町	小田切又四郎
上水內、長野市	日赤支部病院	豐田武夫
下水內	飯山町	足立幸太郎

ブラジルの金融改善協議

拓務省では拓務懇談會の決議に基き南米ブラジルに金融機關を充實整備すべく久しくその具体案を練つてゐたがいよいよその成案を得たので八日拓相官邸で宮尾東拓總裁、井上海外興業社長、坂本東山農事社長、安川雄之助（三井）野村德七、村田商船會社常務等ブラジル企業に關係を有しまた將來關係を有すべき財界有力者を招致し拓務省側よりは松田拓相、小坂、小村次官、武富參與官、關係局課長等出席

まづ松田拓相よりブラジルにおける金融行詰まり事情を述べてこれが改善に關する助力を求めついで郡山拓務局長よりこれが基礎案として

一、ブラジル・コンメンサリユー（製品委託販賣並に前貸業）を百萬圓の資本金をもつて新設して邦人移民の金融を圓滑にすると同時に共存共榮の意味において白人にも同樣便宜を供與

二、尙その手足ともいふべき產業組合を設けて委託販賣並に前貸業の代理機關とすること

といふ原案を詳細に報告し、これに對する質問應答があつた。

外務省新規要求

目的は貿易振興

外務省では昭和六年度豫算編成に際し大藏省が新規事業を一切承認せずといふ方針なるにも拘らず約百萬圓に達する新規要求をなしたがその費目を見るにほとんど全部が貿易振興、新市場開拓發展の目的で、外務省側の要求理由によれば最近舊市場は漸次關稅の障壁を高くして我輸出商品の販路をせばまうとしてゐるのでその方面に對しては內地における產業合理化の達成、販賣組織の改善等をもつて對抗しなければならない、然しアフリカ大陸、近東地方、南米、南洋等の後進文明國地方に對しては我商品の紹介等により、差し當りその販路擴張の余地あるものと認め、この際はかゝる方面に力をいれる事が肝要であるとなしてゐる。

モンバサ領事館の新設、エヂプト公使館の新設、領事館の見本陳列所施設等はこの一端である。最近我綿製品の仕向先はインド、支那の外アフリカ各地近東地方各地が有望となつたためかゝる地方で確固たる基礎を築く事は緊急の要ありといはれてゐる。

故にエヂプト公使館の新設により、最近成立したエヂプトとの通商取極めを活用し北アフリカ方面に地盤を確保せんとし、モンバサ領事館の新設によつてはケンヤ、タンガニカウガンダ方面はもちろん、モンバサを咽喉とせるベルジューム領コンゴー地方への商權擴張を計らんとするのである。

この中部アフリカ地方は大戰後のコンゴー盆地協約により我國も、英、蘭、伊佛等アフリカ大陸に密接なる關係を有する諸國と何等の差別なき通商上の權利（營業、居住、土地所有）を有してゐるのでこれを活用するためにも同地方交通の要地であるモンバサ港に領事館を設け我商權の保護、販路の調査等に遺憾なからしめる必要があるといふのである。

外國移民に對し

極度の制限をつける

フーヴアー米國大統領は失業救濟策として今後外國勞働者の米國移民を極度に制限する事に決した旨を十日發表、米國國務省は全世界の米國領事に命令した、これは例の移民法の比率條項を適用せられた勞働者と雖も當分米國において職業を得る可能性なき一切の外國勞働者はこれを排除することとならう。このフーヴアー大統領の執つた行動は特に米國の失業問題が好轉するまで即ちこの秋冬までは總ての移民を完全に止めてもらひたいと主張する米國の勞働團體あたりからの歎願によつて促進せられたことは明らかである、フーヴアー大統領は昨年の冬も議會に對し外國移民の入國比率を半減するやう勸告したが米國議會はこれを實現するに至らなかつたので今回の擧に出たものである、米國勞働相ジエームス。デビス氏は昨年中米國へ入國の外國移民は廿一萬人しかもその八割は未だに職にあり

つけないでをるものであるといつてをる。

ブラジル産のゴム

總て随一の國産とならん

最近リオ外務省發行の商業經濟日報へ發表された、南洋シンガポール方面の護模園經營者小出積善氏の所說に依れば、やがてブラジルは莫大のゴム輸出をなすに至るであらうと述べられ、これには次の様な理由からであると。

一、英領南洋から生産されるゴムは其質に於てブラジル産のものより劣つてゐる。これは氣候や土質が影響するものでなくゴム樹の種類に因る。

一、ブラジルがゴムの輸出をなす上に第一の得點は世界の主なるゴム消費國としての北米合衆國、英國への距離が近きため運輸を格安に出來る事。

三、印度のゴム樹一本當りの生産量はブラジルのゴム樹一本から生産するものの半分にも及ばず、又彼の地では虫害を蒙る事ブラジルよりも多く、主な害虫は根と若樹の莖を侵すもの八種類、葉を喰ふもの七、苗を侵すもの四種類ある等。

四、印度のゴム樹よりもブラジルのゴム樹が遙かに强健にして彼の地ではゴムの生産をなす迄、植え付け後六ケ年を要するにブラジルではこれよりも早き爲、資金の運用並びに回收に大なる得點あり　云々。

ブラジルの

輸入自動車數

ブラジルの有する自動車は總て外國品である。近年奥地の開發と交通運輸機關の自動化に從ひ、その輸入數も漸次增加し、一九二二年以降を年別に示せば左の通り

一、九二三年	一二、九九五台
一、九二四年	二四、一六七台
一、九二五年	四三、七一四台
一、九二六年	三三、九五四台
一、九二七年	二九、五九一台
一、九二八年	四五、三七九台
一、九二九年（上九ケ月間）	五一、六五〇台
計	二四〇、四五〇台

ニユージランド定航開始

大阪商船は日本對ニユージーランド間の直通定期航路なく商品の輸送は總て濠洲又は米國にて中繼してゐた不便を除くため今回濠洲航路をニユージーランドまで延長に決し同社の濠洲航路の九月船たるブリスベン丸から實施に決定したと。

北海道移住

續々申込み

東筑摩郡廊濱村前村長藤原助人氏一家九名を始め、同村六家族二十七名、坂井村一家八名、中山村一家八名中山村一家三名はいづれも北海道廳奨勵の自作農として釧路國川上郡へ移住すべく十一日手續を終へたいづれも農村の不況から祖先傳來の地を賣つて新天地に一活躍せんと志したものである。

信州記事

臨時縣會

失業救濟豫算可決

九月二日召集の臨時縣會に提出可決された失業救濟土木事業、養蠶業救濟、乾繭補助等による本縣昭和五年度歲入出追加豫算は總計額二百十七萬六千百七十二圓でこれを既決豫算額に合算すると現在の本縣豫算總計額は一千百十八万七千六十六圓である。

縣會議長

副議長選擧

今回召集の臨時縣會に於て議長選擧の處、滿場一致、副議長山本莊一郎氏當選し、宮坂作衛氏副議長となる。

局面打開眞劍味

町村長會重要協議

本縣町村長會臨時總會は三日午後一時半から長野市藏春閣で開き町村長の大部分出席福澤會長より全國町村長會の經過報告をなし臨時總會開催の主旨をのべ宣言並に決議案を可決時局對策協議事項を付議したが深刻なる不景氣の折柄各町村より種々の意見が出た。

中には農村の悲慘な現狀を述べて縣當局の奮起を促し聲涙共に下るもの官吏敎員の減俸を論ずるもの單に宣言決議のみでなくこれが實行に向つて努力せよと絕叫する者も出で別項の要望申合せを可決しその實行については縣會を通じて實現運動を行ふ事となり午後五時過ぎ閉會決議並に時局對策に關する協議事項左の如し。

決　議

一、去る八月二十五日開催の全國町村長會臨時總會の決議に贊同し極力その實

現を期す。

協議事項

一、縣民負擔の輕減を期すること

（イ）廳內行政事務の整理を行ひ縣費の節約事務の簡易を計られたきこと

（ロ）縣稅種目の整理を行ひ廢減稅を斷行されたきこと

（ハ）中等敎員に關する經費の節減に努め敎育の經濟化を計られたきこと

（ニ）師範卒業生初任給を相當引さげられたきこと

（ホ）この際小學校敎員給義務額超過の引さげを承認されたきこと

二、交通および產業の開發振興のため助成策を講ぜられたきこと

申合事項

一、この際特に人心の荒怠輕擧を戒め縣民自重して輿論の善導に力むること

二、町村經營に關しては力を產業の振興に致すとともに極力經費の節減を計りもつて自治體の進展に力むること

三、社會習慣の矯正改善に力むること

四、日常生活の經濟化に力むること

自作農創設に

現れた眞劍味

五年度自作農創設維持資金の本縣に對する配當額は四十三萬圓であるが、縣下からの貸付申請は四十八町村卅九組合の九十八萬五千圓に達し目下縣農商課において內審査を急いでをる遲くも十月中旬には貸付審査委員會を開いて決定する見込みであるが、昨年度において配當額四十萬圓に對し貸付希望額が百十二萬圓に上つたのに比較すれば今年は貸付希望者にとつて頗る有利である、しかして本年度の申請書に現れた計畫內容は何れも規定の標準價額に適合し審査上頗る好都合であるといはれてをるが、これは農民が不況の深刻な影響をうけた結果自作農創設維持に非常な眞劍味を示すにいたつたものと見られてをる。

佐久

淺間山又も大爆發

山麓一帶住民の恐怖

大爆發の恐れありとして警戒されてゐ

母國通信日誌

自八月十六日　至九月十五日

八月十六日（土） 敎員の減俸學級整理を極力防止せよと當局より地方長官に通牒▲東京旅館組合値下げ茶代も七分通り廢止▲兵力缺陷補充の空軍擴張案經費二億圓▲勞農ロシア金が無いから北樺太を賣るといつたり五億の金でベーリング海峽埋立てようともいふ。

八月十七日（日） 捻出困難の財源三千万圓に達し大藏當局惱む▲甲子園の全國中等校野球大會白熱化す▲軍縮剩余金は負擔輕減に充當と首相語る▲小田原地方に急激な地震。

八月十八日（月） 海軍條約案の批准に關する樞府審査委員會開かる▲金融資本家に增稅せよとの聲各方面に起る▲モデル問題から憤激し菊池寛氏婦人公論編輯主任に暴行▲三信鐵道會議、土工百余名警官と乱闘す。

八月十九日（火） 農村、失業救濟に低資八千万圓融通と閣議で決る▲東京市電毎日約三万七千圓宛の減收に從業員の手當を削る▲樞密院の條約審査員會の空氣險惡▲溝口陸軍政務次官辭任し後任に伊東二郎丸氏決る。

八月二十日（水） 奉答文提示要求はあくまで拒絕と政府閣議で申合す▲我が人絹製品南洋市場の國際商戰に斷然英、伊を壓倒▲甲子園の野球決勝戰に廣島勝つ諏訪蠶絲遂に長蛇を逸す。

八月二十一日（木） 收入激減から遂に鐵道豫算編成替へ▲刑の施行又は拘禁による國家補償法案を政府來議會に提出する旨發表▲橫濱浦賀、石川島造船三社の共同經營談すゝむ▲不景氣とは逆比例に各地競馬熱高まる▲的確な證據擧り乾新兵衛遂に起訴さる。

八月二十二日（金） 北海道の豪雨數千町步の水田泥海と化す▲奉答文問題の措置海相から間接說明に至るか▲物々交換市場ぼつ〳〵各地に開設さる。

八月二十三日（土） 緊縮の御趣旨により名古屋、武庫離宮と五御用邸廢止に決る▲樺太の共產黨結審十三名起訴さる▲重要問題山積の爲農林審議會設置の事に農相來議會に提案の由▲農作見込白米値下げさる。

八月二十四日（日） 金鯱城は永久に離宮として存置されたしと名古屋市から陳情▲農民が團結して借金返還組合兵庫縣下に生る▲經濟調査終りて新政策の樹立へ政友會成案を急ぐ▲南米土地會社々長山科禮藏氏死去▲六大都市を府縣から獨立の特別市制共通原案成る。

た淺間山は十二日午前九時二十六分過般の爆發に數倍した大爆發をなし山をおほうた密雲を衝いて溶岩と共に噴出する黒煙天に沖し北上州方面に流れ物すごい光景を呈した、輕井澤始め山麓一帶は約三分間にわたり茶わんの水がこぼれる程度の强震があり人々は戸外に飛びだした北輕井澤、草津町方面は十時頃猛烈な降灰があり場所によつては鷄卵大の石が降つてトタン屋根に穴をあけた、桑園野菜畑等全滅した場所もあり、十一時五分再度爆發し上信國境は盛んに降灰を續けた

上小　失業者救濟に

國有林開墾

村税特別戸數割半減といふ思ひ切つた村政を實行して付近町村を刺戟づけた小縣郡和村では既報の如く不況對策委員を更に倍加して愈々第二次の對策を考究し具體的運動を開始した卽ち同村は養蠶村の稱あるだけに繭價の暴落による打撃は頗る大きく秋繭賣却後に於ては全く收入の途なく殊に下級の村民に於ては從來の日雇ひ業がなくなり文字通り路頭に迷はねばならぬことがいよ／＼必然的となつたので之等の人々を救濟し且は永久的有利の施設が急務であるので先に拂下げを受けた同村西入の國有林三十町歩を開墾し失業者を救濟し同耕地をば殆ど無償にひとしい小作料で下級民に貸付け以て比較的高率な同村の小作料を緩和しやうといふ最も時代に適應した合理的對策で村當局もこのほど下檢閲をしたが有望有利を折紙つけたので近く實施の運びとなるであらうと。

上田の獅子舞

愈々東京へ進出

東京明治神宮大祭に進出すべき上田獅子の地元委員協議會は四日午後市役所内で開會の結果房山常田獅子共出場に決し警護人員その他最少限度で一組百人都合二百人、これに要する經費一組五百圓合計一千圓として市費によらず市當局で適當な方法を講じて支出することゝし、また上京後の獅子舞場所は明治神宮以外赤坂離宮前、日比谷公園、宮城前の三ケ所のうち一ケ所を選定し當日は(十一月四日)ラヂオ放送をもやることに決定した、柴崎助役は十日上京神宮奉贊會及び東京在住の有力者と打ち合せをなす。

伊那　全村窮境打開に躍進

赤穗村の大計劃

空前の繭價安から本縣下の各町村は今や極度に困ぱいしてゐるがこの現狀を打開すべく悲壯な決意を傾倒してゐる縣民の魁として上伊那郡赤穗が今度樹立した年五十萬圓增收の計畫は各方面から非常な注目を惹き過般同村長福澤氏が町田農相と會見した際も農相はこれを激賞しその具體的內容の報告を要求した程である、右案の大要は農業經營の根本的改革並に農村副業の積極的奬勵であつて同村が今年度に蒙つた四十萬圓の減收を一擧に回復せんと來年度五十萬圓の增收をあげんとするものであるその農業經營の改革としては

一、六百五十町步の桑園を百町步減少して從來通りの桑葉を生產しこれによつて得た百町步は新にソバを栽培して食糧とす

二、現在は水稻と紫雲英の二毛作であるのを水稻と麥の二毛作となす

三、有畜農業を奬勵し乳牛三百頭を購入肥料購入費を節約すると共に中央製菓會社と特約して牛乳の販賣をなす

副業に關しては新しい試みとして蔬菜、トマト、キヤベツ類をはじめとし從來も中央市場に好評を博してゐた鷄卵の生產を增進し豚山羊兎の飼育を奬勵する。

伊那社再び直輸出

ジャリー商會優良糸に吊らる

下伊那郡生糸販賣組合聯合會伊那社の生糸直輸出の一部變改に對し既報の如く米國チヤリー商會日本代理店國際生糸會社小田社長と宮崎農林省技師が五日夜來飯、小田社長と伊那社との間に幾多の折衝を重ねたが、要するに米國チヤリー商會は優良な伊那糸の大量出荷を飽くまでも希望し、伊那社側は三井その他への振替より一層有利なプレミヤムと取引上の圓滑を主張し結局九月取引は不況時にもかゝはらず八月渡しより更に十圓高の次の如きプレミヤムで三萬斤を契約し、伊那社側に有利な展開を見たので再び直輸出を專らとする方針らしい。

記　白十四中綜合八十點より八十二點迄最優四十圓高、同八十三、四點九十圓高同八十五、六點百卅圓高、同八十七、八點百九十圓高、黄廿一中八十點より八十四點まで廿圓安。

八月二十五日(月)　全國町村長會と帝國農會協同戰線を張り本日臨時大會開かる▲軍縮會議直後の海軍大演習は今秋十月豫算四百萬圓で大規模に施行の計畫▲不況の海運會を救へと海運審議會設置に關しけふ船主協會並に海員組合代表より陳情。

八月二十六日(火)　中等學校生徒に左傾思想の侵入文部當局躍起となる▲地方長官大更迭免官休職六名拔擢六名▲大阪に綜合大學新設案生る▲樞府精査委員會本舞台に入る。

八月二十七日(水)　汽車の一等車廢止の問題生る▲陸軍在營年限短縮可能なのは航空、工、輜重兵だけと意見一致▲水稻作況全國的に見て稍良と發表▲商品市場戰線へ生糸洋服地乘出す。

八月二十八日(木)　賀川豐彦氏東京府下荏原町長に當選▲國有鐵道七月中收入昨年に比し四八八萬圓減少▲有力生命保險四社が有價證券變動による損失防止の爲投資會社計畫▲日伯親善のお使ひマカコ。アッスー二匹來る。

八月二十九日(金)　醫博候補の種切れを心配し文部省醫學部擴張の新計畫▲軍縮條約樞府審議埒あかず、ひいき／＼が示威運動を始む▲菜種輸入防遏のため農林省より菜種生產增奬勵金交付の事になる。

八月三十日(土)　ツーリスト・ビユーロー米國航路船に案內人を置き外客誘致に力瘤を入れる▲小兒保險制度の要綱成り簡保法改正案來議會提出か▲貴族院研究會の新陣容政友色薄らぐ。

八月三十一日(日)　政友會、倒閣の烽火を擧ぐ▲外務省大阪出張所設置のため來年度豫算に計上▲八月下旬出超七九八萬圓▲富山工船擲捉丸殘虐事件暴露。

九月一日(月)　ロンドン條約否決論樞府委員間に台頭す▲震災七周年、記念堂落成式盛大に擧行▲財源捻出に窮した藏相約一千萬圓を目當てに賞與手當等も減額に決意▲鑛山勞働者の一日十時間就業制けふから實施。

九月二日(火)　大豐作を氣構へ期米の大暴落▲申合せを裏切り各省競つて新規要求、總額一億圓突破▲統帥權干犯を認める迄樞府は質問の手を緩めず追究すると▲合理化助成の產業調査協會生る。

九月三日(水)　米價大暴落に刺戟され帝國農會農村救濟の大運動開始▲來議會に提出の婦人公民權原案成る▲海運界の沈衰狀態益々深刻となり主要港の繋船更に增加す▲鮮米の移入調節に當業者躍起となる。

九月四日(木)　內外に征空の壯擧續々行はるしかも我帝國飛行協會あづからず▲國產奬勵奏效し外國資本續々退去す▲東京ロンドン間無線電話開通の氣運進む。

松本　信濃山岳會が

國立公園で議會に運動

信濃山岳會では廿九日夜役員會を開き國立公園問題について協議したが山岳會としてはたゞ單に上高地のみとせず白馬黒部も含んで國立公園とすべきが妥當であるが國家經濟の上からこれを上高地中心白馬中心黒部中心と三大別として三期になす事も差支ない最も設計施設を第一になすべきは上高地であるとの意見が一致し右に關し山岳會として降旗代議士及び辻同次郎兩氏のもとへその實現を速ならしむるやう資料を提供し一方これが意見書を送り來るべき議會に運動方を依賴することになつたなほ山岳會では他の各種團體と共にこの際飛躍をなすことになり日本山岳會、風景院、公園協會と連絡をとる筈。

神坂の農家平坦部移住

村では當町歩の稻田開墾

西筑摩郡神坂村地方の農家中には最近中津川、落合地方の平坦地方目がけて移住するものが續出するので村當局は原因を調査したところ同村は山間僻地のことゝて農家住宅と耕地との距離が極めて遠く甚だしきは一里以上も離れて田畑を持つて居るものが多い從つて農產上の能率更に上らず農家のこれに要する勞力は豫想以上のものがあるため彼樣な場所を嫌つて平坦地に行くものと分かつたので農會ではこれが救濟策として人家近くの馬籠峠附近の山林原野約三十町步を稻田として開墾農家の現狀打開に努むることゝなり近く耕地整理組合を組織の筈である

養豚、堆肥の製造

南安にも新農村の動き

窮乏のドン底に落ちて行く農村の更生を期すべく雄々しく振るひ立つて居る會並に農事組合產業組合が南安曇郡にも漸く强化して來た。

產業組合が資金を投じて小豚を購入しこれを各方面に配布して嫌應なしに養豚を普及し自給肥料の造成を期せんとする計畫が全郡的に擡頭しつゝある高家村飯田中央農事組合の如くちかく秋蠶上蔟を待つて堆肥を奬勵して理論と實際の兩方面から大いに金肥驅逐の成績をあげやうと意氣込んで居るものあり、殊に田や桑畑の畔草を今年の樣に郡下何れの地方に行つてみてもきれいさつぱり刈取つて堆肥にしてある年は十數年來の現象で如何に農家が眞劍になつて來たかがうかゞはれると言ふのである。

更級　農產物販賣聯合會

更級產組の新計畫

更級產組部會では過般來郡農會と提携して專ら農家自給肥料の增發生產費の低減を計ると共に多角形農業副業奬勵に努め農村救濟に力を注いで居たが農產物價の著しき下落に落ち込んだ苦境打開策として今回產業組合法に依る農產物販賣購買組合を設立することになつた卽ち販賣さるべき郡內一ケ年間約七萬八千貫からの生產卵をはじめ約五千貫の生鳥八百三十頭一萬九千二百貫の豚等を第一段として昨今附近市場で殆ど捨て値同樣取引されて居る蔬菜園藝品等を重要販賣事業として取扱ふ外年々十二三萬圓から上る莫大な養鷄養豚飼育飼料及び器具機械用品類等を安價に購買せんといふにあり既に各町村の同意を得て居るので十一日午前十時から郡聯合事務所に第一回產組部會正副會長會を開き具體的準備を進める筈であるが設立の曉は從來金融單一の產業組合主義に一エポックを與へるものと見られ縣下初の試みとして注目されてゐる。

九月五日(金)　淺間山またも大噴火し沓掛方面に熔岩流出す▲警官醜事件頻發し警視廳の大狼狽▲富山縣新湊町四百戸燒失▲一念發起し乾新兵衛家金貸廢業。

九月六日(土)　國際航空時代來る、歐亞連絡の郵便飛行ドイツから提唱し來る▲簡易保險の解約還付數每日三百名に及び保險局面食ふ

▲**九月七日(日)**　千葉縣高神村民二百余名公金費消事件から突如大暴動▲青森縣淋代海岸に出發地を變更しにタコマ市號けふ霞ヶ浦から移る▲新口の說激強盛高崎に現はる。

九月八日(月)　回訓案に斷然同意せず、進んで樞府に眞相を述べたしと加藤前軍令部長意聞く▲警察權の市長責任は內務省斷然反對なる由▲從來の外交官型は經濟外交に適せぬと人事刷新の問題起る。

九月九日(火)　やはり仁術、醫藥料適宜値下げの決議▲女子世界オリムピツク大會に日本は第四位となる▲ロンドン會議以來內訌の海軍に更生論高まる。

▲**九月十日(水)**　福岡の三井炭坑で女坑夫三百名解雇の申渡し▲平均一日の增加數四、一四〇人の割と人口調査發表▲都市失業者歸農し農村思想的に變化▲米の全國的販賣統制へ產業組合が乘出す。

九月十一日(木)　八月末國債總額六十億九千八百萬圓▲產業組合中央會新會頭岡田良平氏を推薦▲政府樞府正面衝突の重大危機迫り政界の雲行頓に緊張す。

九月十二日(金)　民政黨少壯組樞府彈劾の運動に着手▲農村の電燈料金一割値下げ當然と農林省いふ▲警察廓清、詮じつめればやはり生活苦の問題がもと。

九月十三日(土)　樞府益々硬化す▲山口では男が子を生む、東京ではお巡りさんが珠數つなぎになりそう▲頽勢著しきわが對印貿易輸出入共に激減▲省線電車新橋有樂町間で追突負傷百餘名を出す。

九月十四日(日)　タコマ市號飛行機太平洋橫斷の壯途にのぼる▲露政府の處置から鮮銀ウラジオ支店業務不能となり經濟斷交の危機に陷る。

九月十五日(月)　タコマ市號引返し今朝青森尻屋岬に着陸▲政府、樞府喧嘩別れ審査會の質疑を打切る▲不正入國の嫌疑で米國より送還の實業視察團十九名橫濱へかへる。

海の外　よもやま

歐州各國の出產率低下

相變らずヨーロツパ主要國の出生率が低下してゐる。大戰前に比べて格段の相違で、近代文化生活の生々しい一面をこゝに見出すことが出來る。

ドイツは一九〇七年に、一組の夫妻に、平均四人の子供があつたのが、一九二九年には一・九七の割に落ち。この狀態が續けば、現在六千萬の人口も五十年後には四千六百萬に減る勘定になる。

英國も一九一三年に八十八萬からあつた出生總數が、一九二九年には六十四萬に減つてゐる。この分で行くと植民地を支へきれなくなるといふのである。

フランスはいはずもがな、この點では大戰前からの札付である、いくら產兒奬勵の方策を講じ、子福者に勳章や賞金まで出してゐるけれども、駄目がない。

たゞ例外なのはムツソリーニ首相治下のイタリーである、かれの產兒奬勵策は着々効を奏し、今年上半期の成績から推算すると、一年の人口增加六十五萬、戰前の一年五十萬平均の增加數を凌ぐことになつてゐる。

ロシアは、死亡率は高いが出產率もまた高いので、差引プラスの方で、まづ例外組の方その他ベルギー、スペイン、ポルトガル、スエーデン、ノールウエーいづれも出產率低下に惱まされてゐる。

サハラ沙漠を沃野に開墾

サハラ沙漠を靑々とした千里の沃野に化さうとする大計畫を以てフランス科學者よりなる有力な探險隊の一行が先づその試驗をするために廿八日パリを出發したこの計畫は最近世を驚かせてゐる新學說、即ちサハラの沙漠の地下には滿々たる冷水をたゝへた多數の大地下湖が横たはつてゐるからその水を地上に汲み上げて沙漠の灌漑を行へばこゝに一大沃野が出現するとの新說に基いたものである。

月に飛行機二百台
米國の素晴しい生產能率

ロンドン海軍會議で軍艦の方は大に譲つたつもりのアメリカ、飛行機の方で補ひをつけやうといふ考へ、從つて國を擧げての飛行機熱は大したもの。製艦工場が飛行機製作工場に早變りするといつた具合でその製造能力も素晴らしい有樣。

最近における商務省の發表によると今年一月から六月まで半年の間に作つた飛行機の數は月に二百隻の割合。即ち合計一千二百五十隻でその内九百七十一隻は民間用、二百七十九隻は軍用機この外に海外へ輸出したのが百三十二隻而もその半年の期間内に滑空機が六百十三隻も製作されてゐる。

さうした調子だから尖端的のヤンキー娘が飛行機を愛好することは無類。婦人飛行家の數は著々として增加する一方で現在飛行免狀を持つてゐる女は二百五人。その内百七十一名は自家用飛行機を操縱する程度でこの方なら十時間單獨飛行試驗にパスすれば容易にその資格を得られる。

それから十六名が商業航空路操縱士の免狀を得てゐるがこれは五十時間の單獨飛行試驗を必要とする輸送飛行免狀は二百時間耐久試驗にパスした婦人にのみ與へられるもので現在十八人といふ數が揃つてゐる。

海の外　歌壇

短歌　雉夫選

○　川口幹

宵空の深く曇れる街中に蟋蟀の聲ききとめにけり

秋虫もま近に生れて鳴きいでん庭のしげみに風立ち騷ぐ

谷川の音こもりたる深山木の深きしげみを我のぼり行く

夕立の晴れたる宿の庭に來て深山雀のさえづりにけり

○　中谷四郎

長雨に水の增したる天龍はあした我が家にひびき聞ゆる

夕ぐれて軋に居れば吾庭のおいらん草の花うきて見ゆ

明け方のかぼちやの花に蜜蜂は羽音微かに寄りて居りけり

父埋めて盛られし土の久しければまだおちこまず草生へて居り

○　加納幸雄

夕餐の木よりおちたる雀の子吾子歸るまでとらへておかむ

久しくて梅雨はれしかば子等と來て笹舟流す川の淺瀬に

國濟水のしたたりおつる深淵に泳がんとする心おくるる

家裏の高き樹に群れ椋鳥の夕なく聲は町にひびかふ

○　伊藤淳郎

潮騷の音高けれどこの濱の草原になく虫の音多し

天蓋の外にしきりになきて居るこほろぎの聲ききて寢んとす

○　中込宗吉

頭より黃色くなりてなめくじら鹽にとけゆくを目守(みつ)めり吾は

自動車の灯に照らされてまばゆきかまなこ細めて見る人のあり

○　六波羅驊馬

湖ばたの柳並木をかね打ちて巡禮二人朝立ち行けり

蚊張に來てとまり鳴き居る馬追を昨夜はききつつ繞入りたるかな

○　川口初枝

つゆの氣味いまだに殘り大空に時時黑き雲のいで來ぬ

湯上りをほほ笑みながら飛びまはる吾子の膽の父に似て來し

○　兩角信次郎

峰近くなりたるならん木の間よりもれ入る光あかるくなれり

大き木のくちたほれたる山の泄水をふくめる土の香ぞする

いただきの大き岩の上憩ひつつふもとに湧き來る雲を見て居り

○　中島英太郎

落人のひそかに住みし山里に訪ね來りて一人寢にけり

○　伊藤しげ

たらちねの母は額によるしわの目立ちていたく老い給ひけり

雄雄しくも赤道越してみんなみの國ゆく友よさきくましませ

子供等の遊びし山の路路に栗の若毬むきてありけり

○　北原時衛

たまさかの休みをおしみ夜おそく妻とむかひ

て茶を飲みにけり

八ケ岳登山

深山木の茂れる下の草叢に百合の花一つ咲きてありけり

深山路は露にぬれて冷冷と草鞋の底にしみいりにけり

朝空の星屑さむし深山路尾根を傳ひて登り行くなり

山霧は小雨となりて栂の木の黑き林をこめて降りけり

仆れ樹の重なりあへる谷間よりかそけく響く谷川の音

山裾のさ霧の中ゆ一すじの路は樹の間に見えずなりけり

山裾の芝原道は長くしてなほはるかなり夏澤の峯

澁山脈低くなりたり小泉の山の頭も見えわかぬなり

峠を越して歸郷す

久しくて我が越え來ればかれ木峠本澤谷の木は立ちにけり

○　遊佐武夫

山の温泉に一と日をこもりたまさかに慈悲心鳥の聲を聞きたり

火口より霧立ち上り硫黃嶺の山肌おほふ嶺に立ちたり

硫黃岳火口の底ゆ吹き上ぐる霧の流れを岩燕とぶ

陽を避けて朝な朝なを裏庭に鉢の朝顏とり入れにけり

鉢多く咲きはしつれど瑠璃色の七輪もちて目に立ちにける

燈籠流し

うちつるる灯影尾を引きささなみの天龍川に流るる燈籠

○　細川天山

槍岳の風吹く岩にしがみ生ふ姜取草は赤く實のれり

岳山に夏を短かみ咲く花のすでにみのれるいのちかなしも

御柱山

大木のしげみおぐらきこの山の苔の舖路寂しみにけり

松虫草咲く廣き裾野を下りつつとりし地梨は實に熟れ居り

○アリアンザ睦稲會

梅雨晴や白靄殘る原始林　佐和太

梅雨晴やかけつらねたる濯ぎ物　乙女

五月雨や穢氣遊ぶて雲の人　皺女

空梅雨や陸稲下葉の黃ばみ初め　圭石

松葉牡丹宵に咲きたる芝生かな　八洲男

畑中に家松葉牡丹の咲き盛り　紅村

留守の家松葉牡丹の咲き盛り　同

おくつきに松葉牡丹の咲き初めし　掬二

物書きて日ねもすありぬ五月雨　同

朝戶出や根分けし菊に水灑ぐ　掬二

行春や根いさきか盛り　同

指圖して立ち去る菊の根分かな　圭石

咲き急ぐ珈琲に春を惜しみけり　同

行春やチブス豫防の薄し書　芦庵

行春や濱に秋を分ちけり　同

菊根分うなだれて書下り　紅村

菊を溜て小鉢に菊を移しけり　柳村

行春や齋齋飲べし姉の居間　白羊

歌稿について

一、題　隨意　首數制限なし

一、締切　每月十日

一、選者　兩角雉夫先生

寄稿者は住所氏名を明記し諏訪郡平野村選者宛直送を願ひます

海の外　人事相談

本欄は求人、就職、婚姻等個人的の人事に關する相談に應じ紹介、斡旋の勞をとる。御相談に關して係りで負擔出來ざる費用は實費を頂戴す。(係)

求縁

嫁度　當方住所本縣更級郡。某實科高等女學校卒業、年齡二十四歲、小學校教員免許狀有、目下某實業補習學校助教諭勤務、先方意思堅實相應なる資金を準備せる三十五歲迄の青年にして身体强壯、系統正しき、中等教育ある健實の海外發展者たる事(姓名在社)

嫁度　當方住所本縣諏訪郡、某高等女學校三年修業家事都合上退學、爾後某病院に事務員として勤務、先方身体强健意思堅固、十分なる渡航資金を以て伯國に渡航する系統正しき青年たる事、可成五年位伯國にて奮鬪せし人を望む(姓名在社)

嫁度　當方本縣小縣郡、小學校卒業後自家農業に從事中、年齡二十九歲の處女、身体强健品行方正何等恥ずる所なし・先方可成は三十五歲迄の系統正しき男子に嫁度し(姓名在社)

嫁度　當方本縣小縣郡、實業補習學校卒業後自家農業從事中、年齡二十八歲、先方本縣人にして堅實なる青年にして、近隣に嫌忌せられざる家庭に生れたる男子たる事(姓名在社)

嫁度　當方南安曇郡、明治四十四年生、村立高等小學校、實業補習學校卒業後自家農業に從事中、先方思想堅實身体强健相當なる家庭に成長したる青年にして三十才迄の人たる事(姓名在社)

嫁度　當方本縣南佐久郡、勞働に耐得る二十八歲、二十五歲、二十歲の娘三人あり、堅實なる男子に嫁せしめたし可成は父親見届の爲渡航致度に付旅費支辨願度

求妻　當方小縣郡西部の某村に生れ、三十四才・大正十二年ヒリツピンに渡航し麻栽培從事中、先方身体强健、意志健固眞面目なる婦人たる事(姓名在社)

求妻　當方本縣北佐久郡、二十二才、某公民學校卒業後自家農事に從事中アリアンサ移住地に請負耕作として入植準備中先方身体强健、意思堅實品行方正なる婦人たること(姓名在社)

求妻　當方本縣南安曇郡出身にして、十年前にヒリツピンに渡航し、大會社の監督、三十三歲、月收三百圓他資金數千有先方身体强健、常識ある南信地方の婦人たる事(姓名在社)

求妻　當方本籍本縣下高井郡、飯山中學卒業十年前にアルゼンチン、ブイノスアイレス市に渡航し、商業に從事中、資產數萬圓在、店員五名使用、年三十四歲、先方高等女學校卒業、思想正しく容姿十人並、身体强壯血統正しき人(姓名在社)

協會組合記事

十月便船乘船者と本年の渡航者數

十月二十四日神戸出帆さんとす丸便乘本組合經營アリアンサ移住地渡航者は左の通りにして十二月十日サントス着の豫定。

諏訪郡富士見村　細川今朝雄　二人
山口市吉敷伊梶　小田一　二人
山形縣鶴岡市天神町　五十嵐直三郎　四人
下高井郡堺村　樋口常喜　二人

因に細川、小田兩氏は日本力行會海外學校出身者にして同會南米農業練習所に入植のもの。五十嵐氏はアリアンサ移住地土地廿五町歩購入し自ら渡航開拓の勇士。樋口氏は下高井農學校出身にして卒業後同校助手として農營業經營に關する薀奥を極め、其間日本力行會長水支部員として斯道の研究を積み專ら機會の到來を待ち漸く新夫人を娶りてアリアンサ小林英俊氏の許へ入植の答。

本年の渡航者數

アリアンサ移住地入植者數は左の如し

神戸出帆日	乘船名	家族數	人員
一月三日	サントス丸	四	二〇
二月十八日	ハワイ丸	一	二
三月一日	河內丸	二	一三
三月十五日	ラプラタ丸	三	一一
四月十九日	ブエノスアイレス丸	二	一八
四月二十八日	博多丸	三	一一
五月十四日	サントス丸	一	三
五月二十六日	若狹丸	一	六
六月二十三日	リオデジャネイロ丸	一	三
七月三十日	備後丸	一	二
八月二十三日	ラプラタ丸	五	一二
九月二十七日	ブエノスアイレス丸	二	五
十月二十五日	サントス丸	三	八
計		二九	一一四

移住組合新計劃

不在地主提供土地擴張

南米移植民に對し拓務省では從來いはゆる不在地主の制度を認めず極力自作農の創設に努めてゐたが實際問題としては不在地主の許に小作人を入植せしめねば到底移住の目的を達し難い事實が判明したので今後は不在地主を承認することに方針を變更したそれで信濃海外移住組合では既定の計畫に基きブラジルアリアンサの接續地に八千町歩の土地を新規購入して新たなる躍進の第一歩を踏み出すことになつた、右八千町歩は一アルゲール（二町五段）を六ケ年償還の條件で六百圓で希望者に分讓することになつてをり七ケ年後には時價約一千八百圓に昂騰の見込であるがその內千五百町歩は北米在住の邦人に分讓するため永田理事が近く渡米する豫定で二千五百町歩は縣下の希望者に分け餘部は同協會東京支部において廣く一般に分讓する段取に決定してゐる。

永田、西澤幹事　朝鮮視察

朝鮮移住組經營に關する實地調査のため本會西澤幹事は中央會永田幹事と共に九月八日より左記各地視察のため出張さる。

一、朝鮮咸鏡北道慶興郡新安面鐵柱洞、海外協會中央會經營、日鮮共同移住地たる羅針農場
二、圖滿江、鳩山一郎氏農場
三、嵐山原野附近
四、江原道平康組合移住地（日本國民高等學校加藤寬治氏經營の面積五百余町歩の農場）
五、江原道麗溪、佐賀縣海外協會經營移住地
六、京畿道水原勸業模範農場
七、全羅北道群山不二農場（產業組合による經營面積二千町歩各府縣移住者數百戶入植濟の模範的開拓農場）
八、其他朝鮮移住に關すを調査

役員異動

副總裁推薦

本會規約第七條により今回縣會議長山本莊一郎氏を副總裁に推薦した。

相談役異動

本會相談役佐藤正俊氏は今回福岡警察部長として榮轉に付辭任、後任警察部長中里喜一氏を前例に倣ひ相談役に推薦した。

市町村設立の海外視察組合（續）

長野第二視察組合の出現

長野市第一海外視察組合は一昨年來軍人會員其他有志八十名を以て成立を見たのであるが尙今回同市庶民組合の盡力を得左記諸賢の贊同を求め同組合中心として第二視察組合の組織を見るに至つた。

組合長　宮下友雄
理事　傳田金一郎

增田儀三郎　武井文之助
中澤賢太　宮澤利兵衛
山田金藏　小笠原平作
小笠原武治　渡邊長吉
阿部由太郎　大越善吾
末永武雄　西澤勇
大澤宗太郎　塚田友次郎
鈴木榮助　小林榮藏
靑沼文四郎　奥村誠司
小野義一　山田善之助
林部善治郎　栗田登吉
袖山佐太郎　村松とし子
若月啓治　飯島善作
山崎萬吉　西澤幸太郎
竹內新吉　藤原富士太郎
佐藤益司　荻原登
朝日吉　小野善郎
荒井登　小出誠寒
高橋鍵治　齋藤不二三
戸塚市之助　深澤義治
荒井九一郎　山本佐富郎
清水英雄　荒井今朝男
加藤駒司馬　倉島留作
松澤義吉　增田ヤヲ
小林三千藏　加藤常治
福澤民三郎

上水內郡古間村　第二次視察組合

昭和二年七月設立されたる同村視察組合は無事三ケ年の積立を實行し今回滿期解散を見るに至りたる處續ひて左記第二次組合の設立を見るに至つた。

組合長　木田辨治
理理　小林八作
川原田磐一　中山久治
高橋文治　牧野政右エ門
牧野尙武　靑木淸作
松山定治　野村啓作

會費領收　自八月十五日 至九月十四日

一金貳百六圓也　特別會費　西澤一俊殿

一金貳百六圓也　同　關　賜殿
一金五拾壹圓六錢也　同　太田朝太郎殿
一金百五拾七圓七十七錢也　同　山崎要三殿
一金百拾壹圓六十六錢也　同　山崎謙吾殿
一金五拾九圓七拾壹錢也　同　越川爵吾殿
一金五拾壹圓貳拾錢也　同　吉澤政重殿
一金拾圓也　維持會員費　田中邦治殿
一金拾圓也　同　堀內萬藏殿
一金六圓也　視察組合會費　吉澤政重殿
一金六圓也　同　越川爵太郎殿
一金六圓也　同　太田朝太郎殿
一金四圓也　同　關　賜殿
一金四圓也　同　山崎要三殿
一金四圓也　同　山崎謙吾殿
一金四圓也　同　靑木保殿
一金四圓也　同　小宮山實殿
一金貳圓也　矢島要殿　平林傳藏殿
草川壯一郎殿　鹽野谷剛哉殿
大越善吾殿　西牧巖殿
瀧澤けさみ殿
一金貳拾圓也　更級海外視察組合殿
一金貳拾六圓也　上水內日里海外視察組合殿
一金五拾壹圓拾錢也　秘露　靑木保殿
一金拾圓也　在佛大使館　川口英俊殿
一金五圓也　メキシコ　玉川幸作殿

海外移住奬勵　活動寫眞宣傳

時秋冷の候に入り、漸やく海外熱想普及及び移民募集の好期に入りたる爲、本協會、移住組合では縣下希望町村の需に應じ左記日割を以て映寫宣傳に一馬力をかける事になつた

十月六日　月　下高井郡豐郷村
七日　火　小縣郡富士山村
八日　水　北佐久郡橫鳥村
九日　木　南佐久郡野澤町
十日　金　同　川上村
十一日　土　更級郡上山田村
十二日　日　埴科郡戸倉村
十三日　月　諏訪郡上諏訪町
十四日　火　同　湊村
十五日　水　上伊那郡赤穗村
十六日　木　同
十七日　金　同　南向村
十八日　土　同
十九日　日　下伊那郡上飯田町
二十日　月　西筑摩郡上松町
二十一日　火　北安曇郡北城村
二十二日　水　同　池田町
二十三日　木　同　七貴村
二十四日　金　東筑摩郡錦部村

編輯後記

○本誌生れて九星霜、幸なき歩みを續けて漸やく茲に第百號の發刊を見る事になりました。創刊以來會員の絶大なる御援助に依り逐號進歩著の跡然たるを示して居ります。百號を迎へ更らに勇躍一番、飛々發展を期して全幅の努力を傾注したい所存でありますが、御後援を切に仰ぎたいものであります。

○本號は皆樣から種々玉稿を戴きまして感謝に堪えません、斯道の權者小里市長の壯途は將に錦上の華であり、澁沢翁と藤山先生の詩と共に隣失として尙感銘興起せしめずには置かないであらう。

子弟の教育に專念せる矢田先生より得難き玉稿をお寄せ願ひする事を得、本號から紙上を飾る事になりました、何よりの喜びで御座先生の南洋行と共に好評を博するでせう。

○歐遊は隔角先生の御努力により光彩を添へて參りました。凡そ限りのない人生爲へきものはない、繼續に據りつゝも時に與趣湧いて一首吟む位の一面をお互に持ちたいものである雅懷の彼誰をお願ひします。

―芳水生―

信濃海外協會規約抄錄

一、本會ハ信濃海外協會ト稱シ本部ヲ長野市ニ支部ヲ必要ニ應シ內外各地ニ置ク
二、本會ハ縣民ノ縣外發展ニ關スル諸般ノ事項ヲ調査研究シ其ノ發展ニ資スルヲ以テ目的トス
三、本會ハ前條ノ目的ヲ達スル爲必要ニ應シ左ノ事業ヲ行フ
イ、縣民縣外發展ノ方法ニ關スル立案
ロ、發展地ニ就キ調査ヲナシ其ノ結果ヲ紹介
ハ、在外縣民ト聯絡ヲ計リ指導後援
ニ、海外投資ノ研究ヲナシ之ヲ發表
ホ、海外發展ニ必要ナル人材ヲ養成
ヘ、機關誌「海の外」ヲ發行シ隨時講演會ヲ各地ニ開ク
ト、海外發展ニ關シ各種參考品及統計ノ蒐集
チ、前各項ノ目的ヲ遂行スル爲臨機本會ノ代表者等ヲ內外樞要ノ地ニ派出スル事
リ、會員ニハ「海の外」毎月寄贈ス
ヌ、其他本會ノ目的ヲ達スルト認ム事項
四、本會ノ會員ハ左ノ四種トス
イ、名譽會員ハ代議員會ノ決議ヲ經テ總裁之ヲ推薦ス
ロ、特別會員ハ一時金百圓以上ヲ醵出スル者
ハ、維持會員ハ會費年額金拾圓ヲ十ケ年間醵出スル者
ニ、普通會員ハ年額金貳圓ヲ十ケ年間又ハ一時金十六圓以上ヲ醵出スル者

五、本會現在役員

總裁　鈴木信太郎
副總裁　山本莊一郎　佐藤寅太郎
顧問　小川平吉　今井五介　原嘉道
伊澤多喜男　岡田忠彥　本間利雄
梅谷光貞　高橋守雄　千葉了
相談役　石垣倉治　中里喜一　降旗元太郎
越壽三郎　小里賴永　片倉兼太郎
福澤泰江　小林暢　山岡萬之助
工藤善助　松本忠雄　稙原悅二郎
山本愼平　菱川敬三
幹事長　階川良一

海の外（月刊）

定價表

（一冊廿錢）	內地送料共	外國送料共
一冊	廿錢	廿四錢
六ケ月	一圓十錢	一圓四十四錢
一ケ年	二圓廿錢	二圓八十八錢
五ケ年	拾圓	拾四圓

御注意

△御送金は振替（長野二一四〇番）に御願ひします。
△外國よりの御送金は銀行、郵便局いづれにても確實に送金されます。
△御轉居の節は早速新舊兩御住所を御通知下さい。
△本誌へ廣告掲載御希望の方は詳細相談申上げます。

昭和五年十月一日發行

編輯人　永田稠
發行兼印刷人　西澤太一郎
印刷所　長野市南縣町　信濃毎日新聞社

發行所　長野縣廳內　海の外社
振替口座　長野二一四〇番

◎海外各地渡航手續
◎日本郵船大阪商船其他の乗船券取扱
◎臺灣滿洲支那其他世界各地引越荷物小荷物運送取扱
◎旅客手荷物船積卸通關手續運搬保管
◎旅券下附査證手續

營業所　神戸市京橋商工ビル内（電話三宮二〇八八番）
本社　神戸市三ノ宮驛前（電話三宮三〇八八番）
出張所　神戸市海岸通メリケン波止場（電話三宮三八一九番）

株式會社 神戸旅行案内所
KOBE EXPRESS (KOBE RYOKO ANNAISHO)

海外各地へ御旅行の場合は勿論、滿洲、臺灣、瀬戸内海方面御旅行の際は是非弊社を御利用下さい。旅館の御周旋、汽船々室の申込、御手廻品の運搬又は通關等には必ず御滿足して戴ける事と信じます。

信濃海外協會 日本力行會 指定旅館

神戸市榮町通六丁目二一番邸
旅館 神戸館本店
長電話元町八六一番
振替大阪一四二三八番

神戸市榮町通六丁目中央局私書函八四〇番
株式會社 高谷旅館本店
長電話元町八五四番 一七三七番
振替大阪一一五八二番

神戸市海岸通六丁目三番邸
旅館 今泉本店
長電話元町三三一番
振替大阪三五四一〇番

海外協會中央會幹事
信濃海外協會幹事
宮下琢磨著

序 今井五介氏
装幀 石井柏亭氏

邦人活躍の南洋

行け！椰子實る國
南洋へ!!

最新刊

四六版絹布裝上製函入極美本
美術寫眞五十五葉挿入
紙數五百頁最新式九ポルビ付

定價二圓五十錢
（送料十六錢）

生活の樂土は今日、天然の富源に充ち開發の餘地綽綽たる南洋をおいて他にはあるまい。而も南洋は日本人に頼らねばその開發發展は到底望み得られないのだ。南洋こそ將來邦人の活躍すべき新天地である。本書は三ケ年に亘つてこの新發展地南洋を詳細に視察した著者がその赤裸々な實相を描いたもので、殊に、南洋に活躍しつゝある邦人の實生活と邦人發展の實際と指標とを示せる點は、僅に本書にのみ有する特色である。又、著者はその政治經濟、社會万般の記事を記し、尚、南洋の實に明媚なる風光を描き人情風俗を寫して餘す所がない。挿入せる美術寫眞と併せ讀めば魂自ら遠く南洋に遊ぶの感があらう。本書は南洋に成功せんとする士の必讀者たると共に、南洋視察旅行者の良き旅行案内書である。

東京 岡田日榮堂發行

取次 長野縣廳 信濃海外協會 振替長野二一四〇番

（第二版）日本力行會長

永田稠著

南米再巡

菊版四百廿餘頁・寫眞版三十頁・布製函入
定價一册金二圓八十錢・送料一册拾八錢

永田氏は信州の生める一異才である。嘗て南米を一週して『南米一巡』を著はし、信州に來つて信濃海外協會の組織に努力し、更に『南米信濃村建設』に關する大使命を帶びて、大正十三年五月末横濱を出帆し、布哇、北米桑港、ローサンゼルス各地に於ては海外協會支部の設立に盡力し、ソートレーキー市にはモルモン宗教植民の跡をたづね、デンヴア、シカゴを經て華府に至り、紐育より大西洋を南下してブラジルに至り、移住地の選定、購入、入植の準備をなし、大正十四年二月日本に歸り來り、更に信濃村大成の爲めに努力奮闘し、今や模範的にして世界に誇り得る移住地が建設されつゝある。『南米再巡』は氏が南北兩米を再巡せる記錄である。志を世界に有する者の一日も看過することの出來ない快著である。

長野縣廳内
信濃海外協會取次販賣

東京市外上板橋 日本力行會發行 振替東京六八八一番

海の外—THE UMINOSOTO
Published Monthly by the Uminosoto Sha. Nagano, Japan.

「海の外」第百號　（毎月一回一日發行）

一、本組合經營ブラジル國アリアンサ移住地は大正十四年來。四百家族、二千人が入植して普通一萬二三千圓の資産を造り中には參萬圓以上の人もある。

二、本組合は尚多くの自作者。請負耕作者。自由勞働者の入植者を募集する。

三、自作者　（イ）五十未滿の夫婦を中心とる十二才以上三人を有する家族、男三人の兄弟、從兄弟等で二千二百圓位の資金を有する者。（ロ）五十才未滿の夫婦者、十八才以上の兄弟、從兄弟、伯叔父と甥等の二人以上の者が千八百圓位の資金を有する者。場合によつては千三百圓位でも採用される。
自作者は二十五町歩以上の地主となり六ケ年後には資産二萬圓を得爾後毎年三四千圓の收入が得られる。

珈琲栽培請負耕作者募集

四、請負耕作者　（イ）五十才未滿の夫婦で十二才以上四人なれば資金三百圓位できる者。（ロ）同上家族三人なれば千圓を用意し得る者。（ハ）獨身青年三人なれば千五百圓位を有する者。以上の條件に叶ふ者には政府や組合から五百圓以上千五百圓までの資金を貸與する。
六ケ年請負耕作者は契約完了迄に五六千圓より八九千圓の貯金をなす事が出來る。

五、自由勞働者　本組合では請負者。雇傭者等の希望者も多く募集する。資金は三百圓位あれば獨身者でも夫婦者でもよい。

詳細は御照會願度し。

長野縣廳内
信濃海外協會
信濃海外移住組合

（大正十一年四月廿六日第三種郵便物認可）　（昭和五年十月一日發行）

信濃海外協會
海の外社發行

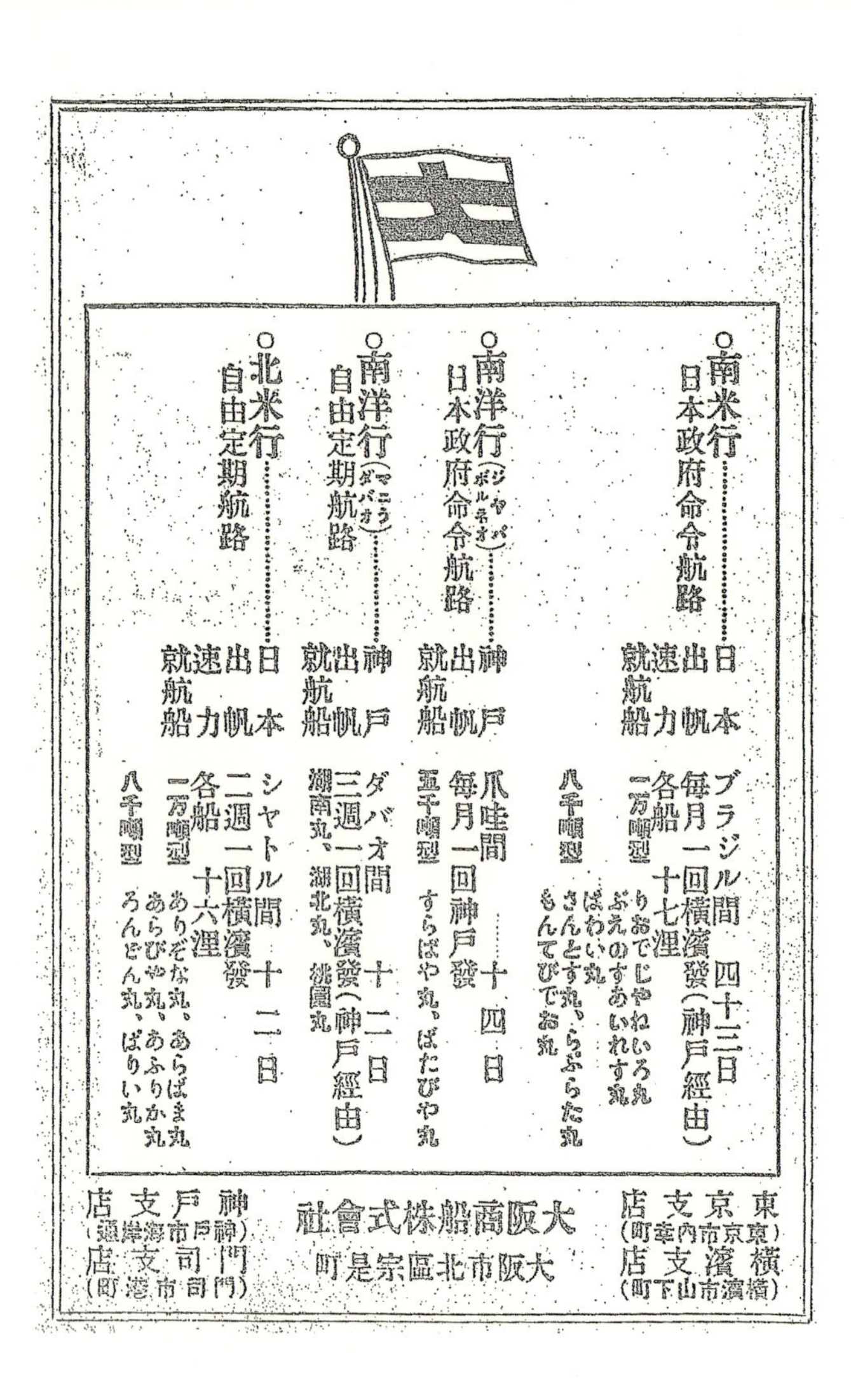

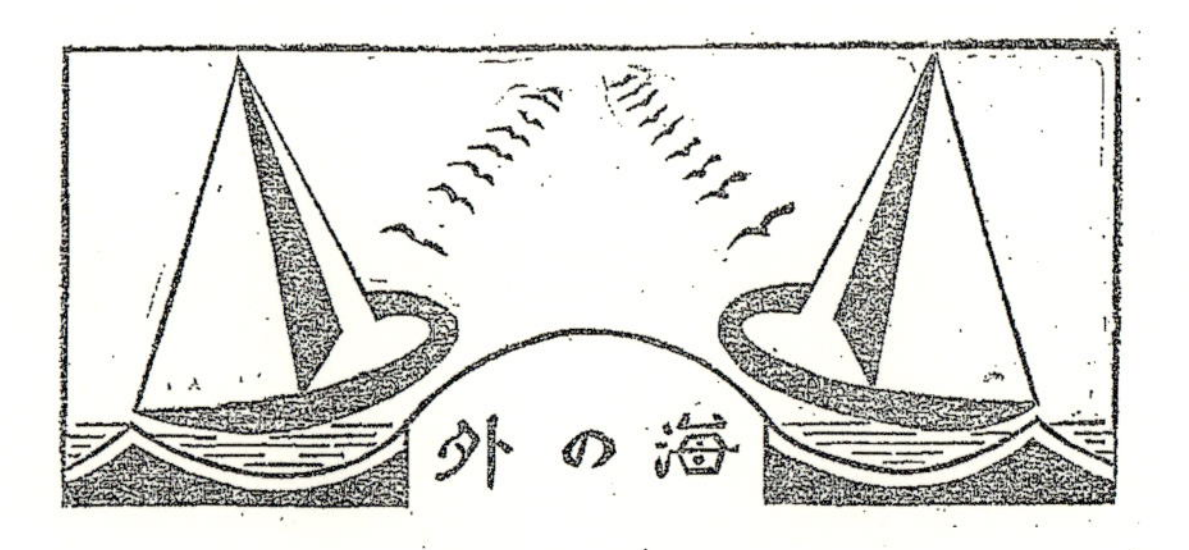

(昭和五年) 第一〇一號 (十一月)

眼を世界の舞台に注げ

生理的機能に缺陥ある不具者や、起居動作の自由を失したる癈疾者には就職難もあるであらう。

精神に異常ある無能力者や、藥餌を離れて暮す事の出來ない病弱者には失業苦の悩みも免れまい。

然しながら苟も身体發膚完備し、痴呆低脳に非ざる男一匹の口から失業苦生活難の悲鳴を聞く事は誠に不可解極まる事と云はざるを得ない。

海外の新天地は實に資源開發の手を待ちあぐむでゐるのである。

芳水生

海外へ移住せんとする青年へ

下高井農學校長　檀 上 謙 爾

昨日は御便り有難う。君には愈々宿年の望がかなつて住み馴れた郷里を後にして遠くブラジルに向つて移住のため最近出發することになつたとのこと此壯擧誠に欣快に堪へぬ殊に此擧は一時の思ひ付きではなくて、或は先輩知己に意見を叩き或は歸朝者に彼地の狀況を探り、或は自ら書籍により研究するなど十分な準備をなしてからの決行であるから小生は衷心より喜んで居る。君の心には今や前人未踏の際涯なき廣野大森林がパノラマの如く現出して雄心壓へんとしても壓へ得ざるものがあり、又一面言葉の通ぜぬ異邦の風土人情に對して心ひそかに寂莫の情に打たれ、喜憂交々到るの御心情御察し申す。何はともあれ君にはよくかくも決心せられた、又御兩親の御賢慮に對して感服に堪へぬ。中年となれる小生も壯心再び湧返り台灣朝鮮支那に生活せる昔が偲ばれてならぬ。出發せらるゝ迄にはまだ時日があることなれば更に充分の用意をなされて手落ちなき樣御注意を願ふ。愈々踏み出されたら移住國は外國でない自己將來の生存を托する「吾國土」なりと考へて奮鬪せられよ。嫁の出戻りの如き醜体は日本男兒の採らざる所心に深く銘して出發あれ。既に自分の考は思ふ存分告げて置いた樣であるが、更に氣付いたことを二三語つて「はなむけ」と致したい。君よ受けられよ。

君も知る如く我國は今や人口過多と食料不足に惱まされて居る。これが解決如何は實に日本の死活問題である、亦最近は世界的不景氣の影響を受けて社會各方面とも所謂塗炭の苦を嘗めて居る、我國は總てに於て行詰つて青年といひ壯年といひ進路を拓くことは容易のことではない有樣である。殊に君の生活して居る農村苦の境に至つては筆のよくする所でない。此際教養あり元氣ある人士が海外に出で、活動するは誠に時宜を得たることで、國家も大にこれを期待して居る。此折柄君の如き年若くて志は堅く、思想は穩健でしかも身体の壯健なる者を一人でも多く海外に送出すは其個人のみならず邦家のため喜ぶ可きことと思ふ。

日本の政治家はとかく海外移住によつて人口問題を解決しようと言ふて居るが、每年八十萬も增加する人口を僅に萬餘の移住に依つて調節せんとするはバケツで大海を干さんとする類の樣である。母國に殘つて居る者が安らかに暮さんがために親愛なる同胞を萬里の外に逐ひ遣らんとする無慈悲な心情を我々は毛頭持ちたくない。我々はそんな短見且つ低識でありたくない此狹き日本の外に廣き新らしき日本を建設すべき崇高偉大なる任務を帶べる先驅の勇士として雲山萬里の外に君ら方を煩はすのである。君よ此の國を愛すればこそ萬里開拓の壯途に就いて貰うのである。君よ勇しく出發し唯健實なる新日本の礎石の一つを海の彼方に据へて貰ひたい。折角君の自愛と健康とを祈つてやまぬ。和歌に曰く

「やせ土に執着の花は枯れはてぬ地をかへて咲け大和撫子」

君は今回渡航するに當りA子さんを妻として迎へられた由双手をあげて祝福しましよう。單獨者と雖も優良なる青年ならば行詰れる我國として海外發展を大に推奬せらる可きであるけれども、獨身青年が海外に發展して早晩逢着せねばならぬ問題は結婚である。初めの苦鬪時代には配偶者のことなど考へないで押し切つて行くが、いざ仕事が大体目鼻がついて來ると一家になくてならぬ一つの柱（女房）のことを考へる樣になつて來る。所が海外に出て居る日本人は男のみ多く女は少いので結婚難が自然起つて來る、中にはこのため遠大なる抱負を成し遂げずに終るものが少からざる樣である。君は既に此點に着目し萬善の策を講ぜらる、誠に敬服に堪へぬ、ましてA子さんの雄々しき決心感極つて涙こぼる、愛人と萬里の境に苦樂を共にせられんとする其態度は世の婦人に所謂頂門の一針を加へたと謂ふ可きである。海外に於ける新日本建設は今迄の如く男のみに任せず婦人がどし／＼これに參加してこそ完全に出來る。今迄の婦人はあまりに退嬰ではなかつたか。これからの婦人はよろしく立つて愛する男のため新天地に理想鄕を開拓することに從事しなければいけないと思ふ。英國人を見るに行先を墳墓の地として家族樂しく暮して居る、これ大に學ぶ可きことである。婦人の內助の力は異境に於て一層其偉を現はすものであるをA子さんに何卒よろしく御傳へありたし。

各方面から聞いた話を綜合すると海外へ驥足を伸さうといふ人々には次の資格が是非必要であると思はれる。參考とならば幸甚である第一に身体が强健であることである。此點では君は申し分がない樣だ、多年農業勞働で鍛へられ所謂筋骨隆々今迄風邪一つもひかぬと云ふ健全な身体安心して君を御送りすることが出來るので嬉しい。されど油斷は大敵益々加養せられよ。

第二には意志强固なることである。堅忍不拔の精神が嚴しく君の氣象の上に現はれて居つて心强く感じて居る。

第三には永住の決心を要することである。この點につきては是非深く考へて欲しい。今さら云はなくてもよいが目的の地に永住同化し其國の人となり其國に歸化し其國に貢献するの氣概を持つて出發して欲しい。世の學者は海外移住者を三種類に分けて移住者の啓發、移住者の自覺を盛に唱導せられることが久しい。曰く季節的移住、曰く出稼的移住、曰く永住的移住である。季節的移住は我國として問題にならぬからこゝでは意見を述べますまい。次の出稼的移住は只單に勞働のために海外に渡航し幾何かの收益を得たら日本へ歸る者を指すので、今日迄の日本海外移住史上大なる分子をなして居つて屢々問題視され研究もされて來た事態である。人間の通性として成功したならば錦繍を着て故郷に誇ると云ふのは人情である。殊に我日本人は故郷に戀々たる氣持は多分に持つて居つて移住地に永住しやうといふ氣が少い否殆んどない、從つて移住地に親切でない、自己のこと許り考へて居つて周圍のことは酌取らぬ。場合によつては土地の法制も顧みず土地の風俗習慣を重んぜず勝手氣儘に働く、自然其土地先住者と融和が旨く行かぬことになる。これを出稼根性と云はれる。此根性があるため北米合衆國其他で排斥を受け我邦人は手も足も出ぬ樣である。日本人に最も好意を持つと云はれるブラジルに於ても移住者は不評判の傾があると聞く。此出稼根性のため我邦人の海外發展は著しく阻害され損はざること甚だ大である。將來の移住者は從來の考を斷然改めて永住的覺悟を要するや切なるものがある。日本國民として大なる自覺を望む。

最後の永住的移住は自分の一生涯乂子孫のために新天地を開いて行く移住で緊要なる事である。君には此の覺悟あるを窺はれて我意を得たる程嬉ばしい。「向ふへ參つたら建設に千辛開拓に萬苦を忍び彼地に墓標を立てる積りです、掘返す一塊の土迄る玉の汗皆大日本帝國の建設と開拓であるを心に銘じて努力いたします」と君は言ふ。此意氣や誠に喜ぶ可きことである。しかし君よ此志望此決心をどこまでも弛めることなき樣熱望す。

第四には確乎たる信仰を有つことである。異域にあつてはいろ／＼の困難に遭遇する、逆巻く怒濤は押しよせる、渦巻く流が脚下に躍る、或は悲しみもある、或は寂莫もある、或は憂鬱もある、これらの精神的惱みに打ち勝つにはどうしても信仰を持たねばならぬ。確乎たる信仰を有することが出來れば精神的に安定が得られ萬難を突破することが出來る。

君よ此信仰方面に益々留意せられよ。君は基督教殊にローマカソリック教を奉ずるから彼地に渡つてからは大變都合がよいだらう。

現狀の如く切れ切れに長たらしくなるが、海外から歸つた人は殆んど口を揃へて日本移住者の欠點につきいろ／＼言つて居るから、それを申し添える。

第一に日本人はどうも懐郷心が厚過ぎるやうであること。これは前に述べたから再び申さないが君よ向ふに行かれたら其地を郷里となし必ず其國土を愛し其國の利益のため必要の一員となつて貰ひたい。

第二に日本人は非常に事を急ぐ、早く仕事をしたいと云ふ考が強いことこのことが移住地に於けるすべてのものと圓滿に行かない基である樣である。ジリ／＼と押して其勢力を擴大し英國に肉薄したる獨逸人のやり方に大に學ぶ可きである。ローマは成るや一日に非ず、堅忍不拔、忍耐、眞面目に自己の努力によつて運命を開拓するは實に望ましきことである。君よ決して短氣であつてはならぬ、歩一歩根氣よく前進せよ。

第三に競爭心が非常に强いこと。是は一面善いことであるけれども其結果は速成に傾く虞れがある。深切で周到的な仕事は出來ない唯々勝ちさへすれば宜いと云ふことになつて移住について知らず識らずの間に存外害をなして居る樣である。

第四には日本人はどうも雅量がない氣が寛くないこと。是は他人との關係に於て良い結果をもたらさない。我々同胞は此點をもつと反省して氣を大きくし、もつと卒直に開放的にやることが必要である。

第五には日本人は滑稽味が欠けて居ること。日本人はあまりに眞面目である、もつとゆとりのある面白味のある態度を執る必要がある樣だ。このため自然他國人と一緒になる場合にあまりに此方が堅くなつて圭角があるがために感情上軋らざるを得なくなる。君よ須く三思四考あつて欲しい。

まだ／＼書きたいことがあるが萬感錯綜筆進まず。ためにこれで筆を擱きたい。最後に聖書中にある左の文句を記すから深く心に銘じ郷々たる國旗、芙蓉の靈峯が後方に存するを想ひ何一つ心に殘すことなく出發せられよ。

一、茲にエホバ、アブラハムに云ひたまひけり汝の國を出で汝の親族に別れ汝の父の家を離れて我が汝に示さん其地に至れ。

二、我汝を大なる國民と成し汝を祝し汝の名を大ならしめん汝は祉福の基となるべし。

いざ行きなさい雄々しき二人よ、私達は遙に彼天地に輝く君等の成果を待ちましよう。

ケープタウンより

拝啓

愈々清榮の段奉賀候毎々海外御惠送下され遠き故郷の事共も概括的記事文に依り知るを得大に慰安を感ずる樣の次第に有之厚く御禮申上候 扨今般小生儀家庭の事情に依りて歸朝申請に對する許可を得不日歸朝の途に上るべく候間雜誌御送附は當地領事館宛を御取止め下され度候

當地の風物に關しては既に御承知の通り今更申上ぐる程のこと無之も「テーブルマウンテン」を中心に向つて左の「デーヴルスピーク」右の「ライオンス、ヘッド」は自然の刻みたる彫像の如く當「ケープタウン」の守護神の如く怪奇なる風貌と永遠の沈默とを以て人間界を威壓致し候 又當市アッデレー街の花市は每週水、土兩日、珍奇なる草花を寄集居候の期せずして花の展覽會を現出し道行く人の、時に異邦人たる小生等の目を樂しませ候 當國も他聞に洩れず不景氣風に襲はれ當局は此の不況に其の原因を推付け御互に忍耐せよと國民に強い、此の間世界的首相「ハーワオグ」將軍は英帝國會議に出席の爲當國出發に先立ち右の樣な演說を爲し去り候、其の外別に申上げる樣の目新しき事もなく只最近日本商船が見本を持參渡航し來り現に「ダーバン」に居り候 當地の多くも最早去らんとして櫨の若葉が新綠に萠へ出し始め候 三個月もすれば草の葉は黄色に枯れ行き樹々は寄葉の衣裝を着け奇說を呈し謎の如き眞實なる大空に神秘の印度洋の海を見るが如き想を走せる夏の候と相成るべく候 來任八個月余今此處を去るとなれば一寸名殘惜しくもあれどこれも家の事情なれば仕方なく候 敦れ本省勤務と相成ること存候 先は久濶を謝し旁近況御知らせ迄如是に御座候

八月十三日

在ケープタウン日本領事館　村松 霖

菅平大高原の修道場

長野縣青年講習所の生活　（其ノ一）

石川博見

青年講習所全景

前言

昨昭和四年五月十日開所以來創業第一期の苦難を嘗めつゝあつた長野縣青年講習所も皆樣の御熱誠なる御後援の下に幸に無事生長しつゝ、本年も第二回講習生を迎へて早や五ケ月余を經過し、四十余日を以てこの第二回生を社會に送り出すまでに發展して居ります。

以前本誌上を拜借して創業苦の青年講習所に就いて執筆しました私は今度は其後の當所の發育振りについて皆樣に知つて戴く爲めに、「菅平大高原に於ける修道場長野縣青年講習所の生活」と題して當所の生活内容なり、殊には當所に於ける青年指導の根本精神と申しますか基調と申しますか兎に角私の抱懷致します所の卑見を申し述べて見度いと思ひます。昨年は創業苦難に直面して無經驗の青二才が盲滅法に進んで居りましたが本年は當所の生みの親であり、初代所長であつた小西前學務部長が福井縣警察部長として榮轉せられ、當所の重大なる責任を名實共に背負ひ込んで取殘された私は今は盲滅法ではなく自分としてはかなりな自信と明確な理想とを以て當所の完成に努力して居ります。

この一文を皆樣の御前にさゝげて當所に對する皆樣の一層の御理解と御援助とをお願する次第であります。

青年講習所と其の環境

開け行く菅平大高原

菅平。

その名は今日余りにも有名である。

鳥の鳴かぬ日は有れど、菅平の記事の新聞に出ない日は無い——と、それほどでもないが、兎に角、菅平大高原の名は今や知らぬ人無きまでに著名であり、菅平へ行つたことのない人は語るに足らぬとまで云はれ、一度この大高原に登遊した人々は勿論未登未見の人々までが菅平の高原美を賞讃し、人にも登蒼を勸め又自分も是非一度は行つて見度いと希ふ程菅平は人々にとつては憧憬の地となつてゐる。殊に昨年當青年講習所がこの大高原の中央に巍然として立ち、こゝに意氣の青年達が集つて目覺しい活躍に火花の散る樣な修道場を現出して以來頓に著明となり、訪る人も年每に其の數を增して來た。菅平に登遊する人々の數の年每日每に多くなり行くこと、菅平に文化の暖風が吹いて都人が集り、草屋根はトタン屋根に、障子が硝子戸に又農家が旅宿に。そして今では菅平沼盆地の眞中央に一大怪物の如く巨然たる菅平ホテルが上田温泉電軌會社の手によつて日々にその竣工へと工を急いでゐる。この巨怪魔王の如きホテルが資本主義が其の腕手膂力をこの聖美平和なる山村をまで其の食らん飽くなき魔王の餌食たらしむべく放つ先手怒怪であるにせよ將ないにせよ兎に角菅平が開發發展文化されつゝあることは否むべくもない事實でありかゝる發展開化樣式が菅平及青年講習所の堅實なる發展と相容れざるものあるは云ふまでもないことであるが、然し、今日世の潮流の流るゝ所、世の風向の趨く所之亦拒むべくもない必然の運命でもある。

菅平が何故にかくも急速度に著名になつたかそれは云ふまでもなく菅平が余りに美しい土地であるからである。其の大自然が其の山川草木が其の大高原の息吹きが生活苦に疲勞困憊しきつた人々にとつて其の苦慘な生活より逃れて惠光遍照する自由な幸樂に充てる一日を過すにこの上もなき美しく優しい又聖く清い愛の女神のふところの如き處女高原であるからである。而も亦このいとも美しく萬人憧憬の女神なるが故に之を獨占し獨り其の幸樂惠福を壟斷せんとする魔王の手も動く。

上田温電は菅平高原の美を巧みな文辭もて普ねく世に宣傳してゐる。

鈴蘭薫る菅平高原へ

日本アルプスの樣な山に凄愴味がなく、武藏野の樣なけばけばしい俗氣のない、美しい自然の庭園が、上信國境に開かれてゐるし冬は深雪に埋れて瑞西のダボス又はシュワルツ、ワルドとして外國人に賞揚され、春から秋にかけては芳草茂り、幾百千の牛馬の跳躍する牧場となる、茫漠たる菅平高原！それは久しく人に知られず。山奥に秘められてゐた未知の世界であつたが數年前から　電車が開通したり自働車が通ずるやうになつてからは急に世に現はれて山へ山へと憧るゝ人々は、この處女高原をめがけて冬は白銀のスロープに美しいシュプールを描いて飛び、夏は鈴蘭薫る綠草の中に草海に漂ふ白帆にもたぐるべき

白い天幕を張つて明るい早く暮るゝに晩い高原情緒を求めて來るものが多くなつて來た。

菅平は小縣郡長村に屬する一部落であるが全く人寰的氣分を絕した海拔四千余尺の清淨な高原である。

峡谷を組傳ひに開いた道路を拔けて菅平大高原に來て見ると空氣は冷々となり、平地では見られない美しい落葉松の林、白樺の林などが眼につき、高原に香ふ可憐の少女鈴蘭は林の中に、路傍に、ついには原野一面に咲くのを見る。

菅平は周圍五方里に渡る茫漠たる大高原で、廣原全面軟い芝生を以て蔽はれ、西及南向に傾斜し東及北に向つて高い、そしてはては海拔七千余尺の四河、禰固の二つの山が仲睦しい夫婦山なり豊かにして大にゆつたりと肉付のよい裾野を長く〳〵引いて上信國境に聳えてゐる。

菅平が夏季避暑及キャンピングに最好適地であることは九夏三伏の炎天に於て溫度は七十度を超えずその朝夕身に迫る空氣の肌觸りは涼々冷々眞に夏あるを忘れしむる程である。若し夫れ高原の朝霧漸くはれて旭光直射金澤草海に漂ふとき滿目の綠草萌ゆる草原の中を幾十幾百となく思ひ思ひの牛馬が群をなし點々露繁き牧草を漁り歩く樣、太陽中天にかゝりて遊び疲れた牛馬が長々と寢そべり晝寢の夢を貪るとき、牧夫の擄桶携へて牛馬を呼ぶオーオーの聲、日漸く西に傾いて廣漠たる牧場が蒼茫として暮れる頃赤い銅盤の樣に爛れた夕陽に照らされた牛馬の群が淺間山の噴煙を背景に浮影の樣に鮮やかに輝く樣など高原的情緒豊かに實に名狀し難い程の雄觀美觀である。

又菅平の眺望の絕佳なことは今更云ふまでもない。市村廣次郎氏の紀行に「南に淺間が入道雲の樣な噴煙を靡して青黛い山の膚をむき出してゐる。富士が見える。富士が見える。遙かの雲の彼方群峯を壓して聳えてゐる。而し、其處にはアルプスの王座槍のピークが雪も積り得ぬ鋭い黑い穗先を碧空に尖立さしてゐる。

穗高、乘鞍の白皚々たる山稜が物凄く光つてゐる。遙かに立山、劍、白馬の連峯が水色に透くばかりの神秘の色を帶びて聯いてゐるのを眺められる。黑姬、火打、飽、妙高の連山は深い信濃川の谷を隔てゝ眞北に起伏してゐるやうに見える」と云つてゐる。

之は春夏の菅平の景色であるが夏も終り近く、高原一面、秋草に飾られ、叢にすだく虫の聲の次第に薄れ行く頃牧場の面色が淡黃黃褐と變つて行き菅平の森も林も紅葉して滿天滿地今はもう秋色深い。所々に立並ぶ白樺の細い幹、その裾をからげた麗人の素足にも似た白樺のその綠髮にもたぐるべき纖細な葉が黃ばんで秋風に一ひら二ひら散つて水面に流れ行く頃菌採りの姿も日每に少く、牧場に遊ぶ牛馬も夫々畜主に曳かれて山を下つて行き訪るゝ人もない荒寥落莫の晩秋となる。烈嚴なる霜に身ぶるひする頃になれば牧草は灰色に枯れて、やがて白銀盤の冬の菅平となる。　（以下十六頁下段へ續く）

海外視察の回顧　（其の二）

長野縣更級農學校長　矢田鶴之助

前號（其の一）の一〇頁にある　七、第八十六番驛に着く　の記事、第四行の日本の百は第十三行の圓と結ぶべきが、校正の誤りにて不可解の文句となつてしまつた事を諒せられたい。（編輯手）

八、第八十六番驛を出發せんとして

これから西比利亞に入るのである。いよ〳〵出發せんとして寫眞器械などは、ソヴイエト官憲から一切嚴重に封印されて仕舞ふ、そしてソヴイエト領域内での撮影は、まかりならぬと言渡された。自由と思ひの外、如何にも不自由にも程があるとの感を深うした、そして、また、ソヴイエト官憲の邦人に對する壓迫振も、實にひどいものであるとの感が、誰にも起されたことであつた。さきに、長春の鐵道附屬地から支那領に移つた時に比し、更にこの度の精神的惡感が大であつた。これから、七月五日の眞夜中を突き破つて、西比利亞へと入つた。

九、チタからイルクツクまで

七月六日の朝となり、車窓から蒼茫たる草野を眺め、こゝに駱駝の群や、ブリヤート人の小屋が見られ、オノン河の鐵橋を渡つて、カルイムスカヤを過ぎ、約十二時間でチタに達した。

チタは、人口八萬を算へ、一九二〇年、緩衝國として極東共和國が建設された時の首府であつた。毛皮、木材其の他、農産物の集散地で、極東國營商業部、國立銀行支店等も置かれ各種の學校や、博物館も備はり。文化的施設としても、よく手が屆いて居る。

この日は、時々驟雨があつたが、晴間も時々あつた。驛には多くの花賣や、ミルク賣子も、澤山にホームにあらはれ、車窓に近づいたのは、うるさく感じた。驛に近く鐵道役員の邸宅が多く見られ、小供の跣足も目につき、花畑も多く、民家の花多きには、氣持よく感じたが、赤く染められた家の多かつたのは何となく赤化的に感じて、不快に堪へ難いものがあつた。

チタから約十四時間で、翌七日の朝ウエルフネウージンスク市に達した、この市は、セレンガ河の右岸に位置し、ブリヤートモンゴール自由社會主義ソヴイエト共和國の首府とされ、人

口二萬、ブリヤート人が大部分を占めて居る。住民の生業は、牧畜及農業で、小麥、毛皮、等の産額が多い。この地は、外蒙古との交通衝路に當り、對蒙貿易の根據地と見られ、一九二六年以來、庫倫との間に定期飛行が開始されてある。この驛から約八時間走れば、スリユージヤンカ驛がある。バイカル湖畔の風光は、これから始まる。

バイカル湖の面積は、二千二百二十平方哩を算し、周圍の山は翠緑を滴らし、水の色は碧く、舟遊者も見出され、湖畔に接する濱邊に、テント生活者も點々あるのを見受けられる。スリユージヤンカよりバイカル驛まで、九十キロの間、汽車は湖岸に沿うて迂回し、四十六のトンネルを通過する。バイカル驛は、湖畔にあつて、驛の賣店には、ヘヒルスとかいふ湖產の魚を賣つて居る。この驛から、アンガラ河の急流に沿うて馳ること三十分、そこにはイルクーツクの教會が、尖頭高く河の彼方に聳えるのが見える。

イルクーツクは、人口九萬餘を算し、かつては、西比利亞總督の駐在地であつたところ、砂金、毛皮、木材類買付の中心となり、各種銀行、西比利亞國營商業部、皮革シンジケート穀物輸出會社、レナ金鑛會社等がある。こゝは、また、東部西比利亞學術の中心地で、國立大學を始め各種の學校が多い博物館も有名で、一八五〇年に創立され、蒙古支那に關する資料に富み、圖書館もまた十萬に近い圖書を有して居るといはれて居る。

イルクーツクの驛には、食堂も賣店も整備して立派である。この驛を出てゝから、車窓により郊外の風色に見とれた。農夫の馬鈴薯に土寄する姿も感深く、大森林はさも猛獸の飛び出すが如く、一方また大草野は、宛ながら大海原の如き感もあつて、點々人家のあるところ、草花の盛り美しく、木造の建物は、一種の懐しさを偲ばせ、人供と犬との馴れゆく姿も感興の深いものがあつた。

十、クラスノヤルスクからノウオシビルスクまで

イルクーツクを發してから、約二十六時間でエニセイ河の鐵橋を渡ると、クラスノヤルスク市がある。

此の市は、人口九萬を算し、流長千二百里のエニセイ河は市の東端を流れ、北部には岳陵横はり、教會の尖塔は松林の間に隱見して、風光明媚である。毛皮・木材・穀物・畜産品（豚毛）の集散地で、一ケ年の取引は、千五百萬留以上となり、製材は北氷洋を經て、遠く西歐諸國に輸出されて居る。

クラスノヤルスクから約四時間で、アーチンスクに着く。こゝは人口一萬四千で、白樺の林に圍まれた平原の町である。アーチンスクから約八時間で、九日の朝（夜は早く明けてこの頃の毎朝起褥は午前二時で就褥は午後九時である）タイガに着いたこのあたり、白樺の林に松を交へた密林をなして居る。タイガの人口は、二萬で、畜類の生産が多い。タイガから約五時間でノウオシビルスクに着いたが、こゝには帝國領事館が置かれて

ある。

この市は、人口十一萬を數へ、西比利亞に於ける政治經濟の中心で、一九二二年オムスクから西比利亞革命委員會が、この地に移されて以來、長足の發達をなすに至つた。穀類・バタの集散盛んで、農產物の取引高一億三千萬留に達し、頗る有望視されてある。有名なる農科大學もこゝにある。

十一、オムスクからチユーメンを經てスウエルドロフスクまで

ノーウオシビルスク市から、約十二時間で、オムスク驛に達した。

この驛は、人口十一萬を算し、西部西比利亞の中心地にあたり、嘗つては西比利亞政府のあつた所で、革命慘劇の跡が偲ばれる。牛酪の名產地で、年に十萬噸位、外國へと輸出する皮革・毛皮・穀類・家畜等の取引も盛で、秋市のみでも百萬圓以上の交易額に達する。農業大學・農具工場も有名で、農工業トラスト・牛酪輸出會社・皮革精製工場・ビール釀造所も大仕掛で、日刊新聞に、勞働者の眞理と名くるものが發刊される。

オムスクから約十三時間で、七月十日の朝チユーメンに達する人口四萬三千で、市街はトウーラ河とチユーメン河との間にあつて便利である。穀物・肉類・皮革・絨氈・牛酪等の物產ある中にも、絨氈が特に知られてある。この附近から、土の色は黑くなり、沿線の家屋も歐洲風となり、賣子の服裝も次第によくなる。

チユーメンから七時間汽車に乘つて、スウエルドロフスクに着く。こゝは、風景のよい市街として建物も立派である。

この市は、人口五萬四千で、以前はエカテリンブルグといひニコライ二世一家が、悲慘な最後を遂げられたところである慘殺の前、幾度かこの附近を引廻はされたとのことで、之を銃殺するに至つたのは、コルチヤツク軍の進出を恐れ、その手に奪はれぬやう、最後の手段をとつたとのことである。今もその慘殺の血痕が殘されてあり、驛から遠くもないとのことに、停車時間の長いのを幸に、其の家を吊はんと、待合室まで出かけた。この待合室で驚いたのは、さも東京震災當時の避難民その集團同様の憐れ至極の場面が、この乘客室に見出され、靴を枕としたもの、破れた衣服に身をやつしたものとても目の當てられぬ乞食姿に、これが大部分農民であるとのことをきかされて、もはや慘虐の跡をたづぬる元氣も失せて、急ぎ列車內の自室へと歸つた。今でも、この氣の毒な印象をとり去ることの出來ない程に、人類愛の上から強い印刻を與へられ、日本皇帝を戴ける吾等臣民の幸福を考へさせられた。

この驛の賣店では、ウラルの石のかず〲を賣つて居る、寶石としてアレキサンドリアもこの附近の名產である。

十二、ブヤトカ經由モスコーに着く

スウエルドロフスク驛から、ペルミヲ經由し、二十一時間で

ヴヤトコに着いた。

この市は、人口十萬を算し、穀類・手工品特に農民美術品が有名である。この驛の賣店で最も多く賣られてあるのは、白樺細工の卷烟草入である。これがロシア名物として、この驛の賣店で、多く販賣されてあつたが、煙草も飲めず、この方の趣味にも乏しい私は、財嚢を叩く元氣もなく、遂に之を求める機會を逸した。

この驛から二十二時間の後、モスコーへと着いたのは、七月十二日の午前八時頃であつた。汽車が着くと、トーマスクツクの女案內人が、出迎へ呉れたが、あまりに達者過ぎた英語で閉口したことであつた。幸にもモスコーにある日本大使館から出迎の人々によつて、通譯上大に助かつた。

ハルピンを出發してから、日として九日間の汽車生活、之を時間に直すと約百八十時間、之にもし釜山驛からハルピンまでの汽車時間をも加へ、計算するときは、前記と相合して汽車中にあること十一日間。二百三十時間の長きに及んだ。時に雨、時に晴れたが、比較的晴天が打續いたために、車窓からの展望も出來、農村農家の視察にも都合のよかつたことを感謝する。夏ながら冬の惡寒に襲はれて夜の眠られなかつたこともあつたが、それはバイカル湖に近いところを通過した一夜に過ぎなかつた。夜の短い代りに、晝が長く、毎朝二時の起褥で毎夜九時に休むことゝして居たが、夜の九時なほ薄暮の感があつて、眠に就くことの勿體なさを感じ、いつも睡眠不足であつた。

西比利亞旅行についての感想は、大森林大原野の際涯ないのに土地の比較的肥沃で、滿洲の砂丘多いところと比較にならぬ程の豐けさに對し、西比利亞開放の時早くにもがなとの世界的開拓を夢視せしめられたことであつた。そしてまた西比利亞生活者の原始的に、低級な生活に甘んじある狀態を見て強い人類愛の立場から、何とか之を救ふの途はないかとの感慨に打たれたことであつた

外海觀察記

―ブラジルの巻―

サントス港（其八）

信濃海外協會幹事　西澤太一郎

ガルヂヤ海岸

サントスの東方イ、ハダサントアマロの東海岸地帶海水浴場遊覽地などの最もよい所がガルヂヤーである。立派な別邸がある。住宅がある。

何處の都市や港でも郊外の地や、町續きは土地の價は大抵騰貴する。殊にサントスやサンパウロの様に新らしく開け行く郊外の土地はどん〲地價が上る。海岸の砂地で何にも作物の出來ぬ所でも、草原や、濕地や沼地でもどん〲上がつて行く。數年前は捨てゝ離れも省みぬ土地が今では一アルケール何十コントスといふものになつてゐる。

面白いものである、こんな捨地を拾つた様な安い値で買つておいて今日何百コントスといふ値で賣つて成金風を吹かせておるものも大分ある。

バナナ園

バナナ園はサンパウロへ行く鐵道沿線、ジユキヤへ行く鐵道沿線、サントスの島內、サンタアマロの島內など到る處に栽培されておる。良いものは何れも隣國のアルゼンチナや、歐羅巴の國々へ輸出されておる。アルゼンチンへ輸出されるものは非常に多いサントスやサンパウロなどで消費されるものも中々多い。

バナナのサントス相場は品により異同あるは勿論であるが一九一三年――一九一八年迄位は一房一ミル一打十二ミル位であつた。一九二四年頃は一房四ミル位となり一九二七年頃は二、九一〇ミル位となつた今は又四ミル位してある一九一三年から一九二七年迄の平均は一打二ミル二〇〇レース位である。

サントス附近及ジユキヤ線沿線などでは大部差がある譯であるがジユキ線などのバナナ栽培は大体次の樣な結果である。

第一年度

一、アルケール（二四二〇〇平方米）を單位とすれば

一、土地代　八〇〇ミル　（ジユキヤ線平均）

二、開墾費　三〇〇ミル

三、播地費　四〇ミル　（五人）

四、排水及道路 六〇〇ミル（一五〇〇株）
五、苗植付費 四五〇ミル（六〇人）
六、除草費 四八〇ミル
七、摘芽費 八〇ミル
八、切賃 五〇ミル（一二五ダース）
九、運賃及積込 七五ミル（同上畑より鐵道線まで）
一〇、汽車賃 二五〇ミル（同上）
一一、雜費 二〇〇ミル
計 三、三二五ミル

收入

一、バナナ 三、一二五ミル
二、間作收入 八〇〇ミル
計 三、九二五ミル
差引 六〇〇ミル益

第二年度支出の部

一、除草費 四八〇ミル
二、排水溝掃除費 一二〇ミル
三、芽搔費 一五〇ミル
四、切賃 一〇〇ミル
五、運搬及積込費 五〇〇ミル
六、運賃 五〇〇ミル
七、雜費 二〇〇ミル
計 二、一七〇ミル

收入

一、バナナ 六、二五〇ミル
差引 四、〇八〇ミル益

第三年度支出の部

一、除草費 六〇〇ミル
二、排水溝掃除費 一二〇ミル
三、芽搔費 二五〇ミル
四、切賃 一五〇ミル
五、運搬及積込費 七五〇ミル
六、運賃 七五〇ミル
七、雜費 三〇〇ミル
計 三、九二〇ミル

收入の部

一、バナナ 九、三七五ミル
差引 六、四五五ミル

第四年度以後は第三年度に準ず

サントス附近は開墾には山を燒かない、排水溝を設けたる後植付けるがジユヤ沿線は山燒きをして間作を植付て收穫する。雜草を防ぎ旁々收穫をなすのである。

植付は大体一五〇〇本から一八〇〇本位を一アルケールスに植込むのである。

バナナの種類

一、バナナナニカ種

種類としては品質の劣るものであるが生産多く輸出向きである。伯國の栽培されるものの中首位である。樹は短かくて高くならぬ濃緑葉である。

サントス港

二、バナナオウロ種　樹形極大、果面滑かで長二十四糎位卵黃色食用として珍重さる。

一、バナナベラタ種　樹形非常に高いが實は小さい又肉は白色で品質は上等である。果形は三稜形で市價良好である

一、バナナベルラ種　果房も果實も大きい、三十六糎位ある。果實の尖端尖り成熟すると灣曲し黑ずんで來る外皮を剝ぐと纖維が離れ易く煑るか油で揚げて食用に供せらる。

一、バナナマツサン種　海岸地方に多い、果實は長さ二十四糎位で果皮薄く肉軟く芳香あるので品質上等である。

此外バナナパラトグイア種、バナナオアヤンナ種、バナナメイアプレト種、バナナデサントーメ種、バナナタイチイ種などである。

此の中でブラジルのサンパウロ州に最も多いのはナニカ種とマツサン種とである、ブラータ種及オーロ種を次ぎとする。

チユキヤ沿線では沖繩縣の人が大部その栽培をやつてゐる。邦人中土地を所有して經營してゐる人々は又何處でも自家用とし家畜用として皆栽培してゐる。

兎に角果樹として實に有用有益なものである。

サントスの珈琲の倉庫とその在庫俵數

サントスは珈琲の港たることはいふ迄もないがその輸出する迄にサントスの倉庫中にあるものも中々多く實にその額百六十萬俵といはれてゐる。かくて順序歐米各國へ送り出されるのである。その輸出の進むに從ひ各鐵道の驛の珈琲調節倉庫及鐵道驛以外の珈琲調節倉庫にあるものが運搬されてサントスへ集まるのである。

一九二八年五月の調によれば珈琲調節倉庫にあるものはイチ

ラピーナの八三萬俵リンコンの八四萬俵を筆頭に小計四二四萬俵サンパウロ調節倉庫に四三四萬俵、サンパウロ鐵道倉庫に一二六萬俵、小計九八三萬俵、鐵道倉庫及貨車內に一七四萬俵、クルゼーロ調節倉庫に一七萬俵小計一八九萬俵合計一一七二萬俵といはれてゐる。

又鐵道倉庫及貨車內にある珈琲はパウリスタ線の五四萬俵モヂアナ會社の三七萬俵アラクワラ線の三三萬俵ドラード線の二三萬俵、サンパウロゴヤス線の一三萬俵等で合計一七三萬俵である。

累計一三四五萬俵と稱されてゐる。昭和四年には實に在庫珈琲累計實に一五〇〇萬俵を越ゆるといはれてゐる。か〻る多數のもので如何にサントスの港から輸出されるかが知られる。

此の狀況と海外歐米諸國の需要數とによりて相場の高低を來たし珈琲の大地主や、栽培業者の經營上、經濟上の大影響を能ふるものである。政府は調節局を於いて市價の調節や價格の暴落を防ぎその安定を計つてゐるのである。

それでも珈琲の相場に中々の差が出來て困るのである。

それによつてブラジルの景氣不景氣を生ずることは丁度の生絲の相場の變動によつて農業者や養蠶家、生絲家を苦しめると同じである。只珈琲の相場の變りは非常に多いのに一層の困難があるのである

（八頁より續く）

冬の菅平はスキーの菅平である。日本ダボスヌ近くは雪の王者ハンネスシユナイダー氏によつてシユルツ、ワルドと呼ばれた菅平の冬は滿目白皚々たる大雪原で、全國から集ひ來るスキーヤーの跳躍亂舞の場所となる。

菅平はかくして春夏秋冬四季を通じて若人達の憧憬の高原である。

吾が長野縣青年講習所はこの壯美雄大幽嚴なる菅平大高原、北信牧場第二號地內、大科木の蟠居する所、美しい林叢を負ひ甘い清水の滾々と湧くところ四阿、隔圍の神嚴の山容を背にして立ち眺望宏濶雄大なる場所に立つてゐる。

南洋行（二）

信濃海外協會幹事　宮下琢磨

歸途へ

こんどは、主としてボルネオの視察、就中サマリンダが主眼でありましたが、大体東海岸と南の一部を見ましたので、一先づかへることにしました。

歸るまへに、今一度ジヤワの根本氏を訪問しました。根本氏夫妻はソロー迄送つて呉れました、こ〻で、根本氏と杯をあげてお互の健康を祝し、私は、スラバヤに來てホテル東京に宿つて大阪商船の出帆を待ちました。

スラバヤでは、いつも砂糖の不況から、日本商店の不振な狀態に心を暗くしましたが、今回は資本金三百萬圓の三ツ引商事の破産整理があつて、その主任の茂木君がホテルに同宿いろ〳〵話を承り、有爲轉變の感を深くしました。

大阪商船の複航は、英領ボルネオのダワオを經、香港、厦門から台灣に寄港するので、少し日數は餘分にか〻るが、台灣の狀態も觀たいと思ふたので、この航路をとつた譯であります。

バタビヤ丸

大阪商船の船はバタビヤ丸といひまして、貨物本位ですが往航の南洋郵船よりは、三等室の位置はよいやうでした。三號室にはサマリンダで一所になつた水谷君もボートの選手として鍛へた雄偉な体格を横へて居るので毎日訪問しましたが、位置が船の中央にあるので良いと思ひました。一等室は三井物産の社員が一人と私だけで、私は讀書と散歩で、三井の人は蒼い顏をして風の吹くところで椅子に沈まり返つて居るので、頗る靜かでありました。

船はマカツサーに寄ります。こ〻では前に頼んで置いた極樂鳥をもちて來る爲めに上陸しました。

マカツサーに關連しての船の勇者のお話を致しませう。

十五噸のボートで南洋まで

三等船客のうちに、僅か十五噸のモーターボートで、東京灣を乘り出してから、四十餘日を、洪波を凌いで南洋はセレベス嶋マカツサーの港まで、長航を無事にし遂げた人があるといふので、訪問してその話をきいて見ました。

私は、始めは何か遭難の結果、漸く辿りついたのかと思ひましたが、始めからの計劃であるといふので愈々驚かされましたが、話はかうです。この人は、深川あたりで肴屋をやつて居りましたが、知人の紹介で資本家らしい人がたづねて來ました。この人の話には、「こんど神奈川にすてゝあつたモーターボートがある。機械は。とうに取りはづして賣つて只胴體だけ殘つて居る。これを二百圓で買つた、君は、嘗て小船の船長をしてアラスカ方面を往復したといふが、アラスカの荒海を、自由にのり廻す腕があれば南洋などは何でもない。實は自分はセレベスのマカツサーに大事業をやつて居る、このボートが必要であるが、これを持つて行くものがない、そこで、あれこれ物色したが君が一番適當であるとのことであつたので、相談に來たわけだが、どうじやらう、この船を見て役に立つと思ふたら、南洋まで持ちて行つて呉れんかい、マカツサーに行けば、船から自分の倉庫はズツト見える、愈行けば君がこの船をつかつて色々の仕事が出來る、ズツト利益もある。何も船長までしたものが小さな肴屋などにくすぶつて居る必要はないサ、自分の一方の部長として充分優待するよ」といふうまい話、兎に角、その船を見やうと神奈川に行つて見ると、如何にも船はあるが、これは、始め漁船を切つて繼ぎ足してモーターをとりつけたもので、頗る不完全ご粗末でボートの形をした位の程度である、長航路に堪えるや否やも疑問であるが、充分設備もすると云ふので、兎も角、やつて見ませうと迄話は進んだ、モーターの取りつけに五百圓かゝつた。それから帆をつけ、小道具の備へつけで三百圓總計八百圓かゝつた。次に暴風雨を避ける器械とか、精密な何々計とかいふものは、金がかゝるといつて資本家先生承知しない。仕方がないやつて見やうといふて、不安ながら、食糧として米三俵と野菜二圓と醬油一樽だけを積み込んで肴屋の店もたゝんで出帆したのださうです。

南洋の航路は、とき〳〵時期により難航路であります。私の往船にのつた船より一船先きに出たのは、非常な暴風雨にあつて、舵機などもきかなくなり、船長も眞靑な顏をして覺悟をきめたといふ話をきゝましたが、私ののつた船は航運つよく、每日の航海日和でした。こんな十五六噸のボートで、暴風雨にあつたら叶へませんが、幸ひ、好日和がつゞいて、嶋々の避難所を泊りを重ねて、四十餘日を經て無事にマカツサーに着いたさうです。

着いて見ると驚いたことは、この大資本家が稅關に拂ふ金がなかつたさうです。金は日本人會長の長野といふ人が一時立てかへたさうです、さてはだまされたかと怒つて見たところで今更ら何とも仕方がない、倉庫はさて置き住宅一ツないといふミヂメさでありました。そこで、談判して見ると、この船を支那

人に賣ると非常に儲かる、その利益を分けてやるから、それで我慢して呉れといふ。ところが採算の細かな支那人がこんなぼろボートに何千圓も出すものはありません。グズ〳〵して居ると旅費の出場所もないので、どうして呉れると談判して見ると自分は儲かる積りだが駄ならば歸つて呉れといふのです。歸りの旅費を出して呉れといふたら、神戸迄の三等切符を買つてやるといふのです、かれこれいふて見たところで、一文もないのであるから喧嘩にはなりません。泣き泣きこの船にのつたといふので、助手の人と二人で途方に暮れ、しをれ返つた態度で、實に氣の毒でした。それで私は、いろ〳〵に慰めて、人に瞞されたと思へば腹も立つが、暴風雨で九死に一生を得て命びろいをして歸つて來たと思へば、更生の喜びこそあれ口惜かる處は少しもない。命さへあれば、今迄の得點もあり、口惜もあるから心配するところは少しもない、愉快に新生活に入るがよいと言ひましたところ、よくわかりました、今まで馬鹿らしくもあり口惜しもあり、途方にくれて居ましたが、お話でよくわかりました、どうにかやります。全く命びろいをしたのが、まだ運の强いところでありました、これでスツカリ胸もスキ〳〵しました。と破顏一笑晴々した元氣を見せました。爭そはれない舟のり風のアツサリした人でした。何事も單純に考へる淡白の人であつたから、今回も、この種の山師の甘言にひつかゝつたのでした、

この山師が、いかにも南洋式であるので、この山カンの動機を申しますと、この人は南洋でかれこれやつて失敗した人ださうですが、前に五人の出資で船を一艘かつて南洋に持ちて行つたさうです。ジャリで賣るつもりであつたところ、直ぐには買手がない、そこで、それを担保として一萬圓をかりました。他の四人のものは見込がたゝぬといふので一萬圓の金を五人で分けて、後は山師に一切を委せて、むしろ權利を拋棄して自分一切損得に關係せぬといふことであきらめて歸つたさうです。そこで、自分一人後にふみ止りて一年ばかりかゝつて支那人に二萬五千圓で賣りつけて利益を得ました。意氣揚々として國に歸へり、一時は贅澤に暮らし、女房と溫泉まわりをしたりして居るうちに、金はなくなつてしまひました。そこで、神奈川で二百圓で廢物を手に入れて一儲けしやうと、無邪氣な船のりをだまして一芝居うつたといふのでありました。

遭難した漁船のはなし

前には、十五噸のボートで南洋に長航をした人の話でしたがこんどは、遭難した漁船の話であります。

紀州沖は、有名な嶮惡な海ださうです。何とかいふ英國の汽船が、日本の陸地からは遙か離れた沖合、しかも多く通らない航路ださうですが、これを航行して居るうちに、遙か彼方蒼い海の中に一點白いものを認めました、鷗にあらず、波にあらず望遠鏡でよく見ると、全く難破船のやうであるから、早速向をその方にかへて波を切つて進みました。行つて見るとどうでせう、顚覆した漁船につかまつて十人近くの漁夫が救を求めて居

るのでした。平生汽船の通らないところで、偶然にも通りあはせた汽船に助けられたのは、全く僥倖といふよりは天佑といふの外はありません。それにしても、幾晝夜を流されて、顚覆した漁船に命かぎりかぢりついて離れなかつた漁夫の精力體力にも驚かされます。

不幸な漁夫達は、英船のお蔭でマカツサーまで同船で運ばれました。マカツサーの日本人會の人達は、醵金をしてこの町の唯一しかない日本人ホテルに託したのでした。

しかるに、不都合なのはこのホテルです。充分な食費室料をとり乍ら、ほとんど粗食になれた漁夫達さへ滿足出來ぬやうな殘飯殘肴をあてがつて居たので、日本人會の幹事の人も憤慨して、別に一軒の家をかりて、こゝに起居せしめまかないをしてやつて徐ろに體力の恢復をまつて居るといふ狀態でした。

實に不都合なホテルで、日本人のうちにもかういふのがあるのです。往航の時にも水產學校の練習生が、こゝへ上陸してこの附近の嶋に調査に行くのでしたが、船に來たホテルの言ふには、一寸上陸するにも、寫眞器その他機械類の稅金を拂はねばならぬ、それから嶋の調査につきて許可を受けねばならぬ、それで、三日後に寄航するKPMの船には間に合はぬから、その次の週の船まで出發を延期しなければならぬと主張するのです私は、學生であれば、その說明もあり稅金など煩はしい手續は不要だ、簡單に嶋を見れば直ぐ出發するのだから、その諒解をうればよいと助言したのですが、きゝません、そこで事務長に稅關に同行して話して呉れと言ふたところ、事務長納得して、懇談してくれたので、その結果なんでもなく一時上陸が出來たのでした。後でスラバヤでこの學生に會ふたところ、三日目に立ちよつた船で無事ジヤワにやつて來たさうです。日本ホテルの側の蘭人ホテルに陣どつて日本人ホテルには立ちよらなかつたといひます。かういふホテルは自滅しませう。

新刊紹介

我等の發展地メキシコ　吉山基德著

著者は在墨七年、具さに移植民の實際を研究せられ邦人發展地としてのメキシコに對し具体的發展方法を詳細說明せられたるもの即ち本書は南北兩米大陸をつなぐ墨國は軈て世界經濟の中樞を握るべき運命を持ちしかも世界無比の地理的條件を有し其富源の開發は日本人が一番適任であると云はれてゐる今日海外雄飛を志す人士にとりて必讀すべき良書である

發行所　東京市麴町區下六番町五〇日本植民通信社　定價一、三〇錢　料〇六

ノロエステ ソロカバナ パウリスタ 三線邦人年鑑　寫眞入三百頁

聖州新報社發行

發行所　南米ブラジルサンパウロ州、バウル市ピアタン街四一三五　其社

農業のブラジル　毎月一回發行

發行所　サンパウロ市ファダンテス街一八　其社

取次　東京市外西巣鴨宮仲二三六九　同東京支社

墨國事情爐邊閑話（一）

新歸朝　ＴＯ生

一、位置、面積、人口

或御人からはなんだ墨國の位置、面積、人口なんて今じや三才の童子もよく知るじやねいか！と御叱りを蒙るかも知れませんが　信州の片田舍に來て居りますと墨西哥つて何所でどんな國なんだ？としば〳〵質問をうけますので極簡單に一寸御披露申上げて閑話に入らうと存じます。御承知の如くメキシコ共和國は北米合衆國の南隣りで南は中米のグワテマラ國に境し、西經は八十六度四十六分八秒から同百十七度三十一秒に亘り　北緯は十四度三十分四十二秒から同三十二度四十二分に位して居る三角形をした國であり　その三角形の底邊にもあたる北境が北米合衆國に連つて居ります樣にメキシコの國情の政治、經濟、貿易、商業、工業のあらゆる關係はとても密接なものであり口ではグリンゴなどと惡口をいひ乍らも切つても切れない緣故をもつ國であります　話は一寸橫道にそれましたが　面積は約十二萬八千方里あり　我大日本帝國の總面積の約三倍にあたつてゐる。

人口は約一千六百余萬人で我日本の約四分の一强であり　その密度實に一方哩に二十人許りの割合です、日本の密度の三百七十幾人に比較していたゞけばメキシコは如何に擴大にして余裕のあるかを知つていたゞけると思ふ。

二、地勢。氣候。住民

地勢は北から南に縱走するシエラ、マドレ山脈が國內に蜿蜒して　丁度メキシコ脊梁の如く形ち作つて居りますから　いづれの河川も東西の兩斜面に分れて居り東はメキシコ灣に西は太平洋に流出して居る　而舟運の便あるものは尠い　それはメキシコが一般高原地帶に屬し低原は唯兩海岸方面に狹く長くあるに過ぎないからだと思ふ。殊に南部方面は嶮峻な火山系に屬し急坂な山が多いそれ故中央部一帶は一大高原でありその平均高度は海拔六千尺乃至八千尺を有して居る　それが爲め緯度から行けばメキシコは全の熱帶圏內に屬して居り一般の人からはとても暑熱の甚しい國の樣に思はれて居るが實際はそれ程でなく氣候はその土地の高低によつて左右されますから　メキシコの氣候と一槪に申しましても大凡三つに分けられます。

一、最熱地　海拔千米以下の兩海岸地帶及び諸河の沿線平均溫度華氏八十一度にして幾分不健康の所もありますが土地槪して肥沃にして濕氣をもつ。

二、亞熱地　海拔千米から千六百米以下の沿岸山脈の傾斜地平均溫度華氏六十度にして健康に適し土地肥沃にして年中日本の夏と冬を取り去つた天涯の樂境。

三、寒熱地、海拔千六百米以上の高原地帶で所謂メキシコの中央高原及び山嶽地方はこの部に屬し平均溫度華氏五十度　時に

降雪氷結を見る事もある健康地

季節はＶｅｒａｎｏ（夏）降雨期　Ｉｎｖｉｅｒｎｏ（冬）乾燥期の二期であり地方に依つては多少の差がある樣ですが大体降雨期は五六月頃から九十月頃まで　あと半年が乾燥期で全く雨のない時期でありますが天候にも變則があると見えてメヒコにＦｅｂｒｅｒｏＢｏｃｏ（二月の狂雨）といふ言葉があり常例二月の月に入ると一二度降雨を見ます　之れが實に農家にとりては黄金の雨めぐみの雨として喜れるものである　特に珈琲園を所有する者に一層喜ばれます　それはこの二月の狂雨で珈琲は花を開くものですから　殆どこの雨に依つて其の年の珈琲の收穫をトするを得る程のものである。

住民。メキシコ純粋のインデアンは銅色なのですが早くから南歐人が植民し雜婚いたしました處からどつちつかずの混血子が多くなつて居り最近の調査に依りますと白人系メキシコ人十五パーセント、メキシコ印度人五十パーセント。混血系（土人とスペイン人との混血）三十五パーセント　といはれてゐる。

メキシコ現在の政治勢力及び知識階級なる者は少數の白人系乃至混血系統の者に占められ支配されて居る狀態ですが　だん／＼教育も普及し純粋のメキシコ印度人が自覺して政治にも參與し文化運動をなすまでになつたら之れ又侮るべからざる一大勢力だと思ふ。その時こそメキシコも有色人國！今天下は白人の者世界は我等白人に依つて支配されるものと一人よかりの傲慢　不遜の專横をきはめつゝも內心恐色病にかゝつて仙氣を病む國の排出するのもむべなるかな！御用心！御用心！

三、昔の墨西哥

現在のメキシコでも日本などに比べると大變に大きなものであるが昔のメキシコは一層廣大なもので南は北緯九度から北は同四十度に亘つたもので今の中央亞米利加及び北米合衆國の西南部をも含有したものであつた　然るに其の北部は　テキサス事件及び米墨戰爭等によつて約十五萬五千方里の廣大な沃地を米國の爲めに奪取され現在のグランド河を以つて兩國の境界となつたもの（一千八百四十八年二月）また南の方只今の中央亞米利加のグワテマラ、ホンデユラス、サルバドル、ニカラワ、コスタリカの五ケ國はもとメキシコに屬して居たものといへば昔のメキシコは實に廣大なものであつた。それで最近歷史家の研究によりますとメキシコの先住民はもと亞細亞の東北部からベーリング海峽を過て北米アラスカ附近に入りあれから太平洋沿岸を南下したものだとの說が有力になつて居る處を考察するとなか／＼もつて緣故のあるものらしい。

四、國名の起源

メキシコ、（メヒコ）の起源については　十四世紀の初め頃から勢力を得たもので相當の文化をもつて居たアステク族の傳說に依れば鷲が蛇を銜へて岩上に止らばトして以て建國の都となすべしとの神託があつて偶々その神託がその當時のチノチツランに現れたので此の地を都と定めて城市を築き彼等の守護神として最も崇敬せし軍神メヒトルの名を採つてメヒコと改稱し命

名したといふ。メヒコの國旗三色旗の中央に鷲が蛇を銜へて岩上の仙人掌に止つて居るのはこの傳說を採用して國章としたものだとの事。

五、宗教　教育

國民の宗教はローマ　カトリツク敎で形式上の御儀式はとても嚴格で　敎會は全國に一万余もあり都市にある敎會の如きは實に堂々たるものでその十字架の尖頭は空高く聳えて人目をひくに充分なもので　國民の結婚から葬式にいたるまで委くその敎會のクラ（僧）によつて行はれる。それだからその舊敎の洗禮を受けないものは　まだ人間にならないアニマル（獸）だとて人間的に取扱つてくれません　それが爲め日本人などが偶々メヒコ美人と相愛の仲になり互ひにすいてすかれて親の許しを得て結婚する場合でも先最初にその敎會のクラ僧から形式的にでも洗禮を受けなければその愛人との結婚が許されないのでメヒコ婦人を妻にもつ日本人は皆形式的には舊敎信者であり又その子供も生れ落ちるや必ずそのクラの洗禮を受くべき律法に定められてゐる。

洗禮をうければ幾何　結婚式をすれば幾何日曜に禮拜說敎をすれば幾何　とちやんと定められた公定のキマリがあつて徵收される。

主イエス　キリストの愛　尊き十字架の純福音の眞精神を忘れいたづらにその技葉の問題なるこの世の形式御儀式にとらはれその裝に完備せるメキシコのローマ　カトリツク敎も前大統領ヘネラル　カエイス　時代に定められたる宗敎法により一大壓迫をうけ各寺院の廢頽衰微の兆あれどまだ／＼經濟的に政治的にも寺院の力の侮るべからざるものがある。

此の外同じカトリツク敎でも羅馬法王に屬せざるシスマテコ派あれどローマ　カトリツク敎派に及ばず未だ微力

最近新敎のＰｒｏｓｖｉｔｅｌｉａｎ（長老派）の布敎あり未だ數に於ては少數微弱なれども主イエス　キリストの愛　十字架の福音の信仰に全き救ひときよめを得たる主につける忠實なる下僕の增し加へられつゝあれば、いたずらにこの世の形式御儀式に完備して眞の精神を忘れて衰頽しつゝある舊敎に眞の生命と能力を與ふる新敎の勢力こそ見るべきものメヒコ新興の原動力である。

敎育　墨國國民の七十パーセントは未だ無學文盲といはれて居る程ですから山間僻地の村などに參りますと讀み書きの出來るものは未指折數へる程しかない情態でありますが前大統領カエイス氏在職中から今日に至る各大統領の力をいたせし國民敎育の普及その效を奏し現在では如何なる山間僻地までも普通敎育を施す學校の設備もうけられそれの維持を出來ざる村邑には補助金を與へるやら又巡回敎師制度を設け年中各地を巡回せしめて敎師敎員の講習會を開き敎育敎授法の研究指導開發向上につとめるなど官民こぞつて國民敎育に力をいたす傾向に向へつゝありますからこゝ數年をいでずして國民の敎育普及率は與上の向上を見ると思ふ！

六、農　業

メキシコの農業之れは天惠裕かな豊穣肥沃な土地をもち乍ら未だ原始的方法の域から脫け出ない情態である　或一部には文明の利器を北米又は歐州方面から輸入して使用して居る大農組織のものもありますが普通一般の農家は本當に原始的で農具といへば例のマチエテ（山刀）にアチヤ（斧）アサドン（草搔）ぐらいしか所持してゐないのですから實に幼稚なもので其の設備は不完全極るものであり且メキシコ人の斯業の知識と勤勉性の欠乏は未だ原始的流域から脫け出ないで懶眠を貪りつゝある情態であるからメヒコ農業の向上發達は實にこれからにある　未來のある農業國である、或米人がメキシコの殖産事業を評して

「若し墨西哥の農業が開發された曉は墨國の富は今日の四倍に至らん」と或は然らん！この廣大にして豊穣肥沃なる未開の富源地に開拓の斧を揮ふ日本男子　大和撫子はあらざるか？

メキシコの總面積は一億九千八百七十三万二千ヘクタリアでその內四千六百二十四万九百三十八ヘクタリアが磽确で農耕地に適しないが殘りの一億五千二百九万一千六十二ヘクタリアは森林原野地帶であるから之れを開墾すれば農耕地になるもの、この內現在の既開墾地は僅かに七万ヘクタリアだといへばその殘部の一億四千五百万ヘクタリアで未開墾地處女林原野として殘されてゐて何處よりか　ますらたけをの來り開墾して來れるを待つてゐる狀態である。

メキシコの主要農産物は、玉蜀黍、小麥、大麥、米、フリホール、ガルバンソ（豌豆）、珈琲、煙草、木綿、砂糖黍各種、ゴム、樹脂、ヴアイニヤ、カカオ、エネケン、其他の纖維物、果實中には葡萄、密柑、マンゴ、イチゴ、サボテ、バナヽ、パイナアツプル等それはそれはとても美味な果實が數多あり、蔬菜類としてもトマテ、玉葱、靑豌豆、チレ（胡椒）玉葱、茄子、胡瓜等作りさいすれば見事なものが出來る。

これだけの豊穣肥沃な大きい土地をもち乍ら國人の常食として然もその耕作の比較的容易な玉蜀黍及び小麥を每年外國から輸入してその消費の不足を補つてゐる狀態だから驚くじやありませんか。如何に一般農民の農事思想及び知識が幼稚で且つ怠惰者で勤勉ならざる者である事を知つていたゞけると思ふ。

そこで墨國に於ける近世の名大統領たりしカエイス氏は墨國現時の國情に鑑み我立國の基礎は農業を開發し之れによらねばならぬと先農産物の國産獎勵に重きを置き一方從來の懸案であつた地方農民に土地を分與する規定を設けると共に農家の子弟に農事敎育を普及せしむる目的を以て農學校を起し、又農業關係の金融機關を設けて農家に經濟的援助を與へ、其他農耕用具の輸入上の便宜及び用水灌漑設備を講ずる等色々農業の發展に資する政策をとりつゝある。

其他牧畜、森林及び漁業方面も同樣未だ開けず何れも原始的狀態で開發の手を待つてゐる。（續）

朝鮮閑話（九）

藤澤定司

四十五　清正と妓生（傳說より）

併しながら倭軍の勢猛にして當るべからず昨日は安東今日は榮州と殆ど無人の境を行くが如く僅々二十日ばかりにして王城陷落王は百官を從へて周章平安道に蒙塵し臨海順和の二王子も歸途を阻まれて遂に父王に合う事出來ず僅に手兵を從ひ咸鏡道に落延びた

之が追討の命を負うたものは加藤清正第二軍の精銳二萬三千を卒いて安城站を出發し老里峴鐵嶺等の險を踰え安邊にて先嚮の鍋島直茂相良長每等の相會し總勢五萬餘らに永興を衝いた

その時府の入口に立札あり王子兄弟共に奥地に遁過された旨が記されてあるので鍋島相良等の將が躁急して居る間に清正一人勇立ちこれより愈々攻め立て追詰め王子を生捕に申す可しと云ひ出した直茂は深慮ある人血氣に逸る清正を制しながら

「異國戰法として斯樣な遠路へ敵を誘ひ入れ討取る計略をめぐらした事は珍らしくないこの立札を眞實と心得深追しては不覺を取る惧れがある第一我々共は都から十六日の間灼くが如き炎天を押來り人馬共に疲れて居る幸ひこの地は米豆の貯も豊富だから暫く逗留して都へも注進し何分の沙汰を待つて行動を開始するが然る可きだ」

と切言した智謀の化身かと思はれる程の直茂の提議には長每も無條件で賛成した併しながら清正にはそれが不服であつた

去ぬる三月名古屋の本營を出發する時主君秀吉の多年の原願に報ゆるはこの秋だ神明佛陀も照覽あれ清正は必ず大功を立てねば再び故國の土を踏まずと誓つたこの身ではないか然るに釜山浦上陸以來未だ敵らしい敵にも出會せず功らしい功も立てず早くも二ケ月余を過して居るのである

それが眼前に敵を控へて居るのだ攻めずに——戰はずに居る事は清正にしては忍び能はぬところである彼は憤然として斯う云つた各々方はこの札を唐人共の立てたものと思ひ召さるかはてさて意氣地のない事でござる我等は左樣に存ぢ申さずこれ偏に天照皇大神の八幡大菩薩の御加護と覺へ申したり神慮に任せて此清正王子を追詰め生捕申す可し加賀殿には此地にて御待ちあれと」

言葉鋭く云ひ捨てた清正は軍議の席を蹴立つて自分の陣所に歸るや急遽出陣の準備を整へ手勢一萬を從へてその夜の內に發足し定平咸興の堅壘を拔き明けても暮れても丑寅指してヒタ押しに押進んだ

將は名に負ふ鬼將軍三軍の意氣天を衝き猛虎破竹の勢である咸鏡兵使韓克誠六鎭の兵を繰出して之に當つたがもとより清正が武勇に敵すべくもなく二王子はその追擊の急なるに恐れて北靑から吉州へ更に明川鏡城へと遁走した七月の初旬清正の軍勢は名にし負ふ咸關嶺の嶮に差しかゝつた鐵をも溶かすやうな炎

天である人も馬も流汗淋漓として喘がざるはない

巖上に立つた淸正はそれでも些の疲れも見せず遙に沖の方に眸を送り狂瀾怒濤の渦卷くであらう日本海を眺め白鷗の群飛ぶ狀に打興じつゝ得も云へぬ風光を賞するのであつた

その夜洪原に到着した淸正は軍旅を犒ふ盛宴を張つた席に列するものは何れも一癖も二癖もありそうな荒くれ武者陣中の無禮講とあつて大盃に滿を引き醉が廻ると謠ふもの舞ふものやがてはお國自慢の肥後踊りに一座は興絕頂に達した

この色氣拔きの荒武者の酒宴の席へ我れから進んで酌參らせんと申出た美人があつた通譯の咸延虎からこの旨披露に及んだ時何れも殊の外の興ある事と膝を欹て片唾を呑んで待つて居る所へしず〳〵蓮步を運んで來た異國美人彼の女の名は金彩玉邑內きつての出色であつた

人を殺す事以外に何を考へた事のない肥後武者共もさすがの美人と見ては眼尻を下げずには居られなかつたそしてあちらでもこちらでも金彩女禮讃の私語が交はされた

陣に臨んでは三軍を叱咤し矛を執つては萬夫不當その名を聞けば泣く子も默ると云はれた程の淸正もさすがに今は相好崩して悅に入り

「苦しふないその女近う〳〵」とさしまねく

招かれた金女は敵國のつはものどもの中とも思はぬ態度で少しの憶する色もなくあはや大將のお前近く進まんとしたその時である大手を擴げて女の行手を遮り「女郞控へ居らう主君のお前なるぞと鍋島茂里はつと立上つたそして恭しく淸正に一禮してたとへ女と雖も敵國のものである古來女に心を許して思はぬ不覺をとつた英雄豪傑の數々の例をあげて金女は側近く召す事を思ひ止まらせ樣と諫めるのである

併し淸正は平氣である茂里の諫言には耳も傾けず金女に向つて異國の舞を所望した

女は乞はるゝ儘に立上つて節面白く唄ひつ舞ひつ飽くまでも一座の興を殺るものゝ樣であつた唄の文句は一句々々咸通譯によつて譯されるのであつたがその悉くが大將の德を稱へ淸正の武勇を賞するものである事を聞いた時淸正の滿足絕頂に達し茂里の大喝も勇士の警戒も今は金女の行手を遮ぎる事は出來なかつた何者の諫言も荒狂ふ淸正の情緖を靜めるには余りに力が弱かつた

彼の醉眼は血に燃え怪しくも乱るゝ情緖を如何ともする事が出來なかつた大盃を乾すと同時に自ら金女に勸め水色の薄ものを透して見ゆる彼女の滑らかな肌に見入るこの時情を含んだ彼女の返盃を受ける手はさすがに打ちふるうのみであつた

名は八道津々浦々に響き勇は鷄林の山河を壓し虎をもにらめ殺さん淸正でも只々美人の前には一個の男たるに過ぎなかつた戒衣かたしく露營の夢にも佳人を描いては微笑まざるを得なかつたに違ひない後でこの鬼將軍と呼ばれ恐ろしいものゝ代名詞のやうに云ひはやされたがこの頃の淸正は干戈の間にも異國情調に浸るだけの餘裕をもつて居つたのである

なみ〳〵と金女に酌させた盃は彼がこの三月來嘗て味はつた事のない出來事であつたそして幾盃か重ねた後金女を導いて巫山の夢をまろやかに結んだのである

たとへそれが敵國の大將であろうと受けた情に變りがあらう筈がない殊に淸正は武勇の權化その施した德政は彼の通路の人民達の口から口へと傳へられ沿道の民皆彼を遇するに敵將の恨みを以つてするものは一人も無かつた金女とても豫々その武勇を慕ひ機會だにあらば大將の見參に入らんものと心秘に待ちこがれて居つたのである

その望みは遂に叶ふて今宵その人の席に侍つて見れば嘗に聞きし程の嚴めしさもなく溢るばかりの熱情の所有者である言葉は通ぜざれ共その習慣は異つて居てもこれ等はすべて沸騰點に達した戀の障害物にはならなかつた魚心あれば水心で總ては通じ淸正の情にほだされた金女は旣に身も心も捧げつくしてこの殿ゆへには命も召さるゝとも露惜いとは思はない樣になつた

征戰三月劍戟の音雄叫びの聲を聞く外には流るゝ血潮斃るゝむくろを見るのみであつた殺伐な世界から斯した情熱の天地に生れ代つた淸正は恰も天子の事などは打忘れたかの樣に金女の膝枕に嬉しい幾日かをとうすいして居つた

その內に先發隊の一隊は早くも北靑の敵を破り甲山の奧深く追込めたとの注進が來た續いて敵將韓克誠が更に六鎭の兵を蒐め摩天嶺の要害を堅めたとの情報が達した斯ふなつては戀に狂ふた淸正も何時までも金女の膝枕に夢みることは出來なくなつた

眼を開いた彼の前には大きな功名がチラついて居る然しながら金女に對する愛着を如何にせん何時までも………と思ふ心の底にも北征が急がれる功名の愛着のヂレンマに陥つた鬼將軍暫し考へに沈んで居つたが決すれば亦以前の勇將である

何時までも羊群の獅子ではない一度その雄叫びを聞けば振立ち直ちに果斷即決意忽ち北上の命令は下された

出陣を告ぐる法螺の音陣太鼓の音に勇み立ち一隊は海路に倚るべく前津港に向け出發した淸正自ら之を引卒した事は云うまでもない斯うした日の何時か來るべき事は相逢ふその夜より覺悟はして居つたものゝ愈々その時の來たことを知つた金女の悲嘆は又更に新たなものがあつた威風堂々出陣の首途を送る彼女の眼には熱淚滂々としてとめどがなかつた

「相親しむことなれば相逢ふことなし相逢ふことなければ相別るゝことなし相別るゝことなければ相戀しむ事なし」

彼女は斯ふした傷心歌の一節を口づさみ悲しい觀念に眼を閉ぢようとしたが逢はぬ苦と思へ諦めるにはその戀が余りに深刻であつた忘れて仕舞ふには受けた情が餘りに濃やかであつた

彼女の足は何者かに引きづられるやうに海岸に運ばれたそこには幾千年の長い間打寄せた大波小浪にさいなまれて穿たれたであろうことを想はせる洞穴が巨岩に穿たれて居た

金女がこの洞穴の入口にて汗を拭ひつゝ待つ間程なく順風に帆を孕んだ多くの兵船が舳を揃へて沖に現はれた大將の御座船何れと見るや彼女の眼には離苦の淚が湛えられ哀別の悲歌さへ今は口に出なかつた

船は次第に遠ざかる……彼女は今は狂亂の態である我にもあらず汀傍へに岩頭から巖頭へ躍りつ飛びつあとを追ふたが帆影は遠く東に沒し戀の對照は長へに彼女の眼界から去つたのであるそれでも金女は尙ほ立去ろうともせず巖頭に突伏した儘動かうともしなかつた斯うした別離の悲哀が次には愛人の武運長久を祈る心となつた三日四日彼女は一滴の水も口にせず一念北征の淸正が身に神明の加護を祈つて居た或る大時化の夜を名殘に愛する猛將軍淸正の名を叫びつゝ打寄する波濤めがけて身を投じて仕舞つた

それは丁度七月十六日淸正が海汀倉の激戰に大捷を贏ち得たその夜であつた

その後唯云うとなく金女が身を投じたこの岩を節婦岩と名づけ何時の頃からか彼女の貞節を頌した碑が建てられた

咸鏡前津驛から約半里の海岸に松島の奇景と共に節婦岩がある。（終）

海旅の夢（一）

軍艦靑葉　倉田哲人

前言

吾々日本國民の必要缺くべからざる糧食、著てる衣類、建築用材に至るまで悉く詳さに檢討すれば果たして吾人の衣食住は自給自足の境地から脫する事が出來るでありませうか？

今更ら發言までもなく全然安定を得ない悲しむべき狀況にあります。

年々歲々人口の著しき增殖により激しき生存競爭は遂ひには骨肉相食むが如き世相に轉換しつつあるを憂ふるに當て其の當然の歸結法は海外發展この一路あるのみといふ事は駄辯を要するまでもありません。

環らすに四方海を以つてする我が國が今若しその海路が絕たれましたなら吾人は新品を求めず有り合せの物で埋め合せ場合によつては薄著で我慢するとしてそれでいざ鎌倉といふ時果たして、よく幾年かを保ち得るかは餘りにも自明の理であります

海外發展により行詰り狀態の局面を打開する上に必要すぎる程必然の條件は海運の進步發展を必須とするに切なるものを覺えます

南洋航海中の軍艦靑葉

海運の進步發達の必須條件たる海洋の自由が保障され船舶の航海が何によつて保護せらるゝか？

其の國の海軍力でありませう！

無論國際公法に依つて或る範圍は保障せられては居りますが海軍の實力を有たなくては實効はありません

それは恰も不戰條約が成立しても軍縮會議が開催されても海軍力を必要としない時代は到來しないと思ひます

故に不戰條約や軍縮會議の是非は論外として吾人現役軍人は充分の決心の上にも決心の臍の緖を引緊め平時は勿論一朝有事の際は軍人の本能を發揮して皇國を泰山の安きにおくこの心事を夢寢の間にも忘れず平素の訓練を怠らないのであります

我が海軍の將士は擧つて各自の責任を自覺して最善の努力を盡して居ります

海外發展の雄志を抱ける諸賢は磐石搖ぎなき堅い信念の許に統制ある訓練に寧日なき吾人海軍軍人の所謂日本の海軍魂を大いに信頼されて奮つてその雄圖の實現に向つて勇往邁進せられん事を熱望いたします

南洋行

今はもう其の行動も了へて三ケ月の日子を經て居りますが當時新聞紙上にも槪略が報導されました通り我第二艦隊は殊更らに酷熱の候を目がけて南洋方面耐熱遠洋航海の壯擧を決行したのであります。その海の軍さ旅の日記を斷片的に書いて見ませう。

酷熱の眞夏而かも赤道直下の南洋方面へ

耐熱の遠洋航海！

聞くだに勇しき其の名は如何に海の軍さ人の胸にその男性的の壯擧であるかを誇り得た事でありませう

思ひ起せば去る五月十四日新綠滴る滿天滿地の生氣溌溂たる故國の景致や幾多の人々に万歲聲裡の盛大なる祝宴を張られて母港發其の壯途に上つたのであります。

旗艦に起る軍艦「マーチ」の嚴か且つ勇壯な軍樂の曲に勵まされ………軍艦「マーチ」がいつしか別れの「ロングサイン」の曲に變つて行く頃は艦隊各艦は速力を增して灣口も何時しか益々大平洋上を南へ進み出でつゝありました

久し振りで大海原に乘り出して見ますと陸上の煩しい事もいつしか忘れて誠にすが〳〵しい氣持になりした

あゝ海、あゝ海、あゝ海、

或る書物にこんな事が書いてありました

英國のサーウオーターラレーは

海は大きいばかりでない實に恐るべき力を持つて居る

海を制する者は必ずよく海上貿易を制し世界の海上貿易を制する者は必ず世界の富を制す果たしてよく世界の富を制せば世界そのものを制し得べし云々。

濃洸果てしなき大海原へ乘り出して見てよくその眞理が判るような氣がいたしました

然るに世界稀有の我海國日本に於きましては德川氏三百年の鎖國政策に禍されまして今でも海を恐れ板子一枚地獄だと云ふ風に船を嫌ふ者がありますが現在の科學智識の文明、發達せる造艦造船術に比べ其の幼稚比ぶべくもない四百年の昔幾日行きて限りあるか涯知らぬ內に想像以上の困苦缺乏に堪へアメリカ發見を實現したコロンブスの壯擧に對しても誠に恥しい事だと思ひます

食はず嫌ひと云ふ事がありますが海を怖るべきものとする人の中にはこの傾きがあるのではないでせうか？

化け者の正体見たり枯尾花

味ふべき句だと思ひます

海は好きだが船に醉ふから嫌ひだと云ふ人があります勿論船暈程譬へようのない厭の氣分のものはありません　船暈にかゝ

らぬやうになるには訓練つまり船に馴れる事が必要であります
先きんずれば人を制すでなく先きんずれば船を制す体驗上精神で大分解決される事は論を俟たないのであります
事實この船暈は明朝奄美大嶋へ入港するといふ日の夕方からの大暴風雨に遭ひましてさしも堅牢無比の海の浮城も文字通り木の葉のように大波に揺られまして流石の海の勇士も少からず其の船暈のために苦しめられました
軍艦では若い水兵など馴れない者はよく上甲板を駈け足や軍歌をやらせて氣分を紛らす方法をとります
…………………
五月十四日　朝
奄美大嶋古仁屋の港へ投錨いたしました
來て見れば椰子蘇鐵白竹などの草木にも何んだか大變熱帶臭くなつたやうな氣がしました五月中旬といふに西瓜南瓜胡瓜茄子等内地のよりいづれも大きいのが最早巷間に見受けられこれも夏おそき信州への音信の材料の一つでありました
京都模樣の日傘をさして道行く娘に如何にも床しさを感じ乍らも行き交へば浴衣の上に細紐一本のみ加ふるに日燒けした素足に履物を用ひず裸足のまゝ平氣の平座で居る日傘と不調和の矛盾と滑稽には素敵の別嬪と雖百年の戀もさめ果てゝ終はないでせうか？
嶋民の容貌言語のアクセントの工合氣のせいか日本人放れがして居るかのように見え試みに軒の表札を檢めれば一字の姓多いのには或る歴史的事實に興味ある参考資料でありました
世上有名の大島紬の原產地でその機業たるや頗る幼稚封建時代の遺物其の儘の手織式であれ丈の絣目を織出す織女の苦心と捗らぬ進度、一日三尺織り成さねば嫁して姑樣の御氣に召されないそうであります
未だ電燈の文化に浴せぬ石油ランプ時代の奄嶋
嫁ぎ行く華かなる前途を抱く乙女子が天晴れ嫁御寮の資格を得るため朝疾くより石油ランプの淡い燈下に至るまで一日の行程三尺に至るべく努力を思ふ時　其の生產的經路から考へて品質は確實ではあるが比較的高價の謎も解けたやうな氣がしました
嶋民の常食は甘藷の故か皮膚の色が艷のない樣見受られました
五月十七日
又もや奄美大嶋を出で益々南下したのでありますが其の後は大暴風雨にも遇はず來る日も來る日も海又海日一日と暑さを加へ五月二十一日にはもうスッカリ白服に更衣軍帽は麥藁に變り寢所は上甲板といふ有樣
かくして全艦隊は段々南下の航海を續けて居る内に海の色が變化して第一色のドス黑い黑潮に遇ひました
陸上に河川がありますように海上にも種々な流れがございます海流の詳しい事は省きますが昔琉球の人は南洋から流れて來た椰子の實を見て海中の產物だと思つて居たと云ふ事を聞きま

したが今でも南洋の材木が日本に流れて來るので海流の事は判ります
注ぐ河や鹽分の含量海流などの關係によりまして又海の色も色々に變化して居ります
鹽分の多い瀨戶內海は藍色で
藍色の海の上なる須磨町石
と云ふ子規の俳句がよく穿つてる事と思ひます
又支那の揚子江や黃海の沖は泥色で上海生れの日本人の子供が物心ついて初めて日本內地へ母に伴はれ日本の淸流に驚いて
內地の水は白いスキ透つてる！
と云ふ奇聞を發したそうですが生れ落ちるから河や海の水の色は濁つてると云ふ先入主の子供の頭の推理は無理ならぬ事と思ひます
其の他紅海は赤く、黑海は黑く。白海は凍つて白く、印度の「ガルタウイ」岬の如きは乳白色である如く種々變化して居りますが…
炎熱に喘ぎ乍らも貿易風を何よりの樂しみとして迎へつゝ段々南洋の海の國內に入りますと海の色は澄みきつて誠に美しく珊瑚などで飾られた海の底がほんとうに美しくスキ透つて見え龍宮でもあるかのように思へて飛びこんで往つてせめて一日でよいから遊んで來たいやうな氣がいたします
南洋に入りますと丸木舟のような原始的の獨木舟（カヌー）に棹さして黑ん坊が私共の艦を取卷いて目と齒ばかり白く光らせ無氣味の愛嬌顏に變手古つきで錢を投げろ〳〵をやります面白半分に海の中に投りこみますと「ゾラッ」とばかりに潛りこんで沈みつゝ行く錢を物の見事につかんで浮き上るのを見ましてもよく澄んで居ると云ふ事がお判でせう
偖てこれから地理的價値の南洋について見たり聞いたりした事を更に拙いペンを走らせて見ませう
我委任統治區域及其の附近の南洋諸嶋は余りに其の嶋々が狹少にすぎ南米大陸等への海外發展に同一視して植民地として期待するには憾ぬ點が多々ありますが海外發展氣分の間接的見地からその地理的概念を新らたにする事はあながち蛇足に許り限られては居らない事と思ひます

練習艦隊編成

本年度海軍練習艦隊は軍艦出雲、八雲を以て編成せられ十一月末兵學校、機關學校、經理學校等の卒業生を乘組ませ二月下旬まで內地朝鮮沿岸を巡視し三月初旬より印度洋、地中海方面へ遠洋航海をなす豫定、因に司令官は左近司中將である

海外通信

海外支部便り

本年度總會開催

レヂストロ支部報告

拜啓　協會の各位益々御壯榮にて御奮闘の御事と御遙察申上候、其後當支部は久しく御無音に打過ぎ誠に申譯無之候。伯國最近の情狀は、當地發行の、書刊物にて御承知の御事と存じ候が、玆當分は、不況恢復の見込み少く諸所持久戰の覺悟を維持せざる可らざる事と存ぜられ候當植民地も昨年は、入植以來の旱害を蒙り米作の大減收、加ふるに相場の低下にて全く、不景氣風の襲ふ所となり、何時も同じ秋の夕暮れか此地も、緊縮を謳歌せざる可らざるに相成り候當地協會支部は去る七月末日島田鶴雄氏池畔に於て本年度總會を開催久保田會長會務經過報告、石川會計の會計に關する報告あり後本年度の役員選擧を行ひ、懇親宴會に移り、山海の珍味に舌鼓を鳴し御自慢のお國の歌に花が咲き、すつかり信州氣分を發揮して、千鳥足で歸つたのは、十六日夜の鷄く頃、本年度新役員は、殆ど前年の諸氏留任せられ候會報誌代本年度分は案外延引仕り候間、取敢ず集金の分、御送附申し度く別紙送金票の通り、何卒お領收被下度願上候（八、一五）

ありあんさ便り

賑やかな入植祭

拜啓　此度は御丁寧にも　昨年御依賴申上げました中田。久保田、氏御兩人えの贈りものに對し領收書まで添へ御鄭重なる御挨拶に接しどこまでも御親切に御計ひ被下さるます御心情を深く〳〵感謝いたして居ります。

仍イペの花咲く伯國の冬も終りを告げんとして居る此頃は、例の名物山燒きの眞最中にて全く黑煙空をおふの樣です。先日の渡邊伯農場の卅アルケール、の山燒きなんかは實に物凄い程の壯觀でした。本年は例の大乾燥にて農作物は大いに害されましたが山燒きにわ非常なる好運をもたらした形にて新入植の人々は大層喜んで居ります。

又ありあんさの入植祭の日が來ました。八月七日は第二ありあんさ九日十日はチエテ移住地。十一日は第三ありあんさと云ふ具合に祭り續きで厶いました。第二及第三の余興は全く近鄕の呼物でしてことに第三ありあんさの此れは斷然頭角を拔き立派なる出來榮にまたその見物も大したるもの全くありあんさの記念祭の觀を呈しました。

こうして年を經ると共にありあんさもしかに移住者の村らしく落付いた氣分に成つてまゐります。終りに此度佐藤氏に托されて御送附下さいました中田よりの荷物無事落手いたしました厚く御禮申し上げます。

八月十五日　林　光衞

アニウマス農場より

謹啓　御一同樣御健在の由奉賀小生等一同異狀も無之暮し居り候間他事乍御休心被下度候
世界的不況が訪れてそれに加へて人爲的カフエー調節が失敗に終つてブラジルも極度に不景氣風が橫行致し居り候、然し乍農業生產國で有り人口過少國で有るブラジルは日本と比較申せば民衆の生活不安は少なきものに候何故と申せば都會の失業者は田舍に來て働きさへすれば食が得られ申候過日社民黨の鈴木文治氏が來伯致し其觀察談を讀み申候がブラジ

ルは實に良き移民の捌口で有ると云ふ樣な事を申し居り候尙此の說が小生等が日頃感じ居る事に一致して居る事が痛快に思ひ候それは誰にても感ずる如く海興等の一會社が姑息的に僅少の移民を送り出した位で日本の人口、食糧問題に何等影響無之き樣國家として移植民を奬勵する案立が有之ばより大々的に少なくも年に十萬人位の數は送出せねば駄目で有ると云ふ事で有之候、尙氏は日本に於いて失業者は群をなして居るがそれ等のものは渡航出願さゑ出來ないもので海外へ出やうとして出られない程の困却狀態に居る國家として斯る階級の者を指導訓練してブラジルへ送り出したら、實に好のましき事で有ると云ふ意見に有之候が實に同感の至りに候小生等は海外移住講議錄によつて移植民の概念を一通り感じ居り候が日本の既成政治家が無策にして他にはゞかるなきを歎かはしく思ひ候有識者は宜しく聲を大にして、此の民族的使命の發展に盡力すべきと思ひ候
扠不景氣によつてメロエステ方面では耕主會議が各所に開催し今年迄は千本に對して三百餅以上でした手入賃金が百餅から百八十餅位に低下すべく決議申し候甚しき處は僅八、九十餅と云ふ處も有之とに話し候があまりにも無謀の行爲と思ひ候が封建的勢力さゑ有するヘアゼンデーロの橫暴に御座候勿論賃金低下を行へばカフエー間作を多く許し間作地も餘分に與へる事は必然的の事に候カフエ專門地帶なるリベロンプレット方面は百五十餅以上二百五十餅位迄との話しに候例年ならば遲くも七月には農期切替への契約はすべきものを耕主連は互ひに連絡して契約を發表せず賃金低下はあたり前だぞと云ふ示威行爲を取り居り候がコロノなくして立ち得ない耕地に御座候間結局コローの生活保證の出來る程度の契約は締結するべく候
當耕地に於いては栗山嘉氏の、理解有る人格により七月中旬三百餅と二百五十餅の賃金に決定し間作地は充分に與へ實に此の不景氣には申分なき契約が行はれ外人連も殺倒して使用を申込み來り候が既に滿員にて拒絕申し候
尙大抵の處がカフエー採取賃金は一俵（百十立米）一餅が一餅五百レースに候も昨年と同一二餅五百レース支拂申し候間小生等實に助り候氏は千本に百五十餅でも生活は出來るがそれではお互ひに發展すべく來た者として一文も殘る處がない故度外の事は出來ないと申し居り候が事實に候近頃母國でブラジルは地獄だと逆宣傳が行はれて居るとの事に候が小生等の經驗より申せば例へば千本に對して百五十餅支拂へば決して生活に困る事は無之候カフエーザールの間作間作地の作物によつて隨分自給自足出來申し候然しコロノとしての渡伯は、食ひつぶしのないやう、八、九月に到着すべく來る事が肝要に候不景氣だと云つてもブラジルの方が食ふに困まる事は無之と思ひ候小生等も本年は約三コント五百餅位殘る考へに候來年の八月迄に約五六コントの金を作り八月には、愈ゴヤス州へ移住申し度く計劃中に候
不景氣でも計劃通り金が殘り候、然し注意すべきは病ひに候一人病んでも莫大の支障を來し申し候ゴヤス移住も旅費丈で二コント位掛り候然し邦人の未だ少なき地に歩を入れる事は欣快事に候
同村小松豐作氏一家は既に去る六月下旬出發し唯今開拓に餘念なく候先は御禮旁々近狀御報告申上候
八月二十日　宮部里治

×　×　×　×　×

移植民ニュース

ダバオ渡航
移民制限撤回運動

ダバオ渡航移民制限の報傳はるや同地日本人會に於ては直ちに反對意見書を領事館經由主務省に提出せられたるが尚今回在ダバオ各縣海外協會支部に於ても時局に鑑み本件の重大性なるを認め急遽役員聯合會を開催し愼重協議の結果左の通り決議を見猛運動を開始するに至つた。

純農業者にして薄給に甘んじ且つ困苦に堪へ得る者はダバオ當今の不況に於ても失業其他困惑を感ずる事斷じて無し、寧ろ移民の制限は當地事業經營上支障を生ぜしむるおそれあり、殊に呼寄移民は當地在留民の特に要望する所なれば制限さるゝ必要全然無し就ては移民制限撤回方外務省へ陳情する事。

尚目下當地麻不況の現狀に鑑み事業の維持發展を期する爲、金融事業開設の必要ありと認む、此際之れが實現達成に拓務省の助力を仰ぐ事

南阿移民法解除
我國と紳士協定

南阿聯邦政府が一九一三年に發布した移民法による日本人の入國禁止問題については過般來在ケープタウン山崎領事代理より同政府に對しこれが解除方の交渉中であつたがこの程漸く意見一致を見るにいたり、十五日山崎領事代理と聯邦政府外務次官代理との間に右に關する交換公文の取交はせを行ふことに決定し多年兩國間の懸案であつた同問題も七年振りで漸く解決をみる段取となつたしかし今回取交はされる交換公文は一種の紳士協定といふべきもので南阿政府より右移民法による禁止移民の取扱ひをアジア人中日本人に對してのみ解除する意味の提案に對し帝國政府より欣然これに贊意を表したる回答を同政府に發する形式のもので公文交換完了後同政府より右日本人に對する禁止移民取扱ひ解除の公布を行ふと同時にこれが實施を見る筈で今後は日本領事の推薦する勞働者以外の商人學生旅行者及びその家族店員等は自由に同國に入國し居住し得ることとなつた譯である。因みに最近における同國と日本との貿易額は外務省通商局の調査によると輸出千五百万圓輸入約五萬であると

不景氣の打撃は
在留邦人に輕微

外務省通商局第三課長阪本龍起氏は去る七月十八日以來南洋方面の一般在留邦人移民狀況視察のためヒリッピン、ジャワ、スマトラ、マレー半島へ出張、十日宮崎丸で歸朝したが左の如く語つた

南洋の不景氣は相當深刻で、白人、支那人、日本人などすべてこれに惱んでをるが、土人は別段苦にしてゐない、しかして日本人は諸外國人に比し不景氣の打撃が比較的輕微であるが、支那人は最も甚だしい、これは一に銀價の暴落が原因してをる、また白人は歴史の古い關係上商取引がサンプルによつて完全に行はれ

てをるが、邦商にはまだ一般的に行はれてゐない、このサンプル取引が一般に行はれるやうになつたら將來益々有望であらう、白人商品の販路は重に高級品であるが、中等品或はそれ以下の玩具、綿製品、雜貨などは完全に日本品が供給されてをる、しかし南洋における日本品の取引は殆んど支那人にコントロールされてをるから何とかこれを改善して日本品の取引は日本人が占めるやうにしなければならない

朝鮮農夫の
滿洲開拓

滿洲における鮮農は支那官憲の壓迫にも拘らず逐年增加のすう勢を示し終にその稻田經營は支那當局にても整價を認むるに至りしため今回朝鮮の外米輸入禁止斷行に際しても除外例の特典を與へられた次第であるが最近の調査に係る在滿鮮人農家は十万五千百八十七戸その水田耕地面積六万八千廿四町歩にしてその省別左の如し

遼寧省	三三、八三〇戸	三五、六六三町歩
吉林省	六八、四四〇戸	二七、六三一町歩
黑龍江省	三、三二〇戸	四、七三〇町歩

アフリカ蕃地に
邦人移住地を開拓

世界的不景氣から南米移植民が一寸行惱みの折柄南米植民の學生を養成してゐる香川縣立木田農業學校三年生二名は明春卒業と同時に日本人の入國稀といはれてゐるアフリカウガンダ國の蕃地で棉花栽培に從事することゝなり目下旅券手續き及び入國について同國へ照會中である同國には石川縣出身者がたつた一名在住するのみなので邦人移植民開發の先達として渡航すると意氣込んでゐる

ペルーの排日
遂に移民限定

ペルー今回の政變による全國的騷亂は漸く鎭定を見て新政府の基礎も稍安定するに至つたが最近の情勢は革命勃發前に比し排日運動深刻化し來つたのと在留民の相互の競爭による苦境によつて我移民の渡航を從前通りに復活することは甚だ面白からざる實情にあるので外務當局は近く同國への移民を再渡航者及び妻子を主とする總計五十名以內に限定する方針に出る模樣である

濟州島西歸浦に
漁村移住地

行詰つた漁業打開として廣島縣水產會では將來有望な朝鮮に移住漁村を設定すべくかねて朝鮮木浦、濟州島麗水、統營方面でその適地を調査中だつたが天然に惠まれた朝鮮はいたる處漁業の寶庫に充ちてゐる中にも濟州島は傳統的に內地人を慕つてゐるので同地をもつとも適當として西歸浦を漁村移住地と決定しすでに用地五万坪の買收に取かゝつた、悠々百家族を收容することが出來るのでさし當り明年度からこれが移住獎勵に着手する段取である

信州記事

十六萬石增收確實
縣から稻作豫想發表

縣下の稻作は二日本縣から第一回豫想を發表したが水稻六万七千二百八十九町三反歩の百五十四萬二千五百六十石陸稻四十二町七反歩の六百三十石合計百五十四萬三千百九十石で前年の實收に比し一割二分の十六萬七百七十四石增、更に五ヶ年平均實收に比し一割一分の增收を豫想されてゐる、最高は上田市の三割九分四厘次は更級郡二割一分九厘、上水內郡の二割一分である。本年の稻作は順調な天候に惠まれ移植後の天候やゝ不順勝であつたが八月に入つて回復し二百十日も無事にすみ地方によつては水害病虫害もあつたがその被害は輕微であつた尚一反步收獲は二石二斗九升二合で前年に比して一割の增收豫想である

公民權を與へれば
我信州は女の王國

婦人公民權がいよいよ來議會に上程されるので非常な興味が注がれてゐるが縣地方課の調査によると

	男	女	計
廿歲以上	四七一、九一九人	四八七、四七九人	九五九、三九八人
廿五歲以上	三八九、九八三	四〇三、〇九五	七九三、〇七八

で廿歲以上は一萬五千五百六十人廿五歲以上は一萬三千百十二人女の方が多い譯である更にこれを二ケ年以上安住せる者に限定すると廿歲以上 男四三一、四六四 女四四四、八四四人 計八七六、三〇八人 廿五歲以上 男三六一、〇〇一人 女三七一、七五七人 計七三二、七五八人 で二十歲以上は一萬三千三百八十人廿五歲以上は一萬七百五十六女の方が多く何れも女が男よりも多數を占めてゐる從つて婦人公民權が實施された曉には業務上公民權を行使し得ない場合もあるからますます女の方が優勢となりまさに女の王國を築くであらう

母國通信日誌 自九月十六日 至十月十五日

九月十六日(火) 樞密院會議白熱化し首相、伊東伯互に一步も譲らず大論戰▲時局對策表明のため政友會臨時大會開く▲閣議、樞府彈劾に終始し徹底的抗爭を申合せ首相强硬決意を開陳▲タコマ市號再擧遂に斷念か

九月十七日(水) 對樞府の抗爭に審査期限で爭ひ本會議の表決で爭ひそれで行かねば反對上奏で爭はんと政府三段の構へ▲樞府側不利と見て伊東委員長態度緩和▲江浙商人の運動で支那日本商の輸入を禁止

九月十八日(木) 樞府委員會ロンドン條約案を無條件で可決す▲政府は一路不況對策へ精進▲村上浪六氏二千圓の詐欺告訴から召喚取調べらる▲成田行京城電車追突して乘客數十名負傷の慘事

九月十九日(金) 世界的不景氣は金の偏在が主因と津島財務官語る▲財界不況に當面し堅實な會社も徹底的整理改善の傾向あり▲壯擧空しくブロムリー中尉一行疲れて歸京▲大村航空隊の三機洋上訓練中に遭難七名一瞬夜漂流す

二千萬圓を突破
農山漁村救濟金申込

本縣の農山漁村救濟資金供給申し込は十日締切つたがその申請總額は豫想通り二千万圓を突破して二千百七十六萬九百卅九圓の巨額に及びなほ未到著のものを合せて二千二、三百萬圓となる模樣であるその內譯は

耕地開墾六七七、三六四△山林開發三、三八六、〇四六△蠶桑九、一三三、一一〇△水產一〇〇、〇〇〇△畜產九六九、二六九△副業一、二〇七、二五〇△內容表示なきもの一九一、五〇〇圓

遂に基本財產へ
手をつけた市町村

縣下各市町村は明治二十二年市町村制施行以來それぞれ基本財產を蓄積して來たが昨年度末現在の總額を見ると市町村經濟全般のために設けた一般財產は、現金二百四十四萬八千六百九圓諸株券二十四萬四千九百四十圓、諸公債證書四十四萬三千九十五圓その他總計二千九百八十二萬三百九十圓學校建築その他特定の目的によるもの(蓄積市町村數二百九十)二百八十二萬九千六十七圓となつて居る、これを前回の調査昭和元年度末に比較すると特定基本財產は四ケ年間に五十一萬七千百六十一圓增加したが普通基本財產は實に五百二十萬二千三百十七圓の激減を來たして居る

これは連年の不景氣により土地、立木、建物等の財產單價が下つたのも一因だが市町村財政が漸次窮迫し基本財產に手をつけねば遣繰が出來なくなつた結果であり、更に今年に入つては、不況對策のため減稅を行ふ一方蓄積停止をしたものが相當數に上つて居り、今後は從來せつせと蓄へた基本財產もますます漸減の步調をたどるだらうと見られて居る

九月二十日(土) 俳優學校關係者を結合し菊五郎を中心に新劇團の旗揚げ▲帝國農會米價暴落の防止運動開始▲エトロフ丸幹部十數名果然水上署に引致せらる▲政友會戰線を地方に展開▲神戶海港博覽會けふ開かる

九月二十一日(日) 航空隊の擴張と艦艇建造に二大別し財源五億万圓以內の補充計畫原則決定▲地方稅の延滯納年一年と增大し不況に伴ひ更に惡化す

九月二十二日(月) 軍縮による剩余金を國民負擔輕減にあてよと痛烈な各階級の要望▲リーグ戰しきりに局面を轉回させて見せる▲軍縮會議の論功行賞若槻氏或ひは授爵か▲大難產の國防補充計畫で軍令部大藏省の板挾みで海軍省頭痛鉢卷

九月二十三日(火) 市町村長の直接選擧實現へ內務省立案に着手▲早大野球部監督市岡氏突如辭任▲郵貯の利下げ閣議で決定▲期米相場暴落二十圓台割れ

九月二十四日(水) 米廉くして人、皷腹せず▲鐵道に咲く不景氣風二千三百萬圓の減收▲階級鬪爭の芽生へに松竹芝居王國夢破らる▲監督を血祭りにあげた早大軍の率先芳しからず▲市岡氏讀賣新聞へ入社

九月二十五日(木) 味覺の秋葡萄一粒が五錢

菅平ホテル
愈々完成近づく

スキー場として全國にその名を賣出した上田市外菅平高原の「菅平ホテル」はスキーシーズンを前に愈々近く竣成することになつた、場所は近き將來に實現する信電の大貯水池を前面に控へ雄大なる高原一帶を一眸に集め淺間活火山や芙蓉峯を望見し得る好位置を占めてゐる、建物は一部を三層樓及び二階建とし階下には大社交室、大食堂、乾燥室、男女別浴室、スキー置き場、スキー修理場の外に客室九室、二階に十四室、三階には六室の客間を配置し各室に暖房を設備することになつてゐる、宿泊料は低廉を旨とし一泊三食づき一圓内外とする、付近の各農家も今春來居宅を改修若くは新築してゐるが來遊者の宿泊滯在に遺憾なきを期してゐるが飽くまで地方色を發揮することになつてゐる

財政建直しに
學童の勞働奉仕

小縣郡浦里村ではさきに村民の負擔を輕減するため既定本年度豫算を極度に切り詰め村役場は勿論小學校、補習學校等のストーブ用石炭は全部村有林から伐採した薪炭をもつて代用することに決定したがこれが伐採に人夫を雇ふも不經濟であるから、小學校五年以上及び補習學校の男女生徒の總動員を行ひ卷ゲートルにわらぢばき姿の村上校長みづから總指揮官となり女生徒は宮下村長が溫かい誠心をこめて寄贈した雪袴をつけて身輕なふん裝に甲斐々々しく男生徒とともに十數日間二里ほど離れた共有林に立木を伐採するやら荷車に積み重ねて山道を運搬するやら涙ぐましいほどの勞働をつゞけたこれら兒童や生徒には一日平均十錢の割で手當を與へその全部を貯蓄させることになつてゐる

減俸と寄付金で
戸數割を一期全免

小縣郡長窪新町では過般來町當局と町會議員と協議の結果、小學校教員の減俸

大根一本一厘の相場▲鐵道省空前の大減收に佐へ更に第二次の經費削減▲選擧權の年齡制限滿二十歳に低下と內務省の方針決る▲鹿兒島の大火卅七戸燒く

九月二十六日(金) 朝鮮疑獄の大公判山梨大將法廷に立つ▲安達峰一郎博士最高點で國際司法の法官に當選す▲供家爭議に新判例大政供家人の訴訟に値下げの判決

九月二十七日(土) 市町村長直選に內省氣乘薄▲世の中が暗くなれば電灯の需要が減る電灯が減れば世の中愈々暗くなるは困つた事▲古株の休眠芽を育てて稻を蒔かず稻の新栽培法三重縣で試驗成功す▲野球を全國的に統一の爲文部省乘り出す

九月二十八日(日) 農產物の下落激しく農村の不況深まり行く▲不景氣打開には積極政策の外なしと犬養總裁名古屋で獅子吼▲道府縣會分野野黨尙優勢▲海軍特別大演習目前に迫り靑赤兩軍陣容整ふ

九月二十九日(月) 過剩は遂に小學校教員に及ぶ現下日本に不足するは金と智惠のみ▲米價暴落で地主苦境に立ち帝國農會地租延納決議

九月三十日(火) 帝キネ長瀨スタヂオ全燒す倉富議長の態度に邸卒不愼謹の非難樞府顧問

役場吏員の減俸、町長町議等の實費辨償辭退等によつて生ずる金口町内資産家の寄付金を合して三千五百圓を生みだしそれを町税に充當して戸數割の第一期分三千五百圓の徴收は行はぬことに決定新例を開いた、尙これを聞いた町民は枕金は納むべきものだといひだし二十錢三十錢と零細の金の寄付が集つて居る

今度は絹足袋生産
松本工業試驗場が製繊を研究

松本工業試驗場ではさきに絹の洋服地製織に成功したが今度は絹たび地の製織研究に着手しどうやら成功に近づいた模樣であるこれは當業者も製織を歡迎し愈々近く本縣の特産として絹足袋生産が具體化するであらう右は一足七十錢位で十分販賣が出來且履き心地もよいので實現の上は十分都人の好評を博すべく東京大阪に主力をそゝいで販路の擴張に努むる計畫である

二百万圓を投じ
愈々犀川線改修

本縣道路政資の癌となつて多年縣政を惱ましてゐる犀川線改修問題に對し兒玉土木課長は成案樹立のため去る一日から四日間に亘る全線の實地踏査をすませて六日朝歸廳したその結果大體從定計畫たる三百八十五萬圓の龐大な豫算案を根本からくつがへし二百萬圓を以て延長十三里に亘る道路橋梁改修の新計畫を起し永年の難問題も漸くこれによつて救はれることになつたすなはち工事は局部的の改修を主眼として進み勾配カーヴなどを緩やかにし既定による九橋の外地ごりなどで最も難所といはれてゐる藤倉五百間安庭は六百間山清路村近約一里東筑摩郡生坂村治岸六百間の道路を改修せんとするもので大體道路橋梁とも出來るだけ舊道を利用して二百萬圓をもつて完成の豫定である

都市の商工業も
同じく借金地獄

長野商工會議所では先般來長野市商工業者の借金額を調査中であつたが今回漸

官内に起る▲三井鑛山七百數十名整理

十月一日(水) 國勢調査無事終了▲聖上陛下親臨の樞府會議でロンドン條約滿場一致可決▲呼物の超特急燕運轉全國鐵道制期の時間改正▲郵貯ぶから利下げ▲總督暗殺問題令官左近司中將任命さる▲若槻氏條約可決を喜こびつゝ歸國▲鐵鋼御申告の皇族は御六十二方なる由

十月二日(木) 帝都にうごめく浮浪者千七百名▲全國小學校教員會議開かる時局に處して精神を緊張と宣言▲米收穫豫想六千六百八十萬石と農林省發表前年より七百三十萬石增收▲濱口首相條約御批准を奏請御裁可を仰ぐ

十月三日(金) 財部海相辭表捧出し後任は安保大將決定▲ガス値下げに關し東京市から商相に陳情▲鐵道相總理大臣擬で恐慌相場の現▲鐵貨引下要は幹事長に一任の事にきまる

十月四日(土) 新海相を迎へ海軍部内の統制帝に復するか▲條約御批准書英國に寄託發遣▲政府米價對策の根本建直しに直面し應急對策全く行詰る▲皇后陛下那須御用邸より還啓遊ばさる▲樞府改革論擡頭す

十月五日(日) 軍縮條約通過と共に政局の不安漸く濃し▲山形縣教化當局聯合會開催▲日系市民ハワイ郡參事官に當選

く調査濟みとなつたその結果によれば銀行より借入れたもの九百十二萬六千八百二十四圓此人員三千二百二十七人で一番多く次で信用組合の百六十萬圓無盡講の百三十萬圓金貸業の十萬圓保險會社の六万七千圓金融會社二万三千圓質貸の六千五百圓等合計一千二百二十五万四千五百二十圓の莫大な額に上つてゐる、これを借入人員八千九百九十人に割當てると一人當り一千三百六十圓內外となり長野市三千の商工業者に割當てると一人當り四千圓といふ多額の借金をしてゐる事となつてゐるが前回の調査に比較すると甚だしい增加となつてゐる

新日赤病院
長野市の名物となる

長野赤十字支部病院は先年來新築工事中であつたが今回漸く完成し十六日には新館に移轉する事となつた設備は縣下では始めてのエレベーターや、無投影電燈最新式電氣治療機などあり十八、十九兩日は一般に公開する

村債を轉貸し養豚
富士里の考へた計畫

下水內郡永田村の村債による產米買上計畫は全國的にも珍しい對策と見られ縣當局のこれに對する態度は各方面から注目されて居るが上水內郡富士里村ではその向うを張つてこれまた珍計畫、村債轉貸により養豚奬勵計畫を立て十日佐藤村長出縣して當局の諒辨を求め近く正式に起債手續きをとることになつた

同村のこの計畫は養豚事業そのものが有利であること、金肥驅逐をなし得ることの二理由に基き、これによつて疲弊せる農業者を救濟せんとするもので個人又は團體の借入申込者に一萬圓の村債から轉貸をなし子豚並に飼料は村で共同購入して配給し右資金は二ケ年すゑ置五ケ年年賦によつて償還せしめんとの計畫である

スキーの志賀高原に
溫泉つきの山小屋設置

十月六日(月) 第十一回帝展の出品洋畫四千點を突破▲耕地爭議と桑園料引下に小作爭議の續出▲日銀突如金利引下げ

十月七日(火) 私鐵疑獄の續行公判事件は核心に入り小橋前文相の審問開始▲京都からの出品帝展締切に遲れ遂に受付拒絕さる▲米價急落の對策日く海外輸出、輸入制限、新米買上、低資融通等

十月八日(水) 物々しい警戒で共產黨事件の公判▲海軍の豫算通大藏省の海軍通補充計畫案で對立▲樞府改革の瞞運動き事務規程改正に着手▲德川侯名古屋市へ百萬圓の自邸寄付

十月九日(木) 信濃川發電所計畫遂に流產の憂目となる▲京都側の威喝的態度に帝展忽ち折れて遲刻出品を受取る▲大軌、阪急の配當一割二步と決る▲服部時計玉社會事業のため三百萬圓投出す

十月十日(金) 海軍大演習第一期戰開始▲失業救濟農村振興對策につき召集の地方長官會議けふ開かる▲ルーブル問題で日魯漁業難境に立つ▲全國農學校長會議上田で開く

十月十一日(土) 入場料を徴する運動競技を興行と見なすか否かで警視廳迷ふ▲利子引下げと不況で提置郵貯の解約殺到▲鐵道防協會設立着手さる▲巡查の立番廢止となり警察官

スキーシーズンの到來と共に志賀高原開發のため長野電燈で中央線その他にスキー客用寢台車の增結を出願するやら諸種の準備を行つてゐるが同社が志賀高原蓮池へ設けた山小屋には發哺から溫泉を入れる事となつたので學習院はじめ各大學とも奪ひあひの狀態である更に現在の圓池の小屋を改築し宿泊設備を行ふ事となつたが溫泉浴槽のある山小屋は全國でも珍しく電鐵では將來更に高原一帶に二三ケ所を建設する事となつた

木曾の鐵道開通
記念共進會

十一日月一より五日間木曾福島町に開催される鐵道開通二十年記念の共進會は全郡下總動員で大々的に行はれるので地元福島町を始め各町村は目下各種材料取集めや準備に大わらべである。農產物、教育品、消防關係、交通資料、衞生關係等々々と會場は第一小學校第二木曾會館第三福島驛構內の三部に分れ第一は主として農產物を中心とし第二は木曾美術協會主催の美術展覽會第三は交通展覽會となつてゐるが殊に交通に關しては名古屋鐵道局の後援の下に新舊幾多の機關車、客車、貨車其他の機械を据ゑ付け實際に運轉をなして觀覽せしむる外資料としては傳馬制度に關した物品文書、傳馬札、日記其他凡ゆる參考品番所、關所に關した旅行免狀、物資の輸出入禁止に關する文書等を又往古よりの乘物一般や宿驛に關する樣々の文書を陳列して觀覽せしむる事となつてゐる、美術展覽會場は中川紀元氏、有島生馬氏、正宗得三郎氏、東鄉靑兒氏、石井柏亭氏等極めて新進作家の最近の作品を約三十數點其他協會々員の作品日本畫、彫刻等約數十點の陳列をなすことになつてゐるので何れの會場も相當見ごたへのあるものばかりである

有頂天の喜こび▲東電遂に讓歩し鐵道省へ供給の電力料金引下ぐ

十月十二日(日) 陸軍首腦部評定の結果軍制改革は明年度は斷念すと▲濱口首相の世界に送る平和メッセージ放送の準備進む

十月十三日(火) 住友玉國社員の減給申渡し▲ドイツ日本間定期飛行の提案正式交涉來る▲東京女子齒專盟休に入る▲岐阜縣船津五十戸燒く

十月十四日(火) 人餘つて職足らず米餘つて錢足らず愚案に餘つて智惠足らぬ日本▲海軍補充計畫三億臺に削減は絕對に反對と海軍側の態度强硬

十月十五日(水) けふ狩獵解禁▲總工費九千萬圓と三十一ケ年、三千二百萬人の勞力を費した大利根の改修完成▲搬入拒絕騷ぎの後で帝展空前の總花入選

消息

松島公使歸朝

本縣出身外交官中の偉才在ポーランド公使松島肇氏(上伊手良村出身)は今回三年振りにて歸朝さるゝ事となつた

丹澤氏榮轉

本會特別會員本縣社會教育主事丹澤美助氏は茨城縣女子師範學校長に榮轉過日赴任せらる

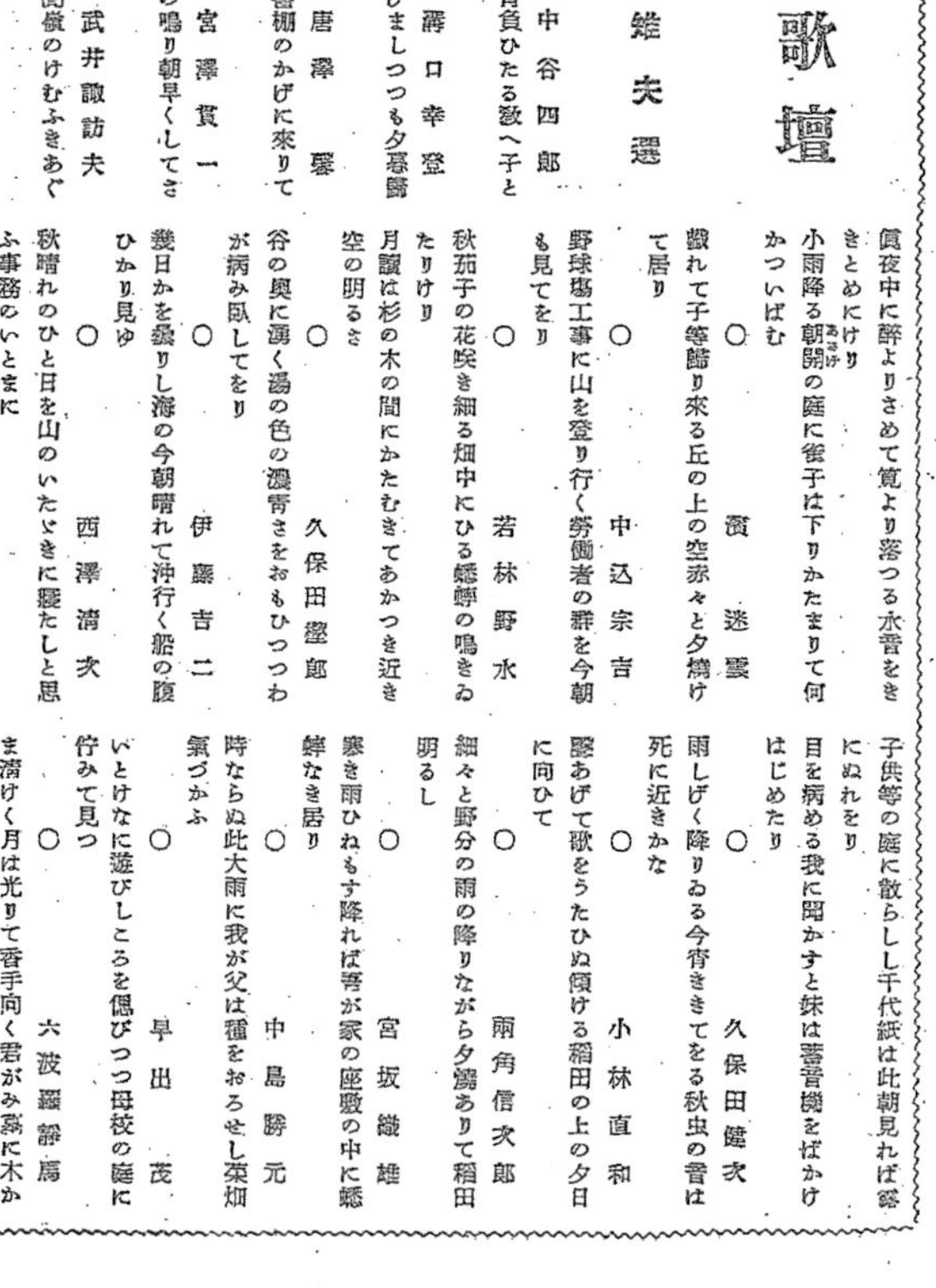

外の海 歌壇

短歌　雉夫選

岡谷短歌會

○　中谷四郎
たらちねの繰るとふ繭を背負ひたる嫁へ子と共に吾は歸れり

○　溝口幸登
働きて共に疲れし弟をはげましつつも夕暮歸る

○　唐澤馨
雨の夜の冷ゆるなるべし書棚のかげに來りてこほろぎなくも

○　宮澤貫一
門の田の土手草を苅る鎌の鳴り朝早くしてさやさや聞ゆ

○　武井諏訪夫
やうやくに登り來りし淺間嶺のけむふきあぐる火口に立てり

○　川口幹
眞夜中に醉よりさめて筧より落つる水音をききとめにけり
小雨降る朝開(あさけ)の庭に雀子は下りかたまりて何かついばむ

○　賓迷雲
戯れて子等歸り來る丘の上の空赤々と夕燒けて居り

○　中込宗吉
野球場工事に山を登り行く勞働者の群を今朝も見てをり

○　若林野水
秋茄子の花咲き細る畑中にひる蟋蟀の鳴きゐたりけり
月讀は杉の木の間にかたむきてあかつき近き空の明るさ

○　久保田鎣郎
谷の奥に漂く湯の色の濃青さをおもひつつわが病み臥してをり

○　伊藤吉二
幾日かを曇りし海の今朝晴れて沖行く船の腹ひかり見ゆ

○　西澤清次
秋晴れのひと日を山のいただきに寢たしと思ふ事務のいとまに

○　峰村けさ子
子供等の庭に散らしし千代紙は此朝見れば露にぬれをり
目を病める我に聞かすと妹は蓄音機をばかけはじめたり

○　久保田健次
雨しげく降りゐる今宵ききてをる秋虫の音は死に近きかな

○　小林直和
聲あげて歌をうたひぬ傾ける稻田の上の夕日に向ひて

○　兩角信次郎
細々と野分の雨の降りながら夕燒ありて稻田明るし

○　宮坂織雄
寒き雨ひねもす降れば吾が家の座敷の中に蟋蟀なき居り

○　中島勝元
時ならぬ此大雨に我が父は種をおろせし菜畑氣づかふ

○　早出茂
いとけなに遊びしころを偲びつつ母校の庭に佇みて見つ

○　六波羅靜盾
ま清けく月は光りて吾手向く君がみ墓に木かげ落せり
霧雨の低く流るる山原の朝わびしも秋虫すだく

○　加納滿江
夜明け方吾子を夢みて向ひ家の子の泣く聲に眼を覺したる
五才にも足らはぬらしき男の子おぼつかなげに子を負ひてをり

○　田中忠良
朝な朝な通勤女工のまばらゆくエプロン姿目に立ちにけり

○　小野三好
子供等はおのれ浴みを谷川の流をすくひのみゐたりけり
つかれて眠りしわれは濕襲をる子のかけ蒲團はぎとりたりし

○　宮坂愡義
稻の穗のみのりてたるをたしみつ今朝も工場に畦道をゆく

○　森山汀川
越の海に幾度來れ我がこふる佐渡が島わに未だ渡らず
旅を來し少女子あはれあけ早く洗面場に髪を結びあふ

○　早出長門
露多き桑摘むわれに山の端を離れたる旭はさしそめにけり

○　新村あや子
ははき草しげれる庭に下り立ちてけるけき人を思ひて居たり

○　加納幸雄
いたいたしき面持をして歸り來しアロムレー中尉の寫眞を見たる
茄子畑の畝間の水はあかるみて日光かがやく雲をうつしぬ

○　小口龍舟
吾が身のみ殘して白き草原の霧の中にも虫の聲きく

○　河西剛
寡の心空しくなりにけり君來ぬものと吾あきらめぬ

○　岩本素樹
講演のなかばに雨のふり出でて聽衆いたく尠なくなりぬ

○　岩本忠男
競ひなきし虫の音とみにさびれたり吹く夕風の肌寒くして

○　中島英太郎
リツクサツク背負ひて下る山道に寄待草の花盛りなり

○　笠原寅之
夕まけて公園のベンチに默しつゝ勞働者等は只にかけ居り

○　雉夫
ことなげに病む子には云へどやすからぬ病と知りて妻は歎けり

歌稿について

一、題　隨意　首數制限なし
一、締切毎月十日
一、選者　兩角雉夫先生
寄稿者は住所氏名を明記し諏訪郡平野村選者宛直送を願ひます

外の海 人事相談

本欄は求人、就職、婚姻等個人的の人事に關する相談に應じ紹介、斡旋の勞をとる。御相談に關して係りで負擔出來ざる費用は實費を頂戴す。（係）

求緣

嫁度　當方住所本縣更級郡、某實科高等女學校卒業、年齢二十四歲、小學校教員免許狀有、目下某實業補習學校助教諭勤務、先方意思堅實相應なる資金を準備せる三十五歲迄の青年にして身体强壯、系統正しき、中等教育ある確實の海外發展者たる事(姓名在社)

嫁度　當方住所本縣諏訪郡、某高等女學校三年修業家事都合上退學、爾後某病院に事務員として勤務、先方身体强健意思堅固、十分なる渡航資金を以て伯國に渡航する系統正しき青年たる事、可成五年位伯國にて奮鬪せし人を望む(姓名在社)

嫁度　當方本縣北佐久郡、小學校卒業後補習學校に學び、目下上田市某醫院に看護婦として勤務、年齢二十六歲の處女・身体健、先方志操堅實、有爲の青年たる事(姓名在社)

嫁度　當方本縣小縣郡、實業補習學校卒業後自家農業從事中、年齢二十八歲、先方本縣人にして堅實なる青年にして、近隣に嫌忌せられざる家庭に生れたる男子たる事(姓名在社)

嫁度　當方南安曇郡、明治四十四年生、村立高等小學校、實業補習學校卒業後自家農業に從事中、先方思想堅實身体强健相當なる家庭に成長したる青年にして三十才迄の人たる事(姓名在社)

嫁度　當方本縣南佐久郡、勞働に耐得る二十八歲、二十五歲、二十歲の娘三人あり、堅實なる男子に嫁せしめたし可成は父親見屆の爲渡航致度に付旅費支辨願度

求妻　當方小縣郡西部の某村に生れ、三十四才、大正十二年ヒリツピンに渡航し麻栽培從事中、先方身体强健、意志健固眞面目なる婦人たる事(姓名在社)

求妻　當方本縣北佐久郡、二十二才、某公民學校卒業後自家農事に從事中アリアンサ移住地に請負耕作として入植準備中先方身体强健、意思堅實品行方正なる婦人たること(姓名在社)

求妻　當方本縣南安曇郡出身にして、十年前にヒリツピンに渡航し、大會社の監督、三十三歲、月收三百圓他資金數千在先方身体强健、常識ある南信地方の婦人たる事(姓名在社)

求妻　當方本籍本縣下高井郡、飯山中學卒業十年前にアルゼンチン、ブイノスアイレス市に渡航し、商業に從事中、資產數萬圓在、店員五名使用、年三十四歲、先方高等女學校卒業、思想正しく容姿十人並、身体强壯血統正しき人(姓名在社)

協會組合記事

十一月便船乘船者と本年の渡航者數

十一月二十二日神戸出帆リオデジャネイロ丸便乘アリアンサ移住地渡航者は左の通りにして一月七日サントス着の豫定

愛知縣寶飯郡御津町　菅沼佐太郎
　　　　　　　　　　つな江

尙菅沼氏は本年三月豐橋中學校卒業後直ちに日本力行會海外學校に入學し同校別科卒業の經歷を有し、つな江夫人は昨年豐橋松操女學校卒業後爾來同校教員助手として令聞高き才媛、夫君と共にアリアンサ蓮沼信一氏の耕地へ入植の筈。

本年の渡航者數

アリアンサ移住地入植者數は左の如し

神戸出帆日	乘船名	家族數	人名
一月三日	サントス丸	四	二〇
二月十八日	ハワイ丸	一	二
三月一日	河内丸	二	一三
三月十五日	ラプラタ丸	三	一一
四月十九日	ブエノスアイレス丸	二	一八
四月二十八日	博多丸	三	一一
五月十四日	サントス丸	一	三
五月二十六日	若狭丸	一	六
六月二十三日	リオデジャネイロ丸	一	三
七月三十日	備後丸	一	二
八月二十三日	ラプラタ丸	五	一二
九月二十七日	ブエノスアイレス丸	二	五
十月二十五日	サントス丸	三	八
十一月二十二日	リオデジャネイロ丸	一	二
計		三〇	一一六

朝鮮移住地 四十家族移民募集

本會朝鮮移住地經營に關し過般西澤、永田幹事實地調査の結果咸鏡北道慶興郡新安面鐵柱洞の耕地約四百町歩森林約百町歩に來春三月頃から四十家族を移住せしむる事となり朝鮮總督府その他と連絡して手續を進めてゐる移住地は雄基港から二里半の奥地にあり一家族に對し耕地十町歩を分讓しその中五町歩を自作せしめ殘りの三町五反歩を朝鮮人に小作せしめる計畫で森林百町歩もそれぞれ分割する

耕地五町歩は水田一町歩畑地三町歩山林原野一町歩に分け主として大豆、馬鈴しようもろこし、麥等の畑作を作らせ水田には北海道稻種を移植し山林は製炭その他に利用し生產物は雄基港から內地の敦賀港に移出十年後には最少限度に見積つて一家族約四千圓の年收をあげ得る見込、なを開拓資金は產業組合法により低利借受けを行ひ本會では移住並に開發費十万圓を計上し將來は耕地千五百町歩に擴張する方針であり。移住希望者には詳細收錄したる案內書を送る

海外移住奬勵 講演活動寫眞と

移植民募集の好期に入りたるため縣下二十ケ町村に於ける活動寫眞宣傳は先月號所載の通りであるが尙左記市町村よりの講演會申込に依り西澤幹事出張得意の熱辯を揮はれた

十月六日　更級郡信級村
十月八日　東筑摩郡日向村
十月十二日　埴科郡坂城町

十月十六日　上伊那郡赤穂村
十月十七日　同村
十月十八日　下水内郡飯山町（高水戸籍吏員會）
十月二十三日　上田市

人事相談と結婚媒介

本會は海外渡航者の人事相談に就いて極めて懇切叮嚀をモットーとしてゐるので近時漸く其眞價が一般に認められ、訪會、通信等著しく增加して來た次第であり漸次海外よりの申し込みも殖へる事と思つてゐる

今回左記緣談の纒まつた事は同慶の至りであり尚進行中のもの數件に及んでゐる

在ダバオ（長野市上松出身）　上田五郎氏
小縣郡浦里村　水出津禰世孃

市町村設立の海外視察組合（續）

上木島第二次視察組合

下高井郡上木嶋村海外視察組合は昭和二年九月設立せられ爾來三ケ年間視察貯金の積立をなす傍ら講演會並活動寫眞會等を開催し海外思想の涵養に力むる等所期の目的に向つて進みつつありたる處今回三ケ年の期限滿了と共に續いて左記各位の贊同を得第二次組合の設立を見るに至つた

組合長　湯本道三
理事　石川源藏　須野原義盛
　　　禰津忠治　森　鑑基
　　　仲山安五郎　湯本良平
　　　禰津惣右エ門　栗林健太郎
　　　森　常信　山崎一學
　　　森　富之助　勝川一眞
　　　金井袈裟之丞　森　祐次郎

新入會員紹介

小縣郡丸子町　工藤正夫殿
更級郡中津村　草川壯一郎殿
上水內郡柏原村　中村正直殿
上諏訪町　藤森兼吉殿
長野市高田　大澤常彥殿

會費領收（自九月十五日 至十月十四日）

一金壹百圓也　特別會員費　木内一郎殿
一金壹百圓也　同　須野原義盛殿
一金壹百圓也　同　仲山安五郎殿
一金壹百圓也　同　竹原理忠治殿
一金壹百圓也　同　竹井豊吉殿
一金壹百圓也　同　島津雄三郎殿
一金壹百圓也　同　齊藤寛吾殿
一金拾圓也　維持會員費　山口菊十郎殿
一金四圓也　丸出律殿　佐藤通殿
一金貳圓也　普通會員費
平井逸朗殿　東周二郎殿
東喜助殿　村松萬吉殿
中村正直殿　清水善一郎殿
藤森兼吉殿　田中保殿
三石寛殿　三石賢太郎殿
三石武雄殿　三石忠亮殿
三石伴丙殿　三石圓治殿
矢島たか子殿　深澤富嘉榮殿
長田米吉殿　宮崎正武殿
宮原榮治殿　宮崎君雄殿
小山菊太郎殿　宮島隆殿
上原直一郎殿
一金四拾六圓也　上水内中郷視察組合殿
一金貳拾六圓也　下高井郡上木島視察組合殿
一金五圓也　東筑摩郡日向青年會殿
一金拾圓也　更級郡信級女子青年會殿

信濃海外協會規約抄錄

一、本會ハ信濃海外協會ト稱シ本部ヲ長野市ニ支部ヲ必要ニ應シ内外各地ニ置ク
二、本會ハ縣民ノ縣外發展ニ關スル諸般ノ事項ヲ調査研究シ其ノ發展ニ資スルヲ以テ目的トス
三、本會ハ前條ノ目的ヲ達スル爲必要ニ應シ左ノ事業ヲ行フ
イ、縣民縣外發展ノ方法ニ關スル立案
ロ、發展地ニ就キ調査ヲナシ其ノ結果ヲ紹介
ハ、在外縣民ト聯絡ヲ計リ指導後援
ニ、海外投資ノ研究ヲナシ之ヲ發表
ホ、海外發展ニ必要ナル人材ヲ養成
ヘ、機關誌「海の外」ヲ發行シ隨時講演會ヲ各地ニ開ク
ト、海外發展ニ關シ各種參考品及統計ノ蒐集
チ、前各項ノ目的ヲ遂行スル爲臨機本會ノ代表者等ヲ内外樞要ノ地ニ派出スル事
リ、會員ニハ「海の外」每月寄贈ス
ヌ、其他本會ノ目的ヲ達スルト認ムル事項
四、本會ノ會員ハ左ノ四種トス
イ、名譽會員ハ代議員會ノ決議ヲ經テ總裁之ヲ推薦ス
ロ、特別會員ハ一時金百圓以上ヲ醵出スル者
ハ、維持會員ハ會費年額金拾圓ヲ十ケ年間醵出スル者
ニ、普通會員ハ年額金貳圓ヲ十ケ年間又ハ一時金十六圓以上ヲ醵出スル者

五、本會現在役員

總裁　鈴木信太郎
副總裁　山本荘一郎　佐藤寅太郎
顧問　小川平吉　今井五介　原嘉道
　　　伊澤多喜男　岡田忠彦　本間利雄
　　　梅谷光貞　高橋守雄　千葉了
相談役　石垣倉治　中里喜一　降旗元太郎
　　　越壽三郎　小里頼永　片倉兼太郎
　　　福澤泰江　小林暢　山岡萬之助
　　　工藤善助　松本忠雄　植原悦二郎
　　　山本愼平　菱川敬三
幹事長　階川良一
幹事　菅澤塋　西澤太一郎
　　　永田稠　宮下琢磨
　　　高野忠衛　輪湖俊午郎
　　　北原地價造　宮尾厚

海の外（月刊）（一冊廿錢）

定價表

	内地送料共	外國送料共
一冊	廿錢	廿四錢
六ケ月	一圓十錢	一圓四十四錢
一ケ年	二圓廿錢	二圓八十八錢
五ケ年	拾圓	拾四圓

御注意

△御送金は振替（長野二一四〇番）に御願ひします。
△外國よりの御送金は銀行、郵便局いづれにても確實に送金されます。
△御轉居の節は早速新舊兩御住所を御通知下さい。
△本誌へ廣告掲載御希望の方は詳細相談申上げます。

昭和五年十一月一日發行

編輯人　永田稠
發行兼印刷人　西澤太一郎
印刷所　長野市南縣町 信濃每日新聞社

發行所　長野縣廳内　海の外社
振替口座　長野二一四〇番

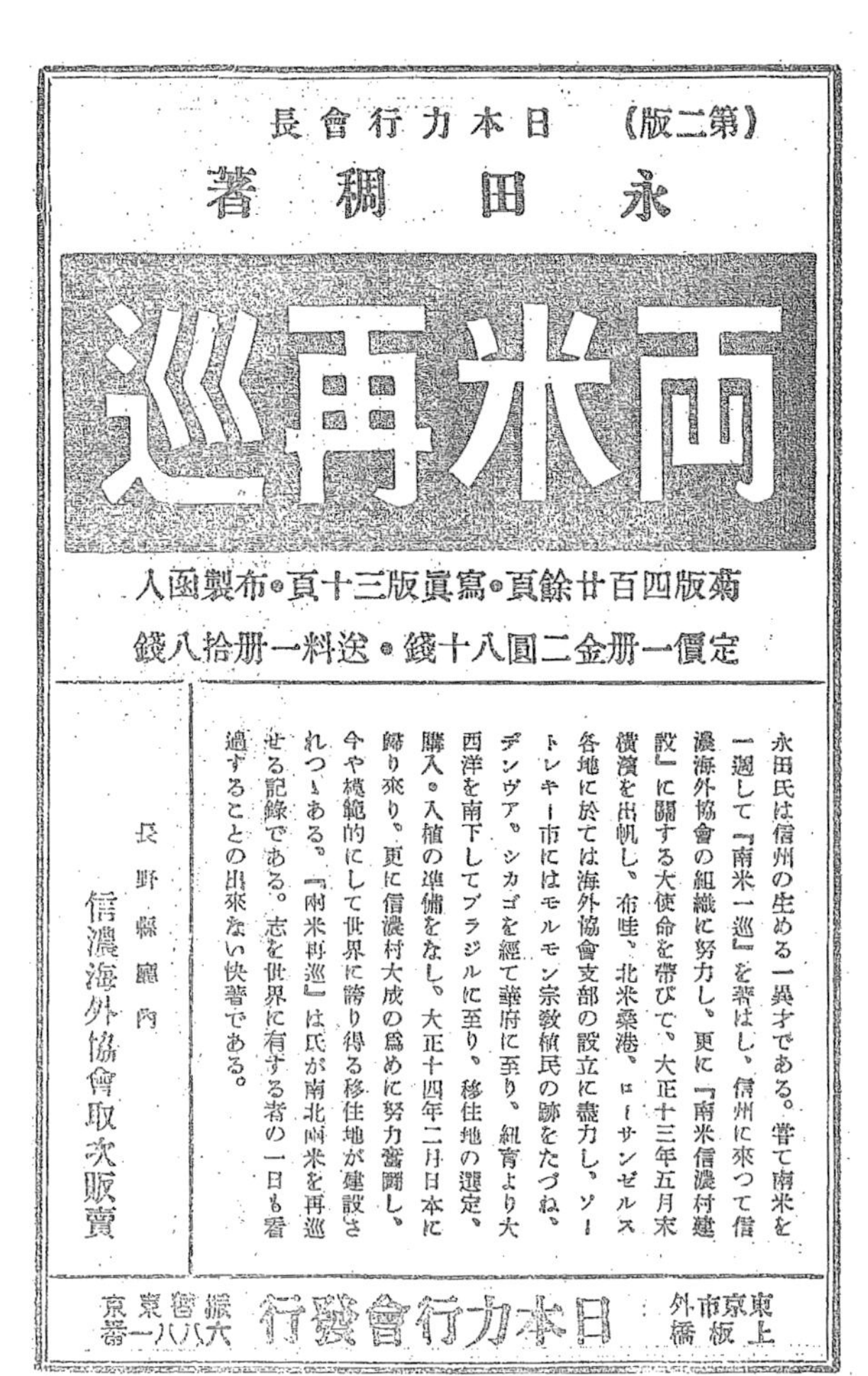

珈琲栽培請負耕作者募集

一、本組合經營ブラジル國アリアンサ移住地は大正十四年來、四百家族、二千人が入植して普通一萬二三千圓の資産を造り中には參萬圓以上の人もある。

二、本組合は尙多くの自作者、請負耕作者、自由勞働者の入植者を募集する。

三、自作者 （イ） 五十未滿の夫婦を中心とる十二才以上三人を有する家族、男三人の兄弟、從兄弟等で二千二百圓位の資金を有する者。（ロ） 五十才未滿の夫婦者、十八才以上の兄弟、從兄弟、伯叔父と甥等の二人以上の者が千八百圓位の資金を有する者。場合によつては千三百圓位でも採用される。自作者は二十五町歩以上の地主となり六ケ年後には資産二萬圓を得爾後每年三四千圓の收入が得られる。

四、請負耕作者 （イ） 五十才未滿の夫婦で十二才以上四人なれば資金三百圓位できる者。（ロ） 同上家族三人なれば千圓を用意し得る者。（ハ） 獨身青年三人なれば千五百圓位を有する者。以上の條件に叶ふ者には政府や組合から五百圓以上千五百圓までの資金を貸與する。
六ケ年請負耕作者は契約完了迄に五六千圓より八九千圓の貯金をなす事が出來る。

五、自由勞働者 本組合では請負者、雇傭者等の希望者も多く募集する。資金は三百圓位あれば獨身者でも夫婦者でもよい。

詳細は御照會願度し。

長野縣廳内
信濃海外協會
信濃海外移住組合

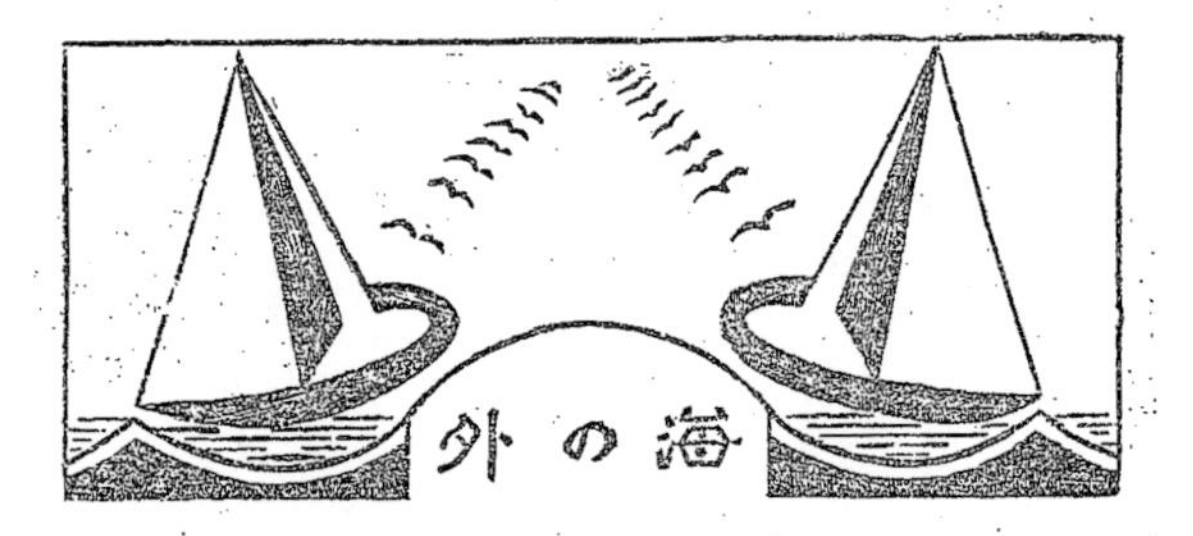

第一〇二號（昭和五年十二月）

量より質へ

近年稀に見る移民界の不振を記錄に止めて昭和五年はまさに暮れむとしてゐる。

嘗ては移民の船席配當に惱まされたる輸送船が缺航の餘儀なきを呈したる等は邦家海外發展史上空前なる出來事と云はなければならぬ。其主なる原因は即ちブラジル經濟界の動搖と、送還者の惡宣傳に依るものである。

吾等の唱導する海外發展はいふ迄もなく世界未開の寶庫を拓き人類の福祉增進に寄與し、新文明を創造建設する事に在るのであつて其理想を抱持する開拓者のみ希求するものである。

謂う所のブラジル經濟界の動搖を、深刻たとうるにものなき内地の不景氣と同一視して渡航を躊躇したる人々よ、彼等は濡手で粟の一攫千金を夢みたる慾望の囮であつたのであらう、已れ農業移民たる事を沒却し醜体を暴露したる敗殘者の泣き言に惑はされて海外飛躍を斷念したる人々よ、卿等は水禽の羽音に狼狽し嗤を後世にのこしたる臆病武士の類ひか然らざれば余りに輕擧妄動の徒たる譏りを免れないであらう。

此意味に於て萬難を排し敢然として移住せられたる各位は、恰も鹽水選を施されたる種子にも比すべきものであつて、其量こそ少なけれ質は優秀そのものであり我等は其成果に對して滿腔の期待を持つものである。

歳末に當り各位の益々御健闘を祈る（芳水生）

伯國珈琲不況に際して

在サンパウロ拓務省駐在員　青木林藏

ブラジルの珈琲が不況に陷つて邦人の移住者に重大なる影響を及してから已に一ケ年に垂なんとする。珈琲價格の下落は邦人移民に取り重大なる影響を及した事は之は否定する人は誰もあり得ないのであるが、それなら邦人移民は當ブラジルに移住し得ない程の窮狀に陷つておるものであらうか或は又將來にもかゝる狀態に置かれる事を豫想すべきであらうか？

之は少くともブラジルに關心を持つ誰もが問題としなければならない刻下の重要問題であらうと思はれる

ブラジル現在の珈琲不況は已に世人周知の通り世界的不況と珈琲大豐作に基く供給過剩の爲め珈琲價格の大暴落を來した爲とである。

珈琲に終始し珈琲に依て立つブラジルは珈琲價格の大暴落に依りて不況のドン底につき落される事は當然の事であやしむに當らない

唯此の不況中に邦人の活路が見出し得るか否かの問題である

議論は後にし、事實を提示して諸君の御參考に供しやう

昨年十二月珈琲不況が現實に顯れてから本年五月までの間に邦人移民の生計狀況を明にする爲に總領事館は耕地通譯に照會狀を出し其各耕地に就働する邦人移民の收支狀況を上中下に分つて報告を得た事がある。回答は三十余例であるが、其の下の部に屬する一家族の平均收支計算は

收入　一、四〇三、五八九
支出　一、〇九〇、二〇一
差引殘高　三一三、三八八

となつておる。今私は下の部に屬する例を示した上中に屬するものが之より良好なる收支狀況にあるは勿論であつて邦人移民が生活し得るや否やを問題とする場合には下の部こそ問題とすべきであると思考するからである。

本年五月以降に於いて勞賃は更に二割方の下落を示した、だから表面的に考へると收支トン／＼で差引零と云ふ事になるか

も知れぬ。然しながら支出の大部分を占むる生活要品も亦二割方は下落しおり更には別途の收入が增加しておると云ふ事も考慮に入れてゐないのである。

ブラジルのファゼンデイロは此の不況切拔の秘策として現金の支出を極度に節約すると共に何とかして珈琲園の荒廢を防ぎ次の好景氣の波に乘らん爲に余作地（今迄休閑しておつたか又は林地になつておつた土地）を余分に與へ又は間作條件を寛にして「コロノ」の賃銀下落による現金收入の減少を此の余作物間作物收入に依り補填せしめておるから、之を考慮に入れると其收支計算は決して悲觀するに當らぬ。

ファゼンデイロも亦心得たものである。「コロノ」の生計を不能に陷らしめて珈琲園を見限る樣には決してしない、其が彼等自身の利益なのだから。何故と云ふに「コロー」が退去して珈琲樹の手入を爲さず一旦荒廢に歸せしめたならば其恢復は容易の術でなく、且は次に來るべき好景氣の大波に乘り得ないのであるから珈琲園を保持し而して不況を切拔ける策を講じておるのである。

邦人の農業者が他國移民に比して優秀にファゼンデイロ連中から歡迎せられておる有樣なのであるから其生計は實物收入に依つて補填せしめておる譯である。

元よりブラジルとても働かずして金が落ちておる譯ではないから、無一物でも渡伯さへすれば一二年で千、萬の金を握んで歸國が出來ると考へたとすれば其は問題外である。私の强調したいのは働きさへすれば樂に生活が出來ると云ふ點である。ブラジルに於ては特別なる關係さへなければ殆ど稅金と云ふものがないから（地租さへない）何處かの國の樣に働いても働いても喰へない上に租稅負擔の大なる爲に折角今迄地主であつたものまでが其を手離さねばならない等の例の少くないのとは本質的に事情を異にするものである。

いや「只樂に喰つて通る丈けなら何もブラシルくんだりまで出掛けるには及ばないや」と云ふ人があるなら私は更に追加したい。

現在の日本に於ては農業者として生活する限り初めから無資本の人間は將來の發展所か其の日の生活さへ窮迫しおるのが實狀である。いや、土地持としての中農階級までが所謂プロレタリア－トに成り下ると云ふ有樣であるから、ブラジルに於ては此不況時にさへも成續下に屬する人が樂に生活出來ると云ふ事は何と云ふ差異だらうと云わざるを得ない。況んや上、中、に屬する人達で而も少しく景氣が恢復したとしたなら決して其が「只喰つて通る丈け」ではないと云ふ事が分明することゝ思ふ。

無一物にて渡伯した者が一二年間安樂に喰つて行ける內には事情も分る、だから次の仕事に積極的に乘出す事が出來る。多少の資本を持參した人の有利なる事は贅言を要しない。

今一つ日本人が特に有利だと思考する點を記したい。

ブラジルの農業特に珈琲栽培は所謂ファゼンデイロ式であつて農主は都會に安逸な生活を爲しつゝ農場の事は一切不知で支

配人に任し切り、支配人は之を幸にして私腹を肥す、經營の合理化等と云ふ事は殆んど行はれ得ない。斯云ふ經營形態が度々波の樣に押し寄せる不況に耐へ得るものではない。今迄は經濟上にも或は自然的環境に於ても之の形態が存在し得たのであらうが今後は必ずや一定の方向に分裂し行くものではなからうか？

卽一つは資本的に集約な合理的經營……之は主として現今の大中農園が大農の利益を享受しつゝ經營の方式を變更して行くもの……及も一つは勞働的に集約な合理的經營との二つに分れると思はれる。

第二番目の勞働的集約な合理的經營こそは所謂自作農の觀念と略一致するものになり誠に邦人活動の舞台として恰好な天地が開かれるであらう。珈琲經營にも大農式の有利なる諸點が存する之に對して自作農經營形態のみでは與り得ないかも知れぬが、其處には日本內地に培はれること已に三十年の共存同榮を目標とする產業組合主義がある。現に產業組合の誠に搖籃時代にある。當ブラジル國內に於て日本人は先驅者の地位にある程で經營形態の分れ目としての此の大不況を轉機とし、共存同榮を武器として邦人にブラジル發展は大いに期待し得るものと信ずる。

出稼移民根性さへなくばブラジルは凡ゆる點に於て誠に住心地がよい。何等の窮屈な束縛もなく自然的にも經濟的にも誠に若い／＼國柄なのであるから。

本縣の人口 百七十萬を突破

國勢調査の結果發表

國勢調査の結果本縣の總人口は百七十一万四百三十二人で(此外特別調査區の松本聯隊在營者及刑務所囚徒二千名)前回の百六十二萬九千二百十七人に比し八萬一千二百十五人(四分九厘)を增加した、尙ほ失業者は六千六百六十二人で各郡市別にすると左の如し

郡市別	人口	失業者
南佐久郡	七六、二七八	四九〇
北佐久郡	一〇〇、九六七	三八二
小縣郡	一二〇、七一一	四七九
諏訪郡	一八九、九一〇	六〇二
上伊那郡	一五二、二三〇	四五六
下伊那郡	一八二、三九九	六〇五
西筑摩郡	四五、八九六	五一〇
東筑摩郡	一三三、六一二	六二六
南安曇郡	五三、一九二	一三〇
北安曇郡	六〇、五一七	一五七
更級郡	七八、二九七	二六八
埴科郡	五四、八〇五	二、一八七
上高井郡	六〇、〇六四	一八五
下高井郡	六四、六五〇	一八〇
上水内郡	一〇四、三四九	一四七
下水内郡	三四、八三三	一〇三
長野市	七三、四〇九	三五六
松本市	七〇、四二〇	五四四
上田市	三五、〇九七	二六九

縣會議員二名增員

前記國勢調査の人口から推して縣會議員の定員は東筑摩郡及び北佐久郡各一名宛增員する事となり總員四十名となる

暹羅に於ける華僑（上）

○其の在留數○其の經濟上の位地○其の地方分布○一般暹人に對する搾取階級

在シャム　一閑生

暹羅への旅行者は何人も其の支那人在留數の多いことに寧ろ一驚を喫するであらう、盤谷の如きは表通に商舖をなすもの殆んど支那人ならさるなく步道に往來するものの目に付くものは支那人のみの觀がある、又內地に汽車旅行して見ても各停車塲の附近は必ず支那人商舖で町をなして居る、恰も暹羅全体が支那の一部であり盤谷の商業區域の如きは南方支那の都市かの觀がある、在留華僑の數は餘程多かるべきことが考へられるのである。

昭和四年七月暹羅全國に亘て國勢調査が行はれ其の結果が極最近發表された、今之に據れば總人口千百五十万の內在留支那人の數は男三十一万三千七百六十四、女十三万千五百十、合計四十四万五千二百七十四、に達して居る。在暹華僑の統計に關しては支那側にも信憑するに足る正確なものは無く前記の數字は實際調査に基く唯一のものとして一應は之に信倚する外あるまい、然れど顧て考ふるに暹羅政府自身は支那人として確然判別する目安を何所に置いて居るであらうか。

華暹の外交關係は無條約國であつて暹羅に在る支那人は從來凡て國民待遇を受けて今に及んで居る、然も渡來する支那移民は旅券の如きを所持するものとて殆んど無く第一外國に渡航すると言ふ觀念など無いだらうし自身の屬する國籍などに關する意識も判明しない手合が多いのである、一方暹羅政府として國內華僑の數はなるべく小さく表はさうとして居る節も見られる斯くの如き情勢の下に於ては前記の約四十五万人と言ふ數字以外にも可なりの支那人の在住するであらうことは素より想像に難くないと思ふ、例へば引用の國勢調査にも支那人は「チンノ－ク」と稱して居る、卽ち外來支那人の意であつて古く土着したもの、暹人を女房として暹羅語を良く語るもの或は此所で生れたもの等の內多數のものが支那人として取扱はれて居ないら

しく從て實際の在暹華僑の數と言ふものは四、五十萬所のものでは無く餘程な大きい數字になつて居るであらうと思はれるのである。

誠に在暹華僑數に關する他の統計を見るに中華國農商部調査並に在新嘉坡支那總領事報告を基とせる中華年鑑記載のものに據れば百五十萬と稱し又東亞同文書院發行支那年鑑に據れば百二十萬と稱して居る。

之等は皆古い統計で暹羅の人口が一千萬人と言はれた當時のものであるが近來の支那人渡暹數の傾向から見て寧ろ之等が眞相に近いものであり暹羅政府發表の數字は余りに過少ではあるまいかと思ふ、結局暹羅には其の總人口千百五十萬人の約一割五分前后或は二割に近い支那人が在留して居ると見て可いであらう。

然らば之等數多い支那人の當國に於ける經濟上の位地は如何之は暹羅の經濟事情を知る上に是非共知らねばならぬ問題である。

然し若し暹國内に於ける華僑の經濟的勢力を詳細に研究せんとするならば之のみを以て優に浩瀚な紙面を要するであらうから此所では極めて簡單に述べるに止めよう。

先商業上に於ける彼等の位地である暹人は昔から歴史的に官尊民卑の風を重じ官途以外の職に就くことを好まなかつた極最近では官吏の失業者などが小さい商舗を營む樣なものが少しく出ては來たが從來商業は全く外來人の手に委して居つたのである、從て現在に至つても組織的な商業は支那人初め外國人の手に在る、當國の貿易を見れば輸入一億八千萬銖に上る外國商品は二分の一は支那人が取扱ひ他の二分の一を支那人以外の雜多の他の外國人が取扱つて居る小資の如きは大部分支那人の手を經て居るのである。

又輸出に就いては其の總額二億三千萬銖の中米チーク及び唐木各種林産物錫其の他國産品は歐洲人系の特殊利權會社に依つて經營せられるチークを除き他の凡ての輸出品は其の生産方面は國人が之に携つて居るが最も利益ある役割たる生産者よりの買集めから輸出迄の段取りは殆んど全部支那人の手に依つてなされて居ると言つて差支無いであらう、試に輸出の七、八割を占める米を見よ

最近の調査に據れば國内の精米工業に就ては盤谷市内及びその近郊に於ける精米所數約八千軒、此の固定資本千二百萬銖、流動資本六百萬銖精米能力年百五十萬噸　又各地方に於ける精米所數は千軒の多きに達し資本一千萬銖、精米能力年百卅萬噸と言はれて居るのであるが此の多數に上る精米所の九分九厘は全く支那人の所有經營するものであり暹羅政府暹人貴族に所屬するもの一、二と雖も之を賃借經營するもの又は其の使用從業員に至りては悉く支那人である。精米所及び米作者たる地方農民との間に立つ籾仲買人に就いて見るに之も全然支那人のみであつて卽ち平常地方農村に雜貨商を營み農民にその日用品を掛賣りし穫れ秋に至つて籾を以て決済する群小仲買人及び専門

に小仲買人から多量を買集める大仲買人等比々として支那人ならざるは無いのである。以て當國の經濟の基本として最も重要なるべき米作及び米輸出の上に支那人が如何に重大なる位地を占めて居るかと言ふことが理解せられるであらうと思ふ。

又其の他輸出貿易の上に稍多額の數字を示して居る錫唐木スチツクラツク、コプラ乾塩魚獸皮獸骨胡椒ゴム等に就いて見ても之等を生産者の手から買集め貿易港の輸出業者の手に卸す分擔は全く支那人を措いて之を爲し得ない狀態である。勿論夫れ等の輸出業者の中にも支那人の有力商人も多く又其の内の或る種の物産には生産の方面に迄頭張りの強い支那人の手が入つて居るのである。

工業乃至家内工業各種工人等に就いては如何

當國は農業國であつて組織的工業の發達は未だ之を見ることは出來ない、此の中に在つて稍大工業の類に入るべき精米工業に關しては前述の通り支那人の勢力下にあるのであるが精米工業に至いで盤谷市内外に多數工場が見られる製材工場に就いて言へば同じく之より支那人を度外視することは出來ないのである。卽ちチーク林經營は英國系四、丁抹系一、佛國系一外國利權會社所屬の外は政府及び小規模の個人所有の僅少のものとなるが之等外國系大會社は各專屬の製材工場を有して居る、然し其の多數の從業員は全部支那人と言つて可いであらう、又之等外人所有の大製材所程でなく中小製材所に至つては十指を屈して餘りあり此の資本は數百萬銖に達して居ようが之が所有經營者及從業員は同じく支那人である。

其の他最近増加して來た煉瓦焼工場、清涼飲料水製造所、家具製作所、綿織物工場其の他醬油酒釀造所等の小規模ながら工場式の工業から夫等の家内工業式の小さいもの迄數多く荀くも工業らしいもので支那人の經營從業せざるものとてはない、否全く支那人の手中に在りと言つて可い。

下つて此所に枚擧に暇ない多くの手工業及び各種工人も支那人以外には多く之を求めることは困難であらう、又各種下級勞働者中にも支那人苦力は上述の各種工場に於て使用せられるのみならず家庭勞働者としても多くの支那人が内外人家庭に入り込んで居る。又水陸交通勞働者としては盤谷市内のみで三、四千人の人力車夫及び數千人の波止場人足の殆んど全部と言ふのは支那人である。殊に后者に於ては暹人又は馬來人々足の如きは全然能率を擧げ得ず彼等支那人は特殊な位地を占めて居るのであるが從て其の勢力侮るべからず一朝華僑間の排外運動の際などには他の華僑各團体と相聯絡して彼排斥國人關係の船荷役は一切之を拒絶し甚しい打撃を與へることが出來る位地に居るのに關しては在暹邦人など何回となく苦い經驗を有して居る。

更に栽培業の方面を見るに從來華僑はこの方面には余り多く入つて居なかつた、尤も都邑市近郊に於ける野菜作り其の他甕作り胡椒栽培と言ふ樣な方面は殆んど支那人の獨占では有つたが劉の惡い米作の如きには全く彼等の手を付けるものとては無かつたのである。(未完)

海外視察の回顧（其の三）

モスコー

長野縣更級農學校長　矢田鶴之助

十三　モスコーの生活

モスコーは、人口二百二十万の首府として、三十以上の大ホテルがある。私共一行の宿つたホテルは、サボイといひ、室代は五圓乃至二十圓で其のホテルも無論國營であつた。中食が済むや否や、日本大使館から二人の通譯を差向けられ、この方々に案内されて、先づ視察したのが有名の勞働學校であつた。

○勞働學校

この勞働學校は、政府の直營で、本校以外に二十六の分校を持つて居る。本校の生徒數は七百人で、分校の生徒數を合せ一万二千人の大勢である。敎員の數は、本校のみでも百人に近い。十八歳に達すれば入學を許され、別に入學資格は定めてないが、健康第一主義と勞働紹介所の登錄を經ておく必要があつて、大部分は失職者の群である。この學校の主眼とするところは、組織的に文化的に敎養して、理想的の勞働者をつくることにある。金工・紡績・建築・土木（家具）に大別され、それが二十種位の職業別となり、更に六十五種の專門に分業化されてある。女子の數は、全員の二割五分を占め、男子に加つて仕事を働いて負けをとらぬ。一日に二十五錢乃至三十錢を勞働賃として、職業紹介所から支給される。午前七時（早きは六時）から午后一時、その次は午後六時と交代し、一日に三回人を交代してこの校を利用し、勞働を本體とするも六時間半の勞働時間を超えしめない。熟練する人は一ヶ月半で卒業させられるが、普通は六ヶ月の修業期間となつて居る。經費は年二十万圓で足り、勞働者の得た賃銀は、その幾分を保險金として納める。校長ガスチーフ氏により、よく統一されてある。この學校の敎授法は、すべて實際に重きを置き、能率の増進にも頗る注意され、むしろ之を本體として居るかの

感がある。從つて、作業の分解・總合よく行はれ、勞働者の姿勢筋肉・關係をば、掛圖と模型とに反照せしめ、そこに、また、忠實なる勞働者の模型を飾りつけて、能率增進の勞働者自体の精神力と職業そのものゝ合理化にあることを明にし、寸毫の油斷を許さない。卒業者は、直に八九十圓から百圓の月收にありつかせ、漸次增俸して二百圓位にまで昇給させることになつて居る。要するに、勞働文化に人間を訓化せんとするもので、工作敎育の模範研究所ともいつてよろしい。其の創立が千九百二十年卽ち十年許前としては、進歩の著しいのに感深いものがあつた。

案内の技師は、紙を配りて、夫々參觀の所感を書かしめた。この遊も、また頗る研究的に感じた。勞働學校を辭して、次は農民倶樂部へと案内された。

○農民倶樂部（一名貧農の家）

農民倶樂部は、千九百二十二年（大正十一年）の創立で、市行政廳の經營にかゝつて居る。この建物は、勞働學校に比し、頗る立派なもので革命の際、大厦の家を沒收せるものと想像された。この倶樂部は、農民の相談所ともなれば合宿所ともなり、農業博物館の代用として、試驗場や農學校の標本室をもつと具体化し、之を一層合理化したもので、農民の雜誌も發行して居る。特に、家畜の疾病相談所に充てられ、農民の訴訟相談所をかね、農民生活合理化の研究所ともなつて居るさりながら、本倶樂部として最も重きをおいて居るものは、農民の文化的向上であつて之を細別すれば、雜多の項目となるべきも大別せば、次の

第一　農業の機械的宣傳

第二　農民の請願訴訟上に於ける審査

第三　農業改良の講演

第四　農民の經濟的合宿

第五　二倍增收を目的とする雜誌發行

等で、年の經常費は五十万圓を支出し、如何に農民を自覺せしめ、强いソビエットの農民たらしむるかといふことに腐心して居る。

應接室で、少憩せる間に、倶樂部の案内者クツセツフ氏は、熱心に五ケ年を一期とせる二倍增收案について物語り、それより各陳列室へと案內された。その目擊したものゝ幾分を左に

レーニンの墓の模型、火災防止の宣傳、模範農場の寫眞、倶樂部內寄宿舍各室の設備、野菜類の模型、地層面、農業發達圖、農村の電化、モスコー州の生產物と其の產額、モスコー縣の經濟地圖、バタの共同組合、牧草とその土壤、農家建築の模型、ソビエット政府の共同組合、（手工業）米國の全工業、日本の大工業と手工業、（パーセント揭示）農民美術、家畜模型鳥の胚生、刺繡の美、（麻）毛糸の利用、馬の模型、牛馬の骨格家畜の疾病模型並に畸形標本、農民の家、（經濟的建築模型）暖房裝置、鍍の研究、農具の實物研究等。

一々枚擧に堪へない、陳列室を出てゝ、後庭に附屬菜園・花壇並

に溫室が見られ、傍には噴水があつて、またその傍に舞踏場があり、その前に苹果の樹あり、南瓜や胡瓜も見られた。

○赤の廣場

宿に歸つて、夕食を了るや、東京日々新聞記者の馬場秀夫氏の案內により、午後七時宿を立ち出でたが、月光は鮮やかに、公園に群れ遊ぶ男女の姿も見られた。やがて、赤の廣場の入口に到れば、そこには聖母マリアを祭つた門がある。門の祭壇に向つて、信仰を集めた婦人の一群に、自ら崇高の感も起つたのに、其の傍なる町並の家の壁に、大書された文句がある、よく月光に透かし見れば、宗敎反對の句として、『宗敎は人心を麻痺に導く阿片である』との意外な宗敎反對の宣傳語を見出したことであつた。ソビエット政府の宗敎を嫌ふことかくまでならんとは、全く夢想だもせないことであつた。

やがて、其の廣場に入ると、城壁に沿うて革命黨員の墓があつて、その中に最も壯嚴を極めて居るのは、レーニンの墓であつた。この墓に近く首切臺なる刑場の跡もあつて、物凄い感に打たれた。

これより宿に歸つたが、この晩は國營ビールに崇たられて、消化器を襲はれ、十分の睡眠をとり得なかつた。これは十日以上の汽車旅行を異郷に續け來つた身としては、最も不快なことであつた。明けて、

七月十三日(土) 大使館の不動富夫氏に案內されナポレオン大敗露軍大捷を記念するため、五十年の長い間かゝつて建てた戰捷記念の寺に詣で、大僧正の說敎を拜聽したが、滿堂の聽集に相當感動を與へあるを見た。之によつて前夜の宗敎反對の宣傳語との矛盾が、如何にも甚しいことを感せしめられた。この寺を出て、モスコー河を渡り、ナポレオン大敗の大森林地である雀が岡を向ひに見て、幼稚園を視察した。この幼稚園は、主として勞働者の小供を敎育するために設けられてあるとのことであつたが、廣々とした公園內の最も清淨な地區に位置し、小供劇や運動裝置や頗る行屆いたものであつた。中食は大使官に招かれて、田中大使から頗る有益の御話を承つた。

○田中大使の話

今のソビエット政府は、農產物を極めて低廉に買ひ上げ、農民を苦しむる結果となつた。之と反對に、工業勞働者のためには、器械力を以て生產能率を高めんことにつとめ、其の工賃比較的貴く、生活の資源に惠まるゝことゝなつた。されどこの結果は、工業勞働者中に多くの失業者を生じて、相怨むことゝなり、農業勞働者は、工業勞働者に比べ、其の生活を脅威せらるゝ關係上より、現共產政府は農民の反感甚しく、一方また工業勞働者の失業者によつて怨を買ふことゝなつた。現政府は大に狼狽して農業を工場化し、この不平を除かんとするも、農業は天然相手として、暮間勞働の一方に偏する關係上、之を工場化せんとするは、根抵の不一致上より頗る困難な立場にある。もし農民を經濟的に甘くせんとするならば、從來とり來つた共產主義を棄てねばならぬ。强いて、

共產主義に從はんには、男女とも同一作業にせねばならぬ。これは農村の實際生活と矛盾することで。人間すべてを器械化して無趣味の世界を現出することゝなる。共產主義は、理想として單純には考へられるが、複雜な社會相の上には役立たぬ。たとひ、農民に土地を與へたからとて、之を耕やす氣持にならねば無益である。その證據は、共產時代となつてから、農產の減退したこと實に帝政時代の二分の一に下つた。これは農民の心理を解せぬ政府の失態としか考へられぬ。されど、今こゝに共產主義を棄てることゝなつたら、政權を他人の手に渡さねばならぬ。これは現政府の最も厭ふところで、主義遂行には手段を選ばない。氣の毒なことは、農民が政府の犧牲となつて居ることで、今の勞農政府は、支那の現狀とよく似たものがある。勞農政府の赤化宣傳は日本にも及ばんとして居るからには、十分覺悟してつまらぬ宣傳に乘つてはならぬ云々と、口を極めて、農民の窮狀と現政府の失態とを物語られた。

次に宮川書記官から、露國の革命を出發として、露國の現狀を話されたが、準備された圖表により、二時間に涉る有益の講演であつた。

○宮川書記官の講演

宮川書記官の長い話を一々書き述べることは容易でなく、また私の記憶からも逸し去つた部分もあるので、こゝには、たゞソビエット社會主義國家に統一された現政府の新經濟政策が、或る程度まで、個人の活動を認めるとは申せ、外國貿易は國家之にあたり、國內商業は個人のものを認め、工業は二十人以下の勞働者を使役する場合に於て、個人的に認めて居る。之に反し、農民はその收穫物を犧牲として、極めて低率に政府へ買上げられ、其の生活や慘憺たるものである。これは不公平のことであるが、今の政事組織では、農民に參政者の割合少く、殆んど泣寢入の狀態である。その一例は人民委員を出すにしても、市からは、二萬五千人について一人の割當に選擧するものを、地方即田舍は、十二萬五千人について一人を選出することになつて、農村からは五分の一を出すに過ぎない。今のところは、役人萬能の狀態で、各細胞から選出された委員の割合を見ても、不公平さが知れる。

官衙	三五%	軍人	二一%
工業	一四%	農業	八%
商業運輸業	六%	其他	以下省略

かくの如くして、最後は九名の政府委員によつて決せられるが、畢竟は個人の勢力爭となつて、內訌は絕えないやうである。即ちレーニンとトロツケーとの勢力爭は、スタリンをして漁夫の利を占めさせたことゝなつたやうなものである。要之、權力の中心は共產黨の首領にあつて、言論新聞すべて共產黨の獨占となり、もし共產黨に反對するものあらば、闇から闇へと葬られゆく、實に慘烈を極めたもので、橫暴な獨裁政治の內容を持つて居る

との御話に加へて、ソビエツト政府の政治組織に關する詳細のことゞも物語られた。

大使館を辭して、郊外ウオロビエフ(雀ケ岡)を訪ね、ナポレオン戰敗の跡を吊つた連中もあつたが、前日のビールに崇られた私には、直に宿へ歸つて、休養の身となつた。

明けて七月十四日(日は)トレチヤコフスカヤ美術館を視察し、油繪の優品實に多かつたに驚かされた。午後は、クスタリヌイ博物館を視察する考であつたが、ビール中毒のために休養を餘儀なくされ、宿に歸つて少憩の後、午後六時四十分モスコーのベロルスコバルチスキー驛を出發して、波蘭のワルソー府へと向つた。

モスコーを發してから、約十二時間の後、ソヴイエト側の國境驛に着いたのは、十五日(月)の午前六時頃であつた。こゝに稅關の檢査があり、ました露貨幣の留を兩替する銀行員も、この驛即ちニコレオイヤに出張して居た。次の驛は、ストルフツエで、こゝに乘替、いよ〳〵波蘭國內へと入つた。(未完)

菅平大高原の修道場

長野縣青年講習所の生活 (其ノ二)

石川博見

一、青年講習所の設立

青年講習所設立趣旨に。

本所ハ勞働ノ體驗ニ基キ青年ノ思想信念ヲ確立シ以テ農村ニ於ケル中堅人物ヲ育成シ兼ネテ植民精神ノ涵養ニヨリ海外發展ニ志ス有爲ノ青年ヲ育成スルヲ以テ目的トス。と。

之が我が長野縣青年講習所設立の目的である。勞働の體驗に基き青年の思想信念を確立する。即ち今日吾余りに多過ぎるは有識青年の通弊である。勞働忌避、農業賤蔑は今日の有識青年の一般心理である。樂をし美しいものを着、うまいものを食ひ勝手なことを有識振つて無責任に饒舌して見度い之が現代青年の通性である。本所に於ては中等敎育或は實業補習學校卒業程度の相當學識有る青年を收容し、この雄大神秘なる大自然の中に起居活動思索反省自ら治めしめ、大地を開拓することによりて、百姓仕事に沒頭することによりて、又烈しい本所日々の修養行事に身を處することによりて艱難汝を玉にし、不退轉の氣魄を養成せしめ、幽邃なる蒼天と、際涯なき大地と而して淸純無垢なる青年の氣魄との相磨相錬によつて人間としての眞正道を自覺せしめ、この天地と人との中に、自らの內心からの叫び、神聖勞働の自覺、人間活動の根抵に復歸せしめ、

「實に人はその生活の一切を擧げて他人の爲めに盡す間、社會の爲に、國家の爲に、世界の爲に、自己の快樂を犧牲にして働く間が、安心であり立命である。これこそして、このみが完き心の歡喜であり、完き自己の救である」

との魂の自覺へ、そして土塊を打ちつゝデカンショ、デカンショで開墾すればヨイ〳〵廣い草原畑となるヨイ〳〵デカンショ

と歌ひつゝ、鍬ふるいつゝ――

「まことに妙なるかな人間は、神聖なる勞働の胸襟に、一々の思想を吐く、活動と彩韻と、勞働と思想と、これ自然進化の經路に、これ人間進轉の過程に、その全幅を擧げて擴充し連鎖し進動し來つて こゝに一々の形式と內容とを構成し、その全程を悉くして直行し曲折し迂廻し去つて、そこに一切の意義と價値とを表出するのである。」

と各自が農耕の間に又起居の間に思索煩悶の中に神聖勞働の自覺へと至らしめるのである。自然は神聖にして虛僞はない、農行は神聖にして虛僞はない。大地は神聖にして虛僞はない。流汗淋漓深耕すれば深耕するほど、施肥を完全にすればするほど、手入を多くすればするほど撒いた種は芽生え、花開きよき果實を結ぶ。そして收穫は其人の努力活動の結實である。百姓道は神聖にして虛僞はない。收穫の歡び、人間活動の結果の歡び、之以上の歡びはなく、この間に敎えらるゝ人間純正魂の活動への復歸自覺之れ以上の敎育道はない。

二宮尊德翁は、

音もなく香もなく常に天地は
かゝざる經を繰返しつゝ

と歌つてゐるが、この天地の書かゝざる經文こそは吾等にとつては大なる敎父である。小學校の讀本に路傍の一木一草も吾等の學問の種ならぬはないと書いてあつたことを記憶するが、實に天地自然の姿こそは吾等にとつてはよき敎文である。そしてこの自然の敎文によつてこそ吾等は本當に正しく敎育されるのである。

又大西郷南洲翁は、

一貫易々諸　從來鐵石肝
貧居生傑士　勳業現多難
耐雪梅花麗　經霜楓葉紅

誰知此天意　豈敢而計安

と矢張り天地自然の吾等に敎ふるところを云つて居られる。

かくして蒼天と土塊と清純の氣魄とによつて磨研せられたる清氣正魂の青年は彼等の農村に歸つては其の中堅となり、彼等の村の青年の中堅として清く正しい魂に立脚した神聖自治の青年の集ひを作るであらう。そして神聖勞働に目醒めたこの青年達の活動に基く村こそは天晴れ光る日本の農村と化するであらう。

かゝる青年を育成するのが本所の主目的であるが又更に、日本は人口過剩である。

國土の狹少、農民不足なる上に人口過剩にして之を食養すべき余地がない。支那の某學者は日本の國狀を評して

耕而到山巓以知國土貧也

と云つて居るが、吾日本の現狀を道破し得て盡せりである。國土狹少なるが故に國民を生食せしむべき食糧生産農業は日々に困難の度を加へつゝある。

日本はかく人口量に於て余りにも過多であるに、かてゝ加へて惡質なる人口量に於ても亦過多である。不生産的快樂遊食人口の増加である。

今日、日本に瀰漫して心有るものをして深夜長大息有らしむる各種社會問題の續出、わけて之等問題の根抵をなす亡國的頽廢思想の起因をなすものは外來の刺戟によるよりも寧ろ內なる疾患余りに大なるが爲ではないか。職なきものの食へざるものゝ生き得ざるもの、貧して鈍し、衣食足らずして禮節を知らず、自己の空腹不滿の余り世を呪ひ國を咀ふ悲叫哀號の徒の余りに多き爲ではないか。

即ち國土狹少而も多數なる人口を營育生活せしむべき要素を欠くが故であつて、こゝに根本的沒性的疾患を痼疾として持つ日本は、よし其處に如何なる名農村政策、社會政策が講ぜられやうとも內部的解決策に躊躇する限りそは當座しのぎの彌縫策にすぎず患疾憂慮は依然永遠の課題として取り殘され、日本及日本人をして光明なき前途に苦悶懊惱悲泣せしむるであらう。

されば吾人は之が永遠の解決打解策を國外海外進出移植民的發展に求めねばならぬ。我が日本魂の根抵に自覺し、日本民族永遠の大理想に自覺せる有爲技群の青年勇士を送りて海上萬里の波濤を蹴破り、異境の土地に開拓自活せしめ、日本の爲に將又世界人類幸福の爲めに農地の開拓、生命の糧の生産神聖勞働に從事せしめねばならぬ。

早く行き度い南米のブラジルへ
黄金の花咲く五萬町　コチヤ
理想は低いが大地主　コチヤエ〳〵

又

早く行き度い南洋のボルネオへ
椰子の木繁れる其の中で　コチヤ
蕃人相手の大酋長　コチヤエ〳〵

の意氣。さては

圖南の翼撲げては天地廣しと誰か云ふ
雲より高きアンデスの裾野に友よ羊逐へ
天に漲るアマゾンの岸邊の森に斧を振れ

の勃々たる英氣と体力とを長養せしめること之亦本所の主目的なのである。

友部の日本國民高等學校長加藤完治先生は不肖がこの長野縣青年講習所創業の大任を拜し愈々之が使命に身を投ぜんとするや

研けや鎌を磨けや魂を敷嶋の
瑞穂の國はウラルの麓ぞ

と書いて贈られた。鎌を研くとは農行にいそしむことである。刀が武士の魂であるやうに鎌鍬は農士の魂である。農具であるが、其の農士の魂であり、農道具である鎌を研ぎ澄ますことは農行に精進するの意であること勿論である。

魂を磨くとは日本及日本人としての淸魂雄魄の錬磨である。東西古今無双の榮譽有る日本魂を磨き上げることそして愈々農行にいそしみ、日本農士としての魂の長養せられたる以上は、その養い持ちたる魂と鎌とをもつてロシヤのあのウラル山麓にまでも瑞穂の國を建設延長開拓しやうとの大理想大雄圖である。朝鮮半嶋を足場としてあの廣漠無際の亞細亞大陸に鎌を入れ、開拓の鍬を打込み魂を植え付け沃野千里のシベリヤを進んで遂には歐亞國境のウラル山麓をまで瑞穂の國豊穣の國土と化して人類幸福の爲に貢獻せんとの一大有志である。

かくの如き目的の下に本所に集る青年達が各自眞劍に努力してゐるのである。大自然の中に生活し、大自然の赤裸々なる姿に、赤裸々なる自己を直面する、そしてそこに自然によつて敎えられつゝ感激多き青年が悠々自適土に親しみ土に生き天を敬し、神聖勞働を体驗しつゝ青年の意氣と意氣と、心と心との融合鍊磨それが當所の生活であり、感激多き青年が日々感謝感激の連鎖によつて凝つて大熱鐵と修行して行く、之當所の敎化方針であり、敬天親土愛人こそは當所敎育の根本であり、日本の青年らしき日本青年を作ることが當所敎育の根本方針である。

曾て山形縣自治講習所の拓植講習へ畏くも　攝政宮殿下御臨幸の際、御前に立つて自治講習所の御説明申上ねばならなかつた所長加藤完治先生は平常より日本魂に充ち滿ちて居られる先生であつたので萬感胸に迫り言葉が出ず、唯涙流るゝばかりであつたが、やゝあつて、

『自治講習所は大和魂を磨く所であります。……陛下の御領土である不毛地は必ず耕します』

と心の底から叫ばれたとのことであるが、本所に於ける根本精神も勿論之と同樣で大和魂の研磨以外にはないのである。土地の開拓と魂の開拓なのである。

あれはつる人の心をうちひらき
君よろゐませ大和魂

と山崎延吉先生は云つて居られるが、今日の頽廢萎縮せる青年の魂の開拓こそは本所の使命である。（續）

海外視察記

都會の概觀（其九）
―ブラジルの卷―

信濃海外協會幹事　西澤太一郎

リオやサンパウロ雜觀

一、往きかふ婦人

リオやサンパウロはさすがに南米の大都市である。リオデヂヤネイロ市とサンパウロ市と亞爾然丁のベノスアイレス市と南米大陸の三大都市である。此の中を歩み行く婦人こそ、ありとあらゆる樣々の色摸樣を思ひ〳〵に着飾りて歩いておる。首へ飾りの珠輪をかけたり、耳たぶへ飾りの寶石を釣るしたり、金輪を下げたり、寶石入りの輪を下げたり、腕輪をはめておるものなどで如何にも着飾つておる。絹の無い國でありながら頭の帽子、から下着や、靴下まで絹ぐるみである。あらゆる趣向をこらした洋裝に、白粉へ頰紅から口紅とかざり付けておる。香水をプン〳〵匂はせて往來狹しとばかり大股に歩いて居る。東京あたりのモダンガールは足下へもよれない。手提バックは皆用意御持參で歩いておる、中には櫛だ、香水だ、白粉だ、鏡だ、頰紅だ、ブラシダ、油だ。何處でもかゝまない。一寸立止つたり、腰掛けたりして休んだりして居るか、汽車や、電車の中で、又自動車の中で鏡を出して見て盛に塗りたくつて居る。遠慮も何もない。四六時中御化粧道具御持參で磨いておる。然かしてこれも最近五六年の中どの事である。かくしてブラジル娘はどん〳〵と泥しもなくハイカラになつて行くのである。その妻君や、娘のつくろいの金や、仕度の金を、年がら年中、夫や、親は働くのである。

二、男の仕度も容易でない

さてブラジル娘や、妻君連の、絹ぐるみになり、此の氣候のよいのに毛皮の外套や、狐や、狸や、テンの皮などの立派な襟卷をやつたりして歩いておるが夫れに連れ添ふ男の仕度も又樣々だ、ネクタイから帽子、洋服、靴だ、ステツキだ、金ブチ眼鏡だ、ダイヤ入りの時計だ、何んだかんだと男の仕度も又贅澤なものである、華美なものである。それで此ハイカラな妻君や、娘の相棒となつて手を執つたり腕を抱えたりして歩いて居るのであるから中々の生活費が高まるのである。それで散步だ、夕涼じみだ、公園まはりだ、カフエーだ、夕食だと歩きやれ夜會

だとダンスで晩の十二時とは早いこと大概は翌朝の五時位迄は平氣の平座で踊つて〳〵はねぬくのであるから大したものだ。

三、ブラジルも不景氣だといふ

ブラジルも不景氣だといふて居る、近年に珍らしい不景氣だといふ事ではあるが。サスガはブラジルである何處のバーも滿員カフエー店も滿員、ダンスホールも滿員、やれビールだ（セレベージヤ）ガラナだ何んだかんだと我々には一向名も知れぬ赤酒、青酒、黄酒と所謂五色のお酒がどこでも賣れるは賣れるは大したものである。皆んなよい氣嫌で笑ひ興じて居る。

ブラジル人は中々皆愛嬌者ばかりである。途を歩いても中々高ぶらない。皆ニコ〳〵した樣な顔付きで決して人を、馬鹿にしたり、卑下したり、侮つたりする樣な態度はない。言葉も樣々であるが何れも愉快さうにやつて居る、不景氣だといふがどこが不景氣やら判らない。

就職難はやはりあるそうであるが、只々なるべく割のよい成るべく勘定のよい仕事を見付けようとするから就職難であるが日本の樣に食ふに困るから何んな仕事でもよいと見付けてもその就職の口のないのとは全然趣きが違ふのだ。日本の就職難や生活難とは桁が違ふのである。

四、日曜はやすみ朝夕もゆつくりと

ブラジルで面白いとも思ひ、不便とも思ひ又良い事とも思ふのは日曜日には仕事をなるべくやらぬ事だ。殊に商店では何處の家でも日曜日には決して商賣をやらずにおる、此日は家族中家で休んだり、公園や、市中の繁華な所を散步したり、活動や劇場入りをしたり、自動車で郊外散步をしたりして遊び暮すのである。面白く樂しく夫妻揃つて、或は家族揃つて、手を引いて遊び過すのである。競馬場で一日暮す人もあり、散步で暮すあり、劇場ですごすあり、自動車遠乘りで過すありこんな風にして決して仕事をしない。只飲食店だけは休まない飲食物品の販賣店だけは休まない其他は皆休んでおる。日曜日の街の中の賑やかさは大いしたものである。盛裝の婦人、夫婦の手を取るもの、親子、友人、姉妹の手をとるもの三々五々、運立つて途の除け違ひが容易でない。

ブラジル獨立百年祭記念碑

サンパウロもリオも同じであるがどんな店でも朝は八時頃でなければ店を始めぬあまり早く買物に行つても用は足りない。飲食店中カフエー店などはよいがそうでないと、大抵の店は八時前はあかない。きまりがよいといへばよいのである。

午後は又卸問屋は五時半頃、小賣商店も六時半頃で皆店を閉ぢて商買はやらぬ。最も戸を閉ぢたり、品物を片付けたりはしない。只賣物をしないのである。それが習慣であるから誰れも買ひにも行かぬ。飲食店は別である、又カフエー店はこれは違い。ダンスホールと來ては翌朝の五時か六時迄どんちやん／＼の踊さはぎだ。劇場も中々遲くまで騷いで居る。

ホテルなども大抵きまりがよくて朝は七時から九時頃迄にパンと牛乳とコーヒーを出して、大抵十一時半頃から午後の一時頃迄に晝食をやつて夕方は七時頃から八時頃迄夕食の卓があるが後の時間には食堂が閉ぢてないのである。遲くなつて晝に行つたり、夕食に行つてもそれは閉ぢてないから、都合が惡い。仕方のないときは日本人などは、日本流にやつて居る日本人の飲食店や、旅館へ業々半里も一里も行つて食べなければならぬ中々時間のきまりはよいのである。

御役所向きはどうかといふと朝は八時起きして十二時になると晝食に皆行つてしまふ。午后二時から又起きるのである、皆出勤するのである、午后の四時にはおひけとなる。日本流に時間をいつ迄も長くやつて居ぬので時間を見て行かなければ更に用は足りない。それにブラジル流と云ふか仕事が呑氣だ、緩慢だ、ぼつ／＼とやつて居る。一日が百年もあるつもりでおつとりとやつて居るそれでも用が足つて皆呑氣にやつて行くのである。

日本の様にベンも駈け足、計算も駈け足、頭も考へもマラソン、生活もマラソン。財布の金も駈け足、途を歩くにも半飛びで電車や汽車に乘るには喧嘩腰といふのとは一寸違ふのである。商賣なども呑氣なもの、金の出入も呑氣なもの、日本の様に病人か何かの様にいら／＼したり金の出入りにもキヨロ／＼したり、お釣りのやりとりにも喧嘩肌とは一寸又心持がちがつておる。兎に角ブラジルは呑氣だ。時間をきめてよく遊ぶ。よく休み、よく樂しむ人の揃つた國である。

五、窓から顔を出す娘や奥様連

サンパウロ市でもリオの市でも街の中を歩いて居ていつも眼につくのは大槪の洋館の家の窓から、庭園の奥の窓から、立派な盛裝した奥様とか、娘とかが、ぽかんとして、何も考へず何も患へずに何も心配なしに空を眺めたり、途行く人々や、自動車や、馬車や、電車やの通るのを根氣よく眺めておる姿である、其罪のない、自然の呑氣の有様である、如何にも暇らしい、如何にも用事がないらしい。如何にも心配ないらしい。如何にも悠長らしい。ぼつねんとして、空を眺め、人々を見送り見向へつゝ二時間でも三時間でも眺めて居る。ある日曜日の日になどは一人の娘が一つの窓口で立派に着裝つて外を眺めて居たと思ふと四時ばかりたつてから又その前を通ると、其まゝの仕事で、其まゝの場所で、同じ様な氣配ひで平氣で外をまだ眺めて居た

婦人があつた。最も此間に何にか用を濟ませたり仕事をしたかはしれぬがどうも大いした仕事をしたとは思はれなかつた。

こんな様な婦人は娘といはず、妻君といはずどこの街や、どこの住宅地でも片端から見受ける所である。

一般にブラジルの女ほど仕事をせぬ女はないともいはれておる。炊事すらせず、着物も縫はず、洗濯もせず、家內の掃除や、取り片付さへせず、家事の何事もやらない婦人ばかりといつてもよい。中流以上は尙更である。近頃いくらか職業婦人も出來たり働く婦人も出來て來たとの事であるがこれ等は極少數である。

上流とか、資産家とかの家の女と來ては何にもやらぬ。そうかといふて大に讀書をしたり雜誌でもよんだり、社會公益事業だといふてやんやと働いたり騷ぐでもない。あまり教養があるでもない。英國や獨乙の婦人、アメリカ婦人の様に社會的活動をしたり、修養をしたり、勞働したり、各種の方面に活動するものはないのである。只々家庭には安い賃金の女中をおいたり、黒人の女中や、下男を、おいたり又ボーイをおいたり、して自動車でやれ何處だ此處だ、劇場だ、ダンスだ、夜會だ、踊りだ散歩だといふて遊んで暮すのである。

サンパウロ市ノ一部

立派に着飾つて、華美に華美を重ね、贅澤な暮しをして過すのである。生活費も大部要するもこれは又男が働くべき事になつておる。貴族や、金持ちはその財産で毎日／＼贅澤な勝手な生活をしてゐるのである。

六、競馬や、ロテリヤが盛んなもの

ブラジルの人々は競馬が中々すきである。毎週日曜日には競馬がある。サンパウロのモツカの競馬場も中々繁華なものである。朝から黒山の如くおしよせる、盛裝の婦人、令孃、若夫婦、様々の服裝の様々の顔色、毛色、大きさ、言葉のものと千態萬様のものが夫々着飾つて押し寄せる、自動車で汽車で、徒歩で集る／＼山の如くに。大抵は一競馬に四、五萬圓は馬券がうれる。其一競馬毎に馬券を買ひに行つたり、勝負毎に勝ちたり、敗けたり、籤の當つたり儲けたり損したりしておる人々のさはぎといつたらそれは大變なものである。一勝負毎にざあ／＼と押しよせ、ひしよせ札買ひ

に又當つた金を受けとりに大したさはぎである。バーもにぎはふ。カフエーも賑はふ男も女も大さはぎである。毎日曜日のことながら盛裝の娘や、婦人連の多く出て一生懸命になつてやんやと馬券を買つて當つた損したと血眼になつてさはぎ立てゝゐるのもブラジルでなければ見られぬ所である。リオの競馬も亦一層のにぎやかさである。

何んといつても大したさはぎである。馬も中々よいのが出る一回に三千圓五千圓とつく馬もある。一萬圓一萬五千圓とつく馬もある一寸日本より金かさが大きいようである良い馬が又多い様に思はれる。伯國各方面、アルゼンチンやウルグアイ、パラグアイなどからも寄つて來て居る馬もある中々盛んである。

ロテリヤの方はもつと／＼盛んである毎日／＼どこでも賣つておる、その當つた番號を發表する所、その札の賣る所の繁昌と來たら又一そうである。ブラジル人は中々かけ事がすきだ。當つた儲けた、損したと氣違ひの様になつてやつてある。支那人が三度の飯よりバクチがすきだといつて居るがブラジル人も決して支那人には負けぬすきな人間である。やつぱりすきな國民である、田舍の町の方でも常々これが流行して居る。

つぎから次へと小さな田舍の町迄行き渡つて買つておる人がある。邦人の中でも手を出しては裸体となり、やつと貯へては買つて裸体になる人も大分多いとの事である邦人にはこんなことは流行させたり、すきな人間が大勢出ない様にしたいものである。折角カフエーを育てたり、田舍で苦心したりして作り上げた僅かな金を町へ持ち出して負けて裸体で歸つたり、怒りには道樂者となつて最後は、都會ゴロとなるのは困つた事である。此病にかゝらせたくないものである。我海外發展の上の病毒である。害虫である。此んな傳染病にはかゝらせたくはないものである。

七、ブラジル人は氣輕の人が多い快活である

汽車の中でも自動車電車の中でもブラジルの人々は一般に快活である。輕快である。極めて愉快な顔をしておる日本の人々の様に六ケ敷しい顔をして居ない。よく笑ふ。よく語る。國民である。何か尋ねても、すぐ氣持よく敎へてくれる。何か物を賴んでも喜んでやつてくれる。カーザへ入つて品物を見たり商品を色々見てあるいて居ても極めて氣持のよい顔をして居る。それがほんとうの自分の心持ちの現れで決して作つた、上手や外交でもない。商買上の習慣からまた社交上や世辭ではない。自然の悠な人の心から現れた善い氣持ちである。何か買ふか買はぬかそんな事は一向おかまいなしだ。買つてくれるか賣るのだ、賣つて商賣するのだ。それが本統の仕事である。職業である。ブラジルの商人は何んとなしに悠長である。何んとなし商買人根性の少ない人々が多い。儲けるも損をするも商賣である。惡い事をし、ごまかしをし、惡手段も利益の前には厭はぬといつた様な無理なことしないホテルの經營も又そうである中におるボーイでも女中でも中々愛敬者が多い、溫順である。子供らしい稚氣輕な所がある。

南洋行（三）

信濃海外協會幹事　宮下琢磨

タワオ

船はタワオ港につきました。

こゝには、理事官廳裁判所郵便局税務所阿片專賣所などあるので可成りな都市であるかと思つたのでありましたが、船が、いよ／＼タワオに着いたといふから甲板に出て見ましたが、後に小山があつて、海岸から奥の方は、一面に椰子の樹が繁つて居り、其の間に白壁赤瓦の建物の大きく見えるのが諸官廳でありませう。海岸に沿ふた一本筋の町は精々貳百戸足らずと思はれました。餘り貧弱なやうに思はれたので、船の人にこの奥にまだ町でもあるかと聞いて見ると、これだけであとは農園だといふことでした。

棧橋を渡つて町に這入つて見ました。商人は支那に近いだけ、蘭領よりは一層支那人が多い。日本の商店としては、村上商店、和泉商店、雜貨店が二軒、それから安達といふ細工物を作つて居るところが一軒、齋藤洋服店上家（カミヤ）寫眞館、前森ホテルといふのが一軒あります。ホテルといへば奇れいな皿やホツプを飾つた休憩室や應接間を想像しますが、こゝは丸木の建築でアンペラの壁、土間にテーブルを置いて、これがバー兼用で部屋には疊か茣座をしいてあつたと思ひます。その外に、ボルネオ水產公司といふ鰹節製造の會社があつて、土佐の漁師が約百名ほど活動して居ると聞きました。この奥にタワオ久原農園と、三菱系の窪田農園があるのであります。

この地方の物產としては石炭が出ます。この港から廿哩から四十哩はなれたところです、椰子油、護謨、籐、ダマル、材木ではラワン材ですが、これが割れ疵が多いので、餘り良材にならないのは前に述べた通りであります。

久原農園

タワオから久原農園までは、二キロ約半里です、事務所まで

は四キロ位はあるでせう。この間は、自動車もありますが輕便なトロもあります。

タワオ、エステート病院　久原農園の中にはありますが、法人組織になつて居て台灣總督府から補助を受けて居ります。大正七年の設立であります。院長山本ドクトルに聞いて見ますと、何といふても病氣で一番多いのはマラリヤだといふことです、マラリヤ地帶で健康地ではないやうです、マラリヤにはキニーネを用ゐるのは普通ですが、胃腸藥を交へて配劑しても、どうも胃腸の働きをわるくするので厭つて服藥をしないので、青い顏をしてブラ〳〵して居るのが多くて困るとの話でした。マラリヤの外壞腸といふのが多いさうです。

害蟲では野蛭が多いさうです。これはスマトラにも大分居りましたが、絹絲のやうに細くなつて木の葉などにクツ付いて居ます、人が行くとヅボンの下などにもぐり込みます、厚い靴下や、ヅボン下などでもグン〳〵透して行きます、クツ付けば鋭利な舌を刺し込んで血を吸いますが、痛くも痒くもありません、充分に血を吸ふと下に落ちます、サアその後が大變で血は中々とまらない、血どめ藥や膏藥でやう〳〵血が止まつても、後が痒くて仕方がない、又毒がのこると、すぐに膿をもつて瘡物となり、その膿によつて轉々あちらこちらに瘡物が出來ます、實に厄介なもので、私も山野を視察して居るときに二度ほどやられましたが、ゲートルが眞赤になつたので他の人から注意されて、始めて氣付いた位で、その當座は全くわからぬのです。

久原農園は、總面積が二一、四〇四英反で植付面積は一二、八五八英反、資本金は四百五十萬圓です。護謨と椰子を栽培して居るのですが、護謨は六十萬封度の生産があります。いづれも價格低落世界的不況で、あちらを縮めこちらを節約して生産費を節減することを力めて居る際、久原の御大はパツパと札ビラを切つて巾をきかせて居る最中であつたので、一晩の宴會費數千圓が、所謂高等政策といふ社交費名目で天降つて來るのであるから、薄給で炎熱瘴病と悪鬪して、一向成績が上らぬなど言れるものこそよい面の皮といふものでせう。

あだし言はさて置き、護謨園を案内して貰らひ、工場などを觀せてもらう。ゴムはよく手入れが出來て居ます、川邊の樹などは二十年木に近いかと思はれる位大きく、鬱蒼たる美林であります。最もゴムは樹ばかり大きくともそれで液が多く出るとは言はれませんが、兎に角立派なゴム園です。

改良種につきては、考へて居り苦心もして居られるやうであるが、蘭領とは違つて大分不便があるやうです。アブルスなりバイデンゾルグなりの報告書は直ぐ手に入れる譯には行かず、手に入れても自由に讀むといふ譯に行かぬ、から言ふ離れて居るところにある農園は一倍苦心がいる譯であります。この園の主任も「これからゴム園の經營は、尨大な土地に、多數の苦力を使つてやるのでは引き合はない、庭園式に小人數で細かな手入れをして多量の收穫を得るやうにしなくては駄目だ」と力說して居ました。

この苦力は、八〇パーセントが支那人であとはジヤワ人と小數の土地の人であります。支那人は、廣東邊から來るさうですが、女が皆大きなお盆のやうな恰好をした笠を被つて居ります。その眞中の處に穴があつて、結んだ髮が、その上に出て笠の位置を安定にして居ります。これ等は、牛馬の如く默々として炎天の下でよく働いて居ます。

久原園に隣接して三菱系窪田園があります。古々椰子の栽培であります。總面積は二一、四〇四英反、植付面積は一二、八五八英反、資本金は八十萬圓であります。古々椰子の外にボルネオ材の輸出もやつて居ります。窪田氏は信州の人で、信州海外發展の先覺者坂本君なども大分世話になつて居るので訪問したいと思ひましたが船が午前について午後出帆するので、遺憾ながらそれを果すことが出來ませんでした。船の事務長の話に、タワオで窪田園から乘船歸國する人もあると聞きましたので、船中で話を聞かうと思つたのでした。

農園からトロで町に歸つて來ました。棧橋のところに、ガヤ〳〵見送りの人が居ります窪田農園と久原農園の人が出發するので見送りに來て居るのでした。

船に來てからわかつたのでしたが、窪田農園の人は、前に長野縣師範學校長をして、盛に岡本米藏君の紐育土地をかついだ內堀維文先生の弟さんで芳田芳郎といふ人でした。この人から坂本君の話もきくことが出來ました。

噫、坂本君

諸君のうちには、今から十數年前に中村國穗君が、盛に海外發展を唱道し、南洋に、ブラジルに進出することを說いたことを記憶されて居るでありませう。信濃教育會が、綱領の中に海外發展を加へたのもこの頃です。ブラジルのコーヒーと並べて有利なりと折紙つけられたのは、南洋の椰子でありました。飯山の教育界にあつて、奮然として南洋の椰子栽培の爲めに起つたのが坂本君で、この事業を助けやうと決心したのが更級教育界を中心とした有志の士でありました。西澤太一郎君などは最も忠實に熱心に、世話をし奔走したのであります。

ノース・ボルネオ。サンダカン。ジエツセルトンなどの言葉が、始めて中村君によつて傳へられました。かくいふ拙者も、物珍しくこれらの言葉をきゝ異國の情調も中村君によつて知つたのでした。

更級郡の椰子栽培組合成立の話もきゝました。蔭ながら順調にその進展を祈つて居りましたが、その後、私がブラジル視察の途に上ることになり、西澤君は信濃海外協會の幹事となつたとき、始めて詳しい話をきゝました。資金がないので殆ど沒落に瀕して居る情況を訴へた坂本君の手紙は、人の心膓に喰い入るやうな言々句々血を吐く思ひの切なる事情を訴へたものでした。私も、篠井で宮入源之助氏らの他同志の方にも會ひ西澤君と片倉の今井翁にも說いて見ました。その時もつひに何等匡救の實をあげ得なんだことを遺憾として居るのですが、ブラジル

渡航の途次、香港で一船後らしてボルネオの坂本君の事業を視て呉れないかとの話もあつたのでしたが、これもブラジル大使から成るべく急いで來るやうにとのことで、ボルネオ行は果すことが出來ませんでした。それから又三年を經過致しました昭和三年の春、南洋資源調査の中島總領事一行と南洋に行きましたが、ジヤワ、スマトラを視てボルネオには行かずに、馬來シヤムの方に廻りました、一行の小林常八君が北ボルネオの方を視察することになりましたので、特に、サンダカンの方に廻り、坂本君の事業も調べて貰らうことにしました。その報告は、頗る簡單なもので、殆ど沒落に歸して居たので調べる由がないといふやうな手紙でした。それから二年、こんどはボルネオだけ視に參つたので、歸途大阪商船ならば寄つて觀れると思ふたのでしたが、今は船はタワオに寄つてサンダカンに寄りません。處が同船した窪田園の澤田君は、窪田園の方に坂本君に働いて貰つたり、坂本君にも大分資金を會社から融通して居る關係上、その事業のこともよく知つて居て、いろ〳〵話してくれました、が、私を最も驚かせ最も悲しましたのは、坂本君が友人と話し乍ら道を歩いて居たときに、疾走して來た自動車のために轢きころされたといふことでした。

噫、坂本君、海外發展の尊い犧牲者です、率先して猛然英志を懷いて、同士の友情の下に海外事業の壯圖に上つたのでしたが、事志と伴はず、弟君は非業に、妻君も病に斃れ遂に坂本君も異鄕の鬼となられ、こゝに、心血を嗁いた事業も、全く絶滅を告げることゝなつたのは悲しみても餘りあることであります。

南洋は、ブラジルとは事情を異にして、間作で食糧を支へて行くことは出來ず、勞働賃が低廉であるから、土人か支那人でなければ筋肉勞働で生活を支持することは出來ません。資本家の立場でないと非常に苦しいです、坂本君は始めから資金難のところへ、八年九年で成木する椰子に手をつけたのでしたから、その難戰苦鬪は想察に餘りあることです。

船は、サンダカンの東遙の海上を通りました、海波渺渺の間に西天を望み遙に英靈を弔したのであります。（つゞく）

布哇縣議に日系市民當選

ハワイ縣、縣會議員本選擧の結果ハワイ野球界の元老山城正義（民主黨）岡多作（共和黨）兩氏はいづれも縣會下院議員に當選した、過般の豫選で、ハワイ縣郡參事會員に即時當選した廣嶋縣出身ゲラージ社長三宅昇氏と共にハワイに於る最初の日系市民議員である。かくして日系市民は愈々ハワイ政界に進出し初めた譯であるが殊にハワイ土人が日系三候補を支持應援したのは注目に價する。

墨國事情爐邊閑話（一）

新圖朝　T・O生

七、鑛業

墨國の鑛產物これこそ實に世界有數の天惠國で、其種類も多種多樣其の埋藏量に於ては實に世界に有名なものである、而未資本技術の不足と交通の便の開けない事が斯業發展の主な碍害で遲々として進みませんが一般的に見る時に逐年產額の增加を來して居る

一九二二年鑛物總產額
　一九九、〇七八、一七八ペソ
一九二三年
　二五九、〇三一、六八七ペソ
一九二四年
　二六六、六〇三、九二一ペソ
一九二五年
　二九七、一六一、二六九ペソ

右の如く、一九二五年度の如き其の前年度に比し約一割强の增加をして居り、同年輸出額の如き二億五千五百萬ペソに達し同年墨國總輸出額六億八千二百萬ペソに對して鑛產物の輸出額は實に三七パーセントを占めてゐる狀態である。

墨國は前述の如く各種の鑛物を產出いたしますが主要なものは、銀、金、銅、鐵、鉛である、特に銀の產額は每年全世界の第一位を占めて居り、一九二五年度の如き世界の全產額の三八四五パーセントを產出して居る。金は世界の第四位、鉛は第二位、銅は第三位を占めて居る狀態であり又墨國の鋼鐵も有名なもので、ヅランゴ州の「ナルカード」鐵鑛山は其の埋藏量と含有鐵分量とに於ては實に世界有數なものだといふ。

八、工業

墨國の工業これ又幼稚の階梯にあり、大部の工業製作品は之を外國からの輸入であり、又相當生產される內國產があれども品質劣惡で優良な品物は外國品の輸入による狀態であり、國內で經營される工場でも規模の大きなものは外國の資本でなされてゐる。其主要なものは　綿毛、紡績、織物業等で、木綿種のもの百六十一工場、毛物種のもの二十八工場であり、其原料の綿は同國ラグーナ地方（トレオン附近の總稱）がその主位を占めその總產額は國內の工場の消費を充し一部は輸出されてゐるが、羊毛の約半は輸入されて居り、亦上等織物及び其の衣裳附屬品等も大半は外國から輸入されてゐる。次に重要なものをあげると、アルコール製造業、製糖業、（米、墨資）煙草製造業（佛、西、墨資）製菓業（墨、西、伊、佛、資）石鹼製造業、硝子（獨、墨資）製紙（墨、西、佛資）製粉業（西、墨、佛資）等である。

墨國政府は之等の企業に對して極力國産奬勵策を講じて居り一方又工業を目的とする外資に移入につひては相當の便宜を與ふる方針を採りつゝあるから、此の種の企業を志す資本家あらば今こそ好機この機を逸せず熟慮斷行機先を制して發展されん事を切望するものである。特に現在及び將來に於て最も有望視せられて居るものは、農、工業用機械類、鐵葉板、陶磁器、絹織物、セルロイド等の製造工業である。

九、商業

墨國の外國貿易表を見ますと輸出が遙かに輸入を超過してゐる例へば一九二五年度の統計のもの輸出額六億八千二百萬ペソ輸入額三億九千萬ペソ弱で實に二億九千百萬ペソの輸出超過といふ見事な計算になるのであるが之れを精細に調べますと、其輸出品中事業の大部が外國の資本で經營されてゐる處から、鑛業の二億五千五百萬ペソ(總輸出額の約三十七パーセント)石油の二億六百五十四萬九千五百四十九ペソ(總輸出額の約三十パーセント)合計四億六千百四十五萬九千五百四十九ペソなるものは內國資本でない爲め政府は唯産出稅及び輸出稅を徵收するだけで如何に墨國より巨額の物品を輸出するも國家は直接その實利を收むる事がないので墨國の眞の經濟輸出は遙かに少額で年平均約一億四千余萬ペソの輸入超過といふ憐れな槪算に落ち入るのである。それが爲めメキシコは實に世界有數の富源國でありながらそれを自分の力及び資力で開發利用し得ない爲めその利益の大部は外國の投資家に占められて國の外國貿易はかゝる變態狀況を持續するものである。又此狀態を一方より見ればこれが內外人にとり未だ墨國が各種の企業發展に充分の望を有するともいえ得る。

墨國の貿易は輸出入共に米國とは重大密接な關係をもち每年平均墨國輸出入額の約七割は米國との取引である。墨國から米國に輸出せらるゝものは鑛物、石油類を主要品とし、外に食料品、野菜(生、乾)果實、珈琲、香料及び魚類、原料品では各種革類、植物脂、ゴム類、エネケン、其他の纖維植物原料等で、米國から墨國に輸入せらるゝものは各種機械類及び其附屬品、冶金類製品、動物に牛、食料品に食用油脂、其他鑵詰類、小麥玉蜀黍、穀類、原料品では木材、加工品では化學藥品、靴、綿織物各種、ゴム製品、其他自動車、樂器、武器及び彈藥類である。

日本との貿易は比較的古い歴史をもち乍ら今日といえども未だ著き發展なく、實に微々たるもので墨國から日本への輸出額三萬〇〇二十一ペソ、日本からの輸入額百四十九萬四千〇九十六ペソぐらいで其額は更に歐米の小國にも及ばない狀態である。(一九二五年度のもの)

ツヾクー

朝鮮閑話(九)

藤澤定司

四十五 藥水と力のつく水

朝鮮の各道ともよく藥水洞藥水林といふ部落があるが何れも藥水が出る譯ではなく只清水が湧き出る位であるが、病氣にでも罹ると態々他村から此の水を汲みに來て病人に呑ませる習慣がある。

恰度大正十三年咸鏡線が開通した時亦大正元年天岡鐵道が出來た時給水タンクが設けられたが何時の頃からか附近の住民がサバリ(茶碗)や瓶などを持つてその給水タンクの附近に集り喧嘩を極めつゝ漏水を奪ひ合つて容器に受入れその水を呑んだ餘りは大事そうにして持つて歸るように成つた中には年寄を背負つて來て呑ませる者すら有るので最初は附近の水質が惡いのであらうと思つて居たが毎日〳〵同ち事を操返し喧騒が増すばかりであつたからそれを制しつゝ事情を聞くと「汽罐車がこの水を呑む爲めあれだけの力が出て汽車を引張る様になるのでこの水を呑めば力が出るやうになる」と云ひふらしたものがあるので無智な彼等はこれを信ち毎日タンクの水を呑みに來るように成つたのだと云ふ事がわかり驛員も開いた口が塞がらなかつたといふ

四十六 列車を呼止めたり 唾壺へ小便したり

二三年前京會線が出來た當時の話である全々汽車など話に聞たより外にない此地方に黑い煙を吐いて汽車が通る樣になつた事は地方人の眼から見ると或る一種の魔物とも見えたであらうところがこの魔物に對し彼等は多大の興味を覺へたと見え該線の開通直後何十里も奥からワザ〳〵その汽車に乘つて見る爲めに澤山の人が出て來た普通學校の學生などが學校の授業も放つたらかして沿線に出て最初はどこからでも乘車出來ると思つたものか線路の側に立つて列車の進行し來るを待ち兩手をあげて呼びとめたものだ素より止められるものでもないので汽笛を鳴らしつゝ通過すると頻りに哀號を連發して居た、そして停車場から乘るものだと云ふことが判るとこんどは停車場に押しかけてドン〳〵無切符で乘車して大威張に威張つたものでそれが愈々金を拂はねばならぬ事がわかると家や田を賣拂つて乘つたものだと云ふ亦列車の中の唾壺に平氣で小便をしたものだと云ふ尤も鮮人の小瓶に似た唾壺のことであるから無理もなかつたことだらう。

然し之等の話も時代の問題である私のお婆サンがよく話した事であるが信越線が開通した當時も矢張こんな逸話は山程あつたらしい殊に信越沿線には狐狸や狼が晝夜の別なく横行したもので開通以來全くそれらのものも姿を消して仕舞つたと云ふ、時代の變遷は人間界許りでもないらしい

四十七 羚羊の毛皮

羚羊(カモシカ)は咸南の山奥に澤山棲んで居

る羚羊營孫碍といふが豊山郡にあるその邊の山の崖にいつも發狹して居るそれを下からポンとやるとコロ〳〵と轉がり落ちる。

ところが朝鮮の言傳によると羚羊は角を樹の枝に引かけてブランと下つて寢ているといふからこれが本當とするとポンとやつても引かかつてころ〳〵とは落ちぬ事になる羚羊の毛皮は椅子掛けはモッテ來いであるが角の無いものは半値だといふ羚羊の角は犀角の代用として熱冷ましに使はれるそれで毛皮の角の頭角失はれ易いのである

四十八 奇拔なノロ狩

最きに麥を蒔く法で一寸書いたがノロは獐の字を書くが鹿に似てやゝ小さく斑點がない角は鹿程立派ではないが體に比較すると相當大きな角を持つて居る

鹿の角は「鹿茸」といつて精力のつく神藥として珍重されて居るが「雉の代りに鶏」の格でノロの角も鹿の代りに使はれてゐる、さて弓矢鐵砲の飛道具を持たずにノロや鹿や猪などを狩立てることが出來る。

平北咸南の山奥ではよく飼馴らした純朝鮮犬五六疋を以て四方からノロを狩立てゝ犬と勢子とで追つて〳〵追ますとノロは拼命に疲れ且つ爪の皮がはげて一歩も驅けられなくなるそれを犬共が飛掛つて咽喉笛に噛ついて難なく捕るといふ趣向である。

咸北會寧では此方法で豹を獲つたことがあるノロは陽にをると毛皮に虫が生いて痒いから日陰に行くがその時頭の高さに羂を張つて置くとその通りかゝりの際ノロの頭が羂に引かゝつて捕れるといふ話が朝鮮には昔から傳はつてゐるがマサカそんな簡單にはゆくまいと思はれる。

四十九 慘死する雀

雀が害鳥である事は云ふ迄もないが害虫を捕食する點からいふと益鳥にもなるこの兩面の持主である雀は人生との接觸も兩面を持つて居る

舌切雀はそのうちの惡の方であらう

處が舌切雀以外には雀は人生無二の親友であり伴侶である様に美化されて居る雀の學校の先生をはぢめとして歌ふ唄に雀をよんだものは皆優しい愛らしく可憐な小鳥としてある。

さて朝鮮では雀が實に多く田畑の穀物を荒すのでこれが追拂に拼命である秋にでもなると老幼男女は皆田の畦に出て終日膠をからして雀を追ふのである。いかに雀が多いかは想像がつくだろう春は春で雀めの足二本を五厘一錢で官廳で買上げその肉は鑵詰にして市場に賣出して居る地方もある、尤も北海道にも隨分多く内地の雀鑵は大底此處らしいが何れも新開地と雀は離れざる關係があるらしいがこの雀捕に霞網を用いてやつて見ると仲々面白いもので小生も大分經驗したものであるが猶ほ雀捕の面白いのを二三紹介して見ると青竹の長いものを撓めて置いて庭場に粟をまくと澤山雀が降りて來るその頃合を見計つて掛羂を外すと青竹が庭場一面を一撫に撫るから澤山の雀が一時に捕れる

次に又羂を緊張させて置いて雀が沿つたのを見計つて別につけて置いた引手を強くひくと緊張した羂が震動して雀が面喰つて目を廻はして落ちるのを手早く捕殺するのである。

尚ほ此の話は當にはならぬが米を燒酒に一晩浸して置いて翌朝雀が巢から飛出てお腹の空いて居る時庭に蒔散らして置くと之は御馳走ござんなれと吾も〳〵と鱈腹食つたはよいがアルコールが廻つたのを知らずチイ〳〵バツパはまだよいが中にはヤッチヨロマカセを躍出して仕舞には大の字なりに大鼾をかきだした頃を見計つて端から捕殺する方法もあると云ふ。

五十 奴隷

昔罪を犯した者があつた場合に其罪によつて官廳の奴隷に取立てゝ使つたそしてその要も「官婢」とせられる又私人の家でも勢力のある兩班の家でも金錢をもつて買つて奴婢として使用したものである、だから官没の奴隷中には相當の名門である者も稀ではない。

李朝の初めに「奴婢都監」といふ官廳を設けて奴婢一切を取締らせた奴婢の子女また奴婢であつて永久にその身分を脱する事が出來ないのである然し「奴」の方は代金を辨償して出て行つて家を興す者も少くないし又逃亡したりするが「婢」の方は女を生むとその女を自分の身代りにして「主典」(旦那)に奉公させて自分は出て行くかさもなければ一生婢として終る事にする「婢」の美人が主人と關係を生ぢ子供を生んだ等の情緒濃やかな事柄もあつたと見えて舊小説の洪吉童傳中に洪判書と婢梅月とか白晝戯れた等の事が見えて居る現在でも〇〇姫の事を兎角いまはしい噂をするものもある民籍法の時代までは「附籍」と云ふのがあつたがこれが昔の奴又は婢であつて獨立して民籍を持つて一家を立て行く資力のないものが「主典」(旦那)の民籍の末尾に殘つたのである。

今は昔と違ひ自分で出て行かふうと思つたら何時でも「主典」が喜んで離籍さして吳れるしかし又同一戸籍内に入れて吳れる事も出來る樣になつて法規の上からは奴婢の名稱はなくなつたのである奴隷と云ふから非常に言葉に角が立つが要するに絕對に身命を委ねた家來の樣なもので昔の「奴」共の一層徹底したものであるそれで「主典」が外出すると輿もかつげば履物も執るし人力車に乘れば「奴」がこれを挽いて「婢」が謠國扇で後から涼しい樣にあふいで走るといふ具合で最近迄その實景を夏の夕べの京城の大通りで認めたもので朝鮮情緒をそゝらしたものであつた「妓婢」を澤山に養つて居る大家では昔これが裁判等は皆主典自體が裁判官になつて自分の庭内に土下座させて或は笞刑を加へたり或は一室に拘禁して實を吐かせたりしたものであつた又昔の兩班は金錢貸借の證文や田畑宅地の賣買の文券は自分の名義を用ゐずに一切奴婢の名義を用ゐてこれに手の形や署押を押させて保管したものであつた。

それで今日までもそのやうな文券で効力のあるものが澤山殘つて居る事と思ふが自分自身の名を用ゐ自分の判を押してならぬ關係上紛爭が起きた場合には非常に面倒な手續がかゝるものである。

五十一 笞刑と體計

朝鮮では先頃迄笞刑令を實施して居つたものであるが笞刑とは内地で云ふ即決處分であつて即ち拘留科料に該當する罪に行ふものである。

笞刑の鞭は丁度弓竹を切つた樣なものを麻の細糸で卷いた三尺位い長さで違犯者を素裸にして臀の邊りを思ひ切つて叩くので一同大底一圓を標準として手が減ずるのであるが十回か二十回を限度としそれ以上は翌日廻にする譯だ。

朝鮮女の猥褻及姦淫關係の訊問及聽取書となると全く閉口するのである如何なる證據をつきつけても知らぬ存ぜぬで濟ましたものだそこで一考を煩はしたのは體溫計である水銀をスッカリ拂つてこれを渡し事實がなければ此の光つた水が此儘だが有れば此赤い字の處迄光つた水が上つて來る即ち檢査機だと説明して勝手に〇〇へ挿入させて知らん顔して暫く立つて行つて見ると全く平身低頭だが事實無根のものは不思議がるは勿論甚しいのになるとこんな物がと叮嚀さんとする氣勢に出るものもあるが何れにしても其の前後の狀況で判る譯だ(續く)

海旅の夢（二）

軍艦菁葉　倉田哲人

南洋群島の一般事情

一、歴史的梗概

◎我海軍の占領以前

第十六世紀の頃歐洲では航海術が發達して參りまして西班牙葡萄牙の諸探險家は前人未踏の陸地を發見しようと思ひまして一葦の帆船に身を托し大膽にも未知の渺茫たる洋上を彷ひ歩いたのであります。

我南洋群島も其の時分是等探險家に依つて發見されたのであります。

尙簡單に調べて見ますと

（一）マリアナ群島

一五二一年　葡國探險家「マゼラン」發見

一五六五年　西班牙の領有となり西國皇后「マリアナ」をとりて命名

一八九八年　米西戰爭の結果西班牙は「グアム」を米國に割讓

一八九九年　「マリアナ」「カロリン」群嶋を二千五百萬「ペセタ」邦貨九百六十萬圓）にて獨逸に賣却す

（二）カロリン群島

一五二七年　葡人「ディエゴロシヤ」發見

一六八〇年　西國探險家は「ヤップ」「トラック」「ポナペ」「クサイ」等を探險し當時の西王「カロロ」第二世の名を取りて「カロリン」群島と命名す

一八八五年　獨逸は軍艦を派して「ヤップ」嶋を占領す

一八九九年　米西戰爭後西國は同群嶋を獨逸に賣却す

（三）マーシャル群島

一七八七年　英人船長「マーシャル」發見其の名を取りて命名

一八七七年　獨逸軍艦を派して酋長と交歡す

一八八五年　獨逸は再び軍艦を派遣して占領す

爾來獨逸は「ヤールト」會社を創設致しまして本群島の開發を企て「コプラ」の產出燐礦の採掘等產業的經營に意を注ぐと共に「ヤップ」「ポナペ」に政廳を設けて「ニューギニア」總督の管轄下として同群島を支配せしめ又「ヤップ」に無線電信所を設け或は同嶋を中心とする「グアム」「メナド」上海等の連絡海底電線を敷設し或は宣敎師を派して土人の敎化に努むるなど其の經營宜敷を得て著々其の功績を擧げて居つたのであります。

◎我國の領有以降

大正三年俄然歐洲の天地には大戰亂が勃發致しましたので我日本は同盟の好みによつて英國に加擔して獨逸と交戰する樣になりましたそれで山屋他人中將の統卒する我第一南遣支隊（鞍馬筑波、淺間、第十六驅逐隊）は時を移さず獨領南洋諸嶋を占領して「トラック」嶋に臨時南洋防備隊を置き又所々に守備隊を配して軍政を敷き學校を造り海軍の兵員が速成の先生となつて土人の子弟を敎育する等大いに活躍したのであります。

しかるに大正七年軍政は廢せられて民政となり大正九年巴里の平和會議で委任統治となり南洋廳が設立せられたのであります。

南洋廳所在地　パラオ

南洋廳長官は主として拓務大臣の指揮監督を受け政務一般を管理せられて居る。

南洋支廳	同所在地	管轄區域
サイパン支廳	サイパン	マリアナ群嶋一圓
ヤップ支廳	ヤップ	東經百三十七度以東の西カロリン群嶋一圓
パラオ支廳	パラオ	東經百三十七度以西の西カロリン群嶋一圓
トラック支廳	トラック	東經百五十四度以西の東カロリン群嶋一圓
ポナペ支廳	ポナペ	東經百五十四度以東の東カロリン群馬一圓及東經百六十四度のマーシャル群嶋の一部
ヤルート支廳	ヤルート	東經百六十度以東のヤーシャル群嶋

◎附記

（一）委任統治

委任統治とは歐洲戰爭の結果獨逸等の統治を離れた領土植民地で未だ自立する事の出來ない人民の居住する土地に對して他の先進國が國際聯盟の委任に依つて統治する事を云ふのであります。

即ち日本は國際聯盟の委任統治に依つて南洋群嶋を統治して居るのであります。

委任統治の主なる條項

(1)、日本帝國は施政立法の全權を存す

(2)、左記事項を禁ず

（イ）奴隷の賣買

（ロ）須要なる公共的工事及役務の爲めにする外强制勞働

（ハ）土著民に大酒及酒精飮料の供給

（ニ）陸海軍の根據地又は築城の建設

(3)、武器彈藥を取締る

(4)、布敎を自由とす

（二）偉人マゼラン

一五一九年葡人「マゼラン」は西王の命を受け西國を出發し西へ〳〵と小さな帆船で大洋上を渡り進んで世界の實庫を求め歩いたのであります第一に著いた處は南「アメリカ」でそれから南端を迂廻して大平洋に出で一五二一年にはつひに「フイリツピン群嶋に到著して此所で到々「マリアナ」土人に殺されて終ひました。

而し「マゼラン」の部下の人々は印度洋を經て「アフリカ」の南端を廻り一五二二年に無事西班牙に歸つて來ました。

何んと偉い船乘りではないか？　これが世界一周の初めで「マゼラン」一行の航海によつて地球が球形である事が確證せられたのであります。

當時「マゼラン」が嘗めた非常の艱難辛苦と其の大膽とを想像する時今私共が此の大きな軍艦で既知の海上を航海する位庇の〳〵河童であります。

二、南洋の氣候

南洋群島は全部熱帶圏内に入つて居りますので溫帶地の樣に四季の區別がありません、一年中夏季ばかりの氣候で所謂常夏の國であります。而し乍ら各嶋は皆四面渺茫とした大洋の中にある孤島で面積もそんなに廣くないので何時も海風が「ソヨ〳〵」と吹いて純然とした海洋的氣候を現して居ります。從つて晝夜の氣候の變化も至つて少なく想像して居る程の暑さから幾割引して槪して健康地と云ひ得らるゝでせう。

是は南洋群嶋に渡來して來る人々が意外とする處で其の上に熱帶地方特有の「マラリア」病もないし又毒蛇や猛獸等も居らず生活も極めて暢氣定に想像以上の極樂境であります。

土人の風俗

三、南洋の氣溫

前に述べた通り一年中の氣候に變化がないから氣溫も一年中變化が少なくそうして各群嶋一般に氣溫は同じであります。

一日中最高の溫度は大槪攝氏二十九度から三十一度で一日の溫度の差は僅か五乃至六度しかありません

四、南洋の雨量

雨量は非常に多いのです一年平均三、〇〇〇粍以上で之を内地の平均降雨量一、七〇〇粍に比較して殆んど約二倍であります。

而かも其の降雨といふのが内地のとは全く狀態が違つて居りまして「スコール」と云ふものであります天の一角に一抹の異雲を現したかと思ふと冷めたい風が吹いて來て俄に大雨となり暫くすると「カラリ」と晴れて來て恰度盛夏の頃内地によくある驟雨に似て居ります。

眞晝間の暑い時に「スコール」がやつて來ますと急に凉しくなつて炎熱は何處へ行つたかと思はれる程で南洋群嶋には「ハツキリ」した乾濕期がありません。

五、南洋の地質

南洋群嶋の地質は一般に火山岩と珊瑚礁から成り立つて居りますが唯ヤップ嶋丈は大昔の變質岩類である結晶變岩類から成り立つて居ります、珊瑚礁と云ふのは暖い海に棲む珊瑚虫の石灰質の骨骼から出來て居る岩礁でありまして其の小さい部分の形態は種々樣々でありますが大体の位置と形狀を分類すると次の三種に分ける事が出來ます。

パラオ土人ノダンス

(1)、緣礁（別名裾礁）

陸地の周緣に沿ふて高潮と低潮の汀線に發達したものゝ樣であります。

群島中の陸地のある處には必ずこの緣礁があります。

(2)、堡礁

嶋と礁との間が斷離して其の間に海水を湛へて居るものを謂ひ恰度例を擧げて見ますと東「カロリン」群嶋の「トラック」嶋は玄武岩質の澤山の小嶋から成り立つて居るが各嶋の周圍には壯大の緣礁があつて其の外廓に廻延百二十余浬もある一大堡礁をもつて居ります、そして堡礁と緣礁の間に廣大な礁湖を形成して居ります。

(3)、環礁

陸地より全く獨立して海中に立つてる珊瑚嶋でありまして環狀又は不規則な圓狀を畫いて發達して其の內部に大きな礁湖を形成して居るものを謂ひ、換言しますと中央に陸地を抱擁して居らぬ堡礁であります。

「マーシャル」群嶋は殆んどこの環礁から成立つて居り最も有名なのは「ヤルート」島であります。

次に火山岩は玄武岩と安山岩の二種類があります。

(1)、玄武岩

玄武岩は「トラック」島「ポナペ」嶋及「クサイ」嶋に於て見られる處は比較的古い時代の噴出岩で現に生存して居る珊瑚礁の基底を作つて居ります。

(2)、安山岩

安山岩は「パラオ」諸嶋及「サイパン」嶋に多く之等の嶋々は安山岩を母岩として居るもので又隆起珊瑚礁と混成して稍複雑な構成をして居ります。（以下次號）

航海日誌(一)

—四十六日の船中生活—

於ダウバン　宮本乙巳

八月廿三日(晴)　四時半に眼がさめる。出帆日だ、落ちつきもなく興奮してゐる。荷物の整理や身支度で忙しい。朝食が濟んで八時になると所長の送別の辭がある。船中生活の諸注意、伯國到着後の保健等について親切な訓辭を與へられ、所長の音頭で萬歳が三唱され壯途を祝福さる。自動車を驅つて三號岩壁に運ばれるとラプラタ丸が自体を岩壁にすりよせて吾等を迎へてゐる。神谷氏(商船船客係の人)の厚意によつて船の中央、右舷の十五號四人室が私達夫婦のために與へられ、同行の溝口君は獨身青年達と一緒になつて一號室に配される。十五號は機關室に接近して騒音と暑さが他の室よりも激しいが動搖の少ないのと水入らずの生活が出來る特點がある。荷物を一と先づ室に收めて下船、溝口君のお父さんの招待に預つて晝食を大丸の食堂に戴く

この机を四角にかこんだ四人の顔と顔、前途に光明をみつめて門出を祝福さる吾等三人は故國での最後の食事に感慨無量であつた。晝過ぎの暑さは酷い、汗は額にも背中にも滲み出る、おそらく九十度を突破してゐよう。船に歸へると二時半、見送りの人、荷積み人夫、沖商人等で混雜を極めてゐる。見送りに來てくれる方々が引き切れず、室を留守にする事は出來なかつた。商船の神谷氏、移民收容所の小林、中島、兩氏日伯協會の原氏、西海幹事溝口氏其の他の方々がいろ〳〵と激勵してくれる。長野からは岡審館の小林氏、縣廳の關氏から送別の電報が寄せられ、心は勇躍が上に躍動する。五色のテープが張られて今や出帆の時間を待つばかりである。四時が打つと出帆の汽笛が鳴る。巨体はズル〳〵と岩壁を隔れる。幾度かの見送りに馴れた私は今ぞ見送られる船の人である事を識ると俄かにこみ上げてくる胸をおさへる事が出來ない。岩壁に見送り人を見下す眼には涙が知らずに兩頬を流れた。でも歡聲と盛んな見送りに心は躍り、テープを確か握りしめて、さらば故國よ、故國の友よ、と口ずさみ、手を振る。船はだん〳〵と岩壁から隔れて方向を變へると、モウ見送る人の顔分ちが出來ない、たゞ手を高く振る姿が小さく見えるのみである。防波堤までランチが見送つてくれたが本船が最後の汽笛がふくと悲壯な汽笛を鳴らして別れを惜むが如く追ひかけてくる。船室に戻つてもう一度甲板に出ると神戸の市街と山はひくゝ西日に強く照らされ、靜かな海面を本船は右に船体を折つて和田岬をさして船足を早めた。今一度船室に戻つて五時の夕食が濟み甲板に出る頃は淡路島を右に德島沖に出た。折しも西にしづむ太陽はキラ〳〵と海洋を赤く照してゐる。夜になつても心落つかず馴れぬ船中の生活が變に感ぜらる。四十六日の日數と一萬二千哩の大航海を本船に身を托して第一日はかくして過ぎた。私の全生涯で一番記憶に殘る一日があれば、おそらく今日の一日がそれであらう。

廿四日(晴)　海上穩やかにして船の動搖は全

くない。室は暑いので多く甲板に出てゐる。船客の誰彼と挨拶して同行の好みを交す。昨夜三等食堂で船客に高等船員の紹介あり。船客をC、D、E、の三室に分ち各々室長を選び船内の自治的機關の組織を計る事になつた。即ち自治、文化、郵便、運動、修養等の各部組織が船客の間に出來たり、ラプラタ村は船客四百十一名、乘組員百九名計五百二十名の海上文化村が出現した。今日は一日中船室の整理をして吾住家として曲りなりにも趣向を凝らす、午後六時には鹿兒島沖にさしかゝり左方に種子島を遠望する事が出來た。種子島は我國に鐵砲渡來の歴史的の地であるが不思議にも明日はその記念日である。即ち天文十二年九月二十五日である。何たる奇縁ぞ

廿五日(晴)　實に平穩なる航海である。海はいよ〳〵コンペキ色となりて魅力的な色彩である。はれたる大空に此方彼方に飛び交ふ雲の行き來は海人を慰む一つである。海洋の變化は急激である。右方より太陽に照らされてゐるかと思ふと左方に黑雲現れ忽ちにして上空に襲來し豪雨をもたらして二十分にして再び太陽の光を受ける、夜は落ちこぼれんばかりに星燦然として輝やき、仰ぎ眺めて甲板に涼をむさぼり、そのまゝ夢路を辿る者多し全く天國に遊ぶが如き觀である。尾崎愕堂の「風なぎてさゞ波も無き海の上、船に在りとも知らぬ旅かな」の通りである。ラプラタ新報第一號發刊。

廿六日(晴)　船では船客の保健上(脚氣豫防のため)二分入れの麥飯を出す。食事は朝食一汁二菜で主に福神漬、晝食は二菜で主に魚の煮又は燒きたるもの、晩食は牛肉に野菜のよごしたるものである。時に獻立も代る樣である。大した馳走でなく、食ふてやせない位のものだらう。

廿六日(晴)　今朝から運動のため朝食に甲板洗ひの手傳をやる。起床は五時乃至五時半、砂利を撒きちらしたる甲板上を椰子の實を二つ割にしたものにて兩手に持ち四つ這ひになつてこすり進む、馴れぬので水夫に追ひかけられ疲れて足動かぬ醜態を演ずる。これが濟むとホースにて海水で砂利を洗ひ流すので約一時間半の仕事、よい運動になる。下痢二回程あり醫務局より藥をもらふ。本船の船客數左の如し。

等級別

一等船客　一〇名　　三等船客　四〇一名

二、行先別

香港行　八名、ダウバン行　一名、ケープタウン行　五名、サントス行　三六五名、ベノスアイレス行　三二名、計　四一一名

今夕は台灣海峽にさしかゝると。

廿七日(晴)　この海峽は動搖も激しときいてゐたので船醉あらんと警戒してゐたが尚波靜かにしてその氣配更らになし。明朝は香港着なれば人々は故國に第一信を送るべくペンを握つて大忙しである。

廿八日(晴)　異國の地に足跡を印する最初の地、香港の市街は朝霧の中に薄く現はれてゐた。目に入るこの港は第一外國船舶の數多き事、第二支那船(ジャンク)の夥しき事、第三岩壁近くの甚しく穢なき事、第四沖人夫半裸体裸足の身装汚なき事等殊更に目につく。九龍の埠頭に本船がつくのを待つて支那人沖の商人が日用雜貨を持ち込んで來る。英國の印度人巡査が本船の周圍に蝟集する沖商人を追拂ふが彼等は何時の間にか隙をねらつて船に入り込んで商ひをする打たれ樣が、たゝかれ樣が商ひをし利益を得る前にはこれを忍ぶのである。

上陸は條件付きで果物は絶對に買はぬ事、罐詰にても不可、飲食もせぬ事の衞生第一主義である。香港以南の各港は流行病の傳染の危險あり上陸について嚴重な注意指示があつた我等は午後二時下船、香港の街に遊ぶ事に

なつた。あぶない英語で道を尋ね、赤毛頭丸出しの彌治喜多見物である。兩替は邦貨十圓が香港で十五弗五十仙。フォリー(渡船)で五分位。直ちにケーブルカーで約二十分山に登つて港を俯瞰する。熱帶の珍らしき草木生え繁り濃厚なる花咲き亂れ、道路の完全なる事に驚く。日用雜貨食物は安く遊ぶによき地なり、支那人街は流石に雜踏し汚なし異臭を放ちて心地惡し、多く裸足にして靴を穿きたる者稀である。一流のレストラントで夕食をとり八時歸船した。香港は夜景美しく山腹に建てられた大厦高樓の電燈の光は燦然として繪に見る龍宮の如き不夜城を呈す。夜のホンコンは文字通りの莊觀である。

廿九日(晴)　十時出帆と云ふので名殘惜しくも朝早く香港の街に出掛けた。今朝は十四弗五十仙、昨日より一弗損をした。香港の朝は銀で街がうなつてゐる。銀本位の國丈けに兩替屋(街に澤山あつて軒を竝べてゐる)が銀貨の整理でその騷音は耳を被はなければ歩けぬ位である。朝食をすまして船に歸へると荷物積みも濟んで出帆したのは十一時半であつた。香港は風景絶佳とは云へない。市街は人工的に科學の力を以て築き上げた街に過ぎない。自然の美は更らに見え出せない。香港について述べて見よう。

香港島は西紀一八四一年阿片戰爭により英國が支那より割讓を受け其の後一八九八年には九龍半島と其の附近の大小島嶼四拾余これを總括する三百五十六方哩の土地を九十九ケ年間租借する事になり、今より百年前迄は一寒村に過ぎなかつたこの孤島も英國の絶大なる努力により文明的都市として又東洋貿易の策源地として誇るに足るに到つた。人口は約六十萬内九割は支那人にして世界各國の人種が居住するも英人七千人、葡牙人二千人、日本人千六百人が主なる外國人である。市内電車は延長十五哩料金は均一で一等十仙三等五仙、香港島と九龍を連絡する渡船は一等十仙三等五仙である。遊覽箇所としてはケーブルカーで海拔千八百呎の山頂より港灣を展望する外、ビクトリヤ公園には熱帶地の花卉草木が集められてある。又香港島一週は道程廿五哩所要時間約二時間にして全島をドライブ出來る。料金は約香港弗で十弗以内である。

卅日(晴)　毎日暑し船室は九十度を下らない。四六時中扇風器を動かしてゐるので身体のために惡るく感ずる。退屈ながらも一日が短かい樣な氣がする。

卅一日(晴)　支那沿岸を航行してゐるので左舷に支那大陸を望見する。今朝より力行會員一同で伊藤牧師につき聖書研究をする事になつた。

九月一日(曇)　未明にメーコン河口に達し約四十哩を四時半逆行してサイゴンに着く。温度下りて神戸出帆以來のレコード八十八度となる。曇りて涼し。西岸は一望千里の沃野、熱帶の樹木繁りて所々に開田を見受け土人の耕作を見る。水牛を使ふて代掻の田、田植の田、出穗期の田、黄金の波打つ田、サイゴン米の産地とうなづく。河中に投錨して小舟にて荷積みをする。サイゴン米三千俵を積込むときく。流行病ありて上陸許さず、サイゴンの街を望見するに過ぎなかつた。二百十日なれば故郷にては鎮座の森に燈籠持ちて參拜する凉氣立つ秋の夜を偲ぶ。夜蚊の襲來ありて蚊取り線香配給されど蚊は來たらず。

二日(曇)　朝九時出帆。夜中より昇騰して九十二度となる。熱帶の陽光は光り强し、白ちやけてまばゆい。動搖あり氣分惡くベットにもじり續く。

三日(晴)　今日も身体だるく睡氣模樣して午前中眠る。夜新嘉坡上陸の注意がある。結婚後一ヶ月の日は短かつた。しかもぞれは夢の樣であつた。(以下次號)

移植民ニュース

海外移住組合關係 伯國渡航者數

本年四月一日より十月末日迄に於ける海外移住組合聯合會及所屬組合關係伯國渡航者數は八十八家族四百六十七人員であつて府縣別に示せば左の通りである。

府縣別	バストス 家族數	人員	チエテ 家族數	人員	計 家族數	人員
北海道	三	一九			三	一九
三重	一	六	一	四	二	一〇
山梨	一	四			一	四
岩手	八	四七	一	一〇	九	五七
岡山	六	二四	一	五	七	二九
廣島	一	一六	二	九	三	二五
山口	三	一六	一	一二	四	二八
和歌山	五	二一	二	一二	七	三三
香川			一	五九	一	五九
愛媛	二	一二	一	七	三	一九
福岡			三	三九	三	三九
鹿兒島	二	六			二	六
計	三一	一五五	二三	一五七	五四	三一二

府縣別	アリアンサ 家族數	人員	ヴィラ・ノヴァ 家族數	人員	計 家族數	人員
信濃	一八	六四			一八	六四
富山	九	四二			九	四二
島取	—				—	
熊本			七	四九	七	四九
計	二七	一〇六	七	四九	三四	一五五

伯國行呼寄移民に 渡航奬勵金下付

移住組合所屬伯國移住地既入植家族が其の目的達成上必要の人員を内地より呼寄せむとする場合、出來得る限り恩典と便宜とを供與し、事業促進の機運と安定とを圖る事は移住地全体の完成上多大なる効果を齎らすものであるが現行伯國渡航奬勵金交付條件では呼寄渡航者に對しては補助金下付の恩典が除外せられてあつて在伯先住者が内地に在る親戚、知友等を呼寄せむとしても其の費用の支辨を要する事が一つの惱みとなつて呼寄せ渡航は極めて不振の狀態に置かれてあつたことは甚だ遺憾であつたので今回海外移住組合聯合會では其改正を要望したる結果今後移住組合所屬移住地入植者の許へ渡航する呼寄移民に對しても爾今政府より所定の渡航補助金が下付せらるる事になつた。

ブラジル人口激增 增加率は日本の二倍

一九二九年末に於ける伯國推定人口が四〇、二七〇、六五〇と發表せられ、これを前年末に比較するに、一、一六八、七九四の增加である、この中幾分は入移民による增加とみても、一年約百萬の人口增加を示されてある譯である。ブラジルは氣候の關係と、生活が容易なるなる故か人口增加率の高い日本の倘二倍を算する激增振りであつて今この州別を表記すれば

アラゴャス州　[illegible]

州名	人口
アマゾナス州	四四六、七七七
バイア州	四、一三五、八九四
セアラ州	一、六二六、〇三五
エスピリト・サント州	六六一、四一六
フエデラル・デスツクト州	一、四六八、六二一
ゴヤス州	七一三、二一〇
マラニヨン州	一、一四〇、六三五
マツトグロツソ州	三四九、八五七
ミナスゼラエス州	七、四四三、三四四
ペラー生	一、四三二、四〇一
パライバ州	一、三三二、〇六九
パラナ州	九七三、五七三
ペルナムブコ州	二、八九六、八一四
ピアイ州	八〇九、五〇八
リオデジャネイロ州	一、九九六、八九九
リオグランデトノルテ	七三八、八八九
リオグランデドスール州	二、九九九、六二七
サンタカタリナ州	九四八、三九八
サンパウロ州	六、三九九、一九〇
セルシペ州	五四七、九六五
アクレテリトリイ州	一一三、七二五

問題となつてゐる

ダバオ邦人所有土地

毎年比島議會にダバオの日本人問題が論議せられ就中邦人の所有土地に關聯した問題が世人の注目を惹きつゝあり最近また私有土地制限案の運動が擡頭して來たのであるが彼等の常に口にする所は此儘に放任する時はダバオの邦人は比島人の私有地を片端しから買收して了ひ今にも日本人がダバオを乘取るが如く、非常な騒ぎをしてゐるのであるが事實ダバオ不動産登記所調べによると眞に邦人の私有としてゐる土地は五千四百八十一町歩で內個人名義のものは二十三口六百九十三町歩法人名義のものは十口で四千七百八十八町歩である。

在神戸メキシコ領事

旅券査證開始

メキシコ行旅券査證は從來横濱のみで行はれて居つたのであるが十月一日より在神戸墨西哥名譽領事に於ても左記に依り取扱開始せらるゝに至つた。

記

一、公館所在地　神戸市海岸通五番大阪商船ビル內

一、執務時間　午前九時より十二時まで　午後二時より四時まで

一、査證の種類査證料　公用（無料）一般　二圓八十九錢（三ペソ）　通過　二圓八十九錢（三ペソ）

一、査證有効期間　二ケ年

一、本人出頭の要否　要す　代理又は郵便によるを許さず

一、査證請求書の要否　無し

一、提出書類

（イ）移民、非移民共に警察署長の發給したる品行證明書（西語譯文添付）を要す　認證料　九十六錢（一ペソ）

（ロ）妻を同伴する場合及妻呼寄渡航の場合には移民非移民の別なく各自婚姻證明書（西語譯文添付）を要す　認證料　九圓四十三錢（十ペソ）

（ハ）二十一歳未滿の渡航者は父母又は戶主の渡航承諾書（承諾者の印鑑證明書添付）を要す　認證料　九圓四十三錢（十ペソ）

（ニ）補證證明書　認證料　一圓九十三錢（二ペソ）

（ホ）寫眞　正面及側面各々五枚

一、査證を受くるに要する日時　直時與へらる　以上

信州記事

本縣二回米作豫想

約百五十萬石

本縣第二回米作豫想は第一回豫想に比して二分九厘、四萬四千百五十石減の百四十九萬八千三十七石で前年實收に比して八分四厘、十一萬五千六百二十一石增、前五ケ年平均に比して八分、十一萬九百十二石增の豫想である、第一回豫想に比すれば一厘增を豫想される西筑摩郡の外はいづれも減收を豫想されてゐるが第一回豫想後に至り雨天が續き冷氣襲來した結果稻の成熟を害し結實不十分のためである郡市別收獲豫想並に第一回豫想との比較增減左の如し（△印は減）

郡市	第二回豫想高	比較增減
南佐久	八九、五六七	△・〇一四
北佐久	一三一、四六四	△・〇二七
小縣	一四三、一八一	△・〇三六
諏訪	一三一、五〇五	△・〇三一
上伊那	一五七、二三三	△・〇四〇
下伊那	一一〇、二九九	△・〇二〇
西筑摩	三〇、〇六〇	・〇〇一
東筑摩	一三七、九九二	△・〇〇三
南安曇	九六、四八九	△・〇六四
北安曇	七八、〇六四	△・〇五〇
更級	八五、四四三	△・〇三三
埴科	二七、二五一	△・〇二七
上高井	三五、三七八	△・〇一四
下高井	七三、八七〇	△・〇二七
上水內	九六、三一五	△・〇三三
下水內	四三、八二九	△・〇六一
長野	二四、七一二	△・〇一五
松本	八、三〇五	△・〇五〇
上田	七、〇八四	
合計	一、四九八、〇三七	△・〇二九

明年度豫算は

總額九百七十二萬圓

縣六年度歳入出豫算案總額は九百七十二

母國通信日誌　自十月十六日　至十月卅日

十月十六日（木） 農民の作つた白米一升十五錢、政府の作る煙草一個の値▲海軍航空機擴張案米國の三分一を目標に立案▲早慶野球入場券分配で早大騒ぐ▲二部學級擴張の師範教育改善案成る

十七日（金） 失業の怨みに放火し資主家六名殺の犯人東京府下に現はる▲農、漁村失業救濟資金地方からの要求二億二百萬圓に達す▲北陸地方激震あり▲早大騒動益々紛糾す▲司法省植民地の法統一準備に乘出す

十八日（土） 農林當局米穀法の手前資金の許す限り米の大量買上斷行をなす由▲關東聯合教育大會けふから長野で開かる▲海軍大演習第二期の本舞台に入る

十九日（日） 歳出豫算査定大体終る、既定經費節約額約一億三千萬圓▲明年度の歳入減一億四千余萬圓、藏相財源漁りに頭痛鉢巻▲電信電話會計法案は來期議會に提出と決定

二十日（月） 米穀委員會外米輸入制限と米關税引上可決▲鮮米移入統制に一千萬圓融通案朝鮮總督府の立案に大藏省大体賛成▲除隊兵

萬圓で前年當初豫算一千卅萬圓に比すると五十八萬圓の減少である、これは縣民の財政狀態を考慮し出來得る限り負擔の輕減を計り新規事業としては綠肥根瘤菌を培養し果樹、苗圃、養豚獎勵費、綠肥獎勵費、養魚獎勵費、機業獎勵費、種鷄場建築費、天柞蠶試驗費等の多角形的農業增長に伴なふ勸業關係費の外松本中學校移轉改築費、方面委員諸費の總額を十一萬三千圓計上したのみで歳入の減税額は家屋税の八萬八千圓（五分減）演劇興行費の一割減、荷積牛馬車税の一割見當の外縣税自然減三十一萬圓を豫想し辻つまを合せたものである。

農家一戸の收入減

昨年に比し四百圓

縣發表の今年の縣下生産物收入高は繭價米價をはじめその他農産物價格の慘落により總て豐作なるにも拘らず收入は著しく減少し昨年に比し六千三百九十六萬圓といふ激減を示してゐる、繭の收入が四千七百七十萬圓、米收入が千五百七十萬圓、麥その他の收入が五十六萬圓を減じ農家一戸當りは昨年に比して四百圓からの收入減となつてゐる

孝子と教育功勞者

勅語發布記念日に表彰さる

本縣では教育勅語發布四十周年記念日に文部大臣より表彰された孝子諏訪郡平野村武居こと、下高井郡平野村武田みと兩女及び左記四十五名の教育功勞者に對する表彰式を三十日午前十時から縣廳正廳において擧行した、まず兩孝女に對し鈴木知事より表彰狀を、階川學務部長より記念品目錄を傳達し、引續き教育功勞者に表彰狀並に記念品目錄を授與し知事の告示、片山師範學校長の祝辭、被表彰者代表伊那町小學校原才次郎氏の答辭あつて十一時式を終つた。

孝子武田みとさんは嫁して翌年天善之亟の家出に逢ひ、みと女は嬰見を抱いて頑固な舅善右衛門に孝養を盡くし苦心努力の末漸く看護婦となつて生計を立てるに至つたが明治三十三年同村に赤痢流行す

に職を與へよと四、十六師團ラヂオで求人放送▲失業救濟には止むを得ぬと政府、非募債途に破棄か

二十一日（火） 鬪爭本願の勞農黨相手に事を欠いて内輪で鬪爭開始▲政府の復案に議會側憤慨▲日本結核豫防總會前橋で開かる▲目白の日本女大生總會大學の計畫放棄議長に憤慨し同盟休校▲全國的豪雨で各地電話の故障多し▲海軍特別大演習休戰令下り各艦艇神戸へ向ふ

二十二日（水） 地租全額の一割減税論民政黨内に高まる▲御召艦神戸に入港し大觀艦式の幕開かる

二十三日（木） 日本郵船の大整理、船員三百名解雇▲小橋前文相に對し懲役一ケ年求刑の石鄉岡檢事大論告▲とこ一ヶ年に消滅の工場實に二千八百と社會局發表

二十四日（金） 人件費一割を天引し各省の賞與は皆無と政府節約斷行を決意▲大藏省の查定案純粹の新規承認額僅かに一千萬圓▲早大生固く結束しけふ完全に盟休

▲**二十五日（土）** 女子大解決けふ授業開始▲全國實業補習教育大會けふ水戸で開かる▲濱口内閣の一善政機密費三割減▲關東モス爭議又爆發檢束者百六十名に及ぶ▲關東

るやみづからは傳染病舍につとめ中途最愛の一子の死別に逢ふも勤務を棄ず、後年家出の夫の病のために歸宅してもその死に至るまで看護の手を盡くし、次いで舅の中風の床に臥したのを益々志を勵ましてその歿するまでいさゝかもけん怠の色を見せなかつた。

武井ことさんは武井家に嫁して以來リウマチスで體の自由を失つた姑に仕へる外病身の義弟の世話等を一身に引受けてよく夫を助けたが、夫佐藏が更に病床に臥すに及んでは全くの獨力を以ていよ〳〵家業に勵んだのである。

教育功勞者

女子專門囑託北村毅太郎、諏訪中學囑託樋口留司、同囑託鵜飼順彌、長野高女教中野文治郎、長野商業囑託金井義司、上田高女囑託矢島盈、長野商業囑託宮入龜太郎、更級農學教心前澤友治郎、長野實科高女囑託帶刀倉三郎、松本二中囑託河野齡藏、松本高女囑託津嶋壹城、下伊那農囑託熊谷春次郎、北佐久中津訓船田辰三郎、小縣青木代若林若次郎、北佐久伍賀訓下井爲三郎、小縣郡傍陽小學訓小池蔦之助、小縣郡丸子小學訓武井儀三郎、上田市上田小學代出野晉吉、同訓成田喜太郎、更級郡稻荷山小學代池田市治、同下氷飽小學訓小山儀作、埴科郡坂城小學宮原山治郎、上高井郡高井小學訓橋本與三郎、同須坂小學代丸山伊左衛門、下伊那郡喬木第一實補助教松岡吉太郎、北佐久郡伍賀小學代谷津哲藏、北佐久郡横島小學訓小林利道、更級郡通明小學訓宮坂直三、更級郡村上小學代高井彥四郎、上高井郡須坂小學代小林卓、上水七二會訓竹前喜三郎、長野古牧代矢澤連大、同實補囑託木下金吾、北安七貴代堀內惠喜十東筑生坂訓村上義彰、同宗賀馴松田哲彌西筑黑澤訓湯川正雄、松本訓間中針之助上伊那富訓長田小太郎、同伊那長原才三郎、同飯島訓酒井伊之吉同中澤訓北原千代松下伊生東訓大澤莊一郎、同伍和訓富永熊太郎、諏訪原小學訓五味永次郎

純情を青年に捧げた

表彰者の略歴と治績

縣下の青年教育功勞者として十一月三日

地方に地震▲海軍補充計畫査定案總額三億四千六百萬圓と藏相よりの提示に軍令部長大演習の結果に鑑み同意なり難しと云ふ

二十六日（日） 大元帥陛下の御親閲にけふ海國日本の武威輝く神戸港頭の大觀艦式艦艇百六十四隻、銀翼七十余機、光榮の諸士四萬五千拜觀者百萬突破▲福岡飯塚炭坑女坑夫五百名整理▲台灣霧社蕃人の暴動

二十七日（日） 早大當局の長々しき聲明書出づ、學園さながら爭鬪圖の如し▲聖上陛下御機嫌麗しく還幸あらせらる▲濱口首相の實物放送全世界に向け平和宣揚を高唱▲カナダ實業視察團三十六名來朝

二十八日（火） 正貨現送既に三億台に迫る▲海軍大演習の結果六割守勢の作戰は勝目なしと判明▲故伊藤博文公の銅像萩の公園宅地跡に完成

二十九日（水） 政府漸々煙草の値下げか▲六大學リーグ戰に法政覇權を握る▲勞働組合法は徒らに鬪爭を助長するものと實業團体聯合協議

三十日（木） 教育勅語發布滿四十年記念日▲台灣霧社蠻人蜂起事件發見死体八十四に上る▲雜穀類米に劣らず下落▲台灣軍司令部蕃に兇蠻討伐令を發し戰時行動開始▲英國經濟

表彰の榮譽に浴せる人々の治績は左の如くである

▲長野市大門町庶民組合長
宮下友雄氏(五五)
早大出身者で長野市青年團創立に盡力し今なほ青年の敎育指導に獻身的努力を拂つてゐる

▲埴科郡東春近村
野溝傳一郎氏(五四)
早大卒業後專ら青年の指導に盡し現在は朝鮮に土地を有し勞役によつて青年を訓練してゐる

▲下伊那郡松尾村
大澤茂尾氏(四九)
同村實業補習學校女敎諭として育英に携り一方青年團幹部として青年のため努力してゐる

▲上水内郡安茂里村縣屬
赤尾武芳氏(三四)
現役を終つて鄕里に歸るや同郡書記となり續いて縣屬となつて勤務する傍ら青年訓練のために非常な努力と誠實さを示しパンフレットその他を出版して敎養につとめるなど功勞少なくなく豫備軍曹に昇進した程である

▲上伊那郡飯田町
中原謹司氏(四二)
陸軍中尉で現在は大衆新聞主筆の劇職にあるも青年指導のため日夜風紀の改善思想の善導に少からぬ努力を拂つてゐる

本縣米穀貯藏施設
民間倉庫借受指定收容

縣の米價對策として米穀貯藏施設要項は成案を得たので五日關係方面へ通牒を發したが百八十萬石の米穀に對し現在卅六の農業倉庫では五十萬石の收容力しかないので百三十萬石は各郡市町村の信用組合または販賣組合等に民間倉庫を借受けしめこれを指定收容するものである、これに要する資金は信用組合聯合會より日步一錢六厘五毛で借入れ組合はまた實費として一厘五毛を徴するもので貸付期は來年五月末日までゝ貸付金額は時價の八掛以內で入庫米穀を擔保として貸付を行ふもので要項は左の如し

使節の一行二十一名入京
三十一日(金) 外務省空前の人事異動▲思ひがけぬ初雪に各地驚く▲小作爭議昨年より百八十件增加▲政友農村議員より地租徴收獨建の勅令發布を請願▲支那の呼稱中華民國とけふ閣議決定▲賃銀一割減の實施から倉敷紡績女工六百名總罷業
十一月一日(土) 全國農會長大會青山會館に開かる▲けふ明治神宮十年祭菊花薫る神宮を中心に帝都を擧げて奉祝▲北海道稚內の目拔二百戸燒失▲島德藏氏を回る疑獄五氏有罪を決定す▲故山縣元帥の銅像完成しけふ除幕式擧行
二日(日) 青年團令旨奉戴十周年記念式典日比谷公會堂に行はる 全國農會長代表新米至急買上を農相に迫る▲國立公園法案決定し候補地選定開始さる
三日(月) 明治節の佳き日に當り聖上陛下には昭和日本の青年代表三萬五千人御親閲遊ばさる▲帝國發明協會へ畏くも下賜金の御沙汰
▲能代町五十三戸燒く
四日(火) けふ明治神宮祭納めの日、地方神事舞踊の奉納られし▲全國聯合女子青年團大會開かる▲新年歌御會の勅題「社頭雪」と仰出さる▲說敎强盜第一世の公判檢事無期を求

一、米穀の保管は農業倉庫並に組合の指定する倉庫とす
一、擔保物の保管は組合長の認めたるものをしてこれに當らしめるものとす
一、擔保物はなるべく共同調製共同販賣をなす事
一、貸付を受けんとするものは產業組合に加入する事

正に產業組合時代
今年に入つて以來著しい發展

本縣における產業組合網は略完成の域に達せんとして居るが特に今年に入つて以來の發展は正に產業組合時代を思はせる今年一月より九月末までの經過を見るに組合員數四千三百十九人增の二十四萬三千六百人、出資總額六十六萬增の二千四百五十萬圓、拂込濟出資八萬增の千八百八十萬圓で、これは組合新設によるものであるが積立金の四十八萬增四百八十七萬圓は基礎のかたさを示し資金需要國の名に背かず借入金二百四十萬增二千二百四十萬圓、貸付金三百五十萬圓增、五千八百六十萬圓の巨額に達した

しかして新設組合は十五、部落單位組合の解散は六で差引九組合增の五百二組合となつたが注目すべきは新設組合中未設置町村における新設を除く他はいづれも現下の經濟界に直面し如何にして難局打開をなすかについて考究の結果生れ出でたものでその內譯は

消費組合一、農業倉庫二、水道利用組合一、木工組合二、凍豆腐組合一、組合製糸二その他

等で更に縣の奬勵に基き定款を變更し從來の信用購買組合に販賣利用の二種を加へ、いはゆる四種事業兼營に改めたものが十三組合に達してゐる

表彰された南佐久農蠶校
生徒の賣上金で近く講堂新築

南佐久郡組合立南佐久農蠶學校は三日の明治節に當り優良實業學校としの文部大臣より表彰されたが同校の全國的に比類ない點は生徒の收獲物賣上を特別會計として新規事業の經費に充てて居ることで

刑▲秋山好古大將逝去▲勞働總同盟會長鈴木文治氏辭任申出
五日(水) 海軍補充計劃で藏相、海相再懇談し海軍側譲步の色動く▲ロックフェラー財團日本公衆衛生施設費へ寄附申込み▲東京市電空前の大整理人員と賞與手當の減▲女子大學の紛擾再燃し事態深刻化す▲新米の買上げに當局立案を急ぐ
六日(木) 北陸線親不知の難所に急行列車轉落死傷廿余名▲郵船白山丸神戸港外で英船と衝突し大破▲英國經濟使節一行けふ參內▲ハワイ縣議に日系市民當選の報到る
七日(金) 皇太后陛下慈惠院に行啓遊ばさる▲本年度義務敎育費國庫支出金二千四百九十一萬圓の割當決る▲自由通商協會日本聯盟で國產愛用の反對聲明▲ソヴエト大使館新築落成披露會▲日本郵船無配當と決る
八日(土) 當局の誠意徹せざるか、學生の蒙啓き難きか、早大の形勢益々險惡▲皇后宮めでたく御內着帶の御儀行はせらる▲シャム皇兄殿下御來朝▲本多靜六博士埼玉縣育英事業資金に山林五千余町步寄附申出▲東洋、合同紡績突如合併を發表
九日(日) 早大騷動に中野遞信次官調停に乘出す▲淺野總一郎翁逝去▲北信八州政友大會

二十間に五間半の校舍はこれが蓄積によるもので更に二年後には現在蓄積中の八千圓に二千圓を加へて講堂新築の計畫がある現在同地方に於ける農業技術員は大部分同校出身者で學校との聯絡狀態のよいことは他に例を見ないところである現在は生徒數約四百名、校長は北原俵衛氏である

菊薫る日比谷原頭に
優良青年團表彰

十一月二日東京市日比谷公會堂に秩父雨宮樣の台臨を仰いであげた青年團令旨奉戴十周年記念會を賀ぐ日、三千餘名の羅列中、表彰されし全國青年團中光榮ある本縣の青年團は次の通り

松尾村青年團(下伊那郡)伊那富村青年團(上伊那郡)川路村青年團(下伊那郡)松尾村女子青年團(下伊那郡)

御牧ケ原開墾計畫
一般農家の標準とする

本縣では明年度豫算に四萬圓を計上していよ／＼北佐久郡下御牧ケ原開墾を實施することに決したが右開墾事業は從來の食糧問題解決策としての開墾でなく高原地における多角形農業經營の指導的施設とせんとするものである開墾面積は二十町步でうち十町步は地元川邊村の寄付、十町步は縣費購入の形式によるものであるが本開墾計畫の槪要は次の通りである

一、これを縣立農事講習所の實習農場として講習生二十人を五戸に區分し一戸二町步を割當てゝ明年には十町步の經營を進める
一、右二町步の單位耕地は水田四畑六の割合に編成し畑には普通畑作物の殆んど全部を編羅すること
一、有畜農業の實敎的效果を明らかにするため家畜は馬、牛、豚、家兎、養鶏山羊其の他有効家畜全部に及ぶと

而して從來の指導施設は負債關係を全く渡却せるものであるが本經營に於ては更に二萬圓の借入金を實際に計上し實收入を以て償還することゝなし一般農家の經營に照應し得る合理的な指導機關たらしめんとするものである

松本で開く
十日(月) 全國製糸所に皇太后宮廿四萬圓御下賜▲上旬貿易出超千百三十四萬圓
十一日(火) 豫算閣議に於て明年豫算十四億四千萬圓承認さる▲第二回米作豫想高六千五百廿五萬石一回より二十三萬石減▲內外使臣八千名を召され聖上陛下觀菊御會の催し
十二日(水) 陸軍大演習統裁に大元帥陛下東京御發輦御餞の野に向はせ給ふ▲形式問題を殘し早大紛擾漸く解決す
十三日(木) 小樽の大吹雪船の出入不可能▲中等敎科書の定價來年から五分下げと決る▲スキーヤー早くも妙高山麓に集まる
十四日(金) 濱口首相東京驛頭に於て怪漢に狙撃され重傷を負ふ、犯人直ちに逮捕さる▲特別大演習けふから三個の山野に展開
十五日(土) 首相の病狀經過よし▲三菱長崎造船所千八百名解雇▲幣原外相けふ首相臨時代理となる▲ジュネーヴの軍縮委員會遂に一艇の小銃をも制限せず

歌壇 都合に依り本號休載

外の海 人事相談

本欄は求人、就職、婚姻等個人的の人事に關する相談に應じ紹介、斡旋の勞をとる。御相談に關して係りで負擔出來ざる費用は實費を頂戴す。(係)

求緣

求妻 當方小縣郡西部の某村に生れ、三十四才、大正十二年ヒリッピンに渡航し麻栽培從事中、先方身体强健、意志健固眞面目なる婦人たる事(姓名在社)

求妻 當方本縣北佐久郡、二十二才、某公民學校卒業後自家農事に從事中アリアンサ移住地に請負耕作として入植準備中先方身体强健、意思堅實品行方正なる婦人たること(姓名在社)

嫁度 當方住所本縣更級郡、某實科高等女學校卒業、年齡二十四歲、小學校敎員免許狀有、目下某實業補習學校助敎諭勤務、先方意思堅實相應なる資金を準備せる三十五歲迄の青年にして身体强壯、系統正しき、中等敎育ある確實の海外發展者たる事(姓名在社)

求妻 當方本縣南安曇郡出身にして、十年前にヒリッピンに渡航し、大會社の監督、三十三歲、月收三百圓他資金數千在先方身体强健、常識ある南信地方の婦人たる事(姓名在社)

求妻 當方本籍本縣下高井郡、飯山中學卒業十年前にアルゼンチン、ブイノスアイレス市に渡航し、商業に從事中、資產數萬圓在、店員五名使用、年三十四歲、先方高等女學校卒業、思想正しく容姿十人並、身体强壯血統正しき人(姓名在社)

嫁度 當方住所本縣諏訪郡、某高等女學校三年修業家事都合上退學、爾後某病院に事務員として勤務、先方身体强健意思堅固、十分なる渡航資金を以て伯國に渡航する系統正しき青年たる事、可成五年位伯國にて奮鬪せし人を望む(姓名在社)

嫁度 當方本縣小縣郡、實業補習學校卒業後自家農業從事中、年齡二十八歲、先方本縣人にして堅實なる青年にして、近隣に嫌忌せられざる家庭に生れたる男子たる事(姓名在社)

嫁度 當方本縣北佐久郡、小學校卒業後補習學校に學び、目下上田市某醫院に看護婦として勤務、年齡二十六歲の處女身体健、先方志操堅實、有爲の青年たる事(姓名在社)

嫁度 當方南安曇郡、明治四十四年生、村立高等小學校、實業補習學校卒業後自家農業に從事中、先方思想堅實身体强健相當なる家庭に成長したる青年にして三十才迄の人たる事(姓名在社)

嫁度 當方本縣南佐久郡、勞働に耐得る二十八歲、二十五歲、二十歲の娘三人あり、堅實なる男子に嫁せしめたし可成は父親見屆の爲渡航致度に付旅費支辨願度

協會組合記事

ありあんさ擴張具体 計劃成り早くも 土地購入申込者殺倒

信濃海外移住組合の新事業として、本誌第百號既報のありあんさ移住地擴張計劃は愈々具体化して左記趣意書の發表を見ると共に第一回募集に着手したる所現下の我國情と世界の大勢に照らし極めて機宜に適したる所爲ありとして早くも左記有識者の賛同を得るに至つた。

ありあんさ移住地 擴張計劃

日本民族は常に建國の鴻宗の開拓的精神を遵奉し其移植民的努力を繼承し之れを子孫に傳ふると共に世界の文化と共開發に貢獻すべきの責任を有す、信濃海外協會は創立以來微力を此點に傾注して今日に至れり、南米ありあんさ移住地は大正十二年五月以來の計劃に係り縣下有力者百餘名の賛成の下に拾六萬圓の寄附金を得てブラジル共和國內に其建設をなせり、大正十四年着手以來 一、七五〇町歩の土地處分を完了し四〇〇家族 一、〇〇〇餘名の自作並請負耕作者の入植をなせり、今や其經營は着々進捗し鳥取、富山、熊本等の諸縣移住地を促進し又本會の建議による海外移住組合法は昭和三年より實施せらるるに至れり。

爾來各府縣に續々海外移住組合の設立を見其數二十に垂んとする盛況となれり本會は玆に於て信濃海外移住組合を設立して、ありあんさ移住地經營を乘り替へ以來大體これが完成に近づけり、今後益々自作農の移住を講じ別に我國民の海外に土地を所有して農業經營をなし內は國富の增進と農村問題、勞資問題等の解決に參畫し外は國威の發揚と民族の海外發展とを助成せんとする者の爲に海外土地を購入して其經營をなし大自然の開拓と世界文化の進展に貢獻せんとする本邦有爲青年男女の海外移住の便を計らむとす。

今や農村の破綻、經濟國難、思想國難等時局に直面し憂慮に堪へず玆に於て官民一致協力毎年三千町歩五ケ年 一五、〇〇〇町歩移住地擴張事業を遂行せんとす。

移住地擴張要項

一、擴張面積 は今後五ケ年間に 一五、〇〇〇町歩とし中、地主一〇、〇〇〇町歩自作農五、〇〇〇町歩とす。

二、移住地 は舊ありあんさの完成と共に更に道路移住者宿泊所、小學校、病院等必要なる設備をなす事。

三、地主の出資方法は 四、〇〇〇口とし一口當り六〇〇圓とす。

四、一口に付土地 二町五段歩當りの經營をなすこと。

五、一口拂込方法

(イ)、六ケ年賦とし毎年一〇〇圓宛拂込むもの。

(ロ)、第一年度始めに二〇〇圓拂込み以後三ケ年間毎年度始めに一〇〇圓宛計五〇〇圓拂込むもの。

(ハ)、毎月九圓宛六ケ年間拂込むもの

(ニ)、土地のみ購入するものは二町五段歩當り二〇〇圓を拂込むこと。

六、各人の所有する出資口數 は五〇口とす。

一口を共同出資する場合又は五〇口以上の場合は組合に於て其申込みの都度これを審査の上諾否を定む。

七、移住地の經營 は其地形により一地區當り十口分二十五町歩乃至八〇口分二〇〇町歩位迄の間に於て分轄して一農園として經營す。

八、移住地の地區農園 は主作物を珈琲とす、養蠶、果樹、米作、其他は副作物とす、主作たる珈琲は一口當り七〇〇株內外とす。

九、移住地の地區 は二十五町歩當り珈琲園凡十町歩內外とす。

其他の土地は雜作地五町歩、牧場二町五段歩以內とし、殘餘の土地は原始林の儘存置す。

一〇、移住地 は二十五町歩即ち十口宛に付一家族の入植を標準とす。

一一、入植家族 はなるべく其出資者の關係深き市町村より推薦を得て採用し縣下四〇〇家族を入植せしむる方針なり

一二、移住地區に付て は十口宛以上に付道路、井、入植者住宅、倉庫、乾燥場其他必要なる施設をなす。

一三、出資者及移住者 は本縣關係の者を主とするも他府縣の者及海外在留者をも採用するものとす。

一四、入植者及貸付金

1、自作者

(イ) 五十歳未滿の夫婦を中心として十二歳以上の者三人以上を有し二千圓位の資金を有する家族

(ロ) 十八歳以上の男子の兄弟、從兄弟等三人で二千圓位の資金を有する者。

(ハ) 五十歳未滿の夫婦者か、十八歳以上の兄弟か從兄弟か叔父と甥等の二人以上の者かで千五百圓位の資金を有する者を採用しよく働く夫婦は千圓位あれば採用します自作者は二十五町歩以上の地主となり、六ケ年後には資産は二萬圓位出來て爾後毎年三四千圓の收入が得られます。

(2) 六ケ年請負耕作者

(イ) 五十歳未滿の夫婦を中心とする十二歳以上の者三、四人以上ある家族ならば資金 一、三百圓內外出來る者

(ロ) 十八歳以上の獨身青年の三人で千五百圓位出來る者。

(1)、(2)の條件に叶ふ者には政府や組合から五百圓以上千五百圓位までの資金を貸與します。

六ケ年請負耕作者は契約完了迄生活して三四千圓より六七千圓位の貯金をなす事が出來ます。

(3)、自由勞働者 本組合では右の外自由勞働者、雇傭者等も多く募集します。資金は三百圓位あれば獨身者でも、夫婦者でもよろしい。

一五、補助金 ありあんさの本組合移住地へ入植する者は汽車賃は半額になり神戸では國立收容所で十日位無料で宿泊

する事が出來又一人について十二歳以上二〇〇圓、七歳から十二歳迄一〇〇圓、三歳から七歳迄五〇圓の補助金が交附される。

一六、地主側の收支狀況（二十五町歩當りの計算を示す）

支出の部

土地代（二十五町歩）	二、〇〇〇圓
土地代六ケ年の利子	一、五四三圓
山伐十五町歩代（一町歩五十圓）	七五〇圓
組合への管理料	九〇〇圓
經營諸雜費	四〇〇圓
入植者補助費	四〇七圓
合　計	六、〇〇〇圓

收入の部

右珈琲園賣却代（一株一圓七十五錢の評價）	一七、五〇〇圓
收入支出差引利益金	一一、五〇〇圓

備考　一口所有の場合は總て本表の十分の一とす。

而して之を賣却せず七年目より收穫折半にて小作に渡す年收量、未精選珈琲約七百俵の二分の一たる三百五十俵が地主の收入となり、かりに、俵當り七圓の相場とすれば二千四百五十圓となる、之より袋代其他の雜費を四百五十圓と概算するも二千圓の純利益となり、此收益は資金に對し三割四分弱の金利配當にあたる、勿論七年目には小作住宅其他の設備を要するも千圓內外にて足るべく、そは固定資本に屬しそれだけ農場の價値を增すもので損失ではない、尙かかる生産旺盛な手入れよき珈琲園に在りては小作との折半條件は小作にとり極めて有利なるを以て善良家族の募集容易且つは又地主の負擔となるべき性質のものでも此條件ならんには多少のことは問題とせず小作側に於て支辨を厭はざる事と思ふ。

經營完成後の狀況

創始十ケ年には財産時價八〇〇萬圓を下らざるべく入植家族四〇〇戶、二、〇〇〇人となりその貯金額二四〇萬圓を下らざるべし斯くて年々本縣への送金は小作料一〇〇萬圓以上に達し、新たに此移住地より獨立する自作農は一〇〇家族となり新渡航者も亦一〇〇家族以上となるべし。

此れを要するに創始十ケ年後には本縣に於て八〇〇萬圓の財産と、二四〇萬圓の貯金と、四〇〇戶以上の獨立自作耕作者を養成し得べく、一〇〇萬圓以上の本縣送金の海外小作料を得て大いに文化の向上と農村問題解決の鍵となるべし。

申込者

上伊那郡赤穗村	福澤泰江	二口申込
同	鹽澤晋作	二口申込
同	福澤貞七郎	二口申込
同	井ノ口政雄	二口申込
同	片倉松心	二口申込
同	倉田一宏	二口申込
同	中坪政衛	一口申込
同	北村彌門	一口申込
同	小池文吉	一口申込
同	池上新十	一口申込
同	新井榮次郎	一口申込
同	原啓之介親權者 原東雄	一口申込
同	赤穗青年會理事長 森田照夫	一口申込
同	中城數吉	一口申込
計	二〇口	五十町歩

市町村設立の 海外視察組合（續）

豊科町海外視察組合は左記各位の賛同を得て組織せられ貯金は長野貯蓄豊科信州銀行代理店へ積立の事になつた。

組合長　三原儀十郎	
山田與惠	藤森綠
三原清一	笠原武雄
重野重一	太田爲義
丸山賀長	笠井淸治
笠原好一	

會費領收

自十一月十五日 至十二月十四日

一金貳圓　普通會員費

松本豊榮殿	木下安治郎殿
五十嵐直三郎殿	吉瀨政義殿
金兒源吉殿	一ケ瀨幸雄殿
八木泰助殿	小林恒吉殿

一金貳拾圓也
下水內郡外様村視察組合殿

一金貳拾六圓也
上水內郡若槻村視察組合殿

一金六拾九圓拾參錢也
伯國　レヂストロ支部殿

會員消息

會員（海軍少將）鹽澤幸一氏は今回第一遣外艦隊司令官に補せらる。

會員（長野師範敎頭）土屋弼太郎氏、松本第二中學校長に榮轉、十一日赴任せらる。

會員（在墨十二年新歸朝）上高井郡綿內村出身玉川晋作氏は今回、會員長野市古牧中澤うめの孃と結婚せられ十二月二日橫濱出帆墨洋丸にて再渡墨。

編輯室より

○本年九月號から本誌編輯事務に携はる事になりまして以來、駑馬に鞭打つて最善の努力を傾注してゐるものでありますが、新たなる發行を見る毎に忸怩たらざるを得ないのであります、羈套依然たる裡に本年掉尾の編輯を終る事になつて了ひました、來るべき新年號から更始一新したいものであります、各位の御援助を切にお願ひ致します。

○冬空に屹然たる日本アルプス連峰は、雲漸く深く、高原特有の木枯しが吹き荒ぶやうになつて參りました、常夏の南國は一入偲ばれます、霜枯れの農村は益々不況深刻となり、失業者は街頭に溢れ、金融界は逼迫其度を加へ今や國を擧げて脚下に滅亡の谷底を俯瞰しつつ絶壁上に喘ぎ戰いてゐる狀態であります、救世、濟民はただ海外發展の一路あるのみである。

○歳末に當り御寄稿家諸賢の御厚意を深く感謝すると共に益々御清穆をお祈り致します、親愛なる會員の皆樣、元氣で新年を迎へませう、そして新らしい飛躍へ進みませう。

芳水生

信濃海外協會規約抄錄

一、本會ハ信濃海外協會ト稱シ本部ヲ長野市ニ支部ヲ必要ニ應シ内外各地ニ置ク

二、本會ハ縣民ノ縣外發展ニ關スル諸般ノ事項ヲ調査研究シ其ノ發展ニ資スルヲ以テ目的トス

三、本會ハ前條ノ目的ヲ達スル爲必要ニ應シ左ノ事業ヲ行フ

イ、縣民縣外發展ノ方法ニ關スル立案

ロ、發展地ニ就キ調査ヲナシ其ノ結果ヲ紹介

ハ、在外縣民ト聯絡ヲ計リ指導後援

ニ、海外投資ノ研究ヲナシ之ヲ發表

ホ、海外發展ニ必要ナル人材ヲ養成

ヘ、機關誌「海の外」ヲ發行シ隨時講演會ヲ各地ニ開ク

ト、海外發展ニ關シ各種參考品及統計ノ蒐集

チ、前各項ノ目的ヲ遂行スル爲臨機本會ノ代表者等ヲ内外樞要ノ地ニ派出スル事

リ、會員ニハ「海の外」毎月寄贈ス

ヌ、其他本會ノ目的ヲ達スルト認ムル事項

四、本會ノ會員ハ左ノ四種トス

イ、名譽會員ハ代議員會ノ決議ヲ經テ總裁之ヲ推薦ス

ロ、特別會員ハ一時金百圓以上ヲ醵出スル者

ハ、維持會員ハ會費年額金拾圓ヲ十ケ年間醵出スル者

ニ、普通會員ハ年額金貳圓ヲ十ケ年間又ハ一時金十六圓以上ヲ醵出スル者

五、本會現在役員

總裁　鈴木信太郎

副總裁　山本莊一郎　佐藤寅太郎

顧問　小川平吉　今井五介　原嘉道　伊澤多喜男　岡田忠彥　本間利雄　梅谷光貞　高橋守雄　千葉了

相談役　石垣倉治　中里喜一　降旗元太郎　越壽三郎　小里頼永　片倉兼太郎　福澤泰江　小林暢　山岡萬之助　工藤善助　松本忠雄　植原悅二郎　山本愼平　菱川敬三

幹事長　階川良一

幹事　菅澤隆　西澤太一郎　永田稠　宮下琢磨　高野忠衞　輪湖俊午郎　北原地價造　宮尾學

海の外（月刊）
（一册廿錢）

定價表

	内地送料共	外國送料共
一册	廿錢	廿四錢
六ケ月	一圓十錢	一圓四十四錢
一ケ年	二圓廿錢	二圓八十八錢
五ケ年	拾圓	拾四圓

御注意

△御送金は振替（長野二一四〇番）に御願ひします。外國よりの御送金は銀行、郵便局いづれにても確實に送金されます。

△御轉居の節は早速新舊兩御住所を御通知下さい。

△本誌へ廣告掲載御希望の方は詳細相談申上げます。

昭和五年十二月一日發行

編輯人　永田稠

發行兼印刷人　西澤太一郎

印刷所　長野市南縣町　信濃每日新聞社

發行所　長野縣廳内　海の外社　振替口座　長野二一四〇番

海の外—THE UMINOSOTO
Published Monthly by the Uminosoto Sha. Nagano, Japan.

「海の外」第一〇二號（毎月一回一日發行）

○南米行……日本政府命令航路……日本出帆 速力 就航船
ブラジル間 四十三日
毎月一回横濱發（神戸經由）
各船 十七浬
一万噸型 りおでじやねいろ丸、ぶえのすあいれす丸、はわい丸
八千噸型 さんとす丸、らぷらた丸、もんてびでお丸

○南洋行（ジャバ ボルネオ）……日本政府命令航路……神戸出帆 就航船
爪哇間 十四日
毎月一回神戸發
五千噸型 すらばや丸、ばたびや丸

○南洋行（マニラ ダバオ）……自由定期航路……神戸出帆 就航船
ダバオ間 十二日
三週一回横濱發（神戸經由）
湖南丸、湖北丸、桃園丸

○北米行……自由定期航路……日本出帆 速力 就航船
シャトル間 十二日
二週一回横濱發
各船 十六浬
一万噸型 ありぞな丸、あらばま丸、あらびや丸、あふりか丸
八千噸型 ろんどん丸、ぱりい丸

大阪商船株式會社
大阪市北區宗是町

東京支店（東京市内幸町）
横濱支店（横濱市山下町）
神戸支店（神戸市海岸通）
門司支店（門司市港町）

（大正十一年四月廿六日第三種郵便物認可）（昭和五年十二月一日發行）
信濃海外協會 海の外社發行